Ken Follett, geboren 1949 in Cardiff, Wales, arbeitete nach dem
Studium zunächst als Zeitungsreporter. Mit dem Spionagethriller
Die Nadel (1979) schaffte er den Durchbruch als Schriftsteller.
Seinen größten Erfolg feierte er mit dem Weltbestseller *Die Säulen
der Erde* (1990), das bei der Wahl der Lieblingsbücher der Deutschen
2004 im ZDF den dritten Platz belegte und dem er 2008 mit
Die Tore der Welt eine lang ersehnte Fortsetzung folgen ließ.

Neben seinem Interesse für Geschichte engagiert sich Ken Follett
auch politisch; seine Frau Barbara gehörte als Labour-Abgeordnete
dem britischen Unterhaus an. Außerdem spielt er zum Vergnügen
Bass-Gitarre in einer Bluesband und setzt sich im Rahmen einer
Stiftung für die Leseförderung ein.

Ken Follett

Die Tore der Welt

Roman

Übersetzung aus dem Englischen
von Rainer Schumacher und Dietmar Schmidt

Mit Illustrationen von Jan Balaz

BASTEI
LÜBBE
TASCHENBUCH

BASTEI LÜBBE TASCHENBUCH
Band 16380

1. Auflage: Februar 2010
2. Auflage: März 2010
3. Auflage: Dezember 2010
4. Auflage: Januar 2011
5. Auflage: Dezember 2011
6. Auflage: August 2012

Vollständige Taschenbuchausgabe
der beim Gustav Lübbe Verlag erschienenen Schuberausgabe

Bastei Lübbe Taschenbuch und Gustav Lübbe Verlag
in der Bastei Lübbe GmbH & Co. KG

Titel der englischen Originalausgabe:
»WORLD WITHOUT END«
Für die Originalausgabe:
Copyright © Ken Follett 2007
Originalverlag: Macmillan, London/Dutton, New York
Für die deutschsprachige Ausgabe:
Copyright © 2008 by Bastei Lübbe GmbH & Co. KG, Köln

Textredaktion: Wolfgang Neuhaus und Helmut W. Pesch
Titelbild: © Garry Walton/Meiklejohn
Umschlaggestaltung: Kirstin Osenau
Autorenfoto: © Horst A. Friedrichs, London
Satz: Kremerdruck GmbH, Lindlar-Hartegasse
Gesetzt aus der ITC Berkeley Oldstyle
Druck und Verarbeitung: CPI – Ebner & Spiegel, Ulm
Printed in Germany
ISBN 978-3-404-16380-9

Sie finden uns im Internet unter
www.luebbe.de
Bitte beachten Sie auch www.lesejury.de

Der Preis dieses Bandes versteht sich einschließlich
der gesetzlichen Mehrwertsteuer.

Für Barbara

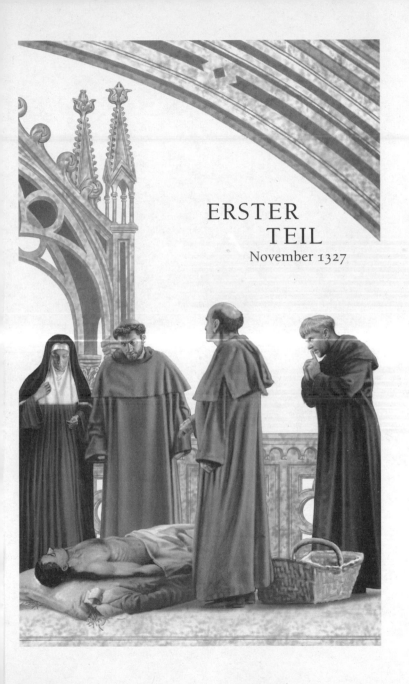

ERSTER
TEIL
November 1327

Gwenda war acht Jahre alt, aber sie fürchtete sich nicht vor der Dunkelheit.

Darum hatte sie auch keine Angst, als sie die Augen öffnete und ringsum alles finster war. Gwenda wusste, wo sie sich befand: in der Priorei von Kingsbridge, in dem langen Steingebäude, das alle »Hospital« nannten. Sie lag auf dem Boden, auf einem Lager aus Stroh. Neben ihr lag ihre Mutter; an dem warmen, milchigen Geruch erkannte Gwenda, dass sie gerade den Säugling stillte, der noch keinen Namen hatte. Neben Ma lag Pa, und neben dem wiederum lag Gwendas älterer Bruder, der zwölfjährige Philemon. In Wahrheit hieß er Holger, doch im Alter von zehn Jahren hatte er beschlossen, Mönch zu werden, und überall verkündet, er habe seinen Namen in Philemon geändert, weil das frommer klänge. Tatsächlich redeten die meisten Leute ihn nun mit Philemon an; nur Ma und Pa sagten immer noch Holger zu ihm.

Das Hospital war überfüllt, und obwohl Gwenda die anderen Familien nicht sehen konnte, die auf dem Boden lagen, dicht an dicht wie Schafe in einem Pferch, so roch sie doch den ranzigen Gestank ihrer warmen Leiber. Wenn der Tag anbrach, war Allerheiligen, ein Sonntag dieses Jahr und daher ein ganz besonderer Feiertag. Umso schrecklicher war die Nacht davor: Samhain, eine gefährliche Zeit, in der böse Geister ungehindert um die Häuser zogen. Deshalb waren Hunderte von Menschen aus den umliegenden Dörfern nach Kingsbridge gekommen – so wie Gwendas Familie –, um Samhain auf dem heiligen Boden der Priorei zu verbringen und bei Sonnenaufgang am Hochamt zu Allerheiligen teilzunehmen.

Gwenda war wachsam, denn wie jeder vernünftige Mensch hatte sie Angst vor bösen Geistern, doch mehr noch als böse Geister fürchtete sie, was sie während des Hochamts würde tun müssen.

Und so starrte sie in die Dunkelheit und versuchte, nicht an das zu denken, was ihr Angst machte. Sie wusste, dass sich an der Wand gegenüber ein Bogenfenster befand. Es gab kein Glas – nur die wichtigsten Gebäude hatten Glas –, aber ein Leinentuch hielt die kalte Herbstluft draußen. Trotzdem konnte Gwenda dort, wo das Fenster sein sollte, einen schwachen grauen Fleck erkennen. Sie war froh. Sie wollte den Morgen nicht kommen sehen.

Gwenda sah nichts, hörte jedoch umso mehr: Schnarchen und Husten und das Rascheln des Strohs, sobald jemand sich im Schlaf bewegte. Ein Kind schrie, als wäre es aus einem bösen Traum erwacht, verstummte jedoch nach ein paar raschen gemurmelten Koseworten. Dann und wann sprach jemand – unverständliche Halbworte, wie man sie im Schlaf von sich gibt. Von irgendwo kamen die Geräusche zweier Menschen, die das taten, was auch Gwendas Eltern taten, worüber sie aber nie redeten – das, was Gwenda »Grunzen« nannte, denn sie kannte kein anderes Wort dafür.

Viel zu schnell für Gwenda wurde es hell, doch es war bloß ein Mönch, der am Ostende des langen Raums, hinter dem Altar, mit einer Kerze in der Hand aus einer Tür kam. Er stellte die Kerze auf den Altar, zündete einen Wachsstock daran an und ging damit herum, um die Wandlampen zu entzünden. Dabei flackerte sein langer Schatten jedes Mal die Wand hinauf, und der Wachsstock traf sich mit einem Schattenwachsstock am Docht der Lampe.

Das zunehmende Licht fiel auf zusammengekauerte Gestalten auf dem Boden, in graubraune Mäntel gewickelt oder auf der Suche nach Wärme an ihre Nachbarn gedrängt. Kranke lagerten am Altar, weil sie dort am meisten von der Heiligkeit des Ortes profitieren konnten. Am gegenüber liegenden Ende führte eine Treppe in den oberen Stock hinauf, wo sich die Kammern für adelige Besucher befanden, in denen zurzeit der Graf von Shiring mit einem Teil seiner Familie wohnte.

Der Mönch beugte sich über Gwenda, um die Lampe über ihrem Kopf zu entzünden. Dabei schaute er ihr in die Augen und lächelte. Gwenda musterte sein Gesicht im flackernden Schein der Flamme und erkannte ihn als Bruder Godwyn. Er war jung und gut aussehend, und am vergangenen Abend hatte er freundlich mit Philemon gesprochen.

Neben Gwenda war eine andere Familie aus ihrem Dorf: Samuel, ein wohlhabender Bauer mit großem Landbesitz, sowie seine Frau und seine beiden Söhne. Der jüngere, Wulfric, war ein sechsjähriger Lausebengel, der es für das Lustigste auf der Welt hielt, mit Eicheln nach Mädchen zu werfen und dann schnell wegzurennen.

Gwendas Familie war arm. Ihr Vater besaß kein Land; er verdingte sich bei jedem als Arbeiter, der ihn bezahlen wollte. Im Sommer gab es immer Arbeit, doch nach der Ernte, wenn die kalte Jahreszeit begann, litt die Familie oft Hunger.

Deshalb musste Gwenda stehlen.

Sie stellte sich vor, wie es wäre, geschnappt zu werden: eine grobe Männerhand, die sie am Arm packte und unbarmherzig festhielt, während sie sich hilflos wand; eine tiefe, grausame Stimme, die sagte: »Sieh an, eine kleine Diebin«; dann die Pein und die Demütigung der Auspeitschung und schließlich, am allerschlimmsten, der Schmerz und das Entsetzen, wenn man ihr die Hand abhackte.

Gwendas Vater hatte diese Strafe bereits erdulden müssen. Sein linker Arm endete in einem hässlichen, verschrumpelten Stumpf. Zwar kam er mit einer Hand recht gut zurecht; er konnte mit der Schaufel arbeiten, ein Pferd satteln und sogar ein Netz knüpfen, um Vögel zu fangen. Trotzdem wurde er im Frühling stets als letzter Tagelöhner eingestellt und im Herbst als erster wieder entlassen. Und das Dorf verlassen und sich anderswo Arbeit suchen, das konnte er nicht, denn die fehlende Hand brandmarkte ihn als Dieb, sodass ihn niemand in Lohn und Brot nehmen würde. Wenn er unterwegs war, band er sich einen ausgestopften Handschuh an den Stumpf, damit ihm nicht gleich jeder Fremde aus dem Weg ging; doch die Menschen ließen sich nie lange von diesem Schwindel täuschen.

Gwenda hatte die Bestrafung ihres Vaters nicht mit eigenen Augen gesehen – da war sie noch nicht auf der Welt gewesen –, aber sie hatte es sich oft vorgestellt, und nun konnte sie nicht anders, als sich immer wieder auszumalen, wie ihr das gleiche Schicksal widerfuhr. Vor ihrem geistigen Auge sah sie bereits die Axt auf ihr Handgelenk niedersausen, sah, wie sie Fleisch und Knochen durchdrang und ihr die Hand vom Arm trennte, sodass sie nie wieder angenäht werden konnte. Sie musste die Zähne zusammenbeißen, um nicht laut zu schreien.

Die Leute standen auf, streckten sich, gähnten und rieben sich die Gesichter. Auch Gwenda erhob sich und schüttelte ihre Kleider aus. Alles, was sie am Leibe trug, hatte zuvor ihrem älteren Bruder gehört: das wollene Hemd, das ihr bis zu den Knien reichte, und der Kittel, der an der Hüfte mit einem Hanfseil zusammengebunden war. Ihre Schuhe hatten einst Schnürsenkel gehabt, doch die Löcher waren gerissen, die Senkel verschwunden, und so band Gwenda sich die Schuhe mit geflochtenem Stroh fest. Als sie schließlich ihr Haar unter eine Kappe aus Eichhörnchenschwänzen geschoben hatte, war sie fertig angezogen.

Gwenda schaute zu ihrem Vater; dieser deutete unauffällig zu einer Familie auf der anderen Seite, einem Paar mittleren Alters mit zwei Söhnen, nur wenig älter als Gwenda. Der Mann war klein und schmächtig, mit lockigem rotem Bart. Er schnallte sich ein Schwert um, was erkennen ließ, dass er Soldat oder Ritter war, denn gewöhnlichen Leuten war es nicht gestattet, Schwerter zu tragen. Sein Weib war eine dünne Frau, schroff und herrisch und mit mürrischem Gesicht. Während Gwenda sie musterte, nickte Bruder Godwyn respektvoll und sagte: »Guten Morgen, Sir Gerald, Lady Maud.«

Nun sah Gwenda auch, was die Aufmerksamkeit ihres Vaters erregt hatte. Sir Gerald trug am Gürtel eine Börse, die an einem Lederriemen hing. Die Börse war prall gefüllt. Sie sah aus, als enthielte sie mehrere Hundert kleine, dünne Silberpennys, Halfpennys und Farthings, die Währung in England. Das war so viel Geld, wie Gwendas Pa in einem Jahr verdiente – falls er denn Arbeit fand. In jedem Fall wäre das mehr als genug, um die Familie bis zur Aussaat im Frühling zu ernähren. Vielleicht enthielt die Börse sogar Goldmünzen aus fremden Ländern, Florine aus Florenz zum Beispiel oder Dukaten aus Venedig.

Gwenda trug ein kleines Messer in einer Holzscheide an einer Kordel um ihren Hals. Die scharfe Klinge würde das Lederband rasch durchtrennen, sodass die Börse in ihre kleine Hand fallen konnte … es sei denn, Sir Gerald spürte etwas und packte sie, bevor sie die Beute in Sicherheit bringen konnte.

Godwyn hob die Stimme, um sich über das Gemurmel im Hospital hinweg verständlich zu machen. »Um der Liebe Christi willen, der uns Mildtätigkeit lehrt, wird nach dem Hochamt an Allerheiligen ein Frühstück ausgegeben«, verkündete er. »Bis dahin gibt es klares Trinkwasser aus dem Brunnen im Hof. Und vergesst nicht, die Latrinen draußen zu benutzen. Hier drinnen wird nicht gepisst!«

Die Mönche und Nonnen waren sehr streng, was Reinlichkeit betraf. Vergangene Nacht hatte Bruder Godwyn einen sechsjährigen Jungen dabei erwischt, wie er in eine Ecke gepinkelt hatte, und daraufhin die gesamte Familie vor die Tür gesetzt. Weil sie keinen Penny gehabt hatten, um in einem Gasthaus unterzukommen, hatten sie die kalte Oktobernacht zitternd auf dem Steinboden im nördlichen Vorbau der Kathedrale verbringen müssen. Auch Tiere waren verboten. Hop, Gwendas dreibeiniger Hund, war ebenfalls vor die Tür gesetzt worden. Sie fragte sich, wo er wohl genächtigt hatte.

Als alle Lampen entzündet waren, öffnete Godwyn die große Holztür nach draußen. Die Nachtluft brannte in Gwendas Ohren und auf ihrer Nasenspitze. Die Gäste, die über Nacht geblieben waren, zogen die Mäntel um die Schultern und schlurften hinaus. Als Sir Gerald und seine Familie sich in Bewegung setzten, reihten Ma und Pa sich hinter ihnen ein, und Gwenda und Philemon folgten ihnen auf dem Fuß.

Bis jetzt hatte zumeist Philemon das Stehlen übernommen, doch gestern war er auf dem Markt von Kingsbridge beinahe gefasst worden. Er hatte einen kleinen Krug mit kostbarem Öl vom Stand eines italienischen Händlers stibitzt, das gute Stück jedoch zu Boden fallen lassen, sodass jeder ihn gesehen hatte. Zum Glück war der Krug nicht zerbrochen, doch Philemon hatte so tun müssen, als hätte er ihn aus Versehen von dem Stand heruntergestoßen.

Und noch etwas setzte Philemons Diebeskarriere ein Ende: Bis vor Kurzem war er klein und unscheinbar gewesen, wie Gwenda, doch im letzten Jahr war er mehrere Zoll gewachsen; seine Stimme war tief geworden und seine Bewegungen unbeholfen, als könne er sich nicht an seinen neuen, größeren Körper gewöhnen. Vergangenen Abend, nach dem Vorfall mit dem Ölkrug, hatte Papa verkündet, Philemon sei nun zu groß für ernsthafte Diebereien; daher fiele diese Aufgabe fortan Gwenda zu.

Das war auch der Grund, weshalb sie fast die ganze Nacht wach gelegen hatte.

Nun gingen sie durch die Tür und sahen zwei Reihen zitternder Nonnen, die Fackeln in die Höhe hielten, um den Weg vom Hospital zum großen Westportal der Kathedrale von Kingsbridge zu erleuchten. Schatten flackerten am Rande des Fackelscheins. Es sah aus, als tollten die Geister und Kobolde der Nacht dicht außerhalb des Sichtfeldes umher und nur die Frömmigkeit der Nonnen hielte sie vom Näherkommen ab.

Gwenda rechnete damit, dass Hop draußen auf sie wartete, doch der Hund war nirgends zu sehen. Vielleicht hatte er ja einen warmen Schlafplatz gefunden. Während sie zur Kirche gingen, achtete Pa sorgsam darauf, dass sie stets ganz in der Nähe von Sir Gerald blieben. Gwenda quiekte, als jemand von hinten schmerzhaft an ihrem Haar zerrte. Wenn das nicht so ein vermaledeiter Kobold gewesen war! Doch als sie sich umdrehte, sah sie Wulfric, den sechsjährigen Plagegeist aus der Nachbarschaft. Lachend sprang er aus ihrer Reichweite – geradewegs in die Arme seines Vaters. Der knurrte: »Benimm dich!«, und gab ihm eine Kopfnuss, worauf Wulfric in Tränen ausbrach.

Die Kathedrale war ein gestaltloser Koloss, der düster und gewaltig über der dicht gedrängten Menschenmenge aufragte und von dem sich nur die unteren Teile deutlich erkennen ließen: Bögen und Mittelpfosten wurden durch das unstete Fackellicht in Orange und Rot getaucht. Die Prozession wurde langsamer, als sie sich dem Eingang des Gotteshauses näherte, und Gwenda konnte eine Gruppe von Stadtbewohnern ausmachen, die aus der anderen Richtung kam; es waren Hunderte, vielleicht sogar Tausende, schätzte Gwenda ... obwohl sie nicht sicher war, denn sie konnte gerade mal bis zehn zählen.

Die Menschenmenge schob sich durch die Vorhalle. Das unstete Fackellicht fiel auf die Statuen an den Gewänden und ließ sie einen zuckenden Tanz aufführen. In den unteren Zonen gab es finstere Dämonen und schreckliche Untiere. Gwenda sah Drachen und Greife, einen Bären mit Menschenkopf und sogar einen Hund mit zwei Leibern, jedoch nur einer Schnauze. Sie riss die Augen auf und schluckte, so schrecklich war das alles anzuschauen. Da gab es Bestien, die mit Menschen kämpften; sogar einen Teufel, der einem Mann eine Schlinge um den Hals legte; daneben waren ein fuchsartiges Untier, das eine Frau an den Haaren zog, und ein Adler, der mit den Klauen einen nackten Mann aufspießte. Über diesen gottlosen Kreaturen standen die Heiligen unter schützenden Baldachinen. Darüber wiederum thronten die Apostel. Dann, in dem Bogenfeld gleich über der Tür, stand der heilige Petrus mit seinem Schlüssel, und der heilige Paulus mit einer Schriftrolle in der Hand schaute betend zu Jesus hinauf.

Gwenda wusste, dass Jesus die Menschen lehrte, nicht zu sündigen, und dass Sünder von Dämonen gepeinigt wurden, doch Menschen machten ihr mehr Angst als Dämonen. Wenn es ihr nicht gelang, Sir Geralds Börse zu stehlen, würde Pa sie verprügeln. Und schlimmer noch: Dann hätte ihre Familie nichts zu essen außer Suppe mit Eicheln. Gwenda und Philemon müssten wochenlang hungern. Mas Brüste würden austrocknen, und das neue Baby würde genauso sterben wie die beiden davor. Pa würde tagelang verschwinden, und wenn er zurückkam, hätte er nicht mehr dabei als einen dürren Reiher oder ein paar Eichhörnchen. Hungrig zu sein war schlimmer, als verprügelt zu werden. Es tat länger weh.

Gwenda hatte das Stehlen erlernt, kaum dass sie laufen konnte: einen Apfel von einem Stand, ein frisch gelegtes Ei von der Henne des Nachbarn, ein arglos von einem Säufer liegen gelassenes Messer in einer Schänke. Aber Geld zu entwenden war etwas anderes. Wenn man sie dabei erwischte, wie sie Sir Gerald seine Börse stibitzte, würde es ihr nichts nützen, in bittere Tränen auszubrechen und darauf zu hoffen, dass man Gnade vor Recht ergehen ließ wie damals, als sie der weichherzigen Nonne die hübschen Lederschuhe gestohlen hatte. Die Börse eines Ritters zu schneiden war keine lässliche Kindersünde; es war ein Erwachsenenverbrechen, und dementsprechend würde man sie bestrafen.

Gwenda versuchte, nicht darüber nachzudenken. Sie war klein, geschickt und flink, und sie würde sich die Börse so schnell und lautlos schnappen wie ein Geist ... vorausgesetzt, sie konnte ihr Zittern im Zaum halten.

Die Kirche war bereits voller Menschen. In den Seitenschiffen hielten kapuzenverhüllte Mönche Fackeln, die ein unstetes rotes Licht verbreiteten. Die hohen Säulen des Hauptschiffs verschwanden in der Dunkelheit des mächtigen Gewölbes. Gwenda hielt sich dicht bei Sir Gerald, als die Menschenmenge in Richtung Altar drängte. Der rotbärtige Ritter und seine dünne Frau bemerkten Gwenda nicht, und ihre beiden Söhne schenkten ihr ebenso wenig Beachtung wie den Kathedralenwänden. Gwendas Familie ließ sich zurückfallen, und das Mädchen verlor sie aus dem Blick.

Das Hauptschiff füllte sich nun rasch. Gwenda hatte noch nie so viele Menschen an einem Ort gesehen: Hier ging es geschäftiger zu als am Markttag auf dem grasbewachsenen Kathedralenvorplatz. Fröhlich begrüßten die Menschen einander. Im Gotteshaus fühlten sie sich vor bösen Geistern sicher. Ihre Stimmen hallten gespenstisch in dem riesigen Kircheninnern wider und schienen aus allen Richtungen zugleich zu kommen.

Dann läutete die Glocke, und die Menge verstummte.

Sir Gerald stand bei einer Familie aus der Stadt. Die Leute trugen Mäntel aus feinem Stoff; vermutlich waren sie reiche Wollhändler. Neben dem Ritter stand ein Mädchen von ungefähr zehn Jahren. Gwenda schob sich hinter die beiden, wobei sie versuchte, so unauffällig wie möglich zu sein, doch zu ihrem Entsetzen schaute das Mädchen sie plötzlich an und lächelte beruhigend, als wollte es sagen: Hab keine Angst!

Am Rand der Menge löschten die Mönche ihre Fackeln, eine

nach der anderen, bis das Innere der Kirche in völlige Dunkelheit getaucht war.

Gwenda atmete auf, fragte sich jedoch, ob das reiche Mädchen sich später an sie erinnern würde. Das Mädchen hatte sie nicht bloß flüchtig gemustert, wie die meisten Menschen; sie hatte Gwenda in die Augen geschaut, hatte erkannt, dass sie sich fürchtete, und sie freundlich angelächelt. Doch es waren Hunderte von Kindern in der Kathedrale, und in dem trüben Licht konnte das Mädchen sich unmöglich Gwendas Gesichtszüge eingeprägt haben ... oder? Gwenda versuchte, diesen beängstigenden Gedanken zu verdrängen.

Unsichtbar in der Dunkelheit schob sie sich vor und schlüpfte geräuschlos zwischen die beiden Gestalten. Sie spürte die weiche Wolle des Mädchenmantels auf der einen Seite und den steiferen Stoff des alten Waffenrocks, den der Ritter trug, auf der anderen. Jetzt musste sie nur noch den Arm ausstrecken, ein rascher Schnitt – und die Börse gehörte ihr.

Gwenda griff an ihr Halsband und zog das kleine Messer aus der Scheide.

In die Stille hinein erklang ein fürchterlicher Schrei. Gwenda hatte damit gerechnet – Mama hatte ihr erklärt, was während des Gottesdienstes so alles vor sich ging –, trotzdem erschrak sie bis ins Mark. Es klang, als würde jemand gefoltert.

Dann ertönte ein hartes Trommeln, als schlüge jemand auf eine Metallplatte. Weitere Geräusche folgten: schrilles Heulen, irres Lachen, ein Jagdhorn, Rasseln, Tierstimmen, eine zersprungene Glocke. In der Gemeinde begann ein Kind zu plärren; andere fielen ein. Ein paar Erwachsene lachten nervös. Sie wussten, dass die Mönche diese Geräusche machten, doch es war eine höllische Kakophonie.

Jetzt ist nicht der geeignete Augenblick, um sich die Börse zu schnappen, dachte Gwenda ängstlich. Alle waren angespannt und wachsam. Der Ritter würde jede noch so leichte Berührung bemerken.

Der teuflische Lärm wurde lauter. Dann kam ein neues Geräusch hinzu: Musik. Zuerst war sie so leise, dass Gwenda nicht sicher war, ob sie die Klänge wirklich hörte, doch nach und nach wurden sie lauter: Die Nonnen sangen. Gwenda spürte, wie Spannung sie erfasste.

Und dann war es so weit. Gwenda bewegte sich so lautlos wie ein Schatten und so leicht wie die Luft, als sie sich Sir Gerald zuwandte. Sie wusste genau, was er trug: eine dicke Wollrobe, an der Hüfte von einem breiten, metallbeschlagenen Gürtel gehalten, an dem seine Börse mit einem Lederband befestigt war. Über der Robe trug er einen bestickten Waffenrock, ein edles, jedoch abgetragenes Stück mit gelben Knöpfen aus Bein. Er hatte ihn hoch zugeknöpft, doch zwei, drei Köpfe standen noch offen – entweder aus Nachlässigkeit oder weil der Weg vom Hospital in die Kirche so kurz gewesen war.

So sanft und vorsichtig sie konnte, legte Gwenda eine schmale Hand auf des Ritters Rock. Sie stellte sich vor, ihre Hand sei eine Spinne, die so leicht und lautlos dahinhuschte, dass Sir Gerald sie unmöglich zu spüren vermochte. Diese Spinnenhand ließ Gwenda nun vorn über den Rock huschen, dann unter den Rocksaum und an dem schweren Gürtel entlang, bis sie die Börse ertastete.

Der Höllenlärm verebbte, während die Musik immer lauter erschallte. In den vorderen Reihen erhob sich ehrfürchtiges Raunen. Gwenda konnte nichts sehen, aber sie wusste, dass auf dem Altar eine Lampe entzündet worden war, die eine Reliquie beleuchtete: einen prachtvoll beschnitzten Kasten aus Ebenholz und Gold, in dem sich die Gebeine des heiligen Adolphus befanden. Als vorhin das Licht in der Kirche erlosch, war der Kasten noch nicht da gewesen, doch nun – o Wunder! – stand er dort. Die Menge drängte nach vorn; alle wollten der heiligen Reliquie nahe sein. Als Gwenda zwischen Sir Gerald und dem Mann vor ihm eingequetscht wurde, hob sie die rechte Hand und setzte die Messerklinge ans Band der Börse.

Das Leder war zäh, und mit dem ersten Streich gelang es ihr nicht, das Band durchzuschneiden. Sie sägte nach Leibeskräften und hoffte verzweifelt, Sir Gerald möge von der Szene am Altar so sehr gefesselt sein, dass er nicht bemerkte, was direkt vor seiner Nase geschah. Gwenda hob kurz den Blick und sah voller Schrecken, dass sie wieder die Umrisse der Menschen erkennen konnte: Die Mönche und Nonnen zündeten Kerzen an. Jeden Augenblick würde es deutlich heller werden!

Gwenda riss kräftig an dem Messer und spürte, wie das Band nachgab. Sir Gerald knurrte leise. Hatte er etwas gespürt, oder war es eine Reaktion auf das Spektakel am Altar? Die Börse fiel und landete in Gwendas Hand, war aber zu groß, als dass das Mädchen sie hätte fangen können, und drohte ihren Fingern zu entgleiten. Einen schrecklichen Augenblick lang fürchtete Gwenda, sie fallen zu lassen und inmitten der Menschenmenge auf dem Boden zu verlieren; dann bekam sie den Beutel zu fassen und hielt ihn fest.

Erleichterung durchströmte Gwenda wie eine Welle.

Doch noch immer schwebte sie in großer Gefahr. Ihr Herz schlug so laut, dass sie glaubte, jeder müsse es hören. Rasch drehte sie sich um, sodass sie dem Ritter den Rücken zukehrte. Noch in der Bewegung stopfte sie die Börse vorne in ihren Kittel, wo der schwere Lederbeutel jedoch eine verdächtige Wölbung bildete, die ihr über den Gürtel hing wie der Bauch eines alten Mannes. Gwenda schob die Börse zur Seite, wo sie sie wenigstens teilweise mit dem Arm verdecken konnte. Zwar wäre sie da noch immer zu sehen, wenn das Licht heller wurde, doch es gab keinen besseren Platz, um sie zu verstecken.

Gwenda schob das Messer wieder in die Scheide. Jetzt musste sie rasch verschwinden, ehe Sir Gerald seinen Verlust bemerkte. Doch das Gedränge der Gläubigen, das ihr eben noch geholfen hatte, die Börse unbemerkt an sich zu nehmen, hinderte sie nun an der Flucht. Sie versuchte, rückwärtszugehen und sich zwischen den Leibern hindurchzuzwängen, doch noch immer zog es die Leute nach vorn, so begierig waren sie, einen Blick auf die Gebeine des Heiligen zu werfen. Gwenda saß in der Falle. Sie konnte sich nicht bewegen, stand noch immer genau vor dem Mann, den sie bestohlen hatte.

Eine Stimme sagte ihr ins Ohr: »Alles in Ordnung?«

Es war das reiche Mädchen. Gwenda kämpfte gegen die aufkeimende Panik an. Sie musste unsichtbar sein. Ein hilfsbereites, älteres Kind konnte sie jetzt am allerwenigsten gebrauchen. Sie schwieg.

»Seid vorsichtig«, sagte das Mädchen zu den Leuten um sie herum. »Ihr zerquetscht ja das arme kleine Ding!«

Gwenda hätte sich am liebsten in Luft aufgelöst. Die Fürsorglichkeit des Mädchens würde noch dazu führen, dass man ihr die Hand abhackte!

In dem verzweifelten Versuch davonzukommen drückte sie dem Mann vor sich die Hände ins Kreuz und stieß sich nach hinten ab. Doch das brachte ihr lediglich die Aufmerksamkeit Sir Geralds ein.

»Oh, du armes Ding! Du kannst nichts sehen, weil du so klein bist, nicht wahr?«, sagte der Bestohlene mit freundlicher Stimme, und zu Gwendas Entsetzen packte er sie unter den Armen und hob sie hoch.

Sie war hilflos. Sir Geralds große Hand in ihrer Achselhöhle war nur zwei Fingerbreit von der Börse entfernt. Gwenda drehte sich nach vorne, sodass er nur ihren Hinterkopf sehen konnte, und schaute über die Menge hinweg zum Altar, wo die Mönche und Nonnen weitere Kerzen entzündeten und zu Ehren des Heiligen fromme Lieder sangen. Hinter ihnen drang ein schwacher Lichtschein durch das große Rosettenfenster an der Ostfassade: Der Morgen brach an und jagte die bösen Geister davon. Der dämonische Lärm war nun gänzlich verstummt, und der Gesang schwoll noch immer an. Ein großer, gut aussehender Mönch trat an den Altar. Gwenda erkannte ihn als Anthony, den Prior von Kingsbridge. Er hob die Hände zum Segen und sagte laut: »Und wieder einmal wurden das Böse und die Dunkelheit dieser Welt durch die Gnade unseres Herrn Jesus Christus und die Harmonie und das Licht von Gottes heiliger Kirche verbannt.«

»Amen!«, dröhnte es durch die Kathedrale, und alle schlugen das Kreuzzeichen, womit die Zeremonie endete.

Gwenda wand sich im Griff des Ritters, und Sir Gerald verstand und setzte sie ab. Das Gesicht noch immer von ihm abgewandt, schob Gwenda sich an ihm vorbei und hielt auf den hinteren Teil der Menge zu. Die Menschen drängten jetzt nicht mehr zum Altar, und so konnte Gwenda sich zwischen ihnen hindurchzwängen. Je weiter sie nach hinten kam, desto leichter wurde es für sie, bis sie sich schließlich am großen Westportal wiederfand, wo ihre Familie bereits auf sie und die Beute wartete.

Pa schaute sie erwartungsvoll an, bereit, wütend zu werden, sollte sie versagt haben. Gwenda holte die Börse aus ihrem Hemd und warf sie ihm zu; sie war froh, das Ding loszuwerden. Pa fing die Börse auf, drehte sich ein wenig zur Seite und warf einen verstohlenen Blick hinein. Gwenda sah ihn grinsen. Dann reichte er die Börse an Ma weiter, die sie rasch in den Falten der Decke verschwinden ließ, die sie um das Baby gewickelt hatte.

Das Martyrium war vorbei, die Gefahr jedoch nicht. »Ein Mädchen hat mich bemerkt«, berichtete Gwenda und hörte die schrille Angst in ihrer Stimme.

Zorn loderte in Pas kleinen, dunklen Augen auf. »Hat dieses Mädchen gesehen, was du getan hast?«

»Nein, aber sie hat zu den Leuten gesagt, sie sollten mich nicht totquetschen, und da hat der Ritter mich hochgehoben, damit ich besser sehen kann.«

Ma stieß ein leises Stöhnen aus.

Pa sagte: »Dann hat er dein Gesicht gesehen?«

»Ich habe versucht, es von ihm wegzudrehen.«

»Trotzdem ist es besser, wenn er dir nicht noch mal über den Weg läuft«, sagte Pa. »Wir gehen nicht mehr ins Hospital zurück. Wir frühstücken in einer Schänke.«

Ma sagte: »Wir können uns nicht den ganzen Tag verstecken.«

»Nein, aber wir können in der Menge untertauchen.«

Gwenda atmete ein wenig auf. Offenbar hielt Pa die Situation nicht für gar so gefährlich. Gwenda war froh, dass nun er wieder das Kommando übernahm und sie von der Verantwortung befreite.

»Außerdem«, fuhr Pa fort, »habe ich den wässrigen Brei der Mönche satt. Ich will Brot und Fleisch. Jetzt können wir's uns leisten!«

Sie traten aus der Kirche hinaus in die Morgendämmerung. Der Himmel war perlgrau. Gwenda wollte Mas Hand halten, aber das Baby fing zu schreien an, und Ma war abgelenkt. Dann erblickte Gwenda einen kleinen, dreibeinigen Hund mit schwarzem Gesicht, der mit vertrautem Humpeln auf den Kathedralenplatz lief. »Hop!«, rief Gwenda, hob ihn hoch und drückte ihn an sich.

Merthin war elf, ein Jahr älter als sein Bruder Ralph; doch zu seinem größten Verdruss war Ralph größer und stärker.

Das sorgte für Probleme mit den Eltern. Der Vater der Jungen, Sir Gerald, war Soldat, und so konnte er seine Enttäuschung nicht verbergen, wenn Merthin sich als unfähig erwies, eine schwere Lanze hochzuheben, Erschöpfung zeigte, noch ehe der Baum gefällt war, oder weinend nach Hause kam, wenn er einen Kampf verloren hatte. Und ihre Mutter, Lady Maud, machte alles noch schlimmer. Immer wieder brachte sie Merthin mit ihrer übertriebenen Fürsorge in Verlegenheit, wo es dem Jungen doch viel lieber gewesen wäre, sie würde so tun, als hätte sie nichts bemerkt. Wann immer Vater seinen Stolz auf den großen, starken Ralph bekundete, versuchte Mutter, einen Ausgleich zu schaffen, indem sie Ralphs Mangel an Intelligenz hervorhob. Ralph war in der Tat ein wenig langsam im Denken, doch dafür konnte er nichts, und wann immer jemand ihn deswegen verspottete, geriet er in Wut, und es war an der Tagesordnung, dass er sich mit anderen Jungen raufte.

Am Morgen von Allerheiligen waren beide Eltern gereizt. Sir Gerald hatte nicht nach Kingsbridge kommen wollen, doch ihm war keine Wahl geblieben: Er schuldete der Priorei Geld. Allerdings konnte er seine Schulden nicht zahlen, sodass Lady Maud zu ihm sagte, man würde ihm seine Ländereien wegnehmen, worauf Sir Gerald sie daran erinnerte, dass er von Thomas abstamme, der in dem Jahr zum Grafen von Shiring erhoben worden war, als König Heinrich II. den Erzbischof Becket ermordet hatte. Graf Thomas wiederum war der Sohn von Jack Builder, dem Erbauer der Kathedrale von Kingsbridge, und Lady Aliena von Shiring gewesen – einem beinahe schon legendären Paar, dessen Geschichte an langen Winterabenden in einem Atemzug mit den Heldensagen Karls des Großen und Rolands erzählt wurde. Angesichts einer solchen Ahnenreihe könne kein Mönch seine Länder konfiszieren, rief Sir Gerald wutentbrannt, vor allem nicht dieses alte Waschweib Prior Anthony. Als ihr Gemahl zu toben begann, legte sich ein Ausdruck müder Resignation auf Mauds Gesicht, und sie wandte sich ab.

Prior Anthony mochte ja ein altes Waschweib sein, aber er war zumindest Manns genug gewesen, sich bei Sir Geralds Lehnsherrn, dem derzeitigen Grafen von Shiring, über den säumigen Schuldner zu beschweren. Das war der Grund für Sir Geralds schlechte Laune, die sich auch durch das Spektakel in der Kathedrale nicht gebessert hatte.

Merthin hingegen hatte das Schauspiel genossen: die Dunkelheit, die seltsamen Geräusche, die Musik, die so leise begonnen hatte und dann so laut geworden war, dass sie die ganze Kirche erfüllte, und schließlich das bedächtige Entzünden der Kerzen. Auch hatte Merthin, als es wieder heller geworden war, bemerkt, dass einige Leute die Dunkelheit ausgenutzt hatten, um kleinere Sünden zu begehen, welche ihnen nun vergeben werden konnten: So hatte er im aufflammenden Licht zwei Mönche gesehen, die sich geküsst und hastig voneinander abgelassen hatten, als es so plötzlich hell geworden war, und einen durchtriebenen Kaufmann, der rasch die Hand vom üppigen Busen einer lächelnden Frau genommen hatte, die das Weib eines anderen zu sein schien.

Merthin war noch immer ganz aufgeregt, als sie ins Hospital zurückkehrten.

Während sie nun darauf warteten, dass die Nonnen das Frühstück austeilten, ging ein Küchenjunge durch den Raum. Er trug ein Tablett mit einem großen Krug Bier und einem Teller heißen Salzfleischs die Treppe hinauf. Mürrisch bemerkte Lady Maud: »Man hätte doch meinen sollen, dass dein Verwandter, der Graf, uns einlädt, mit ihm in seinem Privatgemach zu speisen. Schließlich war deine Großmutter die Schwester seines Großvaters.«

Graf Roland hatte Gerald für heute nach Kingsbridge bestellt, um sich mit ihm und dem Prior zusammenzusetzen und eine Lösung zu besprechen.

Sir Gerald erwiderte: »Wenn du keinen Brei willst, können wir ja in eine Schänke gehen.«

Merthin spitzte die Ohren. Er mochte das Frühstück mit frischem Brot und Salzbutter im Wirtshaus. Aber Mutter sagte: »Das können wir uns nicht leisten.«

»Doch, können wir«, widersprach Sir Gerald und tastete nach seiner Börse – und das war der Augenblick, da er bemerkte, dass sie verschwunden war.

Zuerst schaute er auf den Boden, als wäre sie hinuntergefallen; dann bemerkte er den Schnitt am Lederband und brüllte entrüstet auf. Alle drehten sich zu ihm um, mit Ausnahme von Lady Maud, die zu Boden blickte. Merthin hörte sie leise vor sich hin murmeln: »Das war alles, was wir hatten.«

Sir Gerald funkelte die anderen Gäste im Hospital vorwurfsvoll an. Die lange Narbe, die von seiner rechten Schläfe bis zum linken Auge verlief, verdunkelte sich vor Zorn. Gespannte Stille senkte sich über den Raum. Ein wütender Ritter war gefährlich, selbst einer, der offensichtlich vom Pech verfolgt war.

Dann sagte Lady Maud: »Ohne Zweifel hat man dich in der Kirche beraubt.«

Merthin vermutete, dass sie recht hatte. In der Dunkelheit hatten die Leute nicht nur Küsse gestohlen.

»Sakrileg!«, rief Vater.

»Ich nehme an, es ist passiert, als du dieses kleine Mädchen hochgehoben hast«, fuhr Mutter fort. Ihr Gesicht war verzerrt, als hätte sie etwas Bitteres gegessen. »Der Dieb hat dir vermutlich von hinten um die Hüfte gegriffen.«

»Er muss gefunden werden!«, brüllte Vater.

Der junge Mönch mit Namen Godwyn meldete sich zu Wort. »Was geschehen ist, bedaure ich, Sir Gerald. Ich werde sofort gehen und John Constable Bescheid geben. Er kann dann nach einem armen Kerl suchen, der unverhofft zu Reichtum gelangt ist.«

Dieser Plan kam Merthin nicht gerade vielversprechend vor. Es gab Tausende von armen Menschen in der Stadt und noch Hunderte mehr von außerhalb. Der Büttel konnte sie unmöglich alle beobachten.

Aber Vater zeigte sich beschwichtigt. »Der Schuft soll hängen!«, sagte er mit nicht mehr ganz so lauter Stimme.

»Und in der Zwischenzeit … Vielleicht wollt Ihr, Lady Maud und Eure Söhne uns ja die Ehre geben, Euch an den Tisch vor dem Altar zu setzen«, schlug Godwyn vor.

Vater knurrte. Merthin wusste, dass es ihn freute, einen höheren Status als die Masse der Gäste zugesprochen zu bekommen, die auf demselben Boden essen mussten, auf dem sie auch geschlafen hatten.

Der Augenblick, da Gewalt in der Luft gehangen hatte, verging, und Merthin entspannte sich ein wenig; doch als die vier ihre Plätze am Altar einnahmen, fragte er sich besorgt, was nun aus der Familie werden würde. Sein Vater war ein tapferer Soldat – das sagte jeder. Sir Gerald hatte für den alten König bei Boroughbridge gefochten, wo ihm das Schwert eines Lancaster-Rebellen die Narbe auf der Stirn beigebracht hatte. Aber das Schicksal hatte es nicht gut mit ihm gemeint. Viele Ritter machten in der Schlacht reiche Beute: geplünderte Juwelen, eine Wagenladung flämisches Tuch und italienische Seide oder den geliebten Vater einer hochwohlgeborenen Familie, der ein Lösegeld von tausend Pfund wert war. Sir Gerald hatte jedoch nie viel nach Hause gebracht. Trotzdem musste er nach wie vor Waffen, Rüstung und ein teures Schlachtross finanzieren, um weiter seine Pflicht dem König gegenüber erfüllen zu können, und aus unerfindlichen Gründen reichten die Erträge seiner Ländereien dafür nie aus. Also hatte er gegen den Willen seiner Frau begonnen, sich das Geld zu leihen.

Die Küchenhilfen brachten einen dampfenden Kessel herein. Sir Geralds Familie wurde als erste bedient. Der Brei war aus Gerste gemacht, gewürzt mit Rosmarin und Salz. Ralph, der die Familienkrise nicht verstand, begann aufgeregt über das Hochamt zu reden, doch die mürrische Stille, die auf seine Worte folgte, brachte ihn zum Schweigen.

Nachdem der Brei gegessen war, ging Merthin zum Altar. Dahinter hatte er seinen Bogen und seine Pfeile verstaut. Jeder zögerte, etwas von einem Altar zu stehlen. Natürlich überwand manch einer seine Angst, wenn die Versuchung groß genug war, aber ein selbst gemachter Bogen war keine große Beute. Also war er tatsächlich noch da.

Merthin war stolz auf seine Waffe. Natürlich war sie klein; um einen großen Sechs-Fuß-Bogen zu spannen, bedurfte es der Kraft eines Erwachsenen. Merthins Bogen war vier Fuß lang und schlank, doch in jeder anderen Hinsicht glich er dem typischen englischen Langbogen, der schon so viel schottisches Bergvolk, walisische Rebellen und französische Ritter in Harnisch ins Jenseits befördert hatte.

Vater hatte bis jetzt nie etwas zu dem Bogen gesagt, und nun schaute er ihn sich an, als würde er ihn zum ersten Mal sehen. »Wo hast du denn den Bogen her?«, fragte er. »Die sind teuer.«

»Nicht der hier – er ist zu klein. Ein Bogenmacher hat mir das Holz gegeben.«

Vater nickte. »Abgesehen von der Länge ist der Bogen perfekt«, sagte er. »Er ist aus dem Inneren der Eibe gefertigt, wo Splintholz auf Kernholz trifft.« Er deutete auf die zwei verschiedenen Farben.

»Ich weiß«, sagte Merthin eifrig. Er hatte nicht oft Gelegenheit, seinen Vater zu beeindrucken. »Das dehnbare Splintholz ist besonders gut geeignet für die Vorderseite des Bogens, denn es biegt sich wieder in seine ursprüngliche Form zurück, und das harte Kernholz ist am besten für die Innenseite, denn es drückt wieder zurück, wenn der Bogen sich nach innen biegt.«

»Genau«, sagte Vater. Er gab seinem Sohn die Waffe wieder. »Aber vergiss nicht: Das ist nicht die Waffe eines Edelmannes. Die Söhne von Rittern werden keine Bogenschützen. Gib ihn einem Bauernjungen.«

Merthin war geknickt. »Ich habe ihn noch nicht einmal ausprobiert!«

Mutter mischte sich ein. »Lass sie doch spielen«, sagte sie zu ihrem Gemahl. »Sie sind doch noch Jungen.«

»In der Tat«, sagte Vater und verlor das Interesse. »Ob diese Mönche uns wohl auch einen Krug Bier bringen würden?«

»Fort mit euch«, sagte Mutter zu ihren Söhnen. »Merthin, pass auf deinen Bruder auf.«

Vater knurrte. »Wahrscheinlich wird es eher andersherum sein.«

Das traf Merthin hart. Vater hatte keine Ahnung, wie es in Wirklichkeit aussah. Merthin konnte sehr wohl auf sich selbst aufpassen, doch Ralph allein würde zweifelsohne in eine Keilerei geraten. Allerdings wusste Merthin es besser, als sich mit seinem Vater in dieser Stimmung auf einen Streit einzulassen, und so verließ er ohne ein Wort das Hospital. Ralph trottete ihm hinterher.

Es war ein klarer, kalter Novembertag, und eine hohe blassgraue Wolkenbank bedeckte den Himmel. Sie verließen das Kathedralengelände und gingen die Hauptstraße hinunter, vorbei an Fish Lane, Leather Yard und Cookshop Street. Am Fuß des Hügels überquerten sie die Holzbrücke über den Fluss, verließen die Altstadt und kamen in die Vorstadt, die Newtown genannt wurde. Hier führten von Holzhäusern gesäumte Straßen zwischen Weiden und Gärten hindurch. Merthin ging zu einer Wiese, die man Lovers' Field nannte. Dort hatte die Stadtmiliz Schießstände aufgebaut, Ziele für Bogenschützen, denn auf Befehl des Königs waren alle Männer verpflichtet, sich nach dem Kirchgang im Schießen zu üben.

Dieser Verfügung musste nicht viel Nachdruck verliehen werden: Es bedeutete keine Härte, sonntags morgens ein paar Pfeile abzuschießen, und gut hundert junge Männer aus der Stadt warteten bereits darauf, dass sie an die Reihe kamen, beobachtet von Frauen,

Kindern und Männern, die sich selbst als zu alt zum Schießen oder den Bogen als unter ihrer Würde betrachteten. Einige hatten ihre eigenen Waffen dabei. Für jene, die zu arm waren, um sich einen Bogen zu leisten, hatte John Constable billige Übungsbögen aus Eschen- oder Haselholz machen lassen.

Es ging zu wie an einem Festtag. Dick Brewer verkaufte Humpen voll Bier aus einem Fass auf einem Karren, und Betty Baxters vier heranwachsende Töchter gingen umher und boten Gewürzbrötchen von ihren Tabletts feil. Die wohlhabenderen Stadtbewohner trugen Pelzkappen und neue Schuhe, und selbst die ärmeren Frauen hatten ihr Haar frisiert und ihre Mäntel neu gesäumt.

Merthin war der einzige Junge, der einen Bogen dabeihatte, und damit erregte er sofort die Aufmerksamkeit der anderen Kinder. Sie drängten sich um ihn und Ralph. Die Jungen stellten neidische Fragen, und die Mädchen schauten entweder bewundernd oder verächtlich drein, je nach Veranlagung. Eines der Mädchen fragte: »Woher hast du gewusst, wie man so was macht?«

Merthin erkannte sie: Sie hatte in der Kathedrale neben ihm gestanden. Sie war ungefähr ein Jahr jünger als er, schätzte er, und sie trug ein Kleid und einen Mantel aus teurer, dicht gewebter Wolle. Normalerweise empfand Merthin Mädchen seines eigenen Alters eher als lästig: Sie kicherten meist und weigerten sich, irgendetwas ernst zu nehmen. Doch dieses hier schaute ihn und seinen Bogen mit einer offenen Neugier an, die ihm gefiel. »Ich habe ihn einfach gemacht, wie ich es für richtig hielt«, antwortete er.

»Das klingt klug. Funktioniert er denn auch?«

»Ich habe ihn noch nicht ausprobiert. Wie heißt du?«

»Caris, aus der Familie Wooler. Und wer bist du?«

»Merthin. Mein Vater ist Sir Gerald.« Merthin schlug die Kapuze zurück, griff hinein und holte eine zusammengerollte Bogensehne hervor.

»Warum trägst du die Sehne unter der Kapuze?«

»Damit sie nicht feucht wird, wenn es regnet. Das tun echte Bogenschützen auch.« Er machte die Sehne an beiden Enden fest, wobei er den Bogen leicht durchbog, sodass die Spannung die Sehne festhielt.

»Willst du auf die Ziele schießen?«

»Ja.«

Ein Junge sagte: »Sie werden dich nicht lassen.«

Merthin schaute ihn an. Der Junge war ungefähr zwölf Jahre

alt, groß und dünn mit großen Händen und Füßen. Merthin hatte ihn und seine Familie vergangene Nacht im Hospital der Priorei gesehen; sein Name war Philemon. Philemon hatte sich häufig in der Nähe der Mönche aufgehalten; er hatte ihnen Fragen gestellt und bei der Verteilung des Abendessens geholfen. »Natürlich werden sie mich schießen lassen«, erwiderte Merthin. »Warum auch nicht?«

»Weil du zu jung bist.«

»Das ist dumm.« Noch während er sprach, wusste Merthin, dass er sich dessen lieber nicht so sicher sein sollte: Erwachsene waren oft dumm. Aber dass Philemon so tat, als wüsste er mehr, ärgerte Merthin – besonders nachdem er sich vor Caris so selbstbewusst gegeben hatte.

Er verließ die Kinder und ging zu einer Gruppe von Männern, die darauf warteten, auf eine Scheibe schießen zu können. Er erkannte einen von ihnen: einen ungewöhnlich großen, breitschultrigen Mann mit Namen Mark Webber. Mark bemerkte den Bogen und fragte Merthin auf seine langsame, freundliche Art: »Wo hast du den her?«

»Ich habe ihn selbst gemacht«, antwortete Merthin stolz.

»Schaut Euch das an, Elfric«, sagte Mark zu seinem Nachbarn. »Das hat er gut hinbekommen.«

Elfric war ein kräftiger Mann mit verschlagenem Blick. Er schaute sich den Bogen nur flüchtig an. »Zu klein«, sagte er abschätzig. »Damit kannst du nie einen Pfeil abschießen, der die Rüstung eines französischen Ritters durchschlägt.«

»Das vielleicht nicht«, räumte Mark ein, »aber ich nehme an, dass der Junge höchstens noch ein, zwei Jahre hat, bevor er gegen die Franzosen wird kämpfen müssen.«

John Constable rief: »Wir sind bereit. Lasst uns anfangen. Mark Webber, Ihr seid der Erste.« Der Riese trat an die Linie. Er nahm sich einen kräftigen Bogen, prüfte ihn und bog das dicke Holz mühelos durch.

Da bemerkte John Constable auch Merthin. »Keine Kinder«, sagte er.

»Warum nicht?«, protestierte Merthin.

»Das soll dir egal sein. Mach einfach, dass du aus dem Weg kommst.«

Merthin hörte ein paar der anderen Kinder kichern. »Es gibt nicht den geringsten Grund dafür!«, erklärte er entrüstet.

»Ich muss Kindern keine Gründe nennen«, erwiderte John. »Also gut, Mark Webber, schießt!«

Merthin fühlte sich gedemütigt. Der schmierige Philemon hatte vor allen bewiesen, dass Merthin unrecht hatte. Er wandte sich von den Zielen ab.

»Das habe ich dir ja gesagt«, erklärte Philemon.

»Oh, halt einfach den Mund, und verschwinde.«

»Du kannst mich nicht vertreiben«, sagte Philemon, der einen halben Kopf größer war als Merthin.

»Ich aber schon«, warf Ralph ein.

Merthin seufzte. Ralph war schier unglaublich loyal, aber er verstand einfach nicht, dass Merthin nicht nur als Narr, sondern auch als Schwächling dastehen würde, wenn Ralph sich für ihn mit Philemon prügelte.

»Ich wollte ohnehin gehen«, sagte Philemon. »Ich werde Bruder Godwyn helfen.« Er trollte sich davon.

Auch die anderen Kinder zerstreuten sich auf der Suche nach neuen Attraktionen. Caris sagte zu Merthin: »Du könntest doch irgendwo anders hingehen, um deinen Bogen auszuprobieren.« Offensichtlich war sie begierig darauf zu sehen, was geschehen würde.

Merthin schaute sich um. »Aber wohin?« Wenn er ohne Aufsicht schoss, würde man ihm den Bogen vielleicht abnehmen.

»Wir könnten in den Wald gehen.«

Merthin war überrascht. Es war Kindern verboten, in den Wald zu gehen. Dort gab es Gesetzlose, Männer und Frauen, die vom Stehlen lebten. Kinder könnte man ihrer Kleider berauben oder sie zu Sklaven machen, und es gab noch schlimmere Gefahren, die Eltern nur andeuteten. Und selbst wenn sie solchen Gefahren entkamen, drohten Kindern bei ihrer Rückkehr Schläge von ihren Vätern, weil sie eine Regel gebrochen hatten.

Doch Caris schien sich nicht im Mindesten davor zu fürchten, und Merthin wollte nicht weniger mutig wirken als sie. Außerdem hatte die Abfuhr durch den Stadtbüttel seinen Trotz geweckt. »Also schön«, sagte er. »Aber wir werden dafür sorgen müssen, dass uns niemand sieht.«

Caris hatte schon eine Idee. »Ich kenne da einen Weg.«

Sie ging zum Fluss. Merthin und Ralph folgten ihr. Ein kleiner dreibeiniger Hund humpelte neben ihnen her. »Wie heißt der Hund?«, fragte Merthin Caris.

»Der gehört nicht mir«, antwortete sie, »aber ich habe ihm ein

Stück schimmeligen Schinken gegeben, und jetzt werde ich ihn einfach nicht mehr los.«

Sie gingen am verschlammten Flussufer entlang, vorbei an Lagerhäusern, Anlegestellen und Kähnen. Unauffällig musterte Merthin dieses Mädchen, das sich so mühelos zu ihrer Anführerin aufgeschwungen hatte. Sie besaß ein kantiges, entschlossenes Gesicht, war weder hubsch noch hässlich, und sie hatte den Schalk in den grünlichen Augen mit den braunen Flecken. Ihr hellbraunes Haar war zu zwei Zöpfen geflochten, wie es bei den wohlhabenden Frauen Mode war. Ihre Kleider waren teuer, aber sie trug praktische Lederstiefel und nicht die bestickten Stoffschuhe, wie Edelfrauen sie bevorzugten.

Caris wandte sich vom Fluss ab, führte sie über einen Holzlagerplatz, und plötzlich befanden sie sich in gestrüppreichem Waldland. Merthin wurde leicht unbehaglich zumute. Nun, da er im Wald war, konnte hinter jeder Eiche ein Gesetzloser lauern, und er bereute seinen Wagemut; doch er schämte sich zu sehr für seine Angst, als dass er wieder hätte umkehren können.

Sie gingen weiter und suchten nach einer Lichtung, die groß genug zum Bogenschießen war. Plötzlich sagte Caris in verschwörerischem Tonfall: »Seht ihr den großen Stechpalmenstrauch da drüben?«

»Ja.«

»Sobald wir daran vorbei sind, hockt euch mit mir nieder, und seid still.«

»Warum?«

»Ihr werdet schon sehen.«

Einen Augenblick später kauerten Merthin, Ralph und Caris hinter dem Busch. Der dreibeinige Hund saß bei ihnen und schaute Caris hoffnungsvoll an. Ralph wollte eine Frage stellen, doch Caris brachte ihn mit einem »Pssst!« zum Schweigen.

Eine Minute später kam ein kleines Mädchen vorbei. Caris sprang aus dem Gebüsch und packte sie. Das Mädchen schrie auf.

»Sei still!«, befahl Caris. »Wir sind nicht weit von der Straße entfernt, und wir wollen nicht gehört werden. Warum verfolgst du uns?«

»Du ... Du hast meinen Hund, und er will nicht wieder zurückkommen!«, schluchzte das Kind.

»Ich kenne dich ... Ich habe dich heute Morgen in der Kirche gesehen«, sagte Caris mit sanfterer Stimme zu ihr. »Nun gut, es gibt keinen Grund zu weinen. Wir werden dir nichts tun. Wie heißt du?«

»Gwenda.«

»Und der Hund?«

»Hop.« Gwenda nahm den Hund auf den Arm, und er leckte ihr die Tränen ab.

»Nun, jetzt hast du ihn ja. Du solltest besser mit uns kommen für den Fall, dass er wieder weglaufen sollte. Außerdem wirst du allein wohl kaum den Weg in die Stadt zurückfinden.«

Sie gingen weiter. Merthin fragte: »Was hat acht Arme und elf Beine?«

»Ich gebe auf«, sagte Ralph sofort. Das tat er immer.

»Ich weiß es«, sagte Caris und grinste. »Wir. Vier Kinder und der Hund.« Sie lachte. »Das ist gut.«

Das freute Merthin. Die Leute verstanden seine Scherze nicht immer, Mädchen fast nie. Einen Augenblick später hörte er, wie Gwenda es Ralph erklärte. »Zwei Arme und zwei Arme und zwei Arme und zwei Arme, das macht acht«, sagte sie. »Zwei Beine und …«

Sie sahen niemanden, was gut war. Die wenigen Leute, die rechtmäßig im Wald etwas verloren hatten – Holzfäller, Köhler, Eisenschmelzer –, arbeiteten heute nicht, und an einem Sonntag würde man auch keine adelige Jagdgesellschaft sehen. Demnach würde es sich bei jedem, auf den sie trafen, höchstwahrscheinlich um einen Gesetzlosen handeln. Allerdings war es ein großer Wald, der sich über viele Meilen hinweg erstreckte. Merthin war nie so weit gereist, als dass er sein Ende gesehen hätte.

Sie kamen zu einer breiten Lichtung, und Merthin sagte: »Das wird reichen.«

Am gegenüber liegenden Ende, gut fünfzig Schritt entfernt, stand eine Eiche mit breitem Stamm. Merthin stellte sich schräg zum Ziel, wie er es bei den Männern gesehen hatte. Dann holte er einen seiner drei Pfeile heraus und legte ihn auf die Sehne. Die Pfeile waren genauso schwer herzustellen gewesen wie der Bogen. Sie bestanden aus Eschenholz und hatten Gänsefedern als Befiederung. Da Merthin kein Eisen für die Spitzen hatte bekommen können, hatte er die Schäfte schlicht angespitzt und im Feuer gehärtet. Er legte auf den Baum an und spannte. Das kostete ihn viel Kraft. Er ließ los.

Der Pfeil fiel schon weit vor dem Ziel zu Boden. Hop, der Hund, tollte über die Lichtung, um ihn zurückzuholen.

Merthin war überrascht. Er hatte damit gerechnet, dass der Pfeil durch die Luft fliegen und sich mit der Spitze in den Stamm bohren würde. Nun erkannte er, dass er den Bogen nicht weit genug gespannt hatte.

Merthin versuchte es mit dem Bogen in der rechten und dem Pfeil in der linken Hand. Was das betraf, war er sehr ungewöhnlich, denn er war weder Links- noch Rechtshänder, sondern mit beiden Händen gleichermaßen geschickt. Beim zweiten Pfeil zog er mit aller Kraft an der Sehne und drückte den Bogen mit der anderen Hand nach vorne, und tatsächlich gelang es ihm, die Waffe weiter zu spannen als zuvor. Diesmal erreichte der Pfeil den Baum fast.

Für den dritten Schuss richtete er den Bogen nach oben in der Hoffnung, der Pfeil würde in einem Bogen durch die Luft fliegen und den Stamm so endlich treffen. Doch er schoss zu steil, und so flog der Pfeil ins Geäst und fiel inmitten eines Schauers trockener brauner Blätter abermals zu Boden.

Merthin war peinlich berührt. Das Bogenschießen erwies sich als weit schwerer, als er gedacht hatte. Der Bogen selbst war wohl in Ordnung. Das Problem war sein Können … oder sein Mangel daran.

Erneut schien Caris sein Unbehagen nicht zu bemerken. »Lass mich mal versuchen«, sagte sie.

»Mädchen können nicht schießen«, sagte Ralph und riss Merthin den Bogen aus der Hand. Mit der Schulter zum Ziel, wie auch Merthin es getan hatte, schoss er nicht sofort, sondern spannte den Bogen mehrere Male, um ein Gefühl dafür zu bekommen. Wie Merthin, so fand auch er es weit schwerer als erwartet, doch nach nur wenigen Augenblicken schien er damit umgehen zu können.

Hop hatte Gwenda alle drei Pfeile vor die Füße gelegt, und nun hob das kleine Mädchen sie auf und reichte sie Ralph.

Ralph zielte, ohne den Bogen zu spannen. Er richtete den Pfeil auf den Baumstamm aus, solange noch kein Druck auf seinen Armen lastete. Merthin erkannte, dass er es genauso hätte machen sollen. Warum fielen Ralph solche Dinge nur so leicht, wo er doch noch nicht einmal das einfachste Rätsel lösen konnte? Ralph spannte den Bogen zwar nicht ohne Mühe, doch in einer fließenden Bewegung, wobei er die Spannung hauptsächlich mit seinen Beinen abzufangen schien. Dann ließ er den Pfeil los, und das Geschoss traf die Eiche und drang gut einen Zoll in das weiche äußere Holz. Ralph lachte triumphierend.

Hop lief dem Pfeil hinterher. Als er den Baum erreichte, blieb er verblüfft stehen.

Ralph spannte den Bogen erneut. Merthin erkannte, was er vorhatte. »Nicht …«, rief er, doch es kam einen Moment zu spät. Ralph schoss auf den Hund. Der Pfeil traf das Tier im Nacken und drang ein. Hop fiel nach vorne und lag zuckend auf dem Boden.

Gwenda schrie. Caris sagte: »O nein!« Die beiden Mädchen liefen zu dem Hund.

Ralph grinste. »Na? Wie war das?«, fragte er stolz.

»Du hast ihren Hund erschossen!«, sagte Merthin wütend.

»Das ist doch egal. Er hatte sowieso nur drei Beine.«

»Das kleine Mädchen hat ihn gemocht, du Narr! Schau nur, wie sie weint.«

»Du bist nur neidisch, weil ich so gut schießen kann.« Irgendetwas erregte Ralphs Aufmerksamkeit. Mit einer geschmeidigen Bewegung legte er einen neuen Pfeil ein, riss den Bogen herum und schoss, noch während er sich bewegte. Merthin sah erst, worauf sein Bruder schoss, als das Geschoss sein Ziel traf und ein fetter Hase von der Wucht des Treffers in die Luft geschleudert wurde. Der Schaft steckte tief in seinen Hinterbeinen.

Merthin konnte seine Bewunderung nicht verbergen. Selbst mit Übung konnte nicht jeder einen laufenden Hasen treffen. Ralph besaß ein angeborenes Talent dafür. Merthin beneidete ihn, obwohl er das niemals zugegeben hätte. Er sehnte sich danach, ein Ritter zu sein, kühn und stark, wie sein Vater für den König zu kämpfen, und es trieb ihn jedes Mal zur Verzweiflung, wenn er sich bei solchen Dingen wie dem Bogenschießen als hoffnungsloser Fall erwies.

Ralph nahm einen Stein, zerschmetterte dem Hasen den Schädel und machte so seinem Leiden ein Ende.

Merthin kniete sich neben die beiden Mädchen und Hop. Der Hund atmete nicht mehr. Vorsichtig zog Caris dem Tier den Pfeil aus dem Nacken und gab ihn Merthin. Kein Blut strömte hervor: Hop war tot.

Einen Moment lang sagte niemand ein Wort. Dann hörten sie mitten in der Stille einen Mann rufen.

Merthin sprang auf. Das Herz schlug ihm bis zum Hals. Er hörte einen weiteren Ruf, eine andere Stimme: Da war mehr als nur eine Person. Beide Stimmen klangen wütend und aggressiv. Offenbar fand dort eine Art Kampf statt. Merthin hatte schreckliche Angst, wie auch die anderen. Während sie wie erstarrt dastanden und lauschten, hörten sie ein weiteres Geräusch: den Lärm von jemandem, der kopfüber durch den Wald rannte und dabei Zweige, Setzlinge und totes Laub zertrat.

Er kam in ihre Richtung.

Caris fand als Erste ihre Sprache wieder. »Ins Gebüsch!«, sagte sie und deutete auf ein dichtes Gestrüpp von Immergrün – vermutlich das Heim des Hasen, den Ralph erschossen hat, dachte Merthin. Einen Moment später lag Caris flach auf dem Bauch und kroch ins Dickicht. Gwenda folgte ihr mit dem toten Hop in den Armen. Ralph schnappte sich den erlegten Hasen und gesellte sich zu ihnen. Merthin war bereits auf den Knien, als ihm einfiel, dass sie einen verräterischen Pfeil im Baum hatten stecken lassen. Er rannte über die Lichtung, zog ihn heraus, lief zurück und tauchte in den Busch.

Sie hörten den rauen Atem des Mannes, bevor sie ihn sahen. Er keuchte so schwer beim Laufen, schnappte derart verzweifelt nach Luft, dass er schon fast am Ende seiner Kräfte zu sein schien. Die Stimmen gehörten seinen Verfolgern, die einander zuriefen: »Da entlang ... hier drüben ...!« Merthin erinnerte sich daran, dass Caris gesagt hatte, sie seien nicht weit weg von der Straße. War der Flüchtende vielleicht ein Reisender, der überfallen worden war?

Einen Augenblick später brach er aus dem Unterholz und stürmte auf die Lichtung.

Der Mann war ein Ritter Anfang zwanzig. Er trug ein Schwert und einen langen Dolch am Gürtel. Seine Kleidung war edel: ledernes Reisewams und hohe Stiefel, die oben umgeschlagen waren. Er stolperte und fiel, rollte herum, stand wieder auf, stellte sich mit dem Rücken an die Eiche, schnappte nach Luft und zog die Waffen.

Merthin schaute zu seinen Spielkameraden. Caris war weiß im Gesicht und biss sich auf die Lippe. Gwenda drückte den toten Hund an sich, als fühlte sie sich dadurch sicherer. Auch Ralph sah verstört aus, doch seine Angst war nicht groß genug, als dass er nicht den Pfeil aus dem Hasen gezogen und sich das tote Tier vorne in den Kittel gesteckt hätte.

Einen Moment lang starrte der Ritter das Gebüsch an, und Merthin dachte entsetzt, dass er die versteckten Kinder entdeckt hatte. Oder vielleicht hatte er auch die abgebrochenen Zweige und das zertrampelte Laub bemerkt, wo sie sich durch das Gestrüpp gedrängt hatten.

Aus dem Augenwinkel heraus sah Merthin, dass Ralph einen Pfeil auf die Sehne legte.

Dann kamen die Verfolger. Es waren zwei kräftige Soldaten, die wie richtige Raufbolde aussahen, und sie hielten Schwerter in den Händen. Sie trugen auffällige, zweifarbige Waffenröcke: Die linke Seite war gelb, die rechte grün. Der eine hatte einen Überrock aus billiger grüner Wolle, der andere einen schmuddeligen schwarzen Mantel. Alle drei Männer standen da und versuchten, erst einmal wieder zu Atem zu kommen. Merthin war sicher, gleich mit ansehen zu müssen, wie der Ritter in Stücke gehackt wurde, und er kämpfte gegen das beschämende Verlangen an, in Tränen auszubrechen. Dann plötzlich drehte der Ritter sein Schwert um und bot es seinen Verfolgern zum Zeichen der Kapitulation mit dem Heft voran an.

Der ältere Soldat, der in dem schwarzen Mantel, trat vor und streckte die linke Hand aus. Vorsichtig empfing er das ihm angebotene Schwert, reichte es an seinen Kameraden weiter und nahm darauf auch den Dolch des Ritters entgegen. Dann sagte er: »Es sind nicht Eure Waffen, die ich will, Thomas Langley.«

»Ihr kennt mich, aber ich kenne euch nicht«, erwiderte der Angesprochene. Falls er Angst hatte, dann wusste er sich zumindest zu beherrschen. »Euren Waffenröcken nach zu urteilen, seid ihr Männer der Königin.«

Der ältere Mann setzte ihm die Schwertspitze an den Hals und schob ihn an den Baum zurück. »Ihr habt einen Brief.«

»Anweisungen vom Grafen für den Sheriff zur Steuererhebung. Ihr dürft ihn gerne lesen.« Das war ein Scherz. Die Soldaten waren mit ziemlicher Sicherheit nicht des Lesens mächtig. Dieser Thomas Langley hat Nerven, dachte Merthin, Männer zu verspotten, die bereit zu sein scheinen, ihn zu töten.

Der zweite Soldat griff unter dem Schwert seines Kameraden hindurch und packte die Brieftasche an Thomas' Gürtel. Ungeduldig schnitt er das Leder mit dem Schwert entzwei. Dann warf er den Gürtel weg und öffnete die Tasche. Sie enthielt eine kleinere Tasche, die offenbar aus geölter Wolle bestand, und daraus zog er ein Stück Pergament hervor, das zusammengerollt und mit Wachs versiegelt war.

Ging es bei diesem Kampf wirklich nur um einen Brief?, fragte sich Merthin. Falls ja, was stand dann dort geschrieben? Um alltägliche Anweisungen für den Sheriff handelte es sich vermutlich nicht. Ein schreckliches Geheimnis musste sich in diesen Zeilen verbergen.

»Wenn ihr mich tötet«, sagte der Ritter, »wird dieser Mord von jenen bezeugt werden, die sich in dem Strauch dort verstecken, wer immer es auch sei.«

Die ganze Szene wirkte einen Moment wie eingefroren. Der Mann in dem schwarzen Mantel drückte weiter das Schwert an Thomas' Hals und widerstand der Versuchung, über die Schulter zu schauen. Der Mann in Grün zögerte, sah dann aber doch in Richtung Busch.

In diesem Moment schrie Gwenda auf.

Der Mann in dem grünen Überrock hob das Schwert und machte zwei lange Schritte über die Lichtung hinweg auf das Gebüsch zu. Gwenda stand auf und rannte los. Der Soldat sprang ihr hinterher und streckte die Hand aus, um sie zu packen.

Plötzlich erhob sich Ralph, spannte den Bogen in einer fließenden Bewegung und schoss einen Pfeil auf den Mann. Das Geschoss schlug dem Mann durchs Auge und bohrte sich mehrere Zoll tief in seinen Schädel. Seine linke Hand fuhr hoch, als wolle er den Pfeil wieder herausziehen; dann erschlaffte er und fiel um wie ein Sack Korn. Er schlug so heftig auf dem Boden auf, dass Merthin die Erschütterung spüren konnte.

Ralph stürzte aus dem Gebüsch und folgte Gwenda. Am Rand seines Sichtfelds nahm Merthin wahr, dass auch Caris ihnen folgte. Merthin wollte ebenfalls fliehen, doch seine Füße waren wie festgewachsen.

Ein Schrei ertönte auf der anderen Seite der Lichtung, und Merthin sah, dass Thomas das Schwert, das ihn bedrohte, beiseitegeschlagen hatte, und von irgendwoher hatte er ein kleines Messer mit einer handlangen Klinge gezückt. Doch der Soldat im schwarzen Mantel war wachsam und sprang rasch außer Reichweite. Dann hob er sein Schwert und schlug damit nach dem Kopf des Ritters.

Thomas tauchte zur Seite weg, war aber nicht schnell genug. Die Klinge traf ihn am linken Unterarm, durchtrennte das Lederwams und drang in sein Fleisch. Thomas schrie vor Schmerz auf, blieb aber auf den Beinen. Mit einer schnellen Bewegung, die ungewöhnlich elegant wirkte, schwang er die rechte Hand hoch und stieß seinem Gegner das Messer in den Hals. Dann setzte er die Bewegung in einem Bogen fort und schnitt dem Mann fast die ganze Kehle durch, bevor er die Klinge wieder herausriss.

Blut spritzte aus dem Hals des Mannes. Thomas taumelte zurück und versuchte, dem Blutschwall auszuweichen. Der Mann in Schwarz fiel zu Boden. Sein Kopf hing nur noch an einem dünnen Streifen Fleisch.

Thomas ließ das Messer fallen und packte seinen verwundeten linken Arm. Er setzte sich auf den Boden; plötzlich sah er ganz schwach aus.

Merthin war alleine mit einem verwundeten Ritter, zwei toten Soldaten und dem Leichnam eines dreibeinigen Hundes. Er wusste, dass er den anderen Kindern hinterherlaufen sollte, doch seine Neugier hielt ihn fest. Thomas sah nun harmlos aus, sagte er sich selbst.

Der Ritter hatte scharfe Augen. »Du kannst ruhig rauskommen«, rief er. »In meinem Zustand bin ich keine Gefahr für dich.«

Zögernd stand Merthin auf und schob sich aus dem Busch. Er überquerte die Lichtung und blieb mehrere Fuß von dem sitzenden Ritter entfernt stehen.

Thomas sagte: »Wenn sie herausfinden, dass du im Wald gespielt hast, kriegst du eine Tracht Prügel.«

Merthin nickte.

»Ich werde dein Geheimnis für mich behalten, wenn du meins bewahrst.«

Merthin nickte erneut. Indem er sich auf den Handel einließ, machte er keinerlei Zugeständnisse. Keines der Kinder würde erzählen, was sie gesehen hatten. Täten sie das, bekämen sie unglaublichen Ärger. Vor allem, was würde mit Ralph geschehen, der einen Mann der Königin getötet hatte?

»Wärst du so nett, mir dabei zu helfen, die Wunde zu verbinden?«, fragte Thomas. Trotz allem, was geschehen war, sprach er höflich, wie Merthin bemerkte. Die Haltung des Ritters war bemerkenswert. So wollte Merthin auch sein, wenn er groß war.

Schließlich gelang es Merthins zugeschnürter Kehle, ein Wort hervorzubringen. »Ja.«

»Dann nimm bitte den zerschnittenen Gürtel, und bind ihn mir um den Arm.«

Merthin tat, wie ihm geheißen. Thomas' Unterhemd war blutdurchtränkt, und das Fleisch an seinem Arm war aufgeschnitten wie ein Schwein auf dem Schlachterblock. Merthin wurde leicht übel, doch er zwang sich, den Gürtel um Thomas' Arm zu schlingen und so die Wunde zu schließen und den Blutfluss zu verlangsamen. Er machte einen Knoten, und Thomas zog ihn mit der Rechten fest.

Dann rappelte Thomas sich mühsam auf. Er schaute auf die Toten. »Wir können sie nicht begraben«, sagte er. »Ich würde verbluten, bevor die Gräber ausgehoben sind.« Dann schaute er zu Merthin und fügte hinzu: »Auch wenn du mir hilfst.« Er dachte einen Augenblick lang nach. »Andererseits will ich nicht, dass sie von irgendeinem Liebespärchen entdeckt werden, das nach einem Platz sucht, um ... allein zu sein. Lass uns sie in den Busch schleppen, wo ihr euch versteckt habt. Den Grünmantel zuerst.«

Sie gingen zu der Leiche.

»Jeder ein Bein«, sagte Thomas. Mit der rechten Hand packte er den linken Knöchel des Toten. Merthin nahm den anderen schlaffen Fuß in beide Hände und zog. Gemeinsam schleppten sie den Leichnam ins Gestrüpp zu Hop.

»Das sollte reichen«, sagte Thomas. Sein Gesicht war weiß vor Schmerz. Nach einem Augenblick beugte er sich hinunter und zog dem Toten den Pfeil aus dem Auge. »Gehört der dir?«, fragte er und hob die Augenbrauen.

Merthin nahm den Pfeil und wischte ihn am Boden ab, um Blut und Hirn zu entfernen.

Dann schleppten sie die zweite Leiche auf gleiche Art über die Lichtung und legten sie neben die erste. Der nur noch lose am Genick hängende Kopf schleifte hinterher.

Thomas hob die Schwerter der beiden Männer auf und warf sie neben die Leichen in den Busch. Dann nahm er seine eigenen Waffen wieder an sich.

»Und jetzt«, sagte Thomas, »muss ich dich um einen großen Gefallen bitten.« Er hielt Merthin seinen Dolch hin. »Würdest du mir ein kleines Loch graben?«

»Ja, gut.« Merthin nahm den Dolch.

»Einfach hier, genau vor der Eiche.«

»Wie groß?«

Thomas hob die lederne Brieftasche auf, die an seinem Gürtel befestigt gewesen war. »Groß genug, um das hier für fünfzig Jahre zu verstecken.«

Merthin nahm all seinen Mut zusammen und fragte: »Warum?«

»Grab, und ich werde dir so viel sagen, wie ich darf.«

Merthin kratzte am Boden, um die kalte Erde mit dem Dolch aufzulockern. Dann hob er sie mit den Händen aus.

Thomas nahm das Pergament, steckte es in die Wolltasche und machte diese dann wieder in der Brieftasche fest. »Ich sollte diesen Brief dem Grafen von Shiring überbringen«, sagte er. »Er enthält ein derart gefährliches Geheimnis, dass mir sofort klar war, dass der Überbringer getötet werden müsste, damit er niemals darüber sprechen kann. Also musste ich verschwinden. Ich beschloss, Zuflucht in einem Kloster zu suchen und Mönch zu werden. Ich habe genug vom Kämpfen, und ich habe viele Sünden begangen, für die ich büßen muss. Doch kaum wurde ich vermisst, begannen die Leute, die mir den Brief gegeben hatten, nach mir zu suchen – und ich hatte Pech. In einer Schänke in Bristol hat man mich entdeckt.«

»Warum haben die Männer der Königin Euch verfolgt?«

»Auch sie will nicht, dass dieses Geheimnis bekannt wird.«

Als Merthins Loch anderthalb Fuß tief war, sagte Thomas: »Das wird reichen.« Er warf die Brieftasche hinein.

Merthin schaufelte die Erde wieder hinein, und Thomas bedeckte alles mit Laub und Zweigen, bis es nicht mehr von der Umgebung zu unterscheiden war.

»Solltest du hören, dass ich gestorben bin«, sagte Thomas, »hätte ich gerne, dass du den Brief wieder ausgräbst und ihn einem Priester gibst. Würdest du das für mich tun?«

»Na gut.«

»Aber bevor es so weit ist, darfst du niemandem etwas davon erzählen. Solange sie wissen, dass ich den Brief habe, aber nicht, wo er ist, werden sie es nicht wagen, etwas zu unternehmen. Aber solltest du das Geheimnis verraten, werden zwei Dinge geschehen: Erst werden sie mich töten, dann dich.«

Merthin war entsetzt. Es kam ihm ungerecht vor, dass er in solch einer Gefahr schwebte, nur weil er einem Mann geholfen hatte, ein Loch zu graben.

»Es tut mir leid, dass ich dir Angst gemacht habe«, sagte Thomas. »Aber es ist nicht allein meine Schuld. Immerhin habe ich dich ja nicht gebeten hierherzukommen.«

»Nein.« Merthin wünschte sich von ganzem Herzen, er hätte seiner Mutter gehorcht und sich vom Wald ferngehalten.

»Ich werde jetzt wieder zur Straße gehen. Warum gehst du nicht wieder auf demselben Weg zurück, den du gekommen bist? Ich wette, deine Freunde warten nicht weit von hier auf dich.«

Merthin wandte sich zum Gehen.

»Wie heißt du?«, rief der Ritter ihm hinterher.

»Merthin, Sohn von Sir Gerald.«

»Wirklich?«, sagte Thomas, als kenne er Merthins Vater. »Nun, kein Wort, noch nicht einmal zu ihm.«

Merthin nickte und ging.

Nach etwa fünfzig Schritten musste er sich übergeben. Danach fühlte er sich schon ein wenig besser.

Wie Thomas vorausgesagt hatte, warteten die anderen auf ihn, unmittelbar am Waldrand, nicht weit entfernt vom Holzlager. Sie drängten sich um ihn und berührten ihn, als wollten sie sich vergewissern, dass er tatsächlich unverletzt geblieben war. Sie sahen erleichtert und beschämt zugleich aus, als fühlten sie sich schuldig, weil sie ihn im Stich gelassen hatten. Sie waren alle zutiefst erschüttert, sogar Ralph. »Dieser Mann«, sagte er. »Der Mann, auf den ich geschossen habe ... Ist er schlimm verletzt?«

»Er ist tot«, antwortete Merthin. Er zeigte Ralph den noch immer blutverschmierten Pfeil.

»Hast du ihn ihm aus dem Auge gezogen?«

Merthin hätte gerne gesagt, ja, aber er entschied sich, die Wahrheit zu sagen. »Der Ritter hat ihn rausgezogen.«

»Was ist mit dem anderen Soldaten passiert?«

»Der Ritter hat ihm den Hals durchgeschnitten. Dann haben wir die Leichen im Busch versteckt.«

»Und er hat dich einfach gehen lassen?«

»Ja.« Den vergrabenen Brief erwähnte Merthin nicht.

»Wir müssen dieses Geheimnis für uns behalten«, drängte Caris. »Es wird furchtbaren Ärger geben, sollte irgendjemand das herausfinden.«

Ralph erklärte: »Ich sage nichts.«

»Lasst uns einen Eid schwören«, schlug Caris vor.

Sie bildeten einen kleinen Kreis. Caris streckte die Hand in die Mitte. Merthin legte seine auf die ihre. Ihre Haut war weich und warm. Dann legte auch Ralph seine Hand darauf und schließlich Gwenda. Sie schworen beim Blute Christi.

Anschließend kehrten sie wieder in die Stadt zurück.

Das Übungsschießen war vorbei, und nun war es Zeit zum Mittagessen. Als sie die Brücke überquerten, sagte Merthin zu Ralph: »Wenn ich groß bin, möchte ich wie dieser Ritter sein: stets höflich, nie ängstlich und tödlich im Kampf.«

»Ich auch«, sagte Ralph. »Vor allem tödlich.«

Merthin war seltsam überrascht, dass das Leben in der alten Stadt seinen gewohnten Gang ging: Säuglinge weinten, es roch nach gebratenem Fleisch, und Männer tranken vor den Schänken ihr Bier.

Caris blieb vor einem großen Haus an der Hauptstraße stehen, genau gegenüber dem Tor zur Priorei. Sie legte Gwenda den Arm um die Schulter und sagte: »Meine Hündin hat Junge. Willst du sie sehen?«

Gwenda schaute noch immer verängstigt drein und war den Tränen nahe, doch sie nickte begeistert. »Ja, bitte.«

Das ist von Caris sowohl klug als auch freundlich, dachte Merthin. Die Welpen würden das kleine Mädchen trösten – und auch ablenken. Wenn sie zu ihrer Familie zurückkehrte, würde sie von den Welpen erzählen und nicht von ihrem Ausflug in den Wald.

Sie verabschiedeten sich voneinander, und die Mädchen gingen ins Haus. Merthin fragte sich, ob er Caris wohl wiedersehen würde.

Dann erinnerte er sich an ihre anderen Probleme. Was würde sein Vater wegen der Schulden unternehmen? Merthin und Ralph gingen auf den Kathedralenvorplatz. Ralph trug noch immer den Bogen und den toten Hasen. Es war still.

Bis auf ein paar Kranke war das Gästehaus leer. Eine Nonne sagte zu den beiden Jungen: »Euer Vater ist in der Kirche, mit dem Grafen von Shiring.«

Sie gingen in die große Kathedrale. Ihre Eltern waren in der Vorhalle. Mutter saß am Fuß eines Pfeilers, auf der hervorstehenden Ecke, wo die runde Säule auf den eckigen Sockel traf. In dem kalten Licht, das durch die großen Fenster fiel, wirkte Lady Mauds Gesicht ruhig und heiter – fast als wäre es aus dem gleichen Stein gemeißelt wie die Säule, an der ihr Kopf lehnte. Vater stand neben ihr und ließ resigniert die Schultern hängen. Graf Roland stand ihnen gegenüber. Er war älter als Vater, doch mit seinem schwarzen Haar und dem energischen Auftreten wirkte er weit jünger. Prior Anthony stand neben dem Grafen.

Die beiden Jungen blieben an der Tür stehen, doch ihre Mutter winkte sie zu sich. »Kommt her«, sagte sie. »Graf Roland hat uns zu einer Übereinkunft mit Prior Anthony verholfen, die all unsere Probleme löst.«

Vater knurrte, als wäre er nicht so dankbar für das, was der Graf getan hatte. »Und die Priorei bekommt meine Ländereien«, sagte er. »Es wird nichts mehr für euch beide zu erben geben.«

»Wir werden hier in Kingsbridge leben«, fuhr Mutter freudig fort. »Wir werden Muntlinge der Priorei.«

Merthin fragte: »Was ist ein Muntling?«

»Das bedeutet, dass die Mönche uns für den Rest unseres Lebens ein Haus und zwei Mahlzeiten am Tag zur Verfügung stellen. Ist das nicht wunderbar?«

Merthin sah ihr deutlich an, dass sie es keineswegs für wunderbar hielt. Vater schämte sich sichtlich, dass er seine Ländereien verloren hatte. Das war nicht nur eine kleine Schmach, erkannte Merthin.

Vater wandte sich an den Grafen. »Was ist mit meinen Söhnen?«

Graf Roland drehte sich um und schaute die beiden Jungen an. »Der große sieht vielversprechend aus«, sagte er. »Hast du den Hasen getötet, Junge?«

»Ja, Mylord«, antwortete Ralph stolz.

»In ein paar Jahren kann er als Junker zu mir kommen«, sagte der Graf in barschem Ton. »Dann werden wir ihn lehren, ein Ritter zu sein.«

Vater sah zufrieden aus.

Merthin war verwirrt. Hier wurden viel zu schnell viel zu große Entscheidungen getroffen. Er war wütend, weil sein jüngerer Bruder so bevorzugt wurde, während man ihn gar nicht erwähnte. »Das ist nicht gerecht!«, platzte er heraus. »Ich will auch ein Ritter werden!«

Mutter sagte: »Nein!«

»Aber ich habe den Bogen gemacht!«

Vater seufzte wütend und schaute angewidert drein.

»Du hast also den Bogen gemacht, mein Kleiner, ja?«, sagte der Graf, und Verachtung zeichnete sich auf seinem Gesicht ab. »In dem Fall wirst du bei einem Zimmermann in die Lehre gehen.«

Caris' Heim war ein prachtvoll ausgestattetes Fachwerkhaus mit Steinböden und einem steinernen Kamin. Im Erdgeschoss gab es drei Räume: die Halle mit dem großen Speisetisch, den Salon, wo Papa Geschäfte unter vier Augen besprach, und hinten die Küche. Als Caris und Gwenda hereinkamen, war das Haus so sehr vom Duft nach gekochtem Schinken erfüllt, dass einem das Wasser im Mund zusammenlief.

Caris führte Gwenda durch die Halle und die Innentreppe hinauf.

»Wo sind denn die Welpen?«, fragte Gwenda.

»Ich will zuerst nach meiner Mutter sehen«, erwiderte Caris. »Sie ist krank.«

Sie gingen ins vordere Schlafgemach, wo Mama auf einer hölzernen Bettstatt lag. Mama war klein und zierlich; Caris war schon fast genauso groß wie sie. Mama sah blasser als gewöhnlich aus, und ihr Haar war noch nicht frisiert, sodass es ihr an den feuchten Wangen klebte. »Wie fühlst du dich?«, fragte Caris.

»Ein wenig schwach heute.« Die Anstrengung des Sprechens allein raubte Mama schon den Atem.

Caris empfand eine vertraute, schmerzhafte Mischung aus Sorge und Hilflosigkeit. Ihre Mutter war schon seit einem Jahr krank. Mit Gelenkschmerzen hatte es angefangen. Kurz darauf hatte sie Geschwüre im Mund bekommen, und auf ihrem Leib waren unerklärliche blaue Flecken aufgetaucht. Außerdem war sie die ganze Zeit müde. Vergangene Woche hatte sie sich dann auch noch eine Erkältung eingefangen. Jetzt litt sie an Fieber und hatte Schwierigkeiten zu atmen.

»Brauchst du etwas?«, fragte Caris.

»Nein, danke.«

Das war die übliche Antwort, doch jedes Mal, da Caris sie hörte, wurde sie fast wahnsinnig ob ihrer Machtlosigkeit. »Soll ich Mutter

Cecilia holen?« Die Priorin von Kingsbridge war der einzige Mensch, der Mama ein wenig Linderung verschaffen konnte. Sie hatte einen Extrakt aus Klatschmohn, den sie mit Honig und warmem Wein mischte und der Mutter zumindest kurzfristig ein wenig von ihren Schmerzen nahm. Für Caris war Cecilia besser als jeder Engel.

»Das ist nicht nötig, Liebes«, sagte Mama. »Wie war es in der Kirche?«

Caris bemerkte, wie bleich die Lippen ihrer Mutter waren. »Unheimlich«, antwortete sie.

Mama sammelte kurz ihre Kräfte und fragte dann: »Was hast du heute Morgen gemacht?«

»Ich habe beim Bogenschießen zugeschaut.« Caris hielt den Atem an. Sie hatte Angst, dass Mutter ihr Geheimnis erahnen könnte, wie sie es des Öfteren tat.

Doch Mama schaute zu Gwenda. »Wer ist deine kleine Freundin?«

»Das ist Gwenda. Ich habe sie mitgebracht, um ihr die Welpen zu zeigen.«

»Das ist nett.« Mama sah plötzlich ganz müde aus. Sie schloss die Augen und wandte den Kopf ab.

Die beiden Mädchen schlichen hinaus.

Gwenda schaute entsetzt drein. »Was stimmt nicht mit ihr?«

»Sie hat die Schüttellähme.« Caris sprach nur ungern darüber. Die Krankheit ihrer Mutter vermittelte ihr das nervenzehrende Gefühl, dass nichts im Leben sicher war, dass alles geschehen konnte und dass man sich nirgends auf der Welt davor zu verstecken vermochte. Das war sogar noch furchterregender als der Kampf, den sie im Wald gesehen hatte. Wenn sie darüber nachdachte, was geschehen könnte, dass ihre Mutter vielleicht sterben würde, dann breitete sich ein Gefühl von Panik in ihrer Brust aus, und sie wollte nur noch schreien.

Das mittlere Schlafgemach wurde im Sommer von den Italienern genutzt, Wolleinkäufern aus Florenz und Prato, die Geschäfte mit Papa machten. Jetzt war es leer. Die Welpen befanden sich im hinteren Schlafgemach, das Caris und ihrer Schwester Alice gehörte. Sie waren sieben Wochen alt, bereit, von der Mutter entwöhnt zu werden, die allmählich ungeduldig mit ihnen wurde. Gwenda stieß ein erfreutes Seufzen aus und hockte sich sofort auf den Boden neben sie.

Caris nahm den Kleinsten des Wurfs auf den Arm, eine lebhafte

Hündin, die immer allein loszog, um die Welt zu erkunden. »Die will ich behalten«, sagte sie. »Sie heißt Scrap.« Den kleinen Hund in den Armen zu halten tröstete sie und half ihr, ihre Sorgen zu vergessen.

Die anderen vier kletterten über Gwenda, beschnüffelten sie und kauten an ihrem Kleid. Gwenda hob ein hässliches braunes Hündchen mit langer Schnauze und dicht beisammenstehenden Augen hoch. »Den mag ich«, sagte sie. Der Welpe rollte sich in ihrem Schoß zusammen.

Caris fragte: »Würdest du ihn gerne behalten?«

Gwenda traten die Tränen in die Augen. »Darf ich?«

»Wir dürfen sie abgeben.«

»Wirklich?«

»Papa will nicht noch mehr Hunde. Wenn er dir gefällt, dann kannst du ihn haben.«

»O ja«, sagte Gwenda im Flüsterton. »Ja, bitte.«

»Wie wirst du ihn nennen?«

»Es soll mich an Hop erinnern. Vielleicht werde ich ihn Skip rufen.«

»Das ist ein guter Name.« Caris sah, dass Skip bereits in Gwendas Schoß eingeschlafen war.

Die beiden Mädchen saßen schweigend bei den Hunden. Caris dachte an die beiden Jungen, die sie getroffen hatten, an den kleinen Rothaarigen mit den goldbraunen Augen und seinen großen, gut aussehenden jüngeren Bruder. Was hatte sie eigentlich dazu bewegt, sie in den Wald zu führen? Es war nicht das erste Mal, dass Caris, ohne weiter nachzudenken, einer törichten Eingebung gefolgt war. Das passierte zumeist dann, wenn jemand mit Autorität ihr befahl, etwas nicht zu tun. Ihre Tante Petronilla zum Beispiel war eine große Regelmacherin. »Füttere die Katze nicht, sonst werden wir sie nie los! Keine Ballspiele im Haus! Halt dich von dem Jungen fern; seine Familie sind Bauern!« Regeln, die sie in ihrer Freiheit einschränkten, trieben Caris in den Wahnsinn.

Aber noch nie hatte sie etwas derart Törichtes getan. Allein der Gedanke daran ließ sie schon zittern. Zwei Männer waren gestorben, aber was hätte geschehen *können*, war noch viel schlimmer: Die vier Kinder hätten getötet werden können.

Caris fragte sich, warum die Männer wohl gekämpft und warum Soldaten einen Ritter gejagt hatten. Offensichtlich war das kein gewöhnlicher Raubüberfall gewesen. Sie hatten von einem Brief gesprochen. Doch Merthin hatte kein Wort mehr darüber gesagt. Wahrscheinlich hatte er nicht mehr erfahren. Der Brief war eben noch so ein Mysterium des Erwachsenenlebens.

Caris hatte Merthin gemocht. Sein langweiliger Bruder Ralph hingegen war genauso wie die anderen Jungen in Kingsbridge: prahlerisch, dumm und mordlustig. Aber Merthin schien anders zu sein. Er hatte sie von Beginn an fasziniert.

Zwei neue Freunde an einem Tag, dachte sie und schaute zu Gwenda. Das kleine Mädchen war nicht hübsch. Es hatte dicht beisammenstehende dunkelbraune Augen über einer Hakennase. Gwenda hatte sich einen Hund ausgesucht, der ihr ein klein wenig ähnelte, erkannte Caris amüsiert. Gwendas Kleider waren alt. Vermutlich hatten schon andere Kinder sie vor ihr getragen. Gwenda hatte sich schon wieder ein wenig beruhigt. Sie sah nicht mehr so aus, als würde sie jeden Augenblick in Tränen ausbrechen. Auch sie trösteten die Welpen.

In der Halle unten waren vertraute schleppende Schritte zu hören, und einen Augenblick später bellte eine Stimme: »Bei allen Heiligen, bringt mir einen Krug Bier! Ich habe Durst wie ein Kutschpferd.«

»Das ist mein Vater«, sagte Caris. »Komm. Ich will dich ihm vorstellen.« Als sie sah, wie besorgt Gwenda dreinblickte, fügte sie rasch hinzu: »Mach dir keine Sorgen. Er schreit immer so, aber er ist wirklich nett.«

Die Mädchen gingen mit ihren Welpen nach unten. »Was ist mit meinen Dienern passiert?«, brüllte Papa. »Sind sie weggelaufen, um sich dem Elfenvolk anzuschließen?« Er kam aus der Küche gestapft und zog dabei wie immer sein verdrehtes rechtes Bein hinterher. In der Hand hielt er einen großen Holzbecher, aus dem Bier schwappte. »Hallo, meine kleine Butterblume«, sagte er in sanfterem Ton zu Caris. Er setzte sich auf den großen Stuhl am Kopf des Tisches und trank einen kräftigen Schluck. »Das ist schon besser«, sagte er und wischte sich mit dem Ärmel den zotteligen Bart ab. Dann bemerkte er Gwenda. »Ein kleines Gänseblümchen bei meiner Butterblume?«, sagte er. »Wie heißt du?«

»Gwenda, aus Wigleigh, Mylord«, antwortete Gwenda ehrerbietig.

»Ich habe ihr einen Welpen geschenkt«, erklärte Caris.

»Das war eine gute Idee!«, sagte Papa. »Welpen brauchen Zuneigung, und niemand kann einen Welpen so sehr lieben wie ein kleines Mädchen.«

Auf dem Hocker neben dem Tisch sah Caris einen Mantel aus scharlachrotem Tuch. Das musste aus dem Ausland stammen, denn englische Färber brachten solch ein strahlendes Rot nicht zustande. Papa folgte ihrem Blick und sagte: »Der ist für deine Mutter. Sie hat sich schon immer einen Mantel in italienischem Rot gewünscht. Ich hoffe, das wird sie ermutigen, bald wieder gesund genug zu werden, um ihn zu tragen.«

Caris berührte ihn. Die Wolle war weich und dicht gewebt, wie nur die Italiener es konnten. »Er ist wunderschön«, sagte sie.

Tante Petronilla kam von der Straße herein. Sie sah Papa durchaus ähnlich, war aber streng, wo er herzlich war. Sie glich mehr ihrem anderen Bruder, Anthony, dem Prior von Kingsbridge: Beide waren sie große, beeindruckende Gestalten, während Papa klein, breit und lahm war.

Caris mochte Petronilla nicht. Petronilla war ebenso klug wie boshaft, eine tödliche Mischung bei einem Erwachsenen: Caris gelang es nie, sie hinters Licht zu führen. Nur Papa freute sich, sie zu sehen. »Komm herein, Schwester«, sagte er. »Wo sind all meine Bediensteten?«

»Ich weiß nicht, warum du glaubst, dass ich das wissen könnte. Ich komme gerade von meinem eigenen Haus am Ende der Straße; aber wenn ich raten sollte, Edmund, so würde ich sagen, dass euer Koch im Hühnerhaus ist, um nach einem Ei für deinen Pudding zu suchen, und eure Zofe ist oben und hilft deinem Weib auf den Nachtstuhl, den sie für gewöhnlich gegen Mittag braucht. Was deine Lehrlinge betrifft, so hoffe ich, dass sie beide am Lagerhaus unten am Ufer Wache stehen und darauf achten, dass es sich keine Zecher in ihre betrunkenen Köpfe setzen, dein Wolllager in ein Freudenfeuer zu verwandeln.«

Sie sprach häufig so, hielt eine Predigt, anstatt einfach nur eine Antwort zu geben. Ihr Benehmen war wie stets von Hochmut geprägt, doch Papa machte das nichts aus – oder zumindest tat er so. »Ach, meine bemerkenswerte Schwester«, sagte er. »Du bist wahrlich diejenige, die die Klugheit unseres Vaters geerbt hat.«

Petronilla wandte sich den Mädchen zu. »Unser Vater stammt von Tom Builder ab, dem Stiefvater und Lehrmeister von Jack Builder, dem Erbauer der Kathedrale von Kingsbridge«, sagte sie. »Vater hat geschworen, seinen Erstgeborenen Gott zu weihen, doch unglücklicherweise war sein erstgeborenes Kind ein Mädchen: ich. Er hat mich nach der heiligen Petronilla benannt – der Tochter des heiligen

Petrus, wie ihr sicherlich wisst – und gebetet, dass er das nächste Mal einen Sohn bekommen möge. Doch sein erster Sohn ist missgestalt geboren worden, und Vater wollte Gott ein makelloses Geschenk machen; deshalb hat er Edmund erzogen, das Wollgeschäft zu übernehmen. Glücklicherweise war sein drittes Kind, unser Bruder Anthony, ein manierlicher und gottesfürchtiger Sohn. Schon als Junge ist er ins Kloster eingetreten, und nun – das sagen wir mit Stolz – ist er der Prior.«

Wäre Petronilla als Mann zur Welt gekommen, wäre sie gewiss Priester geworden. Doch so hatte sie das Nächstbeste getan und ihren einzigen Sohn, Godwyn, zum Mönch in der Priorei erzogen. Wie Großvater Wooler, so hatte auch sie ein Kind Gott geschenkt. Godwyn, ihr älterer Vetter, hatte Caris stets leidgetan, weil er Petronilla zur Mutter hatte.

Petronilla bemerkte den roten Mantel. »Wem gehört der?«, fragte sie. »Das ist allerteuerstes italienisches Tuch!«

»Ich habe ihn für Rose gekauft«, antwortete Papa.

Petronilla maß ihn einen Moment lang mit starrem Blick. Caris merkte ihr an, dass sie es für eine schier unglaubliche Torheit hielt, solch einen Mantel für eine Frau zu kaufen, die das Haus seit einem Jahr nicht mehr verlassen hatte. Doch sie sagte nur: »Du bist sehr gut zu ihr«, was man als Kompliment auffassen konnte oder auch nicht.

Vater war das egal. »Geh rauf, sie besuchen«, drängte er. »Das wird sie aufmuntern.«

Caris bezweifelte das, doch Petronilla litt nicht unter derartigen Zweifeln und ging hinauf.

Caris' Schwester Alice kam von der Straße herein. Sie war elf, ein Jahr älter als Caris. Alice starrte Gwenda an und fragte: »Wer ist das?«

»Meine neue Freundin Gwenda«, sagte Caris. »Sie wird einen Welpen mitnehmen.«

»Aber sie hat den, den ich haben wollte!«, protestierte Alice.

Das hatte sie bis jetzt nie gesagt. »Ooooh … Du hast dir nie einen ausgesucht!«, erwiderte Caris wütend. »Du sagst das nur, weil du gemein bist.«

»Warum sollte sie einen unserer Welpen bekommen?«

Papa mischte sich ein. »Na, na, na«, sagte er. »Wir haben mehr Welpen, als wir gebrauchen können.«

»Caris hätte mich zuerst fragen sollen, welchen ich haben will!«

»Ja, das hätte sie«, sagte Papa, obwohl er sehr wohl wusste, dass Alice nur Ärger machen wollte. »Tu das nie wieder, Caris.«

»Ja, Papa.«

Der Koch kam mit Krügen und Bechern aus der Küche herein. Als Caris noch nicht richtig sprechen konnte, hatte sie den Koch aus irgendeinem Grund Tutty genannt, und der Name war an ihm hängen geblieben. Papa sagte: »Danke, Tutty. Setzt euch an den Tisch, Mädchen.« Gwenda zögerte. Sie war nicht sicher, ob sie eingeladen war, doch Caris nickte ihr zu, wohl wissend, dass Papa auch sie gemeint hatte – er bat generell jeden in Sichtweite, sich zum Essen zu ihnen zu gesellen.

Tutty schenkte Papa Bier nach und gab Alice, Caris und Gwenda dann Bier gemischt mit Wasser. Gwenda leerte ihren Becher sofort, und das mit sichtlichem Genuss. Caris vermutete, dass Gwenda nicht oft Bier zu trinken bekam: Arme Leute tranken Apfelmost aus Fallobst.

Als Nächstes stellte der Koch vor jeden eine dicke Scheibe Roggenbrot, ein Fuß im Quadrat. Gwenda griff sich ihre Scheibe, um sie zu essen, und Caris erkannte, dass ihre neue Freundin noch nie richtig an einem Tisch gegessen hatte. »Warte«, sagte sie leise, und Gwenda legte das Brot wieder hin. Tutty brachte den Schinken auf einem Hackbrett und dazu eine Schüssel Kohl. Papa nahm ein großes Messer, schnitt Scheiben vom Schinken und stapelte sie auf den Broten der Mädchen. Gwenda starrte mit großen Augen auf die Unmengen an Fleisch, die man ihr gab. Caris schaufelte Kohlblätter auf den Schinken.

Elaine, die Kammerzofe, kam die Treppe heruntergeeilt. »Der Herrin scheint es schlechter zu gehen«, sagte sie. »Frau Petronilla sagt, wir sollen nach Mutter Cecilia schicken.«

»Dann lauf in die Priorei und bitte sie zu kommen«, sagte Papa. Die Zofe eilte davon.

»Langt zu, Kinder«, sagte Papa und spießte eine Scheibe heißen Schinken mit dem Messer auf; doch Caris sah, dass er das Essen nicht länger genoss, sondern in eine unbestimmte Ferne schaute.

Gwenda kostete ein wenig Kohl und flüsterte: »Das ist Essen vom Himmel.« Caris probierte es. Der Kohl war mit Ingwer gekocht. Gwenda hatte Ingwer vermutlich noch nie geschmeckt. Nur reiche Leute konnten ihn sich leisten.

Petronilla kam herunter, legte ein wenig Schinken auf einen Holzteller und trug ihn für Mama hoch; doch nur wenige Augenblicke später kehrte sie mit dem noch unberührten Essen wieder zurück. Sie setzte sich an den Tisch, um es selbst zu essen, und der Koch brachte ihr ein Schneidebrett. »Als ich noch ein Mädchen war, waren wir die einzige Familie in Kingsbridge, bei der jeden Tag Fleisch auf den Tisch kam«, erzählte sie. »Außer an Fastentagen natürlich, denn mein Vater war sehr fromm. Er war der erste Wollhändler der Stadt, der direkt mit den Italienern gehandelt hat. Heutzutage macht das jeder ... auch wenn mein Bruder Edmund noch immer der wichtigste Händler ist.«

Caris hatte ihren Appetit verloren, und sie musste lange kauen, bevor sie etwas schlucken konnte. Schließlich kam Mutter Cecilia, eine kleine, lebhafte Frau mit robustem, aber beruhigendem Auftreten. Bei ihr war Schwester Juliana, eine etwas schlichte Person, doch mit warmem Herzen. Caris fühlte sich schon besser, als sie die beiden die Treppe hinaufgehen sah: ein schnatternder Sperling mit einer watschelnden Henne im Schlepptau. Sie würden Mutter in Rosenwasser baden, um das Fieber zu kühlen, und die Düfte würden ihren Geist anregen.

Tutty brachte Äpfel und Käse. Gedankenverloren schälte Papa einen Apfel mit seinem Messer. Caris erinnerte sich daran, dass er sie immer mit geschälten Apfelstücken gefüttert hatte, als sie noch jünger gewesen war; die Schale hatte er selbst gegessen.

Schwester Juliana kam wieder herunter, einen besorgten Ausdruck auf ihrem dicklichen Gesicht. »Die Priorin möchte, dass Bruder Joseph kommt, um sich Frau Rose anzusehen«, sagte sie. Joseph war der Arzt des Klosters; er hatte bei den Meistern seines Fachs in Oxford gelernt. »Ich gehe ihn holen«, sagte Juliana und lief auf die Straße hinaus.

Papa legte seinen geschälten Apfel ungegessen ab.

Caris fragte: »Was wird jetzt geschehen?«

»Ich weiß es nicht, Butterblume. Wird es regnen? Wie viele Säcke Wolle brauchen die Florentiner? Wird eine Seuche die Schafe befallen? Ist das Baby ein Mädchen oder ein Junge mit einem verdrehten Bein? Das wissen wir nie. Das ...« Er schaute weg. »Das macht es ja so hart.«

Er gab Caris den Apfel, und Caris reichte ihn an Gwenda weiter, die ihn zur Gänze verschlang, mitsamt Kerngehäuse und Stängel.

Ein paar Minuten später kam Bruder Joseph mit einem jungen Gehilfen, den Caris als Saul Whitehead erkannte. Den Namen verdankte er seinem aschblonden Haar – oder dem, was nach der Tonsur davon übrig geblieben war.

Cecilia und Juliana kamen herunter, ohne Zweifel, um in dem engen Schlafgemach den beiden Männern Platz zu machen. Cecilia setzte sich an den Tisch, aß aber nichts. Sie hatte ein kleines Gesicht mit scharfen Zügen: eine kleine, spitze Nase, strahlende Augen und ein Kinn wie der Bug eines Bootes. Neugierig schaute sie auf Gwenda. »Nun denn«, fragte sie fröhlich, »wer ist denn dieses kleine Mädchen, und liebt sie auch unseren Herrn Jesus und seine heilige Mutter?«

Gwenda sagte: »Ich bin Gwenda. Ich bin Caris' Freundin.« Ängstlich schaute sie zu Caris, als wäre es anmaßend von ihr, sich ihre Freundin zu nennen.

Caris fragte: »Wird die Jungfrau Maria meine Mama wieder gesund machen?«

Cecilia hob die Augenbrauen. »Solch eine unverblümte Frage. Ich hätte mir denken können, dass du Edmunds Tochter bist.«

»Jeder betet zu ihr, aber nicht jeder wird wieder gesund«, sagte Caris.

»Und weißt du auch, warum das so ist?«

»Vielleicht hilft sie nie jemandem, und die Starken werden einfach wieder gesund und die Schwachen nicht.«

»Aber, aber, sei nicht dumm«, sagte Papa. »Jeder weiß, dass die Gottesmutter uns hilft.«

»Schon gut«, sagte Cecilia zu ihm. »Es ist ganz normal, dass ein Kind Fragen stellt – besonders wenn es klug ist. Caris, die Heiligen sind stets sehr mächtig, doch einige Gebete sind wirkungsvoller als andere. Verstehst du das?«

Caris nickte widerwillig. Sie war weniger überzeugt, als dass sie sich überlistet fühlte.

»Sie muss in unsere Schule kommen«, sagte Cecilia. Die Nonnen unterhielten eine Schule für die Töchter des Adels und einige der wohlhabenderen Stadtbewohner. Die Mönche hatten eine Schule für Jungen.

Papa schaute stur drein. »Rose hat beide Mädchen das Schreiben gelehrt«, sagte er, »und Caris kennt ihre Zahlen genauso gut wie ich. Sie hilft mir im Geschäft.«

»Sie sollte mehr lernen als das. Ihr wollt doch sicher nicht, dass sie ihr ganzes Leben als Eure Dienerin verbringt, oder?«

Petronilla warf ein: »Sie braucht nichts aus Büchern zu lernen.

Sie wird ausgesprochen gut heiraten. Bei beiden Mädchen werden die Freier Schlange stehen. Söhne von Kaufleuten, ja sogar Söhne von Rittern werden nur allzu gern in diese Familie einheiraten. Aber Caris ist ein eigensinniges Kind: Wir müssen dafür Sorge tragen, dass sie sich nicht wegwirft, an irgendeinen mittellosen Bänkelsänger oder dergleichen.«

Caris bemerkte, dass Petronilla von der gehorsamen Alice solchen Ärger nicht erwartete, die vermutlich heiraten würde, wen auch immer man für sie bestimmte.

Cecilia sagte: »Vielleicht wird Gott Caris ja in seinen Dienst berufen.«

Mürrisch erwiderte Papa: »Gott hat bereits zwei aus dieser Familie in seinen Dienst berufen: meinen Bruder und meinen Neffen. Man sollte annehmen, dass er jetzt zufrieden ist.«

Cecilia schaute Caris an. »Was denkst du?«, fragte sie. »Möchtest du Wollhändler werden, das Weib eines Ritters oder Nonne?«

Die Vorstellung, Nonne zu sein, entsetzte Caris. Jede Stunde ihres Lebens würde sie den Befehlen anderer gehorchen müssen. Das war, als würde man sein ganzes Leben lang Kind bleiben und Petronilla zur Mutter haben. Das Weib eines Ritters oder sonst jemandes zu sein war jedoch fast genauso schlimm, denn Frauen mussten ihren Männern gehorchen. Papa zu helfen und vielleicht irgendwann das Geschäft zu übernehmen, wenn er zu alt dafür war, schien die am wenigsten abschreckende Möglichkeit zu sein, aber andererseits war auch das nicht gerade ihr Traum. »Gar nichts davon«, antwortete sie.

»Gibt es denn etwas, was du gerne sein möchtest?«, fragte Cecilia.

Das gab es, obwohl Caris das noch niemandem gesagt hatte. Tatsächlich war es ihr noch gar nicht bewusst geworden, doch nun hielt der Ehrgeiz sie gepackt, und sie kannte ihr Schicksal ohne jeden Zweifel. »Ich werde Arzt«, verkündete sie.

Es folgte ein Augenblick des Schweigens; dann lachten alle.

Caris errötete. Sie wusste nicht, was daran so komisch sein sollte.

Papa hatte Mitleid mit ihr und erklärte: »Nur Männer können Ärzte werden. Hast du das nicht gewusst, Butterblume?«

Caris war verwirrt. Sie drehte sich zu Cecilia um. »Aber was ist mit Euch?«

»Ich bin kein Arzt«, antwortete Cecilia. »Natürlich kümmern

wir Nonnen uns um die Kranken, aber wir folgen dabei den Anweisungen ausgebildeter Männer. Die Mönche, die bei den Magistern studiert haben, kennen sich mit den Körpersäften aus. Sie wissen, wie sie bei Krankheit aus dem Gleichgewicht geraten und wie man sie wieder ins richtige Verhältnis bringen kann, damit der Betroffene gesundet. Sie wissen, welche Ader sie gegen Kopfschmerz, Aussatz oder Kurzatmigkeit bluten lassen, wo sie schröpfen und wo sie ausbrennen müssen. Sie wissen, ob ein Umschlag oder ein Bad dem Kranken hilft.«

»Könnte eine Frau denn solche Dinge nicht lernen?«

»Vielleicht, doch Gott hat es anders bestimmt.«

Die Art, wie Erwachsene sich dieser Binsenweisheit bedienten, wann immer sie um eine Antwort verlegen waren, ärgerte Caris maßlos. Bevor sie etwas sagen konnte, kam Bruder Saul herunter. Er trug eine Schüssel Blut in den Händen und ging durch die Küche in den Hinterhof, um sie zu entleeren. Der Anblick trieb Caris die Tränen in die Augen. Alle Ärzte verwendeten den Aderlass als Heilmittel, also musste er wohl wirken. Trotzdem hasste sie es, dass die Lebenskraft ihrer Mutter in einer Schüssel weggeschüttet wurde.

Saul kehrte ins Krankenzimmer zurück, und ein paar Augenblicke später kamen er und Joseph herunter. »Ich habe für sie getan, was ich kann«, sagte Joseph ernst zu Papa. »Und sie hat ihre Sünden gebeichtet.«

Ihre Sünden gebeichtet! Caris wusste, was das bedeutete. Nun brachen sich die Tränen Bahn, und sie begann zu weinen.

Papa holte sechs Silberpennys aus seiner Börse und gab sie dem Mönch. »Danke, Bruder«, sagte er mit heiserer Stimme.

Als die Mönche gegangen waren, stiegen die beiden Nonnen wieder die Treppe hinauf.

Alice saß auf Papas Schoß und vergrub ihr Gesicht an seinem Hals. Caris weinte und drückte Scrap an sich. Petronilla befahl Tutty, den Tisch abzuräumen. Gwenda beobachtete alles mit großen Augen. Schweigend saßen sie am Tisch und warteten.

Bruder Godwyn hatte Hunger. Er hatte seine Hauptmahlzeit bereits verzehrt, einen Eintopf aus Rüben und Pökelfisch, aber das hatte ihm nicht gereicht. Die Mönche bekamen fast immer Fisch und Dünnbier zum Essen, selbst wenn kein Fastentag war.

Aber natürlich nicht alle Mönche: Prior Anthony speiste besser als die anderen. Heute erwartete ihn ein besonders gutes Essen, denn die Priorin, Mutter Cecilia, war bei ihm zu Gast. Sie war reiche Speisen gewöhnt. Die Nonnen, die stets mehr Geld zu haben schienen als die Mönche, schlachteten alle paar Tage ein Schwein oder ein Schaf und spülten es mit Wein aus der Gascogne runter.

Es war Godwyns Aufgabe, das Essen zu beaufsichtigen; eine schwere Aufgabe, wenn einem selbst der Magen knurrte. Godwyn sprach mit dem Klosterkoch und sah nach der fetten Gans im Ofen und dem Kessel mit Apfelsoße, die auf dem Feuer köchelte. Er orderte beim Cellerar einen Krug Apfelmost vom Fass und holte einen Laib Roggenbrot aus der Bäckerei – altes Brot, denn sonntags wurde nicht gebacken. Schließlich holte er silberne Teller und Kelche aus einer verschlossenen Truhe und deckte damit im Haus des Priors den Tisch.

Der Prior und die Priorin speisten einmal im Monat miteinander. Mönchs- und Nonnenkloster waren getrennt; beide besaßen sie eigenen Grund und Boden und unterschiedliche Einkommensquellen. Prior und Priorin mussten sich unabhängig voneinander dem Bischof von Kingsbridge gegenüber verantworten. Nichtsdestotrotz teilten sie sich die große Kathedrale und mehrere andere Gebäude einschließlich des Hospitals, wo Mönche als Ärzte arbeiteten und Nonnen als Krankenschwestern. Somit gab es stets Einzelheiten zu diskutieren: Gottesdienste in der Kathedrale, Hospitalgäste und Kranke, Stadtpolitik. Überdies versuchte Anthony oft, Cecilia dazu zu überreden, Kosten zu übernehmen, die eigentlich hätten geteilt werden sollen – Glasfenster für das Kapitelhaus, Strohsäcke für das

Hospital, Malerarbeiten in der Kathedrale –, und sie ließ sich für gewöhnlich darauf ein.

Heute jedoch würde sich das Gespräch aller Wahrscheinlichkeit nach vornehmlich um Politik drehen. Anthony war gestern von einem zweiwöchigen Aufenthalt in Gloucester zurückgekehrt, wo er an der Beisetzung von König Edward II. mitgewirkt hatte, der im Januar seinen Thron und im September sein Leben verloren hatte. Mutter Cecilia wollte sicherlich die neuesten Gerüchte hören, während sie gleichzeitig so tat, als stünde sie über den Dingen.

Godwyn hatte jedoch noch etwas anderes im Kopf. Er wollte mit Anthony über seine Zukunft sprechen. Seit der Rückkehr des Priors hatte er auf den passenden Augenblick gewartet. Immer wieder war er seine Rede durchgegangen, hatte aber bis jetzt noch keine Gelegenheit gefunden, sie vorzutragen. Er hoffte, heute wäre es so weit.

Anthony betrat die Halle, als Godwyn gerade Käse und eine Schüssel mit Birnen auf die Anrichte stellte. Der Prior sah wie ein älterer Godwyn aus. Beide waren sie groß, hatten regelmäßige Gesichtszüge und hellbraunes Haar, und wie beim Rest der Familie waren ihre Augen grün mit goldenen Flecken. Anthony trat ans Feuer – der Raum war kalt, und ein eisiger Wind pfiff durch das alte Gemäuer. Godwyn schenkte ihm einen Kelch Apfelmost ein. »Vater Prior, heute ist mein Geburtstag«, sagte er, während Anthony trank. »Ich bin einundzwanzig.«

»In der Tat«, sagte Anthony. »Ich erinnere mich noch sehr gut an deine Geburt. Ich war damals vierzehn. Während sie dich auf die Welt brachte, hat meine Schwester Petronilla geschrien wie ein Eber mit einem Pfeil in den Eingeweiden.« Er hob den Kelch zum Tost und schaute Godwyn liebevoll an. »Und jetzt bist du ein Mann.«

Godwyn entschied, dass der Moment gekommen war. »Ich bin nun zehn Jahre in der Priorei …«, begann er.

»So lange schon?«

»Ja – als Schuljunge, als Novize und als Mönch.«

»Meine Güte.«

»Ich hoffe, ich habe meiner Mutter und Euch Ehre gemacht.«

»Wir sind beide sehr stolz auf dich.«

»Danke.« Godwyn schluckte. »Und jetzt möchte ich nach Oxford gehen.«

Die Stadt Oxford war schon lange ein Zentrum für Magister der

Theologie, der Medizin und der Juristerei. Priester und Mönche gingen zum Studium dorthin und um dort mit den Lehrern und anderen Studenten zu diskutieren. Im letzten Jahrhundert hatte man die Magister zu einer Gemeinschaft zusammengefasst, einer Universität, welche die königliche Erlaubnis hatte, Studenten zu examinieren und Titel zu verleihen. Die Priorei von Kingsbridge unterhielt eine Zelle in Oxford, bekannt als Kingsbridge College, wo acht Mönche ihr Leben in Gebet und Askese weiterführen, gleichzeitig aber auch studieren konnten.

»Oxford!«, rief Anthony aus, und ein Ausdruck der Sorge und der Verachtung schlich sich auf sein Gesicht. »Warum?«

»Um zu studieren, wie es von Mönchen erwartet wird.«

»Ich bin nie nach Oxford gegangen – und ich bin Prior.«

Das stimmte, doch Anthony war dadurch anderen Klosteroberen gegenüber stets im Nachteil. Der Mesner, der Schatzmeister des Klosters, und mehrere andere Amtsinhaber des Konvents hatten an der Universität graduiert; Gleiches galt für alle Ärzte. Sie waren von rascher Auffassungsgabe und verstanden es, geschickt zu argumentieren. Anthony wirkte bisweilen sogar stümperhaft im Vergleich zu ihnen, besonders im Kapitel, der täglichen Zusammenkunft der Mönche. Godwyn sehnte sich danach, die gleiche scharfsinnige Logik und selbstbewusste Überlegenheit wie die Männer aus Oxford zu erlangen. Er wollte nicht wie sein Onkel werden.

Doch das durfte er nicht sagen. »Ich will lernen«, erklärte er stattdessen schlicht.

»Warum willst du Ketzerei lernen?«, fragte Anthony verächtlich. »Die Studenten von Oxford stellen die Lehren der heiligen Mutter Kirche infrage!«

»Um sie besser zu verstehen.«

»Das ist sinnlos und gefährlich.«

Godwyn fragte sich, warum Anthony sich so sperrte. In der Vergangenheit war der Prior nie so besorgt gewesen, was die Reinheit der Lehre betraf, und Godwyn hatte nicht das geringste Interesse daran, allgemein anerkannte Prinzipien zu hinterfragen. Er runzelte die Stirn. »Ich dachte, Ihr und meine Mutter hättet Pläne mit mir«, sagte er. »Wollt Ihr denn nicht, dass ich aufsteige, ein Amt übernehme und eines Tages vielleicht sogar Prior werde?«

»Irgendwann einmal, ja. Aber um das zu erreichen, brauchst du Kingsbridge nicht zu verlassen.«

Du willst nur nicht, dass ich zu rasch vorwärtskomme, damit

ich dich nicht überhole; und du willst nicht, dass ich die Stadt verlasse, weil du dann keine Kontrolle mehr über mich hast, dachte Godwyn mit plötzlicher Einsicht. Er wünschte, er hätte schon früher daran gedacht, dass man seinen Plänen Widerstand entgegenbringen könnte. »Ich möchte nicht Theologie studieren«, sagte er.

»Was dann?«

»Medizin. Sie ist solch ein wichtiger Teil unserer Arbeit hier.«

Anthony schürzte die Lippen. Godwyn hatte den gleichen missbilligenden Ausdruck schon auf dem Gesicht seiner Mutter gesehen. »Das Kloster kann sich das nicht leisten«, sagte Anthony. »Ist dir eigentlich klar, dass *ein* Buch schon vierzehn Shilling kostet?«

Das überraschte Godwyn. Er wusste, dass Studenten Bücher auch leihen konnten, doch das war nicht der Punkt. »Was ist mit den Studenten, die bereits dort sind?«, fragte er. »Wer bezahlt für die?«

»Zwei werden von ihren Familien unterstützt und einer von den Nonnen. Die Priorei zahlt für die restlichen drei; mehr können wir uns aber nicht leisten. Tatsächlich sind mangels Geld sogar zwei Plätze im College frei.«

Godwyn wusste, dass die Priorei Geldprobleme hatte. Andererseits konnte sie aber auch auf große Einkommensquellen zurückgreifen: Tausende Morgen Land, Mühlen, Fischteiche und Wälder sowie die riesigen Abgaben des Marktes. Godwyn konnte einfach nicht fassen, dass sein Onkel ihm das Geld verweigerte, um nach Oxford zu gehen. Anthony war nicht nur sein Verwandter, sondern auch sein Mentor. Er hatte Godwyn stets den anderen jungen Mönchen vorgezogen. Doch nun versuchte er, Godwyn vom Weiterkommen abzuhalten.

»Ärzte bringen Geld in die Priorei«, argumentierte er. »Wenn wir keine jungen Männer ausbilden, werden die alten irgendwann sterben, und die Priorei verarmt.«

»Gott wird für uns sorgen.«

Dieser Allgemeinplatz, der einen immer wieder in den Wahnsinn trieb, war Anthonys Antwort auf alles. Seit einigen Jahren schon ging das Einkommen der Priorei vom jährlichen Wollmarkt stetig zurück. Das Stadtvolk hatte Anthony gedrängt, in bessere Einrichtungen für die Wollhändler zu investieren – Zelte, Stände, Latrinen, ja sogar in ein Gebäude für die Wollbörse –, doch er hatte sich stets geweigert und sich dabei auf ihre Armut berufen. Und als sein Bruder, Edmund, ihm gesagt hatte, dass der Markt irgendwann schlicht verschwinden würde, hatte Anthony nur geantwortet: »Gott wird für uns sorgen.«

Godwyn sagte: »Nun, dann wird er vielleicht auch für das Geld sorgen, damit ich nach Oxford gehen kann.«

»Vielleicht wird er das.«

Godwyn fühlte sich schmerzlich enttäuscht. Es drängte ihn danach, aus seiner Heimatstadt fortzugehen und andere Luft zu atmen. Natürlich würde er sich im Kingsbridge College der gleichen Klosterdisziplin unterwerfen müssen; aber er wäre auch weit weg von seinem Onkel und seiner Mutter, und diese Aussicht war in der Tat verlockend.

Er war noch nicht bereit aufzugeben. »Meine Mutter wird sehr enttäuscht sein, wenn ich nicht gehe.«

Anthony wirkte nervös. Er wollte nicht den Zorn seiner bisweilen so furchterregenden Schwester heraufbeschwören. »Dann lass sie dafür beten, dass das Geld gefunden wird.«

»Vielleicht kann ich es ja anderswo bekommen«, improvisierte Godwyn.

»Und wie willst du das anstellen?«

Godwyn suchte nach einer Antwort und hatte tatsächlich eine Idee. »Ich könnte tun, was Ihr immer tut, und Mutter Cecilia bitten.« Das war durchaus möglich. Cecilia machte ihn zwar nervös – sie konnte genauso einschüchternd sein wie Petronilla –, aber sie war anfälliger für seinen jungenhaften Charme. Sie könnte in der Tat dazu überredet werden, für die Ausbildung eines klugen jungen Mönchs zu bezahlen.

Der Vorschlag überraschte Anthony. Godwyn sah, wie sein Onkel nach einem Einwand suchte. Doch bis jetzt hatte Anthony hauptsächlich mit Geld argumentiert, und nun konnte er nicht einfach den Ansatzpunkt wechseln.

Während Anthony noch zögerte, kam Cecilia herein. Sie trug einen schweren Mantel aus feiner Wolle. Das war der einzige Luxus, den sie sich gönnte; sie hasste die Kälte.

Nachdem sie den Prior begrüßt hatte, wandte sie sich Godwyn zu. »Eure Tante Rose ist sterbenskrank«, sagte sie. Ihre Stimme war ausgesprochen melodiös, und sie sprach sehr präzise. »Womöglich wird sie die Nacht nicht überstehen.«

»Möge Gott ihrer Seele gnädig sein.« Godwyn empfand einen Hauch von Mitleid. In einer Familie, wo jeder ein Anführer war, war Rose der einzige Gefolgsmann. Ihre Blüten wirkten umso zerbrechlicher, da sie von Dornen umgeben war. »Das kommt nicht unerwartet«, fügte er hinzu. »Doch meine Basen, Alice und Caris, werden sehr traurig sein.«

»Glücklicherweise haben sie Eure Mutter, die sie trösten wird.«

»In der Tat.« Trost war nicht gerade Petronillas Stärke, dachte Godwyn. Seine Mutter verstand es weit besser, jemanden davon abzuhalten, auf die falsche Bahn zu geraten. Aber er korrigierte die Priorin nicht. Stattdessen schenkte er ihr einen Kelch Apfelmost ein. »Ist es vielleicht ein wenig zu kalt für Euch hier drin, Ehrwürdige Mutter?«

»Geradezu eisig«, antwortete Cecilia rundheraus.

»Ich werde das Feuer schüren.«

Hinterhältig sagte Anthony: »Mein Neffe Godwyn ist so fürsorglich, weil er will, dass Ihr ihm sein Studium in Oxford bezahlt.«

Godwyn funkelte ihn wütend an. Er hätte lieber eine entsprechende Rede vorbereitet und den geeigneten Zeitpunkt dafür abgewartet. Nun jedoch war Anthony auf geradezu unmögliche Art einfach damit herausgeplatzt.

Cecilia sagte: »Ich glaube nicht, dass wir es uns leisten können, für *zwei* weitere Scholaren zu bezahlen.«

Nun war es an Anthony, überrascht zu sein. »Es hat Euch noch jemand um Geld für Oxford gebeten?«

»Vielleicht sollte ich das nicht sagen«, erwiderte Cecilia. »Ich will niemandem Schwierigkeiten bereiten.«

»Das ist nicht von Bedeutung«, erklärte Anthony verärgert; dann riss er sich wieder zusammen und fügte hinzu: »Wir sind Euch für Eure Großzügigkeit stets sehr dankbar.«

Godwyn legte noch ein wenig Holz aufs Feuer und ging dann hinaus. Das Haus des Priors lag auf der Nordseite der Kathedrale. Der Kreuzgang und alle anderen Gebäude befanden sich im Süden der Kirche. Fröstelnd ging Godwyn über den Kathedralenvorplatz zur Klosterküche.

Er hatte damit gerechnet, dass Anthony mit Haarspaltereien auf seinen Wunsch reagieren würde, nach Oxford zu gehen. Er hatte gedacht, der Prior würde argumentieren, er solle warten, bis er älter sei oder bis die jetzigen Studenten ihren Abschluss gemacht hatten – denn Anthony war von Natur aus spitzfindig. Aber er, Godwyn, war Anthonys Schützling, und er hatte darauf vertraut, dass sein Onkel ihn zu guter Letzt doch noch unterstützen würde. Dass Anthony sich rundheraus geweigert hatte, schockierte ihn.

Godwyn fragte sich, wer die Priorin wohl noch um Unterstützung gebeten hatte. Von den sechsundzwanzig Mönchen in der Priorei waren sechs ungefähr in Godwyns Alter: Es könnte jeder von ihnen sein. In der Küche half der zweite Kellermeister, Theodoric, dem Koch. Könnte er Godwyns Rivale um das Geld der Priorin sein? Godwyn beobachtete, wie Theodoric die Gans auf einen Teller legte und eine Schüssel Apfelsoße dazustellte. Theodoric war klug genug zum Studieren. Er könnte durchaus ein Konkurrent sein.

Godwyn trug das Essen ins Haus des Priors zurück. Er machte sich Sorgen. Falls Cecilia beschließen sollte, Theodoric zu helfen, dann war er mit seinem Latein am Ende. Für einen solchen Fall hatte er nicht vorausgeplant.

Godwyns größter Wunsch war es, eines Tages Prior von Kingsbridge zu werden. Er war sicher, das Amt besser ausfüllen zu können als Anthony. Und falls er ein erfolgreicher Prior war, würde er vielleicht noch weiter aufsteigen: Bischof, Erzbischof, womöglich gar Ratgeber des Königs. Godwyn hatte nur eine vage Vorstellung davon, was er mit solch einer Macht anfangen würde, aber er war fest davon überzeugt, dass ihm im Leben eine gehobene Stellung gebührte. Allerdings gab es nur zwei Wege zu diesem Ziel. Der eine war die adelige Geburt, der andere Bildung. Godwyn stammte aus einer Familie von Wollhändlern: Seine einzige Hoffnung war die Universität. Und dafür brauchte er Geld.

Godwyn richtete das Essen auf dem Tisch an. Cecilia fragte gerade: »Aber *wie* ist der König gestorben?«

»An einem Sturz«, antwortete Anthony.

Godwyn tranchierte die Gans. »Darf ich Euch ein wenig von der Brust geben, Ehrwürdige Mutter?«

»Ja, bitte. An einem Sturz?«, fragte sie skeptisch. »Bei Euch klingt das, als wäre der König ein sabbernder alter Mann gewesen. Er war erst dreiundvierzig!«

»Das sagen zumindest seine Wärter.« Seit seiner Absetzung war der ehemalige König in Berkeley Castle gefangen gewesen, ein paar Tagesritte von Kingsbridge entfernt.

»Ah, ja, seine Wärter«, sagte Cecilia. »Mortimers Männer.« Sie missbilligte die Handlungen von Roger Mortimer, dem Grafen von March. Er hatte nicht nur die Rebellion gegen Edward II. angeführt, sondern auch dessen Frau, Königin Isabella, verführt.

Sie begannen zu essen. Godwyn fragte sich, ob sie wohl etwas für ihn übrig lassen würden.

Anthony sagte zu Cecilia: »Ihr klingt, als würdet Ihr etwas Finsteres vermuten.«

»Natürlich nicht, aber ... es gibt Gerede. Es heißt, dass ...«

»Dass er ermordet worden sei? Ich weiß. Aber ich habe den Leichnam mit eigenen Augen gesehen, nackt. Es gab keinerlei Spuren von Gewalteinwirkung.«

Godwyn wusste, dass er die beiden nicht unterbrechen sollte, doch er konnte nicht widerstehen. »Gerüchten zufolge hat jeder im Dorf Berkeley die Schmerzensschreie des Königs gehört, als er gestorben ist.«

Anthony schaute ihn streng an. »Wenn ein König stirbt, gibt es immer Gerüchte.«

»Dieser König ist nicht einfach nur gestorben«, sagte Cecilia. »Zuerst ist er vom Parlament abgesetzt worden. So etwas hat es noch nie zuvor gegeben.«

Anthony senkte die Stimme. »Die Gründe waren schwerwiegend. Da waren Sünden von ... Unreinheit.«

Der Prior drückte sich bewusst rätselhaft aus, doch Godwyn wusste genau, was er meinte. Edward hatte »Favoriten« gehabt, junge Männer, denen er auf widernatürliche Art zugeneigt gewesen war. Dem ersten, Peter Gaveston, hatte er so viel Macht und Privilegien verliehen, dass er damit die Eifersucht und den Groll der Barone weckte, und zu guter Letzt hatte man Gaveston wegen Hochverrats hingerichtet. Doch Gaveston waren andere gefolgt. Es sei kein Wunder gewesen, sagten die Leute, dass die Königin sich einen Liebhaber genommen habe.

»Ich kann so etwas einfach nicht glauben«, sagte Cecilia, die eine leidenschaftliche Königstreue war. »Es mag ja der Wahrheit entsprechen, dass Gesetzlose im Wald sich solch verkommenen Praktiken hingeben, aber ein Mann von königlichem Blut könnte nie so tief sinken. Gibt es noch mehr von dieser Gans?«

»Ja«, antwortete Godwyn und verbarg seine Enttäuschung. Er schnitt das letzte Fleisch von dem Vogel und legte es der Priorin vor.

Anthony sagte: »Wenigstens fordert jetzt niemand den jungen König heraus.« Der Sohn von Edward II. und Königin Isabella war als Edward III. gekrönt worden.

»Er ist vierzehn Jahre alt und von Mortimer auf den Thron gesetzt worden«, sagte Cecilia. »Wer wird da wohl der wahre Herrscher sein?«

»Der Adel ist froh, endlich wieder Sicherheit und Beständigkeit zu haben.«

»Besonders Mortimers Kumpane.«

»Wie zum Beispiel Graf Roland von Shiring, meint Ihr?«

»Er hat heute geradezu überschwänglich gewirkt.«

»Ihr wollt damit doch wohl nicht sagen ...«

»Dass er etwas mit dem ›Sturz‹ des Königs zu tun hatte? Sicher nicht.« Die Priorin aß das letzte Stück Fleisch. »Solch einen Gedanken auszusprechen ist gefährlich – selbst unter Freunden.«

»In der Tat.«

Es klopfte an der Tür, und Saul Whitehead kam herein. Er war genauso alt wie Godwyn. Könnte er vielleicht der Rivale sein? Saul Whitehead war klug und fähig, und er genoss den großen Vorteil, mit dem Grafen von Shiring verwandt zu sein; doch Godwyn bezweifelte, dass er den Ehrgeiz hatte, nach Oxford zu gehen. Saul war fromm und schüchtern, jene Art von Mensch, für den Demut keine Tugend war, da er sie von Geburt an besaß. Aber alles war möglich.

»Ein Ritter ist mit einer Schwertwunde ins Hospital gekommen«, berichtete Saul.

»Interessant«, sagte Anthony, »aber wohl kaum wichtig genug, um den Prior und die Priorin beim Essen zu stören.«

Saul schaute verängstigt drein. »Bitte ... Bitte, verzeiht mir, Vater Prior«, stammelte er. »Aber es gibt da einige Unstimmigkeiten, was die Behandlung betrifft.«

Anthony seufzte. »Nun, die Gans ist gegessen«, sagte er und stand auf.

Cecilia ging mit ihm hinaus, und Godwyn und Saul folgten ihnen. Sie betraten die Kathedrale am nördlichen Querschiff, gingen mitten hindurch und am Südschiff wieder hinaus, durch den Kreuzgang und ins Hospital. Wie es seinem Rang gebührte, lag der verwundete Ritter auf dem Lager, das dem Altar am nächsten war.

Prior Anthony stieß unwillkürlich ein überraschtes Schnaufen aus. Einen Augenblick lang zeigte er Entsetzen und Angst. Aber er fasste sich rasch wieder und machte ein ausdrucksloses Gesicht.

Cecilia entging jedoch nichts. »Ihr kennt diesen Mann?«, fragte sie Anthony.

»Ich glaube ja. Das ist Sir Thomas Langley, einer der Männer des Grafen von Monmouth.«

Thomas Langley war ein gut aussehender Mann in den Zwanzigern, breitschultrig und mit langen Beinen. Er war bis zur Hüfte nackt, und seine kräftige Brust war mit Narben früherer Kämpfe übersät. Er sah bleich und erschöpft aus.

»Er ist auf der Straße überfallen worden«, erklärte Saul. »Es ist ihm gelungen, die Angreifer zurückzuschlagen, doch dann musste er sich über eine Meile in die Stadt schleppen. Er hat viel Blut verloren.«

Der linke Unterarm des Ritters war vom Handgelenk bis zum Ellbogen aufgeschlitzt; es war ein sauberer Schnitt, offenbar von einem scharfen Schwert.

Der oberste Arzt des Klosters, Bruder Joseph, stand neben dem Verletzten. Joseph war Mitte dreißig, ein kleiner Mann mit großer Nase und schlechten Zähnen. Er sagte: »Die Wunde sollte offen gelassen und mit einer Salbe behandelt werden, um sie zum Eitern zu bringen. Auf diese Weise werden die üblen Säfte vertrieben, und die Wunde wird von innen heraus heilen.«

Anthony nickte. »Und? Wo ist die Unstimmigkeit?«

»Matthew Barber hat eine andere Idee.«

Matthew war ein Barbier und Bader aus der Stadt. Bis jetzt hatte er sich ehrerbietig im Hintergrund gehalten, doch nun trat er vor und hielt eine Ledermappe mit seinen teuren, scharfen Messern in der Hand. Er war ein kleiner, dünner Mann mit leuchtend blauen Augen und ernstem Gesichtsausdruck.

Anthony ignorierte Matthew und fragte Joseph: »Was tut der denn hier?«

»Der Ritter kennt ihn und hat nach ihm geschickt.«

Anthony sprach zu Thomas: »Wenn Ihr geschlachtet werden wollt, warum seid Ihr dann ins Hospital der Priorei gekommen?«

Der Hauch eines Lächelns huschte über das blasse Gesicht des Ritters, doch er schien zu müde zu sein, um zu antworten.

Nun meldete sich Matthew mit überraschendem Selbstvertrauen zu Wort. Offenbar schreckte ihn Anthonys Geringschätzung keineswegs ab. »Auf dem Schlachtfeld habe ich schon viele Wunden wie diese gesehen, Vater Prior«, sagte er. »Die beste Behandlung ist die einfachste: erst die Wunde mit warmem Wein auswaschen, dann nähen und schließlich verbinden.« Er war ganz und gar nicht so ehrerbietig, wie er aussah.

Mutter Cecilia mischte sich ein. »Ich frage mich, ob unsere beiden jungen Mönche vielleicht eine Meinung zu dem Thema haben«, sagte sie.

Anthony schaute ungeduldig drein, doch Godwyn erkannte, was Mutter Cecilia im Schilde führte. Das war eine Prüfung. Vielleicht war Saul in der Tat der Rivale um ihr Geld.

Die Antwort war leicht, und so ergriff Godwyn als Erster das Wort. »Bruder Joseph hat die alten Meister studiert«, sagte er. »Er muss es am besten wissen. Ich nehme an, dass Matthew noch nicht einmal lesen kann.«

»Doch, das kann ich, Bruder Godwyn«, protestierte Matthew. »Und ich habe ein Buch.«

Anthony lachte. Die Vorstellung eines Barbiers mit einem Buch war einfach nur lächerlich, wie ein Pferd mit Hut. »Was für ein Buch?«

»Den *Kanon* von Avicenna, dem großen islamischen Arzt. Übersetzt aus dem Arabischen ins Lateinische. Ich habe es alles gelesen, mit Bedacht.«

»Und Eure Heilmethode wird von Avicenna vorgeschlagen?«

»Nein, aber ...«

»Nun, denn.«

Matthew ließ nicht locker. »Aber ich habe auf meinen Reisen mit dem Heer und den Verwundeten weit mehr gelernt, als ich je aus einem Buch hätte lernen können.«

Mutter Cecilia fragte: »Saul, wie lautet Eure Meinung?«

Godwyn rechnete damit, dass Saul die gleiche Antwort geben und es somit unentschieden stehen würde. Aber obwohl er nervös und schüchtern aussah, widersprach Saul Godwyn. »Der Barbier könnte recht haben«, sagte er. Godwyn war hocherfreut. Saul argumentierte für die falsche Seite. »Die Behandlung, die Bruder Joseph vorgeschlagen hat, ist vermutlich besser für Wunden von stumpfen Gegenständen wie Hämmern geeignet, Wunden, wie man sie auf Baustellen findet, wo Haut und Fleisch um die Wunde herum beschädigt sind. In solch einem Fall könnte man die üblen Säfte im Leib versiegeln, wenn man die Wunde zu früh schließt. Das hier ist jedoch ein sauberer Schnitt, und je schneller man ihn schließt, desto rascher wird er heilen.«

»Unsinn«, sagte Prior Anthony. »Wie könnte ein Barbier recht haben und ein gebildeter Mönch irren?«

Godwyn unterdrückte ein triumphierendes Grinsen.

Die Tür flog auf, und ein junger Mann in Priestergewändern stürzte herein. Godwyn erkannte Richard von Shiring, den jüngeren der beiden Söhne von Graf Roland. Sein Nicken in Richtung Prior und Priorin war so flüchtig, dass man es schon unhöflich hätte nennen können. Er ging direkt zum Lager und sprach zu dem Ritter. »Was ist geschehen?«, fragte er.

Thomas hob die schwache Hand und winkte Richard näher zu sich heran. Der junge Priester beugte sich über den Verwundeten. Thomas flüsterte ihm etwas ins Ohr.

Vater Richard wich schockiert zurück. »Mit allem Nachdruck: nein!«, sagte er.

Thomas winkte ihn wieder heran, und das Ganze wiederholte sich: ein Flüstern, eine weitere wütende Reaktion. Diesmal fragte Richard: »Aber warum?«

Thomas antwortete nicht darauf.

Richard sagte: »Ihr bittet mich um etwas, das ich Euch nicht geben kann. Das steht nicht in meiner Macht.«

Thomas nickte, als wolle er sagen: Doch, tut es!

»Ihr lasst uns keine Wahl.«

Thomas schüttelte schwach den Kopf.

Richard wandte sich an Prior Anthony. »Sir Thomas wünscht, hier in der Priorei Mönch zu werden.«

Es folgte ein Augenblick überraschten Schweigens. Mutter Cecilia fasste sich als Erste wieder. »Aber er ist ein Mann des Schwertes!«

»Kommt schon, das wäre nicht das erste Mal«, sagte Richard ungeduldig. »Manchmal beschließt ein Kämpfer, den Krieg aufzugeben und Buße für seine Sünden zu tun.«

»In hohem Alter vielleicht«, entgegnete Cecilia. »Dieser Mann ist noch nicht einmal fünfundzwanzig! Er flieht vor irgendeiner Gefahr.« Sie schaute Richard scharf an. »Wer bedroht sein Leben?«

»Haltet Eure Neugier im Zaum«, erwiderte Richard rüde. »Er will Mönch werden, nicht Nonne; also braucht es Euch nicht weiter zu kümmern.« Das war eine erschreckende Art, mit einer Priorin zu reden, doch der Sohn eines Grafen kam mit solch einer Grobheit durch. Richard wandte sich an Anthony. »Ihr müsst ihn aufnehmen.«

Anthony sagte: »Die Priorei ist zu arm, um noch mehr Mönche aufzunehmen … es sei denn, ein Geschenk würde die Kosten …«

»Betrachtet es als gewährt.«

»Es sollte den Bedürfnissen …«

»Ich sagte: Betrachtet es als gewährt!«

»Also gut.«

Cecilia war misstrauisch. Sie sagte zu Anthony: »Wisst Ihr mehr über diesen Mann, als Ihr mir sagt?«

»Ich sehe keinen Grund, ihn abzuweisen.«

»Was lässt Euch glauben, dass er wahrhaft bereut?«

Alle schauten zu Thomas. Er hatte die Augen geschlossen.

Anthony sagte: »Er wird seine Ernsthaftigkeit während des Noviziats beweisen müssen – wie alle anderen auch.«

Mutter Cecilia war sichtlich unzufrieden, denn dieses eine Mal bat Anthony sie nicht um Geld, und so konnte sie auch nichts tun »Wir sollten uns jetzt besser um die Wunde kümmern«, sagte sie.

Saul sagte: »Er hat sich Bruder Josephs Behandlung verweigert. Deshalb mussten wir ja auch den Vater Prior holen.«

Anthony beugte sich über den Verwundeten. Mit lauter Stimme, als spräche er mit einem Tauben, sagte er: »Ihr müsst die Behandlung annehmen, die Bruder Joseph Euch verschrieben hat! Er weiß es am besten!«

Thomas schien das Bewusstsein verloren zu haben.

Anthony wandte sich an Joseph. »Er erhebt keine Einwände mehr.«

Matthew Barber sagte: »Er könnte seinen Arm verlieren!«

»Ihr solltet jetzt gehen«, sagte Anthony zu ihm.

Wütend stapfte Matthew hinaus.

Anthony sagte zu Richard: »Vielleicht mögt Ihr ja auf einen Becher Apfelmost ins Haus des Priors kommen.«

»Danke.«

Als sie gingen, sagte Anthony zu Godwyn: »Bleib hier und hilf der Mutter Priorin. Komm dann vor der Vesper zu mir und berichte, wie es dem Ritter geht.«

Normalerweise sorgte Prior Anthony sich nicht um die Gesundheit Einzelner. An diesem hier hegte er jedoch offenbar ein besonderes Interesse.

Godwyn beobachtete, wie Bruder Joseph die Salbe auf den Arm des nun bewusstlosen Ritters auftrug. Er glaubte, sich mit der richtigen Antwort vermutlich schon Mutter Cecilias finanzielle Unterstützung gesichert zu haben; aber er wollte ihre ausdrückliche Zustimmung. Als Bruder Joseph fertig war und Cecilia Thomas' Stirn mit Rosenwasser wusch, sagte er: »Ich hoffe, Ihr werdet meine Bitte mit Wohlwollen betrachten.«

Sie schaute ihn scharf an. »Ich kann Euch genauso gut jetzt schon sagen, dass ich beschlossen habe, Saul das Geld zu geben.«

Godwyn war entsetzt. »Aber ich habe die richtige Antwort gegeben!«

»Ach ja?«

»Ihr habt doch sicherlich nicht dem Barbier zugestimmt, oder?«

Sie hob die Augenbrauen. »Ich werde mich nicht von Euch ins Verhör nehmen lassen, Bruder Godwyn.«

»Tut mir leid«, sagte Godwyn rasch. »Ich verstehe es nur nicht.«

»Ich weiß.«

Wenn sie in Rätseln sprechen wollte, war es sinnlos, mit ihr zu reden. Godwyn wandte sich ab. Er zitterte vor Wut und Enttäuschung. Sie gab das Geld Saul! Lag das daran, weil er mit dem Grafen verwandt war? Godwyn glaubte nicht; dafür war ihr Geist zu unabhängig. Es war Sauls theatralische Frömmigkeit, die die Waagschale zu seinen Gunsten geneigt hatte, entschied er. Aber Saul würde nie das Oberhaupt von irgendetwas sein. Was für eine Verschwendung! Godwyn fragte sich, wie er seiner Mutter diese Neuigkeit beibringen sollte. Sie würde außer sich sein … Aber wem würde sie die Schuld geben? Anthony? Godwyn? Ihn beschlich ein vertrautes Gefühl der Angst, als er sich den Zorn seiner Mutter vorstellte.

Noch während er an sie dachte, sah er sie durch die Tür am anderen Ende das Hospital betreten, eine große Frau mit üppiger Brust. Sie schaute zu ihm und wartete an der Tür, dass er zu ihr kommen würde. Langsam ging er hinüber und suchte nach den geeigneten Worten, um es ihr beizubringen.

»Deine Tante Rose wird den Tag nicht überleben«, sagte Petronilla, kaum dass er nahe genug war.

»Möge Gott sich ihrer Seele erbarmen. Mutter Cecilia hat es mir bereits erzählt.«

»Du siehst schockiert aus – aber du weißt, wie krank sie ist.«

»Das ist nicht wegen Tante Rose. Ich habe schlechte Neuigkeiten.« Er schluckte. »Ich kann nicht nach Oxford gehen. Onkel Anthony will nicht dafür bezahlen, und Mutter Cecilia hat mich ebenfalls abgewiesen.«

Zu seiner großen Erleichterung explodierte Petronilla nicht sofort. Allerdings kniff sie die Lippen zu einem schmalen Strich zusammen. »Aber warum?«, fragte sie.

»Er hat das Geld nicht, und sie schickt Saul.«

»Saul Whitehead? Der wird doch nie etwas erreichen.«

»Nun, zumindest wird er studieren.«

Petronilla schaute ihrem Sohn in die Augen, und er schrumpfte förmlich in sich zusammen. »Ich denke, dass du die Sache falsch angegangen bist«, erklärte sie. »Du hättest vorher mit mir reden sollen.«

Godwyn hatte schon befürchtet, dass sie so etwas sagen würde. »Wie kannst du sagen, ich sei das falsch angegangen?«, protestierte er.

»Du hättest mich zuerst mit Anthony sprechen lassen sollen. Ich hätte ihn weichgemacht.«

»Er hätte immer noch Nein sagen können.«

»Und ehe du dich an Cecilia gewandt hast, hättest du erst einmal herausfinden müssen, ob noch jemand sie um Unterstützung gebeten hat. Dann hättest du Sauls Position untergraben können, bevor du mit ihr sprichst.«

»Wie?«

»Er muss eine Schwäche haben. Du hättest herausfinden können, welche, und dafür sorgen müssen, dass sie davon erfährt. Dann, wenn sie entsprechend enttäuscht gewesen wäre, hättest du zu ihr gehen sollen.«

Godwyn erkannte den Sinn in ihren Worten. »So weit habe ich nie gedacht«, sagte er und senkte den Kopf.

Mit mühsam beherrschtem Zorn sagte Petronilla: »Du musst so etwas planen wie ein Graf eine Schlacht.«

»Das verstehe ich jetzt«, sagte Godwyn, ohne ihr in die Augen zu schauen. »Ich werde diesen Fehler nicht noch einmal begehen.«

»Das hoffe ich.«

Er sah sie wieder an. »Was soll ich jetzt tun?«

»Ich bin noch nicht bereit aufzugeben.« Ein vertrauter entschlossener Ausdruck trat in ihr Gesicht. »Ich werde dir das Geld zukommen lassen«, sagte sie.

In Godwyn keimte wieder Hoffnung auf, obwohl er sich nicht vorstellen konnte, wie seine Mutter das bewerkstelligen wollte.

»Ich werde mein Haus aufgeben und bei meinem Bruder Edmund einziehen.«

»Wird er dich denn aufnehmen?« Edmund war ein großzügiger Mann, aber manchmal geriet er mit seiner Schwester aneinander.

»Ich denke schon. Er wird bald Witwer sein und eine Hausverwalterin brauchen – nicht dass Rose diese Rolle je sonderlich gut ausgefüllt hätte.«

Godwyn schüttelte den Kopf. »Du wirst immer noch Geld nötig haben.«

»Für was denn? Edmund wird mir ein Bett und Essen geben und für die kleinen Dinge zahlen, die ich brauche. Als Gegenleistung werde ich seine Diener anleiten und seine Töchter erziehen.

Und du sollst das Geld bekommen, das ich von deinem Vater geerbt habe.«

Sie sprach entschlossen, doch Godwyn sah die Bitterkeit um ihren verzogenen Mund. Er wusste, was für ein Opfer das für sie war. Sie war stolz auf ihre Unabhängigkeit. Petronilla war eine der bekanntesten Frauen der Stadt, die Tochter eines wohlhabenden Mannes und die Schwester eines führenden Wollhändlers, und sie schätzte ihren Status. Sie liebte es, die Mächtigen von Kingsbridge zu sich einzuladen, mit ihnen zu speisen und ihnen den besten Wein zu servieren. Nun schlug sie vor, ins Haus ihres Bruders zu ziehen und dort als arme Verwandte zu leben, die wie eine Dienerin arbeitete und in allem von ihm abhängig war. Das wäre ein furchtbarer Abstieg. »Dieses Opfer ist zu groß«, sagte Godwyn. »Das kannst du nicht tun.«

Petronillas Gesicht verhärtete sich, und sie schüttelte leicht die Schultern, als bereite sie sich darauf vor, eine große Last auf sich zu nehmen. »O doch, das kann ich«, erwiderte sie.

Gwenda gestand ihrem Vater alles.

Sie hatte beim Blute Jesu geschworen, das Geheimnis für sich zu behalten; also würde sie jetzt in die Hölle fahren. Doch vor ihrem Vater hatte sie größere Angst als vor der Hölle.

Er begann mit der Frage, wo sie Skip herhatte, den neuen Welpen, und sie war gezwungen zu erklären, wie Hop gestorben war, und am Ende kam die ganze Geschichte heraus.

Zu ihrer Überraschung wurde sie nicht geschlagen. Tatsächlich schien Pa sogar zufrieden zu sein. Er ließ sich von ihr zu der Waldlichtung führen, wo der Kampf stattgefunden hatte. Es fiel Gwenda nicht leicht, den Ort wiederzufinden, doch schließlich gelangte sie dorthin, und dann fanden sie auch die Leichen der beiden Soldaten in den grün-gelben Waffenröcken.

Zuerst öffnete Pa ihre Börsen. Beide enthielten gut zwanzig, dreißig Pennys. Noch mehr freute er sich jedoch über ihre Schwerter, die mehr als nur ein paar Pennys wert waren. Dann begann er die Toten auszuziehen, was ihm mit einer Hand jedoch schwerfiel, und so ließ er sich von Gwenda dabei helfen. Die leblosen Leiber waren seltsam schwer und noch seltsamer zu berühren. Pa zwang Gwenda, den Männern alles auszuziehen, was sie am Leib trugen, selbst ihre verdreckten Beinkleider und die Unterwäsche.

Pa wickelte die Waffen in die Kleider, sodass alles wie ein Bündel Lumpen aussah. Dann schleppten Gwenda und er die nackten Leichen wieder in den Busch.

Pa war bester Laune, als sie wieder nach Kingsbridge zurückgingen. Er führte Gwenda nach Slaughterhouse Ditch, einer Straße nahe am Fluss, und dort gingen sie in eine große, aber schmutzige Schänke mit Namen »The White Horse«. Er kaufte Gwenda einen Becher Bier, während er selbst mit dem Wirt im hinteren Teil des Hauses verschwand, einem Mann, den er als »Davey Boy« anredete. Es war das zweite Mal am gleichen Tag, dass Gwenda Bier zu trinken bekam. Ein paar Minuten später kehrte Pa ohne das Bündel wieder zurück.

Zusammen gingen sie zur Hauptstraße und fanden Ma, Philemon und den Säugling in Bells Gasthaus neben dem Tor der Priorei. Pa zwinkerte Ma zu und gab ihr eine große Handvoll Geld, das sie in den Decken des Babys verstecken sollte.

Es war Mitte des Nachmittags, und die meisten Festbesucher waren schon wieder in ihre Dörfer gegangen, aber es war schon zu spät, um jetzt noch nach Wigleigh aufzubrechen; deshalb wollte die Familie die Nacht im Gasthaus verbringen. Wie Pa immer wieder sagte, konnten sie sich das jetzt leisten, obwohl Ma nervös bemerkte: »Lass die Leute ja nicht wissen, dass du Geld hast!«

Gwenda war müde. Sie war früh aufgestanden und viel gelaufen. Sie legte sich auf eine Bank und schlief rasch ein.

Gwenda wurde wieder geweckt, als mit lautem Knall die Tür aufflog. Sie schaute erschrocken auf und sah zwei Soldaten hereinkommen. Zuerst glaubte sie, es seien die Geister der beiden Männer, die im Wald getötet worden waren, und der Schreck war groß. Dann erkannte sie, dass es sich um zwei andere Männer in den gleichen Farben handelte, Gelb auf der einen, Grün auf der anderen Seite. Der Jüngere der beiden trug ein vertraut aussehendes Lumpenbündel.

Der ältere sprach Pa direkt an. »Du bist Joby aus Wigleigh, stimmt's?«

Gwenda bekam sofort wieder Angst. Eine ernst zu nehmende Drohung lag in der Stimme des Mannes. Er stellte sich nicht entschlossen in Positur; dennoch vermittelte er den Eindruck, dass er sich nicht einfach abwimmeln lassen würde.

»Nein«, log Pa instinktiv. »Da seid ihr hier falsch.«

Die Soldaten ignorierten seine Worte. Der zweite Mann legte das Bündel auf den Tisch und packte es aus. Es bestand aus gelb-grünen Waffenröcken, die um zwei Schwerter und zwei Dolche gewickelt waren. Er schaute Pa an und fragte: »Wo sind die her?«

»Ich habe sie noch nie zuvor gesehen. Das schwöre ich beim Kreuz unseres Herrn.«

Es war dumm von ihm, das zu leugnen, dachte Gwenda ängstlich. Sie würden die Wahrheit genauso leicht aus ihm herausbekommen, wie er sie aus ihr herausbekommen hatte.

Der ältere Soldat sagte: »Davey, der Wirt vom White Horse, sagt, er hätte die Sachen von Joby aus Wigleigh gekauft.« Seine Stimme wurde drohend und hart, und die paar anderen Gäste im Raum standen allesamt auf und verschwanden nach draußen, bis nur noch Gwendas Familie in der Schankstube war.

»Joby ist vor einer Weile gegangen«, sagte Pa verzweifelt.

Der Mann nickte. »Mit seinem Weib, zwei Kindern und einem Baby.«

»Ja.«

Der Mann bewegte sich plötzlich mit unglaublicher Schnelligkeit. Er packte Pa mit starker Hand am Hemd und stieß ihn gegen die Wand. Mama schrie auf, und der Kleine begann zu weinen. Gwenda sah, dass der Mann einen Polsterhandschuh mit Kettengewebe trug. Er zog den Arm zurück und schlug Pa in den Bauch.

Ma schrie: »Hilfe! Mörder!« Nun begann auch Philemon zu weinen.

Pas Gesicht wurde weiß vor Schmerz, und er erschlaffte, doch der Mann hielt ihn an der Wand fest, sodass er nicht hinfallen konnte. Dann schlug er erneut zu, diesmal ins Gesicht. Blut spritzte aus Pas Nase und Mund.

Gwenda wollte auch schreien, und ihr Mund war weit geöffnet, doch kein Ton wollte aus ihrer Kehle kommen. Sie hielt ihren Vater für allmächtig – obwohl er oft gerissen den Schwachen oder Feigen mimte, um Mitleid zu erheischen oder Zorn von sich abzuwenden. Es erschreckte sie, ihn so hilflos zu sehen.

Der Wirt erschien in der Tür, die zum hinteren Teil des Hauses führte. Er war ein großer Mann in den Dreißigern. Ein fülliges Mädchen spähte hinter ihm hervor. »Was ist hier los?«, verlangte er in gebieterischem Ton zu wissen.

Der Soldat schaute ihn nicht an. »Halt dich da raus«, sagte er und schlug Pa wieder in den Bauch.

Pa erbrach Blut.

»Hört auf damit!«, forderte der Wirt.

Der Soldat sagte: »Für wen hältst du dich eigentlich?«

»Ich bin Paul Bell, und das hier ist mein Haus.«

»Nun denn, Paul Bell, wenn du weißt, was gut für dich ist, kümmerst du dich um deine eigenen Angelegenheiten.«

»Ihr glaubt wohl, ihr könnt tun und lassen, was ihr wollt, wenn ihr diese Farben tragt.« Die Verachtung in Pauls Stimme war nicht zu überhören.

»In der Tat.«

»Wessen Livree ist das überhaupt?«

»Die der Königin.«

Paul sprach über seine Schulter. »Bessie, lauf, und hol John Constable. Wenn ein Mann in meiner Schänke umgebracht werden soll, dann möchte ich, dass der Büttel das bezeugt.« Das kleine Mädchen verschwand.

»Es wird hier niemand umgebracht«, sagte der Soldat. »Joby hat seine Meinung geändert. Er hat beschlossen, mich zu der Stelle zu führen, wo er die beiden Leichen gefleddert hat … Stimmt's, Joby?«

Pa konnte nicht sprechen, aber er nickte. Der Mann ließ ihn los, und er fiel hustend und würgend auf die Knie.

Der Mann schaute zum Rest der Familie. »Und das Kind, das den Kampf beobachtet hat …?«

Gwenda schrie: »Nein!«

Der Soldat nickte zufrieden. »Das Mädchen mit dem Rattengesicht offensichtlich.«

Gwenda lief zu ihrer Mutter. Ma sagte: »Heilige Muttergottes Maria, rette mein Kind!«

Der Mann packte Gwenda am Arm und riss sie grob von ihrer Mutter weg. Sie schrie. Barsch sagte er: »Hör mit der Schreierei auf, sonst wird es dir genauso ergehen wie deinem elenden Vater.«

Gwenda biss die Zähne zusammen.

»Steh auf, Joby.« Der Mann riss Pa in die Höhe. »Reiß dich zusammen. Wir machen jetzt einen kleinen Ausflug.«

Der zweite Mann nahm Kleider und Waffen wieder an sich.

Als sie das Wirtshaus verließen, rief Ma verzweifelt: »Tut alles, was sie von euch verlangen!«

Die Männer hatten Pferde. Gwenda ritt vor dem älteren Mann, und Pa saß in der gleichen Position auf dem anderen Pferd. Pa stöhnte hilflos, und so musste Gwenda sie führen. Nachdem sie den Weg nun schon zweimal gegangen war, hatte sie ihn sich gemerkt. Zu Pferd kamen sie rasch voran; trotzdem dunkelte es bereits, als sie die Lichtung erreichten.

Der jüngere Mann hielt Gwenda und Pa fest, während der Anführer die Leichen seiner Kameraden aus dem Busch hervorzog.

»Dieser Thomas muss ein selten guter Kämpfer sein, dass er Harry und Alfred beide getötet hat«, sinnierte der ältere und schaute sich die Leichen an. Gwenda erkannte, dass diese Männer nichts von den anderen Kindern wussten. Sie hätte gestanden, dass sie nicht allein gewesen war und dass Ralph einen der beiden getötet hatte, doch sie hatte viel zu viel Angst, um zu sprechen. »Er hat Alfred fast den Kopf abgeschnitten«, fuhr der Mann fort. Er drehte sich um und schaute Gwenda an. »Hat irgendwer etwas von einem Brief gesagt?«

»Ich weiß nicht«, antwortete Gwenda, nachdem sie ihre Stimme wiedergefunden hatte. »Ich habe die Augen zugemacht, weil ich solche Angst hatte, und ich habe nichts gehört! Das ist die Wahrheit! Ich würde es Euch sagen, wenn ich es wüsste!«

»Wenn sie ihm den Brief abgenommen hätten, hätte er ihn sich ohnehin wiedergeholt, nachdem er sie getötet hat«, sagte der Mann zu seinem Kameraden. Er betrachtete die Bäume um die Lichtung, als würde der Brief irgendwo im vertrocknenden Laub hängen. »Vermutlich hat er ihn jetzt bei sich, in der Priorei, wo wir nicht an ihn herankommen, ohne die Heiligkeit des Klosters zu verletzen.«

Der zweite Mann sagte: »Wenigstens können wir berichten, was geschehen ist, und den Toten ein anständiges, christliches Begräbnis geben.«

Plötzlich kam es zu Aufruhr. Pa entwand sich dem Griff des zweiten Mannes und rannte über die Lichtung. Der Soldat schickte sich an, ihm zu folgen, wurde von dem Älteren aber zurückgehalten. »Lass ihn laufen. Was hat es jetzt noch für einen Sinn, ihn zu töten?«

Gwenda begann leise zu weinen.

»Was ist mit diesem Kind?«, fragte der jüngere Mann.

Sie würden sie umbringen, dessen war Gwenda sicher. Durch ihre Tränen hindurch konnte sie nichts sehen, und sie schluchzte zu sehr, als dass sie um ihr Leben hätte flehen können. Sie würde sterben und in die Hölle kommen. Sie wartete auf das Ende.

»Lass sie gehen«, sagte der ältere Mann. »Ich bin nicht geboren worden, um kleine Mädchen zu erschlagen.«

Der jüngere Mann ließ sie los und stieß sie weg. Gwenda stolperte und fiel auf den Boden. Sie stand auf, wischte sich die Tränen aus den Augen, sodass sie wieder sehen konnte, und stolperte davon.

»Geh! Lauf weg!«, rief der Mann ihr hinterher. »Heute ist dein Glückstag!«

Caris konnte nicht schlafen. Sie stand aus dem Bett auf und ging in Mamas Zimmer. Papa saß auf einem Hocker und starrte auf die reglose Gestalt im Bett.

Mamas Augen waren geschlossen, und ihr Gesicht glitzerte von Schweiß im Kerzenschein. Sie schien kaum noch zu atmen. Caris nahm ihre bleiche Hand: Sie war schrecklich kalt. Sie hielt sie in ihrer eigenen und versuchte, sie zu wärmen.

Sie fragte: »Warum haben sie ihr Blut abgenommen?«

»Sie glauben, dass Krankheiten manchmal durch ein Ungleichgewicht der Körpersäfte entstehen. Sie hoffen, diesen Überschuss mit dem Blut herauszuholen.«

»Aber es hat ihr nicht geholfen.«

»Nein. Tatsächlich scheint es ihr sogar schlechter zu gehen.«

Caris traten die Tränen in die Augen. »Warum hast du es dann zugelassen?«

»Priester und Mönche studieren die Werke der antiken Philosophen. Sie wissen mehr als wir.«

»Das glaube ich nicht.«

»Es ist schwer zu wissen, was man glauben soll, kleine Butterblume.«

»Wenn ich Arzt wäre, würde ich nur Dinge tun, nach denen sich die Menschen besser fühlen.«

Papa hörte ihr nicht zu. Er schaute aufmerksam auf Mama. Er beugte sich vor und schob die Hand unter die Decke, um ihre Brust just unter dem linken Busen zu berühren. Caris konnte die Umrisse seiner großen Hand unter der feinen Wolle erkennen. Er gab ein leises, ersticktes Geräusch von sich, bewegte dann die Hand und drückte fester zu. Ein paar Augenblicke lang behielt er sie dort.

Papa schloss die Augen.

Er fiel langsam nach vorne, bis er neben dem Bett kniete, als würde er beten, die große Stirn auf Mutters Schenkel und die Hand noch immer auf ihrer Brust.

Caris bemerkte, dass er weinte. Das war das Furchterregendste, das ihr je widerfahren war, viel furchterregender, als zuzusehen, wie im Wald ein Mann erschossen wurde. Kinder weinten, Frauen weinten, und hilflose Leute weinten, aber Papa weinte nie. Caris hatte das Gefühl, als wäre das Ende der Welt gekommen.

Sie musste Hilfe holen. Caris ließ Mutters kalte Hand aus ihrer eigenen und auf die Decke gleiten, wo sie reglos liegen blieb. Sie ging in ihre Kammer und rüttelte die schlafende Alice an der Schulter. »Wach auf!«, sagte sie.

Zuerst wollte Alice die Augen nicht öffnen.

»Papa weint!«, sagte Caris.

Alice saß aufrecht im Bett. »Das kann nicht sein«, erwiderte sie.

»Steh auf!«

Alice stieg aus dem Bett. Caris nahm ihre ältere Schwester an der Hand, und gemeinsam gingen sie in Mutters Kammer. Papa stand jetzt wieder und schaute auf das bleiche Gesicht auf dem Kissen hinunter. Sein Gesicht war nass von Tränen. Alice starrte ihn entsetzt an. Caris flüsterte: »Das habe ich dir doch gesagt.«

Auf der anderen Seite des Bettes stand Tante Petronilla.

Papa sah die Mädchen in der Tür stehen. Er löste sich vom Bett und kam zu ihnen. Dann legte er je einen Arm um sie und zog sie an sich. »Eure Mama ist zu den Engeln gegangen«, sagte er leise. »Betet für ihre Seele.«

»Seid tapfer, Mädchen«, sagte Tante Petronilla. »Von nun an werde ich eure Mutter sein.«

Caris wischte sich die Tränen aus den Augen und schaute zu ihrer Tante hoch. »O nein«, entgegnete sie. »Ganz bestimmt nicht.«

ZWEITER
TEIL
8. bis 14. Juni 1337

Es war das Jahr, in dem Merthin einundzwanzig wurde, als am
Pfingstsonntag sintflutartiger Regen auf die Kathedrale von Kingsbridge niederging.

Dicke Tropfen prasselten auf die Schieferdächer, und reißende
Ströme ergossen sich in die Rinnsteine. Fontänen schossen aus den
Mäulern der Wasserspeier, Kaskaden rauschten die Strebepfeiler
hinunter, und Sturzbäche ergossen sich über Bögen und Säulen und
netzten die Statuen der Heiligen. Der Himmel, die große Kirche, die
Stadt rundum – alles war grau in grau.

Am Pfingstsonntag gedachte man des Augenblicks, da der Heilige
Geist auf die Jünger Jesu herabgefahren war. Es war der siebte Sonntag nach Ostern, der entweder in den Mai fiel oder in den Juni, kurz
nach der Schur. Deshalb war der Pfingstsonntag stets der erste Tag
des Wollmarktes von Kingsbridge.

Merthin zog in dem sinnlosen Versuch, sein Gesicht trocken zu
halten, die Kapuze in die Stirn und platschte durch den Platzregen
zum Morgengottesdienst in die Kathedrale. Dabei führte sein Weg
direkt über den Marktplatz. Auf dem breiten Grün im Westen der
Kirche hatten Hunderte von Händlern ihre Stände aufgebaut, die
nun zum Schutz vor dem Regen mit geöltem Sackleinen oder Filz
abgedeckt waren. Die Wollhändler beherrschten das Bild: Es gab
kleine fahrende Händler, die bloß die Erträge von ein paar Dörflern verkauften, und es gab große Kaufherren wie Edmund, der
ein ganzes Lagerhaus voller Wollsäcke feilbot. Um sie her drängten
sich weitere Stände, an denen so gut wie alles zu bekommen war,
was es für Geld zu kaufen gab: Wein aus dem Rheinland, mit Gold-
fäden durchwirkter Seidenbrokat aus Lucca, Glasschüsseln aus Venedig sowie Ingwer und Pfeffer aus Städten und Ländern im Orient,
deren Namen viele Leute nicht einmal aussprechen konnten. Und
schließlich waren da noch die Kleinhändler – Bäcker, Brauer und
Zuckerbäcker, Wahrsager und Huren –, welche die Besitzer der

Stände und deren Kunden mit allem versorgten, was man zum Leben so brauchte.

Tapfer trotzten die Standbesitzer dem Regen. Sie scherzten miteinander und versuchten, für eine fröhliche Stimmung zu sorgen wie an Fastnacht; doch sosehr sie sich bemühten, das schlechte Wetter würde ihnen das Geschäft verderben. Einigen Leuten jedoch blieb keine Wahl; sie mussten ihre Geschäfte tätigen, ob es regnete oder nicht: Flämische und italienische Einkäufer brauchten weiche englische Wolle für die geschäftigen Webereien in Brügge und Florenz. Gelegenheitskäufer indes blieben bei diesem Wetter zu Hause: Die Frau des Ritters sagte sich, dass sie auch ohne Muskat und Zimt auskäme, der wohlhabende Bauer beschloss, seinen alten Mantel noch einen weiteren Winter zu tragen, und der Advokat gelangte zu der Einsicht, dass seine Geliebte nicht unbedingt noch einen weiteren goldenen Armreif brauchte.

Merthin konnte ohnehin nichts kaufen. Er hatte kein Geld. Er war ein unbezahlter Lehrling, der bei Elfric Builder, seinem Meister, wohnte. Merthin aß am Familientisch mit, schlief auf dem Küchenboden und trug Elfrics abgelegte Kleider, doch Lohn bekam er nicht. An langen Winterabenden schnitzte er kunstvolle Spielereien, die er für ein paar Pennys verkaufte – ein Schmuckkästchen mit Geheimfächern oder ein Hähnchen, das die Zunge rausstreckte, wenn man ihm auf den Schwanz drückte –, doch im Sommer hatte er nicht genug freie Zeit dafür, denn Handwerker arbeiteten von Sonnenaufgang bis Sonnenuntergang.

Aber Merthins Lehrzeit war bald zu Ende. In weniger als sechs Monaten, am ersten Dezember, würde er mit einundzwanzig Jahren ein vollwertiges Mitglied der Zimmermannszunft von Kingsbridge werden. Er konnte es kaum erwarten.

Die große Westtür der Kathedrale stand offen, um die unzähligen Stadtbewohner und Besucher einzulassen, die an der heutigen Messe teilnehmen wollten. Auch Merthin betrat das Gotteshaus und schüttelte den Regen aus den Kleidern. Der Steinboden war glitschig von Wasser und Schlamm. An einem schönen Tag erstrahlte das Kircheninnere in dem vielfarbigen Licht, das durch die riesigen Buntglasfenster fiel, doch an einem düsteren Tag wie diesem blieben die Fenster matt, und die Menschen standen in ihren dunklen, nassen Kleidern da wie Schafe im Regen.

Wohin strömte die Regenflut? Es gab keine Entwässerungsgräben um die Kirche herum. Das Wasser – Tausende und Abertausende von Gallonen – versickerte in der Erde. Sickerte es immer tiefer und tiefer, bis es erneut als Regen fiel, diesmal in den Abgründen der Hölle? Aber nein: Die Kathedrale war an einen Hang gebaut. Das Wasser lief unter der Erde von Nord nach Süd den Hügel hinunter, und die Fundamente der Kirche waren so beschaffen, dass die Wassermassen hindurchfließen konnten, um sich schließlich am südlichen Ende des Klostergeländes in den Fluss zu ergießen.

Merthin stellte sich vor, dass er den unterirdischen Strom spüren konnte, sein Donnern und Tosen, das durch die Grundmauern bis in den mit Steinplatten ausgelegten Boden drang und ihn zittern ließ.

Ein kleiner schwarzer Hund lief schwanzwedelnd zu ihm und begrüßte ihn fröhlich. »Hallo, Scrap«, sagte Merthin und streichelte das Tier. Als er den Blick wieder hob, sah er die Besitzerin des Hundes, Caris, und sein Herz setzte einen Schlag aus.

Sie trug einen leuchtend scharlachroten Mantel, den sie von ihrer Mutter geerbt hatte. Er war der einzige Farbfleck in der Düsternis. Merthin lächelte breit; er freute sich, das Mädchen zu sehen. Es war schwer zu sagen, was sie so schön machte. Caris hatte ein kleines, rundes Gesicht mit hübschen, regelmäßigen Zügen, mittelbraunes Haar und grüne Augen mit goldenen Flecken. Sie war nicht viel anders als hundert andere Kingsbridge-Mädchen auch, doch sie trug ihren Hut in keckem Winkel, ein spöttisches Funkeln lag in ihren klugen Augen, und sie schaute Merthin mit einem schelmischen Grinsen an, das unbestimmte, jedoch verlockende Sinnesfreuden versprach. Merthin kannte sie jetzt schon zehn Jahre, doch erst in den letzten Monaten war ihm bewusst geworden, dass er sie liebte.

Caris zog ihn hinter eine Säule, küsste ihn auf den Mund und fuhr ihm dabei mit der Zungenspitze leicht über die Lippen.

Sie küssten sich bei jeder sich bietenden Gelegenheit: in der Kirche, auf dem Marktplatz, wenn sie sich auf der Straße begegneten, und – am allerschönsten – bei Caris zu Hause, wenn sie beide allein waren. Merthin lebte für diese Augenblicke. Jeden Abend vor dem Einschlafen dachte er an ihre Küsse, und gleich nach dem Aufwachen schon wieder.

Zwei-, dreimal die Woche besuchte er Caris in ihrem Haus. Ihr Vater, Edmund, mochte Merthin, doch ihre Tante Petronilla konnte ihn nicht leiden. Edmund war ein sehr gastlicher Mann, und oft lud er Merthin ein, zum Abendessen zu bleiben. Merthin nahm stets dankbar an, denn er wusste, dass es eine weit bessere Mahlzeit geben würde als im Haus seines Lehrmeisters Elfric. Hinterher spielten Caris und Merthin Schach oder Dame, oder sie saßen beieinander und redeten. Merthin liebte es, Caris einfach nur anzuschauen, wenn sie eine Geschichte erzählte oder etwas erklärte. Ihre Hände malten dann jedes Mal Bilder in die Luft, und auf ihrem Gesicht zeigte sich Belustigung oder Staunen; jede Regung untermalte sie durch Gesten oder durch ihr Mienenspiel. Aber die meiste Zeit wartete Merthin auf jene Augenblicke, da er Caris einen Kuss rauben konnte.

Nun ließ er den Blick durch die Kirche schweifen. Niemand schaute in ihre Richtung, und so ließ er seine Hand in Caris' Mantel gleiten und berührte sie durch das weiche Leinen ihres Kleides hindurch. Ihr Leib war warm. Merthin streichelte ihre Brust; sie war klein und rund, und er liebte das Gefühl, wenn das zarte Fleisch dem Druck seiner Fingerspitzen nachgab. Er hatte Caris noch nie nackt gesehen, doch ihr Busen war ihm innig vertraut.

In seinen Träumen ging er noch viel weiter: Dann waren sie irgendwo allein – auf einer Lichtung im Wald oder in einem Gemach in einer Burg –, und sie waren beide nackt. Doch seltsamerweise endeten seine Träume jedes Mal einen Augenblick zu früh, kurz bevor er in sie eindrang, und er erwachte voll unbefriedigter Lust.

Eines Tages, sagte er sich dann immer, eines Tages …

Von Heirat hatten sie noch nicht gesprochen. Lehrlinge durften nicht heiraten; also musste er warten. Caris hatte sich gewiss auch schon gefragt, was sie tun würden, wenn seine Lehrzeit vorüber war; aber sie hatte diese Gedanken nie ausgesprochen. Sie schien zufrieden damit zu sein, das Leben Tag für Tag so zu nehmen, wie es kam. Und Merthin hatte eine abergläubische Furcht davor, mit Caris über ihre gemeinsame Zukunft zu reden. Es hieß, dass Pilger nicht zu viel Zeit mit der Planung ihrer Reise verbringen sollten, weil sie dann von so vielen Gefahren hörten, dass sie beschlossen, das Pilgern lieber anderen zu überlassen.

Eine Nonne kam vorbei, und schuldbewusst nahm Merthin die Hand von Caris' Busen. Aber die Nonne sah gar nicht hin. Die Menschen taten alles Mögliche im riesigen Inneren der Kathedrale. Vergangenes Jahr hatte Merthin ein Paar gesehen, das es an der Wand des Südschiffs miteinander getrieben hatte, in der Dunkelheit der Christmette; allerdings waren sie für diesen Frevel an die Luft gesetzt worden. Merthin fragte sich, ob er und Caris während der ganzen Messe hierbleiben und einander klammheimlich streicheln und begrapschen könnten.

Caris jedoch hatte eine andere Idee. »Lass uns nach vorne gehen«, sagte sie. Sie nahm seine Hand und führte ihn durch die Menge. Merthin kannte viele Leute hier, wenn auch nicht alle: Mit ungefähr siebentausend Einwohnern war Kingsbridge eine der größeren Städte in England – kein Ort, wo jeder jeden kannte. Merthin folgte Caris zur Vierung, wo das Langhaus sich mit dem Querhaus kreuzte. Dort trafen sie auf eine hölzerne Schranke, die den Zugang zum Ostteil versperrte, dem Chor, der dem Klerus vorbehalten war.

Merthin fand sich neben Buonaventura Caroli wieder, dem wichtigsten der italienischen Kaufleute, einem stämmigen Mann in einem reich bestickten Mantel aus dicker Wolle. Ursprünglich stammte er aus Florenz – angeblich die größte Stadt der Christenheit, zehnmal so groß wie Kingsbridge –, doch nun lebte er in London, von wo er die Geschäfte leitete, die seine Familie mit den englischen Wollhändlern machte. Die Carolis waren so reich, dass sie sogar dem König Geld liehen; trotzdem war Buonaventura ein ausgesprochen angenehmer und bescheidener Mann … allerdings hieß es auch, dass er in geschäftlichen Dingen ein richtiger Judas sein konnte.

Caris begrüßte den Florentiner auf beiläufig vertraute Art; schließlich wohnte er bei ihr zu Hause. Buonaventura nickte Merthin freundlich zu, obwohl dessen jungenhaftes Gesicht und die abgetragene Kleidung erkennen ließen, dass er bloß Lehrling war.

Buonaventura wies auf die Buntglasfenster. »Ich komme nun schon seit fünf Jahren nach Kingsbridge«, sagte er, »doch bis jetzt ist mir nie aufgefallen, dass die Fenster in den Querschiffen viel größer sind als alle anderen in der Kirche.« Er sprach Französisch, durchsetzt mit Wörtern aus jener italienischen Region, die man Toskana nannte.

Merthin hatte keine Probleme, ihn zu verstehen. Wie die meisten Söhne englischer Ritter hatte er mit seinen Eltern normannisches Französisch und mit seinen Spielkameraden Englisch gesprochen, und die Bedeutung vieler italienischer Wörter konnte er erraten, weil er in der Klosterschule Latein gelernt hatte. »Ich kann Euch erklären, warum das so ist«, sagte er.

Buonaventura hob die Augenbrauen – überrascht, dass ein Lehrling über solches Wissen verfügen sollte.

»Die Kirche ist vor zweihundert Jahren gebaut worden, als die schmalen Spitzbogenfenster im Hauptschiff und im Chor geradezu eine Revolution in der Baukunst darstellten«, fuhr Merthin fort. »Dann, hundert Jahre später, wollte der Bischof einen höheren Turm.

Gleichzeitig hat er die Querschiffe neu bauen und größere Fenster einsetzen lassen, wie sie zu jener Zeit in Mode gekommen waren.«

Buonaventura war beeindruckt. »Und woher weißt du das?«

»In der Klosterbibliothek gibt es eine Geschichte der Priorei, ›Timothys Buch‹ genannt. Darin steht alles, was es über den Bau der Kathedrale zu wissen gibt. Das meiste wurde in der Zeit des großen Priors Philip niedergeschrieben, doch spätere Schreiber haben weiteres Wissen hinzugefügt. Ich habe Timothys Buch als Junge gelesen, in der Klosterschule.«

Buonaventura musterte Merthin einen Augenblick lang, als wolle er sich dessen Gesicht einprägen; dann sagte er in beiläufigem Ton: »Es ist ein schönes Bauwerk.«

»Sind die Gebäude in Italien sehr viel anders?« Merthin war fasziniert von Gesprächen über andere Länder, besonders wenn es um Baukunst ging.

Buonaventura schaute nachdenklich drein. »Ich glaube, die Prinzipien der Architektur sind in allen Ländern dieselben. Allerdings habe ich in England noch nirgends Kuppeln gesehen.«

»Was ist eine Kuppel?«

»Ein rundes, gewölbtes Dach, das wie ein halber Ball aussieht.«

Merthin war erstaunt. »Von so etwas habe ich noch nie gehört! Wie wird ein solches Dach gebaut?«

Buonaventura lachte. »Junger Mann, ich bin Wollhändler. Ich kann dir sagen, ob ein Vlies von einem Cotswold- oder einem Lincolnschaf stammt, indem ich bloß die Wolle zwischen den Fingern reibe; aber ich weiß noch nicht einmal, wie man ein Hühnerhaus baut, geschweige denn eine Kirchenkuppel.«

Merthins Meister Elfric traf ein. Er war ein wohlhabender Mann und trug teure Kleider, doch sie sahen stets so aus, als gehörten sie jemand anderem. Als gewohnheitsmäßiger Kriecher beachtete er Caris und Merthin nicht, verneigte sich aber tief vor Buonaventura und sagte: »Es ist uns eine Ehre, Euch wieder in unserer Stadt zu sehen, Sir.«

Merthin spürte, wie Caris ihn am Ärmel zupfte.

»Was glaubst du, wie viele Sprachen es gibt?«, fragte sie.

»Fünf …?«, antwortete Merthin, ohne groß nachzudenken.

»Nein, mehr«, erwiderte sie. »Da sind Englisch, Französisch und Latein, das macht schon mal drei. Dann sind da die Florentiner und die Venezianer, die jeweils anders sprechen, obwohl sie ein paar Worte gemeinsam haben.«

»Du hast recht«, sagte Merthin und ließ sich auf das Spiel ein. »Das sind schon fünf. Dann ist da noch das Flämische.« Nur wenige Leute vermochten die Sprache der Händler zu verstehen, die aus den Weberstädten Flanderns nach Kingsbridge kamen: Ypern, Brügge und Gent.

»Und Dänisch.«

»Die Araber haben auch eine eigene Sprache. Sie schreiben sogar mit anderen Buchstaben als wir.«

»Und Mutter Cecilia hat mir erzählt, dass auch die Barbaren – die Schotten, Waliser und Iren – eigene Sprachen hätten, von denen niemand weiß, wie man sie überhaupt niederschreiben kann. Das macht elf Sprachen. Und vielleicht gibt es ja Völker, von denen wir noch nicht einmal etwas gehört haben!«

Merthin grinste. Von seinen gleichaltrigen Freunden verstand keiner, wie viel Spaß es machen konnte, sich fremde Völker und deren Lebensweise vorzustellen. Nur mit Caris konnte er in ferne Welten schweifen, was oft damit begann, dass Caris irgendeine Frage stellte: »Wie lebt es sich wohl am Ende der Welt? Kann man beweisen, dass Gott existiert? Woher weißt du, dass du im Augenblick nicht träumst?« Und schon befanden sie sich auf einer Reise der Fantasie und versuchten, sich gegenseitig mit den ungewöhnlichsten Gedanken zu übertrumpfen.

Die lauten Gespräche in der Kirche verstummten plötzlich, und Merthin sah, dass die Mönche und Nonnen sich setzten. Der Chorleiter, der blinde Carlus, kam als Letzter herein. Obwohl er nicht sehen konnte, ging er ohne Hilfe durch die Kirche und die Klostergebäude. Zwar bewegte er sich langsam, jedoch so sicher und selbstbewusst wie ein Sehender, denn er kannte hier jeden Stein. Nun gab er mit seiner vollen, tiefen Stimme einen Ton vor, und der Chor stimmte ein Lied an.

Merthin war ziemlich misstrauisch, was die Geistlichkeit betraf. Priester verfügten über eine Macht, die nicht immer ihrem Wissen entsprach – so ähnlich wie bei seinem Lehrmeister Elfric. Trotzdem ging Merthin gern in die Kirche. Die Gottesdienste versetzten ihn in eine Art Traumzustand. So auch diesmal: Die Schönheit der Kathedrale und die Harmonie des Gesangs verzauberten ihn so sehr, dass er mit offenen Augen zu schlafen glaubte – bis ihn erneut das wundersame Gefühl überkam, das Regenwasser in Strömen unter seinen Füßen fließen zu spüren.

Merthin ließ den Blick über die drei Ebenen des Hauptschiffs schweifen: Säulengang, Empore und Obergaden. Die Säulen, die nichts anderes waren als aufeinandergestapelte Steinblöcke, erweckten auf den ersten Blick einen ganz anderen Eindruck, denn die Steine waren auf eine Weise behauen, dass jede Säule aus einem Bündel von Schäften zu bestehen schien. Merthins Auge folgte dem Verlauf eines der mächtigen Pfeiler der Vierung, vom riesigen quadratischen Sockel bis hinauf zu der Stelle, wo sich einer der Schäfte nach Norden wandte, um einen Bogen über dem Seitenschiff zu bilden, und weiter hinauf zum Zwischengeschoss, wo ein anderer Schaft nach Westen abzweigte und die Empore überspannte, und noch weiter hinauf bis zur Abzweigung des Bogens über dem Obergaden und zu den letzten verbliebenen Schäften, die sich wie der Strahl eines Springbrunnens zu den gekrümmten Rippen des Vierungsgewölbes auffächerten. Vom Schlussstein aus wanderte Merthins Blick schließlich an einer anderen Rippe entlang zum gegenüber liegenden Pfeiler.

In diesem Moment geschah etwas Merkwürdiges. Das Bild vor seinen Augen schien kurz zu verschwimmen, und es hatte den Anschein, als würde die Ostseite des Querschiffs sich bewegen.

Ein leises Grollen war zu hören, so tief, dass man es kaum vernehmen konnte, und der Boden zitterte, als wäre in der Nähe ein Baum umgestürzt.

Der Gesang stockte.

Im Chor erschien ein Riss in der Südwand, genau neben dem Pfeiler, auf den Merthin seinen Blick gerichtet hatte.

Er drehte sich zu Caris um. Aus dem Augenwinkel heraus sah er Mauerwerk in den Chor und die Vierung herabstürzen. Dann war da nur noch Lärm: Frauen schrien, Männer brüllten, und alles wurde übertönt von dem ohrenbetäubenden Krachen riesiger Steine, die zu Boden prasselten. Das Ganze währte nicht länger als drei, vier Atemzüge. Als sich dann wieder Stille herabsenkte, stellte Merthin fest, dass er Caris festhielt. Den linken Arm um ihre Schulter gelegt, hielt er sie an sich gepresst, während er mit dem rechten Arm schützend ihren Kopf bedeckte und sie mit seinem Körper von der Stelle abschirmte, wo ein Teil der großen Kirche in Trümmern lag.

✳

Es war ein Wunder, dass niemand zu Tode kam.

Die schlimmsten Schäden hatte es im südlichen Seitenschiff des Chorbereichs gegeben, der während des Gottesdienstes jedoch leer gewesen war. Die Gemeinde durfte den Chor ohnehin nicht betreten, und der Klerus hatte sich in der Kirchenmitte aufgehalten, im Binnenchor. Doch mehrere Mönche waren den herabstürzenden Steinen nur um Haaresbreite entkommen, was zu den Wundergeschichten beitrug, die man sich später erzählte; andere waren durch herumfliegende Steinsplitter verletzt worden. Die Gemeinde hatte nicht mehr als ein paar Kratzer davongetragen. Offensichtlich waren sie alle auf wundersame, unerforschliche Weise vom heiligen Adolphus beschützt worden, dessen Gebeine unter dem Hochaltar ruhten und der zu Lebzeiten eine Reihe von Wunderheilungen vollbracht und Menschen vor dem sicher geglaubten Tod bewahrt hatte. Trotzdem war man sich gemeinhin einig, dass Gott den Menschen von Kingsbridge eine Warnung hatte zukommen lassen. Nur war nicht ganz klar, vor *was* er sie warnte.

Eine Stunde später inspizierten vier Männer die Schäden. Zunächst war da Bruder Godwyn, der Vetter von Caris, seines Zeichens Mesner und somit verantwortlich für die Kirche und all ihre Schätze. Dann kam Bruder Thomas, der vor zehn Jahren noch Sir Thomas Langley gewesen war; nun war er als Matricularius zuständig für sämtliche Bau- und Reparaturarbeiten. Dann war da Elfric, der den Vertrag für die Instandhaltung der Kathedrale hatte – ein ausgebildeter Zimmermann, der sich jedoch allgemein als Baumeister betätigte. Und schließlich Merthin, Elfrics Lehrbursche.

Der Ostteil der Kathedrale war von Säulen in vier Abschnitte unterteilt, die man Joche nannte. Der Einsturz hatte jene beiden Joche betroffen, die der Vierung am nächsten waren. Das Steingewölbe über dem südlichen Seitenschiff war im ersten Joch völlig zerstört; im zweiten Joch gab es erhebliche Schäden. Risse durchzogen die Empore, und im Hochchor waren Mittelpfosten aus den Fenstern gefallen.

Elfric sagte: »Eine Schwäche im Mörtel hat das Gewölbe einstürzen lassen, und das wiederum hat die Risse in den oberen Ebenen verursacht.«

Irgendwie wusste Merthin, dass diese Erklärung falsch war, doch eine bessere wollte ihm auch nicht einfallen.

Merthin hasste seinen Meister. Zuerst war er bei Elfrics Vater Joachim in die Lehre gegangen, einem erfahrenen Baumeister, der an Kirchen und Brücken in London und Paris gearbeitet hatte. Dem alten Mann hatte es stets Freude bereitet, Merthin das Wissen der Steinmetze zu vermitteln – das, was sie ihre »Mysterien« nannten und wobei es sich vornehmlich um arithmetische Formeln handelte, zum Beispiel das Verhältnis der Höhe eines Gebäudes zur Tiefe seiner Fundamente. Merthin liebte Zahlen und hatte alles in sich aufgesogen, was Joachim ihn hatte lehren können.

Dann war Joachim gestorben, und Elfric hatte den Betrieb übernommen. Elfric glaubte, dass Gehorsam die wichtigste Tugend eines Lehrlings sei. Doch Merthin hatte mit dem Gehorsam seine liebe Not, und so bestrafte Elfric ihn ständig mit knappen Rationen, dünner Kleidung und Arbeit im Freien bei eisigem Wetter. Und um alles noch schlimmer zu machen, war Elfrics rundliche Tochter Griselda, die genauso alt war wie Merthin, gut genährt und stets warm gekleidet.

Vor drei Jahren war Elfrics Frau gestorben, und er hatte Alice geheiratet, Caris' ältere Schwester. Die Leute hielten Alice für die hübschere der beiden Schwestern, und das stimmte auch, denn sie besaß die regelmäßigeren Züge; doch es mangelte ihr an Caris' fesselnder Art, und Merthin empfand sie als farblos. Jedenfalls hatte er die Hoffnung gehegt, dass sein Meister ihn nach der Heirat besser behandeln würde, denn Alice hatte ihn, Merthin, immer gemocht; doch das genaue Gegenteil war eingetreten. Alice schien zu glauben, dass es zu ihren ehelichen Pflichten gehörte, nicht nur Elfric zu quälen, sondern seinen Lehrling gleich mit.

Merthin wusste, dass viele andere Lehrlinge auf die gleiche Art litten, und alle fanden sich damit ab, weil eine Lehre der einzige Weg in ein einträgliches Gewerbe war. Die Handwerkszünfte hielten eisern den Daumen drauf, und niemand konnte in der Stadt Geschäfte machen, ohne einer Zunft anzugehören. Selbst ein Priester, ein Mönch oder eine Frau, die mit Wolle handeln oder Bier brauen wollten, musste erst einer Zunft oder Gilde beitreten. Und außerhalb der Städte konnte man kaum Geschäfte machen: Bauern bauten ihre Häuser selbst und nähten ihre eigenen Hemden.

Am Ende der Lehrzeit blieben die meisten Jungen bei ihren Meistern und arbeiteten fortan als Geselle für Lohn. Manche wurden Teilhaber und übernahmen nach dem Tod des alten Meisters dessen Betrieb. Ein solches Schicksal würde Merthin jedoch nicht teilen. Dafür hasste er Elfric viel zu sehr. Er würde gehen, sobald er konnte.

»Sehen wir uns die Sache mal von oben an«, sagte Godwyn.

Sie begaben sich zum Ostende der Kathedrale. Elfric sagte: »Es ist schön, dass Ihr wieder aus Oxford zurück seid, Bruder Godwyn.

Aber sicherlich vermisst Ihr die Gesellschaft all dieser gelehrten Männer.«

Godwyn nickte. »Die Magister dort sind in der Tat sehr gebildet.«

»Und die anderen Studenten ... Ich nehme an, dass sie allesamt bemerkenswerte junge Männer sind. Allerdings hören wir hier auch Geschichten von sündhaftem Treiben.«

Godwyn schaute reumütig drein. »Ich fürchte, einige dieser Geschichten entsprechen der Wahrheit. Wenn ein junger Priester oder Mönch zum ersten Mal von zu Hause fort ist, kann er durchaus der Versuchung erliegen.«

»Trotzdem ... Wir können uns wahrhaft glücklich schätzen, hier in Kingsbridge gelehrte Männer wie Euch zu wissen, die an der Universität studiert haben!«

»Das ist sehr freundlich von Euch.«

»Oh, es ist nichts als die reine Wahrheit!«

Merthin hätte am liebsten gerufen: »Um Himmels willen, halt dein Maul!« Doch Kriechen und Schleimen war nun einmal Elfrics Natur. Er war kein besonders guter Handwerker; seine Arbeit war oft schlampig und sein Urteil schief, doch er verstand es, sich bei anderen einzuschmeicheln. Merthin hatte es immer wieder erlebt. Konnte jemand ihm von Nutzen sein, strich Elfric ihm um den Bart; war jemand ohne Bedeutung für ihn, war er unfreundlich und grob.

Umso mehr war Merthin von Godwyn überrascht. Wie konnte es sein, dass ein so kluger und gebildeter Mann einen Heuchler wie Elfric nicht durchschaute? Aber vielleicht war Heuchelei für denjenigen, der das Ziel des Schmeichelns war, nicht so offensichtlich.

Godwyn öffnete eine kleine Tür und führte die Gruppe eine schmale, in der Wand verborgene Wendeltreppe hinauf. Merthin schlug das Herz höher. Er liebte die versteckten Gänge der Kathedrale. Zudem war er neugierig, was den dramatischen Einsturz betraf, und begierig darauf, den Grund dafür herauszufinden.

Auch die Decken der einstöckigen Seitenschiffe waren Kreuzgewölbe. Über dem Gewölbe verlief ein Pultdach vom äußeren Rand des Seitenschiffs bis zur Basis der Gewölbedecke des Binnenchores. Unter dem Dach befand sich ein dreieckiger Raum, dessen Boden der Gewölberücken bildete. Die vier Männer stiegen in diesen Raum hinein, um den Schaden von oben zu begutachten.

Licht fiel durch Fenster, die sich auf die Empore im Kircheninneren hin öffneten; überdies hatte Thomas die Weitsicht besessen, eine Öllampe mitzunehmen. Als Erstes fiel Merthin auf, dass die Gewölbe von oben betrachtet nicht in jedem Joch gleich aussahen: Das östlichste Gewölbe war ein wenig flacher als das daneben, und auch das nächste, teilweise zerstörte Gewölbe unterschied sich von den anderen.

Die Männer gingen an den Gewölberücken entlang und hielten sich dabei dicht am Rand, wo das Gewölbe am stärksten war, bis sie der Einsturzstelle so nahe gekommen waren, wie sie es wagten. Das Gewölbe bestand aus Steinmauerwerk, so wie die gesamte Kathedrale, nur dass die Deckensteine sehr dünn und leicht waren. An der Kämpferlinie, der Basis des Gewölbebogens, war das Gemäuer fast lotrecht; doch je weiter es nach oben ging, desto mehr neigte die Konstruktion sich nach innen, bis die Seiten sich in der Mitte trafen.

Elfric sagte: »Nun, offensichtlich müssen wir als Erstes die Gewölbe über den ersten beiden Jochen des Seitenschiffs wiederherrichten.«

Bruder Thomas bemerkte: »Es ist lange her, seit in Kingsbridge jemand zum letzten Mal ein Rippengewölbe gebaut hat.« Er wandte sich an Merthin. »Könntest du die Verschalung machen?«

Merthin wusste, was der Matricularius meinte. Am Rand des Gewölbes, wo das Mauerwerk beinahe senkrecht war, wurden die Steine von ihrem eigenen Gewicht an Ort und Stelle gehalten; doch weiter oben, wo es immer mehr in die Horizontale überging, war eine Stützkonstruktion vonnöten, die so lange stehen blieb, bis der Mörtel getrocknet war und das Mauerwerk trug. Meist wurde zu diesem Zweck ein Holzgerüst errichtet, das man Verschalung oder Wölbgerüst nannte und dessen Krümmung der des Gewölbes entsprach.

Das war eine anspruchsvolle Aufgabe für einen Zimmermann, denn die Krümmung des Gerüsts musste exakt sein. Bruder Thomas kannte die Qualität von Merthins Handwerkskunst, da er nun schon über Jahre hinweg die Arbeit beaufsichtigt hatte, die Merthin und Elfric in der Kathedrale leisteten. Es war jedoch sehr taktlos von Thomas, sich an den Lehrling und nicht an den Meister zu wenden, und so sprudelte Elfric hastig hervor: »Unter meiner Aufsicht wird er das schon hinkriegen!«

»Ja, ich kann eine Verschalung bauen«, sagte Merthin, der bereits darüber nachdachte, wie der Rahmen vom Gerüst gestützt werden musste und wo er am besten die Plattform errichtete, auf der die Steinmetze arbeiten würden. »Allerdings sind diese Gewölbe nicht mit einer Verschalung gebaut worden.«

»Red doch keinen Unsinn, Junge«, sagte Elfric. »Natürlich sind sie das. Davon verstehst du nichts.«

Merthin wusste, dass es unklug wäre, sich mit seinem Meister anzulegen. Andererseits würde er in sechs Monaten, als Geselle, mit Elfric in Wettstreit treten, und es war wichtig für ihn, dass Leute wie Bruder Godwyn an seine Fähigkeiten glaubten. Außerdem ärgerte ihn die Herablassung in Elfrics Stimme, und er verspürte das unwiderstehliche Verlangen, seinen Meister des Irrtums zu überführen. »Dann schaut Euch doch die Bogenrücken an!«, sagte er entrüstet. »Bei einer Verschalung hätten die Steinmetze das Wölbgerüst abgebaut, sobald sie mit einem Joch fertig waren, und es beim nächsten wieder verwendet. Demzufolge müssten alle Gewölbe die gleiche Krümmung aufweisen. So ist es aber nicht. Sie sind alle unterschiedlich.«

»Dann haben die Steinmetze die Verschalung eben jedes Mal neu gebaut!«, sagte Elfric verärgert.

»Aber wieso?« Merthin zeigte sich hartnäckig. »Sie haben doch sicher Holz sparen wollen, ganz zu schweigen von den Löhnen für die Zimmerleute.«

»Wie dem auch sei … jedenfalls ist es unmöglich, ein Gewölbe ohne Verschalung zu bauen.«

»Das stimmt nicht«, entgegnete Merthin. »Es gibt eine Methode …«

»Schluss jetzt!«, rief Elfric. »Du bist hier, um zu lernen, nicht um uns zu belehren!«

Godwyn warf ein: »Wenn Ihr erlaubt, Meister Elfric … Falls der Junge recht hat, könnte es der Priorei eine Menge Kosten ersparen.« Er schaute Merthin an. »Was wolltest du sagen?«

Merthin wünschte beinahe, er hätte das Thema gar nicht erst zur Sprache gebracht. Später würde er einen verflucht hohen Preis dafür zahlen müssen. Nun aber gab es kein Zurück mehr für ihn. Wenn er jetzt nachgab, würden die anderen glauben, er wüsste nicht, wovon er sprach. »Es wird in einem Buch in der Klosterbibliothek beschrieben und ist eigentlich recht einfach«, sagte er. »Wird ein Stein eingesetzt, legt man ein Seil darum. Ein Ende des Seils wird dann an der Wand befestigt, das andere mit einem Stück Holz beschwert, sodass das Seil über der Kante des Steins einen rechten Winkel bildet.

So hält es ihn davon ab, aus seinem Mörtelbett zu rutschen und zu Boden zu fallen.«

Es folgte ein Augenblick des Schweigens, als alle sich vorzustellen versuchten, wie das wohl aussah. Dann nickte Thomas. »Das könnte funktionieren.«

Elfric funkelte seinen Lehrling wild an.

Godwyn war fasziniert. »In welchem Buch steht das?«

»Es wird Timothys Buch genannt«, antwortete Merthin.

»Ich kenne es, habe es aber nie studiert. Offensichtlich sollte ich das nachholen.« Godwyn wandte sich an die anderen. »Haben wir genug gesehen?«

Elfric und Thomas nickten. Als die vier Männer das Dachgeschoss verließen, zischte Elfric seinem Lehrling zu: »Ist dir eigentlich klar, dass du dich gerade um mehrere Wochen Arbeit geredet hast? Ich möchte wetten, wenn du dein eigener Herr bist, tust du das nicht mehr.«

Daran hatte Merthin gar nicht gedacht. Elfric hatte recht: Indem er bewiesen hatte, dass ein Wölbgerüst unnötig war, hatte er sich und Elfric um einen lukrativen Auftrag gebracht. Doch Elfric wurde von Habgier geleitet. Es war unchristlich, jemanden unnötig viel Geld ausgeben zu lassen, nur um selbst Arbeit zu haben. Merthin jedenfalls wollte seinen Lebensunterhalt nicht bestreiten, indem er andere übers Ohr haute.

Sie stiegen die Wendeltreppe in den Chor hinunter. »Wenn Ihr erlaubt«, sagte Elfric zu Godwyn, »komme ich morgen zu Euch und nenne Euch einen Preis für die Arbeit.«

»Einverstanden.«

Elfric wandte sich wieder Merthin zu. »Du bleibst hier und zählst die Steine in einem der unversehrten Gewölbe. Melde dich mit dem Ergebnis bei mir.«

»Ist gut.«

Elfric und Godwyn gingen, doch Thomas blieb. »Ich habe dich in Schwierigkeiten gebracht, Merthin«, sagte er.

»Ihr wolltet mich nur gut dastehen lassen.«

Der Mönch zuckte mit den Schultern und machte eine hilflose Geste mit dem rechten Arm. Sein linker Arm war zehn Jahre zuvor am Ellbogen amputiert worden, nachdem die Wunde sich entzündet hatte, die Thomas sich in einem Kampf zugezogen hatte. In einem Kampf, dessen Zeuge Merthin geworden war.

Merthin dachte nur selten an diese seltsame Szene im Wald zurück; er hatte sich daran gewöhnt, Thomas in einem Mönchsgewand zu sehen. Doch jetzt erinnerte er sich an die Soldaten, an die Kinder, die sich in den Sträuchern versteckten, an den Bogen und den Pfeil und den vergrabenen Brief. Thomas war stets freundlich zu ihm, und Merthin vermutete, dass es mit den Geschehnissen an jenem Tag zu tun hatte. »Ich habe nie jemandem von dem Brief erzählt«, sagte er leise.

»Ich weiß«, erwiderte Thomas. »Hättest du 's getan, wärst du tot.«

❈

Die meisten großen Städte wurden von der Kaufmannsgilde geführt, die von den einflussreichsten Bürgern gebildet wurde. Einen Rang unter der Kaufmannsgilde standen die Handwerkszünfte, die der Steinmetze, Zimmerleute, Gerber, Weber und Schneider. Dann waren da noch die Gemeinderäte, die an die einzelnen Kirchen gebunden waren und deren Aufgaben darin bestanden, Geld für Priestergewänder und die sakralen Gegenstände aufzutreiben und für die Witwen und Waisen zu sorgen.

Domstädte waren anders organisiert. Wie St. Albans und Bury St. Edmunds wurde auch Kingsbridge vom Kloster regiert, dem in der Stadt und im Umland der meiste Grund und Boden gehörte. Die Prioren hatten stets die Erlaubnis zur Bildung einer Kaufmannsgilde und damit eines Stadtrats verweigert. Allerdings gehörten die wichtigsten Handwerker und Kaufleute dem Gemeinderat von St. Adolphus an. Ohne Zweifel hatte dieser Rat in ferner Vergangenheit als fromme Gemeinschaft begonnen, die Geld für den Bau der Kathedrale gesammelt hatte, doch nun war er die wichtigste weltliche Organisation der Stadt. Der Rat stellte Regeln für den Handel auf und legte die Maßeinheiten fest, nach denen das Gewicht eines Sacks Wolle, die Breite eines Stoffballens und die Menge eines Scheffels Getreide bemessen war. Die Kaufleute durften jedoch nicht zu Gericht sitzen, wie es in Burgstädten der Fall war – dieses Recht behielt die Priorei sich vor.

Am Nachmittag des Pfingstsonntags veranstaltete der Gemeinderat für die wichtigsten Händler von außerhalb ein Bankett in der Ratshalle. Edmund Wooler war der oberste Ratsherr, und da Caris ihn als Gastgeberin begleitete, musste Merthin sich ohne sie amüsieren.

Glücklicherweise waren Elfric und Alice ebenfalls auf dem Bankett, sodass Merthin in der Küche sitzen, dem Regen lauschen und nachdenken konnte. Es war nicht kalt; dennoch brannte ein kleines Herdfeuer, dessen rote Glut Merthin aufheiterte.

Merthin hörte, wie Elfrics dralle Tochter Griselda oben im Haus umherging. Es war ein schönes Haus, wenn auch kleiner als Edmunds. Unten gab es nur eine Halle und eine Küche. Die Treppe führte auf einen offenen Absatz, wo Griselda schlief; dahinter befand sich ein abgetrenntes Schlafzimmer für den Meister und seine Frau. Merthin schlief in der Küche.

Es hatte eine Zeit gegeben – vor drei, vier Jahren –, da war Merthin des Nachts von Träumen geplagt worden, in denen er die Treppe hinaufschlich und sich unter die Decken schob, um sich an Griseldas warmen, üppigen Leib zu schmiegen. Doch diese Träume waren verflogen. Griselda betrachtete Merthin als unter ihrer Würde, behandelte ihn wie einen Laufburschen und hatte ihn nie auch nur im Mindesten ermutigt.

Merthin saß auf der Bank, schaute ins Feuer und stellte sich das Gerüst vor, das er für die Steinmetze bauen würde, die das eingestürzte Gewölbe wiederherrichten mussten. Holz war teuer und lange Baumstämme rar – Waldbesitzer erlagen oft der Versuchung, Holz zu verkaufen, ehe die Bäume ausgewachsen waren. Deshalb waren Baumeister bestrebt, so wenig wie möglich auf Gerüste zurückzugreifen. Anstatt sie vom Boden bis hinauf zu jener Stelle zu bauen, an der die Arbeiten verrichtet werden mussten, machten sie die Balken an bereits bestehenden Gebäudeteilen fest, um die Gerüste möglichst klein und den Aufwand an Holz gering zu halten.

Während Merthin nachdachte, kam Griselda in die Küche und füllte sich einen Becher Bier aus dem Fass. »Möchtest du auch?«, fragte sie. Merthin nickte. Die Höflichkeit Griseldas überraschte ihn – und sie erstaunte ihn noch mehr, als sie sich zum Trinken neben ihn auf einen Hocker setzte.

Griseldas Liebster, Thurstan, war vor drei Wochen verschwunden. Ohne Zweifel fühlte sie sich nun einsam, weshalb sie wohl auch Merthins Gesellschaft suchte. Das Bier tat seine Wirkung; vom Magen her breitete sich wohlige, entspannende Wärme in seinem Körper aus. Da er nicht wusste, was er sonst sagen sollte, fragte er: »Was ist mit Thurstan passiert?«

Griselda warf den Kopf zurück wie eine ausgelassene Stute. »Ich habe ihm gesagt, dass ich ihn nicht heiraten will.«

»Warum nicht?«

»Er ist zu jung für mich.«

Das klang in Merthins Ohren nicht wirklich überzeugend. Thurstan war siebzehn, Griselda zwanzig, doch wirklich reif war sie noch nicht. Wahrscheinlich, überlegte Merthin, war Thurstan von zu niedrigem Stand. Vor ein paar Jahren war er aus dem Nirgendwo in Kingsbridge aufgetaucht und hatte als ungelernte Hilfskraft für verschiedene Handwerker in der Stadt gearbeitet. Vermutlich waren ihm Kingsbridge oder Griselda einfach zu langweilig geworden, und so war er weitergezogen.

»Wo ist er hin?«

»Weiß ich nicht. Ist mir auch egal. Ich sollte einen Mann in meinem Alter heiraten, jemanden mit Verantwortungsgefühl ... vielleicht einen Mann, der einmal das Geschäft meines Vaters übernehmen könnte.«

Merthin fragte sich, ob sie ihn damit meinte. Nein. Sicher nicht. Sie hatte immer auf ihn herabgeschaut. Dann aber erhob Griselda sich von ihrem Hocker und setzte sich auf die Bank neben ihn.

»Mein Vater behandelt dich schlecht«, sagte sie. »Das habe ich immer schon gedacht.«

Merthin war erstaunt. »Na, dann hat es ja lange genug gedauert, bis du ’s mal aussprichst – ich wohne hier schon seit sechseinhalb Jahren.«

»Es fällt mir schwer, mich gegen meine Familie zu stellen.«

»Warum ist dein Vater überhaupt so gemein zu mir?«

»Weil du glaubst, alles besser zu wissen als er, und das lässt du ihn spüren.«

»Vielleicht hab ich ja recht und weiß es wirklich besser.«

»Siehst du, was ich meine?«

Merthin lachte. Es war das erste Mal, dass Griselda ihn zum Lachen gebracht hatte.

Griselda rückte näher an ihn heran, bis ihr Schenkel unter dem Wollkleid sich an seinem rieb. Merthin trug sein zerschlissenes Leinenhemd, das ihm bis zu den Knien reichte, und darunter eine Unterhose wie alle Männer; dennoch konnte er die Wärme ihres Leibes durch den Stoff hindurch spüren. Was ging hier vor sich? Merthin schaute Griselda ungläubig an. Sie besaß glänzendes dunkles Haar und braune Augen, und ihr fleischiges Gesicht war auf gewisse Art sogar anziehend. Und sie hatte einen schönen Mund zum Küssen.

Sie sagte: »Ich mag es, bei einem Regenschauer drinnen zu sitzen. Das ist so gemütlich.«

Merthin spürte, wie Erregung ihn erfasste, und wandte sich von ihr ab. Was würde Caris denken, wenn sie jetzt hereinkäme? Merthin versuchte, sein Verlangen zu unterdrücken, doch das machte alles nur noch schlimmer.

Er drehte sich wieder zu Griselda um. Ihr Mund war leicht geöffnet, die Lippen schimmerten feucht. Sie beugte sich zu ihm. Er küsste sie. Sofort stieß sie ihre Zunge in seinen Mund. Es war eine plötzliche, erschreckende Vertrautheit, die Merthin erregte, und er erwiderte ihren Kuss. Aber das war nicht so, wie Caris zu küssen ...

Dieser Gedanke ließ ihn erstarren. Er riss sich von Griselda los und stand auf.

»Was ist?«, fragte sie.

Merthin wollte ihr nicht die Wahrheit sagen; also antwortete er: »So warst du noch nie zu mir.«

Sie schaute verärgert drein. »Ich habe dir doch gesagt, dass ich mich auf die Seite meines Vaters stellen *musste*.«

»Du hast deine Meinung ja ziemlich plötzlich geändert.«

Griselda stand auf und kam auf ihn zu. Merthin wich zurück, bis er mit dem Rücken gegen die Wand stieß. Griselda nahm seine Hand und drückte sie auf ihre Brust. Ihr praller Busen war weich und schwer, und Merthin konnte der Versuchung nicht widerstehen, ihn zu betasten. Sie fragte: »Hast du es schon mal getan? Richtig, meine ich? Mit einem Mädchen?«

Merthin hatte es die Sprache verschlagen, und so nickte er bloß.

»Hast du auch schon mal daran gedacht, es mit mir zu tun?«

»J... Ja«, brachte er mühsam hervor.

»Wenn du willst, kannst du es jetzt mit mir machen, solange meine Eltern weg sind. Wir können nach oben gehen und uns in mein Bett legen.«

»Nein.«

Sie drückte ihren Leib an seinen. »Dein Kuss hat mich ganz heiß und schlüpfrig gemacht ...«

Er stieß sie von sich. Der Stoß fiel gröber aus, als er beabsichtigt hatte, und Griselda stolperte rückwärts und landete auf ihrem gut gepolsterten Hinterteil.

»Lass mich in Ruhe«, sagte Merthin. Er war nicht sicher, ob er es wirklich so meinte, doch Griselda nahm ihn beim Wort.

»Zur Hölle mit dir!«, fluchte sie, rappelte sich auf und stampfte nach oben.

Merthin blieb, wo er war, und atmete schwer. Nun, da er sie zurückgewiesen hatte, bereute er es.

Lehrlinge waren nicht allzu begehrenswert für junge Frauen, die nicht gezwungen sein wollten, Jahre bis zur Hochzeit zu warten. Nichtsdestotrotz hatte Merthin mehreren Mädchen aus Kingsbridge den Hof gemacht. Eine von ihnen, Kate Brown, hatte ihn gut genug gemocht, um ihn eines warmen Nachmittags ein Jahr zuvor im Obstgarten ihres Vaters ihre süßeste Frucht pflücken zu lassen. Dann war Kates Vater unerwartet gestorben, und ihre Mutter war mit der Familie nach Portsmouth gezogen. Es war das einzige Mal gewesen, dass Merthin bei einer Frau gelegen hatte. War er verrückt, Griseldas Angebot einfach so abzulehnen?

Nein, es war ganz im Gegenteil klug gewesen, sagte er sich. Er war mit einem blauen Auge davongekommen. Griselda war ein boshaftes Weib, das ihn gar nicht mochte. Er sollte stolz darauf sein, der Versuchung widerstanden zu haben. Er war nicht wie ein Tier seinen Instinkten gefolgt, sondern hatte eine Entscheidung getroffen, die eines reifen Mannes würdig war.

Dann hörte er Griselda weinen.

Ihr Schluchzen war nicht laut; trotzdem konnte Merthin es hören. Er ging zur Hintertür. Wie bei jedem Haus in der Stadt, so gab es auch bei Elfric einen kleinen, schmalen Streifen Land hinter dem Haus, mit einer Latrine und einem Müllhaufen. Die meisten Hausbesitzer hielten überdies Hühner und ein Schwein und bauten Gemüse und Obst an, doch Elfrics Hof diente als Lagerplatz für Holz und Steine, Taue und Eimer, Karren und Leitern. Merthin starrte auf den Regen, der in den Hof fiel, doch Griseldas Schluchzen erreichte noch immer seine Ohren.

Merthin war drauf und dran, das Haus zu verlassen, aber er wusste nicht, wohin er gehen sollte. In Caris' Haus war nur noch Petronilla, die ihn nicht gerade willkommen heißen würde. Er erwog, zu seinen Eltern zu gehen … aber die waren nun wirklich die Letzten, die er in diesem Zustand sehen wollte. Er hätte mit seinem Bruder reden können, doch Ralph wurde erst später in der Woche in Kingsbridge zurückerwartet. Außerdem, so erkannte Merthin, konnte er ohne Mantel nicht aus dem Haus. Nicht wegen des Regens – nass zu werden machte ihm nichts aus –, sondern wegen der Wölbung vorne an seiner Hose, die einfach nicht verschwinden wollte.

Merthin versuchte, an Caris zu denken. Vermutlich nippte sie gerade an ihrem Wein und aß Braten und Weizenbrot. Merthin fragte sich, was sie wohl trug. Ihr bestes Kleid war rosarot mit eckig ausgeschnittenem Kragen, der die blasse Haut ihres Halses entblößte ...

Doch Griseldas Weinen drang immer wieder in seine Gedanken. Er wollte sie trösten, wollte ihr sagen, wie leid es ihm tat, sie abgewiesen zu haben, wollte ihr versichern, was für eine verlockende Frau sie doch sei, nur passten sie eben nicht zueinander.

Merthin setzte sich und stand sofort wieder auf. Es war schwer, einer verzweifelten Frau zuzuhören. Solange ihr Schluchzen das Haus erfüllte, konnte er nicht an Gerüstbau denken. Ich kann nicht bleiben, kann nicht gehen, kann nicht still sitzen, ging es ihm durch den Kopf.

Er ging nach oben.

Griselda lag bäuchlings auf der mit Stroh gefüllten Matratze, die ihr als Bett diente. Ihr Kleid war an den prallen Schenkeln hochgerutscht, und ihre Beine waren sehr weiß und sahen weich aus.

»Es tut mir leid«, sagte Merthin.

»Geh weg.«

»Wein doch nicht.«

»Ich hasse dich.«

Merthin kniete sich neben sie und tätschelte ihren Rücken. »Ich kann nicht einfach in der Küche sitzen und dir beim Weinen zuhören.«

Griselda wälzte sich herum und schaute ihn an. Ihr Gesicht war nass von Tränen. »Ich bin hässlich und fett, und du hasst mich.«

»Ich hasse dich nicht.« Merthin wischte ihr mit dem Handrücken über die feuchten Wangen.

Griselda packte ihn am Handgelenk und zog ihn zu sich. »Nicht? Wirklich?«

»Nein. Aber ...«

Sie legte die Hand hinter seinen Kopf, zog ihn zu sich herunter und küsste ihn. Merthin stöhnte; er war erregter denn je. Er legte sich neben sie auf die Matratze. Ich gehe gleich wieder, sagte er sich. Ich werde sie nur noch ein wenig trösten; dann stehe ich auf und gehe wieder nach unten.

Griselda nahm seine Hand, schob sie unter ihren Rock und drückte sie zwischen ihre Beine. Merthin spürte das drahtige Haar, die weiche Haut darunter und die feuchte Spalte, und er wusste, dass er verloren war. Grob streichelte er sie, und seine Finger glitten in sie hinein. Er hatte das Gefühl, als würde er platzen. »Ich ... kann nicht aufhören«, stöhnte er.

»Rasch«, keuchte Griselda. Sie zog ihren Rock hoch und seine Hose herunter, und er schob sich auf sie.

Merthin fühlte, wie er mehr und mehr die Beherrschung verlor, als sie ihn in sich hineinführte. Doch noch ehe es vorbei war, überkam ihn Reue. »O nein«, sagte er. Die Explosion kam mit seinem ersten Stoß, und binnen eines Augenblicks war alles vorbei. Er sank auf Griselda zusammen und schloss die Augen. »O Gott«, murmelte er. »Ich wollte, ich wäre tot.«

Buonaventura Caroli machte seine schockierende Ankündigung beim Frühstück am Montag, am Tag nach dem Bankett in der Ratshalle.

Caris fühlte sich ein wenig unwohl, als sie ihren Platz am Eichentisch in der Halle des väterlichen Hauses einnahm. Sie hatte Kopfschmerzen und litt unter leichter Übelkeit. Um ihren Magen zu beruhigen, aß sie einen kleinen Teller in Milch eingeweichtes Brot. Sie erinnerte sich, beim Bankett Wein getrunken zu haben, und fragte sich nun, ob es wohl zu viel gewesen war. War das so ein Morgen-danach-Gefühl, über das Männer und Jungen immer scherzten, wenn sie damit prahlten, wie viel sie trinken konnten?

Vater und Buonaventura aßen kalten Hammelbraten, und Tante Petronilla erzählte eine Geschichte. »Als ich fünfzehn war, bin ich einem Neffen des Grafen von Shiring anverlobt worden«, sagte sie. »Eine gute Partie, glaubten alle: Sein Vater war ein Ritter mittleren Standes, und der meine war ein wohlhabender Wollhändler. Dann sind der Graf und sein einziger Sohn in Schottland gefallen, in der Schlacht von Loudon Hill. Mein Verlobter, Roland, ist daraufhin Graf geworden … und hat die Verlobung gelöst. Er ist heute noch immer der Graf. Hätte ich Roland vor der Schlacht geheiratet, wäre ich die Gräfin von Shiring geworden.« Sie tunkte Brot in ihr Bier.

»Vielleicht war es nicht Gottes Wille«, sagte Buonaventura. Er warf Scrap einen Knochen zu, der sich sofort darauf stürzte, als hätte er seit einer Woche nichts mehr zu fressen gehabt. Dann sagte er zu Vater: »Mein Freund, es gibt da etwas, das ich Euch sagen sollte, bevor wir mit dem Tagwerk beginnen.«

Sein Tonfall vermittelte Caris das Gefühl, als habe er schlechte Neuigkeiten, und ihr Vater schien das gleiche Gefühl zu haben, denn er sagte: »Das hört sich gar nicht gut an.«

»Unser Handel ist in den letzten Jahren immer weiter zurückgegangen«, fuhr Buonaventura fort. »Jedes Jahr verkauft meine Familie ein klein bisschen weniger Stoff, und jedes Jahr kaufen wir ein klein bisschen weniger Wolle aus England.«

»So ist nun mal das Geschäft«, sagte Edmund. »Es geht auf und ab, und niemand weiß warum.«

»Aber nun hat Euer König sich eingemischt.«

Das stimmte. Edward III. hatte erkannt, dass man mit Wolle Geld machen konnte, und beschlossen, dass mehr davon an die Krone fließen müsse. Er hatte eine neue Steuer eingeführt: ein Pfund pro Wollsack. Ein Sack wiederum war auf ein Gewicht von 364 Pfund festgelegt und wurde für einen Preis von etwa vier Pfund verkauft. Damit betrug die neue Steuer ein Viertel des Verkaufspreises, was eine ganze Menge war.

Buonaventura fuhr fort: »Schlimmer noch, er hat es deutlich erschwert, Wolle aus England auszuführen. Ich musste hohe Bestechungsgelder zahlen.«

»Das Ausfuhrverbot wird bestimmt bald wieder aufgehoben«, versicherte ihm Edmund. »Die Händler der Wollgesellschaft in London verhandeln bereits mit dem Hof, und …«

»Ich hoffe, Ihr habt recht«, sagte Buonaventura. »Aber wie die Dinge stehen, hält meine Familie es nicht länger für nötig, dass ich in diesem Teil des Landes *zwei* Wollmärkte besuche.«

»Vollkommen richtig!«, sagte Edmund. »Kommt hierher, und vergesst den Markt in Shiring.«

Die Stadt Shiring war ungefähr so groß wie Kingsbridge und lag zwei Tagesreisen entfernt. Shiring besaß zwar weder eine Kathedrale noch ein Kloster, dafür befand sich dort die Burg des Sheriffs sowie das Grafschaftsgericht. Einmal im Jahr fand auch in Shiring ein Wollmarkt statt, der mit dem in Kingsbridge konkurrierte.

»Ich fürchte, ein so breites Angebot wie in Shiring kann ich hier nicht finden. Wisst Ihr, der Wollmarkt von Kingsbridge scheint sich auf dem absteigenden Ast zu befinden. Immer mehr Verkäufer gehen nach Shiring. Auf dem dortigen Markt finden sich viel mehr unterschiedliche Arten und Qualitäten von Wolle.«

Caris war entsetzt. Das könnte sich als Katastrophe für ihren Vater erweisen. Sie warf ein: »Aber warum sollten die Verkäufer Shiring vorziehen?«

Buonaventura zuckte mit den Schultern. »Die Ratsherren dort haben den Markt sehr attraktiv gestaltet. Es gibt keine langen Schlangen vor den Toren; die Händler können Zelte und Stände mieten; es gibt sogar ein eigenes Gebäude für die Wollbörse, wo jedermann trockenen Fußes Geschäfte machen kann, wenn es so regnet wie jetzt ...«

»Das alles könnten wir auch hier«, sagte Caris.

Ihr Vater schnaubte verächtlich. »Wenn es nur so wäre!«

»Warum sollte das nicht möglich sein, Vater?«

»Shiring ist eine unabhängige Burgstadt, deren Freiheit durch ein königliches Dekret verbrieft ist. Die Kaufmannsgilde dort besitzt die Macht, alles zum Wohle der Wollhändler zu tun. Kingsbridge jedoch gehört der Priorei ...«

Petronilla warf ein: »Zum Ruhme Gottes.«

»Ohne Zweifel«, sagte Edmund. »Aber ohne Zustimmung der Priorei kann unser Gemeinderat nichts tun ... und Prioren sind vorsichtige und zurückhaltende Leute; mein Bruder bildet da keine Ausnahme. Mit dem Ergebnis, dass die meisten Verbesserungspläne abgelehnt werden.«

Buonaventura fuhr fort: »Aufgrund der langen Beziehung meiner Familie zu Euch, Edmund, und zuvor zu Eurem Vater, sind wir weiterhin nach Kingsbridge gekommen, doch in schweren Zeiten wie diesen können wir uns keine Gefühle leisten.«

»Dann lasst mich Euch um unserer langen Beziehung willen um einen kleinen Gefallen bitten«, sagte Edmund. »Trefft noch keine endgültige Entscheidung. Bleibt offen für alles.«

Das war klug, dachte Caris. Wie so oft musste sie staunen, wie gerissen ihr Vater bei einer Verhandlung sein konnte. Er verlangte nicht, dass Buonaventura seine Entscheidung rückgängig machte, denn damit hätten sich die Positionen nur verhärtet. Doch immerhin war damit zu rechnen, dass der Italiener sich darauf einlassen würde, seine Entscheidung nicht als endgültig zu deklarieren. Schließlich verpflichtete er sich damit zu nichts, hielt sich aber eine Hintertür offen.

Buonaventura fiel es in der Tat schwer, sich zu verweigern. »Na gut ... aber mit welchem Ziel?«

»Ich möchte die Gelegenheit bekommen, den Markt wieder attraktiver zu gestalten. Vor allem um die Brücke müssen wir uns kümmern«, antwortete Edmund. »Wenn es uns hier in Kingsbridge gelingt, bessere Örtlichkeiten anzubieten als in Shiring und mehr Händler anzuziehen, würdet Ihr doch zu uns kommen, nicht wahr?«

»Natürlich.«

»Dann müssen wir zur Tat schreiten.« Er stand auf. »Ich werde auf der Stelle zu meinem Bruder gehen. Caris, komm mit. Wir werden ihm die Warteschlange an der Brücke zeigen. Nein, warte, Caris … Geh und hol deinen klugen jungen Baumeister, diesen Merthin. Wir könnten sein Wissen brauchen.«

»Aber er wird bei der Arbeit sein.«

Petronilla sagte: »Dann sag seinem Meister, dass der Älteste des Gemeinderats den Jungen sehen will.« Petronilla war stolz darauf, dass ihr Bruder Ratsältester war, und erwähnte es bei jeder sich bietenden Gelegenheit.

Aber sie hatte recht: Elfric würde Merthin gehen lassen müssen. »Ich gehe ihn suchen«, sagte Caris.

Sie zog sich einen Kapuzenmantel über und ging hinaus. Es regnete noch immer, wenn auch nicht mehr so heftig wie am Tag zuvor. Wie die meisten führenden Bürger wohnte auch Elfric an der Hauptstraße, die von der Brücke bis zu den Toren der Priorei führte. Die breite Straße war voller Karren und Menschen, die zum Markt drängten und dabei durch Matsch und Pfützen stapften.

Caris war begierig darauf, Merthin zu sehen – wie immer. Sie mochte ihn schon seit Allerheiligen vor zehn Jahren, als er mit seinem selbst gemachten Bogen bei der Schießübung erschienen war. Er war klug und hatte Humor. Wie sie selbst wusste auch er, dass die Welt ein viel größerer und faszinierenderer Ort war, als die meisten Einwohner von Kingsbridge es sich vorzustellen vermochten. Sie waren die besten Freunde. Doch vor sechs Monaten hatten sie etwas entdeckt, das über bloße Freundschaft hinausging und auch viel mehr Spaß machte.

Caris hatte vor Merthin schon Jungen geküsst, wenn auch nicht oft. Sie hatte nie wirklich einen Sinn darin gesehen. Bei Merthin aber war es etwas anderes; mit ihm war es aufregend, sogar ein bisschen sündhaft. Es gefiel Caris, wenn er ihren Körper berührte. Sie wollte noch mehr tun – doch sie wagte nicht, auch nur darüber nachzudenken. »Mehr« bedeutete Heirat, und Heirat bedeutete, dass man Ehefrau wurde, und eine Ehefrau musste sich ihrem Mann unterwerfen, denn er war der Herr – und diese Vorstellung war Caris zuwider. Zum Glück hatte sie bis jetzt nicht über all das nachdenken müssen, denn Merthin konnte erst heiraten, wenn er seinen Gesellenbrief hatte, und bis dahin würde noch ein halbes Jahr vergehen.

Caris erreichte Elfrics Haus und trat ein. Ihre Schwester Alice saß mit ihrer Stieftochter Griselda in der vorderen Stube am Tisch.

Sie aßen Brot mit Honig. In den drei Jahren, die Alice mit Elfric verheiratet war, hatte sie sich sehr verändert. Sie war schon immer eine Zicke gewesen – genau wie Petronilla –, doch unter dem Einfluss ihres Gemahls war sie noch misstrauischer, reizbarer und kleinlicher geworden.

Heute jedoch war sie ziemlich guter Laune. »Setz dich, Schwester«, sagte sie. »Das Brot ist frisch heute Morgen.«

»Ich kann nicht. Ich bin auf der Suche nach Merthin.«

Alice schaute sie missbilligend an. »So früh?«

»Vater will ihn sehen.« Caris ging durch die Küche zur Hintertür und schaute in den Hof. Regen fiel auf die trostlose Landschaft aus Baumaterial. Einer von Elfrics Arbeitern legte Steine in eine Schubkarre. Von Merthin war keine Spur zu sehen. Caris ging wieder ins Haus.

Alice sagte: »Wahrscheinlich ist er in der Kathedrale. Er schnitzt eine Tür.«

Caris erinnerte sich, dass Merthin erwähnt hatte, die Tür des Nordportals sei verrottet und dass er an einer neuen Tür arbeite.

Griselda fügte hinzu: »Er hat Jungfrauen geschnitzt.« Sie grinste und schob sich Honigbrot in den Mund.

Das wusste Caris auch. Die Schnitzereien an der Tür stellten das Gleichnis dar, das Jesus den Jüngern auf dem Ölberg erzählt hatte, von den zehn klugen und törichten Jungfrauen, und Merthin sollte neue Jungfern schnitzen. Doch Griseldas Grinsen, als sie »Jungfrauen« gesagt hatte, war schmierig gewesen und voller Spott, als wolle sie Caris verhöhnen, dass sie noch Jungfrau war.

Doch Caris ging nicht darauf ein. »Dann versuch ich 's in der Kathedrale«, sagte sie, winkte flüchtig und verschwand.

Sie schlenderte die Hauptstraße hinauf. Als sie zwischen den Marktständen hindurch zu der großen Kirche ging und den Blick schweifen ließ, überkam sie ein Gefühl von Zerfall und Auflösung. Hatte Buonaventura recht, dass der Markt in Kingsbridge im Niedergang begriffen war? Tatsächlich waren die Wollmärkte in Caris' Kindheit größer, geschäftiger und bunter gewesen. Damals hatte das Klostergelände nicht ausgereicht, den ganzen Markt aufzunehmen, und Stände ohne Lizenz – oft nur ein kleiner Tisch voller Tand – hatten die Straßen im ganzen Umkreis verstopft. Und wo waren all die Hausierer mit ihren Bauchläden geblieben, die Gaukler und Bettler, die Musikanten und die umherziehenden Brüder, die Sünder zur Buße aufriefen? Jetzt kam es Caris so vor, als wäre auch im Kloster noch Platz für ein paar mehr Stände. »Buonaventura hat recht«, murmelte sie vor sich hin. »Der Markt wird immer kleiner.« Ein Händler schaute sie befremdet an, und Caris erkannte, dass sie wieder einmal laut gedacht hatte, eine schlechte Angewohnheit von ihr, denn die Leute glaubten, sie würde mit Geistern reden. Zwar ermahnte Caris sich immer wieder, diese Unart abzulegen, doch manchmal vergaß sie es, besonders wenn sie unruhig war.

Caris ging um die große Kirche herum zur Nordseite.

Merthin arbeitete in der Vorhalle, einem saalähnlichen Raum, in dem oft Versammlungen abgehalten wurden. Er hatte die Tür, an der er schnitzte, aufrecht in einen großen Holzrahmen gestellt. Hinter seinem neuen Werk hing die gerissene, morsche alte Tür noch immer an Ort und Stelle im Portal. Merthin stand mit dem Rücken zu Caris, sodass das Licht über seine Schulter auf das Holz vor ihm fiel. Er sah sie nicht, und das Prasseln des Regens übertönte ihre Schritte, sodass Caris ihn ein paar Augenblicke lang unbemerkt beobachten konnte, während seine schmalen Hände sich geschickt über die Schnitzerei bewegten und mit einem dünnen Messer feine Späne herausschälten.

Merthin war klein, nicht viel größer als sie selbst. Auf seinem drahtigen, weißhäutigen Leib saß ein großer Kopf mit struppigem rotem Haar. »Hübsch ist der aber nicht!«, hatte Alice einmal gesagt und dabei den Mund verzogen, als Caris ihr gestanden hatte, dass sie sich in Merthin verliebt hatte. Es stimmte, dass Merthin nicht so schneidig aussah wie sein Bruder Ralph, doch Caris faszinierte vor allem sein Gesicht: unregelmäßig und schrullig, klug und voller Lachen – so wie der ganze Mann.

»Hallo«, sagte sie, und Merthin fuhr zusammen. Caris lachte. »Das kenne ich ja gar nicht von dir, dass du dich so leicht erschrecken lässt.«

»Puh. Es ist dir aber gelungen.« Er zögerte kurz, dann küsste er sie. Er wirkte ein wenig tölpelhaft, aber das kam immer wieder vor, wenn er sich auf seine Arbeit konzentrierte.

Caris betrachtete die Schnitzereien. Auf jeder Seite der Tür befanden sich je fünf Jungfrauen: Die klugen hielten Festmahl auf einer Hochzeit, die törichten standen draußen und hielten Lampen verkehrt herum zum Zeichen, dass kein Öl mehr darin war. Merthin hatte die Schnitzereien der alten Tür kopiert, jedoch mit subtilen Veränderungen. Die Jungfrauen standen in Reihen, fünf auf der einen und fünf auf der anderen Seite, wie die Bögen in der Kathedrale, doch auf der neuen Tür waren sie nicht exakt gleich. Merthin hatte jedem Mädchen etwas Persönliches verliehen. Eine war hübsch, eine andere hatte lockiges Haar, eine weinte, und wieder eine zwinkerte schelmisch. Merthin hatte sie lebensecht gemacht; die Szene auf der alten Tür wirkte im Vergleich dazu steif und leblos. »Das ist wunderbar«, sagte Caris. »Aber ich frage mich, wie die Mönche wohl darüber denken werden.«

»Bruder Thomas gefällt es«, erwiderte Merthin.

»Was ist mit Prior Anthony?«

»Er hat's noch nicht gesehen, aber er wird's schon hinnehmen. Er wird wohl,kaum zweimal dafür bezahlen wollen.«

Das stimmt, dachte Caris. Ihr Onkel Anthony war nicht gerade aufgeschlossen für Neuerungen, aber geizig. Die Erwähnung des Priors erinnerte Caris an ihren Auftrag. »Mein Vater möchte sich mit dir und dem Prior an der Brücke treffen.«

»Hat er gesagt warum?«

»Ich glaube, er will Anthony bitten, eine neue Brücke zu bauen.«

Merthin legte seine Werkzeuge in eine Ledertasche und wischte rasch Späne und Staub vom Boden. Dann gingen Caris und er im Regen über den Markt und die Hauptstraße hinunter zu der hölzernen Brücke. Dabei erzählte Caris ihm, was Buonaventura am Frühstückstisch über den Wollmarkt gesagt hatte. Merthin hatte den gleichen Eindruck. Auch er fand, dass es auf den Märkten der letzten Jahre nicht mehr so geschäftig zugegangen war wie zu ihrer beider Kindheit.

Trotzdem wartete eine lange Schlange von Menschen und Karren darauf, nach Kingsbridge eingelassen zu werden. Am stadtseitigen Ende der Brücke stand ein kleines Torhaus, wo ein Mönch jedem Händler, der Waren mit sich führte, einen Penny Zoll für den Zutritt zur Stadt abverlangte. Die Brücke war schmal, sodass niemand die Schlange umgehen konnte; deshalb mussten auch Leute, die nicht zu bezahlen brauchten – größtenteils Stadtbewohner –, sich einreihen und warten. Dazu kam, dass einige der Bohlen verzogen oder gebrochen waren, und Karren kamen nur langsam voran. So zog die Schlange sich bis zu den Schuppen und Hütten der Vorstadt hin und verschwand schließlich im Regendunst.

Außerdem war die Brücke zu kurz. Einst hatte sie an beiden Ufern auf trockenem Land gemündet. Nun jedoch war der Fluss entweder breiter geworden, oder – was wahrscheinlicher war – die unzähligen Menschen und Karren hatten die Ufer im Laufe der Jahrzehnte und

Jahrhunderte abgeflacht, sodass die Leute heutzutage zu beiden Seiten der Brücke durch Schlamm stapfen mussten.

Caris sah, dass Merthin die Konstruktion betrachtete. Sie kannte diesen Ausdruck in seinen Augen: Er dachte darüber nach, was die Brücke aufrecht hielt. Caris hatte schon oft gesehen, wie er etwas auf diese Weise studierte, für gewöhnlich in der Kathedrale, manchmal aber auch ein Haus oder sogar Dinge in der Natur, einen blühenden Weißdornbaum oder einen kreisenden Falken. Immer dann wurde er sehr still, und sein Blick wurde hell und scharf, als hielte er ein Licht an einen düsteren Ort, um herauszufinden, was sich dort verbarg. Als Caris ihn einmal gefragt hatte, warum er so schaue, hatte er geantwortet: »Ich versuche, das Innere der Dinge zu sehen.«

Nun folgte Caris seinem Blick und fragte sich, was ihm an der alten Brücke aufgefallen war. Sie maß sechzig Schritt von einem Ende zum anderen und war die längste Brücke, die Caris je gesehen hatte. Die Straßenbettung wurde von massiven Eichenpfeilern getragen, die sich in zwei Reihen hinzogen wie die Säulen zu beiden Seiten des Hauptschiffs der Kathedrale. Insgesamt waren es fünf Pfeilerpaare. Die Endpfeiler, im Flachwasser, waren recht kurz, doch die drei mittleren Paare ragten fünfzehn Fuß aus dem Wasser.

Jeder Pfeiler bestand aus vier Eichenpfählen, die von hölzernen Klammern zusammengehalten wurden. Einst hatte der König, so besagte die Legende, der Priorei von Kingsbridge die vierundzwanzig besten Eichen in England gegeben, um daraus die sechs Strompfeiler errichten zu lassen. Die oberen Enden waren durch Balken verbunden, die sich in zwei parallelen Reihen über den Fluss spannten. Kürzere Balken bildeten die Querstreben und damit die Unterlage der Straßenbettung; darauf wiederum hatte man Bohlen in Längsrichtung angebracht, welche die eigentliche Straßenoberfläche bildeten. Überdies befand sich auf jeder Seite ein Holzgeländer, eine eher zerbrechliche Brüstung. Tatsächlich brach alle Jahre wieder ein betrunkener Bauer mit seinem Karren durch dieses Geländer und ertrank mitsamt seinem Pferd im Fluss.

»Was schaust du dir an?«, fragte Caris.

»Die Risse.«

»Ich sehe keine.«

»Das Holz zu beiden Seiten der Zentralpfeiler bricht auseinander. Man sieht deutlich, wo Elfric es mit Eisenkrampen verstärkt hat.«

Nun, da Merthin sie ihr zeigte, sah auch Caris die schmalen Metallstreifen, die über die Risse genagelt worden waren. »Du siehst besorgt aus«, sagte sie.

»Ich weiß nicht, warum das Holz überhaupt gerissen ist.«

»Ist das denn wichtig?«

»Natürlich.«

Merthin war an diesem Morgen nicht sehr gesprächig. Caris wollte ihn gerade nach dem Grund fragen, als er sagte: »Da kommt dein Vater.«

Caris schaute die Straße hinauf. Die zwei Brüder waren ein seltsames Paar. Der große Anthony hielt mit spitzen Fingern den Saum seiner Mönchsrobe hoch und stakste vorsichtig um jede Pfütze herum. Ekel spiegelte sich auf seinem blassen Schreibstubengesicht. Edmund, der Ältere, aber auch Energischere der beiden, hatte ein rotes Gesicht und einen zotteligen grauen Bart. Im Gegensatz zu seinem Bruder achtete er nicht darauf, wo er ging, sondern zog sein verkrüppeltes Bein durch den Schlamm und redete im Gehen zornig auf Anthony ein und gestikulierte dabei mit den Armen. Wenn Caris ihren Vater aus der Ferne sah, so wie ein Fremder ihn sehen könnte, wurde sie stets von einer Woge der Liebe erfasst.

Der Streit war in vollem Gange, als die Brüder die Brücke erreichten, und dort angekommen setzten sie ihren Disput unvermindert fort. »Schau dir nur die Schlange an!«, rief Edmund. »Hunderte von Leuten können keine Geschäfte machen, weil sie noch nicht auf dem Markt sind! Und wer weiß, ob ihnen nicht ein Käufer oder Händler über den Weg läuft, sodass sie ihre Geschäfte gleich an Ort und Stelle abschließen, ohne die Stadt überhaupt je zu betreten!«

»Das verstößt gegen das Gesetz«, erklärte Anthony.

»Du könntest ja zu ihnen gehen und es ihnen sagen, nur kommst du nicht über die Brücke, weil sie zu schmal ist! Hör zu, Anthony. Wenn die Italiener fortbleiben, wird der Wollmarkt sterben, doch unser beider Wohlstand hängt davon ab, dass der Markt floriert! Wir dürfen ihn nicht einfach aufgeben!«

»Wir können Buonaventura nicht zwingen, seine Geschäfte hier zu tätigen.«

»Aber wir können unseren Markt attraktiver machen als den in Shiring. Wir müssen ein großes symbolisches Projekt ankündigen, das alle davon überzeugen wird, dass unser Markt noch nicht am Ende ist. Sofort! Diese Woche! Wir müssen den Leuten sagen, dass wir die alte Brücke abreißen und eine neue, zweimal so breite bauen werden.« Ohne Vorwarnung wandte er sich Merthin zu. »Wie lange würde das dauern, mein Junge?«

Merthin schaute überrascht drein, antwortete jedoch: »Kommt drauf an. Das Schwerste ist, geeignete Bäume zu finden. Man braucht sehr lange Balken, gut abgelagert. Dann müsste man die Pfeiler ins Flussbett rammen ... Das ist recht schwierig, weil man in fließendem Wasser arbeiten muss. Danach aber sind es nur noch Zimmermannsarbeiten. Weihnachten könnte man fertig sein.«

Anthony sagte: »Wir haben keinerlei Sicherheit, dass die Familie Caroli ihre Pläne rückgängig machen wird, wenn wir eine neue Brücke bauen.«

»Doch, das werden sie«, erklärte Edmund mit Nachdruck. »Das garantiere ich.«

»Aber ich habe nicht das Geld. Ich kann es mir nicht leisten, eine neue Brücke zu bauen.«

»Du kannst dir nicht leisten, *keine* neue Brücke zu bauen!«, rief Edmund. »Du treibst dich selbst und die ganze Stadt in den Ruin.«

»Aber es geht nicht! Ich weiß ja nicht einmal, wo ich das Geld für die Reparaturen im Südchor hernehmen soll.«

»Und was willst du dann tun?«

»Auf Gott vertrauen.«

»Jene, die auf Gott vertrauen und säen, werden ernten, aber du säst ja nicht einmal!«

Anthony wurde wütend. »Ich weiß, dass es für einen wie dich schwer zu verstehen ist, Edmund, aber die Priorei von Kingsbridge ist kein Handelskontor. Wir sind hier, um Gott die Ehre zu erweisen und nicht, um dem schnöden Mammon zu dienen.«

»Ihr werdet Gott aber nicht mehr lange ehren können, wenn ihr nichts mehr zu essen habt.«

»Der Herr wird für uns sorgen.«

Edmunds ohnehin schon rotes Gesicht wurde purpurn vor Zorn. »Als du noch ein Junge warst, hat das Geschäft unseres Vaters dich ernährt, gekleidet und dir die Ausbildung gesichert. Seit du Mönch bist, haben die Bürger der Stadt und die Bauern der Umgebung mit ihrem Zehnten, den Brückenzöllen und einem Dutzend anderer Abgaben dafür gesorgt, dass du dir den Wanst vollschlagen kannst! Dein Leben lang hast du wie eine Laus im Pelz hart schuftender Menschen gelebt! Und jetzt hast du die Dreistigkeit zu sagen, dass Gott schon für dich sorgen wird?«

»Blasphemie! Du versündigst dich, Bruder!«

»Vergiss nicht, dass ich dich kenne, seit du geboren bist, Anthony. Du hast stets ein Talent dafür gehabt, der Arbeit aus dem Weg zu gehen.« Edmunds Stimme, die er so oft zum Gebrüll erhob, senkte sich nun – ein Zeichen dafür, dass er jetzt *wirklich* wütend war, wie Caris wusste. »Wenn es an der Zeit war, die Latrine zu leeren, bist du ins Bett gegangen, um dich für die Schule am nächsten Tag auszuruhen. Als Vaters Gabe an Gott hast du immer von allem das Beste bekommen und nie auch nur einen Finger gekrümmt, um es dir zu verdienen. Die besten Stücke Fleisch, die wärmste Schlafkammer, die schönsten Kleider … Ich war der einzige Junge, der die abgelegten Sachen seines *kleinen* Bruders auftragen musste!«

»Und das lässt du mich auch nie vergessen.«

Caris hatte auf eine Chance gewartet, den Wortschwall aufzuhalten, und ergriff nun die Gelegenheit: »Es muss doch einen anderen Weg geben.«

Überrascht ob der Unterbrechung schauten die beiden Brüder sie an.

Caris fuhr fort: »Könnte nicht die Bürgerschaft eine Brücke bauen?«

»Mach dich nicht lächerlich«, sagte Anthony. »Die Stadt gehört der Priorei. Ein Diener richtet doch nicht das Haus seines Herrn ein.«

»Aber wenn man dich um Erlaubnis ersuchen würde, hättest du keinen Grund, sie zu verweigern.«

Anthony widersprach dem nicht sofort, und das war ermutigend; doch Edmund schüttelte den Kopf. »Ich glaube nicht, dass ich die Bürger davon überzeugen könnte, das Geld aufzubringen«, sagte er. »Natürlich wäre es langfristig in ihrem Interesse, doch wenn es um Geld geht, neigen die Leute dazu, eher kurzfristig zu denken.«

»Ha!«, rief Anthony. »Aber von mir erwartest du, dass ich langfristig denke.«

»Dein Geschäft ist ja auch das ewige Leben, oder etwa nicht?«, schoss Edmund zurück. »Wer, wenn nicht du, sollte denn über die nächste Woche hinausblicken? Außerdem bekommst du einen Penny Zoll von jedem, der die Brücke überquert. Du würdest dein Geld also zurückbekommen *und* vom besseren Geschäft profitieren.«

Caris sagte: »Aber Onkel Anthony ist ein geistlicher Herr, und er hat das Gefühl, dass das nicht seiner Aufgabe entspricht.«

»Aber ihm gehört die Stadt!«, protestierte Vater. »Er ist der Einzige, der das kann!« Dann schaute er seine Tochter fragend an, wohl wissend, dass sie ihm nicht ohne Grund widersprochen hatte. »Was denkst du?«

»Nehmen wir einmal an, die Bürger würden eine Brücke bauen. Im Gegenzug beteiligt man sie am Brückenzoll ...«

Edmund öffnete den Mund, um etwas einzuwenden, doch ihm fiel nichts ein.

Caris schaute zu Anthony.

Anthony sagte: »Als die Priorei gerade erst erbaut war, stellte diese Brücke ihre einzige Einnahmequelle dar. Ich kann sie nicht hergeben.«

»Aber was würdest du nicht alles gewinnen, wenn der Wollmarkt und der Wochenmarkt wieder zu alter Größe zurückfänden, Onkel Anthony! Nicht nur den Brückenzoll, auch Standmieten und Anteile an allen Geschäften auf dem Markt, ganz zu schweigen von all den Spenden an die Kathedrale.«

Edmund fügte hinzu: »Und die Profite von euren eigenen Verkäufen: Wolle, Getreide, Leder, Bücher, Heiligenstatuen ...«

»Das hast du geplant, nicht wahr?« Vorwurfsvoll richtete Anthony den Finger auf seinen älteren Bruder. »Du hast deiner Tochter und dem Jungen eingetrichtert, was sie sagen sollen. Merthin würde nie einen solchen Plan aushecken, und Caris ist nur eine Frau. Das riecht nach dir. Das ist eine Intrige, um mich um den Brückenzoll zu bringen. Nun, sie ist gescheitert. Gelobt sei Gott der Herr, so dumm bin ich nicht!« Er wandte sich ab und stapfte durch den Schlamm davon.

Edmund sagte: »Wie hat unser Vater es bloß geschafft, einen Mann mit dem Verstand einer Kröte zu zeugen?« Damit schlurfte auch er davon.

Caris wandte sich an Merthin. »Und wie denkst du darüber?«

»Ich weiß nicht.« Er wich ihrem Blick aus. »Ich sollte jetzt besser wieder an die Arbeit gehen.« Er ging ohne einen Kuss.

»Hoppla!«, sagte Caris, als er außer Hörweite war. »Was, um Himmels willen, ist denn in den gefahren?«

Am Donnerstag der Wollmarktwoche kam der Graf von Shiring nach
Kingsbridge. Er brachte seine beiden Söhne mit, mehrere andere Familienangehörige und ein Gefolge von Rittern und Junkern. Die Brücke wurde von seiner Vorhut freigeräumt, die sie dann bis zur Ankunft
des Grafen sperrte, damit er nicht die Demütigung erdulden musste,
neben dem einfachen Volk zu warten. Sein Gefolge trug seine rot-
schwarze Livree, und die ganze Kavalkade sprengte mit flatternden
Bannern in die Stadt; die Hufe der Pferde bespritzten die Stände mit
Wasser und Schlamm. Graf Roland war in den letzten zehn Jahren
vom Schicksal begünstigt gewesen – erst unter Königin Isabella und
später unter ihrem Sohn Edward III. –, und das wollte er die ganze
Welt auch wissen lassen, wie alle reichen und mächtigen Männer.

In seinem Gefolge befand sich auch Ralph, der Sohn von Sir Gerald und Bruder von Merthin. Zur gleichen Zeit, da Merthin seine
Lehre bei Elfrics Vater angetreten hatte, war Ralph Junker im Haushalt von Graf Roland geworden, und seitdem war er glücklich. Man
hatte ihn gut ernährt und gekleidet, und er hatte Reiten und Fechten
gelernt und den Großteil seiner Zeit mit Jagen und Spielen verbracht.
In sechseinhalb Jahren hatte niemand von ihm verlangt, auch nur
ein Wort zu lesen oder zu schreiben. Während er nun hinter dem
Grafen an den dicht an dicht stehenden Marktständen vorbeiritt,
verfolgt von neidischen wie ängstlichen Blicken, bemitleidete er die
Kaufleute und Händler, die im Schlamm nach Pennys suchten.

Der Graf saß am Haus des Priors ab, auf der Nordseite der Kathedrale. Sein jüngerer Sohn, Richard, tat es ihm nach. Richard war
der Bischof von Kingsbridge, und formell war die Kathedrale seine
Kirche. Allerdings befand sich der Bischofspalast in der Burgstadt
Shiring, zwei Tagesreisen entfernt. Das kam Bischof Richard gut zupass, denn seine Pflichten waren ebenso politischer wie religiöser
Natur – und es war auch den Mönchen ganz recht, die es vorzogen,
nicht so streng überwacht zu werden.

Richard war erst achtundzwanzig, doch sein Vater war ein enger Verbündeter des Königs, und das zählte mehr als Lebensjahre.

Der Rest des Gefolges ritt zum Südende des Kathedralengeländes. Der ältere Sohn des Grafen, William, Herr von Caster, befahl den Junkern, die Pferde im Stall unterzubringen, während ein halbes Dutzend Ritter sich im Hospital einrichtete. Ralph beeilte sich, Lady Philippa, Williams Frau, vom Pferd zu helfen. Sie war eine große, gut aussehende Frau mit langen Beinen und üppigem Busen, und insgeheim konnte Ralph die Blicke nicht von ihr lassen.

Nachdem die Pferde untergebracht waren, ging Ralph seine Mutter und seinen Vater besuchen. Sie lebten zinsfrei in einem kleinen Haus im Südwesten der Stadt, nahe am Fluss in einem Viertel, in dem die Luft verpestet war vom Gestank der hier beheimateten Gerbereien. Als Ralph sich dem Haus näherte, schauderte er vor Scham in seiner rot-schwarzen Uniform. Er war zutiefst dankbar, dass Lady Philippa nicht sah, unter welch unwürdigen Umständen seine Eltern lebten.

Ralph hatte die beiden seit einem Jahr nicht mehr gesehen, und sie wirkten deutlich gealtert. Im Haar seiner Mutter war immer mehr Grau, und sein Vater verlor allmählich das Augenlicht. Sie gaben ihm Apfelmost von den Mönchen und wilde Erdbeeren, die Mutter im Wald gesammelt hatte. Sir Gerald bewunderte Ralphs Waffenrock. »Hat der Graf dich schon zum Ritter geschlagen?«, fragte er eifrig.

Jeder Knappe war begierig darauf, Ritter zu werden, und Ralph war sogar noch ehrgeiziger als die meisten anderen. Sein Vater war nie über die Demütigung hinweggekommen, die er vor zehn Jahren hatte erleiden müssen, als man ihn vom Ritter zu einem Muntling der Priorei degradiert hatte. Auch Ralph hatte dieser Tag gleichsam wie ein Pfeil ins Herz getroffen, und der Schmerz würde erst nachlassen, wenn er die Ehre seiner Familie wiederhergestellt hatte. Doch nicht alle Knappen wurden zu Rittern geschlagen. Trotzdem sprach Vater stets so, als wäre das in Ralphs Fall nur eine Frage der Zeit.

»Noch nicht«, antwortete Ralph nun. »Aber es wird wohl nicht mehr lange dauern, bis wir gegen Frankreich in den Krieg ziehen, und das wird meine Chance sein.« Er sagte es eher beiläufig, denn er wollte sich nicht anmerken lassen, wie begierig er war, sich in der Schlacht zu beweisen.

Mutter jedoch war angewidert. »Warum wollen Ritter immer nur Krieg?«

Vater lachte. »Dafür sind wir Männer geboren.«

»Nein, seid ihr nicht«, widersprach sie ihm. »Als ich Ralph unter Schmerzen das Leben schenkte, geschah es nicht in der Absicht, dass ihm einst das Schwert eines Franzosen den Kopf abschlägt oder ein Armbrustbolzen das Herz durchbohrt.«

Vater winkte verächtlich ab und fragte Ralph: »Wie kommst du darauf, dass es Krieg geben wird?«

»König Philip von Frankreich hat die Gascogne annektiert.«

»Ah! Das können wir uns nicht bieten lassen.«

Seit Generationen herrschten die englischen Könige nun schon über dieses Gebiet im Westen Frankreichs. Sie hatten den Kaufleuten von Bordeaux und Bayonne, die mehr mit London als mit Paris Geschäfte machten, Handelsprivilegien eingeräumt. Trotzdem gab es immer wieder Ärger.

Ralph sagte: »König Edward hat Gesandte nach Flandern geschickt, um neue Bündnisse zu schließen.«

»Verbündete könnten aber Geld fordern.«

»Deshalb ist Graf Roland nach Kingsbridge gekommen. Der König will sich von den Wollhändlern Geld leihen.«

»Wie viel?«

»Man spricht von zweihunderttausend Pfund landesweit, als Vorschuss auf die Wollsteuer.«

Düster bemerkte Mutter: »Der König sollte lieber aufpassen, dass er die Wollhändler nicht zu Tode besteuert.«

Vater sagte: »Die Kaufleute haben genug Geld – schau dir nur ihre feinen Kleider an.« Bitterkeit schwang in seiner Stimme mit, und Ralph bemerkte erst jetzt, dass Sir Gerald ein verschlissenes Leinenunterhemd und alte Schuhe trug. »Außerdem wollen sie, dass wir die französische Flotte davon abhalten, ihren Handel zu stören.« Das ganze letzte Jahr hatten französische Schiffe immer wieder Städte an der Südküste Englands überfallen, die Häfen geplündert und vor Anker liegende Schiffe abgefackelt.

»Die Franzosen greifen uns an, und wir greifen die Franzosen an«, sagte Mutter. »Aber was ist der Sinn von alledem?«

»Frauen werden das nie verstehen«, erwiderte Vater.

»Das ist wohl wahr«, gab sie schnippisch zurück.

Ralph wechselte das Thema. »Wie geht es meinem Bruder?«

»Er ist ein guter Handwerker«, antwortete sein Vater und hörte sich dabei an wie ein Pferdehändler, der ein viel zu kleines Pony als hervorragendes Reittier für Frauen anpries.

Mutter sagte: »Er ist bis über beide Ohren verliebt in Edmund Woolers Tochter.«

»Caris?« Ralph lächelte. »Er hat sie schon immer gemocht. Als Kinder haben wir zusammen gespielt. Sie war ein aufmüpfiges kleines Biest, doch Merthin schien das nie etwas auszumachen. Wird er sie heiraten?«

»Davon gehe ich aus«, antwortete Mutter. »Sobald er seine Lehre beendet hat.«

»Er wird alle Hände voll zu tun haben.« Ralph stand auf. »Wo ist er jetzt?«

»Im Augenblick arbeitet er am Nordportal der Kathedrale«, antwortete Vater. »Aber vielleicht isst er auch gerade zu Mittag.«

»Ich werde ihn schon finden.« Ralph küsste seine Eltern und ging hinaus.

Er kehrte zur Priorei zurück und schlenderte über den Markt. Der Regen hatte aufgehört, und die Sonne kam hin und wieder durch, ließ die Pfützen glitzern und die feuchten Zeltdächer der Händler dampfen. Ralph sah ein vertrautes Profil, und sein Herz setzte einen Schlag aus. Es waren die gerade Nase und das starke Kinn von Lady Philippa. Sie war älter als Ralph, ungefähr fünfundzwanzig, schätzte er. Sie stand bei einem Händler und schaute sich Seide aus Italien an. Ralph sog förmlich in sich auf, wie das leichte Sommerkleid sich lüstern um ihre Hüfte schmiegte. Er verneigte sich übertrieben galant vor ihr.

Lady Philippa hob den Blick und nickte flüchtig.

»Schöner Stoff«, bemerkte Ralph, um ein Gespräch anzufangen.

»Ja.«

In diesem Augenblick näherte sich ihnen eine kleine Gestalt mit unordentlichem rotem Haar: Merthin. Ralphs Gesicht strahlte vor Freude. »Das ist mein kluger älterer Bruder«, erklärte er Lady Philippa.

Merthin sagte zu Philippa: »Kauft den blassgrünen – er passt zu Euren Augen.«

Ralph zuckte unwillkürlich zusammen. Man durfte eine vornehme Dame nicht auf solch vertrauliche Art ansprechen.

Allerdings schien Philippa das nicht allzu viel auszumachen. In sanft tadelndem Tonfall sagte sie: »Wenn ich die Meinung eines Jungen hören will, frage ich meinen Sohn.« Doch während sie sprach, warf sie Merthin ein Lächeln zu, das man beinahe schon kokett hätte nennen können.

Ralph sagte: »Das ist Lady Philippa, du Narr! Bitte verzeiht die Unverfrorenheit meines Bruders, Mylady.«

»Wie heißt du überhaupt?«

»Ich bin Merthin Fitzgerald, der Euch jederzeit zu Diensten steht, wann immer Ihr Euch nicht für eine Seide entscheiden könnt.«

Ralph packte Merthin am Arm und zog ihn beiseite, ehe er noch dreister werden konnte. »Ich weiß nicht, wie du das machst!«, sagte er mit einer Mischung aus Verzweiflung und Bewunderung. »Aber der Stoff passt in der Tat zu ihren Augen, nicht wahr? Hätte ich so etwas gesagt, sie hätte mich auspeitschen lassen.« Er übertrieb, obwohl Philippa Respektlosigkeiten tatsächlich streng ahndete. Ralph wusste nicht, ob er belustigt oder verärgert sein sollte, weil sie sich Merthin gegenüber so nachsichtig gezeigt hatte.

»So bin ich nun mal«, sagte Merthin. »Der Traum aller Frauen.«

Ralph hörte Bitterkeit in Merthins Stimme. »Stimmt etwas nicht?«, fragte er. »Wie geht es Caris?«

»Ich habe etwas Dummes getan«, erwiderte Merthin. »Ich erzähl's dir später. Schauen wir uns ein wenig um, solange die Sonne scheint.«

Ralph bemerkte einen Marktstand, wo ein Mönch mit aschblondem Haar Käse verkaufte. »Pass auf«, sagte er zu Merthin. Er näherte sich dem Stand und sagte: »Das sieht schmackhaft aus, Bruder. Wo kommt er her?«

»Wir machen ihn in St.-John-in-the-Forest. Es ist nur eine kleine Zelle, ein Ableger der Priorei von Kingsbridge. Ich bin der Prior dort. Mein Name ist Saul Whitehead.«

»Allein der Anblick weckt schon den Hunger in mir. Ich wünschte, ich könnte mir ein Stück leisten, aber der Graf zahlt uns Junkern keinen Penny.«

Der Mönch schnitt ein Stück aus dem Käselaib und gab es Ralph. »Dann sollt Ihr ein Stück umsonst haben, im Namen Jesu«, sagte er.

»Ich danke Euch, Bruder Saul.«

Als sie weitergingen, grinste Ralph Merthin an und sagte: »Siehst du? Das war so leicht, wie einem Kind den Apfel zu klauen.«

»Und ungefähr genauso bewundernswert«, erwiderte Merthin.

»Was für ein Narr, dass er seinen Käse wegen solch einer Heulgeschichte weggibt!«

»Vermutlich ist es ihm lieber, sich zum Narren zu machen, als das Risiko einzugehen, einem Hungernden nicht geholfen zu haben.«

»Was bist du heute säuerlich! Wie kommt es, dass man dir Unverschämtheiten gegenüber einer Edeldame gestattet, während ich nicht mal einen dummen Klosterbruder bequatschen darf, mir ein Stück Käse zu schenken?«

Merthin überraschte ihn mit einem Grinsen. »Genau wie damals, als wir noch Kinder waren, hm?«

»Genau!« Jetzt wusste Ralph nicht, ob er wütend oder belustigt sein sollte. Doch bevor er sich entscheiden konnte, näherte sich ihnen ein hübsches Mädchen mit einem Tablett voll Eier. Sie war schlank und trug ein selbst genähtes Kleid, unter dem sich ihr kleiner Busen abzeichnete. Ralph stellte sich ihre Brüste so blass und rund vor wie die Eier. Er lächelte sie an. »Wie viel?«, fragte er, obwohl er gar keine Eier brauchte.

»Ein Penny das Dutzend.«

»Sind sie gut?«

Das Mädchen deutete auf einen Stand in der Nähe. »Sie stammen von diesen Hennen dort.«

»Und sind diese Hennen auch von einem gesunden Hahn beglückt worden?« Ralph sah, wie Merthin ob dieses Spruchs in spöttischer Verzweiflung mit den Augen rollte.

Doch das Mädchen ließ sich auf das Spiel ein. »Jawohl, Sir«, antwortete sie mit einem Lächeln.

»Dann sind es also glückliche Hühner, ja?«

»Ich weiß nicht.«

»Natürlich nicht. Eine Maid versteht nur wenig von solchen Dingen.« Ralph musterte sie. Sie hatte blondes Haar und eine Himmelfahrtsnase. Er schätzte sie auf achtzehn.

Sie klimperte mit den Wimpern und sagte: »Starrt mich bitte nicht so an.«

Hinter dem Stand rief ein Bauer, ohne Zweifel der Vater des Mädchens: »Annet! Komm her!«

»Du heißt also Annet«, sagte Ralph.

Das Mädchen ignorierte den Ruf und wandte sich nicht einmal um.

Ralph fragte: »Wer ist dein Vater?«

»Perkin aus Wigleigh.«

»Wirklich? Mein Freund Stephen ist der Herr von Wigleigh. Ist Stephen gut zu euch?«

»Herr Stephen ist gerecht und gnädig«, antwortete sie pflichtbewusst.

Ihr Vater rief erneut: »Annet! Du wirst hier gebraucht!«

117

Ralph wusste, warum Perkin sie von ihm wegzulotsen versuchte. Hätte ein Junker seine Tochter heiraten wollen, hätte es ihm nichts ausgemacht; das hätte auf der gesellschaftlichen Leiter einen Schritt nach oben bedeutet. Aber er fürchtete, dass Ralph nur mit ihr spielen und sie dann fallen lassen wollte. Und damit hatte er vollkommen recht.

»Geh nicht, Annet Wigleigh«, sagte Ralph.

»Ich gehe erst, wenn Ihr gekauft habt, was ich anzubieten habe.«

Neben ihnen stöhnte Merthin: »Die eine so schlimm wie der andere.«

Ralph sagte: »Warum stellst du die Eier nicht ab und kommst mit mir? Wir könnten ein wenig am Fluss spazieren gehen.« Zwischen Fluss und Klostermauern zog sich ein breites Ufer dahin, das um diese Jahreszeit voller Wildblumen und Büsche war, traditionell ein beliebter Ort für Paare.

Doch Annet war nicht so leicht herumzukriegen. »Das würde meinem Vater nicht gefallen«, sagte sie.

»Um den brauchen wir uns keine Sorgen zu machen.« Ein Bauer konnte sich dem Willen eines Junkers nur schwer widersetzen, vor allem, wenn dieser Junker die Farben eines mächtigen Grafen trug. Es war eine schwere Beleidigung des Grafen, Hand an einen seiner Männer zu legen. Natürlich konnte der Bauer versuchen, seine Tochter zu überreden, dass sie blieb, doch sie mit Gewalt zurückzuhalten wäre riskant.

Dann aber kam jemand anders Perkin zu Hilfe. Eine jugendliche Stimme sagte: »Hallo, Annet. Ist alles in Ordnung?«

Ralph drehte sich zu dem Neuankömmling um. Er sah wie sechzehn aus, war jedoch fast so groß wie Ralph, mit breiten Schultern und großen Händen, ein überaus gut aussehender Bursche. Sein Gesicht war wie gemeißelt, sein Haar dick und lohfarben, ebenso sein sprießender Bart.

Ralph fragte: »Wer, zum Teufel, bist du denn?«

»Ich bin Wulfric aus Wigleigh, Sir.« Wulfric zeigte sich ehrerbietig, aber nicht ängstlich. Er drehte sich zu Annet um und sagte: »Ich bin gekommen, um dir beim Eierverkauf zu helfen.«

Der Junge schob seine muskulöse Schulter zwischen Ralph und Annet, stellte sich schützend vor das Mädchen hin und versperrte Ralph den Zugang. Das war ein wenig ungebührlich, und Ralph fühlte Zorn in sich aufkeimen. »Geh aus dem Weg, Wulfric Wigleigh«, sagte er. »Du bist hier nicht erwünscht.«

Wulfric drehte sich wieder um und schaute Ralph ruhig an. »Ich bin mit dieser Frau verlobt, Sir«, sagte er, und wieder war sein Tonfall respektvoll, seine Haltung jedoch furchtlos.

Perkin meldete sich zu Wort. »Das ist wahr, Sir ... Sie werden heiraten.«

»Erzähl mir nichts von euren Bauernsitten«, sagte Ralph verächtlich. »Mir ist es egal, ob sie mit diesem Esel verheiratet ist.« Es machte ihn wütend, wenn Menschen niederen Standes so mit ihm sprachen. Sie hatten kein Recht, ihm zu sagen, was er tun und lassen sollte.

Merthin mischte sich ein. »Lass uns gehen, Ralph«, sagte er. »Ich habe Hunger, und Betty Baxter verkauft wieder ihre Pasteten.«

»Pasteten?«, entgegnete Ralph. »Ich bin mehr an Eiern interessiert.« Er nahm eines der Eier von Annets Tablett, betastete es auf beinahe obszöne Art, legte es wieder hin und berührte ihre linke Brust. Sie fühlte sich fest und eiförmig an.

»Was tut Ihr da!« Annet klang entrüstet, zog sich aber nicht von ihm zurück.

Ralph drückte sanft zu und genoss das Gefühl. »Ich begutachte die angebotene Ware.«

»Nehmt die Hände weg.«

»In einer Minute.«

Da versetzte Wulfric ihm einen kräftigen Stoß.

Ralph war überrascht. Er hatte nicht damit gerechnet, dass ein Bauer ihn angreifen würde. Er taumelte zurück, stolperte und fiel zu Boden. Er hörte jemanden lachen, und sein Staunen wich dem Gefühl der Demütigung. Wütend sprang er auf.

Ralph trug kein Schwert, aber einen langen Dolch am Gürtel. Allerdings wäre es ausgesprochen würdelos gewesen, eine Waffe gegen einen unbewaffneten Bauern einzusetzen: Das könnte ihn den Respekt der Ritter des Grafen und der anderen Junker kosten. Also musste er Wulfric mit den Fäusten bestrafen.

Perkin trat rasch hinter seinem Stand hervor. Seine Stimme überschlug sich förmlich. »Das ... Das war nur Ungeschick, Sir, keine Absicht. Es tut dem Jungen schrecklich leid, das versichere ich Euch ...«

Seine Tochter schien jedoch keine Angst zu haben. »Jungs!«, sagte sie in spöttischem Tadel, obwohl sie das Ganze eher zu freuen schien.

Ralph ignorierte Vater und Tochter. Er trat einen Schritt auf

Wulfric zu und ballte die rechte Faust. Als Wulfric beide Arme hob, um den Schlag abzuwehren, stieß Ralph dem Jungen die Linke in den Leib.

Der Bauch des Bauern war nicht so weich, wie Ralph erwartet hatte. Dennoch krümmte Wulfric sich nach vorne, verzog vor Schmerz das Gesicht und drückte beide Hände auf den Magen ... woraufhin Ralph ihm die rechte Faust ins Gesicht schmetterte, genau auf die Wange. Der Schlag ließ Ralph selbst vor Schmerz aufstöhnen, doch seine Seele jubelte.

Zu Ralphs großem Erstaunen schlug Wulfric zurück.

Anstatt zu Boden zu fallen und darauf zu warten, zusammengetreten zu werden, konterte der Bauernjunge mit einem Schlag mit der Rechten, in den er alle Kraft seiner Schultern legte. Ralphs Nase explodierte in einer Wolke aus Schmerz und Blut. Er brüllte vor Zorn.

Wulfric wich zurück. Erst jetzt schien ihm klar zu werden, was für eine schreckliche Tat er begangen hatte. Er ließ beide Arme sinken und drehte die Handflächen nach oben.

Doch es war zu spät für Entschuldigungen. Ralph drosch ihm beide Fäuste in Gesicht und Leib, ließ einen Hagel von Schlägen auf ihn niedergehen, den Wulfric kläglich abzuwehren versuchte, indem er schützend beide Arme hob und sich duckte. Doch er lief nicht weg. Ralph vermutete, dass Wulfric lieber hier und jetzt seine Strafe hinnehmen wollte, als sich später Schlimmerem stellen zu müssen. Der Kerl hatte Mut, musste Ralph gestehen, doch das machte ihn nur umso wütender. Er schlug immer härter zu, wieder und wieder, was ihn mit Zorn und Hochgefühl zugleich erfüllte. Merthin versuchte einzuschreiten. »Um der Liebe Christi willen, das reicht«, sagte er und packte den jüngeren Bruder an der Schulter, doch Ralph schüttelte ihn ab.

Schließlich ließ Wulfric die Hände sinken und taumelte vor Benommenheit. Sein schönes Gesicht war voller Blut, seine Augen zugeschwollen. Dann fiel er wie ein Baum. Ralph trat nach ihm, bis ein stämmiger Mann in Lederhose auftauchte und mit befehlsgewohnter Stimme sagte: »Aber, aber, mein junger Ralph, bringt den Jungen nicht um.«

Ralph erkannte John Constable, den Stadtbüttel, und erwiderte entrüstet: »Er hat mich angegriffen!«

»Nun, jetzt tut er 's aber nicht mehr, oder, Sir? So wie er mit geschlossenen Augen auf dem Boden liegt.« John stellte sich vor Ralph.

»Ich würde mir gerne den Ärger einer richterlichen Untersuchung sparen.«

Mehrere Leute drängten sich um Wulfric: Perkin, Annet, deren Gesicht vor Aufregung gerötet war, Lady Philippa und andere.

Ralphs Hochgefühl verflog; umso schlimmer schmerzte nun seine Nase. Er konnte nur durch den Mund atmen und schmeckte Blut. »Dieser Kerl hat mich auf die Nase geschlagen«, sagte er und klang dabei, als hätte er eine schwere Erkältung.

»Dann wird er bestraft«, sagte John.

Zwei Männer erschienen, die Wulfric ähnlich sahen – sein Vater und sein älterer Bruder, vermutete Ralph. Sie halfen Wulfric auf die Beine und warfen Ralph wütende Blicke zu.

Perkin meldete sich wieder zu Wort. Er war ein fetter Mann mit listigem Gesicht. »Der Junker hat zuerst zugeschlagen«, erklärte er.

Ralph sagte: »Der Bauer hat mich absichtlich geschubst!«

»Der Junker hat Wulfrics zukünftiges Weib beleidigt.«

Der Büttel meinte: »Egal was der Junker gesagt hat, Wulfric hätte es besser wissen müssen, als Hand an einen Diener des Grafen zu legen. Ich gehe davon aus, dass der Graf ihn streng bestraft sehen will.«

Nun meldete Wulfrics Vater sich zu Wort. »Sag mal, John Constable, gibt es vielleicht ein neues Gesetz, dass ein Mann in Livree tun und lassen kann, was er will?«

Zustimmendes Raunen ging durch die kleine Menschenmenge, die sich inzwischen versammelt hatte. Junge, übermütige Junker machten oft und gern Ärger, und häufig entgingen sie ihrer Strafe, nur weil sie die Farben irgendeines Edelmanns trugen – ein Umstand, den gesetzestreue Händler und Bauern zutiefst missbilligten.

Lady Philippa mischte sich ein. »Ich bin die Schwiegertochter des Grafen, und ich habe alles gesehen«, sagte sie. Ihre Stimme war tief und melodiös, doch sie sprach mit der Autorität ihres hohen Standes. Ralph erwartete, dass sie sich auf seine Seite stellen würde, doch zu seiner großen Bestürzung fuhr sie fort: »Ich bedauere, sagen zu müssen, dass Junker Ralph die alleinige Schuld trägt. Er hat das Mädchen auf empörendste Art berührt.«

»Ich danke Euch, Mylady«, sagte John Constable ehrerbietig und senkte die Stimme, um sich mit ihr zu beraten. »Aber ich glaube, der Graf wird den Bauernjungen nicht ungestraft davonkommen lassen wollen ...«

Lady Philippa nickte nachdenklich. »Wir wollen beide nicht, dass sich aus dieser Sache ein längerer Streit entwickelt. Stellt den Jungen vierundzwanzig Stunden an den Pranger. Ich möchte nicht, dass ihm in seinem Alter allzu großes Leid widerfährt, und so wird jeder wissen, dass der Gerechtigkeit Genüge getan wurde. Das wird den Grafen zufriedenstellen – ich sage das in seinem Namen.«

John zögerte. Ralph sah, dass es dem Büttel nicht gefiel, von jemand anderem als seinem Herrn, dem Prior von Kingsbridge, Befehle entgegenzunehmen. Ralph hätte Wulfric zwar gerne ausgepeitscht gesehen, doch allmählich ging ihm auf, dass er nicht als Held aus dieser Sache herauskommen würde, und sollte er eine härtere Bestrafung fordern, würde er sogar noch schlechter dastehen.

Nach kurzem Überlegen sagte John Constable: »Nun gut, Lady Philippa, wenn Ihr bereit seid, die Verantwortung zu übernehmen.«

»Das bin ich.«

»Gut.« John nahm Wulfric am Arm und führte ihn weg. Der Junge hatte sich rasch erholt und war schon wieder in der Lage, geradeaus zu gehen. Seine Familie folgte ihm. Vielleicht würden sie ihm Essen und Trinken bringen, wenn er am Pranger stand, und dafür sorgen, dass man ihn nicht bewarf.

Merthin fragte Ralph: »Wie geht es dir?«

Ralph hatte das Gefühl, als würde sein Gesicht anschwellen wie eine Schweinsblase, in die Luft gepumpt wird. Er sah alles verschwommen, sprach durch die Nase und hatte Schmerzen. »Es geht mir gut«, nuschelte er. »Ich hab mich nie besser gefühlt.«

»Lass uns zu einem Mönch gehen, damit er sich einmal deine Nase ansieht.«

»Nein.« Ralph hatte keine Angst vor einem Kampf, doch was Ärzte so alles taten, ließ ihn schaudern: Aderlass, Schröpfen, Geschwüre aufstechen ... »Ich brauche bloß eine Flasche starken Wein. Bring mich zur nächsten Schänke.«

»Na schön«, sagte Merthin, rührte sich aber nicht. Stattdessen schaute er seinen Bruder seltsam an.

»Was ist?«, fragte Ralph.

»Du wirst dich nie ändern, was?«

Ralph zuckte die Schultern. »Sollte ich?«

Am Mittwoch der Wollmarktwoche, vor dem Gebet zur Sext, saß Godwyn vor Timothys Buch an einem Lesepult der Klosterbibliothek. Die Bibliothek war sein Lieblingsplatz im Kloster: ein großer Raum, gut beleuchtet durch hohe Fenster und mit fast hundert Büchern in einem abgeschlossenen Schrank. Normalerweise war es hier still, doch heute konnte Godwyn den gedämpften Lärm vom Markt hinter der Kathedrale hören: Tausend Menschen kauften und verkauften dort, feilschten und stritten sich, priesen lautstark ihre Waren an und grölten beim Hahnenkampf oder der Bärenhatz.

Godwyn war von Timothys Buch fasziniert. Es war eine Geschichte der Priorei von Kingsbridge, und wie die meisten Chroniken begann sie damit, wie Gott den Himmel und die Erde erschaffen hatte. Zum größten Teil berichtete die Chronik jedoch über die Zeit Prior Philips, zweihundert Jahre zuvor, als die Kathedrale erbaut worden war – eine Zeit, die in den Augen der Mönche nun als goldenes Zeitalter erschien. Der Verfasser des Buches, Bruder Timothy, behauptete, dass der legendäre Philip ein Mann von strenger Disziplin, aber auch von großem Mitgefühl gewesen sei. Godwyn war nicht sicher, wie man beides zugleich sein konnte.

Im hinteren Teil der Chronik hatten spätere Autoren die Nachfahren der Kathedralenbauer bis zum heutigen Tag aufgelistet. Darin fand Godwyn – zu seiner eigenen Überraschung – die Geschichte seiner Mutter bestätigt, dass sie nämlich über Toms Tochter Martha von Tom Builder abstammte. Er fragte sich, welche Familieneigenschaften wohl auf Tom zurückgingen. Ein Steinmetz musste ein guter Geschäftsmann sein, sagte er sich, und genau das waren Godwyns Großvater und sein Onkel Edmund. Seine Base Caris zeigte ebenfalls entsprechende Anlagen. Und vielleicht hatte der alte Tom Builder ja auch grüne Augen mit goldenen Flecken gehabt wie sie alle.

Godwyn las auch über Tom Builders Stiefsohn, Jack, den Baumeister der Kathedrale von Kingsbridge, der Lady Aliena geheiratet und damit eine Linie der Grafen von Shiring begründet hatte. Jack war auch der Ahnherr von Caris' Liebstem, Merthin Fitzgerald. Kein Wunder also, dass der junge Merthin bereits jetzt außergewöhnliche Fähigkeiten als Zimmermann zeigte. In Timothys Buch wurde sogar Jacks rotes Haar erwähnt, das Sir Gerald und Merthin geerbt hatten, Ralph aber nicht.

Was Godwyn jedoch am meisten interessierte, war das Kapitel, das sich mit Frauen beschäftigte. Zur Zeit Prior Philips hatte es offenbar keine Nonnen in Kingsbridge gegeben. Frauen war es streng untersagt gewesen, die Klostergebäude zu betreten. Der Autor zitierte Philip mit den Worten, ein Mönch solle, um seines eigenen Seelenfriedens willen, nach Möglichkeit eine Frau niemals auch nur anschauen. Philip hatte gemeinsame Mönchs- und Nonnenklöster abgelehnt, da die Vorteile gemeinsam genutzter Räumlichkeiten nicht nur den Brüdern und Schwestern zugutekamen, sondern vor allem dem Teufel, der hier reichlich Gelegenheit erhielt, Männer und Frauen in Versuchung zu führen. Wo es dennoch solche Zusammenlegungen gab, fügte Philip hinzu, müssten Mönche und Nonnen so streng wie möglich voneinander getrennt werden.

Godwyn war erfreut, seine eigene Überzeugung von solch einer Autorität bestätigt zu sehen. In Oxford hatte er die rein männliche Umgebung des Kingsbridge College genossen. Zudem waren sowohl die Magister als auch die Studenten an der Universität ausnahmslos männlichen Geschlechts. Sieben Jahre lang hatte er kaum ein Wort mit einer Frau gesprochen, und wenn er bei einem Gang durch die Stadt den Blick auf den Boden geheftet hatte, dann hatte er sogar vermeiden können, Frauen auch nur zu sehen. Bei seiner Rückkehr in die Priorei hatte er es dann auch als ausgesprochen beunruhigend empfunden, so häufig Nonnen zu erblicken. Obwohl sie ihre eigenen Zellen, ihr eigenes Refektorium, ihre eigene Küche und dergleichen hatten, traf er sie ständig in der Kirche, im Hospital und in anderen öffentlichen Gebäuden. Tatsächlich saß just in diesem Augenblick eine hübsche junge Nonne mit Namen Mair nur ein paar Fuß von ihm entfernt und las in einem illuminierten Folianten über Heilkräuter. Schlimmer war nur noch, auf Mädchen aus der Stadt zu treffen mit ihren eng anliegenden Kleidern und verführerischen Frisuren, wie sie über das Klostergelände schlenderten, um Vorräte in die Küche zu bringen oder Kranke im Hospital zu besuchen.

Die Zustände in der Priorei entsprachen längst nicht mehr den frommen und sittsamen Regeln Philips, dachte Godwyn – ein weiteres Beispiel für die Nachlässigkeit, die sich unter seinem Onkel Anthony eingeschlichen hatte. Aber vielleicht konnte er ja etwas dagegen tun.

Die Glocke läutete zur Sext, und Godwyn klappte das Buch zu. Schwester Mair tat es ihm gleich und lächelte ihn an, wobei ihre Lippen einen süßen Bogen bildeten. Godwyn wandte sich rasch ab und eilte aus dem Raum.

Das Wetter besserte sich. Zwischen den Schauern kam dann und wann bereits die Sonne heraus. In der Kirche hellten sich die Buntglasfenster auf und verblassten wieder, wenn Wolken am Himmel entlangzogen. Godwyns Geist war ebenso ruhelos. Immer wieder lenkte ihn der Gedanke vom Gebet ab, wie er Timothys Buch am besten nutzen könnte, um die Priorei zu altem Glanz zu führen. Er beschloss, das Thema im Kapitel anzusprechen, der täglichen Zusammenkunft der Mönche.

Nach dem Einsturz am vergangenen Sonntag kamen die Steinmetze rasch mit der Reparatur des Chors voran, wie Godwyn bemerkte. Die Trümmer waren weggeschafft worden, das Areal mit Seilen abgesperrt. Im Querschiff wuchs ein Stapel dünner, leichter Steine empor. Die Männer unterbrachen nicht einmal die Arbeit, wenn die Mönche zum Gesang anhoben – hätten sie es getan, hätte das Werk sich arg verzögert, denn im Laufe des Tages fanden schlichtweg zu viele Gottesdienste statt. Merthin Fitzgerald, der seine Arbeit an der neuen Tür kurzzeitig unterbrochen hatte, befand sich im Südschiff, wo er eine komplizierte Konstruktion aus Seilen, Brettern und Balken errichtete, auf der die Steinmetze bei der Reparatur des Gewölbes stehen konnten. Thomas Langley, dessen Aufgabe es war, die Handwerker zu beaufsichtigen, stand mit Elfric im südlichen Seitenschiff des Chorbereichs, deutete zu der Einsturzstelle hoch und diskutierte offenbar Merthins Arbeit.

Thomas war als Matricularius ausgesprochen tüchtig: Er war umsichtig und kümmerte sich um alles. Jedes Mal, wenn die Handwerker nicht auftauchten – ein häufiges Ärgernis –, ging Thomas zu ihnen in die Stadt und verlangte den Grund für ihr Wegbleiben zu erfahren. Wenn Thomas überhaupt einen Fehler hatte, dann den, dass er zu unabhängig war: Nur selten erstattete er Bericht über Fortschritte oder fragte Godwyn nach dessen Meinung; stattdessen setzte er seine Arbeit fort, als wäre er sein eigener Herr und nicht Godwyns Untergebener. Godwyn hegte den ärgerlichen Verdacht, dass Thomas an seinen Fähigkeiten zweifelte. Godwyn war jünger als Thomas, aber nur wenig: Er war einunddreißig, Thomas vierunddreißig. Vielleicht glaubte Thomas, dass Godwyn nur unter dem Druck Petronillas von Anthony befördert worden war. Allerdings zeigte Thomas keinerlei Zeichen von Unmut. Er machte schlicht alles auf seine Art.

Während Godwyn zuschaute und mechanisch die Gebete murmelte, wurde Thomas' Gespräch mit Elfric unterbrochen. Herr William von Caster kam in die Kirche. Er war eine große, schwarzbärtige Gestalt, seinem Vater nicht unähnlich und ebenso hart im Umgang, auch wenn die Leute sagten, dass seine Frau Philippa einen mildernden Einfluss auf ihn ausübte. Er näherte sich Thomas und winkte Elfric zu gehen. Thomas drehte sich zu William um, und irgendetwas an seiner Haltung erinnerte Godwyn daran, dass Thomas einst ein Ritter gewesen und mit blutender Schwertwunde in die Priorei gekommen war, in deren Folge man ihm den linken Arm am Ellbogen hatte amputieren müssen.

Godwyn wünschte sich, er könnte hören, was Herr William zu sagen hatte. William beugte sich vor, sprach auf aggressive Art und deutete mit dem Finger. Thomas antwortete ihm furchtlos und mit der gleichen Heftigkeit. Godwyn erinnerte sich plötzlich daran, dass Thomas, wenn auch verletzt und schwach, genau solch ein erregtes Gespräch vor zehn Jahren geführt hatte, am Tag seiner Ankunft hier. Damals hatte er sich mit Williams jüngerem Bruder gestritten, Richard, der jetzt Bischof von Kingsbridge war. Godwyn fragte sich, ob es heute um das gleiche Thema ging wie damals. Konnte es zwischen einem Mönch und einer Adelsfamilie einen Streitpunkt geben, der nach zehn Jahren immer noch für böses Blut sorgte?

Sichtlich unzufrieden stapfte Herr William davon, und Thomas wandte sich wieder Elfric zu.

Der Streit vor zehn Jahren hatte damit geendet, dass Thomas ins Kloster eingetreten war. Godwyn erinnerte sich, dass Richard eine Spende versprochen hatte, um Thomas' Aufnahme zu sichern. Godwyn hatte nie wieder etwas von dieser Spende gehört. Ob sie je geleistet worden war?

In all der Zeit schien niemand in der Priorei viel über Thomas' Vorleben in Erfahrung gebracht zu haben, und das war seltsam. Mönche ergingen sich ständig in Gerüchten. Wenn man so eng in einer kleinen Gruppe wie dieser zusammenlebte – sie waren im Augenblick sechsundzwanzig an der Zahl –, wusste man normalerweise so gut wie alles über jeden. Bis auf Thomas. Welchem Herrn hatte er gedient? Wo hatte er gelebt? Die meisten Ritter herrschten über ein paar Dörfer, mit deren Abgaben sie Pferd, Rüstung und Waffen bezahlten. Hatte Thomas Weib und Kinder gehabt? Und falls ja, was war aus ihnen geworden? Niemand hatte eine Ahnung davon.

Abgesehen vom Mysterium seiner Herkunft war Thomas ein guter Mönch, fleißig und gottesfürchtig. Es schien, als passe dieses Dasein besser zu ihm als sein Leben als Ritter. Trotz seiner vorherigen Laufbahn der Gewalt hatte er etwas Weibisches an sich, wie viele Mönche. Thomas stand Bruder Matthias sehr nahe, einem sanftmütigen Mann, der ein paar Jahre jünger war als er. Aber falls sie sich wirklich der Sünde der Unreinheit schuldig gemacht haben sollten, waren sie zumindest sehr diskret gewesen, denn es war nie ruchbar geworden.

Gegen Ende des Gottesdienstes warf Godwyn einen Blick in die Düsternis des Hauptschiffs und sah seine Mutter Petronilla, die so ruhig dastand wie eine der Säulen. Ein Sonnenstrahl erhellte ihren stolzen grauen Kopf. Sie war allein. Godwyn fragte sich, wie lange sie schon dort stand und alles beobachtete. Laien wurden nicht ermutigt, unter der Woche den Gottesdienst zu besuchen, und Godwyn vermutete, dass sie gekommen war, um ihn zu sehen. Bei ihrem Anblick empfand er eine vertraute Mischung aus Freude und angespannter Erwartung. Seine Mutter würde alles für ihn tun, das wusste er. Sie hatte ihr Haus verkauft und war die Haushälterin ihres Bruders Edmund geworden, nur um ihren Sohn in Oxford studieren zu lassen. Wenn Godwyn darüber nachdachte, welches Opfer dies für seine Mutter bedeutet hatte, hätte er am liebsten vor Dankbarkeit geweint. Doch ihre Anwesenheit machte ihn stets nervös, als drohe ihm ein Tadel für irgendeinen Verstoß.

Als die Mönche und Nonnen hinausgingen, löste Godwyn sich aus der Prozession und trat zu Petronilla. »Guten Morgen, Mutter.«

Sie küsste ihn auf die Stirn. »Du siehst dünn aus«, bemerkte sie in mütterlicher Sorge. »Bekommst du nicht genug zu essen?«

»Pökelfisch und Brei, aber davon reichlich«, antwortete er.

»Weshalb bist du so aufgeregt?« Petronilla spürte stets, in welcher Verfassung er war.

Godwyn erzählte ihr von Timothys Buch. »Ich könnte den entsprechenden Abschnitt beim Kapitel vorlesen«, sagte er.

»Würden andere dich denn unterstützen?«

»Theodoric und die jüngeren Mönche ja. Viele von ihnen empfinden es als äußerst störend, ständig Frauen zu sehen. Schließlich haben sie sich dazu entschlossen, in einer reinen Männergemeinschaft zusammenzuleben.«

Petronilla nickte beipflichtend. »Das macht dich zum Anführer. Hervorragend.«

»Außerdem mögen sie mich wegen der heißen Steine.«

»Der heißen Steine?«

»Ich habe eine neue Regel für den Winter eingeführt. In eisigen Nächten, wenn wir zur Matutin in die Kirche gehen, bekommt jeder Mönch einen in Lumpen gewickelten heißen Stein. Damit vermeidet man Frostbeulen an den Füßen.«

»Sehr klug. Vergewissere dich trotzdem, dass du genügend Unterstützung hast, ehe du deinen Vorstoß machst.«

»Natürlich. Aber es passt auch zu dem, was die Magister in Oxford lehren.«

»Und das wäre?«

»Menschen sind fehlbar; deshalb dürfen wir uns nicht auf unseren Verstand verlassen. Wir können nicht darauf hoffen, die Welt jemals zu begreifen, sondern nur staunend vor Gottes Schöpfung stehen. Wahres Wissen erlangt man allein durch Erleuchtung. Und einmal von Gott erhaltene Weisheit darf der Mensch nicht infrage stellen.«

Mutter schaute skeptisch drein, wie Laien es oft taten, wenn gelehrte Männer ihnen hohe philosophische Prinzipien zu erklären versuchten. »Und das glauben auch die Bischöfe und Kardinäle?«

»Ja. Die Universität zu Paris hat die Werke des Aristoteles und des Aquinas mit dem Bann belegt, da sie sich auf die Vernunft und nicht auf den Glauben berufen.«

»Wird dir diese Art zu denken helfen, die Gunst deiner Vorgesetzten zu erlangen?«

Das war alles, was für sie zählte. Petronilla wollte, dass ihr Sohn Prior wurde, Bischof, Erzbischof, ja sogar Kardinal. Und Godwyn wollte das Gleiche, nur hoffte er, dass er dabei nicht so zynisch wurde wie seine Mutter. »Dessen bin ich sicher«, antwortete er.

»Gut. Aber deshalb bin ich nicht gekommen. Dein Onkel Edmund hat einen schweren Schlag erlitten. Die Italiener drohen, ihr Geld nach Shiring zu tragen.«

Godwyn war entsetzt. »Damit wäre er ruiniert.« Allerdings war er nicht sicher, warum Mutter ihn extra deswegen aufgesucht hatte.

»Edmund glaubt, dass er die Italiener zurückgewinnen kann, wenn wir den Wollmarkt attraktiver gestalten – besonders, wenn wir die alte Brücke abreißen und eine neue, breitere bauen.«

»Lass mich raten: Onkel Anthony hat sich geweigert.«

»Aber Edmund hat noch nicht aufgegeben.«

»Willst du, dass ich noch einmal mit Anthony spreche?«

Sie schüttelte den Kopf. »Du kannst ihn nicht überzeugen. Aber wenn das Thema im Kapitel zur Sprache kommt, könntest du den Antrag unterstützen.«

»Und mich gegen Onkel Anthony stellen?«

»Wann immer die alte Garde sich einem vernünftigen Vorschlag verweigert, musst du dich an die Spitze der Reformer setzen.«

Godwyn lächelte bewundernd. »Woher weißt du eigentlich so viel über Politik, Mutter?«

»Das will ich dir sagen.« Sie wandte sich ab, richtete den Blick auf die große Rosette am Ostende, und ihr Geist schweifte in die Vergangenheit. »Als mein Vater damals anfing, mit den Italienern Handel zu treiben, wurde er von den führenden Bürgern von Kingsbridge als Emporkömmling behandelt. Sie rümpften die Nasen über ihn und seine Familie und taten alles, um ihn davon abzuhalten, seine neuen Ideen umzusetzen. Meine Mutter war damals schon tot und ich ein junges Mädchen. So bin ich Vaters Vertraute geworden, und er hat mir alles erzählt.« Ihr Gesicht, das normalerweise in einem Ausdruck der Ruhe geradezu erstarrt war, verzerrte sich nun zu einer Maske der Bitterkeit und des Grolls: Ihre Augen wurden schmaler; sie schürzte die Lippen, und ihre Wangen röteten sich von beschämenden Erinnerungen. »Er kam zu dem Schluss, dass er sich nie durchsetzen würde, ehe er nicht die Kontrolle über den Gemeinderat hätte. Das hat er dann auch in Angriff genommen, und ich habe ihm dabei geholfen.« Sie atmete tief durch, als sammele sie wieder ihre Kraft für einen langen Krieg. »Wir haben die herrschende Gruppe gespalten, eine Partei gegen die andere gehetzt, Bündnisse geschlossen und wieder gelöst, unsere Gegner gnadenlos unterminiert und unsere Unterstützer ausgenutzt, bis es uns gelegen kam, sie fallen zu lassen. Es hat uns zehn Jahre gekostet, doch zu guter Letzt war mein Vater Ratsältester und der reichste Mann der Stadt.«

Petronilla hatte Godwyn die Geschichte ihres Vaters auch früher schon erzählt, doch nie auf solch offene und ehrliche Art. »Dann warst du also seine Gehilfin, so wie Caris es bei Edmund ist, ja?«

Petronilla stieß ein kurzes, hartes Lachen aus. »Ja. Nur dass wir schon die führenden Bürger waren, als Edmund das Geschäft übernommen hat. Mein Vater und ich, wir haben den Berg erklommen, während Edmund nur darauf achten muss, nicht wieder hinunterzurutschen.«

Sie wurden von Philemon unterbrochen. Er kam aus dem Kreuzgang in die Kathedrale – ein großer, zweiundzwanzigjähriger Mann mit dürrem Hals, der wie ein Vogel ging. Er trug einen Besen in der Hand: Die Priorei beschäftigte ihn zum Saubermachen. Er wirkte aufgeregt. »Ich habe nach Euch gesucht, Bruder Godwyn.«

Petronilla ignorierte die offensichtliche Eile. »Hallo, Philemon. Haben sie dich immer noch nicht zum Mönch gemacht?«

»Ich bekomme die nötige Spende nicht zusammen, Frau Petronilla. Ich stamme aus bescheidenen Verhältnissen.«

»Aber es ist durchaus schon vorgekommen, dass die Priorei die Spende erlässt, wenn der Bewerber entsprechende Hingabe beweist, und du dienst der Priorei nun schon seit Jahren.«

»Bruder Godwyn hat mich bereits vorgeschlagen, aber einige der älteren Brüder haben gegen mich gesprochen.«

Godwyn warf ein: »Der blinde Carlus hasst Philemon – ich weiß nicht warum.«

Petronilla sagte: »Ich werde mit meinem Bruder Anthony reden. Er sollte Carlus überstimmen. Du bist meinem Sohn ein guter Freund, Philemon – ich will dich weiter aufsteigen sehen.«

»Ich danke Euch, Frau Petronilla.«

»Nun, du platzt anscheinend vor Verlangen, meinem Sohn etwas mitzuteilen, was du nicht vor mir sagen kannst; also werde ich mich jetzt verabschieden.« Sie küsste Godwyn. »Vergiss nicht, was ich dir gesagt habe.«

»Das werde ich nicht, Mutter.«

Godwyn fühlte sich erleichtert, als wäre eine Gewitterwolke über seinem Kopf von dannen gezogen, um sich an einem anderen Ort zu entladen.

Kaum war Petronilla außer Hörweite, sagte Philemon: »Es ist Bischof Richard!«

Godwyn hob die Augenbrauen. Philemon gelang es immer wieder, die Geheimnisse anderer zu erfahren. »Was hast du herausgefunden?«

»Er ist im Augenblick im Hospital, in einem der Privatgemächer oben – mit seiner Base Margery!«

Margery war ein hübsches Mädchen von sechzehn Jahren. Ihre Eltern – ein jüngerer Bruder von Graf Roland und eine Schwester der Gräfin von Marr – waren tot, und sie war Rolands Mündel. Roland hatte eine Ehe mit dem Sohn des Grafen von Monmouth arrangiert, um so eine Allianz zu schmieden, die Rolands Stellung als führender Edelmann im Südwesten Englands stärken würde. »Was tun sie?«, fragte Godwyn, obwohl er es sich denken konnte.

Philemon senkte die Stimme. »Sie küssen sich!«

»Woher weißt du das?«

»Ich werde es Euch zeigen.«

Philemon führte Godwyn durch das südliche Querschiff aus der Kirche hinaus, durch den Kreuzgang und eine Treppe zum Dormitorium hinauf. Der Schlafsaal der Mönche war ein schlichter Raum mit zwei Reihen einfacher Holzbetten, jedes mit einer Strohmatratze. Eine Wand teilte das Dormitorium mit dem Hospital. Philemon ging zu einem großen Schrank, in dem Laken aufbewahrt wurden. Mit einiger Anstrengung zog er ihn nach vorne. In der Wand dahinter befand sich ein loser Stein. Kurz fragte sich Godwyn, wie Philemon dieses Guckloch entdeckt hatte; wahrscheinlich hatte er einmal etwas in dieser Lücke versteckt. Philemon hob den Stein heraus, wobei er sorgfältig darauf achtete, kein Geräusch zu machen, und flüsterte: »Schaut! Rasch!«

Godwyn zögerte. Mit leiser Stimme fragte er: »Wie viele andere Gäste hast du schon von hier aus beobachtet?«

»Alle«, antwortete Philemon, als wäre das offensichtlich.

Godwyn glaubte zu wissen, was er sehen würde, und die Vorstellung gefiel ihm nicht. Heimlich einen sündigen Bischof zu beobachten mochte für Philemon ja in Ordnung sein, aber es war auch schändlich. Doch mehr und mehr gewann Godwyns Neugier die Oberhand. Zu guter Letzt fragte er sich, was seine Mutter ihm wohl raten würde, und er wusste sofort, dass sie ihn auffordern würde, einen Blick zu riskieren.

Das Loch in der Wand befand sich ein kleines Stück unterhalb der Augenhöhe. Godwyn beugte sich vor und spähte hindurch.

Er schaute in eines der beiden Privatgemächer im Obergeschoss des Hospitals. In einer Ecke stand ein Betpult vor einem Wandbild mit einer Kreuzigungsszene. Es gab zwei bequeme Stühle und ein paar Hocker.

Wenn es mehrere wichtige Gäste gab, wurden die Männer in dem einen und die Frauen im anderen Raum untergebracht; dies hier war unverkennbar das Frauengemach, denn ein kleiner Tisch mit eindeutig weiblichen Gegenständen war zu sehen: Kämme, Schleifen und geheimnisvolle Krüge und Phiolen.

Auf dem Boden lagen zwei Strohmatratzen. Richard und Margery lagen auf einer davon. Und sie taten mehr, als sich nur zu küssen.

Bischof Richard war ein gut aussehender Mann mit welligem braunem Haar und ebenmäßigen Gesichtszügen. Margery war gut halb so alt wie er, ein schlankes Mädchen mit weißer Haut und dunklen Augenbrauen. Sie lagen Seite an Seite. Richard küsste ihr Gesicht und flüsterte ihr ins Ohr. Ein genussvolles Lächeln spielte um seine vollen Lippen. Margerys Kleid war bis zur Hüfte hochgeschoben. Sie hatte schöne, lange weiße Beine. Richards Hand war zwischen ihren Schenkeln und bewegte sich geübt und gleichmäßig – obwohl Godwyn keinerlei Erfahrung mit Frauen hatte, wusste er irgendwie, was Bischof Richard da tat. Margery schaute Richard liebevoll an. Ihr Mund war halb geöffnet, und sie keuchte vor Lust; ihr Gesicht war rot vor Leidenschaft. Vielleicht war es ja nur ein Vorurteil, doch Godwyn fühlte sofort, dass Richard Margery bloß als Spielzeug betrachtete, wohingegen Margery Richard für die Liebe ihres Lebens hielt.

Godwyn starrte sie einen schrecklichen Augenblick lang an. Richard bewegte seine Hand, und plötzlich schaute Godwyn auf das Dreieck krausen Haars zwischen Margerys Beinen, dunkel auf ihrer weißen Haut. Rasch wandte er sich ab.

»Lasst mich auch mal gucken!«, sagte Philemon.

Godwyn trat von der Wand weg. Es war schockierend, aber was sollte er in der Sache tun … wenn überhaupt?

Philemon schaute durch das Loch und stieß ein aufgeregtes Keuchen aus. »Ich kann ihre Fotze sehen!«, flüsterte er. »Er reibt sie!«

»Komm weg da«, sagte Godwyn. »Wir haben genug gesehen – zu viel.«

Philemon zögerte, so fasziniert war er, löste sich dann aber widerwillig von dem Loch und schob den losen Stein wieder zurück. »Wir müssen die Unzucht des Bischofs sofort aufdecken!«, erklärte er.

»Halt den Mund und lass mich nachdenken«, sagte Godwyn. Wenn er tat, was Philemon vorschlug, würde er sich damit Richard und dessen mächtige Familie zu Feinden machen – und das grundlos. Aber es musste doch einen Weg geben, wie man dieses Wissen zum eigenen Vorteil nutzen konnte! Vielleicht würde Bischof Richard ihm ja dankbar dafür sein, wenn er das Geheimnis für sich behielt …

Das klang schon vielversprechender. Aber wenn es funktionieren sollte, musste Bischof Richard erfahren, dass Godwyn ihn schützte.

»Komm mit«, forderte Godwyn Philemon auf.

Philemon schob den Schrank wieder an seinen Platz zurück. Godwyn fragte sich, ob das Scharren des Holzes auf dem Stein wohl im angrenzenden Raum zu hören war. Er bezweifelte es – und außerdem waren Richard und Margery viel zu sehr beschäftigt, als dass sie Geräusche im Nachbarzimmer gehört hätten.

Godwyn stieg die Treppe hinab und eilte durch den Kreuzgang, Philemon im Schlepptau. Zwei Treppen führten in die Privatgemächer: eine vom Erdgeschoss des Hospitals und eine von draußen. Letztere gestattete es wichtigen Besuchern, nach oben zu gelangen, ohne vorher am gemeinen Volk vorbeizumüssen. Godwyn eilte die Außentreppe hinauf.

Vor dem Gemach, in dem Richard und Margery lagen, blieb er stehen und sagte leise zu Philemon: »Folge mir hinein. Tu nichts. Sag nichts. Geh, wenn ich gehe.«

Philemon stellte seinen Besen ab.

»Nein«, sagte Godwyn. »Nimm ihn mit.«

»Na gut.«

Godwyn warf die Tür auf und ging hinein. »Ich möchte, dass diese Kammer makellos sauber ist«, sagte er laut. »Wisch jede Ecke und … oh! Ich bitte um Verzeihung! Ich dachte, hier wäre niemand!«

In der kurzen Zeitspanne, die Godwyn und Philemon benötigt hatten, um vom Dormitorium hierherzukommen, waren die Liebenden auf dem Weg der Leidenschaft weiter vorangeschritten. Richard lag nun auf Margery, sein langes Bischofsgewand war vorne angehoben. Ihre wohlgeformten weißen Beine ragten links und rechts von des Bischofs Leibesmitte empor. Was sie taten, war eindeutig.

Richard hielt in seinen Stößen inne und schaute zu Godwyn hinauf. Seine Miene war eine Mischung aus Wut, Erschrecken und banger Schuld. Margery stieß einen entsetzten Schrei aus; auch sie starrte Godwyn furchtsam an.

Godwyn zog den Augenblick bewusst in die Länge. »Bischof Richard!«, sagte er und spielte den Überraschten. Er wollte, dass Richard genau wusste, dass er erkannt worden war. »Aber wie … und Margery?« Er gab vor, plötzlich zu verstehen. »Verzeiht mir!« Godwyn machte auf dem Absatz kehrt und rief Philemon zu: »Raus! Sofort!« Den Besen noch immer in der Hand, huschte Philemon zur Tür hinaus.

Godwyn folgte ihm, drehte sich in der Tür aber noch einmal um, damit Richard sich auch ganz bestimmt sein Gesicht einprägte. Die beiden Liebenden waren noch immer wie festgefroren, erstarrt in körperlicher Vereinigung, doch ihre Gesichter hatten sich verändert. In der universellen Geste überraschter Schuld hatte Margery die Hand vor den Mund geschlagen. Richards Miene wiederum war eiskalt und berechnend geworden. Er wollte etwas sagen, wusste aber nicht was. Godwyn beschloss, sie von ihrem Elend zu erlösen. Er hatte alles getan, was er hatte tun müssen.

Godwyn ging endgültig hinaus – und dann, kurz bevor er die Tür schloss, erstarrte er vor Schreck. Eine Frau kam die Treppe hinauf. Für einen Augenblick überkam Godwyn grelle Panik. Es war Philippa, die Gemahlin des jüngeren Sohnes von Graf Roland.

Godwyn erkannte sofort, dass das Geheimnis von Richards Schuld augenblicklich an Wert verlieren würde, wenn jemand anders davon erfuhr. Er musste Richard warnen. »Lady Philippa!«, sagte er mit lauter Stimme. »Willkommen in der Priorei von Kingsbridge!«

Schnelles Rascheln und Schlurfen war hinter ihm zu hören. Aus dem Augenwinkel heraus sah Godwyn, wie Richard aufsprang.

Glücklicherweise ging Lady Philippa nicht einfach an Godwyn vorbei, sondern blieb stehen, um mit ihm zu reden. »Vielleicht könnt Ihr mir ja helfen.« Von dort, wo sie stand, konnte sie die Kammer nicht einsehen, wie Godwyn erleichtert erkannte. »Ich habe einen Armreif verloren«, sagte sie. »Er ist nicht besonders wertvoll, nur aus Holz, aber ich hänge daran.«

»Wie schade«, sagte Godwyn mitfühlend. »Ich werde die Mönche und Nonnen bitten, danach Ausschau zu halten.«

Philemon erklärte: »Ich habe ihn nicht gesehen.«

Godwyn sagte zu Philippa. »Vielleicht ist er Euch vom Handgelenk geglitten.«

Sie runzelte die Stirn. »Das Seltsame ist nur, dass ich ihn gar nicht getragen habe, seit ich hier eingetroffen bin. Ich habe ihn bei meiner Ankunft abgestreift und auf den Tisch gelegt, und nun kann ich ihn nicht finden.«

»Vielleicht ist er in eine dunkle Ecke gerollt. Philemon hier wird danach suchen. Er putzt die Gastgemächer.«

Philippa schaute Philemon an. »Ja, ich habe dich gesehen, als ich vor gut einer Stunde gegangen bin. Und du hast den Reif nicht gesehen, als du die Stube gefegt hast?«

»Ich habe nicht gefegt. Frau Margery ist just in dem Augenblick gekommen, da ich anfangen wollte.«

Godwyn sagte: »Philemon ist gerade wieder zurückgekommen, um Euer Gemach zu putzen, doch Frau Margery ist ...«, er schaute in den Raum, »... beim Gebet.« Tatsächlich kniete Margery mit geschlossenen Augen am Betpult und bat um Vergebung für ihre Sünde, wie Godwyn hoffte. Richard stand mit gesenktem Kopf und gefalteten Händen hinter ihr und bewegte stumm die Lippen.

Godwyn trat beiseite, um Philippa in das Gemach zu lassen. Sie schaute ihren Schwager misstrauisch an. »Hallo, Richard«, sagte sie. »Es passt gar nicht zu dir, an einem Werktag zu beten.«

Richard legte den Finger auf die Lippen, um sie zum Schweigen zu ermahnen, und deutete auf Margery.

Philippa sagte schroff: »Margery kann so viel beten, wie sie will, aber das hier ist das Frauengemach, und du hast hier nichts zu suchen.«

Richard verbarg seine Erleichterung, ging hinaus und schloss die Tür.

Er und Godwyn standen sich im Gang gegenüber. Godwyn sah deutlich, dass Richard nicht wusste, welche Richtung er einschlagen sollte. Vielleicht hätte er am liebsten gesagt: »Wie könnt Ihr es wagen, ohne zu klopfen, in ein Zimmer zu kommen?« Aber vermutlich war ihm sein Fehler nur allzu bewusst, sodass er nicht den Mut aufbrachte. Andererseits konnte er Godwyn auch nicht bitten, Schweigen darüber zu wahren, was er gesehen hatte, denn damit hätte er zugegeben, dass Godwyn ihn in der Hand hatte. Es war ein geradezu schmerzhaft peinlicher Augenblick.

Während Richard zögerte, sagte Godwyn: »Niemand wird von mir davon erfahren.«

Richard wirkte erleichtert und schaute dann zu Philemon. »Was ist mit ihm?«

»Philemon will Mönch werden. Er lernt gerade die Tugend des Gehorsams.«

»Ich stehe in Eurer Schuld.«

»Ein Mann sollte seine eigenen Sünden beichten, nicht die anderer.«

»Wie auch immer ... Ich bin Euch sehr dankbar, Bruder ...?«

»Godwyn. Ich bin der Mesner und Neffe von Prior Anthony.« Er wollte Richard wissen lassen, dass er über ausreichend gute Verbindungen verfügte, um ihm Ärger zu machen. Doch um der Drohung die Schärfe zu nehmen, fügte er hinzu: »Meine Mutter war vor vielen Jahren mit Eurem Vater verlobt, bevor er zum Grafen geworden ist.«

»Diese Geschichte ist mir bekannt.«

Godwyn hätte gerne hinzugefügt: »Und dein Vater hat meine Mutter ausgenutzt, so wie du Margery ausnutzen willst.« Stattdessen sagte er in freundlichem Tonfall: »Wir hätten Brüder sein können.«

»Ja.«

Die Glocke läutete zum Essen. Von ihrer Verlegenheit befreit trennten die drei Männer sich voneinander: Richard ging, um mit Prior Anthony zu speisen; Godwyn begab sich ins Refektorium, und Philemon schlurfte in die Küche, um zu helfen.

Nachdenklich ging Godwyn durch den Kreuzgang. Er war wütend wegen der Szene, deren Zeuge er geworden war, doch er hatte das Gefühl, die Situation gut gemeistert zu haben. Am Ende schien Richard ihm tatsächlich vertraut zu haben.

Im Refektorium saß Godwyn neben Theodoric, einem klugen Mönch, ein paar Jahre jünger als er. Theodoric hatte nicht in Oxford studiert; deshalb schaute er zu Godwyn auf. Godwyn wiederum behandelte ihn als Gleichgestellten, was Theodoric schmeichelte. »Ich habe gerade etwas gelesen, was dich interessieren könnte«, sagte Godwyn. Er fasste zusammen, was er über die Haltung des verehrten Prior Philip in Bezug auf Frauen im Allgemeinen und Nonnen im Besonderen gelesen hatte. »Genau das, was du schon immer gesagt hast«, beendete er seine Ausführungen. Tatsächlich hatte Theodoric nie eine Meinung zu diesem Thema geäußert, hatte aber stets zugestimmt, wann immer Godwyn sich über die Nachlässigkeit von Prior Anthony beschwert hatte.

»Natürlich«, sagte Theodoric. Er hatte blaue Augen und helle Haut, und nun errötete er vor Aufregung. »Wie sollen wir reine Gedanken hegen, wenn das Weibervolk uns immerzu ablenkt?«

»Aber was können wir dagegen tun?«

»Wir müssen uns dem Prior entgegenstellen.«

»Im Kapitel, meinst du?«, sagte Godwyn, als wäre es Theodorics Idee gewesen und nicht seine. »Ja, da hast du recht. Aber würden andere uns unterstützen?«

»Die jüngeren Mönche sicherlich.«

Junge Männer stimmten vermutlich jeder Kritik an älteren mehr oder weniger zu, dachte Godwyn. Aber er wusste auch, dass viele Mönche seine Liebe zu einem Leben teilten, in dem es keine Frauen gab oder wo sie zumindest unsichtbar waren. »Falls du vor dem Kapitel mit jemandem reden solltest, lass mich wissen, was sie sagen«, sagte er. Das würde Theodoric ermutigen, um Unterstützung für ihre Position zu werben.

Das Essen wurde aufgetischt: Eintopf aus Pökelfisch und Bohnen. Doch Friar Murdo hielt Godwyn vom Essen ab.

Friars oder Bettelmönche waren Brüder, die im Volk lebten, anstatt sich in einem Kloster abzuschotten. Sie hielten ihre Selbstverleugnung für weit strenger als die der Klostermönche, denn das Armutsgelübde klösterlicher Brüder wurde oft von ihren prachtvollen Gebäuden und ihrem extensiven Landbesitz ad absurdum geführt. Traditionell besaßen Bettelmönche überhaupt kein Eigentum, ja, nicht einmal eigene Kirchen – auch wenn viele von diesem Ideal abließen, wenn fromme Gönner sie mit Land und Geld ausstatteten. Jene, die noch immer den ursprünglichen Prinzipien anhingen, bettelten um Essen und schliefen auf Küchenböden. Sie predigten auf Marktplätzen und vor Schänken und erhielten dafür Pennys als Lohn. Auch zögerten sie nicht, gewöhnliche Mönche um Essen und Unterkunft anzugehen, wann immer es ihnen gelegen kam. So war es wenig überraschend, dass man ihrem Dünkel mit Missfallen begegnete.

Friar Murdo war ein besonders unangenehmes Exemplar seiner Gattung: fett, schmutzig, gierig, oft betrunken, und manchmal sah man ihn sogar in Gesellschaft von Huren. Aber er war auch ein charismatischer Prediger, der Hunderte mit seinen flammenden, wenn auch theologisch fragwürdigen Predigten in Bann schlagen konnte.

Nun stand er unaufgefordert auf und betete mit lauter Stimme: »O Vater im Himmel, segne diese Speisen für unseren verdorbenen Leib, der so voller Sünden ist wie ein toter Hund voller Maden ...«

Murdos Gebete waren immer ziemlich ausufernd. Seufzend legte Godwyn den Löffel beiseite.

Im Kapitel wurde stets vorgelesen – üblicherweise aus der Regel des heiligen Benedikt, doch oft auch aus der Bibel und gelegentlich aus anderen religiösen Werken. Während die Mönche ihre Plätze auf den terrassenförmigen Steinbänken im achteckigen Kapitelhaus einnahmen, ging Godwyn zu dem jungen Mönch, der an diesem Tag vorlesen sollte, und erklärte ihm sanft, aber nachdrücklich, dass er, Godwyn, heute an seiner statt vorlesen würde. Als dann der Augenblick kam, las er die entscheidende Stelle aus Timothys Buch.

Godwyn war innerlich angespannt. Vor einem Jahr war er aus Oxford zurückgekehrt, und seitdem hatte er in ruhigen Stunden immer wieder in vertrautem Kreis über eine Reform der Priorei gesprochen; doch bis zu diesem Augenblick hatte er sich nicht offen gegen Prior Anthony gestellt. Der Prior war schwach und träge, und nur ein Schock vermochte ihn aus seiner Lethargie zu reißen. Außerdem hatte der heilige Benedikt geschrieben: »Alle sollen ins Kapitel gerufen werden, denn der Herr enthüllt oft einem Jüngeren, was am besten ist.« Godwyn hatte alles Recht, im Kapitel das Wort zu ergreifen und eine strengere Beachtung der Klosterregel einzufordern. Trotzdem hatte er plötzlich das Gefühl, dass er ein zu großes Wagnis eingegangen war, und er wünschte sich, er hätte sich mehr Zeit genommen, um über den Einsatz von Timothys Buch nachzudenken.

Doch nun war es zu spät für Reue. Godwyn klappte das Buch zu und sagte: »Meine Frage an mich selbst und meine Brüder lautet: Sind wir unter jenen Stand herabgesunken, den Prior Philip einst für die Trennung von Mönchen und Frauen gesetzt hat?« In Oxford hatte er gelernt, sein Argument, wann immer möglich, in eine Frage zu kleiden, die einem Kontrahenten kaum mehr Spielraum für eine Gegenrede ließ.

Der Erste, der antwortete, war der blinde Carlus, der Subprior, Anthonys Stellvertreter. »Einige Klöster liegen fernab jeder menschlichen Ansiedlung, auf einer unbewohnten Insel, tief im Wald oder hoch auf einem Berggipfel«, begann er. Seine langsame Sprache und die wohlbedachte Wortwahl weckten Godwyns Ungeduld. »In solchen Häusern halten die Brüder sich von jeglichem Kontakt mit der Außenwelt fern«, fuhr Carlus ohne Eile fort. »Kingsbridge war nie ein solcher Ort. Wir befinden uns im Herzen einer großen Stadt, die siebentausend Seelen beheimatet. Uns ist eine der prächtigsten Kathedralen der Christenheit anvertraut. Viele von uns sind Ärzte, denn der heilige Benedikt hat gesagt: ›Den Kranken soll besondere Fürsorge gelten, denn wahrlich sollen sie umsorgt werden, als wären sie Christus selbst.‹ Der Luxus vollkommener Abgeschiedenheit ist uns nicht gegeben. Gott hat uns eine andere Aufgabe zugedacht.«

Godwyn hatte so etwas erwartet. Carlus hasste es, wenn Möbel verrückt wurden, denn dann stolperte er darüber. Tatsächlich widersetzte er sich jeder Veränderung, da er Angst vor dem Neuen hatte.

Theodoric hatte rasch eine Antwort für Carlus bereit. »Umso mehr ist es unser Gebot, dass wir uns streng an die Regeln halten«, sagte er. »Ein Mann, der neben einer Schänke wohnt, muss sich ja auch besonders vor Trunkenheit hüten.«

Zustimmendes Raunen ging durchs Kapitel: Den Brüdern gefielen kluge Antworten. Godwyn nickte Theodoric anerkennend zu. Der hellhäutige Mönch errötete dankbar.

Kühn geworden, flüsterte ein Novize mit Namen Juley laut: »Frauen kümmern Carlus nicht, denn er kann sie ja nicht sehen.« Mehrere Mönche lachten, doch andere schüttelten missbilligend die Köpfe.

Godwyn hatte das Gefühl, dass es gut für ihn lief. Bis jetzt hatte er den Disput für sich entschieden. Dann sagte Prior Anthony: »Was genau schlägst du vor, Bruder Godwyn?« Anthony hatte nicht in Oxford studiert, doch er wusste genug über die Debattierkunst, um seinen Gegner unter Druck zu setzen.

Widerwillig legte Godwyn die Karten auf den Tisch. »Wir sollten darüber nachdenken, wieder zu jenem Status zurückzukehren, wie er zu Zeiten Prior Philips geherrscht hat.«

Anthony hakte nach: »Was genau meinst du damit? Keine Nonnen?«

»Ja.«

»Aber wo sollen sie hin?«

»Das Nonnenkloster könnte an einen anderen Ort verlegt und zu einer Zelle des Klosters werden, wie Kingsbridge College oder St.-John-in-the-Forest.«

Das erschreckte die Mönche. Ein Raunen erhob sich, das der Prior nur mit Mühe wieder einzudämmen vermochte. Die Stimme, die den Tumult übertönte, war die von Joseph, dem obersten Arzt. Joseph war ein kluger Mann, aber stolz, und Godwyn stand ihm misstrauisch gegenüber. »Wie sollen wir ein Hospital ohne Nonnen führen?«, fragte er. Seiner schlechten Zähne wegen verschluckte er immer wieder Silben, sodass er wie ein Betrunkener klang. Dennoch sprach er mit Autorität. »Sie verabreichen Medizin, wechseln Verbände, füttern die Behinderten und kämmen das Haar seniler alter Männer ...«

Theodoric sagte: »Das alles können Mönche auch.«

»Und was ist mit Geburtshilfe?«, entgegnete Joseph. »Wir haben es oft mit Frauen zu tun, die Schwierigkeiten haben, ein Kind auf die Welt zu bringen. Wie sollen Mönche ihnen beistehen, ohne dass Nonnen die ... die eigentliche Handarbeit erledigen?«

Mehrere Männer bekundeten ihre Zustimmung, doch Godwyn hatte mit dieser Frage gerechnet, und nun sagte er: »Nehmen wir einmal an, die Nonnen würden ins alte Lazarushaus ziehen.« Die

Kolonie der Aussätzigen – das sogenannte Lazarushaus – lag auf einer kleinen Insel im Fluss am Südende der Stadt. In alter Zeit war es voller Kranker gewesen, doch die Lepra schien auszusterben, und nun hatte es nur noch zwei Bewohner, beide alt und schwach.

Bruder Cuthbert, ein geistreicher Mensch, murmelte: »Ich möchte nicht derjenige sein, der Mutter Cecilia erklärt, sie müsse in eine Leprakolonie umziehen.« Lachen ging durch das Kapitel.

»Frauen sollten den Männern untertan sein«, erklärte Theodoric.

Prior Anthony erwiderte: »Und Mutter Cecilia ist Bischof Richard untertan. Eine solche Entscheidung müsste er treffen.«

»Das verhüte Gott«, sagte eine neue Stimme. Sie gehörte Simeon, dem Schatzmeister. Simeon war ein dünner Mann mit langem Gesicht, und er sprach sich gegen jeden Vorschlag aus, der Geld kostete. »Ohne die Nonnen könnten wir nicht überleben«, erklärte er.

Godwyn war überrascht. »Wieso?«, fragte er.

»Wir haben nicht genug Geld«, antwortete Simeon rundheraus. »Wer, glaubst du denn, bezahlt die Handwerker, wenn die Kathedrale instand gesetzt werden muss? Wir nicht. Wir können es uns nicht leisten. Mutter Cecilia bezahlt! Sie kauft Vorräte für das Hospital, Pergament für das Scriptorium und Futter für die Ställe. Alles, was Mönche und Nonnen gemeinsam benutzen, zahlt sie.«

Godwyn war bestürzt. »Wie kann das sein? Warum sind wir von ihnen abhängig?«

Simeon zuckte mit den Schultern. »Im Laufe der Jahre haben viele fromme Frauen den Nonnen ihr Land und ihre Besitztümer vermacht.«

Das war nicht die ganze Geschichte; dessen war Godwyn sicher. Auch die Mönche hatten ergiebige Geldquellen. Sie bekamen Pacht, Zoll, Zins und den Zehnten; fast jeder Einwohner von Kingsbridge zahlte irgendeine Gebühr an sie. Obendrein besaßen sie Tausende Morgen Ackerland. Die Art, wie der Reichtum verwaltet wurde, musste ebenfalls eine Rolle spielen. Doch es war sinnlos, jetzt näher darauf einzugehen. Godwyn hatte die Debatte verloren. Selbst Theodoric schwieg.

Anthony sagte beschwichtigend: »Nun, das war ein äußerst interessanter Disput. Danke, Godwyn, dass du die Frage gestellt hast. Und nun lasst uns beten.«

Godwyn war viel zu wütend zum Beten. Er hatte nichts von dem bekommen, was er wollte, und er wusste nicht einmal, wo er den Fehler gemacht hatte.

Als die Mönche hinauszogen, warf Theodoric ihm einen ängstlichen Blick zu und sagte: »Ich wusste gar nicht, dass die Nonnen so viel bezahlen.«

»Das hat keiner von uns gewusst«, erwiderte Godwyn. Er bemerkte, dass er Theodoric anfunkelte, was er rasch wiedergutmachte, indem er hinzufügte: »Aber du hast dich wacker geschlagen. Du hast besser debattiert als so mancher Oxford-Studiosus.«

Das waren genau die richtigen Worte gewesen, und Theodoric schaute ihn glücklich an.

Nun war für die Mönche die Stunde gekommen, die Bibliothek aufzusuchen oder durch den Kreuzgang zu wandeln und sich in frommer Meditation zu ergehen, doch Godwyn hatte andere Pläne. Schon während des Essens und dann das ganze Kapitel hindurch hatte ihm eine Sache zu schaffen gemacht. Er hatte sie in einen dunklen Winkel seines Verstandes geschoben, denn es hatte Wichtigeres gegeben, doch nun kehrte sie wieder zurück: Godwyn glaubte zu wissen, wo Lady Philippas Armreif war.

Es gab nur wenige Verstecke im Kloster. Die Mönche lebten als Gemeinschaft; mit Ausnahme des Priors hatte niemand ein eigenes Gemach. Selbst in der Latrine saßen die Brüder Seite an Seite über einem Trog, der ständig mit Wasser aus einer Rohrleitung durchgespült wurde. Persönlicher Besitz war ihnen untersagt, und so hatte niemand einen Schrank oder auch nur eine Kiste.

Doch heute hatte Godwyn ein Versteck gesehen.

Er stieg hinauf ins Dormitorium. Es war leer. Godwyn schob den Schrank von der Wand und zog den losen Stein heraus, schaute aber nicht durchs Loch. Stattdessen steckte er die Hand in den Spalt und tastete herum. Er fühlte oben, unten und an den Seiten. Rechts gab es einen kleinen Riss im Stein. Godwyn schob seine Finger hinein und berührte etwas, das weder Stein noch Mörtel war. Er zupfte den Gegenstand mit den Fingerspitzen zu sich und zog ihn heraus.

Es war ein geschnitzter Armreif.

Godwyn hielt ihn ins Licht. Er war aus hartem Holz gemacht, vermutlich aus Eiche. Die Innenseite war glatt poliert, doch die Außenseite war mit ineinander verwobenen Mustern aus Quadraten und Diagonalen verziert, alles mit äußerster Präzision. Godwyn erkannte auf Anhieb, warum Lady Philippa den Armreif so sehr mochte.

Er steckte ihn wieder zurück, drückte den Stein hinein und schob den Schrank wieder davor.

Was wollte Philemon mit so etwas? Vielleicht würde er den Reif für ein, zwei Pennys verkaufen können, aber das war gefährlich, da er sehr leicht wiederzuerkennen war. Aber auf jeden Fall konnte er den Reif nicht tragen.

Godwyn verließ das Dormitorium und stieg die Treppe zum Kreuzgang hinunter. Er war nicht in der Stimmung zum Studieren oder Meditieren. Er musste mit jemandem über die Ereignisse des Tages reden, und so verspürte er das Bedürfnis, mit seiner Mutter zu sprechen.

Der Gedanke machte ihn nervös. Vielleicht würde sie ihn wegen seines Versagens beim Disput im Kapitel tadeln. Doch für seinen Umgang mit Bischof Richard würde sie ihn loben, da war er sicher, und so war er begierig darauf, ihr die Geschichte zu erzählen. Godwyn beschloss, seine Mutter aufzusuchen.

Streng genommen war das nicht erlaubt. Mönche sollten nicht einfach so durch die Straßen der Stadt gehen. Dafür musste es schon einen Grund geben, und theoretisch mussten sie den Prior um Erlaubnis bitten, wenn sie das Kloster verlassen wollten. In der Praxis jedoch hatten vor allem die Amtsträger Dutzende Entschuldigungen, sich in die Stadt zu begeben. Die Priorei trieb ständig Handel mit Kaufleuten; schließlich brauchten die Mönche Nahrung, Kleidung, Schuhe, Pergament, Kerzen, Gartenwerkzeuge, Pferdegeschirr und all die anderen Dinge des täglichen Bedarfs. Überdies hatten die Mönche Besitz in Kingsbridge; ihnen gehörte fast die ganze Stadt. Und die Ärzte des Klosters konnten jederzeit zu einem Patienten gerufen werden, der nicht mehr aus eigener Kraft ins Hospital kommen konnte. Daher war der Anblick von Mönchen in den Straßen nichts Ungewöhnliches, und Godwyn, der Mesner, würde schwerlich von jemandem gefragt werden, was er außerhalb des Klosters verloren hatte.

Trotzdem war es klug, diskret vorzugehen, und so sorgte Godwyn dafür, dass er beim Verlassen des Klosters nicht beobachtet wurde. Er ging über den geschäftigen Markt und dann rasch über die Hauptstraße zum Haus seines Onkels Edmund.

Wie er gehofft hatte, waren Edmund und Caris geschäftlich unterwegs, und er traf seine Mutter allein mit den Bediensteten an. »Welch ein Geschenk für ein liebendes Mutterherz«, sagte sie. »Dich zweimal an einem Tag zu sehen! So habe ich wenigstens Gelegenheit, dich mal richtig zu füttern.« Sie schenkte ihm einen Krug starken Biers ein und wies den Koch an, einen Teller mit kaltem Fleisch zu bringen. »Was ist im Kapitel passiert?«, fragte sie dann.

Godwyn erzählte ihr die Geschichte. »Ich war voreilig«, sagte er schließlich.

Sie nickte. »Mein Vater hat immer gesagt: Berufe niemals eine Versammlung ein, wenn das Ergebnis nicht vorher feststeht.«

Godwyn lächelte. »Das muss ich mir merken.«

»Wie auch immer … Ich glaube nicht, dass du irgendwelchen Schaden angerichtet hast.«

Godwyn war erleichtert. Mutters Zorn blieb ihm offenbar erspart. »Aber ich wurde im Disput besiegt«, sagte er.

»Und du hast dich als Wortführer der reformfreudigen jüngeren Mönche etabliert.«

»Obwohl ich mich zum Narren gemacht habe?«

»Das ist immer noch besser, als nicht zur Kenntnis genommen zu werden.«

Godwyn war nicht sicher, ob sie damit recht hatte, doch wie üblich, wenn er den weisen Ratschluss seiner Mutter anzweifelte, widersprach er ihr nicht, sondern beschloss, später darüber nachzudenken. »Es ist noch etwas geschehen«, sagte er, »etwas sehr Merkwürdiges«, und er erzählte ihr von Richard und Margery, wobei er jedoch die ekelhaften Einzelheiten wegließ.

Mutter war fassungslos. »Richard muss wahnsinnig sein!«, sagte sie. »Wenn der Graf von Monmouth herausfindet, dass Margery keine Jungfrau mehr ist, wird die Hochzeit sofort abgeblasen. Graf Roland wäre außer sich vor Wut. Man könnte Richard das Amt entziehen.«

»Aber viele Bischöfe haben doch eine Geliebte, oder?«

»Das ist etwas anderes. Ein Priester kann eine ›Haushälterin‹ haben, die in allem sein Weib ist, nur nicht dem Namen nach. Ein Bischof kann sogar mehrere haben. Aber einer Edelfrau kurz vor ihrer Vermählung die Jungfräulichkeit zu nehmen … selbst der Sohn eines Grafen hätte Probleme, anschließend Mitglied des Klerus zu bleiben.«

»Was soll ich denn tun?«

»Nichts. Bis jetzt hast du alles sehr gut gemacht.« Godwyn glühte vor Stolz. Mutter fügte hinzu: »Eines Tages kann dieses Wissen eine mächtige Waffe sein. Vergiss das nicht.«

»Da ist noch etwas. Ich habe mich gefragt, wie Philemon den losen Stein entdeckt hat, und da ist mir der Gedanke gekommen, dass er ihn ursprünglich als Versteck genutzt haben könnte. Ich hatte recht – und ich habe einen Armreif gefunden, den Lady Philippa verloren hat.«

»Interessant«, sagte Mutter. »Ich habe das starke Gefühl, dass Philemon dir noch sehr nützlich sein wird. Er wird alles für dich tun; du wirst sehen. Er hat keinerlei Skrupel und kennt keine Moral. Mein Vater hatte damals auch jemanden, der bereit war, die Drecksarbeit für ihn zu tun ... Gerüchte in Umlauf bringen, Streit schüren und dergleichen. Solche Männer können sich als äußerst wertvoll erweisen.«

»Dann meinst du also nicht, dass ich den Diebstahl melden sollte?«

»Sicher nicht. Lass Philemon den Armreif zurückgeben, wenn du es für wichtig hältst. Er kann ja sagen, er hätte ihn beim Putzen gefunden. Aber stelle Philemon nicht bloß. Du wirst noch deinen Vorteil davon haben, denk an meine Worte.«

»Dann sollte ich ihn beschützen?«

»Halte ihn wie einen scharfen Hund, der jeden Eindringling angreift. Er ist gefährlich, aber er ist es wert.«

Am Donnerstag wurde Merthin mit der Tür fertig.

Vorerst hatte er seine Arbeit im südlichen Seitenschiff beendet. Das Gerüst stand an Ort und Stelle. Er musste keine Verschalung für die Steinmetze bauen, da Godwyn und Thomas beschlossen hatten, Geld zu sparen und es mit Merthins Methode zu versuchen. So kehrte er zu seiner Schnitzerei zurück, erkannte jedoch, dass es nur wenig für ihn zu tun gab. Eine Stunde lang schnitzte er am Haar einer der klugen Jungfrauen, um sich dann mit dem dümmlich lächelnden Gesicht einer der törichten zu beschäftigen, doch er war nicht sicher, ob er sein Werk damit wirklich besser machte. Tatsächlich fiel es ihm im Augenblick schwer, überhaupt irgendwelche Entscheidungen zu treffen, denn seine Gedanken wanderten immer wieder zu Caris und Griselda zurück.

Die ganze Woche hatte er es kaum über sich gebracht, mit Caris zu reden, so sehr schämte er sich. Jedes Mal, wenn er Caris sah, dachte er daran, wie er Griselda umarmt und geküsst und den Geschlechtsakt mit ihr vollzogen hatte – mit einem Mädchen, das er nicht einmal mochte, geschweige denn liebte. Ehe das geschehen war, hatte Merthin viele glückliche Stunden damit verbracht, sich vorzustellen, mit Caris der fleischlichen Lust zu frönen; nun aber erfüllte diese Aussicht ihn mit Furcht. Natürlich war nichts verkehrt an Griselda – nun, eigentlich schon, aber das störte ihn nicht. Er hätte ebenso empfunden, hätte er bei einer anderen Frau gelegen – von Caris natürlich abgesehen. Es hatte nichts mit Griselda zu tun, sondern mit dem Beischlaf als solchem; das Schäferstündchen mit Griselda hatte ihm seine Bedeutung genommen, und nun konnte Merthin der Frau, die er liebte, nicht mehr gegenübertreten.

Während er sein Werk anstarrte und versuchte, nicht an Caris zu denken und zu entscheiden, ob die Tür nun fertig war oder nicht, kam Elizabeth Clerk ans Nordportal. Sie war eine blasse, dünne

Schönheit von fünfundzwanzig Jahren mit einer wahren Wolke blonder Locken. Ihr Vater war Bischof von Kingsbridge gewesen, ehe Richard dieses Amt übernommen hatte. Wie Richard hatte auch Elizabeth' Vater im Bischofspalast von Shiring gewohnt, doch bei seinen vielen Besuchen in Kingsbridge hatte er sich in eine Schankmaid aus Bells Gasthaus verguckt – Elizabeth' Mutter. Ihrer illegitimen Geburt wegen war Elizabeth sehr empfindlich, was ihre gesellschaftliche Stellung betraf, und schnell beleidigt. Doch Merthin mochte sie, denn sie war klug, und als er achtzehn gewesen war, hatte sie ihn geküsst und ihn ihre Brüste berühren lassen, die sehr flach und wie aus Tellern modelliert waren und deren Warzen schon bei der sanftesten Berührung hart wurden. Ihre Romanze hatte mit einem Scherz Merthins über lüsterne Pfaffen ein abruptes Ende gefunden – ein Jux, der Merthin trivial, Elizabeth jedoch unverzeihlich erschienen war. Doch Merthin mochte sie noch immer.

Elizabeth berührte seine Schulter und schaute sich die Tür an. Ihre Hand wanderte zum Mund, und sie schnappte vor Staunen nach Luft. »Die wirken ja richtig lebendig!«, rief sie.

Merthin freute sich. Elizabeth war nicht freigiebig mit Lob. Trotzdem hatte er das Gefühl, sich in Bescheidenheit üben zu müssen. »Das liegt nur daran, weil ich jeder Jungfrau ihr eigenes Aussehen gegeben habe. Auf der alten Tür waren die Jungfrauen alle gleich.«

»Es ist mehr als nur das. Sie sehen aus, als würden sie gleich aus dem Holz herauskommen, um mit uns zu reden.«

»Danke.«

»Aber das ist so anders als alles sonst in der Kathedrale. Was werden die Mönche sagen?«

»Bruder Thomas gefällt es.«

»Was ist mit dem Mesner?«

»Godwyn? Ich weiß nicht, was er davon halten wird. Aber sollte es Probleme geben, wende ich mich an Prior Anthony. Der wird auf keinen Fall eine neue Tür in Auftrag geben und zweimal bezahlen wollen.«

»Nun«, sagte Elizabeth nachdenklich, »in der Bibel steht natürlich nicht, dass die Jungfrauen alle gleich ausgesehen hätten, nur dass fünf klug genug waren, alles im Voraus vorzubereiten, während fünf andere bis zum letzten Augenblick gewartet und deshalb das Fest versäumt haben. Aber was ist mit Elfric?«

»Was soll mit ihm sein?«

»Er ist dein Meister.«

»Ihn kümmert nur das Geld.«

Das überzeugte Elizabeth nicht. »Das Problem ist, dass du der bessere Handwerker bist. Das ist schon seit Jahren offensichtlich, und jeder weiß es. Elfric würde es nie zugeben, und deshalb hasst er dich. Er könnte dafür sorgen, dass du es noch bereust, diese wunderschöne Tür geschnitzt zu haben.«

»Du siehst in allem nur das Schlechte.«

»Ach ja?« Jetzt war sie beleidigt. »Wir werden ja sehen, ob ich recht habe. Ich hoffe, ich irre mich.« Sie wandte sich zum Gehen.

»Elizabeth?«

»Ja.«

»Es freut mich, dass meine Arbeit dir gefällt.«

Sie erwiderte nichts darauf, wirkte aber schon wieder ein wenig besänftigt. Sie winkte zum Abschied und ging.

Merthin kam zu dem Schluss, dass die Tür fertig war, und wickelte sie in grobes Sackleinen. Er würde sie Elfric zeigen müssen, und jetzt war genauso gut wie später. Wenigstens hatte der Regen erst einmal aufgehört.

Merthin holte einen der Arbeiter, damit der ihm beim Tragen der Tür half. Steinmetze hatten eine spezielle Technik, um schwere, unhandliche Dinge zu transportieren: auf zwei parallele Stangen wurden über Kreuz Bretter gelegt, wodurch eine stabile Tragefläche geschaffen wurde. Dann wuchteten sie den Gegenstand auf die Bretter. Anschließend stellte sich je ein Mann an beiden Enden zwischen die Stangen und hob sie an. Diese Tragevorrichtung wurde Bahre genannt; sie diente auch dazu, Kranke ins Hospital zu bringen.

Die Tür war allerdings sehr schwer, doch Merthin war schweres Tragen gewöhnt. Elfric hatte Merthins schmächtige Statur nie als Entschuldigung gelten lassen, mit dem Ergebnis, dass er nun erstaunlich kräftig war.

Die beiden Männer erreichten Elfrics Haus und trugen die Tür hinein. Griselda saß in der Küche. Sie schien mit jedem Tag üppiger zu werden; sogar ihre großen Brüste wuchsen weiter. Merthin hasste es, mit jemandem im Streit zu liegen, und so fragte er freundlich, als er an ihr vorüberging: »Möchtest du gern meine Tür sehen?«

»Warum sollte ich mir eine Tür anschauen?«

»Sie ist beschnitzt. Mit dem Gleichnis von den zehn Jungfrauen.«

Sie lachte freudlos. »Erzähl du mir nichts von Jungfrauen!«

Sie trugen die Tür in den Hof. Merthin verstand die Frauen einfach nicht. Seit sie miteinander geschlafen hatten, war Griselda ihm kalt und abweisend begegnet. Wenn sie so empfand, warum hatte sie es dann überhaupt getan? Wie dem auch sei, sie machte deutlich, dass sie es nicht noch einmal tun wollte. Merthin hätte ihr versichern können, dass er genauso empfand – tatsächlich ließ allein schon der Gedanke ihn schaudern –, doch das wäre eine Beleidigung gewesen, und so schwieg er.

Sie stellten die Bahre ab, und Merthins Helfer ging. Elfric war im Hof. Er hatte den stämmigen Leib über einen Holzstapel gebeugt, zählte die Balken, indem er jeden mit einem langen, eckig geschnittenen Stab antippte, und schob dabei die Zunge in die Wange, als wäre das Zählen eine immense geistige Herausforderung. Kurz funkelte er Merthin an und machte dann weiter. Merthin schwieg, wickelte die Tür aus und lehnte sie an einen Haufen Steine. Er war überaus stolz auf seine Arbeit. Zwar war er der traditionellen Art der Darstellung treu geblieben, hatte aber gleichzeitig etwas Originelles geschaffen. Er konnte es kaum erwarten, seine Tür im Kirchenportal zu sehen.

»Siebenundvierzig«, sagte Elfric und drehte sich dann zu Merthin um.

»Ich bin mit der Tür fertig«, sagte Merthin stolz. »Was meint Ihr dazu?«

Elfric schaute sich die Tür einen Moment lang an, wobei die Flügel seiner überdimensionalen Nase vor Staunen zuckten. Dann, ohne Vorwarnung, schlug er Merthin mit dem Stab, den er zum Zählen benutzt hatte, ins Gesicht. Es war ein massives Stück Holz, und der Schlag war mit Wucht geführt. Merthin schrie auf, taumelte zurück und fiel zu Boden.

»Du verdammtes Stück Dreck!«, brüllte Elfric. »Du hast meine Tochter beschmutzt!«

Merthin versuchte zu protestieren, doch sein Mund war voller Blut.

»Wie kannst du es wagen?«, geiferte Elfric.

Wie aufs Stichwort kam Alice aus dem Haus gestürzt. »Du Schlange!«, kreischte sie. »Du hast dich in unser Heim eingeschlichen und unserem kleinen Mädchen die Unschuld geraubt!«

Alice und Elfric versuchten, den Anschein aufrichtiger Empörung zu erwecken, doch sie mussten die Sache geplant haben, wie Merthin nur zu deutlich erkannte. Er spie Blut und sagte: »Die Unschuld geraubt? Sie war keine Jungfrau mehr!«

Elfric schlug erneut mit seinem Behelfsknüppel zu. Merthin rollte sich herum, doch der Schlag traf ihn schmerzhaft an der Schulter.

Alice jammerte: »Wie konntest du Caris das antun? Meine arme Schwester … Wenn sie es herausfindet, bricht es ihr das Herz.«

Merthin konnte sich eine Antwort nicht verkneifen. »Und du wirst schon dafür sorgen, dass sie es erfährt, nicht wahr, du Hexe!«

»Jedenfalls wirst du Griselda nicht heimlich heiraten«, sagte Alice.

Merthin konnte es nicht fassen. »Griselda? Heiraten? Ich werde sie nicht heiraten! Sie hasst mich!«

Bei diesen Worten erschien Griselda. »Ja, und ich würde dich auch niemals heiraten«, sagte sie, »aber ich *muss*. Ich bin schwanger.«

Merthin starrte sie an. »Das ist unmöglich. Wir haben es nur ein einziges Mal getan!«

Elfric lachte hässlich. »Ein einziges Mal genügt ja auch, du Tollkopf!«

»Ich werde sie trotzdem nicht heiraten.«

»Wenn nicht, wirst du entlassen«, sagte Elfric.

»Das könnt Ihr nicht machen!«

»Warum nicht?«

»Mir egal. Ich werde sie jedenfalls nicht heiraten.«

Elfric ließ den Knüppel fallen und ergriff eine Axt.

Merthin stieß hervor: »Gütiger Herr Jesus!«

Alice trat einen Schritt vor. »Elfric, versündige dich keines Mordes!«

»Aus dem Weg, Weib!« Elfric hob die Axt.

Merthin, der noch immer auf dem Boden lag, fürchtete um sein Leben und kroch davon.

Elfric schlug mit der Axt zu – doch nicht auf Merthin, sondern auf dessen Tür.

Merthin schrie: »Nein!«

Das scharfe Axtblatt drang ins Antlitz einer langhaarigen Jungfrau und spaltete das Holz entlang der Maserung.

Merthin brüllte: »Hört auf!«

Elfric hob die Axt erneut. Diesmal schlug er noch härter zu. Das Blatt spaltete die Tür in zwei Teile.

Merthin sprang auf. Zu seinem Entsetzen spürte er, wie seine Augen sich mit Tränen füllten. »Dazu habt Ihr kein Recht!« Er versuchte zu schreien, doch seine Stimme war nur ein raues Flüstern tief in der Kehle.

Elfric hob erneut die Axt und drehte sich zu ihm um. »Bleib, wo du bist, Junge. Führe mich nicht in Versuchung.«

Merthin sah ein verrücktes Leuchten in Elfrics Augen und wich zurück.

Elfric drosch wieder auf die Tür ein.

Und Merthin stand nur da und schaute zu, während ihm Tränen über die Wangen liefen.

Die beiden Hunde, Skip und Scrap, begrüßten einander freudig. Sie stammten aus demselben Wurf, obwohl es ihnen nicht anzusehen war: Skip war ein brauner Rüde, Scrap eine kleine schwarze Hündin. Skip war ein typischer Dorfhund, hager und argwöhnisch; die Stadtbewohnerin Scrap hingegen war zutraulich und wohlgenährt.

Es war nun zehn Jahre her, seit Gwenda sich Skip aus einem Mischlingswurf ausgesucht hatte, auf dem Boden von Caris' Schlafzimmer im großen Haus des Wollhändlers, an dem Tag, als Caris' Mutter gestorben war. Seit damals waren Gwenda und Caris enge Freundinnen. Sie trafen sich nur zwei-, dreimal im Jahr, doch sie teilten all ihre Geheimnisse. Gwenda hatte das Gefühl, Caris alles sagen zu können, ohne befürchten zu müssen, dass ihre Eltern oder sonst jemand in Wigleigh davon erfuhr. Caris, nahm sie an, dachte umgekehrt genauso: Da Gwenda nicht mit anderen Mädchen aus Kingsbridge sprach, bestand nicht die Gefahr, dass ihr unbedacht etwas herausrutschte.

Gwenda traf am Freitag der Wollmarktwoche in Kingsbridge ein. Ihr Vater, Joby, ging zum Marktplatz vor der Kathedrale, um Eichhörnchenfelle zu verkaufen. Die Tiere hatte er im Wald bei Wigleigh gefangen. Gwenda ging gleich zu Caris' Haus, und die beiden Hunde wurden wieder vereint.

Wie immer sprachen Gwenda und Caris über Jungen. »Merthin ist seit Kurzem so seltsam«, sagte Caris. »Am Sonntag war er noch ganz normal und hat mich in der Kirche geküsst; aber am Montag konnte er mir kaum in die Augen schauen.«

»Vielleicht fühlt er sich wegen irgendetwas schuldig«, meinte Gwenda.

»Ja, es könnte mit Elizabeth Clerk zu tun haben. Sie hat schon immer ein Auge auf ihn geworfen, obwohl sie eine hässliche Hexe und viel zu alt für ihn ist.«

»Habt ihr es schon getan, du und Merthin?«

»Was getan?«

»Du weißt schon … Als ich klein war, habe ich immer ›Grunzen‹ dazu gesagt, wegen der Geräusche, die Erwachsene dabei machen.«

»Oh, das! Nein, noch nicht.«

»Warum nicht?«

»Ich weiß nicht …«

»Willst du nicht?«

»Doch, schon … Machst du dir denn keine Gedanken darüber, den Rest deines Lebens einem Mann gehorchen zu müssen?«

Gwenda zuckte mit den Schultern. »Mir gefällt die Vorstellung nicht, aber ich zerbreche mir auch nicht den Kopf darüber.«

»Und du? Hast du es schon getan?«

»Was?«

»Das Grunzen.«

»Na ja, nicht so richtig. Vor Jahren hab ich 's mal probiert, mit einem Jungen aus dem Nachbardorf, nur um zu sehen, wie das so ist. Es glüht im Bauch, wie wenn man Wein trinkt. Das war das einzige Mal. Aber Wulfric würde ich grunzen lassen, wann immer er will.«

»Wulfric? Das ist neu!«

»Ich weiß. Aber ich kenne ihn, seit wir Kinder waren. Damals hat er mich immer an den Haaren gezogen und ist dann weggerannt. Aber irgendwann einmal, kurz nach Weihnachten, habe ich ihn mir so richtig angeschaut, als er in die Kirche kam, und da hab ich zum ersten Mal bemerkt, dass er ein Mann geworden ist. Und nicht bloß irgendein Mann, sondern ein schrecklich gut aussehender Bursche. Er hatte Schnee im Haar und einen senffarbenen Schal um den Hals, und er sah aus, als würde er von innen heraus leuchten!«

»Liebst du ihn?«

Gwenda seufzte. Sie wusste nicht, wie sie ihre Gefühle in Worte kleiden sollte. Es war nicht einfach nur Liebe. Sie dachte die ganze Zeit an Wulfric; sie wusste gar nicht, wie sie ohne ihn leben sollte. Sie träumte davon, ihn zu entführen und in einer Hütte irgendwo tief im Wald einzusperren, damit er ja nie wieder weglaufen konnte.

»Du brauchst nichts zu sagen, deine Miene ist Antwort genug«, sagte Caris. »Liebt er dich auch?«

Gwenda schüttelte den Kopf. »Er spricht nicht mal mit mir. Ich wünschte, er würde irgendwas tun, damit ich sehen könnte, dass er wenigstens weiß, wer ich bin – und wenn er mich nur an den Haaren ziehen würde wie früher! Aber er hat es auf Annet abgesehen, die Tochter von Perkin. Er vergöttert diese selbstsüchtige Kuh! Der alte

Perkin und Wulfrics Vater sind die beiden reichsten Männer im Dorf. Perkin züchtet Legehennen und verkauft sie, und Wulfrics Vater hat viel Land. Fünfzig Morgen!«

»Bei dir hört sich das alles so hoffnungslos an.«

»Ach, ich weiß nicht. Was heißt schon hoffnungslos? Annet könnte ja sterben. Oder Wulfric erkennt plötzlich, dass er mich liebt. Oder mein Vater wird zum Grafen erhoben und befiehlt Wulfric, mich zu heiraten.«

Caris lächelte. »Du hast recht. Liebe ist niemals hoffnungslos. Ich würde den Jungen gern mal sehen.«

Gwenda stand auf. »Ich hatte gehofft, dass du das sagst. Gehen wir ihn suchen.«

Sie verließen das Haus; die Hunde sprangen hinterdrein. Der heftige Regen, der die Stadt Anfang der Woche heimgesucht hatte, war inzwischen gelegentlichen Schauern gewichen, doch die Hauptstraße war noch immer ein einziges Meer aus Pfützen und Schlamm, der wegen des Marktes überdies mit Tierkot, verrottendem Gemüse und dem Dreck Tausender Besucher vermischt war.

Während die Mädchen durch die stinkenden Pfützen platschten, erkundigte Caris sich nach Gwendas Familie.

»Unsere Kuh ist gestorben«, berichtete Gwenda. »Pa muss eine neue kaufen; aber ich weiß nicht, wie er das anstellen will. Er hat nur ein paar Eichhörnchenfelle zu verkaufen.«

»Eine Kuh kostet dieses Jahr zwölf Shilling«, sagte Caris besorgt. »Das sind hundertvierundvierzig Silberpennys.« Caris rechnete stets alles im Kopf. Buonaventura Caroli hatte ihr arabische Zahlen beigebracht, und sie sagte immer, das mache das Rechnen viel leichter.

»Die letzten paar Winter hat die Kuh uns am Leben erhalten, besonders die Kleinen.« Hunger war Gwenda nur allzu vertraut. Trotz der Milchkuh waren vier von Mas Babys gestorben. Kein Wunder, dass Philemon sich so sehr gewünscht hatte, Mönch zu werden. Jeden Tag eine herzhafte Mahlzeit zu bekommen war fast jedes Opfer wert.

Caris fragte: »Was wird dein Vater tun?«

»Irgendwas unter der Hand. Es ist schwer, eine Kuh zu stehlen – man kann sie sich nicht einfach in die Tasche stecken –, aber ihm wird schon was einfallen.« Gwenda klang zuversichtlicher, als sie sich fühlte. Pa war ein Gauner, aber kein besonders guter. Er würde alles tun, was er tun konnte, um eine neue Kuh zu bekommen – ob ungesetzlich oder nicht –, aber er könnte damit auch scheitern.

Sie gingen durchs Klostertor und auf den weiten Marktplatz. Nach sechs Tagen schlechten Wetters waren die Händler nass und mürrisch und fühlten sich hundeelend. Sie hatten ihre Waren im Regen ausgelegt, doch ihre Mühe lohnte sich kaum.

Gwenda war verlegen. Sie und Caris sprachen kaum einmal über den so unterschiedlichen Besitzstand ihrer beider Familien. Wann immer Gwenda zu Besuch kam, gab Caris ihr wortlos ein Geschenk für zu Hause: einen Käse, einen Räucherfisch, einen Ballen Stoff, einen Krug Honig. Gwenda dankte ihr dann jedes Mal – sie war ihrer Freundin in der Tat zutiefst dankbar –, doch ansonsten wurde kein Wort darüber verloren. Wenn Pa versuchte, Gwenda zu überreden, Caris' Vertrauen auszunutzen und Dinge von Wert aus dem Haus der Woolers zu stehlen, erwiderte Gwenda stets, dass sie Caris dann nie wieder besuchen könne, wohingegen sie jetzt wenigstens zwei-, dreimal im Jahr etwas nach Hause brachte. Selbst Pa sah das ein.

Gwenda hielt nach dem kleinen Stand Ausschau, an dem Perkin seine Hennen verkaufte. Annet würde vermutlich auch dort sein, und wo Annet war, war Wulfric nicht weit. Gwenda hatte recht. Da war Perkin – fett und gerissen, von schmieriger Höflichkeit seinen Kunden gegenüber, aber schroff zu jedem anderen. Annet trug ein Tablett mit Eiern herum und lächelte kokett. Das Tablett spannte das Kleid um ihren Busen, und blonde Haarsträhnen lugten unter ihrem Hut hervor und umspielten die rosa Wangen und den langen Hals. Und da war auch Wulfric ... Er sah wie ein verirrter Erzengel aus, der nur eines schrecklichen Irrtums wegen unter die Menschen geraten war.

»Da ist er ...«, säuselte Gwenda. »Der Große mit ...«

»Ich sehe schon«, sagte Caris. »Er sieht wirklich zum Anbeißen aus.«

»Jetzt verstehst du, was ich meine!«

»Aber er ist ein bisschen jung, oder?«

»Er ist schon sechzehn. Ich bin erst achtzehn. Annet ist auch achtzehn.«

»Wenn du meinst.«

»Ich weiß, was du denkst«, sagte Gwenda. »Er ist zu hübsch für mich.«

»Nein ...«

»Hübsche Männer verlieben sich nie in hässliche Frauen, nicht wahr?«

»Du bist nicht hässlich …«

»Ich habe mich schon in einem Spiegel gesehen.« Die Erinnerung daran war furchtbar, und Gwenda verzog das Gesicht. »Ich habe bei dem Anblick geweint. Ich habe eine große Nase, und meine Augen stehen viel zu nah beieinander. Ich sehe meinem Vater ähnlich.«

Caris protestierte: »Du hast sanfte braune Augen und wunderbares dickes Haar.«

»Aber Wulfric … er ist so *schön!*«

Wulfric stand so, dass Gwenda und Caris einen guten Blick auf sein ebenmäßiges Profil hatten. Beide schmachteten ihn einen Moment lang an; dann drehte er sich um, und Gwenda schnappte nach Luft. Die andere Seite seines Gesichts war zerschunden, das Auge zugeschwollen.

Gwenda lief zu ihm. »Wulfric! Was ist mit dir passiert?«

Er erschrak. »Oh, hallo, Gwenda. Ich bin in eine Schlägerei geraten.« Er wandte sich halb ab; offensichtlich war er verlegen.

»Mit wem?«

»Mit irgendeinem Junker des Grafen.«

»Du bist verletzt!«

Er winkte ungeduldig ab. »Mach dir keine Sorgen. Es geht mir gut.«

Natürlich verstand er nicht, warum Gwenda sich solche Sorgen machte. Vielleicht glaubte er sogar, sie ergötze sich an seinem Leid. Dann fragte Caris: »Mit welchem Junker?«

Wulfric betrachtete Caris voller Interesse. Ihre Kleidung verriet ihm sofort, dass sie wohlhabend war. »Er heißt Ralph Fitzgerald.«

»Oh … Merthins Bruder!«, sagte Caris. »Ist er verletzt worden?«

»Ich habe ihm die Nase gebrochen«, erklärte Wulfric stolz.

»Meine Güte! Hat man dich bestraft?«

»Eine Nacht am Pranger.«

Gwenda stieß einen gequälten Schrei aus. »Du Armer!«

»So schlimm war es nicht. Mein Bruder hat dafür gesorgt, dass ich nicht beworfen wurde.«

»Trotzdem …« Gwenda war entsetzt. Gefangen zu sein, egal auf welche Weise, war für sie die schlimmste Folter.

Annet fertigte einen Kunden ab und kam zu den dreien geschlendert. »Ach, du bist es, Gwenda«, sagte sie kühl. Wulfric mochte Gwendas Gefühle nicht bemerken – Annet bemerkt sie sehr wohl, und sie behandelte Gwenda mit einer Mischung aus Feindseligkeit und Geringschätzung. »Wulfric hat gegen den Knappen gekämpft, weil der mich beleidigt hat«, erklärte sie, und die Zufriedenheit war ihr deutlich anzusehen. »Er war genau wie die Ritter in den Balladen.«

Gwenda spie: »*Ich* würde niemals wollen, dass er sich um meinetwillen das Gesicht zerschlagen lässt!«

»Das ist zum Glück auch eher unwahrscheinlich.« Annet lächelte triumphierend.

Caris sagte: »Oh, man weiß nie, was die Zukunft bringt.«

Annet schaute sie an und war überrascht, wie erlesen Gwendas Gefährtin gekleidet war.

Caris nahm Gwendas Arm. »Es war mir ein ausgesprochenes Vergnügen, Hühnerhändler aus Wigleigh kennenzulernen«, sagte sie in huldvollem Ton. »Auf Wiedersehen.«

Sie gingen weiter. Gwenda kicherte. »Du warst furchtbar herablassend zu Annet.«

»Sie hat mich geärgert. Wegen solcher wie ihr haben Frauen einen schlechten Ruf.«

»Annet hat sich schrecklich darüber gefreut, dass Wulfric ihretwegen verprügelt worden ist! Am liebsten würde ich ihr die Augen auskratzen!«

Nachdenklich sagte Caris: »Abgesehen von seinem guten Aussehen … Wie ist er wirklich?«

»Stark, stolz, treu … ein Mann, der für andere kämpft … der unermüdlich für die Familie sorgt, jahrein, jahraus, bis zu dem Tag, an dem er tot umfällt.«

Caris schwieg.

Gwenda sagte: »Du findest ihn nicht so anziehend, oder?«

»So wie du ihn beschreibst, klingt er ein wenig langweilig.«

»Wärst du bei meinem Vater aufgewachsen, würdest du einen guten Versorger nicht als langweilig bezeichnen.«

»Ich weiß.« Caris drückte Gwendas Arm. »Ich denke, er passt wunderbar zu dir. Und um es zu beweisen, werde ich dir helfen, ihn zu bekommen.«

Damit hatte Gwenda nicht gerechnet. »Wie?«

»Komm mit.«

Sie verließen den Marktplatz und gingen zum Nordrand der Stadt. Caris führte Gwenda zu einem kleinen Haus in einer Seitenstraße nahe der Pfarrkirche St. Mark. »Hier wohnt eine weise Frau«, sagte sie. Die beiden Freundinnen ließen die Hunde draußen und duckten sich durch die niedrige Tür.

Der einzige, schmale Raum im Erdgeschoss wurde durch einen Vorhang geteilt. In der vorderen Hälfte standen ein Stuhl und eine Bank. Der Herd musste hinten sein, vermutete Gwenda, und sie fragte sich, warum jemand verbergen wollte, was in der Küche vor sich ging. Die Stube war sauber, und starker Kräutergeruch lag in der Luft, ein wenig beißend, nicht gerade ein Parfüm, aber auch nicht unangenehm. Caris rief: »Mattie, ich bin's!«

Einen Augenblick später zog eine Frau von gut vierzig Jahren den Vorhang beiseite und kam hindurch. Sie hatte graues Haar und die bleiche Haut eines Menschen, der die meiste Zeit im Haus verbrachte. Sie lächelte, als sie Caris sah. Dann musterte sie Gwenda mit gefurchter Stirn und sagte: »Wie ich sehe, ist deine Freundin verliebt … aber der Junge spricht so gut wie nie mit ihr.«

Gwenda schnappte nach Luft. »Woher weißt du das?«

Mattie ließ sich auf den Stuhl fallen. Sie war kräftig gebaut und kurzatmig. »Die Leute kommen aus drei Gründen zu mir: Krankheit, Rache und Liebe. Du siehst gesund aus, und für Rache bist du zu jung; also musst du verliebt sein. Und dem Jungen musst du gleichgültig sein, sonst würdest du nicht meine Hilfe suchen.«

Gwenda schaute zu Caris, die zufrieden dreinblickte und sagte: »Ich habe dir ja gesagt, dass sie weise ist.« Die beiden Mädchen setzten sich auf die Bank und schauten die Frau erwartungsvoll an.

Mattie fuhr fort: »Er lebt in deiner Nähe, vermutlich im selben Dorf, aber seine Familie ist wohlhabender als deine.«

»Das stimmt alles.« Gwenda staunte. Mattie riet sicherlich nur, doch ihre Aussagen waren so genau, dass es schien, als hätte sie das Zweite Gesicht.

»Sieht er gut aus?«

»Sehr.«

»Aber er liebt das hübscheste Mädchen im Dorf.«

»Nun ja …«

»Und ihre Familie ist wohlhabender als deine.«

»Ja.«

Mattie nickte. »Das ist nichts Ungewöhnliches. Ich kann dir helfen, aber du musst eines wissen: Ich habe *nichts* mit der Geisterwelt zu tun. Nur Gott vermag Wunder zu wirken.«

Gwenda war verwirrt. Jeder wusste, dass die Geister der Toten die Geschicke der Lebenden bestimmten. Waren sie zufrieden mit einem, führten sie Hasen in die Fallen, schenkten einem gesunden Nachwuchs und ließen die Sonne aufs Getreide scheinen. Tat man jedoch etwas, das sie verärgerte, konnten sie einem Würmer in die Äpfel schicken, die Kuh ein missgestaltes Kalb gebären lassen oder den Ehemann unfruchtbar machen. Selbst die Ärzte der Priorei gaben zu, dass Gebete zu den Heiligen wirksamer seien als ihre Medizin.

Mattie fuhr fort: »Verzweifle nicht. Ich kann dir einen Liebestrank brauen.«

»Ich würde ihn ja gerne nehmen, aber ich hab kein Geld.«

»Ich weiß. Doch deine Freundin Caris mag dich wirklich sehr, und sie will, dass du glücklich bist. Sie ist mit dir zu mir gekommen, weil sie bereit ist, für den Trank zu bezahlen. Allerdings musst du ihn genau nach Anweisung benutzen. Kannst du den Jungen eine Stunde für dich allein bekommen?«

»Ich finde schon eine Möglichkeit.«

»Dann gib ihm etwas zu trinken, und tu den Trank hinein. Nach kurzer Zeit wird er sich nach Liebe verzehren. Sieh zu, dass du dann mit ihm allein bist, denn sollte ein anderes Mädchen in der Nähe sein, wird er vielleicht *ihr* verfallen. Halt ihn also von anderen Frauen fern, und sei nett zu ihm. Er wird dich für die begehrenswerteste Frau der Welt halten. Küsse ihn, sag ihm, wie wunderbar ist, und – wenn du willst – verführe ihn. Nach einer Weile wird er einschlafen. Wenn er wieder aufwacht, wird er sich daran erinnern, dass er die glücklichste Stunde seines Lebens in deinen Armen verbracht hat, und er wird es so schnell wie möglich wieder tun wollen.«

»Aber brauche ich dann nicht noch einen Trank?«

»Nein. Beim zweiten Mal wird deine Liebe reichen, deine Lust und deine Weiblichkeit. Jede Frau vermag einen Mann glückselig zu machen, wenn er ihr nur die Gelegenheit dazu gibt.«

Allein schon die Vorstellung weckte Gwendas Verlangen. »Ich kann es kaum erwarten.«

»Dann lasst uns den Trank mischen.« Mattie wuchtete sich vom Stuhl hoch. »Ihr könnt ruhig hinter den Vorhang kommen«, sagte sie, und Gwenda und Caris folgten ihr. »Er dient nur dazu, die Unwissenden fernzuhalten.«

Die Küche besaß einen sauberen Steinfußboden und einen großen Herd mit weit mehr Ständern und Haken für Kochtöpfe, als eine alte Frau für sich benötigte. Es gab auch einen schweren alten Tisch, fleckig und angesengt, aber sauber geschrubbt, dazu ein Regal mit Tonkrügen und einen abgeschlossenen Schrank, der vermutlich die wertvolleren Ingredienzien für Matties Tränke enthielt. An der Wand hing eine große Schiefertafel mit Zahlen und Buchstaben darauf, wahrscheinlich Rezepturen. »Warum musst du das alles hinter einem Vorhang verstecken?«, fragte Gwenda.

»Einen Mann, der Medizin herstellt, nennt man einen Apotheker, doch eine Frau, die das Gleiche tut, geht das Risiko ein, eine Hexe gerufen zu werden. Es gibt eine Frau in der Stadt, die man die verrückte Nell nennt. Sie läuft herum und schreit nach dem Teufel. Friar Murdo, der wandernde Bettelmönch, hat sie der Ketzerei angeklagt. Nell ist tatsächlich verrückt, aber sie tut niemandem etwas zuleide. Trotzdem besteht Murdo auf einem Prozess. Die Männer gönnen sich gerne mal den Spaß, eine Frau umzubringen, und Murdo wird ihnen einen Vorwand dafür liefern und anschließend ihre Pennys als Almosen einsammeln. Deshalb sage ich den Leuten immer, dass nur Gott Wunder zu wirken vermag. Ich beschwöre keine Geister. Ich nutze nur die Kräuter des Waldes und meine Beobachtungsgabe.«

Während Mattie redete, bewegte Caris sich so selbstverständlich durch die Küche, als wäre sie daheim. Sie stellte eine Schüssel und eine Phiole auf den Tisch. Mattie reichte ihr einen Schlüssel, und Caris öffnete den Schrank. »Gib drei Tropfen Mohnessenz in einen Löffel destillierten Wein«, sagte Mattie. »Wir müssen vorsichtig sein, damit die Mischung nicht zu stark wird, sonst schläft er zu schnell ein.«

Gwenda staunte. »Braust *du* den Trank, Caris?«

»Ich helfe Mattie hin und wieder. Sag Petronilla nichts davon. Sie würde es nicht verstehen.«

»Ich würde ihr nicht mal sagen, wenn ihre Haare in Flammen stünden.« Caris' Tante mochte Gwenda nicht – vermutlich aus dem gleichen Grund, aus dem sie auch Mattie missbilligen würde: Beide waren niederen Standes, und der gesellschaftliche Rang war für Petronilla von großer Bedeutung.

Aber warum arbeitete Caris, die Tochter eines wohlhabenden Mannes, als Gehilfin in der Küche einer weisen Frau, die in einer Seitenstraße wohnte? Während Caris die Mischung anrührte, erinnerte Gwenda sich daran, dass ihre Freundin schon immer neugierig gewesen war, was Krankheiten und deren Heilung anging. Als kleines Mädchen hatte Caris Arzt werden wollen. Sie hatte nicht verstanden, dass es nur geistlichen Herren gestattet war, Medizin zu studieren.

Gwenda musste daran denken, was Caris nach dem Tod ihrer

Mutter gesagt hatte: »Aber warum werden Menschen krank?« Mutter Cecilia, die Priorin des Nonnenklosters, hatte ihr erklärt, die Sünde sei der Grund dafür. Ihr Vater Edmund hingegen hatte gesagt, niemand wisse das wirklich. Keine der beiden Antworten hatte Caris zufriedengestellt. Vielleicht suchte sie hier in Matties Küche noch immer nach einer Antwort auf ihre Frage, warum Menschen erkrankten.

Caris ließ eine Flüssigkeit in eine Phiole tropfen, verschloss sie und band den Verschluss mit einer Kordel fest. Dann reichte sie Gwenda das Fläschchen.

Gwenda steckte es in die kleine Lederbörse, die sie am Gürtel trug. Sie fragte sich, wie um alles in der Welt sie Wulfric eine Stunde für sich allein bekommen sollte. Sie hatte einfach so dahergesagt, dass sie schon einen Weg finden würde, doch nun, da sie den Liebestrank in ihrem Besitz hatte, kam ihr die Aufgabe geradezu unmöglich vor. Wulfric wurde schon rastlos, wenn sie nur mit ihm sprach. Er wollte jeden freien Augenblick mit Annet verbringen. Welchen Grund sollte Gwenda ihm nennen, um mit ihm allein sein zu können? Vielleicht: »Ich möchte dir eine Stelle zeigen, wo es wilde Enteneier gibt.« Aber warum sollte *sie* ihm die Stelle zeigen und nicht ihr Vater? Wulfric war zwar ein wenig naiv, aber nicht dumm. Er würde wissen, dass sie etwas im Schilde führte.

Caris gab Mattie zwölf Silberpennys – zwei Wochenlöhne von Pa. Gwenda sagte: »Danke, Caris. Ich hoffe, du kommst zu meiner Hochzeit.«

Caris lachte. »Genau das wollte ich hören. Nur Mut!«

Sie verließen Mattie und machten sich auf den Weg zurück zum Markt. Gwenda beschloss herauszufinden, wo Wulfric wohnte. Seine Familie war viel zu wohlhabend, als dass sie wie die Armen kostenlos in der Priorei hätte wohnen können. Vermutlich waren sie in einem Gasthof abgestiegen. Sie könnte Wulfric oder seinen Bruder ja einfach beiläufig danach fragen und so tun, als wollte sie wissen, welches Gasthaus der Stadt das beste war.

Ein Mönch kam an ihnen vorbei, und Gwenda bekam ein schlechtes Gewissen. Immerzu ging Wulfric ihr durch den Kopf, doch ihren Bruder Philemon zu besuchen, daran hatte sie noch nicht einmal gedacht. Pa jedenfalls würde Philemon nicht besuchen, denn sie hassten sich nun schon seit Jahren. Gwenda aber liebte ihn. Sie wusste, dass Philemon hinterlistig, unehrlich und böswillig war, doch er war ihr Bruder. Gemeinsam hatten sie viele Hungerwinter überstanden.

Sie würde ihn später suchen, beschloss sie, nachdem sie Wulfric wiedergesehen hatte.

Doch ehe sie und Caris den Marktplatz erreichten, trafen sie auf Gwendas Vater.

Joby stand unweit vom Klostertor, vor Bells Gasthaus. Bei ihm stand ein grobschlächtiger Kerl in gelbem Kittel mit einem Rucksack auf der Schulter – und mit einer Kuh.

Joby winkte Gwenda zu sich heran. »Ich habe eine Kuh gefunden«, verkündete er.

Gwenda schaute sich das Tier genauer an. Die Kuh war zwei Jahre alt und dünn. Sie sah missmutig aus, wirkte aber gesund. »Sie scheint ganz in Ordnung zu sein«, sagte sie.

»Das ist Sim Chapman«, sagte Joby und deutete mit dem Daumen auf den Burschen im gelben Kittel. Ein Chapman, ein Hausierer, reiste von Dorf zu Dorf und verkaufte Kleinigkeiten, die jeder brauchte: Nadeln, Gürtelschnallen, Handspiegel, Kämme. Vielleicht hatte Sim die Kuh gestohlen, doch das machte Pa nichts aus, solange der Preis stimmte.

Gwenda fragte ihren Vater: »Wo hast du das Geld her?«

»Ich bezahle ihn nicht mit Geld«, erwiderte er und kniepte mit den Augen.

Gwenda hatte schon damit gerechnet, dass er irgendetwas ausgeheckt hatte. »Aha. Und mit was dann?«

»Es ist mehr ein Tausch.«

»Und was gibst du ihm im Tausch für die Kuh?«

»Dich«, antwortete Pa.

»Lass die Scherze«, sagte Gwenda, und dann spürte sie, wie ihr eine Schlinge über den Kopf geworfen und festgezogen wurde, sodass sie ihr die Arme an den Leib drückte.

Gwenda war verwirrt. Das konnte doch nicht sein! Sie versuchte, sich zu befreien, doch Sim Chapman zog den Strick noch fester.

»Jetzt mach keinen Aufstand«, sagte Pa.

Gwenda konnte nicht fassen, dass er es ernst meinte. »Was … Wie stellst du dir das vor?«, kreischte sie. »Du kannst mich doch nicht einfach so verkaufen!«

»Sim braucht ein Weib, und ich brauche eine Kuh«, entgegnete Pa. »Es ist ganz einfach.«

Sim sprach zum ersten Mal. »Deine Tochter ist jedenfalls hässlich genug, dass du froh sein kannst, die Kuh dafür zu kriegen.«

»Das ist lächerlich!«, rief Gwenda.

Sim grinste sie an. »Mach dir keine Sorgen, meine Süße«, sagte er. »Ich werde gut zu dir sein, solange du dich benimmst und tust, was man dir sagt.«

Gwenda erkannte, dass die Männer es ernst meinten. Sie glaubten tatsächlich, diesen Handel machen zu können. Eine kalte Nadel der Furcht drang in ihr Herz, als ihr klar wurde, dass die Kerle vielleicht sogar damit durchkommen würden.

Caris meldete sich zu Wort. »Dieser Scherz hat jetzt lange genug gedauert«, sagte sie mit lauter, klarer Stimme. »Lasst Gwenda sofort frei.«

Sim zeigte sich von ihrer befehlenden Art nicht im Mindesten beeindruckt. »Und wer seid Ihr, dass Ihr hier Befehle gebt?«

»Mein Vater ist Ratsältester in dieser Stadt.«

»Aber Ihr nicht«, entgegnete Sim. »Und selbst wenn Ihr es wärt, so hättet Ihr keine Autorität über mich oder meinen Freund Joby.«

»Ihr könnt kein Mädchen gegen eine Kuh tauschen!«

»Warum nicht?«, erwiderte Sim. »Es ist meine Kuh, und das Mädchen ist seine Tochter.«

Ihre erhobenen Stimmen erregten die Aufmerksamkeit von Passanten, die stehen blieben und das mit einem Strick gebundene Mädchen anstarrten. Jemand fragte: »Was geschieht da?« Ein anderer antwortete: »Er hat seine Tochter für eine Kuh verkauft.« Gwenda sah aufkeimende Panik im Gesicht ihres Vaters. Er wünschte, er hätte dieses Geschäft in einer ruhigen Gasse abgewickelt, aber er war nicht klug genug, als dass er die Reaktion der Leute vorhergesehen hätte. Gwenda erkannte, dass die Zuschauer vielleicht ihre einzige Hoffnung darstellten.

Caris winkte einem Mönch, der gerade aus dem Klostertor schlurfte. »Bruder Godwyn!«, rief sie. »Kommt bitte her und schlichtet diesen Streit.« Sie schaute Sim triumphierend an. »Die Priorei hat die Gerichtsbarkeit über jeden Handel, der auf dem Wollmarkt abgeschlossen wird«, erklärte sie. »Bruder Godwyn ist der Mesner. Ich denke, *seine* Autorität werdet Ihr anerkennen müssen.«

Godwyn sagte: »Gott zum Gruße, Base Caris. Was ist hier los?«

Sim grunzte angewidert. »Euer Vetter, ja?«

Godwyn warf ihm einen eisigen Blick zu. »Um was immer es hier gehen mag, als Mann Gottes werde ich versuchen, ein gerechtes Urteil zu fällen.«

»Oh, gewiss. Ich freue mich, das zu hören, gnädiger Herr«, sagte Sim kriecherisch.

Joby gab sich ebenso schmeichlerisch. »Ich kenne Euch, Bruder. Mein Sohn Philemon ist Euch treu ergeben. Ihr seid für ihn stets die Güte in Person gewesen.«

»Ja, ja, genug davon«, sagte Godwyn. »Was geht hier vor?«

Caris erklärte: »Joby will Gwenda gegen eine Kuh tauschen. Sag ihm, dass er das nicht kann.«

Joby erklärte: »Sie ist meine Tochter, ehrwürdiger Bruder, und sie ist achtzehn Jahre alt und unverheiratet; also kann ich mit ihr tun und lassen, was ich will.«

Godwyn entgegnete: »Guter Mann, seine Kinder zu verkaufen ist schändlich!«

Jobys Stimme nahm einen jämmerlichen Tonfall an. »Ich würde es ja nicht tun, Herr, nur dass ich noch drei mehr daheim habe, und ich bin ein landloser Tagelöhner. Es fehlt mir an Mitteln, meine Kinder ohne Kuh durch den Winter zu bringen, und unsere alte ist gestorben.«

Ein mitfühlendes Raunen ging durch die noch immer wachsende Zuschauermenge. Die Menschen wussten, wie hart die Winter sein konnten und zu welch extremen Mitteln ein Mann bisweilen greifen musste, um seine Familie zu ernähren. Verzweiflung keimte in Gwenda auf.

Sim sagte: »Ihr mögt es ja für schändlich halten, Bruder Godwyn, aber ist es auch eine Sünde?« Er sprach, als kenne er die Antwort bereits. In Gwenda stieg die Ahnung auf, dass er diese Diskussion schon einmal geführt hatte, nur an einem anderen Ort.

Mit offensichtlichem Widerwillen erklärte Godwyn: »Die Bibel scheint in der Tat den Verkauf der Tochter in die Sklaverei zu erlauben. Buch Exodus, Kapitel einundzwanzig.«

»Da habt Ihr 's!«, rief Sim. »Es ist eine christliche Tat!«

Caris war außer sich. »Das Buch Exodus!«, sagte sie verächtlich.

Eine der Umstehenden mischte sich ein. »Wir sind nicht die Kinder Israels«, sagte sie. Es war eine kleine, stämmige Frau mit Unterbiss, was ihr ein entschlossenes Aussehen verlieh. Zwar war sie ärmlich gekleidet, aber selbstbewusst, ja anmaßend. Gwenda erkannte sie als Madge, das Weib von Mark Webber. »Es gibt heute keine Sklaverei mehr«, erklärte Madge.

Sim sagte: »Was ist dann mit den Lehrlingen, die keinen Lohn erhalten und von ihren Meistern geprügelt werden dürfen? Oder mit den Novizen und Nonnen? Oder mit jenen, die sich für Brot und Obdach in den Palästen der Edelleute verdingen?«

Madge sagte: »Ihr Leben mag hart sein, aber sie können nicht gekauft oder verscherbelt werden – stimmt's nicht, Bruder Godwyn?«

»Ich sage ja nicht, dass dieser Handel dem Gesetz entspricht«, antwortete Godwyn. »Schließlich habe ich in Oxford Medizin studiert und nicht Juristerei. Aber ich vermag weder in der heiligen Schrift noch in den Lehren der Mutter Kirche etwas zu entdecken, das sagt, es sei eine Sünde, was diese Männer tun.« Er schaute Caris an und hob die Schultern. »Tut mir leid, Base.«

Madge Webber verschränkte die Arme vor der Brust. »Nun, Hausierer, wie willst du das Mädchen aus der Stadt bringen?«

»Mit meinem Strick«, antwortete er. »Genau so, wie ich die Kuh hineingebracht habe.«

»Ja, aber die Kuh musstest du nicht an mir und diesen Leuten vorbeizerren.«

Gwendas Herz machte einen Sprung. Es gab noch Hoffnung! Sie war nicht sicher, wie viele der Umstehenden sie unterstützten, doch sollte es zu einer Schlägerei kommen, würden sie eher der Stadtbewohnerin Madge Webber zur Seite stehen als Sim, einem Fremden.

»Ich habe auch früher schon mit halsstarrigen Weibern zu tun gehabt«, sagte Sim und verzog den Mund. »Sie haben mir nie viel Ärger gemacht.«

Madge legte die Hand auf den Strick. »Vielleicht hattest du bis jetzt einfach nur Glück.«

Sim riss ihr das Seil weg. »Lass die Finger von meinem Eigentum, dann passiert dir auch nichts.«

Demonstrativ legte Madge Gwenda die Hand auf die Schulter.

Sim versetzte Madge einen derben Stoß, und sie taumelte zurück. Ein protestierendes Raunen ging durch die Menge.

Ein Zuschauer sagte: »Das hättest du sicher nicht getan, wenn du ihren Mann schon mal gesehen hättest.«

Hier und da wurde gelacht. Gwenda erinnerte sich an Madges Ehemann, Mark, einen sanften Riesen. Wenn er doch nur auftauchen würde!

Aber es war John Constable, der herangestapft kam. Seine gut ausgebildete Nase für Ärger führte ihn zu jeder Menschenmenge, kaum dass sie sich gebildet hatte. »Hier wird niemand gestoßen«, sagte er. »Machst du Schwierigkeiten, Hausierer?«

Gwenda schöpfte wieder Hoffnung. Hausierer hatten einen schlechten Ruf, und der Büttel ging davon aus, dass Sim der Grund für den Ärger war.

Sim drehte sich unterwürfig um. Offenbar konnte er die Art seines Auftretens schneller wechseln als andere den Hut. »Ich bitte um Verzeihung, Meister Büttel«, sagte er. »Aber wenn ein Mann den ausgehandelten Preis für seinen Einkauf bezahlt hat, muss man ihm gestatten, Kingsbridge mit unversehrter Ware zu verlassen.«

»Natürlich«, musste John ihm zustimmen. Eine Marktstadt lebte von ihrem Ruf als fairer Handelsplatz. »Aber *was* hast du gekauft?«

»Dieses Mädchen.«

»Oh.« John schaute nachdenklich drein. »Und wer hat sie verkauft?«

»Ich«, meldete Joby sich. »Ich bin ihr Vater.«

Sim fuhr fort: »Und diese Frau mit dem großen Kinn hat gedroht, mich davon abzuhalten, das Mädchen wegzubringen.«

»Ja, das habe ich«, bestätigte Madge. »Ich habe noch nie davon gehört, dass auf dem Markt von Kingsbridge eine Frau verkauft worden sei. Das gilt für jedermann hier.«

Joby sagte: »Ein Mann kann mit seinem eigenen Kind tun und lassen, was er will.« Er ließ den Blick über die Menge schweifen. »Widerspricht dem hier jemand?«

Gwenda wusste, dass dem niemand widersprechen würde. Einige Leute behandelten ihre Kinder mit Freundlichkeit, andere mit Härte, doch alle stimmten sie darin überein, dass ein Vater die absolute Macht über ein Kind haben musste. Wütend platzte Gwenda heraus: »Ihr würdet nicht so taub und stumm hier stehen, wenn ihr einen Vater wie ihn hättet. Wie viele von euch sind von ihren Eltern verkauft worden? Wie viele von euch sind zum Stehlen gezwungen worden, als ihr noch Kinder wart und eure Hände noch klein genug, um unbemerkt in eine Börse zu greifen?«

Joby sah allmählich besorgt aus. »Sie spricht im Wahn, Meister Büttel«, sagte er. »Kein Kind von mir hat je gestohlen.«

»Ist ja schon gut!«, sagte John. »Hört mir alle zu. Ich werde jetzt ein Urteil in dieser Angelegenheit fällen. Jene, die mit meiner Entscheidung nicht übereinstimmen, können sich beim Prior beschweren. Wenn hier noch irgendjemand irgendwen stößt oder sonstwie grob wird, werde ich alle Beteiligten verhaften. Ich hoffe, ich habe mich deutlich genug ausgedrückt.« Er schaute sich kriegerisch um. Niemand sagte ein Wort. Alle wollten seine Entscheidung hören. John fuhr fort: »Ich kenne keinen Grund, weshalb dieser Handel ungesetzlich sein sollte; daher wird Sim Chapman erlaubt, das Mädchen zu nehmen und seines Weges zu ziehen.«

Joby sagte: »Das hab ich doch gleich gesagt ...«

»Halt dein verdammtes Maul, du Narr«, unterbrach ihn der Büttel. »Und du, Sim, mach, dass du wegkommst, und zwar schnell. Madge Webber, wenn du auch nur die Hand hebst, stelle ich dich an den Pranger, und davon wird mich auch dein Mann nicht abhalten. Und von Euch kein Wort, Caris Wooler, bitte ... Wenn Ihr wollt, könnt Ihr Euch bei Eurem Vater über mich beschweren.«

Noch bevor John zu Ende geredet hatte, riss Sim an dem Strick. Gwenda stolperte nach vorne und streckte den Fuß aus, um nicht hinzufallen; dann setzte sie sich die Straße hinunter in Bewegung, halb taumelnd, halb rennend. Aus dem Augenwinkel heraus sah sie Caris neben sich. Dann aber packte John Constable Caris am Arm, und einen Augenblick später war sie aus Gwendas Blickfeld verschwunden.

Sim stapfte rasch über die verschlammte Hauptstraße und riss dabei immer wieder an dem Strick, um Gwenda aus dem Gleichgewicht zu bringen. Als sie sich der Brücke näherten, brach Gwendas Verzweiflung sich langsam Bahn. Sie versuchte, an dem Strick zu zerren, doch Sim antwortete mit einem extra starken Ruck, der Gwenda in den Schlamm schleuderte. Ihre Arme waren noch immer fest an den Leib gedrückt, sodass sie sich nicht mit den Händen schützen konnte. Sie klatschte mit dem Gesicht in den Dreck und quetschte sich den Busen. Mühsam rappelte sie sich hoch und gab allen Widerstand auf. Am Strick wie ein Tier, verletzt, verängstigt und voller Dreck taumelte sie hinter ihrem neuen Eigentümer her über die Brücke und auf die Straße, die in den Wald führte.

Sim Chapman führte Gwenda durch die Vorstadt, Newtown genannt, zur Kreuzung von Gallows Cross, wo Verbrecher gehängt wurden. Dort nahm er die Straße nach Süden in Richtung Wigleigh. Er band den Strick an sein Handgelenk, sodass Gwenda sich nicht von ihm losreißen konnte, selbst wenn seine Aufmerksamkeit mal einen Augenblick nachließ. Gwendas Hund, Skip, folgte ihnen, doch Sim warf Steine nach ihm. Als einer Skip auf die Nase traf, zog er sich winselnd zurück, den Schwanz zwischen die Beine geklemmt.

Nach mehreren Meilen, als die Sonne versank, bog Sim von der Straße in den Wald ab. Gwenda hatte am Straßenrand nichts gesehen, was ihr aufgefallen wäre, doch Sim schien die Stelle mit Bedacht gewählt zu haben, denn nachdem sie ein paar hundert Schritt in den Wald hineingegangen waren, stießen sie auf einen Pfad. Gwenda sah die Abdrücke von Dutzenden kleiner Hufe in der Erde, und sie erkannte, dass sie sich auf einem Wildwechsel befanden. Er führte zum Wasser, nahm sie an. Tatsächlich erreichten sie kurz darauf einen kleinen Bach. Die Pflanzen an beiden Ufern waren in den Schlamm getreten.

Sim kniete sich neben den Bachlauf, schöpfte klares Wasser mit den Händen und trank. Dann zog er Gwendas Strick hoch, sodass die Schlinge um ihren Hals lag und sie die Hände frei hatte, und winkte sie zum Wasser.

Gwenda wusch sich die Hände im Bach und trank durstig.

»Wasch dir das Gesicht«, befahl Sim. »Du bist von Natur aus schon hässlich genug.«

Gwenda tat, wie ihr geheißen, und fragte sich müde, warum Sim ihr Aussehen kümmerte.

Der Pfad führte auf der anderen Seite der Wildtränke weiter, und sie setzten ihren Weg fort. Gwenda war ein kräftiges Mädchen. Sie konnte den ganzen Tag gehen; nun aber fühlte sie sich elend und hatte Angst, und deshalb war sie erschöpft. Welches Schicksal sie an ihrem Ziel auch erwarten mochte – es würde vermutlich schlimmer sein als das hier; dennoch sehnte sie sich danach, dort anzukommen, um sich endlich setzen zu können.

Die Dunkelheit brach herein. Der Wildwechsel wand sich eine Meile weit zwischen den Bäumen hindurch und lief dann am Fuß eines Hügels aus. Sim blieb neben einer besonders kräftigen Eiche stehen und stieß einen leisen Pfiff aus.

Ein paar Augenblicke später erschien eine Gestalt am finsteren Waldrand und sagte: »Alles in Ordnung, Sim.«

»Alles in Ordnung, Jed.«

»Was hast du denn da? Ein leckeres Törtchen?«

»Du wirst dein Stück schon bekommen, Jed, genau wie alle anderen auch … solange du sechs Pennys hast.«

Da erkannte Gwenda, was Sim plante. Er wollte sie zu einer Hure machen! Die Erkenntnis traf sie wie ein Schlag, und sie taumelte und fiel auf die Knie.

»Sechs Pennys, hm?« Jeds Stimme schien von weit weg zu kommen, doch Gwenda hörte deutlich die Erregung heraus. »Wie alt ist sie denn?«

»Ihr Vater sagt, sie sei sechzehn, aber ich würde sie eher auf achtzehn schätzen.« Sim riss an dem Strick. »Steh auf, du faule Kuh. Wir sind noch nicht da.«

Gwenda stemmte sich hoch. Deshalb wollte er, dass ich mir das Gesicht wasche, ging es ihr durch den Kopf, und aus irgendeinem Grund ließ diese Erkenntnis sie in Tränen ausbrechen.

Gwenda weinte hoffnungslos weiter, während sie in Sims Fußstapfen dahinstolperte, bis sie eine Lichtung mit einem Feuer in der Mitte erreichten. Durch den Tränenschleier hindurch nahm Gwenda fünfzehn oder zwanzig Leute wahr, die ringsum am Rand der Lichtung lagen, die meisten in Decken oder Mäntel gehüllt. Nun hoben sie die Köpfe und starrten Gwenda im Feuerschein an. Es waren fast ausnahmslos Männer, doch Gwenda erblickte auch ein weißes weibliches Gesicht mit hartem Ausdruck und glattem Kinn, das sie kurz musterte und dann wieder in einem Bett aus Lumpen verschwand. Ein umgekipptes Weinfass und verstreut liegende Holzbecher zeugten von einem Zechgelage.

Gwenda erkannte, dass Sim sie zu einem Lager von Geächteten gebracht hatte.

Sie stöhnte. Wie vielen von ihnen würde sie zu Willen sein müssen?

Kaum hatte sie sich die Frage gestellt, da wusste sie auch schon die Antwort: allen.

Sim schleifte Gwenda über die Lichtung zu einem Mann, der aufrecht an einem Baum saß. »Alles in Ordnung, Tam«, sagte Sim.

Gwenda wusste sofort, wer der Mann sein musste: Das war der berühmteste Geächtete der gesamten Grafschaft, Tam Hiding. Er hatte ein hübsches Gesicht, auch wenn es vom Trinken ein wenig gerötet war. Die Leute sagten, er sei von edler Geburt, doch das sagten sie stets über einen Geächteten, der es zu einer gewissen Berühmtheit gebracht hatte. Als Gwenda ihn nun sah, staunte sie über sein jugendliches Alter: Er war höchstens Mitte zwanzig. Aber es galt nicht als Verbrechen, einen Geächteten zu erschlagen; also lebten die meisten wohl nicht lange.

Tam entgegnete: »Alles in Ordnung, Sim.«

»Ich habe Alwyns Kuh gegen die Kleine hier getauscht.«

»Gut gemacht.« Tam lallte nur wenig.

»Von den Jungs werden wir sechs Pennys verlangen, aber du darfst natürlich umsonst ran. Ich nehme an, du willst der Erste sein …«

Tam musterte Gwenda mit seinen blutunterlaufenen Augen. Vielleicht war es nur Wunschdenken, aber sie glaubte, einen Hauch von

Mitleid auf seinem Gesicht zu sehen. Er sagte: »Nein, danke, Sim. Mach nur, und lass die Jungs ihren Spaß haben. Aber du wirst wohl noch bis morgen warten müssen. Wir haben ein Fass guten Weins bekommen, das zwei Mönche nach Kingsbridge bringen wollten. Die meisten von uns sind jetzt sturzbetrunken.«

Gwendas Herz setzte vor Hoffnung einen Schlag aus. Vielleicht würde ihre Tortur sich auf morgen verschieben.

»Ich werde mich mit Alwyn beraten müssen«, sagte Sim zweifelnd. »Danke, Tam.« Er wandte sich ab und zerrte Gwenda hinter sich her.

Ein paar Schritte entfernt rappelte ein breitschultriger Mann sich mühsam auf. Sim sagte: »Alles in Ordnung, Alwyn.« Die Phrase schien den Geächteten als Gruß und Kennwort zugleich zu dienen.

Alwyn war in einem üblen Stadium der Trunkenheit. »Was hast du denn da mitgebracht?«

»Ein junges Törtchen. Frische Ware.«

Alwyn packte Gwenda unnötig fest am Kinn und drehte ihr Gesicht in den Feuerschein. Sie war gezwungen, ihm in die Augen zu sehen. Er war so jung wie Tam Hiding und hatte die gleiche ungesund trunkene Hautfarbe. Sein Atem stank nach Wein. »Teufel auch, da hast du aber ein hässliches Sumpfhuhn ausgesucht!«, sagte er.

Dieses eine Mal war Gwenda froh darüber, als hässlich angesehen zu werden. Vielleicht würde dieser Alwyn nichts von ihr wollen.

»Ich hab genommen, was ich kriegen konnte«, erwiderte Sim gereizt. »Hätte der Mann eine schöne Tochter gehabt, hätte er sie wohl kaum für eine Kuh verkauft, sondern an den Sohn eines reichen Wollhändlers verheiratet.«

Der Gedanke an ihren Vater machte Gwenda wütend. Er musste gewusst oder zumindest vermutet haben, dass dies hier passieren würde. Wie hatte er ihr das nur antun können?

»Na gut, na gut, ist auch egal«, sagte Alwyn. »Bei nur zwei Frauen in der Truppe sind die Jungs bestimmt nicht wählerisch.«

»Tam hat gesagt, wir sollten bis morgen warten, weil heute alle zu besoffen sind. Aber die Entscheidung liegt bei dir.«

»Tam hat recht. Die Hälfte pennt schon.«

Gwendas Furcht ließ ein wenig nach. Über Nacht konnte viel geschehen.

»Gut«, sagte Sim. »Ich bin sowieso hundemüde.« Er schaute Gwenda an. »Leg dich hin, du.« Er nannte sie nie beim Namen.

Gwenda gehorchte, und Sim band ihr die Füße zusammen und

die Hände auf den Rücken. Dann legten er und Alwyn sich links und rechts neben sie; wenige Augenblicke später schliefen sie tief und fest.

Gwenda war todmüde, doch sie verschwendete keinen Gedanken an Schlaf. Mit den Armen auf dem Rücken war jede Körperhaltung schmerzhaft. Sie versuchte, die Handgelenke in den Fesseln zu bewegen, doch Sim hatte sie straff gezogen und gut verknotet. Gwenda scheuerte sich nur die Haut auf, sodass der Strick höllisch brannte.

Verzweiflung verwandelte sich in hoffnungslose Wut. Gwenda malte sich aus, wie sie Rache an ihren Peinigern nehmen und sie peitschen würde, während sie vor ihr kauerten. Doch es war ein sinnloser und unnützer Traum, und Gwenda richtete ihre Gedanken auf praktische Fluchtmöglichkeiten.

Zuerst musste sie dafür sorgen, dass man sie losband. War das geschehen, musste sie fliehen. Idealerweise würde sie es dann irgendwie schaffen, dass diese Bande ihr nicht folgte und sie nicht wieder einfangen konnte.

Doch das schien unmöglich zu sein.

Als Gwenda aufwachte, war ihr kalt. Obwohl mitten im Sommer, war es kühl auf der Waldlichtung, und sie hatte keinen Schutz außer ihrem dünnen Kleid. Das Schwarz des Himmels verwandelte sich in trübes Grau. Gwenda schaute sich in dem schwachen Licht auf der Lichtung um: Niemand rührte sich.

Sie musste pinkeln und dachte darüber nach, es gleich hier zu tun und ihr Kleid zu beschmutzen: Je abstoßender sie sich machte, desto besser. Doch kaum war ihr der Gedanke gekommen, verwarf sie ihn auch schon wieder. Das würde Aufgabe bedeuten, und aufgeben würde sie nicht. Aber was sollte sie tun?

Alwyn schlief neben ihr, seinen langen Dolch am Gürtel, und Gwenda kam eine Idee. Zwar wusste sie nicht, ob sie den Mut hatte, ihre Idee in die Tat umzusetzen; doch wenn sie ihrem Schicksal entrinnen wollte, musste sie es tun, und so weigerte sie sich standhaft, auch nur daran zu denken, wie verängstigt sie war.

Obwohl Gwendas Füße gefesselt waren, konnte sie die Beine bewegen. Sie trat Alwyn. Zuerst schien er es gar nicht zu spüren. Sie trat ihn erneut, und diesmal bewegte er sich. Beim dritten Mal setzte er sich auf. »Warst du das?«, fragte er verschlafen.

»Ich muss mal«, sagte Gwenda.

»Nicht auf der Lichtung. Geh zwanzig Schritt zum Pissen, fünfzig zum Scheißen. Das ist eine von Tams Regeln.«

»Geächtete, die nach Regeln leben!«

Alwyn starrte sie verständnislos an. Die Ironie entging ihm. Er war nicht sonderlich klug, erkannte Gwenda, und das konnte sich als hilfreich erweisen. Aber er war stark, brutal und gemein. Sie würde sehr vorsichtig sein müssen.

Sie sagte: »Gefesselt kann ich nirgendwo hingehen.«

Knurrend löste Alwyn ihr die Fußfesseln.

Der erste Teil von Gwendas Plan hatte funktioniert. Nun hatte sie sogar noch mehr Angst.

Sie rappelte sich auf. Die Muskeln in ihren Beinen schmerzten von der Nacht in Fesseln. Sie tat einen Schritt, stolperte und fiel.

»Ich ... Ich kann mit gefesselten Händen nicht laufen.«

Alwyn schien sie nicht zu hören.

Der zweite Teil ihres Plans war gescheitert.

Sie musste es trotzdem weiter versuchen.

Sie stand wieder auf und wankte zwischen die Bäume. Alwyn folgte ihr, wobei er die Schritte an den Fingern abzählte. Als er das erste Mal bei zehn war, begann er wieder von vorne. Beim zweiten Mal sagte er: »Das ist weit genug.«

Gwenda schaute ihn hilflos an. »Ich kann mein Kleid nicht heben ...«

Würde er darauf hereinfallen?

Alwyn starrte sie dümmlich an. Sie konnte seinen Verstand förmlich arbeiten hören wie das Räderwerk einer Wassermühle. Natürlich hätte Alwyn ihr das Kleid heben können, während sie pinkelte, doch das wäre demütigend für ihn gewesen; so etwas taten nur Mütter für ihre Kleinkinder. Eine andere Möglichkeit für Alwyn war, ihr die Hände loszubinden. Waren Hände und Füße erst frei, könnte sie versuchen davonzulaufen. Doch sie war klein und müde, und ihre Muskeln waren verkrampft: Einem Mann mit langen, kräftigen Beinen konnte sie unmöglich entkommen. Alwyn musste glauben, dass das Risiko nicht allzu groß war.

Er löste die Fessel um Gwendas Handgelenke.

Gwenda wandte sich von ihm ab, sodass er ihren triumphierenden Ausdruck nicht sehen konnte.

Sie rieb sich die Unterarme, um den Blutfluss wieder anzuregen. Am liebsten hätte sie Alwyn mit den Daumen die Augen ausgedrückt; stattdessen lächelte sie so süß, wie sie konnte, und sagte »Danke«, als wäre er ein Ausbund an Freundlichkeit.

Alwyn schwieg, beobachtete sie und wartete.

Gwenda rechnete damit, dass er sich abwenden würde, wenn sie das Kleid hob und sich hinhockte, doch im Gegenteil schaute er sogar noch umso genauer hin. Gwenda hielt seinem Blick stand, obwohl sie vor Scham an liebsten im Boden versunken wäre. Alwyn leckte sich die Lippen, und Gwenda hörte, dass er stoßweise atmete.

Nun kam der schwierigste Teil.

Gwenda stand langsam auf und gewährte ihm einen guten Blick, ehe sie ihr Kleid öffnete. Alwyns Augen traten aus den Höhlen, und Gwenda wusste, dass sie ihn hatte.

Sie trat direkt vor ihn hin. »Wirst du mein Beschützer sein?«, fragte sie mit Kleinmädchenstimme.

Alwyn zeigte keinerlei Anzeichen von Misstrauen. Er sprach nicht, sondern packte ihre Brust mit grober Hand und drückte zu.

Gwenda schnappte vor Schmerz nach Luft. »Nicht so fest!« Sie nahm seine Hand. »Du musst zärtlich sein.« Sie legte seine Hand auf ihren Busen und rieb, bis der Nippel hart wurde. »So ist es besser.«

Alwyn schnaufte, rieb aber sanft weiter. Dann packte er ihren Kragen mit der linken Hand und zog seinen Dolch. Die Klinge war einen Fuß lang, spitz und funkelte vom Schleifen. Offensichtlich wollte er ihr Kleid zerschneiden. Das wäre gar nicht gut – dann wäre sie nackt.

Vorsichtig ergriff Gwenda seine Hand. »Du brauchst das Messer nicht«, sagte sie. »Schau nur.« Sie trat einen Schritt zurück, öffnete ihren Gürtel und zog sich mit einer raschen Bewegung das Kleid über den Kopf. Sie trug nichts darunter, denn es war ihr einziges Kleidungsstück.

Gwenda breitete es auf dem Boden aus, legte sich darauf und versuchte, Alwyn anzulächeln. Das Ergebnis war vermutlich eine wenig anziehende Fratze, doch Hauptsache, es wirkte. Dann machte sie die Beine breit.

Alwyn zögerte keine Sekunde.

Das Messer noch immer in der rechten Hand, zerrte er sich die Unterhose herunter und kniete sich zwischen Gwendas Schenkel. Er richtete den Dolch auf ihr Gesicht und sagte: »Wenn du Ärger machst, schlitz ich dir die Wange auf!«

»Warum sollte ich Ärger machen, wo ich es doch gar nicht erwarten kann«, erwiderte sie. Sie suchte verzweifelt nach Worten, die solch ein Mann von einer Frau hören wollte. »Mein großer, starker Beschützer!«

Alwyn zeigte keinerlei Reaktion.

Er legte sich auf sie und stieß blind zu. »Nicht ... so ... schnell«, sagte Gwenda und biss ob der Schmerzen durch seine ungestümen Stöße die Zähne zusammen. Sie griff zwischen ihre Beine und führte ihn hinein, wobei sie die Schenkel hob, um ihm das Eindringen zu erleichtern.

Alwyn stemmte sich hoch. Er legte den Dolch ins Gras neben Gwendas Kopf und bedeckte das Heft mit seiner rechten Hand. Er grunzte, als er sich in ihr bewegte. Gwenda bewegte sich mit ihm und täuschte weiterhin Freiwilligkeit vor. Dabei beobachtete sie sein verzerrtes Gesicht und zwang sich, nicht zum Dolch zu schauen, sondern auf den richtigen Augenblick zu warten. Sie hatte Angst und war zutiefst angewidert, doch ein kleiner Teil von ihr blieb kalt und berechnend.

Alwyn schloss die Augen und hob den Kopf wie ein Tier, das Witterung aufnimmt, wobei er sich auf den ausgestreckten Armen abstützte. Gwenda riskierte einen Blick auf den Dolch. Alwyn hatte die Hand ein wenig bewegt, sodass sie das Heft nur noch teilweise bedeckte. Gwenda konnte sich die Waffe jetzt schnappen, doch wie schnell würde Alwyn reagieren?

Sie schaute wieder auf sein Gesicht. In wollüstiger Gier verzerrte er den Mund und stieß immer schneller zu, und Gwenda passte sich der Bewegung an.

Zu ihrem Entsetzen spürte sie, wie sich ein Glühen in ihren Lenden ausbreitete. Sie ekelte sich vor sich selbst. Der Mann war ein mordlüsterner Verbrecher, nur wenig besser als ein Tier, und er wollte sie für sechs Pennys zur Hure machen. Was sie hier tat, geschah allein, um ihr Leben zu retten, nicht zum Vergnügen! Und doch war da ein Gefühl von Feuchtigkeit in ihr, während Alwyn immer schneller zustieß.

Gwenda fühlte, dass sein Höhepunkt nahte. Entweder jetzt oder nie. Alwyn stöhnte lang gezogen, und Gwenda handelte.

Sie zog ihm den Dolch unter der Hand weg. Der Ausdruck lustvollen Entzückens auf seinem Gesicht änderte sich nicht; er hatte nichts bemerkt. Aus Angst, dass er es doch noch bemerken und sie im letzten Augenblick aufhalten könnte, zögerte Gwenda nicht und stieß nach oben zu.

Irgendwie spürte Alwyn die Bewegung und riss die Augen auf. Entsetzen und Angst erschienen auf seinem Gesicht. Gwenda stach wild zu und rammte ihm die Klinge unter dem Kinn ins Fleisch. Sie fluchte, wohl wissend, dass sie die verletzlichsten Teile des Halses verfehlt hatte: die Luftröhre und die Halsschlagader. Alwyn brüllte vor Schmerz und Zorn, war aber nicht außer Gefecht gesetzt, und Gwenda wusste, dass sie dem Tod so nahe war wie noch nie.

Sie bewegte sich, ohne nachzudenken, und schlug Alwyn mit dem linken Arm gegen den Ellbogen. Alwyn konnte nicht anders, als den Arm zu beugen, und sackte in sich zusammen. Gwenda stieß den langen Dolch immer tiefer in seinen Kiefer hinein, und Alwyns Körpergewicht tat sein Übriges. Nachdem der Dolch von unten in den Kopf gedrungen war, spritzte Blut aus dem offenen Mund und über Gwendas Gesicht. Instinktiv warf sie den Kopf zur Seite, stieß aber weiter zu. Kurz traf die Klinge auf Widerstand, brach ihn aber sofort, bis Alwyns Auge förmlich zu platzen schien, und Gwenda sah, wie die Dolchspitze in einem Strom von Blut aus der Augenhöhle drang.

Alwyn brach nun endgültig zusammen, tot oder kurz davor. Sein Gewicht raubte Gwenda den Atem. Es war, als wäre sie von einem umstürzenden Baum getroffen worden. Einen Moment lang konnte sie sich nicht bewegen.

Zu ihrem Entsetzen spürte sie, wie Alwyn just in diesem Augenblick zum Höhepunkt kam.

Sie wurde von einem abergläubischen Schrecken erfüllt, und dieser Schrecken war sogar noch furchterregender als das Gefühl, als Alwyn sie mit dem Dolch bedroht hatte. Panisch wand sie sich unter ihm hervor.

Zitternd und schwer atmend rappelte Gwenda sich auf. Sie hatte Blut auf ihrer Brust und Alwyns Samen auf ihren Schenkeln. Ängstlich schaute sie in Richtung des Geächtetenlagers. Hatte Alwyns Schrei jemanden geweckt?

Zitternd warf sie sich das Kleid wieder über den Kopf und zog den Gürtel fest. Gwenda hatte ihre Börse und ihr eigenes kleines Messer, das sie für gewöhnlich zum Essen brauchte. Sie wagte es kaum, den Blick von Alwyn zu nehmen. Sie hatte das furchtbare Gefühl, dass er vielleicht noch leben könnte. Ein Geräusch von der Lichtung erschreckte sie. Sie musste schnell weg von hier. Gwenda ließ hastig den Blick schweifen, um sich zu orientieren, und machte sich dann in Richtung Straße auf den Weg.

Dann fiel ihr ein, dass an der großen Eiche ein Wachtposten stand, und erneut wurde sie von Furcht gepackt. Leise schlich sie durch den Wald und näherte sich dem Baum, bis sie den Posten erblickte – Jed war sein Name. Er lag auf dem Boden und schlief tief und fest. Gwenda schlich auf Zehenspitzen an ihm vorbei. Es kostete sie all ihre Willenskraft, nicht panisch loszurennen. Doch Jed rührte sich nicht.

Gwenda fand den Wildwechsel und folgte der Fährte bis zum Bach. Offenbar war ihr niemand auf den Fersen. Sie wusch sich das Blut von Gesicht und Brust und spritzte dann kaltes Wasser auf ihre intimsten Körperstellen. Schließlich trank sie einen tiefen Schluck. Sie wusste, dass sie einen langen Marsch vor sich hatte.

Schon ein wenig ruhiger setzte sie den Weg fort, indem sie weiterhin dem Wildwechsel folgte. Beim Gehen lauschte sie. Wie lange würde es wohl dauern, bis die Geächteten Alwyn fanden? Gwenda hatte noch nicht einmal versucht, den Leichnam zu verstecken. Wenn diese Galgenvögel herausfanden, was geschehen war, würden sie mit Sicherheit die Verfolgung aufnehmen, denn sie hatten eine Kuh für sie gegeben, und die war zwölf Shilling wert – für einen Tagelöhner wie ihren Vater der Lohn eines halben Jahres.

Gwenda erreichte die Straße. Für eine Frau ohne Begleitung war die Straße in freiem Gelände fast genauso gefährlich wie ein Waldweg. Tam Hidings Bande war nicht die einzige Gruppe von Geächteten, und es gab noch Heerscharen anderer Männer – Knappen, Bauernburschen, Soldatentrupps –, die eine wehrlose Frau missbrauchen könnten. Doch Gwendas erstes Ziel war, so schnell wie möglich von Sim und seinen Kumpanen wegzukommen.

Welche Richtung sollte sie einschlagen? Wenn sie nach Wigleigh ging, würde Sim ihr vermutlich folgen und sie zurückverlangen – und niemand vermochte zu sagen, wie ihr Vater damit umgehen würde. Gwenda brauchte Freunde, denen sie vertrauen konnte. Caris würde ihr helfen.

Sie machte sich auf den Weg nach Kingsbridge.

Es war ein klarer Tag, doch die Straße war von den langen, ergiebigen Regengüssen verschlammt, und entsprechend schwer war das Vorankommen. Nach einer Weile erreichte Gwenda die Kuppe eines Hügels. Als sie zurückschaute, konnte sie die Straße gut eine Meile überblicken. Am äußersten Rand ihres Sichtfeldes sah sie eine einsame Gestalt. Sie trug einen gelben Kittel.

Sim Chapman.

Gwenda rannte los.

Der Fall der verrückten Nell wurde am Samstagmittag im nördlichen Querschiff der Kathedrale verhandelt. Bischof Richard saß dem Kirchengericht vor, mit Prior Anthony zu seiner Linken und seinem Ratgeber, Erzdiakon Lloyd, zur Rechten, einem säuerlich dreinblickenden schwarzhaarigen Priester, dem man nachsagte, dass er die eigentliche Arbeit im Bistum erledige.

Eine große Zahl von Bürgern hatte sich versammelt. Ein Prozess wegen Ketzerei bot gute Unterhaltung, und in Kingsbridge hatte es schon seit Jahren keinen solchen Prozess mehr gegeben. Viele Handwerker und Arbeiter legten überdies samstags die Arbeit schon zu Mittag nieder. Draußen näherte der Wollmarkt sich seinem Ende. Händler bauten ihre Stände ab und packten die unverkaufte Ware zusammen, und die Käufer bereiteten sich auf die Heimreise vor oder verluden ihre Güter auf Flussschiffe, um sie in den Seehafen von Melcombe zu schaffen.

Während Caris auf den Beginn des Prozesses wartete, dachte sie traurig an Gwenda. Was tat sie im Augenblick wohl gerade? Sim Chapman würde sie bestimmt zwingen, ihm beizuliegen; aber das war vielleicht nicht einmal das Schlimmste, das ihr widerfahren würde. Was würde sie sonst noch als seine Sklavin tun müssen? Caris hegte keinen Zweifel daran, dass Gwenda alles daransetzen würde zu fliehen – aber würde es ihr auch gelingen? Und wenn ihr Versuch scheiterte, wie würde Sim sie dann bestrafen? Caris kam zu der Erkenntnis, dass sie das wohl nie herausfinden würde.

Es war eine seltsame Woche gewesen. Buonaventura Caroli hatte seine Meinung nicht geändert: Die florentinischen Einkäufer würden nicht mehr nach Kingsbridge zurückkehren – jedenfalls nicht, solange die Priorei keine entsprechenden Umbaumaßnahmen für den Wollmarkt einleitete. Caris' Vater und die anderen führenden Wollhändler hatten die halbe Woche in Klausur mit Graf Roland verbracht. Merthin war noch immer in sich gekehrt und mürrisch. Und es regnete wieder.

Nell wurde von John Constable und Friar Murdo in die Kirche gezerrt. Als einziges Kleidungsstück trug sie einen ärmellosen Überwurf, der ihre knochigen Schultern entblößte. Sie hatte weder Hut noch Schuhe. Schwach wehrte sie sich gegen den Griff der Männer, fluchte aber umso heftiger.

Nachdem man sie zum Schweigen gebracht hatte, trat eine Reihe von Bürgern vor, um zu bezeugen, sie hätten gehört, wie Nell den Teufel angerufen habe. Sie sagten die Wahrheit. Nell drohte den Leuten ständig mit dem Teufel: weil sie ihr ein Almosen verweigerten, weil sie ihr im Weg standen, weil sie einen feinen Mantel trugen – oder einfach nur so.

Jeder Zeuge berichtete von irgendeinem Unglück, das ihn nach Nells Fluch befallen habe. Die Frau eines Goldschmieds hatte eine kostbare Brosche verloren, die Hühner eines Gastwirts waren verendet, und eine Witwe hatte ein schmerzhaftes Geschwür am Hintern bekommen – eine Beschwerde, die lautes Lachen hervorrief, aber auch sehr überzeugend war, denn Hexen waren für ihren bösartigen Humor bekannt.

Während es so weiterging, erschien Merthin neben Caris. »Wie dumm das alles ist«, sagte Caris empört. »Zehnmal so viele Zeugen könnten vortreten und erklären, dass Nell sie verflucht hat, *ohne* dass etwas passiert ist.«

Merthin zuckte mit den Schultern. »Die Leute glauben, was sie glauben wollen.«

»Gewöhnliche Leute vielleicht, aber der Bischof und der Prior sollten es besser wissen. Sie sind gebildet.«

Doch Merthin schien ihr gar nicht zuzuhören. »Ich muss dir etwas erzählen«, sagte er.

Caris merkte auf. Vielleicht würde sie nun endlich den Grund für Merthins schlechte Laune erfahren. Bis jetzt hatte sie ihn von der Seite her angeschaut; nun drehte sie sich zu ihm um und sah, dass er einen großen blauen Fleck auf der linken Gesichtshälfte hatte. »Was ist denn mit dir passiert?«

Die Menge grölte vor Lachen ob eines Einwurfs von Nell, und Erzdiakon Lloyd musste wiederholt nach Ruhe rufen. Als Merthin sich wieder Gehör verschaffen konnte, sagte er: »Nicht hier. Können wir an einen ruhigeren Ort gehen?«

Caris wollte gerade mit ihm gehen, doch irgendetwas hielt sie davon ab. Die ganze Woche hatte Merthins Kälte sie verwirrt und verletzt. Endlich war er bereit, ihr zu sagen, was ihn bedrückte … und nun erwartete er wie selbstverständlich von ihr, dass sie auf sein Wort hin sprang. Warum sollte Merthin den Zeitpunkt bestimmen? Er hatte sie fünf Tage warten lassen. Warum sollte er sich dann nicht ein, zwei Stunden in Geduld üben? »Nein«, sagte sie. »Nicht jetzt.«

Er schaute sie überrascht an. »Warum nicht?«

»Weil es mir jetzt nicht passt«, antwortete sie. »Und nun lass mich zuhören.« Als sie sich von ihm abwandte, sah sie einen verletzten Ausdruck auf seinem Gesicht, und sofort wünschte sie sich, ihn nicht so kalt abgefertigt zu haben; doch es war zu spät, und sie würde sich nicht entschuldigen.

Die Zeugen hatten derweil ihre Aussagen beendet. Nun sagte Bischof Richard: »Weib, behauptest du, dass der Teufel über die Erde herrscht?«

Caris war außer sich. Ketzer beteten den Satan an, weil sie glaubten, er habe die Herrschaft über die Erde, während Gott nur im

Himmel regiere. Die verrückte Nell aber konnte ein solch gelehrtes Credo nicht einmal verstehen! Es war schändlich, dass Richard sich Friar Murdos lächerlicher Anklage anschloss.

Nell rief zurück: »Du kannst dir deinen Schwanz in deinen Arsch stecken!«

Die Menge lachte. Eine derart grobe Beleidigung des Bischofs machte den Leuten einen Heidenspaß.

Richard sagte: »Wenn das ihre Verteidigung ist ...«

Erzdiakon Lloyd mischte sich ein. »Jemand sollte für sie sprechen«, sagte er. Er sprach in respektvollem Tonfall, doch schien es ihm nichts auszumachen, seinen Herrn zu korrigieren. Zweifellos verließ der faule Richard sich darauf, dass Lloyd ihn an die Regeln erinnerte.

Richard ließ den Blick über die Menge schweifen. »Wer wird für Nell sprechen?«, rief er.

Caris wartete, doch niemand meldete sich. Das konnte sie nicht zulassen. Irgendjemand musste klarstellen, wie unvernünftig das Ganze war. Caris stand auf. »Nell ist verrückt«, sagte sie.

Alle drehten sich um und fragten sich, wer töricht genug war, sich auf Nells Seite zu stellen. Ein Raunen des Erkennens ging durch die Menge – die meisten Leute kannten Caris –, doch niemand zeigte sich überrascht, denn sie stand in dem Ruf, das Unerwartete zu tun.

Prior Anthony beugte sich vor und flüsterte dem Bischof etwas ins Ohr. Richard sagte: »Caris, die Tochter von Edmund Wooler, sagt uns, dass die Angeklagte verrückt sei. Zu diesem Schluss sind wir auch schon ohne ihre Hilfe gekommen.«

Caris ließ sich von seinem kühlen Sarkasmus provozieren. »Nell weiß nicht, was sie sagt! Sie ruft den Teufel an, die Heiligen, den Mond und die Sterne. Das hat genauso wenig Bedeutung wie das Bellen eines Hundes. Ihr könntet ebenso gut ein Pferd hängen, weil es den König angewiehert hat.« Sie konnte sich einen spöttischen Unterton nicht verkneifen, obwohl sie wusste, wie dumm es war, seine Verachtung zu zeigen, wenn man es mit Edelleuten zu tun hatte.

Ein Teil der Zuschauer murmelte zustimmend. Sie mochten eine geistreiche Diskussion.

Richard sagte: »Aber Ihr habt die Leute gehört, die bezeugt haben, welche Schäden die Flüche dieser Frau zu bewirken vermögen.«

»Ich habe gestern einen Penny verloren«, erwiderte Caris. »Ich habe ein Ei gekocht, und es war schlecht. Mein Vater hat die ganze

Nacht gehustet. Aber niemand hat uns verflucht. Schlimme Dinge passieren nun einmal.«

Diese Äußerung brachte Caris viel Kopfschütteln ein. Die meisten Menschen glaubten, dass hinter jedem Unglück, sei es nun groß oder klein, eine böse Macht stand. Caris hatte soeben die Unterstützung der Menge verloren.

Prior Anthony, ihr Onkel, kannte ihre Ansichten, und er hatte sich früher schon mit ihr gestritten. Nun beugte er sich vor und sagte: »Du glaubst doch nicht, dass *Gott* für all die Krankheiten, das Unglück und die Verluste verantwortlich ist, oder?«

»Nein …«

»Wer dann?«

Caris ahmte den hochmütigen Tonfall ihres Onkels nach. »Du glaubst doch nicht, dass jedes Unglück im Leben die Schuld von Gott oder der verrückten Nell ist, oder?«

Erzdiakon Lloyd ermahnte sie in scharfem Tonfall: »Sprich respektvoll mit dem Prior!« Er wusste nicht, dass Anthony Caris' Onkel war. Die Bürger lachten. Sie kannten den hochnäsigen Prior und seine trotzköpfige Nichte.

Caris beendete ihre Ausführungen. »Ich glaube, dass Nell harmlos ist. Verrückt, ja, aber harmlos.«

Da sprang Friar Murdo auf. »Mein Herr Bischof, Männer von Kingsbridge, Freunde«, sagte er mit seiner sonoren Stimme. »Der Herr des Bösen ist überall unter uns und verführt uns zur Sünde – zum Lügen und zur Völlerei, zur Hurerei und Trunksucht, zum Stolz und zur Fleischeslust!« Den Leuten gefiel das: Murdos Beschreibungen der Sünde beschworen wohlige Bilder des Genusses herauf, die durch seine schwefelige Missbilligung geheiligt wurden. »Aber er darf nicht unbeobachtet bleiben«, fuhr Murdo fort und hob erregt die Stimme. »So, wie das Pferd seine Hufabdrücke im Schlamm hinterlässt, wie die Küchenmaus winzige Spuren auf der Butter macht, wie der Lüsterne seine üble Saat im Leib der getäuschten Jungfer ausbringt, so muss auch der Teufel *sein* Zeichen hinterlassen!«

Die Leute grölten ihre Zustimmung. Sie wussten, was er meinte.

»Die Diener der gehörnten Bestie sollen an dem Zeichen erkannt werden, das sie auf ihnen hinterlässt! Denn er, der Herr des Bösen, saugt ihnen ihr heißes Blut aus wie ein Kind die süße Milch aus dem vollen Busen der Mutter. Und wie das Kind, so braucht auch er eine Zitze, aus der er saugen kann – einen dritten Nippel!«

Damit hatte er sein Publikum fasziniert, bemerkte Caris. Murdo begann jeden Satz mit tiefer, leiser Stimme und baute dann eine Phrase auf die andere, bis zum emotionalen Höhepunkt. Und die Menge reagierte mit Leidenschaft darauf. Schweigend lauschten sie, während Murdo sprach, und bekundeten am Ende lautstark ihre Zustimmung.

»Dieses Zeichen ist von dunkler Farbe und erhebt sich von der reinen Haut, die es umgibt. Es kann sich auf jedem Teil des Körpers befinden. Manchmal liegt es im sanften Tal zwischen den Brüsten eines Weibes, wo das unnatürliche Ding das Natürliche nachahmt. Doch dem geifernden, geilen Satan gefällt es besonders, es an den geheimen Stellen des Leibes zu verstecken, besonders an den Lenden ...«

Bischof Richard sagte laut: »Ich danke Euch, Friar Murdo, Ihr müsst nicht weiterreden. Ihr verlangt, dass der Leib dieses Weibes nach einem Teufelsmal abgesucht werde.«

»Ja, mein Herr Bischof, denn an besagten Stellen ...«

»Einverstanden. Zu weiterer Diskussion besteht kein Anlass. Ihr habt Eure Gedanken klar und deutlich dargelegt.« Richard schaute sich um. »Ist Mutter Cecilia in der Nähe?«

Die Priorin saß auf einer Seite des Gerichts neben Schwester Juliana und einigen älteren Nonnen auf einer Bank. Männer durften den nackten Leib der verrückten Nell nicht untersuchen; dies mussten Frauen in abgeschlossenen Räumlichkeiten tun und dann Bericht erstatten. Die Nonnen stellten die offensichtliche Wahl dafür dar.

Caris beneidete sie nicht um diese Aufgabe. Die meisten Stadtbewohner wuschen sich jeden Tag Hände und Gesicht und die stark riechenden Teile des Körpers einmal in der Woche. Ein richtiges Bad nahm man höchstens zwei Mal im Jahr; es war schlicht notwendig, wenn auch gefährlich für die Gesundheit. Die verrückte Nell jedoch schien sich überhaupt nie zu waschen. Ihr Gesicht war ebenso verdreckt wie ihre Hände, und sie stank wie ein Misthaufen.

Cecilia stand auf. Richard sagte: »Bitte, bringt diese Frau in ein Privatgemach, entfernt ihre Kleider, und untersucht sorgfältig ihren Körper. Dann kommt zurück, und erstattet uns aufrichtig Bericht.«

Die Nonnen erhoben sich sofort und gingen zu Nell. Cecilia redete tröstend auf das verrückte Weib ein und ergriff es sanft am Arm. Doch Nell ließ sich nicht täuschen. Sie entwand sich dem Griff und warf die Arme hoch in die Luft.

Da schrie Friar Murdo: »Ich sehe es! Ich sehe es!«

Vier Nonnen gelang es, Nell wieder ruhig zu stellen.

Murdo sagte: »Es besteht keine Notwendigkeit mehr, ihr die Kleider auszuziehen. Schaut unter ihren rechten Arm!« Als Nell sich wieder zu winden begann, ging Murdo zu ihr und zerrte ihren Arm selbst in die Höhe. »Da!«, rief er und deutete auf ihre Achselhöhle.

Die Menge drängte nach vorne. »Ich sehe es!«, rief jemand, und andere wiederholten den Ruf. Caris hingegen konnte nur ganz normales Achselhaar sehen; allerdings wollte sie auch nicht so ungehörig sein und würdelos hinstarren. Sie hegte jedoch keinerlei Zweifel, dass Nell an dieser Stelle irgendeine Art von Wucherung besaß. Viele Menschen hatten Male und Flecken auf ihrem Leib, besonders die älteren.

Erzdiakon Lloyd rief die Leute zur Ordnung, und John Constable trieb die Menge mit einem Stock zurück. Als schließlich wieder Ruhe in der Kirche einkehrte, stand Richard auf. »Nell von Kingsbridge, die man die Verrückte nennt, man hat dich der Ketzerei für schuldig befunden«, sagte er. »Du sollst an einen Karren gebunden und durch die Stadt gepeitscht werden; dann soll man dich an den Ort mit Namen Gallows Cross bringen, wo du am Hals aufgehängt wirst bis zum Tod.«

Die Menge jubelte. Caris wandte sich angewidert ab. Bei solch einer Rechtsprechung war keine Frau mehr sicher. Ihr Blick fiel auf Merthin, der noch immer auf sie wartete. »Na schön«, sagte sie missgelaunt. »Was ist?«

»Es hat aufgehört zu regnen«, sagte er. »Komm mit zum Fluss.«

Die Priorei besaß mehrere Ponys, die höherrangige Mönche und Nonnen zum Reisen nutzen konnten, sowie einige Pferdegespanne zum Warentransport. Diese Tiere waren zusammen mit den Reittieren wohlhabender Besucher in steinernen Ställen am Südende des Kathedralengeländes untergebracht. Der in der Nähe befindliche Küchengarten wurde mit Mist aus diesen Ställen gedüngt.

Ralph war mit dem Rest des gräflichen Gefolges im Stallhof. Ihre Pferde waren gesattelt und bereit, die zweitägige Rückreise zu Rolands Residenz in Earlscastle anzutreten, nahe Shiring. Sie warteten nur noch auf den Grafen.

Ralph hielt sein Pferd am Zügel – einen Braunen mit Namen

Griff – und sprach mit seinen Eltern. »Ich weiß nicht, warum Stephen zum Herrn von Wigleigh ernannt worden ist, während ich nichts bekommen habe«, sagte er. »Wir sind gleich alt, und er ist beim Reiten oder Fechten nicht besser als ich.«

Jedes Mal, wenn sie sich trafen, stellte Sir Gerald die gleichen hoffnungsvollen Fragen, und Ralph musste ihm stets die gleichen unzulänglichen Antworten geben. Ralph hätte seine Enttäuschung besser ertragen, wäre da nicht der armselige Eifer seines Vaters gewesen, ihn in einen höheren Stand erhoben zu sehen.

Griff war ein junges Pferd. Er war ein Jagdpferd; ein einfacher Junker hatte kein Recht auf ein teures Schlachtross. Doch Ralph mochte ihn. Griff reagierte bereitwillig und schnell auf jede Hilfe, wann immer Ralph mit ihm zur Jagd ausritt. Griff war ganz aufgeregt ob all der Aktivität im Hof und wollte gleich lospreschen. Ralph flüsterte ihm ins Ohr: »Ruhig, mein Junge, du wirst deine Beine später noch strecken können.« Das Pferd beruhigte sich beim Klang seiner Stimme.

»Halte immer nach Möglichkeiten Ausschau, dem Grafen zu Gefallen zu sein«, mahnte Sir Gerald. »Dann wird er sich an dich erinnern, wenn es wieder einen Posten zu besetzen gilt.«

Das ist ja alles schön und gut, dachte Ralph, doch wahre Gelegenheiten bieten sich nur in der Schlacht. Vor allem könnte der Krieg heute schon näher sein als noch vor einer Woche. Ralph war zwar nicht bei den Treffen zwischen dem Grafen und den Wollhändlern dabei gewesen, doch die Kaufleute waren offenbar bereit, König Edward Geld zu leihen. Sie wollten, dass der König entschieden gegen Frankreich vorging und ob der französischen Angriffe auf englische Häfen einen Vergeltungsschlag unternahm.

Bis dahin ersehnte Ralph sich nichts mehr, als sich zu beweisen und die Ehre zurückzugewinnen, die seine Familie vor zehn Jahren verloren hatte – nicht nur für seinen Vater, auch um seines eigenen Stolzes willen.

Griff scharrte mit den Hufen und warf den Kopf hin und her. Um ihn zu beruhigen, führte Ralph ihn auf dem Hof auf und ab, und sein Vater ging mit ihm. Seine Mutter stand an der Seite. Sie regte sich noch immer über Ralphs gebrochene Nase auf.

Mit Vater ging Ralph an Lady Philippa vorbei, die mit fester Hand die Zügel eines Rennpferdes hielt, während sie mit ihrem Gemahl, Herrn William, sprach. Wie für einen langen Ritt üblich trug sie eng anliegende Kleider, was ihre vollen Brüste und die langen Beine betonte. Ralph suchte stets nach einem Vorwand, mit ihr zu reden, doch es nützte ihm nichts: Er war nur einer der Gefolgsleute ihres Schwiegervaters, und sie sprach nie mit ihm, es sei denn, es ging nicht anders.

Während Ralph zuschaute, lächelte sie ihren Mann an und schlug ihm in spöttischem Tadel leicht mit dem Handrücken auf die Brust. Ralph war voller Groll. Warum war nicht er es, mit dem sie einen solch vertrauten, fröhlichen Augenblick teilte? Ohne Zweifel wäre das so, wenn er – wie William – Herr über vierzig Dörfer wäre.

Ralph hatte das Gefühl, als ginge es im Leben nur um das Streben nach Höherem. Wann würde *er* endlich etwas erreichen? Ralph und sein Vater gingen den ganzen Hof hinunter, machten dann kehrt und gingen wieder zurück.

Da sah Ralph einen einarmigen Mönch aus der Küche und über den Hof kommen. Der Mann kam ihm irgendwie bekannt vor. Einen Augenblick später erinnerte er sich, woher er dieses Gesicht kannte: Das war Thomas Langley, der Ritter, der vor zehn Jahren zwei Soldaten im Wald erschlagen hatte. Ralph hatte den Mann seit diesem Tag nicht mehr gesehen, wohl aber sein Bruder Merthin, denn der Ritter, der zum Mönch geworden war, führte nun die Aufsicht über die Instandsetzungsarbeiten an den Gebäuden der Priorei. Thomas trug ein braunes Gewand aus den feinen Stoffen eines Ritters und hatte sich eine Tonsur rasiert. Um die Hüfte herum hatte er zugelegt, doch er bewegte sich noch immer wie ein Kämpfer.

Als Thomas an ihm vorüberkam, sagte Ralph in beiläufigem Tonfall zu Herrn William: »Da geht er: der geheimnisvolle Mönch.«

William erwiderte mit scharfer Stimme: »Was meinst du damit?«

»Bruder Thomas. Er war einst ein Ritter, und niemand weiß, warum er ins Kloster gegangen ist.«

»Was weißt du von ihm, Teufel noch mal?« Wut war in Williams Stimme zu hören, obwohl Ralph nichts Beleidigendes gesagt hatte. Vielleicht war Herr William trotz des liebevollen Lächelns seiner schönen Frau in schlechter Stimmung.

Ralph wünschte, er hätte das Gespräch nie begonnen. »Ich war an dem Tag hier, als er nach Kingsbridge gekommen ist«, sagte er. Dann zögerte er und erinnerte sich an den Eid, den die Kinder an jenem Nachmittag geschworen hatten. Aus diesem Grund – und wegen Herrn Williams unerklärlicher Verärgerung – erzählte Ralph nicht die ganze Geschichte. »Blutend von einer Schwertwunde kam er in die Stadt gewankt«, fuhr er fort. »Ein Junge erinnert sich an solche Dinge.«

Philippa sagte: »Wie seltsam.« Sie schaute ihren Mann an. »Kennst du Bruder Thomas' Geschichte?«

»Mitnichten!«, sagte William schroff. »Woher sollte ich so etwas wissen?«

Sie zuckte mit den Schultern und wandte sich ab.

Ralph ging weiter. Er war froh, von William wegzukommen. »Herr William lügt«, sagte er mit leiser Stimme zu seinem Vater. »Warum?«

»Stell keine Fragen mehr über diesen Mönch«, mahnte sein Vater. »Das ist offensichtlich ein heikles Thema.«

Schließlich erschien Graf Roland. Prior Anthony begleitete ihn. Die Ritter und Junker saßen auf. Ralph küsste seine Eltern und schwang sich in den Sattel. Griff tänzelte zur Seite; er wollte los. Die Bewegung ließ Ralphs Nase brennen wie Feuer. Er biss die Zähne zusammen. Ihm blieb nichts anderes übrig, als die Schmerzen zu erdulden.

Roland ging zu seinem Pferd, Victory, einem schwarzen Hengst mit einem weißen Fleck ums Auge. Er saß nicht auf, sondern nahm die Zügel und ging los, wobei er weiter mit dem Prior sprach. William rief: »Sir Stephen Wigleigh und Ralph Fitzgerald! Reitet voraus und macht die Brücke frei.«

Ralph und Stephen ritten über den Kathedralenvorplatz. Das Gras war zertrampelt und der Boden verschlammt vom Wollmarkt. An ein paar Ständen wurden noch immer Geschäfte gemacht, doch die meisten hatten geschlossen; viele Händler waren bereits gegangen. Junker und Ritter trabten durchs Klostertor.

Auf der Hauptstraße erblickte Ralph den Jungen, dem er die gebrochene Nase zu verdanken hatte. Wulfric war sein Name, und er kam aus Stephens Dorf, Wigleigh. Die linke Seite seines Gesichts, wo Ralphs Schläge ihn getroffen hatten, war blau und geschwollen. Wulfric stand mit seinem Vater, seiner Mutter und mit seinem Bruder vor Bells Gasthaus. Sie schienen sich zum Aufbruch vorzubereiten.

Du solltest lieber darauf hoffen, Wulfric, dass wir uns nie wieder begegnen, dachte Ralph bei sich.

Er suchte nach einer Beleidigung, die er dem Kerl hätte zurufen können, wurde jedoch vom Lärm einer Menschenmenge abgelenkt.

Als Ralph und Stephen die Hauptstraße hinunterritten, wobei ihre Pferde durch den Schlamm stapften, sahen sie vor sich einen Mob. Auf halbem Weg den Hügel hinunter mussten sie anhalten.

Die Straße wurde von Männern, Frauen und Kindern versperrt, die schrien, lachten und versuchten, sich Platz zu verschaffen. Es waren Hunderte, und alle hatten sie Ralph den Rücken zugekehrt. Er schaute über ihre Köpfe hinweg.

An der Spitze dieser ungebärdigen Prozession befand sich ein Ochsenkarren; daran festgebunden war eine halb nackte Frau. Ralph hatte so etwas schon mal gesehen: Jemanden durch die Stadt zu peitschen war eine übliche Bestrafung. Die Frau trug nur ein Hemd aus grober Wolle, das an der Hüfte von einem Strick gehalten wurde. Ihr Gesicht war dreckverschmiert, ihr Haar verfilzt, sodass Ralph sie zunächst für ein altes Weib hielt. Dann sah er ihre Brüste und erkannte, dass sie erst Mitte zwanzig war.

Ihre Hände waren gefesselt und mit demselben Strick an den Karren gebunden. Sie stolperte hinter dem Gefährt her. Manchmal fiel sie hin und wurde dann sich windend durch den Schlamm gezerrt, bis es ihr gelang, sich wieder aufzurappeln. Der Stadtbüttel folgte ihr und schlug ihr immer wieder mit einer Bullenpeitsche auf den nackten Rücken.

Die Menge wurde von einer Gruppe junger Männer angeführt, die die Frau verspotteten, lachten und Dreck und Abfall nach ihr warfen. Die Frau verschaffte ihnen zusätzlichen Spaß, indem sie ständig Flüche schrie und jeden anspuckte, der ihr zu nahe kam.

Ralph und Stephen lenkten ihre Pferde in die Menge hinein. Ralph hob die Stimme. »Macht den Weg frei!«, rief er, so laut er konnte. »Macht den Weg frei für den Grafen!«

Stephen tat es ihm gleich.

Niemand beachtete sie.

Im Süden der Priorei fiel das Gelände steil zum Fluss ab. Das Ufer auf dieser Seite war felsig und damit ungeeignet, um Barken und Flöße auszuladen, weshalb alle Anlegestellen sich am zugänglicheren Südufer befanden, in Newtown. Das ruhige Nordufer war um diese Jahreszeit mit Gestrüpp und Wildblumen überwuchert. Merthin und Caris setzten sich auf einen flachen Fels am Wasser.

Der Fluss war vom Regen angeschwollen. Er strömte auch schneller dahin als gewöhnlich, bemerkte Merthin – und er sah auch warum: Das Flussbett war schmaler als früher. Das lag an der Uferbebauung. In Merthins Kinderzeit war das Südufer nur ein breiter, schlammiger Streifen Land gewesen mit versumpften Feldern dahinter. Damals war der Fluss gemächlich dahingeflossen, und als Junge hatte Merthin sich auf dem Rücken von einem Ufer zum anderen treiben lassen. Doch die neuen Anlegestellen, von Steinmauern vor Überflutung geschützt, drückten nun dieselbe Menge Wasser in einen schmaleren Kanal, durch den es entsprechend schneller in Richtung Brücke schoss. Jenseits der Brücke wurde der Fluss wieder breiter und verlangsamte seine Geschwindigkeit um Leper Island, die Insel der Aussätzigen, herum.

»Ich habe etwas Schreckliches getan«, sagte Merthin zu Caris.

Unglücklicherweise sah Caris heute besonders liebreizend aus. Sie trug ein dunkelrotes Leinenkleid, und ihre Haut schien vor Leben förmlich zu glühen. Sie war während des Prozesses gegen die verrückte Nell wütend gewesen, doch nun wirkte sie nur noch besorgt, was sie so verletzlich aussehen ließ, dass es Merthin das Herz zu zerreißen drohte. Sie musste bemerkt haben, dass er ihr schon die ganze Woche nicht in die Augen hatte schauen können; doch was er ihr nun sagen musste, war vermutlich schlimmer als alles, was sie sich vorgestellt hatte.

Seit seinem Streit mit Griselda, Elfric und Alice hatte Merthin noch mit keinem darüber gesprochen. Und noch wusste niemand, dass die Tür zerstört worden war, die er für die Kathedrale geschnitzt hatte. Merthin verspürte das schmerzliche Verlangen, sich die Last von der Seele zu reden, doch bis jetzt hatte er sich zurückgehalten. Mit seinen Eltern wollte er nicht darüber sprechen: Seine Mutter würde ihn tadeln, und sein Vater würde ihm schlicht sagen: »Sei ein Mann!« Er hätte mit Ralph reden können, doch seit dem Kampf mit Wulfric herrschte eine gewisse Kälte zwischen den Brüdern: Merthin glaubte, dass Ralph sich wie ein tumber Straßenschläger aufgeführt hatte, und Ralph wusste das.

Merthin fürchtete sich, Caris die Wahrheit zu sagen. Einen Augenblick lang fragte er sich nach dem Grund dafür. Es war ja nicht so, dass er Angst vor dem gehabt hätte, was sie ihm antun könnte. Sie würde vermutlich mit Verachtung und Spott reagieren – darauf verstand sie sich gut –, aber sie konnte ihm auch nicht schlimmere Dinge um die Ohren werfen als die, die er selbst ständig zu sich sagte.

Dann erkannte er, wovor er sich wirklich fürchtete: Er hatte

Angst, sie zu verletzen. Ihren Zorn konnte er ertragen, ihren Schmerz nicht.

Sie fragte: »Liebst du mich noch?«

Mit dieser Frage hatte Merthin nicht gerechnet, doch er antwortete, ohne zu zögern: »Ja.«

»Und ich liebe dich. Alle anderen Probleme können wir gemeinsam lösen.«

Merthin wünschte, sie hätte recht. Er wünschte es sich so sehr, dass ihm die Tränen in die Augen traten. Rasch wandte er sich ab, damit sie es nicht sah. Dabei beobachtete er, wie ein Mob sich auf die Brücke bewegte: Die Leute folgten einem langsam fahrenden Karren. Das musste die verrückte Nell sein, erkannte Merthin, die durch die Stadt nach Gallows Cross in Newtown gepeitscht wurde. Doch die Brücke war bereits voll mit Händlern und ihren Wagen, die aus der Stadt wollten. Nun kam alles zum Stillstand.

»Was ist?«, fragte Caris. »Weinst du?«

»Ich habe mit Griselda geschlafen«, sagte Merthin unvermittelt.

Caris klappte der Mund auf. »*Griselda?*«, fragte sie ungläubig.

»Ich schäme mich ja so.«

»Ich dachte, Elizabeth Clerk …«

»Elizabeth ist zu stolz, um sich mir anzubieten.«

Caris' Reaktion darauf überraschte ihn. »Oh, dann hättest du es also auch mit ihr getan, hätte sie gewollt, ja?«

»Das habe ich nicht gemeint!«

»Griselda! Heilige Muttergottes, ich dachte, ich wäre mehr wert als das!«

»Das bist du auch.«

»*Lupa*«, sagte Caris – das lateinische Wort für »Hure«.

»Dabei mag ich sie nicht mal. Deshalb hat's mir auch kein bisschen gefallen.«

»Soll ich mich jetzt besser fühlen? Willst du mir damit sagen, dir würde es nicht so leidtun, wenn du es genossen hättest?«

»Nein!« Merthin war verzweifelt. Caris schien fest entschlossen zu sein, alles misszuverstehen, was er sagte.

»Was ist nur in dich gefahren?«

»Sie hat geweint.«

»Oh, um Himmels willen! Machst du das mit jedem Mädchen, das du weinen siehst?«

»Natürlich nicht! Ich habe nur versucht, dir zu erklären, wie es passiert ist, obwohl ich es eigentlich gar nicht wollte.«

Caris' Verachtung nahm mit jedem Wort zu. »Erzähl nicht solchen Unsinn«, sagte sie. »Wenn du nicht gewollt hättest, dass es passiert, hättest du 's nicht getan.«

»Hör mir doch zu, bitte«, flehte Merthin, am Rande der Verzweiflung. »Sie hat mich gefragt, und ich habe Nein gesagt. Dann hat sie geweint, und ich habe den Arm um sie gelegt, um sie zu trösten, und dann ...«

»Oh, erspar mir die widerlichen Einzelheiten. Ich will es gar nicht wissen.«

Merthin wurde wütend. Er wusste, dass er einen Fehler begangen hatte, und mit Caris' Zorn hatte er gerechnet, doch ihre Verachtung tat weh. »Na schön«, sagte er und hielt den Mund.

Doch Schweigen war auch nicht, was sie wollte. Caris starrte ihn unzufrieden an und fragte dann: »Was sonst noch?«

Merthin zuckte mit den Schultern. »Es ist doch eh gleich, was ich sage. Du überschüttest alles mit Spott.«

»Ich will mir nur nicht deine armseligen Entschuldigungen anhören. Aber da ist noch etwas, das du mir nicht gesagt hast ... Ich kann es fühlen.«

Merthin seufzte. »Griselda ist schwanger.«

Caris' Reaktion überraschte ihn erneut. Aller Zorn war mit einem Mal wie weggeblasen. Die Maske der Entrüstung auf ihrem Gesicht schien in sich zusammenzufallen. Nur noch Traurigkeit blieb zurück. »Ein Kind«, sagte sie. »Griselda wird dein Kind zur Welt bringen.«

»Vielleicht auch nicht«, sagte er. »Manchmal ...«

Caris schüttelte den Kopf. »Griselda ist ein gesundes Mädchen und gut genährt. Es gibt keinen Grund, warum sie eine Fehlgeburt erleiden sollte.«

»Natürlich wünsche ich mir das auch nicht«, sagte Merthin, obwohl er nicht sicher war, ob er die Wahrheit sagte.

»Was wirst du tun?«, fragte Caris. »Es ist dein Kind. Du wirst es lieben, selbst wenn du die Mutter nicht ausstehen kannst.«

»Ich muss Griselda heiraten.«

Caris schnappte nach Luft. »Heiraten! Aber das wäre dann für immer.«

»Ich habe ein Kind gezeugt, und nun muss ich für dieses Kind sorgen.«

»Aber dein ganzes Leben mit Griselda zu verbringen ist ...«

»Ich weiß.«

»Das musst du nicht tun«, sagte Caris entschlossen. »Denk nach. Elizabeth Clerks Vater hat ihre Mutter auch nicht geheiratet.«

»Er war Bischof.«

»Da ist auch noch Maud Roberts in der Slaughterhouse Ditch … Sie hat drei Kinder, und jeder weiß, dass Edward Butcher der Vater ist.«

»Er ist bereits verheiratet und hat noch vier weitere Kinder mit seiner Frau.«

»Ich will damit nur sagen, dass man nicht immer zum Heiraten gezwungen wird. Du könntest einfach so weitermachen wie bisher.«

»Nein, könnte ich nicht. Elfric würde mich rauswerfen.«

Caris schaute nachdenklich drein. »Dann hast du also schon mit Elfric gesprochen?«

»Gesprochen?« Merthin legte die Hand auf seine geschwollene Wange. »Ich habe geglaubt, er bringt mich um.«

»Und seine Frau … meine Schwester?«

»Sie hat mich angeschrien.«

»Dann weiß sie es also auch.«

»Ja. Sie hat gesagt, ich müsse Griselda heiraten. Sie wollte sowieso nie, dass ich mit dir zusammen bin. Ich weiß nicht warum.«

Caris murmelte: »Weil sie dich für sich selbst wollte.«

Das war neu für Merthin. Es kam ihm äußerst unwahrscheinlich vor, dass die hochmütige Alice sich von einem einfachen Lehrling angezogen fühlen könnte. »Davon habe ich nie etwas bemerkt.«

»Weil du sie dir nie genau angeschaut hast. Deshalb ist sie ja so wütend. Sie hat Elfric aus Enttäuschung geheiratet. Du hast meiner Schwester das Herz gebrochen … und nun brichst du meins.«

Merthin wandte sich ab. Er und ein Herzensbrecher? Dieser Gedanke war völlig neu für ihn. Wie hatte alles nur so schiefgehen können? Caris schwieg. Trübsinnig starrte Merthin über den Fluss hinweg zur Brücke.

Die Menge war zum Stehen gekommen. Ein schwerer Karren voller Wollsäcke steckte am Südende fest, vermutlich mit einem gebrochenen Rad. Der Karren mit Nell im Schlepptau konnte nicht vorbei. Die Menge schwärmte um beide Karren herum, und ein paar Leute kletterten auf die Wollsäcke, um besser sehen zu können. Graf Roland versuchte ebenfalls, die Stadt zu verlassen. Er war mit seinem Gefolge am Stadtende der Brücke und beobachtete vom Pferderücken aus das Geschehen; doch selbst die Ritter und Junker hatten Schwierigkeiten, die Bürger aus dem Weg zu bekommen. Merthin entdeckte seinen Bruder Ralph auf dessen Pferd, einem Braunen mit schwarzer Mähne und schwarzem Schweif. Prior Anthony, der den Grafen vermutlich hatte verabschieden wollen, rang besorgt die Hände, während Rolands Männer ihre Pferde in dem sinnlosen Versuch, einen Weg freizumachen, in die Menge trieben.

In Merthins Kopf läuteten die Alarmglocken. Irgendetwas stimmte da nicht, ganz und gar nicht, da war er sich sicher, aber was? Er schaute sich die Brücke genauer an. Am Montag war ihm aufgefallen, dass die massiven Eichenstämme, die einen Strompfeiler mit dem anderen verbanden, auf der flussaufwärts gelegenen Seite Risse zeigten; die Pfeiler selbst waren ja bereits mit Eisenklammern geflickt worden. Merthin hatte mit diesen Arbeiten nie etwas zu tun gehabt, sodass er sie sich bis jetzt nicht genauer angeschaut hatte. Am Montag aber hatte er sich gefragt, wie die Risse entstanden waren. Die Schwachstellen befanden sich nicht in der Mitte der Querbalken, wie zu erwarten gewesen wäre, wenn das Holz mit der Zeit an Kraft verloren hätte. Sie konzentrierten sich vielmehr in der Nähe des zentralen Pfeilerpaars.

Seit Montag hatte Merthin nicht mehr daran gedacht – er hatte viel zu viele andere Dinge im Kopf gehabt –, doch nun fiel ihm eine Erklärung ein. Es schien beinahe so, als stützten die Strompfeiler die Querbalken nicht, sondern würden sie nach unten ziehen. Und das würde bedeuten, dass irgendetwas die Fundamente unterminiert hatte … kaum war ihm dieser Gedanke durch den Kopf gegangen, erkannte Merthin, wie es dazu gekommen war: Es musste an der schnelleren Strömung liegen, die das Flussbett aufwühlte.

Merthin erinnerte sich, wie er als Kind einmal barfuß über einen sandigen Meeresstrand gelaufen war. Dabei hatte er bemerkt, dass die abfließenden Wellen stets den Sand unter seinen Zehen weggezogen hatten, der zuvor dorthingespült worden war. Solche Phänomene hatten ihn schon immer fasziniert.

Falls er recht hatte, *hing* das zentrale Pfeilerpaar inzwischen von der Brücke, anstatt sie zu stützen – daher die Risse. Elfrics Eisenklammern hatten nicht geholfen; tatsächlich hatten sie das Problem vielleicht sogar verschlimmert, indem sie verhindert hatten, dass die Brücke sich wieder absenkte und in dem neuen Bett stabilisierte.

Merthin vermutete, dass das andere Pfeilerpaar – das Paar flussabwärts – noch immer festen Grund hatte, und die Strömung verlor sicherlich beim Angriff auf das erste Paar viel Kraft. Nur ein Pfeilerpaar war betroffen, und der Rest der Konstruktion schien stark genug zu sein, um die gesamte Brücke zu halten, solange sie keiner außergewöhnlichen Belastung ausgesetzt war.

Doch die Risse sahen heute breiter aus als noch am Montag, und der Grund dafür war nicht schwer zu erraten: Hunderte von Menschen befanden sich auf der Brücke, eine weit größere Last, als sie normalerweise trug, und da war noch ein schwer beladener Wollkarren mit zwanzig oder dreißig Leuten darauf …

Merthin bekam es mit der Angst. Er glaubte nicht, dass die Brücke dieser Belastung noch lange standhalten würde.

Verschwommen war er sich bewusst, dass Caris irgendetwas sagte, doch es drang nicht in seine Gedanken, bis sie die Stimme hob. »Du hörst mir nicht zu!«

»Es wird einen schrecklichen Unfall geben«, sagte Merthin.

»Was meinst du damit?«

»Wir müssen die Leute von der Brücke holen.«

»Bist du närrisch? Sie quälen die verrückte Nell. Selbst Graf Roland kann sie nicht vertreiben. Sie werden nicht auf dich hören.«

»Die Brücke könnte einstürzen …«

»Oh, schau!«, sagte Caris und deutete nach vorne. »Auf der Straße vom Wald zum anderen Ende der Brücke – siehst du da jemanden rennen?«

Merthin fragte sich, was das mit seinen Befürchtungen zu tun hatte, schaute jedoch in die angegebene Richtung. Er sah tatsächlich eine junge Frau, die mit flatterndem Haar dahinrannte.

Caris sagte: »Das sieht wie Gwenda aus.«

Ihr dicht auf den Fersen war ein Mann in gelbem Kittel.

✳

Gwenda war so erschöpft wie nie zuvor.

Sie wusste, dass man eine lange Strecke am schnellsten überbrückte, indem man zwanzig Schritte lief, zwanzig Schritte ging, zwanzig Schritte lief, zwanzig Schritte ging und so weiter und so fort. Sie hatte vor einem halben Tag damit begonnen, als sie Sim Chapman eine Meile hinter sich entdeckt hatte. Eine Zeit lang hatte sie ihn aus den Augen verloren, doch als die Straße ihr wieder einen weiten Blick zurück gestattete, sah sie, dass auch Sim abwechselnd ging und lief. Meile um Meile, Stunde um Stunde schloss er langsam zu ihr auf. Gegen Vormittag war Gwenda bewusst geworden, dass er

sie noch vor Kingsbridge einholen würde, falls sie sich nicht irgendetwas einfallen ließ.

Verzweifelt war sie in den Wald eingebogen, durfte sich aber nicht
weit von der Straße entfernen, wollte sie sich nicht verirren. Doch
bald schon hörte sie schnelle Schritte und schweres Atmen hinter
sich, und als sie durchs Gestrüpp hindurchspähte, sah sie Sim auf
der Straße vorbeilaufen. Gwenda wusste, er würde erkennen, was
sie getan hatte, sobald er wieder ein freies Sichtfeld besaß. Und genauso war es: Wenig später sah sie ihn zurückkommen.

Gwenda war weiter durch den Wald gelaufen und alle paar Minuten stehen geblieben, um zu lauschen. Lange Zeit war es ihr gelungen, Sim aus dem Weg zu gehen; außerdem war es ein Vorteil für sie,
dass ihr Verfolger den Wald zu beiden Seiten der Straße absuchen
musste, um sicherzugehen, dass sie sich nicht versteckt hatte. Doch
Gwenda kam auch nur langsam voran, denn sie musste sich durchs
Unterholz kämpfen und gleichzeitig darauf achten, sich nicht allzu
weit von der Straße zu entfernen.

Als sie in der Ferne den Lärm einer Menschenmenge hörte, wusste sie, dass sie nicht mehr weit von der Stadt entfernt sein konnte.
Sie schöpfte neue Hoffnung, dass ihr vielleicht doch noch die Flucht
gelingen könnte. Gwenda bahnte sich einen Weg zur Straße und
schaute vorsichtig hinter einem Strauch hervor. Der Weg war in
beide Richtungen frei – und eine Viertelmeile nördlich konnte sie
den Turm der Kathedrale sehen.

Sie war fast da.

Gwenda hörte ein vertrautes Bellen, und ihr Hund Skip sprang
aus den Büschen neben der Straße. Sie bückte sich, um ihn zu tät-
scheln, und er wedelte freudig mit dem Schwanz und leckte ihr die
Hände. Gwenda traten die Tränen in die Augen.

Sim war nirgends zu sehen, und so wagte sie es, auf die offene
Straße zurückzukehren. Müde nahm sie ihren alten Rhythmus wieder auf – zwanzig Schritte laufen, zwanzig Schritte gehen –, doch nun
trottete Skip fröhlich neben ihr her; er hielt das alles für ein neues
Spiel. Jedes Mal, wenn Gwenda die Geschwindigkeit änderte, warf sie
einen Blick über die Schulter. Beim dritten Mal sah sie Sim.

Er war nur ein paar hundert Schritte hinter ihr.

Verzweiflung brandete über Gwenda hinweg. Am liebsten hätte
sie sich auf den Boden gelegt und wäre gestorben. Aber sie war jetzt
schon fast in der Vorstadt, und die Brücke befand sich nur eine Viertelmeile entfernt!

Sie zwang sich weiterzulaufen und versuchte, schneller zu rennen, doch ihre Beine weigerten sich, ihren Befehlen zu gehorchen. Statt zu rennen, stolperte sie unbeholfen voran. Ihre Füße schmerzten. Als sie hinunterblickte, sah sie Blut aus den Löchern ihrer zerschlissenen Schuhe hervorquellen. Schließlich gelangte sie an Gallows Cross und sah eine riesige Menschenmenge auf der Brücke vor sich. Doch alle schauten gebannt auf irgendetwas; niemand bemerkte, dass Gwenda um ihr Leben lief, Sim Chapman dicht auf den Fersen.

Gwenda hatte keinerlei Waffen außer ihrem Essmesser, mit dem man sich vielleicht ein Stück Käse abschneiden, aber keinen Mann kampfunfähig machen konnte. Sie wünschte sich sehnlichst, sie hätte die Überwindung aufgebracht, Alwyns langen Dolch aus dessen Kopf zu ziehen und mitzunehmen. Nun aber war sie praktisch wehrlos.

Auf einer Seite der Straße befand sich eine Reihe kleiner Häuser, in denen Menschen wohnten, die zu arm waren, um in der Stadt zu leben; auf der anderen Seite war eine Weide, die man Lovers' Field nannte und die der Priorei gehörte. Sim war nun so dicht hinter Gwenda, dass sie ihn keuchen hören konnte. Die Angst verlieh Gwenda noch einmal Kraft. Skip bellte, doch in seiner Stimme lag mehr Furcht als Trotz: Er hatte den Stein nicht vergessen, der ihn auf die Nase getroffen hatte.

Die Zufahrt zur Brücke war der reinste Sumpf, aufgewühlt von Stiefeln, Hufen und Wagenrädern. Gwenda watete hindurch und hoffte verzweifelt, dass ihr schwergewichtiger Verfolger mehr von dem Schlamm behindert wurde als sie.

Schließlich erreichte Gwenda die Brücke. Sie drängte sich in die Menge, die auf dieser Seite der Brücke nicht ganz so dicht war. Alle schauten sie in die andere Richtung, wo ein schwerer Wollwagen einem Ochsenkarren den Weg versperrte. Gwenda musste zu Caris' Haus an der Main Street, das sie nun fast schon sehen konnte. »Lasst mich durch!«, rief sie und kämpfte sich weiter vorwärts. Nur eine Person schien sie zu hören. Ein Kopf drehte sich zu ihr um, und sie sah das Gesicht ihres Bruders Philemon. Ein Ausdruck der Besorgnis erschien auf seinem Gesicht; er versuchte, sich zu seiner Schwester durchzukämpfen, doch die Menge machte es ihm unmöglich.

Gwenda versuchte, sich an den Ochsen vor dem Wollwagen vorbeizuschieben, doch eines der Tiere wedelte mit dem riesigen Kopf und warf sie zur Seite. Sie verlor das Gleichgewicht ... und in diesem Augenblick packte eine große Hand ihren Arm, und Gwenda wusste, dass sie wieder gefangen war.

»Ha... Hab ich dich, du Hexe«, keuchte Sim. Er zog sie zu sich und schlug ihr so fest ins Gesicht, wie er konnte. Gwenda hatte keine Kraft mehr, sich ihm zu widersetzen. Skip schnappte erfolglos nach Sims Waden. »Du wirst mir nicht mehr entkommen!«, stieß Sim hervor.

Furcht und Verzweiflung erfassten Gwenda. Alles war umsonst gewesen: dass sie Alwyn verführt und ermordet hatte und dass sie so viele Meilen weit gelaufen war. Sie war wieder Sims Gefangene. Fingen all die Schrecken jetzt wieder von vorn an?

Unter ihren Füßen schwankte die Brücke.

Merthin sah, wie die Brücke sich durchbog.

Über den mittleren Strompfeilern der flussaufwärts gelegenen Seite sackte die gesamte Straßenbettung durch wie ein Pferd mit gebrochenem Rücken. Die Leute, die Nell quälten, mussten plötzlich feststellen, dass der Boden unter ihnen nachgab. Sie taumelten und klammerten sich an ihren Nachbarn fest. Einer fiel rückwärts über die Brüstung in den Fluss, dann noch einer und noch einer. Die Rufe und Pfiffe, die gegen Nell gerichtet waren, gingen rasch in Warnrufen und Angstschreien unter.

Merthin stieß hervor: »O nein!«

Caris schrie: »Was geschieht da?«

Hier sterben Menschen, hätte Merthin am liebsten zurückgerufen, hätte es ihm nicht die Stimme verschlagen. Leute, mit denen sie aufgewachsen waren; Frauen, die freundlich zu ihnen waren; Männer, von denen sie gehasst, und Kinder, von denen sie bewundert wurden; Mütter und Söhne, Onkel und Nichten, grausame Herren, eingeschworene Feinde und glutvolle Liebhaber … Sie alle würden sterben. Doch Merthin brachte keinen Ton heraus.

Einen Augenblick lang – kürzer als ein Atemzug – hoffte er, die Konstruktion würde sich als stark genug erweisen, dass sie zumindest hielt, bis die Leute sich in Sicherheit gebracht hatten, doch er wurde enttäuscht. Die Brücke sackte erneut durch, und diesmal rissen die Balken an den Verbindungsstellen. Die Querbalken, auf denen die Menschen standen, sprangen aus ihren Holzklammern; die Stützbalken der Straßenbettung wanden sich aus ihren Halterungen, und die Eisenkrampen, die Elfric über die Risse und Spalten genagelt hatte, wurden aus dem Holz gerissen.

Der Mittelteil der Brücke kippte in Merthins Richtung ab, flussaufwärts. Der Wollkarren neigte sich zur Seite, und die Zuschauer, die sich einen Platz auf den Wollsäcken gesucht hatten, wurden in den Fluss geschleudert. Große Balken splitterten, flogen durch die

Luft und erschlugen jeden, den sie trafen. Die unzureichende Brüstung gab nach, und der Wagen rutschte langsam über den Rand; die hilflosen Ochsen muhten in Panik. Der Wagen fiel mit albtraumhafter Langsamkeit durch die Luft und schlug mit lautem Klatschen auf dem Wasser auf. Plötzlich sprangen oder fielen Dutzende Menschen in den Fluss, dann immer mehr. Wer bereits im Wasser war, wurde von den Fallenden oder von herabstürzendem Holz getroffen. Pferde fielen mit und ohne Reiter; krachend und berstend kippten Karren über den Brückenrand und rutschten in die Tiefe.

Merthins erster banger Gedanke galt seinen Eltern. Doch weder Vater noch Mutter waren beim Prozess gegen Nell erschienen, und die Vollstreckung des Urteils hatten sie sich ganz sicher nicht anschauen wollen: Mutter betrachtete solch öffentliche Spektakel als unter ihrer Würde, und Vater war an dergleichen nicht interessiert, wenn bloß das Leben einer verrückten Frau auf dem Spiel stand. Stattdessen waren sie in die Priorei gegangen, um sich von Ralph zu verabschieden.

Aber Ralph war auf der Brücke.

Merthin konnte sehen, wie sein Bruder darum kämpfte, sein Pferd unter Kontrolle zu behalten. Griff stieg und wirbelte mit den Vorderbeinen. »Ralph!«, schrie Merthin unwillkürlich. Dann klatschten die Bohlen unter Griffs Hufen ins Wasser. »Nein!«, rief Merthin, als Pferd und Reiter aus seinem Blickfeld verschwanden.

Merthin sah zum anderen Ende der Brücke, wo Caris Gwenda entdeckt hatte; er sah, dass sie mit einem Mann in gelbem Kittel kämpfte. Dann gab auch dieser Teil der Brücke nach, und beide Enden der Konstruktion wurden vom zusammenbrechenden Mittelteil ins Wasser gezogen.

Der Fluss war nun ein einziges Gewimmel von sich windenden Menschen, panischen Pferden, zersplitterten Balken, zerschlagenen Karren und blutenden Leibern. Merthin bemerkte, dass Caris nicht mehr an seiner Seite war. Er sah sie am Ufer entlang zur Brücke laufen. Sie blickte über die Schulter und rief: »Beeil dich! Worauf wartest du? Komm und hilf!«

So muss es auf dem Schlachtfeld sein, schoss es Ralph durch den Kopf: das Schreien, Krachen und Bersten, die rücksichtslose Gewalt, die stürzenden Menschen, die vor Angst wahnsinnigen Pferde … Das war sein letzter Gedanke, bevor der Boden unter ihm nachgab.

Einen Augenblick lang war Ralph von blankem Entsetzen erfüllt. Er verstand nicht, was geschah. Die Brücke war eben noch da gewesen, unter den Hufen seines Pferdes, fest und sicher wie eh und je – und mit einem Mal gab es sie nicht mehr, und er und sein Tier flogen durch die Luft. Ralph spürte Griffs vertraute Masse nicht mehr zwischen den Schenkeln, und er erkannte, dass sie voneinander getrennt worden waren. Einen Moment später schlug er im kalten Wasser auf.

Ralph ging unter und hielt die Luft an. Angst überkam ihn, so sehr zerrten seine dicken Reisekleider und das Schwert ihn in die Tiefe. Hätte er eine Rüstung getragen, wäre er auf den Grund gesunken und für immer dort geblieben. Doch er war als Junge viel geschwommen – sogar im Meer, denn zu den Ländereien seines Vaters hatte auch ein Küstendorf gehört –, deshalb wusste er, dass es vor allem darauf ankam, nicht in Panik zu verfallen. Mit mächtigen Armschwüngen kämpfte er sich nach oben, und schließlich durchbrach sein Kopf die Wasseroberfläche.

Keuchend rang er nach Atem. Neben sich erkannte er Griffs braunes Fell und die schwarze Mähne. Genau wie er schwamm das Tier auf das nächstgelegene Ufer zu. Dann wurden die Bewegungen des Pferdes ruhiger, und Ralph wusste, dass Griff wieder festen Boden unter den Hufen hatte. Er ließ die Füße nach unten hängen und stellte fest, dass auch er stehen konnte. Entschlossen watete er durchs Flachwasser; der klebrige Schlamm am Grund schien ihn in die Strömung zurückziehen zu wollen. Schließlich gelangte Griff auf einen schmalen Uferstreifen unterhalb der Klostermauer, und Ralph tat es ihm nach.

Er drehte sich um und schaute zurück. Mehrere Hundert Menschen waren ins Wasser gefallen. Viele bluteten, viele schrien, und viele waren tot. Nahe dem Ufer sah er eine Gestalt in der rot-schwarzen Livree des Grafen von Shiring mit dem Gesicht nach unten im Wasser treiben. Ralph watete wieder in den Fluss, packte den Mann am Gürtel und zog ihn heraus.

Am Ufer angelangt, drehte Ralph den schweren Leib herum. Sein Herz setzte einen Schlag aus, als er den Mann erkannte. Es war sein Freund Stephen. Das Gesicht war unverletzt, doch seine Brust war eingedrückt. Seine Augen standen weit offen und zeigten keinerlei Zeichen von Leben; die Atmung hatte ausgesetzt, und der Brustkorb war viel zu schwer verletzt, als dass Ralph einen Herzschlag hätte ertasten können.

Vor ein paar Minuten habe ich ihn noch beneidet, dachte Ralph, und jetzt bin ich der Glückliche. Von widersinniger Schuld erfüllt, drückte er Stephen die Augen zu.

Ralph dachte an seine Eltern. Erst vor ein paar Minuten hatte er sie im Hof der Klosterställe zurückgelassen. Selbst wenn sie ihm gefolgt wären, hätten sie die Brücke noch nicht erreicht. Sie mussten in Sicherheit sein.

Und wo war Lady Philippa? Ralph lenkte seine Gedanken zu der Szene auf der Brücke kurz vor dem Einsturz zurück. Herr William und Philippa hatten sich am Ende der gräflichen Kavalkade befunden und waren noch nicht auf die Brücke geritten.

Aber der Graf.

Ralph sah es genau vor sich: Graf Roland war dicht hinter ihm gewesen und hatte ungeduldig sein Pferd, Victory, in die Lücke getrieben, die Ralph ihm geschaffen hatte. Graf Roland musste ganz in seiner Nähe ins Wasser gestürzt sein.

Ralph hörte wieder die Worte seines Vaters: »Halte stets nach Gelegenheiten Ausschau, dem Grafen zu Gefallen zu sein.« Vielleicht war das die große Gelegenheit, auf die er gewartet hatte! Ralph war ganz aufgeregt. Vielleicht musste er gar nicht auf einen Krieg warten. Vielleicht konnte er sich heute schon beweisen. Er würde Graf Roland retten – oder wenigstens Victory.

Der Gedanke verlieh Ralph neue Kraft. Er ließ den Blick über den Fluss schweifen. Der Graf hatte ein leicht zu erkennendes purpurrotes Gewand getragen und ein schwarzes Wams aus Samt. Allerdings war es schwierig, einzelne Personen in der Masse toter und lebender Leiber auszumachen. Dann sah Ralph den schwarzen Hengst mit dem markanten weißen Fleck am Auge, und sein Herz machte einen Sprung: Es war Rolands Pferd. Victory trat Wasser, konnte aber nicht gerade schwimmen; vermutlich hatte das Tier sich ein oder gar mehrere Beine gebrochen.

Neben dem Pferd trieb eine große Gestalt in purpurner Robe.

Ralph handelte schnell und entschlossen.

Er warf seine Überkleider ab; sie würden ihn beim Schwimmen nur behindern. Nur noch mit der Unterhose bekleidet, sprang er in den Fluss und schwamm auf den Grafen zu. Er musste sich einen Weg durch die Masse aus Leibern bahnen – Männer, Frauen, Kinder. Viele der Überlebenden klammerten sich verzweifelt an ihm fest und hinderten ihn so am Vorankommen. Ralph trieb sie mit gnadenlosen Faustschlägen zurück.

Schließlich erreichte er Victory. Die Kraft des Tieres ließ nach. Einen Moment lang hing es ruhig im Wasser; dann versank es. Doch als der Kopf untertauchte, begann es wieder zu kämpfen. »Ruhig, mein Junge, ruhig«, sagte Ralph dem Hengst ins Ohr, obwohl er sicher war, dass Victory ertrinken würde.

Graf Roland trieb mit geschlossenen Augen auf dem Rücken. Er war bewusstlos oder tot. Ein Fuß war in einem Steigbügel gefangen; offenbar hatte ihn dies davon bewahrt, unterzugehen. Er hatte den Hut verloren, und sein Kopf war nur noch eine blutige Masse. Ralph wusste nicht, wie ein Mann solch eine Verletzung überleben sollte. Dennoch würde er ihn retten. Auch wenn er nur den Leichnam des Grafen barg, würde es eine Belohnung geben.

Ralph versuchte, Rolands Fuß aus dem Steigbügel zu ziehen, doch der Riemen war fest um den Knöchel geschlungen. Ralph tastete nach seinem Messer; dann fiel ihm ein, dass es noch an seinem Gürtel hing, den er mit dem Rest seiner Kleidung am Ufer zurückgelassen hatte. Aber der Graf hatte Waffen. Ralph tastete nach Rolands Dolch, bekam den Griff zu fassen und zog die Waffe aus der Scheide.

Victorys krampfhafte Bewegungen machten es Ralph schwer, den Riemen zu durchschneiden. Jedes Mal, wenn er den Steigbügel zu fassen bekam, riss das kämpfende Pferd ihm das Leder wieder aus der Hand, ehe er den Dolch ansetzen konnte. Ralph fluchte, als er sich in die Hand schnitt. Schließlich stützte er sich mit beiden Füßen an der Flanke des Pferdes ab; in dieser Haltung gelang es ihm endlich, den Riemen zu durchtrennen.

Nun musste er den bewusstlosen Grafen ans Ufer bringen. Ralph war kein guter Schwimmer, und er keuchte jetzt schon vor Anstrengung. Um alles noch schlimmer zu machen, konnte er durch die gebrochene Nase nicht richtig atmen, und sein Mund füllte sich immer wieder mit Flusswasser. Kurz lehnte Ralph sich auf den zum Ertrinken verurteilten Victory, um wieder zu Atem zu kommen; doch der nun haltlose Leib des Grafen begann augenblicklich zu versinken. Ralph erkannte, dass er sich nicht ausruhen durfte.

Mit der rechten Hand packte er Rolands Knöchel und machte sich auf den Weg ans Ufer. Da er nur eine Hand zum Schwimmen frei hatte, kostete es ihn alle Kraft, den Kopf über Wasser zu halten. Er schaute nicht zu Roland zurück. Falls der Oberkörper des Grafen unter Wasser war, gab es nichts, was er dagegen tun konnte. Schon nach ein paar Sekunden schnappte Ralph nach Luft, und seine Glieder schmerzten.

Ralph war jung und stark, und den größten Teil seines bisherigen Lebens hatte er mit der Jagd, dem Turnierkampf und Fechtübungen verbracht. Ralph konnte den ganzen Tag lang reiten und abends noch einen Ringkampf austragen; nun aber musste er Muskeln einsetzen, die er nur wenig benutzte und die deshalb nicht ausgebildet waren. Sein Nacken schmerzte von der Anstrengung, den Kopf oben zu behalten, und so konnte er nicht vermeiden, dass er Wasser schluckte, was ihn husten und würgen ließ. Verzweifelt schlug er mit dem linken Arm aufs Wasser, um nicht zu versinken, und tatsächlich gelang es ihm, an der Oberfläche zu bleiben und den massigen Leib des Grafen hinter sich herzuziehen, der durch die mit Wasser vollgesogene Kleidung noch schwerer geworden war. Quälend langsam näherte Ralph sich dem Ufer.

Schließlich war er nahe genug, dass er die Beine ausstrecken und mit den Füßen das Flussbett erreichen konnte. Ralph schnappte nach Luft und watete an Land; den Grafen zog er noch immer hinter sich her. Als das Wasser nur noch hüfttief war, drehte er sich um, nahm Roland in die Arme und trug ihn die letzten paar Schritte.

Ralph legte den Körper des Grafen auf den Boden und brach erschöpft daneben zusammen. Mit letzter Kraft tastete er die Brust seines Herrn ab. Er spürte einen kräftigen Herzschlag.

Graf Roland lebte.

❋

Als die Brücke einstürzte, war Gwenda vor Angst wie gelähmt. Dann, einen Augenblick später, weckte der Schock des kalten Wassers sie wieder.

Als ihr Kopf die Wasseroberfläche durchbrach, fand sie sich inmitten kämpfender, schreiender Menschen wieder. Einige bekamen ein Stück Holz zu fassen, an dem sie sich festklammern und über Wasser halten konnten; andere versuchten das Gleiche, indem sie sich auf ihre Mitmenschen stützten, wobei diese unter Wasser gedrückt wurden und wild mit den Fäusten schlugen, um sich zu befreien. Viele der Schläge verfehlten ihr Ziel, doch wenn sie trafen, wurden sie erwidert. Es war wie vor einer Taverne um Mitternacht. Wären hier nicht Menschen gestorben, es wäre sogar komisch gewesen.

Gwenda schnappte gierig nach Luft und warf den Kopf in den Nacken. Sie konnte nicht schwimmen und ruderte mit den Armen, um nicht zu versinken. Zu ihrem Entsetzen war Sim Chapman unmittelbar vor ihr und spie Wasser. Dann ging er langsam unter: Offensichtlich konnte er genauso wenig schwimmen wie Gwenda. In seiner Verzweiflung packte er ihre Schulter und versuchte, diese als Stütze zu benutzen. Gwenda versank augenblicklich, worauf Sim sie losließ, da sie ihn offenkundig nicht über Wasser halten konnte.

Gwenda, die sich nun unter Wasser wiederfand, mit angehaltenem Atem und voller Todesangst, schoss ein verzweifelter Gedanke durch den Kopf: Lieber Gott, lass mich nicht sterben nach allem, was ich durchgemacht habe!

Sie trat mit den Beinen, ruderte mit den Armen und kam tatsächlich in die Höhe. Als sie die Wasseroberfläche durchbrach, wurde sie von einem gewaltigen Leib beiseitegerammt. Aus dem Augenwinkel heraus sah sie den Ochsen, der sie kurz vor dem Einsturz über die Brüstung gestoßen hatte. Das Tier war offensichtlich unverletzt und schwamm. Gwenda streckte die Hand aus, trat mit den Füßen und bekam eines der Hörner zu packen. Der Ochse drehte den Kopf zur Seite; dann schwang der mächtige Hals wieder nach vorn.

Gwenda gelang es, sich festzuhalten.

Skip erschien neben ihr. Der Hund schwamm ohne große Mühe und bellte vor Freude, ihr Gesicht zu sehen.

Der Ochse hielt auf das südliche Vorstadtufer zu. Gwenda klammerte sich an sein Horn, obwohl sie das Gefühl hatte, es würde ihr den Arm aus dem Gelenk reißen.

Dann packte jemand sie mit derbem Griff. Als Gwenda über die Schulter schaute, sah sie Sim. Abermals versuchte er, sich an ihr über Wasser zu halten. Gwenda kreischte, als ihr Griff um das Horn des Ochsen sich zu lösen drohte. Ohne loszulassen, stieß sie Sim mit der freien Hand weg. Er fiel zurück, sein Kopf dicht an ihren Füßen. Gwenda trat ihm ins Gesicht, so fest sie konnte. Sim schrie auf, verstummte jedoch abrupt, als sein Kopf unter Wasser sank.

Der Ochse fand endlich Halt unter den Klauen und wuchtete seinen gewaltigen Körper schnaubend aus dem Wasser. Gwenda ließ los, kaum dass sie stehen konnte.

Skip stieß ein ängstliches Bellen aus, und Gwenda schaute sich vorsichtig um. Sim war nicht am Ufer. Sie ließ ihren Blick über den Fluss schweifen und hielt nach einem gelben Kittel zwischen den Leibern und den im Wasser treibenden Holztrümmern Ausschau.

Dann sah sie ihn.

Sim hielt sich mithilfe eines Bretts über Wasser, trat mit den Beinen und bewegte sich auf Gwenda zu.

Gwenda konnte nicht fliehen. Sie hatte keine Kraft mehr, und ihr Kleid war von Wasser durchtränkt. Auf dieser Seite des Flusses gab es überdies keine Möglichkeit, sich zu verstecken, und nun, da die Brücke eingestürzt war, konnte sie auch nicht nach Kingsbridge hinein.

Aber sie würde sich nicht von Sim fangen lassen!

Gwenda sah, dass er zu kämpfen hatte, und das gab ihr Hoffnung. Das Brett hätte Sim über Wasser gehalten, hätte er sich nicht bewegt, doch sein wildes Strampeln, als er sich in Richtung Ufer kämpfte, ließ das Brett schwanken und drückte es immer wieder nach unten, wobei Sims Kopf jedes Mal unter Wasser sank. Vielleicht würde er es ja doch nicht schaffen.

Gwenda beschloss, ein wenig nachzuhelfen.

Rasch schaute sie sich um. Das Wasser war voller Holztrümmer, von mächtigen Balken bis hin zu kleinen Splittern. Ihr Blick fiel auf ein stabiles Stück Holz von gut zwei Fuß Länge. Gwenda watete ins Wasser und schnappte es sich. Dann bewegte sie sich weiter in den Fluss hinaus, um sich ihrem Besitzer zu stellen.

Zu Gwendas Genugtuung sah sie Furcht in seinen Augen aufflackern.

Sim hielt in seinen Schwimmbemühungen inne. Vor ihm war die Frau, die er zu versklaven versucht hatte; wütend und sichtlich entschlossen schwang sie ein Stück Holz wie eine Keule. Und hinter ihm drohte der Tod durch Ertrinken.

Sim strampelte weiter in Richtung Ufer.

Gwenda stand bis zur Hüfte im Wasser und wartete auf den richtigen Augenblick.

Dann sah sie, wie Sim innehielt. Aus seinen Bewegungen schloss sie, dass er die Beine ausstreckte und nach Boden unter den Füßen suchte.

Jetzt oder nie.

Gwenda hob das Holz über den Kopf und trat vor. Sim sah, was sie tun wollte, und versuchte auszuweichen, doch er hatte das Gleichgewicht verloren. Weder schwamm, noch watete er, und so fand er keinen Halt, trieb hilflos dahin. Gwenda ließ das Holz mit aller Kraft auf seinen Kopf krachen.

Sim verdrehte die Augen und sank in sich zusammen.

Gwenda packte ihn an seinem gelben Kittel. Sie würde ihn nicht einfach davontreiben lassen – er könnte überleben. Sie zog ihn näher zu sich heran, nahm seinen Kopf in beide Hände und drückte ihn unter Wasser.

Einen Menschen unter Wasser zu halten war schwieriger, als Gwenda erwartet hatte, auch wenn dieser Mensch bewusstlos war. Sims Körper drückte nach oben; sein schmieriges Haar war schlüpfrig. Schließlich blieb Gwenda keine andere Wahl, als Sims Kopf unter den Arm zu zwängen und die Füße vom Boden zu heben, sodass ihr Gewicht sie beide nach unten drückte.

Gwenda schaute sich um. Niemand sah zu ihr her. Alle waren viel zu sehr damit beschäftigt, sich selbst zu retten.

Wie lange dauerte es, einen Mann zu ertränken? Gwenda hatte keine Ahnung. Sims Lungen mussten bereits voller Wasser sein. Doch woher sollte sie wissen, wann sie loslassen konnte?

Plötzlich wand er sich und zuckte. Gwenda verstärkte ihren Griff um seinen Kopf. Im ersten Moment hatte sie alle Mühe, ihn festzuhalten. Gwenda wusste nicht, ob Sim sich wieder erholt hatte oder ob es nur unwillkürliche Krämpfe seines sterbenden Körpers waren. Doch seine Zuckungen waren heftig und schienen von einem verzweifelten Willen gelenkt zu sein. Gwendas Füße fanden den Boden wieder; eisern hielt sie den Kopf ihres einstigen Peinigers fest.

Nach ein paar Augenblicken wurden Sims Bewegungen schwächer. Kurz darauf rührte er sich nicht mehr. Nach und nach lockerte Gwenda ihren Griff. Sim sank langsam auf den Grund.

Er kam nicht wieder hoch.

Keuchend watete Gwenda ans Ufer und ließ sich in den Schlamm fallen. Sie tastete nach der Lederbörse an ihrem Gürtel; sie war noch da. Die Geächteten waren gar nicht erst dazu gekommen, sie ihr zu stehlen; Gwenda hatte sie die ganze Tortur über bei sich behalten, und dafür dankte sie dem Himmel, enthielt die Börse doch den kostbaren Liebestrank von Mattie Wise.

Gwenda öffnete die Börse und schaute nach. Sie fand nichts außer Tonscherben. Das kleine Gefäß war zerbrochen.

Gwenda weinte.

Ralph trug nichts als eine durchnässte Unterhose, als Caris sich ihm näherte. Er schien unverletzt zu sein, sah man von der roten, geschwollenen Nase ab, aber die hatte er schon vorher gehabt. Ralph zog den Grafen von Shiring aus dem Wasser und legte ihn ans Ufer neben eine Leiche in der Livree des Grafen. Der Graf hatte eine grausige Kopfverletzung, die vielleicht sogar tödlich gewesen war, und

Ralph schien von den Anstrengungen erschöpft und unsicher zu sein, was er als Nächstes tun sollte.

Caris schaute sich um. Auf dieser Seite bestand das Flussufer aus kleinen, verschlammten Abschnitten, die durch Steinhaufen voneinander getrennt waren. Hier gab es nicht viel Platz, um Tote und Verletzte abzulegen: Man würde sie anderswohin bringen müssen. Ein paar Schritte entfernt führte eine Treppe vom Fluss zu einem Tor in der Klostermauer. Caris traf eine Entscheidung. Sie deutete zum Tor und sagte zu Ralph: »Bring den Grafen über die Treppe in die Priorei und in die Kathedrale; dann lauf ins Hospital. Sag der ersten Nonne, die du siehst, sie soll Mutter Cecilia holen.«

Ralph schien froh zu sein, dass jemand ihm die Entscheidung abnahm, und tat sofort, wie ihm geheißen.

Merthin schickte sich an, ins Wasser zu waten, doch Caris hielt ihn auf. »Sieh dir diese Narren an«, sagte sie und deutete auf das Ende der Brücke, das zur Stadt hin lag. Dutzende Leute standen dort und gafften offenen Mundes auf das Blutbad vor ihnen. »Bring alle starken Männer hier herunter«, fuhr Caris fort. »Sie können die Leute aus dem Wasser ziehen und in die Kathedrale bringen.«

Merthin zögerte. »Von da oben können sie nicht hier runter.«

Caris verstand, was er meinte: Die Leute würden über die Trümmer klettern müssen, und das wiederum würde zu weiteren Verletzten führen. Aber die Häuser auf dieser Seite der Hauptstraße hatten Gärten, die an die Klostermauer grenzten, und das Haus an der Ecke, das Ben Wheeler gehörte, besaß eine kleine Tür in der Mauer, sodass man aus dem Garten direkt an den Fluss gelangen konnte.

Merthin hatte den gleichen Einfall: »Ich führe die Leute durch Bens Haus und über seinen Hof.«

»Gut.«

Merthin kletterte über die Felsen, stieß die Tür auf und verschwand.

Caris schaute über den Fluss hinweg. Eine große, dünne Gestalt watete in der Nähe ans Ufer: Philemon. »Hast du Gwenda gesehen?«, fragte er keuchend.

»Ja, kurz bevor die Brücke eingestürzt ist«, antwortete Caris. »Sie ist vor Sim Chapman weggelaufen.«

»Ich weiß. Aber wo ist sie jetzt?«

»Das kann ich dir nicht sagen. Hilfst du uns, die Leute aus dem Fluss zu ziehen?«

»Ich will meine Schwester finden.« Philemon platschte ins Wasser zurück.

Ben Wheeler kam aus der Tür. Er war ein kantiger Mann mit breiten Schultern und dickem Hals. Er war Fuhrmann und hatte sich auf dem Weg durch das Leben stets mehr auf seine Muskeln als auf seinen Verstand verlassen. Nun stieg Ben zum Ufer hinunter und schaute sich um.

Auf dem Boden vor Caris' Füßen lag einer der Männer des Grafen. Er trug die rot-schwarze Livree und war offensichtlich tot. Sie sagte: »Ben, bring diesen Mann in die Kathedrale.«

Bens Frau Lib erschien mit einem Kleinkind im Arm. Sie war klüger als ihr Gemahl und fragte: »Sollten wir uns nicht zuerst um die Lebenden kümmern?«

»Wir müssen sie erst aus dem Wasser holen, um zu wissen, ob sie tot sind oder nicht ... und die Leichen können wir nicht hier am Ufer lassen, weil sie den Rettern im Weg liegen würden. Bring diesen Mann in die Kirche.«

Lib nickte ihm zu. »Du solltest tun, was Caris sagt, Ben«, ermahnte sie ihn.

Ben hob den Leichnam mühelos hoch und stapfte davon.

Caris erkannte, dass sie die Leichen schneller würden fortschaffen können, wenn sie zu diesem Zweck die Tragen der Bauarbeiter benutzten, und die konnten die Mönche herbeischaffen. Aber wo waren die Brüder und Schwestern eigentlich? Caris hatte Ralph gesagt, er solle Mutter Cecilia alarmieren, doch bis jetzt war niemand erschienen. Die Verletzten mussten gesäubert werden und brauchten Verbände und Salben. Jede Nonne, jeder Mönch wurde hier benötigt. Auch Matthew Barber musste gerufen werden: Es gab viele gebrochene Knochen, die gerichtet werden mussten. Und Mattie Wise musste den Verletzten schmerzlindernde Tränke verabreichen. Caris musste Alarm schlagen, wollte das Ufer aber erst verlassen, wenn alles organisiert war. Wo blieb Merthin nur?

Eine Frau kroch ans Ufer. Caris stieg ein Stück ins Wasser und zog sie in die Höhe. Es war Griselda. Ihr nasses Kleid klebte ihr am Körper; Caris konnte ihre üppigen Brüste und die dicken Schenkel sehen. Da sie wusste, dass Griselda schwanger war, fragte sie: »Ist dir etwas geschehen?«

»Ich glaub nicht.«

»Du blutest nicht?«

»Nein.«

Caris hörte Schritte, schaute über die Schulter und sah zu ihrer Erleichterung Merthin und mehrere Männer aus Ben Wheelers Garten kommen; einige von ihnen trugen die Farben des Grafen. Caris rief ihm zu: »Nimm Griseldas Arm, Merthin! Hilf ihr die Stufen zur Priorei hinauf. Sie soll sich hinsetzen und ausruhen.« Beruhigend fügte sie hinzu: »Ihr ist nichts passiert.«

Merthin und Griselda schauten sie befremdet an. Erst da ging Caris auf, wie merkwürdig die Situation war. Einen Augenblick lang standen die drei wie erstarrt da: die werdende Mutter, der Vater des Kindes und die Frau, die ihn liebte.

Dann brach Caris den Bann, indem sie sich umdrehte und den Männern Befehle gab.

Gwendas Tränen versiegten. Es war nicht so sehr die zerbrochene Phiole, die sie traurig stimmte: Mattie konnte einen neuen Liebestrank brauen, und Caris würde dafür bezahlen – falls die beiden noch lebten. Nein, Gwendas Tränen galten vielmehr all dem, was sie in den letzten vierundzwanzig Stunden durchgemacht hatte, vom Verrat ihres Vaters bis hin zu ihren blutenden Füßen.

Sie empfand jedoch keine Reue ob der beiden Männer, die sie getötet hatte. Sim und Alwyn hatten versucht, sie zu versklaven und zur Hure zu machen. Sie hatten es nicht besser verdient. Sie umzubringen war nicht einmal Mord gewesen, nicht im Sinne des Gesetzes, denn einem Geächteten das Leben zu nehmen war kein Verbrechen. Trotzdem zitterten Gwendas Hände. Sie frohlockte innerlich, denn sie hatte ihre Feinde besiegt und ihre Freiheit zurückgewonnen; zugleich aber widerte es sie an, was sie getan hatte. Nie würde sie vergessen, wie Sims sterbender Leib gezuckt hatte, und sie fürchtete, dass das Bild von Alwyn, dem die Dolchspitze aus dem Auge drang, sie in ihren Träumen immer wieder heimsuchen würde.

Die widerstreitenden Gefühle – Triumph und Genugtuung, Furcht und Ekel – ließen Gwenda am ganzen Leib zittern. Sie versuchte, die Erinnerungen an die beiden Männer zu verdrängen, um wieder klar denken zu können. Wer mochte sonst noch tot sein? Ihre Eltern hatten vorgehabt, Kingsbridge zu verlassen; also war ihnen sicher nichts geschehen. Aber was war mit ihrem Bruder Philemon? Mit Caris, ihrer besten Freundin? Mit Wulfric, dem Mann, den sie liebte?

Als Gwenda über den Fluss hinwegschaute, fiel ihr ein Stein vom Herzen. Zumindest was Caris betraf, konnte sie beruhigt sein: Caris war am anderen Ufer mit Merthin; sie schienen eine Gruppe Männer einzuteilen, um Leute aus dem Wasser zu fischen. Gwenda wurde von einer Woge der Dankbarkeit durchströmt. Wenigstens war sie jetzt nicht ganz allein auf der Welt.

Aber was war mit Philemon? Ihn hatte sie vor dem Einsturz der Brücke als Letzten gesehen. Er musste ganz in ihrer Nähe ins Wasser gefallen sein, doch sie hatte ihn nirgends entdecken können.

Und was war mit Wulfric? Gwenda bezweifelte, dass er sich hatte anschauen wollen, wie eine Hexe durch die Stadt gepeitscht wurde. Allerdings hatte er vorgehabt, heute mit seiner Familie nach Wigleigh zurückzukehren, und es war denkbar – was Gott verhüten möge –, dass sie just in dem Augenblick die Brücke hatten überqueren wollen, als diese eingestürzt war. Gwenda ließ den Blick über die Wasseroberfläche schweifen, hielt nach Wulfrics hellblondem Schopf Ausschau. Sie betete, ihn nicht mit dem Gesicht nach unten im Wasser treiben zu sehen. Doch Wulfric war nirgends zu erblicken.

Gwenda beschloss, ans andere Ufer überzusetzen. Sie konnte nicht schwimmen, hoffte aber, dass ein ausreichend großes Stück Holz sie über Wasser halten würde. Sie entdeckte eine Bohle, zog sie zu sich heran und ging fünfzig Schritt flussaufwärts, um der Masse der Leiber im Fluss auszuweichen. Dann watete sie ins Wasser, wobei sie die Bohle fest gepackt hielt. Skip folgte ihr furchtlos. Es war anstrengender, als Gwenda erwartet hatte, denn ihr durchnässtes Kleid hinderte sie am Vorwärtskommen; dennoch erreichte sie das andere Ufer.

Sie lief zu Caris, und die beiden jungen Frauen umarmten einander. »Was ist geschehen?«, fragte Caris. »Was ist mit Sim?«

»Er war ein Geächteter.«

»War?«

»Er ist tot.«

Caris blickte verwundert drein.

»Er ... ist beim Einsturz der Brücke ertrunken«, sagte Gwenda, denn sie wollte nicht einmal, dass ihre beste Freundin von den Umständen seines Todes erfuhr. »Hast du jemand von meiner Familie gesehen?«

»Deine Eltern haben gestern die Stadt verlassen. Philemon habe ich erst vor ein paar Augenblicken gesehen. Er sucht nach dir.«

»Gott sei Dank! Was ist mit Wulfric?«

»Ich weiß es nicht. Jedenfalls ist er noch nicht aus dem Fluss gezogen worden. Seine Verlobte ist gestern aufgebrochen, aber seine Eltern und sein Bruder waren heute Morgen in der Kathedrale, beim Ketzerprozess gegen die verrückte Nell.«

»Ich muss ihn suchen!«, rief Gwenda. Sie lief die Stufen zur Priorei hinauf und rannte über den Rasen. Ein paar Standbesitzer packten noch immer ihre Habseligkeiten zusammen. Gwenda konnte nicht fassen, dass sie ihrem Tagwerk nachgingen, als wäre nichts geschehen, wo gerade Hunderte von Menschen bei einem schrecklichen Unfall ums Leben gekommen waren – bis ihr klar wurde, dass die Leute vermutlich noch gar nichts davon gehört hatten. Die Katastrophe hatte sich erst vor wenigen Minuten zugetragen, auch wenn es Gwenda wie Stunden vorkam.

Sie eilte durchs Klostertor und hinaus auf die Hauptstraße. Wulfric und seine Familie hatten in Bells Gasthaus gewohnt, und so rannte Gwenda dorthin.

Ein Junge stand neben einem Bierfass und musterte sie verängstigt.

Gwenda sagte: »Ich suche nach Wulfric Wigleigh.«

»Hier ist keiner«, antwortete der Junge. »Ich bin der Lehrling. Sie haben gesagt, ich soll bleiben und das Bier bewachen.«

Irgendjemand hatte alle an den Fluss gerufen, vermutete Gwenda.

Sie machte kehrt. Als sie durch die Tür wollte, stand Wulfric vor ihr.

Gwenda fiel ihm erleichtert um den Hals. »Du lebst! Gott sei Dank!«, rief sie.

»Es heißt, die Brücke sei eingestürzt«, sagte er. »Dann ist es also wahr?«

»Ja. Ich hab's mit eigenen Augen gesehen. Wo ist deine Familie?«

»Sie sind schon eine Zeit lang weg. Ich bin geblieben, um eine Schuld einzutreiben.« Er hielt eine kleine lederne Geldbörse in die Höhe. »Ich hoffe, sie waren nicht auf der Brücke …?«

»Das weiß ich nicht – aber ich weiß, wie wir 's herausfinden können«, sagte Gwenda. »Komm mit.«

Sie nahm seine Hand. Wulfric ließ sich von ihr auf das Klostergelände führen, ohne ihr die Hand zu entziehen. Seine Hand war riesig, die Finger voller Schwielen, der Handteller jedoch weich. Trotz allem, was geschehen war, durchlief Gwenda ein wohliger Schauder.

Sie führte Wulfric über den Vorplatz und in die Kathedrale. »Merthin, Caris und ein paar andere ziehen Leute aus dem Fluss und bringen sie hierher«, erklärte sie.

Bereits zwanzig oder dreißig Menschen lagen auf dem Steinboden des Hauptschiffs, und ständig kamen neue hinzu. Eine Handvoll Nonnen kümmerte sich um die Verletzten. Vor den mächtigen Säulen der Kathedrale wirkten sie geradezu winzig. Der blinde Mönch, der normalerweise den Chor leitete, schien das Kommando zu haben. »Bringt die Toten zur Nordseite«, rief er, als Gwenda und Wulfric das Hauptschiff betraten. »Die Verletzten nach Süden.«

Plötzlich stieß Wulfric einen entsetzten Schrei aus. Gwenda folgte seinem Blick und sah David, Wulfrics Bruder, unter den Verletzten. Beide knieten sich neben ihn auf den Boden. David war ein paar Jahre älter als Wulfric und von ebenso großer Gestalt. Er atmete, und seine Augen waren geöffnet, doch er schien sie nicht zu sehen. Wulfric sprach zu ihm. »Dave!«, sagte er mit leiser, drängender Stimme. »Dave, ich bin es, Wulfric.«

Gwenda spürte etwas Klebriges und erkannte, dass David in einer Pfütze aus Blut lag.

Wulfric sagte: »David … Wo sind Ma und Pa?«

Er erhielt keine Antwort.

Gwenda schaute sich um und sah Wulfrics Mutter. Sie lag auf der anderen Seite, im nördlichen Querschiff – dort, wo auf Geheiß des blinden Carlus die Toten abgelegt werden sollten. »Wulfric«, sagte Gwenda leise.

»Was ist?«

»Deine Mutter …« Sie streckte den Arm aus.

Wulfric erhob sich und schaute in die gewiesene Richtung. »Nein!«, rief er. »O nein!«

Sie durcheilten die Kirche. Wulfrics Mutter lag neben Sir Stephen, dem Herrn von Wigleigh; im Tod war sie von gleichem Stand wie er. Sie war eine kleine Frau; es war erstaunlich, dass sie zwei solch großen, starken Söhnen das Leben geschenkt hatte. Im Leben war sie drahtig und voller Energie gewesen, doch nun sah sie wie eine zerbrechliche Puppe aus, weiß und dünn. Wulfric legte ihr die Hand auf die Brust und tastete nach dem Herzschlag. Als er zudrückte, strömte Wasser aus ihrem Mund.

»Sie ist ertrunken«, flüsterte er.

Gwenda legte ihm tröstend den Arm um die breiten Schultern. Sie wusste nicht einmal, ob er es bemerkte.

Ein Soldat, gewandet im Rot und Schwarz des Grafen, erschien mit dem leblosen Leib eines großen Mannes. Wieder schnappte Wulfric nach Luft: Es war sein Vater.

Gwenda sagte: »Legt ihn hierhin, neben sein Weib.«

Wulfric war wie benommen. Er sagte keinen Ton, schien unfähig zu sein, noch irgendetwas aufzunehmen. Gwenda war ratlos. Was sollte sie dem Mann, den sie liebte, unter diesen Umständen sagen? Alles, was ihr in den Sinn kam, hörte sich dumm und unpassend an. Gwenda wünschte sich nichts mehr, als ihn trösten zu können – sie wusste nur nicht wie.

Während Wulfric auf die Leichen seiner Mutter und seines Vaters starrte, blickte Gwenda durch die Kirche zu seinem Bruder hinüber. David lag vollkommen still da. Rasch ging Gwenda zu ihm. Seine Augen starrten ins Nichts, und er atmete nicht mehr. Gwenda befühlte seine Brust: Sein Herz hatte aufgehört zu schlagen.

Gwenda wischte sich die Tränen aus den Augen und ging schweren Schrittes zu Wulfric zurück. Wie sollte er diesen neuerlichen Schicksalsschlag ertragen? Doch es war sinnlos, die Wahrheit zu verbergen. »David ist gestorben«, sagte sie leise.

Wulfric schaute sie mit leeren Augen an, als hätte er sie gar nicht verstanden, und für einen Moment kam Gwenda der entsetzliche Gedanke, er könne vor Schreck den Verstand verloren haben. Doch schließlich sprach er wieder. »Alle …«, flüsterte er. »Alle drei. Alle tot.« Er schaute Gwenda an, und sie sah, dass ihm Tränen in die Augen stiegen.

Sie legte die Arme um ihn und spürte, wie sein großer Leib von hilflosem Schluchzen bebte. Sie drückte ihn fest an sich. »Armer Wulfric«, flüsterte sie. »Mein armer, geliebter Wulfric.«

»Gott sei Dank habe ich noch Annet«, sagte er.

Eine Stunde später bedeckten die Toten und Verletzten den Großteil des Hauptschiffs. Der blinde Carlus, der Subprior, stand mittendrin, zusammen mit dem schmalgesichtigen Simeon, dem Schatzmeister, der ihm die Augen ersetzen musste, so gut es eben ging. Carlus hatte das Kommando, weil Prior Anthony vermisst wurde. »Bruder Theodoric, bist du das?«, fragte Carlus. Offenbar erkannte er den Schritt des hellhäutigen, blauäugigen Mönchs, der gerade hereingekommen war. »Such den Totengräber. Sag ihm, er soll sechs starke Männer als Helfer mitbringen. Wir werden mindestens hundert neue Gräber brauchen, und um diese Jahreszeit sollte man die Beerdigung nicht hinauszögern.«

»Sofort, Bruder«, sagte Theodoric.

Caris war beeindruckt, wie planvoll Carlus trotz seiner Blindheit alles organisierte.

Caris hatte es Merthin überlassen, die Bergung der Toten und Verletzten aus dem Fluss zu leiten. Sie hatte dafür gesorgt, dass die Nonnen und Mönche von der Katastrophe erfuhren; dann war sie Matthew Barber und Mattie Wise suchen gegangen. Schließlich hatte sie nach ihrer eigenen Familie gesehen.

Nur Onkel Anthony und Griselda waren zum Zeitpunkt des Einsturzes auf der Brücke gewesen. Ihren Vater hatte Caris mit Buonaventura Caroli in der Ratshalle entdeckt. Edmund hatte gesagt: »Jetzt werden sie eine neue Brücke bauen *müssen!*« Dann war er zum Ufer gehumpelt, um zu helfen, Menschen aus dem Wasser zu ziehen. Die anderen waren in Sicherheit: Tante Petronilla war zu Hause gewesen und hatte gekocht; Caris' Schwester, Alice, war mit Elfric in Bells Gasthaus gewesen, während ihr Vetter Godwyn in der Kathedrale die Reparaturen im südlichen Seitenschiff des Chorbereichs inspiziert hatte.

Griselda war inzwischen nach Hause gegangen, um sich auszuruhen. Von Anthony hatte noch immer niemand etwas gehört. Caris liebte ihren Onkel nicht gerade, aber sie wollte ihn auch nicht tot sehen, und so suchte sie jedes Mal besorgt nach ihm, wann immer neue Leichen und Verletzte vom Fluss in die Kathedrale gebracht wurden.

Mutter Cecilia und die Nonnen wuschen Wunden, rieben sie zum Schutz vor Entzündungen mit Honig ein, legten Verbände an und verteilten Becher mit heißem gewürztem Bier. Matthew Barber, der fleißige, forsche Bader, arbeitete mit einer keuchenden, übergewichtigen Mattie Wise zusammen. Jeweils ein paar Minuten ehe Matthew gebrochene Arme oder Beine richtete, verabreichte Mattie den Patienten beruhigende Medizin.

Caris ging ins Südschiff. Dort, fern von dem Lärm, dem Gewimmel und dem Blut, drängten die Mönchsärzte sich um den noch immer bewusstlosen Grafen von Shiring. Man hatte ihm die nassen Kleider ausgezogen und eine wollene Decke über ihn gebreitet. »Er lebt«, sagte Bruder Godwyn. »Aber seine Verletzung ist sehr ernst.« Er deutete auf den Hinterkopf des Grafen. »Sein Schädel ist eingeschlagen.«

Caris spähte über Godwyns Schulter. Sie konnte die Verletzung sehen: Es sah wie die blutige Kruste einer Pastete aus; durch die Lücken war die graue Masse des Gehirns zu erkennen. Caris schluckte. Bei einer solch schweren Verletzung konnte man sicher nicht mehr helfen.

Bruder Joseph, der Arzt, empfand genauso. Er rieb sich die große Nase und fuhr sich mit der Zunge über die fauligen Zähne. »Wir müssen die Reliquien des Heiligen holen«, sagte er dann mit seiner stets wie betrunken wirkenden Stimme. »Sie sind jetzt seine beste Hoffnung.«

Caris hatte nur wenig Vertrauen in die Macht der Knochen eines vor langer Zeit gestorbenen Heiligen, den zerschmetterten Schädel eines Lebenden zu heilen. Aber das sagte sie natürlich nicht; sie wusste, dass sie in dieser Hinsicht ungewöhnliche Ansichten vertrat, und deshalb behielt sie ihre Meinung meist für sich.

Die Söhne des Grafen, Herr William und Bischof Richard, schauten zu. William mit seiner großen, soldatischen Gestalt und dem schwarzen Haar wirkte wie eine jüngere Version des bewusstlosen Mannes auf dem Tisch. Richard war heller und rundlicher. Merthins Bruder Ralph war bei ihnen. »Ich habe den Grafen aus dem Wasser gezogen«, sagte er. Das war nun schon das zweite Mal, dass Caris ihn das sagen hörte.

»Ja, gut gemacht«, sagte William.

Williams Frau, Philippa, war mit Bruder Josephs Erklärung genauso unzufrieden wie Caris. »Könnt *Ihr* denn gar nichts mehr tun, um dem Grafen zu helfen?«, fragte sie.

Godwyn antwortete: »Beten ist die beste Medizin.«

Die Reliquien wurden in einem abgeschlossenen Fach unter dem Hochaltar aufbewahrt. Kaum waren Godwyn und Joseph gegangen, um sie zu holen, beugte Matthew Barber sich über den Grafen und schaute sich die Kopfverletzung an. »So wird sie nie verheilen«, erklärte er. »Nicht einmal mit Hilfe eines Heiligen.«

William fragte mit scharfer Stimme: »Was meint Ihr damit?«

»Nun, der Schädel ist ein Knochen wie jeder andere auch«, erklärte Matthew. »Er kann von selbst heilen, doch die einzelnen Stücke müssen wieder an die richtige Stelle gesetzt werden, sonst wachsen sie schief zusammen.«

»Glaubt Ihr etwa, Ihr wüsstet das besser als die Mönche?«

»Die Mönche wissen, wie man spirituelle Hilfe herbeiruft. Ich flicke nur gebrochene Knochen.«

»Und wo habt Ihr dieses Wissen her?«

»Ich war viele Jahre lang Feldscher in der Armee des Königs. In den schottischen Kriegen bin ich an der Seite von Eurem Vater, dem Grafen, marschiert. Ich habe auch früher schon eingeschlagene Schädel gesehen.«

»Und was würdet Ihr jetzt für meinen Vater tun?«

Caris hatte das Gefühl, als machten Williams angriffslustige Fragen Matthew unruhig, doch er schien sich seiner Sache sicher zu sein: »Ich würde die Knochensplitter aus dem Hirn holen, sie säubern und versuchen, sie wieder zusammenzusetzen.«

Caris schnappte hörbar nach Luft. Eine solch kühne Operation vermochte sie sich kaum vorzustellen. Wie konnte Matthew so etwas überhaupt nur vorschlagen? Und was, wenn es misslang?

William fragte misstrauisch: »Und er würde sich wieder erholen?«

»Das weiß ich nicht«, antwortete Matthew. »Manchmal hat eine Kopfverletzung seltsame Auswirkungen; sie kann einem Mann die Fähigkeit zu gehen oder zu sprechen rauben. Ich kann nur den Schädel flicken. Wenn Ihr Wunder wollt, fragt den Heiligen.«

»Dann könnt Ihr also keinen Erfolg versprechen.«

»Nur Gott ist allmächtig. Die Menschen müssen tun, was sie können, und auf das Beste hoffen. Aber ich glaube, dass Euer Vater an der Verletzung sterben wird, wenn sie unbehandelt bleibt.«

»Aber Joseph und Godwyn haben die Bücher der antiken Medizinphilosophen gelesen.«

»Und ich habe Verwundete auf dem Schlachtfeld sterben und sich wieder erholen sehen. Es ist an Euch zu entscheiden, wem Ihr vertraut.«

William schaute zu seiner Frau. Philippa sagte: »Lass den Bader tun, was er kann, und bitte den heiligen Adolphus, ihm beizustehen.«

William nickte. »Also gut«, sagte er zu Matthew. »Tut es.«

»Ich möchte den Grafen auf einem Tisch neben dem Fenster haben«, sagte Matthew entschlossen, »wo genügend Licht auf seine Verletzung fällt.«

William schnippte mit den Fingern nach zwei Novizen. »Tut, was immer der Mann euch sagt«, befahl er.

Matthew sagte: »Ich brauche eine Schüssel warmen Wein.«

Die Mönche holten das Gewünschte, trugen einen langen Tisch aus dem Hospital herbei und stellten ihn unter das große Fenster im südlichen Querschiff. Zwei Knappen hoben den Grafen darauf.

»Mit dem Gesicht nach unten, bitte«, sagte Matthew.

Die Mönche drehten ihn um.

Matthew hatte eine Ledermappe, in der er die scharfen Instrumente aufbewahrte, von denen Barbiere ihren Namen hatten. Zuerst holte er eine kleine Schere heraus. Er beugte sich über den Kopf des Grafen und machte sich daran, das Haar um die Wunde wegzuschneiden. Der Graf hatte dickes schwarzes Haar, das von Natur aus strähnig war. Matthew schnitt die Locken weg und warf sie auf den Boden. Als er einen Kreis um die Wunde freigeschnitten hatte, war der Schaden deutlicher zu sehen.

Bruder Godwyn kam mit dem Reliquiar zurück, einem reich beschnitzten Kasten aus Ebenholz und Gold, der den Schädel des heiligen Adolphus sowie die Knochen eines Arms und einer Hand enthielt. Als er sah, dass Matthew an Graf Rolands Schädel hantierte, fragte er entrüstet: »Was geht hier vor?«

Matthew hob den Blick. »Wenn Ihr die heiligen Reliquien dem Grafen bitte auf den Rücken stellen würdet, so nah wie möglich am Kopf, dann, glaube ich, wird der Heilige meine Hände beruhigen.«

Godwyn zögerte. Es machte ihn offensichtlich wütend, dass der Bader das Kommando übernommen hatte.

Herr William sagte: »Tut, was er sagt, Bruder, sonst könnte man Euch die Schuld am Tod meines Vaters geben.«

Godwyn gehorchte noch immer nicht. Stattdessen wandte er sich an den blinden Carlus, der ein paar Schritte entfernt stand. »Bruder Carlus, Herr William befiehlt mir …«

»Ich habe gehört, was Herr William befohlen hat«, unterbrach Carlus ihn. »Du solltest tun, was er sagt.«

Das war nicht die Antwort, auf die Godwyn gehofft hatte. Sein Zorn war ihm anzusehen. Mit offensichtlichem Widerwillen stellte er das Reliquiar auf den breiten Rücken von Graf Roland.

Matthew griff zu einer kleinen Pinzette. Mit äußerster Vorsicht hob er ein Knochenstück an, ohne die graue Masse darunter zu berühren. Caris schaute fasziniert zu. Der Knochen löste sich mit Haut und Haaren vom Kopf. Vorsichtig legte Matthew ihn in die Schüssel mit warmem Wein.

Gleiches tat er mit zwei ebenso kleinen Knochensplittern. Der Lärm aus dem Hauptschiff – das Stöhnen der Verletzten und das Schluchzen der Trauernden – verblasste im Hintergrund. Alle, die Matthew beobachteten, schwiegen und bildeten einen Kreis um ihn und den bewusstlosen Grafen.

Als Nächstes machte Matthew sich an den Splittern zu schaffen, die noch am Rest des Schädels hingen. Bei jedem schnitt er zunächst das Haar weg, wusch die Stelle sorgfältig mit einem in Wein getauchten Leinentuch und drückte den Splitter mit der Pinzette dann vorsichtig in die ursprüngliche Lage zurück.

Caris konnte kaum atmen, so groß war ihre Anspannung. Sie hatte noch nie jemanden so sehr bewundert wie Matthew Barber in diesem Augenblick. Er hatte so viel Mut, so viel Geschick, so viel Selbstvertrauen. Und er nahm gerade einen schier unglaublich komplizierten Eingriff an einem Grafen vor! Wenn er ihm misslang, würde man ihn vermutlich hängen. Doch seine Hände waren so ruhig wie die der Engel, die in den Stein über dem Gewändeportal gemeißelt waren.

Schließlich platzierte Matthew die herausgebrochenen Knochenstücke neu, die er in die Weinschüssel gelegt hatte, und fügte sie zusammen wie die Scherben eines zerbrochenen Krugs.

Zu guter Letzt zog er die Kopfhaut über die Wunde und nähte sie zu.

Nun war Graf Rolands Schädel wieder vollständig.

»Der Graf muss einen Tag und eine Nacht lang schlafen«, sagte Matthew. »Wenn er aufwacht, gebt ihm einen kräftigen Schluck von Mattie Wises Schlaftrunk. Anschließend muss er vierzig Tage und vierzig Nächte ruhen. Falls nötig, fessel ihn ans Bett.«

Dann bat er Mutter Cecilia, dem Grafen den Kopf zu verbinden.

Godwyn verließ die Kathedrale und lief zum Flussufer, von hilfloser Wut erfüllt. Es gab keine verlässliche Autorität mehr: Carlus erlaubte jedem zu tun, was er wollte. Der vermisste Prior Anthony war schwach, aber immer noch besser als Carlus. Er musste gefunden werden.

Inzwischen waren die meisten Leute aus dem Wasser gefischt worden. Die Glücklichen, die nur ein paar Schrammen davongetragen hatten, hatten sich auf den Heimweg gemacht. Die meisten Toten und Verletzten hatte man in die Kathedrale gebracht. Wer noch hier lag, war von Trümmerteilen eingeklemmt.

Der Gedanke, dass Anthony tot sein könnte, stimmte Godwyn aufgeregt und ängstlich zugleich. Er sehnte sich nach einer neuen Führung der Priorei. Er wollte Benedikts Regeln strenger befolgt und die Finanzen besser verwaltet sehen. Anderseits war Anthony stets sein Mentor gewesen, und unter einem neuen Prior würde er vielleicht nicht mehr aufsteigen.

Merthin hatte ein Boot requiriert. Er und zwei junge Männer waren draußen auf dem Fluss, wo nun der größte Teil der Brücke im Wasser trieb. Die drei trugen nur ihre Unterhosen und versuchten, einen schweren Balken zu heben, um jemanden darunter zu befreien. Merthin war klein von Statur, doch die anderen beiden sahen stark und gut genährt aus, und Godwyn vermutete, dass es sich um Junker aus dem Gefolge des Grafen handelte. Doch trotz ihrer offensichtlichen Kraft fiel es ihnen schwer, aus dem schwankenden Boot einen Hebel an dem schweren Balken anzusetzen.

Godwyn stand bei einer Gruppe von Stadtbewohnern, die zwischen Furcht und Hoffnung hin- und hergerissen waren, während die beiden Knappen die Last nun hochstemmten und Merthin einen Leib darunter hervorzog. Nach kurzer Untersuchung rief er zum Ufer hinüber: »Marguerite Jones – tot!«

Marguerite war eine ältere Frau ohne jede Bedeutung. Ungeduldig rief Godwyn zu Merthin hinaus: »Kannst du Prior Anthony sehen?«

Die Männer im Boot schauten einander kurz an, und Godwyn erkannte, dass er zu voreilig gewesen war. Doch Merthin rief zurück: »Ich kann ein Mönchsgewand erkennen!«

»Dann ist das der Prior!«, rief Godwyn. Anthony war der einzige Mönch, der vermisst wurde. »Kannst du auch sehen, wie es ihm geht?«

Merthin beugte sich über die Bootskante. Offensichtlich konnte er von seinem Standort aus nicht näher heran, und so ließ er sich ins Wasser gleiten. Schließlich rief er: »Er atmet noch!«

Godwyn war erfreut und enttäuscht zugleich. »Dann holt ihn rasch raus!«, rief er. »Bitte!«, fügte er hinzu.

Er erhielt keine Antwort, doch Merthin tauchte unter eine teilweise versunkene Bohle, kam wieder hoch und erteilte den beiden kräftigen Burschen Anweisungen. Sie hoben den Balken, an dem sie gearbeitet hatten, zur Seite, ließen ihn ins Wasser gleiten und beugten sich über den Bug, um die Bohle zu packen, unter der Merthin sich befand. Merthin versuchte offenbar, Anthonys Kleider aus den Trümmern zu befreien.

Godwyn schaute zu. Es machte ihn ungeduldig und entfachte seinen Zorn, dass er nichts tun konnte. Er wandte sich an zwei der Umstehenden. »Holt zwei Mönche mit einer Bahre. Sagt ihnen, Godwyn habe euch geschickt.« Die beiden Männer stiegen die Treppe hinauf und verschwanden in der Priorei.

Schließlich gelang es Merthin, den Bewusstlosen unter den Trümmern hervorzuziehen. Dann hoben die beiden anderen den Prior ins Boot. Merthin kletterte hinterher, und sie stakten ans Ufer zurück.

Eifrige Freiwillige hievten Anthony aus dem Boot und legten ihn auf die Bahre, die die Mönche inzwischen gebracht hatten. Anthony atmete, aber sein Puls war schwach. Seine Augen waren geschlossen und sein Gesicht geradezu unheimlich weiß. Sein Kopf und seine Brust waren lediglich zerschrammt und voll blauer Flecken, doch sein Becken war gebrochen, und er blutete.

Die Mönche hoben die Bahre hoch. Godwyn ging ihnen voraus über das Klostergelände und in die Kathedrale. »Platz da!«, rief er. Er brachte den Prior durch das Hauptschiff und in den Chor, den heiligsten Teil der Kirche. Dann befahl er den Mönchen, Anthony vor den Hochaltar zu legen. Die durchnässte Robe klebte an Anthonys Hüfte und an den Beinen, die derart verdreht waren, dass nur noch die obere Hälfte seines Körpers wie die eines Menschen aussah.

Wenige Augenblicke später hatten alle Mönche sich um ihren bewusstlosen Prior versammelt. Godwyn holte die Reliquie von Graf Roland und stellte sie Anthony zu Füßen. Joseph legte ein mit Edelsteinen besetztes Kruzifix auf die Brust des Schwerverletzten und faltete Anthonys Hände darum.

Mutter Cecilia kniete sich neben den Prior. Sie wischte ihm mit einem Tuch, das mit irgendeiner lindernden Flüssigkeit getränkt war, übers Gesicht und sagte zu Joseph: »Er scheint sich mehrere Knochen gebrochen zu haben. Wollt Ihr, dass Matthew Barber ihn sich einmal ansieht?«

Joseph schüttelte stumm den Kopf.

Godwyn war froh. Der Bader hätte diese heilige Zuflucht nur beschmutzt. Es war besser, die Sache in Gottes Händen zu lassen.

Bruder Carlus gab Anthony die Letzte Ölung und ließ die Mönche dann eine Hymne anstimmen.

Godwyn wusste nicht, worauf er eigentlich hoffte. Seit einigen Jahren schon sehnte er sich ein Ende von Anthonys Herrschaft herbei; doch in der letzten Stunde hatte er eine Ahnung davon bekommen, was auf Anthony folgen könnte: die gemeinsame Führung der Priorei durch Carlus und Simeon. Sie waren Anthonys Gefolgsleute und würden keinen Deut besser sein als er.

Plötzlich sah Godwyn Matthew Barber am Rand der Menge, die den Mönchen über die Schultern gaffte. Der Bader musterte Anthonys Unterleib. Godwyn wollte ihm gerade zornig befehlen, den Chor zu verlassen, als Matthew kaum merklich den Kopf schüttelte und ging.

Anthony schlug die Augen auf.

Bruder Joseph rief. »Gelobt sei Gott!«

Der Prior schien etwas sagen zu wollen. Mutter Cecilia, die noch immer neben ihm kniete, beugte sich über sein Gesicht, um ihn verstehen zu können. Godwyn sah, wie Anthonys Mund sich bewegte. Zu gern hätte er gehört, was gesprochen wurde. Nach einem kurzen Augenblick schwieg der Prior wieder.

Cecilia schaute entsetzt drein. »Ist das wahr?«, fragte sie.

Alle starrten die Priorin an. Godwyn fragte: »Was hat er gesagt, Mutter Cecilia?«

Sie antwortete nicht.

Anthony schloss die Augen. Ein Zittern durchlief seinen Körper, und er rührte sich nicht mehr.

Godwyn beugte sich über ihn: keine Atmung. Er legte die Hand auf Anthonys Brustkorb: kein Herzschlag. Er packte das Handgelenk: kein Puls.

Godwyn erhob sich. »Prior Anthony hat diese Welt verlassen«, verkündete er. »Möge Gott seiner Seele gnädig sein und ihn vor seinem heiligen Angesicht willkommen heißen.«

»Amen«, murmelten die Mönche.

Und Godwyn dachte: Jetzt wird neu gewählt.

DRITTER
TEIL
Juni bis November 1337

Die Kathedrale von Kingsbridge war ein Ort des Schreckens. Verwundete stöhnten vor Schmerz und riefen Gott, die Heiligen oder ihre Mütter um Hilfe an. Jammern und Klagen erfüllte das Gotteshaus, und immer wieder erklangen Schreie des Entsetzens, wenn jemand einen geliebten Menschen unter den Leichen entdeckte. Die Lebenden wie die Toten wiesen grässliche Wunden und grotesk verdrehte Gliedmaßen auf; die Körper waren voller Blut, die Kleider zerrissen und nass. Der Steinboden der Kirche war rutschig von Wasser und Uferschlamm, Blut und Körperflüssigkeiten.

Doch inmitten all dieses Schreckens gab es einen kleinen Bereich der Ruhe und Geschäftigkeit, dessen Mittelpunkt Mutter Cecilia bildete. Wie ein kleiner emsiger Vogel huschte sie von einer liegenden Gestalt zur nächsten, und ein Schwarm Nonnen flatterte ihr hinterdrein, darunter Mutter Cecilias langjährige Gehilfin, Schwester Juliana, die von allen nur respektvoll die alte Julie genannt wurde.

Während Mutter Cecilia die Patienten untersuchte, erteilte sie Befehle zum Waschen, Salbeauftragen, Verbändeanlegen oder zum Verabreichen von Kräutermedizin. Bei den schweren Fällen rief sie nach Mattie Wise, Matthew Barber oder Bruder Joseph. Mutter Cecilia sprach stets ruhig und klar; ihre Anweisungen waren schlicht, aber unmissverständlich. Nachdem sie sich um einen Verletzten gekümmert hatte, war dieser zumeist getröstet und die Verwandtschaft beruhigt und voller Hoffnung.

Caris erinnerte die Szenerie mit schrecklicher Lebendigkeit an den Tag, an dem ihre Mutter gestorben war. Auch damals hatte es Angst und Verwirrung gegeben, wenngleich nur in Caris' Herzen, doch auch damals schien Mutter Cecilia gewusst zu haben, was zu tun war, als wäre sie von einer himmlischen Stimme geleitet worden. Zwar war Caris' Mutter trotz Cecilias Hilfe gestorben – wie auch heute zweifellos viele Leute sterben würden –, doch als es so weit gewesen war, hatte jeder das Gefühl gehabt, alles getan zu haben, was in seiner Macht stand.

Viele Menschen beteten zur Muttergottes oder zu den Heiligen, wenn jemand krank war, doch Caris machten solche Gebete nur unsicher und ängstlich, konnte man doch unmöglich wissen, ob die Heiligen einem helfen, ja, ob sie einen überhaupt hören würden. Mutter Cecilia war natürlich nicht so mächtig wie die Heiligen – das hatte auch die zehnjährige Caris schon gewusst –, doch ihre beruhigende Art hatte Hoffnung und Trost zugleich vermittelt, und dies auf eine Weise, dass ihre Seele Frieden gefunden hatte.

Nun wurde Caris zu einem Teil von Mutter Cecilias Gefolge, ohne eine bewusste Entscheidung zu treffen oder auch nur darüber nachzudenken: Caris befolgte die Befehle der energischsten Person in der Kirche – so wie die Leute am Flussufer Caris' Anweisungen befolgt hatten, kurz nach dem Einsturz der Brücke, als niemand sonst gewusst hatte, was zu tun gewesen war. Mutter Cecilias freundliches und dennoch zupackendes Wesen war ansteckend, und bald zeigten alle Helferinnen in ihrer Umgebung eine ähnlich ruhige Entschlossenheit. So hielt Caris eine kleine Schüssel Essig, während eine hübsche Nonne mit Namen Mair ein Tuch hineintauchte und Susanna Chepstow, der Frau eines Holzhändlers, das Blut aus dem Gesicht wischte.

Sie arbeiteten ohne Unterlass bis weit nach Einbruch der Dunkelheit. Dank des langen Sommerabends hatten sämtliche im Wasser treibenden Unfallopfer noch im Hellen geborgen werden können – obwohl wohl niemand je erfahren würde, wie viele Ertrunkene auf den Grund gesunken oder den Fluss hinuntergetragen worden waren. Von der verrückten Nell jedenfalls fand sich keine Spur; vermutlich hatte der Karren, an die sie gefesselt gewesen war, sie in die Tiefe gezogen. Friar Murdo hingegen hatte ungerechterweise überlebt. Tatsächlich hatte er sich sogar nur den Fuß verdreht und war in Bells Gasthaus gehumpelt, um sich erst einmal bei heißem Schinken und starkem Bier zu erholen.

Die Behandlung der Verletzten wurde die Nacht hindurch fortgesetzt. Irgendwann waren einige Nonnen so erschöpft an Leib und Seele, dass sie nicht mehr konnten; andere waren vom Ausmaß der Tragödie dermaßen niedergedrückt, dass sie fortgeschickt werden mussten, doch Caris und ein kleiner Trupp Unermüdlicher machten weiter, bis es nichts mehr zu tun gab. Es war schon weit nach Mitternacht, als der letzte Knoten am letzten Verband festgezogen wurde;

dann schlurfte Caris über den Kathedralenvorplatz zum Haus ihres Vaters.

Vater und Petronilla saßen beisammen, hielten sich an den Händen und betrauerten den Tod ihres Bruders Anthony. Edmunds Augen waren feucht von Tränen, und die untröstliche Petronilla schluchzte ihren Kummer laut hinaus. Caris küsste sie beide, wusste aber nicht, was sie sagen sollte. Hätte sie sich hingesetzt, wäre sie auf dem Stuhl eingeschlafen, und so stieg sie die Treppe hinauf. Sie legte sich ins Bett neben Gwenda, die wie jedes Mal bei ihr wohnte und bereits tief und fest schlief, da auch sie zu Tode erschöpft gewesen war.

Caris schloss die Augen. Ihr Körper war müde, und ihr Herz schmerzte vor Kummer.

Ihr Vater betrauerte einen Menschen unter vielen, doch Caris fühlte das Gewicht sämtlicher Opfer der Katastrophe auf sich lasten. Sie dachte an ihre Freunde, Nachbarn und Bekannten, die nun tot auf dem kalten Steinboden der Kathedrale lagen, und sie stellte sich die Trauer der zahllosen Eltern, Kinder und Geschwister vor. Das schiere Ausmaß des Leids drohte sie zu überwältigen, und sie schluchzte in ihr Kissen. Wortlos legte Gwenda den Arm um sie und zog sie an sich. Bald darauf wurde Caris von Erschöpfung übermannt und schlief ein.

Bei Sonnenaufgang war sie wieder auf den Beinen. Sie ließ Gwenda weiterschlafen, kehrte in die Kathedrale zurück und machte sich wieder an die Arbeit. Die meisten Verletzten waren bereits nach Hause entlassen worden. Andere, die noch gepflegt werden mussten – wie der noch immer bewusstlose Graf Roland –, wurden ins Hospital verlegt. Die Leichen wiederum legte man in ordentlichen Reihen in den Chorraum der Kathedrale, wo sie auf ihre Beisetzung warteten.

Die Zeit verflog; Caris blieben stets nur ein paar Atemzüge, um sich auszuruhen. Am späten Sonntagnachmittag schließlich sagte Mutter Cecilia, sie solle eine Pause einlegen. Caris schaute sich um und sah, dass die meiste Arbeit getan war.

Und dann dachte sie zum ersten Mal seit der Katastrophe wieder an die Zukunft.

Bis zu diesem Zeitpunkt hatten ihre Augen so viele Bilder des Grauens geschaut, dass es ihr erschienen war, als wäre das gewohnte Leben für immer vorüber und sie müsse nun in einer neuen Welt des Schreckens und der Tragödie leben. Jetzt aber wurde ihr bewusst, dass das Grauen vorübergehen würde wie alles andere auch: Man würde die Toten beerdigen, die Verwundeten würden sich erholen, und irgendwie würde die Stadt in den Alltag zurückfinden.

Nun fiel Caris auch wieder ein, dass sich kurz vor dem Einsturz der Brücke eine andere Art von Tragödie ereignet hatte, die auf ihre Weise nicht weniger grausam und vernichtend war.

Caris entdeckte Merthin unten am Fluss; gemeinsam mit Elfric und Thomas Langley organisierte er die Aufräumarbeiten, für die sich gut fünfzig Freiwillige gefunden hatten. Merthins Streit mit Elfric war angesichts der Katastrophe in den Hintergrund getreten. Die meisten Bretter und Balken waren bereits aus dem Fluss gezogen worden, doch eine ungeheure Masse ineinander verkeilter Trümmerteile trieb noch immer mit der behäbigen Ruhe einer riesigen Bestie auf dem Wasser, die getötet und sich müde und satt gefressen hatte.

Die Männer versuchten, die Trümmer in Stücke zu zerlegen, die man tragen oder sonstwie bewegen konnte – eine gefährliche Arbeit, liefen die Helfer doch ständig Gefahr, dass weitere Teile der Brücke einstürzten und die Freiwilligen verletzten oder gar erschlugen. Die Männer hatten ein Seil um den Mittelteil der Brücke geschlungen, der sich nun teilweise unter Wasser befand, und eine Gruppe von Helfern stand am Ufer und zog daran. In einem Boot mitten im Fluss befanden sich Merthin und der hünenhafte Mark Webber zusammen mit einem Ruderer. Wenn die Männer am Ufer sich ausruhten, wurde das Boot nahe an die Trümmer gelenkt, und Mark zerschmetterte unter Merthins Anleitung die ineinander verkeilten Balken und Bretter mit einer großen Holzfälleraxt. Dann wurde das Boot wieder in sichere Entfernung gerudert, Elfric gab einen Befehl, und die Männer zogen erneut am Seil.

Während Caris zuschaute, löste sich ein Teil der Brücke krachend und knirschend aus der fest gefügten Trümmermasse. Alle jubelten, und die Männer zogen das ineinander verkeilte Holz an Land.

Die Frauen einiger Freiwilliger brachten Brot und Bier, und Thomas Langley ordnete eine Pause an. Während die Männer sich ausruhten, nahm Caris Merthin beiseite. »Du kannst Griselda nicht heiraten«, sagte sie rundheraus.

Diese plötzliche Eröffnung überraschte ihn nicht. »Ich weiß nicht, was ich tun soll«, entgegnete er. »Ich denke immerzu darüber nach.«

»Willst du ein Stück mit mir gehen?«

»Ja.«

Sie ließen die Arbeiter am Ufer zurück und stiegen zur Hauptstraße hinauf. Nach dem Gewimmel des Wollmarkts herrschte nun Grabesstille in der Stadt. Alle waren in ihren Häusern, kümmerten sich um die Verletzten oder trauerten um die Toten.

»Es gibt wohl kaum eine Familie in der Stadt, die keinen Toten oder Verletzten zu beklagen hat«, bemerkte Caris. »Es müssen gut tausend Menschen auf der Brücke gewesen sein – all die Gaffer, die wegen Nell gekommen waren, dazu die Händler und Krämer, die unsere Stadt nach dem Markt verlassen wollten. In der Kirche liegen mehr als hundert Tote, und wir haben wohl an die vierhundert Verletzte versorgt.«

»Und fünfhundert haben Glück gehabt«, sagte Merthin.

»Wir hätten auch auf der Brücke oder in der Nähe sein können. Du und ich, wir könnten jetzt auch im Chor liegen, kalt und steif. Aber wir haben ein Geschenk bekommen: den Rest unseres Lebens. Und wir dürfen dieses Geschenk nicht wegen eines einzigen Fehlers einfach wegwerfen.«

»Das ist kein ›Fehler‹«, sagte Merthin gereizt. »Es ist ein Kind, ein Mensch mit einer Seele!«

»Du bist auch ein Mensch mit einer Seele – einer guten Seele und großem Herzen. Überleg doch nur, was du bis eben gemacht hast. Drei Leute haben am Fluss das Sagen: Der eine ist der wohlhabendste Baumeister der Stadt, der andere ist Matricularius der Priorei, und der Dritte, das bist du – ein einfacher Lehrling von nicht einmal einundzwanzig Jahren. Dennoch gehorchen die Bürger dir ebenso bereitwillig wie Elfric und Thomas.«

»Das heißt noch lange nicht, dass ich mich vor meiner Verantwortung gegenüber Griselda drücken kann.«

Sie bogen auf das Klostergelände ein. Das Grün vor der Kathedrale war nach den Markttagen zertrampelt und zerfurcht, und überall gab es Schlammflecken und Pfützen. In den drei großen Westfenstern der Kirche sah Caris die Spiegelbilder einer wässrigen Sonne und zerrissener Wolken, ein geteiltes Bild wie ein Triptychon. Eine Glocke läutete zur Abendandacht.

Caris sagte: »Denk doch nur, wie oft du davon geredet hast, dir die berühmten Bauwerke in Paris und Florenz anzuschauen. Willst du das alles aufgeben?«

»Das muss ich wohl. Ein Mann darf Weib und Kind nicht im Stich lassen.«

»Du betrachtest Griselda schon als dein Weib?«

Merthin drehte sich zu ihr um. »Ich werde Griselda *nie* als mein Weib betrachten«, sagte er verbittert. »Du weißt, wen ich liebe.«

Dieses eine Mal wollte Caris keine kluge Antwort einfallen. Sie öffnete den Mund, um etwas zu sagen, doch kein Laut kam ihr über die Lippen. Stattdessen spürte sie, wie ihr die Kehle eng wurde. Sie blinzelte die Tränen fort und wandte sich ab, um ihre Gefühle zu verbergen.

Merthin nahm sie bei den Armen und zog sie zu sich heran. »Du weißt es, nicht wahr?«

Caris zwang sich, ihm in die Augen zu sehen. »Tue ich das?« Sie musterte ihn durch einen Tränenschleier.

Merthin küsste sie auf den Mund. Es war eine andere Art von Kuss, anders als alles, was Caris bisher erlebt hatte. Merthin drückte seine Lippen sanft, aber nachdrücklich auf die ihren, als wäre er entschlossen, einen erinnerungswürdigen Augenblick daraus zu machen … und da erkannte Caris, dass Merthin glaubte, dies sei ihr letzter Kuss.

Caris klammerte sich an ihn, wollte, dass der Kuss ewig andauerte, doch nur zu bald löste Merthin sich von ihr.

»Ich liebe dich«, sagte er. »Aber ich werde Griselda heiraten.«

Das Leben und Sterben ging weiter. Kinder wurden geboren, und alte Menschen starben. Am Sonntag griff Emma Butcher ihren ehebrecherischen Mann in einem Anflug von eifersüchtigem Zorn mit seinem größten Hackmesser an. Am Montag verschwand eines von Bess Hamptons Hühnern und wurde im Topf über Glynnie Thompsons Herdfeuer entdeckt, woraufhin John Constable Glynnie die Kleider vom Leib riss und sie auspeitschte. Am Dienstag arbeitete Howell Tyler auf dem Dach der Kirche von St. Mark, als ein verrotteter Balken unter ihm nachgab, sodass er durch die Decke brach. Er stürzte ins Kircheninnere und war auf der Stelle tot.

Am Mittwoch waren die Trümmer der Brücke bis auf die Stümpfe der Strompfeiler weggeräumt, und das Holz war am Ufer gestapelt. Die Fahrrinne war offen; Barken und Flöße konnten Kingsbridge mit Wolle und anderen Waren vom Wollmarkt an Bord wieder in Richtung Melcombe verlassen, von wo aus sie nach Flandern oder Italien weiterverschifft wurden.

Als Caris und Edmund zum Fluss hinuntergingen, um die Fortschritte zu begutachten, zimmerte Merthin gerade ein Floß, um Leute über den Fluss zu setzen. »Das ist besser als ein Boot«, erklärte er. »Vieh kann einfach rauf- und wieder runtergehen, und auch Wagen können drauffahren.«

Edmund nickte düster. »Für den Wochenmarkt wird das reichen müssen. Zum Glück haben wir zum nächsten Wollmarkt eine neue Brücke.«

»Das glaube ich nicht«, sagte Merthin.

»Aber du hast mir doch gesagt, es würde nur ein Jahr dauern, eine neue Brücke zu bauen!«

»Eine Holzbrücke, ja. Aber wenn wir wieder eine Holzbrücke bauen, wird auch die einstürzen.«

»Warum?«

»Ich will es Euch zeigen.« Merthin führte Edmund und Caris zu dem Trümmerhaufen. Er deutete auf ein paar mächtige Balken. »Daraus waren die Pfeiler gebaut. Das waren die vierundzwanzig besten Eichen im Land, die der König damals der Priorei geschenkt hat. Achtet auf die Enden.«

Caris sah, dass die riesigen Balken ursprünglich angespitzt gewesen waren, auch wenn die Konturen durch die vielen Jahre unter Wasser abgeschliffen waren.

Merthin sagte: »Eine Holzbrücke hat kein Fundament. Die Pfeiler werden bloß ins Flussbett gerammt. Das reicht nicht.«

»Aber diese Brücke hat Jahrhunderte gestanden!«, sagte Edmund. Wie immer, wenn er diskutierte, klang er streitsüchtig.

Merthin war Edmunds Art gewöhnt, sodass er dessen Tonfall auch diesmal keine Beachtung schenkte. »Und nun ist die Brücke eingestürzt«, erwiderte er geduldig. »Irgendetwas hat sich verändert. Die Holzpfeiler waren einmal stark genug, aber jetzt waren sie es nicht mehr.«

»Aber was kann sich verändert haben? Fluss ist Fluss!«

»Nicht mehr! Ihr zum Beispiel habt ein Lagerhaus und eine Anlegestelle am Fluss gebaut und Euer Eigentum mit einer Mauer geschützt. Mehrere andere Kaufleute haben es Euch gleichgetan. Der alte Schlammstrand am Südufer, auf dem ich früher gespielt habe, ist größtenteils verschwunden. Deshalb kann der Fluss sich nicht mehr bis auf die Felder ausdehnen. Und das wiederum hat zur Folge, dass das Wasser schneller fließt als früher – besonders nach so heftigen Regenfällen wie dieses Jahr.«

»Dann *muss* es also eine Steinbrücke sein, ja?«

»Ja.«

Edmund hob den Blick und sah, dass Elfric ihnen zuhörte. »Merthin sagt, der Bau einer Steinbrücke würde drei Jahre dauern.«

Elfric nickte. »Drei Bauzeiten.«

Die meisten Gebäude wurden in den wärmeren Monaten errichtet, wie Caris wusste. Merthin hatte ihr einmal erklärt, dass man keine Wände mauern konnte, wenn die Gefahr bestand, dass der Mörtel fror, ehe er hart geworden war.

Elfric fuhr fort: »Eine Saison für die Fundamente, eine für die Bögen und eine für die Straßenbettung. Nach jedem Schritt muss man den Mörtel drei, vier Monate aushärten lassen, ehe man mit dem nächsten Bauabschnitt beginnen kann.«

»Drei Jahre ohne Brücke …«, sinnierte Edmund düster.

»Vier Jahre. Es sei denn, wir fangen sofort an.«

»Ihr solltet lieber eine Kostenschätzung für die Priorei vorbereiten.«

»Damit habe ich bereits begonnen, aber es ist eine langwierige Arbeit. Das wird noch zwei, drei Tage dauern.«

»Macht, so schnell Ihr könnt.«

Edmund und Caris verließen das Ufer und gingen zur Hauptstraße hinauf, Edmund mit seinem energischen Humpeln. Trotz seines verkümmerten Beins würde er sich nie auf jemandes Arm stützen; das untersagte ihm sein Stolz. Um das Gleichgewicht zu wahren, schwang er mit den Armen, als würde er rennen. Die anderen Bürger wussten, dass sie ihm viel Platz lassen mussten, besonders wenn er es eilig hatte. »Drei Jahre!«, sagte er beim Gehen. »Das wird eine Katastrophe für den Wollmarkt. Ich weiß nicht, wie lange wir brauchen werden, bis wieder alles seinen normalen Gang geht. Drei Jahre!«

Zu Hause angekommen, trafen sie Caris' Schwester Alice an. Sie hatte das Haar auf modische Art hochgebunden und unter den Hut gesteckt – ein neuer Stil, den sie sich von Lady Philippa abgeschaut hatte. Sie saß mit Tante Petronilla am Tisch. Der Gesichtsausdruck der beiden Frauen verriet Caris sofort, dass man über sie gesprochen hatte.

Petronilla ging in die Küche und kam mit Bier, Brot und Butter zurück. Sie schenkte Edmund einen Becher ein.

Am Sonntag hatte Petronilla bittere Tränen vergossen; seitdem aber hatte sie nur wenig Trauer um ihren toten Bruder Anthony gezeigt. Überraschenderweise war es Edmund, den Anthonys Tod mehr zu schmerzen schien, obwohl er seinen Bruder nie sonderlich gemocht hatte. Immer wieder traten ihm unerwartet Tränen in die Augen, auch wenn sie rasch wieder versiegten.

Nun aber platzte er beinahe mit seinen Neuigkeiten vom Einsturz der Brücke. Alice war geneigt, Merthins Urteil infrage zu stellen, doch Edmund winkte ungeduldig ab. »Der Junge ist ein Genie«, sagte er. »Er weiß mehr als die meisten Baumeister, obwohl er nicht mal seine Lehre beendet hat.«

Caris sagte in verbittertem Ton: »Das macht es umso schändlicher, dass er den Rest seines Lebens mit Griselda verbringen muss.«

Alice eilte ihrer Stieftochter zu Hilfe: »An Griselda ist nichts verkehrt.«

»Doch«, widersprach Caris. »Sie liebt Merthin nicht. Griselda hat ihn verführt, weil ihr Geliebter die Stadt verlassen hat.«

»Ist das die Geschichte, die Merthin dir erzählt?« Alice lachte spöttisch. »Wenn ein Mann es nicht will, dann tut er es nicht. Darauf kannst du mich beim Wort nehmen.«

Edmund grunzte. »Männer können durchaus verführt werden«, sagte er.

»Oh, jetzt stellst du dich also auf Caris' Seite, Vater?«, sagte Alice. »Na, das sollte mich nicht überraschen. Das hast du ja immer schon getan.«

»Hier geht es nicht darum, auf wessen Seite ich mich stelle«, erwiderte Edmund. »Ein Mann mag etwas im Vorfeld nicht tun wollen und es später bereuen; doch für einen kurzen Augenblick können seine Wünsche sich ändern ... besonders wenn eine Frau ihre Verführungskunst einsetzt.«

»Verführungskunst? Du kannst nicht einfach davon ausgehen, dass Griselda sich Merthin an den Hals geworfen hat! Vielleicht war es andersherum.«

»Nun, wenn ich recht verstanden habe, hat das Ganze seinen Anfang genommen, als Griselda geweint hat und Merthin sie trösten wollte.«

Caris hatte ihm das erzählt.

Alice machte ein angewidertes Geräusch. »Du hattest schon immer eine Schwäche für diesen aufsässigen Lehrburschen.«

Caris aß einen Bissen Brot mit Butter, hatte aber keinen Appetit. Sie sagte: »Ich nehme an, sie werden ein halbes Dutzend fette Kinder bekommen und Merthin wird Elfrics Werkstatt erben und einer von vielen Handwerkern werden, der Häuser für die Kaufleute baut und sich bei der Geistlichkeit einschmeichelt, um Aufträge zu ergattern – genau wie sein Schwiegervater.«

Petronilla sagte: »Und das ist sein Glück! Er wird einer der mächtigsten und geachtetsten Bürger sein.«

»Er hat ein besseres Schicksal verdient.«

»Ach ja?«, erwiderte Petronilla in spöttischem Erstaunen. »Als Sohn eines verarmten Ritters, der nicht mal einen Shilling übrig hat, um seiner Frau Schuhe zu kaufen? Was glaubst du denn, was sein Schicksal ist?«

Caris fühlte sich durch den Spott verletzt. Es stimmte, dass Merthins Eltern arme Muntlinge waren, die für Speis und Trank in Abhängigkeit von der Priorei lebten. Wenn Merthin eine gut gehende Baumeisterei erbte, bedeutete dies in der Tat einen gesellschaftlichen Aufstieg für ihn. Trotzdem hatte Caris das Gefühl, dass er etwas Besseres verdient hatte. Allerdings konnte sie nicht sagen, welche Zukunft sie für Merthin im Sinn hatte. Sie wusste nur, dass er etwas Besonderes war, und sie konnte den Gedanken nicht ertragen, er könnte wie alle anderen werden.

Am Freitag ging Caris mit Gwenda zu Mattie Wise.

Gwenda war noch immer in der Stadt, weil Wulfric geblieben war, um der Beisetzung seiner Familie beizuwohnen. Elaine, Edmunds Dienstmädchen, hatte Gwendas Kleid vor dem Feuer getrocknet, und Caris hatte ihrer Freundin die Füße verbunden und ihr ein Paar alte Schuhe gegeben.

Caris hatte das Gefühl, als habe Gwenda ihr nicht die ganze Wahrheit über ihre Abenteuer im Wald gesagt. Gwenda hatte erzählt, Sim habe sie zu den Geächteten gebracht und dass sie von dort entkommen sei; daraufhin habe Sim sie verfolgt, sei beim Brückeneinsturz jedoch ums Leben gekommen. John Constable war mit dieser Geschichte zufrieden: Geächtete standen außerhalb des Gesetzes, wie ihr Name ja schon verriet; somit konnte Sim seinen Besitz nicht vererben. Gwenda war frei. Doch da war noch irgendetwas anderes im Wald geschehen, dessen war Caris sicher – etwas, worüber Gwenda nicht reden wollte. Doch Caris drängte ihre Freundin nicht. Manche Dinge blieben besser begraben.

In dieser Woche wurde das Bild Kingsbridges von Leichenwagen und Trauerzügen beherrscht. Die ungewöhnliche Art der Todesfälle machte keinerlei Unterschied, was die Bestattungsrituale betraf.

Die Leichen mussten gewaschen werden, während man gleichzeitig Leichentücher für die Armen nähte und Särge für die Reichen zimmerte; dann galt es noch Gräber auszuheben und Priester zu bezahlen. Nicht alle Mönche waren zum Priester geweiht, viele aber schon, und diese arbeiteten nun tagein, tagaus in Schichten und leiteten die Exequien auf dem Friedhof an der Nordseite der Kathedrale. Überdies gab es noch ein halbes Dutzend Pfarrkirchen in Kingsbridge, deren Pfarrer nicht minder beschäftigt waren.

Gwenda half Wulfric bei den Vorbereitungen für die Beerdigungen. Sie übernahm die typischen Frauenaufgaben wie das Waschen der Toten und das Nähen der Leichentücher. Sie tat, was sie konnte, um Wulfric zu trösten. Der war wie ein Schlafwandler. Zwar regelte er die Einzelheiten der Beisetzung, starrte dann aber stundenlang ins Nichts und legte dabei in einem Ausdruck leichter Verwirrung die Stirn in Falten, als versuche er, ein schwieriges Rätsel zu lösen.

Am Freitag waren die Beerdigungen vorbei, doch der amtierende Prior, Carlus, hatte für den Sonntag ein besonderes Hochamt angesetzt, um für die Seelen der Verunglückten zu beten, weshalb auch Wulfric bis Montag bleiben würde. Gwenda erzählte Caris, dass Wulfric dankbar zu sein schien, jemanden aus seinem eigenen Dorf an seiner Seite zu haben, doch zeige er sich immer nur dann ein bisschen lebhafter, wenn er von Annet redete. Caris bot ihr an, noch einen Liebestrank zu kaufen.

Sie fanden Mattie Wise in der Küche, wo sie ihre Tränke braute. In dem kleinen Haus roch es nach Kräutern, Öl und Wein. »Ich hab so gut wie alles, was ich hatte, am Samstag und Sonntag verbraucht«, erklärte Mattie. »Ich muss mir neue Vorräte anlegen.«

»Aber du musst dabei doch auch Geld verdient haben«, sagte Gwenda.

»Ja ... wenn ich es denn eintreiben kann.«

Caris war entsetzt. »Betrügen die Leute dich etwa um das, was dir zusteht?«

»Einige, ja. Ich versuche zwar stets, mein Geld zu bekommen, solange die Leute noch unter Schmerzen leiden; aber wenn sie keinen Penny dabeihaben, ist es schwer, ihnen die Behandlung zu verweigern. Die meisten zahlen hinterher, aber nicht alle.«

Caris war entrüstet. »Und was sagen sie dann?«

»Alles Mögliche. Dass sie es sich nicht leisten können; dass der Trank ihnen nicht geholfen habe; dass er ihnen gegen ihren Willen verabreicht worden sei ... Aber mach dir keine Sorgen. Es gibt noch genug ehrliche Menschen, dass ich mein Geschäft weiterführen kann. Was kann ich für euch tun?«

»Gwenda hat bei dem Unglück ihren Liebestrank verloren.«

»Das lässt sich leicht beheben. Warum braust du ihr nicht rasch einen?«

Während Caris die Mixtur anrührte, fragte sie Mattie: »Wie viele Schwangerschaften enden mit einer Fehlgeburt?«

Gwenda wusste, warum ihre Freundin das fragte. Caris hatte ihr alles über Merthins Problem erzählt. Die Mädchen hatten viel Zeit damit verbracht, entweder über Wulfrics Gleichgültigkeit oder Merthins hochfliegende Prinzipien zu diskutieren. Caris war sogar versucht gewesen, einen Liebestrank für sich selbst zu kaufen und ihn bei Merthin anzuwenden, hatte es dann aber doch bleiben lassen.

Mattie schaute sie scharf an, antwortete aber unverbindlich: »Das weiß niemand. Häufig versäumt eine Frau einen Monat, doch im nächsten ist alles wieder normal. War sie nun schwanger und hat das Kind verloren, oder hatte das Ganze einen anderen Grund? Das kann man unmöglich sagen.«

»Oh.«

»Von euch ist allerdings keine schwanger, wenn du dir darüber den Kopf zerbrichst.«

»Woher weißt du das?«, fragte Gwenda.

»Es reicht, euch anzusehen. Eine schwangere Frau verändert sich schnell. Nicht nur ihr Bauch und ihre Brüste, auch ihre Hautfarbe, ihre Art, sich zu bewegen, ihre Launen. Ich erkenne solche Dinge schneller als die meisten – deshalb nennt man mich ja ›weise‹. Aber wer *ist* denn nun schwanger?«

»Griselda, Elfrics Tochter.«

»Oh, ja, ich habe sie gesehen. Sie ist im dritten Monat.«

Caris staunte. »In welchem Monat?«

»Im dritten ... oder fast. Sieh sie dir doch nur mal an. Sie war nie dünn, aber jetzt ist sie üppiger denn je. Warum erschreckt dich das so, Caris? Es ist Merthins Baby, nehme ich an?«

Mattie erriet solche Dinge immer.

Gwenda sagte zu Caris: »Hast du nicht erzählt, das Ganze sei erst vor Kurzem geschehen?«

»Merthin hat nicht gesagt, wann genau es passiert ist, aber ich hatte den Eindruck, dass es noch nicht lange her ist. Außerdem war es angeblich nur ein einziges Mal. Jetzt sieht es so aus, als hätte er es schon seit Monaten mit ihr getrieben.«

Mattie runzelte die Stirn. »Warum sollte er lügen?«

»Damit er nicht so schlecht dasteht?«, schlug Gwenda vor.

»Wie sollte er denn *noch* schlechter dastehen?«

»Männer denken nun mal seltsam.«

»Ich werde ihn fragen«, sagte Caris. »Sofort.« Sie legte Krug und Messlöffel beiseite.

Gwenda fragte: »Was ist mit meinem Liebestrank?«

»Ich mache ihn fertig«, sagte Mattie. »Caris hat es offenbar eilig.«

»Danke«, sagte Caris und ging hinaus.

Sie eilte zum Flussufer hinunter, doch Merthin war nicht dort. Auch in Elfrics Haus fand sie ihn nicht. Caris kam zu dem Schluss, dass er in der sogenannten Modellkammer sein musste.

Auf der Westseite der Kathedrale, in einem der Türme, befand sich eine Arbeitskammer für die Steinmetze. Caris erreichte sie über eine schmale Wendeltreppe in einem der Strebepfeiler des Turms. Der Raum war groß und wurde von hohen Lanzettfenstern erhellt. An einer Wand standen wundervolle Holzmodelle der Figuren an der Kirchenfassade. Die ursprünglichen Erbauer hatten sie als Vorlage benutzt, und nun wurden sie sorgfältig bewahrt und für Reparaturen herangezogen.

Den Boden des Raums bildete der Skizzenboden, wie die Steinmetze ihn nannten: Die Bodenbretter waren mit Gips verputzt, und der ursprüngliche Baumeister, Jack Builder, hatte seine Pläne mit eisernen Zeicheninstrumenten in den Putz gekratzt. Die so entstandenen Linien waren einst weiß gewesen, doch mit der Zeit verblasst, und neue Zeichnungen konnten über die alten gekratzt werden. Als es schließlich so viele Muster gewesen waren, dass man alt nicht mehr von neu hatte unterscheiden können, hatte man eine frische Schicht Gips aufgetragen, und das Ganze hatte von vorne begonnen.

Pergament, die dünne Tierhaut, auf die Mönche die Bücher der Bibel kopierten, war viel zu teuer für solche Skizzen. Zu Caris' Lebzeiten war ein neues Schreibmaterial aufgetaucht, Papier, doch das kam von den Arabern, und so lehnten die Mönche es als heidnisch-muselmanische Erfindung ab. Außerdem musste es aus Italien eingeführt werden und war nicht billiger als Pergament. Und der Skizzenboden hatte einen weiteren Vorteil: Ein Zimmermann konnte ein Stück Holz auf den Boden legen, auf die Zeichnung, und seine Schablone genau an den Linien des Meistersteinmetzes ausrichten.

Merthin kniete auf dem Boden und schnitt ein Stück Eiche nach der Zeichnung zu; eine Schablone machte er jedoch nicht. Er schnitzte ein Zahnrad mit sechzehn Zähnen. Auf dem Boden lag noch ein weiteres, kleineres Rad, und Merthin hielt kurz inne, um zu überprüfen, wie gut die beiden ineinanderpassten. Caris hatte solche Zahnräder schon in Wassermühlen gesehen, wo sie das Mühlrad mit dem Mühlstein verbanden.

Merthin musste Caris' Schritte auf der steinernen Treppe gehört haben, war aber viel zu tief in die Arbeit versunken, als dass er den Blick gehoben hätte. Caris betrachtete ihn eine Sekunde lang, hin- und hergerissen zwischen Zorn und Liebe. Merthins Gesicht zeigte diesen Ausdruck vollkommener Konzentration, den Caris so gut kannte. Sein schlanker Leib war über die Arbeit gebeugt; seine starken Hände und die geschickten Finger nahmen feinste Korrekturen vor; sein Gesicht war regungslos und sein Blick fest. In Caris' Augen besaß er die Eleganz eines jungen Hirschs, der sich zum Trinken über einen Bach beugt. So muss ein Mann aussehen, dachte sie, wenn er das tut, wofür er geboren ist. Merthin war in einem Zustand, der Glück nicht unähnlich war, nur ging es bei ihm tiefer: Er erfüllte sein Schicksal.

Caris platzte heraus: »Warum hast du mich angelogen?«

Merthin rutschte mit dem Beitel ab, schrie auf und schaute auf seine Hand. »Himmel!«, sagte er und steckte sich den Zeigefinger in den Mund.

»Tut mir leid«, sagte Caris. »Hast du dir wehgetan?«

»Geht so. Wann soll ich dich denn angelogen haben?«

»Du hast mir den Eindruck vermittelt, dass Griselda dich nur ein Mal verführt hat. Die Wahrheit ist, dass ihr es schon seit Monaten miteinander treibt.«

»Nein, tun wir nicht.« Er saugte an seinem blutenden Finger.

»Sie ist im dritten Monat schwanger.«

»Das kann nicht sein. Es ist erst vor zwei Wochen passiert.«

»Vor drei Monaten! Man kann es an ihrer Figur sehen.«

»Du kannst das?«

»Mattie Wise hat es mir gesagt. Warum hast du gelogen?«

Merthin schaute ihr in die Augen. »Ich habe nicht gelogen«, sagte er. »Es ist am Sonntag der Wollmarktwoche passiert. Das war das erste und einzige Mal.«

»Wie kann Griselda dann sicher sein, dass sie schwanger ist? Nach nur zwei Wochen?«

»Ich weiß es nicht. Wie schnell wissen Frauen das denn?«

»Weißt du das wirklich nicht?«

»Ich habe nie gefragt. Außerdem war Griselda vor drei Monaten noch …«

»Aber ja!«, rief Caris. Ein Funken Hoffnung flackerte in ihr auf. »Da war sie noch mit ihrem alten Geliebten zusammen … diesem Thurstan.« Der Funke verwandelte sich in eine Flamme. »Es muss Thurstans Kind sein, nicht deins! Du bist nicht der Vater!«

»Ist das möglich?« Merthin wagte kaum zu hoffen.

»Natürlich. Das erklärt alles. Hätte Griselda sich plötzlich in dich verliebt, wäre sie bei jeder Gelegenheit hinter dir her. Aber du hast gesagt, sie würde kaum mit dir reden.«

»Ich dachte, das läge daran, dass ich sie nur widerwillig heiraten will.«

»Griselda hat dich nie gemocht. Sie brauchte nur einen Vater für ihr Kind. Thurstan ist durchgebrannt – vermutlich, als sie ihm gesagt hat, dass sie schwanger ist. Du aber warst verfügbar und dumm genug, auf ihre List hereinzufallen. Aber jetzt kennen wir die Wahrheit. Gott sei Dank!«

»Mattie Wise sei Dank«, sagte Merthin.

Caris bemerkte Merthins linke Hand. Blut quoll aus einem Finger. »Du hast dich wegen mir verletzt!«, rief sie. Sie nahm seine Hand und untersuchte die Wunde. Sie war klein, aber tief. »Oh, es tut mir leid!«

»Ach, ist nicht so schlimm …«

»Doch, ist es«, widersprach Caris. Sie wusste nicht, ob sie von dem Schnitt sprach oder von etwas anderem. Wieder betrachtete sie seine Hand, küsste sie, schmeckte sein warmes Blut auf ihren Lippen. Sie steckte sich seinen Finger in den Mund und saugte die Wunde sauber. Lustvolle Empfindungen überkamen sie, und ekstatisch schloss sie die Augen. Sie schluckte, schmeckte sein Blut und schauderte vor Wonne.

✳

Eine Woche nach dem Einsturz der Brücke hatte Merthin eine Fähre gebaut.

Sie war am Samstagmorgen bei Sonnenaufgang bereit, gerade rechtzeitig zum Wochenmarkt. Merthin hatte die ganze Nacht bei Laternenschein daran gearbeitet, und Caris vermutete, dass er schlicht noch keine Zeit gehabt hatte, mit Griselda zu reden und ihr zu sagen, dass er wusste, von wem das Kind war. Caris und ihr Vater kamen zum Ufer herunter, um die neue Sehenswürdigkeit zu bestaunen, als die ersten Händler eintrafen: Frauen aus den umliegenden Dörfern mit Körben voll Eiern, Bauern mit Wagenladungen Butter und Käse und Schäfer mit ihren Lämmern.

Caris bewunderte Merthins Arbeit. Das Floß war groß genug, um ein Pferd und einen Karren zu tragen, ohne das Tier abschirren zu müssen, und es besaß eine feste Holzreling, sodass Schafe nicht über Bord fallen konnten. Holzplattformen an beiden Ufern erlaubten es den Karren, an Bord des Floßes und wieder hinunter zu rollen. Für die Überfahrt bezahlten die Passagiere einen Penny an einen Mönch; das Floß gehörte dem Kloster, wie einst die Brücke.

Besonders einfallsreich war das System, das Merthin sich ausgedacht hatte, um das Floß von einem Ufer zum anderen zu bringen. Ein langes Seil lief vom Südende des Floßes über den Fluss, um einen Pfosten herum, wieder zurück über den Fluss, zu einer Winde und schließlich wieder zum Nordende des Floßes. Die Winde wiederum war über hölzerne Zahnräder mit einem Drehgestell verbunden, das von einem Ochsen angetrieben wurde. Caris hatte Merthin die Zahnräder gestern schnitzen sehen. Mit einem Hebel konnte man die Winde umstellen, sodass sie sich in beide Richtungen drehen ließ, je nachdem, zu welchem Ufer das Floß fahren sollte; somit war es unnötig, den Ochsen umzuspannen.

»Es ist eigentlich recht einfach«, sagte Merthin, als Caris sein Werk bestaunte – und das war es auch, wenn sie es sich genauer besah. Mit dem Hebel hob man bloß ein großes Zahnrad aus dem Getriebe und ersetzte es durch zwei kleinere, wodurch die Winde in Gegenrichtung lief. Noch nie hatte jemand in Kingsbridge etwas Ähnliches gesehen.

Im Laufe des Morgens kam die halbe Stadt, um sich Merthins erstaunliche neue Maschine anzuschauen. Caris platzte geradezu vor Stolz auf ihn. Elfric stand daneben und erklärte jedem, der fragte, den Mechanismus, um selbst das Lob für Merthins Arbeit einzuheimsen.

Caris konnte über so viel Dreistigkeit nur staunen. Elfric hatte Merthins Tür zerhauen – ein Akt der Gewalt, der ganz Kingsbridge in Wut und Bestürzung versetzt hätte, wäre diese Untat nicht vom Einsturz der Brücke überschattet worden. Obendrein hatte er seinen

Lehrling mit einem Stock geschlagen: Merthin hatte immer noch einen Bluterguss im Gesicht. Und schließlich war Elfric an einem arglistigen Täuschungsmanöver beteiligt mit dem Ziel, Merthin zu zwingen, dass er Griselda heiratete und das Kind eines anderen aufzog. Dennoch hatte Merthin weiter mit Elfric gearbeitet, denn er war der Überzeugung, dass ihr Streit hinter der Not der Stadt zurückstehen müsse. Doch Caris wusste beim besten Willen nicht, wie Elfric noch hoch erhobenen Hauptes durch die Gegend laufen konnte.

Die Fähre war ein Wunder der Technik, aber sie reichte nicht aus.

Edmund wies darauf hin: Am anderen Ufer stauten sich Wagen und Menschen die ganze Vorstadt hindurch. Die Schlange zog sich hin, so weit das Auge reichte.

»Mit zwei Ochsen würde es schneller gehen«, sagte Merthin.

»Doppelt so schnell?«

»Nicht ganz, nein. Ich könnte aber noch eine Fähre bauen.«

»Es gibt schon eine zweite«, sagte Edmund und deutete auf den Fluss. Er hatte recht: Ian Boatman ruderte Fahrgäste von einem Ufer zum anderen. Aber Ian konnte natürlich keine Karren an Bord nehmen, und Vieh wollte er nicht befördern; außerdem verlangte er zwei Pennys pro Überfahrt. Normalerweise konnte er sich kaum seinen Lebensunterhalt verdienen. Zweimal am Tag fuhr er einen Mönch nach Leper Island, ansonsten aber hatte er kaum zu tun. Heute jedoch standen die Leute Schlange, um mit ihm zu fahren.

Merthin sagte: »Ihr habt recht. Eine Fähre ist eben keine Brücke.«

»Das ist eine Katastrophe«, sagte Edmund. »Buonaventuras Neuigkeiten waren ja schon schlimm genug, aber das … das könnte der Stadt das Genick brechen.«

»Dann braucht Ihr eine neue Brücke.«

»An mir liegt es nicht, sondern an der Priorei. Der Prior ist tot, und niemand vermag zu sagen, wie lange die Mönche brauchen werden, um einen neuen zu wählen. Wir werden den amtierenden Prior wohl unter Druck setzen müssen, eine Entscheidung zu treffen. Ich werde zu Carlus gehen. Komm mit, Caris.«

Sie gingen die Straße hinauf und in die Priorei. Die meisten Besucher mussten sich zuerst ins Hospital begeben und einem der Diener dort sagen, dass sie mit einem der Mönche zu sprechen wünschten; doch Edmund war viel zu bedeutend – und zu stolz –, als dass er auf diese Art um eine Audienz gebettelt hätte. Der Prior war der Herr von Kingsbridge, Edmund jedoch war der Älteste des Gemeinderates, der Sprecher der Händler, die die Stadt erst zu dem machten, was sie war, und er hatte den Prior stets als Gleichgestellten bei der Verwaltung der Stadt behandelt. Außerdem war der Prior während der vergangenen dreizehn Jahre sein jüngerer Bruder gewesen. Also ging Edmund geradewegs in das Haus des Priors auf der Nordseite der Kathedrale.

Das Haus des Priors war ein Fachwerkgebäude mit einer Halle und einer Stube im Erdgeschoss und zwei Schlafgemächern oben. Eine Kochstube gab es nicht, denn die Mahlzeiten des Priors wurden in der Klosterküche zubereitet. Viele Bischöfe und Prioren lebten in Palästen – der Bischof von Kingsbridge hatte einen solchen Prunksitz in Shiring –, doch der Prior von Kingsbridge wohnte bescheiden. Allerdings hatte er bequeme Stühle; Wandteppiche mit biblischen Szenen zierten die Wände, und es gab einen großen Kamin, der das Haus im Winter gemütlich machte.

Caris und Edmund trafen am Vormittag ein, zu der Zeit, da die jüngeren Mönche arbeiten und die älteren lesen sollten. Edmund und Caris fanden den blinden Carlus in der Halle des Priorspalasts im Gespräch mit Simeon, dem Schatzmeister. »Wir müssen über die neue Brücke reden«, sagte Edmund ohne Umschweife.

»Na gut, Edmund«, sagte Carlus, der ihn an der Stimme erkannte. Die Begrüßung war nicht gerade warm, bemerkte Caris, und sie fragte sich, ob sie wohl zu einer ungünstigen Zeit erschienen waren.

Edmund war genauso empfindsam wie seine Tochter, was die Stimmung betraf, nur störte er sich nicht daran. So nahm er sich nun einfach einen Stuhl und fragte: »Wann gedenkt Ihr einen neuen Prior zu wählen?«

»Ihr könnt Euch ebenfalls setzen, Caris«, sagte Carlus. Caris hatte keine Ahnung, woher er wusste, dass auch sie da war. »Bis jetzt ist noch kein Tag festgelegt worden«, fuhr er fort. »Graf Roland hat das Recht, einen Kandidaten zu benennen, doch er ist noch nicht aus der Bewusstlosigkeit erwacht.«

»Wir können aber nicht warten«, sagte Edmund. Caris fand, dass ihr Vater zu unverblümt war, doch das war nun einmal seine Art, und so schwieg sie. »Wir müssen sofort mit den Arbeiten an einer neuen Brücke beginnen«, fuhr Edmund fort. »Holz nützt nichts; wir müssen aus Stein bauen. Das wird drei Jahre dauern – vier, wenn wir noch länger zögern.«

»Eine Steinbrücke?«

»Das ist von außerordentlicher Wichtigkeit. Ich habe mit Elfric und Merthin geredet. Eine neue Holzbrücke würde genauso einstürzen wie die alte.«

»Aber die Kosten!«

»Gut zweihundertfünfzig Pfund, je nach Plan. Das ist Elfrics Schätzung.«

Bruder Simeon sagte: »Eine neue Holzbrücke würde fünfzig Pfund kosten, und Prior Anthony hat den Vorschlag erst letzte Woche abgelehnt, weil ihm fünfzig Pfund zu viel waren.«

»Und jetzt schaut Euch das Ergebnis an! Einhundert Leute sind tot und noch viel mehr verletzt. Vieh und Karren sind versunken; der Prior ist von uns gegangen, und der Graf steht an der Schwelle des Todes.«

Steif sagte Carlus: »Ich hoffe, Ihr wollt das alles nicht dem verstorbenen Prior Anthony zur Last legen.«

»Wir können aber auch nicht so tun, als wäre seine Entscheidung richtig gewesen.«

»Gott hat uns für unsere Sünden bestraft.«

Edmund seufzte, und Caris wusste sich keinen Rat mehr. Immer wenn sie sich im Irrtum befanden, führten die frommen Brüder Gott als Argument ins Feld. Edmund sagte: »Wir einfachen Menschen vermögen Gottes Absichten nicht zu durchschauen, doch eines wissen wir mit Sicherheit: Ohne Brücke wird die Stadt sterben. Jetzt schon geraten wir Shiring gegenüber ins Hintertreffen. Wenn wir nicht so rasch wie möglich eine steinerne Brücke bauen, wird Kingsbridge zu einem kleinen Dorf verkommen.«

»Vielleicht ist das ja Gottes Plan für uns.«

Edmund konnte seinen Zorn nicht mehr verbergen. »Ist es möglich, dass Gott so unzufrieden mit Euch Mönchen ist? Denn falls der Woll- und der Wochenmarkt sterben – glaubt mir, dann wird es hier auch keine Priorei mit fünfundzwanzig Mönchen, vierzig Nonnen und fünfzig Bediensteten mehr geben, und auch kein Hospital, keinen Chor und keine Schule. Womöglich bedeutet das auch das Ende der Kathedrale. Der Bischof von Kingsbridge hat schon immer in Shiring residiert … Was, wenn die wohlhabenden Kaufleute dort ihm den Bau einer prächtigen neuen Kirche versprechen? Bezahlt von den Profiten ihres stetig wachsenden Marktes? Kein Kingsbridge-Markt, keine Stadt, keine Kathedrale, keine Priorei … wollt Ihr das?«

Carlus runzelte nachdenklich die Stirn. Es war offensichtlich, dass er bis jetzt keinen Gedanken an die langfristigen Folgen des Brückeneinsturzes für die Priorei verschwendet hatte.

Doch Simeon sagte: »Wenn die Priorei sich schon keine Holzbrücke leisten kann, besteht eindeutig auch keine Aussicht auf eine steinerne.«

»Aber Ihr *müsst!*«

»Werden die Steinmetze umsonst arbeiten?«

»Mit Sicherheit nicht. Sie müssen ihre Familien ernähren. Aber wir haben bereits erklärt, wie die Bürger Geld auftreiben und es der Priorei mit dem Brückenzoll als Sicherheit leihen könnten.«

»Womit wir unser Einkommen von der Brücke verlieren würden!«, rief Simeon entrüstet. »Ihr versucht schon wieder diesen Schwindel!«

Caris warf ein: »Ohne Brücke habt Ihr jetzt überhaupt keine Einnahmen mehr.«

»Im Gegenteil – wir nehmen Fährgeld ein.«

»Davon werdet Ihr erst einmal Elfric bezahlen müssen.«

»Das ist immer noch weit weniger, als der Bau einer neuen Brücke kosten würde, und trotzdem sind unsere Schatztruhen leer.«

»An Fährgeld wird nie viel zusammenkommen. Die Fähre ist zu langsam.«

»Vielleicht kommt dereinst eine Zeit, da die Priorei in der Lage sein wird, eine neue Brücke zu bauen. Gott wird uns die Mittel geben, wenn er will, und dann werden wir wieder Zolleinkünfte haben.«

Edmund sagte: »Gott hat Euch die Mittel bereits gesandt. Er hat meiner Tochter eine Idee eingegeben, wie man Geld auf eine Art auftreiben kann, an die bis jetzt niemand gedacht hat.«

Steif erwiderte Carlus: »Bitte, überlasst es uns zu entscheiden, was Gott tut und was nicht.«

»Also gut.« Edmund stand auf, und Caris tat es ihm nach. »Es tut mir wirklich sehr leid, dass Ihr so denkt. Es ist eine Katastrophe für Kingsbridge und alle, die hier leben – die Mönche eingeschlossen.«

»Das muss Gott entscheiden, nicht Ihr.«

Edmund und Caris wandten sich zum Gehen.

»Eines noch, wenn Ihr gestattet«, sagte Carlus.

Edmund drehte sich an der Tür noch einmal um. »Natürlich.«

»Es geht nicht an, dass Laien die Gebäude der Priorei betreten, wie es ihnen gefällt. Wenn Ihr mich das nächste Mal zu sehen wünscht, dann geht bitte ins Hospital und schickt einen Novizen oder Diener nach mir – so wie es üblich ist.«

»Ich bin der Älteste des Gemeinderates!«, protestierte Edmund. »Ich habe stets direkten Zugang zum Prior gehabt.«

»Ohne Zweifel hat die Tatsache, dass Prior Anthony Euer Bruder war, ihn davon abgehalten, die üblichen Regeln anzuwenden, doch diese Zeiten sind jetzt vorbei.«

Caris schaute ihren Vater an. Er hatte sichtlich Mühe, seine Wut im Zaum zu halten. »Also schön«, sagte er gereizt.

»Gott segne Euch.«

Edmund ging hinaus, und Caris folgte ihm.

Gemeinsam gingen sie über die verschlammte Wiese, vorbei an einem armselig kleinen Häuflein Marktstände. Caris wusste, welche Last auf den Schultern ihres Vaters ruhte. Die meisten Menschen kümmerten sich nur darum, ihre Familien zu ernähren. Edmund sorgte sich um die ganze Stadt. Caris schaute ihn an und sah, dass er kummervoll die Stirn in Falten legte. Im Gegensatz zu Carlus würde Edmund nicht die Hände gen Himmel heben und ausrufen, Gottes Wille geschehe. Er suchte verzweifelt nach einer Lösung für das Problem. Caris empfand Mitleid mit ihm. Er bemühte sich nach besten Kräften, das Beste zu tun, ohne auch nur den Hauch von Hilfe durch die mächtige Priorei zu bekommen. Und er beschwerte sich nie über seine Verantwortung, er nahm sie einfach an. Caris stiegen Tränen in die Augen.

Sie verließen das Klostergelände und überquerten die Hauptstraße. Als sie an ihrer Haustür anlangten, sagte Caris: »Was sollen wir jetzt tun?«

»Das ist doch offensichtlich, oder?«, erwiderte ihr Vater. »Wir müssen dafür sorgen, dass Carlus nicht zum Prior gewählt wird.«

Godwyn hatte sein Ziel klar vor Augen: Er wollte Prior von Kingsbridge werden.

Es drängte ihn danach, die Finanzen der Priorei neu zu ordnen und die Ländereien und anderen Besitzungen besser zu verwalten, sodass die Mönche nicht länger zu Mutter Cecilia gehen mussten, wenn sie Geld haben wollten. Er sehnte sich nach einer strengeren Trennung von Mönchen und Nonnen, und auch die Nähe zu den Stadtbewohnern war ihm zu groß. Die Mönche mussten endlich wieder die reine Luft der Heiligkeit atmen.

Doch neben diesen untadeligen Gründen gab es auch noch etwas anderes. Godwyn verzehrte sich nach der Autorität und dem Respekt, die mit Rang und Titel eines Priors einhergingen. Des Nachts, in seinen Träumen, war er schon seit Langem Prior.

»Räum die Unordnung im Kreuzgang auf!«, würde er dann einem Mönch befehlen.

»Ja, Vater Prior, sofort.«

Godwyn liebte diesen Klang. *Vater Prior.*

»Ich wünsche Euch einen guten Tag, Bischof Richard«, würde er sagen, nicht unterwürfig, sondern mit freundlicher Höflichkeit.

Und Bischof Richard würde, von einem ehrwürdigen Kirchenmann zum anderen, erwidern: »Auch Euch einen schönen Tag, Prior Godwyn.«

»Ich hoffe, es ist alles zu Eurer Zufriedenheit, Erzbischof«, könnte er dann sagen, diesmal allerdings ein wenig respektvoller, doch immer noch wie ein *fast* Gleichgestellter des hohen Kirchenfürsten und nicht wie ein Untertan.

»O ja, Godwyn, Ihr habt das hier hervorragend gemacht.«

»Euer Ehrwürden sind sehr freundlich.«

Und vielleicht, wenn er eines Tages mit einem reich gekleideten Herrscher durch den Kreuzgang schlendern würde: »Es ist uns eine große Ehre, dass Eure Majestät unsere bescheidene Priorei besucht.«

»Ich danke Euch, Vater Godwyn, doch ich bin gekommen, Euch um Rat zu bitten.«

Godwyn wollte dieses Amt, gierte danach ... nur war er nicht sicher, wie er es bekommen sollte. Die ganze Woche dachte er über diese Frage nach, während er hundert Beerdigungen leitete und ein großes Hochamt am Sonntag plante, als Trauergottesdienst für Anthony und zugleich als Gedenkfeier für die Seelen der Toten vom Brückeneinsturz.

Godwyn sprach mit niemandem über seine Hoffnungen. Erst vor zehn Tagen hatte er gelernt, was es ihn kosten konnte, wenn er zu vorschnell war. Er war mit Timothys Buch und schlagenden Argumenten für eine Reform ins Kapitel gegangen – und dann hatte die alte Garde sich in derart perfektem Schulterschluss gegen ihn gestellt, als hätten sie es vorher geprobt, und ihn wie einen Frosch unter einer Walze zerquetscht.

So etwas würde Godwyn nie wieder passieren.

Am Sonntagmorgen, als die Mönche zum Frühstück ins Refektorium einzogen, flüsterte ein Novize Godwyn zu, dass seine Mutter ihn am Nordportal der Kathedrale zu sehen wünsche. Diskret schlich Godwyn sich davon.

Er war besorgt, als er leise durch Kreuzgang und Kirche ging. Er konnte sich denken, was geschehen war: Gestern war irgendetwas passiert, das Petronilla Sorgen bereitete. Als sie dann heute Morgen bei Sonnenaufgang aufgewacht war, hatte sie einen Plan gehabt, und er, Godwyn, war Teil davon. Petronilla würde ausgesprochen ungeduldig und herrisch sein. Ihr Plan war vermutlich gut ... doch selbst wenn nicht, würde sie darauf bestehen, dass ihr Sohn ihn ausführte.

Petronilla stand im Zwielicht des Nordportals. Ihr Mantel war nass; es regnete wieder. »Mein Bruder Edmund ist gestern zum blinden Carlus gegangen«, begann sie. »Er hat mir erzählt, dass Carlus so tue, als wäre er bereits Prior und die Wahl nur eine Formalität.«

Sie sprach mit einem vorwurfsvollen Unterton, als wäre das alles Godwyns Schuld, und er antwortete sich verteidigend: »Die alte Garde hat sich hinter Carlus gesammelt, noch bevor Onkel Anthonys Leichnam kalt war. Sie wollen nichts von anderen Kandidaten hören.«

»Hm. Und die jungen Brüder?«

»Die wollen natürlich, dass ich antrete. Es hat ihnen gefallen, wie ich mich mit Timothys Buch dem Prior Anthony entgegengestellt habe – obwohl ich überstimmt worden bin. Aber ich habe noch nichts gesagt.«

»Gibt es sonst noch Kandidaten?«

»Thomas Langley ist der Außenseiter. Ein paar missbilligen ihn, weil er früher Ritter war und Menschen erschlagen hat, wie er selbst gesteht. Aber er ist ein durchaus fähiger Mann, erfüllt seine Aufgaben gut, schikaniert niemals die Novizen …«

Seine Mutter schaute nachdenklich drein. »Kennst du seine Geschichte? Warum ist er Mönch geworden?«

Godwyns Sorgen ließen ein wenig nach. Offenbar wollte seine Mutter ihn nicht seiner Tatenlosigkeit wegen beschimpfen. »Thomas sagt nur, dass er sich schon immer nach einem frommen Leben gesehnt habe, und als er mit einer Schwertwunde hier eintraf, hat er beschlossen, nie wieder fortzugehen.«

»Ich erinnere mich. Das war vor zehn Jahren. Aber ich habe nie gehört, wie und wo er sich diese Wunde zugezogen hat.«

»Ich auch nicht. Er redet nicht gerne über seine Vergangenheit.«

»Wer hat für seine Aufnahme in die Priorei bezahlt?«

»Seltsamerweise weiß ich das nicht.« Godwyn staunte oft über die Fähigkeit seiner Mutter, enthüllende Fragen zu stellen. Sie mochte ja eine Tyrannin sein, aber er konnte nicht umhin, sie zu bewundern. »Es könnte Bischof Richard gewesen sein – ich weiß noch, dass er die übliche Spende zugesagt hat –, aber persönlich hat er gewiss nicht die Mittel dafür gehabt. Damals war er noch kein Bischof, nur Priester. Vielleicht hat er für Graf Roland gesprochen.«

»Finde es heraus.«

Godwyn zögerte. Dafür würde er alle entsprechenden Urkunden in der Klosterbibliothek durchsehen müssen. Der Bibliothekar, Bruder Augustine, würde sich zwar nicht herausnehmen, das Vorgehen des Mesners zu hinterfragen, jemand anders aber schon. Und dann würde Godwyn in die Verlegenheit geraten, sich eine glaubwürdige Geschichte ausdenken zu müssen, um sein Tun zu erklären. Falls es sich bei der Spende um Geld gehandelt hatte und nicht um Land oder anderen Besitz – was ungewöhnlich, aber möglich war –, würde er überdies die Bücher durchgehen müssen, und …

»Was ist?«, fragte seine Mutter in scharfem Ton.

»Nichts. Du hast recht.« Godwyn rief sich ins Gedächtnis, dass die herrische Art seiner Mutter bloß ein Zeichen ihrer Liebe zu ihm war, nur dass sie diese Liebe eben nicht anders auszudrücken vermochte. »Es muss doch irgendwelche Aufzeichnungen darüber geben«, sinnierte Godwyn. »Wenn ich so darüber nachdenke …«

»Was?«

»Eine solche Spende wird für gewöhnlich nicht einfach stillschweigend hingenommen. Die Priorei verkündet sie in der Kirche und segnet den Spender; dann folgt eine Predigt darüber, dass Leute, die ihr Land der Priorei geben, im Himmel belohnt werden. Aber ich kann mich nicht erinnern, dass es damals, als Thomas zu uns kam, so etwas gegeben hat.«

»Umso wichtiger ist es, die Urkunde herauszusuchen. Ich glaube, dass Thomas ein Geheimnis hat, und ein Geheimnis ist stets ein Schwachpunkt.«

»Ich werde mich darum kümmern. Was soll ich den Leuten sagen, die wollen, dass ich mich zur Wahl stelle?«

Petronilla lächelte listig. »Ich denke, du solltest ihnen sagen, dass du *nicht* kandidieren wirst.«

Als Godwyn seine Mutter verließ, war das Frühstück vorbei. Nachzüglern war es aufgrund einer schon lange bestehenden Regel nicht gestattet, später zu essen; doch der Küchenmeister, Bruder Reynard, fand stets etwas für jemanden, den er mochte. Godwyn ging in die Küche und bekam ein Stück Käse und Brot. Er aß im Stehen, während um ihn herum die Klosterdiener Geschirr aus dem Refektorium brachten und die Töpfe schrubbten, in denen der Brei zubereitet worden war.

Während er aß, sinnierte Godwyn über den Rat seiner Mutter. Je mehr er darüber nachdachte, desto klüger erschien er ihm. Hatte er erst einmal verkündet, dass er sich nicht zur Wahl stellen würde, hätten seine Worte die Autorität eines desinteressierten Beobachters. So würde er die Wahl beeinflussen können, ohne den Anschein zu erwecken, eigene Ziele zu verfolgen. Godwyn überkam eine Woge der Dankbarkeit ob des gerissenen Verstandes seiner rastlosen Mutter und der Treue ihres unbeugsamen Herzens.

Bruder Theodoric erschien in der Küche. Sein helles Gesicht war vor Empörung gerötet. »Bruder Simeon hat beim Frühstück darüber gesprochen, dass Carlus Prior werden soll!«, sagte er. »Alles drehte sich darum, Anthonys weise Tradition fortzusetzen. *Nichts* wird sich verändern!«

Das war klug, dachte Godwyn. Simeon hat meine Abwesenheit genutzt, um Dinge zu verkünden, gegen die ich mich ansonsten verwahrt hätte. Mitfühlend sagte er: »Das hört sich gar nicht gut an.«

»Ich habe gefragt, ob es auch anderen Kandidaten gestattet sei, sich beim Frühstück auf ähnliche Weise an die Brüder zu wenden.«

Godwyn grinste. »Das wird ihm nicht gefallen haben.«

»Simeon hat erklärt, dass andere Kandidaten nicht nötig seien. ›Wir halten hier keinen Schießwettbewerb ab‹, hat er gesagt. Seiner Ansicht nach ist die Entscheidung bereits gefallen: Prior Anthony habe Carlus zu seinem Nachfolger erklärt, als er ihn zum Subprior ernannt hat.«

»Das ist völliger Unsinn.«

»Genau! Die Brüder sind außer sich.«

Sehr gut, dachte Godwyn. Carlus hatte seine eigenen Anhänger vor den Kopf gestoßen, indem er ihnen das Wahlrecht abgesprochen hatte. Er untergrub seine eigene Kandidatur.

Theodoric fuhr fort: »Ich denke, wir sollten Carlus drängen, auf seine Kandidatur zu verzichten.«

Beinahe hätte Godwyn ein »Bist du von Sinnen?« hervorgestoßen. Doch er biss sich auf die Zunge und versuchte, den Anschein zu erwecken, als dächte er über Theodorics Worte nach. »Ist das tatsächlich die beste Möglichkeit?«, fragte er, als wäre er wirklich unsicher.

Theodoric war von der Frage überrascht. »Was meinst du damit?«

»Du hast gesagt, die Brüder seien wütend auf Carlus und Simeon. Wenn das anhält, werden sie nicht für Carlus stimmen. Aber wenn Carlus einen Rückzieher macht, wird die alte Garde einen anderen Kandidaten aufstellen, und beim zweiten Mal treffen sie vielleicht eine bessere Wahl. Es könnte jemand Beliebtes sein ... Bruder Joseph zum Beispiel.«

Theodoric war wie vom Schlag gerührt. »Daran habe ich noch gar nicht gedacht.«

»Vielleicht sollten wir hoffen, dass Carlus der Kandidat der alten Garde bleibt. Es ist allgemein bekannt, dass er gegen jede Form von Veränderung ist. Tatsächlich ist das sogar der Grund, warum er ein Leben als Mönch gewählt hat: Es gefällt ihm, wenn jeder Tag gleich ist. Er liebt es, dieselben Wege zu gehen, auf denselben Stühlen zu sitzen und an immer denselben Orten zu essen, zu beten und zu schlafen. Vielleicht liegt es an seiner Blindheit, doch ich vermute, dass es nicht anders wäre, wenn er sehen könnte. Nun gibt es nur wenige Mönche, die derart festgefahren sind ... weshalb Carlus leicht zu schlagen ist. Ein Kandidat, der die alte Garde vertritt, gleichzeitig aber ein paar kleine Reformen ankündigt, würde viel eher gewinnen.« Godwyn bemerkte, dass er nicht so vorsichtig und zurückhaltend war, wie er es beabsichtigt hatte, und so fügte er rasch hinzu: »Aber ich weiß nicht ... Was denkst du?«

»Ich denke, du bist ein Genie«, antwortete Theodoric.

Ich bin kein Genie, dachte Godwyn, aber ich lerne schnell.

Er begab sich ins Hospital, wo er Philemon beim Putzen der Privatgemächer im Obergeschoss antraf. Herr William war noch immer da. Er wachte über seinen Vater und wartete darauf, ob Graf Roland leben oder sterben würde. Lady Philippa war bei ihm. Bischof Richard war in seinen Palast in Shiring zurückgekehrt, wurde aber für das Hochamt zurückerwartet.

Godwyn führte Philemon in die Bibliothek. Philemon konnte kaum lesen, aber er konnte ihm helfen, die Urkunden herauszusuchen, die für Godwyn von Bedeutung waren.

Die Priorei besaß mehr als hundert Urkunden. Die meisten waren Landüberschreibungen, größtenteils im Umland von Kingsbridge, einige aber auch in weit entfernten Gegenden von England und Wales. Des Weiteren gab es die Gründungsurkunde der Priorei, die Erlaubnis, eine Kirche zu bauen und dafür kostenlos Steine aus den Steinbrüchen des Grafen von Shiring zu holen sowie das Land um die Priorei in Grundstücke aufzuteilen und zu verpachten. Auch war hier das Recht der Priorei verbrieft, Gericht in Kingsbridge zu halten, einen Wochenmarkt zu haben, Brückenzoll einzutreiben, einen jährlichen Wollmarkt abzuhalten und Güter über den Fluss nach Melcombe zu verschiffen, ohne dafür Abgaben an die Herren der umliegenden Ländereien entrichten zu müssen.

Sämtliche Dokumente waren mit Feder und Tinte auf Pergament geschrieben – dünne Tierhäute, die sorgfältig gesäubert, gebleicht und geglättet worden waren, um eine Schreibfläche zu bieten. Größere Pergamente wurden gerollt und mit einem dünnen Lederband zusammengebunden. Sie wurden in einer eisenbeschlagenen Truhe aufbewahrt. Die Truhe war verschlossen, doch der Schlüssel befand sich in einem kleinen Holzkästchen in der Bibliothek.

Godwyn runzelte missbilligend die Stirn, als er die Truhe öffnete. Die Dokumente waren nicht sortiert, sondern scheinbar wahllos hineingeworfen worden. Ein paar wiesen kleine Risse und ausgefranste Ränder auf, und alle waren verstaubt. Eigentlich hätten sie nach Datum sortiert werden müssen, überlegte Godwyn. Man hätte sie durchnummerieren und die Nummern in den Truhendeckel schreiben sollen, um schneller finden zu können, was man suchte.

Wenn ich erst Prior bin ...

Philemon holte die Dokumente nacheinander heraus, blies den Staub weg und legte sie für Godwyn auf einen Tisch. Godwyn beobachtete ihn. Die meisten Leute mochten Philemon nicht, und einige der älteren Mönche hatten sich zwar an ihn gewöhnt, misstrauten ihm jedoch. Für Godwyn galt das nicht: Wie hätte er Philemon auch misstrauen können, wo der ihn wie einen Gott verehrte? Godwyn erinnerte sich noch an den jungen Philemon – ein großer, linkischer, unbeholfener Bursche, der ständig in der Priorei herumgelungert und die Mönche gefragt hatte, zu welchem Heiligen man am besten beten solle und ob sie je ein Wunder gesehen hätten.

Die meisten Dokumente waren ursprünglich in zweifacher Ausfertigung auf einen einzelnen Bogen Pergament geschrieben worden. Dann hatte man das Wort »Chirograph« in großen Lettern zwischen die beiden Texte gesetzt und das Blatt anschließend im Zickzack durch das Wort entzweigeschnitten. Beide Parteien behielten je eine Hälfte des Dokuments; wenn die beiden gezackten Linien sich nahtlos aneinanderlegen ließen, galt das als Beweis der Echtheit.

Ein paar der Pergamentblätter hatten Löcher; vermutlich waren die Schafe, deren Haut dieses Pergament einst gewesen war, an den betreffenden Stellen zu Lebzeiten von einem Insekt gebissen worden. Andere Blätter schienen im Laufe ihrer Geschichte von Mäusen angeknabbert worden zu sein.

Natürlich war alles auf Latein verfasst. Die Dokumente neueren Datums waren einfacher zu lesen, doch selbst Godwyn fiel es bisweilen schwer, eine ältere Handschrift zu entziffern. Nun jedoch suchte er nach etwas, das kurz nach Allerheiligen vor zehn Jahren geschrieben worden war.

Sorgfältig besah Godwyn sich jedes einzelne Blatt, fand aber nichts.

Das Dokument, das dem Gesuchten vom Datum her am nächsten kam, war eine Woche später verfasst worden. Darin erteilte Graf Roland Sir Gerald die Erlaubnis, seine Ländereien an die Priorei zu überschreiben. Als Gegenleistung erklärte die Priorei sich bereit, Sir Gerald seine Schulden zu erlassen und ihn und sein Weib für den Rest ihres Lebens zu versorgen.

Godwyn war nicht enttäuscht, eher im Gegenteil: Entweder war Thomas ohne die übliche Spende aufgenommen worden – was an sich schon seltsam genug gewesen wäre –, oder das entsprechende Dokument wurde anderswo aufbewahrt, um es vor neugierigen Blicken zu schützen. Doch wie auch immer, es erschien zunehmend wahrscheinlicher, dass Petronillas Ahnung zutraf: Thomas hatte ein Geheimnis zu verbergen.

Es gab nicht viele Orte in der Priorei, an denen man ungestört ganz für sich allein sein konnte. Von Mönchen erwartete man, dass sie weder Besitz noch Geheimnisse hatten. In einigen wohlhabenderen Klöstern gab es zwar Privatzellen für hochrangige Mönche, doch in Kingsbridge schliefen alle in einem einzigen, großen Raum – alle mit Ausnahme des Priors. Also befand Thomas' Aufnahmeurkunde sich mit ziemlicher Sicherheit im Haus des Priors.

Und da wohnte im Augenblick Carlus.

Das machte die Sache schwierig. Carlus würde Godwyn niemals das Haus durchsuchen lassen ... Aber vielleicht war eine Durchsuchung gar nicht nötig. Vermutlich gab es irgendwo ein Kästchen oder eine Mappe, die für alle sichtbar unter den persönlichen Dokumenten des verstorbenen Priors Anthony lag: ein Notizbuch aus seiner Novizenzeit, ein freundlicher Brief des Erzbischofs, ein paar vorgefasste Predigten. Carlus war das alles nach Anthonys Tod vermutlich schon durchgegangen, hatte aber keinen Grund, Godwyn Gleiches zu gestatten.

Nachdenklich legte Godwyn die Stirn in Falten. Könnte jemand anders dort suchen? Edmund oder Petronilla könnten darum bitten, die Besitztümer ihres verstorbenen Bruders einzusehen ... in diesem Fall könnte Carlus die Erlaubnis nur schwer verweigern. Allerdings könnte er im Vorfeld alle Dokumente beiseiteschaffen, die mit der Priorei zu tun hatten. Nein, die Suche musste heimlich vonstatten gehen.

Die Glocke läutete zur Terz, dem Morgengebet – und mit einem Mal fiel Godwyn ein, dass Carlus nur während einer Andacht oder eines Gottesdienstes, die in der Kathedrale stattfanden, nicht im Haus des Priors sein würde.

Godwyn würde die Terz ausfallen lassen. Ihm würde schon irgendeine glaubwürdige Entschuldigung einfallen. Leicht war das allerdings nicht. Er war der Mesner, die einzige Person, die *nie* einen Gottesdienst ausfallen lassen sollte. Aber ihm blieb keine andere Wahl.

»Ich möchte, dass du zu mir in die Kirche kommst, Philemon«, sagte Godwyn.

»In Ordnung«, erwiderte Philemon, doch er schaute besorgt drein: Bedienstete der Priorei durften den Chor während der Gottesdienste eigentlich nicht betreten.

»Komm gleich nach der ersten Strophe des Stundengebets. Flüstere mir etwas ins Ohr, egal was – und kümmere dich nicht darum, was ich daraufhin tue, sondern mach einfach weiter.«

Philemon wurde noch unruhiger, nickte aber. Er würde alles für Godwyn tun.

Godwyn verließ die Bibliothek und schloss sich der Prozession zur Kirche an. Nur eine Handvoll Leute standen im Hauptschiff; die meisten Stadtbewohner würden erst später am Tag zur Trauerandacht für die Opfer des Brückeneinsturzes kommen. Die Mönche nahmen ihre Plätze im Chor ein, und das Ritual begann. »*Deus in adiutorium meum intende!*«, begann der Vorbeter, und Godwyn antwortete gemeinsam mit den anderen Betenden: »*Domine ad adiuvandum me festina …*« O Gott, komm mir zu Hilfe. Herr, eile mir zu helfen …

Sie beendeten das Gebet und stimmten den Hymnus an. Sofort erschien Philemon. Alle Mönche starrten ihn an, so wie die Leute immer starren, wenn während eines gewohnten Ritus irgendetwas Außergewöhnliches geschieht. Bruder Simeon runzelte missbilligend die Stirn. Der blinde Carlus, der den Gesang anführte, spürte die Störung und schaute verwirrt drein. Philemon ging zu Godwyn und beugte sich zu ihm. »Wohl dem, der nicht wandelt im Rat der Gottlosen …«, flüsterte er ihm ins Ohr.

Godwyn spielte den Überraschten und hörte weiter zu, während Philemon den ersten Psalm rezitierte. Nach ein paar Augenblicken schüttelte Godwyn vehement den Kopf, als lehne er eine Bitte ab. Dann hörte er wieder zu. Er würde sich eine wirklich gute Geschichte ausdenken müssen, um dieses Schauspiel zu erklären. Vielleicht würde er sagen, seine Mutter habe darauf bestanden, umgehend über die Beerdigung ihres Bruders mit ihm, Godwyn, zu sprechen, und dass sie gedroht habe, persönlich im Chor zu erscheinen, wenn Philemon ihm die Nachricht nicht sofort übermittle. Petronillas hochfahrende Art – in Verbindung mit der Trauer in der Familie – machte diese Geschichte gerade noch so glaubwürdig. Als Philemon den Psalm beendet hatte, setzte Godwyn ein resigniertes Gesicht auf, erhob sich und folgte Philemon aus dem Chor.

Sie eilten um die Kathedrale herum zum Haus des Priors. Ein junger Bediensteter putzte den Boden. Doch er würde es nicht wagen, einen Mönch zu fragen, was er hier zu suchen habe. Natürlich könnte er Carlus berichten, dass Godwyn und Philemon hier gewesen waren, doch dann wäre es zu spät.

Godwyn hielt das Haus des Priors für eine Schande. Es war kleiner als Onkel Edmunds Haus an der Hauptstraße. Philemon war der Meinung, dass der Prior einen Palast haben sollte, der seiner Stellung angemessen war, so wie der Bischof. Dieses Gebäude aber hatte überhaupt nichts Prachtvolles. Ein paar Wandteppiche bedeckten die Wände. Sie zeigten biblische Szenen und schützten vor Durchzug, doch alles in allem war die Ausstattung langweilig und fantasielos ... wie der verstorbene Anthony.

Godwyn und Philemon durchsuchten das Haus rasch und fanden bald, wonach sie suchten. Oben im Schlafzimmer, in einer Truhe neben dem Betpult, lag eine große Mappe. Sie bestand aus hellbraunem Ziegenleder und war mit wunderbarem scharlachrotem Faden vernäht. Godwyn war sicher, dass es sich dabei um das fromme Geschenk eines Lederschneiders aus der Stadt handelte.

Unter Philemons aufmerksamem Blick öffnete er die Mappe.

Im Innern befanden sich dreißig glatt gestrichene Blätter Pergament; zum Schutz waren Leinentücher zwischen die einzelnen Blätter gelegt. Godwyn überflog sie rasch.

Auf mehreren standen Notizen zu den Psalmen: Anthony musste darüber nachgedacht haben, ein Buch mit Kommentaren zu schreiben, doch irgendwann schien er das Werk aufgegeben zu haben. Der überraschendste Text war ein Liebesgedicht auf Latein. Unter der Überschrift *Virent Oculi* richtete es sich an einen Mann mit grünen Augen. Onkel Anthony hatte grüne Augen mit goldenen Flecken gehabt, wie jeder in seiner Familie.

Godwyn fragte sich, wer das Gedicht wohl geschrieben hatte. Nicht viele Frauen konnten ausreichend gut Latein, um ein Gedicht zu verfassen. Hatte eine Nonne Anthony geliebt? Oder stammte das Gedicht von einem Mann? Das Pergament war alt und vergilbt: Die Liebesaffäre – falls es eine war – musste in Anthonys Jugend stattgefunden haben. Aber er hatte das Gedicht aufbewahrt. Vielleicht war der Mann ja doch kein solcher Langweiler gewesen, wie Godwyn immer gedacht hatte.

Philemon fragte: »Was ist das?«

Godwyn fühlte sich schuldig. Er hatte in einen zutiefst persönlichen Bereich im Leben seines Onkels hineingeschaut; nun wünschte er sich, er hätte es nicht getan. »Nichts«, antwortete er. »Nur ein Gedicht.« Er griff zum nächsten Blatt – und stieß auf Gold.

Es war ein Dokument, das auf Weihnachten vor zehn Jahren datiert war. Es ging um einen Landbesitz von fünfhundert Morgen in der Nähe von Lynn in Norfolk. Der Herr war kurz zuvor gestorben, und in der Urkunde wurden die nunmehr vakanten Rechte an die Priorei von Kingsbridge übertragen und die jährlichen Abgaben festgelegt – Getreide, Felle, Kälber und Hühner –, zahlbar an die Priorei von den Leibeigenen und Pächtern, die das Land bewirtschafteten. Außerdem wurde einer der Bauern zum Vogt bestimmt mit der Aufgabe, die Erträge jährlich an die Priorei abzuliefern. Auch waren Geldzahlungen erwähnt, die anstelle der Abgaben geleistet werden konnten – eine Praxis, die dieser Tage üblich war, besonders, wenn der Besitz weit von der Residenz des Herrn entfernt lag.

Es war eine typische Überschreibungsurkunde. Jedes Jahr pilgerten die Repräsentanten Dutzender ähnlicher Gemeinden nach der Ernte zur Priorei, um abzuliefern, was sie den Mönchen schuldeten. Die aus der Nähe kamen im Frühherbst, andere in Abständen während des Winters, und ein paar, die von ganz weit her kamen, trafen erst nach Weihnachten ein.

In der Urkunde wurde außerdem erwähnt, dass die Übertragung von Grund und Boden und sämtlicher Rechte vollzogen sei, sobald Sir Thomas Langley als Mönch in die Reihen der Brüder aufgenommen werde. Auch so etwas war üblich.

Doch ein Punkt in diesem Dokument war ganz und gar nicht üblich: Die Urkunde war von Königin Isabella unterschrieben.

Das war interessant. Isabella war das untreue Weib von König Edward II. Sie hatte sich gegen ihren königlichen Gemahl erhoben und an seiner statt ihren vierzehnjährigen Sohn inthronisiert. Das Legat war kurz nach dem Tod des abgesetzten Königs aufgesetzt worden, und Prior Anthony hatte damals an der Beerdigung in Gloucester teilgenommen. Thomas war ungefähr zur gleichen Zeit ins Kloster eingetreten.

Ein paar Jahre lang hatten die Königin und ihr Geliebter, Roger Mortimer, England regiert; aber nach einiger Zeit war es Edward III. trotz seiner Jugend gelungen, seinen Herrschaftsanspruch durchzusetzen. Der neue König war jetzt vierundzwanzig und hatte das Land fest im Griff. Mortimer war tot, und Isabella mit ihren nunmehr zweiundvierzig Jahren lebte in Castle Rising, einem opulenten Altersruhesitz, nicht weit entfernt von Lynn.

»Das ist es!«, sagte Godwyn zu Philemon. »Es war Königin Isabella, die dafür gesorgt hat, dass Thomas Mönch werden konnte.«

Philemon runzelte die Stirn. »Aber warum?«

Philemon war zwar ungebildet, aber schlau. »Ja, warum?«, erwiderte Godwyn. »Vermutlich weil sie ihn entweder belohnen oder zum Schweigen bringen wollte. Vielleicht auch beides.«

»Er muss ihr irgendeinen Dienst geleistet haben.«

Godwyn nickte. »Vielleicht hat er ihr eine Botschaft überbracht, ein Burgtor geöffnet, ihr die Pläne des Königs verraten oder ihr die Unterstützung irgendeines wichtigen Barons gesichert – was auch immer. Aber was ist so geheim an dieser Schenkung?«

»Sie ist nicht geheim«, sagte Philemon. »Der Schatzmeister muss davon wissen, und alle Einwohner von Lynn. Und wenn der Vogt hierherkommt, muss er doch mit ein paar Leuten reden.«

»Aber niemand weiß, dass das Ganze für Thomas arrangiert worden ist ... es sei denn, sie haben dieses Dokument gesehen.«

»Dann ist *das* also das Geheimnis: dass die großzügige Spende bei Thomas' Eintritt in den Orden von Königin Isabella gemacht wurde.«

»Genau.« Godwyn packte die Dokumente wieder zusammen und legte die Mappe in die Truhe zurück.

Philemon fragte: »Aber warum ist es ein Geheimnis? Es ist weder unehrlich noch schändlich. So etwas kommt ständig vor.«

»Ich weiß nicht, warum es ein Geheimnis ist, und vielleicht müssen wir das auch gar nicht wissen. Allein die Tatsache, dass einige Leute es weiterhin verbergen wollen, könnte für unsere Zwecke schon reichen. Lass uns dieses Haus verlassen.«

Godwyn war zufrieden. Thomas hatte ein Geheimnis, und er, Godwyn, wusste davon. Das verlieh ihm Macht. Nun fühlte er sich selbstbewusst genug, um Thomas als Kandidaten für das Amt des Priors vorzuschlagen. Aber er machte sich auch Sorgen: Thomas war kein Narr.

Sie kehrten in die Kathedrale zurück. Kurz darauf endete das Stundengebet, und Godwyn machte sich daran, die Kirche für den großen Trauergottesdienst vorzubereiten. Auf seine Anweisungen hin hoben sechs Mönche Anthonys Sarg auf ein Podest vor dem Altar und stellten ringsum Kerzen auf. Einwohner der Stadt versammelten sich im Hauptschiff. Godwyn nickte seiner Base Caris zu, die ihren Kopfputz mit schwarzer Seide bedeckt hatte. Dann entdeckte er Thomas, der mit Hilfe eines Novizen einen großen, geschmückten Stuhl herbeitrug. Es war der Bischofsstuhl, Kathedra genannt, welcher der Kirche ihren besonderen Status als Kathedrale verlieh.

Godwyn berührte Thomas am Arm. »Lass Philemon das erledigen.«

Thomas zuckte unwillkürlich zusammen, da er glaubte, Godwyn

biete ihm seine Hilfe wegen des fehlenden Arms an. »Ich komme schon zurecht.«

»Das weiß ich. Ich will mit dir reden.«

Thomas war älter – er war vierunddreißig, Godwyn einunddreißig –, doch Godwyn stand in der Klosterhierarchie über ihm. Thomas, der Matricularius, zeigte dem Mesner Godwyn gegenüber für gewöhnlich die gebührende Achtung; dennoch hatte Godwyn das Gefühl, als bekäme er gerade so viel Respekt, wie Thomas ihm zugestand, und keinen Deut mehr. Obwohl Thomas sich in jeder Hinsicht den Regeln des heiligen Benedikt unterwarf, schien er aus seinem früheren Leben ein gewisses Maß an Unabhängigkeit mit in die Priorei gebracht zu haben, das er nie verloren hatte.

Es würde nicht leicht sein, Thomas zu täuschen – und genau das hatte Godwyn vor.

Thomas gestattete Philemon, seinen Platz am Stuhl einzunehmen, und Godwyn zog ihn ins Seitenschiff. »Man redet von dir als unserem nächsten Prior«, sagte Godwyn.

»Das sagen sie auch von dir«, erwiderte Thomas.

»Ich werde mich aber nicht zur Wahl stellen.«

Thomas hob die Augenbrauen. »Du überraschst mich, Bruder.«

»Ich habe zwei Gründe für meine Entscheidung«, erklärte Godwyn. »Zum einen glaube ich, dass du das Amt besser ausfüllen würdest ...«

Thomas schaute noch verwunderter drein. Vermutlich hatte er Godwyn nie solcher Bescheidenheit für fähig gehalten. Und er hatte recht: Godwyn log.

»Zum anderen«, fuhr Godwyn fort, »ist es wahrscheinlicher, dass du gewinnst.« Nun sprach Godwyn die Wahrheit. »Die jungen Brüder mögen mich, aber du bist bei Jungen *und* Alten beliebt.«

Auf Thomas' schönem Gesicht spiegelte sich immer größere Verwirrung. Er wartete auf den Haken an der Sache.

»Ich will dir helfen«, sagte Godwyn. »Ich halte es für das einzig Wichtige, dass wir einen Prior bekommen, der das Kloster reformiert und die Finanzen verbessert.«

»Ich glaube, das könnte ich. Aber was willst du als Gegenleistung für deine Unterstützung?«

Godwyn wusste, dass er seine Unterstützung nicht als Freundschaftsdienst hinstellen konnte; das würde Thomas ihm nicht abnehmen. Godwyn erfand eine glaubhafte Lüge: »Ich möchte Subprior werden.«

Thomas nickte, stimmte aber nicht sofort zu. »Und wie sähe deine Hilfe aus?«

»Zuerst einmal würde ich dir die Unterstützung der Bürgerschaft sichern.«

»Nur weil Edmund Wooler dein Onkel ist?«

»So einfach ist das nicht. Die Bürger machen sich Sorgen wegen der Brücke. Carlus will nicht mit der Sprache heraus, wann die Bauarbeiten beginnen sollen – falls überhaupt. Die Leute wollen auf gar keinen Fall, dass er Prior wird. Wenn ich Edmund sage, dass du unmittelbar nach deiner Wahl mit den Arbeiten an der Brücke beginnen wirst, hast du die ganze Stadt hinter dir.«

»Das wird mir aber nicht die Stimmen vieler Mönche bringen.«

»Sei dir da nicht so sicher. Vergiss nicht, dass die Wahl der Mönche vom Bischof bestätigt werden muss. Die meisten Bischöfe sind klug genug, dass sie die Meinung der Einheimischen einholen, und Richard ist begierig darauf, jeden Ärger zu vermeiden. Wenn die Bürger sich für dich erklären, hat das durchaus Gewicht!«

Godwyn sah, dass Thomas ihm nicht traute. Der Matricularius musterte ihn aufmerksam, und Godwyn spürte, wie ihm eine Schweißperle über den Rücken rann, während er darum kämpfte, ein ausdrucksloses Gesicht zu bewahren. Doch Thomas hörte sich seine Argumente an. »Es besteht kein Zweifel daran, dass wir eine Brücke brauchen«, sagte er. »Carlus ist ein Narr, den Bau auch nur hinauszuzögern.«

»Du würdest also nur etwas versprechen, was du ohnehin tun willst.«

»Du verstehst es wirklich, einen zu überreden.«

Godwyn hob abwehrend die Hände. »Oh, das will ich nicht. Du musst tun, was du für Gottes Willen hältst.«

Thomas schaute skeptisch drein. Er glaubte nicht, dass Godwyn so leidenschaftslos war; aber er sagte: »Na gut.« Dann fügte er hinzu: »Ich werde beten und Gott um seinen Ratschluss bitten.«

Godwyn sah ein, dass er heute keine verbindlichere Erklärung von Thomas mehr bekommen würde, und ihn weiter zu drängen könnte sich als ungünstig erweisen. »Dann ziehe auch ich mich zum Gebet zurück«, sagte er und wandte sich ab.

Thomas würde genau das tun, was er verkündet hatte: beten. Der einstige Ritter besaß kaum persönlichen Ehrgeiz. Wenn er glaubte, es sei Gottes Wille, dass er als Prior kandidiere, würde er es tun; wenn nicht, dann nicht. Godwyn konnte im Augenblick nicht mehr erreichen.

Inzwischen brannten Dutzende von Kerzen um Anthonys Sarg. Das Hauptschiff füllte sich mit Bürgern und Bauern aus den umliegenden Dörfern. Godwyn suchte die Menge nach Caris' Gesicht ab, das er ein paar Minuten zuvor gesehen hatte. Er entdeckte sie im südlichen Querschiff, wo sie sich Merthins Gerüst anschaute. Godwyn hatte liebevolle Erinnerungen an Caris als Kind, als er noch ihr allwissender großer Vetter gewesen war.

Seit dem Einsturz der Brücke hatte Caris nur noch düster dreingeschaut, wie Godwyn bemerkt hatte, doch heute wirkte sie geradezu fröhlich. Das freute ihn: Er hatte schon immer eine Schwäche für sie gehabt. Er tippte ihr mit dem Zeigefinger auf die Schulter. »Du siehst glücklich aus.«

»Das bin ich auch.« Sie lächelte. »Man könnte sagen, dass sich in meinem Bauch ein Liebesknoten gelöst hat. Aber das würdest du natürlich nicht verstehen.«

»Natürlich nicht.« Du hast ja keine Ahnung, dachte Godwyn, wie viele »Liebesknoten« es unter den Mönchen gibt. Aber er schwieg: Laien blieben besser in Unkenntnis der Sünden, die in der Priorei begangen wurden. Godwyn sagte: »Dein Vater sollte mit Bischof Richard über den Wiederaufbau der Brücke reden.«

»Wirklich?«, entgegnete Caris skeptisch. Als Kind hatte sie Godwyn verehrt wie einen Helden, doch heutzutage hatte sie weniger Ehrfurcht vor ihm. »Was soll das nützen? Es ist nicht seine Brücke.«

»Die Wahl der Mönche muss vom Bischof gebilligt werden. Richard könnte durchsickern lassen, dass er niemanden billigen würde, der es ablehnt, die Brücke wiederaufzubauen. Einige Mönche werden sich dem vielleicht widersetzen, andere jedoch werden sagen, dass es sinnlos sei, für jemanden zu stimmen, dessen Wahl ohnehin nicht bestätigt werden wird.«

»Ich verstehe. Glaubst du wirklich, mein Vater könnte helfen?«

»Ganz bestimmt.«

»Dann werde ich es ihm vorschlagen.«

»Danke.«

Die Glocke läutete. Godwyn schlüpfte aus der Kirche und schloss sich der Prozession an, die sich im Kreuzgang sammelte. Es war Mittag.

Er hatte an diesem Morgen viel geschafft.

KAPITEL 16

Wulfric und Gwenda verließen Kingsbridge früh am Montagmorgen, um sich auf den langen Heimweg in ihr Dorf zu machen.

Caris und Merthin beobachteten, wie sie den Fluss auf Merthins neuer Fähre überquerten. Es freute Merthin, wie gut der Mechanimus funktionierte. Die hölzernen Zahnräder würden allerdings rasch abnutzen, das wusste er. Eisenräder wären besser, aber ...

Caris hing weniger technischen Gedanken nach. »Gwenda ist sehr verliebt«, seufzte sie.

»Sie hat keine Chance bei Wulfric«, bemerkte Merthin.

»Das weiß man nie. Sie ist ein entschlossenes Mädchen. Schau dir nur einmal an, wie sie Sim Chapman entkommen ist.«

»Aber Wulfric ist mit dieser Annet verlobt. Die ist viel hübscher.«

»Gutes Aussehen ist in der Liebe nicht alles.«

»Dafür danke ich Gott jeden Tag.«

Caris lachte. »Ich liebe dein komisches Gesicht.«

»Aber Wulfric hat sich wegen Annet mit meinem Bruder geprügelt. Er muss sie lieben.«

»Gwenda hat einen Liebestrank.«

Merthin schaute sie missbilligend an. »Dann hältst du es also für richtig, wenn ein Mädchen einen Mann dazu verführt, sie zu heiraten, obwohl er eine andere liebt?«

Für einen Moment fehlten Caris die Worte. Die weiche Haut an ihrem Hals färbte sich rosa. »So habe ich das noch nie betrachtet«, sagte sie. »Ist das wirklich das Gleiche?«

»Es ist zumindest ähnlich.«

»Aber sie verführt ihn doch gar nicht. Sie will nur dafür sorgen, dass er sie liebt.«

»Das sollte sie lieber ohne Trank versuchen.«

»Jetzt schäme ich mich dafür, ihr geholfen zu haben.«

»Zu spät.« Wulfric und Gwenda stiegen am anderen Ufer bereits von der Fähre. Sie drehten sich noch einmal um, winkten und machten sich dann mit Skip im Schlepptau auf den Weg über die Straße und durch die Vorstadt.

Merthin und Caris gingen zur Hauptstraße zurück. Caris sagte: »Du hast noch nicht mit Griselda gesprochen.«

»Das tue ich jetzt. Nur weiß ich nicht, ob ich mich freuen oder Angst davor haben soll.«

»Du hast nichts zu befürchten. Sie hat gelogen, nicht du.«

»Das stimmt.« Er betastete sein Gesicht. Der blaue Fleck war fast verheilt. »Ich hoffe nur, dass ihr Vater nicht wieder gewalttätig wird.«

»Willst du, dass ich dich begleite?«

Merthin hätte sich über ihre Unterstützung gefreut, doch er schüttelte den Kopf. »Ich habe dieses Chaos verursacht, und jetzt muss ich es wieder richten.«

Sie blieben vor Elfrics Haus stehen. Caris sagte: »Viel Glück.«

»Danke.« Merthin hauchte ihr einen Kuss auf die Lippen, widerstand der Versuchung, sie noch einmal zu küssen, und ging hinein.

Elfric saß am Tisch und aß Brot und Käse. Ein Becher Bier stand vor ihm. Hinter ihm sah Merthin Alice und die Zofe in der Küche. Von Griselda war keine Spur zu sehen.

Elfric fragte: »Wo warst du?«

Merthin hatte beschlossen, dass er auch furchtlos handeln sollte, wenn er schon nichts zu befürchten hatte. Ohne Elfrics Frage zu beachten, wollte er wissen: »Wo ist Griselda?«

»Noch im Bett.«

Merthin rief die Treppe hinauf: »Griselda! Ich will mit dir reden!«

Elfric sagte: »Dafür ist keine Zeit. Es gibt Arbeit.«

Wieder beachtete Merthin ihn nicht. »Griselda! Du solltest jetzt aufstehen!«

»He!«, sagte Elfric. »Für wen hältst du dich, dass du hier Befehle erteilst?«

»Ihr wollt doch, dass ich sie heirate, oder?«

»Ja, und?«

»Dann sollte sie sich daran gewöhnen, ihrem Mann zu gehorchen.« Merthin hob erneut die Stimme. »Komm sofort runter, sonst musst du dir von jemand anderem anhören, was ich zu sagen habe!«

Griselda erschien oben an der Treppe. »Ich komme ja schon!«, maulte sie. »Was soll das Geschrei?«

Merthin wartete kurz, bis sie heruntergekommen war, und sagte dann: »Ich habe herausgefunden, wer der Kindsvater ist.«

Angst flackerte in Griseldas Augen auf. »Sei nicht dumm. Du bist das.«

»Nein, es ist Thurstan.«

»Ich habe nie bei Thurstan gelegen!« Griselda schaute ihren Vater an. »Wirklich nicht!«

Elfric sagte: »Sie spricht die Wahrheit.«

Alice kam aus der Küche. »Das stimmt«, bestätigte sie.

Merthin sagte: »Ich habe am Sonntag der Wollmarktwoche bei Griselda gelegen, vor fünfzehn Tagen. Griselda ist aber schon im dritten Monat schwanger.«

»Bin ich nicht!«

Merthin schaute Alice scharf an. »Du hast es gewusst, nicht wahr?« Alice wandte sich ab. Merthin fuhr fort: »Und doch hast du gelogen ... selbst vor Caris, deiner eigenen Schwester.«

»Woher willst du wissen, im wievielten Monat sie schwanger ist?«, fragte Elfric.

»Schaut sie euch an«, erwiderte Merthin. »Ihr könnt die Wölbung an ihrem Bauch bereits sehen. Es ist nicht viel, aber es ist da.«

»Was verstehst du schon von solchen Dingen? Du bist nur ein Junge.«

»Ja, ja, ihr habt alle auf meine Unwissenheit gezählt, nicht wahr? Um ein Haar hätte es auch geklappt.«

Elfric wedelte mit dem Finger. »Du hast bei meiner Griselda gelegen, und nun wirst du sie heiraten!«

»O nein, das werde ich nicht. Sie liebt mich nicht. Sie hat sich mir an den Hals geworfen, um einen Vater für ihr Kind zu bekommen, nachdem Thurstan das Weite gesucht hat. Ich weiß, dass es falsch war, was ich getan habe, aber ich werde mich nicht für den Rest meines Lebens bestrafen, indem ich Griselda heirate.«

Elfric stand auf. »Doch, das wirst du.«

»Nein.«

»Du musst.«

»Nein.«

Elfrics Gesicht lief puterrot an, und er schrie: »Du wirst sie heiraten!«

Merthin erwiderte: »Wie oft soll ich noch Nein sagen?«

Elfric erkannte, dass er es ernst meinte. »In dem Fall bist du entlassen«, sagte er. »Verschwinde aus meinem Haus, und komm nie wieder zurück.«

Merthin hatte nichts anderes erwartet, und es war eine Erleichterung. Das bedeutete das Ende des Streits. »In Ordnung.« Er versuchte, an Elfric vorbeizugehen.

Elfric versperrte ihm den Weg. »Wo willst du hin?«

»In die Küche, meine Sachen holen.«

»Deine Werkzeuge, meinst du?«

»Ja.«

»Die gehören nicht dir. Ich habe für sie bezahlt.«

»Einem Lehrling wird am Ende seiner Lehrzeit immer ...« Merthin verstummte.

»Du hast deine Lehre aber nicht beendet; deshalb wirst du deine Werkzeuge auch nicht bekommen.«

Damit hatte Merthin nicht gerechnet. »Ich habe Euch sechseinhalb Jahre gedient!«

»Du solltest aber sieben dienen.«

Ohne Werkzeuge konnte Merthin sich seinen Lebensunterhalt nicht verdienen. »Das ist nicht gerecht! Ich werde mich an die Zimmermannszunft wenden!«

»Da freue ich mich schon drauf«, entgegnete Elfric spöttisch. »Sie werden staunen, wenn sie erfahren, dass ein Lehrling, der bei der Tochter seines Meisters gelegen hat, dafür auch noch mit einem Satz Werkzeuge belohnt werden will! Die Zunftmitglieder haben allesamt Lehrlinge, und die meisten auch Töchter. Sie werden dir in den Arsch treten.«

Merthin erkannte, dass Elfric recht hatte.

Alice sagte: »Da hast du 's. Jetzt steckst du in echten Schwierigkeiten.«

»Ja«, sagte Merthin, »aber was immer auch geschieht, es wird nicht so schlimm sein wie ein Leben mit Griselda und ihrer Familie.«

Für den Nachmittag desselben Tages war die Totenfeier für Howell Tyler in der Kirche St. Mark angesetzt. Sämtliche Bauhandwerker der Stadt kamen zur Beerdigung, einschließlich Elfric. Auch Merthin ging dorthin, in der Hoffnung, dass ihm dort vielleicht jemand Arbeit geben würde. Er versuchte, nicht verschämt dreinzuschauen, doch es fiel ihm schwer. Man hatte ihn ungerecht behandelt, doch unglücklicherweise war er nicht ganz unschuldig daran.

Merthin schaute zur Holzdecke hinauf – die Kirche hatte kein Steingewölbe – und sah ein mannsgroßes Loch in dem bemalten Holz, ein düsteres Zeugnis davon, wie Howell ums Leben gekommen war. Dort oben sei alles verrottet, sagten die Baumeister auf der Beerdigung wissend. Aber sie sagten es *nach* dem Unfall; für Howell kam ihre Weisheit zu spät. Nun war klar, dass das Dach zu schwach war, als dass es noch instand gesetzt werden könnte. Es musste vollständig abgetragen und neu gebaut werden. Das bedeutete, dass die Kirche geschlossen werden musste.

St. Mark war eine arme Kirche. Ihr Stiftungsbesitz war nur sehr klein: ein einzelner Hof zehn Meilen entfernt, der vom Bruder des Pfarrers bewirtschaftet wurde, womit der arme Mann kaum die eigene Familie zu ernähren vermochte. Der Pfarrer, Vater Joffroi, musste sich sein Einkommen also von den gut neunhundert Mitgliedern seiner Gemeinde im armen Norden der Stadt sichern. Jene, die nicht wirklich mittellos waren, gaben dies meist trotzdem vor, sodass der Zehnte sich nur auf eine bescheidene Summe belief. Vater Joffroi verdiente sich seinen Lebensunterhalt mit Taufen, Hochzeiten und Beerdigungen, wofür er weit weniger verlangte als die Mönche in der Kathedrale. Seine Gemeindemitglieder heirateten früh, hatten viele Kinder und starben jung, sodass es genug für ihn zu tun gab. So kam er einigermaßen zurecht. Aber wenn er die Kirche schließen musste, würden seine Einkommensquellen versiegen, und er würde die Handwerker nicht bezahlen können.

Das hatte zur Folge, dass die Arbeiten am Dach ausgesetzt worden waren.

Howell hinterließ eine junge Frau, die mit Caris befreundet war, und nun kam Caris mit der Witwe und der trauernden Familie ins Gotteshaus. Merthin trat neben Caris und erzählte ihr, was bei Elfric geschehen war.

Vater Joffroi, in ein altes Gewand gekleidet, las die Messe, während Merthin sich über das Dach den Kopf zerbrach. Es musste doch einen Weg geben, es abzureißen, ohne die Kirche zu schließen! Wenn ein Dach so verrottet war, dass es die Arbeiter nicht mehr zu tragen vermochte, baute man für gewöhnlich ein Gerüst um die Kirche herum, zerschlug die Dachbalken und warf die Trümmer von oben ins Kirchenschiff hinein. Das Gebäude war dann allerdings den Elementen ausgesetzt, bis das neue Dach fertig und gedeckt war.

Aber es musste möglich sein, überlegte Merthin, eine bewegliche Hebebühne zu bauen, die an den dicken Seitenwänden gesichert wurde. Dann könnte man die Dachbalken einen nach dem anderen nach oben drücken, anstatt sie ins Kircheninnere zu werfen. Auf diese Weise würde dann auch die Holzdecke erhalten bleiben.

Am Grab schaute Merthin sich die Männer einen nach dem anderen an und fragte sich, wer von ihnen ihn wohl anstellen würde. Er beschloss, sich zunächst an Bill Watkin zu wenden, den zweitgrößten Baumeister der Stadt und nicht gerade ein Bewunderer von Elfric. Bill hatte einen kahlen Kopf mit einem schwarzen Haarkranz, eine Art naturgegebene Mönchstonsur. Er baute die meisten Wohnhäuser in Kingsbridge. Wie Elfric, so beschäftigte auch er einen Steinmetz, einen Zimmermann, eine Handvoll Arbeiter sowie ein, zwei Lehrlinge.

Howell war nicht sonderlich wohlhabend gewesen, und so wurde sein Leichnam in einem Tuch ins Grab gelassen, ohne Sarg.

Nachdem Vater Joffroi gegangen war, ging Merthin zu Bill Watkin. »Ich wünsche Euch einen guten Tag, Meister Watkin«, sagte er förmlich.

Bills Antwort war alles andere als freundlich: »Und, junger Merthin?«

»Ich bin nicht mehr bei Elfric.«

»Das weiß ich«, sagte Bill, »und ich weiß auch warum.«

»Ihr habt aber nur Elfrics Seite der Geschichte gehört.«

»Ich habe alles gehört, was ich hören muss.«

Elfric hatte vor und während des Gottesdienstes mit unterschiedlichen Leuten gesprochen, erinnerte sich Merthin. In diesen Gesprächen hatte Elfric aber sicherlich unerwähnt gelassen, dass er und seine Tochter versucht hatten, Merthin zum Ersatzvater für Thurstans Kind zu machen. Doch nach Entschuldigungen zu suchen würde ihm nicht weiterhelfen; das wusste Merthin. Es war besser, seine Dummheit einzugestehen. »Ich weiß, dass ich einen Fehler begangen habe, und es tut mir leid, aber ich bin noch immer ein guter Zimmermann.«

Bill nickte zustimmend. »Die neue Fähre ist Beweis genug dafür.«

Merthin fühlte sich ermutigt. »Dann werdet Ihr mich einstellen?«

»Als was?«

»Als Zimmermann. Ihr habt selbst gesagt, ich sei tüchtig.«

»Aber wo sind deine Werkzeuge?«

»Elfric will sie mir nicht geben.«

»Und damit hatte er recht, denn du hast deine Lehre nicht abgeschlossen.«

»Dann nehmt mich für sechs Monate als Lehrling.«

»Und danach soll ich dir umsonst Werkzeuge geben, oder was? So viel Großzügigkeit kann ich mir nicht leisten.« Werkzeuge waren teuer, weil Eisen und Stahl teuer waren.

»Ich würde mich auch als Arbeiter verdingen und Geld sparen, um mir selbst Werkzeuge zu kaufen.« Das würde lange dauern, doch Merthin war verzweifelt.

»Nein.«

»Warum nicht?«

»Weil ich auch eine Tochter habe.«

Es war zum Verrücktwerden. »Ich bin keine Bedrohung für Jungfrauen. Das wisst Ihr.«

»Du bist ein Beispiel für andere Lehrlinge. Wenn du damit durchkommst, was soll andere dann davon abhalten, ebenfalls ihr Glück zu versuchen?«

»Das ist ungerecht!«

Bill zuckte mit den Schultern. »Das denkst du vielleicht, aber frag die anderen Zimmermannsmeister in der Stadt. Du wirst feststellen, dass sie genauso denken wie ich.«

»Aber was soll ich denn tun?«

»Ich weiß es nicht. Darüber hättest du nachdenken sollen, bevor du Elfrics Töchterlein gevögelt hast.«

»Ist es Euch denn vollkommen egal, einen guten Zimmermann zu verlieren?«

Wieder zuckte Bill mit den Schultern. »Umso mehr Arbeit für uns andere.«

Merthin wandte sich ab. Das ist das Problem mit den Zünften, dachte er verbittert: Es ist zu ihrem Vorteil, andere Menschen auszuschließen, aus welchen Gründen auch immer. Eine Knappheit an Zimmerleuten würde nur die Löhne in die Höhe treiben. Sie hatten keinen Grund, gerecht zu sein.

Howells Witwe verließ nun den Friedhof, begleitet von ihrer Mutter. Somit war Caris von ihrer Pflicht entbunden und kam zu Merthin. »Was schaust du so unglücklich drein?«, fragte sie. »Du hast Howell doch kaum gekannt.«

»Es könnte sein, dass ich die Stadt verlassen muss«, sagte er.

Caris wurde blass. »Aber warum denn, um Himmels willen?«

Merthin erzählte ihr, was Bill Watkin gesagt hatte. »Wie du siehst, wird niemand in Kingsbridge mich einstellen, und auf eigene Rechnung kann ich nicht arbeiten, denn ich habe keine Werkzeuge. Ich könnte bei meinen Eltern leben, doch ich kann ihnen das Essen nicht vom Mund stehlen. Deshalb werde ich mir irgendwo anders Arbeit suchen müssen, wo niemand etwas von Griselda weiß. Mit der Zeit werde ich mir dann vielleicht genug Geld zusammengespart haben, dass ich mir einen Hammer und einen Beitel leisten kann. Dann werde ich in eine andere Stadt ziehen und Einlass in die Zimmermannszunft beantragen.«

Während er Caris dies alles erklärte, ging ihm allmählich das ganze Elend seiner Situation auf. Er sah Caris' vertrautes Gesicht, als wäre es das erste Mal, und erneut verzauberten ihn ihre funkelnden grünen Augen, ihre kleine, schmale Nase und das entschlossene Kinn. Ihr Mund, erkannte er, passte nicht so recht zum Rest des Gesichts: Er war zu breit und die Lippen zu voll. Das störte die Regelmäßigkeit ihrer Züge – so, wie ihre Empfindsamkeit ihren klaren Verstand untergrub. Es war ein Mund, wie geschaffen für fleischliche Freuden, und allein schon der Gedanke, wegzugehen und diesen Mund nie wieder küssen zu können, erfüllte Merthin mit Verzweiflung.

Caris war außer sich vor Wut. »Das ist niederträchtig! Sie haben kein Recht dazu!«

»Das sehe ich genauso, nur kann ich offenbar nichts dagegen tun.«

»Gib nicht so schnell auf. Lass uns darüber nachdenken. Du kannst bei deinen Eltern wohnen und bei mir essen …«

»Ich will nicht in Abhängigkeit geraten wie mein Vater.«

»Das wirst du auch nicht. Du kannst Howell Tylers Werkzeuge kaufen. Seine Witwe hat mir gerade erzählt, dass sie ein Pfund dafür haben will.«

»Ich habe aber kein Geld.«

»Bitte meinen Vater, dir etwas zu leihen. Er hat dich immer gemocht. Ich bin sicher, er streckt dir etwas vor.«

»Aber es verstößt gegen die Regel, einen Zimmermann zu beschäftigen, der nicht der Zunft angehört.«

»Regeln können gebrochen werden. Es muss doch jemanden in der Stadt geben, der verzweifelt genug ist, dass er sich der Zunft widersetzt!«

Merthin erkannte, dass er sich von alten Männern den Mut hatte nehmen lassen, und er war dankbar, dass Caris sich weigerte aufzugeben. Sie hatte natürlich recht: Er sollte in Kingsbridge bleiben und gegen diese Ungerechtigkeit kämpfen. Und er kannte tatsächlich jemanden, der seine Begabungen dringend brauchte. »Vater Joffroi«, sagte er.

»Ist er verzweifelt? Warum?«

Merthin erklärte ihr die Sache mit dem Dach.

»Dann lass uns zu ihm gehen«, sagte Caris.

Der Pfarrer wohnte in einem kleinen Haus neben der Kirche. Caris und Merthin trafen ihn dabei an, wie er sich einen Eintopf aus Salzfisch und Kräutern kochte. Joffroi war in den Dreißigern, rau wie ein Landsknecht, groß und mit breiten Schultern. Er hatte eine schroffe Art, stand aber in dem Ruf, sich für die Armen einzusetzen.

Merthin sagte: »Ich kann Euer Dach reparieren, ohne dass die Kirche geschlossen werden muss.«

Joffroi musterte ihn misstrauisch. »Wenn du das kannst, bist du die Antwort auf meine Gebete.«

»Ich werde eine Hebebühne bauen, um die Dachbalken nach außen zu drücken und auf den Friedhof zu werfen.«

»Elfric hat dich hinausgeworfen, weil …« Der Pfarrer warf Caris einen verlegenen Blick zu.

Sie sagte: »Ich weiß, was passiert ist, Vater.«

»Elfric hat mich hinausgeworfen«, erklärte Merthin, »weil ich seine Tochter nicht heiraten wollte. Aber das Kind, das sie trägt, ist nicht von mir.«

Joffroi nickte. »Manche sagen, du seist ungerecht behandelt worden, und das will ich gerne glauben. Die Zünfte sind nicht gerade ein Muster an christlicher Nächstenliebe. Was sie beschließen, ist selten an den Geboten unseres Herrgotts ausgerichtet. Aber du hast deine Lehre nicht beendet.«

»Wisst Ihr denn ein Mitglied der Zimmermannszunft, das Euer Dach reparieren kann, ohne die Kirche zu schließen?«

»Wie ich gehört habe, hast du keine Werkzeuge.«

»Das werde ich schon regeln.«

Joffroi schaute ihn nachdenklich an. »Wie viel willst du als Bezahlung?«

Merthin reckte den Hals. »Vier Pennys pro Tag plus Materialkosten.«

»Das ist der Lohn eines Zimmermannsgesellen.«

»Wenn ich nicht über die Fähigkeiten eines Zimmermanns verfüge, solltet Ihr meine Dienste nicht in Anspruch nehmen.«

»Du bist ziemlich frech.«

»Ich sage Euch nur, was ich kann.«

»Also gut. Hochmut ist nicht die schlimmste Sünde auf dieser Welt, und ich kann mir vier Pennys am Tag leisten, solange ich meine Kirche offen halten kann. Wie lange wird es dauern, deine … Hebebühne zu bauen?«

»Höchstens zwei Wochen.«

»Ich werde dich nicht bezahlen, ehe ich nicht sicher bin, dass es auch funktioniert.«

Merthin atmete tief ein. Er würde mittellos sein, doch damit konnte er leben. Er würde bei seinen Eltern wohnen und an Edmund Woolers Tisch essen. Er würde schon zurechtkommen. »Bezahlt für das Material, und spart Euch meinen Lohn, bis der erste Dachbalken herausgenommen ist und sicher auf dem Boden neben Eurer Kirche liegt.«

Joffroi zögerte. »Damit werde ich mich sehr unbeliebt machen … aber mir bleibt keine andere Wahl.« Er streckte die Hand aus.

Merthin schlug ein.

KAPITEL 17

Den ganzen Weg von Kingsbridge nach Wigleigh – eine Entfernung von zwanzig Meilen, ein Tagesmarsch – hoffte Gwenda auf eine Gelegenheit, den Liebestrank zum Einsatz bringen zu können, jedoch vergebens.

Es war nicht so, dass Wulfric misstrauisch gewesen wäre, im Gegenteil: Er war offen und freundlich, redete über seine Familie und erzählte Gwenda, wie er jeden Morgen beim Aufwachen weinte, wenn der Tod seiner Lieben sich als schreckliche Wirklichkeit und nicht bloß als böser Traum erwies. Doch Land zu besitzen sei eine Verpflichtung; ein Mann müsse sein Leben lang an diesem Land festhalten und es an seine Kinder vererben. Und indem er dieses Land pflege – durch Erschließung neuer Felder, Einzäunen der Weiden oder Rodung des Waldes –, erfülle er sein Schicksal.

Überdies zeigte Wulfric sich rücksichtsvoll und fragte Gwenda immer wieder, ob sie müde sei und sich ausruhen wolle.

Er tätschelte sogar Skip.

Am Ende des Tages war Gwenda verliebter denn je. Unglücklicherweise zeigte Wulfric keinerlei Anzeichen, dass er etwas anderes als Freundschaft für sie empfand; er sorgte sich um sie, ließ aber keine Spur von Lust und Leidenschaft erkennen. Damals im Wald, mit Sim Chapman, hatte Gwenda zu Gott gefleht, dass Männer nicht wie wilde Tiere wären; nun wünschte sie sich, dass Wulfric wenigstens etwas von einem zahmen Tier hätte. Den ganzen Tag unternahm sie den Versuch, sein Interesse zu erregen. Wie aus Versehen ließ sie ihn ihre Beine sehen, die fest und wohlgeformt waren; später, als das Gelände hügelig wurde, nutzte sie jede noch so kleine Steigung als Vorwand, tief zu atmen und ihre Brust herauszudrücken. Bei jeder Gelegenheit strich sie an Wulfric vorbei, berührte ihn am Arm oder legte ihm die Hand auf die Schulter. Nichts von alledem zeigte auch nur die geringste Wirkung. Gwenda war nicht allzu hübsch, das wusste sie, doch sie hatte durchaus etwas an sich, das manchen

Mann schwer atmen ließ, wenn er sie nur anschaute. Aber bei Wulfric nutzte das nichts.

Gegen Mittag machten sie Rast und aßen das Brot und den Käse, die sie mit sich führten, doch Wasser tranken sie aus einem klaren Bach, wobei sie die Hände als Becher benutzten, sodass Gwenda wieder keine Gelegenheit hatte, Wulfric den Trank zu verabreichen.

Dennoch war sie glücklich. Sie hatte Wulfric den ganzen Tag für sich allein. Sie konnte ihn sich anschauen, mit ihm reden, ihn zum Lachen bringen, ihm ihr Mitgefühl zeigen und ihn gelegentlich berühren. Sie tat so, als könne sie ihn jederzeit küssen, wenn sie wolle, nur dass sie im Augenblick eben keine Lust dazu habe. Es war beinahe so, als wären sie verheiratet … und es war viel zu schnell vorbei.

Früh am Abend trafen sie in Wigleigh ein. Das Dorf stand auf einer Anhöhe. Zu beiden Seiten erstreckten sich Felder, über die ein beständiger Wind strich. Nach zwei Wochen im Gewimmel von Kingsbridge kam Gwenda der vertraute Ort ungewöhnlich klein und still vor – bloß eine Ansammlung schlichter Behausungen an der Straße, die zum Lehnshaus und zur Kirche führte. Das Lehnshaus war so groß wie das Heim eines Kaufmanns in Kingsbridge, mit Schlafzimmern im Obergeschoss. Das Haus des Pfarrers war ebenfalls sehr ansehnlich, und es gab auch ein paar schmucke Bauernhäuser. Die meisten Häuser jedoch waren kaum mehr als Hütten mit zwei Räumen. In dem einen war für gewöhnlich das Vieh untergebracht, der andere diente als Küche und Schlafzimmer für die Familie. Nur die Kirche war aus Stein gebaut.

Sie gelangten zu dem Haus, das Wulfrics Familie gehörte. Es sah verlassen aus, denn Türen und Fensterläden waren geschlossen. Wulfric ging daran vorbei zum nächsten großen Haus, in dem Annet mit ihren Eltern wohnte. Beiläufig winkte er Gwenda zum Abschied, ehe er mit einem erwartungsvollen Lächeln auf den Lippen in dem Haus verschwand.

Gwenda hatte das Gefühl, als wäre sie gerade aus einem wundervollen Traum erwacht. Doch sie schluckte Schmerz und Trauer herunter und machte sich auf den Weg über die Felder. Der Regen Anfang Juni war gut für das Getreide gewesen, und Weizen und Gerste waren grün; doch nun brauchten sie Sonnenschein, um zu reifen. Dorffrauen arbeiteten auf den Feldern und jäteten Unkraut. Einige winkten Gwenda zu.

Als Gwenda sich ihrem Heim näherte, empfand sie eine Mischung aus Angst und Wut. Seit dem Tag, als ihr Vater sie bei Sim Chapman gegen die Kuh eingetauscht hatte, hatte sie ihre Eltern nicht mehr gesehen. Sicher glaubte Pa, dass sie noch immer bei Sim war. Was er wohl sagen würde, wenn seine Tochter auf einmal vor ihm stand? Und was würde sie selbst zu einem Vater sagen, der ihr Vertrauen so schändlich missbraucht hatte?

Gwenda war sicher, dass ihre Mutter nichts von dem beschämenden Tauschhandel wusste. Pa hatte ihr vermutlich irgendeine Geschichte aufgetischt, dass ihre Tochter mit einem Jungen durchgebrannt sei. Ma würde einen schrecklichen Wutanfall bekommen.

Gwenda freute sich allerdings darauf, die Kleinen wiederzusehen: Cath, Joanie und Eric. Erst jetzt wurde ihr klar, wie sehr sie ihre Geschwister vermisst hatte.

Auf der anderen Seite des Feldes, halb zwischen den Bäumen am Waldrand verborgen, tauchte nun ihr Zuhause auf. Es war sogar noch kleiner als die Bauernhütten und besaß nur einen Raum, den die Familie sich des Nachts mit der Kuh teilen musste. Die Hütte war aus verputztem Flechtwerk gebaut: Große Baumäste waren aufrecht in den Boden gerammt und durch ein dichtes Geflecht aus Zweigen miteinander verbunden. Die Ritzen und Fugen waren mit einer klebrigen Mischung aus Schlamm, Stroh und Kuhmist gestopft. Im Schilfdach war ein Loch, um den Rauch des Feuers in der Mitte des Wohnraums hinauszulassen. Solche Hütten hielten nur ein paar Jahre; dann mussten sie neu gebaut werden. Gwenda kam die Behausung ärmlicher vor denn je. Sie war fest entschlossen, nicht an einem solchen Ort dahinzuvegetieren und alle ein, zwei Jahre ein Kind zu gebären, von denen die meisten ohnehin nicht heranwachsen würden. Nein, sie wollte nicht wie ihre Mutter leben. Lieber würde sie sterben.

Als sie noch gut hundert Schritt vom Haus entfernt war, sah sie ihren Vater auf sich zukommen. Er hatte einen Krug dabei. Wahrscheinlich wollte er sich Bier bei Peggy Perkins kaufen, Annets Mutter, der Braumeisterin des Dorfes. Pa hatte um diese Jahreszeit immer Geld, denn es gab auf den Feldern viel zu tun.

Zuerst sah er Gwenda nicht.

Sie musterte seine dünne Gestalt, als er über den schmalen Weg zwischen zwei Feldern ging. Er trug einen langen Kittel, der ihm bis zu den Knien reichte, eine alte Kappe und selbst gemachte Sandalen, die er sich mit Stroh an die Füße gebunden hatte. Irgendwie gelang es ihm, verstohlen und keck zugleich zu erscheinen: Er wirkte stets wie ein unruhiger, ein wenig verängstigter Fremdling, der trotzig versuchte, so zu tun, als wäre er daheim. Seine Augen standen dicht beieinander, seine Nase war groß, sein Kiefer breit und das Kinn rund, sodass sein Gesicht wie ein klobiges Dreieck wirkte – Gwenda wusste, dass sie ihm darin ähnelte. Immer wieder schaute er auffällig zu den Frauen auf dem Feld hinüber, als wollte er sie wissen lassen, dass er sie beobachtete.

Als er näher kam, warf er ihr einen seiner verstohlenen Blicke unter halb geschlossenen Lidern zu. Sofort senkte er den Blick und schaute dann wieder auf. Gwenda hob ihr Kinn und starrte ihn hochmütig an.

Dann erschien ein Ausdruck des Erstaunens auf Pas Gesicht. »Du!«, rief er. »Was ist passiert?«

»Sim Chapman war kein Hausierer, er war ein Geächteter.«

»Und wo ist er jetzt?«

»In der Hölle. Du wirst ihn da treffen.«

»Hast du ihn … umgebracht?«

»Nein.« Gwenda hatte beschlossen zu lügen, was Sim betraf. »Die Brücke von Kingsbridge ist zusammengebrochen, als Sim darübergehen wollte. Gott hat ihn für seine Sünden bestraft. Bald bist du an der Reihe.«

»Gott vergibt guten Christen.«

»Mehr hast du mir nicht zu sagen? Dass Gott guten Christen vergibt?«

»Wie bist du entkommen?«

»Ich habe meinen Verstand benutzt.«

Ein spöttischer Ausdruck erschien auf seinem Gesicht. »Du bist wirklich ein kluges Mädchen.«

Gwenda starrte ihn misstrauisch an. »Was führst du jetzt wieder im Schilde?«

»Du bist ein kluges Mädchen«, wiederholte Pa. »Geh jetzt rein zu deiner Mutter. Du sollst einen Becher Bier zum Abendessen bekommen.« Er ging weiter.

Gwenda runzelte die Stirn. Pa schien sich kein bisschen davor zu fürchten, was Ma sagen würde, wenn sie die Wahrheit erfuhr. Vielleicht glaubte er, dass Gwenda es ihr aus Scham nicht sagen würde. Na, da irrte er sich.

Cath und Joanie waren vor dem Haus und spielten im Dreck. Als sie Gwenda sahen, sprangen sie auf und liefen zu ihr. Skip bellte wie verrückt. Gwenda umarmte ihre Schwestern. Sie hatte geglaubt, sie niemals wiederzusehen. In diesem Augenblick war sie mehr als nur froh, Alwyn ein langes Messer in den Kopf gerammt zu haben.

Gwenda ging in die Hütte. Ma saß auf einem Hocker, gab dem kleinen Eric ein wenig Milch und half ihm, den Becher ruhig zu halten, damit er nichts verschüttete. Als sie Gwenda sah, stieß sie einen Freudenschrei aus. Sie stellte den Becher ab, stand auf und umarmte ihre Tochter. Gwenda brach in Tränen aus.

Nachdem sie erst einmal mit Weinen angefangen hatte, konnte sie kaum noch aufhören. Sie weinte, weil Sim sie an einem Strick aus der Stadt geführt hatte; sie weinte, weil sie sich von Alwyn hatte vergewaltigen lassen; sie weinte um all die Menschen, die beim Einsturz der Brücke ums Leben gekommen waren, und weil Wulfric Annet liebte.

Als ihr Schluchzen so weit verebbt war, dass sie wieder sprechen konnte, sagte sie zu ihrer Mutter: »Pa hat mich verkauft. Er hat mich für eine Kuh verkauft, und ich musste zu den Geächteten gehen.«

»Das war falsch«, sagte ihre Mutter.

»Falsch? Es war falscher als falsch! Er ist ein böser, böser Mann! Er ist der Teufel!«

Ma zog sich aus der Umarmung zurück. »Sag so was nicht.«

»Es ist doch wahr!«

»Er ist dein Vater.«

»Ein Vater verkauft seine Kinder nicht wie Vieh. Ich habe keinen Vater mehr!«

»Er hat dich achtzehn Jahre lang ernährt.«

Gwenda starrte sie verständnislos an. »Wie kannst du nur so hart sein? Er hat mich an Geächtete verkauft!«

»Und uns hat er eine Kuh besorgt. Deshalb haben wir jetzt Milch für Eric, obwohl meine Brüste ausgetrocknet sind. Und du bist ja wieder da.«

Gwenda war entsetzt. »Du verteidigst ihn!«

»Er ist alles, was ich habe. Er ist kein edler Herr. Er ist nicht mal ein Bauer. Er ist ein landloser Tagelöhner. Aber seit fast fünfundzwanzig Jahren tut er für seine Familie, was er kann. Er hat gearbeitet, wenn er konnte, und gestohlen, wenn er musste. Er hat dich und deinen Bruder am Leben erhalten, und sollte der Wind günstig stehen, wird er das auch für Cath, Joanie und Eric tun. Welche Fehler er auch haben mag, ohne ihn wären wir noch viel schlechter dran. Also nenn ihn nicht den Teufel.«

Gwenda verschlug es die Sprache. Sie hatte sich kaum an den Gedanken gewöhnt, dass ihr Vater sie verraten hatte, und nun musste sie sich der Tatsache stellen, dass ihre Mutter genauso schlimm war.

In ihrem Kopf drehte sich alles. Das Gefühl glich dem, als die Brücke sich plötzlich unter ihren Füßen bewegt hatte. Gwenda konnte kaum fassen, wie ihr geschah.

Pa kam mit einem Krug Bier ins Haus. Er schien die eher gereizte Stimmung nicht zu bemerken, denn er holte drei Holzbecher von einem Brett über der Feuerstelle und sagte fröhlich: »Also dann, lasst uns auf die Rückkehr unseres großen Mädchens trinken!«

Nach einem ganzen Tag auf der Straße war Gwenda hungrig und hatte Durst. Sie nahm sich einen Becher und trank einen tiefen Schluck. Aber sie kannte ihren Vater in dieser Laune. »Was hast du jetzt wieder ausgeheckt?«, fragte sie.

»Nächste Woche ist der Markt in Shiring«, sagte Pa.

»Und?«

»Wir könnten es noch einmal machen.«

Gwenda konnte kaum glauben, was sie da hörte. »Was noch einmal machen?«

»Ich verkaufe dich; du gehst mit dem Käufer, läufst dann weg und kommst wieder nach Hause. Du hast ja keinen Schaden davongetragen, oder?«

»Keinen Schaden davongetragen?«

»Und wir haben eine Kuh, die zwölf Shilling wert ist. Für zwölf Shilling müsste ich sonst ein halbes Jahr lang arbeiten.«

»Und danach? Was dann?«

»Nun, es gibt noch andere Märkte: Winchester, Gloucester ... ich weiß nicht wie viele.« Er schenkte ihr nach. »Das könnte ein noch besseres Jahr werden als damals vor zehn Jahren, als du Sir Gerald die Börse gestohlen hast!«

Gwenda trank nicht. Sie hatte einen bitteren Geschmack im Mund, als hätte sie etwas Verdorbenes gegessen. Gwenda fragte sich, ob sie einen Streit mit Pa anfangen sollte. Böse Worte kamen ihr in den Sinn, wütende Beschuldigungen, derbe Flüche ... doch sie sprach sie nicht aus. Sie war bereits jenseits aller Wut. Was sollte ein Streit jetzt noch nützen? Sie würde ihrem Vater nie wieder vertrauen können – und weil Ma sich weigerte, ihm die Treue zu versagen, konnte sie auch ihr nicht mehr trauen.

»Was soll ich nur tun?«, sagte sie laut, wollte aber keine Antwort von irgendjemandem im Raum. Sie hatte mit sich selbst gesprochen. In dieser Familie war sie zu einem Handelsgut geworden, das man auf Märkten verkaufte. Was sollte sie tun, wenn sie das nicht hinnehmen wollte?

Sie könnte einfach fortgehen.

Gwenda erkannte entsetzt, dass diese Hütte nicht mehr ihr Heim war. Das war ein Schlag, der die Grundfesten ihres Lebens erschütterte. Sie lebte schon so lange hier, wie sie denken konnte, doch jetzt fühlte sie sich hier nicht mehr sicher.

Sie musste raus. Und nicht erst nächste Woche, erkannte Gwenda, nicht einmal morgen früh, sondern jetzt.

Sie wusste zwar nicht wohin, aber das spielte keine Rolle. Hier zu bleiben und das Brot zu essen, das ihr Vater auf den Tisch legte, bedeutete, sich seiner Autorität zu unterwerfen und hinzunehmen, wie eine Ware von ihm behandelt zu werden. Es tat ihr schon leid, auch nur den Becher Bier getrunken zu haben.

Gwenda schaute ihre Mutter an. »Du hast unrecht«, sagte sie. »Er *ist* der Teufel. Und die alten Geschichten stimmen: Wenn man einen Handel mit dem Teufel macht, zahlt man mehr, als man geglaubt hat.«

Ma wandte den Blick ab.

Gwenda erhob sich, den nachgefüllten Becher in der Hand, und goss das Bier auf den Boden. Skip begann sofort, es aufzulecken.

Wütend sagte ihr Vater: »Ich habe einen Farthing für den Krug Bier bezahlt!«

»Lebt wohl«, sagte Gwenda und ging hinaus.

Am folgenden Sonntag besuchte Gwenda einen Gerichtstag, auf dem sich das Schicksal des Mannes entscheiden würde, den sie liebte.

Der Lehnshof trat nach dem Gottesdienst zusammen. Hier versammelte sich das Dorf traditionell zum gemeinsamen Handeln. Hier wurden Streitereien über Ackergrenzen besprochen, Vorwürfe wegen Diebstahls oder Vergewaltigung verhandelt und darüber entschieden, wenn ein Schuldner nicht mehr in der Lage war, seine Gläubiger auszubezahlen. Häufig ging es jedoch schlicht um praktische Lösungen für Probleme des Alltags, etwa die Frage, wann und wo man die acht Ochsen des Gemeindegespanns zum Pflügen einsetzen sollte.

Theoretisch übte der Herr die absolute Herrschaft über seine Leibeigenen und Pächter aus. Allerdings zwang das normannische Recht, das Invasoren aus Frankreich vor dreihundert Jahren nach England gebracht hatten, die Herren dazu, sich bei ihrer Urteilsfindung an Sitten und Gebräuche zu halten. Um nun herauszufinden, was für Sitten und Gebräuche das eigentlich waren, mussten sie formell zwölf Männer mit tadellosem Ruf aus dem Dorf zurate ziehen: die sogenannten Geschworenen. So kam es, dass nahezu sämtliche Verfahren auf eine Verhandlung zwischen Herrn und Dörflern hinausliefen.

An diesem Sonntag jedoch hatte Wigleigh keinen Herrn: Sir Stephen war bei dem Brückeneinsturz ums Leben gekommen. Gwenda hatte diese Nachricht ins Dorf gebracht. Auch berichtete sie, dass Graf Roland, der einen Nachfolger für Stephen ernennen musste, schwer verletzt worden war. Am Tag vor ihrem Aufbruch aus Kingsbridge hatte der Graf zum ersten Mal das Bewusstsein wiedererlangt, doch litt er unter einem so starken Fieber, dass er nicht in der Lage gewesen war, auch nur einen einzigen zusammenhängenden Satz zu formulieren. Demnach würde es wohl noch eine Weile dauern, bis Wigleigh einen neuen Herrn bekam.

Diese Umstände waren an sich nichts Ungewöhnliches. Herren waren häufig fort: im Krieg, im Parlament, bei Gericht, oder sie warteten schlicht ihrem Grafen oder dem König auf. Graf Roland hatte stets einen Stellvertreter ernannt, für gewöhnlich einen seiner Söhne, doch in diesem Fall war ihm das nicht möglich gewesen. In Abwesenheit eines Herrn musste der Vogt die Ländereien so gut verwalten, wie er konnte.

An sich war es die Aufgabe des Vogts oder Gemeindevorstehers, die Beschlüsse des Herrn auszuführen; aber das verlieh ihm natürlich auch eine gewisse Macht über die Bewohner. Wie groß diese Macht war, hing davon ab, wie der Herr es hielt: Manche übten eine strenge Kontrolle aus, andere waren eher lasch. Sir Stephen hatte die Zügel stets locker gelassen, doch Graf Roland war für seine Strenge berüchtigt.

Nate Reeve hatte unter Sir Stephen als Vogt gedient und vor ihm unter Sir Henry, und vermutlich würde er auch unter dem nächsten Herrn der Gemeindevorsteher sein. Nate hatte einen Buckel und war klein und dünn, aber tatkräftig. Vor allem aber war er gerissen und gierig und stets darauf bedacht, das Beste aus seiner eingeschränkten Macht zu machen, indem er bei jeder sich bietenden Gelegenheit Bestechungsgelder aus den Dörflern presste.

Gwenda mochte Nate nicht. Doch es war nicht seine Gier, die sie gegen ihn einnahm; diesem Laster waren alle Vögte verfallen. Nate aber war verunstaltet – nicht nur durch seinen Buckel, sondern auch durch seinen Groll gegen alles und jeden. Sein Vater war Vogt beim Grafen von Shiring gewesen, doch Nate hatte dieses einflussreiche Amt nicht von ihm geerbt. Er gab seinem Buckel die Schuld daran, dass er in so einem kleinen Dorf wie Wigleigh gelandet war, und nun dehnte er seinen Hass auf alle jungen, starken und schönen Menschen aus. Wenn Nate nicht gerade sein Amt ausübte, trank er gern Wein mit Perkin, Annets Vater, der stets die Zeche bezahlte.

Bei der Angelegenheit, die heute verhandelt werden sollte, ging es um das Land von Wulfrics Familie.

Es war ein großes Stück Land. Der durchschnittliche Besitz eines Bauern betrug eine Hufe, was in etwa dreißig Morgen entsprach. In der Theorie war eine Hufe das Land, das ein einzelner Mann bestellen konnte – und normalerweise reichte das, um eine Familie zu ernähren. Die meisten Bauern in Wigleigh jedoch besaßen nur eine halbe Hufe, um die fünfzehn Morgen also. Deshalb mussten sie nach

Möglichkeiten Ausschau halten, ihren Verdienst aufzubessern: Sie fingen mit Netzen Vögel in den Wäldern, fischten Fische aus dem kleinen Fluss, der durch Brookfield strömte, fertigten Gürtel und Sandalen aus Lederresten, webten Stoff aus dem Garn der Kingsbridger Händler oder wilderten im königlichen Forst. Nur wenige Bauern besaßen mehr als eine Hufe Grund und Boden; wer so wohlhabend war, brauchte Hilfe, um sein Land zu bewirtschaften. Diese Hilfe kam entweder von den Söhnen, von anderen Verwandten oder von Tagelöhnern wie Gwendas Vater.

Starb ein Pächter, konnte das Land an seine Witwe, seine Söhne oder an eine verheiratete Tochter vererbt werden. In jedem Fall aber musste die Übergabe durch den Herrn genehmigt werden, und der sogenannte Hauptfall wurde fällig, eine hohe Erbschaftssteuer. Unter normalen Umständen wäre Samuels Land an seine beiden Söhne gegangen, und es hätte keinen Grund für eine Anhörung gegeben. Die Söhne hätten sich zusammengetan, um den Hauptfall zu bezahlen, und hätten das Land dann entweder aufgeteilt oder gemeinsam bestellt und für ihre Mutter gesorgt. Doch einer von Samuels Söhnen war mit ihm gestorben, und das machte die Sache schwierig.

Jeder erwachsene Dorfbewohner erschien zum Lehnshof. Natürlich hatte Gwenda heute ein besonderes Interesse an dem Prozess: Hier wurde über Wulfrics Zukunft entschieden. Auch dass er die Absicht hegte, diese Zukunft mit einer anderen Frau zu verbringen, konnte Gwendas Sorge nicht mindern. Mitunter fragte sie sich zwar, ob sie ihm ein klägliches Leben mit Annet wünschen sollte – aber das konnte sie dann doch nicht. Sie wollte Wulfric glücklich sehen.

Nach dem Gottesdienst wurden ein großer Holzstuhl und zwei Bänke aus dem Lehnshaus in die Kirche gebracht. Nate setzte sich auf den Stuhl, während die Geschworenen auf den Bänken Platz nahmen. Alle anderen blieben stehen.

Wulfric erklärte schlicht: »Mein Vater hat neunzig Morgen Landbesitz des Herrn von Wigleigh bewirtschaftet. Fünfzig Morgen hatte der Vater meines Vaters, vierzig sein Onkel, der vor zehn Jahren gestorben ist. Da meine Mutter und mein Bruder tot sind und ich keine Schwestern habe, bin ich der einzige Erbe.«

»Wie alt bist du?«, fragte Nate.

»Sechzehn.«

»Dann bist du ja noch nicht mal ein Mann.«

Offenbar wollte Nate die Sache erschweren. Gwenda wusste warum: Er wollte bestochen werden. Aber Wulfric hatte kein Geld.

»Jahre sind nicht alles«, entgegnete Wulfric. »Ich bin größer und stärker als die meisten Erwachsenen.«

Aaron Appletree, einer der Geschworenen, sagte: »Als David Johns von seinem Vater geerbt hat, war er erst achtzehn.«

David Johns stand neben Gwenda. »Ich musste aber nicht neunzig Morgen bestellen«, sagte er, und ein Lachen ging durch die Menge. David hatte eine halbe Hufe Land, so wie die meisten anderen Bauern.

Ein weiterer Geschworener meldete sich zu Wort. »Neunzig Morgen sind zu viel für einen Mann, erst recht für einen Jungen. Tatsächlich ist das Land bis jetzt ja auch von drei Leuten bestellt worden.« Der Sprecher war Billy Howard, ein Mann Mitte zwanzig, der erfolglos um Annet gefreit hatte – was vielleicht der Grund dafür war, dass er sich nun auf Nates Seite stellte und versuchte, Wulfric Steine in den Weg zu legen. »Ich habe nur vierzig Morgen, und zur Ernte muss sogar ich Tagelöhner anheuern.«

Mehrere Männer nickten beipflichtend. In Gwenda stieg Furcht auf. Es lief ganz und gar nicht zu Wulfrics Gunsten.

»Auch ich kann mir Hilfe besorgen«, sagte Wulfric.

»Hast du denn Geld, um Arbeiter zu bezahlen?«, wollte Nate wissen.

Auf diese Frage schaute Wulfric betroffen drein. »Beim Einsturz der Brücke ging die Börse meines Vaters verloren, und ich habe mein ganzes Geld für die Beerdigung ausgegeben«, sagte er. »Aber ich kann meinen Leuten einen Anteil an der Ernte anbieten.«

Nate schüttelte den Kopf. »Jeder im Dorf arbeitet den ganzen Tag auf seinem eigenen Land – und wer kein Land besitzt, geht anderen Beschäftigungen nach. Niemand wird eine Arbeit, die regelmäßig Geld einbringt, gegen die Aussicht auf den Anteil an einer Ernte tauschen, die noch gar nicht eingebracht ist.«

»Ich *werde* die Ernte einbringen!«, erklärte Wulfric mit leidenschaftlicher Entschlossenheit. »Ich kann Tag und Nacht arbeiten, wenn es sein muss. Ich werde euch allen beweisen, dass ich es schaffen kann!«

Auf seinem schönen Gesicht lag so viel Sehnsucht, dass Gwenda am liebsten aufgesprungen wäre und sich an seine Seite gestellt hätte. Die Männer schüttelten die Köpfe. Jeder wusste, dass es unmöglich war, neunzig Morgen allein zu bewirtschaften.

Nate wandte sich an Perkin. »Er ist mit deiner Tochter verlobt. Kannst du denn nichts für ihn tun?«

Nachdenklich legte Perkin die Stirn in Falten. »Vielleicht sollte er Land an mich überschreiben – vorläufig, versteht sich. Ich könnte den Hauptfall bezahlen. Wenn er Annet heiratet, bekommt er sein Land zurück.«

»Nein!«, sagte Wulfric sofort.

Gwenda wusste, warum er gegen Perkins Vorschlag war. Perkin war gerissen: Bis zur Hochzeit würde er jeden wachen Augenblick damit verbringen, einen Plan auszuhecken, wie er Wulfrics Land für sich behalten könnte.

Nate fragte: »Wenn du kein Geld hast, Wulfric, wie willst du dann den Hauptfall bezahlen?«

»Wenn die Ernte eingebracht ist, habe ich wieder Geld.«

»Falls du die Ernte einbringen *kannst*, und selbst dann wird es vielleicht nicht reichen. Dein Vater hat drei Pfund für das Land seines Vaters bezahlt und zwei für das seines Onkels.«

Gwenda schnappte nach Luft. Fünf Pfund waren ein Vermögen. Es schien unmöglich, dass Wulfric so viel Geld auftreiben könnte. Wahrscheinlich würden dabei sämtliche Ersparnisse seiner Familie aufgebraucht.

Nate fuhr fort: »Außerdem wird der Hauptfall üblicherweise gezahlt, bevor der Erbe den Besitz übernimmt – nicht erst nach der Ernte.«

Aaron Appletree sagte: »Unter diesen Umständen, Nate, könntest du ein wenig Nachsicht zeigen.«

»Ach ja? Ein Herr mag Nachsicht zeigen, denn er herrscht über seinen Besitz; doch wenn ein Vogt Nachsicht zeigt, verschenkt er eines anderen Mannes Geld!«

»Aber es ist doch nur ein Vorschlag. Endgültig wird alles erst, nachdem der neue Herr von Wigleigh – wer immer es sein mag – seine Zustimmung erteilt hat.«

Streng genommen stimmte das, doch in der Praxis war es eher unwahrscheinlich, dass ein neuer Herr einem Sohn das Erbe seines Vaters verweigerte.

Wulfric sagte: »Der Hauptfall meines Vater betrug keine fünf Pfund.«

»Da müssen wir in unseren Aufzeichnungen nachsehen.« Nates Antwort kam so schnell, dass Gwenda vermutete, er hatte nur auf diesen Einwand gewartet. Nate sorgte häufig für Pausen inmitten einer Anhörung. Gwenda nahm an, dass er den Parteien dadurch Gelegenheit geben wollte, ihm ein Bestechungsgeld anzubieten.

Vielleicht glaubte er, dass Wulfric noch irgendwo Geld versteckt hatte.

Zwei der Geschworenen holten die Truhe mit den Herrschaftslisten aus der Sakristei. Es waren lange Pergamentrollen, auf denen sämtliche Beschlüsse des Lehnshofs verzeichnet waren. Nate konnte lesen und schreiben – ein Vogt musste beides beherrschen, um Berichte für seinen Herrn zu erstellen. Nun wühlte Nate in der Truhe nach dem gesuchten Dokument.

Gwenda erkannte, dass Wulfric seine Sache schlecht vertrat. Offenheit und Ehrlichkeit reichten nicht aus, um gegen seine verschlagenen Gegner zu bestehen: Nate wollte sicherstellen, dass er die Erbschaftssteuer für den Herrn eintrieb, Perkin versuchte mit seinen Schlichen, Land für sich selbst zu ergaunern, und Billy Howard wollte Wulfric aus schierer Bosheit am Boden sehen. Wulfric hingegen war arglos. Er glaubte tatsächlich, ihm würde Gerechtigkeit widerfahren, wenn er seinen Fall nur darstellte.

Gwenda beschloss, ihm zu helfen. Als Jobys Tochter hatte sie ein paar Lektionen über List und Tücke gelernt. Ihr war aufgefallen, dass Wulfric sich in seiner Rede nicht auf das Eigeninteresse der Dörfler berufen hatte – also würde sie es für ihn tun. Gwenda drehte sich zu David Johns um, der noch immer neben ihr stand. »Ich bin überrascht, dass ihr Männer euch keine größeren Sorgen macht.«

David Johns schaute sie schief an. »Worauf willst du hinaus, Mädel?«

»Wenn ihr Nate seine Haarspaltereien durchgehen lasst, wird er sämtliche Erbfälle infrage stellen. Ihm wird schon irgendein Grund dafür einfallen. Hast du keine Angst, dass er die Rechte deiner eigenen Söhne anfechten könnte?«

David schaute besorgt drein. »Da könntest du recht haben, Mädchen«, sagte er, drehte sich zu seinem anderen Nachbarn um und sprach ihn sofort darauf an.

Gwenda, zufrieden mit diesem ersten kleinen Erfolg, ging zu Wulfric: Sie hielt es für einen Fehler, dass er heute schon eine Entscheidung verlangte. Es war besser, um ein vorläufiges Urteil zu bitten; dazu wären die Geschworenen bestimmt eher bereit.

Wulfric redete mit Perkin und Annet, als Gwenda sich näherte. Perkin starrte sie misstrauisch an, und Annet rümpfte die Nase. Wulfric jedoch war so freundlich wie immer. »Ich habe gehört, du hast das Haus deines Vaters verlassen«, sagte er. »Wo wohnst du jetzt?«

»Die Witwe Huberts hat mich aufgenommen, und ich arbeite für den Vogt auf den Feldern des Herrn. Ein Penny pro Tag, von Sonnenauf- bis Sonnenuntergang. Nate gefällt es, wenn seine Knechte und Mägde müde nach Hause gehen. Glaubst du, er wird dir geben, was du willst?«

Wulfric verzog das Gesicht. »Er scheint nicht die Absicht zu haben.«

»Vielleicht liegt es an dir. Eine Frau würde die Sache anders angehen.«

Verwundert hob er die Augenbrauen. »Und wie?«

Annet funkelte Gwenda an, doch die ignorierte den Blick. »Eine Frau würde kein Urteil verlangen, vor allem nicht, wo jeder weiß, dass die heutige Entscheidung nicht endgültig ist«, sagte Gwenda. »Sie würde kein ›Nein‹ für die Möglichkeit eines ›Vielleicht‹ riskieren.«

Wulfric legte nachdenklich die Stirn in Falten. »Und was würdest du tun?«

»Ich würde darum bitten, dass man mir gestattet, vorläufig weiter auf dem Land zu arbeiten. Ich würde dafür sorgen, dass man mit einer bindenden Entscheidung wartet, bis ein neuer Herr ernannt ist. Bis dahin würde jeder sich daran gewöhnen, dass mir das Land gehört, sodass die Zustimmung des neuen Herrn nur noch Formsache ist. So könnte ich mein Ziel erreichen, ohne den Leuten allzu viel Gelegenheit zu geben, sich die Köpfe darüber heißzureden.«

Wulfric zögerte. »Nun, ich …«

»Das ist nicht, was du willst, ich weiß. Aber es ist das Beste, was du heute bekommen kannst. Und wie soll Nate es dir verweigern, wenn er keinen anderen hat, der die Ernte einbringt?«

Wulfric nickte. »Du hast recht. Die Leute würden mich das Getreide ernten sehen und sich an den Anblick gewöhnen. Mir dann hinterher das Erbe zu verweigern würde allen ungerecht erscheinen, und ich wäre in der Lage, den Hauptfall zu bezahlen – zumindest einen Teil.«

»Du wärst deinem Ziel ein ganzes Stück näher als jetzt.«

»Du bist sehr klug.« Wulfric lächelte sie an und drehte sich dann wieder zu Annet und ihrem Vater um, auf deren Gesichtern sich Zorn spiegelte.

Gwenda bemerkte zufrieden, dass David Johns nachdrücklich auf Aaron Appletree, einen der Geschworenen, einredete. Ihre Worte schienen gewirkt zu haben.

Nate wedelte mit der Herrschaftsliste. »Wulfrics Vater, Samuel, hat dreißig Shilling bezahlt, um von seinem Vater erben zu dürfen, und ein Pfund für das Erbe seines Onkels.« Ein Shilling waren zwölf Pennys. Zwar gab es keine Shillingmünzen; trotzdem rechnete man damit: Zwanzig Shilling machten ein Pfund. Die Summe, von der Nate redete, war also genau die Hälfte von dem, was er ursprünglich genannt hatte.

David Johns meldete sich zu Wort. »Das Land eines Mannes sollte an seinen Sohn übergehen«, rief er. »Wir wollen bei unserem neuen Herrn, wer immer es sein wird, nicht den Eindruck erwecken, er könnte sich aussuchen, wer erben darf und wer nicht!«

Zustimmendes Raunen ging durch die Menge.

Wulfric trat vor. »Ich weiß, dass du heute keine endgültige Entscheidung treffen kannst, Nate. Deshalb will ich warten, bis ein neuer Lehnsherr ernannt ist. Ich bitte nur darum, dass man mir gestattet, weiter das Land zu bestellen. Ich werde alles tun, um die Ernte einzubringen. Sollte ich scheitern, verlierst du nichts. Sollte ich Erfolg haben, stehst du bei mir nicht im Wort. Wenn der neue Herr kommt, werde ich mich seinem Urteil unterwerfen.«

Auf dem Gesicht des Vogts spiegelte sich Besorgnis. Er sah seine Felle davonschwimmen. Offenbar hatte er mit einem hübschen Sümmchen von Perkin, Wulfrics zukünftigem Schwiegervater, gerechnet. Gwenda sah, wie Nate fieberhaft nach einer Möglichkeit suchte, Wulfrics Bitte abzuschlagen. Als sein Schweigen sich in die Länge zog, entstand Gemurmel unter den Dörflern, und Nate sah ein, dass er sich keinen Gefallen tat, wenn er sich weiterhin widerspenstig zeigte. »Also gut«, sagte er und spielte den Gnädigen, bot allerdings keine überzeugende Vorstellung. »Was sagen die Geschworenen?«

Aaron Appletree beriet sich kurz mit den anderen und verkündete dann: »Die Geschworenen erklären, dass Wulfrics Bitte angemessen ist. Er soll das Land seines Vaters bestellen, bis Wigleigh einen neuen Herrn hat.«

Gwenda seufzte erleichtert.

Nate verkündete zornig: »So sei es.«

Das Gericht löste sich auf; die Leute gingen nach Hause, um sich zu Tisch zu setzen. Die meisten Dörfler konnten sich einmal die Woche Fleisch leisten, das üblicherweise am Sonntag auf den Tisch kam. Selbst Gwendas Eltern kochten dann meist einen Eintopf aus Eichhörnchen, Igeln oder jungen Hasen, von denen es zu dieser Jahreszeit viele gab. Die Witwe Huberts, bei der Gwenda untergekommen war, hatte ein Stück Hammel im Topf über dem Feuer.

Gwenda erhaschte Wulfrics Blick, als sie die Kirche verließen und über den Friedhof gingen. »Das hast du gut gemacht«, sagte sie. »Nate konnte sich dir nicht länger verweigern, obwohl er es gerne getan hätte.«

»Es war deine Idee«, sagte Wulfric bewundernd. »Du hast mir geraten, was ich sagen soll. Ich weiß gar nicht, wie ich dir danken kann.«

Gwenda widerstand der Versuchung, es ihm zu sagen. »Wie willst du die Ernte einbringen?«, fragte sie stattdessen.

»Ich weiß es nicht.«

»Warum lässt du mich nicht für dich arbeiten?«

»Ich kann dich nicht bezahlen.«

»Ich arbeite auch für Essen.«

Wulfric blieb am Friedhofstor stehen, drehte sich um und schaute sie an. »Das ist keine gute Idee. Annet würde es nicht gefallen, und um ehrlich zu sein … sie hätte recht damit.«

Gwenda spürte, wie sie errötete. Es gab keinen Zweifel, was Wulfric meinte. Entsetzt erkannte sie, dass er von ihrer Liebe zu ihm wusste, und nun lehnte er ihr Hilfsangebot ab, weil er sie in ihrer hoffnungslosen Leidenschaft nicht ermutigen wollte.

»Wie du willst« , flüsterte sie und senkte den Blick.

Wulfric lächelte sie warmherzig an. »Trotzdem, danke für das Angebot.«

Sie drehte sich wortlos um und ging davon.

KAPITEL 19

Gwenda stand auf, als es noch dunkel war.

Wie üblich hatte sie im Stroh auf dem Boden des Hauses von Witwe Huberts geschlafen, und wie stets hatte eine innere Uhr sie kurz vor Sonnenaufgang geweckt. Die Witwe lag neben ihr. Sie rührte sich nicht, als Gwenda ihre Decke beiseiteschlug und aufstand. Gwenda ertastete sich ihren Weg, öffnete die Hintertür und trat hinaus auf den Hof. Skip folgte ihr und schüttelte sich.

Einen Augenblick stand Gwenda still da. Wie immer in Wigleigh wehte eine frische Brise. Die Nacht war nicht vollkommen finster, sodass Gwenda Umrisse erkennen konnte: das Entenhaus, die Latrine, den Birnbaum. Das Nachbarhaus, in dem Wulfric wohnte, konnte sie nicht ausmachen, hörte jedoch das leise Knurren seines Hundes, der vor dem kleinen Schafpferch angebunden war. Gwenda murmelte leise vor sich hin, damit das Tier ihre Stimme erkannte und sich beruhigte.

Der frühe Morgen war still und friedlich, doch Gwenda hatte in letzter Zeit ein bisschen zu viel Stille und Frieden gehabt: Solange sie zurückdenken konnte, hatte sie in einer beengten Hütte voller Säuglinge und Kleinkinder gelebt, und irgendeines von ihnen hatte immer geschrien, sei es aus Hunger oder weil es sich verletzt hatte oder weil es in kindlicher Wut gegen irgendetwas aufbegehrte. Gwenda hätte nie geglaubt, wie sehr sie diesen Lärm einmal vermissen würde. Nun lebte sie bei einer ruhigen Witwe, die sich zwar freundlich mit ihr unterhielt, aber auch mit Schweigen zufrieden war. Manchmal sehnte Gwenda sich danach, ein Kind schreien zu hören, damit sie es an sich drücken und trösten konnte.

Sie wusch sich Hände und Gesicht in dem alten Holzeimer; dann ging sie ins Haus zurück. Im Dunkeln ertastete sie den Tisch, öffnete den Brotkasten und schnitt eine dicke Scheibe von einem eine Woche alten Laib. Der neue Tag brach an, als sie sich auf den Weg machte.

Im Dorf herrschte noch Stille. Gwenda war als Erste auf den Beinen. Die Bauern arbeiteten von Sonnenaufgang bis Sonnenuntergang, und besonders um diese Jahreszeit waren ihre Tage lang und hart. Sie nutzten jede Gelegenheit, sich auszuruhen. Nur Gwenda war auch während der Stunden zwischen Dämmerung und Sonnenaufgang geschäftig.

Wigleigh hatte drei große Felder: Hundredacre, Brookfield und Longfield. In einem Dreijahreszyklus wurden dort verschiedene Getreidesorten angebaut. Weizen und Roggen, das wertvollste Korn, wurden im ersten Jahr gesät, billigere Feldfrüchte wie Hafer, Gerste, Erbsen und Bohnen im zweiten; im dritten Jahr ließ man das Feld brachliegen. Dieses Jahr reiften Weizen und Roggen auf Hundredacre; auf Brookfield wuchsen die anderen Feldfrüchte, und Longfield lag brach. Jedes Feld war in Streifen von ungefähr einem Morgen unterteilt; das Land eines Pächters bestand aus mehreren solcher Streifen, die sich auf alle drei Felder verteilten.

Gwenda ging nach Hundredacre und machte sich daran, Unkraut auf einer von Wulfrics Parzellen zu jäten; stets aufs Neue wucherten Ringelblumen und Brennnesseln zwischen den Ährenreihen. Gwenda war froh, auf Wulfrics Land zu arbeiten und ihm auf diese Weise helfen zu können, ob er es nun wusste oder nicht. Jedes Mal, wenn sie sich bückte, hielt sie ihm ein wenig den Rücken frei; jedes Mal, wenn sie ein Unkraut aus der Erde riss, vergrößerte sie seine Ernte. Es war, als würde sie ihm ständig Geschenke machen. Während sie arbeitete, stellte sie sich sein Gesicht vor. Sie sah ihn lachen und hörte seine Stimme, die so tief war wie die eines Mannes, zugleich aber noch so schwärmerisch wie die eines Jungen. Gwenda berührte die grünen Ähren und stellte sich vor, sie würde Wulfric übers Haar streichen.

Gwenda jätete bis Sonnenaufgang und ging dann zur Domäne, jenen Parzellen, die vom Herrn selbst bewirtschaftet und von seinen Hörigen bestellt wurden; dort arbeitete Gwenda als Landarbeiterin gegen Entgelt. Herr Stephen war zwar tot, doch sein Getreide musste geerntet werden, und sein Nachfolger würde einen genauen Bericht darüber verlangen, was mit den Erträgen geschehen war. Bei Sonnenuntergang, nachdem Gwenda sich ihr täglich Brot verdient hatte, begab sie sich noch einmal auf Wulfrics Felder und arbeitete dort weiter, bis es dunkel war – oder auch länger, wenn der Mond schien.

Wulfric wusste nicht, dass Gwenda ihm half, doch in einem Dorf mit nur zweihundert Einwohnern blieb nichts lange geheim. So hatte die Witwe Huberts Gwenda mit freundlicher Neugier gefragt, was sie mit ihrer Plackerei zu erreichen hoffe. »Er wird Perkins Mädchen heiraten. Das kannst du nicht verhindern.«

»Ich will nur, dass er Erfolg hat«, hatte Gwenda erwidert. »Er hat es verdient. Er ist ein ehrlicher Mann mit einem guten Herzen, fleißig und redlich. Ich will, dass er glücklich ist, selbst wenn er diese Hexe heiratet.«

Heute waren die Gutsarbeiter auf dem Brookfield, um dort die Erbsen und Bohnen des Herrn zu ernten. Wulfric war in der Nähe und hob einen Entwässerungsgraben aus, denn das Land war nach den schweren Regenfällen Anfang Juni versumpft. Gwenda beobachtete ihn bei der Arbeit. Er trug nur Hose und Stiefel und hatte den breiten Rücken über den Spaten gebeugt. Er bewegte sich so unermüdlich wie ein Mühlrad. Nur der Schweiß, der auf seiner Haut glitzerte, verriet, wie groß die Anstrengung war. Zu Mittag kam Annet zu ihm. Sie sah hübsch aus mit ihrer grünen Schleife im Haar, und sie brachte ihm einen Krug Bier, dazu Brot und Käse, eingewickelt in Sackleinen.

Nate Reeve läutete eine Glocke, worauf alle die Arbeit einstellten und sich unter die Bäume am Nordende des Feldes zurückzogen. Nate verteilte Apfelmost, Brot und Zwiebeln an die Knechte und Mägde: Das Mittagessen war Teil ihres Lohns. Gwenda saß mit dem Rücken an einer Hainbuche und beobachtete Wulfric und Annet mit der Faszination eines zum Tode Verurteilten, der dem Zimmermann beim Bau des Galgens zuschaut.

Zuerst war Annet kokett wie immer. Sie legte den Kopf auf die Seite, klimperte mit den Wimpern und stupste Wulfric, wobei sie kicherte und alberte. Dann wurde sie plötzlich ernst und redete drängend auf ihn ein, während er unschuldig protestierte. Beide schauten sie zu Gwenda hinüber; offenbar ging es um sie: Vermutlich hatte Annet herausgefunden, dass Gwenda morgens und abends auf Wulfrics Parzellen arbeitete. Schließlich ging Annet mit trotzigen Schritten davon, und Wulfric beendete sein Mittagessen in nachdenklicher Einsamkeit.

Nach dem Essen ruhten sich alle für den Rest der Mittagsstunde aus. Die älteren Knechte und Mägde legten sich der Länge nach auf den Boden und dösten, während die jüngeren miteinander schwatzten. Wulfric kam zu Gwenda und hockte sich neben sie. »Du hast auf meinen Parzellen Unkraut gejätet«, sagte er.

Gwenda hatte nicht die Absicht, sich dafür zu entschuldigen. »Hat Annet deshalb mit dir geschimpft?«

»Sie will nicht, dass du für mich arbeitest.«

»Was will sie dann? Soll ich das Unkraut wieder einpflanzen?«

Wulfric schaute sich um und senkte die Stimme. Er wollte nicht, dass jemand ihnen zuhörte, obwohl die anderen sich vermutlich denken konnten, was er und Gwenda zu besprechen hatten. »Ich weiß, dass du es gut meinst, und dafür bin ich dir dankbar, aber es bringt nur Ärger.«

Gwenda genoss seine Nähe. Er roch nach Erde und Schweiß. »Du brauchst Hilfe«, sagte sie, »und Annet ist kaum zu etwas zu gebrauchen.«

»Du darfst nicht so schlecht von ihr reden! Es wäre besser, wenn du überhaupt nicht von ihr sprichst.«

»Na schön, aber du kannst die Ernte nicht allein einbringen.«

Er seufzte. »Wenn doch nur die Sonne scheinen würde!« Unwillkürlich schaute er zum Himmel, typisch für einen Bauern. Eine dicke Wolke zog sich von einem Horizont zum anderen. Seit längerer Zeit war es kühl und feucht, und das Getreide wollte nur langsam reifen.

»Lass mich für dich arbeiten«, bettelte Gwenda. »Sag Annet, dass du mich brauchst. Ein Mann soll Herr über sein Weib sein, nicht andersherum.«

»Ich werde darüber nachdenken«, erwiderte er.

Doch am nächsten Tag stellte Wulfric einen Feldarbeiter ein. Es war ein Reisender, der am späten Nachmittag in Wigleigh aufgetaucht war. Die Dörfler versammelten sich um ihn und hörten sich in der Abenddämmerung seine Geschichte an. Sein Name war Gram, und er kam aus Salisbury. Sein Weib und seine Kinder, erzählte er, seien jämmerlich umgekommen, als sein Haus niederbrannte; nun sei er auf dem Weg nach Kingsbridge, wo er Arbeit zu finden hoffe, vielleicht in der Priorei. Sein Bruder sei dort Mönch.

Gwenda sagte: »Vielleicht kenne ich ihn. Mein Bruder Philemon arbeitet schon seit Jahren in der Priorei. Wie heißt dein Bruder?«

»John.« Es gab zwei Mönche mit Namen John, doch ehe Gwenda fragen konnte, welchen John er meinte, fuhr Gram fort: »Als ich mich auf den Weg gemacht habe, hatte ich ein paar Münzen bei mir, um mir unterwegs Essen zu kaufen. Aber ich wurde von Geächteten ausgeraubt, und jetzt habe ich keinen Penny mehr, nur noch mein nacktes Leben.«

Diese traurige Geschichte brachte Gram viel Mitleid ein. Wulfric lud ihn sogar ein, in seinem Haus zu schlafen. Am nächsten Tag, einem Samstag, stellte Wulfric ihn als Helfer ein. Gram arbeitete für Kost und Logis und einen Anteil an der Ernte.

Beide Männer schufteten den ganzen Samstag. Wulfric pflügte die Disteln auf der Brache im Longfield unter; Gram führte das Pferd und trieb es an, wenn es stehen blieb, während Wulfric den Pflug lenkte. Am Sonntag ruhten sie.

Beim Sonntagsgottesdienst brach Gwenda in Tränen aus, als sie Cath, Joanie und Eric sah. Erst jetzt erkannte sie, wie sehr sie ihre Geschwister vermisste. Sie hielt Eric während des ganzen Gottesdienstes in den Armen. Nach der Messe fuhr ihre Mutter sie zornig an: »Du brichst dir das Herz wegen diesem Wulfric! Nur weil du sein Unkraut jätest, liebt er dich noch lange nicht! Er ist ganz verrückt nach dieser nutzlosen Annet.«

»Ich weiß«, entgegnete Gwenda, »aber ich will ihm trotzdem helfen.«

»Du solltest das Dorf verlassen. Hier gibt es nichts mehr für dich.«

Gwenda wusste, dass ihre Mutter recht hatte. »Am Tag nach ihrer Hochzeit gehe ich fort.«

Ma senkte die Stimme. »Wenn du so lange bleiben willst, dann sei auf der Hut vor deinem Vater. Er hat die Hoffnung auf weitere zwölf Shilling noch nicht aufgegeben.«

»Was meinst du damit?«, fragte Gwenda.

Ma schüttelte nur den Kopf.

»Er kann mich jetzt nicht mehr verkaufen«, sagte Gwenda. »Ich habe sein Haus verlassen. Er gibt mir weder Essen noch ein Dach über dem Kopf. Ich arbeite für den Herrn von Wigleigh. Pa kann nicht mehr über mich verfügen.«

»Pass nur gut auf«, sagte Ma.

Vor der Kirche sprach Gram, der Reisende, Gwenda an und schlug vor, dass sie nach dem Mittagessen spazieren gehen sollten. Gwenda hatte so eine Vermutung, was er mit »spazieren gehen« meinte, und so lehnte sie rundheraus ab, doch später sah sie Gram mit der blonden Joanna, der Tochter von David Johns, die erst fünfzehn und dumm genug war, der Faszination eines Fremden zu erliegen.

Am Montag jätete Gwenda im Zwielicht vor Sonnenaufgang Wulfrics Weizen auf Hundredacre, als Wulfric plötzlich über das Feld auf sie zugelaufen kam. Sein Gesicht war dunkel vor Zorn.

Gwenda hatte sich Wulfrics Wünschen hartnäckig widersetzt und nach wie vor morgens und abends auf seinem Land gearbeitet; nun sah es so aus, als hätte sie das Fass zum Überlaufen gebracht. Was würde er tun? Sie schlagen? So wie sie ihn herausgefordert hatte, konnte Wulfric sie verprügeln, ohne dafür bestraft zu werden, zumal niemand für sie sprechen würde, da sie das Haus ihrer Eltern verlassen hatte. Gwenda hatte Angst. Schließlich hatte sie miterlebt, wie Wulfric Ralph Fitzgerald die Nase gebrochen hatte.

Dann ermahnte sie sich, nicht so dumm zu sein. Zwar hatte Wulfric sich schon häufig geprügelt; aber er hatte noch nie eine Frau oder ein Kind geschlagen. Trotzdem ließ sein Zorn sie zittern.

Doch es ging gar nicht um sie. Kaum war er in Hörweite, rief er: »Hast du Gram gesehen?«

»Nein, wieso?«

Wulfric blieb keuchend bei ihr stehen. »Wie lange bist du schon hier?«

»Ich bin kurz vor Tagesanbruch aufgestanden.«

Wulfric ließ die Schultern hängen. »Dann ist der Kerl schon außer Reichweite, falls er hier entlanggekommen ist.«

»Was ist denn passiert?«

»Gram ist verschwunden – mit meinem Pferd.«

Das erklärte Wulfrics Wut. Ein Pferd war ein kostbarer Besitz, den sich nur wohlhabende Bauern wie Wulfrics Vater leisten konnten. Gwenda fiel plötzlich ein, wie rasch Gram das Thema gewechselt hatte, als sie gesagt hatte, vielleicht seinen Bruder zu kennen. Natürlich hatte er gar keinen Bruder in der Priorei. Auch die Familie, die er angeblich bei einem Brand verloren hatte, gab es sicher nicht. Gram war ein Schwindler, der sich das Vertrauen der Dorfbewohner erschlichen hatte, um sie zu bestehlen. »Was waren wir für Narren, dass wir ihm seine Geschichte abgekauft haben!«, sagte sie.

»Und ich war der größte Narr von allen, dass ich ihn auch noch in mein Haus aufgenommen habe«, sagte Wulfric verbittert. »Er ist gerade lange genug geblieben, dass die Tiere ihn kannten. Deshalb hat das Pferd sich von ihm führen lassen, und der Hund hat nicht gebellt.«

Gwenda bedachte Wulfric mit einem mitleidigen Blick. Gerade jetzt, wo er sein Pferd am dringendsten gebraucht hätte, war es ihm gestohlen worden. »Ich glaube nicht, dass Gram hier entlanggekommen ist«, sagte sie. »Er kann nicht aufgebrochen sein, ehe ich aufgestanden bin, dafür war die Nacht zu dunkel. Und wenn er mir gefolgt wäre, hätte ich ihn gesehen.« Es gab nur eine Straße, die ins Dorf hinein- und wieder hinausführte: Sie endete in einer Sackgasse vor dem Lehnshaus. Doch es gab Feldwege. »Vermutlich hat er den Weg zwischen Brookfield und Longfield genommen. So kommt man am schnellsten in den Wald.«

»Das Pferd kommt im Wald nur langsam voran. Vielleicht kann ich ihn noch einholen.« Wulfric drehte sich um und lief denselben Weg zurück, den er gekommen war.

»Viel Glück!«, rief Gwenda ihm hinterher. Er winkte ihr zu, ohne den Kopf zu drehen.

Doch er hatte kein Glück.

Spät an diesem Nachmittag trug Gwenda einen Sack Erbsen vom Brookfield zur Scheune des Herrn. Als sie am Longfield vorbeikam, sah sie Wulfric wieder. Er grub mit einem Spaten in seiner Brache. Offensichtlich hatte er weder Gram eingeholt noch sein Pferd gefunden.

Gwenda stellte den Sack ab und ging über das Feld zu ihm. »Das geht nicht«, sagte sie. »Du hast hier dreißig Morgen Land, und wie viel hast du gepflügt? Zehn? Kein Mann kann zwanzig Morgen umgraben.«

Wulfric grub weiter, ohne ihr in die Augen zu schauen. »Ich kann aber nicht pflügen«, sagte er. »Ich habe kein Pferd.«

»Stell dich selbst ins Geschirr«, sagte Gwenda. »Du bist stark, und es ist ein leichter Pflug. Und du willst ja nur die Disteln unterpflügen.«

»Ich habe aber keinen, der den Pflug lenkt.«

»Doch.«

Er starrte sie an.

»Ich mache das«, sagte sie.

Wulfric schüttelte den Kopf.

Gwenda sagte: »Du hast deine Familie verloren und nun auch noch dein Pferd. Du schaffst es nicht allein. Du musst meine Hilfe annehmen.«

Wulfric wandte sich ab und schaute über die Felder zum Dorf. Gwenda wusste, dass er an Annet dachte.

»Morgen früh komme ich wieder her«, sagte Gwenda.

Sein Blick kehrte zu ihr zurück. Auf seinem Gesicht kämpften widerstreitende Gefühle. Er war hin- und hergerissen zwischen seiner Liebe zu seinem Acker und seinem Verlangen nach Annet.

»Ich klopfe bei dir an«, sagte Gwenda. »Wir werden den Rest zusammen pflügen.« Sie drehte sich um und ging davon. Dann blieb sie noch einmal stehen und schaute zurück.

Er sagte nicht Ja.

Aber er sagte auch nicht Nein.

Sie pflügten zwei Tage; dann machten sie Heu und ernteten das Frühlingsgemüse.

Da Gwenda nun kein Geld mehr verdiente, um Witwe Huberts für Kost und Logis zu bezahlen, brauchte sie einen anderen Schlafplatz, und so zog sie in Wulfrics Kuhstall ein. Als sie ihm den Grund dafür sagte, erhob er keine Einwände.

Nach dem ersten Tag ließ Annet, die Wulfric jeden Mittag ein Essen gebracht hatte, sich nicht mehr blicken, sodass Gwenda ihnen beiden Essen machte, wobei sie die Vorräte in seinem Schrank plünderte: Brot, Bier, gekochte Eier, kalter Schinken, Frühlingszwiebeln und Rote Bete. Wieder ließ Wulfric es zu, ohne ein Wort zu sagen.

Gwenda hatte noch immer den Liebestrank. Die Phiole steckte in einem winzigen Lederbeutel, den sie an einem Riemen um den Hals trug. Der Beutel hing zwischen ihren Brüsten, vor neugierigen Blicken geschützt. Gwenda hätte Wulfric mittags etwas von dem Trank ins Bier geben können, doch sie wollte nicht, dass dessen Wirkung sich am helllichten Tag und auf freiem Feld entfaltete.

Jeden Abend ging Wulfric zu Perkin, um mit Annet und ihrer Familie zu essen, und Gwenda saß allein in der Küche. Wenn Wulfric zurückkam, schaute er oft düster drein, sagte aber nichts, sodass Gwenda annahm, dass Annet ihm Vorhaltungen gemacht hatte. Er ging zu Bett, ohne etwas zu essen oder zu trinken; so konnte Gwenda den Liebestrank abermals nicht einsetzen.

Am Samstag, nachdem Gram sich mitsamt dem Pferd davongemacht hatte, kochte Gwenda sich einen Eintopf aus Gemüse und Pökelfleisch. In Wulfrics Haus gab es Vorräte für vier Erwachsene und somit genug zu essen. Die Abende waren kühl, obwohl es noch Juli war, sodass Gwenda noch ein Scheit aufs Feuer legte, nachdem sie gegessen hatte. Sie beobachtete, wie die Flammen um das Holz leckten, bis es Feuer fing, und dachte über das einfache und überschaubare Leben nach, das sie bis vor ein paar Wochen geführt hatte. Nun staunte sie, dass dieses Leben genauso in sich zusammengefallen war wie die Brücke von Kingsbridge.

Als die Tür sich öffnete, glaubte sie, Wulfric sei wieder nach Hause gekommen. Bei seiner Rückkehr zog sie sich stets in den Kuhstall zurück, genoss zuvor aber die freundlichen Worte, die sie jedes Mal vor dem Schlafengehen wechselten. Als Gwenda diesmal freudig den Blick hob, um Wulfric entgegenzusehen, erlitt sie einen solchen Schock, dass ihr Lächeln gefror.

Es war nicht Wulfric, es war ihr Vater.

Bei ihm war ein grobschlächtig aussehender Fremder.

Gwenda sprang auf. Sie hatte schreckliche Angst. »Was willst du?«

Skip stieß ein feindseliges Bellen aus, zog sich dann aber furchtsam vor Joby zurück.

Joby sagte: »Hab keine Angst, mein kleines Mädchen. Ich bin doch dein Pa.«

Voller Verzweiflung erinnerte Gwenda sich an die Warnung ihrer Mutter in der Kirche. »Wer ist das?«, fragte sie und starrte auf den Fremden.

»Das ist Jonah aus Abingdon. Er handelt mit Tierhäuten.«

Einst mochte Jonah ein Händler gewesen sein, und vielleicht stammte er tatsächlich aus Abingdon, doch seine Stiefel waren verschlissen, seine Kleider verdreckt, und sein stumpfes Haar und der struppige Bart verrieten, dass er schon seit Jahren keinen Barbier mehr gesehen hatte.

Mutiger, als sie sich fühlte, rief Gwenda: »Verschwindet!«

»Ich hab dir ja gesagt, dass sie ein freches Gör ist«, sagte Joby zu Jonah. »Aber sie ist ein gutes Mädchen und kräftig obendrein.«

Jonah sprach zum ersten Mal. »Keine Sorge«, sagte er. Während er Gwenda musterte, leckte er sich die Lippen, und sie wünschte sich, mehr am Leib zu haben als nur ihr leichtes Wollkleid. »Ich hab in meinem Leben schon so manches Fohlen gezähmt«, fügte Jonah hinzu.

Gwenda hegte keinen Zweifel, dass ihr Vater seine Drohung wahr gemacht und sie erneut verscherbelt hatte. Sie hatte geglaubt, in Sicherheit zu sein, nachdem sie sein Haus verlassen hatte. Die Dörfler würden doch sicher nicht zulassen, dass eine Magd entführt wurde, die für einen der ihren arbeitete ... oder? Aber es war dunkel, und sie könnte schon weit weg sein, ehe jemand bemerkte, was geschehen war.

Niemand würde ihr helfen.

Trotzdem – sie würde sich nicht kampflos ergeben!

Gwenda sah sich verzweifelt nach einer Waffe um. Das Holzscheit, das sie vor ein paar Minuten ins Feuer gelegt hatte, brannte an einem Ende; das andere Ende ragte ein unangenehm kurzes Stück aus den Flammen heraus. Dennoch bückte Gwenda sich rasch und packte das Scheit.

»Aber, aber, so etwas tut man nicht«, sagte Joby. »Du willst deinem alten Pa doch nicht wehtun?« Er trat näher.

Eine Woge heißer Wut brandete über Gwenda hinweg. Wie konnte er es wagen, so mit ihr zu sprechen, wo er sie wieder verkaufen wollte! Plötzlich wollte Gwenda ihm nur noch wehtun. Mit einem zornigen Schrei sprang sie auf ihn zu und stieß mit dem brennenden Scheit nach ihm.

Joby wich zurück, doch Gwenda stürmte ihm hinterdrein, halb wahnsinnig vor Wut. Skip kläffte wie verrückt. Joby hob die Arme, um sich zu schützen, und versuchte, das Scheit beiseitezuschlagen, doch die Wut verlieh Gwenda zusätzliche Kraft. Es gelang Joby nicht, ihren Ansturm aufzuhalten, und so rammte sie ihm das glühende Holz ins Gesicht. Joby schrie vor Schmerz, als die Glut ihm die Wange verbrannte. Sein schmutziger Bart fing Feuer, und der scheußliche Geruch von verbrannter Haut erfüllte den Raum.

Dann wurde Gwenda von hinten gepackt: Jonah hatte die Arme um sie geschlungen und hielt sie in eisernem Griff. Gwenda ließ das brennende Scheit fallen. Sofort loderten Flammen aus dem Stroh am Boden. Skip flitzte winselnd aus dem Haus. Gwenda wand sich in Jonahs Griff, warf sich von einer Seite zur anderen, doch er war erstaunlich stark. Mühelos hob er sie hoch.

Plötzlich erschien eine große Gestalt in der Tür. Gwenda sah nur die Umrisse; dann verschwand die Gestalt auch schon wieder. Gwenda wurde zu Boden geworfen und war für einen Moment benommen. Als ihr Kopf wieder klar wurde, kniete Jonah auf ihr und fesselte ihr die Hände.

Dann erschien die Gestalt erneut, und Gwenda erkannte Wulfric. Diesmal hielt er einen großen Eimer aus Eiche in der Hand. Rasch leerte er ihn auf das brennende Stroh und löschte die Flammen. Dann schwang er den Eimer herum und traf den knienden Jonah mit einem wuchtigen Schlag am Kopf.

Jonahs Griff um Gwenda lockerte sich. Sie riss ihre Hände auseinander und spürte, wie die Fesseln sich lösten. Wieder schwang Wulfric den Eimer und traf Jonah ein zweites Mal, diesmal noch härter. Jonah schloss die Augen und kippte zu Boden.

Joby löschte seinen brennenden Bart, indem er seinen Ärmel daraufdrückte. Er sank auf die Knie und stöhnte gequält.

Wulfric riss den bewusstlosen Jonah am Kittel in die Höhe. »Wer ist das?«

»Er heißt Jonah. Mein Vater wollte mich an ihn verkaufen.«

Wulfric packte den Mann am Gürtel, schleppte ihn zur Tür und warf ihn auf die Straße.

Joby stöhnte. »Hilf mir! Mein Gesicht ist verbrannt!«

»Dir helfen?«, entgegnete Wulfric. »Du hast Feuer in meinem Haus gelegt und meine Magd angegriffen, und jetzt willst du, dass ich dir helfe? Raus mit dir!«

Joby rappelte sich auf. Er stöhnte erbärmlich und wankte zur Tür. Gwenda suchte in ihrem Herzen, fand aber kein Mitleid für ihn. Die wenige Liebe, die sie noch für ihren Vater gehabt hatte, war heute Nacht zerstört worden. Als Joby zur Tür hinaustaumelte, hoffte Gwenda, ihn nie wiederzusehen.

Perkin erschien an der Hintertür, eine Reisigfackel in der Hand. Gwenda sah, dass Annet hinter ihm stand. »Was war hier los?«, fragte er. »Ich dachte, ich hätte einen Schrei gehört.«

Wulfric sagte: »Joby war mit irgendeinem Gauner hier. Sie wollten Gwenda entführen.«

Perkin grunzte. »Wie ich sehe, hast du das Problem gelöst.«

»Das war nicht schwer.« Wulfric bemerkte, dass er noch immer den Eimer in der Hand hielt, und stellte ihn ab.

Annet fragte: »Bist du verletzt?«

»Nicht ein Kratzer.«

»Brauchst du etwas?«

»Ich will nur schlafen.«

Perkin und Annet verstanden den Wink und verschwanden. Außer ihnen schien niemand den Tumult bemerkt zu haben. Wulfric schloss die Tür und musterte Gwenda im Feuerschein. »Wie fühlst du dich?«

»Ein bisschen wackelig auf den Beinen.« Sie setzte sich auf die Bank und stützte sich mit den Ellbogen auf den Küchentisch.

Wulfric ging zum Schrank. »Trink einen Schluck Wein, damit du wieder zu Kräften kommst.« Er holte ein kleines Fass, stellte es auf den Tisch und nahm zwei Becher vom Regal.

Gwenda war auf einen Schlag hellwach. War jetzt endlich ihre Chance gekommen? Sie musste rasch handeln.

Wulfric goss Wein in die Becher und legte das Fässchen in den

Schrank zurück. Gwenda blieben nur wenige Sekunden. Als Wulfric ihr den Rücken zuwandte, griff sie zwischen ihre Brüste, holte die Phiole hervor, öffnete sie mit zitternder Hand und leerte sie in seinen Becher.

Wulfric drehte sich im selben Augenblick um, als Gwenda das Fläschchen wieder zwischen ihre Brüste stopfte. Sie zupfte am Ausschnitt ihres Kleides, als wollte sie es richten. Wie es bei Männern oft der Fall war, bemerkte Wulfric gar nicht, dass etwas nicht stimmte, und setzte sich Gwenda gegenüber an den Tisch.

Gwenda nahm ihren Becher und hob ihn, um einen Trinkspruch auszubringen. »Du hast mich vor einem schlimmen Schicksal bewahrt«, sagte sie. »Auf Wulfric, meinen Retter!«

»Deine Hand zittert ja«, sagte er. »Meine Güte, musst du dich erschreckt haben, du armes Ding.«

Sie tranken beide.

Gwenda fragte sich, wie lange es wohl dauern würde, bis der Trank seine Wirkung entfaltete.

Wulfric sagte: »Und du hast *mich* gerettet, indem du mir auf den Feldern hilfst. Ich muss dir ebenfalls danken.«

Sie tranken erneut.

»Ich weiß nicht, was schlimmer ist«, sagte Gwenda. »Einen Pa zu haben wie ich oder ganz ohne Vater zu sein wie du.«

»Es tut mir wirklich leid für dich«, sagte Wulfric. »Wenigstens habe ich gute Erinnerungen an meine Eltern.« Er leerte seinen Becher. »Normalerweise trinke ich keinen Wein, aber der hier ist großartig.«

Gwenda beobachtete ihn gespannt. Mattie Wise hatte gesagt, er würde liebebedürftig werden. Gwenda hielt nach entsprechenden Anzeichen Ausschau. Tatsächlich starrte Wulfric sie kurz darauf an, als würde er sie zum ersten Mal sehen. Nach einer Weile sagte er: »Weißt du … du hast ein hübsches Gesicht. Da ist so viel Güte in deinen Zügen …«

Nun hätte sie ihn mit weiblicher List verführen sollen, doch voller Panik erkannte sie, dass sie keinerlei Übung darin besaß. Frauen wie Annet machten so etwas ständig; aber wenn Gwenda daran dachte, was Annet so alles tat – scheu lächeln, sich übers Haar streichen, mit den Wimpern klimpern –, brachte sie es einfach nicht über sich, so etwas auch nur zu versuchen. Sie wäre sich dumm vorgekommen.

»Du bist sehr freundlich«, sagte sie, um Zeit zu gewinnen. »Aber auf deinem Gesicht zeigt sich etwas anderes.«

»Und was?«

»Eine Kraft, die nichts mit Muskeln zu tun hat, sondern mit Entschlossenheit.«

»Ich fühle mich heute Nacht sehr stark, das ist wahr!« Er grinste. »Du hast gesagt, kein Mann könne zwanzig Morgen umgraben, doch ich hab das Gefühl, als könne ich das!«

Gwenda legte die Hand auf die seine. »Genieß die Ruhe«, sagte sie. »Zum Umgraben bleibt noch Zeit genug.«

Wulfric schaute auf ihre kleine Hand, die auf seiner Pranke lag. »Wir sind von unterschiedlicher Hautfarbe«, bemerkte er, als habe er gerade eine erstaunliche Entdeckung gemacht. »Sieh doch nur: Deine ist braun, meine rosa.«

»Unterschiedliche Haut, unterschiedliches Haar, unterschiedliche Augen … Ich frage mich, wie unsere Kinder wohl aussehen würden.«

Wulfric lächelte selig. Dann veränderte sich sein Gesichtsausdruck, als wäre ihm jetzt erst klar geworden, dass mit ihren Worten etwas nicht stimmte. Plötzlich wurde er ernst. Die Stirn in Falten gelegt, sagte er dumpf: »Wir werden keine Kinder haben«, und zog die Hand zurück.

»Lass uns ein andermal darüber nachdenken«, sagte Gwenda verzweifelt.

»Wünschst du dir manchmal nicht auch …« Seine Stimme verklang.

»Was?«

»Wünschst du dir manchmal nicht auch, dass die Welt anders wäre, als sie ist?«

Gwenda stand auf, ging um den Tisch herum und setzte sich dicht neben ihn. »Lass deine Wünsche doch wahr werden«, versuchte sie ihn aufzumuntern. »Wir sind allein, und es ist Nacht … Du kannst tun, was du willst.« Sie schaute ihm in die Augen. »Alles.«

Wulfric starrte sie an. Sie sah das Verlangen in seinen Augen und erkannte voller Glückseligkeit, dass er sie begehrte. Offenbar hatte der Trank tatsächlich seine Leidenschaft erweckt. Gwenda seufzte vor Wonne. Wulfric wollte Liebe mit ihr machen!

Aber er rührte sich nicht.

Gwenda ergriff seine Hand und führte sie an ihre Lippen. Er wehrte sich nicht. Sie hielt seine großen, rauen Finger und drückte seinen Handteller an ihren Mund. Sie küsste die Hand, leckte mit der Zungenspitze darüber. Er wehrte sich immer noch nicht. Seufzend drückte sie seine Hand auf ihren Busen.

Wulfric schloss seine großen Finger darum, sodass ihre Brust erstaunlich klein aussah. Sein Mund öffnete sich leicht, und Gwenda hörte, dass er schwer atmete. Sie legte den Kopf zurück, bereit, geküsst zu werden. Sie schloss die Augen. Es tat sich immer noch nichts.

Gwenda stand auf, zog sich entschlossen das Kleid über den Kopf und schleuderte es zu Boden. Nackt stand sie im Feuerschein vor ihm. Mit großen Augen und offenen Mundes starrte er sie an, als wäre er Zeuge eines Wunders geworden.

Wieder nahm Gwenda seine Hand und drückte sie auf die sanfte Erhebung zwischen ihren Schenkeln. Die Hand bedeckte das gesamte Dreieck. Gwenda war so feucht, dass seine Finger in sie hineinglitten, und sie stöhnte vor Lust.

Doch Wulfric tat einfach nichts. Gwenda erkannte, dass Unentschlossenheit ihn lähmte: Er begehrte sie, aber er hatte Annet noch nicht vergessen. Gwenda konnte ihn die ganze Nacht wie eine Puppe bewegen, Liebe mit seinem willenlosen Leib machen, wie sie wollte; aber das würde nichts ändern: Wulfric musste die Initiative schon selbst übernehmen.

Gwenda beugte sich vor und hielt seine Hand noch immer zwischen den Beinen. »Küss mich«, sagte sie. »Bitte.« Ihre Lippen waren nur noch einen Zoll von seinem Mund entfernt. Näher würde sie nicht herangehen; das letzte Stück musste er schon selbst überwinden.

Plötzlich bewegte er sich.

Er zog die Hand zurück, wandte sich von ihr ab und stand auf. »Das ist nicht recht«, sagte er.

Da wusste Gwenda, dass sie verloren hatte.

Ihr traten die Tränen in die Augen. Sie hob ihr Kleid vom Boden auf und hielt es vor sich, um ihre Nacktheit zu verbergen.

»Es tut mir leid«, sagte Wulfric. »Ich hätte das nicht tun sollen. Ich habe dich in die Irre geführt. Ich war grausam zu dir.«

Nein, warst du nicht, dachte Gwenda traurig. Ich selbst war grausam. Ich habe dich in die Irre geführt, aber du bist zu stark, du bist treu ... Du bist viel zu gut für mich.

Wulfric blieb weiter von ihr abgewandt. »Du musst jetzt in den Kuhstall«, sagte er. »Geh schlafen. Morgen früh werden wir uns wieder anders fühlen. Vielleicht ist dann wieder alles in Ordnung.«

Gwenda lief zur Hintertür hinaus, ohne sich anzuziehen. Der Mond schien hell, doch es war niemand da, der sie hätte sehen können. Es wäre ihr ohnehin egal gewesen.

Nach wenigen Augenblicken war sie im Stall. An einem Ende des Holzgebäudes befand sich ein Heuboden mit sauberem Stroh. Dort machte Gwenda sich jede Nacht eine Bettstatt. Sie kletterte die Leiter hinauf und warf sich auf den Boden. Sie fühlte sich viel zu elend, als dass sie das Kratzen des Strohs auf ihrer nackten Haut gekümmert hätte. Gwenda weinte vor Enttäuschung und Scham.

Als sie sich halbwegs wieder beruhigt hatte, stand sie auf und zog das Kleid an; dann hüllte sie sich in eine Decke. Sie hielt inne, als draußen Schritte zu hören waren, und spähte durch ein Loch in der Wand.

Der Mond war fast voll, sodass Gwenda gute Sicht hatte. Wulfric war draußen. Er ging auf die Stalltür zu. Gwendas Herz machte einen Sprung. Vielleicht war doch noch nicht alles vorbei. Dann aber zögerte Wulfric an der Tür, drehte sich um und ging zum Haus zurück, machte an der Küchentür aber noch einmal kehrt und ging wieder zum Stall ... und drehte erneut um.

Gwenda beobachtete, wie er auf und ab ging. Ihr Herz pochte heftig, aber sie rührte sich nicht. Sie hatte getan, was sie konnte, um ihn zu ermutigen. Den letzten Schritt musste er selbst tun.

Wulfric blieb an der Küchentür stehen, vom sanften Mondlicht beschienen. Eine silberne Linie lief von seiner Stirn bis zu den Stiefeln. Gwenda sah deutlich, wie er sich in die Hose griff. Sie wusste, was er tun würde: Sie hatte ihren älteren Bruder das Gleiche tun sehen. Dann hörte sie ihn auch schon stöhnen, während er sich mit Bewegungen rieb, die wie eine Karikatur des Liebesakts aussahen. Gwenda starrte auf ihn, wie er dastand, so wunderschön im Mondschein, und beobachtete, wie er seine Lust verschwendete. Es brach ihr das Herz.

Godwyn setzte seinen Anschlag auf den blinden Carlus am Sonntag vor dem Geburtstag des heiligen Adolphus ins Werk.

Jedes Jahr wurde an diesem Sonntag in der Kathedrale von Kingsbridge ein ganz besonderer Gottesdienst abgehalten. Der Prior trug dann die Gebeine des Heiligen durch die Kirche, gefolgt von einer Mönchsprozession, und gemeinsam beteten sie für gutes Wetter während der Ernte.

Wie immer war es Godwyns Aufgabe, die Kirche für den Gottesdienst vorzubereiten. Kerzen mussten aufgestellt, Weihrauch vorbereitet und Möbel verrückt werden. Dabei halfen ihm Novizen und Bedienstete wie Philemon. Für das Fest des heiligen Adolphus brauchte man einen zweiten Altar, einen kunstvoll beschnitzten Holztisch auf einem beweglichen Podest. Godwyn ließ diesen Altar am Ostrand der Vierung errichten und stellte zwei versilberte Kerzenleuchter darauf. Dabei dachte er besorgt über seine Situation nach.

Nun, da er Thomas davon überzeugt hatte, für die Wahl zum Prior zu kandidieren, musste er als Nächstes die Gegenseite ausschalten. Carlus war ein leichtes Ziel – so leicht, dass es fast schon zum Problem wurde, denn Godwyn wollte nicht gefühllos erscheinen, wenn er den hilflosen alten Mann als Konkurrenten aus dem Weg räumte.

Er stellte ein Reliquienkreuz in die Mitte des Altars, ein mit Edelsteinen besetztes goldenes Kruzifix, in das ein Splitter des Wahren Kreuzes eingearbeitet war. Das Kreuzesholz, an dem Jesus Christus gestorben war, war vor eintausend Jahren auf wundersame Weise von der heiligen Helena, der Mutter Konstantins des Großen, aufgefunden worden, und Stücke davon hatten ihren Weg in viele Kirchen Europas gefunden.

Während Godwyn den Altarschmuck arrangierte, entdeckte er Mutter Cecilia in der Nähe. Er unterbrach seine Arbeit, um mit ihr zu sprechen. »Ich habe gehört, dass der Graf wieder bei Verstand ist«, sagte er. »Gelobt sei Gott.«

»Amen«, erwiderte Mutter Cecilia. »Er hat so lange unter dem Fieber gelitten, dass wir schon Angst um sein Leben hatten. Irgendein verderblicher Saft muss in sein Hirn gedrungen sein, als sein Schädel zerbrochen ist. Nichts, was er sagte, ergab einen Sinn. Doch heute Morgen ist er aufgewacht und hat ganz normal gesprochen.«

»Ihr habt ihn geheilt.«

»Gott hat ihn geheilt.«

»Trotzdem sollte er Euch dankbar sein.«

Sie lächelte. »Ihr seid noch jung, Bruder Godwyn. Ihr werdet noch lernen, dass mächtige Männer niemals ihre Dankbarkeit zeigen. Was immer wir ihnen geben, betrachten sie stets als ihr gutes Recht.«

Ihre herablassenden Worte ärgerten Godwyn, doch er zeigte es nicht. »Jedenfalls können wir nun endlich zur Wahl des Priors schreiten.«

»Was meint Ihr, wer gewinnt?«

»Zehn Mönche haben fest versprochen, für Carlus zu stimmen, und nur sieben für Thomas. Rechnen wir die Stimmen der Kandidaten selbst mit ein, macht das elf zu acht. Sechs Brüder sind noch unentschlossen.«

»Also könnte es so oder so ausgehen.«

»Aber Carlus liegt vorne. Thomas könnte Eure Unterstützung gut gebrauchen, Mutter Cecilia.«

»Ich habe keine Stimme.«

»Aber Ihr habt Einfluss. Wenn Ihr sagen würdet, dass das Kloster eine strengere Hand und ein gewisses Maß an Reform gebrauchen könnte und dass Ihr das Gefühl hättet, Thomas wäre eher dafür geeignet, würdet Ihr damit einige der Wankelmütigen beeinflussen.«

»Ich sollte mich auf keine Seite schlagen.«

»Das mag ja sein, aber Ihr könntet sagen, dass Ihr die Mönche nicht mehr unterstützen würdet, wenn sie nicht lernen, besser mit ihrem Geld umzugehen. Was wäre verkehrt daran?«

Cecilias leuchtende Augen funkelten vor Belustigung. So leicht ließ sie sich nicht überreden. »Das wäre eine indirekte Hilfe für Thomas.«

»Ja.«

»Ich bin streng neutral. Wen immer die Mönche wählen – ich werde gerne mit ihm zusammenarbeiten. Und das ist mein letztes Wort, Bruder.«

Ehrfürchtig neigte Godwyn den Kopf. »Natürlich respektiere ich Eure Entscheidung.«

Mutter Cecilia nickte und ging.

Godwyn war zufrieden. Er hatte nie damit gerechnet, dass sie sich auf Thomas' Seite stellen würde. Dafür war Mutter Cecilia viel zu sehr dem Althergebrachten zugeneigt. Alle gingen davon aus, dass sie Carlus favorisierte. Doch Godwyn konnte nun die Nachricht verbreiten, dass sie mit beiden zufrieden sein würde. Tatsächlich hatte er ihre stillschweigende Unterstützung für Carlus damit unterminiert. Vielleicht würde es sie sogar ärgern, wenn sie erfuhr, was er aus ihren Worten machte, aber sie würde ihre Neutralitätserklärung nicht zurückziehen.

Mein Gott, was bin ich klug, dachte Godwyn. Ich habe es wirklich verdient, Prior zu werden.

Mutter Cecilia auszuschalten war zwar hilfreich, doch es würde nicht ausreichen, um Carlus' Wahl zu verhindern. Godwyn musste den Mönchen unbestreitbar vor Augen halten, wie unfähig Carlus war, sie zu führen. Er hoffte, solch eine Gelegenheit heute zu bekommen.

Carlus und Simeon waren nun in der Kirche und gingen noch einmal den Gottesdienst durch. Carlus war der amtierende Prior; deshalb musste er die Prozession mit dem Reliquiar aus Ebenholz und Gold anführen. Simeon, seines Zeichens Schatzmeister und Carlus' Vertrauter, ging den Ablauf mit ihm durch. Godwyn sah, dass Carlus die Schritte zählte, sodass er ohne Hilfe würde gehen können. Die Gemeinde war stets beeindruckt, wenn Carlus sich trotz seiner Blindheit zielstrebig wie ein Sehender bewegte. Es erschien ihnen jedes Mal wie ein kleines Wunder.

Die Prozession begann stets am Ostende der Kathedrale, wo die Gebeine des Heiligen unter dem Hochaltar aufbewahrt wurden. Carlus würde den Schrank öffnen und das Reliquiar herausholen. Dann trug er es durch den Nordteil des Chors, vorbei am Querhaus und dann das nördliche Seitenschiff des Langhauses entlang bis zum Westende. Vorn dort ging die Prozession durch das Mittelschiff zurück in die Vierung. Dort musste Carlus zwei Stufen hinaufsteigen, um das Reliquiar auf den Holzaltar zu stellen, den Godwyn dort aufgebaut hatte. Die Reliquien würden dann dort bleiben, damit die Gemeinde sie während des Gottesdienstes mit der gebotenen Ehrfurcht anschauen konnte.

Als Godwyn sich in der Kirche umsah, fiel sein Blick auf die Reparaturarbeiten im Südteil des Chors, und er ging näher heran, um sich anzuschauen, wie weit die Handwerker fortgeschritten waren. Merthin war nicht mehr an den Arbeiten beteiligt, nachdem Elfric ihn entlassen hatte, doch seine erstaunlich einfache Methode wurde noch immer angewandt: Anstatt ein teures Wölbgerüst zu bauen, um das neue Mauerwerk zu stützen, während der Mörtel aushärtete, wurde jeder Stein von einem Seil gehalten, das man mit einem Gewicht beschwert hatte, um die Spannung aufrechtzuerhalten. Diese Technik ließ sich allerdings nicht auf die Gewölberippen anwenden, die aus schmalen, langen Steinen bestanden. Hier benötigte man nach wie vor eine Verschalung. Dennoch hatte Merthin der Priorei ein kleines Vermögen an Zimmermannskosten gespart.

Godwyn erkannte Merthins Genie, doch der Junge bereitete ihm nach wie vor Unbehagen, sodass er lieber mit Elfric arbeitete. Bei Elfric konnte man sich stets darauf verlassen, dass er ein williges Werkzeug war, während Merthin nur allzu gerne seine eigenen Wege ging.

Carlus und Simeon verließen die Kirche. Die Kathedrale war für den Gottesdienst bereit. Godwyn schickte die Männer fort, die ihm geholfen hatten, mit Ausnahme von Philemon, der den Boden unter der Vierung wischte.

Für kurze Zeit war die riesige Kathedrale bis auf Godwyn und Philemon vollkommen leer.

Das war Godwyns Gelegenheit. Der Plan, den er halb ausgearbeitet hatte, nahm nun vollends Gestalt an. Godwyn zögerte, denn der Plan war mehr als riskant, doch er beschloss, das Spiel zu wagen.

Er winkte Philemon zu sich. »Jetzt«, sagte er. »Rasch. Zieh das Podest ein Stückchen nach vorn.«

※

Die meiste Zeit war die Kathedrale für Godwyn nur ein Arbeitsplatz; eine Räumlichkeit, die man nutzen konnte; ein Gebäude, das instand gesetzt werden musste; eine Einkommensquelle und gleichzeitig auch eine finanzielle Last. Doch bei einer Gelegenheit wie dieser erstrahlte das Gotteshaus in seiner ganzen Pracht. Kerzen flackerten; ihr Licht ließ das Gold der Leuchter funkeln. Die in Roben gewandeten Mönche und Nonnen glitten zwischen den uralten Pfeilern hindurch, und der Chorgesang stieg hinauf zur Gewölbedecke. Kein Wunder, dass die Stadtbewohner das Spektakel nun zu Hunderten in ehrfürchtigem Schweigen verfolgten.

Carlus führte die Prozession an. Während die Mönche und Nonnen sangen, öffnete er das Fach unter dem Hochaltar, ertastete das Reliquiar und holte es heraus. Dann hielt er es in die Höhe und trug es durch die Kirche. Mit seinem weißen Bart und den ins Leere blickenden Augen war er das Sinnbild der heiligen Unschuld.

Würde er Godwyn in die Falle gehen? Es war so einfach ... jedenfalls sah es so aus. Godwyn folgte ein paar Schritt hinter Carlus, biss sich auf die Lippen und versuchte, die Ruhe zu bewahren.

Die Gemeinde war von Ehrfurcht ergriffen. Godwyn staunte immer wieder, wie leicht die Leute sich beeinflussen ließen. Die Menschen konnten die Knochen gar nicht sehen, und falls doch, hätten sie die Überreste des Heiligen nicht von denen eines Straßenräubers unterscheiden können. Doch des prunkvollen Reliquiars, der unheimlichen Schönheit des Gesangs, der einheitlichen Gewandung von Mönchen und Nonnen und der himmelstrebenden Architektur wegen, die sie alle wie Ameisen wirken ließ, hatten die Leute das Gefühl, in der Gegenwart von etwas Heiligem zu sein.

Godwyn beobachtete Carlus aufmerksam. Als dieser im nördlichen Seitenschiff die exakte Mitte des letzten Jochs erreicht hatte, blieb er stehen und wandte sich nach links. Simeon hielt sich bereit, um einzugreifen, sollte Carlus die falsche Richtung einschlagen, doch das war nicht nötig. Sehr gut! Je selbstbewusster Carlus wurde, desto wahrscheinlicher war es, dass er im entscheidenden Augenblick stolperte.

Carlus zählte die Schritte, hielt genau in der Mitte der Kirche inne und machte erneut eine Vierteldrehung nach links. Durch den Mittelgang des Langhauses schritt er zwischen den Reihen der Gläubigen hindurch geradewegs auf den Altar in der Vierung zu. In diesem Augenblick verstummte der Gesang, und die Prozession setzte ihren Weg in erhabener Stille fort.

Das muss ein bisschen so sein, als würde man sich nachts zur Latrine tasten, dachte Godwyn. Carlus war diesen Weg den größten Teil seines Lebens mehrmals im Jahr gegangen. Nun allerdings führte er die Prozession an, sodass er sicherlich sehr angespannt war. Nach außen hin jedoch wirkte er ruhig; nur ein leichtes Bewegen der Lippen verriet, dass er seine Schritte zählte. Nur würde ihm das nichts helfen, denn Godwyn hatte dafür gesorgt, dass Carlus sich verzählte und sich im allerheiligsten Augenblick zum Gespött machen würde. Hoffentlich fing der Alte sich nicht irgendwie.

Die Gemeinde wich furchtsam zurück, als die heiligen Reliquien an ihr vorbeigetragen wurden. Die Menschen wussten, dass es Wunder bewirken konnte, das Reliquiar zu berühren, aber sie glaubten auch, dass jede Respektlosigkeit gegenüber den Gebeinen des Heiligen schreckliche Folgen haben könnte. Schließlich wachten die Geister der Toten über ihre Überreste, während sie auf das Jüngste Gericht warteten, und jene, die ein heiligmäßiges Leben geführt hatten, besaßen nahezu unbegrenzte Macht und konnten die schlimmsten Strafen auf die Lebenden herabbeschwören.

Kurz kam Godwyn der Gedanke, der heilige Adolphus könnte es ihm übel nehmen, was gleich in der Kathedrale von Kingsbridge geschehen würde. Er schauderte, erfüllt von plötzlicher Angst, beruhigte sich jedoch mit dem Gedanken, dass er zum Wohle der Priorei handelte, welche die heiligen Gebeine beherbergte. Der allwissende Heilige, der in die Herzen der Menschen schauen konnte, würde zweifelsohne verstehen, dass es so am besten war.

Carlus wurde langsamer, als er sich dem Altar näherte, doch jeder seiner Schritte hatte noch immer genau die gleiche Länge. Dann aber schien er zu zögern, ehe er jenen Schritt machte, der ihn nach seinen eigenen Berechnungen dicht an das Podest mit dem Altar bringen würde. Godwyn schaute hilflos zu und fürchtete, dass sich im letzten Augenblick doch noch etwas ändern würde.

Dann ging Carlus selbstbewusst weiter.

Einen halben Schritt eher, als er erwartet hatte, stieß sein Fuß gegen die Stufenkante. In der Stille hallte der Tritt seiner Sandale gegen das Holz laut wider. Carlus stieß einen erschrockenen Schrei aus. Sein Schwung trug ihn weiter nach vorne.

Ein Gefühl des Triumphs erfasste Godwyn, zumindest für einen winzigen Augenblick. Dann schlug das Verhängnis zu.

Simeon versuchte noch, Carlus am Arm zu packen, doch es war zu spät. Das Reliquiar flog Carlus aus den Händen. Die Gemeinde schnappte entsetzt nach Luft. Das Reliquiar landete scheppernd auf dem Steinboden und brach auf, sodass die Knochen des Heiligen sich über den Boden verstreuten. Carlus krachte gegen den Holzaltar, stieß dabei das Podest zurück und warf das Kruzifix mitsamt den Kerzen hinunter.

Godwyn war entsetzt. So schlimm hatte es nun auch nicht kommen sollen.

Der Schädel des Heiligen kullerte über den Boden und blieb vor Godwyns Füßen liegen.

Sein Plan war aufgegangen – allerdings ein wenig *zu* gut. Carlus hatte stürzen und einen hilflosen Eindruck erwecken sollen, doch es hatte nicht in Godwyns Absicht gelegen, die heiligen Reliquien zu entweihen. Voller Schrecken starrte er auf den Schädel am Boden, der ihn aus dunklen Augenhöhlen vorwurfsvoll anzuschauen schien. Mit welch furchtbarer Strafe musste er nun rechnen?

Würde er für solch ein Verbrechen jemals sühnen können?

Da Godwyn jedoch mit einem Unfall gerechnet hatte, war er nicht ganz so erschrocken wie alle anderen, und so erlangte er als Erster die Fassung wieder. Er warf die Arme in die Höhe und schrie über den Tumult hinweg: »Auf die Knie! Alle! Wir müssen beten!«

Die Leute in den ersten Reihen knieten nieder, und der Rest beeilte sich, diesem Beispiel zu folgen. Godwyn stimmte ein Gebet an, und die Mönche und Nonnen fielen ein. Als die Stimmen aller die Kirche erfüllten, stellte er das Reliquiar wieder auf, das unbeschädigt zu sein schien. Dann nahm Godwyn den Schädel in beide Hände und hob ihn mit dramatischer Langsamkeit hoch. Er zitterte vor abergläubischer Furcht, hielt den Schädel jedoch fest. Laut sprach er die lateinischen Worte des Gebets, trug den Schädel zum Reliquiar und legte ihn hinein.

Als er sah, dass Carlus sich aufrappelte, winkte er zwei Nonnen. »Helft dem Subprior ins Hospital«, befahl er. »Bruder Simeon, Mutter Cecilia – könnt ihr ihn begleiten?«

Godwyn hob einen weiteren Knochen auf. Er hatte Angst; schließlich war seine Schuld an dem Geschehen größer als die des armen Carlus, doch es war nie seine Absicht gewesen, ein Sakrileg zu begehen, und er hoffte, dies würde den Heiligen besänftigen. Zugleich war ihm natürlich bewusst, wie sein Tun in den Augen der Anwesenden erscheinen musste: Er war es, der in der Krise die Führung übernahm.

Trotzdem durfte dieser Augenblick der Ehrfurcht und des Schreckens nicht zu lange währen. Die Knochen mussten rasch eingesammelt werden. »Bruder Thomas«, sagte Godwyn, »Bruder Theodoric, kommt und helft mir.« Philemon trat vor, doch Godwyn winkte ihn zurück. Philemon war kein Mönch, und nur Gottesmänner durften die heiligen Gebeine berühren.

Carlus humpelte aus dem Gotteshaus, gestützt von Simeon und Cecilia, sodass Godwyn nun der unumstrittene Herr in der Kathedrale war.

Godwyn winkte Philemon und einem anderen Bediensteten, Otho, und befahl ihnen, den Altar wiederherzurichten. Als sie damit fertig waren, sammelte Otho die Kerzen ein, und Philemon hob das mit Edelsteinen besetzte Kruzifix auf. Ehrfürchtig stellten sie alles auf den Altar zurück.

Die Knochen waren rasch eingesammelt. Godwyn versuchte, den Deckel des Reliquiars zu schließen, doch der hatte sich verzogen und passte nicht mehr richtig. Um das Beste aus der Situation zu machen, stellte Godwyn das Reliquiar feierlich auf den Altar.

Gerade noch rechtzeitig erinnerte er sich daran, dass er eigentlich Thomas in gutem Licht hatte dastehen lassen wollen, nicht sich selbst … im Augenblick jedenfalls. Godwyn hob das Buch auf, das Simeon bei sich getragen hatte, und reichte es Thomas. Er musste Thomas nicht sagen, was zu tun war: Thomas schlug das Buch auf, fand die richtige Seite und las den Vers vor. Die Mönche und Nonnen stellten sich um den Altar herum auf, und Thomas führte sie bei dem gesungenen Psalm.

Irgendwie brachten sie den Gottesdienst hinter sich.

Godwyn hatte wieder zu zittern angefangen, kaum dass er die Kathedrale verlassen hatte. Beinahe hätte sich eine Katastrophe ereignet, doch wie es schien, war er noch einmal davongekommen.

Als die Prozession den Kreuzgang erreichte, entbrannten laute Diskussionen unter den Mönchen, und der Zug löste sich auf. Godwyn lehnte sich an einen Pfeiler und rang um Fassung, während er den Kommentaren der Brüder lauschte. Einige meinten, die Entweihung der Reliquien sei ein Zeichen Gottes gewesen, dass Carlus nicht Prior werden dürfe – genau die Reaktion also, die Godwyn beabsichtigt hatte. Doch zu seiner Verzweiflung verliehen die meisten nur ihrem Mitgefühl für Carlus Ausdruck – und das hatte Godwyn nun ganz und gar nicht gewollt. Er erkannte, dass er seinem Konkurrenten durch seine Aktion vielleicht sogar einen Vorteil verschafft hatte.

Godwyn riss sich zusammen und eilte ins Hospital. Er musste zu Carlus, solange der noch am Boden zerstört war und nichts davon wusste, dass die meisten Mönche Verständnis für ihn hatten.

Der Subprior saß im Bett. Er trug einen Arm in der Schlinge und hatte einen Verband um den Kopf. Er war blass und sichtlich mitgenommen; alle paar Augenblicke zuckte es nervös in seinem Gesicht. Simeon saß neben ihm.

Der Schatzmeister warf Godwyn einen giftigen Blick zu. »Ich nehme an, jetzt bist du zufrieden«, zischte er.

Godwyn ignorierte ihn. »Bruder Carlus, es wird dich freuen zu erfahren, dass die Reliquien des Heiligen mit Hymnen und Gebeten an ihren angestammten Platz verbracht worden sind. Der Heilige wird uns den tragischen Unfall gewiss verzeihen.«

Carlus schüttelte den Kopf. »Es gibt keine Unfälle«, sagte er. »Alles ist von Gott vorherbestimmt.«

Godwyn schöpfte neue Hoffnung. Das klang vielversprechend.

Simeons Gedanken gingen offenbar in die gleiche Richtung, denn er versuchte, Carlus zurückzuhalten. »Sag nichts Unüberlegtes, Bruder!«

»Es ist ein Zeichen«, erklärte Carlus düster. »Ein Zeichen Gottes, dass er mich nicht als Prior will.«

Genau darauf hatte Godwyn gehofft.

Simeon sagte: »Unsinn.« Er nahm einen Becher vom Tisch neben dem Bett. Godwyn vermutete, dass er warmen Wein mit Honig enthielt, wie Mutter Cecilia ihn für die meisten Gebrechen verschrieb. Simeon drückte Carlus den Becher in die Hand. »Trink.«

Carlus trank, ließ sich aber nicht beirren. »Es wäre eine Sünde, ein solches Vorzeichen nicht zu beachten.«

»Aber Vorzeichen sind schwer zu deuten«, wandte Simeon ein.

»Das mag ja sein, aber selbst wenn du recht hast … werden die Brüder für einen Prior stimmen, der nicht einmal die Reliquien des Heiligen zu tragen vermag, ohne dabei zu stürzen? Niemals.«

Godwyn antwortete: »Einige werden das wohl so sehen. Aber sie fühlen eher mit dir mit, als dass sie sich von dir abwenden würden.«

Simeon schaute ihn verwirrt an und fragte sich, was sein Mitbruder jetzt wieder im Schilde führte.

Und Simeon tat gut daran, misstrauisch zu sein: Godwyn spielte des Teufels Advokaten, weil er noch mehr Selbstzweifel in Carlus säen wollte. Womöglich würde der seine Kandidatur ja sogar zurückziehen.

Wie erhofft sprach Carlus in Godwyns Sinne: »Ein Mann sollte zum Prior gemacht werden, weil seine Mitbrüder ihn respektieren und glauben, dass er sie weise führen kann … nicht aus Mitleid.« Sein Tonfall war der eines Menschen, der sein Leben lang mit einer Behinderung gekämpft hatte.

»Ja … Ja, das ist wohl wahr«, sagte Godwyn und tat so, als würde er es nur widerwillig einräumen. Dann fügte er wagemutig hinzu: »Aber vielleicht hat Simeon recht, und du solltest die endgültige Entscheidung verschieben, bis du wieder du selbst bist.«

»Ich bin, wie ich immer sein werde«, erwiderte Carlus, der vor dem jungen Godwyn keine Schwäche zeigen wollte. »Nichts wird sich ändern. Morgen werde ich noch genauso empfinden wie heute. Ich werde mich nicht der Wahl zum Prior stellen.«

Das waren die Worte, auf die Godwyn gewartet hatte. Er stand unvermittelt auf und neigte den Kopf wie zur Anerkennung; dabei wollte er nur sein Gesicht verbergen, damit niemand das triumphierende Funkeln in seinen Augen sehen konnte. »Du bist so weise wie immer, Bruder Carlus«, sagte er. »Mit Trauer im Herzen werde ich deine Entscheidung den anderen Brüdern mitteilen.«

Simeon öffnete den Mund, um zu protestieren, doch Mutter Cecilia hielt ihn davon ab, als sie von der Treppe in den Raum kam. Sie sah aufgeregt aus. »Graf Roland verlangt, den Subprior zu sehen«, sagte sie. »Er droht, aus dem Krankenbett zu steigen. Aber er darf sich nicht bewegen, denn sein Schädel ist noch nicht vollständig verheilt. Aber auch Bruder Carlus muss liegen bleiben.«

Godwyn schaute zu Simeon. »Wir werden gehen«, sagte er.

Gemeinsam stiegen sie die Treppe hinauf.

Godwyn fühlte sich gut. Carlus wusste noch nicht einmal, dass er zu Fall gebracht worden war. Er hatte sich aus freien Stücken aus dem Wettstreit zurückgezogen, sodass nur noch Thomas übrig war.

Der Plan war erstaunlich erfolgreich gewesen … bis jetzt.

Graf Roland lag auf dem Rücken, und sein Kopf war dick verbunden; dennoch strahlte er irgendwie Macht aus. Der Barbier musste bei ihm gewesen sein, denn sein Gesicht war glatt rasiert, und sein schwarzes Haar – das, was nicht vom Verband verdeckt war – war ordentlich geschnitten. Er trug einen kurzen purpurnen Kittel und eine neue Hose, deren Beine verschieden gefärbt waren, wie es dieser Tage Mode war: eins rot, das andere gelb. Obwohl er im Bett lag, trug er einen Gürtel mit Dolch und kurze Lederstiefel. Sein ältester Sohn, William, und dessen Frau, Lady Philippa, standen neben dem Bett. Sein junger Sekretär, Vater Jerome, trug ein Priestergewand und saß mit Feder und Siegelwachs an einem Schreibpult.

Die Botschaft war klar: Der Graf hatte wieder das Kommando übernommen.

»Ist der Subprior da?«, fragte er mit klarer, kräftiger Stimme.

Godwyn war ein schnellerer Denker als Simeon, und so antwortete er als Erster. »Subprior Carlus ist gestürzt und liegt nun in ebendiesem Hospital, Mylord. Ich bin der Mesner, Godwyn, und der Bruder an meiner Seite ist der Schatzmeister, Simeon. Wir danken Gott für Eure wundersame Genesung, denn er hat die Hände der Ärzte und Mönche gelenkt, die sich um Euch gekümmert haben.«

»Es war der Barbier, der meinen gebrochenen Schädel geflickt hat«, sagte Roland. »Dankt lieber ihm.«

Weil der Graf auf dem Rücken lag und zur Decke hinaufschaute, konnte Godwyn sein Gesicht nicht allzu gut sehen; aber er hatte den Eindruck, dass der Graf eine seltsam ausdruckslose Miene zeigte, und er fragte sich, ob die Schädelfraktur wohl einen bleibenden Schaden verursacht hatte. Er fragte: »Habt Ihr alles, was Ihr braucht, Mylord?«

»Wenn nicht, werdet Ihr es bald wissen. Und jetzt hört mir zu. Meine Nichte Margery wird Monmouth' jüngeren Sohn heiraten, Roger. Ich nehme an, das wisst Ihr.«

»Ja.« Godwyn sah das Bild wieder vor sich: Margery auf dem Rücken liegend in ebendiesem Raum, die weißen Beine in die Luft gereckt beim Koitus mit ihrem Vetter Richard, dem Bischof von Kingsbridge.

»Die Hochzeit ist durch meine Verletzungen übermäßig verzögert worden.«

Das kann nicht ganz die Wahrheit sein, dachte Godwyn. Die Brücke war erst vor einem Monat eingestürzt. Vermutlich wollte der Graf lediglich beweisen, dass die Verletzung ihn nicht nachhaltig beeinträchtigte und dass er noch immer ein wertvoller Bündnispartner für den Grafen von Monmouth war.

Roland fuhr fort: »Die Hochzeit wird in drei Wochen von heute an gerechnet in der Kathedrale von Kingsbridge stattfinden.«

Streng genommen hätte der Graf eine Anfrage stellen müssen, statt einen Befehl zu erteilen, und ein gewählter Prior wäre angesichts dieses Hochmuts wohl zusammengezuckt; aber es gab keinen Prior. Außerdem fiel Godwyn kein Grund ein, warum man Roland seinen Wunsch nicht erfüllen sollte. »Selbstverständlich, Mylord«, sagte er. »Ich werde die entsprechenden Vorbereitungen treffen.«

»Ich will, dass bis zu dem Gottesdienst ein neuer Prior eingesetzt ist«, fuhr Roland fort.

Simeon schnappte überrascht nach Luft.

Godwyn rechnete sich rasch aus, dass die Eile seinem Plan sehr zugutekommen würde. »Wie Ihr wünscht«, erwiderte er. »Es gab zwei Kandidaten, doch gerade erst hat Subprior Carlus seinen Namen zurückgezogen, sodass nur noch Bruder Thomas übrig ist, der Matricularius. Wir können zur Wahl schreiten, wann immer Ihr wollt.« Er konnte sein Glück kaum fassen.

Simeon wusste, dass er der Niederlage ins Gesicht schaute. »Wartet mal«, sagte er. »Ich …«

Doch Roland hörte ihm gar nicht zu. »Ich will Thomas nicht«, sagte er.

Damit hatte Godwyn nicht gerechnet.

Simeon grinste zufrieden.

Entsetzt sagte Godwyn: »Aber Mylord …«

Roland ließ sich nicht unterbrechen. »Ruft meinen Neffen Saul Whitehead aus St.-John-in-the-Forest«, sagte er.

Godwyn überkam eine düstere Vorahnung. Saul war sein Altersgenosse. Als Novizen waren sie befreundet gewesen. Sie waren gemeinsam nach Oxford gegangen – Saul unterstützt von Mutter Cecilia, Godwyn mit dem Geld seiner Mutter Petronilla –, doch seitdem hatten sich ihre Wege getrennt. Saul war immer frommer geworden, Godwyn immer weltlicher. Saul war zum Prior der abgelegenen Zelle von St. John aufgestiegen. Er nahm die klösterliche Tugend der Demut ausgesprochen ernst und würde seinen eigenen Namen nie selbst ins Spiel bringen. Aber er war klug und fromm und wurde von allen geschätzt.

»Bringt ihn so schnell wie möglich her«, befahl Roland. »Ich werde ihn als nächsten Prior von Kingsbridge nominieren.«

Merthin saß auf dem Dach der Kirche St. Mark am Nordende von
Kingsbridge. Von hier aus konnte er die ganze Stadt überblicken. Im
Südosten wand der Fluss sich um die Priorei herum, als wolle er
sie in den Arm nehmen. Die Klostergebäude und die umliegenden
Anlagen – Friedhof, Marktplatz, Obsthain und Gemüsegarten – nah-
men ein Viertel der Stadt ein; die Kathedrale erhob sich aus ihrer
Mitte wie eine Eiche aus einem Feld von Nesseln. Merthin sah, wie
die Klosterbediensteten Gemüse ernteten, den Stall ausmisteten und
Fässer von einem Karren luden.

Im Stadtzentrum lebten die Wohlhabenden, vor allem an der Main
Street, der Hauptstraße, die vom Fluss den Hang hinaufführte, den
vor Hunderten von Jahren die ersten Mönche emporgestiegen waren.
Mehrere reiche Kaufherren, die man an den leuchtenden Farben
ihrer Kleidung leicht erkennen konnte, gingen zielstrebig die Straße entlang: Kaufleute hatten immer viel zu tun. Eine weitere breite
Durchgangsstraße, die High Street, führte von West nach Ost mitten
durch die Stadt und kreuzte die Hauptstraße im rechten Winkel an
der Nordwestecke der Priorei. Unmittelbar davor, an der gleichen
Kreuzung, konnte Merthin das breite Dach der Ratshalle erkennen,
des größten Gebäudes der Stadt außerhalb der Priorei.

Auf der Hauptstraße neben Bells Gasthaus befand sich das Klostertor; gegenüber stand Caris' Haus, das größer war als die meisten
anderen Gebäude. Vor dem Bell sah Merthin eine Menschenmenge,
die sich um Friar Murdo geschart hatte. Der Bettelmönch war nach
dem Brückeneinsturz in Kingsbridge geblieben. Entsetzte und trau-
ernde Menschen waren besonders empfänglich für die Predigten,
die Murdo am Straßenrand hielt, und er strich eine Menge Halfpennys und Farthings ein. Merthin hielt ihn für einen Scharlatan. Er
glaubte, dass Murdos heiliger Zorn nur gespielt war und dass sich
hinter seinen Tränen nur Zynismus und Gier verbargen. Doch Merthin zählte mit dieser Meinung zur Minderheit.

Am Ende der Hauptstraße ragten noch immer die Stümpfe der Brückenpfeiler aus dem Wasser; daneben setzte Merthins Fähre gerade einen Karren mit drei Truhen auf der Ladefläche über. Im Südwesten lagen die Handwerksbetriebe, große Häuser mit großen Höfen: Schlachthäuser, Gerbereien, Brauereien, Bäckereien und anderes mehr. In dieser Gegend stank es, und den führenden Bürgern der Stadt war es dort zu schmutzig; trotzdem wurde in diesem Viertel viel Geld verdient. Der Fluss wurde dort ein wenig breiter und teilte sich in zwei Arme, die um Leper Island, die Insel der Aussätzigen, herumführten. Merthin sah, wie Ian Boatman mit seinem kleinen Boot zur Insel ruderte. Sein Passagier war ein Mönch; vermutlich brachte er dem letzten übrig gebliebenen Aussätzigen etwas zu essen. Am Südufer des Flusses reihten sich Lagerhäuser und Anlegestellen, an denen Flöße und Barken be- und entladen wurden. Dahinter befand sich die Vorstadt, Newtown, wo ärmliche Häuser sich in langen Reihen zwischen Obstgärten, Weiden und Gärten hinzogen, in denen die Bediensteten der Priorei Obst und Gemüse für die Mönche und Nonnen zogen.

Das Nordende der Stadt, wo auch die Kirche St. Mark stand, war das Armenviertel; um das Gotteshaus herum drängten sich die Häuser der Arbeiter, der Witwen, der Erfolglosen und der Alten. Es war eine arme Kirchengemeinde – zum Glück für Merthin.

Vor vier Wochen hatte ein verzweifelter Vater Joffroi Merthin in Dienst genommen mit dem Auftrag, einen Hebekran zu bauen, um das Dach von St. Mark zu reparieren. Caris hatte Edmund überredet, Merthin Geld für Werkzeuge zu leihen. Merthin hatte einen vierzehnjährigen Jungen angeheuert, Jimmie, der für einen Halfpenny pro Tag für ihn arbeitete. Und heute war der Hebekran fertig geworden.

Irgendwie hatte es sich herumgesprochen, dass Merthin eine neue Maschine ausprobieren würde. Schon von seiner Fähre waren alle sehr beeindruckt gewesen, und nun schauten die Leute sich fasziniert an, was ihm jetzt wieder eingefallen war. Unten auf dem Friedhof hatte sich eine kleine Menge versammelt, die meisten davon Müßiggänger; aber auch Vater Joffroi, Edmund und Caris sowie ein paar Baumeister der Stadt – unter anderem Elfric – waren zugegen. Wenn Merthin heute versagte, würde er vor den Augen seiner Freunde wie auch seiner Feinde scheitern.

Aber das war nicht das Schlimmste. Die Anstellung bei Vater Joffroi hatte Merthin davor bewahrt, auf der Suche nach Arbeit die Stadt verlassen zu müssen; dennoch drohte dieses Schicksal ihm nach wie vor. Wenn seine Konstruktion versagte, würden die Leute zu dem Schluss kommen, dass es Unglück bedeutete, Merthin einzustellen, und wenn ihm erst der Ruf anhaftete, vom Unglück verfolgt zu sein, würde dies den Druck auf ihn erhöhen, die Stadt zu verlassen. Er würde Kingsbridge Lebewohl sagen müssen – und Caris.

Im Laufe der letzten vier Wochen, während er die Teile des Hebekrans zurechtgeschnitten und zusammengefügt hatte, hatte Merthin zum ersten Mal ernsthaft darüber nachgedacht, was es für ihn bedeuten würde, Caris zu verlieren. Allein der Gedanke hatte ihn schier zur Verzweiflung getrieben. Er hatte erkannt, dass Caris seine einzige Freude im Leben war. War das Wetter schön, wollte er im Sonnenschein mit ihr spazieren gehen; sah er etwas Schönes, wollte er es ihr zeigen; hörte er etwas Lustiges, wollte er es ihr erzählen, um ihr Lächeln zu sehen. Seine Arbeit machte ihm Freude, besonders wenn ihm eine kluge Lösung für ein scheinbar unlösbares Problem einfiel; aber es war eine kühle Freude ohne viel Herz, und Merthin wusste, dass ein Leben ohne Caris ein einziger langer Winter sein würde.

Merthin stand auf. Es war an der Zeit, sein Können auf die Probe zu stellen.

Er hatte einen normalen Hebekran gebaut, doch mit einer einfallsreichen Neuerung. Wie alle Hebekräne verfügte auch Merthins Kran über ein Seil, das über mehrere Flaschenzüge lief. Oben an der Kirchenwand, am Rand des Dachs, hatte Merthin eine Holzkonstruktion errichtet, die an einen Galgen erinnerte und deren Arm über das Dach hinausragte. Das Kranseil führte bis zum Ende dieses Arms. Am anderen Ende des Seils, unten auf dem Friedhof, befand sich eine Tretmühle, auf die Jimmie das Seil aufdrehen konnte. Das alles war nichts Neues. Neu war jedoch ein Drehgelenk am Galgen, das es erlaubte, den Arm hin und her zu schwenken.

Um nicht das gleiche Schicksal zu erleiden wie Howell Tyler, trug Merthin einen Gurt um den Leib, der an einer stabilen Mauerspitze befestigt war. Sollte er stürzen, fiel er wenigstens nicht tief. Derart geschützt, hatte Merthin die Schindeln von einem Teil des Daches abgedeckt und dann das Seil des Hebekrans an einen Dachbalken gebunden. Nun rief er zu Jimmie hinunter: »Leg los!«

Merthin hielt den Atem an. Er war sicher, dass es funktionieren würde; dennoch war sein Inneres bis zum Zerreißen angespannt.

Jimmie setzte sich in der großen Tretmühle in Bewegung. Das

Rad konnte nur in eine Richtung gedreht werden. Es besaß eine Bremse an den asymmetrischen Zähnen: Eine Seite jedes Zahns war leicht abgewinkelt, sodass die Bremse langsam daran entlanggleiten konnte; die andere Seite war vertikal, womit jede gegenläufige Bewegung sofort zum Stillstand gebracht wurde.

Als das Rad sich drehte, bewegte der Dachbalken sich langsam in die Höhe. Sobald er über dem Dach pendelte, rief Merthin: »Halt!«

Jimmie blieb stehen, die Bremse schlug an. Der Balken hing in der Luft und schwang sanft hin und her. So weit, so gut. Doch nun kam der schwierigste Teil.

Merthin drehte den Kran, und der Ausleger schwang herum. Aufmerksam beobachtete Merthin und hielt den Atem an. Die Konstruktion ächzte unter der Spannung, als das Gewicht sich verlagerte. Das Holz knirschte. Der Arm schwenkte im Halbkreis herum, sodass der Balken nun über dem Friedhof hing. Erstauntes Raunen ging durch die Menge: Die Leute hatten noch nie einen Kran mit einem schwenkbaren Gelenk gesehen.

»Lass ihn runter!«, rief Merthin.

Alle schauten schweigend zu. Als der Balken den Boden berührte, brandete Beifall auf.

Jimmie band den Balken los.

Merthin gönnte sich einen Moment des Triumphs. Es hatte funktioniert.

Er stieg die Leiter hinunter. Die Menge jubelte. Caris küsste ihn, und Vater Joffroi schüttelte ihm die Hand. »Das ist ein Wunder«, sagte der Priester. »So etwas habe ich noch nie gesehen.«

»Das hat niemand«, erwiderte Merthin stolz. »Ich hab's erfunden.«

Mehrere Männer beglückwünschten ihn. Alle freuten sich, zu den Ersten zu gehören, die dieses Wunderwerk gesehen hatten – alle außer Elfric natürlich, der mürrisch in den hinteren Reihen stand.

Merthin beachtete ihn nicht. Er sagte zu Vater Joffroi: »Wir hatten abgemacht, dass Ihr mich bezahlt, wenn es funktioniert.«

»Mit Freuden«, sagte Joffroi. »Bis jetzt schulde ich dir acht Shilling. Je eher ich dich dafür bezahlen muss, dass du die restlichen Balken herunterholst und das Dach wiederaufbaust, desto glücklicher wird es mich machen.« Er öffnete die Börse an seiner Hüfte und holte ein paar Münzen heraus, die in ein Tuch gebunden waren.

Elfric rief: »Moment!«

Alle schauten ihn an.

»Ihr könnt diesen Jungen nicht bezahlen, Vater Joffroi«, sagte er. »Er ist kein ausgebildeter Zimmermann.«

»Unsinn!«, sagte Joffroi. »Er hat geschafft, wozu kein anderer Zimmermann dieser Stadt in der Lage war.«

»Aber er gehört nicht der Zunft an!«

»Ich wollte ja beitreten«, warf Merthin ein, »aber Ihr wolltet mich nicht lassen.«

»Das ist das Vorrecht der Zunft.«

Vater Joffroi sagte: »Vorrecht oder nicht – ich finde es ungerecht, und viele Leute in der Stadt werden mir zustimmen. Merthin hat sechseinhalb Jahre seiner Lehrzeit hinter sich gebracht und keinen Lohn außer Essen und einem Bett auf dem Küchenboden erhalten. Dabei weiß jeder, dass er schon seit Jahren die Arbeit eines ausgelernten Zimmermanns macht. Ihr hättet ihn nicht ohne seine Werkzeuge hinauswerfen dürfen.«

Zustimmendes Raunen ging durch die Menge. Man war allgemein der Meinung, dass Elfric zu weit gegangen war.

»Mit allem gebührenden Respekt«, sagte Elfric, »aber diese Entscheidung liegt bei der Zunft, nicht bei Euch.«

»Also gut.« Joffroi verschränkte die Arme vor der Brust. »Ihr sagt mir, ich solle Merthin nicht bezahlen, obwohl er der einzige Mann in der Stadt ist, der meine Kirche instand setzen kann, ohne dass ich sie schließen müsste. Also widersetze ich mich Eurer Entscheidung.« Er gab Merthin die Münzen. »Und nun könnt Ihr meinen Fall vor Gericht bringen.«

»Das Gericht der Priorei!« Wütend verzog Elfric das Gesicht. »Wenn ein Mann Streit mit einem Priester hat – glaubt Ihr, dass diesem Mann dann vor einem Gericht Gerechtigkeit widerfährt, dem ein Mönch vorsitzt?«

Diesmal fand Elfric Unterstützung in der Menge. Das Klostergericht hatte den Klerus schon viel zu oft bevorzugt.

Doch Joffroi gab zurück: »Wenn ein Lehrling tüchtiger ist als die Meister – glaubt Ihr, dass dieser Lehrling dann eine gerechte Behandlung durch eine Zunft erwarten darf, die von den Meistern geführt wird?«

Die Leute lachten; sie mochten geistreiche Streitgespräche.

Elfric sah sich um. Er war sicher gewesen, dass er einen Streit vor Gericht gegen Merthin gewinnen würde, doch sich gegen einen Priester zu stellen war nicht so einfach. Wütend sagte er: »Es ist ein schlimmer Tag für die Stadt, wenn Lehrlinge ihren Meistern trotzen und Priester sie dabei noch unterstützen.« Doch er fühlte, dass er verloren hatte, und so wandte er sich ab.

Merthin spürte das Gewicht der Münzen in seiner Hand: acht Shilling, sechsundneunzig Silberpennys, zwei fünftel Pfund. Er wusste, dass er sie zählen sollte, doch im Augenblick war er einfach zu glücklich, als dass ihn so etwas gekümmert hätte.

Er wandte sich an Edmund. »Das ist Euer Geld«, sagte er.

»Zahl mir fünf Shilling jetzt, den Rest später«, erklärte Edmund großzügig. »Behalte ein wenig Geld für dich selbst. Du hast es dir verdient.«

Merthin lächelte. Damit hätte er noch drei Shilling zum Ausgeben übrig – mehr Geld, als er je im Leben besessen hatte. Er wusste nicht, was er damit tun sollte. Vielleicht würde er seiner Mutter ein Huhn kaufen.

Es war Mittag, und die Zuschauermenge zerstreute sich. Merthin ging mit Caris und Edmund. Er hatte das Gefühl, als wäre seine Zukunft gesichert. Er hatte sich als Zimmermann bewiesen, und nun würden nur noch wenige Leute zögern, ihn zu beschäftigen, nachdem Vater Joffroi mit gutem Beispiel vorangegangen war. Von nun an konnte er sich seinen Lebensunterhalt selbst verdienen. Er würde sich ein Haus leisten können.

Er würde heiraten können.

Petronilla wartete auf sie. Während Merthin die fünf Shilling für Edmund abzählte, stellte sie einen duftenden Backfisch mit Kräutern auf den Tisch. Zur Feier von Merthins Triumph schenkte Edmund Rheinwein für alle ein.

Doch Edmund hielt sich nie lange mit der Vergangenheit auf. »Wir müssen mit der neuen Brücke vorankommen«, sagte er ungeduldig. »Fünf Wochen sind nun vergangen, und es ist nichts geschehen!«

Petronilla sagte: »Wie ich gehört habe, erholt der Graf sich rasch; also werden die Mönche vermutlich bald eine Wahl abhalten. Ich könnte Godwyn fragen – allerdings habe ich ihn seit gestern nicht mehr gesehen, als der blinde Carlus während der Messe gestürzt ist.«

»Ich hätte gern jetzt schon einen Bauplan für die Brücke«, sagte Edmund. »Dann könnte die Arbeit beginnen, sobald der neue Prior gewählt ist.«

Merthin spitzte die Ohren. »Was habt Ihr im Sinn?«

»Nun, es muss eine Steinbrücke sein. Ich möchte, dass die Brücke breit genug ist, dass zwei Karren nebeneinander darüberfahren können.«

Merthin nickte. »Und sie sollte Rampen an beiden Enden haben, damit die Leute nicht durch den Uferschlamm müssen, wenn sie hinauf- und hinuntergehen.«

»Ja – hervorragend.«

»Aber wie soll man Steinmauern mitten in einem Fluss bauen?«, wollte Caris wissen.

Edmund antwortete: »Ich habe keine Ahnung, aber es muss möglich sein. Es gibt viele Steinbrücken.«

»Ich habe darüber gehört«, sagte Merthin. »Ihr braucht eine besondere Konstruktion, die man Koffer- oder Fangdamm nennt, um das Wasser von der Stelle fernzuhalten, an der gerade gebaut wird. Es ist eigentlich recht einfach, nur muss man wohl sorgfältig darauf achten, dass sie auch tatsächlich wasserdicht ist.«

Godwyn kam herein, einen besorgten Ausdruck auf dem Gesicht. Eigentlich sollte jemand wie er keine Besuche in der Stadt machen. Theoretisch durfte er die Priorei nur zu besonderen Anlässen verlassen. Merthin fragte sich, was geschehen war.

»Carlus hat seine Kandidatur zurückgezogen«, verkündete Godwyn.

»Das sind gute Neuigkeiten!«, sagte Edmund. »Nimm dir einen Becher Wein.«

»An deiner Stelle würde ich noch nicht feiern«, erwiderte Godwyn.

»Warum nicht? Damit ist Thomas der einzige Kandidat, und Thomas will eine neue Brücke bauen. Unser Problem ist gelöst.«

»Thomas ist nicht mehr der einzige Kandidat. Der Graf hat Saul Whitehead nominiert.«

»Oh.« Nachdenklich legte Edmund die Stirn in Falten. »Und ist das schlecht?«

»Ja. Saul ist sehr beliebt und hat seine Tüchtigkeit als Prior von St.-John-in-the-Forest bewiesen. Wenn er die Nominierung annimmt, wird er wahrscheinlich die Stimmen von Carlus' Anhängern bekommen – und das bedeutet, dass er gewinnen könnte. Und als Kandidat des Grafen und dessen Vetter wird Saul vermutlich tun, was der Graf will, und der wird sich dem Bau einer neuen Brücke vielleicht verweigern, weil Kingsbridge damit Shiring Konkurrenz machen könnte.«

Edmund schaute besorgt drein. »Können wir irgendetwas tun?«

»Ich hoffe es. Jemand muss nach St. John reisen, Saul die Nachricht übermitteln und ihn nach Kingsbridge bringen. Ich habe mich freiwillig für diese Aufgabe gemeldet, denn ich hoffe, Saul unterwegs davon überzeugen zu können, dass er das Angebot ablehnt.«

Petronilla meldete sich zu Wort. »Das wird das Problem vielleicht nicht lösen«, sagte sie. Merthin hörte ihr aufmerksam zu. Er mochte sie nicht, aber sie war klug. Petronilla fuhr fort: »Der Graf könnte einen anderen Kandidaten nominieren, und jeder seiner Kandidaten könnte sich gegen die Brücke aussprechen.«

Godwyn nickte zustimmend. »Wenn wir also davon ausgehen, dass ich Saul umstimmen kann, müssen wir dafür sorgen, dass die zweite Wahl des Grafen ein Mann ist, der unmöglich gewählt werden kann.«

»Und wen hast du da im Sinn?«, fragte seine Mutter.

»Friar Murdo.«

»Hervorragend!«

Caris sagte: »Aber er ist schrecklich!«

»O ja«, erwiderte Godwyn. »Er ist gierig, versoffen, ein Schnorrer und ein selbstgerechter Unruhestifter. Die Mönche werden niemals für ihn stimmen. Deshalb wollen wir ihn ja auch als Kandidaten des Grafen.«

Godwyn war wie seine Mutter, erkannte Merthin; er besaß die gleiche Begabung furs Intrigieren.

Petronilla fragte: »Wie sollen wir vorgehen?«

»Zunächst einmal müssen wir Murdo davon überzeugen, dass er seinen Namen ins Spiel bringt.«

»Das dürfte nicht schwer sein. Sag ihm einfach, dass er eine Chance hat. Er würde ihm sehr gefallen, Prior zu sein.«

»Einverstanden. Aber ich selbst kann das nicht tun. Murdo würde sofort erraten, was ich im Schilde führe. Jeder weiß, dass ich Thomas unterstütze.«

»Dann werde ich mit ihm reden«, sagte Petronilla. »Ich werde ihm sagen, wir beide hätten uns zerstritten und dass ich Thomas nicht haben wolle. Ich sage ihm, der Graf suche nach einem Kandidaten, und er, Murdo, könne genau der richtige Mann dafür sein. Er ist sehr beliebt in der Stadt, besonders bei den Armen und Unwissenden, die in dem Wahn leben, er sei einer von ihnen. Um nominiert zu werden, muss er nur deutlich machen, dass er bereit ist, den Willen des Grafen zu erfüllen.«

»Gut.« Godwyn stand auf. »Ich werde versuchen, dabei zu sein, wenn Murdo mit Graf Roland spricht.« Er küsste seine Mutter auf die Wange und ging hinaus.

Der Fisch war verzehrt. Merthin aß das mit Soße getränkte Brot. Edmund bot ihm noch Wein an, doch Merthin lehnte ab; er hatte Angst, diesen Nachmittag vom Dach von St. Mark zu fallen, wenn er zu viel trank. Petronilla ging in die Küche, und Edmund zog sich in die Stube zurück, um ein Nickerchen zu machen. Merthin und Caris blieben allein zurück.

Merthin setzte sich neben sie auf die Bank und küsste sie.

»Ich bin ja so stolz auf dich«, sagte Caris.

Merthin errötete. Er selbst war stolz auf sich. Er küsste Caris noch einmal, und diesmal war es ein langer, feuchter Kuss, der ihm eine Erektion bescherte. Er berührte Caris' Brust durch das Leinen ihres Gewandes hindurch und drückte zärtlich die Brustwarze mit den Fingerspitzen.

Caris berührte sein steifes Glied und kicherte. »Möchtest du, dass ich dir Erleichterung verschaffe?«, flüsterte sie.

Das tat sie manchmal spät am Abend, wenn ihr Vater und Petronilla schliefen und Merthin allein mit ihr im Erdgeschoss war. Doch nun war helllichter Tag, und jeden Moment konnte jemand hereinkommen. »Nein!«, sagte er.

»Ich könnte schnell machen.« Sie verstärkte ihren Griff.

»Das ist mir peinlich.« Merthin stand auf und ging auf die andere Seite des Tisches.

»Schade.«

»Vielleicht müssen wir das ja nicht mehr lange.«

»Was müssen wir nicht mehr lange?«

»Uns verstecken und Angst haben, jemand könnte hereinkommen.«

Caris schaute ihn verletzt an. »Gefällt dir das denn nicht?«

»Natürlich gefällt es mir. Aber es wäre schöner, wenn wir allein wären. Jetzt, wo ich bezahlt werde, könnte ich mir ein Haus kaufen.«

»Du bist erst *einmal* bezahlt worden.«

»Warum bist du so schwarzseherisch? Habe ich was Falsches gesagt?«

»Nein, aber … Warum willst du alles ändern?«

Die Frage erstaunte ihn. »Ich will nur mehr davon, und ungestört.«

Sie blickte ihn trotzig an. »Ich bin jetzt schon glücklich.«

»Das bin ich auch, aber … aber es kann nicht ewig so weitergehen.«

»Warum nicht?«

Merthin hatte das Gefühl, als würde er einem Kind etwas erklären. »Weil wir nicht den Rest unseres Lebens bei unseren Eltern wohnen und uns heimlich küssen können. Wir brauchen ein eigenes Heim, um dort als Mann und Frau zu leben und jede Nacht miteinander zu schlafen. Dann müssten wir uns nicht länger mit den Händen Befriedigung verschaffen. Und wir könnten eine Familie gründen.«

»Warum?«, entgegnete Caris.

»Warum?«, antwortete Merthin verzweifelt. »Weil es nun mal so ist, und ich werde jetzt nichts mehr erklären, denn ich glaube, dass du mich einfach nicht verstehen *willst* … oder zumindest tust du so, als würdest du mich nicht verstehen.«

»Na gut.«

»Und ich muss wieder an die Arbeit.«

»Dann geh.«

Merthin verstand die Welt nicht mehr. Das letzte halbe Jahr hatte es ihn schier zur Verzweiflung getrieben, Caris nicht heiraten zu können, und er hatte geglaubt, dass sie genauso empfand. Nun aber sah es danach aus, als wäre das nicht der Fall. Ja, Caris schien den Gedanken an Heirat sogar rundheraus abzulehnen. Aber glaubte sie denn wirklich, dass sie diese unreife Beziehung ewig weiterführen könnten?

Merthin schaute sie an. Er versuchte, in ihrem Gesicht zu lesen, sah dort aber nur Trotz. Er drehte sich um und ging zur Tür hinaus.

Draußen auf der Straße zögerte er. Vielleicht sollte er wieder hineingehen und Caris dazu bringen, dass sie ihm sagte, was in ihrem Kopf vorging. Dann aber erinnerte er sich an den Ausdruck auf ihrem Gesicht, und er wusste, dass jetzt nicht der geeignete Zeitpunkt war. Also ging er weiter in Richtung St. Mark und fragte sich, wie ein solch wundervoller Tag so plötzlich verdorben werden konnte.

Godwyn bereitete die Kathedrale von Kingsbridge für die große Hochzeit vor. Die Kirche musste in vollem Glanz erstrahlen. Neben dem Grafen von Monmouth und dem Grafen von Shiring würden mehrere Barone und Hunderte von Rittern kommen. Nun galt es, zerbrochene Bodenplatten zu ersetzen, gesplittertes Mauerwerk zu flicken, zerbröckelnde Figuren zu erneuern, die Wände zu kalken, Pfeiler zu bemalen und alles sauber zu schrubben.

»Und ich will, dass die Reparaturen im Südchor fertig werden«, sagte Godwyn zu Elfric, als sie durch die Kirche gingen.

»Ich bin mir nicht sicher, ob das möglich ist …«

»Es muss sein. Bei einer Hochzeit von solcher Wichtigkeit können wir kein Gerüst im Chor stehen haben.« Er sah, dass Philemon ihm vom Südportal aus drängend zuwinkte. »Entschuldigt mich.«

»Ich habe nicht genug Leute dafür!«, rief Elfric ihm hinterher.

»Dann solltet Ihr sie nicht so schnell auf die Straße setzen!«

Philemon sah ganz aufgeregt aus. »Friar Murdo bittet darum, zum Grafen vorgelassen zu werden«, sagte er.

»Gut!« Petronilla hatte am Abend zuvor mit dem Bettelmönch gesprochen, und heute Morgen hatte Godwyn Philemon angewiesen, in der Nähe des Hospitals zu bleiben und nach Murdo Ausschau zu halten. Er hatte schon mit einem frühen Besuch gerechnet.

Gefolgt von Philemon eilte Godwyn ins Hospital. Erleichtert sah er, dass Friar Murdo noch immer in dem großen Raum im Erdgeschoss wartete. Der fette Bettelmönch hatte sein Erscheinungsbild ein wenig verbessert: Sein Gesicht und seine Hände waren sauber, der zerzauste Haarkranz um seine Tonsur war gekämmt, und er hatte die schlimmsten Flecken von seiner Robe entfernt. Er sah zwar nicht wie ein Prior aus, aber fast wie ein echter Mönch.

Godwyn beachtete ihn nicht und stieg die Treppe hinauf. Vor dem Zimmer des Grafen hielt Merthins Bruder Ralph Wache, einer der Junker des Grafen. Ralph war ausgesprochen gut aussehend, sah man von der gebrochenen Nase ab – eine Verletzung, die er sich erst vor Kurzem zugezogen hatte. Junker brachen sich ständig irgendwelche Knochen. »Gott zum Gruß, Ralph«, sagte Godwyn freundlich. »Was ist mit deiner Nase passiert?«

»Ich hatte eine Schlägerei mit einem Bauernlümmel. Die Nase ist gebrochen.«

»Du solltest sie dir richten lassen. Ist der Friar schon hier oben gewesen?«

»Ja. Ich habe ihm gesagt, er solle warten.«

»Wer ist beim Grafen?«

»Lady Philippa und der Schreiber, Vater Jerome.«

»Frag doch bitte nach, ob er mich empfängt.«

»Lady Philippa hat gesagt, der Graf solle niemanden empfangen.«

Godwyn grinste Ralph an und zwinkerte ihm zu, von Mann zu Mann. »Aber sie ist nur eine Frau.«

Ralph erwiderte das Grinsen, öffnete die Tür und steckte den Kopf ins Zimmer. »Bruder Godwyn ist hier«, sagte er, »der Mesner.«

Es folgte eine kurze Pause; dann kam Lady Philippa heraus und schloss hinter sich die Tür. »Ich habe dir doch gesagt, keine Besucher«, stieß sie wütend hervor. »Graf Roland bekommt nicht die Ruhe, die er braucht.«

Ralph entgegnete: »Ich weiß, Mylady, aber Bruder Godwyn würde den Grafen sicher nicht unnötig belästigen.«

Irgendetwas in Ralphs Tonfall veranlasste Godwyn, ihn sich genauer anzuschauen. Ralphs Worte waren nüchtern, doch seine Stimme war säuselnd, seine Blicke schmachtend. Da erst bemerkte Godwyn, wie üppig Lady Philippa gebaut war. Sie trug ein dunkelrotes Kleid, das an der Hüfte von einem Gürtel gehalten wurde, und die feine Wolle klebte förmlich an ihrem Busen und an den Hüften. Sie sah wie die Fleisch gewordene Versuchung aus, dachte Godwyn bei sich, und erneut wünschte er sich, irgendeinen Weg zu finden, Frauen von der Priorei fernzuhalten. Es war schon schlimm genug, wenn ein Junker sich in eine verheiratete Frau verliebte, aber wenn das einem Mönch passierte, käme es einer Katastrophe gleich.

»Es tut mir leid, den Grafen belästigen zu müssen«, sagte Godwyn, »aber unten wartet ein Friar auf eine Audienz bei ihm.«

»Ich weiß – Murdo. Ist sein Anliegen wirklich so dringend?«

»Im Gegenteil. Aber ich muss den Grafen davor warnen, was er zu erwarten hat.«

»Ihr wisst, was der Friar sagen wird?«

»Ich glaube, ja.«

»Dann wird es wohl am besten sein, ihr beide geht gemeinsam zum Grafen.«

Godwyn sagte: »Aber …«, und tat dann so, als würde er einen Protest hinunterschlucken.

Philippa schaute zu Ralph. »Führe den Friar bitte herauf.«

Ralph holte Murdo, und Philippa scheuchte ihn und Godwyn ins Gemach. Graf Roland war im Bett, vollständig angekleidet, doch diesmal saß er, und Federkissen stützten seinen verbundenen Kopf. »Was soll das?«, fragte er, wie immer schlecht gelaunt. »Ist das hier ein Kapiteltreffen, oder was? Was wollt ihr Brüder von mir?«

Zum ersten Mal seit dem Brückeneinsturz sah Godwyn sich das Gesicht des Grafen genauer an, und entsetzt stellte er fest, dass die rechte Seite gelähmt war: Das Augenlid hing herunter, die Wange bewegte sich kaum, und der Mund war schlaff, was umso deutlicher hervortrat, als die linke Gesichtshälfte sich ganz normal bewegte. Wenn Roland sprach, legte er die linke Stirnhälfte in Falten, öffnete weit das linke Auge und funkelte damit in befehlsgewohnter Manier; gleichzeitig sprach er vehement aus dem linken Mundwinkel. Der Arzt in Godwyn war fasziniert. Er wusste, dass Kopfverletzungen unvorhersehbare Auswirkungen haben konnten, aber von einem solchen Fall hatte er noch nie gehört.

»Gafft mich nicht so an«, quetschte der Graf aus dem linken Mundwinkel hervor. »Ihr seht aus wie zwei Kühe, die über die Hecke glotzen. Sagt, was ihr wollt.«

Godwyn riss sich zusammen. Die nächsten paar Minuten musste er äußerst vorsichtig sein. Er wusste, dass Roland Murdos Kandidatur für das Amt des Priors ablehnen würde. Trotzdem wollte er dem Grafen die Idee einpflanzen, Murdo könne eine mögliche Alternative zu Saul Whitehead darstellen. Daher war es Godwyns Aufgabe, Murdo bei seiner Bewerbung zu unterstützen. Paradoxerweise würde er das tun, indem er Murdo ablehnte, womit er dem Grafen zeigte, dass Murdo den Mönchen keine Treue schuldete – was Roland sehr gefallen würde, denn er wollte einen Prior ganz für sich allein. Andererseits durfte Godwyn nicht zu heftig protestieren, denn er wollte nicht, dass der Graf erkannte, was für ein hoffnungsloser Kandidat Murdo wirklich war. Es war ein schwieriger Balanceakt, den er sich vorgenommen hatte.

Murdo sprach als Erster mit seiner sonoren Kanzelstimme. »Mylord, ich bin gekommen, Euch zu bitten, mich als Prior von Kingsbridge in Erwägung zu ziehen. Ich glaube ...«

»Um der Liebe der Heiligen willen, nicht so laut«, protestierte Roland.

Murdo senkte die Stimme. »Mylord, ich glaube, dass ich ...«

»Warum wollt Ihr Prior werden?«, fiel Roland ihm erneut ins Wort. »Ich dachte, ein Friar sei ein Mönch ohne Kirche, aus Prinzip.« Diese Ansicht war altmodisch. Friars waren ursprünglich umherziehende Bettelmönche ohne jeden weltlichen Besitz, doch die Zeiten hatten sich geändert: Es gab Bettelorden, deren Brüder genauso reich waren wie gewöhnliche Mönche. Roland wusste das auch; er wollte nur provozieren.

Murdo gab die übliche Antwort: »Ich glaube, dass Gott beide Arten des Opfers akzeptiert.«

»Dann bist du also willens, die Fahne zu wechseln.«

»Ich bin zu dem Schluss gekommen, dass die Fähigkeiten, die der Herr mir gegeben hat, besser in einer Priorei zur Entfaltung kommen – also ja, es würde mich freuen, mich der Regel des heiligen Benedikt unterwerfen zu dürfen.«

»Aber warum sollte ich deine Kandidatur in Betracht ziehen?«

»Ich bin auch geweihter Priester.«

»Daran besteht kein Mangel.«

»Und ich habe Anhänger in Kingsbridge und den umliegenden Landstrichen. Deshalb darf ich mit Stolz behaupten, der einflussreichste Gottesmann in der ganzen Gegend zu sein!«

Vater Jerome sprach zum ersten Mal. Er war ein selbstbewusster junger Mann mit klugem Gesicht, und Godwyn konnte spüren, dass Jerome Ehrgeiz hatte. »Das stimmt«, sagte er nun. »Der Friar ist außergewöhnlich beliebt.«

Natürlich war Murdo bei den Mönchen ganz und gar nicht beliebt; das aber wussten weder Roland noch Jerome, und Godwyn würde sie in dieser Hinsicht nicht erhellen.

Auch Murdo war sich dessen nicht bewusst. Er neigte den Kopf und sagte in salbungsvollem Ton: »Ich danke Euch von ganzem Herzen, Vater Jerome.«

»Der Friar ist äußerst beliebt bei der ungebildeten und unwissenden Masse«, sagte Godwyn.

»Wie es auch unser Erlöser gewesen ist«, schoss Murdo zurück.

»Mönche sollten in Armut und Selbstkasteiung leben«, sagte Godwyn.

Roland warf ein: »Die Kleider des Friars jedenfalls sehen mir armselig genug aus, und was die Selbstkasteiung angeht, scheinen mir die Mönche von Kingsbridge besser im Fleisch zu stehen als viele Bauern.«

»Aber Friar Murdo wurde trunken in Tavernen gesehen!«, protestierte Godwyn.

Murdo sagte: »Die Regeln des heiligen Benedikt gestatten es Mönchen, Wein zu trinken.«

»Nur, wenn sie krank sind oder auf dem Feld arbeiten.«

»Ich predige auf den Feldern.«

Murdo war ein gewandter Gegner im Disput, stellte Godwyn fest. Er war froh, dass er diese Diskussion hier gar nicht gewinnen *wollte*. Godwyn wandte sich wieder Roland zu. »Ich kann nur sagen, dass ich als Mesner Euer Gnaden dringendst davon abraten muss, Murdo als Prior von Kingsbridge zu nominieren.«

»Zur Kenntnis genommen«, erwiderte Roland kalt.

Philippa warf Godwyn einen leicht verwunderten Blick zu, und er erkannte, dass er ein wenig zu schnell nachgegeben hatte. Doch Roland hatte es nicht bemerkt; solche Feinheiten waren nicht sein Metier.

Murdo war noch nicht fertig. »Der Prior von Kingsbridge muss natürlich Gott dienen; aber in allen weltlichen Dingen sollte er sich vom König und dessen Grafen und Baronen leiten lassen.«

Offener geht es nicht, dachte Godwyn. Murdo hätte genauso gut sagen können: »Mach mich zum Prior, und ich bin dein Mann.« Das war eine ungeheuerliche Erklärung. Die Mönche würden entsetzt sein. Damit war jede Unterstützung dahin, die Murdo im Kapitel vielleicht gehabt hatte.

Godwyn bemerkte nichts dazu, doch Roland schaute ihn fragend an. »Hast du etwas dazu zu sagen, Mesner?«

»Ich bin sicher, der Friar wollte damit nicht sagen, dass die Priorei von Kingsbridge sich in weltlichen oder anderen Dingen dem Grafen von Shiring unterwerfen sollte – oder, Murdo?«

»Ich habe gesagt, was ich gesagt habe«, erwiderte Murdo mit seiner Predigtstimme.

»Es reicht«, sagte Roland, dem das Spiel langweilig wurde. »Ihr verschwendet nur unsere Zeit, ihr zwei. Ich werde Saul Whitehead nominieren. Und jetzt raus mit euch.«

St.-John-in-the-Forest war eine Miniaturversion der Priorei von Kingsbridge. Die Kirche war klein, wie auch der steinerne Kreuzgang und das Dormitorium; die restlichen Gebäude waren schmucklose Fachwerkbauten. Es gab acht Mönche und keine Nonnen. Die Brüder bauten den größten Teil ihrer Nahrung selbst an und machten einen Ziegenkäse, der in ganz Südwestengland berühmt war.

Godwyn und Philemon waren zwei Tage lang geritten. Es war ein klarer Abend, als die Straße endlich aus dem Wald herausführte, sodass die beiden Brüder die gerodeten Felder mit der Kirche in der Mitte sehen konnten. Godwyn wusste sofort, dass seine Ängste berechtigt waren. Die Berichte, die Saul Whitehead als Prior der Zelle lobten, waren nicht übertrieben. Alles war überaus ordentlich: Die Hecken waren sauber geschnitten, die Gräben gerade, die Bäume im Obsthain in regelmäßigen Abständen gepflanzt, und auf den Feldern fand sich nicht ein Unkrauthalm. Godwyn war sicher, dass auch die Stundengebete zur rechten Zeit und in tiefster Ehrfurcht gehalten wurden. Ihm blieb nur zu hoffen, dass Sauls offensichtliches Können nicht den Ehrgeiz in ihm entfacht hatte, eine größere Priorei zu leiten.

Als sie über den Pfad durch die Felder ritten, fragte Philemon: »Warum ist der Graf so begierig darauf, seinen Verwandten zum Prior von Kingsbridge zu machen?«

»Aus dem gleichen Grund, aus dem er seinen jüngeren Sohn zum Bischof von Kingsbridge gemacht hat«, antwortete Godwyn. »Bischöfe und Prioren sind mächtig. Der Graf will sicherstellen, dass jeder mächtige Mann in der Umgebung ein Verbündeter und kein Feind ist.«

»Worüber sollten sie sich denn streiten?«

Godwyn fand es interessant, dass der junge Philemon sich allmählich von dem Schachspiel fasziniert zeigte, das man Politik nannte. »Land, Steuern, Rechte, Privilegien ... Zum Beispiel könnte der Prior eine neue Brücke in Kingsbridge bauen wollen, um den Wollmarkt wieder in Schwung zu bringen, und der Graf könnte sich einem solchen Vorhaben widersetzen, weil er keine Einbußen auf seinem eigenen Markt in Shiring haben will.«

»Aber ich verstehe nicht ganz, was der Prior gegen den Grafen ins Feld führen sollte. Ein Prior hat keine Soldaten ...«

»Ein Kirchenmann kann das Volk beeinflussen. Wenn er gegen den Grafen predigt oder die Heiligen anruft, dass sie dem Grafen Unglück bringen, werden die Menschen glauben, dass der Graf verflucht ist. Dann werden sie seine Macht mit Vorbehalt betrachten, ihm misstrauen und davon ausgehen, dass alle seine Unternehmungen zum Scheitern verurteilt sind. Es kann sehr schwer für einen Edelmann sein, sich einem wirklich entschlossenen Kirchenmann entgegenzustellen. Schau, was mit König Heinrich II. nach dem Mord an Thomas Becket passiert ist.«

Sie ritten auf den Hof und saßen ab. Die Pferde tranken sofort aus dem Trog. Es war niemand zu sehen außer einem Mönch, der sein Gewand hochgezogen hatte und durch einen Schweinepferch hinter dem Stall watete. Er war sicherlich ein Novize, dass er solch eine Arbeit verrichtete. Godwyn rief ihm zu: »He, Junge! Komm und hilf uns mit den Pferden!«

»Sofort!«, rief der Mönch zurück. Er mistete den Pferch noch rasch aus, lehnte dann die Harke an die Stallwand und schlurfte auf die Neuankömmlinge zu. Godwyn wollte ihm gerade sagen, er solle beim Gehen nicht einschlafen, als er Sauls blonden Haarkranz erkannte.

Das gefiel Godwyn gar nicht. Ein Prior sollte sich nicht um die Schweine kümmern. Auch prahlerische Demut war Prahlerei. In diesem Fall würde Sauls Demut Godwyns Zielen aber womöglich dienlich sein.

Er lächelte Saul freundlich an. »Gott zum Gruß, Bruder. Ich wollte dem Prior nicht befehlen, mein Pferd abzusatteln.«

»Warum nicht?«, entgegnete Saul. »Jemand muss es ja tun, und du bist den ganzen Tag geritten.« Saul führte die Pferde in den Stall. »Die Brüder sind auf den Feldern«, rief er. »Aber sie werden bald zum Abendgebet zurück sein.« Er kam wieder aus dem Stall. »Kommt in die Küche.«

Saul und Godwyn hatten sich nie sonderlich nahegestanden. Godwyn fühlte sich durch Sauls Frömmigkeit irgendwie herabgewürdigt. Saul war nie unfreundlich, doch mit seiner leisen Entschlossenheit machte er die Dinge einfach anders. Godwyn musste achtgeben, dass er sich nicht darüber ärgerte. Er war auch so schon nervös genug.

Godwyn und Philemon folgten Saul über den Hof und in ein eingeschossiges Gebäude mit hohem Dach. Obwohl es aus Holz bestand, hatte es einen steinernen Herd und einen Kamin. Dankbar setzten sie sich auf die rauen Bänke an einem geschrubbten Tisch. Saul füllte zwei großzügige Becher Bier aus einem großen Fass.

Er setzte sich den beiden Besuchern gegenüber. Philemon trank durstig, doch Godwyn nippte nur an seinem Bier. Saul bot ihnen nichts zu essen an, und Godwyn vermutete, dass sie vor dem Abendgebet auch nichts bekommen würden. Aber er war ohnehin viel zu aufgeregt, um etwas zu essen.

Das war wieder so eine Gratwanderung, sinnierte Godwyn. Schon gegen Murdos Nominierung hatte er auf diplomatische Weise angehen müssen, damit Roland nicht auf den Gedanken kam, er, Godwyn, hielte die Nominierung für eine schlechte Idee. Auch hier wusste er, was er sagen musste; aber er musste es richtig sagen. Machte er auch nur einen falschen Schritt, würde Saul misstrauisch werden, und dann war alles möglich.

Saul ließ ihm keine Zeit, sich weiter den Kopf zu zerbrechen. »Was führt dich her, Bruder?«, fragte er.

»Graf Roland hat seinen Verstand zurückerlangt.«

»Dafür danke ich Gott.«

»Das heißt, dass wir einen neuen Prior wählen können.«

»Gut. Wir sollten auch nicht lange ohne einen neuen Vater bleiben.«

»Aber wer sollte es sein?«

Saul wich der Frage aus. »Sind schon Namen genannt worden?«

»Bruder Thomas, der Matricularius.«

»Er wäre ein guter Verwalter. Sonst noch jemand?«

Godwyn sagte nur die halbe Wahrheit. »Formell nicht.«

»Was ist mit Carlus? Als ich zu Anthonys Beerdigung nach Kingsbridge gekommen bin, war der Subprior der aussichtsreichste Kandidat.«

»Carlus hat das Gefühl, für die Aufgabe doch nicht so ganz geeignet zu sein.«

»Wegen seiner Blindheit?«

»Gut möglich.« Saul wusste nichts von Carlus' Sturz beim Gottesdienst zum Geburtstag des heiligen Adolphus. Godwyn beschloss, es ihm auch nicht zu sagen. »In jedem Fall hat er darüber nachgedacht und gebetet und seine Entscheidung getroffen.«

»Hat der Graf denn keinen eigenen Kandidaten aufgestellt?«

»Er denkt darüber nach.« Godwyn zögerte. »Deshalb sind wir hier. Der Graf denkt darüber nach … Er denkt darüber nach, dich zu nominieren.« Das war nicht mal eine Lüge, tröstete Godwyn sich, nur fehlerhaft betont.

»Ich fühle mich geehrt.«

Godwyn musterte Saul. »Aber es überrascht dich nicht wirklich, oder?«

Saul errötete. »Verzeih. Der große Philip hatte zuerst hier die Leitung, ehe er Prior von Kingsbridge geworden ist, und andere haben den gleichen Weg beschritten. Das heißt natürlich nicht, dass ich genauso würdig bin, wie diese großartigen Brüder es waren. Aber ich muss gestehen, dass der Gedanke mir schon einmal gekommen ist.«

»Kein Grund, sich zu schämen. Wie denkst du darüber, nominiert zu werden?«

»Wie sollte ich darüber denken?« Saul wirkte verwirrt. »Warum fragst du mich das? Wenn der Graf es wünscht, wird er mich nominieren, und wenn meine Brüder mich wollen, werden sie für mich stimmen, und ich werde mich von Gott berufen fühlen. Wie ich darüber denke, spielt keine Rolle.«

Das war nicht die Antwort, die Godwyn hören wollte. Es war wichtig für ihn, dass Saul sich eine eigene Meinung bildete. Das ganze Gerede von Gott passte da nicht hinein. »So einfach ist das nicht«, sagte er. »Du *musst* die Nominierung nicht annehmen. Deshalb hat der Graf mich geschickt.«

»Seltsam. Es passt gar nicht zu Roland, dass er fragt, wenn er befehlen kann.«

Godwyn wäre beinahe zusammengezuckt. Vergiss nie, wie klug Saul ist, ermahnte er sich und trat rasch den Rückzug an. »Das stimmt. Aber es könnte ja sein, dass du schwankst und vielleicht ablehnst, und dann muss Graf Roland es so rasch wie möglich erfahren, damit er jemand anderen nominieren kann.« Das entsprach vermutlich der Wahrheit, auch wenn Roland sich nicht entsprechend geäußert hatte.

»Mir war gar nicht klar, dass das so läuft.«

So läuft das auch nicht, dachte Godwyn, doch er sagte: »Das letzte Mal hat es einen solchen Fall gegeben, als Prior Anthony gewählt worden ist. Du und ich, wir waren damals noch Novizen und haben von allem nicht viel mitbekommen.«

»Das stimmt.«

»Glaubst du, über die nötigen Fähigkeiten zu verfügen, die man als Prior von Kingsbridge braucht?«

»Sicher nicht.«

»Oh. Und ich hatte es so sehr gehofft ...« Godwyn spielte den Enttäuschten, obwohl er sich darauf verlassen hatte, dass Sauls Demut ihn zu solch einer Antwort zwang.

»Aber ...«, sagte Saul.

»Was?«

»Mit Gottes Hilfe ... Wer weiß, was ein Mensch mit ihr erreichen kann?«

»Wie wahr.« Godwyn verbarg seine Verärgerung. Sauls Selbstzweifel waren nur eine Art fromme Formalität gewesen: In Wahrheit glaubte Saul, der Aufgabe durchaus gewachsen zu sein. »Vielleicht solltest du heute Nacht darüber beten.«

»Ich bin sicher, dass ich an kaum etwas anderes denken werde.« Sie hörten entfernte Stimmen. »Ah, die Brüder kehren von ihrer Arbeit zurück.«

»Wir können am Morgen ja wieder reden«, sagte Godwyn. »Falls du dich zur Kandidatur entschließen solltest, musst du mit uns nach Kingsbridge kommen.«

»Nun gut.«

Es bestand die ernsthafte Gefahr, dass Saul die Nominierung akzeptierte, fürchtete Godwyn; aber er hatte noch einen Pfeil im Köcher. »Da ist noch etwas, das du vielleicht bei deinen Gebeten mit bedenken solltest«, sagte er. »Ein Edelmann gibt nie etwas umsonst.«

Saul schaute besorgt drein. »Was meinst du damit?«

»Grafen und Barone verteilen Titel, Ländereien, Ämter, Monopole – aber immer hat es seinen Preis.«

»Und in diesem Fall?«

»Wenn du gewählt werden solltest, wird Roland von dir erwarten, dass du es ihm vergütest. Du bist sein Neffe, und du wirst ihm dein Amt verdanken. Also wirst du seine Stimme im Kapitel sein und dafür sorgen, dass alles, was in der Priorei geschieht, seine Interessen nicht gefährdet.«

»Wird er das als Bedingung für die Nominierung nennen?«

»Ausdrücklich nicht. Aber wenn du mit mir nach Kingsbridge zurückkehrst, wird er dich fragen, und diese Fragen werden dazu gedacht sein, deine Absichten zu enthüllen. Wenn du darauf bestehst, als Prior unabhängig zu sein, und nicht die Absicht zeigst, deinem Onkel und Förderer besondere Gunst zu erweisen, wird er sich für jemand anderen entscheiden.«

»Daran habe ich gar nicht gedacht ...«

»Natürlich könntest du ihm einfach sagen, was er hören will, und deine Meinung nach der Wahl wieder ändern.«

»Aber das wäre unredlich.«

»Nicht viele würden so denken.«

»Gott würde so denken.«

»Dann sollest du heute Nacht beten, dass der Herr dich bei deiner Entscheidung leiten möge.«

Eine Gruppe junger Mönche kam in die Küche. Sie waren verschlammt von der Arbeit auf den Feldern und redeten laut durcheinander. Saul stand auf, um ihnen Bier aufzutragen, doch der besorgte Ausdruck blieb auf seinem Gesicht. Und er war auch noch dort, die Brüder zum Abendgebet in die kleine Kirche gingen, in der das Wandgemälde die Schrecken des Jüngsten Gerichts zeigte. Die Sorge wich auch nicht aus Sauls Gesicht, als schließlich das Abendessen serviert wurde und Godwyn seinen Hunger mit dem hervorragenden Käse der Mönche stillte.

Godwyn lag die ganze Nacht wach, obwohl ihm von dem zweitägigen Ritt sämtliche Knochen wehtaten. Er hatte Saul vor ein scheinbar unlösbares ethisches Problem gestellt. Die meisten Mönche wären sofort bereit gewesen, ihre wahren Wünsche im Gespräch mit Roland zu verschleiern und dem Grafen einen weit größeren Gehorsam zu versprechen, als sie tatsächlich zu geben bereit waren. Nicht aber Saul. Er wurde von rein moralischen Beweggründen angetrieben. Würde er einen Weg aus diesem Dilemma finden und die Nominierung akzeptieren? Godwyn konnte es sich nicht vorstellen.

Saul hatte noch immer diesen besorgten Ausdruck auf dem Gesicht, als die Mönche sich in der Dämmerung zur Laudes erhoben.

Nach dem Frühstück sagte Saul zu Godwyn, er könne die Nominierung nicht akzeptieren.

❊

Godwyn konnte sich einfach nicht an Graf Rolands Gesicht gewöhnen, so seltsam war es anzuschauen. Der Graf trug nun einen Hut, um die Verbände zu verbergen, die um seinen Kopf gewunden waren; doch dieser Versuch, wieder halbwegs normal auszusehen, bewirkte das genaue Gegenteil und betonte nur die Lähmung seiner rechten Gesichtshälfte. Auch schien Roland übellauniger zu sein als gewöhnlich, und Godwyn vermutete, dass er nach wie vor unter starken Kopfschmerzen litt.

»Wo ist mein Neffe Saul?«, verlangte er zu wissen, kaum dass Godwyn das Gemach betreten hatte.

»Noch immer in St. John, Mylord. Ich habe ihm Eure Nachricht überbracht …«

»Nachricht? Das war ein Befehl!«

Lady Philippa, die neben dem Bett stand, sagte in sanftem Tonfall: »Erregt Euch nicht, Mylord. Ihr wisst, dass Euch das nicht guttut.«

Godwyn sagte: »Bruder Saul hat gesagt, er könne die Nominierung nicht annehmen.«

»Warum nicht, bei allen Dämonen?«

»Er hat nachgedacht und gebetet …«

»Natürlich hat er gebetet! Das tun Mönche nun mal! Was hat er als Grund genannt, dass er mir trotzt?«

»Er glaubt, den Herausforderungen nicht gewachsen zu sein.«

»Was für Herausforderungen? Ich verlange ja nicht von ihm, dass er tausend Ritter in die Schlacht führt. Er soll nur dafür sorgen, dass eine Handvoll Mönche zur richtigen Tageszeit ihre frommen Lieder singt.«

Das war Unsinn, und so senkte Godwyn nur den Kopf und schwieg.

Plötzlich änderte sich der Tonfall des Grafen. »Mir ist gerade klar geworden, wer du bist. Du bist Petronillas Sohn, nicht wahr?«

»Ja, Mylord.« Der Petronilla, die du hast sitzen lassen, fügte Godwyn in Gedanken hinzu.

»Sie war gerissen. Ich wette, das bist du auch. Woher soll ich wissen, dass du Saul die Kandidatur nicht ausgeredet hast? Du willst Thomas Langley als Prior sehen, stimmt's?«

Mein Plan ist schon ein wenig verschlagener, du Trottel, dachte Godwyn. Er sagte: »Saul hat mich gefragt, was Ihr von ihm als Gegenleistung erwarten könntet.«

»Ah, jetzt kommen wir allmählich auf den Punkt. Was hast du ihm gesagt?«

»Dass Ihr von ihm erwartet, auf jemanden zu hören, der sein Verwandter, sein Förderer und sein Graf ist.«

»Und er war zu stur, um das zu akzeptieren, nehme ich an. Also gut. Dann wäre das erledigt. Ich werde diesen Friar Murdo nominieren. Und jetzt will ich dich nicht mehr sehen.«

Godwyn hatte Mühe, seine Freude zu verbergen, als er sich verbeugte und das Gemach verließ. Der vorletzte Schritt seines Plans war getan! Graf Roland hegte nicht den geringsten Verdacht, dass er verführt worden war, den hoffnungslosesten Kandidaten zu nominieren, den Godwyn sich vorstellen konnte.

Und nun zum letzten Schritt.

Godwyn verließ das Hospital und betrat den Kreuzgang. Es war die Studierstunde vor der Sext, und die meisten Mönche standen oder saßen, um zu lesen, ließen sich vorlesen oder waren in Meditation versunken. Godwyn entdeckte Theodoric, seinen jungen Verbündeten, und bestellte ihn mit einem Nicken zu sich.

Mit leiser Stimme sagte er: »Graf Roland hat Friar Murdo als Prior nominiert.«

Theodoric erwiderte laut: »*Was?*«

»Pssst!«

»Das ist unmöglich!«

»Völlig unmöglich.«

»Niemand wird für ihn stimmen.«

»Deshalb bin ich ja so zufrieden.«

Allmählich begann Theodoric zu begreifen. »Oh … Ich verstehe. Dann ist das also eigentlich gut für uns …«

Godwyn fragte sich, warum er solche Dinge immer erklären musste, selbst den wirklich klugen Männern. Offenbar vermochten nur er und seine Mutter, unter die Oberfläche zu schauen. »Geh, und sag es allen … aber leise. Es gibt keinen Grund, deinen Zorn zu zeigen. Die Brüder werden so schon wütend genug sein, auch ohne dass du sie noch ermutigst.«

»Sollte ich erwähnen, dass das gut für Thomas ist?«

»Auf gar keinen Fall.«

»Gut«, sagte Theodoric. »Ich verstehe.«

Offensichtlich verstand er es eben nicht, aber Godwyn hatte das Gefühl, darauf vertrauen zu können, dass sein Bruder die Anweisungen befolgen würde.

Godwyn verließ Theodoric und suchte Philemon. Er fand ihn mit dem Besen in der Hand im Refektorium. »Weißt du, wo Murdo ist?«, fragte er.

»Vermutlich in der Küche.«

»Such ihn. Sag ihm, er soll dich im Haus des Priors treffen, wenn alle Mönche zur Sext in der Kirche sind. Ich möchte nicht, dass irgendjemand dich dort mit ihm sieht.«

»Gut. Was soll ich ihm sagen?«

»›Bruder Murdo, niemand darf je erfahren, dass ich Euch das gesagt habe.‹ Ist das klar?«

»›Bruder Murdo, niemand darf je erfahren, dass ich Euch das gesagt habe.‹ Verstanden.«

»Dann zeig ihm das Dokument, das wir gefunden haben. Du erinnerst dich doch noch, wo es ist? Im Schlafgemach neben dem Betpult steht eine Kiste mit einer Ledermappe darin.«

»Gut. Ist das alles?«

»Du musst ihn darauf hinweisen, dass das Land, das Thomas der Priorei überschrieben hat, ursprünglich der Königin Isabella gehörte, und dass dies seit zehn Jahren geheim gehalten wurde.«

Philemon schaute ihn verwirrt an. »Aber wir wissen doch gar nicht, was Thomas zu verbergen sucht.«

»Nein. Aber es gibt immer einen Grund für ein Geheimnis.«

»Glaubt Ihr nicht, dass Murdo versuchen wird, diese Information gegen Thomas einzusetzen?«

»Natürlich wird er das versuchen.«

»Was wird Murdo tun?«

»Ich weiß es nicht, aber was es immer sein mag, es wird Thomas ganz sicher schaden.«

Philemon runzelte die Stirn. »Ich dachte, wir würden Thomas helfen.«

Godwyn lächelte. »Das glaubt jeder.«

Die Glocke läutete zur Sext.

Philemon machte sich auf die Suche nach Murdo, und Godwyn schloss sich dem Rest der Mönche in der Kirche an. Im Chor mit den anderen betete er: »Herr, eile mir zu helfen …« Bei dieser Gelegenheit betete er mit ungewöhnlichem Ernst. Trotz des Selbstvertrauens, das er Philemon gegenüber gezeigt hatte, wusste er, welch riskantes Spiel er trieb. Er hatte alles auf Thomas' Geheimnis gesetzt, doch er wusste nicht, was auf der Karte zu sehen sein würde, wenn er sie umdrehte.

Allerdings war es ihm gelungen, die Mönche aufzurütteln. Sie waren rastlos und ungewöhnlich gesprächig, und Carlus musste zweimal während der Psalmen »Ruhe!« rufen. Die Mönche mochten Bettelmönche im Allgemeinen nicht, die stets von jenen schnorrten, die sie gleichzeitig verdammten. Und Murdo mochten sie im Besonderen nicht, denn er war großspurig, gierig und versoffen. Jeder wäre ihnen lieber als er.

Als sie nach dem Gottesdienst die Kirche verließen, wandte Simeon sich an Godwyn. »Wir können den Friar nicht akzeptieren«, sagte er.

»Da stimme ich dir zu, Bruder.«

»Carlus und ich werden keinen weiteren Namen ins Spiel bringen. Wenn die Mönche gespalten zu sein scheinen, wird der Graf seinen Kandidaten als notwendigen Kompromiss präsentieren können. Wir müssen unsere Differenzen beiseitelegen und uns um Thomas scharen. Wenn wir uns der Welt als Einheit präsentieren, wird es dem Grafen schwerfallen, sich gegen uns zu stellen.«

Godwyn blieb stehen und drehte sich zu Simeon um. »Danke, Bruder«, sagte er und zwang sich, Demut zu zeigen und sich seine Freude nicht anmerken zu lassen.

»Wir tun das zum Wohle der Priorei.«

»So ist es. Dennoch weiß ich deine Großmut zu schätzen.«

Simeon nickte und ging davon.

Godwyn konnte den Sieg schon riechen.

Die Mönche zogen ins Refektorium zum Essen. Murdo gesellte sich zu ihnen. Er verpasste zwar Gottesdienste, Mahlzeiten aber nie. In allen Klöstern galt die Regel, dass jeder Mönch oder Friar bei Tisch willkommen war – obwohl nur wenige Menschen diese Praxis derart schamlos ausnützten, wie Murdo es zu tun pflegte. Godwyn musterte des Gesicht des Bettelmönchs. Der Friar wirkte aufgeregt, als würde er förmlich platzen, den Mönchen etwas mitzuteilen. Allerdings beherrschte er sich während des Essens und lauschte stattdessen dem Novizen, der heute aus der Bibel vorlas.

Er hatte die Geschichte von Susanna und den Ältesten gewählt. Das missbilligte Godwyn: Diese Geschichte war viel zu lüstern, um sie laut in einer zölibatären Gemeinschaft vorzulesen. Doch heute vermochten nicht einmal die Erpressungsversuche zweier lüsterner alter Männer, die eine Frau zum Geschlechtsverkehr zwingen wollten, die Aufmerksamkeit der Mönche auf sich zu ziehen. Stattdessen flüsterten sie untereinander und warfen immer wieder verstohlene Blicke zu Murdo.

Nach dem Essen – und nachdem der Prophet Daniel Susanna vor der Hinrichtung bewahrt hatte, indem er die Ältesten voneinander getrennt befragt und herausgefunden hatte, dass sie unterschiedliche Geschichten erzählten – bereiteten die Mönche sich zum Aufbruch vor. In diesem Moment wandte Murdo sich an Thomas.

»Wenn ich mich recht entsinne, hattest du eine Schwertwunde, als du hierhergekommen bist, Bruder Thomas.«

Er sprach laut genug, dass jeder ihn hören konnte, und die anderen Mönche blieben auch sofort stehen, um zu lauschen.

Thomas schaute ihn mit steinernem Gesicht an. »Ja.«

»Die Wunde hat letztlich dazu geführt, dass du deinen linken Arm verloren hast. Ich frage mich, ob du dir diese Wunde im Dienste der Königin Isabella zugezogen hast.«

Thomas erbleichte. »Ich bin nun seit zehn Jahren Mönch in Kingsbridge. Das Leben, das ich zuvor geführt habe, ist vergessen.«

Murdo machte ungerührt weiter. »Ich frage das wegen des Stücks Land, das du bei deinem Eintritt mitgebracht hast. Es ist ein äußerst ergiebiges kleines Dorf in Norfolk. Fünfhundert Morgen. In der Nähe von Lynn, wo die Königin lebt ...«

Godwyn spielte den Entrüsteten und unterbrach ihn. »Was weiß ein Außenstehender schon von unserem Besitz?«

»Oh, ich habe das Dokument gelesen«, sagte Murdo. »Solche Dinge sind nicht geheim.«

Godwyn schaute zu Carlus und Simeon, die nebeneinandersaßen. Beide Männer blickten überrascht drein. Als Subprior und Schatzmeister wussten sie bereits davon. Nun mussten sie sich fragen, wie Murdo dieses Dokument in die Hände bekommen haben könnte. Simeon öffnete den Mund, um etwas zu sagen.

Murdo sagte: »Oder zumindest *sollten* sie nicht geheim sein.«

Simeon schloss den Mund wieder. Wollte er wissen, wie Murdo das herausgefunden hatte, würde er sich die Frage stellen müssen, warum er selbst es geheim gehalten hatte.

Murdo fuhr fort: »Und der Hof in Lynn ist der Priorei von ...« Er legte eine dramatische Pause ein. »... von Königin Isabella überschrieben worden«, schloss er.

Godwyn schaute sich um. Die Mönche wirkten konsterniert. Nur Carlus' und Simeons Gesichter waren wie versteinert.

Friar Murdo beugte sich über den Tisch. Kräuter vom Eintopf klebten an seinen Zähnen. »Ich frage dich noch einmal«, sagte er in aggressivem Tonfall: »Hast du deine Wunde im Dienst von Königin Isabella erhalten?«

Thomas sagte: »Jeder hier weiß, was ich getan habe, bevor ich Mönch geworden bin. Ich war Ritter; ich habe in Schlachten gekämpft, und ich habe Menschen getötet. Ich habe gebeichtet und Absolution erhalten.«

»Ein Mönch mag seine Vergangenheit hinter sich lassen, doch der Prior von Kingsbridge trägt eine größere Last auf seinen Schultern. Man könnte ihn fragen, wen er getötet hat und warum und – am wichtigsten – welche Belohnung er dafür erhalten hat.«

Thomas starrte Murdo wortlos an. Godwyn versuchte, Thomas' Gesichtsausdruck zu deuten. Er war wie erstarrt, aber was *empfand* er? Von Schuld oder Scham jedenfalls war nichts zu sehen. Was immer es für ein Geheimnis sein mochte – Thomas hatte nicht das Gefühl, etwas Schändliches getan zu haben. Nicht einmal Zorn war in seiner Miene zu lesen. Murdos verächtlicher Tonfall hätte so manchen Mann zu einer Handgreiflichkeit gereizt, doch Thomas machte nicht den Eindruck, als würde er gleich zuschlagen. Nein, Thomas schien etwas vollkommen anderes zu empfinden: kälter als Scham und ruhiger als Zorn. Schließlich erkannte Godwyn, dass es Angst war. Ja, Thomas hatte Angst. Vor Murdo? Wohl kaum. Nein, er fürchtete, dass etwas geschehen könnte, weil Murdo das Geheimnis entdeckt hatte.

Murdo wirkt jetzt wie ein Hund, der einen Knochen gefunden hatte. »Wenn du die Frage nicht hier in diesem Raum beantworten willst, wird sie an einem anderen Ort gestellt werden.«

Godwyns Berechnungen liefen darauf hinaus, dass Thomas an diesem Punkt aufgeben würde; doch sicher war das nicht. Thomas war zäh. Zehn Jahre lang hatte er absolutes Schweigen bewahrt, war geduldig und unverwüstlich gewesen. Als Godwyn ihm vorgeschlagen hatte, als Prior zu kandidieren, musste er zu dem Schluss gekommen sein, dass man die Vergangenheit endgültig begraben könne. Nun musste er erkennen, dass er sich geirrt hatte. Aber wie würde er darauf reagieren? Würde er seinen Fehler sehen und zurücktreten? Oder würde er die Zähne zusammenbeißen und es durchstehen? Godwyn biss sich auf die Lippe und wartete.

Schließlich sprach Thomas. »Ich denke, du könntest recht haben, dass die Frage anderswo gestellt werden wird«, sagte er. »Zumindest glaube ich, dass du alles tun würdest, um deine Vorhersage wahr zu machen.«

»Willst du damit andeuten …«

»Du brauchst nichts mehr zu sagen!«, unterbrach Thomas ihn und stand unvermittelt auf. Murdo schreckte zurück. Thomas gelang dank seiner Größe, seiner kräftigen Gestalt und seiner erhobenen Stimme tatsächlich das seltene Kunststück, den Friar zum Schweigen zu bringen.

»Ich habe nie Fragen über meine Vergangenheit beantwortet«, sagte Thomas. Seine Stimme war nun wieder ruhig, und die Mönche schwiegen, um ihn hören zu können. »Und das werde ich niemals tun.« Er deutete auf Murdo. »Aber diese … diese Schnecke … lässt mich erkennen, dass solche Fragen nie enden würden, sollte ich Prior werden. Ein Mönch mag seine Vergangenheit für sich behalten, doch bei einem Prior ist das anders, wie ich nun erkennen muss. Ein Prior kann Feinde haben, und ein Geheimnis ist eine Schwäche. Und durch die Verletzbarkeit des Priors ist auch das Kloster selbst bedroht. Ich hätte von selbst zu der Erkenntnis gelangen müssen, zu der Friar Murdo mich durch seine Bosheit geführt hat: dass ein Mann kein Prior werden kann, der keine Fragen zu seiner Vergangenheit beantworten will. Deshalb ...«

Der junge Theodoric rief: »Nein!«

»Deshalb ziehe ich meine Kandidatur zurück.«

Godwyn stieß einen langen Seufzer aus. Er hatte sein Ziel erreicht.

Thomas setzte sich wieder. Murdo schaute ihn selbstgefällig an, während alles wild durcheinanderredete.

Carlus schlug auf den Tisch, und langsam kehrte wieder Stille ein. »Friar Murdo«, sagte Carlus, »da du keine Stimme bei dieser Wahl hast, muss ich dich bitten, uns jetzt zu verlassen.«

Mit einem triumphierenden Ausdruck auf dem Gesicht ging Murdo langsam hinaus.

Als er verschwunden war, sagte Carlus: »Das ist eine Katastrophe: Murdo als einziger Kandidat!«

Theodoric sagte: »Wir dürfen Thomas nicht erlauben, seine Kandidatur zurückzuziehen.«

»Er hat es aber getan!«

Simeon sagte: »Also muss ein anderer Kandidat gefunden werden.«

»Ja«, bestätigte Carlus. »Ich schlage Simeon vor.«

»Nein!«, rief Theodoric.

»Lass mich sprechen«, sagte Simeon. »Wir müssen denjenigen von uns wählen, der die Brüder am wahrscheinlichsten gegen Murdo vereinen kann. Ich kann es nicht. Ich weiß, dass ich bei den Jungen nicht genug Rückhalt habe. Aber wir wissen wohl alle, wer die meiste Unterstützung bekommen würde.«

Er drehte sich zu Godwyn um.

»Ja!«, sagte Theodoric. »Godwyn!«

Die jüngeren Mönche jubelten, und die alten schauten resigniert drein. Godwyn schüttelte den Kopf, als wolle er nichts darauf erwidern. Die Jungen begannen auf die Tische zu schlagen und skandierten seinen Namen: »God-wyn! God-wyn!«

Schließlich erhob er sich. Sein Herz war voller Freude, doch er behielt eine ernste Miene bei. Er hob die Hände, um Ruhe zu gebieten. Dann, als Schweigen sich herabsenkte, sagte er mit leiser, bescheidener Stimme: »Ich werde dem Willen meiner Brüder gehorchen.«

Jubel brandete auf.

Godwyn zögerte die Wahl hinaus. Graf Roland würde toben vor
Wut, wenn er das Ergebnis erfuhr, und Godwyn wollte ihm so wenig
Zeit wie möglich geben, um die Entscheidung vor der Hochzeit an-
zufechten.

Die Wahrheit war, dass Godwyn Angst hatte. Er würde sich gegen einen der mächtigsten Männer im Königreich stellen. Es gab nur
dreizehn Grafen. Zusammen mit den ungefähr vierzig niederen Baronen, einundzwanzig Bischöfen und einer Handvoll anderer regierten
sie England. Wenn der König das Parlament einberief, waren sie die
Herren, die Gruppe der Edelleute, im Gegensatz zu den Commons,
den Rittern, Bürgern und Kaufleuten. Der Graf von Shiring war einer
der Mächtigeren und Prominenteren seines Standes. Trotzdem lag
Bruder Godwyn, einunddreißig Jahre, Sohn der Witwe Petronilla,
der nicht höher aufgestiegen war als zum Mesner der Priorei von
Kingsbridge, im Widerstreit mit diesem Grafen – und was noch gefährlicher war: Er würde gewinnen.

Und so spielte er auf Zeit. Doch sechs Tage vor der Hochzeit
stampfte Roland mit dem Fuß auf und sagte: »Morgen!«

Die ersten Hochzeitsgäste trafen bereits ein. Der Graf von Monmouth hatte sich im Hospital einquartiert, im Gemach neben Roland. Herr William und Lady Philippa hatten in Bells Gasthaus umziehen müssen. Bischof Richard teilte sich das Haus des Priors mit
Carlus. Niedere Barone und Ritter füllten die Tavernen zusammen
mit ihren Frauen und Kindern, Junkern, Dienern und Pferden. Die
Stadt genoss den Geldregen, der dabei auf sie niederging, zumal es
nach den enttäuschenden Einnahmen des verregneten Wollmarkts
bitter nötig war.

Am Morgen der Wahl gingen Godwyn und Simeon in die Schatzkammer, einen kleinen, fensterlosen Raum hinter einer schweren
Eichentür in der Bibliothek. Dort lagerten in einer großen, eisenbeschlagenen Truhe, die nur für besondere Gottesdienste hervorge-

holt wurde, die wertvollsten liturgischen Gegenstände. Simeon, als Schatzmeister, hatte die Schlüssel dafür.

Der Ausgang der Wahl stand bereits so gut wie fest; so jedenfalls dachten alle, ausgenommen Friar Murdo und Graf Roland. Niemand vermutete auch nur, dass Godwyn bei alldem seine Finger im Spiel gehabt hatte. Es hatte nur einen Moment der Spannung gegeben, als Thomas sich laut gefragt hatte, woher Murdo von Isabellas Überschreibung gewusst hatte. »Er *kann* das Dokument nicht versehentlich entdeckt haben. Man hat ihn nie in der Bibliothek lesen sehen. Außerdem wird dieses Dokument nicht bei den anderen aufbewahrt«, hatte Thomas zu Godwyn gesagt. »Jemand muss ihm davon erzählt haben. Aber wer? Nur Carlus und Simeon wussten davon. Aber warum sollten ausgerechnet sie das Geheimnis verraten? Sie wollten bestimmt nicht Murdo helfen.« Godwyn hatte nichts dazu gesagt, und Thomas war weiter im Dunkeln geblieben.

Godwyn und Simeon zogen die Schatztruhe ins Licht der Bibliothek. Die Kathedralenschätze waren in blaues Tuch gewickelt und mit Leder gepolstert. Die beiden Mönche durchsuchten die Truhe, und Simeon packte einige der Gegenstände aus, bewunderte sie und überprüfte, ob sie unbeschädigt waren. Es gab eine Plakette von ein paar Zoll Durchmesser. Sie bestand aus Ebenholz, war aufwendig beschnitzt und zeigte die Kreuzigung des heiligen Adolphus, bei der er Gott gebeten hatte, allen, die seiner gedachten, Gesundheit und ein langes Leben zu schenken. Hinzu kamen mehrere Kerzenleuchter und Kruzifixe, alle aus Gold oder Silber, die meisten mit kostbaren Edelsteinen besetzt. In dem hellen Licht, das durch die großen Bibliotheksfenster fiel, funkelten die Edelsteine und glühte das Gold. Die Juwelen waren der Priorei im Laufe der Jahrhunderte von frommen Menschen geschenkt worden. Ihr Gesamtwert war unermesslich: Hier lag mehr Reichtum, als die meisten Menschen je in ihrem Leben sehen würden.

Godwyn suchte nach einer Krümme, einem Hirtenstab, eingefasst in Gold und mit einem juwelenbesetzten Griff, der dem neuen Prior nach der Wahl feierlich übergeben werden sollte. Der Stab befand sich ganz unten in der Truhe, denn er war seit dreizehn Jahren nicht benutzt worden. Als Godwyn ihn herausholte, stieß Simeon einen Schrei aus.

Godwyn riss unwillkürlich den Kopf hoch. Simeon hielt ein großes Standkreuz in der Hand, das für den Altar bestimmt war. »Was ist?«, fragte Godwyn.

Simeon zeigte ihm die Rückseite des Kruzifixes und deutete auf eine flache, runde Delle unmittelbar unter der Stelle, wo sich die beiden Balken des Kruzifixes kreuzten. »Er muss herausgefallen sein«, sagte er und schaute sich in der Bibliothek um: Sie waren allein.

Beide machten sich Sorgen. Als Schatzmeister und Mesner teilten sie sich die Verantwortung für jedweden Verlust.

Gemeinsam untersuchten sie jeden Gegenstand in der Truhe, schüttelten jedes blaue Tuch aus und schauten sich jedes Stück Leder an. Dann suchten sie aufgeregt die leere Truhe und den Boden darum herum ab. Der Rubin war nirgends zu sehen.

Simeon fragte: »Wann ist das Kruzifix zum letzten Mal benutzt worden?«

»Beim Fest des heiligen Adolphus, als Carlus gestürzt ist. Er hat es vom Altar gestoßen.«

»Vielleicht ist der Rubin dabei herausgefallen. Aber wie ist es möglich, dass niemand es bemerkt hat?«

»Der Stein war hinten am Kreuz. Aber es muss ihn doch jemand am Boden gesehen haben … oder?«

»Wer hat das Kruzifix aufgehoben?«

»Ich kann mich nicht erinnern«, antwortete Godwyn rasch. »Es war alles so verwirrend.« Dabei erinnerte er sich nur allzu gut.

Es war Philemon gewesen.

Godwyn hatte die Szene genau vor Augen. Philemon und Otho hatten gemeinsam den Altar wieder aufgestellt. Anschließend hatte Otho die Leuchter aufgehoben und Philemon das Kreuz.

Dabei kam Godwyn das Verschwinden von Lady Philippas Armband in den Sinn. Hatte Philemon wieder gestohlen? Der Gedanke ließ ihn zittern: Jeder wusste, dass Philemon mehr oder weniger Godwyns Akolyth war. Ein Juwel von einem heiligen Gegenstand zu stehlen war eine so schreckliche Sünde, dass sie Schande über jeden brachte, der mit dem Übeltäter in Verbindung stand. Das könnte die ganze Wahl auf den Kopf stellen.

Simeon erinnerte sich jedoch offensichtlich nicht genau an die Szene, und so akzeptierte er klaglos Godwyns vorgetäuschte Gedächtnislücke. Doch andere Mönche würden sich bestimmt daran erinnern, das Kruzifix in Philemons Händen gesehen zu haben. Godwyn musste die Sache rasch in Ordnung bringen, bevor der Verdacht auf Philemon fallen konnte. Aber zuerst musste er Simeon aus dem Weg schaffen.

»Wir müssen den Rubin in der Kirche suchen«, sagte Simeon.

»Aber der Gottesdienst war vor zwei Wochen«, protestierte Godwyn. »Ein Rubin kann doch nicht so lange unbemerkt auf dem Boden liegen!«

»Stimmt, das ist eher unwahrscheinlich, aber wir müssen trotzdem nachschauen.«

Godwyn wusste, dass ihm keine andere Wahl blieb, als Simeon zu begleiten und auf eine Gelegenheit zu warten, sich davonzustehlen und Philemon zu suchen. »Natürlich«, sagte er.

Sie schoben die Truhe wieder zurück und schlossen die Tür der Schatzkammer. Als sie die Bibliothek verließen, sagte Godwyn: »Ich schlage vor, wir sagen nichts, ehe wir nicht sicher sind, dass der Rubin tatsächlich verloren ist. Es ist nicht nötig, uns voreilig die Schuld zu geben.«

»Einverstanden.«

Sie eilten durch den Kreuzgang und in die Kathedrale. Von der Vierung aus schauten sie sich um. Vor einem Monat wäre der Gedanke, dass ein Rubin unentdeckt auf dem Kirchenboden lag, noch plausibel gewesen, doch erst kürzlich waren die Bodenplatten erneuert worden; alle Risse und Löcher waren verschwunden. Ein Rubin wäre sofort aufgefallen.

Simeon sagte: »Wenn ich jetzt darüber nachdenke ... War es nicht Philemon, der das Kreuz aufgehoben hat?«

Godwyn sah Simeon an. Lag da Vorwurf in seinem Gesicht? Er konnte es nicht sagen. »Es könnte Philemon gewesen sein ...« Godwyn beschloss, die Gelegenheit zu nutzen: »Ich gehe ihn holen«, schlug er vor. »Vielleicht kann er sich erinnern, wo genau er gestanden hat, als Carlus gestürzt ist.«

»Gut. Ich warte hier.« Simeon kniete sich hin und tastete den Boden mit den Händen ab, als könne er den Rubin so besser finden als mit den Augen.

Godwyn eilte hinaus. Zuerst ging er ins Dormitorium. Der Schrank stand an der gewohnten Stelle. Godwyn zog ihn von der Wand weg, fand den losen Stein und nahm ihn heraus. Dann steckte er die Hand in das Versteck, wo Philemon Lady Philippas Armband verborgen hatte.

Er fand nichts.

Godwyn fluchte. Ganz so einfach würde es doch nicht werden.

Ich werde Philemon aus dem Kloster jagen müssen, ging es ihm durch den Kopf, als er sich auf die Suche nach ihm machte. Wenn Philemon den Rubin gestohlen hat, kann ich ihn nicht mehr decken.

Dann erkannte er mit plötzlicher Verzweiflung, dass er Philemon keineswegs den Laufpass geben konnte. Es war Philemon gewesen, der Friar Murdo von dem Dokument erzählt hatte. Wurde Philemon vertrieben, könnte er gestehen, was er getan hatte und dass er dabei nur Godwyns Anweisungen gefolgt war. Und man würde ihm glauben. Godwyn erinnerte sich, wie Thomas sich den Kopf darüber zerbrochen hatte, wer Murdo das Geheimnis verraten haben könnte und warum. Philemons Enthüllung würde an Glaubwürdigkeit gewinnen, weil sie diese Frage beantwortete.

Ein Aufschrei der Entrüstung wäre die Folge. Selbst wenn es erst nach der Wahl zu dieser Enthüllung käme, wäre Godwyns Autorität untergraben und seine Fähigkeit, die Mönche zu führen, ernsthaft beeinträchtigt. Godwyn dämmerte die schreckliche Erkenntnis, dass er Philemon beschützen musste, um sich selbst zu schützen.

Er fand Philemon im Hospital, wo er den Fußboden fegte. Godwyn winkte ihn nach draußen und führte ihn auf die Rückseite der Küche, wo niemand sie sehen würde.

Er schaute Philemon in die Augen und sagte: »Da wird ein Rubin vermisst …«

Philemon riss die Augen auf. »Wie schrecklich!«

»Er gehört zu dem Altarkruzifix, das Carlus bei seinem Sturz heruntergeworfen hat.«

Philemon spielte den Unschuldigen. »Wie konnte der Stein nur verloren gehen?«

»Er könnte sich von dem Kruzifix gelöst haben, als es auf dem Boden aufgeschlagen ist. Aber er ist nicht zu finden; ich habe gerade nachgesehen. Irgendjemand hat ihn entdeckt … und behalten.«

»Wie schändlich.«

Godwyn wurde wütend. »Du Narr, jeder hat gesehen, wie du das Kruzifix aufgehoben hast!«

Philemons Stimme drohte sich zu überschlagen. »Ich weiß nichts davon!«

»Verschwende nicht meine Zeit mit Lügen! Wir müssen das wieder in Ordnung bringen. Wegen dir könnte ich die Wahl verlieren.« Godwyn stieß Philemon gegen die Wand der Bäckerei. »Wo ist er?«

Zu seinem Erstaunen brach Philemon in Tränen aus.

»Um der Liebe der Heiligen willen«, sagte Godwyn angewidert, »hör mit diesem Unsinn auf! Du bist ein erwachsener Mann!«

Philemon schluchzte weiter. »Es tut mir leid«, sagte er. »Es tut mir leid.«

»Wenn du nicht sofort damit aufhörst …« Godwyn riss sich zusammen. Mit Philemon zu schimpfen würde ihm auch nichts bringen. In sanfterem Tonfall sagte Godwyn: »Reiß dich zusammen. Wo ist der Rubin?«

»Ich hab ihn versteckt …«

»Ja? Weiter?«

»Im Kamin des Refektoriums.«

Godwyn drehte sich sofort um und marschierte zum Refektorium. »Heilige Maria, hilf uns! Er könnte ins Feuer fallen!«

Philemon folgte ihm. Seine Tränen trockneten schon wieder. »Im August wird kein Feuer gemacht. Bevor es kalt wird, hätte ich ihn weggeholt.«

Sie betraten das Refektorium. Am einen Ende des langen Raums befand sich ein breiter Herd. Philemon schob seinen Arm in den Kamin und fummelte einen Moment darin herum. Dann holte er einen Rubin hervor, so groß wie ein Spatzenei und voller Ruß. Er wischte ihn am Ärmel sauber.

Godwyn nahm den Edelstein an sich. »Und jetzt komm mit«, sagte er.

»Was sollen wir tun?«

»Simeon wird das hier finden.«

Sie gingen in die Kirche. Simeon suchte noch immer auf allen vieren. »Jetzt«, sagte Godwyn zu Philemon. »Versuch, dich genau daran zu erinnern, wo du warst, als du das Kruzifix aufgehoben hast.«

Simeon schaute Philemon an; da er keinerlei Gefühlsregung auf dessen Gesicht sah, sagte er in freundlichem Ton: »Hab keine Angst, Junge. Du hast nichts falsch gemacht.«

Philemon ging zur Ostseite der Vierung, dicht an die Stufen, die zum Chor hinaufführten. »Ich glaube, das war hier«, sagte er.

Godwyn stieg die zwei Stufen hinauf und tat so, als würde er suchen. Unauffällig legte er dabei den Rubin unter die vorderen Sitze, wo er bei einem flüchtigen Blick nicht zu sehen war. Dann, als habe er plötzlich eine andere Idee, ging er auf die Südseite des Chors. »Komm und such hier drunter, Philemon«, sagte er.

Wie erhofft ging Simeon daraufhin auf die Nordseite und ließ sich mit einem Gebet auf den Lippen wieder auf alle viere nieder.

Godwyn rechnete damit, dass Simeon den Rubin sofort sehen würde. Er tat so, als würde er den Südchor absuchen, und wartete darauf, dass Simeon den Edelstein fand. Nichts tat sich. Godwyn

kam der Verdacht, dass mit Simeons Sehkraft etwas nicht stimmte. Ob er hinübergehen und den Rubin selbst »finden« sollte? Dann
endlich rief Simeon: »Ah! Hier!«

Godwyn spielte den Aufgeregten. »Hast du ihn gefunden?«

»Ja! Halleluja!«

»Wo war er?«

»Hier – unter dem Chorgestühl!«

»Gott sei Lob und Dank«, sagte Godwyn.

Godwyn beschwor sich, keine Angst vor Graf Roland zu haben. Dennoch fragte er sich, was der Graf ihm wohl antun könne, als er die
Steintreppe zu den Gästequartieren des Hospitals hinaufstieg. Selbst
wenn Roland in der Lage gewesen wäre, vom Bett aufzustehen und
sein Schwert zu ziehen, wäre er wohl kaum so dumm, einen Mönch
in einem Kloster anzugreifen – selbst ein König würde mit so etwas
nur schwer durchkommen.

Ralph Fitzgerald kündigte Godwyn an, und er ging hinein.

Die Söhne des Grafen standen links und rechts vom Bett: der
große William in brauner Soldatenhose und mit schmutzigen Stiefeln, das Haar auf der Stirn schon im Rückzug begriffen; und der
rundliche Richard, dessen Figur von seiner Genusssucht zeugte,
in bischöflichem Purpur. William war dreißig, ein Jahr jünger als
Godwyn. Er besaß die Willensstärke seines Vaters, ließ sich aber
manchmal von seiner Frau gängeln, Lady Philippa. Bischof Richard
war achtundzwanzig und kam angeblich mehr auf seine verstorbene
Mutter, denn er hatte nur wenig von der Kraft und dem eindrucks-
vollen Gebaren des Grafen.

»Nun, Mönch«, sagte der Graf aus dem linken Mundwinkel. »Habt
ihr eure kleine Wahl abgehalten?«

In Godwyn flackerte Zorn über diese unhöfliche Form der An-
rede auf. Eines Tages, schwor er sich, wirst du mich Vater Prior nennen! Seine Entrüstung verlieh ihm den Mut, dem Grafen die Neuigkeit mitzuteilen. »In der Tat, Mylord, das haben wir«, sagte er. »Ich
habe die Ehre, Euch mitzuteilen, dass die Mönche von Kingsbridge
mich zu ihrem Prior gewählt haben.«

»Was?«, blaffte der Graf. »Dich?«

Godwyn senkte den Kopf zum Zeichen der Demut. »Niemanden
hätte das mehr überraschen können als mich.«

»Du bist nur ein Junge!«

Die Beleidigung provozierte Godwyn zu einer heftigen Erwiderung: »Ich bin älter als Euer Sohn, der Bischof von Kingsbridge!«

»Wie viele Stimmen hast du bekommen?«

»Fünfundzwanzig.«

»Und wie viele waren für Friar Murdo?«

»Keine. Die Mönche haben einstimmig ...«

»Keine?«, brüllte Roland. »Das muss eine Verschwörung sein. Das ist Verrat!«

»Bei der Wahl wurden alle Regeln streng befolgt.«

»Mir sind eure Regeln scheißegal! Ich lasse mich nicht von einem Haufen Mönchlein an der Nase herumführen!«

»Ich bin die Wahl meiner Brüder, Mylord. Die Einführung wird kommenden Sonntag sein, vor der Hochzeit.«

»Die Wahl der Mönche muss vom Bischof von Kingsbridge bestätigt werden, und ich kann dir jetzt schon sagen, dass er sie nicht bestätigen wird. Wählt noch einmal! Und diesmal bringt mir das Ergebnis, das ich haben will!«

»Wie Ihr wünscht, Graf Roland.« Godwyn ging zur Tür. Er hatte noch weitere Karten im Ärmel, aber er würde sie nicht alle zugleich auf den Tisch legen. Dann drehte er sich noch einmal um und wandte sich an Richard. »Mylord Bischof, wenn Ihr mit mir darüber zu sprechen wünscht, findet Ihr mich im Haus des Priors.«

Er ging hinaus. »Du bist nicht der Prior!«, brüllte Roland ihm hinterher, als er die Tür schloss.

Godwyn zitterte. Roland war furchterregend, wenn er wütend war, und er war oft wütend. Aber Godwyn hatte dem Ansturm standgehalten. Petronilla wäre stolz auf ihn gewesen.

Godwyn stieg mit zitternden Knien die Treppe hinunter und ging zum Haus des Priors. Carlus war bereits ausgezogen. Zum ersten Mal in fünfzehn Jahren würde Godwyn ein Schlafgemach für sich allein haben. Seine Freude wurde jedoch ein wenig getrübt, da er das Haus mit dem Bischof teilen musste, der traditionell hier wohnte, wenn er zu Besuch war. Rechtlich gesehen war der Bischof von Amts wegen der Abt von Kingsbridge, und obwohl seine Macht beschränkt war, so stand er im Rang doch über dem Prior. Während des Tages war Richard nur selten im Haus, doch abends kam er zurück, um im besten Zimmer zu schlafen.

Godwyn betrat die Halle im Erdgeschoss, setzte sich auf den großen Stuhl und wartete. Es würde nicht lange dauern, bis Bischof Richard erschien. Seine Ohren brannten sicher schon vom Gebrüll seines Vaters. Richard war ein reicher und mächtiger Mann, aber nicht so furchterregend wie der Graf. Trotzdem musste man schon ein sehr kühner Mönch sein, sich einem Bischof zu widersetzen. Allerdings hatte Godwyn einen Vorteil in diesem Streit: Er wusste etwas über Richard, das nicht ans Licht kommen durfte, und das war eine genauso gute Waffe wie ein Dolch im Ärmel.

Kurz darauf kam Bischof Richard ins Zimmer gestürmt. Er zeigte ein Selbstvertrauen, von dem Godwyn wusste, dass es nur gespielt war. »Ich habe einen Handel für dich abgeschlossen«, sagte Richard ohne Umschweife. »Du kannst Subprior unter Murdo werden. Du wirst die Tagesgeschäfte der Priorei leiten. Murdo will ohnehin kein Verwalter sein; er will nur den Titel. Du wirst alle Macht haben, und mein Vater wird zufrieden sein.«

»Lasst mich das klarstellen«, sagte Godwyn. »Murdo willigt ein, mich zu seinem Stellvertreter zu machen, und dann sagen wir den anderen Mönchen, dass er der Einzige ist, den Ihr bestätigen werdet? Glaubt Ihr, das würden sie hinnehmen?«

»Ihnen bleibt keine Wahl!«

»Ich habe einen anderen Vorschlag. Sagt dem Grafen, die Mönche werden niemanden akzeptieren außer mir – und dass ich noch vor der Hochzeit bestätigt werden müsse, da die Mönche sonst nicht an den Feierlichkeiten teilnehmen werden. Die Nonnen übrigens auch nicht.« Godwyn wusste nicht, ob die Mönche dabei mitmachen würden – ganz zu schweigen von Mutter Cecilia und den Nonnen –, aber er war schon zu weit gegangen, um jetzt noch vorsichtig zu sein.

»Das würden sie nicht wagen!«

»Ich fürchte, doch.«

Panik spiegelte sich auf Richards Gesicht. »Mein Vater wird sich von niemandem zu etwas zwingen lassen!«

Godwyn lachte. »Das sehe ich auch so. Ich hoffe nur, dass er zur Vernunft kommt.«

»Er wird sagen, dass die Hochzeit so oder so stattfinden muss. Ich bin der Bischof. Ich kann jeden verheiraten. Dafür brauche ich keine Mönche.«

»Natürlich. Aber dann wird es eine Hochzeit ohne Gesang, ohne Kerzen, ohne Psalmen, ohne Weihrauch – nur mit Euch und Erzdiakon Lloyd.«

»Sie werden trotzdem verheiratet sein!«

»Und was wird der Graf von Monmouth wohl davon halten, wenn

sein Sohn in einer solch armseligen Zeremonie in den Stand der Ehe tritt?«

»Ja, ja, er wird außer sich sein vor Wut! Aber er wird es akzeptieren. Die Allianz ist das Entscheidende.«

Da hat er wahrscheinlich recht, dachte Godwyn. Ihn fröstelte. Es war an der Zeit, den verborgenen Dolch zu zücken.

»Ihr schuldet mir einen Gefallen«, sagte er.

Zuerst tat Richard so, als wüsste er gar nicht, wovon Godwyn sprach. »Ach ja?«

»Ich habe eine Sünde verheimlicht, die Ihr begangen habt. Tut nicht so, als hättet Ihr es vergessen. Es ist erst ein paar Monate her.«

»Ach ja … Nun, das war sehr großmütig von dir.«

»Mit eigenen Augen habe ich Euch und Margery im Gastgemach gesehen, als Ihr …«

»Seid still, um Himmels willen!«

»Ihr habt jetzt die Gelegenheit, mir diese Großmut zu vergelten. Redet mit Eurem Vater. Sagt ihm, er soll nachgeben. Sagt ihm, dass die Hochzeit wichtiger sei. Besteht darauf, mich als Prior zu bestätigen.«

Auf Richards Gesicht zeigte sich Verzweiflung. Mit einem Mal wirkte er wie am Boden zerstört. »Das kann ich nicht!«, sagte er voller Panik. »Meinem Vater kann man nicht trotzen. Du weißt, wie er ist.«

»Versucht es.«

»Ich habe es ja schon versucht! Ich habe ihn dazu überredet, dich zum Subprior zu machen.«

Godwyn bezweifelte, dass Roland irgendetwas in der Art genehmigt hatte. Richard hatte es bestimmt nur erfunden – wohl wissend, dass man ein solches Versprechen leicht brechen konnte. Trotzdem sagte Godwyn: »Dafür danke ich Euch.« Dann fügte er hinzu: »Aber das reicht nicht.«

»Denk doch mal darüber nach«, flehte Richard. »Mehr verlange ich ja gar nicht.«

»Das werde ich. Und ich schlage vor, dass Ihr Euren Vater bittet, das Gleiche zu tun.«

»O Gott«, stöhnte Richard. »Das wird eine Katastrophe.«

Die Hochzeit war für Sonntag angesetzt. Am Samstag setzte Godwyn anstelle der Sext eine Probe an, beginnend mit der Inaugurationszeremonie des neuen Priors; daran anschließend die Hochzeit. Draußen war wieder ein sonnenloser Tag. Der Himmel hing voller Regenwolken, und in der Kathedrale war es düster. Nach der Probe, als die Mönche und Nonnen zum Essen gingen und die Novizen sich daranmachten, die Kirche zu fegen, kamen Carlus und Simeon zu Godwyn. Beide schauten ernst drein.

»Das lief ziemlich glatt, findet ihr nicht auch?«, bemerkte Godwyn gut gelaunt.

Simeon fragte: »Wirst du überhaupt zum Prior geweiht?«

»Mit Sicherheit.«

»Wir haben gehört, der Graf habe eine Neuwahl befohlen.«

»Glaubt ihr, er hat das Recht dazu?«

»Nein«, erwiderte Simeon. »Er hat nur das Recht zur Nominierung. Aber er sagt, dass Bischof Richard dich nicht als Prior bestätigen wird.«

»Hat Richard euch das gesagt?«

»Nicht persönlich.«

»Das dachte ich mir. Vertraut mir. Der Bischof *wird* mich bestätigen.« Godwyn hörte seine eigene Stimme: Sie klang ernst und selbstbewusst. Er wünschte sich, er würde genauso empfinden.

Carlus fragte besorgt: »Hast du Richard gesagt, dass die Mönche sich weigern würden, an der Hochzeit teilzunehmen?«

»Das habe ich.«

»Das war sehr riskant. Wir sind nicht hier, um uns dem Willen der weltlichen Macht entgegenzustellen.«

Godwyn hätte vorhersagen können, dass Carlus beim ersten Anzeichen von Widerstand einknicken würde. Glücklicherweise hatte er nicht vor, die Entschlossenheit der Mönche auf die Probe zu stellen. »Mach dir keine Sorgen. So weit wird es nicht kommen. Es war nur eine leere Drohung – aber verrate dem Bischof nicht, dass ich das gesagt habe.«

»Dann hast du also gar nicht vor, die Mönche zu bitten, sich gegen die Hochzeit zu sperren?«

»Nein.«

Simeon bemerkte: »Du spielst ein gefährliches Spiel.«

»Vielleicht. Aber außer mir schwebt niemand in Gefahr.«

»Du wolltest doch nicht einmal Prior werden. Du wolltest deinen Namen nicht genannt wissen. Du hast erst akzeptiert, als alles andere gescheitert ist.«

»Ich will ja auch gar nicht Prior werden«, log Godwyn. »Aber wir dürfen dem Grafen von Shiring nicht gestatten, unsere Wahl zu entkräften. Das ist wichtiger als meine persönlichen Gefühle.«

Simeon schaute ihn mit neu erwachtem Respekt an. »Das ist eine sehr ehrenvolle Einstellung.«

»Ich versuche nur, Gottes Willen zu erfüllen.«

»Möge er dich für deine Mühen segnen, Bruder.«

Die beiden alten Mönche ließen ihn allein. Godwyn hatte einen Anflug von schlechtem Gewissen, weil er zugelassen hatte, dass die Brüder ihn nun für selbstlos hielten. Sie betrachteten ihn als eine Art Märtyrer. Aber es stimmt ja irgendwie, sagte er sich. Er versuchte ja wirklich, Gottes Willen zu erfüllen. So, wie er ihn sah.

Godwyn schaute sich um: Die Kathedrale war wieder wie immer. Er wollte gerade zum Essen ins Haus des Priors gehen, als seine Base Caris erschien. Ihr blaues Kleid war ein bunter Fleck inmitten des trüben Graus der Kirche. »Wirst du morgen zum Prior geweiht?«, fragte sie.

Godwyn lächelte. »Alle stellen mir die gleiche Frage. Die Antwort ist: Ja!«

»Es heißt, der Graf will dir einen Kampf liefern.«

»Den wird er verlieren.«

Caris blickte ihn mit ihren klugen grünen Augen durchdringend an. »Ich kenne dich schon, seit du ein Kind warst, und ich weiß, dass du lügst.«

»Ich lüge nicht.«

»Du gibst dich selbstsicherer, als du dich fühlst.«

»Das ist keine Sünde.«

»Mein Vater macht sich Sorgen wegen der Brücke. Friar Murdo würde den Willen des Grafen noch bereitwilliger erfüllen als Saul Whitehead.«

»Murdo wird nicht Prior von Kingsbridge.«

»Du fängst schon wieder an.«

Ihr Scharfsinn ärgerte Godwyn. »Ich weiß nicht, was ich dir sagen soll!«, stieß er hervor. »Ich bin gewählt worden, und ich beabsichtige, das Amt auch anzutreten. Graf Roland würde mich gerne aufhalten, das stimmt, aber er hat nicht das Recht dazu, und ich werde ihn mit allem bekämpfen, was mir zur Verfügung steht. Habe ich Angst? Ja. Aber ich bin trotzdem fest entschlossen, ihn zu schlagen.«

Caris lächelte. »Genau das wollte ich hören.« Sie schlug ihm auf die Schulter. »Geh und schau nach deiner Mutter. Sie ist in deinem

Haus und wartet auf dich. Eigentlich bin ich nur gekommen, um dir das zu sagen.« Mit diesen Worten drehte sie sich um und ging.

Godwyn verließ die Kathedrale durchs Nordportal. Caris ist wirklich klug, dachte er mit einer Mischung aus Bewunderung und Zorn. Sie hatte ihn zu einer Einschätzung der Lage verleitet, die weit genauer war als alles, was er anderen gegenüber gesagt hatte.

Doch Godwyn war froh, eine Gelegenheit zu haben, mit seiner Mutter zu sprechen. Alle anderen zweifelten daran, dass er diesen Kampf gewinnen konnte. Petronilla aber würde Zuversicht und Selbstvertrauen haben – und vielleicht ein paar strategische Ideen.

Godwyn fand seine Mutter in der Halle. Sie saß am Tisch, der für zwei mit Brot, Bier und einem Teller Pökelfisch gedeckt war. Godwyn küsste sie auf die Stirn, setzte sich und sprach das Tischgebet. Dann gestattete er sich einen Augenblick des Triumphs. »Geschafft!«, sagte er. »Ich bin der gewählte Prior. Endlich. Wir speisen jetzt im Haus des Priors!«

»Aber Roland bekämpft dich noch immer«, sagte Petronilla.

»Und er kämpft härter, als ich erwartet habe. Aber er hat nur das Recht zur Nominierung, nicht zur Wahl. Pech für ihn, dass sein Kandidat nicht immer gewählt wird.«

»Die meisten Grafen würden das hinnehmen, aber nicht Roland«, sagte Petronilla. »Er fühlt sich allen und jedem überlegen.« In ihrer Stimme lag eine Bitterkeit, die – so vermutete Godwyn – der Erinnerung an die aufgelöste Verlobung vor mehr als dreißig Jahren entsprang. Petronilla lächelte rachsüchtig. »Schon bald wird er erkennen, wie sehr er uns unterschätzt hat.«

»Er weiß, dass ich dein Sohn bin.«

»Dann wird auch das eine Rolle spielen. Wahrscheinlich erinnerst du ihn an sein unehrenhaftes Benehmen mir gegenüber. Das genügt schon dafür, dass er dich hasst.«

»Es ist eine Schande.« Godwyn senkte die Stimme für den Fall, dass ein Diener vor der Tür lauschte. »Bis jetzt hat dein Plan wunderbar funktioniert. Mich aus dem Wettbewerb zurückzuziehen und dann alle anderen in Misskredit zu bringen... das war brillant.«

»Aber wir könnten immer noch alles verlieren. Hast du noch mehr zum Bischof gesagt?«

»Nein. Ich habe ihn daran erinnert, dass wir über Margery Bescheid wissen. Er hatte Angst – aber nicht genug, um seinem Vater zu trotzen, wie es aussieht.«

»Das sollte er aber. Wenn die Sache herauskommt, wird man ihm nicht verzeihen. Er könnte als niederer Ritter enden wie Sir Gerald, der seine Tage als Muntling verbringt. Ist ihm das nicht klar?«

»Vielleicht glaubt er, dass mir der Mut fehlt, mein Wissen preiszugeben.«

»Dann wirst du mit der Information zum Grafen gehen müssen.«

»Himmel! Er wird außer sich sein!«

»Dann weißt du wenigstens, womit du zu rechnen hast.«

Petronilla war kalt wie ein Fisch. Das war auch der Grund, weshalb Godwyn Begegnungen mit ihr stets mit Anspannung und Furcht entgegenfieberte. Seine Mutter wollte stets, dass er noch kühner wurde, noch größere Risiken einging als ohnehin schon ... und er konnte sich ihr nie widersetzen.

Petronilla fuhr fort: »Wenn herauskommen würde, dass Margery keine Jungfrau mehr ist, wäre die Hochzeit geplatzt. Roland kann das nicht wollen. Also wird er das kleinere Übel wählen: dich als Prior.«

»Aber dann ist er für den Rest meines Lebens mein Feind.«

»Das ist er so oder so.«

Das war zwar nur ein kleiner Trost für Godwyn, doch er stritt nicht mit seiner Mutter, denn er wusste, dass sie wieder einmal recht hatte.

Es klopfte an der Tür, und Lady Philippa kam herein.

Godwyn und Petronilla erhoben sich.

»Ich muss mit Euch sprechen«, sagte Philippa zu Godwyn.

Er sagte: »Darf ich Euch meine Mutter Petronilla vorstellen?«

Petronilla machte einen Knicks und sagte: »Ich sollte jetzt besser gehen. Ihr seid offenbar hier, um zu verhandeln, Mylady.«

Philippa blickte sie erheitert an. »Wenn Ihr schon so viel wisst, dann wisst Ihr alles, was wichtig ist. Vielleicht solltet Ihr bleiben.«

Als die beiden Frauen einander gegenüberstanden, fiel Godwyn auf, dass sie sich ähnelten: die gleiche Größe, die gleiche statuenhafte Figur, die gleiche gebieterische Ausstrahlung. Philippa war gut zwanzig Jahre jünger, und sie strahlte gelassene Autorität und einen Hauch von Humor aus – ganz anders als Petronilla mit ihrer düsteren, grimmigen Entschlossenheit. Vielleicht lag es daran, dass Philippa einen Mann hatte, Petronilla jedoch nicht mehr. Überdies war Philippa eine Frau mit starkem Willen, und sie übte durch ihren Mann – Herrn William – Macht aus. Doch wie Godwyn nun bemerkte, besaß auch Petronilla Macht durch einen Mann: durch ihn.

»Setzen wir uns«, sagte Philippa.

Petronilla fragte: »Hat der Graf dem zugestimmt, was immer Ihr vorschlagen wollt?«

»Nein.« Philippa machte eine hilflose Geste. »Roland ist zu stolz, um im Vorhinein etwas zuzustimmen, das die andere Seite ablehnen könnte. Doch wenn ich Godwyns Zustimmung zu meinem Vorschlag bekomme, besteht die Möglichkeit, Roland von einem Kompromiss zu überzeugen.«

»Das dachte ich mir schon.«

Godwyn fragte: »Möchtet Ihr etwas zu essen, Mylady?«

Philippa winkte ungeduldig ab. »So wie die Dinge stehen, werden alle verlieren«, sagte sie. »Die Hochzeit wird stattfinden, doch ohne die angemessene Prachtentfaltung und Feierlichkeit. Damit wäre die Allianz zwischen Roland und Monmouth von Anfang an mit einem Makel behaftet. Der Bischof wird sich weigern, Euch als Prior zu bestätigen, Bruder Godwyn, woraufhin man den Erzbischof anrufen wird, den Streit beizulegen. Der wiederum wird sowohl Euch als auch Murdo ablehnen und jemand anders nominieren – vermutlich ein Mitglied seines Kapitels, das er loswerden möchte. Und dann hat niemand bekommen, was er will. Habe ich recht?«

Sie richtete die Frage an Petronilla, die ein unverbindliches Geräusch zur Antwort gab.

»Warum also sollten wir dem Kompromiss des Erzbischofs nicht zuvorkommen?«, fuhr Philippa fort. »Stellt einen dritten Kandidaten auf. Nur …« Sie deutete auf Godwyn. »Ihr werdet den Kandidaten wählen, und er wird Euch zum Subprior machen.«

Godwyn dachte darüber nach. Das würde ihn von der Notwendigkeit befreien, sich dem Grafen Auge in Auge zu stellen und ihm mit der Enthüllung des Fehlverhaltens seines Sohnes zu drohen. Andererseits wäre er mit diesem Kompromiss für eine unbestimmte Zeit zum Dasein eines Subpriors verdammt, und wenn der neue Prior starb, würde er den Kampf erneut ausfechten müssen. Trotz seiner Angst neigte Godwyn dazu, Philippas Ansinnen zurückzuweisen.

Godwyn schaute zu seiner Mutter. Sie schüttelte kaum merklich den Kopf. Ihr gefiel das auch nicht.

»Es tut mir leid«, sagte Godwyn zu Philippa. »Die Mönche haben gewählt, und das Ergebnis muss bestehen bleiben.«

Philippa stand auf. »In dem Fall muss ich Euch die Nachricht übermitteln, wegen der ich offiziell hier bin. Morgen früh wird der Graf sich aus seinem Krankenbett erheben. Er wünscht, die Kathedrale zu inspizieren und sicherzustellen, dass alles für die Hochzeit bereit ist. Ihr sollt ihn um acht Uhr in der Kirche treffen. Alle Mönche und Nonnen müssen fertig gewandet sein, und die Kirche ist mit den üblichen Ornamenten zu schmücken.«

Godwyn nickte, und Lady Philippa ging hinaus.

✠

Zur verabredeten Stunde stand Godwyn in der nackten, stillen Kirche.

Er war allein: Keine Mönche und Nonnen waren bei ihm. Nirgends war ein Möbel zu sehen, abgesehen vom Chorgestühl. Es gab keine Kerzen, keine Kruzifixe, keine Kelche, keine Blumen. Die wässrige Sonne, die kaum die Regenwolken dieses Sommers zu durchdringen vermochte, warf ein schwaches, kaltes Licht ins Hauptschiff. Godwyn hatte die Hände hinter dem Rücken verschränkt, um sie vom Zittern abzuhalten.

Pünktlich kam der Graf herein.

Bei ihm waren Herr William, Lady Philippa, Bischof Richard, Richards Ratgeber Erzdiakon Lloyd und der Schreiber des Grafen, Vater Jerome. Godwyn hätte sich gerne auch mit einem Gefolge umgeben, doch keiner der Mönche wusste wirklich, wie riskant sein Plan war – und hätten sie es gewusst, hätte keiner den Mut gehabt, ihn zu unterstützen. Also hatte er beschlossen, sich dem Grafen allein zu stellen.

Die Verbände waren von Rolands Kopf entfernt worden. Er ging mit langsamen, aber sicheren Schritten. Wahrscheinlich fühlte er sich noch ein wenig zittrig nach all den Wochen im Bett, schien aber entschlossen zu sein, es nicht zu zeigen. Er sah fast wieder normal aus, abgesehen von seiner gelähmten Gesichtshälfte. Seine Botschaft an die Welt würde heute lauten, dass er wieder vollständig genesen war und die Zügel fest in der Hand hielt. Und Godwyn drohte diesen Plan zu vereiteln.

Die anderen schauten sich ungläubig in der leeren Kathedrale um, doch der Graf zeigte sich keineswegs überrascht. »Du bist ein wirklich arrogantes Mönchlein«, sagte er zu Godwyn, wobei er wie stets aus dem linken Mundwinkel sprach.

Godwyn riskierte alles. Auch mit Trotz hatte er nichts mehr zu verlieren, und so sagte er: »Und Ihr seid ein halsstarriger Graf.«

Roland legte die Hand aufs Schwert. »Dafür sollte ich dir die Klinge durch den Leib rammen.«

»Nur zu.« Godwyn breitete die Arme aus, bereit, sich kreuzigen zu lassen. »Ermordet den Prior von Kingsbridge, hier in der Kathedrale, so wie König Heinrichs Ritter den Erzbischof Thomas Becket in Canterbury ermordet haben! Schickt mich in den Himmel und euch selbst in die ewige Verdammnis!«

Philippa schnappte ob Godwyns Respektlosigkeit entsetzt nach Luft. William trat vor, als wolle er Godwyn zum Schweigen bringen, doch Roland hielt ihn mit einer Geste zurück und sagte zu Godwyn: »Dein Bischof befiehlt dir, die Kirche für die Hochzeit vorzubereiten. Oder leisten Mönche kein Gehorsamsgelübde mehr?«

»Lady Margery kann hier nicht verheiratet werden.«

»Warum nicht? Weil du Prior werden willst?«

»Weil sie keine Jungfrau mehr ist.«

Philippa schlug die Hand vor den Mund. Richard stöhnte. William zog sein Schwert. Roland rief: »Das ist Verrat!«

Godwyn sagte: »Steckt Euer Schwert weg, Herr William. Damit könnt Ihr Margerys Jungfräulichkeit auch nicht wiederherstellen.«

»Was weißt du von solchen Dingen, Mönch?«, fragte Roland.

»Zwei Männer in dieser Priorei waren Zeugen des fleischlichen Akts, der in einem der Privatgemächer des Hospitals stattgefunden hat – in ebenjenem Raum, in dem Ihr wohnt.«

»Ich glaube dir nicht.«

»Der Graf von Monmouth wird mir glauben.«

»Du wirst nicht wagen, ihm das zu sagen.«

»Ich muss ihm erklären, warum sein Sohn und Margery nicht in der Kathedrale von Kingsbridge heiraten können … jedenfalls nicht, ehe sie ihre Sünde gebeichtet haben und ihnen Absolution erteilt worden ist.«

»Du hast keinen Beweis für diese Verleumdung!«

»Ich habe zwei Zeugen. Aber fragt das Mädchen. Ich glaube, sie wird gestehen. Ich kann mir vorstellen, dass sie den Liebhaber, der ihr die Jungfräulichkeit geraubt hat, nach wie vor einer politischen Ehe vorzieht, die von ihrem Onkel arrangiert wird.« Erneut lehnte Godwyn sich weit zum Fenster hinaus. Aber er hatte Margerys Gesicht gesehen, als Richard sie geküsst hatte, und in jenem Augenblick war er fest davon überzeugt gewesen, dass Margery verliebt war. Den Sohn des Grafen heiraten zu müssen brach ihr sicherlich das Herz. Es würde für eine so junge Frau sehr schwer sein, ihre Gefühle zu verhehlen, wenn sie so stürmisch waren, wie Godwyn vermutete.

Die lebendige Hälfte von Rolands Gesicht zuckte vor Wut. »Wer ist der Halunke, den du eines solchen Verbrechens beschuldigst? Wenn du deine Vorwürfe beweisen kannst, wird der Schuft hängen; das schwöre ich … und wenn nicht, hängst du. Also schick nach ihm und lass uns hören, was er zu sagen hat.«

»Er ist bereits hier.«

Roland blickte ungläubig auf die vier Männer, die bei ihm standen: seine zwei Söhne, William und Richard dazu die beiden Priester, Lloyd und Jerome.

Godwyn starrte Richard an.

Roland folgte seinem Blick. Dann William. Kurz darauf schauten alle auf den Bischof.

Godwyn hielt den Atem an. Was würde Richard sagen? Würde er damit prahlen? Würde er Godwyn der Lüge bezichtigen? Würde er in Wut verfallen und seinen Ankläger angreifen?

Doch auf Richards Gesicht zeigte sich kein Zorn, sondern das Eingeständnis der Niederlage. Er senkte den Kopf und sagte: »Es ist sinnlos. Der verdammte Mönch hat recht. Sie würde ein Verhör nicht durchstehen.«

Graf Roland wurde kreidebleich. »Du hast das getan?« Dieses eine Mal brüllte er nicht, was das Ganze umso furchterregender machte. »Das Mädchen, das ich mit dem Sohn eines Grafen verlobt habe … Du hast sie gefickt?«

Bischof Richard erwiderte nichts darauf, sondern starrte weiter auf den Boden.

»Du Narr«, sagte der Graf. »Du Verräter. Du …«

Philippa fiel ihm ins Wort. »Wer weiß sonst noch davon?«

Das brachte den Grafen zum Schweigen. Alle schauten Philippa an.

»Vielleicht kann die Hochzeit ja doch noch stattfinden«, fuhr sie fort. »Gott sei Dank ist der Graf von Monmouth nicht hier.« Sie schaute Godwyn an. »Wer weiß sonst noch davon außer jenen, die gerade hier sind, und den beiden Männern der Priorei, die den Beischlaf bezeugen können?«

Godwyn versuchte, sein pochendes Herz zu beruhigen. Er stand so nahe vor dem Erfolg, dass er ihn bereits schmecken konnte. »Sonst niemand, Mylady«, antwortete er.

»Wir auf Seiten des Grafen können ein Geheimnis bewahren«, sagte sie. »Was ist mit Euren Leuten?«

»Sie werden dem gewählten Prior gehorchen«, antwortete Godwyn und betonte das Wort »gewählt«.

Philippa drehte sich zu Roland um. »Dann kann die Hochzeit hier stattfinden.«

Godwyn fügte rasch hinzu: »Vorausgesetzt, die Inauguration des Priors erfolgt zuerst!«

Alle Blicke richteten sich auf den Grafen.

Roland trat einen Schritt vor und schlug Richard mitten ins Gesicht. Es war der wuchtige Hieb eines Soldaten, der wusste, wie man sein ganzes Gewicht in den Arm legte. Obwohl der Graf mit der offenen Hand geschlagen hatte, wurde Bischof Richard zu Boden geschleudert.

Richard gab keinen Laut von sich, schaute nur verängstigt drein, während das Blut ihm aus dem Mund rann.

Graf Rolands Gesicht war totenbleich. Schweiß stand ihm auf der Stirn. Der Schlag hatte ihn alle Kraft gekostet, und nun zitterte er. Sekunden verrannen in lastendem Schweigen. Schließlich schien der Graf seine Kräfte zurückzugewinnen. Nach einem verächtlichen Blick auf die in Purpur gewandete Gestalt, die auf dem Boden kauerte, machte er auf dem Absatz kehrt und verließ langsam, aber festen Schrittes die Kirche.

Zusammen mit der halben Einwohnerschaft von Kingsbridge stand Caris auf dem Vorplatz der Kathedrale und wartete darauf, dass Braut und Bräutigam aus dem Kirchenportal kamen.

Caris wusste selbst nicht genau, warum sie eigentlich hier war. Seit dem Tag, an dem Merthin seinen Kran fertig gebaut hatte – nach dem unerfreulichen Gespräch über ihrer beider Zukunft –, betrachtete sie die Ehe nur noch mit Ablehnung. Caris war wütend auf Merthin, obwohl sie natürlich verstehen konnte, dass er ein eigenes Haus wollte, in dem er mit ihr leben konnte, und dass er jede Nacht mit ihr schlafen und Kinder haben wollte. So etwas wollte schließlich jeder.

In ihrem Innern wünschte auch Caris sich nichts sehnlicher, als jeden Abend bei Merthin zu liegen, sich an ihn zu schmiegen und seine Hände auf ihrer Haut zu spüren, wenn sie am Morgen erwachte. Und wie gern hätte sie einem kleinen Abbild Merthins das Leben geschenkt – ihrer beider Kind, das sie lieben und für das sie sorgen konnte. Doch all die anderen Dinge, die mit einer Ehe einhergingen, wollte Caris nicht. Sie wollte einen Geliebten, keinen Herrn; sie wollte mit Merthin leben, nicht ihm ihr Leben widmen. Und nun war sie wütend auf ihn, weil er sie gezwungen hatte, sich diesem Dilemma zu stellen. Warum konnten sie nicht einfach so weitermachen wie bisher?

Drei Wochen lang hatte Caris kaum mit ihm gesprochen. Sie täuschte eine Sommererkältung vor. Außerdem hatte sie eine schmerzhafte Entzündung an der Lippe gehabt, was ihr als Vorwand gedient hatte, ihn nicht zu küssen. Merthin nahm seine Mahlzeiten noch immer in ihrem Haus ein und sprach freundlich mit ihrem Vater; aber er blieb nicht mehr, nachdem Edmund und Petronilla zu Bett gegangen waren.

Nun war Caris' Entzündung verheilt und ihr Zorn abgeklungen. Sie wollte noch immer nicht Merthins Eigentum werden, aber sie wünschte sich, dass er sie wieder küsste. Nur war er jetzt nicht bei ihr. Er war in der Menge, ein gutes Stück entfernt, und sprach mit Bessie Bell, der Tochter des Wirts von Bells Gasthaus. Bessie war ein kleines, kurvenreiches Mädchen, dessen Lächeln die Männer kess und die Frauen zickig nannten. Caris beobachtete, wie Merthin Bessie zum Lachen brachte, und wandte den Blick ab.

Das große hölzerne Kirchenportal öffnete sich. Jubel brandete auf, und die Braut trat heraus. Margery war ein hübsches Mädchen von sechzehn Jahren. Sie war ganz in Weiß gekleidet und trug Blumen im Haar. Der Bräutigam folgte ihr: ein großer, ernst dreinblickender Mann, zehn Jahre älter als die Braut.

Beide sahen hundeelend aus.

Sie kannten einander kaum. Bis zu dieser Woche hatten sie sich nur einmal gesehen. Das war vor sechs Monaten gewesen, als die beiden Grafen die Hochzeit arrangiert hatten. Es gab ein Gerücht, dass Margery einen anderen liebte; aber es kam natürlich nicht infrage, Graf Roland den Gehorsam zu verweigern. Ihr frischgebackener Gemahl wirkte wie ein Gelehrter: Er sah aus, als würde er sich lieber irgendwo in einer Bibliothek verkriechen und ein Buch über Geometrie lesen. Wie ihr gemeinsames Leben wohl aussehen würde? Caris konnte sich nur schwer vorstellen, dass die beiden eine so feurige Leidenschaft füreinander entwickelten wie sie und Merthin.

Eigentlich, überlegte Caris, war sie undankbar. Sie konnte sich glücklich schätzen, nicht die Nichte eines Grafen zu sein. Niemand würde sie zu einer Ehe zwingen. Sie konnte den Mann heiraten, den sie liebte – und was tat sie? Sie suchte ständig nach Gründen, genau das nicht zu tun.

Merthin kam durch die Menge auf sie zu. Caris begrüßte ihn mit einer Umarmung und einem Kuss auf die Lippen. Er schaute sie überrascht an, bemerkte aber nichts dazu. Viele Männer hätten bei Caris' Stimmungsschwankungen längst den Mut verloren, doch Merthin besaß bewundernswertes Durchhaltevermögen.

Sie standen nebeneinander und beobachteten, wie Graf Roland aus der Kirche kam, gefolgt vom Grafen und der Gräfin von Monmouth. Dann kamen Bischof Richard und Prior Godwyn. Caris bemerkte, dass ihr Vetter zufrieden und besorgt zugleich aussah – fast wie der Bräutigam. Der Grund dafür war zweifellos, dass er soeben zum Prior geweiht worden war.

Eine Eskorte von Rittern formierte sich: die Männer von Shiring in Rolands Rot und Schwarz, die Männer aus Monmouth in Gelb und Grün. Der Zug setzte sich in Richtung Ratshalle in Bewegung. Dort gab Graf Roland ein Bankett für die Hochzeitsgäste. Edmund und Petronilla nahmen an der Feier teil, doch Caris hatte sich herausreden können.

Als der Hochzeitszug den Kathedralenvorplatz verließ, setzte leichter Regen ein. Caris und Merthin stellten sich am Portalvordach unter. »Komm mit in den Chor«, sagte Merthin. »Ich will mir Elfrics Reparaturen ansehen.«

Die Hochzeitsgäste verließen die Kirche. Merthin und Caris drängten sich gegen den Strom durch die Menge ins Mittelschiff und weiter ins südliche Seitenschiff des Chorbereichs, wo das Gewölbe eingestürzt war. Der Chor war dem Klerus vorbehalten; den Mönchen hätte es gar nicht gefallen, Caris hier zu sehen, doch sie und die Nonnen waren bereits gegangen. Dennoch schaute Caris sich um, doch es war niemand zu sehen außer einer Frau, die Caris nicht kannte. Die Frau war rothaarig, gut gekleidet und um die dreißig. Wahrscheinlich gehörte sie zu den Hochzeitsgästen. Sie schien auf jemanden zu warten.

Merthin legte den Kopf in den Nacken und schaute zum Gewölbe im südlichen Chorbereich hinauf. Die Instandsetzungsarbeiten waren noch nicht ganz abgeschlossen: Ein kleiner Teil des Gewölbes war noch offen, und eine weiß gestrichene Leinenplane war über die Lücke gespannt, sodass die Decke bei flüchtigem Blick unbeschädigt zu sein schien.

»Er macht ganz gute Arbeit«, bemerkte Merthin. »Ich frage mich nur, wie lange das halten wird.«

»Wieso sollte es nicht ewig halten?«, fragte Caris.

»Weil wir nicht wissen, warum das Gewölbe eingestürzt ist. So etwas geschieht nicht ohne Grund. Allerdings hat Gott nichts damit zu tun, auch wenn die Priester es sagen. Was immer das Gewölbe hat einstürzen lassen – es wird vermutlich wieder geschehen.«

»Kann man die Ursache denn nicht herausfinden?«

»Ja, aber es ist nicht einfach. Elfric kann es jedenfalls nicht. Ich vielleicht.«

»Aber du bist entlassen worden.«

»Genau.« Merthin stand dort ein paar Augenblicke lang mit zurückgelegtem Kopf und sagte dann: »Ich will mir das mal von oben ansehen. Ich gehe hinauf.«

»Ich komme mit.«

Beide schauten sie sich um, doch es war noch immer niemand zu sehen außer der rothaarigen Frau, die nach wie vor im südlichen Seitenschiff stand. Merthin führte Caris zu einer kleinen Tür, hinter der sich eine schmale Wendeltreppe verbarg. Sie folgte ihm nach oben und fragte sich, was die Mönche wohl denken würden, wenn sie wüssten, dass eine Frau ihre Geheimgänge erkundete. Die Treppe führte auf einen Dachboden über dem südlichen Seitenschiff.

Caris war fasziniert, ein Gewölbe einmal von der anderen Seite zu sehen. »Was ist das?«

»Was du hier siehst, nennt man den Gewölbe- oder Bogenrücken«, sagte Merthin und erklärte ihr, wozu er diente. Caris mochte seine beiläufige Art, ihr baumeisterliche Informationen zu vermitteln, und er machte nie dumme Scherze über Frauen und Technik.

Merthin ging den schmalen Laufsteg entlang und legte sich dann hin, um das neue Mauerwerk genauer zu betrachten. Schelmisch ließ Caris sich neben ihm nieder und legte ihm den Arm um die Schultern, als lägen sie im Bett. Merthin berührte den Mörtel zwischen den neuen Steinen und leckte sich den Finger. »Der trocknet ziemlich schnell«, bemerkte er.

»Es ist bestimmt gefährlich, wenn Feuchtigkeit in den Spalt dringt, oder?«

Merthin schaute sie an und lachte. »Ich würde dir gern Feuchtigkeit in den Spalt geben.«

»Das hast du schon.«

Er küsste sie. Caris schloss die Augen, um es besser genießen zu können.

Nach einer Minute sagte sie: »Lass uns zu mir gehen. Wir haben das Haus für uns. Mein Vater und Tante Petronilla sind auf dem Hochzeitsbankett.«

Sie wollten gerade aufstehen, als sie Stimmen hörten. Ein Mann und eine Frau waren in den südlichen Chorbereich gekommen und standen nun genau unter dem Gewölbe, das instand gesetzt wurde. Ihre Worte wurden von der Plane, die das Loch bedeckte, nur leicht gedämpft, sodass sie gut zu verstehen waren. »Dein Sohn ist jetzt dreizehn«, sagte die Frau. »Er will Ritter werden.«

»Das wollen alle Jungen«, lautete die Antwort.

Merthin flüsterte: »Rühr dich nicht! Sie würden uns hören.«

Caris nahm an, dass die weibliche Stimme der rothaarigen Frau gehörte. Die männliche Stimme kam ihr vertraut vor, und sie hatte das Gefühl, dass der Sprecher ein Mönch war ... aber ein Mönch konnte keinen Sohn haben.

»Und deine Tochter ist zwölf. Sie wird sehr schön.«

»Wie ihre Mutter.«

»Ein wenig.« Es folgte eine Pause; dann fuhr die Frau fort: »Ich kann nicht lange bleiben. Die Gräfin sucht mich vielleicht schon.«

Sie gehörte also zum Gefolge der Gräfin von Monmouth. Vielleicht war sie eine Hofdame, überlegte Caris. Die Frau schien einem Vater von seinen Kindern zu erzählen, die er schon seit Jahren nicht mehr gesehen hatte. Wer konnte der Mann sein?

Er fragte: »Warum wolltest du mich treffen, Loreen?«

»Ich wollte dich einfach nur sehen. Es tut mir leid, dass du deinen Arm verloren hast.«

Caris schnappte vernehmlich nach Luft, schlug hastig die Hand vor den Mund und hoffte, dass man sie nicht gehört hatte. Hier gab es nur einen Mönch, der einen Arm verloren hatte: Bruder Thomas. Nun, da ihr der Name eingefallen war, wusste Caris, dass die Stimme ihm gehörte. War es möglich, dass er ein Weib hatte? Und zwei Kinder? Caris schaute Merthin an. Sein Gesicht war zu einer Maske des Unglaubens erstarrt.

»Was erzählst du den Kindern von mir?«, erkundigte sich Thomas.

»Dass ihr Vater tot ist«, antwortete sie mit spröder Stimme, brach in Tränen aus und fragte schluchzend: »Warum hast du das getan?«

»Mir blieb keine Wahl. Wäre ich nicht hierhergekommen, hätte man mich getötet. Selbst jetzt noch verlasse ich das Kloster kaum.«

»Warum sollte jemand dich töten wollen?«

»Damit ein Geheimnis mit mir stirbt.«

»Ich wäre besser dran, wenn du wirklich tot wärst. Als Witwe könnte ich mir einen neuen Gemahl suchen ... einen Vater für meine Kinder. So aber habe ich die Last einer Frau und Mutter zu tragen, ohne dass jemand mir hilft ... und niemand legt des Nachts die Arme um mich.«

»Tut mir leid, dass ich noch lebe.«

»So habe ich das nicht gemeint. Ich will dich nicht tot sehen. Ich habe dich einmal geliebt.«

»Ich dich auch. So sehr, wie ein Mann von meiner Art eine Frau nur lieben kann.«

Caris runzelte die Stirn. Was meinte er mit »ein Mann von meiner Art«? War er einer von denen, die andere Männer liebten? Das war bei Mönchen oft so.

Aber was immer er meinte, Loreen schien ihn zu verstehen, denn sie entgegnete mit sanfter Stimme: »Das weiß ich.«

Schweigen breitete sich aus. Caris wusste, dass sie und Merthin ein solch intimes Gespräch nicht belauschen sollten, doch nun war es zu spät, sich zu erkennen zu geben.

Loreen fragte: »Bist du glücklich?«

»Ja. Ich war nie zum Ehemann oder Ritter geboren. Jeden Tag bete ich für meine Kinder ... und für dich. Ich bitte Gott, das Blut all jener Männer von meinen Händen zu waschen, die ich erschlagen habe. Dies hier ist das Leben, das ich schon immer gewollt habe.«

»Dann wünsche ich dir alles Gute.«

»Du bist sehr großmütig.«

»Du wirst mich wohl nie wiedersehen.«

»Ich weiß.«

»Küss mich und sag Lebewohl.«

Es folgte langes Schweigen; dann verhallten leichte Schritte im riesigen Innern der Kathedrale. Caris lag vollkommen regungslos da; sie wagte kaum zu atmen. Nach einer weiteren Pause hörte sie Thomas weinen. Sein Schluchzen war gedämpft, schien jedoch aus seinem tiefsten Innern zu kommen. Auch Caris' Augen wurden feucht.

Schließlich fasste Thomas sich wieder. Er schniefte, hustete und murmelte irgendetwas, das ein Gebet hätte sein können; dann hörte Caris seine Schritte, als er davonging.

Endlich konnten sie und Merthin sich wieder bewegen. Sie gingen über den Laufsteg und stiegen die Treppe hinunter. Keiner von beiden sagte ein Wort, als sie wieder ins südliche Seitenschiff gelangten. Es kam Caris so vor, als hätte sie soeben ein Gemälde betrachtet, das eine Tragödie zeigte: Die Figuren waren in der Dramatik des Augenblicks eingefroren, und über ihre Vergangenheit und Zukunft konnte man nur rätseln.

Als sie in den feuchten Sommernachmittag hinaustraten, sagte Merthin: »Was für eine traurige Geschichte.«

»Mich macht sie wütend«, erwiderte Caris. »Thomas hat ihr Leben zerstört!«

»Das kannst du ihm nicht zum Vorwurf machen. Er musste sein eigenes Leben retten.«

»Ja, aber jetzt ist *ihr* Leben vorbei. Loreen hat keinen Gemahl, kann aber auch nicht wieder heiraten. Und sie muss zwei Kinder alleine großziehen. Thomas hat wenigstens das Kloster.«

»Loreen hat den Hof der Gräfin.«

»Wie kannst du das vergleichen?«, erwiderte Caris verärgert. »Sie ist vermutlich eine entfernte Verwandte, die man nur aus Mildtätigkeit behält und die niedere Arbeiten verrichten muss ... der Gräfin beim Frisieren helfen oder die Kleider für sie auswählen. Die arme Frau hat keine Wahl. Sie sitzt in der Falle.«

»Thomas auch. Du hast doch gehört, wie er sagte, er könne das Klostergelände nicht verlassen.«

»Aber Thomas hat eine Aufgabe. Er ist der Matricularius. Er trifft Entscheidungen. Er tut etwas.«

»Loreen hat ihre Kinder.«

»Genau! Der Mann kümmert sich um das wichtigste Gebäude in wer weiß wie vielen Meilen Umkreis, und die Frau hat die Kinder am Hals.«

»Königin Isabella hatte vier Kinder, und eine Zeit lang gehörte sie zu den mächtigsten Leuten der Welt.«

»Aber dafür hat sie sich zuerst ihren Mann vom Hals geschafft.«

Schweigend gingen sie weiter über den Kathedralenvorplatz und auf die Hauptstraße hinaus. Vor Caris' Haus blieben sie stehen. Caris seufzte in sich hinein. Nun hatten sie schon wieder gestritten, und wieder über das gleiche Thema: die Ehe.

Merthin sagte: »Ich gehe zum Essen ins Bell.«

Das war das Gasthaus von Bessies Vater. »Wie du willst«, sagte Caris.

Als Merthin davonging, rief sie ihm hinterher: »Loreen wäre besser dran, wenn sie nie geheiratet hätte!«

Merthin sagte über die Schulter: »Was hätte sie denn sonst tun sollen?«

Da liegt das Problem, dachte Caris wütend, als sie das Haus betrat. Was sollte eine Frau sonst tun?

Das Haus war leer. Edmund und Petronilla waren zum Bankett, und die Diener hatten den Nachmittag frei. Nur Scrap, die Hündin, begrüßte Caris mit einem trägen Schwanzwedeln. Gedankenverloren tätschelte Caris dem Tier den schwarzen Kopf und setzte sich grübelnd an den Tisch in der Halle.

Jede andere Frau auf der Welt wünscht sich nichts sehnlicher, als den Mann zu heiraten, den sie liebt, überlegte Caris. Warum erschreckte sie die Aussicht so sehr? Woher hatte sie diese eigentümlichen Gefühle? Von ihrer Mutter sicher nicht. Rose hatte Edmund stets eine gute Gemahlin sein wollen. Sie hatte stillschweigend geglaubt, was die Männer über die Unterlegenheit der Frauen sagten. Ihre Unterwürfigkeit war Caris peinlich gewesen, und obwohl Edmund sich nie beschwert hatte, vermutete sie, dass er Rose zwar geliebt, aber wenig geachtet hatte. Auch Caris hatte stets mehr Respekt vor ihrer nur wenig liebenswerten, aber tatkräftigen Tante Petronilla als vor ihrer fügsamen Mutter gehabt.

Doch selbst Petronilla hatte ihr Leben von Männern bestimmen lassen – von ihrem Vater, von Graf Roland, von ihrem Ehemann und ihrem Sohn. Jahrelang hatte sie Himmel und Hölle in Bewegung gesetzt, damit ihr Vater Ratsältester von Kingsbridge werden konnte; Graf Roland hatte sie sitzen lassen, was sie ihm nie verzeihen konnte – genauso wenig wie ihrem Ehemann, dass er ihr weggestorben war. Als Witwe hatte Petronilla sich dann ganz dem Aufstieg Godwyns gewidmet.

Königin Isabella war ähnlich gewesen. Sie hatte sich ihres Ehemanns entledigt, König Edward II., doch als Folge davon hatte ihr Geliebter, Roger Mortimer, in England das Sagen gehabt, bis ihr Sohn alt und selbstbewusst genug geworden war, um ihn zu verjagen.

Caris fragte sich, ob auch sie ihr Leben durch Männer leben sollte. Sollte sie dem Wunsch ihres Vaters nachkommen und mit ihm zusammen im Wollgeschäft arbeiten? Oder sollte sie Merthin dabei helfen, Aufträge für den Bau von Kirchen oder Brücken zu ergattern und sein Geschäft auszuweiten, bis er der reichste und bedeutendste Baumeister in ganz England war?

Ein Klopfen an der Tür riss Caris aus ihren Gedanken, und Mutter Cecilia stapfte forsch ins Zimmer.

»Guten Tag!«, sagte Caris überrascht. »Ich habe mich gerade gefragt, ob alle Frauen dazu verdammt sind, ihr Leben durch Männer zu leben. Aber Ihr seid ein offensichtliches Gegenbeispiel.«

»Das stimmt nicht ganz«, erwiderte Cecilia und lächelte freundlich. »Ich lebe durch Jesus Christus, der ein Mann war, obwohl er auch Gott ist.«

Caris war nicht sicher, ob das zählte. Sie öffnete den Schrank und holte ein kleines Fass vom besten Wein heraus. »Möchtet Ihr einen Becher von Vaters Rheinländer?«

»Nur einen Schluck, mit Wasser verdünnt.«

Caris füllte zwei Becher zur Hälfte mit Wein und goss den Rest dann mit Wasser aus einem Krug auf. »Ihr wisst, dass mein Vater und meine Tante auf dem Bankett sind?«

»Ja. Ich bin deinetwegen hier.«

Das hatte Caris sich schon gedacht. Die Priorin ging nicht ohne einen wichtigen Grund durch die Stadt.

Cecilia nippte am Wein und fuhr fort: »Ich habe über dich nachgedacht ... und darüber, wie du dich am Tag des Brückeneinsturzes verhalten hast.«

»Habe ich etwas falsch gemacht?«

»Im Gegenteil. Du hast alles richtig gemacht. Du warst sanft und entschlossen zugleich, als wir die Verletzten behandelt haben. Du hast meinen Befehlen gehorcht, aber auch aus eigenem Antrieb gehandelt. Ich war beeindruckt.«

»Danke.«

»Und mir schien, als hätte die Arbeit dich erfüllt. Oder irre ich mich?«

»Die Menschen waren in Not, und wir haben ihnen Linderung gebracht. Was könnte erfüllender sein?«

»So sehe ich es auch. Deshalb bin ich Nonne geworden.«

Nun wusste Caris, worauf es hinauslief. »Ich könnte mein Leben nicht in einem Kloster verbringen.«

»Mir ist noch mehr aufgefallen. Als die Leute das erste Mal mit den Toten und Verletzten in die Kathedrale kamen, habe ich sie gefragt, wer ihnen gesagt habe, was zu tun sei. Sie alle haben deinen Namen genannt.«

»Es war offensichtlich, was getan werden musste.«

»Ja – für dich.« Cecilia beugte sich mit ernster Miene vor. »Nur wenige Menschen verfügen über die Gabe, so etwas zu erkennen und entsprechend zu handeln. Ich weiß es, denn auch ich habe diese Fähigkeit. Würden rings um uns her nur noch Ratlosigkeit, Angst und Entsetzen herrschen, würden du und ich das Kommando übernehmen.«

»Schon möglich«, räumte Caris widerwillig ein.

»Ich habe dich zehn Jahre lang beobachtet – seit dem Tag, als deine Mutter gestorben ist.«

»Ihr habt ihr die Angst genommen.«

»Schon damals, nachdem ich nur mit dir gesprochen hatte, wusste ich, dass eine außergewöhnliche Frau aus dir wird. Und ich sah mich bestätigt, als du die Nonnenschule besucht hast. Jetzt bist du zwanzig. Du musst darüber nachdenken, was du mit deinem Leben anfangen willst, und ich glaube, dass Gott Arbeit für dich hat.«

»Woher wisst Ihr, was Gott denkt?«

Cecilia zuckte zusammen. »Hätte jemand anders in dieser Stadt mir diese Frage gestellt, würde ich ihm raten, dass er niederkniet und um Vergebung betet. Aber du meinst es ernst, also werde ich die Frage beantworten: Ich weiß, was Gott denkt, weil ich die Lehren seiner Kirche annehme, und ich bin sicher, dass unser Herr Jesus dich zur Braut wünscht.«

»Aber ich mag Männer aus Fleisch und Blut.«

»Mit diesem Problem habe ich bei jungen Frauen stets zu kämpfen, aber glaub mir: Das legt sich mit den Jahren.«

»Aber ich müsste mich Regeln beugen, und Regeln mag ich nicht anerkennen.«

»Du redest wie eine Begine.«

»Was ist das?«

»Beginen sind Nonnen, die keine Regeln gelten lassen und ihre Gelübde nur als vorübergehend betrachten. Sie leben zusammen, bestellen ihr Land und weiden ihr Vieh. Sie weigern sich, von Männern beherrscht zu werden.«

Caris hörte fasziniert zu, wie jedes Mal, wenn es um Frauen ging, die sich Regeln widersetzten. »Wo gibt es diese Nonnen?«

»Vor allem in Flandern. Sie hatten einst eine Führerin, Margareta Porete, die ein Buch mit dem Titel ›Spiegel der einfachen Seele‹ geschrieben hat.«

»Das würde ich gern einmal lesen.«

»Tu's nicht. Die Beginen sind von der Kirche wegen ihres Glaubens an die Freiheit des Geistes zu Ketzern erklärt worden. Sie glauben, dass wir auf Erden geistige Vollkommenheit erreichen können.«

»Geistige Vollkommenheit? Was heißt das?«

»Wenn du entschlossen bist, deinen Geist Gott zu versperren, wirst du es nie verstehen.«

»Tut mir leid, Mutter Cecilia, aber jedes Mal, wenn ein einfacher Mensch mir etwas über Gott erzählt, denke ich: ›Aber Menschen sind fehlbar; also ist die Wahrheit vielleicht ganz anders.‹«

»Wie könnte die Kirche sich irren?«

»Nun, die Muselmanen haben einen anderen Glauben.«

»Das sind Heiden!«

»Sie nennen uns Ungläubige – das ist das Gleiche. Und Buonaventura Caroli sagt, es gebe mehr Muselmanen als Christen auf der Welt. Also muss irgendjemand in der Kirche sich geirrt haben.«

»Caris!«, mahnte Cecilia streng. »Lass dich von deiner Leidenschaft nicht zur Blasphemie verleiten!«

»Verzeiht, Mutter Cecilia.« Caris wusste, dass Cecilia gern mit ihr disputierte, doch es kam stets der Augenblick, da die Priorin den Disput abbrach und zur Predigerin wurde. Immer dann kam Caris sich betrogen vor.

Mutter Cecilia erhob sich. »Ich weiß, dass ich dich nicht gegen deinen Willen zu überzeugen vermag. Ich wollte dir auch nur sagen, in welche Richtung meine Gedanken gehen. Du könntest nichts Besseres für dich tun, als dich unserem Konvent anzuschließen und dein Leben der Nächstenliebe zu widmen – der Heilung Kranker und der Tröstung Sterbender. Vielen Dank für den Wein.«

Als Mutter Cecilia sich zum Gehen wandte, fragte Caris: »Was ist mit dieser Margareta Porete geschehen? Lebt sie noch?«

»Nein«, antwortete die Priorin. »Sie wurde auf dem Scheiterhaufen verbrannt.« Sie ging auf die Straße hinaus und zog die Tür hinter sich zu.

Caris starrte auf die geschlossene Tür und dachte bei sich: Das Leben einer Frau ist wie ein Haus voller geschlossener Türen. Frauen können nirgends in die Lehre gehen, können nicht studieren, können weder Priester noch Arzt werden, können weder mit dem Bogen schießen noch mit dem Schwert kämpfen – sie können nicht einmal heiraten, ohne sich der Tyrannei ihres Gemahls zu unterwerfen.

Caris fragte sich, was Merthin wohl gerade tat. Saß er mit Bessie an seinem Tisch im Bell? Beobachtete sie ihn dabei, wie er das beste Bier ihres Vaters trank? Lächelte sie ihn einladend an und zog ihren Ausschnitt ein Stück herunter, damit er ihre hübschen Brüste sehen konnte? Öffnete sie leicht den Mund, dass er ihre ebenmäßigen Zähne sah? Warf sie den Kopf zurück, damit er die weiche Haut ihres weißen Halses bewundern konnte? War Merthin amüsant, und brachte er sie zum Lachen? Sprach er mit ihrem Vater, Paul Bell, und stellte ihm respektvoll Fragen zu seinem Geschäft, sodass Paul seiner Tochter später sagen würde, Merthin sei ein netter junger Mann? Würde Merthin sich betrinken und den Arm um Bessies Hüfte legen? Und würde seine Hand dann unauffällig zwischen ihre Schenkel wandern?

Caris traten die Tränen in die Augen. Sie kam sich wie eine Närrin vor. Da hatte sie den besten Mann in der Stadt, und was machte sie? Sie überließ ihn einer Schankmaid. Warum tat sie sich das nur an?

In diesem Moment kam Merthin herein.

Caris schaute ihn durch einen Tränenschleier hindurch an. Ihr Blick war verschwommen, sodass sie seine Miene nicht zu erkennen vermochte. War er gekommen, um sich mit ihr auszusöhnen? Oder wollte er mit dem Mut mehrerer Humpen Bier seine Wut an ihr auslassen?

Caris stand auf. Einen Augenblick war sie wie erstarrt, als Merthin die Tür hinter sich schloss und langsam zu ihr kam. Dann sagte er: »Egal, was du sagst oder tust, ich liebe dich noch immer.«

Caris warf sich ihm in die Arme.

Merthin streichelte ihr übers Haar und schwieg – und das war genau das Richtige.

Als sie sich küssten, verspürte Caris das altbekannte Verlangen, doch stärker denn je: Sie wollte Merthins Hände am ganzen Leib spüren, wollte seine Zunge in ihrem Mund, seine Finger in ihrem Schoß. Sie wollte, dass ihre Liebe endlich einen neuen und endgültigen Ausdruck fand. »Lass uns unsere Kleider ausziehen«, sagte sie drängend. Das hatten sie noch nie getan.

Merthin zog sie an sich. »Und wenn jemand hereinkommt?«

»Sie werden noch stundenlang die Hochzeit feiern. Außerdem können wir ja nach oben gehen.«

Sie gingen in Caris' Schlafgemach. Caris trat ihre Schuhe weg. Doch mit einem Mal überkam sie Scham. Was würde Merthin denken, wenn er sie nackt sah? Sie wusste, dass er jeden Teil ihres Körpers liebte: ihre Brüste, ihre Beine, ihren Hals … Er sagte ihr stets, wie schön sie sei, wenn er sie küsste und streichelte. Aber würde er nun bemerken, dass ihre Hüften zu breit waren, ihre Beine ein wenig zu kurz und ihre Brüste klein?

Merthin schien solche Vorbehalte nicht zu haben. Er riss sich sein Hemd über den Kopf, zog die Hose aus und stand selbstbewusst vor ihr. Sein Leib war schlank, aber stark, und er schien vor Kraft zu platzen wie ein junger Hirsch. Caris bemerkte zum ersten Mal, dass das Haar an seinen Lenden von der gleichen Farbe wie Herbstlaub war. Sein Schwanz richtete sich eifrig auf. Nun siegte auch bei Caris das Verlangen über die Schüchternheit, und sie zog sich rasch das Kleid über den Kopf.

Merthin starrte auf ihren nackten Leib, doch Caris war nicht mehr verlegen, im Gegenteil: Wie eine intime Berührung entfachte sein Blick das Verlangen in ihr. »Du bist wunderschön«, sagte er.

Dann lagen sie Seite an Seite auf dem Strohsack, der Caris als Bett diente. Während sie sich küssten und einander berührten, erkannte Caris, dass sie sich heute nicht mit dem Gewohnten zufriedengeben würden. Heute würden sie einen Schritt weiter gehen. »Ich will es richtig tun«, sagte sie.

»Du meinst ... alles?«

Kurz kam Caris der Gedanke an eine Schwangerschaft, doch sie schob ihn rasch beiseite. Sie war viel zu erregt. »Ja«, flüsterte sie. »Ich will es endlich tun!«

»Ich auch.«

Merthin legte sich auf sie. Ihr halbes Leben lang hatte Caris sich gefragt, wie dieser Augenblick wohl sein würde. Sie schaute hinauf in Merthins Gesicht. Er hatte jenen konzentrierten Ausdruck, den sie so sehr liebte, den Ausdruck, den er bei der Arbeit zeigte, wenn er mit seinen kleinen Händen zärtlich und geschickt das Holz bearbeitete.

Er fragte: »Bist du sicher?«

Erneut verdrängte Caris den Gedanken an eine Schwangerschaft. »Ja, ganz sicher.«

Kurz überkam sie Furcht, als er in sie eindrang. Einen Augenblick lang verspannte sie sich, und Merthin zögerte, als er den Widerstand ihres Körpers bemerkte. »Es ist nichts«, stieß sie hervor. »Mach weiter ... Du wirst mir schon nicht wehtun.«

Was das betraf, irrte sich Caris, denn bei seinem ersten Stoß verspürte sie einen stechenden Schmerz und schrie auf.

»Tut mir leid«, flüsterte er.

»Warte ...«, sagte sie.

Sie lagen still. Merthin küsste Caris' Augenlider, ihre Stirn, ihre Nasenspitze. Caris streichelte ihm übers Gesicht, schaute in seine goldbraunen Augen. Dann war der Schmerz abgeklungen, und das Verlangen kehrte wieder. Caris begann sich zu bewegen und genoss das Gefühl, den Mann, den sie liebte, zum ersten Mal tief in sich zu spüren. Seine Lust zu sehen erregte sie zusätzlich. Merthin blickte sie an, ein schmerzhaftes Verlangen in den Augen, das immer mehr wuchs, je schneller sie sich bewegten.

»Ich ... Ich kann nicht aufhören«, sagte er atemlos.

»Hör nicht auf«, keuchte Caris, »hör nicht auf ....«

Augenblicke später wurde Merthin von seiner Lust überwältigt.

Er kniff die Augen zusammen, öffnete den Mund, und sein Leib spannte sich wie ein Bogen. Caris spürte seine Zuckungen in sich, den Strom seines Samens. Nichts in ihrem Leben hatte sie auf eine solche Glückseligkeit vorbereitet. Einen Moment später verkrampfte auch sie sich in Ekstase. Sie hatte dieses Gefühl schon früher gehabt, doch längst nicht so machtvoll, und sie schloss die Augen, ergab sich völlig der Lust und presste ihren Unterleib gegen Merthins Becken, wobei sie vor Wonne schauderte.

Später lagen sie still nebeneinander. Merthin vergrub sein Gesicht an Caris' Hals, und sie spürte seinen heißen Atem. Sie streichelte seinen Rücken. Seine Haut war feucht von Schweiß. Nach und nach beruhigte sich ihr Herzschlag wieder, und tiefe Zufriedenheit breitete sich in ihr aus wie die Dämmerung an einem milden Sommerabend.

»So, so«, sagte sie nach einer Weile. »Das also ist es, wovon die Leute immerzu reden.«

An dem Tag, nachdem Godwyn als Prior bestätigt worden war, ging Edmund Wooler am frühen Morgen zu Merthins Eltern.

Merthin vergaß oft, dass Edmund ein bedeutender Mann in Kingsbridge war, was aber nicht etwa an mangelndem Respekt lag, sondern daran, dass Edmund ihn wie einen Familienangehörigen behandelte. Gerald und Maud jedoch führten sich auf, als wäre unerwartet der König persönlich zu Besuch gekommen. Es war ihnen peinlich, dass Edmund ihr ärmliches Haus sah, das nur ein Zimmer hatte. Merthin und seine Eltern schliefen auf Strohmatratzen auf dem Boden. Es gab einen Herd, einen Tisch und einen kleinen Hinterhof.

Zum Glück war die Familie bereits seit Sonnenaufgang auf den Beinen, hatte sich gewaschen, angekleidet und das Haus geputzt. Trotzdem wischte Mutter rasch einen Hocker ab, als Edmund mit seinem verkrüppelten Bein ins Haus gehumpelt kam, strich sich das Haar glatt, schloss die Hintertur und legte einen Scheit aufs Feuer. Gerald verneigte sich gleich mehrmals, warf sich ein zerschlissenes Wams über und bot Edmund einen Becher Bier an.

»Nein, danke, Sir Gerald«, sagte Edmund, der ohne Zweifel wusste, dass die Familie nichts zu verschenken hatte. »Eine kleine Schüssel von Eurem Eintopf würde ich allerdings gern nehmen, Lady Maud, wenn ich darf.« Jede Familie hatte stets einen Topf mit Gerste auf dem Herd; in den Topf wurden Knochen, Apfelkerne, Erbsenschalen und andere Essensreste geworfen, die dann tagelang vor sich hin köchelten. Mit Salz und Kräutern gewürzt gab das eine dicke Suppe, die immer anders schmeckte. Es war die billigste Nahrung.

Erfreut füllte Maud eine Schüssel, schob sie auf den Tisch, stellte einen Teller Brot dazu und legte einen Löffel daneben.

Merthin war noch immer ganz vom vorherigen Nachmittag gefangen. Es war, als wäre er leicht betrunken. Als er eingeschlafen war, hatte er an Caris' nackten Leib gedacht, und lächelnd war er wieder aufgewacht.

Edmund setzte sich an den Tisch und griff zum Löffel, doch ehe er zu essen begann, sagte er zu Merthin: »Da wir nun einen neuen Prior haben, will ich so bald wie möglich mit der Arbeit an der neuen Brücke beginnen.«

»Gut«, sagte Merthin.

Edmund aß einen Löffel und schnalzte mit der Zunge. »Das ist der beste Eintopf, den ich je gegessen habe, Lady Maud.« Merthins Mutter schaute zufrieden drein.

Merthin war dankbar, dass Edmund so zuvorkommend zu seinen Eltern war. Noch immer litten sie unter der Demütigung ihres tiefen Falls, und es war Balsam für ihre Seelen, dass nun der Ratsälteste an ihrem Tisch saß und sie mit »Sir Gerald« und »Lady Maud« anredete.

Nun sagte Gerald: »Um ein Haar hätte ich mein Weib gar nicht geheiratet, Herr Edmund … Habt Ihr das gewusst?«

Merthin war sicher, dass Edmund die Geschichte bereits gehört hatte, doch der alte Kaufherr erwiderte: »Gütiger Gott, nein. Wie kam denn das?«

»Ich habe Maud am Ostersonntag in der Kirche gesehen und mich auf den ersten Blick in sie verliebt. Es müssen wohl tausend Menschen in der Kathedrale von Kingsbridge gewesen sein, aber sie war die schönste Frau!«

»Jetzt übertreib mal nicht, Gerald …«, sagte Maud, allerdings nicht allzu entschieden.

»Dann ist sie in der Menge verschwunden, und ich konnte sie nicht mehr finden. Ich kannte ihren Namen nicht. Ich habe die Leute gefragt, wer das hübsche Mädchen mit den blonden Haaren gewesen sei, worauf die Leute sagten: ›Alle Mädchen sind hübsch und blond.‹«

»Ich habe mich nach dem Gottesdienst beeilt, dass ich aus der Kirche kam«, erzählte Maud. »Wir haben im Holly Bush gewohnt, und meine Mutter fühlte sich nicht wohl; also ich rasch zurückgegangen, mich um sie zu kümmern.«

»Und ich habe in der ganzen Stadt nach ihr gesucht«, fuhr Gerald fort, »konnte sie aber nicht finden. Nach Ostern sind alle wieder nach Hause gegangen. Ich habe in Shiring gelebt und sie in Casterham, aber ich wusste nichts davon! Ich dachte, ich würde sie nie wiedersehen. Ich hielt sie sogar für einen Engel, der dafür hatte sorgen sollen, dass alle an der Messe teilnehmen.«

»Gerald, bitte!«, rief Maud.

»Aber ich hatte mein Herz verloren. Andere Frauen haben mich nicht mehr interessiert. Ich hatte mich schon darauf eingerichtet, dass ich mich für den Rest meines Lebens in Sehnsucht nach dem Engel von Kingsbridge verzehren würde. Das ging zwei Jahre so. Dann habe ich sie bei einem Turnier in Winchester wiedergesehen.«

Maud sagte: »Da kam dieser vollkommen Fremde zu mir und sagte: ›Ihr seid es, nach all der Zeit! Ihr müsst mich heiraten, bevor Ihr wieder verschwindet.‹ Ich habe ihn für verrückt gehalten.«

»Eine erstaunliche Geschichte«, sagte Edmund.

Merthin gelangte zu der Ansicht, dass Edmunds guter Wille nun ausreichend strapaziert worden sei. Er sagte: »Wie dem auch sei – ich habe auf dem Skizzenboden in der Kathedrale ein paar Pläne entworfen.«

Edmund fragte: »Für eine Steinbrücke, breit genug für zwei Karren?«

»Alles gemäß Euren Vorgaben – und mit Rampen an beiden Enden. Und ich habe eine Möglichkeit gefunden, den Preis um ein Drittel zu verringern.«

»Und wie?«

»Ich werde es Euch zeigen, wenn Ihr zu Ende gegessen habt.«

Edmund schlang den letzten Rest Eintopf herunter und stand auf. »Ich bin fertig. Lass uns gehen.« Er verneigte sich vor Gerald. »Habt Dank für Eure Gastfreundschaft.«

»Es war uns ein Vergnügen, Euch in unserem Haus zu haben, Ratsältester.«

Merthin und Edmund traten hinaus in den Nieselregen. Anstatt direkt zur Kathedrale zu gehen, führte Merthin Edmund zum Fluss. Edmunds Humpeln war unverkennbar, und so begrüßte fast jeder, dem sie begegneten, ihn mit einem freundlichen Wort oder einer respektvollen Verbeugung.

Merthin wurde plötzlich von Unruhe erfasst. Seit Monaten dachte er nun schon über einen Plan für die Brücke nach. Als er an der Kirche St. Mark gearbeitet und die Zimmerleute beaufsichtigt hatte, als diese das neue Dach bauten, während das alte gleichzeitig abgetragen wurde, hatte er immer wieder über die Herausforderung nachgegrübelt, eine Steinbrücke zu errichten. Nun würde er seine Ideen zum ersten Mal einem anderen zeigen.

Und bis jetzt hatte Edmund keine Ahnung, wie radikal Merthins Plan war.

Die verschlammte Straße wand sich den Hügel hinunter und zwischen Häusern und Werkstätten hindurch. Die Stadtbefestigungen waren in zweihundert Jahren Frieden verfallen; nun waren nur noch Erdhaufen davon übrig, die Teile von Gartenmauern bildeten. Am Flussufer gab es Handwerksbetriebe, die große Mengen Wasser benötigten, vor allem Wollfärber und Gerber.

Zwischen einem Schlachthof, der den Gestank nach Blut verströmte, und einer Schmiede, in der Hämmer auf Eisen schlugen, gelangten Merthin und Edmund auf das schlammige Vorland. Unmittelbar vor ihnen, jenseits eines schmalen Wasserstreifens, lag Leper Island, die Insel der Aussätzigen. Edmund fragte: »Warum sind wir hier? Die Brücke liegt doch eine Viertelmeile flussaufwärts.«

»Sie *lag* eine Viertelmeile flussaufwärts«, erwiderte Merthin, atmete tief durch und sagte: »Ich denke, wir sollten die neue Brücke hier bauen.«

»Eine Brücke zur Insel?«

»Und eine weitere von der Insel zum gegenüber liegenden Ufer. Zwei kleine Brücken anstatt einer großen. Das wäre viel billiger.«

»Aber die Leute werden über die Insel gehen müssen, um von einer Brücke zur anderen zu gelangen.«

»Ja. Warum auch nicht?«

»Weil das eine Leprakolonie ist!«

»Es gibt dort nur noch einen Aussätzigen. Der kann woandershin gebracht werden. Die Krankheit scheint auszusterben.«

Edmund schaute nachdenklich drein. »Dann wird also jeder, der nach Kingsbridge will, an genau der Stelle ankommen, an der wir jetzt stehen.«

»Wir müssen natürlich noch eine neue Straße bauen und ein paar Gebäude abreißen; aber die Kosten werden gering sein, weil wir dank der zweigeteilten Brücke viel Geld sparen.«

»Was ist auf der anderen Seite?«

»Eine Weide der Priorei. Wenn ich auf dem Dach von St. Mark arbeite, kann ich das ganze Gebiet überblicken. So ist mir auch die Idee gekommen.«

Edmund war beeindruckt. »Sehr klug! Ich frage mich, warum die Brücke nicht ursprünglich schon hier errichtet worden ist.«

»Die erste Brücke ist vor Hunderten von Jahren gebaut worden. Damals hatte der Fluss vermutlich einen anderen Lauf. Mit den Jahrhunderten verändern Flussufer ihre Gestalt. Der Kanal zwischen der Insel und der Weide muss zu früheren Zeiten breiter gewesen sein. Deshalb hätte es damals keinen Vorteil gebracht, die Brücke hier zu errichten.«

Edmund spähte über das Wasser hinweg, und Merthin folgte seinem Blick. Die Leprakolonie war eine Ansammlung zerfallener Holzgebäude, die sich über drei oder vier Morgen Land erstreckte. Die Insel war zu felsig für den Ackerbau, doch es gab ein paar Bäume und Gras. Auf Leper Island wimmelte es von Hasen, die von abergläubischen Stadtbewohnern allerdings nicht gegessen wurden, denn die Leute glaubten, die Tiere seien die Seelen toter Aussätziger. Einst hatten die verstoßenen Bewohner der Insel ihre eigenen Hühner und Schweine gehalten. Nun jedoch war es einfacher für die Priorei, den letzten Aussätzigen mit Nahrung zu versorgen.

»Du hast recht«, sagte Edmund. »Seit zehn Jahren schon hat es keinen Fall von Lepra mehr in der Stadt gegeben.« Er drehte sich mit dem Rücken zum Fluss und schaute sich die umliegenden Gebäude an. »Das bedeutet auch viel politische Arbeit«, sinnierte er laut. »Die Leute, deren Häuser wir abreißen müssen, müssen davon überzeugt werden, dass es ein Glücksfall für sie ist, in neue, bessere Wohnungen ziehen zu können, während ihre Nachbarn in den alten Häusern bleiben müssen. Außerdem muss die Insel mit Weihwasser gereinigt werden, damit die Leute glauben, dass der Übergang sicher ist. Aber das werden wir schon schaffen.«

»Ich habe beide Brücken mit Spitzbögen entworfen, wie die Kathedrale sie hat«, sagte Merthin. »Sie werden wunderschön!«

»Zeig es mir.«

Sie verließen das Ufer und gingen den Hügel hinauf, durch die Stadt und zur Priorei. Die Kathedrale triefte vor Regen unter einer niedrigen trüben Wolkenschicht, die wie Rauch von einem nassen Feuer aussah. Merthin freute sich darauf, seine Zeichnungen wiederzusehen – seit gut einer Woche war er nicht mehr in der Modellkammer gewesen – und sie Edmund zu erklären. Er hatte viel darüber nachgedacht, auf welche Weise die Strömung die alte Brücke geschwächt hatte und wie man die neue vor dem gleichen Schicksal bewahren konnte.

Merthin führte Edmund durch das Nordportal und die Wendeltreppe hinauf. Seine feuchten Schuhe rutschten auf den ausgetretenen Steinstufen aus. Hinter ihm zog Edmund energisch sein verkrüppeltes Bein hinauf.

Zu Merthins Verwunderung brannten mehrere Lampen in der Modellkammer. Dann sah er Elfric auf dem Skizzenboden arbeiten und ballte die Fäuste.

Die Feindschaft zwischen Merthin und seinem früheren Lehrherrn war so erbittert wie eh und je. Elfric hatte die Leute nicht davon abhalten können, Merthin Arbeit zu geben, doch er verhinderte noch immer Merthins Aufnahme in die Zimmermannszunft, sodass Merthin in einer ungewöhnlichen Position war: Er arbeitete unrechtmäßig, wurde aber allgemein akzeptiert. Deshalb war Elfrics Ablehnung sinnlos; was er tat, geschah aus reiner Bosheit.

Dass Elfric sich in der Modellkammer aufhielt, war ein Dämpfer für Merthin; jetzt konnte er sein Gespräch mit Edmund nicht führen. Zorn loderte in ihm auf. Dann aber ermahnte er sich, nicht so empfindlich zu sein. Wahrscheinlich war auch Elfric nicht wohl in seiner Haut.

Merthin hielt die Tür für Edmund auf, und gemeinsam durchquerten sie den Raum bis zum Skizzenboden.

Und dort erlebte Merthin eine böse Überraschung: Elfric hatte sich über den Skizzenboden gebeugt und schlug mit einem Zirkel Kreise – auf einer frischen Schicht Putz! Er hatte den Boden neu verputzt und Merthins Zeichnungen vernichtet.

Ungläubig rief Merthin: »Was habt Ihr getan?«

Elfric schaute ihn verächtlich an und zeichnete dann wortlos weiter.

»Er hat meine Arbeit ausgelöscht!«, sagte Merthin zu Edmund.

»Was hast du als Erklärung vorzubringen, Mann?«, verlangte Edmund zu wissen.

»Da gibt es nichts zu erklären«, sagte Elfric. »Ein Skizzenboden wird immer wieder erneuert.«

»Aber du hast wichtige Entwürfe zerstört!«

»Habe ich das? Der Prior hat den Jungen nicht beauftragt, irgendwelche Entwürfe zu machen, und der Junge hat auch nicht um Erlaubnis gebeten, den Skizzenboden benutzen zu dürfen.«

Edmund war reizbar, und Elfrics Dreistigkeit ließ ihm die Galle aufsteigen. »Sei nicht dumm«, sagte er. »Ich habe Merthin gebeten, eine neue Brücke zu entwerfen!«

»Einen solchen Auftrag darf nur der Prior erteilen.«

»Verdammt, der Rat bezahlt dafür!«, rief Edmund.

»Das Geld ist nur geliehen, bis die Priorei es zurückzahlen kann.«

»Trotzdem gibt es uns das Recht, über den Brückenentwurf mitzuentscheiden.«

»Ach ja? Na, darüber wirst du mit dem Prior sprechen müssen. Ich glaube allerdings nicht, dass es ihm gefällt, dass du dir einen unerfahrenen Lehrling ausgesucht hast.«

Merthin schaute sich die Pläne an, die Elfric in den frischen Putz gekratzt hatte. »Ich nehme an, das ist Euer Brückenentwurf ...?«

»Prior Godwyn hat mich beauftragt, die Brücke zu bauen«, erklärte Elfric.

Edmund war entsetzt. »Ohne uns zu fragen?«

Voller Groll entgegnete Elfric: »Was ist los? Willst du nicht, dass der Auftrag an den Gemahl deiner Tochter geht?«

»Rundbögen«, sagte Merthin, der noch immer Elfrics Zeichnung betrachtete. »Und schmale Durchfahrten. Wie viele Pfeilerpaare habt Ihr?«

Elfric wollte nicht antworten, doch Edmund starrte ihn so düster an, dass er widerwillig sagte: »Sieben!«

»Die Holzbrücke hatte nur fünf!«, rief Merthin. »Warum sind sie so dick und die Durchfahrten so schmal?«

»Um das Gewicht einer gepflasterten Straße tragen zu können.«

»Dafür braucht man keine so dicken Pfeiler. Schaut Euch die Kathedrale an: Ihre Säulen tragen das gesamte Gewicht des Daches, doch sie sind schlank und stehen weit auseinander.«

Elfric schnaubte verächtlich. »Es fährt ja auch niemand mit einem Karren übers Kirchendach.«

»Ja, ja, aber ...« Merthin hielt inne. Der Regen, der auf das Dach der Kathedrale fiel, wog vermutlich mehr als ein mit Steinen beladener Ochsenkarren, doch warum sollte er Elfric das erklären? Es war nicht seine Aufgabe, einen unfähigen Baumeister zu belehren. Elfrics Entwurf war unzureichend, doch Merthin wollte ihn nicht verbessern; er wollte seinen eigenen Entwurf an dessen Stelle setzen, und so hielt er den Mund.

Auch Edmund sah ein, dass er bloß seinen Atem verschwendete. »Diese Entscheidung werdet nicht ihr beide treffen«, sagte er und humpelte davon.

John Constables kleine Tochter wurde in der Kathedrale von Prior Godwyn selbst getauft. Diese Ehre wurde John deshalb zuteil, weil er ein wichtiger Bediensteter des Klosters war. Alle führenden Bürger der Stadt nahmen an der Zeremonie teil. Obwohl John weder wohlhabend war noch gute Verbindungen besaß – sein Vater hatte in den Ställen der Priorei gearbeitet –, erklärte Petronilla, dass ehrenwerte Leute darauf achten müssten, John Respekt zu erweisen und ihn zu unterstützen. Caris vermutete, dass die Reichen John auf diese Art ehrten, weil sie ihn zum Schutz ihrer Besitztümer brauchten.

Es regnete schon wieder, und die Leute um den Taufstein waren nasser als das Kleinkind, das mit Weihwasser bespritzt wurde. Als Caris das kleine, hilflose Baby sah, regten sich seltsame Gefühle in ihr. Seit sie bei Merthin gelegen hatte, hatte sie immer wieder den Gedanken an eine Schwangerschaft beiseitegeschoben; dennoch weckte der Anblick des Säuglings Schutzgefühle in ihr.

Das Kind hieß Jesca, nach Abrahams Nichte.

Caris' Vetter Godwyn hatte sich in Gegenwart kleiner Kinder nie wohlgefühlt, und kaum war das Ritual vorbei, wandte er sich zum Gehen. Doch Petronilla packte ihn am Ärmel seines Benediktinergewands. »Was ist mit der Brücke?«, wollte sie wissen.

Sie sprach mit leiser Stimme, doch Caris hörte es und beschloss, sich auch den Rest des Gesprächs anzuhören.

Godwyn antwortete: »Ich habe Elfric gebeten, Entwürfe anzufertigen und die Kosten zu berechnen.«

»Gut. Wir sollten die Sache in der Familie behalten.«

»Elfric ist der Baumeister der Priorei.«

»Andere Leute werden auch noch mitmischen wollen.«

»Ich entscheide, wer die Brücke baut.«

Caris ärgerte sich so sehr, dass sie sich einmischte: »Wie kannst du es wagen …?«, sagte sie zu Petronilla.

»Ich habe nicht mit dir gesprochen«, erwiderte ihre Tante kalt.

Caris beachtete sie nicht. »Warum sollte Merthins Entwurf nicht auch in Betracht gezogen werden?«

»Weil er nicht zur Familie gehört.«

»Er wohnt bei uns!«

»Aber du bist nicht mit ihm verheiratet. In dem Fall wäre es vielleicht anders.«

Caris wusste, dass sie in diesem Punkt im Nachteil war; also versuchte sie es auf andere Weise: »Du hattest immer schon Vorurteile gegen Merthin, aber jeder weiß, dass er ein besserer Baumeister ist als Elfric.«

Nun mischte Caris' Schwester Alice sich ebenfalls in die Diskussion ein. »Elfric hat Merthin alles beigebracht, was er weiß, und nun tut Merthin so, als wüsste er es besser!«

Caris wurde richtig wütend. »Und wer hat die Fähre gebaut?«, fragte sie und hob die Stimme. »Wer hat das Dach von St. Mark repariert?«

»Merthin hat noch mit Elfric gearbeitet, als er die Fähre gebaut hat, und was St. Mark betrifft, so hat niemand Elfric gefragt.«

»Weil jeder gewusst hat, dass er das Problem niemals hätte lösen können!«

Godwyn unterbrach die beiden Frauen. »Bitte!«, sagte er und hob beschwichtigend die Hände. »Ich weiß, dass ihr meine Familie seid, aber ich bin der Prior, und dies ist die Kathedrale. Ich kann mich nicht in der Öffentlichkeit von Frauen zurechtweisen lassen.«

Edmund schloss sich dem Kreis an. »Genau das hab ich auch sagen wollen. Haltet euch gefälligst zurück!«

Alice sagte vorwurfsvoll: »Du solltest deinen Schwiegersohn unterstützen.«

Alice wurde mehr und mehr wie Petronilla, überlegte Caris. Obwohl sie erst einundzwanzig war und Petronilla mehr als doppelt so alt, hatte Alice schon den gleichen säuerlichen Gesichtsausdruck. Auch wurde sie immer üppiger; ihr Busen blähte ihr Kleid wie der Wind die Segel.

Edmund blickte Alice streng an. »Diese Entscheidung wird nicht auf der Grundlage familiärer Beziehungen getroffen«, sagte er. »Dass Elfric mit meiner Tochter verheiratet ist, wird die Brücke auch nicht aufrecht halten.«

Edmund hatte eine feste Meinung zu diesem Thema; das wusste Caris. Er glaubte, dass man nur mit den zuverlässigsten Lieferanten Geschäfte machen dürfe und dass man immer den besten Mann für eine Arbeit einstellen müsse, ungeachtet irgendwelcher Freundschaften oder familiärer Beziehungen. »Jeder, der sich mit treuen Akolythen umgeben muss, glaubt nicht an sich selbst«, pflegte er zu sagen, »und wenn jemand nicht an sich selbst glaubt, warum sollte ich es dann tun?«

Petronilla fragte: »Wie soll denn nun entschieden werden?« Sie warf Edmund einen Blick von der Seite zu. »Offensichtlich hast du ja schon einen Plan.«

»Die Priorei und der Rat werden Elfrics und Merthins Entwürfe vergleichen – und jeden anderen, der ihnen vorgelegt wird«, erklärte Edmund entschlossen. »Alle Entwürfe müssen gezeichnet und die Kosten aufgelistet sein. Die Kostenrechnungen werden dann von anderen Baumeistern überprüft.«

Alice meinte: »Von einem solchen Verfahren habe ich noch nie gehört. Das ist ja wie ein Schießwettbewerb. Elfric ist der Baumeister der Priorei; also sollte er den Auftrag auch bekommen.«

Ihr Vater beachtete sie nicht. »Zu guter Letzt werden die Baumeister von den führenden Bürgern der Stadt bei einer Ratsversammlung befragt. Und dann ...« Er schaute zu Godwyn, der sich seine Verwirrung, dass sein Onkel ihm die Entscheidung aus der Hand genommen hatte, nicht anmerken ließ. »Und dann wird Prior Godwyn seine Wahl treffen.«

Die Versammlung fand in der Ratshalle an der Hauptstraße statt. Die Halle hatte ein steinernes Gewölbe unter einer Holzkonstruktion mit Schindeldach und zwei gemauerte Kamine. Im Keller befand sich eine große Küche, in der bei einem Bankett das Essen vorbereitet wurde; außerdem gab es ein Gefängnis und eine Schreibstube für den Büttel. Das Hauptgeschoss war so geräumig wie eine Kirche, hundert Fuß lang und dreißig Fuß breit. An einem Ende befand sich eine Kapelle. Wegen seiner Breite – und weil Balken für ein dreißig Fuß langes Dach rar und teuer waren – wurde der Raum von einer hölzernen Säulenreihe unterteilt, die ihrerseits die Querbalken stützten.

Die Ratshalle war ein bescheidenes Gebäude aus den gleichen Materialien wie die schlichtesten Behausungen und gereichte niemandem zur Ehre. Doch wie Edmund häufig sagte, von dem Geld der Leute, die hier zusammenkamen, wurden die prachtvollen Buntglasfenster der Kathedrale bezahlt. Außerdem war die Ratshalle auf ihre schlichte Art überaus bequem. An den Wänden hingen Wandteppiche; die Fenster hatten Glas, und zwei große Feuerstellen sorgten im Winter für Wärme. Wenn das Geschäft florierte, wurden hier Speisen serviert, die der Tafel eines Königs würdig gewesen wären.

Der Gemeinderat war vor langer Zeit gebildet worden, als Kingsbridge noch ein kleiner Ort gewesen war. Ein paar Kaufleute hatten sich damals zusammengetan, um schöne Dinge zu erwerben, mit denen die Kathedrale ausgeschmückt werden sollte; doch wenn wohlhabende Männer gemeinsam essen und trinken, ist es unvermeidlich, dass sie auch über andere Fragen von allgemeiner Wichtigkeit diskutieren, und so rückte bald die Politik in den Vordergrund. Von Beginn an wurde der Rat von den Wollhändlern beherrscht, weshalb auch eine große Waage mit einem Standardgewicht für Wollsäcke – 364 Pfund – am Ende der Halle stand. Als Kingsbridge größer wurde, bildeten sich Handwerkszünfte – die der Zimmerleute, Steinmetze, Brauer und Goldschmiede –, doch ihre führenden

Mitglieder gehörten ebenfalls dem Gemeinderat an, weshalb dieser seine herausragende Stellung behielt. Er war eine nicht ganz so mächtige Version der Kaufmannsgilden, von denen die meisten englischen Städte beherrscht wurden. Hier aber war das nicht möglich, da die Priorei von Kingsbridge stets das letzte Wort hatte.

Merthin hatte nie an einer Versammlung oder einem Bankett in der Ratshalle teilgenommen, war aber schon mehrmals hier gewesen, weil es irgendetwas zu erledigen gab. Es gefiel ihm, den Hals zu recken und das komplizierte Gitterwerk der Dachbalken zu studieren: Es war ein Musterbeispiel dafür, wie ein paar schlanke Holzpfeiler das Gewicht eines ganzen Daches tragen konnten. Bei den meisten Bauteilen leuchtete deren Sinn und Zweck sogleich ein, doch einige Stücke kamen Merthin überflüssig, sogar abträglich vor, verteilten sie doch Gewicht auf schwächere Teile der Konstruktion. Das kam daher, weil niemand wirklich wusste, warum Gebäude eigentlich stehen blieben. Baumeister verließen sich auf ihre Nase und auf ihre Erfahrung, und manchmal erwies sich beides als trügerisch.

An diesem Abend jedoch war Merthin viel zu aufgeregt, als dass er die Holzkonstruktion mit Sinn und Verstand betrachtet hätte. Heute würde der Gemeinderat seine Entscheidung über die Brückenentwürfe fällen. Merthins Entwurf war dem Elfrics weit überlegen – aber würden die Ratsmitglieder das auch erkennen?

Elfric hatte den Vorteil, dass er den Skizzenboden benutzen konnte. Natürlich hätte Merthin Prior Godwyn bitten können, den Skizzenboden auch ihm zur Verfügung zu stellen, doch er hatte zu viel Angst davor gehabt, dass Elfric seine Pläne durchkreuzen würde; deshalb hatte er sich eine andere Möglichkeit ausgedacht: Merthin hatte ein großes Stück Pergament auf einen Holzrahmen gespannt. Darauf hatte er dann mit Feder und Tinte seinen Plan gezeichnet. Heute würde ihm das vielleicht zum Vorteil gereichen, denn er hatte seinen Entwurf mit in die Ratshalle gebracht, sodass die Ratsmitglieder ihn vor sich hatten, während sie bei Elfrics Entwurf auf ihr Erinnerungsvermögen zurückgreifen mussten.

Merthin stellte die Zeichnung vorne in der Halle auf einen dreibeinigen Ständer, den er nur zu diesem Zweck entworfen hatte. Alle schauten sich bei ihrer Ankunft die Zeichnung an, obwohl sie diese im Laufe der letzten Tage schon gesehen hatten. Auch waren sie die Wendeltreppe zur Modellkammer hinaufgestiegen und hatten sich Elfrics Entwurf angesehen. Merthin glaubte, dass die meisten seinen Plan bevorzugten; einige jedoch waren misstrauisch und wollten keinen Jüngling einem erfahrenen Mann vorziehen. Doch viele behielten ihre Meinung für sich.

Der Lärmpegel stieg, je mehr die Halle sich mit Männern und auch ein paar Frauen füllte. Die Leute kleideten sich für eine Ratsversammlung genauso schmuck wie für den Kirchgang: Die Männer trugen trotz des milden Sommerwetters teure Wollmäntel und die Frauen aufwendige Kopfputze. Obwohl alle Lippenbekenntnisse abgaben, was die allgemeine Minderwertigkeit von Frauen betraf, waren mehrere der wohlhabendsten und wichtigsten Bürger der Stadt weiblich. Da war zum Beispiel Mutter Cecilia, die vor ihrer persönlichen Gehilfin saß, einer Frau, die man die »alte Julie« nannte. Und von Caris wusste jedermann, dass sie Edmunds rechte Hand war. Als Caris sich nun auf die Bank neben Merthin setzte, sodass er ihren warmen Schenkel an seinem fühlte, schauderte er vor Wonne.

Jeder, der in der Stadt einem Gewerbe nachging, musste einer Zunft angehören – Leute von außen konnten nur an Markttagen Geschäfte abschließen. Selbst Mönche und Priester waren gezwungen, sich einer Zunft anzuschließen, wollten sie Handel treiben, was oft der Fall war. Wenn ein Mann starb, war es üblich, dass seine Witwe das Gewerbe fortführte. Auf diese Weise war Betty Baxter zur reichsten Bäckerin der Stadt geworden, und Sarah Taverner führte nun das Holly Bush, das ihrem verblichenen Gemahl gehört hatte. Es wäre grausam und zudem nicht ganz einfach gewesen, Frauen zu verbieten, sich ihren Lebensunterhalt selbst zu verdienen. Viel leichter war es, sie in eine Zunft und den Rat einzubinden.

Normalerweise leitete Edmund die Versammlungen. Dabei saß er auf einem großen Holzthron vorne auf einer Empore. Heute jedoch standen dort zwei Stühle. Auf einem saß Edmund; als Prior Godwyn eintraf, bat er ihn, sich auf den zweiten Stuhl zu setzen. Godwyn wurde von sämtlichen älteren Mönchen begleitet. Merthin freute sich, Thomas unter ihnen zu sehen. Philemon gehörte ebenfalls zu Godwyns Gefolge. Er sah so schlaksig und unbeholfen aus wie eh und je, und Merthin fragte sich, weshalb Godwyn ihn überhaupt mitgebracht hatte.

Godwyn blickte gequält drein, als Edmund die Versammlung mit der Erklärung eröffnete, dass der Prior die Verantwortung für die Brücke trage und deshalb schlussendlich auch die Entscheidung fällen würde. Doch alle wussten, dass Edmund dem Prior diese Entscheidung im Grunde abgenommen hatte, als diese Versammlung einberufen worden war. Vorausgesetzt, man kam heute Abend zu einem Konsens, würde es Godwyn schwerfallen, irgendetwas gegen den ausdrücklichen Willen der Kaufleute zu unternehmen, zumal es sich hier um eine Frage des Handels und nicht um eine Glaubensfrage handelte. Edmund bat Godwyn, die Versammlung mit einem Gebet zu beginnen, und Godwyn kam seinem Wunsch nach; doch er wusste, dass er ausmanövriert worden war. Deshalb schaute er drein wie jemand, der mitten in einer Jauchegrube stand.

Edmund erhob sich und verkündete: »Die Kosten für diese beiden Entwürfe sind von Elfric und Merthin nach den gleichen Methoden errechnet worden ...«

Elfric warf ein: »Natürlich! Er hat es ja von mir gelernt!« Die Älteren lachten.

Was Elfric sagte, stimmte sogar: Es gab Formeln, um die Kosten pro Quadratfuß einer Mauer, pro Kubikzoll einer Füllung, pro Fuß einer Dachkonstruktion oder auch für jede Handspanne einer komplizierteren Arbeit wie den Bau eines Bogens oder eines Gewölbes zu errechnen. Alle Baumeister benutzten zu diesem Zweck dieselbe Methode – mit kleinen persönlichen Abweichungen. Die Berechnungen für die Brücke waren äußerst kompliziert gewesen, aber einfacher als die für den Bau einer Kirche.

Edmund fuhr fort: »Jeder hat die Berechnungen des anderen gegengeprüft, sodass es keinen Grund zum Streit gibt.«

Edward Butcher rief: »Ja, ja! Alle Baumeister übertreiben gleich viel!« Wieder wurde gelacht, diesmal noch lauter. Edward Butcher war bei Männern und Frauen gleichermaßen beliebt: Die Männer mochten ihn seines scharfen Verstands wegen, die Frauen wegen seines guten Aussehens und seiner rehbraunen Augen. Nur bei seiner Ehefrau war er nicht so beliebt, denn sie kannte seine Untreue und hatte ihn erst vor Kurzem mit einem seiner schwersten Hackmesser angegriffen; er trug noch immer einen Verband um den linken Arm.

»Elfrics Brücke wird 258 Pfund kosten«, verkündete Edmund, nachdem das Lachen verklungen war. »Merthin kommt auf 307 Pfund. Wir haben also eine Differenz von 49 Pfund, wie die meisten von euch wohl schneller ausgerechnet haben als ich.« Ein leises Lachen ging durch die Runde. Edmund wurde oft damit geneckt, dass seine Tochter das Rechnen für ihn übernahm. Er benutzte noch immer die alten lateinischen Ziffern, denn er konnte sich an die neuen arabischen Zahlen nicht gewöhnen, die das Rechnen viel einfacher machten.

Eine neue Stimme bemerkte: »49 Pfund sind viel Geld.« Das war

Bill Watkin, der Baumeister, der sich geweigert hatte, Merthin einzustellen; mit seinem kahlen Kopf sah er wie ein Mönch aus.

Dick Brewer sagte: »Ja, aber Merthins Brücke ist doppelt so breit. Eigentlich müsste sie dann auch doppelt so viel kosten, tut sie aber nicht, denn sie ist klug geplant.« Dick hatte einen starken Hang zu seiner eigenen Ware, dem Bier; infolgedessen besaß er einen vorstehenden, runden Bauch wie eine Schwangere.

Bill mischte sich wieder ein. »Wie viele Tage im Jahr brauchen wir eine Brücke, die breit genug für zwei Karren ist?«

»Jeden Markttag und die ganze Wollmarktwoche.«

»Das stimmt nicht«, widersprach Bill. »Selbst dann ist es nur eine Stunde am Morgen und eine am Abend.«

»Ich hab schon mal zwei Stunden mit einer Wagenladung Gerste gewartet.«

»Du solltest klug genug sein, deine Waren an einem ruhigeren Tag in die Stadt zu karren.«

»Ich bringe jeden Tag Gerste in die Stadt.« Dick war der größte Brauer der Grafschaft. Er besaß einen riesigen Kupferkessel für 500 Gallonen, dem seine Schänke ihren Namen »The Copper« verdankte.

Edmund unterbrach den Hickhack. »Es gibt noch andere Probleme, die durch Verzögerungen vor und auf der Brücke entstehen«, sagte er. »Einige Händler gehen nach Shiring, wo es keine Brücke und demnach auch keine Warteschlange gibt. Andere machen ihre Geschäfte, während sie warten, und fahren dann wieder nach Hause, ohne die Stadt überhaupt betreten zu haben. Damit sparen sie sich außerdem den Brückenzoll und die Marktsteuer. Natürlich ist das rechtswidrig, doch es ist uns nie gelungen, das zu unterbinden. Und dann ist da die Frage, wie die Leute über Kingsbridge denken. Im Augenblick sind wir bloß ›die Stadt, deren Brücke eingestürzt ist‹. Wenn wir den Handel zurückholen wollen, den wir verloren haben, müssen wir das ändern! Ich möchte, dass die Leute sagen: ›Kingsbridge ist die Stadt mit der besten Brücke von ganz England!‹«

Edmund war überaus einflussreich, und Merthin konnte den Sieg beinahe schon riechen.

Betty Baxter, eine ungeheuer fette Frau in den Vierzigern, stand auf und deutete auf Merthins Zeichnung. »Was ist das da, in der Mitte der Brüstung über dem Pfeiler?«, fragte sie. »Dieses kleine, keilförmige Etwas, das über das Wasser ragt wie eine Aussichtsplattform. Wofür ist das? Zum Angeln?« Die anderen lachten.

»Das ist ein Zufluchtsort für Leute, die zu Fuß gehen«, antwortete Merthin. »Wenn Ihr über die Brücke geht, und plötzlich reitet der Graf von Shiring mit zwanzig Rittern vorbei, könnt Ihr ihm so aus dem Weg gehen.«

Edward Butcher sagte: »Ich hoffe, das Ding ist stabil genug für Betty.«

Alle lachten, doch Betty blieb ernst und hakte weiter nach. »Warum geht diese spitze Ausbuchtung den ganzen Pfeiler bis zum Wasser hinunter? Elfrics Entwurf hat so was nicht.«

»Das dient dazu, Treibgut an den Pfeilern vorbeizuleiten. Schaut Euch irgendeine Flussbrücke an, und Ihr werdet sehen, dass Stücke aus den Pfeilern geschlagen sind und sich Risse zeigen. Was, glaubt Ihr, hat diese Schäden verursacht? Es müssen große Holzstücke gewesen sein – Baumstämme oder die Balken zerstörter Häuser. Sie wurden flussabwärts getrieben und sind gegen die Pfeiler geprallt.«

»Oder Ian Boatman ist wieder mal besoffen mit seinem Ruderboot gefahren«, sagte Edward.

»Egal ob Boote oder Treibgut, an meinen keilförmigen Pfeilern werden sie viel weniger Schäden verursachen. Elfrics Pfeiler hingegen würden die volle Wucht abbekommen.«

Elfric sagte: »Mein Mauerwerk ist zu stark, um von ein paar Stücken Holz eingeschlagen zu werden!«

»Im Gegenteil«, widersprach Merthin. »Eure Bögen sind schmaler als meine; deshalb wird das Wasser schneller durch sie hindurchfließen, und das Treibgut wird mit größerer Kraft aufschlagen und mehr Schäden verursachen.«

Er sah Elfric an, dass sein Lehrmeister nicht daran gedacht hatte. Aber die Zuhörer waren keine Baumeister. Wie sollten sie da entscheiden können, wer recht hatte und wer nicht?

Um die Basis eines jeden Pfeilers herum hatte Merthin einen Haufen grober Steine platziert, was von Baumeistern als »Futtermauer« bezeichnete wurde. Sie sollte die Strömung daran hindern, die Pfeiler zu unterminieren, wie es bei der alten Holzbrücke geschehen war. Doch niemand fragte Merthin nach der Futtermauer, und so erklärte er das Prinzip auch nicht.

Betty hatte weitere Fragen: »Warum ist deine Brücke so lang? Elfrics Brücke beginnt am Wasserrand, deine mehrere Schritt landeinwärts. Ist das keine unnötige Ausgabe?«

»Meine Brücke hat Rampen an beiden Enden«, erklärte Merthin. »Damit man trockenen Fußes hinauf- und wieder herunterkommt, ohne durch einen Sumpf waten zu müssen. So bleiben auch keine

Ochsenkarren mehr am Ufer stecken und versperren die Brücke für eine Stunde oder mehr.«

»Es wäre billiger, eine gepflasterte Straße bis zur Brücke zu bauen«, sagte Elfric, doch allmählich klang seine Stimme verzweifelt.

Da stand Bill Watkin auf. »Ich kann mich nicht entscheiden, wer recht hat und wer nicht«, sagte er. »Wenn die beiden diskutieren, ist es schwer, zu einer Entscheidung zu kommen. Und ich bin Baumeister! Allen anderen dürfte eine Entscheidung also noch viel schwerer fallen.« Zustimmendes Raunen ging durch die Zuhörer. Bill fuhr fort: »Deshalb sollten wir uns die Männer ansehen und nicht die Entwürfe.«

Genau davor hatte Merthin Angst gehabt. Mit wachsender Verzweiflung hörte er zu.

»Welchen von beiden kennt ihr am besten?«, fragte Bill. »Auf wen könnt ihr euch verlassen? Elfric ist nun schon seit zwanzig Jahren Baumeister in dieser Stadt. Wir können uns die Häuser anschauen, die er gebaut hat, und wir werden sehen, dass sie noch immer stehen. Und wir können uns die Reparaturen anschauen, die er an der Kathedrale vorgenommen hat. Auf der anderen Seite haben wir Merthin, einen klugen Jungen, aber ein wenig eigenwillig und ungebärdig – und er hat nie seine Lehre abgeschlossen. Woher sollen wir denn wissen, dass er die Fähigkeiten hat, das größte Bauvorhaben zu leiten, das Kingsbridge seit dem Bau der Kathedrale gesehen hat? *Ich* weiß, wem ich traue.« Er setzte sich.

Mehrere Männer bekundeten ihre Zustimmung. Auch sie würden nicht die Entwürfe beurteilen, sondern die Personen. Das war eine himmelschreiende Ungerechtigkeit.

Dann meldete Bruder Thomas sich zu Wort. »Hat jemand in Kingsbridge schon einmal etwas unterhalb des Wasserspiegels gebaut?«

Merthin wusste, dass die Antwort Nein lautete. Hoffnung keimte in ihm auf. Das könnte seine Rettung bedeuten.

Thomas fuhr fort: »Ich würde gerne wissen, wie die beiden Baumeister dieses Problem angehen würden.«

Merthin hatte eine Lösung parat, fürchtete jedoch, dass Elfric ihm nachplappern würde, wenn er als Erster sprach. Also presste er die Lippen zusammen und hoffte, dass Thomas – der ihm normalerweise half – die Botschaft verstand.

Thomas erhaschte Merthins Blick und fragte: »Elfric, was würdet Ihr tun?«

»Die Antwort ist einfacher, als Ihr denkt«, antwortete Elfric.

»Man muss Schutt an der Stelle in den Fluss kippen, wo der Pfeiler errichtet werden soll. Der Schutt sinkt auf den Grund. Dann schüttet man immer mehr dazu, bis der Schutthaufen aus dem Wasser ragt. Anschließend baut man den Pfeiler auf dieses Fundament.«

Wie Merthin erwartet hatte, war Elfric nur die gröbste Lösung des Problems eingefallen. Nun sagte Merthin: »Elfrics Methode hat zwei Haken: Zum einen ist ein Haufen Schutt unter Wasser nicht fester als an Land. Im Laufe der Zeit wird die Strömung ihn Stück für Stück davontragen, und er sackt in sich zusammen. Wenn das geschieht, stürzt die Brücke ein. Soll Eure neue Brücke nur ein paar Jahre stehen, ist das gut; aber ich denke, wir sollten langfristiger planen.«

Er hörte zustimmendes Murmeln.

»Das zweite Problem ist die Form des Schutthaufens: Er wird nach außen hin abfallen, unter die Wasseroberfläche, was die Durchfahrt für Boote erschwert, besonders bei niedrigem Wasserstand – und Elfrics Bögen sind auch so schon schmal genug.«

Gereizt entgegnete Elfric: »Und was würdest du stattdessen tun?«

Merthin verkniff sich ein Lächeln. Genau das hatte er hören wollen: dass Elfric zugab, keine bessere Lösung zu wissen. »Ich werde es Euch erklären«, sagte er und dachte: Und ich werde euch allen zeigen, dass ich es besser weiß als dieser Narr, der meine Tür in Stücke gehauen hat. Merthin schaute sich um. Alle hörten ihm zu. Die Entscheidung des Rats hing von seinen nächsten Worten ab.

Merthin atmete tief durch. »Zunächst einmal würde ich einen angespitzten Pfahl nehmen und ihn ins Flussbett treiben. Dann würde ich einen weiteren Pfahl daneben schlagen – sie sollten sich berühren –, und dann noch einen. Auf diese Weise würde ich einen Ring aus Pfählen um die Stelle bauen, an der ich meinen Pfeiler haben will.«

»Ein Ring aus Pfählen?«, spottete Elfric. »Der wird das Wasser nie abhalten.«

Bruder Thomas, der die Frage gestellt hatte, sagte: »Hört ihm bitte zu. Er hat Euch auch zugehört.«

Merthin fuhr fort: »Als Nächstes würde ich einen zweiten Ring in dem ersten bauen, mit einem Abstand von einem halben Fuß zwischen beiden.« Er fühlte, dass die Versammelten ihm nun aufmerksam zuhörten.

»Damit ist er noch immer nicht wasserdicht«, sagte Elfric.

Edmund knurrte: »Halt den Mund, Elfric!«

Merthin fuhr fort: »Dann würde ich mit Lehm gemischten Mörtel in die Lücke zwischen den beiden Ringen gießen. Die Mischung würde das Wasser verdrängen, weil sie schwerer ist, und sie würde alle Lücken zwischen den Holzpfählen schließen, sodass der Ring wasserdicht wäre. So etwas nennt man einen Kofferdamm.«

Nun war es vollkommen still.

»Zu guter Letzt würde ich das Wasser aus dem Innern mit Eimern ausschöpfen, bis der Grund zu sehen ist, auf dem man dann ein gemauertes Fundament errichten kann.«

Elfric hatte es die Sprache verschlagen. Edmund und Godwyn starrten Merthin an.

Thomas sagte: »Ich danke euch beiden. Was mich betrifft, fällt mir die Entscheidung jetzt leicht.«

»Ja«, sagte Edmund. »So ist es wohl.«

Caris war überrascht, dass Godwyn zunächst Elfric die Brücke hatte bauen lassen wollen. Natürlich schien Elfric die sicherere Wahl zu sein; doch Godwyn war ein Neuerer, und sie hatte eigentlich erwartet, dass er für Merthins klugen und radikalen Entwurf Feuer und Flamme sein würde. Stattdessen hatte er gezaudert und die vorsichtigere Lösung vorgezogen.

Glücklicherweise war Edmund in der Lage gewesen, Godwyn auszumanövrieren, und nun würde Kingsbridge eine feste, schöne neue Brücke bekommen, die zwei Karren gleichzeitig überqueren konnten. Doch Godwyns Eifer, lieber dem fantasielosen Kriecher als dem kühnen Mann mit Talent den Auftrag zu erteilen, ließ für die Zukunft Böses ahnen.

Und Godwyn war nie ein guter Verlierer gewesen. Als er noch ein Junge gewesen war, hatte Petronilla ihn das Schachspiel gelehrt. Sie hatte ihn gewinnen lassen, um ihn zu ermutigen, worauf er seinen Onkel Edmund herausgefordert hatte. Nach zwei Niederlagen hatte Godwyn geschmollt und sich geweigert, je wieder eine Schachfigur anzurühren. Nach der Versammlung in der Ratshalle war Godwyn in der gleichen Stimmung; das sah Caris. Nicht dass Elfrics Entwurf ihm sonderlich gut gefallen hätte – Godwyn hasste es einfach nur, dass man ihm die Entscheidung aus den Händen genommen hatte. Am nächsten Tag, als Caris und ihr Vater ins Haus des Priors gingen, rechnete Caris denn auch mit Ärger.

Godwyn begrüßte sie kühl und bot ihnen keine Erfrischungen an. Wie immer tat Edmund so, als würde er diese Kränkungen nicht bemerken. »Ich möchte, dass Merthin sofort mit den Arbeiten an der Brücke beginnt«, sagte er, als er sich an den Tisch in der Halle setzte. »Ich habe Pfandbriefe über die volle Summe, die Merthin benötigt …«

»Von wem?«, unterbrach Godwyn ihn.

»Von den wohlhabendsten Händlern der Stadt.«

Godwyn schaute Edmund fragend an.

Der zuckte mit den Schultern und sagte: »Fünfzig Pfund kommen von Betty Baxter, achtzig von Dick Brewer, siebzig von mir und je zehn von elf anderen.«

»Ich wusste gar nicht, dass unsere Bürger über solche Reichtümer verfügen«, bemerkte Godwyn und wirkte erstaunt und neidisch zugleich. »Gott war sehr gut zu euch.«

Edmund fügte hinzu: »Gut genug, um die Menschen für ein Leben voller harter Arbeit und Sorgen zu belohnen.«

»Ohne Zweifel.«

»Das ist auch der Grund, weshalb ich den Leuten eine Versicherung geben muss, was die Rückzahlung ihres Geldes betrifft. Wenn die Brücke gebaut ist, geht der Brückenzoll an den Gemeinderat, um das geliehene Geld zurückzuzahlen … aber wer wird die Pennys einkassieren, wenn die Leute erst die Brücke überqueren? Ich finde, es sollte ein Diener des Rates sein.«

»Dem habe ich nie zugestimmt«, sagte Godwyn.

»Ich weiß. Deshalb spreche ich es jetzt ja an.«

»Ich meine – ich habe nie zugestimmt, den Zoll an den Gemeinderat abzuführen.«

»Was?«

Caris starrte Godwyn fassungslos an. Natürlich hatte er zugestimmt! Was redete ihr Vetter denn da? Er hatte sowohl mit ihr als auch mit Edmund darüber gesprochen und versichert, dass Bruder Thomas …

»Oh«, sagte sie. »Du hast versprochen, dass Thomas die Brücke bauen lassen würde, sobald er zum Prior gewählt worden ist. Dann, als Thomas seine Kandidatur zurückgezogen hat und du dich gemeldet hast, haben wir angenommen …«

»Ihr habt *angenommen*«, sagte Godwyn. Ein triumphierendes Lächeln spielte um seine Lippen.

Edmund konnte sich kaum noch beherrschen. »So wird nicht

gehandelt, Godwyn!«, sagte er mit zitternder Stimme. »Du weißt, worauf wir uns geeinigt haben!«

»Ich weiß gar nichts! Und sagt gefälligst Vater Prior zu mir!«

Edmund hob die Stimme. »Dann sind wir genau wieder an dem Punkt angelangt, wo wir mit Prior Anthony vor drei Monaten waren! Nur haben wir jetzt keine unzureichende Brücke, wir haben *gar keine* Brücke mehr. Denk bloß nicht, dass der Bau dich nichts kosten wird. Die Bürger mögen der Priorei ja ihre lebenslangen Ersparnisse gegen die Sicherheit des Brückenzolls leihen, aber sie werden ihr Geld nicht verschenken … Vater Prior.«

»Dann müssen sie eben ohne Brücke zurechtkommen. Ich bin gerade erst Prior geworden. Soll ich meine Amtszeit vielleicht damit beginnen, ein Recht wegzugeben, das meine Priorei seit Hunderten von Jahren besitzt?«

»Aber das ist doch nur vorübergehend!«, explodierte Edmund. »Und wenn du es nicht tust, wird niemand Brückenzoll bekommen, weil es dann nämlich keine Brücke gibt!«

Caris war außer sich vor Wut, biss sich jedoch auf die Zunge und versuchte zu ergründen, was Godwyn im Schilde führte. Er nahm Rache für den gestrigen Abend, gewiss, aber meinte er es wirklich ernst? »Was willst du?«, fragte sie ihn.

Edmund schaute ob der Frage überrascht drein, sagte aber nichts. Der Grund, warum er Caris häufig zu solchen Treffen mitnahm, war einfach: Sie sah oft Dinge, die ihm entgingen, und stellte Fragen, an die er nicht gedacht hatte.

»Ich weiß nicht, was du meinst«, erwiderte Godwyn.

»Du hast uns überrascht«, sagte sie. »Du hast uns auf dem falschen Fuß erwischt. Also gut. Wir geben zu, dass wir etwas vermutet haben, was vielleicht nie so gewesen ist. Aber was ist dein Ziel? Willst du damit bloß erreichen, dass wir uns dumm vorkommen?«

»Ihr habt um dieses Treffen gebeten, nicht ich.«

Edmund platzte heraus: »Was ist das für eine Art, mit deinem Onkel und deiner Base zu reden?«

Caris musterte Godwyn. Der Prior hatte einen geheimen Plan, da war sie sicher, nur wollte er es nicht zugeben. Na schön, dachte sie bei sich, dann muss ich eben raten. »Lass mir einen Moment zum Nachdenken«, sagte sie zu Edmund. Godwyn wollte noch immer eine Brücke – es konnte nicht anders sein; alles andere ergab keinen Sinn. Sein Beharren auf uralten Rechten der Priorei war bloße Rhetorik, jene Art hochmütiges Geschwätz, das man die Studenten in Oxford lehrte. Wollte er, dass Edmund nachgab und Elfrics Entwurf übernahm? Caris glaubte es nicht. Wahrscheinlich missfiel es Godwyn, wie Edmund sich über seinen Kopf hinweg an die Bürgerschaft gewandt hatte – aber auch er würde in Betracht ziehen, dass Merthin für fast das gleiche Geld das Doppelte bot. Was also konnte es sonst sein?

Vielleicht wollte er einfach nur einen besseren Handel.

Godwyn hatte sich die Finanzen der Priorei wahrscheinlich schon genau angeschaut, vermutete Caris. Nachdem er über viele Jahre hinweg aus einer bequemen Position heraus gegen Prior Anthonys schlechte Führung gewettert hatte, musste er sich nun der Aufgabe stellen, es besser zu machen. Und das war womöglich nicht so leicht, wie er es sich vorgestellt hatte. Vielleicht war Godwyn, was geldliche und organisatorische Dinge betraf, doch nicht so klug, wie er geglaubt hatte. In seiner Verzweiflung wollte er nun die Brücke *und* die Zolleinnahmen. Aber wie wollte er das durchsetzen?

Caris fragte: »Was könnten wir dir anbieten, damit du deine Meinung änderst?«

»Baut die Brücke, ohne den Zoll einzustreichen«, antwortete er sofort.

Das also war sein Plan. Du warst schon immer ein wenig hinterlistig, Godwyn, dachte Caris.

Ihr kam eine Idee. »Über wie viel Geld reden wir?«, fragte sie.

Godwyn blickte sie misstrauisch an. »Warum willst du das wissen?«

Edmund sagte: »Das können wir ausrechnen. Bürger nicht mitgezählt, die keinen Zoll zahlen, überqueren an jedem Markttag gut hundert Leute die Brücke, und Karren zahlen zwei Pennys. Natürlich ist das jetzt mit der Fähre viel weniger geworden.«

Caris rechnete: »Sagen wir 120 Pennys die Woche, zehn Shilling, was ungefähr auf 26 Pfund im Jahr hinausläuft.«

Edmund sagte: »Und während der Wollmarktwoche sind es ungefähr tausend am ersten Tag und noch einmal zweihundert an jedem folgenden.«

»Das sind 2200 plus Karren ... das macht 2400 Pennys, also zehn Pfund. Insgesamt sind es dann 36 Pfund pro Jahr.« Caris schaute Godwyn an. »Ist das in etwa richtig?«

»Ja«, gab er widerwillig zu.

»Dann willst du von uns also 36 Pfund im Jahr?«

»Ja.«

»Unmöglich!«, sagte Edmund.

»Nicht unbedingt«, widersprach Caris. »Nehmen wir einmal an, die Priorei würde dem Gemeinderat die Brücke verpachten ...« Sie rechnete im Kopf und fügte hinzu: »Plus je ein Morgen Land an beiden Enden und der Insel in der Mitte ... für 36 Pfund im Jahr, zeitlich unbegrenzt.« War die Brücke erst einmal gebaut, würde das Land unbezahlbar sein; das wusste sie. »Hättet Ihr damit, was Ihr wollt, Vater Prior?«, fragte sie schnippisch.

»Ja.«

Godwyn glaubte offenbar, 36 Pfund pro Jahr für etwas völlig Wertloses zu bekommen. Er hatte keine Ahnung, wie viel Pacht man für ein Stück Land am Ende einer Brücke verlangen konnte. Der schlechteste Kaufmann der Welt ist ein Mann, der sich für klug hält, dachte Caris.

Edmund fragte: »Aber wie soll der Rat das Geld für den Brückenbau wieder hereinbekommen?«

»Merthins Entwurf zugrunde gelegt, sollte die Zahl von Personen und Karren steigen, welche die Brücke überqueren. Theoretisch würde sie sich verdoppeln. Alles, was 36 Pfund überschreitet, gehört dem Rat. Dann könnten wir noch Gebäude an beiden Enden errichten, um die Reisenden zu versorgen: Schänken, Ställe und dergleichen. Das dürfte rasch Profit abwerfen. Wir könnten sie gut verpachten.«

»Ich weiß nicht«, sagte Edmund. »Das hört sich sehr riskant an.«

Einen Augenblick lang war Caris wütend auf ihren Vater. Da hatte sie eine geniale Lösung gefunden, und er suchte das Haar in der Suppe. Dann erkannte sie, dass er nur spielte. Sie sah das enthusiastische Funkeln in seinen Augen, das er nicht ganz verbergen konnte. Er liebte die Idee, doch er wollte nicht, dass Godwyn es erfuhr. Er verbarg seine Gefühle aus Angst, der Prior würde versuchen, einen noch besseren Handel abzuschließen. Vater und Tochter hatten diese Masche schon häufiger benutzt, wenn sie mit Wolle gehandelt hatten.

Nachdem Caris nun wusste, was Edmund vorhatte, spielte sie mit und tat so, als würde sie seine Vorbehalte teilen. »Ich weiß, dass es gefährlich ist«, sagte sie in düsterem Tonfall. »Wir könnten alles verlieren. Aber was bleibt uns für eine Wahl? Wir stehen mit dem Rücken zur Wand. Wenn wir die Brücke nicht bauen, verlieren wir unser Geschäft.«

Edmund schüttelte zweifelnd den Kopf. »Wie auch immer ... Ich kann dem im Namen des Rates nicht zustimmen. Nicht jetzt jedenfalls. Ich werde mich erst mit den Leuten beraten müssen, die das Geld zur Verfügung stellen, und ich weiß nicht, wie ihre Antwort lauten wird.« Er schaute Godwyn in die Augen. »Aber ich werde mein Bestes tun, sie zu überzeugen, wenn das dein bestes Angebot ist.«

Godwyn hatte eigentlich gar kein Angebot gemacht, sinnierte Caris; doch das hatte er vergessen. »Es *ist* mein bestes Angebot«, sagte er entschlossen.

Jetzt haben wir dich, dachte Caris triumphierend.

»Du warst wirklich sehr gerissen«, sagte Merthin.

Er lag zwischen Caris' Beinen, den Kopf auf ihren Schenkeln, und spielte mit ihrem Schamhaar. Sie hatten sich gerade zum zweiten Mal überhaupt geliebt, und er hatte dabei sogar noch mehr Lust verspürt als beim ersten Mal. Als sie sich den angenehmen Tagträumen befriedigter Liebender ergeben hatten, hatte Caris ihm von ihren Verhandlungen mit Godwyn erzählt. Merthin war beeindruckt.

»Das Beste ist«, sagte Caris, »dass Godwyn glaubt, hart verhandelt zu haben. In Wahrheit ist die unbegrenzte Verpachtung von Brücke und Umland unbezahlbar.«

»Trotzdem ist es ein wenig enttäuschend, dass Godwyn das Geld der Priorei kein bisschen besser zu verwalten versteht als dein Onkel Anthony.«

Sie waren im Wald auf einer Lichtung, die von Brombeersträuchern vor neugierigen Blicken verborgen war. Hohe Birken spendeten Schatten, und ein Bach, von einem Teich gespeist, plätscherte über die Felsen. Vermutlich kamen schon seit Jahrhunderten Liebespaare hierher. Caris und Merthin hatten sich ausgezogen und im Teich gebadet, ehe sie sich am grasbewachsenen Ufer niedergelegt hatten. Jeder, der durch den Wald schlich, würde an dem Dickicht vorübergehen, sodass sie nicht entdeckt werden konnten; es sei denn, ein paar Kinder wollten Brombeeren pflücken … Tatsächlich hatte Caris die Lichtung auf diese Art einst entdeckt, erzählte sie Merthin.

Nun fragte er träge: »Warum wolltet ihr auch diese Insel haben?«

»Ich weiß nicht … Sie ist nicht so wertvoll wie das Land zu beiden Seiten der Brücke. Anpflanzen kann man dort nichts, aber sie könnte ausgebaut werden. Ich habe die Insel wohl nur genommen, weil Godwyn nichts dagegen hatte.«

»Wirst du eines Tages den Wollhandel deines Vaters übernehmen?«

»Nein.«

»Bist du sicher? Warum nicht?«

»Es ist zu einfach für den König, den Wollhandel zu besteuern. Er hat gerade erst eine Zusatzsteuer von einem Pfund pro Wollsack verkündet – die kommt noch einmal auf die bestehende Steuer von zwei drittel Pfund obendrauf. Der Wollpreis ist jetzt so hoch, dass die Italiener sich in anderen Ländern nach Wolle umschauen, in Spanien zum Beispiel. Das Geschäft hängt ganz und gar von der Gnade des Königs ab.«

»Trotzdem kann man sich damit seinen Lebensunterhalt verdienen. Außerdem – was willst du sonst tun?« Merthin versuchte, das Gespräch in Richtung Ehe zu lenken. Caris sprach dieses Thema von sich aus nie an.

»Ich weiß es nicht.« Sie lächelte. »Als ich acht war, wollte ich Arzt werden. Ich dachte, ich hätte meine Mutter retten können, hätte ich mehr über Medizin gewusst. Alle haben mich ausgelacht. Mir war nicht klar, dass nur Männer Ärzte werden können.«

»Du könntest eine weise Frau werden, wie Mattie.«

»Da wäre meine Familie aber geschockt! Stell dir nur mal vor, was Petronilla sagen würde. Und Mutter Cecilia glaubt, es sei mein Schicksal, Nonne zu werden ...«

Merthin lachte. »Wenn sie dich jetzt sehen könnte!« Er küsste die weiche Innenseite ihrer Schenkel.

»Dann würde sie vermutlich gerne tun, was du gerade tust«, erwiderte Caris. »Du weißt, was man über Nonnen so sagt.«

»Wie kommt Mutter Cecilia auf die Idee, dass du dem Konvent beitreten willst?«

»Ich habe ihr nach dem Brückeneinsturz bei der Versorgung der Verletzten geholfen. Sie meint, ich hätte eine natürliche Gabe dafür.«

»Hast du auch. Ich hab's selbst gesehen.«

»Ich habe nur getan, was Cecilia gesagt hat.«

»Aber die Leute schienen sich besser zu fühlen, kaum dass du mit ihnen gesprochen hast. Du hast dir immer zuerst angehört, was sie zu sagen hatten, bevor du ihnen gesagt hast, was sie tun sollen.«

Caris streichelte ihm übers Haar. »Ich könnte niemals Nonne werden. Dafür habe ich dich zu gern.«

Merthin starrte auf das rotbraune Dreieck zwischen ihren Beinen. »Du hast da ein kleines Muttermal«, sagte Merthin. »Genau da, links, neben der Spalte.«

»Ich weiß. Das habe ich schon, seit ich ein kleines Mädchen war. Früher habe ich es für hässlich gehalten. Ich war froh, als mir dort Haare gewachsen sind, weil mein zukünftiger Mann das Muttermal dann nicht sehen würde. Dass jemand so genau hinschaut wie du, daran habe ich nie gedacht.«

»Friar Murdo würde dich wegen dieses Muttermals eine Hexe nennen. Nicht, dass er mal davon erfährt!«

»Nicht mal, wenn er der letzte Mann auf Erden wäre.«

»Wärst du Muselmanin, würde dieser kleine Makel dich vor Blasphemie bewahren.«

»Wie meinst du das?«

»In der arabischen Welt wird jedes Kunstwerk mit einem kleinen Makel behaftet, damit sein Schöpfer nicht das Sakrileg begeht, in Wettbewerb mit der Vollkommenheit göttlichen Schaffens zu treten.«

»Woher weißt du das?«

»Einer der Florentiner hat es mir erzählt. Übrigens ... Glaubst du, dass der Rat die Insel haben will?«

»Warum fragst du?«

»Weil ich sie gerne hätte.«

»Vier Morgen Felsen und Hasen? Warum?«

»Ich würde dort eine Anlegestelle und einen Bauhof errichten. Dann könnte man Holz und anderes Material direkt über den Fluss zu der Anlegestelle bringen. Und wenn erst die Brücke fertig ist, würde ich gerne ein Haus auf der Insel bauen.«

»Das ist eine feine Idee, nur wird der Rat dir die Insel nicht kostenlos überlassen.«

»Wie wär's, wenn ich mit einem Teil meines Lohns dafür bezahle? Sagen wir, die Hälfte meines Lohns für zwei Jahre.«

»Du willst vier Pennys pro Tag – dann würde die Insel knapp über fünf Pfund kosten. Ich könnte mir vorstellen, dass es dem Rat gefallen würde, so viel für ein kahles Stück Land zu bekommen.«

»Du findest also auch, dass es eine gute Idee ist?«

»Ja. Du könntest auf der Insel Häuser bauen und sie vermieten, sobald die Brücke fertig ist.«

»Stimmt«, sagte Merthin nachdenklich. »Ich sollte mit deinem Vater darüber reden.«

Ralph Fitzgerald war mit sich und der Welt zufrieden, als er nach einem Jagdtag mit der Gefolgschaft von Graf Roland nach Earlscastle zurückkehrte.

Sie ritten über die Zugbrücke wie eine anrückende Armee: Ritter, Junker und Hunde. Es nieselte leicht – ein kühles Willkommen für Männer und Tiere, die fiebrig, müde und zufrieden waren. Sie hatten mehrere vom Sommer fette Hirschkühe erlegt, die ein gutes Mahl abgeben würden; dazu einen großen, alten Hirsch, dessen Fleisch jedoch zu zäh war, sodass es den Hunden vorgeworfen würde; die Männer hatten den Hirsch nur wegen seines prachtvollen Geweihs erlegt.

Die Männer stiegen in der Vorburg ab, dem unteren Kreis innerhalb des in Form einer Acht verlaufenden Grabens. Ralph sattelte Griff ab, murmelte ihm ein paar Dankesworte ins Ohr, gab ihm eine Karotte und reichte die Zügel einem Stallburschen, der das Tier abreiben sollte. Küchenjungen schleppten die blutigen Kadaver des erlegten Rotwilds in die Küche. Laut erinnerten sich die Männer noch einmal der Ereignisse des Tages. Sie prahlten, spotteten und lachten. Sie erzählten vom wilden Galopp über Wiesen und durch Wälder, von tückischen Bachläufen und gefährlichen Abhängen und davon, wie oft sie dem Unglück nur um Haaresbreite entkommen waren. Ralphs Nase füllte sich mit einem Geruch, den er liebte: einer Mischung aus Pferdeschweiß, nassen Hunden, Leder und Blut.

Ralph fand sich neben Herrn William von Caster wieder, dem älteren Sohn des Grafen. »Das war eine großartige Jagd«, sagte er.

»Fantastisch«, pflichtete William ihm bei, zog seine Kappe aus und kratzte sich den kahler werdenden Kopf. »Mir tut es nur leid, dass wir den alten Bruno verloren haben.«

Bruno, der Leithund der Meute, hatte ein paar Augenblicke zu früh zum tödlichen Angriff angesetzt. Als der Hirsch zu erschöpft gewesen war, um noch weiter zu fliehen, und sich in todesmutiger Kampfeswut zu den Hunden umgedreht hatte, die mächtigen Schultern von Blut bedeckt, war Bruno ihm an die Kehle gesprungen; doch in wilder Verzweiflung hatte der Hirsch den Kopf gesenkt, den kräftigen Hals geschwungen und den weichen Bauch des Hundes mit seinem Geweih aufgespießt – ein letzter Triumph, denn nur wenige Augenblicke später hatten die anderen Hunde ihn zerrissen. Im Todeskampf hatten Brunos Eingeweide sich um das Geweih gewickelt wie ein verknotetes Tau, und William hatte ihn von seinen Qualen erlöst, indem er ihm die Kehle durchgeschnitten hatte. »Bruno war ein tapferer Hund«, sagte Ralph und legte William mitfühlend die Hand auf die Schulter.

»Tapfer wie ein Löwe«, pflichtete William ihm bei.

In diesem Moment beschloss Ralph, über seine Zukunft zu sprechen. Eine bessere Gelegenheit würde er so bald nicht bekommen. Ralph war nun schon seit sieben Jahren Rolands Mann; er war mutig und stark, und er hatte seinem Herrn nach dem Brückeneinsturz das Leben gerettet – und doch hatte man ihn noch nicht befördert: Er war noch immer Junker. Aber was sollte er denn noch alles tun, um endlich die ersehnte Anerkennung zu finden?

Am gestrigen Tag hatte Ralph zufällig seinen Bruder in einer Schänke an der Straße von Kingsbridge nach Shiring getroffen. Merthin war auf dem Weg zum Steinbruch der Priorei gewesen und hatte viele Neuigkeiten zu berichten gehabt: Er würde die schönste Brücke in ganz England bauen, würde reich und berühmt werden, und ihre Eltern würden stolz auf ihn sein. Das alles hatte Ralph noch trübsinniger gestimmt.

Ihm fiel nichts ein, wie er sich vorsichtig an das Thema herantasten sollte, über das er mit Herrn William sprechen wollte; also stürzte er sich mitten ins kalte Wasser. »Es ist nun drei Monate her, seit ich Eurem Vater in Kingsbridge das Leben gerettet habe.«

»Diese Ehre nehmen mehrere Leute für sich in Anspruch«, entgegnete William. Der harte Ausdruck, der plötzlich auf seinem Gesicht erschien, erinnerte Ralph an Graf Roland.

»Ich habe ihn aus dem Wasser gezogen.«

»Und Matthew Barber hat seinen Kopf zusammengeflickt, die Nonnen haben seine Verbände gewechselt, und die Mönche haben für ihn gebetet. Doch es war Gott, der ihm das Leben gerettet hat.«

»Amen«, sagte Ralph. »Nur … Ich habe auf irgendeine Gunst gehofft …«

»Meinem Vater kann man nur schwer gefallen.«

Williams Bruder Richard stand in der Nähe. Sein Gesicht war gerötet, und er schwitzte. Richard hatte Ralphs Bemerkung gehört, und nun sagte er: »Das ist so wahr wie die Bibel.«

»Beschwer dich nicht. Die Härte unseres Vaters macht uns stark«, erwiderte William und wandte sich ab. Vermutlich wollte er vor einem Untergebenen wie Ralph nicht weiter darüber reden.

Nachdem die Pferde versorgt waren, gingen die Männer durch die Burganlage, vorbei an Küchen, Mannschaftsunterkünften, einer Kapelle und dann über eine zweite Zugbrücke, die in die kleinere Innenburg auf der Motte führte. Hier lebte der Graf in einem traditionellen Wohnturm mit Lagerräumen im unteren Teil, einer großen Halle darüber und einem kleineren Söller mit dem gräflichen Schlafgemach. Krähen hausten in den hohen Bäumen um den Wohnturm herum, hockten wie Sergeanten auf den Zinnen und krähten ihre Unzufriedenheit hinaus. Graf Roland befand sich in der großen Halle. Er hatte seine verschmutzte Jagdkleidung bereits gegen eine purpurne Robe eingetauscht. Ralph stellte sich neben den Grafen, bereit, die Frage seiner Beförderung bei der ersten sich bietenden Gelegenheit anzusprechen.

Graf Roland unterhielt sich gut gelaunt mit Williams Gemahlin, Lady Philippa. Sie war einer der wenigen Menschen, die ihm widersprechen und damit durchkommen konnten. Die beiden sprachen über die Burg. »Ich glaube nicht, dass sie sich in den letzten hundert Jahren irgendwie verändert hat«, bemerkte Philippa.

»Das liegt daran, weil sie so gut gebaut ist«, erwiderte Roland, der noch immer nur aus dem linken Mundwinkel sprach. »Ein Feind verausgabt den größten Teil seiner Kraft, um in die Vorburg zu gelangen, worauf er eine vollkommen neue Schlacht ausfechten muss, um auch die Innenburg nehmen zu können.«

»Ganz recht«, sagte Philippa. »Sie ist zur Verteidigung gebaut worden, nicht als bequemer Wohnsitz. Doch wann ist zum letzten Mal eine Burg in diesem Teil Englands angegriffen worden? Nicht zu meinen Lebzeiten.«

»Und auch nicht zu meinen.« Graf Roland grinste mit der beweglichen Seite seines Gesichts. »Und das liegt wohl daran, dass unsere Verteidigungsanlagen zu stark sind!«

»Es gab einmal einen Bischof, der hat Eicheln auf die Straße gestreut, wohin er auch gereist ist, um sich vor Löwen zu schützen. Als man ihm sagte, es gebe keine Löwen in England, hat er erwidert: ›Das klappt ja besser, als ich dachte!‹« Roland lachte. Philippa fügte hinzu: »Die meisten vornehmen Familien leben heutzutage in angenehmeren Gebäuden.«

Ralph war Luxus egal, Philippa jedoch nicht. Nun betrachtete Ralph ihre üppige Figur, während sie sprach, ohne sich der Gegenwart des jungen Mannes bewusst zu sein. Ralph stellte sich vor, wie sie unter ihm lag, ihren nackten Leib wand und vor Lust oder Schmerzen schrie – oder vor beidem. Wenn er Ritter wäre, könnte auch er solch eine Frau haben.

»Ihr solltet diesen alten Wohnturm abreißen und ein neues Haus bauen«, sagte Philippa zu ihrem Schwiegervater. »Ein Haus mit großen Fenstern und vielen Herden. Ihr könntet eine Halle im Erdgeschoss haben und Familiengemächer, die sich daran anschließen, sodass wir einen Platz zum Schlafen hätten, wenn wir Euch besuchen kommen. Am anderen Ende kann man dann die Küche bauen, damit das Essen noch warm auf den Tisch kommt.«

Ralph erkannte, dass er etwas zum Gespräch beitragen konnte, und warf ein: »Ich weiß, wer ein solches Haus für Euch entwerfen könnte.«

Roland und Philippa drehten sich überrascht zu ihm um. Was wusste ein Junker schon vom Hausbau? »Wer?«, fragte Philippa.

»Mein Bruder Merthin.«

Nachdenklich legte sie die Stirn in Falten. »Der Junge mit dem lustigen Gesicht, der mir gesagt hat, ich solle grüne Seide kaufen, weil es zu meinen Augen passt?«

»Er wollte nicht despektierlich sein, Mylady.«

»Nun ja, ich bin mir sowieso nicht sicher, was der Junge gemeint hat. Ist er Baumeister?«

»Der beste!«, antwortete Ralph stolz. »Er hatte die Idee für die neue Fähre in Kingsbridge. Er war es auch, der herausgefunden hat, wie man das Dach von St. Mark reparieren kann, was sonst niemand konnte. Und nun hat er den Auftrag, die schönste Brücke in ganz England zu bauen.«

»Irgendwie überrascht mich das nicht«, sagte Philippa.

»Was für eine Brücke?«, fragte Roland.

»Die neue Brücke in Kingsbridge. Sie wird Spitzbögen haben wie eine Kirche und breit genug für zwei Karren sein.«

»Davon habe ich ja noch gar nichts gehört«, sagte Roland.

Ralph erkannte, dass der Graf ungehalten war. Was hatte ihn plötzlich so verärgert? »Die Brücke muss doch neu gebaut werden …?«, sagte Ralph.

»Da bin ich mir nicht so sicher«, erwiderte Roland. »Dieser Tage gibt es kaum genug Handel für zwei Marktplätze, die so nahe beieinanderliegen wie Kingsbridge und Shiring. Und wenn wir schon den Markt in Kingsbridge dulden müssen, heißt das noch lange nicht, dass wir gute Miene zum bösen Spiel machen sollten, wenn die Priorei dort nun offen versucht, Kunden von Shiring wegzulocken.« Bischof Richard war hereingekommen, und nun drehte Roland sich zu ihm um. »Du hast mir gar nichts von der neuen Brücke in Kingsbridge erzählt.«

»Weil ich nichts darüber weiß«, erwiderte Richard.

»Das solltest du aber. Du bist der Bischof.«

Der Tadel ließ Richard erröten. »Der Bischof von Kingsbridge lebt seit dem Krieg zwischen König Stephan und Kaiserin Mathilde vor zweihundert Jahren in Shiring oder der Umgebung. Die Mönche ziehen es nun mal so vor, und auch die meisten Bischöfe.«

»Du solltest aber wenigstens eine Ahnung davon haben, was in Kingsbridge passiert.«

»Da es nun mal nicht so ist – wärt Ihr so gütig, mir zu sagen, was Ihr erfahren habt?«

Die Unverschämtheit prallte an Roland ab. »Die Brücke wird breit genug für zwei Karren sein. Sie wird dem Markt von Shiring Kunden wegnehmen.«

»Ich kann nichts dagegen tun.«

»Warum nicht? Du bist der Abt. Die Mönche müssen dir gehorchen.«

»Tun sie aber nicht.«

»Vielleicht tun sie es doch, wenn wir ihnen ihren Baumeister wegnehmen. Ralph, kannst du deinen Bruder davon überzeugen, die Brücke aufzugeben?«

»Ich kann es versuchen.«

»Mach ihm ein besseres Angebot. Sag ihm, dass ich mir von ihm hier in Earlscastle einen neuen Palast bauen lassen will.«

Ralph freute sich, einen solch wichtigen Auftrag vom Grafen zu bekommen, aber es erschreckte ihn auch: Er hatte Merthin noch nie zu irgendetwas überreden können. »Jawohl«, sagte er.

»Werden sie ohne ihn weitermachen können?«

»Nun, er hat den Auftrag bekommen, weil außer ihm niemand in Kingsbridge weiß, wie man unter Wasser bauen kann.«

Richard bemerkte: »Er ist mit Sicherheit nicht der einzige Mann in England, der weiß, wie man eine Brücke baut.«

»Trotzdem«, erwiderte William. »Ihnen den Architekten wegzunehmen würde mit Sicherheit den Bau verzögern – mindestens für ein Jahr.«

»Dann ist es die Sache wert«, sagte Roland entschlossen. Ein hasserfüllter Ausdruck erschien auf der belebten Seite seines Gesichts, und er fügte hinzu: »Dieser überhebliche Prior muss an seinen Platz verwiesen werden!«

❊

Das Leben hatte sich für Gerald und Maud verändert, stellte Ralph fest. Seine Mutter trug ein neues grünes Kleid für den Kirchgang, sein Vater Lederschuhe. Daheim schmorte eine mit Äpfeln gefüllte Gans über dem Feuer und erfüllte das Haus mit einem Duft, dass einem das Wasser im Mund zusammenlief. Dazu gab es das beste Weizenbrot.

Das Geld kam von Merthin, wie Ralph bald erfuhr. »Er bekommt vier Pennys für jeden Tag, den er an St. Mark arbeitet«, berichtete Maud stolz. »Außerdem baut er ein neues Haus für Dick Brewer, während er sich darauf vorbereitet, die neue Brücke zu errichten.«

Für die Arbeit an der Brücke, erzählte Merthin, während sein Vater die Gans zerteilte, bekäme er zwar weniger Geld, erhielte dafür aber Leper Island als Teil des Lohns. Der letzte verbliebene Aussätzige, ein alter, bettlägeriger Mann, war in ein kleines Haus im Obsthain der Mönche am anderen Ufer gebracht worden.

Für Ralph hatte die offensichtliche Freude seiner Mutter einen bitteren Beigeschmack. Seit seiner Kindheit hatte er geglaubt, das Schicksal seiner Familie liege in seinen Händen. Im Alter von vierzehn Jahren hatte man ihn fortgeschickt, in den Haushalt des Grafen von Shiring, und schon damals hatte er gewusst, dass es seine Aufgabe war, die Schande seines Vaters zu tilgen, indem er Ritter, vielleicht sogar Baron oder gar Graf wurde. Merthin hingegen war bei einem Zimmermann in die Lehre gegeben worden, womit er einen Weg eingeschlagen hatte, der den gesellschaftlichen Hügel nur hinunterführen konnte. Baumeister wurden nie zum Ritter geschlagen.

Es war ein Trost, dass wenigstens Gerald nicht so sehr von Merthins Erfolg beeindruckt war. Er zeigte ein gewisses Maß an Ungeduld, wenn Maud von Bauvorhaben sprach. »Mein älterer Sohn scheint das Blut von Jack Builder geerbt zu haben, meinem einzigen Ahnherrn von niederem Stand«, sagte Gerald und klang eher erstaunt als stolz. »Aber jetzt erzähl uns, Ralph, wie kommst du am Hof des Grafen voran?«

Unglücklicherweise war es Ralph bisher nicht gelungen, in den Adelsstand aufzusteigen, während Merthin seinen Eltern neue Kleider und erlesene Speisen kaufte. Ralph wusste, dass er eigentlich dankbar hätte sein sollen, dass wenigstens Merthin Erfolg hatte und dass seine Eltern ein gutes Leben führten; doch während sein Verstand ihm sagte, er solle sich freuen, schwelte der Groll in seinem Herzen.

Und nun musste er seinen Bruder davon überzeugen, den Bau der Brücke aufzugeben. Allerdings war Merthin nicht wie die Ritter und Junker, mit denen Ralph die letzten sieben Jahre verbracht hatte: Diese Männer waren Krieger. In ihrer Welt war Treue unverbrüchlich und Tapferkeit eine Tugend, und stets ging es um Leben und Tod. Für sie bestand keine Notwendigkeit, tiefschürfenden Gedanken nachzuhängen. Merthin jedoch dachte über schlichtweg alles nach. Er konnte nicht einmal eine Partie Dame spielen, ohne eine Änderung der Regeln vorzuschlagen.

Nun erklärte er seinen Eltern, warum er die vier Morgen kahlen Fels als Teil seiner Bezahlung für die Arbeit an der Brücke haben wolle: »Jeder hält das Land für wertlos, weil es eine Insel ist«, sagte er. »Dabei vergessen die Leute, dass die Insel Teil der Stadt sein wird, wenn die Brücke erst gebaut ist. Und vier Morgen Stadtland sind sehr wertvoll. Wenn ich Häuser auf der Insel baue, ist die Pacht ein Vermögen wert.«

Gerald sagte: »Bis dahin wirst du aber noch ein paar Jahre warten müssen.«

»Die Insel bringt mir jetzt schon etwas ein. Jake Chepstow hat einen halben Morgen gepachtet. Er will das Land als Holzlager nutzen. Sein Holz kommt aus Wales.«

»Warum aus Wales?«, fragte Gerald. »Der New Forest liegt doch viel näher. Das Holz von dort müsste wesentlich billiger sein.«

»Ja, müsste. Aber der Graf von Shaftesbury erhebt Zoll und Steuern auf jede Furt und jede Brücke in seinem Gebiet.«

Das war ein nur allzu vertrautes Ärgernis. Viele Herren fanden Mittel und Wege, Waren zu besteuern, die durch ihre Ländereien transportiert wurden.

Beim Essen sagte Ralph zu Merthin: »Übrigens gibt es da eine ganz große Gelegenheit für dich! Der Graf lässt dir mitteilen, dass er in Earlscastle einen neuen Palast bauen will!«

Merthin schaute ihn misstrauisch an. »Und er hat dich geschickt, damit du mich fragst, ob ich ihm den Palast entwerfe?«

»Ich habe dich vorgeschlagen. Lady Philippa hat den Grafen wegen des alten Wohnturms getadelt, und da habe ich gesagt, ich kenne genau den Richtigen, mit dem man reden müsse.«

Maud freute sich. »Ist das nicht wunderbar!«

Merthin blieb skeptisch. »Und der Graf hat gesagt, dass er mich haben will?«

»Ja!«

»Seltsam. Noch vor ein paar Monaten konnte ich überhaupt keine Arbeit finden, und jetzt weiß ich sie kaum zu schaffen. Nun, Earlscastle liegt zwei Tagesreisen von hier. Ich weiß nicht, wie ich gleichzeitig dort einen Palast und hier eine Brücke bauen soll.«

»Oh, die Brücke wirst du aufgeben müssen«, sagte Ralph.

»Was?«

»Natürlich hat eine Arbeit für den Grafen Vorrang vor allem anderen.«

»Da bin ich mir nicht so sicher.«

»Du kannst mir ruhig glauben.«

»Hat der Graf das gesagt?«

»Ja, hat er.«

Ihr Vater mischte sich ein. »Das ist eine wunderbare Gelegenheit, Merthin«, sagte er. »Ein Palast für einen Grafen!«

»Natürlich ist das ehrenvoll«, erwiderte Merthin. »Aber eine Brücke für eine Stadt zu errichten ist mindestens genauso wichtig.«

»Sei doch nicht dumm«, mahnte sein Vater.

»Genau das versuche ich«, erwiderte Merthin.

»Der Graf von Shiring ist einer der größten Männer im ganzen Land. Im Vergleich zu ihm ist der Prior von Kingsbridge ein Niemand.«

Ralph schnitt sich eine Scheibe Gänseschenkel ab und schob sie sich in den Mund, doch er konnte kaum schlucken. Merthin war schwierig, und genau davor hatte er Angst gehabt. Er würde auch keinem Befehl seines Vaters gehorchen. Merthin war nie gehorsam gewesen, nicht einmal als Kind.

»Ich gebe dir einen guten Rat«, sagte Ralph. »Der Graf will nicht, dass eine neue Brücke gebaut wird. Er meint, das würde dem Handel in Shiring schaden.«

»Siehst du?«, sagte Gerald. »Du willst dich doch sicher nicht gegen den Grafen stellen, oder, Merthin?«

»Das also steckt dahinter«, sagte Merthin. »Roland bietet mir die Arbeit nur an, damit ich die Brücke nicht bauen kann.«

»Nicht nur aus diesem Grund«, sagte Ralph,

»Aber wenn ich seinen Palast bauen will, *muss* ich die Brücke aufgeben.«

Gerald sagte verzweifelt: »Dir bleibt keine Wahl, Merthin! Der Graf bittet nicht, er befiehlt.«

Ralph hätte seinem Vater sagen können, dass Autorität kein Argument war, das Merthin von irgendetwas zu überzeugen vermochte.

Merthin sagte: »Ich glaube nicht, dass der Graf dem Prior von Kingsbridge Befehle erteilen kann. Und der hat mir den Auftrag erteilt, die Brücke zu bauen.«

»Aber er kann *dir* Befehle geben.«

»Er ist nicht mein Herr.«

»Sei nicht dumm, Sohn. Du kannst keinen Kampf gegen einen Grafen gewinnen.«

»Ich glaube nicht, dass Graf Roland Streit mit mir hat, Vater. Hier geht es um den Grafen und den Prior. Roland will mich benutzen wie ein Jäger einen Hund. Ich sollte mich besser aus dem Kampf zwischen dem Prior und dem Grafen heraushalten.«

»Und ich denke, du solltest tun, was der Graf sagt. Vergiss nicht, dass er dein Verwandter ist.«

Merthin versuchte es mit einem anderen Argument. »Ist dir je der Gedanke gekommen, welch ein Verrat an Prior Godwyn es wäre, die Brücke aufzugeben?«

Gerald schnaubte verächtlich. »Seit wann schulden wir der Priorei Treue? Schließlich waren es die Mönche, die uns in den Munt gezwungen haben.«

»Und die Bürger von Kingsbridge, die seit zehn Jahren deine Nachbarn und Freunde sind? Sie brauchen die Brücke. Ihre Existenz hängt davon ab.«

»Wir sind von Adel«, sagte sein Vater. »Es ist nicht unsere Aufgabe, die Belange einfacher Kaufleute in Betracht zu ziehen.«

Merthin nickte. »Du magst ja so empfinden, aber als einfacher Zimmermann kann ich deine Ansichten nicht teilen.«

»Hier geht es nicht nur um dich!«, platzte Ralph heraus. Er erkannte, dass er reinen Tisch machen musste. »Der Graf hat mir einen Auftrag erteilt. Wenn ich Erfolg habe, macht er mich vielleicht zum Ritter oder wenigstens zu einem niederen Herrn. Sollte ich scheitern, bleibe ich Junker.«

Maud sagte: »Es ist sehr wichtig, dass wir alle uns bemühen, dem Grafen zu gefallen.«

Merthin schaute besorgt drein. Sich mit seinem Vater anzulegen machte ihm nichts aus, aber er mochte es nicht, mit seiner Mutter zu streiten. »Ich habe zugesagt, die Brücke zu bauen«, sagte er. »Die Stadt zählt auf mich. Ich kann jetzt nicht einfach Nein sagen.«

»Natürlich kannst du das«, widersprach Maud.

»Ich möchte nicht in den Ruf kommen, unzuverlässig zu sein.«

»Jedermann würde verstehen, wenn du dem Grafen den Vorzug gibst.«

»Die Leute mögen es ja verstehen, aber ihre Achtung würde es mir nicht einbringen.«

»Du solltest deine Familie stets an die erste Stelle setzen!«

»Ich habe für diese Brücke gekämpft«, sagte Merthin stur. »Ich habe einen großartigen Entwurf gemacht, und ich habe die ganze Stadt davon überzeugt, an mich zu glauben. Außer mir kann niemand die Brücke bauen – jedenfalls nicht so, wie sie gebaut werden sollte.«

»Wenn du dem Grafen trotzt, muss Ralph darunter leiden!«, sagte seine Mutter. »Verstehst du das denn nicht?«

»Sein Wohl und Wehe sollte nicht von so etwas abhängen.«

»So ist es aber. Bist du bereit, deinen Bruder zu opfern? Nur um einer Brücke willen?«

Merthin erwiderte: »Das ist so ähnlich, als würde ich ihn bitten, Leben zu retten, indem er nicht in den Krieg zieht.«

Gerald sagte: »Jetzt komm aber! Du kannst einen Zimmermann doch nicht mit einem Soldaten vergleichen.«

Das war taktlos, dachte Ralph. Damit zeigte Gerald wieder einmal, dass er seinen jüngeren Sohn bevorzugte. Das traf Merthin; Ralph wusste es. Das Gesicht seines Bruders lief rot an, und er biss sich auf die Lippe.

»Ich habe nicht darum gebeten, Zimmermann zu werden«, sagte Merthin schließlich mit der Stimme eines Mannes, der eine endgültige Entscheidung getroffen hat. »Wie Ralph wollte auch ich einmal Ritter werden. Das war dumm von mir; das weiß ich jetzt. Trotzdem war es deine Entscheidung, Vater, dass ich geworden bin, was ich bin. Du hast mich dazu gemacht – also solltest du lernen, damit zu leben. Und nun werde ich es in dem Beruf, den zu erlernen du mich gezwungen hast, zu Ruhm und Erfolg bringen. Eines Tages werde ich das höchste Bauwerk in England errichten!«

Bevor Ralph mit der schlechten Nachricht nach Earlscastle zurückkehrte, suchte er verzweifelt nach einer Möglichkeit, seine Niederlage doch noch in einen Sieg zu verwandeln. Wenn er seinen Bruder schon nicht überreden konnte, die Brücke aufzugeben – gab es dann vielleicht einen anderen Weg, das Projekt zu verhindern oder zumindest aufzuhalten?

Mit Edmund Wooler oder Prior Godwyn zu reden war sinnlos, das wusste Ralph. Sie hatten sich der Brücke vermutlich noch mehr verschrieben als Merthin; außerdem würden sie sich bestimmt nicht von einem einfachen Knappen zu irgendetwas überreden lassen. Natürlich könnte der Graf Ritter schicken, um die Bauarbeiter zu erschlagen; aber das würde mehr Probleme verursachen als bereinigen.

Es waren Merthins Worte, die Ralph schließlich auf eine Idee brachten. Merthin hatte gesagt, dass Jake Chepstow – der Holzhändler, der Leper Island als Lagerplatz benutzte – Bäume aus Wales kaufte, um die Steuern und Zölle des Grafen von Shaftesbury zu umgehen.

»Mein Bruder meint, er müsse sich der Autorität des Priors von Kingsbridge unterwerfen«, sagte Ralph bei seiner Rückkehr zu Graf Roland. Doch ehe der Graf Gelegenheit hatte, wütend zu werden, fügte Ralph hinzu: »Aber es gibt vielleicht einen noch besseren Weg, den Bau der Brücke hinauszuzögern. Der Steinbruch der Priorei liegt im Herzen Eurer Grafschaft, zwischen Shiring und Earlscastle.«

»Aber er gehört den verdammten Mönchen!«, schimpfte Roland. »Der König hat ihnen den Steinbruch schon vor Jahrhunderten gegeben. Wir können sie nicht davon abhalten, dort Steine zu brechen.«

»Aber Ihr könnt den Transport mit Zöllen belegen«, sagte Ralph. Er hatte ein schlechtes Gewissen: Er sabotierte ein Projekt, das seinem Bruder sehr am Herzen lag. Aber es musste getan werden, und so brachte Ralph die Stimme seines Gewissens zum Schweigen. »Die Mönche werden ihre Steine durch Eure Grafschaft transportieren. Ihre schweren Karren werden Eure Straßen abnutzen und Eure Furten aufwühlen. Dafür sollten sie zahlen.«

»Sie werden quieken wie die Schweine! Sie werden zum König gehen!«

»Sollen sie«, erwiderte Ralph. Es klang selbstbewusster, als er sich fühlte. »Das wird seine Zeit dauern. Dieses Jahr kann nur noch zwei Monate lang gebaut werden. Vor dem ersten Frost werden sie mit den Arbeiten aufhören müssen. Mit ein bisschen Glück könntet Ihr den Beginn der Bauarbeiten bis nächstes Jahr hinauszögern.«

Roland blickte Ralph scharf an. »Vielleicht habe ich dich ja unterschätzt«, sagte er. »Vielleicht taugst du ja doch zu mehr als nur dazu, Grafen aus dem Fluss zu ziehen.«

Ralph verkniff sich ein triumphierendes Lächeln. »Ich danke Euch, Mylord.«

»Aber wie sollen wir diesen Zoll durchsetzen? Normalerweise erhebt man Zoll an einer Kreuzung oder an einer Furt – irgendwo, wo jeder Karren durchmuss.«

»Da wir nur an den Steinblöcken interessiert sind, könnten wir einfach mit einem Trupp Männer vor dem Steinbruch Stellung beziehen.«

»Sehr gut«, sagte der Graf. »Und du kannst die Männer anführen.«

Zwei Tage später näherte Ralph sich dem Steinbruch in Begleitung von vier berittenen Soldaten und zwei Burschen, die Packpferde mit Zelten und Proviant für eine Woche führten. Bis jetzt war er zufrieden mit sich selbst. Man hatte ihm eine wichtige Aufgabe anvertraut. Der Graf hatte erkannt, dass er zu mehr taugte als nur dazu, Menschen aus einem Fluss zu ziehen. Die Dinge entwickelten sich zum Guten.

Doch Ralph fühlte sich unwohl, wenn er daran dachte, was er Merthin nun antun musste. Er hatte den größten Teil der Nacht wach gelegen und sich an ihre gemeinsame Kindheit erinnert. Er hatte seinen klugen älteren Bruder stets bewundert. Sie hatten damals oft miteinander gekämpft, doch wie diese Kämpfe auch ausgegangen waren – anschließend hatten sie sich stets wieder vertragen. Kämpfe als Erwachsene jedoch waren nicht so leicht zu vergessen; manchmal war es sogar unmöglich, nach einem solchen Kampf jemals wieder Frieden zu schließen.

Ralph machte sich keine großen Sorgen, was die Auseinandersetzungen mit den Steinbrucharbeitern der Mönche betraf. Das sollte für Soldaten keine Herausforderung werden. Ralph hatte zwar keine Ritter dabei – eine solche Arbeit war unter ihrer Würde –, doch Joseph Woodstock war an seiner Seite, ein harter Bursche, und noch drei andere Männer. Trotzdem würde er froh sein, wenn er sein Ziel erreicht hatte.

Es war kurz nach Sonnenaufgang. Die Nacht zuvor hatten sie ihr Lager im Wald aufgeschlagen, ein paar Meilen vom Steinbruch entfernt. Nun wollte Ralph rechtzeitig dort sein, um gleich den ersten Wagen aufzuhalten, der den Steinbruch verließ.

Die Pferde schritten zögerlich über eine Straße, die von Ochsenhufen und Wagenrädern zerfurcht und verschlammt war. Der Himmel hing voller Regenwolken. Nur hier und da war ein kleiner blauer Fleck zu sehen. Ralphs Leute waren in guter Stimmung. Sie freuten sich darauf, ihre Macht gegen Unbewaffnete richten zu können, ohne sich selbst dabei zu gefährden.

Ralph roch brennendes Holz; kurz darauf sah er den Rauch mehrerer Feuer über den Bäumen. Die Straße verbreiterte sich zu einer matschigen Lichtung, hinter der das größte Loch im Boden gähnte, das Ralph je gesehen hatte: Es war hundert Schritt breit und erstreckte sich über mindestens eine Viertelmeile in der Länge. Eine schlammige Rampe führte zu den Zelten und Holzhütten der Arbeiter hinunter, die sich um ihre Feuer drängten und Frühstück machten. Ein paar Männer waren bereits an der Arbeit; Ralph hörte den Klang ihrer Hämmer, mit denen sie Keile in Felsrisse trieben, um große Steinblöcke abzuspalten.

Der Steinbruch lag eine Tagesreise von Kingsbridge entfernt. Deshalb kamen die meisten Karren zum Transport der Steine abends und fuhren am Morgen wieder ab. Ralph sah mehrere dieser Karren in dem riesigen Erdloch. Einige wurden mit Steinen beladen; einer rumpelte bereits langsam in Richtung Rampe.

Als sie das Getrappel der Pferdehufe vernahmen, schauten die Männer im Steinbruch nach oben, doch niemand kam zu Ralph und seinen Leuten hinauf. Arbeiter hatten es nie eilig, sich mit Soldaten auseinanderzusetzen. Ralph wartete geduldig. Die lange Rampe schien der einzige Weg aus dem Steinbruch hinaus zu sein.

Langsam quälte der erste Wagen sich die Rampe hinauf. Der Fuhrmann trieb den Ochsen, der bedächtig einen Huf vor den anderen setzte, mit einer langen Peitsche an. Vier große Steine lagen auf der Ladefläche, grob behauen und mit dem Zeichen des Arbeiters versehen, der sie gebrochen hatte. Der Ertrag jedes Mannes wurde einmal im Steinbruch und einmal an der Baustelle gezählt; bezahlt wurde pro Stein.

Als der Wagen sich langsam näherte, sah Ralph, dass der Fuhrmann ein Mann aus Kingsbridge war: Ben Wheeler. Mit seinem dicken Hals und den breiten Schultern ähnelte er ein wenig seinem Ochsen. Auch sein Gesicht zeigte den gleichen Ausdruck dumpfer Feindseligkeit. Wheeler könnte versuchen, ihm Ärger zu machen, vermutete Ralph; aber er würde mit dem Burschen schon fertig werden.

Ben Wheeler fuhr mit seinem Ochsenkarren auf die Pferde zu,

die die Straße versperrten. Anstatt in sicherer Entfernung stehen zu bleiben, ließ er sein mächtiges Tier immer näher kommen. Die Pferde waren keine Schlachtrösser, und so schnaubten sie unruhig und wichen zurück. Dann blieb der Ochse von selbst stehen.

Ben fragte: »Warum steht ihr mir im Weg?«

»Um den Zoll einzutreiben«, sagte Ralph, dem der Mangel an Respekt die Zornesröte ins Gesicht trieb.

»Es gibt keinen Zoll.«

»Um eine Wagenladung Steine durch das Land des Grafen von Shiring zu fahren, musst du einen Penny Zoll pro Wagenladung bezahlen.«

»Ich hab kein Geld.«

»Dann solltest du dir welches besorgen.«

»Verwehrt ihr mir den Weg?«

Der Narr hatte nicht halb so viel Angst, wie er hätte haben sollen, und das machte Ralph noch wütender. »Wage es ja nicht, mir Fragen zu stellen, Dummkopf!«, rief er. »Die Steine bleiben hier, bis jemand den Zoll für sie bezahlt hat!«

Ben funkelte ihn an. Ralph hatte das Gefühl, dass der Mann darüber nachdachte, ihn vom Pferd zu reißen. »Aber ich hab kein Geld!«, wiederholte Ben schließlich.

Ralph hätte ihm am liebsten das Schwert in den Leib gerammt, doch er bezähmte seine Wut. »Stell dich nicht dümmer, als du bist«, sagte er verächtlich. »Geh zu deinem Verwalter und sag ihm, dass die Männer des Grafen dich nicht ziehen lassen.«

Ben schaute ihn an und dachte darüber nach; dann machte er wortlos kehrt und stampfte die Rampe hinunter. Den Wagen ließ er stehen.

Ralph wartete. Voller Wut starrte er auf den Ochsen.

Ben ging in eine Holzhütte auf halbem Weg durch den Steinbruch. Ein paar Minuten später kam er wieder zum Vorschein, begleitet von einem schlanken Mann in braunem Kittel. Zuerst nahm Ralph an, dass es sich um den Verwalter handelte; doch die Gestalt kam ihm vertraut vor, und als die beiden Männer näher kamen, erkannte er seinen Bruder Merthin.

»O nein!«, sagte Ralph laut.

Darauf war er nicht vorbereitet. Er schämte sich plötzlich seines Tuns, als er Merthin nun dabei beobachtete, wie dieser die lange Rampe heraufstieg. Ralph war gekommen, um seinen Bruder zu verraten, doch er hatte nicht damit gerechnet, ihn hier zu sehen.

»Gott zum Gruß, Ralph«, sagte Merthin. »Ben sagt, du willst ihn nicht vorbeilassen.«

Würde er sich auf eine Diskussion einlassen, würde er den Kürzeren ziehen; das wusste Ralph. Also beschloss er, die Sache förmlich anzugehen und seine Gefühle zu verbergen. Steif sagte er: »Der Graf hat beschlossen, sein Recht auszuüben und Zoll auf jeden Transport von Steinen zu erheben.«

Merthin beachtete seine Worte gar nicht. »Willst du nicht vom Pferd steigen, um mit deinem Bruder zu reden?«, fragte er stattdessen.

Ralph hätte es vorgezogen, auf dem Pferderücken zu bleiben, schwang sich dann aber aus dem Sattel. Wenn das hier eine Art Herausforderung sein sollte, würde er sich ihr stellen. Doch er hatte das Gefühl, bereits geschlagen zu sein.

»Es gibt hier keinen Zoll auf Steine«, sagte Merthin.

»Jetzt schon.«

»Die Mönche arbeiten seit Hunderten von Jahren in diesem Steinbruch. Die Kathedrale von Kingsbridge ist aus diesem Stein gebaut. Der Stein wurde nie mit Abgaben belegt.«

»Vielleicht hat der Graf um der Kathedrale willen darauf verzichtet.« Etwas anderes fiel Ralph nicht ein. »Aber bei der Brücke wird er das nicht tun.«

»Er will nur nicht, dass die Stadt eine neue Brücke bekommt. Erst schickt er dich, um mich zu bestechen, und als er damit scheitert, erfindet er einen neuen Zoll.« Merthin schaute Ralph nachdenklich an. »Das war deine Idee, nicht wahr?«

Ralph erstarrte. Wie hatte er das nur erraten können? »Nein!«, sagte er, spürte aber, wie er errötete.

»Ich sehe es dir an. Wahrscheinlich habe sogar ich selbst dich auf den Gedanken gebracht, als ich dir von Jake Chepstow und seinem Holz aus Wales erzählt habe, mit dem er den Zoll des Grafen von Shaftesbury umgehen will.«

Ralph kam sich mit jedem Moment törichter vor, und seine Wut wuchs in gleichem Maße. »Unsinn!«, sagte er stur.

»Du hast mich dafür getadelt, dass ich meine Brücke vor meinen Bruder gestellt habe, aber du erfreust dich daran, für deinen Grafen meine Hoffnungen zu zerstören.«

»Es ist egal, wessen Idee das war. Der Graf hat einen Zoll auf Steine erhoben.«

»Aber er hat nicht das Recht dazu.«

Ben Wheeler verfolgte gespannt die Diskussion. Er stand mit gespreizten Beinen neben Merthin, die Hände in die Hüften gestemmt. Nun sagte er: »Willst du damit sagen, Merthin, diese Männer haben gar nicht das Recht, mich aufzuhalten?«

»Genau das«, antwortete Merthin.

Ralph hätte Merthin sagen können, dass es ein Fehler war, einen Mann wie Ben so zu behandeln, als hätte er Verstand. Nun deutete Ben Merthins Worte als Erlaubnis zum Aufbruch. Er knallte mit der Peitsche über der Schulter des Ochsen. Das Tier stemmte sich in sein hölzernes Joch und zog.

Ralph rief wütend: »Halt!«

Ben knallte erneut mit der Peitsche und rief: »Hüa!«

Der Ochse zog, und der Wagen setzte sich mit einem Ruck in Bewegung. Die Pferde scheuten. Joseph Woodstocks Tier wieherte, rollte mit den Augen und stieg.

Joseph riss an den Zügeln und bekam das Pferd wieder unter Kontrolle. Dann zog er einen langen Holzknüppel aus seiner Satteltasche. »Du bleibst hübsch stehen, wenn man's dir sagt!«, fuhr er Ben an, trieb sein Pferd vorwärts und schlug mit dem Knüppel zu.

Ben tauchte unter dem Schlag weg, packte den Knüppel und zog daran.

Joseph hatte sich bereits aus dem Sattel gelehnt. Nun ließ der plötzliche Ruck ihn das Gleichgewicht verlieren, und er fiel vom Pferd.

Merthin rief: »O nein!«

Ralph wusste, warum Merthin mit einem Mal Angst hatte: Ein Soldat konnte eine solche Demütigung nicht auf sich sitzen lassen. Gewalt war jetzt nicht mehr zu vermeiden. Doch Ralph verspürte kein Bedauern: Sein Bruder hatte die Männer des Grafen nicht mit dem gebotenen Respekt behandelt. Nun würde er miterleben, welche Folgen das hatte.

Ben hielt Josephs Knüppel mit beiden Händen fest. Joseph sprang auf. Als er Ben den Knüppel schwingen sah, griff er nach seinem Dolch. Doch Ben war schneller – der Fuhrmann musste einst in einer Schlacht gefochten haben, erkannte Ralph. Ben schwang den Knüppel und landete einen mächtigen Schlag auf Josephs Kopf. Joseph fiel zu Boden und rührte sich nicht mehr.

Ralph brüllte vor Zorn, zog sein Schwert und stürmte auf den Fuhrmann zu.

»Nein!«, schrie Merthin.

Ralph stach Ben in die Brust, trieb ihm das Schwert mit aller Kraft zwischen die Rippen. Die Klinge drang durch Bens dicken Leib und trat auf dem Rücken aus. Bens Körper erschlaffte, und Ralph zog das Schwert heraus. Wie eine Fontäne sprudelte das Blut aus dem Körper des Fuhrmanns, der haltlos zu Boden fiel. Eine Welle des Triumphs und der Befriedigung spülte über Ralph hinweg. Nun würde es nie wieder Frechheiten von Ben Wheeler geben.

Ralph kniete sich neben Joseph. Die Augen des Mannes waren leer. Kein Herzschlag war zu spüren. Joseph war tot.

In gewisser Weise war Ralph froh darüber: Das machte es leichter, das Geschehen zu erklären. Ben Wheeler hatte einen der Männer des Grafen ermordet und dafür mit dem Leben bezahlt. Niemand würde das als ungerecht betrachten, am allerwenigsten Graf Roland, der keine Gnade mit jenen kannte, die sich seiner Autorität widersetzten.

Merthin jedoch sah das ganz anders. »Was hast du getan?«, stieß er fassungslos hervor, das Gesicht verzerrt, als würden ihn arge Schmerzen plagen. »Ben Wheeler hat einen zwei Jahre alten Sohn! Sie nennen ihn Bennie!«

»Dann sollte die Witwe sich einen anderen Mann suchen«, sagte Ralph. »Und diesmal sollte sie einen nehmen, der weiß, wo sein Platz ist.«

Es war eine klägliche Ernte. Im August gab es so wenig Sonnenschein, dass das Getreide im September kaum reif war. Im Dorf
Wigleigh herrschte trübe Stimmung. Von der üblichen Euphorie zur
Erntezeit war nichts zu spüren: kein Tanz, kein Zechgelage, keine
neuen Romanzen. Das nasse Korn würde verfaulen. Viele Dörfler
würden noch vor dem Frühling hungern.

Wulfric erntete seine Gerste in dichtem Regen und schnitt die
nassen Halme mit der Sense, während Gwenda hinter ihm herging
und die Halme zu Garben band. Am ersten sonnigen Tag des Sep-
tembers begannen sie mit der Weizenernte, in der Hoffnung, dass
das schöne Wetter lange genug anhalten würde, um den Weizen –
das wertvollste Getreide – trocknen zu lassen.

Gwenda erkannte immer mehr, dass Wulfric von Wut angetrieben wurde, die der plötzliche Verlust seiner Familie in ihm entfacht
hatte. Hätte er gekonnt, er hätte irgendeiner Person die Schuld am
Tod seiner Lieben gegeben, doch der Brückeneinsturz schien das
Werk böser Geister gewesen zu sein oder vielleicht auch eine Strafe
Gottes; also konnte er seinem Hass nur durch harte Arbeit ein Ventil
verschaffen. Gwenda wiederum wurde von Liebe angetrieben – ein
genauso machtvolles Gefühl.

Sie waren vor Sonnenaufgang auf den Feldern und hörten erst mit
der Arbeit auf, wenn es so dunkel war, dass sie nichts mehr sehen
konnten. Jede Nacht schlief Gwenda mit schmerzendem Rücken ein
und wachte auf, wenn Wulfric vor Sonnenaufgang die Küchentür
zuschlug. Trotzdem hinkten sie den anderen Dörflern noch immer
hinterher.

Von klein auf war Gwenda es gewöhnt, dass man verächtlich auf
sie hinunterschaute; schließlich war sie die Tochter des einhändi-
gen Joby. Weiteren Zorn hatte sie auf sich gezogen, indem sie Annet
ihren geliebten Wulfric ausspannen wollte. Gegen Wulfric hingegen
konnte man schwerlich etwas einwenden, auch wenn einige Leute

seinen Wunsch, die großen Ländereien seines Vaters zu übernehmen, ohne ausreichend Arbeitskräfte zur Bewirtschaftung zu haben, als Ausdruck von Gier empfanden. Allerdings blieb auch niemand von Gwendas und Wulfrics Anstrengungen unbeeindruckt, die Ernte einzubringen: Ein Junge und ein Mädchen versuchten, die Arbeit von drei Männern zu machen, und sie kamen besser zurecht, als alle erwartet hatten. Die Einstellung der Leute änderte sich: Die Männer begannen Wulfric zu bewundern, und die Frauen blickten mit Mitgefühl auf Gwenda.

Schließlich taten die Dörfler sich zusammen, um den beiden zu helfen. Der Pfarrer, Vater Gaspard, drückte sogar ein Auge zu, wenn sie sonntags arbeiteten. Als Annets Familie die Ernte eingebracht hatte, begaben Perkin und Annets Bruder Rob sich auf Wulfrics Felder, um ihm und Gwenda bei der Arbeit zu helfen. Sogar Gwendas Mutter Ethna tauchte auf. Als sie die letzten Garben in Wulfrics Scheune brachten, keimte sogar ein Hauch des alten Erntegeists auf. Sie zogen hinter dem Karren her und sangen alte Lieder.

Selbst Annet war gekommen und ignorierte damit das Sprichwort, das da sagte: »Du sollst erst dem Pflug folgen, wenn du bereit bist, zur Ernte zu tanzen.« Sie ging an Wulfrics Seite, was ihr gutes Recht war, war sie doch mit ihm verlobt. Gwenda beobachtete sie von hinten, und es ärgerte sie, wie Annet mit den Hüften wackelte, den Kopf warf und ausgelassen über alles lachte, was er sagte. Wie konnte Wulfric nur so dumm sein, dass er darauf hereinfiel? War ihm denn nicht aufgefallen, dass Annet keinen Handschlag auf seinem Land getan hatte?

Bis jetzt war noch kein Datum für die Hochzeit festgelegt worden, und Perkin war gerissen: Er würde Wulfric erst dann seine Tochter heiraten lassen, wenn die Sache mit dem Erbe geklärt war.

Wulfric hatte bewiesen, dass er fähig war, Land zu bestellen. Niemand würde das jetzt noch infrage stellen. Sein Alter war unerheblich geworden. Das einzige noch verbliebene Hindernis war der Hauptfall. Würde er das nötige Geld dafür auftreiben können? Es hing davon ab, wie viel er für sein Getreide bekam. Die Ernte war kärglich gewesen, doch wenn überall so schlechtes Wetter geherrscht hatte wie in Wigleigh, würden die Weizenpreise vermutlich hoch sein. Üblicherweise hatte eine wohlhabende Bauernfamilie Geld für den Hauptfall zurückgelegt; doch die Ersparnisse von Wulfrics Familie lagen auf dem Grund des Flusses in Kingsbridge.

Also war noch nichts beschlossen, und Gwenda konnte weiter davon träumen, dass Wulfric das Land erben und ihr doch noch seine Zuneigung schenken würde. Alles war möglich.

Als sie den Karren vor der Scheune ausluden, erschien Nathan Reeve. Der bucklige Vogt war ganz aufgeregt. »Kommt rasch in die Kirche«, sagte er. »Alle! Lasst alles stehen und liegen!«

Wulfric sagte: »Ich lass doch meine Ernte nicht im Freien stehen! Es könnte regnen.«

»Lass uns den Karren einfach reinschieben«, sagte Gwenda; dann fragte sie den Vogt: »Was ist denn so dringend?«

Der Vogt lief bereits zum nächsten Haus. »Der neue Herr kommt!«, sagte er.

»Warte doch!« Wulfric lief dem Vogt hinterher. »Wirst du dem Herrn empfehlen, dass ich erben soll?«

Alle blieben stehen und harrten der Antwort.

Widerwillig drehte Nathan sich zu Wulfric um. Er musste nach oben schauen, denn Wulfric war gut einen Fuß größer als er. »Ich weiß es nicht«, sagte er bedächtig.

»Ich habe bewiesen, dass ich das Land bestellen kann. Das siehst du selber. Schau doch nur in die Scheune!«

»Das hast du gut gemacht, ohne Zweifel. Aber kannst du auch den Hauptfall bezahlen?«

»Das hängt vom Weizenpreis ab.«

Annet sagte: »Vater?«

Gwenda fragte sich, was nun wohl kommen würde.

Perkin zögerte.

Annet drängte ihn erneut. »Denk daran, was du mir versprochen hast.«

»Ja, ich werde daran denken«, sagte Perkin schließlich.

»Dann sag es Nate.«

Perkin wandte sich an den Vogt. »Ich werde für den Hauptfall bürgen, wenn der Herr erlaubt, dass Wulfric erbt.«

Gwenda schlug die Hand vor den Mund.

Nathan fragte: »Du willst für ihn bezahlen? Das sind zwei Pfund und zehn Shilling.«

»Wenn er das Geld nicht zusammenbekommt, werde ich ihm leihen, was fehlt. Natürlich müssen sie vorher heiraten.«

Nathan senkte die Stimme. »Und dazu …?«

Perkin sagte irgendetwas, jedoch so leise, dass Gwenda es nicht hören konnte. Aber sie glaubte, auch so zu wissen, worum es ging:

Perkin bot Nathan ein Bestechungsgeld an, vermutlich ein Zehntel des Hauptfalls, in diesem Fall fünf Shilling.

»Also gut«, sagte Nathan. »Ich werde eine entsprechende Empfehlung machen. Und jetzt seht zu, dass ihr in die Kirche kommt. Rasch!« Er ging davon.

Wulfric lächelte selig und küsste Annet. Alle schüttelten ihm die Hand.

Gwenda war todunglücklich. Ihre Hoffnungen waren endgültig zerstört. Annet war wirklich sehr, sehr klug gewesen. Sie hatte ihren Vater überredet, Wulfric das Geld zu leihen, das er benötigte. Er würde sein Land erben ... und Annet heiraten.

Gwenda musste sich zwingen mitzuhelfen, als der Karren in die Scheune geschoben wurde. Dann folgte sie dem glücklichen Paar durch das Dorf und in die Kirche. Alles war aus und vorbei. Ein neuer Herr, der das Dorf und seine Bewohner nicht kannte, würde in solch einer Frage schwerlich etwas gegen den Rat seines Vogts einwenden. Und dass Nathan sich die Mühe gemacht hatte, ein Bestechungsgeld auszuhandeln, zeugte von Selbstvertrauen.

Zum Teil war es natürlich auch Gwendas Schuld. Sie hatte sich krumm geschuftet, damit Wulfric seine Ernte einfahren konnte – in der unbestimmten Hoffnung, er würde irgendwie doch noch erkennen, dass sie ein besseres Weib war als Annet. Den ganzen Sommer über hast du dir dein eigenes Grab geschaufelt, dachte sie nun bei sich, als sie über den Friedhof zur Kirchentür ging. Aber Gwenda würde es wieder tun. Sie hätte es nie ertragen können, Wulfric allein kämpfen zu sehen. Was immer auch geschieht, dachte sie, er wird stets wissen, dass ich diese schlimme Zeit mit ihm gemeinsam durchgestanden habe.

Aber das war nur ein schwacher Trost.

Die meisten Dörfler befanden sich bereits in der Kirche. Nathan hatte sie nicht drängen müssen. Jeder wollte unbedingt zu den Ersten gehören, die dem neuen Grundherrn ihren Respekt erwiesen, und sie waren neugierig, wie er wohl sein würde: jung oder alt, hässlich oder schön, fröhlich oder mürrisch, klug oder dumm, und – am wichtigsten – grausam oder gutherzig. Mit jeder seiner Eigenschaften würde er das Leben jedes Dörflers beeinflussen, solange er Herr war, was Jahre oder gar Jahrzehnte währen konnte. War er klug und besonnen, konnte er Wigleigh zu einem glücklichen und wohlhabenden Dorf machen. War er ein Narr, mussten die Dörfler sich mit dummen Entscheidungen und ungerechten Urteilen abfinden, mit erdrückenden Steuern und harten Strafen. Und eine der ersten Entscheidungen des neuen Herrn würde sein, ob Wulfric erben sollte oder nicht.

Das Raunen verstummte, und das Klirren von Pferdegeschirr war zu hören. Gwenda vernahm Nathans Stimme, leise und unterwürfig; dann den befehlsgewohnten Tonfall eines Herrn. Er ist ein großer Mann, dachte sie, selbstbewusst, aber jung. Alle schauten zur Kirchentür. Sie flog auf.

Gwenda schnappte nach Luft.

Der Mann, der hereinstapfte, war nicht älter als zwanzig. Er trug ein kostbares Wams aus Wolle und war mit Schwert und Dolch bewaffnet. Er war groß, und seine Miene verriet Stolz. Er schien sich zu freuen, Herr von Wigleigh zu sein, obwohl sich in seiner hochmütigen Miene auch ein Hauch von Unsicherheit spiegelte. Er hatte dunkles welliges Haar und ein hübsches Gesicht, das jedoch von einer gebrochenen Nase verunstaltet wurde.

Es war Ralph Fitzgerald.

❈

Ralphs erster Lehnshof sollte am folgenden Sonntag stattfinden.

Wulfric war am Boden zerstört. Jedes Mal, wenn Gwenda ihn sah, wäre sie am liebsten in Tränen ausgebrochen. Er ging mit gesenktem Blick und ließ die breiten Schultern hängen. Den ganzen Sommer war er unermüdlich gewesen und hatte ohne ein Wort der Klage – und ohne Pferd – auf den Feldern geschuftet, doch nun wirkte er müde. Er hatte alles getan, was ein Mann tun konnte, doch sein Schicksal lag nun in den Händen eines Menschen, der ihn hasste.

Gwenda hätte ihm gern Hoffnung gemacht, ihn aufgeheitert, doch die Wahrheit war, dass sie seine Ängste teilte. Herren waren oft kleinlich und rachsüchtig, und Ralph war kein Mann, der auf Großmut und Nachsicht hoffen ließ. Schon als Kind war er dumm und brutal gewesen. Nie würde Gwenda den Tag vergessen, an dem er ihren Hund mit Merthins Pfeil und Bogen erschossen hatte.

Und nichts deutete darauf hin, dass Ralph sich seitdem geändert hatte. Er war mit seinem Gefährten ins Gutshaus gezogen, einem jungen, bulligen Junker mit Namen Alan Fernhill, und die beiden tranken den besten Wein, aßen die besten Speisen und begrapschten den Busen und Hintern ihrer weiblichen Diener mit der typischen Sorglosigkeit ihres Standes.

Nathan Reeves Haltung erhärtete Gwendas Ängste. Der Vogt machte sich nicht die Mühe, ein höheres Bestechungsgeld auszuhandeln – ein sicheres Zeichen dafür, dass er mit einem Scheitern rechnete.

Auch Annet schien nicht mehr an Wulfrics Zukunft zu glauben. Gwenda bemerkte eine deutliche Veränderung an ihr. Annet warf nicht mehr so unbekümmert ihr Haar zurück, bewegte sich nicht mehr mit dem kessen Hüftschwung, und ihr helles Lachen war nur noch selten zu hören. Gwenda hoffte nur, dass Wulfric diese Veränderung nicht auch bemerkte: Es gab schon genug, worüber er sich den Kopf zermartern musste. Doch Gwenda hatte das Gefühl, dass er abends nicht mehr so lange bei Perkin blieb, und wenn er nach Hause kam, schwieg er meist.

Am Sonntagmorgen erfuhr Gwenda zu ihrem Erstaunen, dass Wulfric doch noch einen Funken Hoffnung hegte. Nach dem Gottesdienst – und nachdem Vater Gaspard den Platz für Herrn Ralph geräumt hatte – sah sie, dass Wulfric die Augen geschlossen hatte und dass seine Lippen sich bewegten. Vermutlich betete er zu seiner Lieblingsheiligen, der Jungfrau Maria.

Natürlich befanden sich sämtliche Dörfler in der Kirche, einschließlich Joby und Ethna. Gwenda stand nicht bei ihren Eltern. Sie sprach manchmal mit ihrer Mutter, doch nur, wenn ihr Vater nicht in der Nähe war. Joby hatte einen leuchtend roten Fleck auf der Wange, wo seine Tochter ihm das Gesicht verbrannt hatte. Er schaute ihr nie in die Augen. Gwenda hatte noch immer Angst vor ihm, doch sie fühlte, dass er sich nun auch vor ihr fürchtete.

Ralph saß auf dem großen Holzstuhl. Er starrte seine Leibeigenen an wie ein Käufer die Ware auf einem Viehmarkt. Heute gab es im Lehnshof eine Reihe von Ankündigungen. Nathan verlas, welche Maßnahmen ergriffen werden mussten, um die Ernte des Herrn von den herrschaftlichen Feldern einzubringen, und verkündete, welcher Dörfler wann seine Pflicht dem Herrn gegenüber zu erfüllen habe. Eine Diskussion gab es nicht. Offensichtlich war Ralph das Einverständnis seiner Untertanen egal.

Es gab noch andere Erlasse des neuen Herrn, die Nathan zu verkünden hatte: Auf Hundredacre sollten bis Montagabend die letzten Ähren eingefahren sein, damit das Vieh von Dienstagmorgen an die Stoppeln abgrasen konnte, und das Herbstpflügen auf Longfield würde am Mittwoch beginnen. Normalerweise hätte es kleinere Diskussionen über diese Punkte gegeben, doch heute schwiegen alle und warteten darauf, den neuen Herrn besser einschätzen zu können. Und Wulfrics Fall würde das Maß dafür sein.

Als die Entscheidung verkündet wurde, fiel sie seltsam zurückhaltend aus. Als würde er einen neuen Arbeitsplan verlesen, sagte Nathan bloß: »Wulfric ist es nicht erlaubt, das Land seines Vaters zu erben, denn er ist erst sechzehn.«

Gwenda schaute zu Ralph. Er versuchte krampfhaft, sich ein triumphierendes Grinsen zu verkneifen. Seine Hand bewegte sich zu seinem Gesicht – unbewusst, schien es Gwenda – und berührte seine gebrochene Nase.

Nathan fuhr fort: »Herr Ralph wird darüber nachdenken, was mit dem Land geschehen soll, und seine Entscheidung später bekannt geben.«

Wulfric stöhnte laut genug, dass alle es hören konnten. Es war die Entscheidung, die er erwartet hatte, doch die Bestätigung zu hören war bitter. Gwenda beobachtete, wie er der Menge den Rücken zukehrte, sein Gesicht verbarg und sich gegen die Wand lehnte, als befürchtete er umzufallen.

»Das ist alles für heute«, verkündete Nathan.

Ralph stand auf. Langsam ging er durchs Kirchenschiff, und sein Blick schweifte immer wieder zu dem verzweifelten Wulfric. Dass Ralph seine Macht gleich beim ersten Mal dazu benutzt hatte, Rache zu üben, ließ in Gwendas Augen für die Zukunft Schlimmes ahnen. Nathan folgte Ralph, den Blick zu Boden gerichtet. Er wusste, was für eine Ungerechtigkeit hier soeben geschehen war. Als die Dörfler die Kirche verließen, setzte allgemeines Geraune ein. Gwenda sprach mit niemandem; sie beobachtete Wulfric.

Wulfric löste sich von der Wand. Sein Gesicht war ein Bild des Jammers. Er ließ den Blick über die Menge schweifen und entdeckte Annet. Sie war außer sich vor Wut. Gwenda wartete darauf, dass sie Wulfric in die Augen sah, doch sie schien fest entschlossen, ihn nicht anzuschauen. Gwenda fragte sich, was Annet durch den Kopf ging.

Hoch erhobenen Hauptes ging Annet zur Tür. Ihr Vater, Perkin, und die Familie folgten ihr. Würde Annet nicht einmal mit Wulfric sprechen?

Der gleiche Gedanke musste auch ihm gekommen sein, denn er folgte ihr. »Annet!«, sagte er. »Warte!«

Schweigen senkte sich über die Dörfler.

Annet drehte sich um. Wulfric fragte: »Wir werden doch immer noch heiraten, oder?«

Gwenda zuckte zusammen, als sie das würdelose Flehen in seiner Stimme hörte. Annet starrte ihn an. Unverkennbar wollte sie etwas sagen, doch sie zog ihr Schweigen in die Länge, und so sprach Wulfric erneut: »Herren brauchen gute Pächter, um ihr Land zu bestellen. Vielleicht gibt Ralph mir ein kleineres Stück ...«

»Du hast ihm die Nase gebrochen«, sagte Annet mit kalter Stimme. »Er wird dir niemals irgendetwas geben.«

Gwenda musste daran denken, wie sehr Annet sich damals darüber gefreut hatte, dass zwei Männer sich um sie prügelten.

Wulfric sagte: »Dann werde ich mich eben als Knecht verdingen. Ich bin stark. Es wird mir nicht an Arbeit mangeln.«

»Aber du wirst dein Leben lang arm bleiben. Was hast du mir denn schon zu bieten?«

»Wir werden zusammen sein, wie wir es uns an dem Tag im Wald erträumt haben, als du gesagt hast, dass du mich liebst. Erinnerst du dich nicht?«

»Und wie würde dieses Leben für mich aussehen? Verheiratet mit einem landlosen Knecht?«, stieß Annet wütend hervor. »Ich werde es dir sagen.« Sie hob den Arm und deutete auf Gwendas Mutter, die mit den drei kleinen Kindern bei Joby stand. »Ich wäre wie sie – grimm vor Sorge und dürr wie ein Besenstiel.«

Diese Bemerkung verletzte Joby. Er wedelte mit seinem verstümmelten Arm in Richtung Annet. »Hüte deine Zunge, du hochmütiges kleines Biest!«

Perkin trat vor seine Tochter und machte eine beruhigende Geste mit beiden Händen. »Verzeih ihr, Joby. Sie ist nur ein wenig erregt. Sie hat es nicht so gemeint.«

Wulfric sagte: »Ohne Joby böse zu wollen, aber ich bin nicht wie er, Annet.«

»Doch, bist du!«, spie sie hervor. »Joby hat kein Land, und du hast kein Land. Deshalb ist Joby arm, und deshalb wirst auch du arm sein. Deine Kinder werden hungern, und dein Weib wird in Lumpen gehen.«

Sie hatte wahrscheinlich recht. In harten Zeiten litten die Landlosen als Erste. Seine Knechte und Mägde zu entlassen war der schnellste Weg, Geld zu sparen. Trotzdem konnte Gwenda nicht begreifen, wie eine Frau die Gelegenheit ausschlagen konnte, ihr Leben mit Wulfric zu verbringen.

Und genau das schien Annet zu tun.

Wulfric fragte flehend: »Liebst du mich denn nicht mehr?«

Er hatte nun all seine Würde verloren, und er sah kläglich und jämmerlich aus ... und doch war Gwendas Leidenschaft für ihn in diesem Augenblick größer denn je.

»Liebe kann man nicht essen«, antwortete Annet und ging davon.

⁂

Zwei Wochen später heiratete sie Billy Howard.

Gwenda ging zur Hochzeit, wie alle anderen im Dorf, mit Ausnahme von Wulfric. Trotz der schlechten Ernte gab es ein üppiges Festmahl. Durch die Hochzeit wurden zwei große Ländereien miteinander vereint: Perkins hundert Morgen mit Billys vierzig. Des Weiteren hatte Perkin Ralph gebeten, ihm das Land von Wulfrics Familie zu übereignen. Falls Ralph dem zustimmte, würden Annets Kinder fast das halbe Dorf erben. Doch Ralph war nach Kingsbridge gereist und hatte erklärt, bei seiner Rückkehr würde er eine Entscheidung treffen.

Perkin schlug ein Fass vom stärksten Bier seiner Frau an und schlachtete eine Kuh. Gwenda aß und trank, so viel sie konnte. Ihre Zukunft war viel zu unsicher, als dass sie ein gutes Essen hätte zurückweisen können.

Sie spielte Ball mit ihren kleinen Schwestern, Cathie und Joanie; dann setzte sie sich den Säugling Eric auf die Knie und sang ihm etwas vor. Nach einer Weile setzte ihre Mutter sich neben sie und fragte: »Was wirst du jetzt tun?«

In ihrem Herzen hatte Gwenda sich bereits mit Ethna versöhnt. Sie redeten miteinander, und Ma stellte besorgte Fragen. »Solange ich kann, werde ich in Wulfrics Scheune wohnen«, antwortete Gwenda. »Vielleicht kann ich ja für immer dort bleiben.«

»Und wenn Wulfric auszieht ... oder gar das Dorf verlässt?«

»Ich weiß es nicht.«

Für den Augenblick arbeitete Wulfric noch immer auf den Feldern, pflügte die Stoppeln unter und eggte die Brache, die einst seiner Familie gehört hatte. Gwenda half ihm dabei. Sie erhielten von Nathan den üblichen Lohn eines Knechts und einer Magd, damit sie blieben und das Land nicht verkümmerte, bis Ralph verkündete, wer der nächste Pächter sein würde. Dem würden sie sich dann anbieten müssen.

»Wo ist Wulfric jetzt?«, fragte Ethna.

»Ich nehme an, ihm ist nicht danach, diese Hochzeit zu feiern.«

»Was empfindet er für dich?«

Gwenda blickte ihre Mutter offen an. »Er sagt, ich sei der beste Freund, den er je gehabt habe.«

»Was heißt das?«

»Ich weiß es nicht. Aber es heißt nicht ›ich liebe dich‹, oder?«

»Nein«, antwortete ihre Mutter. »Nein, das heißt es nicht.«

Gwenda hörte Musik. Aaron Appletree blies einen Dudelsack rauf und runter, um ihn für eine Melodie einzustimmen. Sie sah Perkin mit zwei kleinen Trommeln, die er sich an den Gürtel gebunden hatte, aus dem Haus kommen. Gleich würde der Tanz beginnen.

Gwenda war nicht in der Stimmung für einen Tanz. Sie hätte mit den alten Frauen reden können, doch die hätten ihr nur die gleichen Fragen gestellt wie ihre Mutter, und Gwenda wollte nicht den Rest des Tages damit verbringen, ihre Not zu erklären. Sie erinnerte sich an die letzte Dorfhochzeit. Wulfric war damals ziemlich betrunken gewesen, hatte mit großen Sprüngen getanzt und alle Frauen umarmt, auch wenn er Annet natürlich bevorzugt hatte. Ohne Wulfric war diese Hochzeit kein Fest für Gwenda. Sie gab den kleinen Eric ihrer Mutter zurück und stahl sich davon. Ihr Hund, Skip, blieb zurück. Er wusste, dass bei solchen Festen eine Menge Essbares auf den Boden fiel.

Gwenda ging zu Wulfrics Haus. Im Stillen hoffte sie, ihn dort anzutreffen, doch es war niemand da. Es war ein solides Holzhaus mit dicken Balken, doch ohne Kamin – solcher Luxus war den Reichen vorbehalten. Gwenda schaute in beiden Stuben im Erdgeschoss nach, auch oben in der Schlafkammer. Das Haus war so sauber geputzt wie damals, als Wulfrics Mutter noch gelebt hatte, was aber daran lag, dass Wulfric nur einen Raum benutzte. Er aß und schlief in der Küche. Das Haus war kalt und ungemütlich. Ein Familienhaus ohne Familie.

Gwenda ging in die Scheune. Sie war voller Heuballen sowie Gerste und Weizen, die darauf warteten, gedroschen zu werden. Gwenda stieg die Leiter zum Heuboden hinauf und legte sich ins Heu. Nach einer Weile schlief sie ein.

Als sie aufwachte, war es dunkel geworden. Sie hatte keine Ahnung, wie spät es war, und verließ die Scheune, um zum Himmel zu schauen. Der Mond stand tief zwischen Wolkenstreifen; es konnten nur ein, zwei Stunden nach Einbruch der Nacht sein. Als Gwenda im Scheunentor stand, noch halb im Schlaf, hörte sie jemanden weinen.

Sie wusste sofort, dass es Wulfric war. Sie hatte ihn schon einmal weinen hören, als er die Leichen seiner Eltern und seines Bruders auf dem Boden der Kathedrale von Kingsbridge gesehen hatte. Er weinte mit lautem Schluchzen, das aus den Tiefen seiner Brust zu kommen schien. Als sie Wulfric in seinem Kummer hörte, traten auch Gwenda Tränen in die Augen.

Nach einer Weile ging sie ins Haus.

Sie konnte ihn im Mondlicht sehen. Er lag bäuchlings im Stroh, und sein Rücken hob und senkte sich mit jedem Schluchzer. Er musste gehört haben, wie Gwenda den Riegel gehoben hatte, war aber viel zu verzweifelt, als dass es ihn gekümmert hätte, und so schaute er nicht auf.

Gwenda kniete sich neben ihn und strich ihm sanft übers Haar. Wulfric reagierte nicht. Gwenda berührte ihn nur selten, und sein Haar zu streicheln war eine unbekannte Freude für sie. Nach einer Weile schien ihre Zärtlichkeit ihn zu trösten, denn das Weinen verebbte.

Nach einiger Zeit wagte es Gwenda, sich neben ihn zu legen. Sie rechnete damit, dass er sie wegstoßen würde, doch er tat es nicht. Er drehte sein Gesicht zu ihr, die Augen geschlossen. Gwenda wischte ihm mit dem Ärmel die Tränen von den Wangen. Es erregte sie, so nahe bei ihm zu sein, und es machte sie glücklich, dass er ihr diese kleinen Zärtlichkeiten gestattete. Sie sehnte sich danach, seine geschlossenen Lider zu küssen, hatte aber Angst, damit einen Schritt zu weit zu gehen, und so hielt sie sich zurück.

Einen Augenblick später bemerkte sie, dass er eingeschlafen war.

Gwenda war zufrieden. Dass er schlief, war ein Zeichen dafür, wie geborgen er sich in ihrer Gegenwart fühlte. Und das wiederum hieß, dass sie bei ihm bleiben konnte – zumindest bis er aufwachte.

Es war Herbst, und die Nacht war kalt. Als Wulfrics Atmen langsamer und regelmäßiger wurde, stand Gwenda vorsichtig auf, holte seine Decke vom Haken an der Wand und breitete sie über ihn. Er schlief ungestört weiter.

Trotz der Kälte zog Gwenda sich das Kleid über den Kopf, legte sich nackt neben ihn und zog die Decke über sie beide.

Sie rückte dicht an Wulfric heran und legte die Wange auf seine Brust. Sie konnte seinen Herzschlag hören und spürte seinen Atem auf ihrem Haar. Die Hitze seines Körpers wärmte sie. Nach einiger

Zeit ging der Mond unter, und es wurde stockdunkel im Zimmer. Gwenda hätte bis in alle Ewigkeit so liegen bleiben können.

Sie schlief nicht. Sie wollte keinen dieser kostbaren Augenblicke verschwenden und genoss es in vollen Zügen, wohl wissend, dass es wahrscheinlich nie wieder so sein würde. Vorsichtig berührte sie Wulfric, um ihn nicht zu wecken. Durch sein leichtes Wollhemd erkundeten ihre Finger die Muskeln auf seiner Brust und am Rücken, seine Hüfte, seine kräftige Schulter und seinen harten Ellbogen.

Wulfric bewegte sich mehrere Male im Schlaf. Irgendwann drehte er sich um und lag nun auf dem Rücken, worauf Gwenda den Kopf an seine Schulter legte und den Arm auf seinen Leib bettete. Später drehte er sich von ihr weg, und Gwenda rückte noch näher an ihn heran, schmiegte sich an ihn, drückte die Brüste gegen seinen breiten Rücken und ihre Knie in seine Kniekehlen. Kurz darauf drehte Wulfric sich wieder zu ihr um, warf einen Arm um ihre Schulter und ein Bein über ihre Schenkel. Sein Bein war schmerzhaft schwer, doch Gwenda genoss diesen Schmerz, war er doch der Beweis, dass dies alles kein Traum war.

Wulfric jedoch träumte. Mitten in der Nacht dann küsste er Gwenda plötzlich, stieß seine Zunge grob in ihren Mund und packte ihre Brust mit seiner großen Hand. Gwenda spürte sein steifes Glied, als er sich unbeholfen an ihr rieb. Einen Augenblick lang war sie verwirrt. Sie kannte es gar nicht von ihm, so plump zu sein. Gwenda schob die Hand zu seinen Lenden und schloss die Finger um sein Glied, das durch den Schlitz in seiner Hose ragte. Dann, und wieder ganz plötzlich, drehte Wulfric sich erneut um, lag nun auf dem Rücken und atmete gleichmäßig. Da erkannte Gwenda, dass er nie aufgewacht war; er hatte sie nur im Traum berührt ... und ohne Zweifel träumte er von Annet, dachte sie reumütig.

Gwenda schlief nicht. Sie gab sich Tagträumen hin. Sie stellte sich vor, wie Wulfric sie einem Fremden mit den Worten vorstellte: »Das ist mein Weib, Gwenda.« Sie sah sich als Schwangere, aber noch immer auf dem Feld; sie sah, wie sie eines Mittags in Ohnmacht fiel und wie Wulfric sie hochhob, nach Hause trug und ihr Gesicht mit kaltem Wasser wusch. Sie sah ihn als alten Mann, wie er mit seinen Enkeln spielte und sie mit Äpfeln und Honigwaben verwöhnte.

Enkel? Gwenda seufzte gequält. Da hatte sie wohl zu viel in die Bewegung hineingedeutet, als er den Arm um sie gelegt hatte, während er sich in den Schlaf weinte ...

Die Zeit verrann. Gwenda wusste, dass es bald dämmern würde und dass ihr Aufenthalt im Paradies bald vorüber war, als Wulfric sich mit einem Mal rührte. Sein Atem ging lauter, unregelmäßiger. Er drehte sich wieder auf den Rücken. Gwendas Arm fiel auf seine Brust, und sie ließ ihn dort liegen und schob die Hand unter seinen Arm. Nach wenigen Augenblicken bemerkte sie, dass er wach war und nachdachte. Gwenda rührte sich nicht aus Angst, jede Bewegung, jedes Wort könnte den Zauber brechen.

Schließlich drehte Wulfric sich wieder zu ihr herum. Er legte den Arm um sie, und sie spürte seine Hand auf ihrem nackten Rücken. Er streichelte sie, doch sie wusste nicht, was diese Zärtlichkeit zu bedeuten hatte: Er schien auf Erkundung zu sein und war offensichtlich überrascht, dass sie nackt war. Seine Hand wanderte zu ihrem Hals hinauf und wieder hinunter zur Hüfte.

Schließlich sprach er. Als hätte er Angst, belauscht zu werden, flüsterte er: »Sie hat ihn geheiratet.«

Gwenda flüsterte: »Ja.«

»Ihre Liebe ist schwach.«

»Wahre Liebe ist niemals schwach.«

Wulfrics Hand blieb auf ihrer Hüfte, ganz nahe an Stellen, von denen Gwenda sich sehnlichst wünschte, dass er sie berührte.

Er fragte: »Werde ich je aufhören, sie zu lieben?«

Gwenda nahm seine Hand, führte sie an ihren Körper. »Sie hat zwei Brüste wie diese«, sagte sie noch immer im Flüsterton. Sie wusste nicht, warum sie das tat. Sie ließ sich ganz von ihren Gefühlen leiten und folgte ihnen im Guten wie im Schlechten.

Wulfric stöhnte, und Gwenda spürte, wie seine Hand sich zuerst um die eine, dann um die andere Brust schloss.

»Und sie hat Haar wie dieses hier«, sagte sie und führte seine Hand zwischen ihre Schenkel. Wulfric atmete schneller, ließ seine Hand dort. Gwenda erkundete seinen Körper unter der Wolldecke und stellte fest, dass er wieder eine Erektion hatte. Sie umfasste sein Glied und sagte: »Und ihre Hand fühlt sich genauso an wie diese.« Er begann, rhythmisch den Unterleib zu bewegen.

Gwenda befürchtete, der Beischlaf könnte vorbei sein, noch ehe er angefangen hatte. Sanft drehte sie ihn auf den Rücken und schob sich auf ihn. »Im Innern ist sie heiß und feucht«, sagte sie und ließ sich auf ihn hinunter. Obwohl sie das schon mal gemacht hatte, war es noch nie so gewesen wie jetzt. Gwenda fühlte sich erfüllt, und doch wollte sie mehr. Sie ritt auf ihm, bewegte sich im Rhythmus der Stöße seiner Lenden, beugte sich zu ihm hinunter, küsste sein bärtiges Gesicht, seine weichen Lippen.

Wulfric nahm ihren Kopf zwischen die Handflächen und erwiderte den Kuss.

»Sie liebt dich«, flüsterte Gwenda ihm zu. »Sie liebt dich sehr.«

Wulfric schrie vor Leidenschaft; seine Stöße wurden wilder, während Gwenda noch immer auf ihm ritt, bis sie ihn schließlich in sich kommen spürte. Er stieß einen letzten Schrei aus; dann entspannte sich sein Körper, und er sagte keuchend: »Oh, ich liebe dich! Ich liebe dich, Annet!«

KAPITEL 28

Wulfric schlief wieder ein, doch Gwenda lag wach. Sie war zu aufgeregt zum Schlafen. Sie hatte seine Liebe gewonnen – sie wusste es. Deshalb spielte es kaum eine Rolle für sie, dass sie so hatte tun müssen, als wäre sie Annet. Wulfric hatte sie mit solchem Hunger geliebt und sie mit solcher Zärtlichkeit und Dankbarkeit geküsst, dass Gwenda das Gefühl hatte, er gehöre ihr auf ewig.

Als ihr Herz wieder langsamer schlug und ihr Inneres sich beruhigt hatte, dachte sie über Wulfrics Erbe nach. Gwenda war noch nicht bereit, es aufzugeben, besonders jetzt nicht. Während es draußen dämmerte, zermarterte sie sich den Kopf darüber, wie sie das Erbe retten könnte. Als Wulfric aufwachte, sagte sie: »Ich werde nach Kingsbridge gehen.«

»Warum denn?«, fragte er verwundert.

»Um herauszufinden, ob es noch eine andere Möglichkeit gibt, dass du dein Erbe bekommst.«

»Und wie willst du das herausfinden?«

»Ich weiß es nicht. Aber Ralph hat das Land noch niemand anderem gegeben; also besteht noch Hoffnung. Und du hast es verdient. Du hast hart gearbeitet und viel gelitten.«

»Was wirst du tun?«

»Ich gehe zu meinem Bruder Philemon. Er versteht solche Dinge besser als wir. Er wird wissen, was zu tun ist.«

Wulfric schaute sie seltsam an.

»Was ist?«, fragte sie.

Wulfric antwortete: »Du liebst mich wirklich, nicht wahr?«

Gwenda lächelte voller Glück und sagte: »Lass es uns noch mal tun, ja?«

Am nächsten Morgen war sie in der Priorei von Kingsbridge, saß auf einer Bank im Gemüsegarten und wartete auf Philemon. Während des langen Marsches von Wigleigh hierher hatte sie im Geiste noch einmal jede Sekunde der Sonntagnacht durchlebt, hatte in

Gedanken noch einmal die körperlichen Freuden genossen, hatte sich noch einmal den Kopf über die Worte zerbrochen, die zwischen ihnen gefallen waren. Wulfric hatte ihr noch immer nicht seine Liebe erklärt, aber er hatte gesagt: »Du liebst mich wirklich.« Und er schien glücklich darüber gewesen zu sein, auch wenn ihre Leidenschaft ihn ein wenig verwirrt hatte.

Gwenda hoffte inständig, das Geburtsrecht für ihn zurückzugewinnen. Sie sehnte sich fast so sehr danach, wie sie sich nach Wulfric gesehnt hatte. Selbst wenn er nur ein landloser Tagelöhner war wie ihr Vater – sie würde ihn heiraten, sollte sie die Gelegenheit erhalten. Doch sie wollte etwas Besseres für sie beide und war fest entschlossen, es zu bekommen.

Als Philemon aus der Priorei in den Garten kam, um seine Schwester zu begrüßen, sah sie, dass er das Gewand eines Novizen trug. »Holger!«, rief sie freudig. »Du bist Novize! Dein Wunsch ist in Erfüllung gegangen!«

Philemon lächelte stolz und übersah gnädig, dass Gwenda ihn vor Begeisterung bei seinem alten Namen gerufen hatte. »Es war eine von Godwyns ersten Entscheidungen als Prior«, sagte er. »Er ist ein wunderbarer Mann. Es ist eine große Ehre, ihm dienen zu dürfen.« Philemon setzte sich neben seine Schwester auf die Bank. Es war ein lauer Herbsttag, bewölkt, aber trocken.

»Wie geht es mit deinem Unterricht voran?«, fragte Gwenda.

»Langsam. Für einen Erwachsenen ist es schwer, lesen und schreiben zu lernen.« Philemon verzog das Gesicht. »Die kleinen Jungen lernen schneller als ich. Aber ich kann schon das Vaterunser auf Latein kopieren.«

Gwenda beneidete ihn. Sie selbst konnte nicht einmal ihren eigenen Namen schreiben. »Das ist ja wunderbar!«, sagte sie. Ihr Bruder war auf dem besten Weg, sich seinen Lebenstraum zu erfüllen und Mönch zu werden. Vielleicht würde sich mit seinem Novizendasein ja auch das Gefühl der Minderwertigkeit legen, das der Grund für seine gelegentliche Hinterlist war; davon war Gwenda überzeugt.

»Aber was ist mit dir?«, fragte Philemon. »Warum bist du nach Kingsbridge gekommen?«

»Hast du gewusst, dass Ralph Fitzgerald zum Herrn von Wigleigh ernannt worden ist?«

»Ja. Er ist hier in der Stadt. Er wohnt im Bell und spielt den großen Mann.«

»Er hat Wulfric sein Erbe verweigert, das Land seines Vaters, und nun steht er ohne Grund und Boden da.« Gwenda erzählte Philemon die Geschichte. »Deshalb bin ich hier. Ich will wissen, ob man Ralphs Entscheidung anfechten kann.«

Philemon schüttelte den Kopf. »Nein. Wulfric könnte an den Grafen von Shiring appellieren und ihn bitten, Ralphs Entscheidung wieder umzustoßen, doch der Graf wird sich nicht einmischen, es sei denn, er hat einen persönlichen Grund dafür. Selbst wenn er die Entscheidung für ungerecht hält – was offensichtlich der Fall ist –, wird er nicht die Autorität seines frisch ernannten Lehnsmanns untergraben. Aber was interessiert dich das? Ich dachte, Wulfric würde Annet heiraten.«

»Kaum hatte Ralph seine Entscheidung verkündet, hat Annet Wulfric den Laufpass gegeben und Billy Howard geheiratet.«

»Und jetzt kommst du bei Wulfric zum Zug?«

»Ich glaube schon.« Gwenda spürte, wie sie errötete.

»Woher willst du das wissen?«, fragte Philemon scharfsinnig.

»Ich … Ich habe seine Not ausgenutzt«, beichtete Gwenda. »Er war wegen Annets Heirat ganz verzweifelt, und da bin ich zu ihm ins Bett gestiegen.«

»Oh! Nun, mach dir keine Vorwürfe. Leute wie wir, die arm geboren sind, müssen stets auf eine List zurückgreifen, damit sie bekommen, was sie wollen. Skrupel kann sich nur leisten, wer vom Schicksal begünstigt wurde.«

Gwenda mochte es nicht, wenn er so sprach. Manchmal schien Philemon zu glauben, alles mit ihrer schweren Kindheit entschuldigen zu können. Doch im Augenblick war Gwenda viel zu enttäuscht, als dass sie sich darüber den Kopf zerbrochen hätte. »Kann ich wirklich nichts tun?«

»Das habe ich nicht gesagt. Ich sagte, Ralphs Entscheidung kann nicht angefochten werden. Aber vielleicht kann man ihn überreden, sie zurückzunehmen.«

»Das kann *ich* nun wohl als Letzte.«

»Warum gehst du nicht einfach zu Godwyns Base Caris? Ihr seid doch seit euren Kindertagen befreundet. Caris wird dir helfen, wenn sie kann. Und sie steht Ralphs Bruder Merthin nahe. Vielleicht fällt ihr ja etwas ein.«

Ein Hauch von Hoffnung war besser als gar keine. Gwenda stand auf. »Ich gehe sofort zu ihr.« Sie beugte sich vor, um ihren Bruder zum Abschied zu küssen. Gerade noch rechtzeitig fiel ihr ein, dass ihm solch ein körperlicher Kontakt nun untersagt war; also schüttelte sie ihm stattdessen nur die Hand, was ihr ziemlich seltsam vorkam.

»Ich werde für dich beten«, sagte Philemon.

Caris' Haus stand gegenüber vom Klostertor. Als Gwenda hineinging, war niemand in der Diele, aber sie hörte Stimmen aus der Kammer, in der Edmund normalerweise seine Geschäfte abwickelte. Der Koch, Tutty, sagte Gwenda, Caris sei bei Herrn Edmund, ihrem Vater. Gwenda setzte sich und wartete. Ungeduldig tappte sie mit dem Fuß auf den Boden, doch schon bald öffnete sich die Tür.

Edmund erschien in Begleitung eines Mannes, den Gwenda nicht kannte. Er war groß und hatte breite Nasenlöcher, die seinem Gesicht einen hochmütigen Ausdruck verliehen. Der Mann trug das schwarze Gewand eines Priesters, aber kein Kreuz oder sonst ein heiliges Symbol. Edmund nickte Gwenda freundlich zu und sagte zu dem Fremden: »Ich werde Euch in die Priorei zurückbegleiten.«

Caris, die den beiden Männern aus der Kammer gefolgt war, umarmte ihre Freundin. »Wer war der Mann?«, fragte Gwenda, kaum dass der Fremde gegangen war.

»Er heißt Gregory Longfellow und ist Advokat. Prior Godwyn hat ihn gerufen.«

»Wieso?«

»Graf Roland hat die Transporte der Priorei aus dem Steinbruch gesperrt. Er will einen Penny Zoll pro Wagenladung. Godwyn wird an den König appellieren.«

»Und wie?«

»Gregory meint, wir müssten argumentieren, die Stadt könne ohne Brücke ihre Steuern nicht bezahlen. Damit könne man den König am besten überzeugen. Also wird mein Vater Godwyn begleiten, um als Zeuge vor das königliche Gericht hinzutreten.«

»Wirst du auch gehen?«

»Ja. Aber sag mir ... Warum bist du hier?«

»Ich habe bei Wulfric gelegen.«

Caris lächelte. »Wirklich? Na endlich! Wie war's?«

»Es war wunderbar. Ich habe die ganze Nacht neben ihm gelegen, und als ich aufgewacht bin, habe ich ihn ... überzeugt.«

»Erzähl mir mehr. Ich will Einzelheiten hören.«

Gwenda erzählte Caris die Geschichte. Obwohl sie so rasch wie möglich auf den eigentlichen Zweck ihres Besuchs zu sprechen kommen wollte, sagte sie zum Schluss: »Irgendetwas sagt mir, dass du ähnliche Neuigkeiten hast.«

Caris lächelte. »Merthin und ich sind jetzt ein Paar. Ich habe ihm gesagt, dass ich nicht heiraten will, und was hat er getan? Er ging los, um sich mit Bessie Bell zu treffen, der fetten Kuh. Allein der Gedanke, dass sie ihm ihre großen Titten entgegenstreckt, hat mich zur Weißglut getrieben. Aber dann ist Merthin zu mir zurückgekommen. Ich habe mich so darüber gefreut, dass ich es einfach mit ihm tun *musste*.«

»Und hat es dir gefallen?«

»Sehr! Ich könnte es immer und überall tun. Es ist das Schönste, was es gibt, und wird mit jedem Mal schöner. Wir tun es, wann immer wir Gelegenheit dazu haben.«

»Und wenn du schwanger wirst?«

»Darüber denke ich nicht nach. Einmal …« Sie senkte die Stimme. »Einmal haben wir in einem Teich im Wald gebadet, und hinterher hat er mich geleckt … da unten.«

»Caris! Das ist ja scheußlich! Und wie war's?«

»Nett. Ihm hat es auch gefallen.«

»Du hast doch nicht das Gleiche bei ihm gemacht?«

»Doch.«

»In den Mund?«

Caris nickte. »In den Mund.«

»Meine Güte! War das nicht eklig?«

Caris zuckte mit den Schultern. »Merthin hat es jedenfalls sehr genossen.«

Gwenda war entsetzt und fasziniert zugleich. Vielleicht sollte sie das auch einmal mit Wulfric machen. Sie kannte eine Stelle, wo sie beide baden konnten: einen Bach im Wald nicht weit von der Straße.

Caris sagte: »Aber du bist sicher nicht den ganzen Weg gekommen, um mir von Wulfric zu erzählen.«

»Nein, es geht um sein Erbe.« Gwenda berichtete ihr von Ralphs Entscheidung und endete: »Und da meinte Philemon, dass Merthin Ralph vielleicht davon überzeugen könnte, seine Meinung zu ändern.«

Caris schüttelte den Kopf. Was das anging, sah sie schwarz. »Da habe ich meine Zweifel. Merthin und Ralph haben sich zerstritten.«

»O nein!«

»Es war Ralph, der die Wagen daran gehindert hat, den Steinbruch zu verlassen. Leider war auch Merthin zu dem Zeitpunkt dort. Es kam zum Kampf. Ben Wheeler hat einen der Schergen des Grafen erschlagen, und Ralph hat Ben mit dem Schwert durchbohrt.«

Gwenda schnappte nach Luft. »Aber Lib Wheeler hat ein zweijähriges Kind!«

»Und jetzt hat der kleine Bennie keinen Vater mehr.«

Gwenda konnte es nicht fassen. »Dann kann der Einfluss seines Bruders also auch nicht helfen …«

»Lass uns trotzdem zu Merthin gehen. Er arbeitet heute auf Leper Island.«

Sie verließen das Haus und gingen die Hauptstraße hinunter zum Flussufer. Gwenda hatte beinahe den Mut verloren. Alle glaubten, dass sie nur geringe Aussicht auf Erfolg hatte. Es war so ungerecht!

Die beiden Frauen ließen sich von Ian Boatman zur Insel rudern. Auf der Fahrt erzählte Caris, dass die alte Brücke durch zwei neue ersetzt werden solle, mit der Insel in der Mitte.

Sie fanden Merthin bei seinem jungen Gehilfen, dem vierzehnjährigen Jimmie. Beide lagen auf den Strebepfeilern der Brückenrampe. Merthins Messstab war eine Eisenstange, zweimal so lang wie ein Mann, und er schlug angespitzte Pfähle in den felsigen Boden, um die Stellen zu markieren, wo die Fundamente gelegt werden mussten.

Gwenda beobachtete, wie Caris und Merthin sich küssten. Zwischen den beiden war es anders als früher: Da war ein neue, intime Vertrautheit zwischen ihnen. Genauso empfand Gwenda für Wulfric. Sein Körper war nicht nur begehrenswert, er gehörte ihr; sie konnte ihn genießen. Er schien ihr genauso zu gehören wie ihr eigener Leib.

Gwenda und Caris schauten zu, wie Merthin seine Arbeit beendete. Er spannte ein Tau zwischen zwei Pfähle und sagte Jimmie, er solle die Werkzeuge zusammenpacken.

»Ohne Steine könnt ihr noch nicht viel tun, oder?«, fragte Gwenda.

»Wir können ein paar Vorbereitungen treffen. Ich habe alle Steinmetze zum Steinbruch geschickt«, erwiderte Merthin. »Sie behauen die Steine dort und nicht hier an der Baustelle. Wir legen einen Vorrat an.«

»Und wenn ihr den Prozess vor dem königlichen Gericht gewinnt, könnt ihr sofort mit dem Bau beginnen?«

»Ich hoffe es. Das hängt davon ab, wie lange der Prozess dauert und wie lange das gute Wetter anhält. Im tiefsten Winter können wir nicht bauen, sonst würde der Mörtel gefrieren. Es ist schon Oktober. Normalerweise hören wir Mitte November auf zu arbeiten.«

Er schaute zum Himmel. »Dieses Jahr haben wir vielleicht ein bisschen mehr Zeit ... Die Regenwolken halten die Erde warm.«

Gwenda erzählte ihm von Wulfric und Ralph und erklärte, was Merthin vielleicht für sie tun könnte.

»Ich würde dir ja gerne helfen«, erwiderte Merthin. »Wulfric ist ein anständiger Mann, und die Schlägerei war allein Ralphs Schuld. Aber ich habe mich mit Ralph zerstritten. Bevor ich ihn um einen Gefallen bitte, müssten wir wieder Freundschaft schließen, und ich kann ihm Ben Wheelers Tod einfach nicht verzeihen.«

Das war die dritte abschlägige Antwort in Folge für Gwenda. Es sah alles danach aus, als wäre ihre Reise vergeblich gewesen.

Caris sagte: »Sieht so aus, als müsstest du das allein regeln.«

»Das werde ich auch!«, erwiderte Gwenda entschlossen. Sie würde niemanden mehr um Hilfe bitten, sondern sich auf sich selbst verlassen, wie sie es ihr Leben lang getan hatte. »Ralph ist hier in der Stadt, nicht wahr?«

»Ja«, antwortete Merthin. »Er wollte unseren Eltern die frohe Botschaft von seinem Aufstieg zum Herrn von Wigleigh überbringen. Sie sind die Einzigen in der Grafschaft, die das feiern.«

»Aber Ralph wohnt nicht bei ihnen.«

»Dafür ist er sich jetzt zu fein. Er wohnt im Bell.«

»Wie könnte man ihn am besten überzeugen?«, fragte Gwenda. »Was meinst du?«

Merthin dachte einen Augenblick nach. »Ralph leidet noch immer unter der Demütigung unseres Vaters – ein Ritter, der zum Muntling der Priorei geworden ist. Er wird alles tun, um seinen Rang und sein Ansehen zu verbessern.«

Als Ian Boatman sie bald darauf zur Stadt zurückruderte, dachte Gwenda über Merthins Worte nach. Wenn Ralph nach Anerkennung strebte – konnte sie ihre Bitte dann auf eine Weise formulieren, dass er eine Bestätigung seiner Macht darin sah?

Es war Mittag, als Gwenda mit den anderen die Hauptstraße hinaufging. Sie schlug Caris' Einladung zum Mittagessen aus. Sie brannte darauf, Ralph zu sehen, und ging geradewegs zum Gasthaus Bell.

Ein Schankbursche sagte ihr, Herr Ralph sei oben im besten Zimmer. Die meisten Gäste schliefen in einer Gemeinschaftskammer. Ralph hob seine neue Stellung schon dadurch hervor, dass er einen eigenen Raum belegte – ohne Zweifel bezahlt von der mageren Ernte der Bauern in Wigleigh, dachte Gwenda säuerlich.

Sie klopfte an die Tür und betrat das Zimmer.

Ralph war mit seinem Junker dort, Alan Fernhill, einem Jungen von ungefähr achtzehn Jahren mit breiten Schultern und unpassend kleinem Kopf. Auf dem Tisch zwischen ihnen standen ein Krug Bier, ein Servierbrett mit einem Laib Brot und ein Teller mit heißem, dampfendem Rindfleisch. Die beiden Männer beendeten gerade ihre Mahlzeit; sie wirkten satt und zufrieden mit sich und der Welt, wie Gwenda ein wenig neidvoll feststellte. Sie hoffte nur, dass die zwei nicht betrunken waren. Männer in diesem Zustand konnten nicht mit Frauen reden; sie konnten nur obszöne Bemerkungen machen und dümmlich über die Scherze anderer lachen.

Ralph schaute Gwenda mit zusammengekniffenen Augen an; das Zimmer war nur schummrig beleuchtet. »Du bist eine von meinen Pächterinnen, stimmt's?«

»Nein, Mylord, aber ich wäre es gern. Ich bin Gwenda, und mein Vater ist Joby, ein landloser Tagelöhner.«

»Und was machst du so weit weg vom Dorf? Es ist kein Markttag.«

Gwenda trat einen Schritt weiter ins Zimmer, damit sie sein Gesicht besser sehen konnte. »Mylord, ich bin gekommen, um für Wulfric zu bitten, den Sohn des verstorbenen Samuel. Ich weiß, dass er sich Euch gegenüber ziemlich ungehobelt aufgeführt hat, doch er hat dafür gelitten wie der Hiob aus der Bibel. Seine Eltern und sein Bruder ... Sie sind bei dem Einsturz der Brücke ums Leben gekommen, und alles, was die Familie hatte, ist verloren gegangen. Und jetzt hat seine Braut auch noch einen anderen geheiratet. Findet Ihr nicht auch, Mylord, dass Gott ihn hart genug für das Unrecht bestraft hat, das er an Euch begangen hat? Meint Ihr nicht auch, dass es an der Zeit ist, Gnade walten zu lassen?« Sie erinnerte sich an das, was Merthin gesagt hatte, und fügte hinzu: »Eine Gnade, wie sie nur dem Herzen eines tapferen Edelmanns entspringen kann!«

Ralph rülpste herzhaft und seufzte. »Was kümmert es dich, ob Wulfric erbt oder nicht?«

»Ich liebe ihn, Mylord. Nun, da Annet ihn abgewiesen hat, hoffe ich, dass er mich heiraten wird ... mit Eurer Erlaubnis, versteht sich.«

»Komm näher«, befahl Ralph.

Gwenda trat in die Mitte des Raums und stellte sich vor ihn.

Ralphs Blick wanderte über ihren Körper. »Eine Schönheit bist du nicht gerade«, sagte er, »aber du hast etwas an dir. Bist du noch Jungfrau?«

»Herr ... Ihr ... ich ...«

»Sie ist keine Jungfrau mehr!« Er lachte. »Hat Wulfric dich schon besprungen?«

»Nein!«

»Lügnerin.« Er grinste; offensichtlich hatte er seinen Spaß. »Also gut ... Was ist, wenn ich Wulfric das Land seines Vaters doch noch überlasse? Vielleicht sollte ich das tatsächlich tun. Was dann?«

»Dann würde man Euch in Wigleigh und auf der ganzen Welt einen wahren Edelmann nennen!«

»Die Welt interessiert mich nicht. Wirst *du* mir dankbar sein?«

Gwenda hatte das schreckliche Gefühl zu wissen, worauf es hinauslief. »Natürlich. Ich wäre Euch auf ewig dankbar.«

»Und wie würdest du mir deine Dankbarkeit zeigen?«

Gwenda wich zur Tür zurück. »Wie ich nur kann ... solange ich mich nicht dafür schämen muss.«

»Würdest du dein Kleid ausziehen?«

Gwenda verließ der Mut. »Nein, Mylord.«

»Ah. So dankbar wärst du also nicht.«

Gwenda erreichte die Tür und legte die Hand auf den Riegel, ging aber nicht hinaus. »Was ... Was wollt Ihr von mir, Mylord?«

»Ich will dich nackt sehen. Dann werde ich entscheiden.«

»Hier?«

»Ja.«

Sie schaute Alan an. »Vor ihm?«

»Ja.«

Sich den beiden Männern nackt zu zeigen erschien Gwenda gar nicht einmal so schlimm – nicht wenn der Preis Wulfrics Erbe war.

Rasch löste sie ihren Gürtel und zog sich das Kleid über den Kopf, hielt es in der einen Hand und ließ die andere auf dem Riegel. Trotzig starrte sie Ralph an. Dessen Blick wanderte gierig über ihre nackte Haut; dann schaute er mit einem triumphierenden Grinsen zu seinem Gefährten. Gwenda erkannte, dass es Ralph mehr um eine Demonstration der Macht ging als um etwas anderes.

Ralph sagte: »Eine hässliche Kuh, aber prächtige Euter – stimmt's, Alan?«

Alan erwiderte: »So viel Geld könntest du mir gar nicht zahlen, dass ich die besteige.«

Ralph lachte.

Gwenda fragte: »Werdet Ihr nun meine Bitte erfüllen?«

Ralph schob sich die Hand in den Schritt und begann sich zu reiben. »Leg dich zu mir«, sagte er. »Auf das Bett da.«

»Nein.«

»Komm schon … Du hast es doch schon mit Wulfric getan, also bist du keine Jungfrau mehr.«

»Nein.«

»Denk an das Land. Neunzig Morgen, alles, was sein Vater besaß!«

Gwenda dachte nach. Wenn sie einwilligte, würde sich Wulfrics Herzenswunsch erfüllen, und gemeinsam könnten sie in eine Zukunft voller Wohlstand blicken. Weigerte sie sich, würde Wulfric ein landloser Tagelöhner wie Joby werden und müsste sein Leben lang darum kämpfen, seine Kinder zu ernähren … und oft dabei scheitern.

Trotzdem widerte sie allein die Vorstellung an: Ralph war ein unangenehmer Mann, kleinlich und rachsüchtig, ein brutaler Schlagetot – so vollkommen anders als sein Bruder. Dass er groß und gut aussehend war, machte da keinen Unterschied. Sich zu jemandem zu legen, den sie derart verabscheute, war Gwenda unvorstellbar.

Und dass sie es erst gestern mit Wulfric getan hatte, machte die Vorstellung, nun mit Ralph zu schlafen, noch abstoßender. Nach einer Nacht glücklicher Zweisamkeit mit Wulfric wäre es ein schrecklicher Verrat an ihm.

Sei keine Närrin, sagte sie sich. Willst du dich und Wulfric wegen fünf Minuten Ekels zu einem ganzen Leben voller Härte verdammen …? Gwenda dachte an ihre Mutter und an die Säuglinge, die nach so kurzer Zeit auf Erden schon gestorben waren. Sie erinnerte sich daran, wie Pa sie und Philemon zum Stehlen gezwungen hatte. War es da nicht besser, sich Ralph ein einziges Mal hinzugeben, nur für ein paar Augenblicke, als ihre ungeborenen Kinder zu einem Leben in Armut zu verdammen?

Ralph schwieg, während Gwenda mit sich kämpfte. Er war klug: Jedes Wort hätte Gwendas Abscheu nur verstärkt. Das Schweigen nutzte ihm mehr.

»Bitte«, flehte Gwenda. »Zwingt mich nicht dazu.«

»Ah«, sagte er. »Das verrät mir, dass du willig bist.«

»Aber es ist eine Sünde!«, sagte Gwenda verzweifelt. Sie sprach nicht oft von Sünde, hoffte jedoch, dass es Ralph vielleicht rühren würde. »Es ist eine Sünde, dass Ihr das von mir verlangt, und es wäre eine Sünde, würde ich zustimmen.«

»Sünden können vergeben werden.«

»Was würde Euer Bruder von Euch denken?«

Jetzt wurde Ralphs Miene nachdenklich. Einen Moment zögerte er.

»Bitte«, sagte Gwenda. »Lasst Wulfric sein Erbe antreten!«

Ralphs Gesichtszüge verhärteten sich erneut. »Ich habe meine Entscheidung getroffen und werde sie nicht wieder zurücknehmen … es sei denn, du kannst mich vom Gegenteil überzeugen. Einfach nur ›Bitte‹ sagen genügt nicht.« Seine Augen funkelten vor Lust, und er atmete schneller. Sein Mund stand offen, seine Lippen schimmerten feucht.

Gwenda ließ ihr Kleid auf den Boden fallen und ging zum Bett.

»Knie dich auf die Matratze«, befahl Ralph. »Nein, dreh dich von mir weg.«

Gwenda gehorchte.

»Von der Seite ist die Aussicht besser«, bemerkte Ralph, und Alan lachte laut. Gwenda fragte sich, ob Alan zuschauen würde; dann aber sagte Ralph: »Lass uns allein.« Einen Augenblick später knallte die Tür zu.

Ralph kniete sich hinter Gwenda aufs Bett. Sie schloss die Augen und betete um Vergebung. Sie spürte, wie seine dicken Finger ihren Leib erkundeten. Dann hörte sie ihn spucken, und er rieb sie mit seiner nassen Hand. Einen Augenblick später drang er in sie ein. Gwenda stöhnte vor Schmerz und Scham.

Ralph missdeutete den Laut und sagte: »Das gefällt dir, was?«

Gwenda fragte sich, wie lange es wohl dauern würde. Ralph begann, sich rhythmisch zu bewegen. Um ihr Unbehagen wenigstens ein klein wenig zu mindern, bewegte Gwenda sich mit ihm, und er lachte triumphierend in dem Glauben, ihre Lust entfacht zu haben. Gwendas größte Angst war, dass diese Erfahrung ihr die Lust an der Liebe für immer rauben würde. Würde sie in Zukunft jedes Mal, wenn sie bei Wulfric lag, an diese schrecklichen Minuten denken?

Und dann, zu ihrem Entsetzen, breitete sich ein warmes Gefühl in ihrem Unterleib aus. Sie spürte, wie sie vor Scham errötete. Trotz ihrer tiefen Abneigung gegen Ralph verriet ihr Körper sie: Gwenda wurde feucht, um die Reibung seiner Stöße zu lindern. Ralph fühlte es und bewegte sich schneller. Angewidert von sich selbst hörte Gwenda auf, sich seinen Bewegungen anzupassen; doch er packte ihre Hüfte und riss sie vor und zurück, vor und zurück, und sie konnte nichts dagegen tun. Gwenda erinnerte sich voller Entsetzen daran, dass ihr Körper sie auch damals im Wald mit Alwyn verraten hatte. Damals wie heute hatte sie wie eine hölzerne Statue sein wollen, taub und starr, und beide Male hatte ihr Körper gegen ihren Willen reagiert.

Damals hatte Gwenda ihren Peiniger mit seinem eigenen Messer getötet.

Mit Ralph konnte sie das nicht machen, selbst wenn sie es gewollt hätte, denn er war hinter ihr. Sie konnte ihn nicht sehen, und sie hatte kaum Kontrolle über sich selbst. Sie war ihm ausgeliefert. Gwenda war froh, als sie spürte, dass er sich dem Höhepunkt näherte. Bald würde es vorbei sein. Gwendas Körper reagierte erneut. Sie versuchte, ihre Muskeln zu entspannen und ihren Geist zu leeren. Es wäre demütigend, sollte auch sie zum Höhepunkt kommen. Sie spürte, wie Ralph in ihr kam, und sie schauderte, doch nicht vor Wonne, sondern vor Selbstverachtung.

Ralph seufzte befriedigt, zog sich aus ihr zurück und legte sich aufs Bett.

Gwenda schaute auf und streifte sich rasch das Kleid über.

»Das war besser, als ich erwartet habe«, sagte Ralph, als wäre es ein höfliches Kompliment.

Gwenda ging hinaus und schlug die Tür hinter sich zu.

Am darauffolgenden Sonntag kam Nathan Reeve vor dem Gottesdienst in Wulfrics Haus.

Gwenda und Wulfric saßen in der Küche. Sie hatten gerade gefrühstückt und das Zimmer geputzt. Nun nähte Wulfric eine Lederhose, während Gwenda aus Kordel einen Gürtel flocht. Sie saßen am Fenster, um besseres Licht zu haben, denn es war trüb, und es regnete wieder.

Gwenda tat so, als würde sie noch immer in der Scheune schlafen, um Vater Gaspard nicht zu verstören, doch sie verbrachte jede Nacht mit Wulfric. Zu ihrer Enttäuschung hatte er noch nicht von Heirat gesprochen. Allerdings lebten sie bereits mehr oder weniger wie Mann und Frau zusammen, so wie es manchmal vorkommt, wenn ein Paar noch keine Gelegenheit gefunden hatte, den Segen der Kirche einzuholen. Dem Adel war keine solche Laschheit gestattet; bei den Bauern jedoch sah man meist darüber hinweg.

Wie Gwenda befürchtet hatte, war es nach dem Erlebnis mit Ralph nun seltsam für sie, mit Wulfric zusammen zu sein. Je mehr sie sich bemühte, den Gedanken an Ralph zu verdrängen, desto mehr dachte sie an ihn. Zum Glück bemerkte Wulfric nichts davon.

Er liebte sie mit solcher Leidenschaft und Hingabe, dass es Gwendas schlechtes Gewissen beinahe vertrieb … aber nicht ganz.

Doch Gwenda hatte nun den Trost, dass Wulfric die Ländereien seines Vaters doch noch erben würde. Das machte alles wieder wett. Natürlich konnte sie ihm nichts davon sagen; dann hätte sie ihm erklären müssen, warum Ralph seine Meinung geändert hatte. Sie hatte Wulfric allerdings von ihren Gesprächen mit Philemon, Caris und Merthin erzählt und zumindest teilweise von ihrer Begegnung mit Ralph, hatte aber nur erwähnt, dass Ralph seine Entscheidung noch einmal überdenken wolle. So hegte Wulfric zwar Hoffnung auf sein Erbe, konnte sich aber noch nicht sicher sein.

»Kommt sofort ins Lehnshaus, alle beide«, sagte Nathan, als er seinen regennassen Kopf zur Tür hereinsteckte.

Gwenda fragte: »Was will Herr Ralph?«

»Stellt keine dummen Fragen, kommt einfach«, entgegnete Nathan.

Für den Weg zu dem großen Haus schlang Gwenda sich ein Tuch um den Kopf. Sie hatte noch immer keinen Mantel. Wulfric besaß zwar Geld vom Verkauf der Ernte und hätte ihr einen Mantel kaufen können, doch er sparte es für den Hauptfall.

Gemeinsam eilten sie durch den Regen zum Lehnshaus, das eine kleinere Version der Burg eines Edelmannes war: Es gab eine große Halle mit langem Speisetisch und ein kleines Obergeschoss, wo sich das Privatgemach des Herrn befand. Es war unschwer zu erkennen, dass die jetzigen Bewohner keine Ehefrauen hatten: An den Wänden fehlten Behänge; das Bodenstroh verströmte einen beißenden Geruch; Hunde knurrten die Neuankömmlinge an, und auf einer Anrichte knabberten Mäuse an einer Käsekruste.

Ralph saß am Kopf des Tisches. Zu seiner Rechten hatte Alan Platz genommen, der Gwenda schmutzig angrinste, was sie nach besten Kräften zu ignorieren versuchte. Kurz darauf kam Nathan ins Zimmer, gefolgt von dem fetten, verschlagenen Perkin, der sich die Hände rieb und sich ehrfürchtig verneigte. Sein Haar war so schmierig, dass es wie eine geölte Lederkappe aussah. Perkin wurde von seinem Schwiegersohn begleitet, Billy Howard; er warf Wulfric einen triumphierenden Blick zu, der besagte: Ich habe dein Mädchen, und jetzt werde ich auch dein Land bekommen!

Nathan nahm links neben Ralph Platz. Die anderen blieben stehen.

Gwenda hatte diesem Augenblick entgegengefiebert. Das war die

Belohnung für ihr Opfer. Voller Erwartung schaute sie in Wulfrics Gesicht; sie wollte seine Freude sehen, wenn er erfuhr, dass er das Land doch noch erbte. Er würde ein glücklicher Mann sein. Ihre Zukunft wäre gesichert – zumindest so sicher, wie sie angesichts des unvorhersehbaren Wetters, des launischen Adels und schwankender Getreidepreise sein konnte.

Ralph sagte bedächtig: »Vor drei Wochen habe ich erklärt, dass Wulfric, Sohn von Samuel, das Land seines Vaters nicht erben könne, weil er zu jung sei.« Er genießt es, dachte Gwenda. Es macht ihm Freude, am Kopfende des Tisches zu sitzen und sein Urteil zu verkünden, während alle an seinen Lippen hängen. »Seitdem hat Wulfric das Land bestellt«, fuhr Ralph fort, »während ich darüber nachgedacht habe, wer Samuel beerben soll.« Er hielt kurz inne und fuhr fort: »Dabei sind mir Zweifel an meinem Urteil gekommen, Wulfric das Erbe zu verweigern.«

Perkin zuckte zusammen. Er war sich seines Erfolges so sicher gewesen!

Billy Howard fragte: »Was soll das? Ich dachte, Nate hätte ...« Perkin versetzte ihm einen Stoß in die Rippen, und er verstummte.

Gwenda konnte sich ein kleines Lächeln nicht verkneifen.

Ralph sagte: »Trotz seiner Jugend hat Wulfric sich als fähig erwiesen.«

Perkin funkelte Nathan an. Gwenda vermutete, dass der Vogt Perkin das Land versprochen hatte. Vielleicht war sogar das Bestechungsgeld schon gezahlt worden.

Nathan war genauso entsetzt wie Perkin. Offenen Mundes starrte er Ralph an; dann drehte er sich fassungslos zu Perkin um und blickte schließlich misstrauisch auf Gwenda.

Ralph fuhr fort: »Dabei ist er unermüdlich von Gwenda unterstützt worden, deren Kraft und Treue mich beeindruckt haben.«

Nathan starrte sie argwöhnisch an. Gwenda wusste, was er dachte: Ihm war klar, dass sie sich eingemischt hatte, und er fragte sich, wie es ihr gelungen war, Ralphs Meinung zu ändern. Vielleicht ahnte er sogar die Wahrheit. Doch Gwenda war das egal, solange Wulfric nichts davon erfuhr.

Plötzlich schien Nathan zu einer Entscheidung gekommen zu sein. Er stand auf und beugte sich über den Tisch zu Ralph, redete leise auf ihn ein. Gwenda konnte nicht verstehen, was er sagte.

»Wirklich?«, raunte Ralph, aber laut genug, dass man es hören konnte. »Wie viel?«

Nathan wandte sich an Perkin und murmelte ihm etwas zu.

Gwenda fragte ängstlich: »Was ist? Was soll das Geflüster?«

Perkin schaute sie wütend an, antwortete aber widerwillig: »Ja. Na gut.«

»Na gut was?«, fragte Gwenda beklommen.

»Das Doppelte?«, fragte Nathan.

Perkin nickte.

Gwenda hatte eine düstere Vorahnung.

Laut sagte Nathan: »Perkin bietet das Doppelte des normalen Hauptfalls. Fünf Pfund.«

Ralph sagte: »Das ist sehr viel Geld.«

Gwenda schrie: »Nein!«

Zum ersten Mal meldete sich Wulfric zu Wort. »Die Höhe des Hauptfalls wird vom Brauch bestimmt, wie er in den Herrschaftslisten festgelegt ist«, sagte er mit seiner bedächtigen Jungmännerstimme. »Da gibt es keinen Raum für Verhandlungen.«

»Der Hauptfall kann sich ändern«, entgegnete Nathan rasch. »Schließlich ist er nicht im Reichsgrundbuch festgelegt.«

Ralph sagte streng: »Seid ihr Advokaten, ihr zwei? Wenn nicht, haltet den Mund. Der Hauptfall beträgt zwei Pfund und zehn Shilling. Was sonst noch an Geld den Besitzer wechselt, geht euch nichts an.«

Entsetzt erkannte Gwenda, dass Ralph den Handel für ungültig erklären wollte. Mit vorwurfsvoller Stimme sagte sie: »Ihr habt etwas versprochen.«

»Warum sollte ich, dein Herr, einer wie dir etwas versprechen?«, entgegnete Ralph.

Das war genau die eine Frage, die Gwenda nicht beantworten konnte. »Weil ich Euch gebeten habe«, erwiderte sie schwach.

»Und ich habe gesagt, dass ich noch einmal darüber nachdenken würde. Versprochen habe ich gar nichts.«

Gwenda war machtlos. Sie konnte ihn nicht zwingen, sein Wort zu halten. Am liebsten hätte sie ihn umgebracht. »Doch, das habt Ihr!«

»Herren schließen keinen Handel mit Bauern.«

Gwenda starrte ihn an. Es hatte ihr die Sprache verschlagen. Alles war umsonst gewesen: der lange Marsch nach Kingsbridge, die Demütigung, sich nackt vor Ralph und Alan zu zeigen, und der schändliche, erpresste Geschlechtsverkehr. Sie, Gwenda, hatte Wulfric betrogen – für nichts und wieder nichts. Nun richtete sie den Finger auf Ralph und sagte voller Bitterkeit: »Gott möge Euch für alle Zeiten in der Hölle schmoren lassen, Ralph Fitzgerald.«

Ralph wurde kreidebleich. Es war allgemein bekannt, dass der Fluch einer Frau, der man bitteres Unrecht angetan hatte, große Macht besaß. »Pass auf, was du sagst!«, erwiderte er. »Bist du gar eine Hexe?«

Gwenda wich zurück. Keine Frau durfte eine solche Drohung auf die leichte Schulter nehmen. Eine Anklage wegen Hexerei war schnell ausgesprochen, und dann gab es kaum noch ein Entrinnen. Doch Gwenda konnte sich die Erwiderung, die ihr auf der Zunge lag, nicht verkneifen: »Wer in diesem Leben der Gerechtigkeit entrinnt, wird sie im nächsten Leben finden.«

Ralph beachtete sie nicht; er wandte sich an Perkin. »Wo ist das Geld?«

Eilfertig erwiderte Perkin: »Ich hole es sofort, Mylord.«

Wulfric sagte: »Komm, Gwenda. Für uns gibt es hier keine Gnade.«

Gwenda kämpfte mit den Tränen. Ihr Zorn war Trauer gewichen. Nach allem, was sie getan hatten, hatten sie die Schlacht verloren. Sie drehte sich um und senkte den Kopf, damit niemand ihre Verzweiflung sehen konnte.

Perkin sagte: »Warte, Wulfric. Du brauchst Arbeit, und ich brauche Hilfe. Arbeite für mich. Ich zahle dir einen Penny am Tag.«

Wulfric errötete vor Scham, weil man ihm Arbeit als Tagelöhner auf dem Land bot, das noch vor Kurzem seiner Familie gehört hatte.

Perkin fügte hinzu: »Und auch Gwenda. Ihr seid beide jung und fügsam.«

Die Bemerkung war nicht boshaft gemeint; das sah Gwenda. Perkin folgte wie stets seinen eigenen Interessen; er wollte lediglich einen jungen, kräftigen Knecht und eine tüchtige Magd auf seinem nun um ein Vielfaches gewachsenen Besitz haben. Dabei war es ihm egal, dass sein Angebot für Wulfric die letzte Demütigung bedeutete.

Perkin fügte hinzu: »Das ist ein Shilling die Woche für euch beide. Dann habt ihr genug zum Leben.«

Wulfric schaute verbittert drein: »Ich soll für Lohn auf dem Land arbeiten, das seit Jahrzehnten meiner Familie gehört hat?«, sagte er. »Niemals.« Damit drehte er sich um und verließ das Haus.

Gwenda folgte ihm. Was sollen wir jetzt tun, fragte sie sich. Was soll nun werden?

KAPITEL 29

Westminster Hall war groß, größer als das Innere vieler Kathedralen. Die Halle war einschüchternd breit, und ihre hohe Decke wurde von einer Doppelreihe mächtiger Säulen gestützt. Sie war der wichtigste Raum im Palast von Westminster.

Graf Roland scheint sich hier ganz wie zu Hause zu fühlen, dachte Godwyn mürrisch. Der Graf und sein Sohn William schlenderten in ihren modischen Kleidern einher, ein Hosenbein rot, das andere schwarz. Jeder Graf kannte den anderen und auch die meisten Barone; sie klopften einander kumpelhaft auf die Schultern, verspotteten einander freundschaftlich und grölten vor Lachen über ihre eigenen Scherze. Godwyn sah es mit Zorn. Am liebsten hätte er diese Leute daran erinnert, dass bei den Gerichtsverhandlungen, die hier stattfanden, auch Edelleute zum Tode verurteilt werden konnten, selbst solche hohen Ranges.

Godwyn und sein Gefolge waren ruhig. Sie sprachen nur untereinander, und auch dann nur mit gedämpften Stimmen. Nicht Ehrfurcht war der Grund dafür, sondern Unsicherheit. Auch Edmund und Caris fühlten sich unwohl. Keiner von ihnen war je in London gewesen. Sie kannten sich hier nicht aus; ihre Kleider wirkten altmodisch, und das Geld, das sie mitgebracht hatten – und das sie für mehr als genug erachtet hatten –, ging ihnen allmählich aus. Der Einzige, den sie hier gekannt hätten, war Buonaventura Caroli, und der war nicht in der Stadt.

Doch Edmund ließ sich nicht einschüchtern, und Caris wirkte abgelenkt, als hätte sie etwas noch Wichtigeres im Kopf, auch wenn das kaum möglich war. Godwyn jedoch wurde von Sorgen geplagt: Er, ein neu gewählter Prior, forderte einen der mächtigsten Edelleute im Land heraus. Dabei ging es um nichts weniger als um die Zukunft ihrer Stadt. Ohne die neue Brücke würde Kingsbridge sterben. Die Priorei, noch immer das pochende Herz einer der größten Städte Englands, würde zu einem einsamen Außenposten in einem bedeutungslosen Dorf verkommen, in dem ein paar Mönche in der Leere einer zerfallenden Kathedrale ihre Gebete sangen. Doch Godwyn hatte nicht so hart darum gekämpft, Prior zu werden, um den mühsam errungenen Preis nun zu Staub zerfallen zu sehen.

Seine Hoffnung hieß Gregory Longfellow, ein Freund aus seiner Studienzeit. Longfellow hatte einen scharfen und logischen Verstand, wie geschaffen dafür, Rechtsfragen zu klären. Das königliche Gericht war ihm vertraut. Kämpferisch und selbstbewusst hatte er Godwyn durch das Labyrinth der Juristerei geführt. Wie schon viele Bittschriften zuvor hatte Gregory Longfellow auch die des Priors dem Parlament vorgelegt. Natürlich wurde sie nicht im Parlament debattiert, sondern an den Kronrat weitergeleitet, dem der Kanzler vorsaß. Die Advokaten des Kanzlers – allesamt Freunde oder Bekannte von Gregory – hätten die Angelegenheit dann an das königliche Gericht weiterleiten können, das sich um Streitigkeiten kümmerte, an denen der König ein Interesse hatte; doch wie Gregory vorausgesehen hatte, waren sie zu dem Schluss gekommen, das Problem sei zu unbedeutend, als dass man den König damit belästigen müsse, und die Sache an das allgemeine Gericht verwiesen.

Dieser ganze Vorgang hatte sechs Wochen gedauert. Nun war es spät im November, und es wurde kälter. Bald würden keine Bauarbeiten mehr möglich sein.

Heute standen sie endlich vor Sir Wilbert Wheatfield, einem erfahrenen Richter, von dem man sagte, der König schätze ihn sehr. Sir Wilbert war der jüngere Sohn eines Barons aus dem Norden. Sein älterer Bruder hatte Titel und Lehen geerbt, während Wilbert zum Priester ausgebildet worden war; dann hatte er Recht studiert, war nach London gekommen und hatte die Gunst des königlichen Hofes erworben. Wilbert neigte dazu, sich beim Disput zwischen einem Grafen und einem Prior auf die Seite des Grafen zu schlagen, hatte Gregory gewarnt, doch die Interessen des Königs würde er über alles andere stellen.

Der Richter saß auf einer erhöhten Bank an der Ostwand des Palasts zwischen Fenstern, die einen Blick auf Green Yard und die Themse gewährten. Vor ihm saßen zwei Schreiber an einem langen Tisch. Für die gegnerischen Parteien gab es keine Sitze.

»Sir, der Graf von Shiring hat Bewaffnete geschickt, um den Steinbruch abzuriegeln, obwohl er der Priorei von Kingsbridge gehört«, erklärte Gregory, kaum dass Sir Wilbert ihn angeschaut hatte. Seine Stimme zitterte vor gespielter Entrüstung. »Dieser Steinbruch, der in der Grafschaft Shiring liegt, wurde der Priorei vor zweihundert Jahren von König Heinrich I. übereignet. Eine Kopie der Urkunde ist bei diesem Gericht eingereicht worden.«

Sir Wilbert hatte ein rosa Gesicht und weißes Haar. Er war ein ansehnlicher Mann – bis er den Mund aufmachte; dann nämlich waren seine verfaulten Zähne zu sehen. »Die Urkunde liegt mir vor«, bestätigte er.

Graf Roland meldete sich zu Wort, ohne aufgefordert worden zu sein. »Der Steinbruch ist den Mönchen lediglich für den Bau ihrer Kathedrale gewährt worden«, sagte er in gelangweiltem Tonfall.

Rasch entgegnete Gregory: »In der Urkunde wird die Nutzung nicht auf einen bestimmten Zweck beschränkt.«

»Und jetzt wollen die Mönche eine Brücke bauen«, sagte Roland.

»Um die Brücke zu ersetzen, die zu Pfingsten eingestürzt ist – eine Brücke, die ebenfalls vor vielen hundert Jahren erbaut worden ist, aus Holz, das der König der Stadt geschenkt hat!« Gregory sprach, als würde jedes Wort des Grafen seinen Zorn weiter schüren.

»Sie brauchen keine Erlaubnis, um eine Brücke neu zu bauen, wenn es diese Brücke vorher schon gab«, sagte Sir Wilbert mit schroffer Stimme. »Und in der Urkunde steht, dass der König den Bau der Kathedrale fördern wollte, aber es steht nicht darin, dass die Mönche ihre Rechte aufgeben müssten, sobald das Gotteshaus vollendet ist. Auch findet sich nichts darüber, dass die Steine nicht für andere Zwecke genutzt werden dürfen.«

Godwyn fasste neuen Mut. Der Richter schien sich von Anfang an auf die Seite der Priorei geschlagen zu haben.

Gregory machte eine weit ausholende Geste, die Handflächen nach oben gekehrt, als hätte der Richter gerade etwas vollkommen Offensichtliches bekundet. »In der Tat, Sir, haben die Prioren von Kingsbridge und die Grafen von Shiring das über drei Jahrhunderte genau so verstanden.«

Das war nicht ganz korrekt; das wusste Godwyn. Schon zur Zeit Prior Philips hatte es Streit um dieses Dokument gegeben; aber das wusste Sir Wilbert nicht – und auch nicht Graf Roland.

Roland gab sich hochmütig, als wäre es unter seiner Würde, sich mit Advokaten zu streiten. Aber das täuschte: Er war voll und ganz bei der Sache. »In der Urkunde steht aber auch nichts davon, dass die Priorei von Steuern und Zoll befreit worden sei.«

Gregory entgegnete: »Warum hat dann bis jetzt nie ein Graf solch einen Zoll erhoben?«

Roland hatte sich die Antwort schon zurechtgelegt. »Die früheren Grafen haben die Abgaben als ihren Beitrag zum Bau der Kathedrale erlassen. Das war ein Akt der Frömmigkeit. Aber ich sehe nicht, was fromm daran sein soll, den Bau einer Brücke zu unterstützen. Trotzdem weigern die Mönche sich zu zahlen.«

Mit einem Mal hatte die Waagschale sich in die andere Richtung geneigt. Wie schnell das geht, ging es Godwyn durch den Kopf. Es war ganz anders als die Dispute der Mönche im Kapitelhaus, die sich über Stunden hinziehen konnten.

Gregory sagte: »Und die Männer des Grafen haben den Abtransport der Steine aus dem Steinbruch verhindert. Dabei wurde ein armer Fuhrmann erschlagen.«

Sir Wilbert erklärte: »Dann sollte dieser Streit so rasch wie möglich beigelegt werden. Was sagt die Priorei zu dem Argument, der Graf habe das Recht, Abgaben auf sämtliche Güter zu verlangen, die durch sein Land transportiert werden, über seine Straßen, Brücken und durch seine Furten – ungeachtet der Frage, ob er dieses Recht in der Vergangenheit durchgesetzt hat oder nicht?«

»Da die Steine nicht *durch* sein Land gebracht werden, sondern dort ihren Ursprung haben, kommt der Zoll einem Verkauf an die Mönche gleich, was dem Inhalt der Urkunde von Heinrich I. zuwiderläuft.«

Entsetzt sah Godwyn, dass der Richter sich von diesem Argument offenbar nicht beeindrucken ließ.

Doch Gregory war noch nicht fertig. »Und die Könige, die Kingsbridge eine Brücke und einen Steinbruch gegeben haben, taten dies aus gutem Grund, denn es war ihr Wunsch, dass Priorei und Stadt gedeihen. Deshalb ist der Ratsälteste von Kingsbridge heute zugegen, denn er vermag zu bezeugen, dass die Stadt ohne eine Brücke eben *nicht* gedeihen kann!«

Edmund trat vor. Mit seinem ungekämmten Haar und in seiner eher schlichten Kleidung sah er im Vergleich zu den prachtvoll gewandeten Edelleuten wie ein Hinterwäldler aus; doch im Unterschied zu Godwyn wirkte er kein bisschen eingeschüchtert. »Ich bin Wollhändler, Sir«, sagte er. »Ohne Brücke gibt es keinen Handel, und ohne Handel wird Kingsbridge keine Steuern an den König zahlen.«

Sir Wilbert beugte sich vor. »Wie viel hat die Stadt beim letzten Zehnten gezahlt?«

Er sprach von der Steuer, die das Parlament von Zeit zu Zeit erhob und die ein Zehntel oder ein Fünfzehntel vom beweglichen Hab und Gut eines jeden Bürgers betrug. Natürlich zahlte niemand wirklich ein Zehntel – jeder gab weniger an, als er tatsächlich besaß. Deshalb hatte man die Abgaben jeder Stadt und jeder Grafschaft festgeschrieben, und die Last wurde mehr oder weniger gerecht verteilt, wobei die Armen und die Kleinbauern gar nichts bezahlten.

Edmund hatte mit dieser Frage gerechnet, und so antwortete er prompt: »Eintausendundelf Pfund, Sir.«

»Und welche Auswirkung hat der Verlust der Brücke, was diese Abgaben betrifft?«

»Ich schätze, dass derzeit für den Zehnten weniger als dreihundert Pfund zusammenkommen würden. Doch unsere Bürger betreiben weiter Handel in der Hoffnung, dass die Brücke wiederaufgebaut wird. Sollte diese Hoffnung jedoch hier und heute zerschlagen werden, würden der Wochenmarkt und der jährliche Wollmarkt von Kingsbridge in Bedeutungslosigkeit versinken und der Zehnte unter fünfzig Pfund fallen.«

»In Anbetracht dessen, welche Summen der König braucht, ist das so gut wie nichts«, sagte der Richter, sprach aber nicht aus, was alle wussten: dass der König nun mehr Geld denn je benötigte. Vor ein paar Wochen hatte er Frankreich den Krieg erklärt.

Roland reagierte gereizt. »Ist das hier eine Anhörung über die Finanzen des Königs?«

Sir Wilbert ließ sich nicht einschüchtern, nicht einmal von einem Grafen. »Dies hier ist das Gericht des Königs«, sagte er mit ruhiger Stimme. »Was habt Ihr denn erwartet?«

»Gerechtigkeit«, antwortete Roland.

»Und die sollt Ihr auch bekommen« sagte der Richter, ohne dass er laut hinzufügte: ob es Euch nun gefällt oder nicht. »Edmund Wooler, wo befindet sich der nächste andere Markt?«

»In Shiring.«

»Ah. Dann wird sich der Handel, den Ihr verliert, also in die Stadt des Grafen verlagern.«

»Nein, Sir. Einiges wird dorthin gehen, ja, aber vieles wird einfach verschwinden. Viele Händler aus Kingsbridge können nicht nach Shiring gehen.«

Der Richter wandte sich an Graf Roland. »Wie hoch ist der Zehnte von Shiring?«

Roland beriet sich kurz mit seinem Sekretär, Vater Jerome, und sagte dann: »Sechshundertundzwanzig Pfund.«

»Und wenn der Handel in Shiring sich durch den Wegfall des Marktes in Kingsbridge vermehren würde, könntet Ihr da mehr als tausendfünfhundert Pfund zahlen?«

»Natürlich nicht«, antwortete der Graf wütend.

Der Richter behielt seinen milden Tonfall bei. »Dann würde Euer fortgesetzter Widerstand gegen die Brücke den König viel Geld kosten.«

»Ich habe Rechte«, erwiderte Roland mürrisch.

»Die hat auch der König. Habt Ihr eine Möglichkeit, das königliche Schatzamt für den Verlust von fast tausend Pfund im Jahr zu entschädigen?«

»Ich werde an der Seite des Königs in Frankreich kämpfen … was Wollhändler und Mönche nie tun werden!«

»In der Tat«, sagte Sir Wilbert. »Doch Eure Ritter wollen auch bezahlt werden.«

»Das ist ungeheuerlich!«, stieß Roland hervor. Er wusste, dass er in dem Streit unterliegen würde. Godwyn hatte alle Mühe, seinen Widersacher nicht triumphierend anzugrinsen.

Dem Richter gefiel es nicht, dass sein Verfahren als »ungeheuerlich« bezeichnet wurde. Er schaute Roland streng an. »Ich bin sicher, Ihr habt nicht den Interessen des Königs schaden wollen, als Ihr Eure Soldaten ausgesandt habt, um den Steinbruch der Priorei abzuriegeln.« Er legte eine erwartungsvolle Pause ein.

Roland ahnte, dass er in die Falle ging, doch er konnte nur eine Antwort darauf geben. »Natürlich nicht.«

»Da das nun geklärt ist – wie auch die Tatsache, dass die Brücke den Interessen des Königs genauso dient wie der Priorei von Kingsbridge und der Stadt –, nehme ich an, dass ihr zustimmen werdet, den Steinbruch wieder zu öffnen.«

Godwyn staunte, wie klug Sir Wilbert war. Er zwang Roland, sein Urteil hinzunehmen, und machte es ihm zugleich schwer, im Nachhinein an den König zu appellieren.

Nach längerem Schweigen sagte Roland: »Ja.«

»Und Ihr erlaubt den abgabefreien Transport der Steine durch Euer Land?«

Roland wusste, dass er verloren hatte. »Ja«, sagte er noch einmal. Wut schwang in seiner Stimme mit.

»So soll es geschehen«, verkündete der Richter. »Nächster Fall.«

Es war ein großer Sieg, aber er war vielleicht zu spät gekommen.

Der Dezember war ins Land gezogen. Normalerweise wurden sämtliche Bauarbeiten jetzt eingestellt. Wegen des regnerischen Wetters würde es dieses Jahr zwar erst spät Frost geben; dennoch blieben nur noch wenige Wochen übrig. Merthin hatte Hunderte von zurechtgehauenen Blöcken im Steinbruch liegen, die nur darauf warteten, verbaut zu werden. Allerdings würde es Monate dauern, die Blöcke allesamt nach Kingsbridge zu karren. Obwohl Graf Roland den Fall vor Gericht verloren hatte, war es ihm dennoch gelungen, den Brückenbau um ein Jahr hinauszuzögern.

Caris kehrte mit Edmund und Godwyn nach Kingsbridge zurück. Sie war in gedrückter Stimmung. Als sie ihr Pferd am Flussufer zügelte, um auf die Fähre zu warten, sah sie, dass Merthin seine geplanten Dämme bereits fertig hatte: In jedem der Kanäle zu beiden Seiten von Leper Island ragten kreisförmig angeordnete Pfähle ein paar Fuß aus dem Wasser.

Caris erinnerte sich, wie Merthin sein Vorhaben, die sogenannten Kofferdämme zu errichten, in der Ratshalle erklärt hatte: Er wollte zwei umeinanderliegende Ringe aus Pfählen ins Flussbett treiben und den Zwischenraum dann mit einer Mischung aus Mörtel und Lehm füllen, damit kein Wasser in den so entstandenen Schacht eindringen konnte. Das Wasser innerhalb dieses Schachts würden die Arbeiter dann bis zum Grund des Flusses abschöpfen.

Einer von Merthins Arbeitern, Harold Mason, war auch auf der Fähre, als die Heimkehrer den Fluss überquerten, und Caris fragte ihn, ob die Kofferdämme schon geleert worden seien. »Noch nicht«, antwortete Harold. »Der Meister will, dass wir damit warten, bis wir mit dem Bau beginnen können.«

Caris bemerkte erfreut, dass Merthin nun trotz seiner Jugend »Meister« genannt wurde. »Aber warum?«, fragte sie. »Ich dachte, wir wollten so schnell wie möglich anfangen.«

»Der Meister sagt, der Fluss würde zu viel Druck auf die Dämme ausüben, wenn kein Wasser drin ist.«

Caris fragte sich, woher Merthin solche Dinge wusste. Die Grundlagen hatte er von seinem ersten Meister gelernt, Joachim, Elfrics Vater. Auch sprach Merthin stets viel mit Fremden, die in die Stadt kamen, besonders mit Männern, die die großen Bauwerke in Florenz und Rom gesehen hatten. Und er hatte in Timothys Buch viel über den Bau der Kathedrale gelesen. Aber er schien auch eine bemerkenswerte Intuition zu besitzen, was bauliche Dinge betraf. Caris jedenfalls wäre nie darauf gekommen, dass ein leerer Hohlraum weniger stabil sein könnte als ein voller.

Obwohl die Stimmung gedämpft war, als sie die Stadt betraten, wollten sie Merthin die gute Neuigkeit sofort übermitteln und herausfinden, was vor Ende der Bausaison noch getan werden konnte – wenn überhaupt. So hielten sie nur kurz, um ihre Pferde den Stallburschen zu übergeben, und machten sich sogleich auf die Suche nach Merthin. Sie fanden ihn in der Modellkammer, hoch oben im Nordwestturm der Kathedrale. Er arbeitete im Licht mehrerer Öllampen und ritzte einen Entwurf für die Brüstung der Brücke in den Skizzenboden.

Merthin schaute von seiner Zeichnung auf, blickte in ihre Gesichter und grinste breit. »Wir haben gewonnen, ja?«, fragte er.

»Wir haben gewonnen«, antwortete Edmund.

»Dank sei Gregory Longfellow«, fügte Godwyn hinzu. »Er hat eine Menge Geld gekostet, aber er war es wert.«

Merthin umarmte die beiden Männer. Sein Streit mit Godwyn war vergessen – vorerst zumindest. Dann küsste er zärtlich Caris. »Ich habe dich vermisst«, murmelte er. »Acht Wochen! Ich hatte das Gefühl, als würdest du nie wiederkommen.«

Caris erwiderte nichts. Auch ihr war die Zeit lang geworden, aber aus einem anderen Grund. Doch damit wollte sie warten, bis sie und Merthin allein waren.

Ihrem Vater fiel Caris' Zurückhaltung nicht auf. »Nun, Merthin, du kannst sofort mit dem Bau beginnen.«

Godwyn sagte: »Du kannst morgen anfangen, die Steine aus dem Steinbruch zu holen – aber ich nehme an, vor dem ersten Frost lässt sich nicht mehr viel tun.«

»Ich habe darüber nachgedacht«, sagte Merthin und schaute zu den Fenstern. Es war Nachmittag, doch es dämmerte bereits. »Es gibt vielleicht eine Möglichkeit, wie wir trotz der Kälte noch einiges an Arbeit schaffen können.«

Edmund war sofort Feuer und Flamme. »Heraus damit, Junge! Was hast du für eine Idee?«

Merthin wandte sich Prior Godwyn zu. »Würdet Ihr einen Ablass für die Freiwilligen gewähren, die die Blöcke aus dem Steinbruch holen?«

»Das könnte ich tun«, antwortete Godwyn. »Was hast du im Sinn?«

Merthin drehte sich zu Edmund um. »Wie viele Leute in Kingsbridge besitzen einen Karren?«

»Es müssen ein paar Hundert sein«, erwiderte Edmund. »Jeder größere Händler hat einen Karren oder Wagen.«

»Nehmen wir einmal an, wir würden heute Abend durch die Stadt gehen und jeden bitten, morgen zum Steinbruch zu fahren und Steine zu holen.«

Edmund blickte Merthin an, und langsam legte sich ein Lächeln auf sein Gesicht. »Ja«, sagte er erfreut, »das wäre eine Idee!«

»Wir werden jedem sagen, dass alle anderen ebenfalls gehen«, fuhr Merthin fort. »Es wird wie ein Ausflug. Ihre Familien können mitkommen, und sie können Essen und Bier mitnehmen. Wenn jeder mit einer Wagenladung Steine oder Schutt zurück in die Stadt kommt, haben wir in zwei Tagen genug für die Brückenpfeiler.«

»Was ist mit dem Wetter?«, fragte Godwyn.

»Der Regen war für die Bauern ein Fluch, aber er hat den Frost ferngehalten«, sagte Merthin. »Ich schätze, wir haben noch eine oder zwei Wochen.«

Aufgeregt humpelte Edmund in der Modellkammer auf und ab. »Aber wenn du die Pfeiler in den nächsten paar Tagen bauen kannst …«

»Ende nächsten Jahres wären die Arbeiten dann zum größten Teil abgeschlossen.«

»Könnten wir die Brücke im Jahr darauf schon nutzen?«

»Nein. Aber wir könnten eine provisorische Straßenbettung aus Holz bauen, rechtzeitig zum Wollmarkt.«

»Dann hätten wir im übernächsten Jahr auf jeden Fall eine Brücke, die schon mal befahren werden kann! Damit fiele nur ein Wollmarkt aus!«

»Ja. Die steinerne Straßenbettung müssten wir dann nach dem Wollmarkt bauen. Wenn sie ausgehärtet ist, könnten wir sie im dritten Jahr benutzen.«

»Verdammt, so geht es!«, rief Edmund aufgeregt.

Godwyn bemerkte vorsichtig: »Du musst aber noch das Wasser aus diesen Dämmen bekommen.«

Merthin nickte. »Das ist harte Arbeit, für die ich ursprünglich zwei Wochen veranschlagt hatte. Doch da habe ich auch schon eine Idee … Aber lasst uns erst wegen der Steine etwas unternehmen.«

Voller Zuversicht gingen alle zur Tür. Als Godwyn und Edmund die schmale Wendeltreppe hinunterstiegen, packte Caris Merthin am Arm und hielt ihn fest. Er glaubte, sie wollte ihn küssen, und beugte sich zu ihr vor, doch sie schob ihn zurück. »Ich habe Neuigkeiten«, sagte sie.

»Noch mehr Neuigkeiten?«

»Ich bin schwanger.«

Sie beobachtete Merthins Gesicht: Zuerst war er erschrocken und hob die rotbraunen Augenbrauen. Dann blinzelte er, legte den Kopf auf die Seite und zuckte mit den Schultern, als wolle er sagen: Das kommt nicht überraschend. Schließlich grinste er, erst reumütig, dann voller Glückseligkeit. Zu guter Letzt strahlte er und rief: »Das ist ja wunderbar!«

Wie dumm die Männer sein können, dachte Caris. »Nein, ist es nicht!«

»Warum nicht?«

»Weil ich nicht den Rest meines Lebens als Sklavin verbringen will. Nicht einmal als Sklavin meines eigenen Kindes.«

»Als Sklavin? Ist jede Mutter eine Sklavin?«

»Ja! Weißt du denn nicht, dass ich so empfinde?«

Merthin schaute sie verletzt an, sodass ein Teil von ihr die harten Worte zurücknehmen wollte, doch sie hatte ihre Wut schon zu lange geschürt. Merthin nickte. »Aber als du bei mir gelegen hast, da dachte ich …« Er zögerte. »Du musst doch gewusst haben, dass es früher oder später so kommt.«

»Du etwa nicht? Aber deine Lust war stärker als deine Vernunft.«

»Dann bin ich also ein Schwächling.«

»Genauso ist es.«

Sein Gesicht erstarrte. Nach einer langen Pause sagte er: »Und was hast du jetzt vor?«

»Ich weiß es nicht. Ich weiß nur, dass ich das Kind nicht haben will.«

Merthin seufzte. »So kommen wir nicht weiter.« Er löschte die Lampen. »Caris, ich will, dass wir heiraten und uns als Mann und Frau um das Kind kümmern – vorausgesetzt, deine schlechte Laune ist nur vorübergehend.« Er steckte seine Zeichenwerkzeuge in eine Ledertasche und warf sie sich über die Schulter. »Und jetzt muss ich arbeiten.« Merthin duckte sich durch die niedrige Tür und verschwand auf der Treppe.

Caris brach in Tränen aus.

Merthin hatte keine Ahnung, ob die braven Bürger von Kingsbridge dem Ruf folgen würden. Alle hatten ihre eigene Arbeit und ihre eigenen Sorgen. Würde die gemeinsame Aufgabe des Brückenbaus wichtiger für sie sein? Merthin war nicht sicher. Aus Timothys Buch wusste er, dass Prior Philip so manche Krise gemeistert hatte, indem er das gemeine Volk zu einer vereinten Anstrengung aufgerufen hatte. Doch Merthin war nicht Philip. Ihm stand es nicht zu, die Leute zu führen. Er war nur ein Zimmermann.

Sie stellten eine Liste der Wagenbesitzer zusammen und teilten sie nach Straßen auf. Edmund scharte zehn der führenden Bürger um sich, und Godwyn zehn der älteren Mönche. Jeweils zu zweit zogen sie los. Merthin tat sich mit Bruder Thomas zusammen.

Die erste Tür, an die sie klopften, war die von Lib Wheeler. Sie führte Bens Geschäft mit Hilfe eines Knechts weiter. »Klar kannst du meine beiden Karren bekommen«, sagte sie, »und auch Männer, um damit zu fahren. Ich würde alles tun, um dem verdammten Grafen eins auszuwischen.«

Doch schon am zweiten Haus erhielten sie eine Abfuhr. »Mir geht's nicht gut«, sagte Peter Dyer, der einen Karren besaß, mit dem er Wollballen auslieferte, die er zuvor gelb, grün und rosa gefärbt hatte. »Ich kann nicht schwer tragen.«

Du siehst aber ganz gesund aus, dachte Merthin. Vermutlich hatte Peter nur Angst vor einem Zusammenstoß mit den Männern des Grafen. Es würde keinen Kampf geben, da war Merthin sicher, doch er konnte die Angst verstehen.

Aber was, wenn alle Bürger so empfanden?

Das dritte Haus war das von Harold Mason, einem jungen Baumeister, der auf mehrere Jahre Arbeit an der Brücke hoffte. Er war sofort einverstanden. »Jake Chepstow wird ebenfalls kommen«, sagte er. »Dafür sorge ich schon.« Harold und Jake waren Freunde.

Danach sagte fast jeder Ja. Die meisten Leute fragten: »Kommt der und der auch mit seinem Karren?« Wenn sie dann hörten, dass Freunde und Nachbarn sich freiwillig gemeldet hatten, wollten sie nicht außen vor bleiben.

Niemandem musste gesagt werden, wie wichtig die Brücke war. Wer mit einem Karren anrollte, war ohnehin meist Händler oder Handwerker. Obendrein konnte Merthin ihnen Vergebung für ihre Sündenschuld versprechen. Doch der größte Anreiz schien die Aussicht auf einen zusätzlichen freien Tag zu sein.

Nachdem sie alle Besuche gemacht hatten, verließ Merthin Thomas und ging zur Fähre hinunter. Sie mussten die Karren noch diese Nacht übersetzen, um am nächsten Morgen aufbrechen zu können. Die Fähre konnte nur jeweils ein bis zwei Wagen befördern – über hundert Karren würden die ganze Nacht in Anspruch nehmen. Deshalb benötigte Kingsbridge ja die neue Brücke.

Ein Ochse drehte das große Rad, und die ersten Wagen waren bereits über den Fluss geschafft worden. Am gegenüber liegenden Ufer führten die Besitzer ihre Zugtiere auf die Weide, setzten dann wieder über und gingen schlafen. Edmund ließ John Constable und ein halbes Dutzend anderer Büttel die Nacht in Newtown verbringen, wo sie Karren und Tiere bewachen sollten.

Die Fähre fuhr noch, als Merthin gut eine Stunde nach Mitternacht ebenfalls ins Bett ging. Eine Zeit lang lag er wach und dachte über Caris nach. Ihre unvorhersehbaren, mitunter seltsamen Launen gehörten nun einmal zu ihr; deshalb kannte Merthin diese Schrullen, doch manchmal trieb sie es zu weit. Caris war der klügste Mensch in Kingsbridge, konnte aber hoffnungslos unvernünftig sein. Und diesmal hatte sie ihm sehr wehgetan.

Vor allem dass sie ihn einen Schwächling genannt hatte, schmerzte Merthin. Er wusste nicht, ob er Caris diese Beleidigung je verzeihen konnte. Er war nicht schwach. Er hatte Elfrics Tyrannei getrotzt, hatte Godwyn mit seinem Brückenentwurf eine Niederlage beigebracht und war nun dabei, die ganze Stadt zu retten.

Was sollte er bei Caris unternehmen? Was war bloß in sie gefahren?

Voller Sorge schlief Merthin ein.

Edmund weckte ihn bei Tagesanbruch. Zu diesem Zeitpunkt befand sich fast jeder Wagen in Kingsbridge auf der anderen Seite des Flusses. Sie standen in einer so langen Reihe, dass sie durch ganz Newtown hindurch- und eine halbe Meile bis in den Wald hineinführte. Dann wurden die Fahrer der Karren und Wagen über den Fluss gesetzt, was noch einmal ein paar Stunden in Anspruch nahm. Diese Pilgerfahrt – nichts anderes war es dem Wesen nach – in geordnete Bahnen zu lenken und die Übersicht zu behalten lenkte Merthin von den Problemen mit Caris und ihrer Schwangerschaft ab. Es dauerte nicht lange, und auf den Weiden am anderen Ufer herrschte ein munteres Chaos, als Dutzende von Leuten ihre Ochsen und Pferde einfingen, zu ihren Wagen führten und anschirrten. Dick Brewer brachte ein großes Fass und verteilte Bier. »Um den Pilgern Mut einzuflößen!«, verkündete er, doch manche flößten sich eher zu viel Bier ein und mussten ein Nickerchen machen, um wieder nüchtern zu werden.

Am stadtwärts gelegenen Ufer sammelte sich eine Zuschauermenge. Jubel brandete auf, als der Wagenzug sich in Bewegung setzte. Doch die Steine waren nur die Hälfte des Problems.

Merthin wandte seine Aufmerksamkeit der nächsten Herausforderung zu. Wenn er mit dem Verbauen der Steine beginnen wollte, sobald sie aus dem Steinbruch eingetroffen waren, musste er die Kofferdämme binnen zwei Tagen leeren und nicht in zwei Wochen. Als der Jubel verebbte, hob er die Stimme und wandte sich an die Menge. Wenn die Aufregung nachließ und die Leute sich fragten, was sie als Nächstes tun sollten, war der richtige Augenblick gekommen, ihr Interesse zu wecken.

»Ich brauche die kräftigsten Männer, die noch in der Stadt sind!«, rief Merthin. Die Leute lauschten gebannt. »Gibt es noch starke Männer in Kingsbridge?« Mit dieser Frage zielte Merthin natürlich auf den männlichen Stolz, aber nicht nur: Das Leeren der Fangdämme war tatsächlich Schwerstarbeit. Und indem Merthin nach starken Männern rief, warf er auch den jüngeren Burschen eine Herausforderung hin, der sie nur schwer widerstehen konnten. »Ehe die Karren morgen Abend aus dem Steinbruch zurückkommen, müssen wir das Wasser aus den Dämmen geschöpft haben. Das wird die härteste Arbeit, die ihr je gemacht habt – also keine Schwächlinge bitte.« Bei diesen Worten schaute er zu Caris, die in der Menge stand, und sah sie zusammenzucken, als er »Schwächling« sagte. Offenbar wusste sie, dass sie ihn damit gekränkt hatte. »Jede Frau, die es mit einem Mann aufnehmen zu können glaubt, ist ebenfalls willkommen«, fuhr Merthin fort. »Ihr müsst euch einen Eimer holen und mich so bald wie möglich am Ufer gegenüber von Leper Island treffen. Und denkt daran – nur die Kräftigsten!«

Merthin war nicht sicher, ob er die Leute für sich gewonnen hatte. Als er geendet hatte, entdeckte er Mark Webbers große Gestalt und schob sich durch die Menge zu ihm. »Könntest du ein bisschen nachhelfen, Mark?«, fragte er.

Mark war ein sanfter Riese und sehr beliebt in der Stadt. Obwohl er arm war, besaß er Einfluss, besonders unter den jüngeren Männern. »Ich sorg schon dafür, dass die Kerlchen mitmachen«, sagte er.

»Danke.«

Als Nächstes fand Merthin Ian Boatman. »Ich brauche dich den ganzen Tag«, sagte er. »Du musst die Leute zu den Kofferdämmen und wieder zurück rudern.«

»Krieg ich was dafür?«

»Geld oder einen Ablass – such es dir aus.« Da Ian eine außergewöhnliche Zuneigung zur jüngeren Schwester seiner Frau empfand, würde er vermutlich den Ablass nehmen, entweder für eine vergangene Sünde oder für eine, die er bald zu begehen hoffte.

Merthin ging durch die Straßen zum Ufer und zu der Stelle, wo er die Brücke bauen wollte. Konnte man die Kofferdämme wirklich in zwei Tagen leer schöpfen? Er hatte keine Ahnung. Wie viele Gallonen Wasser wohl in jedem Hohlraum waren? Tausende? Zehntausende? Es musste eine Möglichkeit geben, das auszurechnen. Die Gelehrten bei den alten Griechen hatten vermutlich eine Methode entwickelt, aber so etwas lernte man nicht in der Klosterschule. Um das herauszufinden, musste man wahrscheinlich an die Universität von Oxford gehen, deren Mathematiker auf der ganzen Welt berühmt waren. Das sagte Godwyn jedenfalls immer.

Merthin wartete am Flussufer und fragte sich, ob jemand kommen würde.

Die Erste war Megg Robbins, die stramme Tochter eines Getreidehändlers, die sich ihre kräftigen Muskeln beim jahrelangen Schleppen von Getreidesäcken angeeignet hatte. »Ich bin stärker als die meisten Männer in dieser Stadt«, sagte sie, was Merthin keinen Augenblick bezweifelte.

Mehrere junge Burschen kamen als Nächste; dann erschienen drei Novizen.

Kaum hatte Merthin zehn Leute mit Eimern zusammen, stieg er mit ihnen zu Ian ins Boot und ließ sich zum nächstgelegenen Kofferdamm rudern.

Im Innern des inneren Ringes hatte er einen Laufsteg unmittelbar über der Wasseroberfläche errichtet. Er war stabil genug, dass mehrere Männer darauf stehen konnten. Von der Kante aus führten vier Leitern bis zum Flussbett hinunter. In der Mitte der Kassette trieb ein großes Floß auf dem Wasser. Floß und Laufsteg waren zwei Fuß voneinander entfernt, und das Floß wurde von Holzstangen an Ort und Stelle gehalten, die fast bis zur Wand reichten, sodass es sich nur wenige Zoll bewegen konnte.

»Ihr arbeitet jeweils zu zweit«, sagte Merthin seinen Leuten. »Einer auf dem Floß, der andere auf dem Steg. Der auf dem Floß füllt den Eimer und reicht ihn seinem Partner auf dem Steg, der das Wasser dann in den Fluss kippt. Ist der Eimer leer, wird er gegen einen vollen ausgetauscht.«

Megg Robbins sagte: »Was passiert, wenn der Pegel im Innern fällt, und ich und mein Partner kommen nicht mehr aneinander heran?«

»Ein guter Gedanke, Megg. Du wirst hier meine Vorarbeiterin sein. Wenn ihr einander nicht mehr erreichen könnt, nehmt ihr einen dritten Partner dazu, der den Eimer von einer Leiter aus zwischen euch hin und her reicht.«

Megg begriff rasch. »Und zu viert arbeiten wir mit zwei Leuten auf der Leiter.«

»Ja. Und legt regelmäßig Pausen ein. Dann müssen andere euren Platz einnehmen.«

»Gut.«

»Fangt an. Ich hole noch einmal zehn Leute herüber. Hier ist noch genügend Platz.«

Megg nickte und rief den anderen zu: »Sucht euch einen Partner aus!«

Die Freiwilligen tauchten ihre Eimer ins Wasser. Merthin hörte Megg rufen: »Lasst uns in einem gleichmäßigen Rhythmus arbeiten. Eintauchen, hochheben, weitergeben, wegschütten! Eins, zwei, drei, vier. Wie wär's mit einem Lied, dann geht es noch besser?« Sie hob die Stimme zu einem fröhlichen Gesang: »Ein *Rit*-ter *zog* ins *Feld* hi-*naus* ...«

Die Männer kannten das Lied und stimmten in die nächste Zeile ein. »Sein *Schwert* war *stark* und *lang* ...«

Ehe Merthin ins Boot stieg, schaute er ihnen zu. Alle schufteten nach besten Kräften und waren nach wenigen Minuten völlig durchnässt; dennoch konnte Merthin kein Sinken des Pegels in Innern des Kofferdamms erkennen. Das würde verdammt lange dauern.

Er stieg zu Ian ins Boot.

Als er das Ufer erreichte, warteten dort bereits dreißig weitere Freiwillige mit Eimern.

Merthin ließ die Männer mit der Arbeit an dem zweiten Kofferdamm beginnen. Hier bestimmte er Mark Webber zum Vorarbeiter; dann verdoppelte er die Zahl in beiden Dämmen, und schließlich ersetzte er erschöpfte Arbeiter durch frische. Ian Boatmans Kräfte ließen allmählich nach, und er reichte die Riemen seinem Sohn. Der Pegel in den Fangdämmen fiel einen ermüdenden Zoll nach dem anderen, und je tiefer es ging, desto langsamer kam die Arbeit voran, denn die Eimer mussten höher gehoben werden, um über den Rand gekippt zu werden.

Megg erkannte als Erste, dass man nicht einen vollen Eimer in der einen und einen leeren in der anderen Hand halten konnte, wenn man gleichzeitig auf einer Leiter stand. Deshalb organisierte sie eine Eimerkette. Die vollen Eimer wanderten eine Leiter hinauf, die leeren eine andere hinunter. Mark übernahm dieses System für seinen Trupp.

Die Freiwilligen arbeiteten eine Stunde und ruhten sich eine Stunde aus, doch Merthin gönnte sich keine Pause. Er organisierte die einzelnen Trupps, überwachte das Übersetzen der Freiwilligen zu den Fangdämmen und wieder zurück und tauschte beschädigte Eimer aus. Die meisten Männer tranken Bier während ihrer Ruhepausen; dies hatte zur Folge, dass es am Nachmittag zu mehren Unfällen kam. Leute ließen Eimer fallen oder stürzten von den Leitern. Mutter Cecilia kümmerte sich um die Verletzten. Mattie Wise und Caris halfen ihr dabei.

Viel zu schnell wurde es dunkel, und sie mussten die Arbeit einstellen; doch beide Kofferdämme waren mehr als halb leer. Merthin bat alle Helfer, am Morgen wiederzukommen, und ging dann nach Hause. Nach ein paar Löffeln Suppe, die seine Mutter gekocht hatte, schlief er am Tisch ein und wachte nur lange genug auf, dass er sich eine Decke um die Schultern wickelte und sich ins Stroh legte. Nach dem Aufwachen am nächsten Morgen galt sein erster Gedanke der Frage, ob die Freiwilligen auch am zweiten Tag wiederkommen würden.

Beim ersten Sonnenstrahl eilte Merthin mit pochendem Herzen zum Fluss hinunter. Sowohl Mark Webber als auch Megg Robbins waren schon da. Mark kaute an einem riesigen Laib Brot, und Megg schnürte sich Stiefel um in der Hoffnung, trockene Füße zu behalten. Die nächste halbe Stunde jedoch kam keiner mehr, und Merthin überlegte schon, was er ohne Freiwillige tun sollte. Dann tauchten ein paar der jungen Männer auf. Sie hatten Frühstück dabei. Ihnen folgten die Novizen, und schließlich erschien der ganze Rest der Truppe.

Auch Ian Boatman kam, und Merthin ließ ihn Megg mit ein paar Freiwilligen zur Flussmitte rudern, wo sie die Arbeit wiederaufnahmen.

Doch heute, am zweiten Tag, war es eine Plackerei. Allen schmerzten die Glieder von den Anstrengungen am Tag zuvor. Jeder Eimer musste zehn Fuß oder mehr nach oben gebracht werden. Immerhin war das Ende in Sicht: Der Pegel fiel beständig weiter, und die Freiwilligen konnten bereits den Grund des Flusses sehen.

Am Nachmittag kehrte der erste Karren vom Steinbruch zurück. Merthin wies den Besitzer an, seine Steine auf der Weide auszuladen und den Karren mit der Fähre in die Stadt zurückzubringen.

Kurz darauf setzte das Floß in Meggs Kofferdamm auf dem Flussbett auf.

Doch es gab noch mehr zu tun. War das letzte Wasser geschöpft, musste das Floß auseinandergenommen und Planke für Planke die Leitern hinaufgetragen werden. Dabei kamen Dutzende von Fischen zum Vorschein, die in Schlammpfützen auf dem Boden zappelten. Die Fische mussten mit Netzen gefangen und unter den Freiwilligen verteilt werden. Nachdem das geschehen war, stand Merthin müde, aber zufrieden auf dem Laufsteg und schaute in ein zwanzig Fuß tiefes Loch bis zum Flussbett hinunter.

Morgen würde er mehrere Tonnen Schutt in jedes Loch kippen, den Schutt mit Mörtel übergießen und so ein massives, unerschütterliches Fundament schaffen.

Dann würde er mit dem Bau der Brücke beginnen.

Wulfric war nur noch ein Häuflein Elend.

Er aß so gut wie nichts und vergaß, sich zu waschen. In immer gleicher, stumpfsinniger Regelmäßigkeit stand er bei Tagesanbruch auf und legte sich wieder hin, wenn es dunkel wurde. In den Nächten rührte er Gwenda nicht an, und er war wortkarg und gab auf ihre Fragen nur mürrische und nichtssagende Antworten.

Auf den Feldern gab es ohnehin nicht viel zu tun. Dies war die Jahreszeit, da die Dörfler an ihren Herdfeuern saßen, Lederschuhe nähten und Eichenschaufeln schnitzten. Sie aßen gepökeltes Schweinefleisch und weiche Äpfel und Kohl, der in Essig haltbar gemacht worden war. Gwenda machte sich kein Kopfzerbrechen darüber, wie sie sich ernähren sollten – Wulfric hatte noch immer Geld vom Verkauf seiner Ernte –, aber sie machte sich große Sorgen um ihn.

Wulfric hatte immer für seine Arbeit gelebt. Einige Dörfler murrten ständig und freuten sich nur an Ruhetagen, doch Wulfric war anders. Die Felder, das Getreide, die Tiere und das Wetter – etwas anderes kümmerte ihn nicht. An Sonntagen war er stets rastlos gewesen, bis er eine Beschäftigung gefunden hatte, die am heiligen Sonntag nicht untersagt war, und an Feiertagen hatte er alles getan, um die Regeln zu umgehen.

Gwenda wusste, dass sie ihn wieder zur Vernunft bringen musste, sonst würde er vielleicht noch krank an Körper oder Geist werden. Und sein Geld würde auch nicht ewig reichen. Früher oder später würden sie beide arbeiten müssen.

Allerdings teilte sie ihm ihre Neuigkeit nicht mit, ehe nicht zwei volle Monate vergangen waren und sie sich ihrer Sache sicher war.

Dann, eines Morgens im Dezember, sagte sie: »Ich muss dir etwas sagen.«

Wulfric saß am Küchentisch und schnitzte an einem Stock. Er hob nicht einmal den Blick.

Gwenda nahm über den Tisch hinweg seine Hände, und er hörte auf zu schnitzen. »Wulfric, würdest du mich bitte anschauen?«

Er tat es, doch mit einem säuerlichen Ausdruck auf dem Gesicht. Er mochte es nicht, herumkommandiert zu werden, doch er war zu träge, um sich Gwenda zu widersetzen.

»Es ist wichtig«, sagte Gwenda.

Er schaute sie schweigend an.

»Ich bekomme ein Kind«, sagte sie.

Wulfrics Miene veränderte sich nicht, doch er ließ Stock und Messer fallen.

Gwenda schaute ihn einen langen Augenblick an. »Hast du mich verstanden?«, fragte sie dann.

Er nickte. »Ein Kind«, sagte er.

»Ja. Wir werden ein Kind bekommen.«

»Wann?«

Gwenda lächelte. Das war die erste Frage, die er seit zwei Monaten gestellt hatte. »Nächsten Sommer, vor der Ernte.«

»Das Kind muss versorgt werden«, sagte er, »und du auch.«

»Ja.«

»Ich muss arbeiten.« Wieder erschien die Niedergeschlagenheit auf seinem Gesicht.

Gwenda hielt den Atem an. Was kam jetzt?

Wulfric seufzte und biss die Zähne zusammen. »Ich gehe zu Perkin«, verkündete er. »Er wird Hilfe beim Winterpflügen brauchen.«

»Und beim Mistmachen«, sagte Gwenda froh. »Ich werde dich begleiten. Er hat angeboten, uns beide zu beschäftigen.«

»Gut.« Wulfric starrte sie noch immer an. »Ein Kind«, sagte er, als wäre das ein Wunder. »Ob es ein Mädchen wird?«

Gwenda stand auf, ging um den Tisch herum und setzte sich neben ihn auf die Bank. »Wäre dir das lieber?«

»Ja. In meiner Familie hatten wir nur Jungs.«

»Ich will einen Jungen. Einen kleinen Wulfric.«

»Vielleicht bekommen wir ja Zwillinge.«

»Je eines von beidem.«

Wulfric schloss sie in die Arme. »Wir sollten uns von Vater Gaspard trauen lassen.«

Gwenda seufzte glücklich und legte den Kopf an Wulfrics Brust. »Ja«, sagte sie. »Das sollten wir.«

Merthin zog kurz vor Weihnachten aus dem Haus seiner Eltern aus. Er hatte sich ein Einzimmerhaus auf Leper Island gebaut; die Insel gehörte nun ihm. Er sagte, er müsse den wachsenden Vorrat an wertvollen Baumaterialien beaufsichtigen, der sich auf der Insel ansammelte: Holz, Steine, Kalk, Taue und Werkzeuge aus Eisen.

Er ging nicht mehr zu Caris zum Essen.

Am vorletzten Tag des Dezembers ging Caris zu Mattie Wise.

»Du brauchst mir nicht zu sagen, warum du hier bist«, erklärte Mattie. »Dritter Monat?«

Caris nickte und mied ihren Blick. Sie schaute sich in der Küche mit ihren Krügen und Flaschen um. Mattie erhitzte irgendetwas in einem kleinen Eisentopf über dem Feuer. Was immer es war – es verströmte einen beißenden Geruch, der Caris zum Niesen reizte.

»Ich will kein Kind«, sagte Caris.

»Hätte ich jedes Mal einen Penny bekommen, wenn ich diesen Satz gehört habe, wäre ich eine reiche Frau.«

»Sag mal, Mattie … findest du, das macht mich zu einem schlechten Menschen?«

Mattie zuckte mit den Schultern. »Ich mache Tränke und urteile nicht über Menschen. Die Menschen kennen den Unterschied zwischen richtig und falsch. Und wenn nicht – dafür gibt's Priester.«

Caris war enttäuscht. Sie hatte auf Mitgefühl gehofft. Kühler fragte sie: »Hast du einen Trank, um eine Schwangerschaft zu beenden?«

»Ja, den hab ich …« Mattie schaute unbehaglich drein.

»Aber?«

»Um eine Schwangerschaft zu beenden, muss man sich selbst vergiften. Manche Mädchen trinken eine Gallone starken Weins. Aber ich könnte dir einen Trank aus giftigen Kräutern geben. Manchmal wirkt er, manchmal nicht. In jedem Fall fühlst du dich hinterher scheußlich.«

»Ist es gefährlich? Könnte ich sterben?«

»Ja – auch wenn es nicht so gefährlich ist wie eine Kindsgeburt.«

»Ich nehme den Trank.«

Mattie nahm den Topf vom Feuer und stellte ihn zum Abkühlen auf einen Stein. Dann drehte sie sich zu ihrer alten Werkbank um, nahm eine kleine Tonschüssel aus dem Schrank und gab mehrere kleine Dosen unterschiedlicher Pulver hinein, wobei sie Caris immer wieder musterte.

»Was ist?«, fragte Caris. »Du hast doch gesagt, du urteilst nicht über Menschen, aber du schaust so missbilligend.«

Mattie seufzte. »Natürlich fälle ich Urteile – das tut jeder.«

»Und wie lautet dein Urteil über mich?«

»Ich denke, dass Merthin ein guter Mann ist und dass du ihn liebst, aber du scheinst kein Glück mit ihm finden zu können. Das macht mich traurig.«

»Du meinst, ich sollte mich wie alle anderen Frauen einem Mann zu Füßen werfen?«

»Nun, das scheint sie glücklich zu machen. Ich aber habe ein anderes Leben gewählt … und das wirst du auch, nehme ich an.«

»Bist du denn glücklich?«

»Ich bin nicht dazu geboren, glücklich zu sein. Aber ich helfe Menschen, habe mein Auskommen und bin frei.« Mattie gab die Mixtur in einen Becher und mischte ein wenig Wein unter, damit die Pulver sich auflösten. »Hast du schon gefrühstückt?«

»Nur ein bisschen Milch.«

Mattie tropfte ein wenig Honig in den Becher. »Trink das, und spar dir das Mittagessen – du würdest es ohnehin wieder erbrechen.«

Caris nahm den Becher, zögerte und leerte ihn dann. »Danke.« Der Trank hatte einen Übelkeit erregenden, bitteren Geschmack, der nur teilweise von der Süße des Honigs überdeckt wurde.

»Morgen früh sollte alles vorbei sein – so oder so.«

Caris zahlte und ging. Auf dem Heimweg überkam sie eine seltsame Mischung aus Freude und Traurigkeit. Es ermutigte sie, nach all den Wochen der Sorge eine Entscheidung getroffen zu haben; aber sie empfand auch ein Gefühl des Verlustes, als würde sie jemandem Lebewohl sagen – Merthin vielleicht. Sie fragte sich, ob ihre Trennung von Dauer sein würde. Merthin würde irgendwann eine andere Liebe finden – Bessie Bell möglicherweise –, doch Caris war sicher, dass sie selbst nie jemand anders so lieben würde, wie sie Merthin geliebt hatte.

Als sie ihr Haus betrat, kam ihr beim Geruch von gebratenem Schweinefleisch die Galle hoch, und sie ging rasch wieder. Sie wollte auch nicht mit anderen Frauen auf der Straße tratschen oder mit den Männern in der Ratshalle übers Geschäft reden; also schlenderte sie zum Kloster, den dicken Wollmantel straff um die Schulter geschlungen, und setzte sich auf einen Grabstein auf dem Friedhof. Versonnen blickte sie auf die Nordwand der Kathedrale und staunte über die Perfektion und Schönheit der Steinmetzarbeiten.

Es dauerte nicht lange, bis ihr übel wurde.

Caris erbrach sich auf ein Grab, doch ihr Magen war leer, und so würgte sie nur bittere Galle hervor. Ihr Kopf schmerzte, und sie hatte schrecklichen Durst. Sie fühlte sich so schlecht, dass sie beschloss, ins Hospital zu gehen. Die Nonnen würden ihr bestimmt erlauben, sich ein Weilchen hinzulegen.

Caris verließ den Friedhof, überquerte den Kathedralenvorplatz und betrat das Hospital, wo sie von der gutherzigen alten Julie begrüßt wurde, auf deren dicklichem Gesicht ein Lächeln erschien. »Oh, Schwester Juliana«, sagte Caris dankbar. »Würdet Ihr mir einen Becher Wasser bringen?« Das Wasser der Priorei kam von weiter flussaufwärts und war kühl, klar und sauber.

»Fehlt dir etwas, mein Kind?«, fragte die alte Julie besorgt.

»Mir ist übel. Wenn ich darf, würde ich mich gerne ein Weilchen hinlegen.«

»Aber natürlich. Ich hole Mutter Cecilia.«

Caris legte sich auf einen der Strohsäcke, die ordentlich aufgereiht an der Wand lagen. Für kurze Zeit fühlte sie sich besser; dann wurden die Kopfschmerzen immer schlimmer. Julie kam mit einem Krug und einem Becher zurück. Mutter Cecilia war bei ihr. Caris trank einen Schluck Wasser, erbrach sich und trank noch einmal.

Cecilia stellte ihr ein paar Fragen und sagte dann: »Du hast irgendetwas Verdorbenes gegessen. Dein Inneres muss gereinigt werden.«

Caris hatte so fürchterliche Schmerzen, dass sie nicht antworten konnte. Cecilia ging und kehrte kurz darauf mit einer Flasche und einem Schwamm zurück. Sie gab Caris einen Löffel einer sirupartigen Medizin, die nach Nelken schmeckte.

Caris legte sich mit geschlossenen Augen zurück und betete, dass die Schmerzen aufhören würden, doch sie wurde von Magenkrämpfen geplagt, gefolgt von Durchfall. Wahrscheinlich, dachte sie benommen, ist Matties Trank daran schuld. Nach einer Stunde hörten die Krämpfe endlich auf. Julie entkleidete Caris, wusch sie, gab ihr ein Nonnengewand anstelle ihrer beschmutzten Kleidung und bettete sie auf eine saubere Matratze. Erschöpft schloss Caris die Augen.

Prior Godwyn kam, um nach ihr zu sehen, und erklärte, man müsse sie zur Ader lassen. Kurz darauf erschien ein weiterer Mönch. Er ließ Caris sich aufsetzen und den Arm mit dem Ellbogen über eine große Schüssel halten. Dann holte er ein scharfes Messer hervor und öffnete die Ader in ihrer Armbeuge. Caris spürte den Schmerz des Schnittes kaum, und auch das hervorquellende Blut nahm sie gar nicht richtig wahr. Nach einer Weile legte der Mönch einen Verband um den Schnitt und sagte ihr, sie solle ihn fest auf die Wunde drücken. Dann brachte er die Blutschüssel weg.

Caris war sich verschwommen bewusst, dass Leute sie besuchen kamen: ihr Vater, Petronilla, Merthin. Die alte Julie hielt ihr von Zeit zu Zeit einen Becher an die Lippen; jedes Mal trank Caris, denn sie litt unstillbaren Durst. Irgendwann bemerkte sie brennende Kerzen und erkannte, dass es Nacht geworden war. Schließlich fiel sie in einen unruhigen Schlaf und wurde von scheußlichen Träumen von Blut und Schmerz geplagt. Jedes Mal, wenn sie aus dem Schlaf schreckte, gab Julie ihr Wasser.

Schließlich wachte Caris im Tageslicht auf. Der Schmerz hatte nachgelassen; zurückgeblieben war nur ein dumpfer Druck im Kopf. Als Nächstes wurde Caris bewusst, dass jemand ihr die Schenkel wusch. Sie richtete sich auf die Ellbogen auf.

Eine Novizin mit dem Gesicht eines Engels kauerte neben der Matratze. Caris' Kleid war bis über die Hüfte hochgeschoben, und die Nonne wusch sie mit einem Tuch, das sie in warmes Wasser tauchte. Nach einem Augenblick erinnerte Caris sich an den Namen des Mädchens. »Mair«, sagte sie.

»Ja«, bestätigte die Novizin und lächelte.

Als sie das Tuch in eine Schüssel auswrang, sah Caris entsetzt, dass es blutig war. »Blut!«, sagte sie ängstlich.

»Macht Euch keine Sorgen«, sagte Mair. »Es ist nur Euer Monatsblut.«

Caris sah, dass ihr Kleid und die Matratze ebenfalls mit Blut getränkt waren.

Sie legte sich zurück und schaute zur Decke hinauf. Ihre Augen wurden feucht, doch sie wusste nicht, ob sie vor Erleichterung oder Trauer weinte.

Sie war nicht mehr schwanger.

VIERTER
TEIL
Juni 1338 bis Mai 1339

Der Juni 1338 war sonnig und trocken, doch der Wollmarkt war eine einzige Katastrophe – für Kingsbridge im Allgemeinen und für Edmund Wooler im Besonderen. Mitte der Woche wusste Caris, dass ihr Vater bankrott war.

Die Städter hatten damit gerechnet, dass eine schwere Aufgabe auf sie wartete, und so hatten sie alles getan, um sich darauf vorzubereiten: Sie hatten Merthin beauftragt, drei große Flöße zu bauen, die man über den Fluss staken konnte, um die Fähre und Ians Boot zu unterstützen. Merthin hätte noch weitere Flöße bauen können, doch am Ufer war nicht genug Platz, um sie anzulanden. Das Klostergelände wurde einen Tag früher geöffnet, und die Fähre fuhr die ganze Nacht hindurch im Fackelschein. Die Städter brachten Godwyn sogar dazu, den Ladenbesitzern von Kingsbridge die Erlaubnis zu erteilen, ans andere Ufer überzusetzen und ihre Waren an die Leute in der Warteschlange zu verkaufen in der Hoffnung, dass Dick Brewers Bier und Betty Baxters Küchlein die Gemüter besänftigen würden.

Doch alle Anstrengungen genügten nicht.

Weniger Leute als üblich kamen zum Markt; dennoch waren die Warteschlangen länger denn je. Die zusätzlichen Flöße reichten nicht aus, und das Ufer zu beiden Seiten war bald derart versumpft, dass immer wieder Karren stecken blieben und von Ochsengespannen herausgezogen werden mussten. Und schlimmer noch: Die Flöße waren schwer zu steuern, sodass es Zusammenstöße gab, bei denen Passagiere ins Wasser geschleudert wurden. Zum Glück ertrank niemand.

Einige Händler hatten mit diesen Problemen gerechnet und blieben dem Markt von vornherein fern. Andere machten kehrt, als sie die lange Schlange sahen. Und von denen, die bereit waren, einen halben Tag zu warten, um in die Stadt zu gelangen, machten einige so schlechte Geschäfte, dass sie schon nach einem oder zwei Tagen wieder aufbrachen. Am Mittwoch brachte die Fähre mehr Menschen aus der Stadt hinaus als hinein.

An diesem Morgen machten Caris und Edmund mit Guillaume von London eine Führung über die Brückenbaustelle. Guillaume – ein großer, massiger Mann in einem leuchtend roten Mantel aus teurem italienischem Stoff – war kein so bedeutender Händler wie Buonaventura Caroli, aber der beste Kunde, den sie in diesem Jahr hatten, und so machten sie großes Aufhebens um ihn.

Sie borgten sich Merthins Floß, das ein erhöhtes Deck und einen kleinen Kran besaß, um Baumaterialien zu transportieren. Jimmie, Merthins junger Gehilfe, stakte sie auf den Fluss hinaus.

Die Flusspfeiler, die Merthin vergangenen Dezember in solcher Eile gebaut hatte, waren noch immer von den Fangdämmen umschlossen, die an Ort und Stelle bleiben sollten, bis der Bau fertig war, um das Mauerwerk vor zufälligen Beschädigungen durch die Arbeiter zu schützen. Wenn die Kofferdämme abgebrochen wurden, würde Merthin an ihrer Stelle schwere Steine am Fuß der Pfeiler anhäufen, um sogenannte Futtermauern zu errichten. Sie sollten die Strömung daran hindern, die Pfeiler zu unterminieren.

Die massiven Steinpfeiler waren inzwischen gewachsen wie Bäume und breiteten ihre Bögen zur Seite aus, bis zu den kleineren Pfeilern im Flachwasser nahe den Ufern. Deren gleichfalls stetig wachsende Bögen führten auf einer Seite zu den Mittelpfeilern und auf der anderen zu den Widerlagern am Ufer. Ein Dutzend oder mehr Steinmetze waren damit beschäftigt, ein kompliziertes Gerüst zu errichten, das an den mächtigen Pfeilern hing wie ein Möwennest an einer Klippe.

Caris, Edmund und Guillaume legten auf Leper Island an und trafen dort Merthin und Bruder Thomas an; die beiden überwachten die Steinmetze bei der Arbeit am Widerlager, von dem aus die zweite Brücke zum Nordufer des Flusses führen würde. Thomas war oft auf der Baustelle; schließlich war der Grund und Boden nach wie vor Eigentum der Priorei, obwohl das Land dem Gemeinderat verpachtet war und der Bau von den Leihgeldern einzelner Bürger finanziert wurde. Prior Godwyn hatte als Eigentümer großes Interesse am Bau der Brücke. Ein besonderes Anliegen war ihm ihr Aussehen, da er offensichtlich der Ansicht war, die Brücke werde ein Denkmal für ihn.

Merthin schaute mit seinen goldbraunen Augen zu den Ankömmlingen hinauf, und Caris' Herz schlug schneller. Sie sah Merthin dieser Tage kaum, und wenn sie mit ihm sprach, dann nur übers Geschäft. Doch kaum war sie in seiner Nähe, ging ihr Atem schneller, und sie hatte Mühe, ihm mit vorgetäuschter Gleichgültigkeit in die Augen zu schauen.

Sie hatten ihren Streit nie beigelegt. Caris hatte Merthin auch nichts davon erzählt, dass sie Mattie Wise aufgesucht hatte, und so wusste Merthin nicht, ob ihre Fehlgeburt natürlich gewesen war oder ob Caris sie gewollt herbeigeführt hatte. Beide hatten kein Wort mehr darüber verloren. Doch seit dem Streit in der Modellkammer war Merthin zweimal bei ihr gewesen und hatte sie angefleht, einen Neubeginn mit ihm zu wagen. Beide Male hatte Caris erwidert, dass sie nie einen anderen Mann lieben würde als ihn; doch sie wolle ihr Leben nicht als jemandes Weib oder Mutter verbringen. »Und wie willst du dein Leben *dann* verbringen?«, hatte Merthin gefragt, worauf Caris bloß geantwortet hatte: »Ich weiß es nicht.«

Merthin wurde ernster; er war nicht mehr so schelmisch wie früher. Sein Haar und sein Bart waren ordentlich gestutzt, da er nun regelmäßig zu Matthew Barber ging. Er trug einen rostfarbenen Kittel wie die Steinmetze, doch dazu einen gelben Umhang mit Pelzrand als Zeichen seines Status als Meister und eine Kappe mit Feder darin, die ihn ein wenig größer erscheinen ließ.

Elfric, der Merthin noch immer spinnefeind gegenüberstand, hatte protestiert, dass sein einstiger Lehrling sich wie ein Meister kleidete; schließlich, so hatte er argumentiert, gehöre Merthin keiner Zunft an. Merthin hatte ihm entgegnet, er sei durchaus ein Meister und die Lösung des Problems sei einfach: Man solle ihn in die Zunft aufnehmen. Somit blieb die Frage weiter ungeklärt.

Nun schaute Guillaume ihn an und sagte: »Er ist jung!«

Zur Verteidigung entgegnete Caris: »Er ist einundzwanzig. Seit seinem siebzehnten Lebensjahr ist er der beste Baumeister der Stadt.«

Merthin wechselte noch ein paar Worte mit Thomas und kam dann herüber. »Die Widerlager einer Brücke müssen schwer sein und tiefe Fundamente haben«, sagte er und wies auf das wuchtige Steingebilde, das er baute.

Guillaume fragte: »Und warum, junger Mann?«

Merthin war es gewohnt, dass man auf ihn herabschaute, und so nahm er das nicht sonderlich ernst. Mit einem Lächeln sagte er: »Lasst es mich Euch zeigen. Stellt die Füße so weit auseinander, wie Ihr könnt … Seht her.« Merthin machte es vor, und nach kurzem Zögern tat Guillaume es ihm nach. »Jetzt habt Ihr das Gefühl, als würden Eure Füße auseinanderrutschen, nicht wahr?«

»Ja.«

»Genauso ist es mit den Enden einer Brücke. Auch sie streben auseinander. Das bedeutet eine gewaltige Belastung für die Konstruktion, vergleichbar mit der Spannung, die Ihr jetzt in Euren Lenden spürt.« Merthin richtete sich wieder auf und stellte seinen Stiefel fest neben Guillaumes weichen Lederschuh. »Nun kann Euer Fuß sich nicht mehr bewegen, und die Spannung in Euren Leisten lässt nach, nicht wahr?«

»Ja.«

»Das Widerlager hat die gleiche Wirkung wie mein Fuß an Eurem: Es mindert die Belastung.«

»Sehr interessant«, sagte Guillaume nachdenklich, als er sich ebenfalls wieder aufrichtete. Caris konnte an seiner Miene ablesen, was ihm durch den Kopf ging: dass er Merthin unterschätzt hatte.

»Lasst mich Euch herumführen«, sagte Merthin.

Die Insel hatte sich in den vergangenen sechs Monaten völlig verändert. Von der alten Leprakolonie war keine Spur mehr zu sehen. Ein Großteil des felsigen Landes diente nun als Lager für Baumaterialien, wovon ordentliche Steinhaufen, Fässer mit Kalk, Holzstapel und Taurollen zeugten. Die Insel war mit Hasen geradezu verseucht – die Leute aßen sie nicht, weil ein alter Aberglaube besagte, dass die Seelen verstorbener Aussätziger in ihnen wohnten –, doch nun kämpften die Tiere mit den Bauarbeitern um Platz. Es gab eine Schmiede, wo alte Werkzeuge repariert und neue hergestellt wurden, dazu mehrere Steinmetzhütten und Merthins neues Haus, das zwar klein, aber schmuck war. Zimmerleute, Steinmetze und Mörtelmacher arbeiteten ununterbrochen, um die Männer auf dem Gerüst mit Material zu versorgen.

»Es sind mehr Arbeiter als sonst«, murmelte Caris Merthin ins Ohr.

Er grinste. »Ich lasse so viele Leute wie möglich an Stellen arbeiten, wo jeder sie sehen kann«, erwiderte er leise. »Damit alle wissen, wie schnell wir die neue Brücke bauen. Alle sollen glauben, dass der Markt im nächsten Jahr wieder so sein wird wie früher.«

Am Westende der Insel, abseits von den Zwillingsbrücken, befanden sich Lagerhöfe und Schuppen auf dem Landstück, das Merthin verpachtet hatte. Obwohl die Pacht, die er verlangte, weit niedriger war als die Pacht innerhalb der Stadtmauern, nahm er bereits deutlich mehr ein als die symbolische Summe, die er seinerseits jährlich an die Händler von Kingsbridge bezahlte.

Auch traf Merthin sich oft mit Elizabeth Clerk. Caris hielt Elizabeth für eine kalte Schrippe, doch sie war neben Caris die einzige Frau, die es an Verstand mit Merthin aufnehmen konnte. Sie besaß eine kleine Kiste mit Büchern, die sie von ihrem Vater, dem Bischof, geerbt hatte, und Merthin verbrachte die Abende in ihrem Haus mit Lesen. Womit sonst noch, wusste Caris nicht.

Als der Rundgang vorbei war, setzten Edmund und Guillaume wieder ans Ufer über, doch Caris blieb zurück, um mit Merthin zu reden. »Ein guter Kunde?«, fragte er, während er dem Floß hinterherschaute.

»Wir haben ihm gerade zwei Sack billiger Wolle für weniger verkauft, als wir gezahlt haben.« Ein Sack waren 364 Pfund Wolle, gewaschen und getrocknet. Dieses Jahr wurde die billige Wolle für 36 Shilling pro Sack gehandelt; die gute Wolle kostete das Doppelte.

»Warum?«

»Wenn die Preise fallen, ist es besser, Bargeld zu haben statt Wolle.«

»Aber ihr habt doch sicher mit einem schlechten Markt gerechnet.«

»Nicht mit einem *so* schlechten.«

»Das überrascht mich. Dein Vater hatte doch stets die Gabe, Entwicklungen vorauszusehen.«

Caris zögerte. »Es liegt nicht nur daran, dass die Brücke fehlt. Auch die Nachfrage schwindet.« In Wahrheit war auch sie überrascht gewesen, dass ihr Vater trotz der schlechten Aussichten die übliche Menge an Vliesen gekauft hatte, und sie hatte sich gefragt, warum er dieses Risiko einging.

»Ich nehme an, ihr werdet versuchen, euren Gewinn auf dem Markt in Shiring zu machen«, sagte Merthin.

»Wenn es nach Graf Roland ginge, würde das jeder versuchen. Das Problem ist nur, dass wir dort keine Stammgäste sind. Die einheimischen Händler werden die besten Geschäfte für sich abschöpfen. In Kingsbridge ist es ja nicht anders: Mein Vater und zwei, drei andere machen die großen Geschäfte mit den größten Käufern, nur der Rest bleibt für die Kleinhändler. In Shiring wird es genauso sein. Vielleicht könnten wir ein paar Sack dort verkaufen, aber bestimmt nicht alles.«

»Was werdet ihr tun?«

»Deshalb bin ich zu dir gekommen. Es könnte sein, dass wir die Arbeiten an der Brücke einstellen müssen.«

Merthin starrte sie an. »Nein«, sagte er leise.

»Es tut mir wirklich leid, Merthin, aber mein Vater hat nicht mehr das Geld. Er hat alles für Vliese ausgegeben, die wir nicht verkaufen können.«

Merthin sah aus, als hätte er einen Schlag ins Gesicht bekommen. »Dann müssen wir eine andere Lösung finden!«, stieß er entschlossen hervor.

Caris' Herz flog ihm zu, doch sie wusste nicht, wie sie ihm Hoffnung machen sollte. »Mein Vater hat siebzig Pfund für die Brücke zugesagt. Die Hälfte davon hat er bereits gezahlt. Ich fürchte, die andere Hälfe liegt in Gestalt gefüllter Wollsäcke in seinem Lagerhaus.«

»Er kann doch nicht völlig mittellos sein.«

»Aber fast. Das gilt auch für einige andere Bürger, die Geld für die Brücke versprochen haben.«

»Ich könnte langsamer machen«, sagte Merthin verzweifelt. »Ich könnte ein paar Handwerker freistellen und die Vorräte verringern.«

»Dann hättest du die Brücke zum nächsten Markt nicht fertig, und wir kämen in noch größere Schwierigkeiten.«

»Immer noch besser, als ganz aufzugeben.«

»Ja«, sagte Caris. »Aber unternimm noch nichts. Wenn der Wollmarkt vorbei ist, denken wir noch einmal darüber nach. Du solltest nur wissen, dass es nicht gut steht.«

Das Floß kehrte zurück, und Jimmie wartete, um Caris wieder in die Stadt zu bringen. Als sie an Bord ging, fragte sie beiläufig: »Und wie geht es Elizabeth Clerk?«

Merthin tat so, als überrasche die Frage ihn. »Wieso? War sie denn krank?«

»Du scheinst sie in letzter Zeit häufig zu sehen.«

»Eigentlich nicht. Wir waren schon immer befreundet.«

»Ja, natürlich«, sagte Caris, obwohl das nicht ganz stimmte. Fast ein Jahr lang – als er und Caris noch viel Zeit miteinander verbrachten – hatte Merthin Elizabeth kaum beachtet. Aber es wäre würdelos gewesen, ihm zu widersprechen, und so sagte sie nichts mehr.

Caris winkte Merthin zum Abschied, und Jimmie stieß das Floß vom Ufer ab.

Caris' Neuigkeit hatte Merthin tief erschüttert. Ihr stiegen Tränen in die Augen, als sie sich an den entsetzten und verzweifelten Ausdruck auf seinem Gesicht erinnerte. Genauso hatte er ausgesehen, als sie sich geweigert hatte, ihre Liebesbeziehung wieder aufleben zu lassen.

Ob Merthins Beziehung zu Elizabeth eine Romanze war? Auf jeden Fall versuchte er den Eindruck zu vermitteln, dass nichts zwischen ihm und Elizabeth sei. Vielleicht stimmte das sogar, überlegte Caris. Oder war es Merthin nur peinlich, ihr zu gestehen, dass er eine andere liebte? Caris wusste es nicht. Doch was Elizabeth betraf, *war* es eine Romanze. Um das zu wissen, brauchte man sich nur anzuschauen, wie sie Merthin anhimmelte. Elizabeth mochte eiskalt sein – für Merthin jedoch war sie Feuer und Flamme.

Das Floß setzte am gegenüberliegenden Ufer auf. Caris stieg den Hügel zur Stadtmitte hinauf.

Sie wusste noch immer nicht, wie sie ihr Leben verbringen wollte. Sie hatte stets geglaubt, eine sorgenfreie Zukunft zu haben und in einem großzügigen Haus leben zu können, das von den Einkünften aus einem gut gehenden Geschäft bezahlt wurde. Nun aber war das alles ins Wanken geraten. Caris fragte sich, wie sie dieser Zwangslage entkommen könnten. Ihr Vater war seltsam heiter, als hätte er das Ausmaß ihres Verlusts gar nicht begriffen; doch Caris wusste, dass etwas unternommen werden musste.

Als sie über die Hauptstraße ging, kam sie an Elfrics Tochter Griselda mit ihrem sechs Monate alten Jungen vorbei. Griselda hatte ihn Merthin genannt, gleichsam als lebenden Tadel für den echten Merthin, der sich geweigert hatte, sie zu heiraten. Griselda spielte noch immer die verletzte Unschuld. Inzwischen zweifelte kaum noch jemand daran, dass Merthin nicht der Vater des Kindes war, obwohl einige Städter nach wie vor der Meinung waren, dass Merthin sie trotzdem hätte heiraten sollen, da er mit ihr geschlafen hatte.

Als Caris ihr Haus erreichte, kam ihr Vater aus der Tür. Sie starrte ihn verdutzt an. Er trug nur seine Unterwäsche: ein langes Unterhemd und Hose.

»Wo sind deine Kleider?«, fragte sie.

Edmund schaute an sich herunter und schnaubte. »Ich bin wohl ein wenig geistesabwesend«, sagte er und ging wieder ins Haus.

Offenbar hatte er sein Gewand abgelegt, um auf die Latrine zu gehen, und es dann vergessen. Oder lag es an seinem Alter? Aber er war erst achtundvierzig. Es schien etwas Schlimmeres zu sein als bloß Vergesslichkeit.

Diesmal erschien Edmund vollständig gekleidet. Gemeinsam überquerten sie die Hauptstraße und gingen in Richtung der Priorei.

Dabei kamen sie am Stand von Perkin Wigleigh vorüber, der Legehennen verkaufte. Perkins hübsche Tochter Annet trug ein Tablett mit Eiern an einem Band um den Hals. Hinter dem Stand sah Caris ihre Freundin Gwenda, die nun für Perkin arbeitete. Sie war im achten Monat schwanger, mit schweren Brüsten und geschwollenem Leib. Gwenda hatte eine Hand in die Hüfte gestemmt und den Rücken gekrümmt: eine werdende Mutter mit Rückenschmerzen.

Caris schätzte, dass auch sie im achten Monat wäre, hätte sie nicht Matties Trank genommen. Manchmal empfand sie Reue; dann wieder war sie überzeugt davon, das Richtige getan zu haben.

Gwenda sah Caris und lächelte. Allen Widrigkeiten zum Trotz hatte Gwenda bekommen, was sie wollte: Wulfric als Ehemann. Caris sah auch ihn. Stark wie ein Pferd, aber doppelt so schön, wuchtete er Holzkisten auf einen Karren.

Wulfric hatte sein Erbe nicht bekommen, das wusste Caris. Doch was mochte letzten September geschehen sein, als Gwenda Ralph um eine Rücknahme seiner Entscheidung gebeten hatte? Es musste etwas Schreckliches gewesen sein, denn Gwenda hasste Ralph seither mit geradezu furchterregender Leidenschaft.

In der Nähe gab es eine Reihe von Ständen, an denen einheimische Stoffhändler braunen Fries verkauften, den lose gewebten Stoff, aus dem die gemeinen Leute ihre Kleidung fertigten. Anders als bei den Wollhändlern schienen die Geschäfte der Stoffhändler gut zu laufen. Mit Rohwolle wurde immer nur in großen Mengen gehandelt; wenn die Großeinkäufer fortblieben, konnte der ganze Markt zusammenbrechen. Tuch hingegen wurde auch in kleineren Mengen verkauft.

Jeder brauchte es, und jeder kaufte es, auch in schlechten Zeiten. Deshalb ließ ein Händler, der auf seiner Wolle sitzen blieb, diese manchmal spinnen und weben und versuchte dann, sie als Tuch zu verkaufen. Das war viel Arbeit, und Reichtümer konnte man durch den Verkauf von Fries auch nicht anhäufen, doch es war immer noch besser, als gar keinen Umsatz zu machen.

Caris kam ein Gedanke, und sie schaute sich die Marktstände mit neuen Augen an. Sie fragte sich, was das meiste Geld brachte: Fries kostete zwölf Pennys die Elle. Noch einmal die Hälfte mehr musste man für gewalkten Stoff bezahlen – Stoff, den man in Wasser geklopft und dadurch verdichtet hatte –, und noch mehr für gefärbten Stoff. An Peter Dyers Stand konnte man grünes, gelbes und rosafarbenes Tuch für jeweils zwei Shilling die Elle kaufen – vierundzwanzig Pennys –, obwohl die Farben noch nicht einmal besonders leuchteten.

Caris wandte sich ihrem Vater zu, um ihm von der Idee zu erzählen, die ihr gekommen war. Doch ehe sie auch nur ein Wort sagen konnte, geschah etwas Unerwartetes.

⁂

Auf dem Wollmarkt zu sein erinnerte Herrn Ralph an die unangenehmen Ereignisse vor genau einem Jahr, und unwillkürlich legte er die Hand an seine eingedrückte Nase. Wie war das noch mal gewesen? Alles hatte damit angefangen, dass er ganz harmlos mit dieser Annet geschäkert hatte, diesem Bauernmädchen. Dann hatte er dem Trampel, der sich dazwischendrängen wollte, eine Lektion erteilt, doch irgendwie war das Ganze dann aus dem Ruder gelaufen und hatte für ihn mit einer gebrochenen Nase geendet.

Als er sich nun Perkins Stand näherte, tröstete Herr Ralph sich mit dem Gedanken an das, was seitdem geschehen war: Nach dem Brückeneinsturz hatte er Graf Roland das Leben gerettet; sein entschlossenes Handeln am Steinbruch hatte dem Grafen imponiert, und schließlich war er zum Herrn erhoben worden, wenn auch nur über das kleine Dorf Wigleigh. Und er hatte einen Gegner erschlagen, Ben Wheeler – bloß ein Fuhrmann, sodass die Tat wenig ruhmreich war, doch zumindest hatte Ralph bewiesen, dass er nicht davor zurückschreckte, einen anderen zu töten.

Ralph hatte sogar den Streit mit seinem Bruder beigelegt. Ihre Mutter hatte die Angelegenheit beschleunigt, indem sie Ralph und Merthin an Weihnachten zum Essen eingeladen und darauf bestanden hatte, dass sie einander die Hände schüttelten. Es sei ein Unglück, hatte ihr Vater gesagt, dass sie zwei rivalisierenden Herren dienten, doch jeder von ihnen habe seine Pflicht nach bestem Gewissen zu erfüllen – wie Soldaten, die einander in einem Bürgerkrieg gegenüberstanden. Ralph war zufrieden damit, und er war sicher, Merthin dachte genauso.

Vor allem hatte Ralph sich an dem Bauernlümmel gerächt, diesem Wulfric, indem er ihm seine Erbschaft verweigert und gleichzeitig die Braut weggenommen hatte. Die verführerische Annet war nun mit Billy Howard verheiratet, und Wulfric musste sich mit der leidenschaftlichen, aber hässlichen Gwenda zufriedengeben.

Herr Ralph bedauerte, dass er Wulfric nicht wie einen Wurm am Boden zertreten hatte. Jetzt ging dieser Dummkopf stolz und erhobenen Hauptes durchs Dorf, als würde der Ort ihm gehören und nicht Herrn Ralph. All seine Nachbarn mochten ihn, und seine schwangere Frau betete ihn an. Trotz der Niederlagen, die Ralph ihm beigebracht hatte, war Wulfric der Held. Vielleicht lag es daran, dass sein Weib so lüstern war.

Ralph hätte Wulfric zu gern von Gwendas Besuch im Gasthaus Bell erzählt und gesagt: »Ich habe deine Frau besprungen, und es hat ihr gefallen!« Oha, das hätte dem Kerl den Stolz ausgetrieben! Dann hätte Wulfric aber auch erfahren, dass er, Ralph, ein Versprechen gegeben und es schändlich gebrochen hatte. Ralph schauderte bei dem Gedanken, welche Verachtung Wulfric und die anderen ihm gegenüber empfinden würden, sollten sie je von diesem Verrat erfahren. Besonders Merthin würde ihn dafür verachten. Nein, die Geschichte mit Gwenda sollte besser ein Geheimnis bleiben.

Sie waren alle am Stand. Perkin sah Ralph als Erster näher kommen und begrüßte ihn so unterwürfig wie eh und je. »Guten Tag, Herr Ralph«, sagte er und verneigte sich, und sein Weib, Peggy, machte einen Knicks. Gwenda rieb sich den Rücken, als würde er wehtun. Dann sah Ralph Annet mit dem Tablett voller Eier, und er erinnerte sich daran, wie er ihre kleinen Brüste begrapscht hatte, die so rund und appetitlich waren wie die Eier, die sie verkaufte. Annet sah, wie er sie anschaute, und senkte scheu den Blick. Ralph überkam das Verlangen, noch einmal ihre Brüste zu kneten. Und warum auch nicht, dachte er. Ich bin ihr Herr. Dann sah er Wulfric im hinteren Teil des Standes. Er hatte Kisten auf einen Karren verladen, und nun stand er da und schaute Ralph an. Sein Gesicht war ausdruckslos, doch sein Blick war fest. Unverschämt konnte man diesen Blick zwar nicht nennen, doch für Ralph war die Drohung nicht zu übersehen. Wulfric hätte sich nicht deutlicher ausdrücken können, hätte er gerufen: Wenn du sie anfasst, bringe ich dich um.

Vielleicht ist das eine gute Gelegenheit, überlegte Ralph. Vielleicht sollte ich ihn so lange reizen, bis er mich angreift. Ich würde ihn mit dem Schwert durchbohren! Das wäre mein Recht als Herr, der sich gegen einen vor Hass wahnsinnigen Bauern verteidigt.

Ralph hielt Wulfrics Blick stand und hob die Hand, um an Annets Busen zu greifen ... und dann stieß Gwenda einen furchtbaren Schrei aus, und alle Blicke zuckten zu ihr.

Caris hörte einen Schmerzensschrei und erkannte Gwendas Stimme. Angst erfasste sie. Irgendetwas stimmte nicht. Mit ein paar schnellen Schritten war sie an Perkins Stand.

Gwenda saß auf einem Hocker. Ihr blasses Gesicht war vor Schmerz zu einer Grimasse verzerrt; die Hand hatte sie wieder in die Hüfte gedrückt. Ihr Kleid war nass.

Perkins Frau Peg rief aufgeregt: »Sie verliert ihr Wasser. Ihre Wehen setzen ein.«

»Das ist zu früh«, sagte Caris besorgt.

»Das Kind kommt trotzdem.«

»Das ist gefährlich!« Caris traf eine Entscheidung. »Lasst sie uns ins Hospital bringen.« Frauen gingen zur Entbindung normalerweise nicht ins Hospital, doch die Schwestern würden Gwenda einlassen, wenn Caris darauf bestand. Ein zu früh geborenes Kind konnte sehr verletzlich sein; das wusste jeder.

Wulfric erschien. Wie jung er aussieht, dachte Caris, plötzlich erschrocken. Er war erst siebzehn, und er wurde schon Vater.

Gwenda sagte: »Ich bin nur ein bisschen wackelig auf den Beinen. Lasst mich ein wenig Atem holen, dann geht es wieder.«

»Ich werde dich tragen«, sagte Wulfric und hob sie mühelos hoch.

»Folgt mir«, befahl Caris. Sie ging durch die Stände voraus und rief: »Zur Seite, bitte! Zur Seite!« Eine Minute später waren sie am Hospital.

Die Tür stand weit offen. Die Übernachtungsgäste waren vor Stunden gegangen; ihre Strohmatratzen lagen nun aufgestapelt an der Wand. Ein paar Bedienstete und Novizen schrubbten den Boden. Caris wandte sich an eine von ihnen, eine Frau mittleren Alters mit nackten Füßen. »Hol die alte Julie. Rasch! Sag ihr, Caris hat dich geschickt.«

Caris fand eine halbwegs saubere Matratze und legte sie neben dem Altar auf den Boden. Natürlich wusste sie nicht, ob oder in welchem Maße Altäre kranken Menschen wirklich halfen, aber sie hielt sich an den Brauch. Wulfric legte Gwenda so vorsichtig auf das Bett, als wäre sie aus Glas. Sie zog die Knie an und spreizte die Beine.

Wenige Augenblicke später erschien die alte Julie. Caris fragte sich, wie oft diese Nonne ihr schon geholfen hatte, die vermutlich erst knapp über vierzig war und ihr doch uralt vorkam. »Das ist Gwenda Wigleigh«, sagte Caris. »Sie mag ja gesund sein, aber das Kind kommt ein paar Wochen zu früh, und ich hielt es für besser, sie hierherzubringen.«

»Das war sehr klug«, lobte Julie, schob Caris sanft beiseite und hockte sich neben das Bett. »Wie fühlst du dich, mein Kind?«, fragte sie Gwenda.

Während Julie leise mit Gwenda sprach, schaute Caris zu Wulfric. Sein schönes junges Gesicht war vor Sorge verzerrt. Caris wusste, dass er Gwenda nie hatte heiraten wollen; er hatte stets Annet gewollt. Doch nun schien er sich vor Sorge um Gwenda zu verzehren, als liebe er sie schon seit Jahren.

Gwenda schrie vor Schmerzen. »Ruhig, ruhig«, sagte Julie, kniete sich zwischen Gwendas Füße und schaute das Kleid hinauf. »Das Kind wird bald kommen«, verkündete sie.

Eine weitere Nonne erschien, und Caris erkannte Mair, die Novizin mit dem Engelsgesicht. Mair fragte: »Soll ich Mutter Cecilia holen?«

»Kein Grund, sie zu stören«, erwiderte Julie. »Geh ins Lager und hol mir die Holzkiste, auf der ›Geburt‹ geschrieben steht.«

Mair eilte davon.

Gwenda keuchte: »O Gott, tut das weh!«

»Press weiter«, sagte Julie.

Wulfric fragte: »Was stimmt denn nicht, um Himmels willen?«

»Alles in Ordnung«, sagte Julie. »So geht es nun mal zu, wenn eine Frau ein Kind kriegt. Du musst der Jüngste in deiner Familie sein; sonst hättest du deine Mutter schon so gesehen.«

Auch Caris war die Jüngste in ihrer Familie. Sie wusste, dass eine Geburt schmerzhaft war, aber sie hatte nie eine gesehen und war entsetzt, wie schlimm es war.

Mair kehrte zurück und stellte eine Holzkiste auf den Boden neben Julie.

Gwendas Stöhnen endete. Sie hatte die Augen geschlossen; es sah fast so aus, als wäre sie eingeschlafen. Dann, ein paar Minuten später, ging das Schreien wieder los.

Julie sagte zu Wulfric: »Setz dich neben sie und halte ihre Hand.« Er gehorchte sofort.

Julie schaute noch immer in Gwendas Kleid hinein. »Hör jetzt auf zu pressen«, sagte sie nach einer Weile. »Atme schnell und flach.« Sie keuchte, um Gwenda zu zeigen, was sie meinte. Gwenda tat es ihr nach, und es schien ihre Not für ein paar Minuten zu lindern. Dann schrie sie wieder.

Caris hielt es kaum noch aus. Wenn das normal war, wie war es dann erst bei einer schweren Geburt? Sie verlor jedes Zeitgefühl: Alles geschah sehr schnell, doch Gwendas Qualen schienen endlos anzudauern. Caris hatte das Gefühl der Machtlosigkeit, das sie so sehr hasste – jenes Gefühl, das sie auch beim Tod ihrer Mutter überwältigt hatte. Sie wollte helfen, wusste aber nicht, was sie tun sollte, und das machte sie schier verrückt, sodass sie sich auf die Lippe biss, bis sie Blut schmeckte.

Julie sagte: »Da kommt das Kind.« Sie griff zwischen Gwendas Beine. Das Kleid fiel zurück, und plötzlich konnte Caris den Kopf des Kindes sehen. Das Gesicht nach unten gekehrt und mit nassem dünnem Haar kam es aus einer Öffnung, die schier unmöglich gedehnt zu sein schien. »Lieber Gott! Kein Wunder, dass das wehtut!«, sagte sie entsetzt.

Julie stützte den Kopf des Kindes mit der linken Hand. Langsam drehte sich das Kind zur Seite; dann kamen die winzigen Schultern heraus. Die Haut war schlupfrig von Blut und anderen Flüssigkeiten. »Gleich ist es geschafft«, sagte Julie. »Es ist fast vorbei. Das Kind ist wunderschön.«

Wunderschön? Für Caris sah es wie ein hässlicher Gnom aus.

Der Körper des Kindes kam zum Vorschein; an seinem Nabel hing eine pulsierende blaue Schnur. Dann folgten Beine und Füße. Julie nahm das Neugeborene in beide Hände. Es war winzig; der Kopf war nicht viel größer als Julies Hand.

Doch irgendetwas stimmte nicht. Caris erkannte, dass das Kind nicht atmete.

Julie hielt das Gesicht des Neugeborenen dicht vor das eigene und blies in die winzige Nase.

Plötzlich öffnete das Kind den Mund, schnappte nach Luft und schrie mit dünner Stimme.

»Gelobt sei Gott«, sagte Julie.

Sie wischte dem Neugeborenen das Gesicht mit dem Ärmel ab und säuberte zärtlich Ohren und Augen, Nase und Mund. Dann drückte sie das Kind an ihre Brust und schloss die Augen – und in diesem Augenblick sah Caris, was ein Leben voller Selbstverleugnung wirklich bedeutete. Doch der Moment verging, und Julie legte das Kind auf Gwendas Brust.

Gwenda schaute nach unten. »Ist es ein Junge oder ein Mädchen?«

Da fiel Caris auf, dass bis jetzt noch keiner von ihnen nachgeschaut hatte. Julie beugte sich vor und drückte die Knie des Winzlings auseinander. »Ein Junge«, sagte sie.

Die blaue Schnur hörte zu pulsieren auf, schrumpfte zusammen und wurde weiß. Julie holte zwei kurze Fäden aus der Kiste und band die Nabelschnur damit ab. Dann nahm sie ein kleines scharfes Messer zur Hand und schnitt sie zwischen den beiden Knoten durch.

Mair nahm Julie das Messer ab und reichte ihr eine winzige Decke aus der Kiste. Julie hob vorsichtig den Säugling von Gwendas Brust, wickelte ihn in die Decke und gab ihn der Mutter zurück. Mair fand ein paar Kissen und schob sie Gwenda in den Rücken. Gwenda zog ihr Kleid herunter und legte sich das Kind an die Brust, worauf es sofort zu saugen begann. Doch nach wenigen Augenblicken schien es zu schlafen.

Das andere Ende der Schnur hing noch immer aus Gwendas Leib. Ein paar Minuten später bewegte sie sich, und die Nachgeburt kam. Blut tränkte die Matratze. Julie nahm die Masse, gab sie Mair und sagte: »Verbrenn das.«

Dann untersuchte Julie Gwendas Unterleib und runzelte die Stirn. Caris folgte ihrem Blick und sah, dass immer noch Blut nachfloss. Julie wischte die Flecken von Gwendas Leib, doch die roten Rinnsale tauchten sofort wieder auf.

Als Mair zurückkehrte, sagte Julie: »Hol sofort Mutter Cecilia.«

Wulfric fragte ängstlich: »Was ist denn? Stimmt etwas nicht?«

»Die Blutung hätte inzwischen aufhören müssen«, sagte Julie.

Plötzlich lag Spannung in der Luft. Wulfric zitterte. Das Kind schrie, und Gwenda legte es wieder an die Brust. Wieder saugte es wenige Augenblicke und schlief erneut ein. Julie blickte immer wieder zur Tür.

Schließlich erschien Cecilia. Sie schaute sich Gwenda an und fragte: »Ist die Nachgeburt herausgekommen?«

»Vor ein paar Minuten.«

»Hast du den Säugling an die Brust gelegt?«

»Kaum dass wir die Nabelschnur durchtrennt haben.«

»Ich hole einen Arzt.« Cecilia ging rasch davon.

Bange Minuten verstrichen. Dann kam Mutter Cecilia mit einem kleinen Glasgefäß voll gelblicher Flüssigkeit zurück. »Prior Godwyn hat das hier verordnet«, sagte sie.

Caris fragte: »Will er Gwenda denn nicht untersuchen?«

»Aber nein«, erwiderte Cecilia in strengem Tonfall. »Er ist Priester und Mönch. Solche Männer schauen einer Frau nicht auf so intime Stellen.«

»*Podex*«, sagte Caris. Es war das lateinische Wort für »Arsch«.

Cecilia tat so, als hätte sie das nicht gehört. Sie kniete sich neben Gwenda. »Trink das, mein Kind.«

Gwenda trank, doch sie blutete weiter. Sie war blass und sah schwächer aus als unmittelbar nach der Geburt. Das Kind schlief zufrieden an ihrer Brust, doch alle anderen hatten Angst. Wulfric stand immer wieder auf und setzte sich wieder. Julie wischte Gwenda das Blut von den Schenkeln; sie sah aus, als würde sie jeden Moment in Tränen ausbrechen. Gwenda bat um etwas zu trinken, und Mair brachte ihr einen Becher Bier.

Caris nahm Julie beiseite und sagte im Flüsterton: »Sie verblutet!«

»Wir haben getan, was wir tun konnten«, erwiderte Julie traurig.

»Hattet Ihr solche Fälle schon früher?«

»Ja, drei.«

»Wie ist es ausgegangen?«

»Die Frauen sind gestorben.«

Caris stieß ein verzweifeltes Stöhnen aus. »Aber wir müssen doch irgendetwas tun!«

»Wir können nur beten. Sie ist in Gottes Hand.«

»Ich würde die Sache lieber in die eigenen Hände nehmen.«

»Versündige dich nicht, Kind!«

Caris bekam sofort ein schlechtes Gewissen. Sie wollte sich nicht mit jemandem streiten, der so freundlich war wie Julie. »Es tut mir leid, Schwester. Ich wollte die Macht des Gebets nicht verleugnen.«

»Das will ich doch hoffen.«

»Aber ich bin noch nicht bereit, Gwenda dem Herrgott zu überlassen.«

»Was bleibt uns sonst übrig?«

»Ihr werdet sehen.« Caris eilte aus dem Hospital.

Ungeduldig drängte sie sich zwischen den Kunden hindurch, die über den Markt schlenderten. Es kam ihr schier unglaublich vor, dass die Menschen immer noch handelten und feilschten, obwohl sich ein paar Schritte entfernt ein Drama um Leben und Tod abspielte. Caris verließ das Klostergelände und lief durch die Straßen zum Haus von Mattie Wise. Sie klopfte an und öffnete. Zu ihrer Erleichterung war Mattie daheim.

»Gwenda hat gerade ihr Kind bekommen«, sagte sie.

»Was stimmt nicht?«, fragte Mattie sofort.

»Dem Kind geht es gut, aber Gwenda blutet noch immer.«

»Ist die Nachgeburt herausgekommen?«

»Ja.«

»Dann hätte die Blutung aufhören müssen.«

»Kannst du ihr helfen?«

»Ich werde es versuchen.«

»Bitte, beeil dich!«

Mattie nahm einen Topf vom Feuer, zog die Schuhe an und schloss hinter sich ab.

Voller Überzeugung verkündete Caris: »Ich werde niemals ein Kind bekommen. Das schwöre ich!«

Sie eilten zur Priorei und ins Hospital. Sofort stieg Caris der Geruch von Blut in die Nase.

Mattie achtete sorgfältig darauf, die alte Julie respektvoll zu begrüßen. »Guten Tag, Schwester Juliana.«

»Ah, Mattie.« Julie schaute missbilligend drein. »Du glaubst also, der armen Frau helfen zu können, wo selbst der Medizin des Vaters Prior kein Erfolg beschieden war?«

»Wenn Ihr für mich und die Kranke betet, Schwester … Wer weiß, was dann geschehen kann.«

Das war eine diplomatische Antwort, und Julie war besänftigt.

Mattie kniete sich neben Mutter und Kind. Gwenda wurde immer blasser. Sie hatte die Augen wieder geschlossen. Der Säugling suchte blind nach der Mutterbrust, doch Gwenda schien zu müde zu sein, um ihm zu helfen.

Mattie sagte: »Sie muss trinken … aber nichts stark Alkoholisches. Bringt ihr einen Krug warmes Wasser mit einem kleinen Glas Wein darin. Und fragt den Küchenmeister, ob er eine klare Suppe hat … warm, nicht heiß.«

Mair schaute fragend zu Julie, die kurz zögerte und dann sagte: »Geh! Aber sag niemandem, dass Mattie es dir aufgetragen hat.« Die Novizin eilte davon.

Mattie schob Gwendas Kleid so hoch, wie es ging, und legte den Unterleib frei. Die Haut, die noch vor wenigen Stunden so gespannt gewesen war, war nun faltig und hing schlaff herab. Mattie packte das lose Fleisch und grub ihre Finger sanft, aber fest in Gwendas Bauch. Gwenda stöhnte, doch es war mehr ein Laut des Unbehagens als des Schmerzes.

Mattie erklärte: »Der Leib ist weich. Er hat sich nicht zusammengezogen. Deshalb blutet sie.«

Wulfric, den Tränen nahe, fragte: »Könnt Ihr etwas für sie tun?«

»Ich weiß es nicht.« Mattie begann, Gwendas Unterleib zu massieren. »Manchmal kann man den Mutterleib auf diese Weise dazu bringen, dass er sich wieder zusammenzieht«, sagte sie.

Alle schauten ihr schweigend zu. Caris schlug das Herz bis zum Hals.

Mair kam mit der Mischung aus Wasser und Wein. »Gib ihr etwas«, sagte Mattie, ohne mit der Massage aufzuhören. Mair hielt Gwenda einen Becher an die Lippen, und Gwenda trank durstig. »Nicht zu viel«, warnte Mattie. Rasch nahm Mair den Becher weg.

Mattie massierte weiter und schaute von Zeit zu Zeit auf Gwendas Becken. Julies Lippen bewegten sich in stummem Gebet. Das Blut floss weiter.

Ein Ausdruck der Besorgnis erschien auf Matties Gesicht. Sie veränderte ihre Position, drückte die linke Hand auf Gwendas Leib unmittelbar unter dem Nabel und legte dann die rechte Hand auf die linke. Langsam drückte sie immer stärker zu. Caris bekam es mit der Angst, doch Gwenda war nur halb bei Bewusstsein und schien kaum etwas zu merken. Mattie beugte sich weiter über Gwenda, bis sie ihr ganzes Gewicht auf die Hände zu legen schien.

Julie rief: »Das Bluten hat aufgehört!«

Mattie behielt ihre Position bei. »Kann jemand hier bis fünfhundert zählen?«

»Ja«, sagte Caris.

»Langsam bitte.«

Caris fing laut zu zählen an. Julie wischte Gwenda wieder das Blut ab; diesmal tauchten die roten Rinnsale nicht wieder auf. Sie begann laut zu beten. »Heilige Maria, Mutter Gottes, bitte für uns Sünder ...«

Alle verharrten, wie eine Gruppe Statuen: die Mutter und der Säugling auf dem Bett, die weise Frau, die auf Gwendas Leib drückte, der Ehemann, die betende Nonne und Caris, die laut zählte: »Hundertelf, hundertzwölf ...«

Neben ihrer eigenen Stimme und Julies konnte Caris den Lärm des Markts draußen hören, Lachen, Rufen und den Klang von Aberhundert Stimmen, die durcheinandersprachen. Allmählich hinterließ die Anstrengung Spuren auf Matties Gesicht, doch sie ließ nicht nach. Wulfric weinte stumm; Tränen strömten ihm über die Wangen.

Als Caris bei fünfhundert anlangte, nahm Mattie langsam ihr Gewicht von Gwendas Körper. Alle starrten auf Gwendas Unterleib, warteten furchtsam auf den Blutstrom.

Er kam nicht.

Mattie seufzte erleichtert. Wulfric lächelte. Julie rief: »Gelobt sei Gott!«

»Gib ihr bitte noch einen Schluck zu trinken«, sagte Mattie.

Erneut hielt Mair Gwenda den vollen Becher an die Lippen. Gwenda öffnete die Augen und leerte ihn.

»Du wirst wieder gesund«, sagte Mattie.

Gwenda flüsterte: »Danke.« Dann schloss sie die Augen.

Mattie schaute zu Mair. »Vielleicht solltest du mal nach der Brühe schauen«, sagte sie. »Die Frau muss wieder zu Kräften kommen, sonst versiegt die Milch.«

Mair nickte und ging.

Der Säugling schrie. Gwenda schien wieder zum Leben zu erwachen. Sie legte das Kind an ihre andere Brust und half ihm, den Nippel zu finden. Dann schaute sie zu Wulfric auf und lächelte.

Julie bemerkte: »Was für ein wunderschöner kleiner Junge.«

Caris schaute sich das Kind noch einmal an. Zum ersten Mal betrachtete sie es als Menschen. Wie würde er werden? Stark und ehrlich wie Wulfric oder schwach und unehrlich wie sein Großvater Joby? Jedenfalls ähnelte er keinem von beiden. »Wem gleicht er?«, fragte Caris.

Julie antwortete: »Er hat die Farbe seiner Mutter.«

Das stimmt, dachte Caris. Das Kind hatte dunkles Haar, und seine Haut besaß einen Bronzeton, während Wulfric helle Haut und dunkelblondes Haar hatte. Das Gesicht des Säuglings erinnerte Caris an irgendjemanden, und nach kurzem Überlegen erkannte sie, dass es Merthin war. Ihr kam ein törichter Gedanke, doch sie schob ihn gleich wieder beiseite. Trotzdem war die Ähnlichkeit da. »Weißt du, an wen er mich erinnert?«, fragte sie.

Plötzlich sah sie Gwendas Blick. Ihre Freundin hatte die Augen aufgerissen; ein Hauch von Panik huschte über ihr Gesicht, und sie schüttelte kaum merklich den Kopf. Die Geste währte nur einen Augenblick, doch die Botschaft war klar: Halt den Mund! Caris presste die Lippen aufeinander.

»An wen?«, fragte Julie unschuldig.

Caris suchte verzweifelt nach einer Antwort. Schließlich kam ihr eine Idee: »An Philemon, Gwendas Bruder.«

»Natürlich!«, sagte Julie. »Jemand sollte ihn rufen, damit er sich seinen Neffen anschauen kann.«

Caris war verwirrt. Das Kind war also nicht von Wulfric. Aber von wem dann? Es konnte doch nicht Merthins Sohn sein! Er mochte sich ja zu Gwenda gelegt haben – er hatte Versuchungen nie widerstehen können –, doch er hätte es ihr, Caris, nicht verschwiegen. Aber wenn nicht Merthin …

Der furchtbare Gedanke traf Caris wie ein Schlag. Was war an dem Tag geschehen, als Gwenda Ralph um Wulfrics Erbe gebeten hatte? Konnte der Junge Ralphs Kind sein? Die Vorstellung war zu schrecklich, um auch nur daran zu denken.

Caris schaute Gwenda an, dann den Säugling und schließlich Wulfric. Der lächelte voller Freude, obwohl sein Gesicht noch immer nass von Tränen war. Er hegte keinerlei Verdacht.

»Habt ihr euch schon einen Namen für das Kind überlegt?«, fragte Julie.

»O ja«, antwortete Wulfric. »Ich will ihn Samuel nennen.«

Gwenda nickte und schaute in das Gesicht des Kleinen. »Samuel«, sagte sie. »Sammy. Sam.«

»Nach seinem Großvater«, verkündete Wulfric glücklich.

KAPITEL 32

Ein Jahr nach Anthonys Tod war die Priorei ein anderer Ort geworden, erkannte Godwyn einmal mehr voller Zufriedenheit, als er am Sonntag nach dem Wollmarkt in der Kathedrale stand.

Der wichtigste Unterschied bestand in der Trennung von Mönchen und Nonnen – im Kreuzgang, in der Bibliothek, im Scriptorium. Selbst in der Kirche verhinderte ein neu errichteter Lettner mitten im Chor, dass Brüder und Schwestern einander während der Gottesdienste anschauten. Nur im Hospital war nicht zu vermeiden, dass sie sich von Zeit zu Zeit begegneten.

In seiner Predigt sagte Prior Godwyn, der Einsturz der Brücke vor einem Jahr sei Gottes Strafe für die Laschheit der Mönche und Nonnen gewesen – wie auch für die Sünden der Städter. Der neue Geist der Strenge und Reinheit in der Priorei und der Atem von Frömmigkeit und Unterwürfigkeit, der durch die Stadt wehte, würden zu einem besseren Leben für alle führen, in dieser Welt und in der nächsten.

Anschließend speiste Godwyn mit Bruder Simeon, dem Schatzmeister, im Haus des Priors. Philemon trug ihnen gekochten Aal und Apfelmost auf. »Ich will ein neues Priorat bauen«, sagte Godwyn.

Simeons langes, schmales Gesicht schien noch länger zu werden. »Gibt es einen besonderen Grund dafür?«

»Ich dürfte der einzige Prior der Christenheit sein, der in einem Haus wie dem eines Gerbers lebt. Denk doch nur an all die Leute, die wir in den letzten Monaten hier zu Gast hatten: den Grafen von Shiring, den Bischof von Kingsbridge, den Grafen von Monmouth … Das Haus ist solch hervorragenden Gästen nicht angemessen. Es vermittelt einen schlechten Eindruck von uns und unserem Orden. Wir brauchen ein prachtvolles Gebäude, in dem sich das Ansehen der Priorei von Kingsbridge spiegelt.«

»Ihr wollt einen Palast«, sagte Simeon.

Godwyn bemerkte einen missbilligenden Unterton in Simeons

Stimme, als würde er Godwyn unterstellen, dass der sich selbst und nicht die Priorei verherrlichen wolle. »Nenne es einen Palast, wenn du willst«, erwiderte er steif. »Warum auch nicht? Bischöfe und Prioren leben in Palästen. Das dient nicht ihrer eigenen Bequemlichkeit, sondern der ihrer Gäste und dem Ruf der heiligen Stätte, die sie verkörpern!«

»Gewiss, gewiss«, lenkte Simeon ein. »Aber Ihr könnt Euch das nicht leisten.«

Godwyn runzelte die Stirn. Zwar sollten die älteren Mönche in Disput mit ihm treten, wann immer es gerechtfertigt war, doch in Wahrheit konnte er es nicht ausstehen, wenn man ihm widersprach. »Das ist lächerlich«, sagte er. »Kingsbridge ist eines der reichsten Klöster im Land.«

»Das wird zumindest immer behauptet, und wir verfügen in der Tat über beachtliche Mittel; doch der Wollpreis ist dieses Jahr gefallen – das fünfte Jahr in Folge. Unser Einkommen schrumpft.«

Philemon meldete sich zu Wort: »Es heißt, die italienischen Händler würden ihre Wolle nun in Spanien kaufen.«

Simeon musterte ihn: Philemon veränderte sich. Seit er sein ehrgeiziges Ziel verwirklicht hatte und Novize geworden war, hatte er die Unbeholfenheit des Jungen abgelegt und mehr Selbstvertrauen gewonnen – so viel, dass er es wagte, sich in ein Gespräch zwischen dem Prior und dem Schatzmeister einzumischen. Allerdings war sein Beitrag diesmal belangvoll.

»Das mag sein«, sagte Simeon. »Auch war der Wollmarkt dieses Jahr mangels Brücke deutlich kleiner. Wir haben viel weniger an Zoll und anderen Abgaben verdient als sonst.«

Godwyn sagte: »Aber wir haben Tausende Morgen Ackerland.«

»In diesem Teil des Landes, wo wir die meisten unserer Güter haben, war die Ernte letztes Jahr nach all dem Regen schlecht. Viele unserer Pächter mussten ums Überleben kämpfen. Es ist nicht einfach, sie zu zwingen, ihre Pacht zu zahlen, wenn sie hungern ...«

»Zahlen müssen sie trotzdem«, sagte Godwyn. »Auch Mönche haben Hunger.«

Philemon sprach erneut. »Wenn der Vogt eines Dorfes behauptet, dass ein Pächter kein Geld für die Pacht hat oder dass ein Teil des Landes gar nicht erst verpachtet worden ist, kann das ebenso gut eine Lüge sein. Vögte können von den Pächtern bestochen werden.«

In Godwyn keimte Verzweiflung auf. Im letzten Jahr hatte er viele Gespräche wie dieses geführt. Er war fest entschlossen gewesen, die Finanzen der Priorei besser zu ordnen, doch jedes Mal, wenn er etwas verändern wollte, lief er gegen eine Wand. »Hast du denn irgendwelche Vorschläge?«, fragte er Philemon gereizt.

»Schickt einen Prüfer auf eine Rundreise durch die Dörfer. Lasst ihn mit den Vögten reden, sich das Land anschauen und in die Hütten jener Pächter gehen, die behaupten, dass sie kurz vor dem Verhungern stehen.«

»Wenn der Vogt bestochen werden kann, dann kann auch der Prüfer bestochen werden.«

»Nicht, wenn er ein Mönch ist. Was nützt uns schon Geld?«

Godwyn erinnerte sich an Philemons alten Hang zum Stehlen. Es stimmte, dass Mönche keine Verwendung für eigenes Geld hatten – zumindest theoretisch –, doch hieß das nicht, dass sie unbestechlich waren. Allerdings würde der Besuch eines Prüfers der Priorei die Vögte unruhig machen. »Das ist eine gute Idee«, sagte Godwyn. »Willst du diese Aufgabe übernehmen?«

»Es wäre mir eine Ehre.«

»Dann wäre das erledigt.« Godwyn wandte sich wieder Simeon zu. »Trotzdem haben wir noch gewaltige Einkünfte.«

»Und gewaltige Kosten«, erwiderte Simeon. »Wir zahlen eine Abgabe an den Bischof. Wir versorgen fünfundzwanzig Mönche, sieben Novizen und neunzehn Muntlinge mit allem, was man zum Leben braucht. Wir beschäftigen dreißig Leute als Gärtner, Köche, Stallburschen und so weiter. Wir geben ein Vermögen für Kerzen aus, für Mönchsroben ...«

»Schon gut, schon gut. Ich habe verstanden, worauf du hinauswillst«, unterbrach Godwyn ihn ungeduldig. »Aber ich will trotzdem einen Palast bauen.«

»Und woher wollt Ihr das Geld dafür nehmen?«

»Ich werde Mutter Cecilia fragen.« Godwyn seufzte. »Wie immer.«

Godwyn begab sich höchstpersönlich zur Priorin. Normalerweise hätte er sie gebeten, zu ihm zu kommen, um die Überlegenheit des Mannes innerhalb der Kirche zu verdeutlichen, doch diesmal hielt er es für besser, ihr zu schmeicheln.

Das Haus der Priorin war eine exakte Kopie des Hauses des Priors, nur dass es sehr viel freundlicher war. Es gab Kissen und Teppiche, Blumen standen auf dem Tisch, Gobelins zeigten Szenen und Texte aus der Bibel, und eine Katze schlief vor dem Herd. Cecilia beendete gerade ihr Abendessen: gebratenes Lamm, dazu dunkelroter Wein.

Sie legte einen Schleier an, als Godwyn eintraf, so wie eine Regel es vorschrieb, die Godwyn für Anlässe eingeführt hatte, da die Mönche mit den Nonnen reden mussten.

Godwyn konnte Cecilias Gesichtsausdruck nur schwer deuten, Schleier hin oder her. Sie hatte ihn formell zu seiner Wahl zum Prior beglückwünscht und ohne ein Wort des Protests die strikte Trennung von Mönchen und Nonnen akzeptiert. Nur gelegentlich hatte sie etwas angemerkt, wenn es um praktische Fragen im Hospital ging. Sie hatte sich Godwyn nie widersetzt, und doch hatte er das Gefühl, als stünde Cecilia nicht wirklich auf seiner Seite. Offenbar war er nicht mehr in der Lage, sie mit seinem Witz zu bezaubern. Früher hatte er sie zum Lachen gebracht wie ein junges Mädchen. Nun war sie nicht mehr empfänglich dafür. Vielleicht hatte er seinen Witz auch verloren.

Höfliche Konversation mit einer Frau hinter einem Schleier zu machen war nicht ganz einfach; also kam Godwyn gleich zur Sache: »Ich finde, wir sollten zwei neue Häuser bauen, um Edelleute und andere hochrangige Gäste zu bewirten«, sagte er. »Eins für die Männer und eins für die Frauen. Wir würden sie ›Haus des Priors‹ und ›Haus der Priorin‹ nennen, doch ihr eigentlicher Zweck wäre die Unterbringung von wichtigen und edlen Gästen auf eine ihnen angemessene Weise.«

»Eine interessante Idee«, sagte Cecilia, ohne sonderlich begeistert zu wirken.

»Es sollten Steingebäude sein, die Eindruck machen«, fuhr Godwyn fort. »Immerhin seid Ihr seit mehr als einem Jahrzehnt Priorin ... Ihr dürftet eine der hochrangigsten Nonnen im gesamten Königreich sein.«

»Natürlich wollen wir unsere Gäste nicht mit unserem Reichtum, sondern mit der Heiligkeit der Priorei und der Frömmigkeit der Mönche und Nonnen beeindrucken«, bemerkte Cecilia.

»Natürlich ... doch die Gebäude sollten diese Heiligkeit durch Pracht symbolisieren, so wie die Kathedrale die Majestät Gottes symbolisiert.«

»Und wo sollten diese Gebäude errichtet werden?«

Sehr gut, dachte Godwyn. Cecilia kam schon zu den Einzelheiten. »Nahe bei den jetzigen Häusern.«

»Also käme Eures ans Ostende der Kirche, neben dem Kapitelhaus, und meines hier unten an den Fischteich.«

Godwyn kam kurz der Verdacht, dass sie ihn verspottete. Er

konnte ihren Gesichtsausdruck nicht sehen. Frauen einen Schleier aufzuzwingen hatte auch seine Nachteile. »Vielleicht zieht Ihr ja einen anderen Ort vor«, sagte er.

»Ja, vielleicht.«

Es folgte ein kurzes Schweigen. Godwyn fiel es schwer, auf das Thema Geld zu sprechen zu kommen. Er würde die Regel mit den Schleiern noch einmal überdenken müssen – vielleicht sollte er für die Priorin eine Ausnahme machen. Es war eine Strafe, auf diese Art mit einer Frau verhandeln zu müssen.

Godwyn war erneut gezwungen, offen zu sprechen. »Unglücklicherweise bin ich nicht in der Lage, etwas zu den Baukosten beizutragen. Das Kloster ist bettelarm.«

»Ihr redet von einem Beitrag zu den Kosten des Hauses der Priorin, nicht wahr?«, sagte Cecilia. »Nun, das erwarte ich auch nicht von Euch.«

»Eigentlich meinte ich die Kosten für das Haus des Priors ...«

»Oh, dann wollt Ihr, dass der Konvent nicht nur für mein Haus, sondern auch für Eures zahlt.«

»Ich fürchte, darum werde ich Euch bitten müssen. Ich hoffe, es macht Euch nichts aus.«

»Nun, wenn es dem Ansehen der Priorei von Kingsbridge dient ...«

»Ich wusste, dass Ihr es so seht!«

»Lasst mich nachdenken ... Im Augenblick baue ich einen neuen Kreuzgang für die Nonnen, da wir den alten nicht mehr mit den Mönchen gemeinsam benutzen dürfen.«

Godwyn bemerkte nichts dazu. Es ärgerte ihn, dass Cecilia Merthin in Dienst genommen hatte, um den Kreuzgang zu entwerfen, und nicht den billigeren Elfric. Das war schlichtweg Verschwendung! Doch jetzt war nicht der richtige Augenblick, das zu erwähnen.

Cecilia fuhr fort: »Und wenn das erledigt ist, muss ich eine Bibliothek für die Nonnen bauen und Bücher dafür kaufen, da wir Eure Bibliothek ja auch nicht mehr benutzen dürfen.«

Godwyn tappte ungeduldig mit dem Fuß. Eine Bibliothek für die Nonnen! Das war nun wirklich völlig bedeutungslos.

»Und dann brauchen wir einen überdachten Gang zur Kirche, da wir jetzt einen anderen Weg gehen als die Mönche, und wir haben keinen Schutz bei schlechtem Wetter.«

»Das ist sehr vernünftig«, bemerkte Godwyn, obwohl er am liebsten herausgeplatzt wäre: Hör endlich auf mit dem Geschwätz!

»Nun«, sagte Cecilia abschließend, »ich denke, in drei Jahren könnten wir noch einmal über diesen Vorschlag nachdenken.«

»In drei Jahren? Ich will aber jetzt anfangen!«

»Oh, ich fürchte, das geht nicht.«

»Warum nicht?«

»Wir haben nur eine festgelegte Summe für Bauarbeiten, wisst Ihr.«

»Aber ist das nicht wichtiger?«

»Wir müssen uns an unsere Vorgaben halten.«

»Warum?«

»Damit wir in geldlichen Dingen stark und unabhängig bleiben«, antwortete Cecilia und fügte demonstrativ hinzu: »Ich möchte nicht betteln gehen müssen.«

Godwyn wusste nicht, was er sagen sollte. Schlimmer noch: Er hatte das unheimliche Gefühl, als würde Mutter Cecilia ihn hinter ihrem Schleier auslachen. Godwyn stand auf. »Ich danke Euch«, sagte er kalt. »Wir werden noch einmal darüber reden.«

»Ja«, sagte sie, »in drei Jahren. Ich freue mich schon darauf.«

Nun war Godwyn sicher, dass sie lachte. Er drehte sich um und ging davon, so rasch er konnte.

Wieder in seinem eigenen Haus warf er sich auf einen Stuhl. Er kochte vor Wut. »Ich hasse dieses Weib«, sagte er zu Philemon, der noch immer da war.

»Hat sie Nein gesagt?«

»Sie hat gesagt, sie würde in drei Jahren noch einmal darüber nachdenken.«

»Das ist schlimmer als ein Nein«, sagte Philemon. »Das ist ein drei Jahre langes Nein.«

»Sie hat uns schon immer in der Hand gehabt, denn sie hat das Geld.«

»Ich höre oft den älteren Männern zu«, sagte Philemon scheinbar völlig ohne Zusammenhang. »Es ist erstaunlich, wie viel man dabei erfährt.«

»Worauf willst du hinaus?«

»Als die Priorei die ersten Mühlen gebaut, die ersten Fischteiche gegraben und die ersten Hasengehege eingezäunt hat, haben die Prioren ein Gesetz erlassen, dass die Stadtbewohner die Anlagen der Mönche nutzen und dafür bezahlen müssen. Es war ihnen nicht mehr gestattet, ihr Getreide daheim zu mahlen oder Stoff zu weben, und sie durften keine eigenen Teiche und Gehege mehr besitzen. Sie mussten alles von uns kaufen. Dieses Gesetz hat sichergestellt, dass die Priorei ihre Unkosten wieder hereinbekam.«

»Aber das Gesetz ist irgendwann nicht mehr angewandt worden, oder?«

»Es hat sich verändert. Anstatt es den Leuten ganz zu verbieten, legte man ihnen ein Bußgeld auf, wenn sie ihre eigenen Anlagen benutzten. Das ist in der Zeit von Prior Anthony allerdings in Vergessenheit geraten.«

»Und jetzt gibt es eine Handmühle in jedem Haus.«

»Und alle Fischhändler haben Teiche. Es gibt ein halbes Dutzend Hasengehege, und die Tuchmacher und Färber machen mit ihren Frauen und Kindern ihren eigenen Stoff, anstatt ihn in die Manufaktur des Klosters zu bringen.«

Godwyn war hocherfreut. »Wenn all diese Leute ein Bußgeld für das Privileg zahlen würden, ihre eigenen Anlagen benutzen zu dürfen …«

»Dann könnte das ein hübsches Sümmchen geben.«

»Sie würden quieken wie die Schweine.« Godwyn runzelte die Stirn. »Können wir beweisen, was wir sagen?«

»Es gibt noch viele Leute, die sich an diese Bußgelder erinnern. Aber es müsste auch in den Aufzeichnungen der Priorei zu finden sein – vermutlich in Timothys Buch.«

»Du musst herausfinden, wie hoch die Bußgelder waren. Wenn wir einen Präzedenzfall geltend machen, sollten wir gut vorbereitet sein.«

»Wenn ich einen Vorschlag machen dürfte …«

»Nur zu.«

»Ihr könntet Sonntagmorgen die neue Regelung von der Kanzel verkünden. Das würde unterstreichen, dass es sich um Gottes Willen handelt.«

»Gute Idee«, sagte Godwyn. »Genau das werde ich tun.«

»Ich habe die Lösung«, sagte Caris zu ihrem Vater.

Mit einem leichten Lächeln lehnte Edmund sich auf seinem großen Holzstuhl am Kopf des Tisches zurück.

Caris kannte diesen Ausdruck: Ihr Vater war skeptisch, aber
auch willens, ihr zuzuhören. »Und wie sieht deine Lösung aus?«,
fragte er.

Caris war aufgeregt. Sie war sicher, dass ihre Idee brillant war
und das Vermögen ihres Vaters und Merthins Brücke retten würde.
Aber würde sie Edmund davon überzeugen können? »Wir lassen
unsere überschüssige Wolle weben, walken und färben«, sagte sie,
hielt den Atem an und wartete auf seine Reaktion.

»In schweren Zeiten versuchen Wollhändler das oft«, erwiderte
Edmund. »Aber woher willst du wissen, dass es klappt? Und was
würde es kosten?«

»Für das Säubern, Spinnen und Weben vier Shilling pro Sack.«

»Und wie viel Stoff wäre es?«

»Ein Sack Wolle von schlechter Qualität, den du für sechsunddreißig Shilling gekauft hast und für vier Shilling weben lässt, gäbe
achtundvierzig Ellen Stoff.«

»Und was würde der bringen?«

»Ungefärbter brauner Fries verkauft sich für ein Shilling die Elle,
also achtundvierzig Shilling – acht mehr, als wir insgesamt zahlen
müssten.«

»Wenn man überlegt, wie viel Arbeit wir hineingesteckt haben,
ist das nicht viel.«

»Das ist ja auch noch nicht alles.«

»Sprich weiter.«

»Weber verkaufen braunen Fries, weil sie so schnell wie möglich
Geld machen wollen. Aber wenn du noch zwanzig Shilling ausgeben würdest, um das Tuch zu walken und zu färben, kannst du den
doppelten Preis verlangen: zwei Shilling die Elle, sechsundneunzig

Shilling für das Ganze. Das sind sechsunddreißig Shilling mehr, als du für die Wolle gezahlt hast.«

Edmund blickte sie zweifelnd an. »Wenn es so einfach ist, warum macht es dann kaum einer?«

»Weil die Leute das Geld nicht vorstrecken können.«

»Das kann ich auch nicht.«

»Du hast drei Pfund von Guillaume von London.«

»Aber die brauche ich, um nächstes Jahr Wolle zu kaufen.«

»Bei diesen Preisen wärst du besser dran, wenn du aus dem Geschäft aussteigst.«

Edmund lachte. »Bei den Heiligen, du hast recht. Also gut, versuch es mit dem billigen Zeug. Ich habe fünf Sack von der groben Devonwolle; die wollen die Italiener sowieso nie haben. Davon kriegst du einen Sack. Dann werden wir sehen, ob du halten kannst, was du versprichst.«

Zwei Wochen später beobachtete Caris, wie Mark Webber seine Handmühle zerschlug.

Dass ein armer Mann ein so wertvolles Gerät zerstörte, machte Caris so betroffen, dass sie vorübergehend ihre eigenen Sorgen vergaß.

Die Handmühle bestand aus zwei Steinscheiben, jede auf einer Seite leicht angeraut. Die kleinere Scheibe wurde auf die größere gelegt, wobei sie einander genau überdeckten; die beiden rauen Seiten kamen dabei aufeinander zu liegen. Mithilfe eines Holzgriffs konnte man den oberen Stein drehen; damit ließ Getreide sich rasch zu Mehl mahlen.

Von den niederen Bürgern der Stadt besaßen die meisten solch eine Mühle. Die ganz Armen jedoch konnten sich keine leisten, und die ganz Reichen benötigten sie nicht; sie konnten sich ihr Mehl bei einem Müller kaufen. Doch für Familien wie die Webbers, die jeden Penny brauchten, um ihre Kinder zu ernähren, war eine Handmühle ein Geschenk Gottes.

Mark hatte seine Mühle vor seiner Kate auf den Boden gelegt. Von irgendjemandem hatte er sich einen langstieligen Vorschlaghammer geliehen. Zwei seiner Kinder schauten ihm zu: ein dürres Mädchen in zerlumptem Kleid und ein nacktes Kleinkind. Mark hob den Hammer hoch über den Kopf und schwang ihn mit Wucht – ein beeindruckender Anblick: Mark war der größte Mann in Kingsbridge, und seine Schultern waren so breit wie der Rücken eines Ochsen. Der Stein zerplatzte wie eine Eierschale.

Caris fragte: »Was tust du da, um Himmels willen?«

»Wir müssen unser Korn von nun an in den Wassermühlen der Priorei mahlen«, antwortete Mark, »und dafür einen von vierundzwanzig Säcken als Gebühr bezahlen.«

Mark schien das einerlei zu sein, doch Caris war bestürzt. »Ich dachte, die neuen Regelungen gelten nur für Wind- und Wassermühlen, die unerlaubt betrieben werden.«

»Morgen muss ich mit John Constable alle Häuser durchsuchen und jede Handmühle zerschlagen, die jemand unrechtmäßig in Besitz hat. Und das geht natürlich nicht, wenn die Leute sagen, ich hätte selbst eine Mühle. Deshalb zerschlage ich meine Mühle hier draußen auf der Straße, wo jeder es sehen kann.«

»Ich wusste gar nicht, dass Godwyn mit seiner Verordnung den Armen das Brot vom Munde nehmen will«, bemerkte Caris zornig.

»Zum Glück haben wir wenigstens etwas zu weben ... dank Euch.«

Caris wandte ihre Aufmerksamkeit wieder den eigenen Geschäften zu. »Wie kommt ihr voran?«

»Fertig.«

»Das ging aber schnell!«

»Im Winter dauert es länger, aber im Sommer, bei sechzehn Stunden Tageslicht, kann ich sechs Ellen pro Tag weben, wenn Madge mir hilft.«

»Wunderbar!«

»Kommt herein, und ich werde es Euch zeigen.«

Marks Frau Madge stand am Kochfeuer im hinteren Teil des einzigen Zimmers. Sie hielt einen Säugling im Arm, und neben ihr stand ein schüchterner Junge. Madge war mehr als einen Fuß kleiner als ihr Mann, doch auch sie war kräftig gebaut; mit ihrem großen Busen und dem hervorstehenden Hinterteil erinnerte sie Caris an eine fette Taube. Ihr vorstehendes Kinn verlieh ihr ein streitsüchtiges Aussehen, was auch nicht weit von der Wirklichkeit entfernt war. Doch Madge hatte ein gutes Herz, und Caris mochte sie. Sie bot ihrer Besucherin einen Becher Most an, den Caris jedoch ablehnte, denn sie wusste, dass die Familie es sich nicht leisten konnte.

Marks Webstuhl war bloß ein Holzrahmen auf einem Ständer, gut einen Schritt breit. Er nahm den größten Teil der Wohnfläche ein. Dahinter, nahe der Hintertür, stand ein Tisch mit zwei Bänken. Offensichtlich schlief die Familie um den Webstuhl herum auf dem Boden.

»Ich mache den Stoff im Schmaldutzend«, erklärte Mark. »Ein Schmaldutzend ist eine Stoffbahn von einer Elle Breite und zwölf Ellen Länge. Breiteres Tuch kann ich nicht herstellen, weil ich keinen Platz für einen so großen Webstuhl habe.« Vier Ballen brauner Fries standen an der Wand. »Ein Sack Wolle ergibt vier Schmaldutzend.«

Caris hatte Mark die Vliese in einem handelsüblichen Wollsack gebracht. Madge hatte die Wolle reinigen, verlesen und zu Garn spinnen lassen. Das Spinnen erledigten die armen Frauen der Stadt; das Reinigen und Verlesen übernahmen ihre Kinder.

Aufgeregt befühlte Caris den Stoff. Der erste Teil ihres Plans war in die Tat umgesetzt! »Warum ist das Tuch so lose gewoben?«, fragte sie.

Mark fuhr sofort hoch. »Lose? Mein Fries ist der dichteste von ganz Kingsbridge!«

»Ich weiß. Das sollte auch keine Beschwerde sein. Es ist nur … Italienischer Stoff fühlt sich so anders an, obwohl sie ihn aus unserer Wolle machen.«

»Das hängt zum Teil von der Kraft des Webers ab. Wie fest er die Leiste herunterdrücken kann, um die Fäden zusammenzupressen.«

»Ich glaube nicht, dass die italienischen Weber stärker sind als du.«

»Dann liegt es an ihren Maschinen. Je besser der Webstuhl, desto dichter das Gewebe.«

»Das habe ich befürchtet.« Das hieß, dass sie nicht mit der italienischen Ware konkurrieren konnte, solange sie keine italienischen Webstühle kaufte, und das war unmöglich.

Caris bezahlte Mark mit vier Shilling. Die Hälfte würde er den Spinnerinnen geben. Theoretisch hatte Caris nun acht Shilling Gewinn gemacht. Allerdings waren acht Shilling so gut wie nichts im Hinblick auf die Brückenkosten, und wenn es nicht schneller voranging, würde es Jahre dauern, die gesamte überschüssige Wolle ihres Vaters zu verarbeiten. »Gibt es eine Möglichkeit, den Stoff noch schneller herzustellen?«, fragte sie Mark.

Madge beantwortete ihre Frage. »Es gibt noch andere Weber in Kingsbridge, doch die meisten haben schon genug Aufträge von den Tuchhändlern. Natürlich könnte ich Euch welche außerhalb der

Stadt suchen. In den größeren Dörfern gibt es häufig einen Weber mit einem Webstuhl. Normalerweise stellt er Stoff für die Dörfler her, aus ihrem eigenen Garn. Die lassen sich rasch zu einer anderen Arbeit überreden, wenn die Bezahlung stimmt.«

Caris ließ sich ihre Besorgnis nicht anmerken. »Also gut«, sagte sie. »Ich werde euch wissen lassen, wie ich mich entschieden habe. Würdet ihr den Stoff bis dahin zu Peter Dyer bringen? Dann würdet ihr mir eine weitere Arbeit abnehmen.«

»Sicher. Das erledige ich sofort«, antwortete Mark.

In Gedanken versunken ging Caris nach Hause. Um wirklich etwas zu bewirken, würde sie den größten Teil von dem Geld ausgeben müssen, das ihrem Vater geblieben war. Ging dann etwas schief, würden sie noch schlechter dastehen als zuvor. Aber welche andere Möglichkeit blieb? Caris' Plan war riskant, doch niemand wusste einen besseren.

Als sie ins Haus kam, trug Petronilla gerade einen Lammeintopf auf. Edmund saß am Kopfende des Tisches. Der finanzielle Rückschlag des Wollmarkts hatte ihn tiefer getroffen, als Caris erwartet hatte. Von seinem gewohnten Überschwang war kaum noch etwas geblieben; oft wirkte er nachdenklich oder gar abwesend. Caris machte sich Sorgen um ihn.

»Ich habe gesehen, wie Mark Webber seine Handmühle zerschlagen hat«, sagte sie und setzte sich. »Was soll das?«

Petronilla reckte die Nase in die Luft. »Godwyn handelt vollkommen rechtmäßig«, erklärte sie.

»Diese Rechte sind überholt. Sie wurden seit Jahren nicht mehr geltend gemacht. Welche andere Priorei macht so etwas?«

»St. Albans zum Beispiel«, erwiderte Petronilla triumphierend.

Edmund sagte: »Ich habe von St. Albans gehört. Dort kommt es immer wieder zu Aufständen gegen das Kloster.«

»Die Priorei von Kingsbridge hat das Recht, das Geld wieder einzutreiben, das sie für den Bau von Mühlen aufgewendet hat«, argumentierte Petronilla. »Genau wie du, Edmund, das Geld zurückhaben willst, das du in die Brücke gesteckt hast. Wie würdest du dich fühlen, wenn jemand eine zweite Brücke bauen würde?«

Nicht Edmund antwortete darauf, sondern Caris: »Das hängt davon ab, *wann* das sein würde«, sagte sie. »Die Mühlen der Priorei sind vor Hunderten von Jahren gebaut worden, ebenso die Gehege und Fischteiche. Niemand hat das Recht, die Entwicklung einer Stadt auf ewig aufzuhalten.«

»Der Prior kann einfordern, was ihm zusteht«, sagte Petronilla stur. »Das ist sein gutes Recht.«

»Aber wenn er so weitermacht, wird es bald nichts mehr einzufordern geben. Die Leute werden nach Shiring ziehen. Dort dürfen sie Handmühlen besitzen.«

»Verstehst du denn nicht, dass die Bedürfnisse der Priorei heilig sind?«, fragte Petronilla wütend. »Die Mönche dienen Gott! Im Vergleich dazu ist das Leben der Stadtbewohner unbedeutend.«

»Glaubt dein Sohn Godwyn das auch?«

»Natürlich.«

»Das habe ich befürchtet.«

»Glaubst du denn nicht, dass der Prior eine heilige Aufgabe erfüllt?«

Caris hatte keine Antwort darauf; also zuckte sie bloß mit den Schultern, und Petronilla schaute sie triumphierend an.

Das Essen war gut, doch Caris war viel zu angespannt, als dass sie viel gegessen hätte. Kaum waren die anderen fertig, sagte sie: »Ich muss zu Peter Dyer.«

Petronilla protestierte: »Willst du noch mehr ausgeben? Du hast Mark Webber schon vier Shilling vom Geld deines Vaters gegeben.«

»Ja – und das Tuch ist zwölf Shilling mehr wert, als die Wolle es war. Also habe ich acht Shilling Gewinn gemacht.«

»Nein, hast du nicht«, widersprach Petronilla. »Du hast das Tuch noch nicht verkauft.«

Petronilla verlieh Zweifeln Ausdruck, die Caris bisweilen teilte, doch nun fühlte sie sich herausgefordert. »Ich *werde* es aber verkaufen – besonders, wenn es rot gefärbt ist.«

»Und was wird Peter für das Färben und Walken verlangen?«

»Zwanzig Shilling. Aber rotes Tuch ist doppelt so viel wert wie brauner Fries. Das wird uns weitere achtundzwanzig Shilling Gewinn bringen.«

»Wenn du es verkaufst. Und wenn nicht?«

»Ich werde es verkaufen.«

Ihr Vater mischte sich ein. »Lass sie«, sagte er zu Petronilla. »Ich habe ihr gesagt, sie soll es versuchen.«

⁂

Shiring Castle, die Burg des Sheriffs, stand auf einem Hügel. Am Fuß des Hügels befanden sich die Galgen. Zu jeder Hinrichtung wurde der Gefangene auf einem Karren aus der Burg hinuntergefahren, um dann vor der Kirche gehängt zu werden.

Auf dem Platz, auf dem die Galgen standen, fand auch der Wollmarkt von Shiring statt, zwischen der Gildenhalle und einem großen Holzgebäude, das man die Wollbörse nannte. Der Palast des Bischofs und zahlreiche Schänken standen ebenfalls hier.

Wegen der Probleme in Kingsbridge gab es dieses Jahr weit mehr Stände als sonst in Shiring, und der Markt dehnte sich bis in die Straßen um den Platz herum aus. Edmund hatte vierzig Sack Wolle auf zehn Karren hierhergebracht; falls die Geschäfte gut gingen, konnte er bis zum Ende der Woche Nachschub aus Kingsbridge herbeischaffen.

Doch zu Caris' Verzweiflung erwies sich das als unnötig. Edmund verkaufte zehn Sack am ersten Tag – und dann nichts mehr bis zum Ende des Markts, als er weitere zehn Sack an den Mann brachte, nachdem er den Preis so weit gesenkt hatte, dass er nicht einmal seine eigenen Ausgaben deckte. Caris konnte sich nicht erinnern, ihren Vater je so niedergeschlagen gesehen zu haben.

Caris legte vier Ballen matten, rotbraunen Stoffs auf Edmunds Stand; im Laufe der Woche verkaufte sie drei davon. »Sieh es doch mal so«, sagte sie am letzten Markttag zu ihrem Vater. »Vorher hast du einen unverkäuflichen Sack Wolle und vier Shilling gehabt. Jetzt hast du sechsunddreißig Shilling und einen Ballen Tuch.«

Doch in Wahrheit war auch Caris zutiefst deprimiert. Da hatte sie damit geprahlt, den Stoff verkaufen zu können, und nun das! Das Ergebnis war zwar keine völlige Niederlage, aber ein Triumph war es ganz sicher nicht. Wenn sie den Stoff nicht für mehr verkaufen konnte, als er kostete, hatte sie keine Lösung für das Problem gefunden. Was sollte sie tun? Sie verließ den Stand und suchte nach anderen Tuchhändlern.

Der beste Stoff kam wie immer aus Italien. Caris blieb am Stand von Loro Fiorentino stehen. Tuchhändler wie Loro waren keine Wolleinkäufer, obwohl sie oft eng mit ihnen zusammenarbeiteten. Caris wusste, dass Loro seine Einnahmen an Buonaventura weitergab, der davon wiederum die englischen Händler für ihre Rohwolle bezahlte. Wenn die Wolle dann in Florenz eintraf, verkaufte Buonaventuras Familie sie, und mit dem Erlös wurde schließlich Loros Familie ausbezahlt. Auf diese Weise umgingen sie das Risiko, Gold und Silber durch halb Europa transportieren zu müssen.

Loro hatte nur zwei Ballen Stoff an seinem Stand, doch die Farben waren strahlender als alles, was die Einheimischen herstellen konnten. »Zwei Ballen! Mehr habt Ihr nicht mitgebracht?«, fragte Caris ihn.

»Natürlich nicht. Den Rest habe ich schon verkauft.«

Caris war überrascht. »Bei allen anderen Händlern laufen die Geschäfte eher schlecht.«

Loro zuckte mit den Schultern. »Das beste Tuch verkauft sich immer.«

Caris kam eine Idee. »Wie viel kostet der Scharlachrote?«

»Nur sieben Shilling die Elle, gute Frau.«

Das war siebenmal mehr, als Fries kostete. »Wer kann sich denn so etwas leisten?«

»Der Bischof hat ein paar Ellen von meinem Roten gekauft, Lady Philippa ein wenig Blauen und Grünen. Die Töchter von Braumeistern und Bäckern in der Stadt und Herren und Ladys aus den umliegenden Dörfern gehören auch zu meinen Kunden. Selbst in schlechten Zeiten geht es manchen Leuten gut. Dieses Zinnoberrot würde Euch hervorragend stehen.« Mit einer raschen Bewegung entrollte er den Ballen und drapierte den Stoff über Caris' Schulter. »Wunderbar. Seht nur, wie neidisch alle Leute Euch anschauen!«

Caris lächelte. »Jetzt weiß ich, warum Ihr so viel verkauft.« Sie befühlte den Stoff. Er war dicht gewoben. Caris hatte bereits einen Mantel aus scharlachrotem italienischem Stoff, den sie von ihrer Mutter geerbt hatte. Er war ihr liebstes Kleidungsstück. »Welches Färbemittel benutzt Ihr, um dieses Rot zu bekommen?«

»Färberwurzel, wie alle anderen auch.«

»Aber wie macht Ihr es so leuchtend?«

»Oh, das ist kein Geheimnis. Dazu nimmt man Alaun. Das macht die Farbe strahlender und hält sie dauerhaft, sodass sie nicht verblasst. Wenn Ihr einen Mantel in dieser Farbe hättet, könntet Ihr Euch auf ewig daran erfreuen.«

»Alaun«, wiederholte Caris. »Warum verwenden englische Färber das nicht?«

»Es ist sehr teuer. Es kommt aus der Türkei. Solcher Luxus ist nur ganz besonderen Damen vorbehalten.«

»Und das Blau?«

»Wie Eure Augen.«

Caris' Augen waren grün, doch sie verbesserte Loro nicht. »Es ist so kräftig.«

»Englische Färber nehmen Waid dafür, aber wir bekommen Indigo aus Bengalen. Die maurischen Händler bringen ihn aus Indien nach Ägypten, und unsere italienischen Kaufleute holen ihn dann in Alexandria.« Er lächelte. »Denkt doch nur, wie weit er gereist ist ... und das alles nur, um Eure außergewöhnliche Schönheit zu betonen.«

»Ja«, sagte Caris. »Ich werde darüber nachdenken.«

❈

Die Werkstatt von Peter Dyer am Fluss war ein Haus so groß wie Edmunds, aus Stein gebaut, doch ohne Innenwände oder Stockwerke – nur eine Hülle. Zwei Eisenkessel hingen über großen Feuern. Neben ihnen befand sich ein Kran ähnlich dem, den Merthin für seine Bauarbeiten entwickelt hatte. Damit wurden große Woll- oder Tuchsäcke in die Kessel gehoben. Der Boden war hier ständig feucht, und die Luft war mit Dampf gesättigt. Die Lehrlinge gingen barfuß und wegen der Hitze nur in Unterhosen. Der Schweiß lief ihnen über die Gesichter, und ihre Haare glitzerten vor Nässe. Ein beißender Geruch lag in der Luft, der Caris im Hals brannte.

Sie zeigte Peter ihren unverkauften Ballen Stoff. »Ich will das leuchtende Scharlachrot der italienischen Tücher«, erklärte sie. »Das verkauft sich am besten.«

Peter war ein schwermütiger Mann, der stets ein wenig verletzt aussah, egal was man zu ihm sagte. Nun schaute er drein, als hätte er gerade einen berechtigten Tadel einstecken müssen. »Wir werden es noch einmal mit Färberwurzel behandeln.«

»Und mit Alaun, um die Farbe zu fixieren und strahlender zu machen.«

»Wir benutzen kein Alaun. Das haben wir nie getan. Ich weiß nicht, ob es überhaupt jemand tut.«

Caris fluchte innerlich. Sie hatte nicht daran gedacht, das zu überprüfen; sie war davon ausgegangen, dass jeder Färber alles über das Färben wusste. »Könnt Ihr es nicht wenigstens versuchen?«

»Ich hab keins.«

Caris seufzte. Peter schien einer jener Handwerker zu sein, für die alles unmöglich war, was sie nicht schon einmal gemacht hatten. »Und wenn ich Euch welches besorge?«

»Woher?«

»Aus Winchester oder aus London. Oder vielleicht auch aus Melcombe.« Das war der nächste größere Hafen. In Melcombe legten Schiffe aus ganz Europa an.

»Selbst wenn ich Alaun hätte – ich wüsste nicht, wie man es benutzt.«

»Könnt Ihr das nicht herausfinden?«

»Von wem denn?«

»Dann kümmere ich mich selbst darum.«

Peter schüttelte zweifelnd den Kopf. »Ich weiß nicht ...«

Caris wollte nicht mit ihm streiten: Peter war der einzige größere Färber in der Stadt. »Also gut, wir reden später darüber«, lenkte sie ein. »Ich muss erst einmal zusehen, ob ich Alaun bekommen kann.«

Caris ging. Wer in der Stadt könnte etwas über Alaun wissen? Sie wünschte sich, sie hätte Loro Fiorentino mehr Fragen darüber gestellt. Wer könnte sonst noch etwas darüber wissen? Die Mönche vielleicht ... aber die durften nicht mehr mit Frauen sprechen. Caris beschloss, zu Mattie Wise zu gehen. Mattie benutzte ständig seltsame Substanzen; vielleicht gehörte Alaun ja dazu. Außerdem würde Mattie ihr Unwissen zugeben, im Gegensatz zu einem Mönch oder Apotheker, der vermutlich irgendetwas erfinden würde, damit man ihn nicht für dumm hielt.

Matties erste Worte waren: »Wie geht es deinem Vater?« Es war typisch, dass sie wusste, was Caris bedrückte.

»Die schlechten Ergebnisse des Wollmarkts haben ihm zu schaffen gemacht«, antwortete Caris. »Er ist vergesslich geworden, und er sieht älter aus.«

»Kümmere dich gut um ihn«, sagte Mattie. »Er ist ein feiner Mann.«

»Ich weiß.« Caris war nicht sicher, worauf Mattie hinauswollte.

»Und Petronilla ist eine selbstsüchtige Intrigantin.«

»Ich weiß.«

Mattie zerrieb irgendetwas im Mörser, hielt inne und schob Caris die Schüssel zu. »Wenn du das für mich erledigst, bekommst du einen Becher Wein.«

»In Ordnung.« Caris begann zu mahlen.

Mattie goss gelben Wein aus einem Tonkrug in zwei Holzbecher. »Warum bist du hier? Du bist nicht krank.«

»Weißt du, was Alaun ist?«

»Natürlich. In kleinen Mengen benutzen wir es, um Blutungen zu stillen. Es hilft auch bei Durchfall. In großen Mengen aber ist es giftig und führt zu Erbrechen, wie viele andere Gifte auch. Der Trank, den ich dir letztes Jahr gegeben habe, das war Alaun.«

»Ist Alaun ein Kraut?«

»Nein, es kommt aus der Erde. Die Mauren graben es in der Türkei und in Afrika aus. Gerber benutzen es manchmal, um Leder zu bearbeiten. Ich nehme an, du willst Stoff damit färben.«

»Ja.« Wie immer waren Matties Vermutungen auf geradezu unheimliche Weise zutreffend.

»Es funktioniert wie eine Beize und hilft, dass die Farbe sich in der Wolle festsetzen kann.«

»Und wo bekommt man es?«

»Ich kaufe es in Melcombe«, antwortete Mattie.

Also machte Caris sich auf die zweitägige Reise nach Melcombe, wo sie schon mehrere Male gewesen war. Dabei hatte sie stets ein Bediensteter ihres Vaters als Leibwächter begleitet. Am Kai entdeckte Caris einen Händler, der Gewürze, Vogelkäfige, Musikinstrumente und alle möglichen Kuriositäten aus fernen Ländern anbot. Er verkaufte Caris rote Farbe aus der Färberwurzel, wie man sie in Frankreich anbaute, sowie eine besondere Art des Alauns, das man Spiralum nannte und von dem der Händler sagte, es stamme aus Äthiopien. Er berechnete Caris sieben Shilling für ein kleines Fass Farbe und ein Pfund Alaun. Caris hatte nicht die geringste Ahnung, ob der Preis gerechtfertigt war oder nicht. Der Mann verkaufte ihr seinen gesamten Bestand und versprach ihr, mehr zu besorgen, sobald das nächste italienische Schiff im Hafen festmachte. Caris fragte den Händler, welche Mengen an Farbe und Alaun sie benutzen solle, doch er wusste es auch nicht.

Als Caris nach Hause kam, machte sie sich daran, verschiedene Stücke unverkauften Stoffs in einem Kochtopf zu färben. Petronilla beschwerte sich über den Geruch, sodass Caris das Feuer im Hinterhof machen musste. Sie wusste, dass sie das Tuch in eine Farblösung tauchen und kochen musste; Peter Dyer hatte ihr die genaue Zusammensetzung dieser Lösung erklärt. Allerdings wusste niemand, wie viel Alaun sie brauchte oder wie sie es verwenden sollte.

Caris begann mit dem langwierigen und oft entmutigenden Prozess, durch Versuch und Irrtum die Lösung zu finden. Sie versuchte, das Tuch in Alaun zu tränken, ehe sie es färbte; dann gab sie das Alaun gleichzeitig mit dem Färbemittel hinzu, und schließlich färbte sie das Tuch anschließend in einer Alaunlösung. Sie versuchte die gleiche Menge von Alaun und Färbemittel; dann probierte sie es mit mehr, dann mit weniger. Auf Matties Vorschlag hin experimentierte sie auch mit anderen Substanzen wie Gallapfel, Kreide, Kalkwasser, Essig und Urin.

Caris lief die Zeit davon. In allen Städten Englands durften nur Gildenmitglieder Stoff verkaufen; lediglich während der Märkte wurde diese Regelung gelockert, und alle Märkte fanden im Sommer statt. Der letzte war der St.-Giles-Markt, der östlich von Winchester am Tag des heiligen Giles stattfand, am 12. September. Nun war Mitte Juli; also blieben Caris acht Wochen.

Sie begann am frühen Morgen und arbeitete bis tief in die Nacht. Ständig den Stoff umzurühren und ihn aus dem Topf zu heben und wieder hineinzutunken bescherte ihr Rückenschmerzen. Ihre Hände wurden rot und wund vom ständigen Eintauchen in die beißenden Substanzen, und ihr Haar begann zu stinken. Doch trotz all dieser unerfreulichen Begleiterscheinungen war sie manchmal beinahe glücklich, und mitunter summte oder sang sie beim Arbeiten – alte Lieder, an deren Text sie sich kaum erinnern konnte. Die Nachbarn beobachteten sie neugierig von ihren Hinterhöfen aus.

Dann und wann stieg in Caris die Frage auf: Ist das mein Schicksal? Mehr als einmal hatte sie gesagt, sie wisse nicht, was sie mit ihrem Leben anfangen sollte. Vielleicht hatte sie gar keine Wahl. Ärztin durfte sie nicht werden, und der Beruf der Wollhändlerin war wenig verlockend; außerdem wollte sie sich nicht von einem Mann und Kindern versklaven lassen. Aber sie hatte nie auch nur im Traum daran gedacht, Färberin zu werden. Das war nie ihr Wunsch gewesen. Und doch hatte sie jetzt damit angefangen und war entschlossen, Erfolg zu haben. Doch ihre Zukunft war dieser Beruf bestimmt nicht.

Zuerst gelang es Caris nur, den Stoff rotbraun oder in einem blassen Rosa zu färben. Als sie dann endlich den richtigen Ton gefunden hatte – Scharlachrot –, musste sie zu ihrem Leidwesen feststellen, dass die Farbe entweder verblasste, wenn sie den Stoff in der Sonne trocknete, oder beim Waschen verschwand. Sie versuchte es mit zweimaligem Färben, doch die Wirkung hielt nicht lange an. Peter erklärte ihr, dass das Material die Farbe besser annehmen würde, wenn sie schon das Garn oder gar das Vlies färbte. Das verbesserte zwar den Farbton, nicht aber die Haltbarkeit.

»Man kann sich das Färben nicht selbst beibringen, man kann es nur von einem Meister lernen«, sagte Peter. So einfach machten es sich viele, erkannte Caris: Godwyn hatte Medizin aus jahrhundertealten Büchern gelernt und Arzneien verordnet, ohne sich die Kranken auch nur anzusehen. Elfric hatte Merthin bestraft, als dieser das Gleichnis von den Jungfrauen auf eine neue Weise dargestellt hatte. Und Peter hatte noch nicht einmal versucht, einen Stoff scharlachrot zu färben. Nur Mattie richtete ihr Tun an dem aus, was sie sehen konnte, und nicht an irgendeiner Autorität.

Eines späten Abends, als die Dunkelheit in den Hof kroch, sah Caris, wie ihre Schwester Alice in der Tür stand und sie beobachtete. Alice hatte die Arme vor der Brust verschränkt und schürzte die Lippen; der Schein von Caris' Feuer ließ ihr Gesicht, das zu einem Ausdruck der Missbilligung verzogen war, rot leuchten. »Wie viel vom Geld unseres Vaters hast du schon für diesen Unfug ausgegeben?«, fragte sie.

Caris rechnete zusammen. »Sieben Shilling für die Färberwurzel, ein Pfund für das Alaun, zwölf Shilling für das Tuch ... neununddreißig Shilling.«

»Um Gottes willen!« Alice war entsetzt.

Auch Caris war ein wenig erschrocken. Das war mehr, als die meisten Leute in Kingsbridge in einem Jahr verdienten. »Ja, es ist viel Geld, aber ich bekomme es wieder herein«, sagte sie.

Alice war wütend. »Du hast kein Recht, Vaters Geld zum Fenster hinauszuwerfen!«

»Kein Recht?«, erwiderte Caris. »Ich habe seine Erlaubnis. Was brauche ich noch?«

»Er wird alt. Sein Urteilsvermögen ist nicht mehr, was es einmal war.«

Caris tat erstaunt. »Sein Urteilsvermögen ist völlig in Ordnung – jedenfalls deutlich besser als deins.«

»Du verschleuderst unser Erbe!«

»Regst du dich deshalb so auf? Mach dir keine Sorgen. Ich werde schon genug Geld für dich verdienen.«

»Das Risiko will ich aber nicht eingehen.«

»*Du* gehst kein Risiko ein, sondern Vater.«

»Er sollte kein Geld wegwerfen, das uns zusteht.«

»Dann sag ihm das.«

Besiegt zog Alice von dannen, doch Caris war bei Weitem nicht so selbstbewusst, wie sie getan hatte. Vielleicht würde sie das Färben niemals richtig hinbekommen. Und was würde Edmund dann tun?

Als Caris endlich die richtige Formel fand, war diese bemerkenswert einfach: eine Unze Färberwurzel und zwei Unzen Alaun auf je drei Unzen Wolle. Caris kochte die Wolle erst in dem Alaun, gab dann Färberwurzel hinzu und kochte das Ganze noch einmal auf. Dazu kam dann nur noch Kalkwasser. Caris konnte das Ergebnis kaum glauben. Die Methode war sogar noch erfolgreicher, als sie gehofft hatte. Das Rot leuchtete fast wie italienisches Rot. Auch Caris' Befürchtung, dass die Farbe wieder verblasste, zerstreute sich: Die Farbe hielt beim Trocknen, Waschen und Walken.

Caris gab Peter die Formel, und unter ihrer strengen Aufsicht wandte er sämtliches Alaun auf, um zwölf Ellen bester Wolle in seinen riesigen Kesseln zu färben. Nachdem der Stoff gewalkt worden war, bezahlte Caris einen Appretierer, um die losen Fäden mit einer Karde herauszuziehen und andere kleine Webfehler zu beseitigen.

Anschließend ging sie mit einem makellosen, leuchtend roten Ballen Stoff auf den Markt von St. Giles.

Als sie den Ballen entrollte, sprach ein Mann mit Londoner Akzent sie an. »Was kostet der?«, fragte er.

Caris musterte den Fremden. Seine Kleidung war teuer, ohne prahlerisch zu wirken; Caris vermutete, dass der Mann reich, aber nicht von Adel war. Bemüht, das Zittern in ihrer Stimme zu unterdrücken, antwortete sie: »Sieben Shilling die Elle. Es ist das beste …«

»Nein. Wie viel für den ganzen Ballen?«

»Es sind zwölf Ellen. Das macht vierundachtzig Shilling.«

Der Mann rieb das Tuch zwischen Daumen und Zeigefinger. »Es ist nicht so dicht gewebt wie das italienische Tuch, aber es ist auch nicht schlecht. Ich gebe Euch siebenundzwanzig Goldflorin.«

Die Goldmünzen von Florenz waren weitverbreitet, denn England besaß keine eigene Goldwährung. Was der Londoner ihr anbot, waren nur drei Shilling weniger, als wenn sie es Elle für Elle verkauft hätte. Doch offenbar meinte er es mit dem Feilschen nicht sonderlich ernst, sonst hätte er niedriger begonnen. »Nein«, sagte Caris und staunte über ihre eigene Verwegenheit. »Ich will den vollen Preis.«

»Also gut«, sagte der Mann sofort und bestätigte damit Caris' Ahnung. Aufgeregt schaute sie zu, wie er seine Börse herausnahm. Einen Augenblick später hielt sie 28 Goldflorin in der Hand.

Neugierig betrachtete sie eine der Münzen. Sie war ein wenig größer als ein Silberpenny. Auf der einen Seite war Johannes der Täufer zu sehen, der Schutzheilige von Florenz, auf der anderen die Blume als Wappen der Stadt. Caris wog das Geldstück gegen den frisch geprägten Florin, den ihr Vater für solche Gelegenheiten bei sich trug und den nun sie mitgenommen hatte. Die Münze war echt.

»Danke«, sagte Caris, die ihren Erfolg kaum glauben konnte.

»Ich bin Harry Mercer aus Cheapside, London«, stellte der Mann sich vor. »Mein Vater ist der größte Tuchhändler in England. Wenn Ihr noch mehr von diesem Scharlachrot habt, dann kommt nach London. Wir kaufen so viel, wie Ihr uns anbieten könnt.«

»Lass uns alles weben!«, sagte Caris zu ihrem Vater, als sie wieder zu Hause war. »Du hast noch vierzig Sack Wolle übrig. Wir werden aus allem rotes Tuch machen.«

»Das ist ein großes Unternehmen«, sagte Edmund nachdenklich.

Caris war sicher, dass ihr Plan aufgehen würde. »Es gibt viele Weber, und alle sind arm. Peter ist nicht der einzige Färber in Kingsbridge. Wir können auch den anderen beibringen, wie man Alaun benutzt.«

»Andere werden dich kopieren, sobald das Geheimnis bekannt wird.«

Caris wusste, dass es Haken bei der Sache gab, aber sie war ungeduldig. »Sollen sie ruhig«, erwiderte sie. »Meinetwegen können sie auch Geld machen.«

Edmund wollte sich nicht zu etwas drängen lassen. »Wenn viel Stoff zum Verkauf steht, werden die Preise fallen.«

»Aber sie werden sehr lange und sehr tief fallen müssen, ehe es unrentabel wird.«

Edmund nickte. »Das stimmt. Aber kannst du in Kingsbridge und Shiring genug verkaufen? So viele reiche Leute gibt es hier nicht.«

»Dann bringe ich den Stoff eben nach London.«

»Na gut.« Edmund lächelte. »Du bist also entschlossen. Das ist ein guter Plan. Und selbst wenn es ein schlechter wäre – du würdest vermutlich einen Erfolg daraus machen.«

Caris ging sofort zu Mark Webber und beauftragte ihn, einen weiteren Sack Wolle zu verweben. Auch bat sie Madge, sich einen von Edmunds Ochsenkarren und vier Sack Wolle zu nehmen und die umliegenden Dörfer nach Webern abzuklappern.

Der Rest von Caris' Familie war allerdings nicht so glücklich mit ihrem Plan. Am nächsten Tag kam Alice zum Abendessen. Als sie sich setzten, sagte Petronilla zu Edmund: »Alice und ich sind der Meinung, du solltest deine Tuchpläne noch einmal überdenken.«

Caris hoffte, dass Edmund seiner Schwester erwidern würde, die Entscheidung sei getroffen und nun gebe es kein Zurück mehr. Stattdessen sagte er leise: »Wirklich? Warum?«

»Du riskierst jeden Penny, den du besitzt!«

»Mein Geld ist jetzt schon in Gefahr«, sagte er. »Ich habe ein ganzes Lagerhaus voll Wolle, die ich nicht verkaufen kann.«

»Aber du könntest es noch schlimmer machen!«

»Das Risiko gehe ich ein.«

Nun mischte Alice sich ein. »Das ist mir gegenüber nicht gerecht!«

»Wie meinst du das?«

»Caris wirft mein Erbe zum Fenster hinaus!«

Edmunds Gesicht lief dunkel an. »Ich bin noch nicht tot«, sagte er.

Petronilla presste die Lippen zusammen. Sie hörte den zornigen Unterton in Edmunds leiser Stimme; doch Alice schien es nicht zu bemerken, und so fuhr sie unbeirrt fort: »Wir müssen an die Zukunft denken. Warum sollte es Caris erlaubt sein, zu verprassen, was nach dem Geburtsrecht mir zusteht?«

»Weil es dir noch nicht gehört – und vielleicht auch nie gehören wird.«

»Du kannst nicht Geld wegwerfen, das ich hätte bekommen sollen!«

»Ich lasse mir von keinem sagen, was ich mit meinem Geld zu tun habe und was nicht, besonders nicht von meinen Kindern«, entgegnete Edmund. Nun klang seine Stimme so hart, dass sogar Alice seinen Zorn bemerkte.

Leise sagte sie: »Ich wollte dich nicht verärgern.«

Edmund grunzte. Das war zwar keine Entschuldigung, aber er hatte seinen Kindern noch nie lange böse sein können. »Lasst uns essen und nicht mehr darüber sprechen«, sagte er, und Caris wusste, dass ihr Vorhaben einen weiteren Tag überlebt hatte.

Nach dem Essen ging sie zu Peter Dyer, um ihn vorzuwarnen, dass viel Arbeit auf ihn zukam. »Das kann ich unmöglich schaffen«, sagte er.

Caris war überrascht. Peter war stets ein wenig schwermütig, aber normalerweise tat er, was sie von ihm verlangte. »Macht Euch keine Sorgen. Ihr werdet nicht alles färben müssen«, sagte sie. »Einen Teil der Arbeit gebe ich anderen.«

»Es geht nicht um das Färben«, erklärte Peter. »Es geht um das Walken.«

»Warum?«

»Es ist uns nicht gestattet, Stoff selbst zu walken. Prior Godwyn hat ein neues Edikt erlassen. Wir müssen die Walkmühle der Priorei benutzen.«

»Dann benutzen wir sie halt.«

»Sie ist zu langsam. Die Geräte dort sind alt und gehen ständig kaputt. Die Mühle ist immer wieder repariert worden und besteht nun aus alten und neuen Holzteilen. So etwas funktioniert nie gut. Sie ist nicht schneller als ein Mann in einem Bottich. Aber es gibt nur diese eine Mühle, und sie wird so gerade eben mit den normalen Mengen der Weber und Färber von Kingsbridge fertig.«

Es war zum Verrücktwerden. Caris' Plan drohte an einer der aberwitzigen Vorschriften ihres Vetters Godwyn zu scheitern! Zornig sagte sie: »Aber wenn die Mühle die anfallende Arbeit nicht erledigen kann, muss der Prior uns doch gestatten, den Stoff mit den Füßen zu walken!«

Peter zuckte mit den Schultern. »Sagt Ihr ihm das.«

»Das werde ich!«

Caris eilte zur Priorei, doch bevor sie dort anlangte, besann sie sich. Die Halle im Haus des Priors wurde zwar für Treffen mit den Bürgern benutzt, doch es wäre sehr ungewöhnlich für eine Frau, allein und ohne Voranmeldung dort zu erscheinen, zumal der Prior in solchen Dingen äußerst empfindlich war. Außerdem war eine Auseinandersetzung nicht dazu angetan, Godwyns Meinung zu ändern. Caris hielt es für besser, das Ganze noch einmal zu überdenken. Sie kehrte nach Hause zurück und setzte sich zu ihrem Vater in die Stube.

»Der junge Godwyn bewegt sich auf dünnem Eis«, erklärte Edmund. »Es hat nie eine Gebühr für die Benutzung der Walkmühle gegeben. Der Legende zufolge ist sie von einem Bürger der Stadt gebaut worden, Jack Builder, und zwar für den großen Prior Philip. Nach Jacks Tod hat Philip das Recht an der Mühle für alle Zeiten der Bürgerschaft übertragen.«

»Warum haben die Leute die Mühle dann nicht ständig benutzt?«

»Sie ist baufällig geworden, und soviel ich weiß, gab es dann einen Streit darüber, wer für die Reparaturen aufkommen müsse. Die Streitfrage wurde nie geklärt, und so haben die Leute wieder selbst zu walken angefangen.«

»Also hat Godwyn weder das Recht, eine Gebühr zu verlangen, noch darf er die Leute zwingen, die Mühle der Priorei zu benutzen.«

»So ist es.«

Edmund sandte eine Nachricht in die Priorei und fragte an, wann es Godwyn genehm sei, ihn zu empfangen. Die Antwort lautete: »Sofort«, und so überquerten Edmund und Caris die Straße und gingen zum Haus des Priors.

Godwyn hatte sich im letzten Jahr stark verändert. Von seinem jungenhaften Eifer war nichts mehr zu sehen. Er wirkte misstrauisch, als rechnete er mit einem heftigen Streit. Caris fragte sich allmählich, ob Godwyns Persönlichkeit wirklich stark genug war, dass er die Aufgaben eines Priors wahrnehmen konnte.

Philemon war ebenfalls zugegen. Wie immer legte er einen geradezu widerwärtigen Eifer an den Tag, ihnen Stühle und etwas zu trinken zu holen, doch er strahlte auch ein neues Selbstbewusstsein aus wie jemand, der wusste, dass er gebraucht wurde.

»Nun, Philemon, jetzt bist du also Onkel«, sagte Caris. »Was hältst du von Sam, deinem neuen Neffen?«

»Ich bin Novize«, wies er sie zurecht. »Wir entsagen allen weltlichen Beziehungen.«

Caris zuckte mit den Schultern. Sie wusste, dass Philemon seine Schwester Gwenda liebte, aber wenn er es leugnen wollte, würde sie sich nicht mit ihm streiten.

Edmund legte Godwyn das Problem dar, ohne etwas zu beschönigen. »Wenn die Wollhändler von Kingsbridge ihre Einnahmen nicht erhöhen, muss die Arbeit an der Brücke eingestellt werden. Zum Glück haben wir eine neue Einkommensquelle gefunden. Caris hat entdeckt, wie man hochwertiges scharlachrotes Tuch herstellen kann. Es gibt nur eines, was dem Erfolg dieses Unternehmens im Wege steht: die Walkmühle.«

»Warum?«, erwiderte Godwyn. »Das scharlachrote Tuch kann dort gewalkt werden.«

»Eben nicht. Die Mühle ist alt und leistet nicht genug. Sie kann kaum den jetzigen Ausstoß bewältigen. Es gibt keinen Spielraum mehr für zusätzliche Arbeiten. Entweder baut das Kloster eine neue Walkmühle oder …«

»Das kommt nicht infrage«, unterbrach Godwyn ihn. »Ich habe kein Geld für solche Dinge übrig.«

»Also gut«, sagte Edmund. »Dann wirst du den Leuten gestatten müssen, ihr Tuch auf die traditionelle Art zu walken: in einem Bottich mit Wasser und mit den nackten Füßen.«

Der Ausdruck, der auf Godwyns Gesicht erschien, war Caris vertraut: eine Mischung aus Verachtung, verletztem Stolz und Sturheit. In seiner Kindheit hatte er stets so ausgesehen, wenn jemand ihm widersprochen hatte. Dann hatte er die anderen Kinder gezwungen, sich seinem Willen zu unterwerfen – mit Gewalt, falls nötig –, oder er hatte wütend mit dem Fuß aufgestampft und war nach Hause gerannt. Doch dass er sich durchsetzen wollte, war nur ein Teil des Problems. Caris hatte den Eindruck, als fühle Godwyn sich durch Widerspruch gedemütigt, als wäre die Vorstellung unerträglich, dass jemand glaubte, er habe unrecht. Doch was immer die Erklärung für dieses Verhalten sein mochte – Caris wusste, dass Godwyn keinen Vernunftgründen zugänglich sein würde.

»Ich wusste, dass du dich mir entgegenstellst«, sagte er trotzig zu Edmund. »Du scheinst zu glauben, die Priorei existiere zum Wohle von Kingsbridge. Nun, du wirst erkennen müssen, dass es genau andersherum ist.«

Diese Worte entfachten Edmunds Wut. »Ist dir denn nicht klar, dass wir aufeinander angewiesen sind? Wir dachten, du wüsstest von dieser Wechselbeziehung zwischen Stadt und Priorei. Deshalb haben wir dir bei deiner Wahl geholfen!«

»Ich bin von den Mönchen gewählt worden, nicht von den Kaufleuten. Die Stadt mag ja von der Priorei abhängig sein, aber die Priorei gab es schon, als die Stadt noch gar nicht existierte. Wir können auch ohne euch weiterbestehen.«

»Vielleicht könnt ihr das wirklich, aber als isolierter Außenposten und nicht als das pochende Herz einer blühenden Gemeinde.«

Caris warf ein: »Es muss doch auch dein Wunsch sein, dass Kingsbridge gedeiht, Godwyn. Warum sonst bist du nach London gegangen, um Graf Roland vor Gericht zu zerren?«

»Ich bin zum königlichen Gericht gegangen, um die uralten Rechte der Priorei zu verteidigen – was ich auch hier und jetzt versuche.«

Edmund sagte empört: »Das ist Verrat! Wir haben dich als Prior unterstützt, weil du uns hast glauben lassen, du würdest eine Brücke bauen!«

»Ich schulde euch gar nichts«, erwiderte Godwyn. »Meine Mutter hat ihr Haus verkauft, um mich auf die Universität zu schicken. Wo war denn da mein reicher Onkel?«

Caris war erstaunt, dass Godwyn noch immer so nachtragend war. Schließlich lag das alles zehn Jahre zurück.

Edmunds Miene wurde kalt und feindselig. »Ich glaube nicht,

dass du das Recht hast, die Leute zur Benutzung der Walkmühle zu zwingen«, sagte er.

Godwyn und Philemon tauschten einen Blick, und Caris erkannte, dass Edmund einen wunden Punkt berührt hatte. Godwyn sagte: »Es hat Zeiten gegeben, da hat der Prior den Bürgern gnädigerweise gestattet, die Mühle kostenlos zu benutzen.«

»Sie war ein Geschenk des Priors an die Stadt.«

»Davon weiß ich nichts.«

»Ihr müsst doch ein entsprechendes Dokument haben.«

Godwyn wurde wütend. »Die Bürger haben die Mühle verfallen lassen, sodass die Priorei für die Reparaturen aufkommen musste. Das genügt, um jedes Geschenk ungültig zu machen.«

Edmund hatte recht, erkannte Caris. Godwyn bewegte sich in der Tat auf unsicherem Boden. Er wusste von Prior Philips Geschenk, hatte aber beschlossen, dies zu ignorieren.

Edmund versuchte es erneut: »Das können wir doch sicher klären.«

»Ich werde mein Edikt nicht zurücknehmen«, erwiderte Godwyn. »Das wäre ein Zeichen von Schwäche.«

Das also ist es, was ihn beunruhigt, dachte Caris: Godwyn fürchtete, dass die Leute ihn nicht mehr respektieren würden, sollte er seine Meinung ändern. Sein Trotz entsprang seinem Gefühl der Angst.

Edmund sagte: »Keiner von uns will den Ärger und die Kosten eines weiteren Besuchs beim königlichen Gericht auf sich nehmen, oder?«

Godwyn zuckte unwillkürlich zusammen. »Drohst du mir mit dem königlichen Gericht?«

»Ich versuche es zu vermeiden. Aber …«

Caris schloss die Augen und betete, dass die beiden Männer ihren Streit nicht zum Äußersten treiben würden. Doch ihr Gebet wurde nicht erhört.

»Aber was?«, fragte Godwyn herausfordernd.

Edmund seufzte. »Aber ja, wenn du die Bürger zur Benutzung der Walkmühle zwingst und ihnen verbietest, daheim zu walken, werde ich an den König appellieren.«

»So sei es«, sagte Godwyn.

Das Wild war eine junge Hirschkuh, ein oder zwei Jahre alt mit schlanken Fesseln und starken Muskeln unter der weichen Lederhaut. Sie stand auf der anderen Seite einer Lichtung und schob ihren langen Hals durch die Zweige eines Busches, um an das verkümmerte Gras dahinter zu gelangen. Ralph Fitzgerald und Alan Fernhill saßen auf ihren Pferden. Die Schritte ihrer Tiere wurden vom nassen Herbstlaub gedämpft, und ihre Hunde waren ausgebildet, sich still zu verhalten. Deswegen – und vielleicht, weil sie sich darauf konzentrierte, an ihr Futter zu gelangen – hörte die Hirschkuh nichts, bis es zu spät war.

Ralph sah sie zuerst und deutete über die Lichtung hinweg. Alan griff zu seinem Langbogen, und mit einer Schnelligkeit, die man nur durch lange Übung erwerben konnte, legte er einen Pfeil ein und schoss.

Die Hunde waren langsamer. Erst als sie das Surren der Bogensehne hörten und das Zischen des Pfeils, der auf sein Ziel zuflog, reagierten sie. Barley, die Hündin, erstarrte an Ort und Stelle, hob den Kopf und spitzte die Ohren. Blade, ihr Welpe, der nun größer war als seine Mutter, stieß ein tiefes, überraschtes Bellen aus.

Der Pfeil war einen Schritt lang und mit Schwanenfedern befiedert. Seine Spitze bestand aus zwei Zoll massivem Eisen. Es war ein Jagdpfeil mit scharfer Spitze. Ein Schlachtpfeil hingegen hatte einen eckigen Kopf, um Rüstungen durchschlagen zu können.

Alans Schuss war gut, aber nicht perfekt. Er traf die Hirschkuh tief im Nacken. Das Tier sprang mit allen vieren in die Höhe – vermutlich entsetzt vom plötzlichen Schmerz. Der Kopf kam aus dem Strauch hervor. Einen Augenblick lang glaubte Ralph, das Tier würde tot zu Boden sinken, doch nur einen Moment später sprang es davon. Der Pfeil steckte noch immer im Nacken, aber das Blut sickerte nur aus der Wunde und spritzte nicht. Also musste das Geschoss sich in das Muskelfleisch der Hirschkuh gebohrt, die Hauptadern jedoch verfehlt haben.

Die Hunde sprangen los, als wären auch sie von einem Bogen abgeschossen worden, und die beiden Pferde folgten ihnen, ohne dass die Reiter sie dazu hätten auffordern müssen. Ralph saß auf Griff, seinem Lieblingsjagdpferd. Er fühlte jene Art von Erregung, für die er lebte: ein Kribbeln am ganzen Leib, eine Anspannung des Nackens und der unwiderstehliche Drang zu schreien, so laut man konnte ... Es war eine Erregung, die der beim Geschlechtsverkehr so ähnlich war, dass Ralph sie kaum voneinander unterscheiden konnte.

Männer wie Ralph lebten nur für den Kampf. Der König und seine Barone machten sie zu Herren und Rittern und gaben ihnen Dörfer und Ländereien, über die sie herrschen konnten, und das hatte seinen Grund: So konnten sie sich selbst mit Pferden, Junkern, Waffen und Rüstungen versorgen, wann immer der König eine Armee benötigte. Doch es gab nicht ständig Krieg. Manchmal vergingen zwei, drei Jahre, ohne dass auch nur eine Strafexpedition gegen die rebellischen Waliser oder barbarischen Schotten stattfand. In solchen Zeiten mussten Ritter beschäftigt sein. Sie und ihre Pferde mussten körperlich auf der Höhe bleiben, und vor allem mussten sie sich ihren Blutdurst bewahren. Soldaten mussten töten, und das konnten sie besser, wenn es sie danach gierte.

Die Jagd war die Antwort darauf. Alle Edelleute vom König bis hin zu niederen Herren wie Ralph jagten, wann immer sie die Gelegenheit hatten, manchmal sogar mehrmals in der Woche. Sie genossen es, und es stellte sicher, dass sie für die Schlacht bereit waren, wann immer sie zu den Waffen gerufen wurden. Bei seinen häufigen Besuchen in Earlscastle jagte Ralph mit Graf Roland, und oft schloss er sich auch einer Jagd Herrn Williams in Casterham an. War er in seinem eigenen Dorf, in Wigleigh, zog er mit seinem Junker Alan hinaus. Normalerweise erlegten sie Eber – Wildschweine hatten zwar nicht viel Fleisch, aber die Jagd war aufregend, denn diese Tiere lieferten den Jägern einen guten Kampf. Überdies jagte Ralph auch Füchse und selten, doch wann immer sich die Gelegenheit bot, einen Wolf. Aber Hirsche waren das beste Jagdwild: Sie waren geschickt, schnell, und lieferten hundert Pfund guten Fleisches.

Es erregte Ralph, Griff zwischen den Schenkeln zu spüren: das Gewicht und die Kraft des Pferdes, die mächtigen Muskeln und die hämmernden Hufe im Galopp. Die Hirschkuh verschwand im Unterholz, doch Barley wusste, wohin sie gelaufen war, und die Pferde folgten den Hunden. Ralph hielt einen Speer mit langem Eschenschaft und im Feuer gehärteter Spitze in der Hand. Als Griff zur Seite schwenkte und sprang, duckte Ralph sich unter niedrig hängenden Ästen hindurch und passte sich den Bewegungen des Pferdes an. Die Stiefel fest in den Steigbügeln, hielt er sich mit angedrückten Knien mühelos im Sattel.

Im Unterholz waren die Pferde nicht so gewandt wie die Hirschkuh, und so fielen sie zurück; die Hunde jedoch waren hier im Vorteil, und Ralph hörte ihr wütendes Bellen, als sie zu der Beute aufschlossen. Dann kehrte Stille ein. Augenblicke später entdeckte Ralph den Grund dafür: Die Hirschkuh war aus dem Unterholz hervorgebrochen und auf einen Pfad gewechselt, und nun ließ sie die Hunde hinter sich. Hier jedoch waren die Pferde im Vorteil, und rasch ritten Alan und Ralph an den Hunden vorbei.

Ralph sah, dass ihre Beute schwächer wurde. Er sah Blut auf dem Fell des Tieres und schloss daraus, dass einer der Hunde zugebissen hatte. Die Sprünge der Hirschkuh wurden unregelmäßiger. Hirsche waren auf kurzen Strecken unglaublich schnell, nur hielten sie ihr Tempo nicht lange durch.

Das Blut rauschte durch Ralphs Adern, als er zu seiner Beute aufschloss. Er verstärkte den Griff um den Speer. Es bedurfte eines hohen Kraftaufwands, eine hölzerne Spitze in den zähen Leib eines großen Tieres zu rammen: Die Haut war ledrig, die Muskeln fest und die Knochen hart. Der Hals stellte das weichste Ziel dar. Man musste nur am Genick vorbeikommen und die Schlagader treffen. Dafür musste man den richtigen Augenblick abwarten und dann mit aller Kraft zustoßen.

Als sie sah, dass die Pferde sie fast erreicht hatten, schlug die verzweifelte Hirschkuh erneut einen Haken. Das verschaffte ihr ein paar Sekunden. Die Pferde wurden langsamer, als sie durchs Unterholz brachen, durch das die Hirschkuh hindurchgesprungen war. Doch nun schlossen die Hunde wieder auf, und Ralph sah, dass das Tier mit seinen Kräften am Ende war.

Üblicherweise war es nun so, dass die Hunde dem Hirsch immer mehr Wunden zufügten, bis er so langsam wurde, dass die Pferde ihn einholen und die Jäger zum Todesstoß ansetzen konnten. Diesmal jedoch geschah ein Unfall.

Als die Hunde und Pferde die Hirschkuh fast erreicht hatten, sprang sie zur Seite. Blade, der jüngere Hund, folgte ihr mit mehr Wildheit als Verstand und kreuzte dabei Griffs Weg. Das Pferd war viel zu schnell, um anhalten oder dem Hund ausweichen zu können, und so traf es ihn mit seinem mächtigen Vorderbein. Der Hund war ein Mastiff. Er wog gut siebzig, achtzig Pfund, und der Aufprall ließ das Pferd stolpern.

Ralph wurde aus dem Sattel geworfen. Als er durch die Luft flog, ließ er den Speer los. In diesem Augenblick war seine größte Angst, das Pferd könne auf ihn fallen, doch kurz bevor er aufschlug, sah er, dass Griff das Gleichgewicht wiedererlangt hatte.

Ralph stürzte in einen Dornbusch. Seine Hände und sein Gesicht wurden zerkratzt, doch die Zweige bremsten seinen Fall. Er brüllte vor Schmerz und Wut.

Alan zügelte sein Pferd. Barley hetzte der Hirschkuh hinterher, kehrte nach wenigen Augenblicken aber zurück: Die Beute war offensichtlich entkommen. Fluchend rappelte Ralph sich auf. Alan fing Griff ein, stieg ab und hielt beide Pferde an den Zügeln.

Blade lag regungslos auf dem toten Laub. Blut sickerte ihm aus dem Maul. Griff hatte ihn mit dem Hufeisen am Kopf getroffen. Barley lief zu ihm, schnüffelte, stupste ihn mit der Nase an und leckte ihm das Blut vom Gesicht; dann wandte sie sich verwirrt ab. Alan stieß den Hund mit der Stiefelspitze an. Keine Reaktion. Blade atmete nicht mehr. »Tot«, verkündete Alan.

»So ein dämlicher Köter«, knurrte Ralph.

Sie führten die Pferde durch den Wald und hielten nach einem Platz Ausschau, um sich auszuruhen. Nach einer Weile hörte Ralph das Plätschern von Wasser. Sie folgten dem Geräusch und kamen an einen schnell fließenden Bach. Ralph erkannte ihn: Sie waren nur ein kleines Stück hinter den Feldern von Wigleigh. »Eine Erfrischung wäre jetzt genau das Richtige«, sagte Ralph. Alan band die Pferde an und holte einen verkorkten Krug, zwei Holzbecher und einen Tuchsack mit Proviant aus der Satteltasche.

Barley lief zum Bach und leckte durstig Wasser. Ralph setzte sich ans Ufer und lehnte sich mit dem Rücken an einen Baumstamm. Alan hockte sich neben ihn und reichte ihm einen Becher Bier und einen Kanten Käse. Ralph nahm das Bier, doch essen wollte er nicht.

Alan wusste, dass sein Herr in schlechter Stimmung war, und so schwieg er, während Ralph trank. Dann schenkte Alan ihm wortlos nach. Plötzlich hörten sie eine Frauenstimme in der Stille. Alan schaute Ralph an und hob die Augenbrauen. Barley knurrte. Ralph stand auf, gebot dem Hund zu schweigen und ging leise in Richtung des Geräuschs. Alan folgte ihm.

Ein paar Schritte den Bach hinunter spähten sie durchs Unterholz.

Eine kleine Gruppe von Dorffrauen wusch ihre Wäsche im Bach, wo das Wasser hurtig über glatte Steine floss. Es war ein feuchter Oktobertag, kühl, aber nicht kalt, und die Frauen hatten die Ärmel aufgekrempelt und die Röcke hochgezogen, damit sie nicht nass wurden.

Ralph musterte sie eine nach der anderen. Da war Gwenda mit ihren kräftigen Unterarmen und Schenkeln. Ihr Kind hatte sie auf den Rücken geschnallt; es war jetzt vier Monate alt. Ferner konnte er Peg erkennen, die Frau von Perkin; sie schrubbte die Unterwäsche ihres Mannes mit einem Stein. Ralphs Haushälterin Vira war ebenfalls da, eine Frau von ungefähr dreißig Jahren mit hartem Gesicht. Als Ralph ihr einmal in den Hintern gezwackt hatte, hatte sie ihn mit so steinerner Miene angeschaut, dass er es nie wieder gewagt hatte, sie anzurühren. Die Stimme, die sie gehört hatten, gehörte der Witwe Huberts. Die Witwe stand mitten im Bach, rief den anderen zu und beteiligte sich aus der Entfernung an dem Geplapper.

Und da war Annet.

Sie stand auf einem Felsblock und wusch irgendein kleines Kleidungsstück. Immer wieder beugte sie sich vor, um es in den Bach zu tauchen, und richtete sich dann wieder auf, um es zu schrubben. Sie hatte lange Beine, die unter ihrem hochgezogenen Rock hervorschauten. Jedes Mal, wenn sie sich vorbeugte, konnte man ihre blassen, kleinen Brüste sehen. Ihr blondes Haar war an den Spitzen nass, und ihr hübsches Gesicht zeigte einen trotzigen Ausdruck, als wäre sie für diese Art von Arbeit nicht geboren.

Die Frauen waren schon eine Weile hier, vermutete Ralph, und ihre Anwesenheit wäre ihm vielleicht verborgen geblieben, hätte die Witwe Huberts nicht so laut gerufen. Ralph kniete sich hinter einen Strauch und spähte weiter zwischen den blattlosen Zweigen hindurch. Alan kauerte sich neben ihn.

Ralph mochte es, Frauen heimlich zu beobachten. Als Jüngling hatte er das oft getan. Sie kratzten sich, setzten sich mit gespreizten Beinen auf den Boden und redeten von Dingen, über die sie in Gegenwart eines Mannes niemals sprechen würden. Im Grunde verhielten sie sich wie Männer.

Ralph genoss den Anblick der ahnungslosen Frauen aus seinem Dorf und lauschte angestrengt, was geredet wurde. Er beobachtete Gwenda, schaute sich ihren kleinen, kräftigen Körper an und erinnerte sich daran, wie sie nackt auf seinem Bett gekniet hatte. Noch einmal durchlebte er, wie es gewesen war, ihre Hüften zu packen und sie zu sich zu ziehen. Zuerst war sie kalt und teilnahmslos gewesen und hatte versucht, ihren Abscheu zu verbergen; dann aber hatte Ralph eine langsame Veränderung gesehen. Die Haut in ihrem Nacken hatte sich gerötet, und ihre Brust hatte sich immer schneller gesenkt und gehoben, als ihre Lust entflammte und ihr Atmen erregter wurde. Sie hatte den Kopf nach vorne gebeugt und die Augen geschlossen – eine Geste, die Ralph als Mischung aus Scham und Lust gedeutet hatte. Die Erinnerung ließ ihn schneller atmen und trieb ihm trotz der kühlen Oktoberluft den Schweiß auf die Stirn. Er fragte sich, ob er wohl noch einmal eine Gelegenheit bekommen würde, es mit Gwenda zu treiben.

Viel zu schnell bereiteten die Frauen sich auf den Aufbruch vor. Sie falteten die feuchte Wäsche und packten sie in Körbe oder banden sie zu Bündeln zusammen, die sie auf den Köpfen trugen; dann zogen sie über den Pfad am Ufer davon. Kurz darauf gerieten Annet und ihre Mutter sich in die Haare. Annet hatte nur die Hälfte der Wäsche geschafft, die sie mitgebracht hatte. Offenbar wollte sie die andere Hälfte schmutzig wieder mit nach Hause nehmen, doch Peg herrschte sie an, sie solle gefälligst bleiben und fertig waschen. Zu guter Letzt stapfte Peg davon, und Annet blieb schmollend zurück.

Ralph konnte sein Glück kaum fassen.

Leise sagte er zu Alan: »Lass uns ein wenig Spaß mit ihr haben. Schleich dich auf die andere Seite, und schneide ihr den Rückzug ab.«

Alan verschwand.

Ralph beobachtete, wie Annet die verbliebene Wäsche oberflächlich in den Bach tauchte; dann setzte sie sich ans Ufer und starrte mürrisch aufs Wasser. Ralph wartete, bis die anderen Frauen außer Hörweite waren und Alan seine Stellung bezogen hatte; dann stand er auf und trat vor.

Annet hörte ihn durchs Unterholz kommen und hob erschrocken den Blick. Ralph genoss es, wie ihr Gesichtsausdruck von Überraschung und Neugier zu Furcht wechselte, als ihr klar wurde, dass sie allein mit ihm im Wald war. Annet sprang auf, doch da war Ralph schon neben ihr und packte ihren Arm mit festem Griff. »Hallo, Annet«, sagte er. »Was machst du denn hier ... so ganz allein?«

Annet warf einen gehetzten Blick über die Schulter. Vermutlich hoffte sie, dass andere ihren Herrn begleiteten – Männer, die ihn vielleicht zurückhalten würden. Doch zu ihrer Verzweiflung sah sie nur Barley. »Ich muss nach Hause«, stieß sie hervor. »Meine Mutter ist gerade erst gegangen.«

»Warum denn so schnell?«, erwiderte Ralph. »Mit deinem nassen Haar und den nackten Knien siehst du knusprig aus!«

Rasch versuchte Annet, ihren Rock wieder herunterzulassen. Mit seiner freien Hand packte Ralph sie unterm Kinn und zwang sie, ihn anzuschauen. »Wie wäre es mit einem Lächeln?«, sagte er. »Schau nicht so ängstlich. Ich würde dir nie wehtun. Ich bin dein Herr.«

Annet versuchte ein Lächeln. »Ihr habt mich erschreckt.« Sie bot einen Hauch ihrer gewohnten Koketterie auf. »Vielleicht wollt Ihr mich ja nach Hause begleiten«, sagte sie mit einem gezierten Lächeln. »Ein Mädchen braucht Schutz im Wald.«

»Oh, ich werde dich beschützen. Ich werde mich besser um dich kümmern als dieser Narr Wulfric oder dein Mann.« Er nahm die Hand von ihrem Kinn und packte ihre Brust. Sie war so klein und fest, wie er sie in Erinnerung hatte. Ralph ließ ihren Arm los, damit er beide Hände benutzen konnte, eine auf jeder Brust.

Doch kaum hatte er sie losgelassen, ergriff sie die Flucht. Ralph lachte, als sie über den Pfad und zwischen die Bäume lief. Einen Augenblick später hörte er sie entsetzt schreien. Ralph blieb, wo er war, während Alan sie zu ihm zerrte. Der Junker hatte Annet einen Arm auf den Rücken gedreht, sodass sie einladend die Brüste herausstreckte.

Ralph zückte einen scharfen Dolch mit ein Fuß langer Klinge. »Zieh dein Kleid aus«, sagte er.

Alan ließ sie los, doch Annet gehorchte nicht sofort. »Bitte, Mylord«, sagte sie. »Ich habe Euch gegenüber stets Respekt gezeigt …«

»Zieh dein Kleid aus, oder ich zerschneide dir die Wangen. Dann bist du nicht mehr so hübsch.«

Das war eine geschickte Drohung für eine eitle Frau, und Annet gab sofort nach. Sie weinte, als sie ihr schlichtes braunes Kleid über den Kopf zog. Zuerst hielt sie das zerknüllte Kleid vor sich, um ihre Nacktheit zu verdecken, doch Alan riss es ihr weg und warf es beiseite.

Ralph starrte ihren nackten Leib an. Annet stand mit gesenktem Blick vor ihm, und die Tränen rannen ihr übers Gesicht. Sie besaß eine schmale Taille und einen dichten Busch dunkelblonden Haars. »Wulfric hat dich nie so gesehen, oder?«, fragte Ralph.

Annet schüttelte den Kopf, ohne den Blick zu heben.

Ralph schob ihr die Hand zwischen die Beine. »Hat er dich je hier berührt?«

»Bitte, Mylord. Ich bin eine verheiratete Frau …«

»Umso besser. Du kannst deine Jungfräulichkeit nicht mehr verlieren … es gibt also nichts, worüber man sich Sorgen machen müsste. Leg dich hin.«

Annet versuchte, vor ihm zurückzuweichen, und stieß gegen Alan, der sie geschickt zu Fall brachte. Sie landete auf dem Rücken. Ralph packte ihre Fußgelenke, sodass sie nicht mehr aufstehen konnte, doch Annet wand sich verzweifelt. »Halt sie fest, Alan«, befahl Ralph.

Alan zwang Annets Kopf auf den Boden; dann drückte er die Knie auf ihre Unterarme und die Hände auf ihre Schultern.

Ralph holte seinen Schwanz heraus und rieb ihn, bis er hart war. Dann kniete er sich zwischen Annets Schenkel.

Niemand hörte Annets Schreie.

Glücklicherweise war es Gwenda, die Annet nach dem Vorfall als
Erste sah.

Gwenda und Peg brachten die Wäsche nach Hause und hängten
sie zum Trocknen um das Feuer in der Küche von Perkins Haus.
Gwenda arbeitete noch immer als Magd für Perkin, doch nun, im
Herbst, da es weniger auf den Feldern zu tun gab, half sie Peg bei der
Hausarbeit. Nachdem die Frauen sich um die Wäsche gekümmert
hatten, bereiteten sie das Mittagessen für Perkin, Rob, Billy Howard
und Wulfric vor. Nach einer Stunde fragte Peg besorgt: »Ob Annet
etwas passiert ist?«

»Ich gehe nachsehen.« Gwenda schaute zuerst nach ihrem Säugling: Sammy lag in einem Bastkörbchen, eingewickelt in eine braune
Decke; mit seinen aufmerksamen Augen beobachtete er den Rauch,
der sich in Kringeln unter der Decke sammelte. Gwenda küsste ihn
auf die Stirn und machte sich dann auf die Suche nach Annet.

Sie folgte ihrer eigenen Spur über die windigen Felder. Herr Ralph
und Alan Fernhill galoppierten an ihr vorbei zum Dorf; offenbar war
die heutige Jagd sehr kurz ausgefallen. Gwenda ging in den Wald
und folgte dem kurzen Pfad, der zu der Stelle führte, wo die Frauen
ihre Wäsche gewaschen hatten. Noch bevor Gwenda dort anlangte,
kam Annet ihr entgegen.

»Alles in Ordnung?«, fragte Gwenda. »Deine Mutter hat sich
schon Sorgen gemacht.«

»Es geht mir gut«, antwortete Annet.

Gwenda sah, dass etwas nicht stimmte. »Was ist geschehen?«

»Nichts.« Annet wollte ihr nicht in die Augen schauen. »Nichts
ist geschehen. Lass mich allein.«

Gwenda baute sich vor Annet auf und musterte sie von Kopf bis
Fuß. Annets Gesicht verriet unmissverständlich, dass irgendetwas
vorgefallen sein musste. Auf den ersten Blick schien Annet nicht
verletzt zu sein – allerdings war ihr Körper zum größten Teil von

dem langen Wollkleid bedeckt –, doch dann sah Gwenda dunkle Schmierflecken auf dem Kleid, die wie Blut aussahen.

Gwenda erinnerte sich an Ralph und Alan, die an ihr vorbeigaloppiert waren. »Hat Herr Ralph dir etwas angetan?«

»Ich gehe jetzt nach Hause.« Annet versuchte sich an Gwenda vorbeizudrängen. Gwenda packte sie am Arm, um sie aufzuhalten. Sie drückte nicht hart zu; trotzdem schrie Annet vor Schmerzen auf.

»Du bist verletzt!«, rief Gwenda.

Annet brach in Tränen aus.

Gwenda legte ihr den Arm um die Schultern. »Komm nach Hause«, sagte sie. »Erzähl deiner Mutter davon.«

Annet schüttelte den Kopf. »Ich werde niemandem davon erzählen«, erklärte sie.

Während sie Annet zu Perkins Haus führte, überlegte Gwenda, was passiert sein könnte. Offensichtlich war Annet überfallen worden. Ob es Reisende gewesen waren? Doch es gab hier keine Straße. Und Geächtete waren zwar immer eine Gefahr, doch in der Nähe von Wigleigh waren lange keine mehr gesehen worden. Nein, die wahrscheinlichsten Verdächtigen waren Ralph und Alan.

Die forsche Peg setzte Annet kurzerhand auf einen Hocker und zog ihr Kleid über die Schultern hinab. Beide Oberarme waren geschwollen und voller blauer Flecke. »Jemand hat dich festgehalten!«, sagte Peg wütend.

Annet schwieg.

Peg hakte nach: »Habe ich recht? Antworte, Kind, sonst bekommst du noch viel größeren Ärger. Hat irgendjemand dich festgehalten?«

Annet nickte.

»Wie viele Männer waren es? Komm schon, raus damit.«

Annet schwieg weiter, hielt aber zwei Finger in die Höhe.

Peg lief vor Wut rot an. »Haben sie dich gefickt?«

Annet nickte.

»Wer waren sie?«

Annet schüttelte den Kopf.

Gwenda wusste, warum Annet es nicht sagen wollte. Für einen Pächter war es gefährlich, seinen Herrn eines Verbrechens zu bezichtigen. Sie sagte zu Peg: »Ich habe Ralph und Alan wegreiten sehen.«

Peg wandte sich wieder an Annet. »Waren die es? Herr Ralph und Alan?«

Annet nickte.

Peg senkte ihre Stimme fast zu einem Flüstern. »Ich nehme an, Alan hat dich am Boden festgehalten, während Ralph es getan hat.«

Annet nickte wieder.

Nun, da sie die Wahrheit kannte, wurde Peg wieder sanfter. Sie schloss ihre Tochter in die Arme und drückte sie an sich. »Du armes Kind«, sagte sie. »Mein armes Kleines.«

Annet begann zu schluchzen.

Gwenda verließ das Haus.

Die Männer würden bald zum Essen nach Hause kommen, und sie würden rasch herausfinden, dass Ralph Annet vergewaltigt hatte. Annets Vater, ihr Bruder, ihr Mann und ihr ehemaliger Geliebter würden wahnsinnig vor Zorn sein. Perkin war zu alt, um irgendeine Dummheit zu begehen; Rob würde tun, was Perkin ihm sagte, und Billy Howard war nicht mutig genug, um Ärger zu machen. Aber Wulfric würde kochen vor Wut. Er würde Ralph umbringen.

Und dann würde man ihn hängen.

Voller Angst lief Gwenda durchs Dorf, ohne ein Wort mit jemandem zu reden, und eilte zum Lehnshaus. Dort hoffte sie zu erfahren, dass Ralph und Alan fertig gegessen hätten und wieder ausgeritten seien, doch zu ihrem Entsetzen waren beide noch da.

Gwenda fand sie im Stall hinter dem Haus. Sie schauten sich ein Pferd mit einer Hufentzündung an. Normalerweise fühlte Gwenda sich in Gegenwart von Ralph oder Alan mehr als unwohl, weil sie annahm, dass die beiden sich bei ihrem Anblick jedes Mal daran erinnerten, wie sie nackt auf dem Bett im Gasthaus Bell in Kingsbridge gekniet hatte. Doch heute kam ihr dieser Gedanke kaum in den Sinn. Sie musste irgendwie dafür sorgen, dass die beiden sofort das Dorf verließen, ehe Wulfric herausfinden konnte, was sie getan hatten. Aber was sollte sie ihnen sagen?

Einen Moment lang verschlug es ihr die Sprache. Dann sagte sie in ihrer Verzweiflung: »Mylord, ein Bote von Graf Roland war hier.«

Ralph war überrascht. »Wann war das?«

»Vor einer Stunde.«

Ralph schaute fragend zu dem Stallburschen, der das kranke Pferd hielt. Der Bursche sagte: »Hier ist keiner gewesen.«

Ralph runzelte die Stirn. Natürlich würde ein Bote zum Lehnshaus reiten und mit den Dienern des Herrn sprechen. »Warum hat der Bote diese Nachricht ausgerechnet dir gegeben?«, fragte er Gwenda.

Gwenda überlegte sich verzweifelt eine Antwort. »Ich ... Ich habe ihn auf der Straße vor dem Dorf getroffen. Er hat nach Herrn Ralph gefragt, und da sagte ich ihm, Ihr wärt auf der Jagd und würdet zum Essen zurück sein, aber er wollte nicht bleiben.«

Das war ein ungewöhnliches Verhalten für einen Boten. Normalerweise würde er essen, trinken und sein Pferd ausruhen lassen. Ralph fragte: »Warum war er so in Eile?«

Wieder überlegte Gwenda fieberhaft. »Er musste noch vor Sonnenuntergang in Cowford sein ... Ich bin nicht so kühn, dass ich ihn gefragt hätte.«

Ralph rieb sich das Kinn. Die Antwort war plausibel: Ein Bote von Graf Roland würde sich bestimmt nicht von einer Bäuerin ins Verhör nehmen lassen. »Warum hast du mir das nicht schon früher gesagt?«

»Ich bin über das Feld gelaufen, als Ihr kamt, aber Ihr habt mich nicht gesehen und seid an mir vorbeigaloppiert.«

»Oh. Ich glaube, ich habe dich gesehen. Egal ... Wie lautete die Botschaft?«

»Graf Roland ruft Euch so schnell wie möglich nach Earlscastle.« Gwenda atmete tief durch; dann spann sie ihre Geschichte weiter: »Der Bote sagte, ich solle Euch mitteilen, dass Ihr sofort frische Pferde nehmen und losreiten sollt.« Das war zwar sehr unwahrscheinlich, doch Gwenda musste dafür sorgen, dass Ralph von hier verschwand, ehe Wulfric auftauchte.

»Wirklich? Hat er auch gesagt, warum der Graf mich so furchtbar schnell sehen will?«

»Nein.«

»Hm.« Ralph blickte nachdenklich drein und schwieg ein paar Augenblicke.

Gwenda fragte besorgt: »Und was wollt Ihr jetzt tun?«

Ralph funkelte sie an. »Was fragst du mich das? Das geht dich nichts an.«

»Ich will doch nur, dass Ihr wisst, wie dringend es ist.«

»Was du nicht sagst. Mach, dass du wegkommst!«

Gwenda kehrte zu Perkins Haus zurück. Sie traf kurz vor den Männern ein. Sam lag friedlich in seiner Krippe. Annet saß noch immer auf dem Hocker, das Kleid nach wie vor heruntergezogen, sodass man die Druckstellen an ihren Armen sehen konnte. Peg fragte vorwurfsvoll: »Wo warst du?«

Gwenda antwortete nicht darauf, und Peg wurde abgelenkt, als Perkin hereinkam und rief: »Was soll das? Was ist mit Annet?«

Peg antwortete: »Sie hatte das Pech, Ralph und Alan zu begegnen, als sie allein im Wald war.«

Perkins Gesicht verdüsterte sich. »Und warum war sie allein?«

»Das ist meine Schuld«, sagte Peg und brach in Tränen aus. »Sie war wieder einmal faul bei der Wäsche, und da habe ich ihr gesagt, sie soll bleiben und fertig waschen, nachdem die anderen Frauen nach Hause gegangen waren. Da müssen diese beiden Tiere gekommen sein.«

»Wir haben sie vorhin am Brookfield vorbeireiten sehen«, sagte Perkin. »Sie müssen gerade von dort gekommen sein.« Er schaute ängstlich drein. »Das ist sehr gefährlich«, sagte er. »So etwas kann eine Familie zerstören.«

»Aber wir haben doch nichts falsch gemacht!«, protestierte Peg.

»Ralph weiß, dass er sich versündigt hat. Umso mehr wird er uns für unsere Unschuld hassen.«

Das stimmte vermutlich, erkannte Gwenda. Perkin tat zwar unterwürfig, war aber nicht auf den Kopf gefallen.

Annets Gemahl, Billy Howard, kam herein und wischte sich die schmutzigen Hände am Hemd ab. Ihr Bruder Rob folgte ihm. Billy schaute sich die Verletzungen seiner Frau an und fragte: »Was ist denn mit dir passiert?«

Peg antwortete für sie. »Es waren Ralph und Alan.«

Billy starrte seine Frau an. »Was haben sie dir angetan?«

Annet senkte den Blick und schwieg.

»Ich bringe sie um«, rief Billy wütend, »alle beide!« Doch es war nur eine leere Drohung. Billy war zu sanftmütig und viel zu schwächlich. Soweit jeder wusste, hatte er sich noch nie geprügelt, nicht einmal, wenn er betrunken gewesen war.

Wulfric kam als Letzter durch die Tür. Zu spät wurde Gwenda bewusst, wie verführerisch Annet in dem heruntergezogenen Kleid aussah: der schmale Hals, die hübschen Schultern, der reizvolle Ansatz ihrer kleinen Brüste. Die hässlichen blauen Flecken betonten ihre Schönheit nur. Wulfric starrte sie mit unverhohlener Bewunderung an; er hatte seine Gefühle nie verbergen können. Dann, nach einem Moment, bemerkte er die Verletzungen und runzelte die Stirn.

Billy fragte: »Haben sie dich vergewaltigt?«

Gwenda beobachtete Wulfric. Als ihm die Bedeutung der Szene klar wurde, zeigten sich Entsetzen und Verzweiflung auf seinem Gesicht, und seine helle Haut lief rot an.

Billy fragte: »Was ist, Weib? Antworte!«

Gwenda empfand Mitleid für die sonst so verhasste Annet. Warum glaubten alle, ihr solche Fragen stellen zu dürfen? Und noch dazu in einem so derben Tonfall?

Schließlich antwortete Annet mit einem stummen Nicken auf Billys Frage.

Nun war nur noch finsterer Zorn auf Wulfrics Gesicht zu sehen. Er fragte nur: »Wer?«

»Das geht dich nichts an, Wulfric«, sagte Billy. »Geh nach Hause.«

Mit zitternder Stimme sagte Perkin: »Ich will keinen Ärger. Wir dürfen uns nicht in Gefahr begeben. Es könnte uns vernichten.«

Billy schaute seinen Schwiegervater wütend an. »Was redest du denn da? Willst du, dass wir *gar nichts* tun?«

»Wenn wir uns Herrn Ralph zum Feind machen, müssen wir unser Leben lang darunter leiden.«

»Aber er hat Annet vergewaltigt!«

Ungläubig fragte Wulfric: »Ralph hat das getan?«

Perkin sagte: »Gott wird ihn dafür bestrafen.«

»Und ich auch. Bei Gott!«, sagte Wulfric.

Gwenda rief: »Bitte, Wulfric! Nein!«

Wulfric stapfte zur Tür.

Gwenda lief ihm hinterher. Sie war fast wahnsinnig vor Angst und packte seinen Arm. Es war erst wenige Minuten her, seit sie Ralph die angebliche Botschaft übermittelt hatte. Selbst wenn er ihr glaubte – Gwenda wusste nicht, wie ernst er es mit der Dringlichkeit nahm. Es bestand durchaus die Möglichkeit, dass er das Dorf noch gar nicht verlassen hatte. »Geh nicht«, flehte sie Wulfric an. »Bitte.«

Er schüttelte sie grob ab. »Lass mich los!«

»Denk an unser Kind!«, rief sie weinend und deutete auf Sammy in seiner Krippe. »Willst du, dass es ohne Vater aufwächst?«

Wulfric ging hinaus.

Gwenda und die anderen Männer folgten ihm, teils verzweifelt, teils neugierig, teils ängstlich. Wulfric marschierte durch das Dorf wie der Engel des Todes. Er hatte die Fäuste geballt und starrte stur nach vorn; sein Gesicht war zu einer Maske der Wut verzerrt. Andere Dörfler, die auf dem Weg zum Mittagessen waren, sprachen ihn zögernd an, bekamen aber keine Antwort. In den wenigen Minuten, die es dauerte, zum Lehnshaus zu gehen, bildete sich eine kleine

Menge, die Wulfric folgte. Nathan Reeve kam aus seinem Haus und fragte Gwenda, was los sei, doch sie rief bloß: »Halte ihn auf! Bitte, irgendjemand muss ihn aufhalten!« Es war sinnlos. Niemand hätte Wulfric aufhalten können.

Wulfric stieß die Vordertür des Lehnshauses auf und marschierte hinein. Gwenda war unmittelbar hinter ihm, und auch die anderen Dörfler drängten sich hinein. Vira, Ralphs Haushälterin, sagte entrüstet: »Was soll das? Klopft gefälligst an!«

»Wo ist dein Herr?«, wollte Wulfric wissen.

Vira sah den Ausdruck auf Wulfrics Gesicht, und Angst schlich sich in ihre Augen. »Er ist in den Stall gegangen«, antwortete sie. »Er will nach Earlscastle reiten.«

Wulfric schob sich an ihr vorbei und ging durch die Küche. Als er und Gwenda durch die Hintertür traten, sahen sie Ralph und Alan aufsitzen. Gwenda hätte beinahe laut aufgeschrien: Sie waren nur wenige Sekunden zu früh!

Wulfric sprang vor. In ihrer Verzweiflung streckte Gwenda das Bein aus. Wulfric stolperte und fiel mit dem Gesicht in den Schlamm.

Ralph bemerkte gar nichts von dem Vorfall. Er gab seinem Pferd die Sporen und ritt vom Hof. Alan jedoch hielt inne. Er erkannte die Situation, beschloss dann aber, Ärger aus dem Weg zu gehen, und folgte Ralph. Als sie den Hof verließen, trieb er sein Pferd zum Trab an und überholte Ralph, worauf dieser ebenfalls schneller ritt.

Wulfric sprang fluchend auf und stürmte ihnen hinterher. Er konnte die Pferde nicht einholen, doch Gwenda hatte Angst, Ralph könnte sein Pferd zügeln und über die Schulter schauen, um zu sehen, was für ein Aufruhr das war.

Doch die beiden Männer genossen die Kraft ihrer frischen Pferde, und ohne auch nur einen Blick zurückzuwerfen, galoppierten sie den Weg hinunter, der aus dem Dorf führte. Nach wenigen Augenblicken waren sie verschwunden.

Wulfric ließ sich im Schlamm auf die Knie sinken.

Gwenda holte ihn ein und nahm seinen Arm, um ihm aufzuhelfen. Wulfric stieß sie so heftig beiseite, dass sie taumelte und beinahe gestürzt wäre. Gwenda war entsetzt. So grob war er noch nie zu ihr gewesen.

»Du hast mir ein Bein gestellt«, sagte Wulfric und stand ohne Hilfe auf.

»Ich habe dir das Leben gerettet.«

Wulfric starrte sie an. Hass loderte in seinen Augen. »Das werde ich dir nie verzeihen.«

✳

Als Ralph in Earlscastle eintraf, wurde ihm gesagt, dass Roland gar nicht nach ihm geschickt habe, erst recht nicht dringend. Die Krähen auf den Zinnen verlachten ihn spöttisch.

Alan hatte eine Erklärung parat. »Das hat mit Annet zu tun«, sagte er. »Kurz bevor wir aufgebrochen sind, habe ich Wulfric aus dem Lehnshaus kommen sehen. Ich habe mir zunächst nichts dabei gedacht, aber vielleicht wollte er dich zur Rede stellen.«

»Darauf wette ich!«, sagte Ralph. Er legte die Hand auf den langen Dolch an seinem Gürtel. »Das hättest du mir sagen sollen. Dann hätte ich endlich einen Vorwand gehabt, diesem Bauernlümmel den Dolch in den Balg zu rammen.«

»Und genau das weiß Gwenda. Also hat sie die Geschichte wohl nur erfunden, um dich von ihrem mordlustigen Gemahl wegzubekommen.«

»Du hast recht!«, stieß Ralph verdutzt hervor. »Das würde auch erklären, warum sonst niemand den Boten gesehen hat. Es hat nie einen Boten gegeben. Diese listige kleine Hexe!«

Gwenda musste bestraft werden, doch das könnte sich als schwierig erweisen. Sie würde wahrscheinlich behaupten, sie habe nur zum Besten aller gehandelt – und dann konnte Ralph schwerlich dagegenhalten, dass es ein Fehler gewesen sei, ihren Mann davon abzuhalten, den Herrn des Dorfes anzugreifen. Schlimmer noch: Wenn Ralph viel Aufhebens um diese Sache machte, würde er die allgemeine Aufmerksamkeit darauf lenken, dass dieses Weib ihn hinters Licht geführt hatte. Nein, es würde keine formelle Strafe geben; aber vielleicht fand er ja eine andere Möglichkeit, Gwenda dafür bezahlen zu lassen.

Da er schon einmal in Earlscastle war, nutzte Ralph die Gelegenheit, mit dem Grafen und seinem Gefolge auf die Jagd zu gehen. Darüber vergaß er Annet … bis zum Ende des zweiten Tages, als Roland ihn in seine Privatgemächer rief. Nur der Schreiber des Grafen, Vater Jerome, war bei ihm.

Roland bat Ralph nicht, Platz zu nehmen. »Der Pfarrer von Wigleigh ist hier«, sagte er.

Ralph war überrascht. »Vater Gaspard? In Earlscastle?«

Roland fuhr fort: »Er führt Klage darüber, dass du eine Frau mit Namen Annet vergewaltigt hättest, die Ehefrau von Billy Howard, einem deiner Pächter.«

Ralphs Herz setzte einen Schlag lang aus. Er hatte nicht im Traum daran gedacht, dass einer der Bauern es wagen könnte, beim Grafen Beschwerde gegen ihn einzureichen. Es war schwierig und gefährlich für einen Bauern, seinen Herrn vor Gericht zu zerren, aber Bauern konnten sehr schlau sein. Jedenfalls hatte irgendjemand in Wigleigh den Pfarrer davon überzeugt, dieses Ansinnen vorzubringen.

Ralph setzte eine sorglose Miene auf. »Unsinn«, sagte er. »Ja, gut, ich habe bei ihr gelegen. Aber sie hat es freiwillig getan. Und es hat ihr gefallen.« Er grinste Roland an, von Mann zu Mann. »Es hat ihr sogar sehr gefallen!«

Abscheu und Ekel spiegelten sich auf Rolands Gesicht, und mit fragendem Blick drehte er sich zu Vater Jerome um.

Jerome war ein gebildeter, ehrgeiziger junger Mann, jedoch von jener hochnäsigen Art, die Ralph nicht mochte. Jerome zog ein überhebliches Gesicht, als er sagte: »Das Mädchen ist hier, Herr Ralph. Die Frau, sollte ich wohl sagen, obwohl sie erst neunzehn ist. Sie hat schwere Verletzungen an den Armen, und ihr Kleid ist blutverschmiert. Sie sagt, Ihr hättet sie im Wald überfallen, und Euer Junker hätte sie für Euch auf den Boden gedrückt. Ein Mann mit Namen Wulfric ist ebenfalls hier. Er sagt, er habe Euch von dem Ort wegreiten sehen.«

Wulfric! Ralph vermutete, dass er es gewesen war, der Vater Gaspard dazu gebracht hatte hierherzukommen. »Das stimmt nicht«, sagte er und versuchte, Empörung in seine Stimme zu legen.

Jerome schaute ihn zweifelnd an. »Warum sollte sie lügen?«

»Vielleicht hat jemand uns gesehen und es ihrem Gemahl erzählt, worauf er sie verprügelt hat. Von ihm stammen die Verletzungen der Frau! Dann hat sie ›Vergewaltigung!‹ geschrien, damit er von ihr ablässt. Anschließend hat sie ihr Kleid mit Hühnerblut gefärbt.«

Roland seufzte. »Das ist ziemlich dumm, Ralph, nicht wahr?«

Ralph war nicht sicher, was der Graf damit meinte. Erwartete er von seinen Männern, dass sie wie Mönche lebten?

Roland fuhr fort: »Man hat mich gewarnt, dass ich so etwas von dir erwarten könnte. Meine Schwiegertochter hat schon immer gesagt, du würdest mir früher oder später Probleme bereiten.«

»Philippa?«

»*Lady* Philippa, wenn ich bitten darf.«

In Ralph stieg eine Ahnung auf. Ungläubig fragte er: »Habt Ihr mich deshalb nicht befördert, nachdem ich Euch das Leben gerettet habe? Weil eine *Frau* gegen mich gesprochen hat?« Verbittert fügte er hinzu: »Was für eine Armee werdet Ihr haben, wenn Ihr es den Frauen überlasst, die Männer auszusuchen?«

»Du hast natürlich recht. Deshalb habe ich zu guter Letzt auch gegen ihren Rat gehandelt. Frauen werden nie verstehen, dass ein Mann zu nichts anderem taugt, als das Land zu bestellen, wenn nicht ein bisschen Gift und Galle in ihm ist. Man kann nicht mit Muttersöhnchen in die Schlacht ziehen. Aber sie hatte zumindest recht darin, dass du mir Ärger machen würdest. Und in Friedenszeiten will ich nicht von jammernden Priestern belästigt werden, die mir die Ohren von vergewaltigten Dörflerinnen vollheulen. Tu das nicht noch einmal! Mir ist es egal, ob du Bauernweiber besteigst. Von mir aus kannst du auch Männer ficken. Aber wenn du dir die Frau eines anderen nimmst – ob das Weib nun freiwillig die Beine breit macht oder nicht –, musst du darauf vorbereitet sein, den Ehemann auf irgendeine Weise zu entschädigen. Die meisten Bauern können gekauft werden. Sorg nur dafür, dass es nicht *mein* Problem wird.«

»Jawohl, Mylord.«

Jerome fragte: »Was soll ich mit diesem Gaspard tun?«

»Lass mich nachdenken«, sagte Roland. »Wigleigh liegt an der Grenze meiner Ländereien, nicht weit entfernt vom Besitz meines Sohnes William, nicht wahr?«

»Jawohl«, bestätigte Ralph.

»Wie weit von der Grenze hast du dieses Mädchen getroffen?«

»Eine Meile. Nur ein kleines Stück von Wigleigh entfernt.«

»Egal.« Roland drehte sich zu Jerome um. »Jeder wird wissen, dass das nur ein Vorwand ist, aber sag Vater Gaspard, der Vorfall habe sich auf Herrn Williams Gebiet zugetragen. Sag ihm, deshalb könne ich nichts tun.«

»Sehr wohl, Mylord.«

Ralph fragte: »Und was, wenn sie zu William gehen?«

»Das bezweifle ich. Doch wenn sie sich als hartnäckig erweisen, wirst du eine Abmachung mit William treffen müssen. Irgendwann werden die Bauern dann der Beschwerden müde.«

Ralph nickte erleichtert. Einen Moment lang hatte er Angst gehabt, sich schrecklich geirrt zu haben und vielleicht doch noch den Preis für die Vergewaltigung Annets zahlen zu müssen; doch er war damit durchgekommen – wie erwartet.

»Ich danke Euch, Mylord«, sagte er.

Ralph fragte sich, was sein Bruder wohl dazu sagen würde. Der Gedanke erfüllte ihn mit Scham. Aber vielleicht würde Merthin es ja nie erfahren.

✳

»Wir müssen uns bei Herrn William beschweren«, sagte Wulfric, als sie nach Wigleigh zurückgekehrt waren.

Das gesamte Dorf hatte sich in der Kirche versammelt, um die Angelegenheit zu bereden. Nathan Reeve und Vater Gaspard waren ebenfalls erschienen, doch irgendwie schien Wulfric trotz seiner Jugend der Anführer zu sein. Er war nach vorne gegangen und hatte Gwenda und den kleinen Sammy in der Menge gelassen.

Gwenda betete, dass die Dörfler beschließen würden, die Angelegenheit auf sich beruhen zu lassen. Natürlich wollte sie nicht, dass Ralph ungestraft davonkam, im Gegenteil: Am liebsten hätte sie zugeschaut, wie man ihn bei lebendigem Leibe kochte. Sie hatte mit eigenen Händen einen Mann getötet, der versucht hatte, sie zu vergewaltigen, und einen anderen, der nur mit Vergewaltigung gedroht hatte; während der Versammlung dachte sie immer wieder mit Schaudern daran zurück. Doch es gefiel ihr nicht, dass Wulfric die Führung übernommen hatte. Zum einen, weil in ihm noch immer die Flamme seiner Gefühle für Annet loderte, und das verletzte Gwenda und machte sie traurig. Vor allem aber hatte sie Angst um ihn. Die Feindschaft zwischen ihm und Ralph hatte Wulfric bereits sein Erbe gekostet. Wie würde Ralph sich sonst noch rächen?

Perkin sagte: »Ich bin der Vater des Opfers, und ich will keinen weiteren Ärger. Es ist gefährlich, Beschwerde gegen die Taten eines Herrn einzulegen, denn ein Herr findet stets eine Möglichkeit, die Beschwerdeführer zu bestrafen, ob zu Recht oder zu Unrecht. Lasst die Sache auf sich beruhen.«

»Dafür ist es zu spät«, entgegnete Wulfric. »Wir haben uns bereits beschwert – unser Pfarrer jedenfalls. Wenn wir jetzt wieder nachgeben, haben wir auch nichts gewonnen.«

»Wir sind weit genug gegangen«, meldete Perkin sich zu Wort. »Ralph hat Schande über sich selbst gebracht, vor den Augen des Grafen. Er weiß jetzt, dass er nicht tun und lassen kann, was er will.«

»Im Gegenteil«, widersprach Wulfric. »Er glaubt, er sei damit durchgekommen. Ich fürchte, er wird es wieder tun. Keine Frau im Dorf ist mehr sicher vor ihm.«

Gwenda hatte Wulfric auch schon all das gesagt, was Perkin nun sagte. Wulfric hatte ihr nicht einmal darauf geantwortet; er hatte kaum ein Wort mit ihr gesprochen, seit sie ihm an der Tür des Lehnshauses ein Bein gestellt hatte. Anfangs hatte sie geglaubt, Wulfric wäre so schweigsam, weil er sich töricht vorkam. Doch sie hatte sich geirrt. Seit einer Woche hatte er sie nicht mehr angefasst, schaute ihr kaum in die Augen, gab nur einsilbige Antworten oder grunzte bloß, wenn sie etwas sagte. Es bedrückte sie immer mehr.

Nathan Reeve sagte: »Du wirst niemals gegen Ralph gewinnen. Ein Bauer kann einen Herrn nicht besiegen.«

»Da bin ich mir nicht so sicher«, erwiderte Wulfric. »Jeder hat Feinde. Und wir sind vielleicht nicht die Einzigen, die Ralph in die Schranken weisen wollen. Mag sein, dass man ihn nie vor einem Gericht verurteilt, aber wir müssen uns gegen ihn wehren und ihn bekämpfen, wo es nur geht, wenn so etwas nicht noch einmal geschehen soll.«

Mehrere Dörfler nickten zustimmend, doch niemand ergriff das Wort, um Wulfric zu unterstützen, und Gwenda hoffte, dass er den Disput verlieren würde. Doch Wulfrics Entschlossenheit war unerschütterlich. Nun wandte er sich an den Priester. »Was meint Ihr, Vater Gaspard?«

Gaspard war ein ernster junger Mann, der keine Angst vor dem Adel hatte. Er war nicht ehrgeizig – er wollte kein Bischof werden oder dem Adelsstand angehören –, also war es ihm auch kein Bedürfnis, den Edelleuten zu gefallen. Er sagte: »Annet ist auf das Grausamste missbraucht worden, und der Frieden unseres Dorfes wurde auf verbrecherische Art gestört. Herr Ralph hat eine schreckliche Sünde begangen, die er beichten und für die er Buße tun muss. Wir müssen zu Herrn William gehen – zum Wohle des Opfers, um unserer Selbstachtung willen und um Herrn Ralph vor den Feuern der Hölle zu retten.«

Zustimmendes Raunen ging durch die Menge.

Wulfric schaute zu Billy Howard und Annet, die nebeneinandersaßen. Wenn es darauf ankam, überlegte Gwenda, würden die Leute wohl tun, was Annet und Billy wollten. »Ich will keinen Ärger«, sagte Billy, »aber wir sollten beenden, was wir angefangen haben – zum Wohle aller Frauen des Dorfes.«

Annet hob nicht den Blick, nickte jedoch zustimmend, und Gwenda erkannte entsetzt, dass Wulfric gesiegt hatte.

»Jetzt hast du, was du willst«, sagte sie zu ihm, nachdem sie die Kirche verlassen hatten.

Er schnaubte bloß.

Gwenda ließ sich nicht beirren. »Ich nehme an, du wirst dein Leben weiterhin für die Ehre der Gemahlin von Billy Howard aufs Spiel setzen und dich gleichzeitig weigern, mit deiner eigenen Frau auch nur zu sprechen.«

Er schwieg. Sammy fühlte die Feindseligkeit und fing an zu weinen.

Gwenda war verzweifelt. Sie hatte Himmel und Hölle in Bewegung gesetzt, um den Mann zu bekommen, den sie liebte. Sie hatte ihn geheiratet und ein Kind von ihm, und nun behandelte er sie wie eine Feindin. Ihr Vater hatte sich ihrer Mutter gegenüber nie so verhalten – nicht dass Joby für irgendjemanden ein Vorbild hätte sein können. Gwenda wusste nicht mehr, was sie tun sollte. Sie hatte alles versucht, um Wulfrics Zuneigung zurückzugewinnen, hatte auf ihn eingeredet, hatte ihn angefleht, hatte an seine Liebe zum kleinen Sammy appelliert, hatte ihre weiblichen Reize eingesetzt, indem sie des Nachts ihren nackten Körper an ihn gedrängt hatte, ihn gestreichelt und sein Glied gerieben hatte – doch nichts hatte etwas bewirkt. Aber das hätte sie ja wissen müssen, wenn sie an den letzten Sommer dachte, ehe Annet Billy geheiratet hatte.

Nun rief sie verzweifelt: »Was ist nur los mir dir? Ich habe doch nur versucht, dir das Leben zu retten!«

»Das hättest du nicht tun sollen«, sagte er.

»Hätte ich zugelassen, dass du Ralph tötest, hätte man dich gehängt!«

»Du hattest nicht das Recht dazu.«

»Was spielt es denn für eine Rolle, ob ich das Recht dazu hatte oder nicht?«

»Das ist der Grundsatz deines Vaters, nicht wahr?«

Gwenda erschrak. »Was meinst du damit?«

»Dein Vater glaubt, dass es egal ist, ob er das Recht hat, etwas zu tun oder nicht. Wenn er es für das Beste hält, tut er es einfach – zum Beispiel, dich zu verkaufen, um seine Familie durchzubringen.«

»Man hat mich verkauft, damit ich vergewaltigt werde! Ich habe dir ein Bein gestellt, um dich vor dem Galgen zu bewahren. Das ist etwas vollkommen anderes.«

»Solange du dir das immer wieder sagst, wirst du weder ihn noch mich verstehen.«

Gwenda erkannte, dass sie seine Zuneigung nicht zurückgewinnen konnte, wenn sie versuchte, ihn von seiner irrigen Meinung abzubringen. »Vielleicht verstehe ich es wirklich nicht«, sagte sie leise.

»Du hast mir die Macht genommen, eigene Entscheidungen zu treffen. Du hast mich so behandelt, wie dein Vater dich behandelt hat – wie ein Ding, das man benutzt, und nicht als Mensch. Es ist egal, ob ich recht hatte oder nicht. Dass es *meine* Entscheidung war, nicht deine – nur darauf kommt es an. Aber das verstehst du offenbar nicht, so wie dein Vater nicht verstehen kann, was er dir genommen hat, als er dich verkauft hat.«

Gwenda widersprach ihm nicht mehr. Allmählich verstand sie, warum er so wütend war: Wulfric ging seine Unabhängigkeit über alles – und die hatte sie ihm genommen.

Mit zittriger Stimme sagte sie: »Ich ... ich glaube, ich verstehe.«

»Ja?«

»Und ich will versuchen, so etwas nicht noch einmal zu tun.«

»Gut.«

Gwenda glaubte zwar nicht, im Unrecht gewesen zu sein, aber sie wollte, dass der Krieg zwischen ihnen endlich aufhörte, und so sagte sie: »Es tut mir sehr leid.«

»Schon gut.«

Wulfric sprach nicht viel, doch sie fühlte, dass sein Zorn verrauchte. »Ich will nicht, dass du bei Herrn William Beschwerde gegen Ralph einlegst, das weißt du. Aber wenn du entschlossen bist, werde ich dich nicht aufhalten.«

»Das freut mich.«

»Vielleicht kann ich dir sogar helfen.«

»Oh«, sagte er. »Und wie?«

Das Heim von Herrn William und Lady Philippa in Casterham war einst eine Burg gewesen. Es gab noch immer den runden, steinernen Burgfried mit seinen Zinnen und Wehrgängen, doch er war nur noch eine Ruine und wurde als Kuhstall benutzt. Die Mauer um den Hof herum war noch intakt, doch der Graben war ausgetrocknet, und am Hang des Burghügels standen Obstbäume zwischen Gemüsebeeten. Wo einst eine Zugbrücke gewesen war, führte nun eine einfache Rampe zum Torhaus hinauf.

Gwenda ging mit Sammy im Arm, Vater Gaspard, Billy Howard, Annet und Wulfric unter dem Torbogen hindurch. Ein junger Soldat lungerte auf einer Bank herum. Vermutlich stand er hier auf Posten, doch als er das Priestergewand sah, rief er die Ankömmlinge nicht an. Diese friedliche Atmosphäre ermutigte Gwenda. Sie hoffte auf eine Audienz bei Lady Philippa.

Sie betraten das Haus durch die Haupttür und fanden sich in der traditionellen Großen Halle wieder, die mit ihren hohen Fenstern an eine Kirche erinnerte. Der Rest des Gebäudes beherbergte vermutlich Privatgemächer neuerer Art, die mehr dem Luxus adeligen Lebens dienten als der Verteidigungsbereitschaft der Burg.

Ein Mann mittleren Alters in einem ledernen Wams saß an einem Tisch und zählte die Markierungen an einem Kerbholz. Er schaute zu den Neuankömmlingen empor, beendete dann sein Zählen, machte sich eine Notiz auf einer Schiefertafel und sagte: »Ich wünsche euch einen guten Tag, Fremde.«

»Guten Tag, Meister Vogt«, erwiderte Gaspard, der den Beruf des Mannes erraten hatte. »Wir würden gerne mit Herrn William sprechen.«

»Er wird zum Abendessen zurückerwartet«, antwortete der Vogt höflich. »Darf ich fragen, was Euch zu ihm führt?«

Gaspard erklärte es ihm, und Gwenda schlüpfte wieder hinaus. Sie ging um das Haus herum zu den Wirtschaftsgebäuden. Da war ein Holzanbau, von dem Gwenda vermutete, dass es sich um die Küche handelte. Eine Dienerin saß mit einem Sack Kohl auf einem Hocker neben der Küchentür und wusch in einer großen Schüssel frisches Gemüse. Die Dienerin war jung und schaute Sammy liebevoll an. »Wie alt ist Euer Kind?«, fragte sie.

»Vier Monate, fast fünf. Er heißt Samuel. Wir nennen ihn Sammy oder Sam.«

Sam schaute das Mädchen an und giggelte, und sie machte: »Ooooh!«

Gwenda sagte: »Ich bin nur eine gewöhnliche Frau wie du, aber ich muss mit Lady Philippa sprechen.«

Das Mädchen runzelte die Stirn und schaute besorgt drein. »Ich bin nur die Küchenmagd«, sagte sie.

»Aber du musst sie doch manchmal sehen. Du könntest für mich mit ihr sprechen.«

Das Mädchen schaute hinter sich, als hätte sie Angst, jemand könne sie hören. »Ich will aber nicht.«

Gwenda erkannte, dass es schwieriger werden könnte, als sie erwartet hatte. »Könntest du ihr nicht wenigstens eine Nachricht von mir bringen?«, fragte sie.

Die Dienerin schüttelte den Kopf.

Dann kam eine Stimme von drinnen: »Wer will mir eine Nachricht schicken?«

Gwenda zuckte unwillkürlich zusammen. Steckte sie jetzt in Schwierigkeiten? Sie schaute zur Küchentür.

Einen Augenblick später kam Lady Philippa heraus.

Sie war nicht schön, nicht einmal hübsch zu nennen, doch sie strahlte etwas aus. Sie besaß eine gerade Nase und ein kräftiges Kinn, und ihre grünen Augen waren groß und klar. Sie lächelte nicht, hatte sogar die Stirn leicht in Falten gelegt; trotzdem besaß ihr Gesicht etwas Freundliches und Verständnisvolles.

Gwenda beantwortete ihre Frage: »Ich bin Gwenda aus Wigleigh, Mylady.«

»Wigleigh ...« Philippa zog die Brauen zusammen. »Und was hast du mir zu sagen?«

»Es geht um Herrn Ralph.«

»Das habe ich befürchtet. Nun, komm herein, dann kannst du dich und das Kind am Küchenfeuer wärmen.«

Viele Edelfrauen hätten sich geweigert, mit einer Besucherin von Gwendas niederem Stand zu reden, doch unter der rauen Schale schlug bei Philippa ein großes Herz, wie Gwenda es sich erhofft hatte. Sie folgte Philippa. Sammy begann zu quengeln, und Gwenda legte ihn an die Brust.

»Du darfst dich setzen«, sagte Philippa.

Gwenda war erstaunt: Eine schlichte Dorfbewohnerin blieb üblicherweise stehen, wenn sie mit einer Edelfrau sprach. Wahrscheinlich war Philippa wegen des kleinen Sammy so freundlich zu ihr.

»Also schön. Raus damit«, sagte Philippa. »Was hat Ralph getan?«

»Vielleicht erinnert Ihr Euch an den Kampf vergangenes Jahr auf dem Wollmarkt, Mylady ...«

»O ja, allerdings. Ralph hat ein Bauernmädchen begrapscht, und ihr hübscher junger Verlobter hat ihm die Nase gebrochen. Das hätte der Junge besser nicht tun sollen, aber ich kann seinen Zorn verstehen. Ralph ist ein Scheusal.«

»Ja, das ist er. Vergangene Woche ist er Annet – so heißt das Bauermädchen – im Wald begegnet. Sein Junker hat sie festgehalten, während Ralph sie vergewaltigt hat.«

»Gott steh uns bei!« Philippa griff sich an die Brust. »Ralph ist ein Tier. Ein Schwein. Ein geiler Eber. Ich wusste, dass man ihn nie zum Herrn hätte machen dürfen. Ich hatte meinen Schwiegervater gewarnt.«

»Schade, dass er Eurem Rat nicht gefolgt ist.«

»Ich nehme an, jetzt will der Verlobte Gerechtigkeit ...?«

Gwenda zögerte. Sie war nicht sicher, wie viel sie Lady Philippa von der verwickelten Geschichte erzählen sollte; aber sie fühlte irgendwie, dass es ein Fehler gewesen wäre, sich zurückzuhalten. »Annet ist inzwischen verheiratet, Mylady, aber mit einem anderen Mann.«

»Und welches glückliche Mädchen hat den schönen Bauernsohn bekommen?«

»Wie das Schicksal es will, hat Wulfric mich geheiratet.«

»Meinen Glückwunsch.«

»Wulfric ist hier, Mylady, zusammen mit Annets Gemahl, um Zeugnis abzulegen.«

Philippa schaute Gwenda scharf an und schien eine heftige Bemerkung auf der Zunge zu haben; dann aber fragte sie: »Warum seid ihr hierhergekommen? Wigleigh liegt nicht auf dem Land meines Gemahls.«

»Die Tat wurde im Wald verübt, und der Graf sagt, es sei auf Herrn Williams Land geschehen, sodass er nichts unternehmen könne.«

»Das ist nur ein Vorwand. Wenn Roland etwas tun will, dann tut er es. Er will nur nicht einen Mann bestrafen, den er erst vor Kurzem zum Herrn erhoben hat.«

»Unser Dorfpfarrer ist hier, Mylady, um Herrn William zu berichten, was geschehen ist.«

»Und weshalb kommst du zu mir?«

»Ihr seid eine Frau. Ihr versteht das. Ihr kennt die Ausflüchte und Ausreden von Männern, die einer Vergewaltigung angeklagt werden: dass das Mädchen sie kokett angeschaut oder auf andere Weise ermutigt habe …«

»Ja.«

»Wenn Ralph damit durchkommt, könnte er es wieder tun … vielleicht mit mir.«

»Oder mit mir«, sagte Philippa. »Du solltest einmal sehen, wie er mich anstarrt. Wie ein Hund eine Gans auf dem Teich.«

Das klang ermutigend. »Vielleicht könnt Ihr Herrn William verständlich machen, wie wichtig es ist, dass Ralph nicht damit durchkommt.«

Philippa nickte. »Ich glaube, das kann ich.«

Sammy war an Gwendas Brust eingeschlafen. »Ich danke Euch, Mylady«, sagte sie und stand auf.

»Ich bin froh, dass du zu mir gekommen bist«, sagte Philippa.

Am nächsten Morgen rief Herr William sie zu sich. Sie trafen ihn in der Großen Halle. Gwenda war froh, Lady Philippa neben ihm sitzen zu sehen. Sie warf Gwenda einen freundlichen Blick zu, und in Gwenda keimte die Hoffnung auf, dass Philippa bereits mit ihrem Mann gesprochen hatte.

William war groß und schwarzhaarig wie sein Vater, der Graf, mit dunklem Bart und dunklen Brauen; seine Miene deutete auf jene bedächtigere Art von Autorität hin, die seinem Ruf entsprach. William betrachtete das blutverschmierte Kleid und schaute sich Annets Verletzungen an. Inzwischen waren die Prellungen dunkelblau und nicht mehr leuchtend blaurot wie noch vor vier Tagen. Trotzdem schlich sich allein schon bei ihrem Anblick Zorn in Lady Philippas Gesicht. Gwenda vermutete, dass weniger die Verletzungen selbst der Grund dafür waren, sondern vielmehr die grausame Vorstellung eines kräftigen Junkers, der auf den Armen des Mädchens kniete, während ein anderer Mann sie vergewaltigte.

»Bis jetzt hast du alles richtig gemacht«, sagte William zu Annet. »Du bist sofort ins nächste Dorf gelaufen, hast dort Männern von untadeligem Ruf deine Verletzungen gezeigt und den Angreifer beim Namen genannt. Jetzt musst du nur noch eine Anklageschrift bei einem Friedensrichter am Grafschaftsgericht von Shiring einreichen.«

Annet schaute ihn besorgt an. »Was heißt das?«

»Die Anklage muss schriftlich und auf Latein niedergelegt werden.«

»Ich kann noch nicht einmal Englisch schreiben, Mylord, geschweige denn Latein.«

»Vater Gaspard kann das für dich erledigen. Der Richter wird die Anklageschrift den Geschworenen vorlegen, und du wirst ihnen erzählen, was geschehen ist. Kannst du das? Sie könnten nach Einzelheiten fragen, die dein Schamgefühl verletzen.«

Annet nickte entschlossen.

»Wenn sie dir glauben, werden sie dem Sheriff befehlen, Herrn Ralph einen Monat später vor Gericht zu holen, um ihm den Prozess zu machen. Dann brauchst du zwei Bürgen – Männer, die mit einer bestimmten Summe Geldes dafür garantieren, dass du vor Gericht erscheinen wirst.«

»Aber wer werden meine Bürgen sein?«

»Vater Gaspard und ich. Ich werde auch das Geld zur Verfügung stellen.«

»Ich danke Euch, Mylord!«

»Bedanke dich bei meiner Frau. Sie hat mich davon überzeugt, dass ich es nicht zulassen darf, wenn der königliche Frieden auf meinem Land durch eine Vergewaltigung gestört wird.«

Annet warf Philippa einen dankbaren Blick zu.

Gwenda schaute zu Wulfric. Sie hatte ihm von dem Gespräch mit der Gemahlin des Herrn erzählt. Nun schaute er ihr in die Augen und nickte kaum merklich als Geste der Anerkennung. Er wusste, dass Gwenda dies alles bewirkt hatte.

William fuhr fort: »Wie gesagt, wirst du deine Geschichte bei dem Prozess noch einmal erzählen müssen. Deine Freunde werden allesamt als Zeugen auftreten: Gwenda wird bestätigen, dass sie dich in dem blutverschmierten Kleid aus dem Wald hat kommen sehen.

Vater Gaspard wird aussagen, dass du ihm erzählt hast, was geschehen ist. Und Wulfric wird erklären, dass er Ralph und Alan vom Ort des Verbrechens hat wegreiten sehen.«

Alle nickten ernst.

»Eines noch. Sobald du den Prozess angestrengt hast, gibt es kein Zurück mehr. Eine Anklage zurückzuziehen gilt als Verbrechen, und du würdest schwer bestraft – ganz zu schweigen davon, dass Ralph sich an dir rächen könnte.«

Annet erklärte: »Ich werde meine Meinung nicht ändern. Aber was wird mit Herrn Ralph geschehen? Wie wird man ihn bestrafen?«

»Oh, es gibt nur eine Strafe für Vergewaltigung«, antwortete Herr William. »Man wird ihn hängen.«

In dieser Nacht schliefen sie alle in der Großen Halle der Burg mit Williams Dienern, Knappen und Hunden. Sie wickelten sich in ihre Mäntel und machten es sich auf dem Bodenstroh bequem. Als das Feuer in dem großen Herd zu einem schwachen Glühen heruntergebrannt war, streckte Gwenda zögernd den Arm nach ihrem Mann aus. Vorsichtig legte sie ihm die Hand auf den Rücken und streichelte die Wolle seines Mantels. Seit dem Vorfall mit Annet hatten sie sich nicht mehr geliebt, und Gwenda war nicht sicher, ob Wulfric sie noch wollte oder nicht. Sie hatte ihn zutiefst verärgert, als sie ihn damals zu Fall gebracht hatte, und Gwenda fragte sich, ob sie diese Tat durch ihren Einsatz für Annet wiedergutgemacht hatte.

Und Wulfric reagierte: Er zog sie zu sich und küsste sie auf die Lippen. Gwenda entspannte sich in seinen Armen. Sie war so glücklich, dass sie am liebsten geweint hätte. Sie wartete darauf, dass Wulfric sich auf sie schob, doch er tat es nicht, obwohl sie spürte, dass er es wollte, denn er war zärtlich, und sein Glied lag hart in ihrer Hand. Vielleicht zögerte er, in Gegenwart so vieler anderer mit ihr zu schlafen, obwohl es ganz normal gewesen wäre; niemand nahm wirklich Anstoß daran. Vielleicht war Wulfric nur schüchtern.

Doch Gwenda war entschlossen, ihre wiederhergestellte Liebe zu besiegeln, und so schob sie sich schließlich auf ihn und zog den Mantel über sie beide. Als sie begannen, sich gemeinsam zu bewegen, bemerkte Gwenda einen heranwachsenden Jüngling, der sie mit großen Augen beobachtete; er lag nur wenige Schritt entfernt. Erwachsene hätten rücksichtsvoll in eine andere Richtung geschaut, doch der Junge war in einem Alter, in dem der Geschlechtsverkehr ein faszinierendes Mysterium darstellte, und offensichtlich konnte er sich nicht von dem Anblick losreißen. Gwenda war so glücklich, dass es sie kaum kümmerte. Sie schaute dem Jungen in die Augen und lächelte ihn an, ohne beim Reiten innezuhalten. Der Junge starrte sie nun offenen Mundes an; dann überkam ihn mit einem Mal tiefe Scham, und er drehte sich weg und bedeckte die Augen mit dem Arm.

Gwenda zog den Mantel über ihren und Wulfrics Kopf, presste das Gesicht an seinen Hals und gab sich ganz der Lust hin.

Als sie das zweite Mal vor das königliche Gericht hintrat, war Caris sehr viel selbstbewusster. Das gewaltige Innere der Westminster Hall schüchterte sie nun ebenso wenig ein wie die vielen reichen und mächtigen Leute, die sich um die Richterbänke drängten. Sie war schon einmal hier gewesen; sie wusste, wie es hier ablief. Was ihr vor einem Jahr noch fremd erschienen war, kam ihr nun beinahe vertraut vor. Sie trug sogar ein Kleid nach Londoner Mode: grün auf der rechten und blau auf der linken Seite. Sie genoss es, die Leute um sich her zu beobachten und in ihren Gesichtern zu lesen, ob sie anmaßend oder verzweifelt, verwirrt oder gerissen waren. Offenbar gab es auch Leute, die sich zum ersten Mal in der Hauptstadt aufhielten, wie der Ausdruck des Staunens in ihren Augen und ihre unsichere Art verrieten; ihnen gegenüber kam Caris sich wissend und überlegen vor.

Doch trotz ihrer Selbstsicherheit hatte sie auch Befürchtungen, die sich um ihren Advokaten, Francis Bookman, drehten. Er war jung und gebildet und schien sich seiner selbst sehr sicher zu sein – wie die meisten Advokaten, vermutete Caris. Bookman war ein kleiner, unsteter, wachsamer Mann mit sandfarbenem Haar, der stets zu einem Disput bereit war. Er erinnerte Caris an einen frechen Vogel auf dem Fensterbrett, der Krümel aufpickte und streitlustig seine Rivalen verscheuchte. Bookman hatte Caris und Edmund gesagt, ihr Appell sei unanfechtbar.

Godwyn hatte sich erneut der Dienste von Gregory Longfellow versichert, der bereits den Fall gegen Graf Roland für die Priorei von Kingsbridge gewonnen hatte; deshalb hatte Godwyn ihn gebeten, die Priorei noch einmal zu vertreten. Longfellow hatte sein Können bereits mehrmals unter Beweis gestellt; Bookman hingegen war noch ein Unbekannter. Allerdings hatte Caris eine weitere Waffe in der Hinterhand, die ein Schock für Godwyn sein würde.

Godwyn ließ keinerlei Einsicht erkennen, dass er Caris, ihren

Vater und die gesamte Stadt Kingsbridge verraten hatte. Früher hatte er sich selbst stets als Reformer dargestellt, der festgefahrenen Denkweise Prior Anthonys überdrüssig, den Bedürfnissen der Stadt gegenüber mitfühlend und um das Wohl von Mönchen und Kaufleuten gleichermaßen besorgt. Doch innerhalb nur eines Jahres als Prior hatte er sich genau in die entgegengesetzte Richtung entwickelt und war ein noch weit größerer Traditionalist geworden, als Anthony es je gewesen war. Doch schien er deswegen kein schlechtes Gewissen zu haben.

Caris musterte ihn voller Zorn: Godwyn hatte kein Recht, die Stadtbewohner zur Benutzung der Walkmühle zu zwingen. Seine anderen Verordnungen – das Verbot von Handmühlen und die Bußgelder für private Fischteiche und Gehege – waren rechtlich gesehen zulässig, doch überaus hart. Die Benutzung der Walkmühle hätte kostenlos sein müssen, und Godwyn wusste das. Caris fragte sich, ob er glaubte, jedes Täuschungsmanöver sei gerechtfertigt, solange es dazu diente, Gottes Werk zu tun. Dabei sollten Gottesmänner doch weit gewissenhafter mit der Wahrheit umgehen als Laien.

Caris vertraute ihrem Vater diese Gedanken an, während sie darauf warteten, dass ihr Fall aufgerufen wurde. Edmund erwiderte: »Ich vertraue niemandem, der seine Moral von der Kanzel verkündigt. Diese Moralapostel finden stets einen Grund, die eigenen Regeln zu brechen. Ich mache lieber Geschäfte mit Säufern und Hurenböcken, die sich jedoch an die Wahrheit und ihre Versprechen halten.«

In Augenblicken wie diesem, wenn Vater wie früher war, fiel Caris besonders auf, wie sehr er sich verändert hatte. In letzter Zeit arbeitete sein Verstand längst nicht mehr so schnell wie einst. Er vergaß sehr viel und wirkte häufig abgelenkt. Caris vermutete, dass dieser geistige Verfall eingesetzt hatte, noch ehe es ihr aufgefallen war – Monate zuvor. Wahrscheinlich war das auch der Grund für seinen katastrophalen Fehler, den Zusammenbruch des Wollmarkts nicht vorausgesehen zu haben.

Nach mehreren Tagen des Wartens wurden sie endlich vor Sir Wilbert Wheatfield gerufen, den rosagesichtigen Richter mit den verfaulten Zähnen, der auch im Fall der Priorei gegen Graf Roland vor einem Jahr das Urteil gesprochen hatte. Caris' Selbstvertrauen schwand, als der Richter seinen Platz auf der Bank an der Ostwand einnahm. Die Vorstellung, dass ein Sterblicher solche Macht besaß, war schlichtweg erschreckend. Wenn Sir Wilbert eine falsche Entscheidung traf, war Caris' neuer Tuchhandel dem Untergang geweiht; ihr Vater wäre ruiniert, und niemand würde mehr für die neue Brücke zahlen können.

Doch als ihr Advokat seine Ausführungen machte, wuchs ihre Zuversicht wieder: Francis begann mit der Geschichte der Walkmühle. Er erzählte, wie der legendäre Jack Builder sie entworfen und gebaut hatte und wie Prior Philip der Stadt das Recht der freien Nutzung eingeräumt hatte.

Dann stürzte er sich auf Godwyns Gegenargument und entwaffnete den Prior so schon im Vorfeld: »Es ist wahr, dass die Mühle sich in schlechtem Zustand befindet. Sie ist langsam und fällt häufig sogar ganz aus«, sagte er. »Aber wie kann der Prior sagen, die Bürger hätten ihr Recht daran verloren? Die Mühle ist Eigentum der Priorei, und somit ist es auch die Aufgabe des Klosters, sie instand zu halten. Die Bürger der Stadt haben nicht das Recht, die Mühle zu reparieren – und eine Pflicht schon gar nicht! Prior Philips Geschenk an die Stadt war nicht an irgendwelche Bedingungen gebunden.«

An diesem Punkt holte Francis seine Geheimwaffe hervor. »Für den Fall, dass der Prior versuchen sollte zu argumentieren, die Übereignung der Nutzungsrechte sei *doch* an Bedingungen geknüpft gewesen, empfehle ich dem Gericht, diese Kopie des Testaments von Prior Philip zu lesen.«

Godwyn war entsetzt. Bis jetzt hatte er stets so getan, als wäre das Testament verloren gegangen; doch um Edmund einen Gefallen zu tun, hatte Thomas Langley danach gesucht. Und tatsächlich hatte Bruder Thomas es gefunden und für einen Tag aus der Bibliothek geschmuggelt – Zeit genug für Edmund, es kopieren zu lassen.

Caris genoss den Ausdruck des Entsetzens und der Wut auf Godwyns Gesicht, als der nun erkennen musste, dass sein Schwindel aufgeflogen war. Zornig trat er vor und fragte entrüstet: »Wie seid Ihr daran gekommen?«

Die Frage war so gut wie ein Geständnis, denn er hatte nicht gefragt: »*Wo* hat man es gefunden?« Das aber wäre die logische Wortwahl gewesen, wäre das Testament wirklich verschwunden.

Gregory Longfellow schaute Godwyn verärgert an und winkte ihm zu schweigen. Godwyn schloss den Mund und trat zurück. Ihm war klar, dass er sich verraten hatte, doch nun war es zu spät. Caris frohlockte: Nun musste der Richter erkennen, dass Godwyn bloß wütend war, weil er wusste, dass das Dokument die Bürgerschaft begünstigte, und dass er versucht hatte, das Schriftstück zu verbergen.

Francis kam nun rasch zum Ende – eine gute Entscheidung, fand Caris, denn so hatte der Richter Godwyns Falschheit noch in frischer Erinnerung.

Doch was Gregory dann vorbrachte, überraschte sie alle.

Er trat vor und sagte zum Richter: »Sir, Kingsbridge ist keine reichsfreie Stadt.« Dann hielt er inne, als wäre das alles, was er vorzubringen hatte.

Was Gregory gesagt hatte, traf zu: Die meisten Städte verfügten über eine königliche Charta, die ihnen die Freiheit einräumte, Handel zu treiben und Märkte zu veranstalten, ohne irgendwelche Verpflichtungen den Grafen oder Baronen gegenüber. Ihre Bürger waren freie Männer, die niemandem Treue schuldeten außer dem König. Einige Städte jedoch waren Eigentum eines Herrn geblieben, für gewöhnlich eines Bischofs oder Priors: St. Albans und Bury St. Edmunds waren Beispiele dafür. Der Status dieser Städte war weniger klar definiert.

Der Richter sagte: »Das ist in der Tat ein Argument. Nur freie Männer können an das königliche Gericht appellieren. Was sagt Ihr dazu, Francis Bookman? Sind die Leute, die Ihr vertretet, etwa Unfreie?«

Francis drehte sich zu Edmund um. Mit leiser, drängender Stimme fragte er: »Haben die Bürger sich schon einmal an das königliche Gericht gewandt?«

»Nein. Der Prior hat …«

»Auch nicht der Gemeinderat? Noch nicht einmal vor Eurer Zeit?«

»Es gibt jedenfalls keine Aufzeichnungen darüber, aber …«

»Dann können wir uns nicht auf einen Präzedenzfall berufen! Zum Teufel!« Francis wandte sich wieder dem Richter zu. Seine Miene verwandelte sich von einem Augenblick zum anderen von besorgt in selbstbewusst: »Sir, die Stadtbewohner sind freie Leute. Sie genießen Bürgerrechte.«

Rasch warf Gregory ein: »Es gibt keine allgemeine Regelung für Bürgerrechte. An unterschiedlichen Orten kann das etwas vollkommen anderes bedeuten.«

Der Richter fragte Francis: »Sind diese Rechte in irgendeiner Form niedergeschrieben?«

Francis schaute zu Edmund, der den Kopf schüttelte. »Kein Prior hätte jemals zugestimmt, dass so etwas niedergeschrieben wird«, murmelte er.

Francis wandte sich wieder an den Richter. »Es gibt keine Urkunde, Sir, aber es ist offensichtlich …«

»Dann muss dieses Gericht entscheiden, ob ihr freie Männer seid oder nicht«, erklärte der Richter.

Edmund wandte sich nun direkt an ihn: »Sir, die Bürger haben das Recht, ihre Häuser zu kaufen und zu verkaufen.« Das war ein wichtiges Recht, dass man Leibeigenen nicht zugestand; diese brauchten dazu die Erlaubnis ihres Herrn.

Gregory wandte ein: »Aber ihr habt auch Pflichten. Ihr müsst die Mühlen und Fischteiche des Priors benutzen.«

Sir Wilbert sagte: »Vergesst einmal die Fischteiche. Das Entscheidende hier ist, welchen Status die Stadtbevölkerung im königlichen Recht genießt. Gewährt die Stadt dem Sheriff des Königs freien Zutritt?«

Diese Frage beantwortete wieder Gregory: »Nein, er muss um Erlaubnis bitten, wenn er die Stadt betreten will.«

Edmund rief empört: »Das ist die Entscheidung des Priors, nicht unsere!«

»Also gut«, sagte Sir Wilbert. »Dienen die Bürger vor dem königlichen Gericht als Geschworene, oder machen sie eine Entbindung für sich geltend?«

Edmund zögerte. Godwyns Augen funkelten triumphierend. Als Geschworener zu dienen kostete viel Zeit, und so versuchte jeder, dem zu entgehen. Nach kurzer Pause antwortete Edmund: »Wir sind davon entbunden.«

»Dann ist die Angelegenheit damit erledigt«, sagte der Richter. »Wenn ihr euch dieser Pflicht mit der Begründung entzieht, dass ihr Leibeigene seid, könnt ihr nicht über den Kopf eures Herrn hinweg die königliche Gerechtigkeit in Anspruch nehmen.«

Gregory rief sofort: »In Anbetracht dessen bitte ich Euch, den Antrag der Stadtbewohner abzuweisen!«

»So sei es«, verkündete der Richter.

Francis war außer sich. »Sir, darf ich sprechen?«

»Es gibt nichts mehr zu sagen«, antwortete der Richter.

»Aber, Sir …«

»Noch ein Wort, und ich verurteile Euch wegen Missachtung des Gerichts.«

Francis schloss den Mund und senkte den Kopf.

Sir Wilbert rief: »Nächster Fall!«

Ein anderer Advokat ergriff das Wort.

Caris war wie benommen.

Francis sprach sie und ihren Vater vorwurfsvoll an. »Ihr hättet mir sagen müssen, dass ihr Unfreie seid!«

»Das sind wir nicht.«

»Der Richter hat aber so entschieden. Und ich kann einen Fall nicht gewinnen, wenn ich unvollständige Informationen habe.«

Caris beschloss, sich nicht mit ihm zu streiten. Bookman gehörte nicht zu denen, die einen Fehler eingestanden.

Godwyn war so zufrieden mit sich selbst, dass er förmlich zu platzen schien. Als er ging, konnte er sich einen letzten Seitenhieb nicht verkneifen. Er wedelte mit dem Finger in Richtung Edmund und Caris. »Ich hoffe, ihr werdet in Zukunft erkennen, wie weise es ist, sich Gottes Willen zu unterwerfen«, sagte er in feierlichem Ernst.

»Ach, geh zum Teufel!«, erwiderte Caris und drehte ihm den Rücken zu.

Sie wandte sich an ihren Vater. »Das macht uns vollkommen machtlos! Wir haben bewiesen, dass wir das Recht haben, die Walkmühle ohne Gebühr zu benutzen, und doch kann Godwyn uns dieses Recht nun verweigern!«

»Sieht so aus«, sagte Edmund.

Caris drehte sich zu Francis Bookman um. »Wir müssen doch irgendetwas tun können!«, stieß sie wütend hervor.

»Nun«, erwiderte er, »ihr könntet Kingsbridge zu einer richtigen Stadt machen – einschließlich einer königlichen Charta, in der eure Bürgerrechte festgeschrieben sind. Dann hättet ihr Zugang zum königlichen Gericht.«

Caris sah einen Hoffnungsschimmer. »Und wie geht das?«

»Ihr appelliert an den König.«

»Und würde er uns diese Rechte gewähren?«

»Wenn ihr argumentiert, dass ihr die Charta braucht, um eure Steuern zu bezahlen, würde er euch zumindest zuhören.«

»Dann müssen wir es versuchen!«

Edmund warnte: »Godwyn wird außer sich sein vor Wut.«

»Soll er!«, erwiderte Caris grimmig.

»Unterschätz nicht die Herausforderung«, erklärte Edmund. »Du weißt, wie gnadenlos er selbst bei kleinen Streitigkeiten sein kann. So etwas würde endgültig einen Krieg auslösen.«

»Dann ist es eben so«, erwiderte Caris düster. »Krieg.«

»O Ralph, wie konntest du das nur tun?«, fragte seine Mutter.

Merthin musterte das Gesicht seines Bruders im trüben Licht des Heims ihrer Eltern. Ralph schien hin- und hergerissen zu sein zwischen Leugnen und Selbstrechtfertigung.

Schließlich sagte er: »Sie hat mich verführt.«

Maud war mehr verzweifelt als wütend. »Aber Ralph, sie ist das Weib eines anderen!«

»Das Weib eines Bauern.«

»Trotzdem.«

»Mach dir keine Sorgen, Mutter. Man wird nie einen Herrn auf das Wort eines Bauern hin verurteilen.«

Merthin war sich da nicht so sicher. Ralph war nur ein niederer Herr, und er schien sich die Feindschaft von William von Caster zugezogen zu haben. Unter diesen Umständen vermochte niemand zu sagen, wie der Prozess ausgehen würde.

Ihr Vater sagte streng: »Selbst wenn sie dich nicht verurteilen sollten – und dafür bete ich –, denk doch nur einmal an die Schande! Du bist der Sohn eines Ritters. Wie konntest du das nur vergessen?«

Merthin war entsetzt und wütend, aber nicht überrascht. Ralph hatte schon immer einen Hang zur Gewalt besessen. Bereits in ihrer Kindheit war er stets leicht aufbrausend gewesen, und Merthin hatte ihn häufig von einer Schlägerei weggezogen und die Situation mit einem beruhigenden Wort oder einem Scherz entspannt. Hätte irgendein anderer diese Vergewaltigung begangen und nicht sein Bruder, Merthin hätte ihn mit Freuden hängen sehen.

Ralph schaute immer wieder zu Merthin. Er fürchtete dessen Missbilligung – vielleicht noch mehr als die seiner Mutter. Er hatte stets zu seinem älteren Bruder aufgeschaut. Merthin wünschte sich, man könnte Ralph an die Leine legen, damit er nicht länger Menschen angriff; schließlich war Merthin nicht mehr ständig in seiner Nähe, um ihn vor Schwierigkeiten zu bewahren.

Das Gespräch mit ihren aufgebrachten Eltern hätte noch länger angedauert; dann aber klopfte es an der Tür des bescheidenen Hauses, und Caris kam herein. Sie trug ein Kleid aus London und sah entzückend aus. Das Kleid war nach der neuesten Mode zweifarbig, was ihr ein heiteres, verspieltes Aussehen verlieh. Die Farben, Dunkelgrün und Blau, ließen ihre Augen funkeln und ihre Haut glühen.

Sie lächelte Gerald und Maud an, doch als sie Ralph sah, veränderte sich ihre Miene.

Merthin vermutete, dass sie wegen ihm gekommen war. Er stand auf. »Ich wusste gar nicht, dass ihr schon aus London zurück seid.«

»Wir sind gerade erst angekommen«, erwiderte Caris. »Können wir ein paar Worte unter vier Augen reden?«

Merthin warf sich einen Mantel über und ging mit Caris hinaus ins trübe graue Licht des kalten Dezembertages. Es war nun ein Jahr her, seit Caris ihre Liebesbeziehung beendet hatte. Merthin wusste, dass ihre Schwangerschaft im Hospital geendet hatte, und er vermutete, dass sie irgendwie selbst dafür verantwortlich gewesen war. Zweimal hatte er sie in den darauffolgenden Wochen gebeten, wieder zu ihm zurückzukommen, doch sie hatte sich geweigert. Es war verwirrend: Merthin fühlte, dass sie ihn noch immer liebte, doch sie blieb hart. Schließlich hatte er die Hoffnung aufgegeben; irgendwann, hoffte er, würde auch seine Trauer enden. Doch bis jetzt war das noch nicht geschehen. Sein Herz schlug noch immer schneller, wann immer er Caris sah, und wenn er mit ihr sprach, war er der glücklichste Mann auf der Welt.

Sie gingen über die Hauptstraße zum Bell. Jetzt, am Spätnachmittag, war es dort ruhig. Sie bestellten heißen, gewürzten Wein.

»Wir haben den Prozess verloren«, sagte Caris.

Merthin war entsetzt. »Wie ist das möglich? Ihr hattet Prior Philips Testament, und ...«

»Das hat nichts genützt.« Bitter enttäuscht schüttelte Caris den Kopf. »Godwyns gerissener Advokat hat argumentiert, die Einwohner von Kingsbridge seien Leibeigene des Priors, und Unfreie haben nicht das Recht, sich an das königliche Gericht zu wenden. Der Richter hat den Fall zurückgewiesen.«

In Merthin kochte Zorn hoch. »Aber das ist doch Irrsinn! Das bedeutet, der Prior kann tun und lassen, was er will, ungeachtet irgendwelcher Gesetze oder Dokumente ...«

»Ich weiß.«

Merthin bemerkte, dass Caris ungeduldig war, weil er Dinge aussprach, die sie sich selbst schon unzählige Male gesagt hatte. Er unterdrückte seine Entrüstung und versuchte, praktisch zu denken. »Was werdet ihr jetzt tun?«

»Uns um eine Charta bewerben. Damit wäre die Stadt frei vom Prior. Unser Advokat glaubt, dass wir gute Argumente dafür haben – andererseits hat er auch geglaubt, dass wir den Fall mit der Walkmühle gewinnen würden. Allerdings ist der König verzweifelt auf der Suche nach Geld für seinen Krieg gegen Frankreich. Er braucht wohlhabende Städte, die ihm Steuern zahlen.«

»Wie lange würde es dauern, solch eine Charta zu bekommen?«

»Das ist die schlechte Nachricht – mindestens ein Jahr, vielleicht länger.«

»Und in der Zeit kannst du kein scharlachrotes Tuch produzieren.«

»Nicht mit der alten Walkmühle.«

»Dann werden wir auch mit den Arbeiten an der Brücke aufhören müssen.«

»Ich fürchte ja. Mir fällt kein Ausweg ein.«

»Verdammt!« Das war so unvernünftig, so dumm. Sie standen kurz davor, den Wohlstand der Stadt wiederherzustellen, und nun hielt die Sturheit eines einzigen Mannes sie davon ab. »Mein Gott, was haben wir alle uns in Godwyn getäuscht«, bemerkte Merthin.

»O ja.«

»Wir müssen uns seiner Kontrolle entziehen.«

»Ich weiß.«

»Aber nicht erst in einem Jahr.«

»Ich wünschte, es gäbe eine Möglichkeit.«

Merthin dachte fieberhaft nach. »Wir sollten unsere eigene Walkmühle bauen«, sagte er.

Caris schüttelte den Kopf. »Das wäre ungesetzlich. Godwyn würde John Constable befehlen, sie abzureißen.«

»Und wenn sie außerhalb der Stadt wäre?«

»Im Wald meinst du? Auch das ist ungesetzlich. Du hättest sofort die königlichen Wildhüter am Hals.«

»Dann eben irgendwo anders, verflixt noch mal!«

»Wo immer du hingehst, du brauchst die Erlaubnis eines Herrn.«

»Mein Bruder ist Herr.«

Bei der Erwähnung von Ralph huschte ein Ausdruck des Abscheus über Caris' Gesicht; doch dann änderte sich ihre Miene wieder, als sie eingehender über Merthins Vorschlag nachdachte. »Wir sollen eine Walkmühle in Wigleigh bauen?«

»Warum nicht?«

»Gibt es dort einen schnell fließenden Bach, um das Mühlrad anzutreiben?«

»Ich glaube schon – aber falls nicht, kann die Mühle auch von einem Ochsen angetrieben werden, so wie die Fähre.«

»Und würde Ralph das erlauben?«

»Natürlich. Er ist mein Bruder. Wenn ich ihn darum bitte, wird er Ja sagen.«

»Godwyn wird toben vor Wut.«

»Ralph schert sich nicht um Godwyn.«

Caris war zufrieden, aber auch aufgeregt; das sah Merthin. Doch was für Gefühle hegte sie für ihn? Caris war froh, dass sie eine Lösung für ihr Problem gefunden hatten, und sie war begierig darauf, Godwyn zu überlisten, doch abgesehen davon konnte Merthin ihre Gedanken nicht lesen.

»Aber lass uns das noch einmal durchdenken, ehe wir in Jubel ausbrechen«, sagte Caris. »Godwyn wird eine Verordnung erlassen, dass Tuch nicht mehr aus Kingsbridge herausgebracht werden darf, um andernorts gewalkt zu werden. Viele Städte haben ein solches Gesetz.«

»Allerdings wird es Godwyn schwerfallen, ein entsprechendes Gesetz ohne Hilfe einer Gilde oder Zunft durchzusetzen – und selbst wenn er es schafft, könnt ihr es umgehen. Das meiste Tuch wird doch ohnehin in den Dörfern gewebt, oder?«

»Ja.«

»Dann bringst du es einfach nicht in die Stadt. Schickt es von den Webern direkt nach Wigleigh. Färbt es dort, und walkt es in der neuen Mühle; dann bringt es nach London. So entzieht ihr Godwyn jeden Einfluss.«

»Wie lange würde es dauern, solch eine Mühle zu bauen?«

Merthin dachte nach. »Das Fachwerk lässt sich in ein paar Tagen errichten. Für die Mühle selbst dürfte man ein wenig länger brauchen, weil alles genau ausgemessen werden muss. Männer und Material dorthinzubringen wird die meiste Zeit beanspruchen. Sagen wir ... eine Woche nach Weihnachten könnte ich fertig sein.«

»Das ist ja wunderbar!«, rief Caris. »So machen wir's.«

Elizabeth warf die Würfel und bewegte ihren letzten Stein auf dem Brett ins Ziel. »Gewonnen!«, sagte sie. »Das sind drei von drei! Du musst zahlen.«

Merthin gab ihr einen Silberpenny. Nur zwei Leute hatten ihn je bei einer Partie Puff besiegt: Elizabeth und Caris. Das Verlieren machte ihm nichts aus. Er war für jeden würdigen Gegner dankbar.

Merthin lehnte sich zurück und nippte an seinem Birnenmost. Es war ein kalter Samstagnachmittag im Januar und bereits dunkel. Elizabeth' Mutter schlief auf einem Stuhl neben dem Feuer und schnarchte leise und mit offenem Mund. Sie arbeitete in Bells Gasthaus, aber sie war stets daheim, wenn Merthin ihre Tochter besuchte. Es war ihm ganz lieb so, denn das bedeutete, dass er sich nicht entscheiden musste, ob er Elizabeth nun küssen sollte oder nicht. Und das war eine Frage, der er sich schlicht nicht stellen wollte. Natürlich hätte er sie gerne geküsst. Er erinnerte sich an das Gefühl ihrer kühlen Lippen und an die Festigkeit ihrer kleinen Brust. Doch wenn er seinem Verlangen nachgab, würde er sich eingestehen, dass seine Beziehung mit Caris für alle Mal vorbei war, und dazu war er noch nicht bereit.

»Wie steht es um die neue Mühle in Wigleigh?«, erkundigte sich Elizabeth.

»Fertig und in Betrieb«, antwortete Merthin stolz. »Caris walkt dort schon seit einer Woche Tuch.«

Elizabeth hob die Augenbrauen. »Sie selbst?«

»Nein, nein. Mark Webber betreibt die Mühle und bildet ein paar Dörfler aus, die Arbeit für ihn zu übernehmen.«

»Es ist gut für Mark, wenn er Caris' Stellvertreter wird. Er war sein Leben lang arm. Das ist eine große Gelegenheit für ihn.«

»Caris' neues Unternehmen ist gut für uns alle. Es bedeutet, dass ich die Brücke fertig bauen kann.«

»Sie ist ein kluges Mädchen«, bemerkte Elizabeth in gleichmütigem Tonfall. »Aber was sagt Godwyn dazu?«

»Nichts. Ich bin nicht sicher, ob er überhaupt schon davon weiß.«

»Früher oder später wird er es erfahren.«

»Egal. Er kann nichts machen.«

»Er ist ein stolzer Mann. Er wird euch nie verzeihen, dass ihr ihn überlistet habt.«

»Damit kann ich leben.«

»Und was ist mit der Brücke?«

»Trotz aller Probleme sind wir mit der Arbeit nur ein paar Wochen im Rückstand. Ich muss viel Geld ausgeben, um das aufzuholen, aber beim nächsten Wollmarkt können wir die Brücke nutzen, wenn auch mit einer provisorischen, hölzernen Straßenbettung.«

»Du und Caris, ihr habt die Stadt gerettet.«

»Noch nicht – aber das werden wir.«

Es klopfte an der Tür, und Elizabeth' Mutter wachte erschrocken auf. »Wer könnte das sein?«, sagte sie. »Draußen ist es schon dunkel.«

Es war einer von Edmunds Lehrlingen. »Meister Merthin wird auf der Versammlung des Gemeinderats erwartet«, sagte er.

»Es geht um die Brücke, nehme ich an«, sagte Merthin zu Elizabeth. »Sie machen sich Sorgen wegen der Kosten.« Er griff zu seinem Mantel. »Danke für den Wein und das Spiel.«

»Ich spiele mit dir, wann immer du willst«, sagte Elizabeth.

Merthin ging neben dem Lehrling über die High Street zur Rathalle. Der Gemeinderat hielt eine Geschäftsversammlung ab, kein Bankett. Die gut zwanzig wichtigsten Leute von Kingsbridge saßen an langen Tischen. Einige tranken Bier oder Wein und sprachen leise miteinander. Merthin fühlte Anspannung, Wut und aufkeimende Besorgnis.

Edmund saß am Kopf des Tisches, Prior Godwyn neben ihm. Der Prior war jedoch kein Mitglied des Gemeinderates. Seine Anwesenheit deutete darauf hin, dass Merthins Vermutung richtig war und dass es bei der Versammlung um die Brücke ging. Allerdings war Thomas als Matricularius nicht anwesend, dafür aber Philemon. Das war seltsam.

Merthin hatte vor Kurzem einen Streit mit Godwyn gehabt: Sein Kontrakt war über ein Jahr für zwei Pennys pro Tag plus der Pacht für Leper Island gelaufen. Dieser Vertrag hatte erneuert werden müssen. Godwyn hatte Merthin vorgeschlagen, ihm weiterhin zwei Pennys am Tag zu zahlen. Merthin hatte auf vier Pennys bestanden, und zu guter Letzt hatte Godwyn nachgegeben. Hatte er sich deswegen beim Gemeinderat beschwert?

Edmund erklärte auf seine typische, direkte Art: »Wir haben dich hierhergerufen, weil Prior Godwyn dich als Baumeister der Brücke entlassen will.«

»Was?«, stieß Merthin hervor. Es war wie ein Schlag ins Gesicht für ihn. »Aber Godwyn hat mich ernannt!«

Godwyn erwiderte: »Und deshalb habe ich auch das Recht, dich zu entlassen.«

»Aber warum?«

»Die Arbeiten haben sich verzögert, und die Kosten haben den Rahmen überschritten.«

»Sie haben sich verzögert, weil der Graf den Steinbruch gesperrt hat, und die Kosten sind gestiegen, weil zusätzliches Geld nötig war, um die verlorene Zeit aufzuholen.«

»Das sind Ausflüchte.«

»Habe ich den Tod eines Fuhrmanns erfunden?«

Godwyn schoss zurück: »Ermordet von deinem eigenen Bruder!«

»Was hat das denn damit zu tun?«

Godwyn ignorierte die Frage. »Ein Mann, der einer Vergewaltigung angeklagt ist!«, fügte er hinzu.

»Ihr könnt einen Baumeister nicht wegen des Verhaltens seines Bruders entlassen.«

»Für wen hältst du dich, dass du mir sagen willst, was ich tun kann und was nicht?«

»Ich bin der Baumeister Eurer Brücke!« Dann fiel Merthin ein, dass der Großteil seiner Arbeit als Baumeister getan war. Er hatte all die komplizierten Teile entworfen und Holzmodelle gefertigt, die den Steinmetzen als Vorlage dienten. Er hatte die Kofferdämme gebaut, die niemand sonst hatte errichten können, und er hatte die Schwimmkräne konstruiert, um schwere Steine auf den Fluss hinauszubringen. Nun konnte, wie er voller Verzweiflung erkannte, jeder einigermaßen brauchbare Baumeister die Arbeit beenden.

»Es gab nie eine Garantie, dass dein Kontrakt verlängert würde«, sagte Godwyn.

Das stimmte. Hilfe suchend schaute Merthin sich im Raum um. Niemand wollte ihm in die Augen blicken. Offenbar hatten die Ratsherren bereits mit Godwyn diskutiert. Die Verzweiflung drohte Merthin zu überwältigen. Warum war das so gekommen? Es lag mit Sicherheit nicht daran, dass die Bauarbeiten im Plan hinterherhinkten oder dass die Kosten gestiegen waren – die Verzögerungen waren nicht Merthins Schuld, und er holte rasch auf. Was war der wirkliche Grund? Kaum hatte er sich diese Frage gestellt, kannte er auch schon die Antwort: »Es ist wegen der Walkmühle in Wigleigh!«, sagte er.

Gereizt erwiderte Godwyn: »Das eine hat mit dem anderen nichts zu tun.«

Leise, aber deutlich hörbar sagte Edmund: »Verlogener Mönch.«

Nun meldete sich zum ersten Mal Philemon zu Wort. »Hütet Eure Zunge, Ratsältester!«, warnte er.

Edmund ließ sich nicht abschrecken. »Merthin und Caris haben dich überlistet, nicht wahr, Godwyn? Ihre Mühle in Wigleigh ist vollkommen legal. Mit deiner Gier und Selbstgefälligkeit hast du deine Niederlage selbst zu verantworten, und das ist jetzt deine Rache.«

Edmund hatte recht. Niemand war als Baumeister so fähig wie Merthin. Das wusste auch Godwyn; nur kümmerte es ihn nicht. »Und wen wollt Ihr an meiner Stelle in Dienst nehmen?«, fragte Merthin und beantwortete seine Frage gleich selbst: »Elfric, nehme ich an.«

»Das muss noch entschieden werden.«

Edmund sagte: »Und noch eine Lüge.«

Philemon sprach erneut, und diesmal klang seine Stimme schrill. »Für solch ein Gerede kann man Euch vor ein Kirchengericht bringen!«

Merthin fragte sich, ob das vielleicht nur ein Schachzug Godwyns war, um den Kontrakt noch einmal neu zu verhandeln. Er fragte Edmund: »Stimmt der Gemeinderat in dieser Frage mit dem Prior überein?«

Es war Godwyn, der antwortete: »Es ist nicht Sache des Gemeinderates, irgendetwas zuzustimmen oder nicht.«

Merthin beachtete ihn nicht und schaute Edmund erwartungsvoll an. Dem stieg die Schamesröte ins Gesicht. »Es kann nicht geleugnet werden, dass der Prior recht hat«, sagte er. »Die Ratsmitglieder finanzieren die Brücke mit dem von ihnen geliehenen Geld, doch der Prior ist der Herr der Stadt.«

Merthin wandte sich wieder an Godwyn. »Habt Ihr mir sonst noch was zu sagen, mein Herr Prior?« Er wartete und hoffte verzweifelt, dass Godwyn nun seine Forderungen vorbringen würde.

Doch Godwyn antwortete eisern: »Nein.«

»Dann wünsche ich Euch eine gute Nacht.«

Merthin wartete noch eine Sekunde. Niemand sagte ein Wort. Das Schweigen verriet ihm, dass alles vorbei war.

Er verließ den Raum.

Draußen atmete er in der kalten Nachtluft erst einmal durch. Er konnte kaum glauben, was gerade geschehen war. Er war nicht mehr der Meister der Brücke.

Merthin ging durch die dunklen Straßen. Es war eine klare Nacht, und er konnte im Sternenlicht gut sehen. Er ging an Elizabeth' Haus vorbei; er wollte jetzt nicht mit ihr reden. Vor Caris' Haus zögerte er, ging dann aber auch daran vorbei und zum Ufer hinunter. Sein kleines Ruderboot war am Ufer vertäut, gegenüber von Leper Island. Merthin stieg ein und ruderte hinüber.

Als er sein Haus erreichte, blieb er davor stehen, schaute zu den Sternen hinauf und kämpfte mit den Tränen. Die Wahrheit war, dass er Godwyn zu guter Letzt doch nicht überlistet hatte – eher das Gegenteil war der Fall. Er hatte die Möglichkeiten unterschätzt, die dem Prior zur Verfügung standen, um Widersacher abzustrafen. Merthin hatte sich für klug gehalten, doch Godwyn war klüger gewesen oder zumindest kaltblütiger. Um seinen verletzten Stolz zu rächen, war Godwyn notfalls bereit, Stadt und Priorei zu schaden. Und deshalb hatte er den Sieg davongetragen.

Merthin ging ins Haus und legte sich hin, allein und geschlagen.

Am Tag vor seinem Prozess lag Ralph die ganze Nacht wach.

Er hatte schon viele Leute am Galgen sterben sehen. Jedes Jahr wurden zwanzig, dreißig Männer und ein paar Frauen im Sheriffskarren aus dem Gefängnis in Shiring Castle zum Marktplatz hinuntergefahren, wo der Henkersstrick auf sie wartete. Es war kein ungewöhnlicher Anblick, doch er war Ralph im Gedächtnis geblieben – und diese Nacht kehrten die Gehängten zurück, um ihn zu quälen.

Manche starben schnell, wenn ihr Genick beim Sturz ins Seil brach, doch nicht viele. Die meisten erstickten langsam. Sie traten und wanden sich und rissen den Mund zu atemlosen Schreien auf. Sie bepissten und beschissen sich. Ralph erinnerte sich an eine alte Frau, die der Hexerei angeklagt gewesen war: Als sie gefallen war, hatte sie sich die Zunge abgebissen und sie ausgespuckt, und die Menge war vor dem blutigen Klumpen Fleisch zurückgewichen, der durch die Luft und in den Dreck geflogen war.

Jeder sagte Ralph, dass man ihn nicht hängen würde, doch er bekam den Gedanken einfach nicht aus dem Kopf. Die Leute sagten, Graf Roland würde nicht zulassen, dass ein Herr auf das Wort eines Bauern hin gehängt wurde. Allerdings hatte der Graf sich bis jetzt auch nicht eingemischt.

Nach einer Voruntersuchung hatte das Geschworenengericht eine Anklageschrift gegen Ralph beim Friedensrichter in Shiring eingereicht. Wie alle solche Geschworenengerichte hatte auch dieses vornehmlich aus Rittern der Grafschaft bestanden, die Graf Roland verpflichtet waren; trotzdem waren sie den Aussagen der Bauern von Wigleigh gefolgt. Die Männer – natürlich wurden Frauen nie als Geschworene berufen – hatten ohne mit der Wimper zu zucken einen der ihren unter Anklage gestellt. Tatsächlich hatten sie mit ihren Fragen einen gewissen Abscheu für Ralphs Tat gezeigt; mehrere Geschworene hatten sich hinterher sogar geweigert, ihm die Hand zu schütteln.

Ralph hatte vorgehabt, Annet von einer erneuten Aussage abzuhalten, indem er sie in Wigleigh einsperrte, ehe sie nach Shiring aufbrechen konnte. Doch als er in ihr Haus gegangen war, um sie zu holen, war Annet bereits fort gewesen. Sie musste seine Absichten vorausgeahnt haben und war früher aufgebrochen, um ihm zuvorzukommen.

Heute würden sich neue Geschworene seinen Fall anhören, doch zu Ralphs großer Sorge waren vier von ihnen schon bei der Vorverhandlung dabei gewesen. Da die Beweise vermutlich dieselben sein würden, gab es keinen Grund, weshalb diese Männer heute eine andere Entscheidung fällen sollten, es sei denn, jemand übte Druck auf sie aus ... und dafür wurde es allmählich höchste Zeit.

Ralph stand beim Morgengrauen auf und ging in die Schankstube des Courthouse Inn in Shiring. Er fand einen bibbernden Jungen, der das Eis auf dem Brunnen im Hof zerschlug, und befahl ihm, Bier und Brot zu holen. Dann begab er sich in den Gemeinschaftsschlafraum und weckte seinen Bruder Merthin.

Gemeinsam saßen sie in der kalten Stube, die nach dem Bier und Wein vom letzten Abend stank. »Ich fürchte«, sagte Ralph, »sie werden mich aufhängen.«

»Das fürchte ich auch«, erwiderte Merthin.

»Ich weiß nicht, was ich tun soll.« Der Junge brachte ihnen zwei Humpen Bier und einen halben Laib Brot. Ralph nahm das Bier mit zitternder Hand und trank einen kräftigen Schluck.

Merthin aß gedankenverloren ein paar Bissen Brot, runzelte die Stirn und schaute aus den Augenwinkeln nach oben, wie er es häufig tat, wenn er sich den Kopf zerbrach. »Mir fällt nur eine Möglichkeit ein: Bring Annet irgendwie dazu, die Anklage fallen zu lassen und einem Ausgleich zuzustimmen. Du wirst ihr irgendeine Form von Wiedergutmachung anbieten müssen.«

Ralph schüttelte den Kopf. »Sie kann jetzt nicht mehr zurück. Das ist nicht erlaubt. Wenn sie das tut, wird sie bestraft.«

»Ich weiß. Aber sie könnte absichtlich schwache Beweise vorbringen, sodass Raum für Zweifel entsteht. Ich glaube, so wird es normalerweise gemacht.«

Hoffnung keimte in Ralph auf. »Ob sie einverstanden wäre?«

Der Küchenjunge kam mit einem Arm voll Holzscheite und machte sich daran, das Feuer zu entfachen.

Nachdenklich fragte Merthin: »Wie viel Geld könntest du Annet anbieten?«

»Ich habe zwanzig Florin.« Das waren drei Pfund in englischen Silberpennys.

Merthin fuhr sich mit der Hand durch das zerzauste rote Haar. »Das ist nicht viel.«

»Für ein Bauernmädchen ist es eine ganze Menge – andererseits ist ihre Familie ziemlich reich, jedenfalls für Bauern.«

»Wirft Wigleigh nicht viel Geld für dich ab?«

»Ich musste mir eine Rüstung kaufen. Als Herr muss man stets für den Krieg gerüstet sein.«

»Ich könnte dir Geld leihen.«

»Wie viel hast du?«

»Dreizehn Pfund.«

Ralph war dermaßen erstaunt, dass er für einen Augenblick sogar seine Ängste vergaß. »Wo hast du denn so viel Geld her?«

Merthin schaute ihn verärgert an. »Ich arbeite hart und werde gut dafür bezahlt!«

»Aber man hat dich als Brückenmeister entlassen.«

»Es gibt noch jede Menge andere Arbeit. Außerdem habe ich mein Land auf Leper Island verpachtet.«

»Ein Zimmermann ist reicher als ein Herr!« Ralph schien es nicht fassen zu können.

»Zu deinem Glück, würde ich sagen. Was meinst du, wie viel Annet haben will?«

Ralph dachte kurz nach, und erneut verließ ihn der Mut. »Sie ist nicht das Problem, sondern Wulfric. Er ist hier der Wortführer.«

»Natürlich.« Merthin hatte während des Baus der Walkmühle viel Zeit in Wigleigh verbracht, und er wusste, dass Wulfric Gwenda erst geheiratet hatte, nachdem er von Annet sitzen gelassen worden war. »Dann lass uns mit ihm sprechen.«

Ralph glaubte zwar nicht, dass es etwas nutzen würde, aber er hatte nichts zu verlieren.

Die Brüder gingen hinaus ins graue Tageslicht und zogen die Mäntel um die Schultern, um sich vor dem kalten Februarwind zu schützen. Sie überquerten den Marktplatz und betraten das Bull, wo die Leute von Wigleigh abgestiegen waren – bezahlt von Herrn William, vermutete Ralph, ohne dessen Hilfe sie diesen Prozess gar nicht erst begonnen hätten. Doch Ralph hegte keinen Zweifel daran, dass sein eigentlicher Feind Williams pralles, boshaftes Weib Philippa war, die ihn zu hassen schien, obwohl er sie faszinierend und verlockend fand – oder vielleicht sogar deswegen.

Wulfric war bereits aufgestanden und aß Haferbrei mit Schinken. Als er Ralph sah, legte sich ein Schatten auf sein Gesicht, und er stand auf.

Kampfbereit legte Ralph die Hand aufs Schwert, doch Merthin trat rasch vor und hob in einer beschwichtigenden Geste die Arme. »Ich komme als Freund, Wulfric«, sagte er. »Tu nichts Unbedachtes, sonst wirst du anstelle meines Bruders vor Gericht stehen.«

Wulfric verharrte, die Hände in die Seiten gestemmt. Merthin war erleichtert, Ralph jedoch enttäuscht: Ein Kampf hätte die quälende Spannung gelöst.

Wulfric spie ein Stück Schinkenkruste auf den Boden, schluckte und fragte dann: »Was wollt Ihr, wenn nicht Ärger?«

»Wir wollen diese Angelegenheit gütlich regeln. Ralph ist bereit, Annet zehn Pfund als Wiedergutmachung für seine Tat zu bezahlen.«

Ralph erschrak, als er die Summe hörte. Obwohl Merthin den größten Teil davon bezahlen musste, zögerte er nicht eine Sekunde.

Wulfric erwiderte: »Annet kann die Anklage nicht mehr zurücknehmen. Das ist nicht gestattet.«

»Aber sie kann ihre Aussage abschwächen. Wenn sie aussagt, dass sie zuerst eingewilligt, dann aber ihre Meinung geändert hat, werden die Geschworenen Ralph nicht verurteilen.«

Mit bangen Blicken suchte Ralph in Wulfrics Gesicht nach irgendeiner Spur von Bereitschaft, doch Wulfric behielt seine steinerne Miene bei und erwiderte: »Dann bietet Ihr Annet also ein Bestechungsgeld für einen Meineid an.«

In Ralph stieg Verzweiflung auf. Wulfric wollte offensichtlich gar nicht, dass Annet Geld gezahlt wurde. Sein Ziel war Rache, nicht Ausgleich. Er wollte eine Hinrichtung sehen.

Merthin erwiderte mit ruhiger Stimme: »Ich biete ihr nur eine andere Art von Gerechtigkeit an.«

»Ihr versucht, Euren Bruder vom Galgen zu holen!«

»Würdest du nicht das Gleiche tun? Du hast auch einst einen Bruder gehabt.« Ralph erinnerte sich, dass Wulfrics Bruder zusammen mit den Eltern beim Einsturz der Brücke ums Leben gekommen war. Merthin fuhr fort: »Würdest du nicht auch versuchen, sein Leben zu retten? Selbst wenn er ein Unrecht begangen hat?«

Wulfric schien ob dieses Appells an seinen Familiensinn erstaunt zu sein. Offensichtlich war ihm nie der Gedanke gekommen, dass auch Ralph Verwandte haben könnte, die ihn liebten. Doch er fing sich rasch wieder und sagte: »Mein Bruder David hätte nie getan, was Ralph getan hat.«

»Natürlich nicht«, erwiderte Merthin beschwichtigend. »Aber du kannst es mir nicht zum Vorwurf machen, dass ich einen Weg finden will, Ralph zu retten – besonders, wenn Annet dadurch keine Ungerechtigkeit widerfährt.«

Ralph bewunderte die geschliffene Rede seines Bruders. Merthin konnte einen Vogel überreden, dass der freiwillig vom Baum flog.

Doch Wulfric war nicht so leicht zu überzeugen. »Die Dörfler wollen Ralph loswerden. Sie haben Angst, dass er es wieder tun könnte.«

Merthin umging diesen Einwand. »Vielleicht könntest du Annet unser Angebot unterbreiten. Es soll ihre Entscheidung sein.«

Wulfric schaute nachdenklich drein. »Und wie können wir sicher sein, dass Ihr das Geld auch bezahlt?«

Ralphs Herz setzte einen Schlag aus. Wulfric gab nach!

Merthin antwortete: »Wir werden das Geld vor der Verhandlung Caris übergeben. Sie wird es Annet aushändigen, sobald Ralph für unschuldig erklärt wurde. Ihr vertraut Caris ... und wir auch.«

Wulfric nickte. »Also gut. Aber wie Ihr schon gesagt habt, liegt die Entscheidung nicht bei mir. Ich werde ihr den Vorschlag unterbreiten.« Er ging nach oben.

Merthin stieß einen tiefen Seufzer aus. »Du lieber Himmel, ist der wütend!«

»Du hast ihn aber rumgekriegt«, sagte Ralph bewundernd.

»Er hat nur zugestimmt, eine Botschaft zu übermitteln.«

Sie setzten sich an den Tisch, den Wulfric geräumt hatte. Ein Schankbursche fragte sie, ob sie Frühstück wollten, doch beide lehnten ab. Die Stube war voller Gäste, die nach Schinken, Käse und Bier riefen. Die Schänken waren überfüllt mit Leuten, die alle beim Gericht dabei sein wollten. Was die Ritter der Grafschaft betraf, waren sie zum Kommen verpflichtet, wenn sie keine glaubhafte Entschuldigung hatten. Gleiches galt für andere herausragende Persönlichkeiten der Grafschaft: hohe Kirchenmänner, wohlhabende Kaufleute und jeden, dessen Einkommen vierzig Pfund im Jahr überstieg. Herr William, Prior Godwyn und Edmund Wooler gehörten ebenfalls dazu. Ralph und Merthins Vater, Sir Gerald, hatten auch schon regelmäßig den Gerichtssitzungen beigewohnt, ehe Ralph in Ungnade gefallen war. Sie mussten sich als Geschworene zur Verfügung stellen, falls gewünscht, und hatten auch noch andere Dinge in der Stadt zu erledigen – ihre Steuern zahlen, zum Beispiel, und ihre Parlamentsvertreter wählen. Zu all diesen Leuten kam noch eine ganze Heerschar von Angeklagten, Opfern, Zeugen und Bürgen. Ein Gerichtstag bescherte den Schänken der Stadt gute Geschäfte.

Wulfric ließ die Brüder warten. Ralph fragte: »Was meinst du, was die da oben reden?«

Merthin antwortete: »Annet möchte das Geld vielleicht annehmen. Ihr Vater wird sie darin unterstützen, vielleicht auch ihr Gemahl, Billy Howard. Aber Wulfric ist ein Mann, für den die Wahrheit wichtiger ist als Geld. Sein Weib, Gwenda, wird ihm aus Treue zur Seite stehen. Vater Gaspard ebenfalls – aus Prinzip. Aber noch wichtiger ist, dass sie sich mit Herrn William werden beraten müssen, und der wird alles tun, was Philippa will. Und die hasst dich. Andererseits neigen Frauen eher zur Versöhnung als zur offenen Auseinandersetzung ...«

»Dann könnte es so oder so ausgehen?«

»Genau.«

Die Gäste in der Schänke beendeten ihr Frühstück und gingen nach und nach hinaus, über den Platz und zum Courthouse Inn, wo der Gerichtstag stattfand. Nicht mehr lange, und es würde zu spät für irgendwelche Ausgleichsversuche sein.

Schließlich kam Wulfric zurück. »Sie sagt Nein«, erklärte er rundheraus und wandte sich ab.

»Warte!«, rief Merthin.

Wulfric beachtete ihn nicht und verschwand die Treppe hinauf.

Ralph fluchte. Für kurze Zeit hatte er tatsächlich auf Gnade gehofft. Nun lag sein Schicksal in den Händen der Geschworenen.

Draußen erklang das Bimmeln einer Handglocke, die wild geläutet wurde. Ein Büttel des Sheriffs rief alle, die es betraf, zum Gericht. Merthin stand auf. Ralph folgte ihm widerwillig.

Sie gingen zum Courthouse Inn zurück und betraten den großen Raum im hinteren Teil der Schänke. Am anderen Ende stand die Richterbank auf einer Empore. Sie wurde zwar »Bank« genannt, doch handelte es sich um einen großen Holzstuhl, der wie ein Thron aussah. Der Richter saß noch nicht; sein Schreiber jedoch hockte bereits an einem Tisch vor der Empore und las eine Schriftrolle. Rechts und links standen zwei lange Bänke für die Geschworenen. Andere Sitzgelegenheiten gab es nicht im Raum. Alle anderen würden stehen, wo sie stehen wollten. Die Ordnung wurde durch die

Amtsgewalt des Richters garantiert, der das Recht hatte, jeden auf der Stelle zu verurteilen, der sich ungebührlich verhielt: Für ein Vergehen, das der Richter selbst bezeugen konnte, brauchte es keinen Prozess. Ralph entdeckte Alan Fernhill. Sein Junker sah verängstigt aus, und wortlos stellte er sich neben seinen Herrn.

Ralph erkannte, dass er besser gar nicht hierher gekommen wäre. Er hätte sich eine Entschuldigung einfallen lassen sollen: Krankheit, ein Missverständnis, was das Datum betraf, ein lahm gewordenes Pferd … Doch damit hätte er die Sache nur aufgeschoben. Irgendwann wäre der Sheriff mit Bewaffneten erschienen, um ihn zu verhaften; hätte er versucht, sich der Festnahme zu entziehen, hätte man ihn geächtet.

Allerdings war das Leben eines Geächteten immer noch besser, als gehängt zu werden. Ralph überlegte, ob er sogar jetzt noch fliehen sollte. Vermutlich könnte er sich aus der Schänke den Weg nach draußen freikämpfen, doch zu Fuß käme er nicht weit. Man würde ihn durch die halbe Stadt jagen – und wenn sie ihn dann noch nicht hätten, würden die Männer des Sheriffs ihm zu Pferde nachsetzen. Außerdem wäre seine Flucht so gut wie ein Schuldgeständnis. Solange er blieb, bestand wenigstens noch die Möglichkeit eines Freispruchs. Vielleicht würde Annet von dem ganzen Drumherum ja so sehr eingeschüchtert sein, dass sie keine klare Aussage mehr machen konnte. Vielleicht würden entscheidende Zeugen nicht erscheinen. Und natürlich könnte Graf Roland im letzten Augenblick ja doch noch einschreiten.

Der Gerichtssaal füllte sich: Annet, die Dörfler, Herr William und Lady Philippa, Edmund Wooler und Caris, Prior Godwyn und sein schleimiger Gehilfe Philemon. Der Schreiber schlug auf den Tisch, damit Ruhe eintrat, und der Richter kam durch eine Seitentür herein. Es war Sir Guy de Bois, ein Großgrundbesitzer. Er hatte einen kahlen Kopf und einen fetten Wanst. De Bois war ein alter Waffenbruder des Grafen, was Ralph vielleicht helfen würde; aber er war auch Lady Philippas Onkel, und sie hatte ihm ihre Bosheiten vielleicht schon ins Ohr geflüstert. Sir Guy besaß das gerötete Gesicht eines Mannes, der Salzfleisch und starkes Bier zum Frühstück genossen hatte. Er setzte sich, furzte laut, seufzte zufrieden und sagte: »Wohlan, dann wollen wir mal.«

Graf Roland war nirgends zu sehen.

Ralphs Fall wurde als erster aufgerufen. Es war der Fall, der alle am meisten interessierte, den Richter eingeschlossen. Die Anklageschrift wurde verlesen; dann rief man Annet auf, ihre Aussage zu machen.

Es fiel Ralph seltsam schwer, sich zu konzentrieren. Natürlich hatte er das alles schon zuvor gehört, doch aus irgendeinem Grund konnte er nicht aufmerksam genug hinhören, um etwa kleinere Abweichungen oder Unstimmigkeiten in der Geschichte zu erkennen, die Annet heute erzählte. Er war nicht imstande, auf Zeichen von Unsicherheit zu achten, wie Zögern und Stottern. Seine Feinde waren in voller Stärke angetreten, und sein einziger mächtiger Freund, Graf Roland, war nicht zugegen. Nur sein Bruder war an seiner Seite, und Merthin hatte bereits sein Bestes getan, um ihm zu helfen, und war gescheitert. Ralph stand auf verlorenem Posten.

Es folgten die Zeugen: Gwenda, Wulfric, Peg, Gaspard. Ralph hatte geglaubt, die absolute Macht über diese Menschen zu besitzen, doch sie hatten ihn besiegt. Der Obmann der Geschworenen, Sir Herbert Montain, war einer jener Männer, die sich geweigert hatten, Ralph die Hand zu schütteln, und er hatte Fragen gestellt, die den Schrecken des Verbrechens noch hervorheben sollten: Wie schlimm waren Annets Schmerzen gewesen? Wie viel Blut war geflossen? Hatte sie geweint?

Als Ralph an der Reihe war zu sprechen, trug er noch einmal die Geschichte vor, die ihm schon bei der Vorverhandlung niemand geglaubt hatte, und er erzählte sie mit leiser Stimme und stolperte immer wieder über seine eigenen Worte. Alan Fernhill machte seine Sache besser: Er erklärte mit fester Stimme, dass Annet begierig darauf gewesen sei, es mit Ralph zu treiben, und dass die beiden Liebenden ihn gebeten hätten, sich zurückzuziehen, während sie sich am Bach vergnügten. Doch die Geschworenen glaubten ihm nicht: Das sah Ralph ihnen an den Gesichtern an. Allmählich langweilte ihn die Prozedur. Er wünschte sich nur noch, dass es endlich vorbei sein möge.

Als Alan wieder nach hinten trat, bemerkte Ralph jemand anderen ganz in seiner Nähe, und eine leise Stimme sagte: »Hört mir zu.«

Ralph blickte über die Schulter und sah Vater Jerome, den Schreiber des Grafen, und kurz kam ihm der Gedanke, dass ein Gericht wie dieses keine Macht über Priester besaß, selbst wenn sie ein Verbrechen begangen hatten.

Der Richter wandte sich an die Geschworenen und bat sie um ihr Urteil.

Vater Jerome raunte Ralph zu: »Eure Pferde stehen draußen, gesattelt und zum Aufbruch bereit.«

Ralph erstarrte. Hatte er richtig gehört? Er drehte sich um und fragte: »Was?«

»Lauft um Euer Leben.«

Ralph schaute hinter sich. Hundert Männer versperrten den Weg zur Tür, viele von ihnen bewaffnet. »Das ist unmöglich.«

»Durch die Seitentür«, sagte Jerome und deutete mit einem leichten Nicken zu dem Eingang, durch den der Richter gekommen war. Ralph sah sofort, dass nur die Leute aus Wigleigh zwischen ihm und der Tür standen.

Der Obmann, Sir Herbert, stand auf und hob selbstgefällig den Kopf.

Ralph schaute zu Alan Fernhill. Der hatte alles gehört und blickte Ralph erwartungsvoll an.

»Jetzt!«, flüsterte Jerome.

Ralph legte die Hand auf den Schwertgriff.

»Wir befinden Herrn Ralph von Wigleigh der Vergewaltigung für schuldig«, verkündete Sir Herbert.

Ralph zog sein Schwert, schwang es wild und stürmte auf die Tür zu.

Für einen Moment herrschte entsetztes Schweigen; dann schrien alle zugleich. Doch Ralph war der einzige Mann im Raum mit einer Waffe in der Hand, und er wusste, dass es einen Augenblick dauern würde, bis die anderen ihre Schwerter oder Dolche gezückt hatten.

Nur Wulfric versuchte, ihn aufzuhalten. Entschlossen und vollkommen furchtlos trat er Ralph in den Weg. Ralph hob sein Schwert und schlug so wuchtig zu, wie er nur konnte. Er zielte auf Wulfrics Kopf, um ihm den Schädel zu spalten; doch Wulfric sprang gedankenschnell zur Seite. Dennoch fuhr die Schwertspitze durch die linke Seite seines Gesichts und schlitzte sie von der Schläfe bis zum Kiefer auf. Wulfric schrie vor Schmerz und riss die Hände zur Wange hoch – und dann war Ralph auch schon an ihm vorbei.

Ralph trat die Tür auf, stürmte hindurch und drehte sich noch einmal um. Alan Fernhill lief an ihm vorbei. Sir Herbert war dicht hinter Alan. Er hatte das Schwert gezückt und hielt es zum Schlag erhoben. Ein Hochgefühl durchströmte Ralph. So sollte ein Streit beigelegt werden! Durch Kampf, nicht durch Diskussion! Gewinnen oder verlieren – so zog Ralph es vor.

Mit einem heiseren Schrei stieß er nach Sir Herbert. Die

Schwertspitze traf den Obmann an der Brust und fetzte den Leder-kittel entzwei; doch der Mann war noch zu weit entfernt, als dass der Stoß in den Brustkorb hätte eindringen können, und so glitt die Klinge an den Rippen ab. Trotzdem schrie Sir Herbert – mehr aus Furcht als vor Schmerz – und stolperte zurück, wobei er mit denen zusammenstieß, die ihm folgten. Ralph warf ihnen die Tür vor der Nase zu.

Er fand sich in einem Gang wieder, der sich über die gesamte Länge des Hauses hinzog. Am einen Ende führte eine Tür auf den Marktplatz hinaus, am anderen Ende ging es durch eine weitere Tür auf den Hof vor den Ställen. Wo waren die Pferde? Jerome hatte nur gesagt, dass sie draußen seien. Alan schickte sich an, zur Hintertür zu laufen, und so folgte Ralph ihm. Als sie auf den Hof hinausstürm-ten, brach hinter ihnen ein Tumult los, der ihnen verriet, dass die Tür zum Gerichtssaal geöffnet wurde und die Menge ihnen bereits auf den Fersen war.

Auf dem Hof war keine Spur von den Pferden zu sehen.

Ralph rannte unter dem Torbogen hindurch, der nach vorne führte.

Und dort erwartete ihn der wunderschönste Anblick der Welt: sein Jagdpferd, Griff, gesattelt und mit scharrenden Hufen, und daneben Alans zweijähriger Fletch. Beide wurden von einem bar-füßigen Stallburschen gehalten, der den Mund voller Brot hatte und dümmlich kaute.

Ralph schnappte sich die Zügel und sprang auf sein Pferd. Alan tat es ihm nach. Sie gaben ihren Tieren just in dem Augenblick die Sporen, da die Menge aus dem Gerichtssaal durch den Torbogen strömte. Der Stallbursche sprang entsetzt aus dem Weg. Die Pferde preschten davon.

Irgendjemand in der Menge schleuderte ein Messer. Es blieb einen viertel Zoll tief in Griffs Flanke stecken und fiel dann heraus. Anstatt das Pferd aufzuhalten, trieb die Attacke es zusätzlich an.

Ralph und Alan galoppierten durch die Straßen, ohne auf Män-ner, Frauen, Kinder oder Vieh zu achten. Erschrocken sprangen die Leute beiseite. Die beiden Männer preschten durch das Tor in der alten Stadtmauer und in eine Vorstadt mit schmucklosen Häusern zwischen Gärten und Obsthainen. Ralph schaute hinter sich: Von ihren Verfolgern war nichts zu sehen.

Die Männer des Sheriffs würden sie jagen, das stand fest, doch sie mussten erst ihre eigenen Pferde holen und satteln. Ralph und Alan waren bereits eine Meile vom Marktplatz entfernt, und ihre Tiere zeigten nicht den Hauch von Ermüdung. Ralph hätte laut jubeln können. Noch vor fünf Minuten hatte er sich dem Tod am Galgen ergeben, und nun war er frei!

Die Straße gabelte sich. Ohne zu überlegen, bog Ralph nach links ab. Eine Meile hinter den Feldern konnte er einen Wald ausmachen. Waren sie erst einmal dort, würde er vom Weg abbiegen und verschwinden.

Aber danach ... Was sollte er dann tun?

»Graf Roland war sehr klug«, sagte Merthin zu Elizabeth Clerk. »Er hat der Gerechtigkeit fast bis zum Ende ihren Lauf gelassen. Er hat weder den Richter bestochen noch versucht, Einfluss auf die Geschworenen zu nehmen oder die Zeugen einzuschüchtern, und er hat einen Streit mit seinem Sohn, Herrn William, vermieden. Trotzdem ist er der Demütigung entronnen, einen seiner Männer am Galgen enden zu sehen.«

»Wo ist dein Bruder jetzt?«, fragte sie.

»Ich habe keine Ahnung. Seit dem Tag habe ich ihn nicht mehr gesehen, geschweige denn mit ihm gesprochen.«

Es war Sonntagnachmittag, und sie saßen in Elizabeth' Küche. Elizabeth hatte Merthin Mittagessen gemacht: gekochten Schinken mit gedünsteten Äpfeln und Wintergemüse, dazu einen kleinen Krug Wein, den ihre Mutter gekauft oder vielleicht geklaut hatte – vermutlich in dem Gasthof, in dem sie arbeitete.

Elizabeth fragte: »Was wird nun geschehen?«

»Das Todesurteil gilt noch immer. Ralph kann nicht wieder nach Wigleigh zurückkehren oder auch nur in die Nähe von Kingsbridge kommen, ohne dass man ihn verhaften würde. Durch seine Flucht hat er sich selbst zum Geächteten erklärt.«

»Hat er gar keine Möglichkeit mehr, seinem Schicksal zu entkommen?«

»Er könnte vom König begnadigt werden, aber das kostet ein Vermögen – viel mehr Geld, als er oder ich je aufbringen könnten.«

»Und wie empfindest du für ihn?«

Merthin zuckte unwillkürlich zusammen. »Nun … natürlich verdient er es, für seine Taten bestraft zu werden. Trotzdem kann ich ihm nicht den Tod wünschen. Ich hoffe, es geht ihm gut, wo immer er sein mag.«

Merthin hatte die Geschichte von Ralphs Prozess in den letzten Tagen schon oft erzählt, doch Elizabeth hatte die scharfsinnigsten

Fragen gestellt. Sie war klug und mitfühlend. Merthin kam der Gedanke, dass es sehr angenehm wäre, jeden Sonntagnachmittag so zu verbringen.

Elizabeth' Mutter, Sairy, döste wie gewöhnlich am Feuer, doch nun schlug sie die Augen auf und sagte: »Bei meiner Seel! Ich hab den Kuchen vergessen.« Sie stand auf und klopfte sich das zerzauste graue Haar. »Ich habe versprochen, Betty Baxter zu bitten, einen Kuchen mit Schinken und Eiern für die Gerberzunft zu machen. Morgen feiern sie im Bell ihr letztes Mahl vor der Fastenzeit.« Sie warf sich eine Decke um die Schultern und ging hinaus.

Es war sehr ungewöhnlich, dass Merthin und Elizabeth allein gelassen wurden, und Merthin war ein wenig verlegen, Elizabeth jedoch wirkte entspannt. Sie fragte: »Was machst du mit deiner Zeit, nun, da du nicht mehr an der Brücke arbeitest?«

»Unter anderem baue ich ein Haus für Dick Brewer. Dick will sich zur Ruhe setzen und sein Geschäft an seinen Sohn übergeben. Aber er sagt, dass er nie zu arbeiten aufhört, solange er im Copper wohnt; deshalb will er ein Haus mit Garten außerhalb der Stadtmauer.«

»Oh ... ist das die Baustelle hinter Lovers' Field?«

»Ja. Es wird das größte Haus in ganz Kingsbridge.«

»Einem Brauer mangelt es nie an Geld.«

»Würdest du es dir gern anschauen?«

»Die Baustelle?«

»Das Haus. Es ist noch nicht fertig, aber es hat schon vier Wände und ein Dach.«

»Jetzt?«

»Wir haben noch eine Stunde Tageslicht.«

Elizabeth zögerte, als habe sie etwas anderes vorgehabt, doch dann sagte sie: »Gern!«

Sie zogen schwere Kapuzenmäntel an und gingen hinaus. Es war der erste März. Schneewirbel jagten die Straße hinunter. Merthin und Elizabeth nahmen die Fähre zum anderen Flussufer.

Trotz des Auf und Ab des Wollhandels schien die Stadt jedes Jahr ein wenig zu wachsen, und die Priorei verwandelte mehr und mehr von ihren Weiden und Obsthainen in Bauland, das sie dann verpachtete. Merthin vermutete, dass hier gut fünfzig Häuser neu gebaut worden waren, die noch nicht hier gestanden hatten, als er zum ersten Mal nach Kingsbridge gekommen war – damals als Junge vor zwölf Jahren.

Dick Brewers neues Heim war ein zweistöckiges Gebäude, das ein

Stück von der Straße zurück lag. Bis jetzt hatte der Bau noch keine Fensterläden oder Türen, sodass die Löcher in den Wänden behelfsmäßig mit Holzrahmen und Schilfgeflecht verschlossen waren. Auch der Vordereingang war auf diese Weise verbarrikadiert, doch Merthin führte Elizabeth nach hinten, wo es bereits eine einfache Holztür mit einem Schloss gab.

Merthins sechzehnjähriger Gehilfe Jimmie war in der Küche, um das Haus vor Dieben zu schützen. Er war ein abergläubischer Bursche. Ständig bekreuzigte er sich und warf sich Salz über die Schulter. Er saß auf einer Bank vor einem großen Feuer und schaute besorgt drein. »Hallo, Meister«, sagte er. »Da ihr jetzt hier seid – darf ich gehen und mir etwas zu essen holen? Lol Turner hätte mir eigentlich was bringen sollen, aber er ist nicht gekommen.«

»Sieh nur zu, dass du vor Einbruch der Nacht wieder hier bist.«

»Danke.« Jimmie eilte davon.

Merthin trat durch die Küchentür ins Innere des Hauses. »Unten gibt es vier Zimmer«, erklärte er und zeigte es Elizabeth.

Sie schaute sich ungläubig um. »Wozu wollen sie die alle benutzen?«

»Küche, Stube, Speiseraum und Halle.« Eine Treppe gab es noch nicht, doch Merthin stieg eine Leiter ins Obergeschoss hinauf, und Elizabeth folgte ihm. »Vier Schlafräume«, sagte Merthin, als Elizabeth oben anlangte.

»Wer wird denn hier wohnen?«

»Dick und seine Frau, sein Sohn Danny und dessen Frau sowie Dicks Tochter, die vermutlich auch nicht ewig ohne Mann bleiben wird.«

Die meisten Familien in Kingsbridge wohnten in einem einzigen Zimmer, und alle schliefen nebeneinander auf dem Boden: Eltern, Kinder, Großeltern und Angeheiratete. Elizabeth sagte. »Dieses Haus hat ja mehr Räume als ein Palast!«

Das stimmte. Selbst ein Edelmann mit großem Gefolge wohnte häufig in nur zwei Zimmern: einem Schlafgemach für sich und seine Gemahlin und einer Großen Halle für alle anderen. Doch Merthin hatte nun schon mehrere Häuser für wohlhabende Kaufleute aus Kingsbridge entworfen, und ihnen galt die Privatsphäre als größter Luxus. Das war wohl eine neue Mode.

»Ich nehme an, die Fenster sollen verglast werden«, sagte Elizabeth.

»Ja.« Das war auch so eine Mode. Merthin konnte sich noch an eine Zeit erinnern, da es keinen Glaser in Kingsbridge gegeben hatte. Nur alle ein, zwei Jahre war ein fahrender Glaser in die Stadt gekommen. Nun war ein Glaser im Ort ansässig.

Merthin und Elizabeth kehrten ins Erdgeschoss zurück. Elizabeth nahm auf Jimmies Bank vor dem Feuer Platz und wärmte sich die Hände. Merthin setzte sich neben sie. »So ein Haus werde ich eines Tages auch für mich bauen«, sagte er, »in einem großen Garten mit Obstbäumen.«

Zu seiner Überraschung legte Elizabeth ihm den Kopf auf die Schulter. »Was für ein schöner Traum«, sagte sie.

Beide starrten ins Feuer. Elizabeth' Haar kitzelte Merthin an der Wange. Nach einem Augenblick legte sie ihm die Hand aufs Knie. In der nun einsetzenden Stille konnte er seinen Atem hören.

»In deinem Traum ... Wer wohnt da in diesem Haus?«, fragte Elizabeth.

»Ich weiß es nicht.«

»Typisch Mann. Ich kann mein Haus nicht sehen, weiß dafür aber, wer drin ist: ein Mann, ein paar Kinder, meine Mutter, meine Schwiegereltern und drei Diener.«

»Männer und Frauen haben unterschiedliche Träume.«

Elizabeth hob den Kopf von Merthins Schulter, schaute ihn an und berührte sein Gesicht. »Und wenn du beides zusammenbringst, dann hast du ein Leben.« Sie küsste ihn auf den Mund.

Merthin schloss die Augen. Obwohl es schon Jahre her war, erinnerte er sich noch an die sanfte Berührung ihrer Lippen. Einen Augenblick verharrte Elizabeth' Mund auf dem seinen; dann zog sie sich zurück.

Merthin fühlte sich seltsam losgelöst, als beobachte er sich selbst aus einer Ecke des Raums. Er wusste nicht recht, was er empfand. Er schaute Elizabeth an und sah wieder einmal, wie liebreizend sie war. Er fragte sich, was so hübsch an ihr war, und erkannte, dass alles an ihr in perfekter Harmonie zueinander stand, wie die verschiedenen Bauteile einer wunderschönen Kirche. Ihr Mund, ihr Kinn, ihre Wangenknochen und ihre Stirn waren genau so, wie er sie gezeichnet hätte, wäre er Gott und wollte eine Frau erschaffen.

Elizabeth schaute ihn mit ihren ruhigen blauen Augen an. »Berühr mich«, sagte sie und öffnete den Mantel.

Sanft berührte Merthin ihre Brust. Auch daran erinnerte er sich noch: Elizabeth' Brüste waren fest und flach. Ihre Brustwarze versteifte sich bei seiner Berührung und strafte ihre ruhige Haltung Lügen.

»Ich möchte in deinem Traumhaus sein«, sagte sie und küsste ihn erneut.

Elizabeth folgte keiner Laune; das tat sie nie. Sie hatte über das hier nachgedacht. Während Merthin sie dann und wann besucht und ihre Gesellschaft genossen hatte, ohne sich weitere Gedanken zu machen, hatte Elizabeth sich bereits ein gemeinsames Leben ausgemalt. Vielleicht hatte sie sogar diese Szene hier geplant. Das würde auch erklären, warum ihre Mutter sie wegen eines vermeintlichen Kuchens so plötzlich verlassen hatte. Fast hätte Merthin ihren Plan zunichtegemacht, indem er einen Besuch in Dick Brewers Haus vorgeschlagen hatte, doch sie hatte sich rasch etwas einfallen lassen.

Nun – an solch einer nüchternen Herangehensweise war nichts verkehrt. Elizabeth war ein vernünftig denkender Mensch. Merthin wusste, dass bei ihr trotzdem Leidenschaft unter der Oberfläche brodelte.

Was jedoch nicht stimmte, war der Mangel jeglichen Gefühls auf seiner Seite. Es war nicht seine Art, bei Frauen kühl und nüchtern zu sein – eher im Gegenteil. Wann immer er sich verliebt hatte, hatten ihn die Gefühle schier überwältigt; er hatte Zorn empfunden, Wildheit, aber auch Lust und Zärtlichkeit. Nun empfand er nur Interesse, fühlte sich geschmeichelt und erregt, drohte aber nicht außer Kontrolle zu geraten.

Elizabeth fühlte, dass sein Kuss nur lauwarm war, und zog sich zurück. Merthin sah den Hauch einer Regung auf ihrem Gesicht, die sie jedoch mit aller Macht unterdrückte; dennoch wusste er, was es war: Er sah Furcht hinter der Maske. Elizabeth war von Natur aus dermaßen beherrscht, dass es sie viel Überwindung gekostet haben musste, so direkt zu sein, und sie hatte schreckliche Angst davor, zurückgewiesen zu werden.

Elizabeth rückte von Merthin weg, stand auf und hob den Rock ihres Kleides. Sie hatte lange, wohlgeformte Beine, bedeckt mit fast unsichtbarem blondem Haar. Obwohl sie groß und schlank war, verbreiterte ihr Körper sich an den Hüften auf angenehm weibliche Art. Hilflos wanderte Merthins Blick zum Dreieck ihres Geschlechts. Ihr Haar war so hell, dass Merthin hindurchsehen und die blassen Lippen sowie den schmalen Strich zwischen ihnen erkennen konnte.

Er schaute Elizabeth ins Gesicht und sah dort Verzweiflung. Sie hatte alles versucht, und nun erkannte sie, dass es nichts genützt hatte.

Merthin sagte: »Es tut mir leid.«

Sie ließ ihren Rock wieder fallen.

»Hör zu«, sagte er. »Ich finde ...«

Sie fiel ihm ins Wort. »Sag nichts.« Ihr Verlangen verwandelte sich in Wut. »Was immer du jetzt sagst, es wird eine Lüge sein.«

Sie hatte recht. Merthin hatte versucht, eine tröstliche Halbwahrheit zu formulieren: dass er sich nicht gut fühle oder dass Jimmie jeden Augenblick zurückkommen könne. Doch Elizabeth wollte nicht besänftigt werden. Sie war zurückgewiesen worden, und hilflose Entschuldigungen würden sie nur beleidigen.

Elizabeth starrte Merthin an. Trauer und Wut rangen auf ihrem schönen Gesicht miteinander, und Tränen der Enttäuschung traten ihr in die Augen. »Warum nicht?«, rief sie mit einem Mal; als Merthin den Mund öffnete, um darauf zu antworten, sagte sie: »Nein! Antworte nicht! Es wird nicht die Wahrheit sein.« Und wieder hatte sie recht.

Elizabeth wandte sich zum Gehen, kam dann aber zurück. »Es ist Caris«, sagte sie, und ihr Gesicht zuckte vor Erregung. »Die Hexe hat dich verzaubert! Sie wird dich nicht heiraten, doch eine andere kann dich auch nicht haben. Sie ist böse!«

Schließlich ging sie davon, warf die Tür auf und trat hinaus. Er hörte sie einmal kurz schluchzen; dann war sie verschwunden.

Merthin starrte ins Feuer. »Oh, verdammt!«

»Ich muss Euch etwas erklären«, sagte Merthin eine Woche später zu Edmund, als sie die Kathedrale verließen.

Edmunds Gesicht nahm einen leicht belustigten Ausdruck an, der Merthin vertraut war. Ich bin dreißig Jahre älter als du, sagte dieser Blick, und du solltest mir zuhören, nicht mir Vorlesungen halten; aber ich genieße deine jugendliche Leidenschaft. Außerdem bin ich noch nicht so alt, dass ich nichts mehr lernen könnte. »Also gut«, sagte er. »Aber erklär es mir im Bell. Ich will einen Becher Wein.«

Sie gingen in die Schänke und setzten sich ans Feuer. Elizabeth' Mutter brachte den Wein, doch sie reckte die Nase in die Luft und sagte kein Wort. »Ist Sairy wütend auf dich oder auf mich?«, fragte Edmund.

»Vergesst das«, sagte Merthin. »Habt Ihr je am Meer gestanden, die nackten Füße im Sand, während das Wasser über Eure Zehen hinwegspülte?«

»Natürlich. Alle Kinder spielen im Wasser. Selbst ich war mal ein kleiner Junge.«

»Erinnert Ihr Euch noch an die Bewegungen der Wellen, wie sie herein- und wieder hinausgeströmt sind? Wie sie scheinbar den Sand unter Euren Füßen weggesaugt und einen kleinen Kanal gebildet haben?«

»Ja. Das ist zwar lange her, aber ich glaube, ich weiß, was du meinst.«

»Das ist auch bei der alten Holzbrücke passiert. Die Strömung des Flusses hat die Erde unter den Mittelpfeilern weggeschwemmt.«

»Woher weißt du das?«

»Aufgrund des Rissmusters im Holz kurz vor dem Einsturz.«

»Worauf willst du hinaus?«

»Der Fluss hat sich nicht verändert. Er wird auch die neue Brücke unterminieren. Das ist so sicher wie das Amen in der Kirche ... Es sei denn, wir tun etwas dagegen.«

»Und wie?«

»In meiner Zeichnung ist ein großer Haufen loser Steine um jeden Pfeiler der neuen Brücke zu sehen. Die werden der Strömung viel von ihrer Kraft nehmen. Das macht einen gewaltigen Unterschied in Sachen Stabilität.«

»Woher weißt du das?«

»Ich habe Buonaventura danach gefragt. Das war gleich nach dem Brückeneinsturz, kurz bevor er nach London zurück ist. Er hat gesagt, er habe solche Steinhaufen um Brückenpfeiler herum in Italien gesehen und sich schon oft gefragt, wozu sie gut seien.«

»Faszinierend. Erzählst du mir das, um mich zu erhellen, oder steckt etwas Bestimmtes dahinter?«

»Leute wie Godwyn und Elfric verstehen das nicht, und sie würden nicht zuhören, wenn ich es ihnen zu erklären versuche. Nur für den Fall, dass Elfric es sich in seinen dummen Kopf setzen sollte, meinen Entwürfen nicht genau zu folgen, möchte ich sicherstellen, dass wenigstens einer in der Stadt den Grund weiß, weshalb ich diese Steinhaufen will.«

»Aber eine Person kennt diesen Grund doch am allerbesten: du selbst.«

»Ich werde Kingsbridge verlassen.«

Edmund war entsetzt. »Verlassen?«

In diesem Moment erschien Caris. »Bleib nicht zu lange hier«, sagte sie zu ihrem Vater. »Tante Petronilla kocht Essen. Willst du dich zu uns gesellen, Merthin?«

Edmund sagte: »Merthin will Kingsbridge verlassen.«

Caris erbleichte.

Als er ihre Reaktion sah, empfand Merthin tatsächlich eine gewisse Befriedigung. Sie hatte ihn zurückgewiesen, doch nun erschreckte es sie, dass er die Stadt verlassen wollte. Doch sofort schämte Merthin sich für dieses unwürdige Gefühl der Genugtuung. Er mochte Caris viel zu sehr, als dass er sie leiden sehen wollte. Trotzdem hätte er sich noch schlechter gefühlt, hätte sie die Neuigkeit mit Gleichmut hingenommen.

»Warum?«, fragte sie.

»Es gibt hier nichts für mich. Was soll ich denn bauen? An der Brücke darf ich nicht arbeiten. Eine Kathedrale hat die Stadt bereits. Ich will den Rest meines Lebens nicht nur Kaufmannshäuser bauen.«

Mit leiser Stimme fragte sie: »Wo willst du hin?«

»Florenz. Ich wollte schon immer die Bauwerke Italiens sehen. Ich werde Buonaventura Caroli um Empfehlungsschreiben bitten. Vielleicht kann ich ja sogar mit einem seiner Warenzüge reisen.«

»Aber du hast Besitz hier in Kingsbridge.«

»Darüber wollte ich mit dir reden. Würdest du ihn für mich verwalten? Du könntest meine Pacht eintreiben, eine Kommission davon einbehalten und den Rest Buonaventura geben. Er kann das Geld dann nach Florenz schicken.«

»Ich will keine verdammte Kommission!«, erwiderte sie eingeschnappt.

Merthin zuckte mit den Schultern. »Es ist Arbeit und sollte bezahlt werden.«

»Wie kannst du nur so kalt sein?« Caris' Stimme klang schrill, und die Leute im Schankraum hoben den Blick, doch es war ihr egal. »Du wirst all deine Freunde verlassen!«

»Ich bin nicht kalt. Und Freunde sind etwas Großartiges ... aber ich würde gerne heiraten.«

Edmund warf ein: »Es gibt jede Menge Mädchen in Kingsbridge, die dich nur allzu gerne ehelichen würden. Du siehst zwar nicht gut aus, aber du bist wohlhabend, und das ist mehr wert als gutes Aussehen.«

Merthin lächelte schief. Edmund konnte bisweilen entwaffnend ehrlich sein. Caris hatte diese Eigenschaft von ihm geerbt. »Eine Zeit lang habe ich gedacht, ich würde Elizabeth Clerk heiraten«, sagte Merthin.

»Ich auch«, erwiderte Edmund.

Caris erklärte: »Sie ist ein kalter Fisch.«

»Nein, ist sie nicht. Doch als sie mich gefragt hat, habe ich sie abblitzen lassen.«

Caris sagte: »Oh ... Deshalb ist sie in letzter Zeit so schlecht gelaunt.«

»Und deshalb würdigt ihre Mutter Merthin keines Blickes«, sagte Edmund.

»Und warum hast du Nein gesagt?«, fragte Caris.

»Es gibt nur eine Frau in Kingsbridge, dich ich heiraten könnte ... und die will niemandes Weib werden.«

»Aber sie will dich auch nicht verlieren.«

Merthin wurde wütend. »Was soll ich denn tun?«, fragte er. Seine Stimme war laut, und die anderen Gäste verstummten, um zu lauschen. »Godwyn hat mich entlassen, du hast mich zurückgewiesen, und mein Bruder ist ein Geächteter. Warum, in Gottes Namen, sollte ich hierbleiben?«

»Ich will nicht, dass du gehst«, sagte Caris.

»Das reicht aber nicht!«, rief Merthin.

Nun herrschte völlige Stille in der Schankstube. Jeder hier kannte die beiden: der Wirt, Paul Bell, und seine Tochter Bessie; die grauhaarige Schankmaid Sairy, Elizabeth' Mutter; Bill Watkin, der sich geweigert hatte, Merthin einzustellen; Edward Butcher, der berüchtigte Ehebrecher; Jake Chepstow, Merthins Pächter; Friar Murdo, Matthew Barber und Mark Webber. Alle kannten sie die Geschichte von Merthin und Caris, und der Streit faszinierte sie.

Merthin kümmerte das nicht. Sollten sie doch zuhören. Wütend sagte er: »Ich werde nicht mein Leben lang um dich herumscharwenzeln wie dein Hund Scrap und darauf warten, dass du geruhst, mir deine Aufmerksamkeit zu schenken. Ich will dein Gemahl sein, aber nicht dein Haustier.«

»Also gut«, sagte sie mit leiser Stimme.

Caris' plötzlich veränderter Tonfall überraschte Merthin, und er war nicht sicher, was sie meinte. »Also gut was?«

»Als gut, ich heirate dich.«

Für einen Moment verschlug es Merthin die Sprache. Dann fragte er misstrauisch: »Meinst du das ernst?«

Caris schaute ihn endlich an und lächelte scheu. »Ja, ich meine es ernst«, antwortete sie. »Frag mich einfach.«

»Na schön.« Merthin atmete tief durch. »Caris, willst du mich heiraten?«

»Ja, ich will«, antwortete Caris.

Edmund rief: »Hurra!«

Alle in der Schänke jubelten und klatschten in die Hände.

Merthin und Caris lachten glücklich. »Willst du wirklich?«, fragte Merthin noch einmal.

»Ja!«

Sie küssten sich, und Merthin schloss sie in die Arme und drückte sie so fest an sich, wie er konnte. Als er sie losließ, sah er, dass sie weinte.

»Wein für meine Verlobte!«, rief er. »Nein, bringt ein ganzes Fass! Gebt allen einen Becher, damit sie auf unsere Gesundheit trinken können!«

»Schon unterwegs«, sagte der Wirt, und wieder brach allgemeiner Jubel los.

Eine Woche später trat Elizabeth Clerk ins Kloster ein.

Ralph und Alan fristeten ein jämmerliches Dasein. Sie lebten von Wildbret und kaltem Wasser, und Ralph träumte immer wieder von Speisen, die er normalerweise gar nicht anrühren würde: Zwiebeln, Äpfeln, Eiern und Milch. Jede Nacht schliefen sie an einem anderen Ort, und stets machten sie ein Feuer. Sie hatten beide dicke Mäntel, doch das reichte im Freien nicht, und morgens wachten sie zitternd auf. Sie beraubten wehrlose Menschen, die das Pech hatten, ihnen auf der Straße zu begegnen, doch die Beute war meist karg oder nutzlos: zerlumpte Kleider, Tierfutter und Geld, für das sie sich im Wald nichts kaufen konnten.

Einmal stahlen sie ein großes Fass Wein. Sie rollten es hundert Schritt in den Wald, tranken, so viel sie konnten, und schliefen sturzbetrunken ein. Als sie aufwachten, hatten sie einen grässlichen Kater und waren übel gelaunt, zumal sie das noch zu drei Vierteln volle Fass nicht mitnehmen konnten und zurücklassen mussten.

Ralph dachte voller Wehmut an sein altes Leben zurück: das Herrenhaus, die prasselnden Feuer, die Diener, die köstlichen Mahlzeiten … Doch wenn er eingehender darüber nachdachte, wurde ihm klar, dass er dieses Leben nicht mehr wollte. Es war zu eintönig. Das war vermutlich auch der Grund dafür gewesen, dass er sich mit Annet vergnügt hatte: Er brauchte die Erregung, den Reiz des Verbotenen, das Prickeln der Gefahr.

Nach einem Monat im Wald beschloss Ralph, eine Art Stützpunkt zu errichten – einen Unterschlupf, in dem sie auch Proviant lagern konnten. Außerdem mussten sie ihre Überfälle in Zukunft planen und nur Dinge stehlen, die wirklich Wert für sie besaßen, vor allem warme Kleidung und frische Nahrungsmittel.

Ungefähr zu der Zeit, da Ralph diese Einsichten kamen, führten seine Wanderungen ihn und Alan zu einer Hügelkette ein paar Meilen von Kingsbridge entfernt. Ralph erinnerte sich, dass die im Winter kahlen Hänge im Sommer von Schäfern als Weide benutzt wurden und dass sie Hütten und primitive Unterstände aus Stein in den Geländefalten errichtet hatten. Als Jünglinge hatten Ralph und Merthin diese Gebäude entdeckt, dort Feuer entfacht und Hasen und Rebhühner gebraten, die sie mit ihren Bögen erlegt hatten. Schon in jenen Tagen, erinnerte sich Ralph, hatte er sich nach der Jagd gesehnt: dem Verfolgen und Verwunden der verängstigten Kreatur, um ihr dann mit einem Messer oder Knüppel den Rest zu geben ... Ein Leben zu nehmen vermittelte Ralph ein geradezu ekstatisches Gefühl von Macht.

Niemand würde hierherkommen, ehe nicht wieder neues Gras gewachsen war. Der traditionelle Tag für den Schafauftrieb war der Pfingstsonntag – der Eröffnungstag des Wollmarktes –, und bis dahin waren es noch zwei Monate. Ralph suchte sich eine stabil aussehende Hütte, und er und Alan richteten sich darin ein. Es gab keine Türen oder Fenster, nur einen niedrigen Eingang; im Dach befand sich ein Loch, das als Rauchabzug diente, und sie entzündeten ein Feuer und schliefen zum ersten Mal seit einem Monat im Warmen.

Die Nähe zu Kingsbridge ließ Ralph auf eine weitere großartige Idee kommen: Die beste Zeit für Überfälle war, wenn die Leute auf dem Weg zum Markt waren. Dann hatten sie Käse dabei, Apfelmost, Honig und Haferkuchen: all die Köstlichkeiten, die Dörfler produzierten und Städter brauchten – und Geächtete.

Der Wochenmarkt in Kingsbridge fand stets am Sonntag statt. Ralph hatte jedes Zeitgefühl verloren, und so fragte er einen Wandermönch nach dem Wochentag, ehe er ihn um drei Shilling und eine Gans erleichterte. Am darauffolgenden Samstag schlugen Ralph und Alan ihr Lager nicht weit entfernt von der Straße nach Kingsbridge entfernt auf. Die ganze Nacht saßen sie am Feuer, um sich dann bei Morgengrauen auf den Weg zur Straße zu machen, wo sie sich auf die Lauer legten.

Die erste Reisegruppe, die vorbeikam, beförderte Viehfutter auf einem Karren. In Kingsbridge gab es Hunderte von Pferden und nur sehr wenig Gras, sodass die Stadt ständig mit Heu versorgt werden musste. Für Ralph und Alan war dieses Heu jedoch nicht von Nutzen: Ihre Pferde, Griff und Fletch, hatten mehr als genug Gras im Wald, also ließen sie die Gruppe ziehen.

Das Warten langweilte Ralph nicht. Einen Hinterhalt vorzubereiten war fast genauso prickelnd, wie Frauen heimlich beim Ausziehen zuzuschauen. Je länger die Erwartung, desto größer die Erregung.

Kurz darauf hörten sie Gesang. Ralph sträubten sich die Nackenhaare: Es klang wie Engelsstimmen. Der Morgen war diesig, und als sie die Sänger zum ersten Mal sahen, schienen sie tatsächlich Heiligenscheine zu haben. Alan dachte offenbar das Gleiche wie Ralph, denn er stieß einen ängstlichen, schluchzenden Laut aus. Doch der vermeintliche Heiligenschein war nur die schwache Wintersonne, die den Nebel hinter den Reisenden erhellte. Die Leute, die da kamen, waren Bauersfrauen, und jede trug einen Korb mit Eiern. Das war kaum einen Diebstahl wert. Ralph ließ die Frauen vorbeiziehen, ohne sich zu zeigen.

Die Sonne stieg höher. Ralph machte sich allmählich Sorgen, die Straße könne bald so voll sein, dass ein Überfall unmöglich wurde. Dann aber kam eine Familie: ein Mann und eine Frau in den Dreißigern mit zwei heranwachsenden Kindern, einem Jungen und einem Mädchen. Sie kamen Ralph irgendwie bekannt vor; wahrscheinlich hatte er sie auf dem Markt in Kingsbridge gesehen, als er noch in der Stadt gewohnt hatte. Die Familie führte Dinge mit sich, die Ralphs Gier weckten: Der Mann trug einen schweren Korb mit Gemüse auf dem Rücken; die Frau balancierte eine lange Stange auf den Schultern, an der mehrere lebende Hühner hingen; der Junge schleppte einen dicken Schinken, und das Mädchen schließlich hielt einen irdenen Topf in den Armen, der vermutlich Salzbutter enthielt. Allein bei dem Gedanken an den Schinken lief Ralph das Wasser im Mund zusammen.

Die Spannung wuchs. Ralph nickte Alan zu.

Als die Familie auf Höhe der beiden Strauchdiebe angelangt war, sprangen sie aus dem Gebüsch.

Die Frau kreischte, und der Junge stieß einen furchtsamen Schrei aus.

Der Mann versuchte, den Korb vom Rücken zu bekommen, doch bevor ihm das gelang, stieß Ralph ihm das Schwert von unten in den Leib. Der Schmerzensschrei des Mannes verstummte abrupt, als die Klinge sein Herz durchbohrte.

Alan stürzte sich auf die Frau und schnitt ihr fast vollständig den Hals durch, sodass ihr Blut in hohem Bogen aus der Wunde spritzte.

Ralphs Inneres brodelte vor Erregung, als er sich zu dem Sohn umdrehte. Der Junge hatte rasch reagiert; er hatte den Schinken bereits fallen lassen und ein Messer gezückt. Nun stürzte er sich auf Ralph und stach zu. Es war ein ungeübter Stoß, viel zu wild und verzweifelt, um Schaden zu verursachen. Das Messer verfehlte Ralphs Brust, doch die Spitze drang ihm in den Oberarm. Vor Schmerz ließ

Ralph das Schwert fallen. Der Junge wirbelte herum und rannte in Richtung Kingsbridge davon.

Ralph schaute zu Alan. Bevor er sich dem Mädchen zuwandte, gab Alan der Mutter den Rest – und diese Verzögerung hätte ihn beinahe das Leben gekostet. Ralph sah, wie das Mädchen den Butterkrug nach Alan warf. Entweder war sie sehr geschickt oder hatte einfach nur Glück; jedenfalls traf der Krug Alan genau am Kopf, und er brach zusammen.

Dann rannte sie ihrem Bruder hinterher.

Ralph bückte sich, hob sein Schwert auf und machte sich an die Verfolgung der Kinder.

Sie waren jung und flink, doch er hatte lange und kräftige Beine, und so schloss er bald zu ihnen auf. Der Junge schaute über die Schulter und sah, dass Ralph näher kam. Zu Ralphs Erstaunen blieb der Junge stehen, drehte sich um und rannte kreischend auf ihn zu, das Messer hoch erhoben.

Ralph hielt an und hob das Schwert. Der Junge stürmte in todesmutiger Verzweiflung heran und blieb knapp außer Reichweite des Schwertes stehen. Ralph schlug zu, doch es war nur eine Finte. Der Junge tauchte unter dem Hieb weg und glaubte offenbar, Ralph aus dem Gleichgewicht gebracht zu haben, denn er versuchte, unter dessen Arm hindurch nahe genug an ihn heranzukommen, um zustechen zu können. Doch genau damit rechnete Ralph: Geschickt sprang er zurück, stellte sich auf die Ballen und rammte dem Jungen sein Schwert mit solcher Wucht in den Hals, dass die Spitze im Nacken wieder hervordrang.

Der Junge fiel tot zu Boden, und Ralph zog das Schwert aus dem zuckenden Leib, zufrieden mit der Kraft und Genauigkeit des Stoßes.

Als er den Blick hob, sah er das Mädchen in der Ferne verschwinden. Sofort erkannte er, dass er sie zu Fuß nicht würde einholen können, und bis er sein Pferd erreichte, würde sie in Kingsbridge sein.

Ralph drehte sich um und schaute zurück. Zu seiner Überraschung rappelte Alan sich wieder auf. »Ich dachte, sie hätte dich erschlagen«, sagte Ralph. Er wischte das Schwert am Kittel des toten Jungen ab, steckte es in die Scheide und drückte die linke Hand auf den rechten Arm, um die Blutung zu stoppen.

»Mein Kopf schmerzt, als säße ein Dämon darin«, stieß Alan hervor. »Hast du alle erwischt?«

»Das Mädchen ist entwischt.«

»Meinst du, sie hat uns erkannt?«

»Mich vielleicht. Ich habe die Familie schon mal gesehen.«

»Gott bewahre! Dann wären wir als Mörder gebrandmarkt!«

Ralph zuckte mit den Schultern. »Immer noch besser, als gehängt zu werden oder zu verhungern.« Er blickte auf die drei Leichen. »Lass uns diese Bauern von der Straße schaffen, ehe jemand vorbeikommt.«

Mit der linken Hand zerrte Ralph den Mann zum Straßenrand. Alan hob die Leiche hoch und warf sie ins Gebüsch. Auf gleiche Weise verfuhren sie mit der Frau und dem Jungen. Ralph stellte sicher, dass Vorüberkommende die Toten nicht sofort sehen konnten. Das Blut auf der Straße versickerte bereits im Schlamm.

Dann schnitt Ralph einen Streifen Stoff aus dem Kleid der Frau und band ihn um die Wunde an seinem Arm. Es tat noch immer weh, doch der Blutfluss ließ bereits nach. Wie stets nach einem Kampf empfand Ralph eine Traurigkeit, wie sie ihn auch nach vollzogenem Geschlechtsverkehr überkam.

Alan machte sich daran, die Beute einzusammeln. »Da haben wir einen guten Fang gemacht«, bemerkte er. »Schinken, Hühner, Butter ...« Er schaute in den Korb, den der Mann getragen hatte. »... und Zwiebeln! Vom letzten Jahr, aber immer noch gut.«

»Alte Zwiebeln schmecken besser als gar keine, hat meine Mutter immer gesagt.«

Als Ralph sich bückte, um den Butterkrug aufzuheben, der Alan am Kopf getroffen und niedergestreckt hatte, spürte er eine scharfe Eisenspitze am Hinterteil. Alan war vor ihm und schnappte sich die Hühner. Ralph fragte: »Wer ...?«

Eine harte Stimme sagte: »Keine Bewegung.«

Ralph sprang vor, weg von der Stimme, und fuhr herum. Sechs oder sieben Männer waren wie aus dem Nichts erschienen. Trotz seiner Verwirrung gelang es Ralph, mit der linken Hand das Schwert zu ziehen. Der Mann, der ihm am nächsten stand – vermutlich der, der ihm am Hintern herumgestochert hatte –, hob kampfbereit das Schwert; die anderen schnappten sich bereits die Hühner und stritten sich um den Schinken. Alan riss das Schwert hoch, um die Hühner zu verteidigen, während Ralph sich dem Wortführer stellte. Er konnte es kaum glauben: Da versuchte doch tatsächlich eine andere Gruppe von Geächteten, *ihn* auszurauben. In Ralph loderte heiße Wut auf: Er hatte Menschen für diese Beute getötet. Niemals würde er etwas davon hergeben! Er hatte keine Furcht, verspürte nur Hass auf die Angreifer.

Mit wilder Wut attackierte Ralph seinen Gegner, obwohl er nur mit der linken Hand kämpfen konnte. Mit einem Mal rief eine befehlsgewohnte Stimme: »Steckt die Schwerter weg, ihr Narren!«

Alle erstarrten. Ralph hielt sein Schwert bereit. Er vermutete eine List, blickte in die Richtung, aus der die Stimme gekommen war, und sah einen gut aussehenden Mann Mitte zwanzig, der offenbar von Adel war. Er trug teuer aussehende, wenn auch vollkommen verdreckte Kleider: einen mit Zweigen und Blättern bedeckten italienischen Mantel in Scharlachrot, ein Brokatwams voller Essensflecken und eine Hose aus haselnussbraunem Leder, zerkratzt und verschlammt.

»Diebe bestehlen Diebe«, sagte der Neuankömmling und lachte. »Das ist nicht mal ein Verbrechen!«

Ralph wusste, dass er in die Ecke gedrängt war; dennoch war er fasziniert. »Bist du der, den man Tam Hiding nennt?«, fragte er.

»Als ich noch ein Kind war, gab es schon Geschichten über Tam Hiding«, erwiderte der Mann. »Doch dann und wann kommt jemand daher, der die Rolle spielt – wie ein Mönch, der den Luzifer in einem Mysterienspiel gibt.«

»Du bist kein gewöhnlicher Geächteter.«

»Du auch nicht. Ich nehme an, du bist Ralph Fitzgerald.«

Ralph nickte.

»Ich habe von deiner Flucht gehört, und ich habe mich schon gefragt, wann wir uns treffen.« Tam schaute die Straße hinauf und hinunter. »Wir sind nur durch Zufall auf euch gestoßen. Warum habt ihr euch ausgerechnet diese Stelle ausgesucht?«

»Zuerst habe ich mir den Tag ausgesucht, nicht die Stelle. Heute ist Sonntag. Dann bringen die Bauern ihre Waren zum Markt nach Kingsbridge, das an dieser Straße liegt.«

»Sehr gut! Ich lebe nun schon zehn Jahre außerhalb des Gesetzes, aber daran habe ich noch nie gedacht! Vielleicht sollten wir uns zusammentun. Wollt ihr eure Waffen jetzt wegstecken?«

Ralph zögerte, doch Tam war unbewaffnet; also sah er keinen Nachteil darin. Außerdem waren er und Alan so deutlich in der Unterzahl, dass sie einem Kampf besser aus dem Weg gehen sollten. Langsam schob er das Schwert in die Scheide.

»So ist es besser.« Tam legte Ralph den Arm um die Schulter, und Ralph erkannte, dass sie von gleicher Größe waren. Nicht viele Männer waren so groß wie er. Tam führte ihn in den Wald und sagte: »Die anderen werden die Beute bringen. Komm hier entlang. Wir beide haben viel zu bereden.«

Edmund hämmerte auf den Tisch. »Ich habe diese Notsitzung des Gemeinderats einberufen, um das Problem mit den Geächteten zu besprechen«, sagte er. »Aber da ich langsam alt und träge werde, habe ich meine Tochter gebeten, euch die Lage zu schildern.«

Durch ihren Erfolg als Tuchhändlerin war Caris inzwischen ein eigenständiges Mitglied des Gemeinderats geworden. Das neue Geschäft hatte ihren Vater gerettet, und auch mehrere andere Leute in Kingsbridge profitierten davon, besonders die Familie Webber. Edmund hatte sein Versprechen wieder einlösen und Geld für den Brückenbau zur Verfügung stellen können; dank des allgemeinen Aufschwungs hatten mehrere andere Kaufherren es ihm gleichgetan. Mit der Brücke ging es nun gut voran, obwohl inzwischen Elfric die Aufsicht führte und nicht mehr Merthin.

Caris' Vater übernahm in letzter Zeit nur noch selten die Initiative. Die Zeitspannen, da sein Verstand wieder so scharf war wie früher, wurden immer kürzer und seltener. Caris machte sich Sorgen um ihn, doch es gab nichts, was sie hätte tun können. Sie empfand die gleiche Wut wie beim Tod ihrer Mutter. Warum gab es keine Hilfe für ihn? Niemand wusste, was ihm fehlte; niemand vermochte seiner Krankheit überhaupt nur einen Namen zu geben. Sie sagten, das sei das Alter, aber er war noch nicht einmal fünfzig!

Caris betete, dass ihr Vater wenigstens noch lange genug leben würde, um ihre Hochzeit zu sehen. Sie würde Merthin am Sonntag nach dem Wollmarkt in der Kathedrale heiraten, also in knapp einem Monat. Die Hochzeit der Tochter des Ratsältesten war ein Großereignis. Für die führenden Bürger würde es ein Bankett in der Ratshalle geben und in Lovers' Field ein Festmahl unter freiem Himmel für mehrere Hundert weitere Gäste. An manchen Tagen verbrachte Edmund Stunden damit, Speisepläne zu erarbeiten und sich um die Unterhaltung der Gäste zu kümmern, nur um am nächsten Tag alles vergessen zu haben und wieder von vorn anzufangen.

Doch Caris schob diese bedrückenden Gedanken vorerst beiseite und wandte sich dem Problem zu, von dem sie hoffte, dass es zu lösen war. »Im vergangenen Monat haben die Überfälle durch Geächtete deutlich zugenommen«, erklärte sie. »Hauptsächlich werden sie an Sonntagen verübt, und die Opfer sind ohne Ausnahme Leute, die Nahrungsmittel nach Kingsbridge bringen ...«

Elfric unterbrach sie. »Das ist der Bruder deines Verlobten!«, rief er. »Rede mit Merthin, nicht mit uns.«

Caris unterdrückte einen Anflug von Wut. Der Mann ihrer Schwester ließ keine Gelegenheit aus, sich an ihr auszulassen. Caris war sich schmerzlich bewusst, dass Ralph aller Wahrscheinlichkeit nach etwas mit den Überfällen zu tun hatte. Merthin quälte sich deswegen – und das genoss Elfric.

Dick Brewer sagte: »Ich glaube, Tam Hiding steckt dahinter.«

»Vielleicht beide«, sagte Caris. »Ich glaube, dass Ralph Fitzgerald, der eine soldatische Ausbildung hat, sich mit einer bereits bestehenden Gruppe von Geächteten zusammengetan und diese besser organisiert und somit schlagkräftiger gemacht hat.«

Die fette Betty Baxter, die erfolgreichste Bäckerin der Stadt, sagte: »Wer auch dahintersteckt – sie werden diese Stadt ruinieren! Es kommt kaum einer mehr zum Markt!«

Das war zwar übertrieben, doch die Zahl der Händler beim Wochenmarkt war tatsächlich drastisch gesunken, und die Auswirkungen bekam jeder in Kingsbridge zu spüren, von den Bäckereien bis hin zu den Schänken. »Das ist aber nicht das Schlimmste«, fuhr Caris fort. »In vier Wochen beginnt der Wollmarkt. Mehrere Leute haben große Summen Geldes in die neue Brücke investiert, die mit einer provisorischen Straßenbettung zur Eröffnung bereitstehen müsste. Das Wohlergehen der meisten von uns hängt vom Erfolg des Wollmarkts ab. Ich zum Beispiel habe ein ganzes Lagerhaus voll teurem scharlachrotem Tuch, das ich verkaufen will. Wenn sich herumspricht, dass jeder, der nach Kingsbridge kommt, Gefahr läuft, von Geächteten ausgeraubt zu werden, bleiben die Käufer aus.«

Tatsächlich war Caris sogar noch besorgter, als sie nach außen hin zeigte. Weder sie noch ihr Vater besaßen noch Bargeld. Sie hatten alles entweder in die neue Brücke oder in Wolle und Tuch investiert. Der Wollmarkt war ihre einzige Chance, dieses Geld wieder hereinzubekommen. Fehlten die Kunden, würden sie in große Schwierigkeiten geraten. Und wer würde dann für die Hochzeit bezahlen?

Doch Caris war nicht die Einzige, die sich Sorgen machte. Rick Silver, der Obmann der Goldschmiedezunft, erklärte: »Das wäre dann das dritte schlechte Jahr in Folge.« Er war ein steifer, kleinlicher Mann, stets makellos gekleidet. »Dann wäre ich erledigt!«, fuhr er fort. »Wir machen die Hälfte unseres Jahresumsatzes auf dem Wollmarkt!«

Edmund sagte: »Die ganze Stadt wäre erledigt. Das darf nicht geschehen.«

Mehrere andere stimmten in dieses Klagelied ein. Caris, die inoffiziell den Vorsitz führte, ließ sie jammern: Je größer das Gefühl von Dringlichkeit, desto eher würden sie der radikalen Lösung zustimmen, die sie gleich vorschlagen würde.

Elfric sagte: »Der Sheriff von Shiring sollte etwas dagegen tun. Schließlich wird er dafür bezahlt, den Frieden zu bewahren.«

Caris sagte: »Er kann nicht den ganzen Wald durchsuchen. Dafür hat er nicht genug Männer.«

»Aber Graf Roland.«

Das war Wunschdenken, doch erneut ließ Caris der Diskussion ihren Lauf, sodass es keine Ausweichmöglichkeiten mehr geben würde, wenn sie ihren Vorschlag unterbreitete.

Edmund sagte zu Elfric: »Der Graf wird uns nicht helfen – ich habe ihn schon gefragt.«

Caris, die Edmunds Brief an Roland verfasst hatte, erklärte: »Ralph war der Mann des Grafen, und das ist er immer noch. Euch ist sicher schon aufgefallen, dass die Geächteten keine Reisenden angreifen, die zum Markt nach Shiring ziehen.«

Elfric sagte entrüstet: »Die Bauern von Wigleigh hätten nie Beschwerde gegen einen Herrn führen dürfen. Für wen halten die sich eigentlich?«

Caris wollte ihm etwas Passendes darauf erwidern, doch Betty Baxter kam ihr zuvor. »Deiner Meinung nach sollte es Herrn also gestattet sein, jede Frau zu vergewaltigen, auf die sie scharf sind?«

Edmund meldete sich zu Wort. »Das ist eine andere Frage«, sagte er in entschiedenem Tonfall und zeigte noch einmal einen Hauch seiner alten Autorität. »Was passiert ist, ist passiert, und nun ist Ralph zur Plage geworden. Also, was sollen wir tun? Der Sheriff kann uns nicht helfen, und der Graf will nicht.«

Rick Silver fragte: »Was ist mit Herrn William? Er hat sich auf die Seite der Leute von Wigleigh geschlagen. Es ist seine Schuld, dass Ralph ein Geächteter ist.«

»Ihn habe ich auch schon gefragt«, antwortete Edmund. »Er sagt, das Problem bestehe nicht auf seinem Grund und Boden, deshalb könne er nichts tun.«

Rick bemerkte: »Das ist das Übel, wenn man eine Priorei zum

Herrn hat. Was nützen einem die Mönche, wenn man Schutz braucht?«

Caris sagte: »Auch deshalb haben wir an den König appelliert, dass er uns das Stadtrecht verleiht. Dann würden wir unter dem Schutz der Krone stehen.«

Elfric sagte: »Wir haben doch unseren Büttel. Was macht der denn den ganzen Tag?«

Mark Webber, der einer der Stellvertreter des Büttels war, meldete sich zu Wort. »Wir tun, was getan werden muss«, erklärte er. »Ihr müsst es nur sagen.«

»Niemand zweifelt an eurer Tapferkeit«, sagte Caris, »doch eure Aufgabe besteht darin, euch um Störenfriede *in* der Stadt zu kümmern. John Constable hat keine Erfahrung mit der Jagd auf Geächtete.«

Mark, der Caris nahestand, weil er die Walkmühle in Wigleigh führte, fühlte sich ein wenig beleidigt. »Und wer hat diese Erfahrung?«

Caris hatte die Diskussion bewusst zu diesem Punkt geführt. »Es gibt da einen erfahrenen Soldaten, der bereit ist, uns zu helfen«, sagte sie. »Ich habe mir die Freiheit genommen, ihn heute Abend hierherzubitten. Er wartet in der Kapelle.« Sie hob die Stimme. »Thomas, würdet Ihr Euch bitte zu uns gesellen?«

Thomas Langley kam aus der kleinen Kapelle am Ende der Halle. Skeptisch bemerkte Rick Silver: »Ein Mönch?«

»Bevor er Mönch geworden ist, war er Soldat«, erklärte Caris. »So hat er auch seinen Arm verloren.«

Elfric knurrte: »Die Ratsmitglieder hätten um Erlaubnis gefragt werden müssen, ehe man ihn eingeladen hat.« Zufrieden sah Caris, dass niemand von Elfric Notiz nahm; alle waren viel zu sehr daran interessiert, was Thomas zu sagen hatte.

»Ihr müsst eine Miliz aufstellen«, begann Thomas. »Allen Berichten zufolge besteht die Bande der Geächteten aus zwanzig bis dreißig Mann. Das sind nicht viele. Dank der sonntäglichen Übungen verstehen es die meisten Männer in der Stadt, mit einem Langbogen umzugehen. Hundert von euch, gut vorbereitet und klug geführt, könnten die Geächteten leicht überwältigen.«

»Das ist ja alles schön und gut«, sagte Rick Silver, »aber dafür müssten wir diese Halsabschneider erst mal finden.«

»Gewiss«, erwiderte Thomas. »Aber ich bin sicher, dass es in Kingsbridge jemanden gibt, der weiß, wo sie sich verstecken.«

Merthin hatte Jake Chepstow, den Holzhändler, gebeten, ihm aus Wales ein Stück Schiefer mitzubringen – das größte Stück, das er finden konnte. Von seiner letzten Reise war Jake dann mit einer dünnen Platte grauen walisischen Schiefers von ungefähr vier Fuß im Quadrat wieder zurückgekehrt. Merthin hatte die Platte in einen Holzrahmen eingefasst und benutzte sie nun zum Zeichnen seiner Entwürfe.

An diesem Abend, als Caris an der Ratssitzung teilnahm, war Merthin in seinem Haus auf Leper Island und arbeitete an einer Karte der Insel. Parzellen für Anlegestellen und Lagerhäuser zu verpachten war für ihn nur der Anfang. Vor seinem geistigen Auge sah er bereits eine ganze Straße mit Schänken und Läden, die die Insel von einer Brücke zur anderen durchzog. Die Gebäude würde er selbst bauen und an aufstrebende Händler vermieten. Merthin fand es faszinierend, in die Zukunft der Stadt zu schauen und sich die Bauwerke und Straßen vorzustellen.

In Merthins Plan gab es auch ein neues Haus für ihn und Caris. Das Haus, das er jetzt bewohnte, wäre zwar auch gemütlich, sobald sie erst frisch verheiratet waren, doch irgendwann würden sie mehr Platz brauchen, besonders wenn Kinder kamen. Merthin hatte sich bereits einen geeigneten Bauplatz am Südufer ausgesucht, wo sie frische, kühle Luft vom Fluss bekommen würden. Der Großteil der Insel war felsig, doch an der Stelle, die Merthin im Sinn hatte, gab es guten, fruchtbaren Boden, sodass er die Obstbäume würde anpflanzen können, von denen er immer geträumt hatte. Während er das Haus plante, genoss er die Vorstellung, dass er und Caris bis zu ihrem Ende miteinander leben würden.

Ein Klopfen riss ihn aus seinen Träumen. Merthin erschrak. Normalerweise kam nach Einbruch der Dunkelheit niemand mehr auf die Insel – außer Caris natürlich, aber die würde nicht anklopfen. »Wer ist da?«, rief Merthin ein wenig ängstlich.

Thomas Langley kam herein.

»Mönche sollten um diese Zeit eigentlich schlafen«, bemerkte Merthin.

»Godwyn weiß nicht, dass ich hier bin.« Thomas warf einen Blick auf die Schiefertafel. »Ihr zeichnet mit der linken Hand?«

»Links oder rechts, das macht keinen Unterschied für mich. Möchtet Ihr einen Becher Wein?«

»Nein, danke. Ich hatte schon einen Becher zur Matin vor ein paar Stunden. Wenn ich jetzt noch einen trinke, schlafe ich im Stehen ein.«

Merthin mochte Thomas; mittlerweile waren sie sogar so etwas wie Freunde geworden. Seit jenem Tag vor zwölf Jahren, als er Thomas versprochen hatte, einen Priester zu dem vergrabenen Brief zu führen, falls Thomas starb, gab es ein Band zwischen ihnen. Später, als sie gemeinsam an der Kathedrale gearbeitet hatten, waren Thomas' Anweisungen stets klar und deutlich gewesen – und immer freundlich, selbst den Lehrlingen gegenüber. Thomas war es gelungen, ehrlichen Herzens seiner religiösen Berufung zu folgen, ohne dabei jene Art von überheblichem Stolz zu entwickeln, der für viele Kirchenmänner typisch war. So sollten alle Gottesmänner sein, dachte Merthin.

Er winkte Thomas zu einem Stuhl am Feuer. »Was kann ich für Euch tun?«

»Es geht um Euren Bruder Ralph. Er muss aufgehalten werden.«

Merthin zuckte unwillkürlich zusammen. »Wenn ich irgendetwas tun könnte, würde ich es tun; aber ich habe ihn sehr lange nicht gesehen. Und ich bin mir nicht sicher, ob Ralph überhaupt auf mich hören würde. Es gab eine Zeit, da hat er auf meine Führung geschaut, doch ich fürchte, diese Zeit ist vorbei.«

»Ich komme gerade von einer Versammlung des Gemeinderats. Man hat mich gebeten, eine Miliz aufzustellen.«

»Erwartet nicht von mir, dass ich mich dieser Miliz anschließe.«

»Nein, deshalb bin ich nicht hier.« Thomas lächelte schief. »Ihr habt viele außergewöhnliche Talente, aber soldatische Fähigkeiten gehören eindeutig nicht dazu.«

Merthin nickte reumütig. »Danke.«

»Aber Ihr könntet trotzdem etwas für mich tun.«

Merthin fühlte sich unbehaglich. »Und was?«

»Die Geächteten müssen sich irgendwo nicht weit weg von Kingsbridge verstecken. Ich möchte, dass Ihr darüber nachdenkt, wo Euer Bruder sein könnte. Vermutlich handelt es sich um einen Ort, den ihr beide kennt – eine Höhle vielleicht, oder eine verlassene Wildhüterhütte im Wald.«

Merthin zögerte.

Thomas sagte: »Ich weiß, dass Ihr es hasst, Ralph zu verraten; aber denkt nur an die Familie, die er überfallen hat: einen anständigen, hart arbeitenden Bauern, seine hübsche Frau, einen vierzehnjährigen Jungen und ein kleines Mädchen. Nun sind drei von ihnen tot, und das Mädchen hat keine Eltern mehr. Auch wenn Ihr Euren Bruder liebt, müsst Ihr uns helfen, ihn zu fangen.«

»Ich weiß.«

»Und Ihr wisst nicht, wo Ralph sein könnte?«

Merthin war noch nicht bereit, die Frage zu beantworten. »Werdet Ihr ihn lebendig fangen?«

»Wenn ich kann.«

Merthin schüttelte den Kopf. »Das ist mir nicht genug. Ich brauche eine feste Zusage.«

Thomas schwieg ein paar Augenblicke. Schließlich sagte er: »Na schön. Ich werde ihn lebend fangen. Ich weiß zwar nicht wie, aber ich werde schon einen Weg finden. Das verspreche ich Euch.«

»Danke.« Merthin hielt kurz inne. Er wusste, dass es nicht anders ging, doch sein Herz rebellierte dagegen. Schließlich zwang er sich zu sprechen. »Als ich zwölf oder dreizehn war, sind wir immer jagen gegangen, Ralph und ich, oft mit älteren Jungen. Wir sind den ganzen Tag draußen geblieben und haben das Wild gebraten, das wir erlegt haben. Manchmal sind wir bis zu den Chalk Hills gezogen und haben uns mit den Familien getroffen, die im Sommer dort ihre Schafe weiden. Schäferinnen neigen zu einem lockeren Lebenswandel – einige lassen sich sogar küssen.« Er lächelte kurz. »Im Winter, wenn die Schäfer nicht da waren, haben wir ihre Hütten als Unterschlupf genutzt. Dort könnte Ralph sich jetzt verstecken.«

»Ich danke Euch«, sagte Thomas und stand auf.

»Vergesst nicht Euer Versprechen.«

»Nein.«

»Ihr habt mir vor zwölf Jahren ein Geheimnis anvertraut.«

»Ich weiß.«

»Und ich habe Euch nie verraten.«

»Das weiß ich.«

»Und jetzt vertraue ich Euch.« Merthin wusste, dass diese Worte auf zweierlei Weise gedeutet werden konnten: als Flehen, es ihm gleichzutun, oder als Drohung. Das war auch in Ordnung so. Sollte Thomas glauben, was er wollte.

Thomas streckte seine eine Hand aus, und Merthin schüttelte sie. »Ich werde mein Wort halten«, erklärte Thomas. Dann ging er hinaus.

❈

Ralph und Tam ritten Seite an Seite den Hügel hinauf, gefolgt von Alan Fernhill auf seinem Pferd und den restlichen Geächteten, die zu Fuß gingen. Ralph fühlte sich gut: Es war wieder einmal ein erfolgreicher Sonntagmorgen gewesen. Inzwischen war Frühling, und die Bauern brachten ihre neuen Erträge zum Markt. Die Bandenmitglieder trugen ein halbes Dutzend Lämmer, einen Krug Honig, einen verschlossenen Krug Sahne und mehrere Lederflaschen Wein. Wie gewöhnlich hatten die Geächteten nur leichte Verletzungen davongetragen, ein paar Schnitte und Beulen von den Törichteren ihrer Opfer.

Ralphs Bündnis mit Tam hatte sich als äußerst erfolgreich erwiesen. Nach nur ein paar Stunden Kampf hatten sie alles, was sie für eine Woche Völlerei brauchten. Den Rest ihrer Zeit verbrachten sie mit Jagen bei Tag und Saufen bei Nacht. Hier gab es kein ungehobeltes Bauernpack, das sie mit Grenzstreitigkeiten belästigte oder die Pacht zurückbehielt. Das Einzige, was ihnen fehlte, waren Frauen – und heute hatten sie auch dieses Problem gelöst. Sie hatten zwei pralle Mädchen entführt, Schwestern von dreizehn und vierzehn Jahren.

Nur eines bedauerte Ralph: dass er nie für den König gekämpft hatte. Seit seiner Kindheit war dies sein Ehrgeiz gewesen. Und ein Geächteter zu sein bot für einen guten Kämpfer wenig Herausforderung. Außerdem erfüllte es Ralph nicht gerade mit Stolz, unbewaffnete Bauern zu töten. Der Junge in ihm sehnte sich noch immer nach Ruhm. Er hatte nie bewiesen, dass er die Seele eines Ritters besaß, weder sich selbst noch anderen.

Doch er ließ sich von diesen Gedanken nicht die Laune verderben. Während sie den Hang hinaufritten, hinter dem sich ihr Unterschlupf befand, freute Ralph sich auf das Fest heute Nacht. Sie würden Lamm am Spieß braten und Sahne mit Honig trinken. Und erst die Mädchen ... Ralph beschloss, sie nebeneinanderzulegen, sodass jede zuschauen konnte, wie ihre Schwester von einem Mann nach dem anderen vergewaltigt wurde. Allein schon bei der Vorstellung schlug sein Herz schneller.

Sie kamen in Sichtweite der steinernen Unterstände. Lange würden sie die nicht mehr benutzen können, sinnierte Ralph. Das Gras wuchs, und bald würden die Schäfer kommen. Ostern war früh dieses Jahr, und Pfingsten war direkt nach dem Maifeiertag. Die Geächteten würden sich ein neues Lager suchen müssen.

Als Ralph noch fünfzig Schritt von der nächstgelegenen Hütte entfernt war, sah er zu seinem Entsetzen, wie jemand herauskam.

Ralph und Tam zügelten ihre Pferde. Die Geächteten sammelten sich um sie herum, die Hände auf den Waffen.

Der Mann kam auf sie zu, und Ralph sah, dass es sich um einen Mönch handelte. Tam sagte: »Was, in drei Teufels Namen ...?«

Ein Ärmel des Mönches flatterte leer an seiner Seite, und Ralph erkannte ihn als Bruder Thomas aus Kingsbridge. Thomas kam auf sie zu, als wäre er ihnen zufällig auf der Straße begegnet. »Gott zum Gruß, Ralph«, sagte er. »Erinnerst du dich noch an mich?«

Tam fragte Ralph: »Kennst du den Mann?«

Thomas trat rechts neben Ralphs Pferd und streckte seinen gesunden rechten Arm aus, um ihm die Hand zu schütteln. Verblüfft beugte Ralph sich hinunter, um die ihm dargebotene Hand zu ergreifen. Thomas ließ seine Hand Ralphs Arm hinaufgleiten und packte ihn am Ellbogen.

Aus dem Augenwinkel heraus bemerkte Ralph eine Bewegung an den Steinhütten. Er hob den Blick und sah, wie ein Mann aus der Tür des nächsten Gebäudes kam, dicht gefolgt von einem zweiten, dann drei weitere; schließlich strömten sie aus allen Hütten und legten Pfeile auf die Langbögen, die sie bei sich trugen. Ralph erkannte voller Entsetzen, dass er und seine Bande in einen Hinterhalt geraten waren – und in diesem Augenblick verstärkte sich der Griff um seinen Ellbogen, und mit einem plötzlichen, kräftigen Ruck wurde er vom Pferd gerissen.

Die Geächteten schrien. Ralph krachte auf den Boden und landete auf dem Rücken. Sein Pferd, Griff, sprang ängstlich davon. Als Ralph aufzustehen versuchte, fiel Thomas auf ihn wie ein Baum und drückte ihn zu Boden wie ein Liebender. »Bleib liegen, und du wirst nicht sterben«, sagte er Ralph ins Ohr.

Dann hörte Ralph das Geräusch von Dutzenden von Pfeilen, die gleichzeitig abgeschossen wurden – ein tödliches Rauschen wie ein plötzlicher, heftiger Windstoß. In den Hütten mussten sich mindestens hundert Bogenschützen versteckt haben. Dass Thomas Ralph aus dem Sattel gerissen hatte, war offenbar das Angriffssignal gewesen.

Ralph, zur Wehrlosigkeit verdammt, hörte die Schreie der Geächteten, als die Pfeile ihr Ziel fanden. Vom Boden aus konnte er kaum etwas sehen, doch einige seiner Männer zogen die Schwerter, wie er an dem hellen Singen von Stahl erkannte. Allerdings waren sie zu weit von den Schützen entfernt: Wenn sie auf den Feind zustürmten, würde der sie niederstrecken, ehe sie auch nur in Reichweite kamen. Es war ein Massaker, keine Schlacht. Hufe dröhnten, und Ralph fragte sich, ob Tam die Schützen angriff oder floh.

Schreie, Flüche, Hufgepolter, Waffengeklirr: Es herrschte Chaos, das aber bald verebbte. Nach nur wenigen Augenblicken war offensichtlich, dass die Geächteten sich in panischer Flucht befanden.

Thomas erhob sich, zog einen langen Dolch unter seiner Benediktinerrobe hervor und sagte drohend: »Denk nicht mal daran, dein Schwert zu ziehen.«

Ralph stand auf. Er schaute zu den Bogenschützen und erkannte viele von ihnen: den fetten Dick Brewer, den lüsternen Edward Butcher, den leutseligen Paul Bell, den grimmigen Bill Watkin – allesamt furchtsame, gesetzestreue Bürger von Kingsbridge. Er war von Händlern gefangen worden! Doch das war noch nicht das Überraschendste.

Neugierig schaute er Thomas an. »Du hast mir das Leben gerettet, Mönch«, sagte er.

»Nur weil dein Bruder mich darum gebeten hat«, erwiderte Thomas kalt. »Wäre es nach mir gegangen, wärst du schon tot gewesen, ehe du im Dreck gelandet bist.«

✳

Das Gefängnis von Kingsbridge befand sich im Keller der Ratshalle. Die Zelle hatte Steinwände, einen Erdboden und keine Fenster. Es gab auch kein Feuer, und im Winter erfror schon mal ein Gefangener, doch nun war Mai, und Ralph hatte einen Wollmantel, um sich des Nachts zu wärmen. Auch hatte er ein paar Möbel – einen Stuhl, eine Bank und einen kleinen Tisch –, die Merthin gegen eine Gebühr von John Constable geliehen hatte. Auf der anderen Seite der verriegelten Eichentür befand sich Constables Schreibstube. An Markttagen und während des Wollmarkts saßen er und seine Männer dort und warteten darauf, bei Ärger gerufen zu werden.

Alan Fernhill war mit Ralph in der Zelle. Einer der Schützen aus Kingsbridge hatte ihn mit einem Pfeilschuss ins Bein niedergestreckt; obwohl die Wunde nicht schwer war, hatte er nicht weglaufen können. Tam Hiding allerdings war die Flucht gelungen.

Der heutige Tag würde ihr letzter hier sein. Am Mittag wurde der Sheriff erwartet, der sie nach Shiring bringen sollte. Für die Vergewaltigung von Annet waren sie bereits in Abwesenheit zum Tode verurteilt worden – wie auch für die Verbrechen, die sie vor Gericht unter den Augen des Richters begangen hatten: die Verwundung des Geschworenenobmanns sowie Wulfrics und die Flucht. Sobald sie in Shiring waren, würde man sie hängen.

Eine Stunde vor Mittag brachten Ralphs Eltern ihnen etwas zu essen: heißen Schinken, frisches Brot und einen Krug starken Biers. Merthin begleitete sie. Ralph nahm an, dass nun die Zeit zum Abschied gekommen war.

Sein Vater bestätigte Ralphs Verdacht: »Wir werden dir nicht nach Shiring folgen«, sagte er.

Seine Mutter fügte hinzu: »Wir wollen nicht sehen, wie du …« Sie konnte nicht weiterreden, doch Ralph wusste, was sie hatte sagen wollen: Sie würden ihm nicht nach Shiring folgen, weil sie ihn nicht am Galgen sehen wollten.

Ralph trank das Bier, aß aber keinen Bissen. Er war auf dem Weg zum Galgen, und da kam ihm Essen irgendwie sinnlos vor. Außerdem hatte er keinen Appetit. Alan jedoch stopfte alles in sich hinein: Offenbar hatte er keine Angst vor dem grausamen Schicksal, das ihn erwartete.

Die Familie saß in verlegenem Schweigen beieinander. Obwohl es ihre letzten gemeinsamen Minuten waren, wusste niemand, was er sagen sollte. Maud weinte leise; Sir Gerald schaute düster drein, und Merthin hatte den Kopf in die Hände gelegt. Alan Fernhill sah einfach nur gelangweilt aus.

Ralph hatte eine Frage an seinen Bruder. Ein Teil von ihm wollte sie ihm nicht stellen, doch nun war ihm klar geworden, dass es seine letzte Gelegenheit war: »Nachdem Bruder Thomas mich vom Pferd gezogen hat, um mich vor den Pfeilen zu schützen, habe ich ihm dafür gedankt, dass er mir das Leben gerettet hat«, sagte Ralph. Er schaute seinen Bruder an und fuhr fort: »Thomas hat gesagt, das hätte er nur um deinetwillen getan.«

Merthin nickte bloß.

»Hast du ihn darum gebeten?«

»Ja.«

»Also hast du gewusst, was geschehen würde.«

»Ja.«

»Aber … Woher hat Thomas gewusst, wo er mich finden konnte?«

Merthin antwortete nicht.

Ralph sagte: »Du hast es ihm gesagt, nicht wahr?«

Ihr Vater war entsetzt. »Merthin!«, rief er. »Wie konntest du nur?«

Alan Fernhill stieß hervor: »Du verräterisches Schwein.«

Merthin fuhr Ralph an: »Du hast Menschen ermordet! Unschul-

dige Bauern und deren Frauen und Kinder! Jemand musste dich aufhalten!«

Zu seinem eigenen Erstaunen war Ralph nicht wütend, hatte
jedoch einen Kloß im Hals. Er schluckte und fragte dann: »Aber
warum hast du Thomas gebeten, mein Leben zu verschonen? Wolltest du mich lieber hängen sehen?«

Maud sagte: »Ralph, nicht«, und schluchzte.

»Ich weiß es nicht«, antwortete Merthin. »Vielleicht wollte ich
nur, dass du ein kleines bisschen länger lebst.«

»Aber du hast mich verraten.« Ralph stand kurz vor dem Zusammenbruch. Mühsam hielt er die Tränen zurück. »Du hast mich verraten«, wiederholte er.

Merthin sprang auf und rief wütend: »Bei Gott, das hast du auch
verdient!«

Maud rief schluchzend: »Bitte, streitet euch nicht.«

Ralph schüttelte traurig den Kopf. »Wir werden uns nicht streiten«, sagte er. »Diese Zeiten sind vorbei.«

Die Tür öffnete sich, und John Constable kam herein. »Der Sheriff ist draußen«, verkündete er.

Maud umarmte Ralph und klammerte sich weinend an ihn. Nach
ein paar Augenblicken zog Sir Gerald sie sanft von ihm weg.

John ging hinaus, und Ralph folgte ihm. Er war überrascht, dass
man ihn weder fesselte noch in Ketten legte. Er war schon einmal
geflohen. Hatten sie denn gar keine Angst, dass er es noch mal versuchen würde? Ralph ging durch die Schreibstube und hinaus an die
frische Luft. Seine Familie folgte ihm.

Früher am Tag musste es geregnet haben, denn das Sonnenlicht
glitzerte auf der nassen Straße, und Ralph musste die Augen zusam-
menkneifen. Nachdem er sich an das helle Licht gewöhnt hatte, erkannte er sein Pferd, Griff, gesattelt und zum Aufbruch bereit. Der
Anblick erfreute sein Herz. Er nahm die Zügel und sagte dem Tier
ins Ohr: »Du hast mich nie verraten, mein Junge, du nie.« Griff blähte die Nüstern und scharrte mit den Hufen. Er freute sich, seinen
Herrn zu sehen.

Der Sheriff und ein paar seiner Männer warteten auf ihren
Pferden. Sie waren bis an die Zähne bewaffnet. Sie würden Ralph
auf Griff nach Shiring reiten lassen, jedoch kein unnötiges Risiko
eingehen. Diesmal würde es keine Flucht für ihn geben, erkannte
Ralph.

Dann schaute er noch einmal genauer hin. Der Sheriff war da, doch die Bewaffneten waren nicht seine Männer. Es waren Graf Rolands Soldaten. Und da war auch der Graf persönlich auf seinem grauen Schlachtross. Was tat er hier?

Der Graf beugte sich aus dem Sattel und reichte John Constable ein zusammengerolltes Pergament. »Lies das, wenn du kannst«, sagte Roland. Er sprach wie immer nur mit halbem Mund. »Das ist ein Befehl des Königs. Alle Gefangenen in der Grafschaft sind begnadigt und frei … unter der Bedingung, dass sie sich der Armee des Königs anschließen.«

Sir Gerald rief: »Hurra!« Maud brach in Freudentränen aus. Merthin schaute dem Büttel über die Schulter und las die Order des Königs.

Alan blickte Ralph an. »Was heißt das?«, fragte er.

»Dass wir frei sind!«, antwortete Ralph.

John Constable sagte: »Ja, so ist es, falls ich es richtig lese.« Er schaute zum Sheriff hinauf. »Bestätigt Ihr das?«

»Ja«, erklärte der Sheriff.

»Dann gibt es nichts mehr zu sagen. Diese Männer sind frei. Sie können den Grafen begleiten.« Der Büttel rollte das Pergament zusammen.

Ralph schaute zu seinem Bruder. Merthin weinte. Waren es Tränen der Freude oder des Zorns?

Ralph blieb keine Zeit, darüber nachzudenken. »Kommt«, sagte Roland ungeduldig. »Wir müssen die Formalitäten erledigen und dann los. Der König ist bereits in Frankreich. Wir haben einen weiten Weg vor uns.« Er wendete sein Pferd und ritt die Hauptstraße hinunter.

Ralph trat Griff in die Flanken, und das Pferd fiel in Trab und folgte dem Grafen.

»Du kannst nicht gewinnen«, sagte Gregory Longfellow zu Prior Godwyn, als er auf dem großen Stuhl in der Halle im Haus der Priors saß. »Der König wird Kingsbridge das Stadtrecht verleihen.«

Godwyn starrte ihn an: Dieser Mann war der Advokat, der für ihn, den Prior, zwei Fälle vor dem königlichen Gericht gewonnen hatte, einen gegen den Grafen und den anderen gegen den Ratsältesten. Wenn ein solcher Held sich für geschlagen erklärte, war die Niederlage in der Tat unvermeidlich.

Das war unerträglich. Seit Hunderten von Jahren herrschte der Prior über die Stadt. In Godwyns Augen existierte Kingsbridge nur, um der Priorei zu dienen, die wiederum Gott diente. Nun würde das Kloster zum Teil einer Stadt werden, die von Kaufleuten regiert wurde, die dem schnöden Mammon huldigten ... und im Buch des Lebens würde stehen, dass es Prior Godwyn gewesen war, der das zugelassen hatte.

Verzweifelt fragte er seinen einstigen Mitstudenten aus den alten Zeiten in Oxford: »Bist du dir wirklich sicher?«

»Ich bin mir immer sicher«, antwortete Gregory.

Godwyn war außer sich. Das selbstgefällige Auftreten des Advokaten war ja schön und gut, wenn er seine Gegner verspottete, doch wenn es sich gegen einen selbst richtete, konnte es einen in den Wahnsinn treiben. Godwyn jedenfalls erging es so. Wütend sagte er: »Du bist also den ganzen Weg hierhergekommen, nur um mir zu sagen, dass du nicht tun kannst, worum ich dich gebeten habe?«

»Und um mein Honorar abzuholen«, fügte Gregory gleichmütig hinzu.

Godwyn wünschte sich nichts sehnlicher, als Gregory in seinen feinen Londoner Kleidern in den Fischteich zu werfen.

Es war der Samstag des Pfingstwochenendes, der Tag vor der Eröffnung der Wollmarktwoche. Draußen auf dem Rasen im Westen der Kathedrale bauten Hunderte von Händlern ihre Stände auf; sie machten einen solchen Lärm, dass man sie sogar hier im Haus des Priors hören konnte, wo Godwyn und Gregory einander am Esstisch gegenübersaßen.

Philemon, der auf der Bank saß, sagte zu Gregory: »Vielleicht könntet Ihr dem Herrn Prior ja erklären, wie Ihr zu dieser pessimistischen Ansicht gelangt seid.« Mittlerweile hatte er sich einen Tonfall angewöhnt, der halb unterwürfig, halb verächtlich klang. Godwyn war nicht sicher, ob ihm das gefiel.

Gregory reagierte nicht auf den Tonfall. »Aber natürlich«, sagte er. »Der König ist in Frankreich.«

Godwyn entgegnete: »Da ist er schon seit einem Jahr, aber es ist noch nicht viel passiert.«

»Im Winter werdet ihr mehr hören.«

»Warum?«

»Ihr müsst doch von den französischen Überfällen auf unsere Häfen gehört haben, oder?«

»Ja, das habe ich«, meldete sich wieder Philemon zu Wort. »Es heißt, französische Seeleute hätten die Nonnen in Canterbury vergewaltigt.«

»Es wird jedes Mal behauptet, dass der Feind irgendwelche Nonnen vergewaltigt«, erwiderte Gregory verächtlich. »Das ermutigt das einfache Volk, den Krieg zu unterstützen. Aber Portsmouth haben sie tatsächlich niedergebrannt. Und es hat auch ernsthafte Störungen des Seehandels gegeben. Sicher ist euch aufgefallen, wie sehr der Preis für eure Wolle gefallen ist.«

»In der Tat.«

»Nun, das liegt zum Teil an den Problemen, die Wolle nach Flandern zu verschiffen. Der Preis, den ihr für Wein aus Bordeaux bezahlt, ist aus dem gleichen Grund gestiegen.«

Wir konnten uns diesen Wein schon zu den alten Preisen nicht leisten, dachte Godwyn, sprach es aber nicht aus.

Gregory fuhr fort: »Diese Überfälle scheinen jedoch nur ein Vorgeplänkel zu sein. Die Franzosen stellen eine Invasionsflotte zusammen. Unseren Spionen zufolge ankern bereits zweihundert Schiffe in der Mündung des Zwyn.«

Godwyn fiel auf, dass Gregory von »unseren Spionen« sprach, als wäre er ein Mitglied des Kronrats. Dabei gab er nur Gerüchte weiter. Allerdings waren sie in seinem Fall überzeugend. »Was hat der französische Krieg damit zu tun, ob Kingsbridge eine freie Stadt wird oder nicht?«

»Steuern. Der König braucht Geld. Der Gemeinderat hat argumentiert, dass die Stadt wohlhabender sein und deshalb mehr Steuern zahlen würde, wenn die Kaufleute das Joch der Priorei abgeschüttelt hätten.«

»Und der König glaubt das?«

»Es ist auch in früheren Fällen schon so gewesen. Deshalb schaffen Könige ja freie Städte. Freie Städte kurbeln den Handel an, und Handel bringt Steuern.«

Schon wieder Geld, dachte Godwyn angewidert. »Können wir denn gar nichts machen?«

»Nicht in London. Ich rate dir, dich auf Kingsbridge zu konzentrieren. Kannst du den Gemeinderat dazu bringen, den Antrag zurückzunehmen? Was für ein Mann ist der Ratsälteste? Ist er bestechlich?«

»Mein Onkel Edmund? Um seine Gesundheit ist es schlecht bestellt, und er wird immer gebrechlicher. Seine Tochter, meine Base Caris, ist die treibende Kraft hinter allem.«

»Ah ja, ich erinnere mich an die Frau. Sie kam mir ziemlich hochnäsig vor.«

Das musst du Laffe gerade sagen, dachte Godwyn säuerlich. »Sie ist eine Hexe«, sagte er.

»Wirklich? Nun, das könnte helfen.«

»Das habe ich nicht wörtlich gemeint.«

Philemon sagte: »Tatsächlich, mein Herr Prior, gibt es da gewisse Gerüchte.«

Gregory hob die Augenbrauen. »Interessant!«

Philemon fuhr fort: »Sie ist eng mit der weisen Frau mit Namen Mattie befreundet, die leichtgläubigen Stadtbewohnern Tränke mischt.«

Godwyn wollte das Thema Hexerei verächtlich abtun, beschloss dann aber, doch lieber den Mund zu halten. Jede Waffe, mit der man das Stadtrecht abwenden konnte, war von Gott gesandt. Vielleicht betreibt Caris ja tatsächlich Hexenkunst, dachte er. Wer weiß das schon?

Gregory sagte: »Ich sehe, dass du zögerst. Natürlich, wenn du deine Base mit Zuneigung betrachtest ...«

»Als ich jünger war, ja«, sagte Godwyn und dachte reumütig daran zurück, wie einfach früher alles gewesen war. »Aber ich muss leider sagen, dass sie sich nicht zu einer gottesfürchtigen Frau entwickelt hat.«

»In dem Fall …«

»Ich muss das untersuchen«, sagte Godwyn.

Gregory fragte: »Dürfte ich einen Vorschlag machen?«

Godwyn hatte zwar genug von Gregorys Vorschlägen, brachte es aber nicht über sich, es ihm ins Gesicht zu sagen. »Aber gewiss doch«, antwortete er mit übertriebener Freundlichkeit.

»Untersuchungen in Fällen von Ketzerei oder Hexerei können sehr übel und widerwärtig sein. Du solltest dir nicht die Hände schmutzig machen. Außerdem sind die Leute vielleicht ein wenig eingeschüchtert, wenn sie mit einem Prior sprechen. Du solltest diese Aufgabe jemandem erteilen, der nicht so viel Macht ausstrahlt … diesem jungen Novizen zum Beispiel.« Er deutete auf Philemon, dessen Gesicht vor Freude aufleuchtete. »Er scheint mir ein recht kluger Mann zu sein.«

Godwyn erinnerte sich daran, dass es Philemon gewesen war, der Bischof Richards Schwäche entdeckt hatte: seine Affäre mit Margery. Philemon war der Richtige für Drecksarbeiten jeder Art. »Also schön«, sagte Godwyn. »Sieh zu, was du herausfinden kannst, Philemon.«

»Ich danke Euch, mein Herr Prior«, erwiderte Philemon. »Nichts könnte mir mehr Freude machen.«

※

Am Sonntagmorgen strömten noch immer Menschen nach Kingsbridge hinein. Caris beobachtete, wie sie über Merthins zwei neue, breite Brücken zogen, zu Fuß, zu Pferd oder mit zwei- und vierrädrigen Karren, gezogen von Ochsen oder Pferden und mit Waren für den Markt beladen. Der Anblick stimmte sie froh. Es hatte eine große Eröffnungsfeier gegeben, obwohl die Brücke noch nicht ganz fertig war: Die Straßenbettung war das vorgesehene Provisorium aus Holz. Dennoch hatte sich rasch herumgesprochen, dass die Brücke nun eröffnet war und dass man sich auf den Straßen nicht mehr vor Geächteten zu fürchten brauchte. Selbst Buonaventura Caroli war gekommen.

Merthin hatte eine neue Methode vorgeschlagen, den Brückenzoll einzutreiben, die der Gemeinderat gern übernommen hatte: Anstelle eines einzelnen Zollhäuschens am Ende der Brücke, was einen Flaschenhals bedeutet hätte, wurden nun zehn Mann auf Leper Island postiert und an der Straße zwischen den beiden Brücken verteilt. Die meisten Leute gaben ihnen ihren Penny, ohne auch nur stehen zu bleiben, sodass sich nicht einmal eine Schlange bildete. Und das Wetter war sonnig und mild, von Regen keine Spur.

Der Markt wird ein Triumph, sagte Caris sich erwartungsvoll.

Und dann, in einer Woche von heute an gerechnet, würde sie Merthin heiraten.

Caris hatte noch immer Vorbehalte gegen die Ehe. Die Vorstellung, ihre Unabhängigkeit aufzugeben und jemandes Eigentum zu werden, ängstigte sie nach wie vor, obwohl sie wusste, dass Merthin nicht zu den Männern gehörte, die ihre Frau misshandelten. Bei den wenigen Gelegenheiten, da sie diese Gefühle gestanden hatte – Gwenda oder Mattie Wise gegenüber –, hatte man ihr gesagt, sie denke wie ein Mann. Nun, dann war das eben so; daran konnte sie auch nichts ändern.

Doch die Aussicht, Merthin zu verlieren, war ihr noch schrecklicher erschienen. Was wäre ihr dann noch geblieben außer der Tuchmanufaktur? Als Merthin dann angekündigt hatte, die Stadt verlassen zu wollen, war Caris ihre Zukunft plötzlich trist und leer vorgekommen, und sie hatte erkannt, dass eine Ehe mit Merthin – und nur mit ihm – der Einsamkeit vorzuziehen war.

Zumindest sagte Caris sich das in ihren hoffnungsfroheren Augenblicken. Denn manchmal, wenn sie mitten in der Nacht wach lag, sah sie sich selbst, wie sie im letzten Augenblick einen Rückzieher machte, manchmal sogar mitten in der Hochzeitszeremonie. Sie weigerte sich, das Eheversprechen zu geben, und rannte zum Erstaunen der ganzen Gemeinde fluchtartig aus der Kathedrale.

Das war natürlich Unsinn, dachte sie dann wieder im hellen Licht des Tages, zumal alles so gut lief. Sie würde Merthin heiraten und glücklich werden.

Caris verließ das Flussufer und ging durch die Stadt zur Kathedrale, in der es bereits vor Gläubigen nur so wimmelte, die auf den Beginn des Morgengottesdienstes warteten. Caris erinnerte sich daran, wie Merthin sie einst hinter einem Pfeiler begrapscht hatte. Wehmütig dachte sie an die heiße, sorgenfreie Leidenschaft zurück, die ihre Beziehung zu Anfang geprägt hatte, die langen, intensiven Gespräche, die geraubten Küsse …

Caris fand Merthin in den vorderen Reihen der Gemeinde. Er betrachtete das Gewölbe über dem südlichen Seitenschiff des Chorbereichs, jenen Teil der Kirche, der zwei Jahre zuvor vor ihren Augen eingestürzt war. Caris erinnerte sich, wie sie mit Merthin zu den Gewölberücken hinaufgestiegen war und das erschreckende Gespräch zwischen Bruder Thomas und seiner Frau belauscht hatte – jenes Gespräch, das Caris' Ängste verstärkt und schließlich dazu geführt hatte, dass sie die Beziehung mit Merthin beendet hatte.

Nun aber verdrängte Caris diese düsteren Gedanken. »Das Gewölbe scheint zu halten«, sagte sie in der Hoffnung, dass es das war, worüber Merthin nachdachte.

Er blickte sie kurz an, schaute dann wieder zweifelnd zum Gewölbe hinauf. »Zwei Jahre sind nicht viel im Leben einer Kathedrale.«

»Aber es sieht doch alles glatt und fest gefügt aus.«

»Das ist es ja gerade. Eine unsichtbare Schwäche kann über viele Jahre hinweg Schaden anrichten, bis es plötzlich wieder zum Einsturz kommt.«

»Vielleicht gibt es ja keine Schwäche.«

»Aber es muss eine geben!«, widersprach Merthin ungeduldig. »Wir haben nie herausgefunden, was der Grund für den Einsturz vor zwei Jahren war; deshalb konnten wir den Schaden auch nicht beseitigen. Und solange das so bleibt, gibt es diese unsichtbare Gefahr.«

»Vielleicht sieht man den Schaden deshalb nicht, weil er sich von selbst behoben hat.«

Natürlich war die Bemerkung nicht ernst gemeint, doch Merthin fasste es so auf. »Gebäude setzen sich für gewöhnlich nicht von selbst instand, aber du hast recht: Möglich ist es. Vielleicht ist von einem der Wasserspeier der Regen so abgeflossen, dass er das Mauerwerk aufgeweicht hat, und nun läuft das Wasser in eine andere Richtung.«

Die Prozession der Mönche zog singend in die Kathedrale ein, und die Gemeinde verstummte. Die Nonnen kamen durch ihren eigenen Eingang. Eine der Novizinnen hob den Blick und enthüllte ein schönes blasses Gesicht inmitten all der verhüllten Köpfe. Es war Elizabeth Clerk. Sie sah Merthin und Caris nebeneinanderstehen, und die plötzliche Bosheit in ihrem Blick ließ Caris schaudern. Dann senkte Elizabeth wieder den Kopf und verschwand inmitten der anderen Nonnen.

»Sie hasst dich«, sagte Merthin.

»Sie glaubt, ich hätte dich davon abgehalten, sie zu heiraten.«

»Da hat sie recht.«

»Nein, hat sie nicht. Du hättest jede heiraten können, die du willst!«

»Aber ich wollte nur dich.«

»Du hast mit Elizabeth gespielt.«

»So muss es für sie wohl ausgesehen haben«, sagte Merthin reumütig. »Aber ich habe bloß mit ihr geredet, weil es mir gutgetan hat – besonders, nachdem du dich in Eis verwandelt hattest.«

Caris war nicht wohl in ihrer Haut. »Ich weiß. Aber Elizabeth fühlt sich betrogen. So, wie sie mich anschaut … das macht mir Angst.«

»Du brauchst keine Angst zu haben. Elizabeth ist jetzt Nonne. Sie kann dir kein Leid mehr zufügen.«

Sie verstummten, standen Seite an Seite. Ihre Schultern berührten sich sanft, als sie das Ritual verfolgten, das von Bischof Richard geleitet wurde, der auf dem Thron am Ostende der Kathedrale saß. Merthin mochte so etwas; das wusste Caris. Er fühlte sich nach einem solchen Hochamt stets besser – und genau dafür sei ein Gottesdienst ja auch da, sagte er immer. Caris ging nur in die Kirche, weil den Leuten ihr Fehlen aufgefallen wäre. Was die kirchlichen Rituale betraf, hatte sie ihre Zweifel: Sie war nicht sicher, ob Gott seinen Willen ausschließlich Menschen wie ihrem Vetter Godwyn kundtat. Und warum sollte ein Gott Lobpreisungen wollen? Könige und Grafen verlangten Respekt, ja Verehrung; je niedriger der Rang eines Edelmannes, desto mehr Unterwürfigkeit wollte er sehen. Caris war der Ansicht, dass es einen allmächtigen Gott genauso wenig kümmerte, ob die braven Leute von Kingsbridge sein Lob sangen, wie es ihn scherte, ob der Hirsch im Wald Angst vor ihm hatte oder nicht. Gelegentlich sprach Caris solche Gedanken auch aus, doch niemand nahm sie ernst.

Ihre Gedanken schweiften in die Zukunft. Die Zeichen standen gut, dass der König das gute alte Kingsbridge zu einer freien Stadt erklären würde. Ihr Vater würde vermutlich der erste Bürgermeister werden, wenn seine Gesundheit es zuließ. Ihr Tuchhandel würde florieren. Mark Webber würde reich werden, und mit zunehmendem Wohlstand würde der Gemeinderat eine Wollbörse bauen, damit jedermann selbst bei schlechtem Wetter Geschäfte machen konnte. Merthin würde das Gebäude entwerfen. Selbst der Priorei würde es besser gehen, obwohl Godwyn ihr bestimmt nicht dafür danken würde.

Der Gottesdienst näherte sich seinem Ende, und die Mönche und Nonnen zogen hinaus. Ein Novize löste sich aus der Prozession und trat zur Gemeinde. Es war Philemon. Zu Caris' Erstaunen kam er auf sie zu. »Dürfte ich ein Wort mit Euch sprechen?«, fragte er.

Caris unterdrückte ein Schaudern. Gwendas Bruder hatte etwas Widerwärtiges, Abstoßendes an sich. »Worum geht es?«, erwiderte sie. Es fiel ihr schwer, höflich zu bleiben.

»Ich würde Euch gern um Rat fragen«, sagte Philemon und versuchte sich an einem freundlichen Lächeln. »Ihr kennt doch Mattie Wise.«

»Ja.«

»Wie denkt Ihr über ihre Heilmethoden?«

Caris musterte ihn streng. Worauf wollte Philemon hinaus? Sie beschloss, dass es am besten sei, Mattie zu verteidigen. »Sie hat zwar nie die Texte der antiken Ärzte studiert, doch ihre Mittel helfen trotzdem, manchmal sogar besser als die der Mönche. Ich glaube, das liegt daran, weil ihre Heilmethoden auf uralten Erkenntnissen gründen, die sich in der Vergangenheit bewährt haben, und nicht auf irgendeiner Theorie über Säfte.«

Die Leute in der Nähe hörten neugierig zu, und einige von ihnen beteiligten sich unaufgefordert an dem Gespräch.

»Sie hat unserer Nora einen Trank gegeben, der ihr Fieber gesenkt hat«, sagte Madge Webber.

John Constable berichtete: »Als ich mir den Arm gebrochen habe, hat mir ihre Medizin den Schmerz genommen, während Matthew Barber den Knochen wieder gerichtet hat.«

Philemon fragte: »Und welche Zaubersprüche spricht sie, wenn sie ihre Mixturen braut?«

»Es gibt keine Zaubersprüche!«, entgegnete Caris entrüstet. »Mattie sagt den Leuten, sie sollen beten, wenn sie die Medizin nehmen, denn nur Gott könne sie heilen.«

»Könnte sie eine Hexe sein?«

»Das ist lächerlich!«

»Es hat aber eine entsprechende Beschwerde beim Kirchengericht gegeben.«

Caris lief es eiskalt über den Rücken. »Von wem?«

»Das kann ich nicht sagen. Aber man hat mich gebeten, die Sache zu untersuchen.«

Caris stand vor einem Rätsel. Wer könnte Matties Feind sein? Sie sagte zu Philemon: »Du solltest Matties Wert besser kennen als alle anderen! Sie hat deiner Schwester das Leben gerettet, als sie Sam zur Welt gebracht hat. Gwenda wäre verblutet, hätte Mattie ihr nicht geholfen.«

»So sieht es zumindest aus.«

»So sieht es aus? Gwenda lebt doch, oder etwa nicht?«

»Ja, natürlich. Dann meint Ihr also, dass Mattie nicht den Teufel anruft?«

Caris bemerkte, dass Philemon die Frage mit leicht erhobener Stimme stellte, als wolle er sicherstellen, dass die Umstehenden ihn auch ja hörten. Sie war verwirrt, zweifelte aber nicht an ihrer Antwort. »Natürlich nicht! Wenn du willst, schwöre ich sogar einen Eid darauf.«

»Das ist nicht nötig«, erwiderte Philemon glatt. »Ich danke für Euren Rat.« Er machte eine steife Verbeugung und huschte davon.

Caris und Merthin gingen zum Ausgang. »Was für ein Unsinn!«, rief Caris wutentbrannt. »Mattie ist keine Hexe!«

Merthin wirkte besorgt. »Es sieht fast so aus, als ob Philemon Beweise gegen sie sammelt, oder?«

»Ja.«

»Warum ist er dann zu dir gekommen? Er hätte sich doch denken können, dass gerade du die Anklage lächerlich findest. Warum sollte er ihren Namen reinwaschen wollen?«

»Ich weiß es nicht.«

Sie gingen durch das große Westportal und auf den Kathedralenvorplatz hinaus. Die Sonne schien auf Hunderte von Ständen mit farbenfrohen Waren. »Das ergibt keinen Sinn«, sagte Merthin, »und gerade das macht mir Sorgen.«

»Wie meinst du das?«

»Es ist wie mit der Ursache für die Schwäche im Gewölbe der Kathedrale. Wenn man es nicht sehen kann, vermag es weiter sein zerstörerisches Werk zu tun – heimlich, still und leise. Man bemerkt es erst, wenn alles um einen herum zusammenbricht.«

✳

Das scharlachrote Tuch an Caris' Stand war nicht so gut wie das Tuch, das Loro Fiorentino verkaufte, obwohl man schon ein scharfes Auge brauchte, um den Unterschied zu erkennen. So war das Gewebe nicht ganz so dicht, da die italienischen Webstühle den englischen überlegen waren. Die Farbe wiederum war zwar genauso strahlend, aber nicht so gleichmäßig über den ganzen Ballen hinweg; ohne Zweifel waren die italienischen Färber geschickter. Als Folge davon nahm Caris ein Zehntel weniger für ihr Tuch als Loro.

Dennoch war Caris' Tuch das beste englische Scharlachrot, das man in Kingsbridge je gesehen hatte, und das Geschäft lief gut. Mark und Madge verkauften es pro Elle von ihrem Hof an Einzelkunden, und Caris kümmerte sich um die Großhändler aus Winchester, Gloucester und sogar London. Gegen Montagmittag wusste sie bereits, dass sie schon vor Ende der Woche ausverkauft sein würde.

Als das Geschäft zur Mittagspause nachließ, schlenderte Caris über den Markt. Sie empfand tiefe Zufriedenheit. Wie auch Merthin hatte sie allen Widrigkeiten getrotzt. An Perkins Stand blieb sie stehen, um mit den Leuten aus Wigleigh zu reden. Selbst Gwenda hatte triumphiert: Hier war sie, verheiratet mit Wulfric – was niemand je für möglich gehalten hätte –, und da war ihr kleiner Sohn, der einjährige Sammy. Pummelig und glücklich saß er auf dem Boden. Annet verkaufte wie immer Eier von einem Tablett, und Ralph war nach Frankreich gegangen, um für den König zu kämpfen. Vielleicht würde er nie wieder zurückkehren.

Weiter weg sah Caris den alten Joby, Gwendas Vater, der Eichhörnchenfelle verkaufte. Joby war ein böser Mann, doch Gwenda schien er nicht mehr wehtun zu können.

Schließlich kam Caris zum Stand ihres eigenen Vaters. Sie hatte ihn davon überzeugt, dieses Jahr kleinere Mengen Vlies zu kaufen. Der länderübergreifende Wollmarkt konnte unmöglich gedeihen, wenn die Franzosen und Engländer die Häfen des jeweils anderen überfielen und die vor Anker liegenden Schiffe niederbrannten. »Wie läuft das Geschäft?«, fragte Caris ihren Vater.

»Mittelmäßig«, antwortete Edmund. »Ich denke, ich habe diesmal die richtige Menge eingekauft.« Er hatte schon wieder vergessen, dass es Caris' Vorschlag gewesen war.

Ihr Koch, Tutty, kam mit Edmunds Mittagessen: Lammeintopf in einem Kessel, ein Laib Brot und ein Krug Bier. Es war wichtig, wohlhabend zu erscheinen, aber man durfte es auch nicht übertreiben. Edmund hatte Caris schon vor vielen Jahren erklärt, dass die Kunden glauben mussten, bei einem erfolgreichen Händler einzukaufen; aber sie durften nicht das Gefühl haben, jemandem Geld zu bezahlen, der ohnehin schon darin ertrank.

»Hast du Hunger?«, fragte Edmund.

»Und wie.«

Edmund stand auf, um nach dem Eintopf zu greifen. Plötzlich geriet er ins Taumeln, machte ein seltsames Geräusch – irgendetwas zwischen einem Grunzen und einem Schrei – und fiel zu Boden.

Der Koch schrie auf.

Caris rief: »Vater!« Doch sie wusste, dass er ihr nicht antworten würde. Sie hatte gesehen, dass er bereits das Bewusstsein verloren hatte, ehe er wie ein Sack Zwiebeln auf den Boden gefallen war. Caris kämpfte gegen das Verlangen an, ihre Angst hinauszuschreien. Sie kniete sich neben ihn. Edmund lebte und atmete rau. Caris packte sein Handgelenk und fühlte seinen Puls: Er war kräftig, aber langsam. Edmunds Gesicht war knallrot.

Tutty stammelte: »Was … Was ist das?«

Caris zwang sich, ruhig zu sprechen. »Er hat einen Anfall«, sagte sie. »Hol Mark Webber. Er kann Vater ins Hospital tragen.«

Der Koch rannte davon. Die Leute von den Nachbarständen kamen herbei. Dick Brewer erschien und sagte: »Der arme Edmund! Was kann ich tun?«

Dick war zu alt und zu fett, um Edmund hochzuheben. Caris sagte: »Mark ist unterwegs, um ihn ins Hospital zu tragen.« Sie brach in Tränen aus. »Hoffentlich wird er wieder gesund!«, schluchzte sie.

Mark erschien. Sanft hob er Edmund mit seinen starken Armen hoch und ging zum Hospital. Während er sich durch die Menge schlängelte, rief er immer wieder: »Aufgepasst! Aus dem Weg! Verletzter Mann! Verletzter Mann!«

Caris folgte ihm. Sie war völlig aufgelöst. Durch den Schleier ihrer Tränen hindurch konnte sie kaum sehen; also blieb sie dicht hinter Marks breitem Rücken. Als sie das Hospital erreichten, war Caris froh, das vertraute runde Gesicht der alten Julie zu sehen. Die Nonne eilte davon, und Mark legte Edmund auf eine Matratze am Altar.

Edmund war noch immer bewusstlos. Er hatte die Augen geschlossen, und sein Atem ging unregelmäßig. Caris fühlte seine Stirn: Sie war weder heiß noch kalt. Was war mit ihm geschehen? Es war so plötzlich gekommen. Im einen Augenblick hatte er noch ganz normal geredet, und im nächsten hatte er das Bewusstsein verloren. Wie konnte so etwas passieren?

Mutter Cecilia erschien. Ihre resolute Art war beruhigend. Sie kniete sich neben die Matratze und fühlte nach Edmunds Herz, dann seinen Puls. Sie lauschte seinem Atem und berührte sein Gesicht. »Bring ihm ein Kissen und eine Decke«, sagte sie zu Julie. »Dann hol einen der Mönchsärzte.«

Cecilia stand auf und schaute zu Caris. »Er hatte einen Anfall«, sagte sie. »Vielleicht erholt er sich wieder. Wir können es ihm nur so bequem wie möglich machen. Der Arzt wird wohl einen Aderlass empfehlen, doch abgesehen davon ist das Gebet die einzige Medizin.«

Nur zu beten genügte Caris nicht. »Ich hole Mattie.«

Sie eilte aus dem Gebäude und über den Markt. Genau das hatte sie auch vor einem Jahr getan, als sie Mattie geholt hatte, um Gwendas Blutung zu stoppen. Damals hatte Caris sich schreckliche Sorgen gemacht, doch nun war es anders, schlimmer noch: Es sah so aus, als würde die ganze Welt um sie her zusammenfallen: Die Angst, ihr Vater könnte sterben, vermittelte Caris jenes grauenhafte Gefühl, das sie manchmal in ihren Träumen überkam, wenn sie auf dem Dach der Kathedrale stand und keinen Weg nach unten hatte, außer zu springen.

Die körperliche Anstrengung, durch die Straßen zu rennen, beruhigte sie ein wenig, und als sie schließlich Matties Haus erreichte, hatte sie ihre Gefühle wieder unter Kontrolle. Mattie würde wissen, was zu tun war. »Oh, ich weiß schon«, würde sie sagen. »Hier hast du eine Medizin, die wird ihm helfen.«

Caris hämmerte an die Tür. Da sie nicht sofort eine Antwort hörte, zerrte sie ungeduldig am Riegel und stellte verwundert fest, dass die Tür offen war. Caris eilte ins Haus und rief: »Mattie, du musst sofort ins Hospital kommen! Es geht um meinen Vater!«

Die vordere Stube war leer. Caris zog den Vorhang beiseite, der die Küche abschirmte. Dort war Mattie auch nicht. Caris sagte laut: »Oh, warum bist du ausgerechnet jetzt aus dem Haus?« Sie schaute sich nach einem Hinweis um, wohin Mattie gegangen sein könnte. Dabei fiel ihr auf, wie leer der Raum aussah: All die kleinen Krüge, Flaschen und Phiolen waren fort, und die Regale waren leer. Auch von den Mörsern, in denen Mattie ihre Ingredienzien zerstampfte, war nichts zu sehen, und auch nicht die kleinen Töpfe zum Schmelzen und Kochen oder die Messer zum Kräuterschneiden. Caris kehrte in den vorderen Teil des Hauses zurück und sah, dass Matties persönliche Gegenstände ebenfalls fort waren: ihr Nähkästchen, ihre Weinbecher, der bestickte Schal, der immer zur Zierde an der Wand gehangen hatte, und der reich beschnitzte Knochenkamm, den sie so sehr liebte.

Mattie hatte ihre Sachen gepackt und war verschwunden.

Caris konnte sich denken warum. Mattie musste von Philemons Fragen gestern in der Kirche gehört haben. Traditionell trat das Kirchengericht am Samstag der Wollmarktwoche zusammen. Erst vor zwei Jahren hatten die Mönche die Gelegenheit genutzt, um die verrückte Nell der Ketzerei anzuklagen.

Mattie war keine Ketzerin, doch das zu beweisen war schwer,

wie viele alte Frauen auf schmerzliche Art hatten erfahren müssen. Mattie hatte sich gefragt, wie hoch die Wahrscheinlichkeit war, dass sie den Prozess überlebte, und die Antwort war eindeutig ausgefallen. Daraufhin hatte sie rasch ihre Sachen gepackt, ohne jemandem etwas zu sagen, und die Stadt verlassen. Wahrscheinlich hatte sie dann einen Bauern angetroffen, der auf dem Heimweg war, nachdem er seine Waren verkauft hatte, und ihn dazu gebracht, sie auf seinem Ochsenkarren mitfahren zu lassen. Caris stellte sich vor, wie Mattie in der Dämmerung aufgebrochen war, ihr Bündel neben sich auf dem Karren und die Kapuze tief ins Gesicht gezogen, damit niemand sie zu erkennen vermochte. Caris konnte nicht einmal ahnen, wohin Mattie gegangen sein könnte.

»Was soll ich nur tun?«, fragte sie sich laut in dem leeren Raum. Mattie wusste besser als jeder andere in Kingsbridge, wie man Kranken helfen konnte. Das war der schlimmstmögliche Zeitpunkt für ihr Verschwinden. Verzweiflung überkam Caris.

Sie setzte sich auf Matties Stuhl, noch immer schwer atmend vom Laufen. Sie wollte zurück ins Hospital rennen, doch das war sinnlos. Sie würde ihrem Vater nicht helfen können. Das konnte niemand.

Die Stadt braucht einen Heiler, dachte sie. Aber keinen von der Sorte, die sich nur auf Aderlass, Gebete und Weihwasser verlassen, sondern jemanden, der auf Behandlungsmethoden zurückgreift, die sich bewährt haben. Während sie nun in Matties leerem Haus saß, erkannte sie, dass es tatsächlich jemanden gab, auf den dies alles zutraf – jemanden, der Matties Methoden kannte und an ihre praktische Philosophie glaubte. Dieser Jemand war sie selbst.

Der Gedanke kam Caris so klar und hell wie eine Erleuchtung, und sie saß regungslos da, verwirrt von dem Gedanken an die Folgen, die sich daraus ergaben. Caris kannte die Rezepte für Matties wichtigste Tränke: einen zur Schmerzlinderung, einen, der zu Erbrechen führte, einen, um Wunden auszuwaschen, und einen, um Fieber zu senken. Sie kannte die heilsame Wirkung vieler Kräuter: Dill gegen Verdauungsstörungen, Fenchel gegen Fieber, Gartenraute gegen Blähungen, Brunnenkresse gegen Unfruchtbarkeit. Doch sie kannte auch die Behandlungsmethoden, die Mattie niemals verordnete: Umschläge mit Dung, Medizin mit Gold und Silber und auf Pergament geschriebene Verse, die man an die erkrankten oder schmerzenden Körperteile band.

Und Caris hatte eine natürliche Gabe zum Heilen. Das hatte auch Mutter Cecilia gesagt und sie bedrängt, Nonne zu werden. Nun, ins

Kloster würde sie nicht eintreten, aber vielleicht Matties Platz einnehmen. Warum nicht? Das Tuchgeschäft konnte auch Mark Webber führen. Er machte jetzt schon die meiste Arbeit.

Caris würde andere weise Frauen aufsuchen – in Shiring, in Winchester und vielleicht in London – und sie nach ihren Methoden befragen. Männer waren sehr geheimniskrämerisch, was ihre handwerklichen Fähigkeiten betraf – ihre »Mysterien«, wie sie es nannten, als wäre es etwas Übernatürliches, Leder zu gerben oder Hufeisen zu schmieden –, doch Frauen waren zumeist bereit, ihr Wissen mit anderen Frauen zu teilen.

Vielleicht würde sie sogar noch mehr von den antiken Texten der Mönche lesen. Es könnte durchaus ein Körnchen Wahrheit in den alten Schriften liegen. Vielleicht würde die Gabe, die Cecilia ihr attestiert hatte, ihr helfen, die medizinische Spreu vom abergläubischen Weizen der Priester zu trennen.

Caris stand auf und verließ das Haus. Langsam ging sie zurück. Sie fürchtete sich davor, was sie im Hospital vorfinden würde, hatte sich inzwischen jedoch dem Schicksal ergeben: Entweder würde ihr Vater wieder gesund, oder eben nicht. Für Caris jedenfalls war es das Beste, ihren Entschluss in die Tat umzusetzen, damit sie alles Menschenmögliche tun konnte, falls noch einmal ein geliebter Mensch erkrankte.

Caris kämpfte mit den Tränen, während sie über den Markt und zu den Gebäuden der Priorei ging. Als sie das Hospital betrat, wagte sie kaum, ihren Vater anzuschauen. Sie näherte sich dem Bett, das von Menschen umringt war: Mutter Cecilia, die alte Julie, Bruder Joseph, Mark Webber, Petronilla, Alice und Elfric.

Was sein muss, muss sein, dachte Caris. Sie berührte die Schulter ihrer Schwester Alice, die ihr daraufhin Platz machte. Dann schaute Caris auf ihren Vater.

Er lebte und war bei Bewusstsein, obwohl er blass und müde aussah. Seine Augen waren geöffnet. Unverwandt blickte er Caris an und zeigte ein mattes Lächeln. »Ich fürchte, ich habe dir einen schlimmen Schreck eingejagt«, sagte er. »Es tut mir leid, mein Liebes, aber du siehst ja, Unkraut vergeht nicht.«

»Gott sei Dank«, sagte Caris und brach wieder in Tränen aus.

Am Mittwochmorgen kam Merthin konsterniert zu Caris' Stand. »Betty Baxter hat mir gerade eine seltsame Frage gestellt«, berichtete er. »Sie wollte wissen, ob ich bei der Wahl zum Ratsältesten gegen Elfric antrete.«

»Was für eine Wahl?«, erwiderte Caris. »Mein Vater ist der Ratsälteste und ... oh.« Mit einem Mal wusste sie, was vor sich ging: Elfric erzählte den Leuten, Edmund sei zu alt und krank für das Amt; deshalb brauche die Stadt einen neuen Ratsältesten – und präsentierte sich gleich selbst als besten Kandidaten. »Das müssen wir sofort meinem Vater erzählen.«

Caris und Merthin verließen den Marktplatz und überquerten die Straße zum Haus. Edmund hatte das Hospital gestern verlassen und erklärt, die Mönche könnten ohnehin nichts für ihn tun, außer ihn zur Ader zu lassen, und hinterher fühle er sich dann jedes Mal noch schlechter. So hatte man ihn nach Hause getragen und unten in der Stube ein Bett für ihn gemacht.

An diesem Morgen saß er auf einem Stapel Kissen in seinem behelfsmäßigen Bett. Er sah so schwach aus, dass Caris zögerte, ihn gleich mit der Nachricht zu überfallen, doch Merthin setzte sich neben ihn und legte ihm den Sachverhalt dar.

»Elfric hat recht«, sagte Edmund, als Merthin geendet hatte. »Schaut mich an. Ich kann kaum sitzen. Der Gemeinderat braucht eine starke Führung. Das ist kein Amt für einen kranken Mann.«

»Aber dir wird es doch bald besser gehen!«, rief Caris.

»Vielleicht. Aber ich werde alt. Du musst doch bemerkt haben, wie vergesslich ich geworden bin. Meine Reaktion auf die sinkenden Wollpreise war geradezu tödlich langsam. Vergangenes Jahr habe ich eine Menge Geld verloren. Gott sei Dank haben wir unser Vermögen mit scharlachrotem Tuch wieder zurückgewonnen – aber das warst du, Caris, nicht ich.«

Natürlich wusste sie das alles; dennoch war sie entrüstet. »Willst du Elfric einfach dein Amt überlassen?«

»Sicher nicht. Elfric als Ratsältester wäre eine Katastrophe. Er steht viel zu sehr unter Godwyns Knute. Selbst wenn wir das Stadtrecht bekommen, brauchen wir einen Ratsältesten, der es mit der Priorei aufnehmen kann.«

»Wer könnte das Amt denn sonst übernehmen?«

»Sprecht mit Dick Brewer. Er ist einer der reichsten Männer in der Stadt, und der Ratsälteste muss wohlhabend sein, will er den Respekt der anderen Händler. Dick hat keine Angst vor Godwyn oder sonst einem Mönch. Er wäre ein guter Mann.«

Caris war es zuwider, ihrem Vater zu gehorchen. Sie hatte das Gefühl, damit seinen nahenden Tod zu akzeptieren. Sie konnte sich an keine Zeit erinnern, da ihr Vater nicht der Ratsälteste von Kingsbridge gewesen wäre. Sie wollte nicht, dass ihre Welt sich veränderte.

Merthin verstand ihren Widerwillen, drängte sie aber zu handeln. »Wir sollten tun, was dein Vater sagt«, erklärte er. »Sonst hat vielleicht Elfric bald das Kommando, und der Mann wäre wirklich eine Katastrophe. Womöglich würde er sogar den Antrag aufs Stadtrecht zurückziehen.«

Das war ein Argument. »Du hast recht«, sagte Caris. »Lass uns Dick suchen gehen.«

Dick Brewer hatte mehrere Karren an verschiedenen Stellen auf dem Marktplatz, jeden mit einem riesigen Fass beladen. Seine Kinder, Enkel und Angeheiratete verkauften das Bier aus diesen Fässern so schnell, wie sie zapfen konnten. Caris und Merthin fanden Dick, wie er den Kunden mit gutem Beispiel voranging und einen großen Humpen vom eigenen Bier trank, während er seiner Familie dabei zuschaute, wie sie das Geld für ihn verdiente. Caris und Merthin nahmen ihn beiseite und erklärten ihm, was los war.

Dick sagte: »Ich nehme an, wenn dein Vater stirbt, Caris, wird sein Vermögen zu gleichen Teilen zwischen dir und deiner Schwester aufgeteilt, stimmt's?«

»Ja.« Edmund hatte Caris bereits gesagt, dass es so in seinem Testament stand.

»Wenn Alice' Erbe zu Elfrics Vermögen dazukommt, wird er wirklich sehr, sehr reich sein.«

Mit einem Mal wurde Caris bewusst, dass auch die Hälfte des Geldes aus ihrem Tuchhandel an ihre Schwester gehen könnte. Daran hatte sie bis jetzt nie gedacht, hatte sie den Tod ihres Vaters doch nie in Erwägung gezogen. Umso größer war nun der Schreck für Caris. Geld an sich war ihr nicht wichtig, aber sie wollte Elfric auch nicht dabei helfen, Ratsältester zu werden. »Es ist nicht nur eine Frage, wer der reichste Mann ist«, sagte sie. »Wir brauchen jemanden, der sich für die Kaufleute einsetzt.«

»Dann müsst ihr einen Gegenkandidaten aufstellen«, sagte Dick.

»Wirst du dich aufstellen lassen?«, fragte sie ihn geradeheraus.

Dick schüttelte den Kopf. »Versuch gar nicht erst, mich zu überreden. Am Ende dieser Woche übergebe ich alles meinem ältesten Sohn. Ich habe vor, den Rest meiner Tage Bier zu trinken und nicht zu brauen.« Er trank einen kräftigen Schluck aus seinem Humpen und rülpste zufrieden.

Caris sah ihre Felle davonschwimmen: Dick schien seiner Sache sehr sicher zu sein. »Hast du eine Idee, an wen wir uns wenden könnten?«

»Es gibt nur eine Wahl«, antwortete Dick. »Dich.«

Caris war erstaunt. »Ich? Warum?«

»Du bist die treibende Kraft bei unserem Kampf um die Stadtrechte. Die Brücke deines Verlobten hat den Wollmarkt gerettet, und dein Tuchhandel hat nach dem Preisverfall der Wolle den Wohlstand der Stadt bewahrt. Du bist die Tochter des jetzigen Ratsältesten, und obwohl ein solches Amt nicht vererbt wird, glauben die Menschen immer, dass Führer Führer gebären. Und sie haben recht. Seit fast einem Jahr, seit die Kräfte deines Vaters nachlassen, führst du ohnehin die Geschäfte des Ratsältesten.«

»Hat die Stadt je eine Frau als Ratsältesten gehabt?«

»Nicht dass ich wüsste. Und so jung wie du ist auch noch keiner gewesen. Beides wiegt schwer gegen dich. Ich sage ja auch nicht, dass du gewinnen wirst. Ich sage nur, dass niemand bessere Aussichten hat, Elfric zu schlagen, als du.«

Caris fühlte sich benommen. War das möglich? Konnte sie das Amt wirklich ausüben? Und was war mit ihrem Schwur, eine Heilerin zu werden? Gab es nicht viele Leute in der Stadt, die besser zum Ratsältesten geeignet waren als sie? »Was ist mit Mark Webber?«, fragte sie.

»Er wäre eine gute Wahl, besonders mit seinem gerissenen Weib an seiner Seite. Aber für die Leute ist Mark noch immer ein armer Weber.«

»Inzwischen ist er sehr wohlhabend.«

»Dank deines scharlachroten Tuchs. Aber die Leute sind neuem Geld gegenüber misstrauisch. Sie würden sagen, Mark sei ein Emporkömmling. Sie wollen einen Ratsältesten aus einer alteingesessenen Familie – jemanden, dessen Vater schon reich war und, wenn es geht, auch schon der Großvater.«

Caris wollte nichts lieber als Elfric besiegen, doch sie misstraute ihren eigenen Fähigkeiten. Sie dachte an die Geduld und den Scharfsinn ihres Vaters, an seine herzliche Heiterkeit und seine unermüdliche Kraft.

Verfügte auch sie über diese Eigenschaften? Sie schaute zu Merthin.

»Du wärst der beste Ratsälteste, den diese Stadt je gehabt hätte«, sagte er.

Sein vorbehaltloses Vertrauen gab den Ausschlag. »Also gut«, sagte Caris. »Ich stelle mich zur Wahl.«

Godwyn lud Elfric am Freitag der Marktwoche zum Mittagessen ein. Er bestellte ein teures Mahl: gekochten Schwan mit Ingwer und Honig. Philemon trug auf und setzte sich dann zum Essen zu ihnen.

Die Bürger hatten beschlossen, einen neuen Ratsältesten zu wählen, und in bemerkenswert kurzer Zeit hatten sich zwei Hauptkonkurrenten herauskristallisiert: Elfric und Caris.

Godwyn mochte Elfric nicht, aber er war nützlich. Er war kein sonderlich guter Baumeister, doch er hatte sich erfolgreich bei Prior Anthony eingeschmeichelt und dadurch den Kontrakt für die Reparaturen an der Kathedrale errungen. Als Godwyn das Amt des Priors übernommen hatte, hatte er Elfric als Baumeister behalten. Elfric war nicht sehr beliebt, doch er beschäftigte die meisten Bauhandwerker und Materiallieferanten der Stadt, und die wiederum hofierten ihn in der Hoffnung auf Arbeit. Wenn sie dann Elfrics Vertrauen gewonnen hatten, wollten sie seinen Einfluss erhalten wissen, sodass er ihnen weiter seine Gunst erweisen konnte. Das war Elfrics Machtbasis.

»Ich mag keine Unsicherheit«, bemerkte Godwyn.

Elfric kostete den Schwan und grunzte anerkennend. »In welchem Zusammenhang?«

»Der Wahl des neuen Ratsältesten.«

»Eine Wahl ist von Natur aus etwas Unsicheres – es sei denn, man ist der einzige Kandidat.«

»Was ich vorziehen würde.«

»Ich auch. Vorausgesetzt, *ich* bin dieser Kandidat.«

»Das wollte ich damit sagen.«

Elfric blickte vom Essen auf. »Wirklich?«

»Sag mir, Elfric … Wie sehr wünschst du dir, Ratsältester zu werden?«

Elfric schluckte einen Bissen herunter. »Sehr«, antwortete er. Seine Stimme klang ein wenig heiser, und er trank einen Schluck Wein. »Ich habe es verdient«, fuhr er fort, und ein aufsässiger Unterton schlich sich in seine Stimme. »Ich bin genauso gut wie alle anderen auch, oder etwa nicht? Warum sollte ich nicht Ratsältester werden?«

»Würdest du den Erwerb des Stadtrechts weiterverfolgen?«

Elfric starrte ihn an. Nachdenklich fragte er: »Bittet Ihr mich, den Antrag zurückzuziehen?«

»Wenn du zum Ratsältesten gewählt wirst – ja.«

»Und bietet Ihr mir an, mir bei der Wahl zu helfen?«

»Ja.«

»Aber wie?«

»Indem ich deine Konkurrentin ausschalte.«

Elfric schaute Godwyn misstrauisch an. »Ich kann mir nicht vorstellen, wie Ihr das anstellen wollt.«

Godwyn nickte Philemon zu, worauf dieser erklärte: »Ich glaube, Caris ist eine Ketzerin.«

Elfric ließ das Messer fallen. »Ihr wollt Caris als Hexe vor Gericht stellen?«

»Ihr dürft niemandem davon erzählen«, sagte Philemon. »Wenn sie im Vorfeld davon erfährt, könnte sie fliehen.«

»Wie Mattie Wise.«

»Ich habe ein paar Leuten weisgemacht, dass sie gefasst worden sei und am Samstag vor das Kirchengericht gestellt werden soll, doch in allerletzter Minute wird jemand ganz anderes angeklagt.«

Elfric nickte. »Und angenehmerweise braucht man vor einem Kirchengericht weder eine Anklageschrift noch Geschworene.« Er drehte sich zu Godwyn um. »Und Ihr werdet der Richter sein.«

»Leider nein«, erwiderte Godwyn. »Bischof Richard wird dem Gericht vorsitzen. Also werden wir unsere Anklage beweisen müssen.«

»Und habt Ihr Beweise?«, fragte Elfric misstrauisch.

Godwyn antwortete: »Ein paar, aber wir hätten gern mehr. Was wir haben, würde reichen, um eine alte Frau ohne Familie und Freunde anzuklagen, so wie damals die verrückte Nell; aber Caris ist weithin bekannt und stammt aus einer wohlhabenden und einflussreichen Familie, wie ich dir wohl kaum erklären muss.«

Philemon warf ein: »Wir haben großes Glück, dass ihr Vater zu krank ist, um das Bett zu verlassen. Gott hat bestimmt, dass er nicht in der Lage sein wird, Caris zu verteidigen.«

Godwyn nickte. »Trotzdem, sie hat viele Freunde. Also müssen unsere Beweise stichhaltig sein.«

»Was habt Ihr im Sinn?«, fragte Elfric.

Philemon antwortete: »Es wäre äußerst hilfreich, wenn ein Mitglied ihrer Familie vortreten und sagen würde, dass sie den Teufel angerufen, ein Kruzifix auf den Kopf gestellt oder mit einem unsichtbaren Wesen im Zimmer gesprochen habe.«

Einen Moment lang schaute Elfric drein, als würde er nicht verstehen; dann dämmerte es ihm allmählich. »Oh«, sagte er. »Ihr meint mich?«

»Denkt gut nach, bevor Ihr antwortet«, mahnte Philemon.

»Ihr bittet mich, meine Schwägerin an den Galgen zu bringen?«

Godwyn sagte: »Deine Schwägerin und meine Base, ja.«

»Also gut, ich werde darüber nachdenken.«

Godwyn sah Ehrgeiz, Gier und Eitelkeit auf Elfrics Gesicht, und wieder einmal staunte er, welch seltsame Wege der Herr bisweilen beschritt, um sein Werk zu tun. Er konnte sich denken, was Elfric sich überlegte. Das Amt des Ratsältesten war eine Last für einen selbstlosen Mann wie Edmund, der seine Macht zum Wohl der Kaufleute von Kingsbridge nutzte; aber für jemanden wie Elfric bot das Amt schier unglaubliche Möglichkeiten zur persönlichen Bereicherung und Selbstverherrlichung.

Philemon fuhr mit seiner glatten, selbstsicheren Stimme fort: »Wenn Ihr nie etwas Verdächtiges gesehen habt, ist die Sache damit natürlich erledigt. Aber ich bitte Euch: Erforscht Eure Erinnerungen!«

Erneut bemerkte Godwyn, wie viel Philemon in den vergangenen zwei Jahren gelernt hatte. Den unbeholfenen Klosterdiener gab es nicht mehr. Er sprach wie ein Erzdiakon.

»Es gab da vielleicht ein paar Vorfälle, die Euch damals vollkommen harmlos erschienen sind. Im Lichte dessen, was Ihr heute gehört habt, seht Ihr diese Ereignisse womöglich anders. Bei eingehendem Nachdenken könnte man zu dem Schluss kommen, dass besagte Vorfälle wahrscheinlich doch nicht so harmlos waren, wie es den Anschein gehabt hat.«

»Ich verstehe, was du meinst«, sagte Elfric.

Es folgte ein langes Schweigen. Niemand aß noch etwas. Geduldig wartete Godwyn auf Elfrics Entscheidung.

Philemon bemerkte: »Und sollte Caris tot sein, würde Edmunds gesamtes Vermögen selbstverständlich an ihre Schwester gehen – an Alice, Eure Frau.«

»Ja«, sagte Elfric. »Daran habe ich schon gedacht.«

»Und?«, fragte Philemon. »Fällt Euch etwas ein, was uns helfen könnte?«

»O ja«, antwortete Elfric. »Sogar eine ganze Menge.«

Caris war nicht in der Lage, die Wahrheit über Mattie Wise herauszufinden. Einige Leute sagten, man habe sie gefangen und in der Priorei
eingesperrt. Andere glaubten, sie würde in Abwesenheit verurteilt
werden; wieder andere behaupteten, dass jemand vollkommen anderes der Ketzerei angeklagt werden solle. Godwyn weigerte sich, Caris'
Fragen zu beantworten, und die anderen Mönche behaupteten, von
nichts zu wissen.

Am Samstagmorgen ging Caris in die Kathedrale. Sie war fest
entschlossen, Mattie zu verteidigen, ob sie nun anwesend war oder
nicht, und sich auch für jede andere arme, alte Frau zu erheben, die
sich der absurden Anklage der Hexerei stellen musste. Warum hassten Mönche und Priester die Frauen so sehr? Sie beteten ihre heilige
Jungfrau an, behandelten aber jede andere Frau, als wäre sie der leib-
haftige Teufel. Was war nur los mit ihnen?

Bei einem weltlichen Gericht hätte es eine Vorverhandlung und
eine Anklageschrift gegeben, und Caris wäre in der Lage gewesen,
die Beweise gegen Mattie zu sehen; aber die Kirche hatte ihre eigenen Regeln.

Doch was immer man Mattie vorwerfen würde, Caris würde laut
und deutlich erklären, dass Mattie eine tüchtige Heilerin sei, die
Kräuter benutzte und den Leuten obendrein sagte, sie sollten beten,
um wieder gesund zu werden. Einige der anderen Städter, denen
Mattie geholfen hatte, würden sicher ebenfalls für sie sprechen.

Caris stand mit Merthin im nördlichen Querschiff und erinnerte sich an den Samstag vor zwei Jahren, als die verrückte Nell hier
vor Gericht gestanden hatte. Damals hatte Caris dem Gericht gesagt,
Nell sei verrückt, aber harmlos. Es hatte nichts genützt.

Heute wie damals hatte sich eine große Menge in der Kathedrale
versammelt und hoffte auf ein dramatisches Spektakel: Anklagen,
Gegenanklagen, Streitereien, Wutausbrüche, Flüche, Tränen und
dann das blutige Schauspiel, wie eine Frau durch die Straßen ge-

peitscht und in Gallows Cross gehängt wurde. Friar Murdo war ebenfalls zugegen. Bei solchen Prozessen tauchte er stets auf. Hier konnte er zeigen, was er am besten beherrschte: die Gemeinde zur Hysterie treiben.

Während alle auf den Klerus warteten, gingen Caris' Gedanken auf Wanderschaft. Morgen würde sie in dieser Kirche Merthin heiraten. Betty Baxter und ihre vier Töchter backten bereits fleißig Brot und Kuchen für das Fest, und morgen Nacht würden Caris und Merthin gemeinsam in dem Haus auf Leper Island schlafen.

Inzwischen machte Caris sich keine Sorgen mehr über die Hochzeit. Sie war sogar glücklich. Sie hatte ihre Entscheidung getroffen, und nun würde sie die Folgen tragen. Manchmal fragte sie sich, wie sie überhaupt so ängstlich hatte sein können. Merthin würde niemanden zu seinem Sklaven machen; das lag einfach nicht in seiner Natur. Selbst zu dem kleinen Jimmie war er stets freundlich.

Vor allem aber liebte Caris ihr Beisammensein im Bett. Das war das Schönste, was sie je erlebt hatte. Worauf sie sich am meisten freute, waren ein eigenes Heim und eine eigene Schlafkammer, in der sie sich lieben konnten, wann immer sie wollten, beim Zubettgehen oder beim Aufwachen, mitten in der Nacht oder sogar mitten am Tag.

Schließlich kamen die Mönche und Nonnen in die Kathedrale, angeführt von Bischof Richard und Erzdiakon Lloyd. Nachdem sie sich gesetzt hatten, erhob sich Prior Godwyn und sagte: »Wir sind heute hier versammelt, um den Vorwurf der Ketzerei gegen Caris, die Tochter des Edmund Wooler, zu verhandeln.«

Die Menge schnappte hörbar nach Luft.

Merthin schrie: »Nein!«

Alle drehten sich zu Caris um. Ihr war übel vor Angst. Sie hatte keinerlei Verdacht gehegt, dass so etwas geschehen könnte. Es war das berühmte Messer im Dunkeln. Verwirrt fragte sie: »Warum?« Niemand antwortete ihr.

Caris erinnerte sich an die Warnung ihres Vaters, Godwyn würde angesichts der Drohung, dass Kingsbridge das Stadtrecht zuerkannt bekam, zu extremen Mitteln greifen. »Du weißt, wie gnadenlos er selbst bei kleineren Streitigkeiten sein kann«, hatte Edmund gesagt. »So etwas würde endgültig einen Krieg auslösen.« Caris schauderte bei der Erinnerung an ihre Antwort darauf: »Dann ist das eben so – Krieg.«

Allerdings wären Godwyns Aussichten auf Erfolg nur gering gewesen, wäre Edmund noch bei bester Gesundheit gewesen. Edmund hätte Godwyn zu einem Waffenstillstand gezwungen oder ihn vielleicht sogar vernichtet. Doch Caris allein auf weiter Flur – das war etwas vollkommen anderes. Sie besaß nicht die Macht ihres Vaters, nicht seine Autorität und nicht seinen Rückhalt – noch nicht. Ohne ihn war sie verwundbar geworden.

Caris bemerkte ihre Tante Petronilla in der Menge. Sie war einer der wenigen Menschen, die sie, die Angeklagte, nicht begafften. Wie konnte sie nur schweigend dastehen? Natürlich unterstützte Petronilla stets ihren Sohn Godwyn, aber sie musste ihn doch davon abhalten, Caris zum Tode zu verurteilen – oder? Einst hatte Petronilla wie eine Mutter für Caris sein wollen. Würde sie sich jetzt daran erinnern? Irgendwie hatte Caris das Gefühl, dass dem nicht so sein würde. Dafür hatte Petronilla sich viel zu sehr ihrem Sohn verschrieben. Das war sicher auch der Grund, weshalb sie Caris jetzt nicht in die Augen schauen konnte: Sie hatte sich bereits entschieden, Godwyn nicht im Weg zu stehen.

Philemon stand auf. »Mein Herr Bischof«, sagte er und wandte sich damit formell an den Richter, drehte sich aber fast sofort zur Gemeinde um. »Wie jeder weiß, ist Mattie Wise geflohen. Ihre Angst war zu groß, und sie war viel zu schuldig, als dass sie sich diesem Prozess hat stellen wollen. Seit einigen Jahren nun schon ist Caris regelmäßig zu Mattie Wise gegangen. Erst vor wenigen Tagen hat sie die Frau vor Zeugen verteidigt, hier in der Kathedrale.«

Deshalb hatte Philemon sie also nach Mattie gefragt, erkannte Caris. Sie schaute zu Merthin. Er war besorgt gewesen, weil er keine Ahnung gehabt hatte, was Philemon im Schilde führte. Jetzt wussten sie es.

Caris staunte, wie sehr Philemon sich verändert hatte. Der unbeholfene, unglückliche Junge von einst war nun ein beredter Mann, der selbstbewusst vor einem Bischof, dem Prior und den Bürgern stand und so viel Gift in sich hatte wie eine Natter.

Philemon fuhr fort: »Sie hat angeboten, einen Eid zu schwören, dass Mattie keine Hexe sei. Warum sollte sie das tun, wenn nicht dem Zweck, ihre eigene Schuld zu verbergen?«

Merthin rief: »Weil sie unschuldig ist! Genau wie Mattie, du verlogener Heuchler!«

Dafür hätte man ihn an den Pranger stellen können, doch andere schrien zugleich, und die Beleidigung blieb ohne Folgen.

Philemon sprach weiter. »Erst vor Kurzem hat Caris auf wundersame Weise Wolle in exakt dem gleichen Ton gefärbt wie italienisches Scharlachrot, wozu die Färber von Kingsbridge nie in der Lage gewesen sind. Wie hat sie das gemacht? Durch einen Zauber, sage ich euch!«

Caris hörte Mark Webbers tiefe Stimme. »Das ist eine Lüge!«

»Natürlich konnte sie das nicht bei Tag tun. Nein, sie hat des Nachts ein Feuer in ihrem Hinterhof gemacht, wie viele ihrer Nachbarn gesehen haben!«

Philemon war sehr gründlich gewesen, wie Caris mit düsterer Vorahnung bemerkte.

»Und sie hat dabei seltsame Verse gesungen. Warum?« Caris hatte aus Muße vor sich hin gesungen, während sie die Farben gekocht und das Tuch eingetaucht hatte, doch Philemon besaß die Gabe, selbst aus den trivialsten Dingen ein Teufelswerk zu machen. Er senkte die Stimme zu einem dramatischen Flüstern und sagte: »Weil sie im Geheimen den Fürsten der Dunkelheit um Hilfe angerufen hat ...« Dann hob er die Stimme zu einem Schrei: »Luzifer!«

Die Menge stöhnte vor Angst.

»Dieser Stoff ist teufelsrot!«

Wieder schaute Caris zu Merthin. Er war bleich vor Entsetzen. »Nicht mehr lange, und diese Narren glauben ihm!«, sagte er.

Caris' Mut kehrte wieder zurück. »Verzweifle nicht«, sagte sie. »Ich bin noch nicht zu Wort gekommen.«

Er nahm ihre Hand.

»Und das ist nicht der einzige Zauber, den sie gewirkt hat«, fuhr Philemon fort, nun wieder mit normaler Stimme. »Mattie Wise hat auch Liebestränke gemacht.« Er ließ den Blick vorwurfsvoll über die Menge schweifen. »Es sind womöglich sogar böse Mädchen in diesem Haus Gottes, die sich Matties Kräfte zunutze gemacht haben, um einen Mann zu verhexen.«

Einschließlich deiner eigenen Schwester, dachte Caris. Wusste Philemon davon?

Er sagte: »Diese Novizin wird das bezeugen.«

Elizabeth Clerk stand auf. Sie sprach mit leiser Stimme, den Blick gesenkt, das Sinnbild klösterlicher Bescheidenheit. »Ich sage dies auf meinen Eid in der Hoffnung, erlöst zu werden«, begann sie. »Ich war mit Merthin Builder verlobt.«

Merthin rief: »Lügnerin!«

»Wir haben uns geliebt und waren sehr glücklich«, fuhr Elizabeth fort. »Plötzlich hat er sich verändert. Er kam mir wie ein Fremder vor. Er wurde kalt und abweisend.«

Philemon fragte sie: »Hast du sonst noch etwas Ungewöhnliches bemerkt, Schwester?«

»Ja, Bruder. Ich habe ihn sein Messer in der linken Hand halten sehen.«

Die Menge schnappte abermals nach Luft. Das war ein eindeutiges Zeichen für die Einwirkung von Hexenkraft – obwohl Merthin beidhändig war, wie Caris wusste.

Elizabeth sagte: »Dann hat er verkündet, er würde Caris heiraten.«

Es ist schon erstaunlich, ging es Caris durch den Kopf, wie man selbst die unbedeutendste Wahrheit so verdrehen konnte, dass sie wie eine düstere Offenbarung klang. Sie wusste, was wirklich geschehen war: Merthin und Elizabeth waren Freunde gewesen, bis Elizabeth deutlich gemacht hatte, dass sie mehr als bloß eine Freundin sein wollte, worauf Merthin ihr gesagt hatte, dass er ihre Gefühle nicht teile – mit der Folge, dass sie sich getrennt hatten. Doch ein teuflischer Zauber war natürlich eine viel zündendere Geschichte.

Elizabeth hatte sich vielleicht sogar selbst davon überzeugt, dass sie die Wahrheit sagte; doch Philemon wusste, dass es eine Lüge war – und Philemon war Godwyns Werkzeug. Wie konnte Godwyn solche Bosheit mit seinem Gewissen vereinbaren? Redete er sich womöglich ein, zum Wohle der Priorei sei der Einsatz aller Mittel erlaubt?

Elizabeth kam zum Ende ihrer Geschichte. »Ich kann nie wieder einen anderen Mann lieben. Deshalb habe ich mich entschieden, mein Leben Gott zu weihen.« Sie setzte sich wieder.

Das war ein machtvoller Beweis, erkannte Caris, und Verzweiflung legte sich wie ein Schatten auf sie. Dass Elizabeth Nonne geworden war, verlieh ihrem Zeugnis Glaubwürdigkeit. Es war eine Art seelische Erpressung: Wie könnt ihr mir nicht glauben, wo ich doch ein solches Opfer gebracht habe?

Die Leute waren jetzt stiller geworden. Das hier war nicht das ausgelassene Spektakel wie bei der Verurteilung irgendeines alten Weibes. Die Menschen schauten zu, wie eine der ihren um ihr Leben kämpfte.

Philemon sagte: »Doch am verwerflichsten von allem, mein Herr Bischof, ist die Untat, von der der letzte Zeuge zu erzählen hat, ein Mitglied der Familie der Angeklagten: ihr Schwager Elfric Builder.«

Caris klappte den Mund auf. Sie war von ihrem Vetter Godwyn angeklagt worden; der Bruder ihrer besten Freundin, Philemon, führte die Anklage, und dann Elizabeth ... doch das hier war viel schlimmer. Dass der Mann ihrer Schwester gegen sie sprach, war ein furchtbarer Verrat. Sicher würde niemand Elfric je wieder respektieren.

Elfric stand auf. Der Ausdruck des Trotzes auf seinem Gesicht verriet Caris, dass er sich für sich selbst schämte. »Ich sage dies auf meinen Eid in der Hoffnung, erlöst zu werden«, begann er.

Caris hielt nach ihrer Schwester Alice Ausschau, sah sie aber nicht. Wäre sie hier gewesen, hätte sie Elfric bestimmt aufgehalten. Ohne Zweifel hatte Elfric ihr unter irgendeinem Vorwand befohlen, daheimzubleiben. Wahrscheinlich wusste Alice gar nichts von alledem.

Elfric sagte: »Caris spricht mit unsichtbaren Wesen in leeren Zimmern.«

»Geister?«, fragte Philemon.

»Ich fürchte ja.«

Entsetztes Raunen durchlief die Menge.

Caris wusste, dass sie oft mit sich selbst sprach. Sie hatte es stets als harmlose, wenn auch bisweilen peinliche Angewohnheit betrachtet. Nun wurde es benutzt, um sie zu verdammen. Sie schluckte einen wütenden Protest herunter. Es war besser, der Anklage ihren Lauf zu lassen und dann die einzelnen Punkte nacheinander zu widerlegen.

»Wann tut sie das?«, fragte Philemon.

»Wenn sie glaubt, allein zu sein.«

»Und was sagt sie zu den Geistern?«

Elfric antwortete: »Die Worte sind schwer zu verstehen. Es könnte eine fremde Sprache sein.«

Wieder erklangen Laute des Erschreckens: Es war allgemein bekannt, dass Hexen und ihre Vertrauten eine Sprache benutzten, die niemand sonst verstehen konnte.

»Was *scheint* sie denn zu sagen?«

»Ihrem Tonfall nach zu urteilen, bittet sie um Hilfe oder um Glück, und sie verflucht jene, die ihr Pech bringen ... so etwas in der Art.«

Merthin schrie: »Das ist kein Beweis!« Alle schauten ihn an, und er fügte hinzu: »Elfric hat zugegeben, die Worte nicht verstanden zu haben! Also erfindet er das nur!«

Zustimmendes Raunen kam von den einsichtigeren Bürgern, jedoch nicht so laut und empört, wie Caris es gerne gehabt hätte.

Nun meldete Bischof Richard sich zum ersten Mal zu Wort. »Seid still!«, befahl er. »Wer das Verfahren unterbricht, wird vom Büttel hinausgeführt! Mach bitte weiter, Bruder Philemon, aber verführe Zeugen nicht dazu, Beweise zu erfinden, wenn sie die Wahrheit nicht kennen.«

Das war zumindest ein wenig gerecht, dachte Caris. Nach dem Streit um Margerys Hochzeit liebten Richard und seine Familie Godwyn nicht gerade. Andererseits wollte Richard als Kirchenmann vermutlich nicht, dass die Priorei die Kontrolle über die Stadt verlor; aber vielleicht würde er in diesem Verfahren wenigstens neutral bleiben. In Caris keimte ein wenig Hoffnung auf.

Philemon fragte Elfric: »Glaubt Ihr, dass die Vertrauten, mit denen sie spricht, ihr in irgendeiner Form helfen?«

»Mit Sicherheit«, antwortete Elfric. »Caris' Freunde – jene, die sie begünstigt – zählen zu den Glücklichen. Merthin ist ein erfolgreicher Baumeister, obwohl er seine Zimmermannslehre nie abgeschlossen hat. Mark Webber war ein armer Mann und ist nun reich. Caris' Freundin Gwenda ist mit Wulfric verheiratet, obwohl Wulfric mit einer anderen verlobt war. Wie soll sie das alles erreicht haben, wenn nicht mit übernatürlicher Hilfe?«

»Ich danke Euch.«

Elfric setzte sich.

Während Philemon seine Beweise zusammenfasste, kämpfte Caris gegen ein wachsendes Gefühl des Schreckens an. Sie versuchte, das Bild der verrückten Nell aus ihrem Geist zu verdrängen, wie sie hinter einem Karren durch die Straßen gepeitscht worden war. Stattdessen versuchte Caris, sich auf ihre Erwiderung zu konzentrieren. Sie konnte jeden Vorwurf, der gegen sie erhoben worden war, ins Lächerliche ziehen, doch das würde vielleicht nicht reichen. Sie musste erklären, warum die Leute über sie gelogen hatten und was ihre Motive waren.

Als Philemon fertig war, fragte Godwyn Caris, ob sie irgendetwas zu sagen habe. Mit lauter Stimme, die selbstbewusster klang, als sie sich fühlte, antwortete sie: »Natürlich habe ich das.« Sie bahnte sich einen Weg durch die Menge nach vorne. Dort angekommen, nahm sie sich Zeit und ließ alle warten. Langsam ging sie zum Bischofsthron und schaute Richard in die Augen. »Mein Herr Bischof, ich sage dies auf meinen Eid in der Hoffnung, erlöst zu werden …« Sie drehte sich zur Menge um und fügte hinzu: »Wobei, wie mir aufgefallen ist, Philemon keinen Schwur geleistet hat.«

Godwyn sagte streng: »Als Mönch muss er nicht schwören.«

Caris hob die Stimme. »Und das ist auch gut für ihn, sonst würde er für die Lügen, die er heute hier verbreitet hat, in der Hölle brennen!«

Ein Punkt für mich, dachte Caris, und ihre Hoffnung wuchs ein wenig.

Sie sprach zur Gemeinde. Obwohl der Bischof das Urteil fällen musste, würde er sich von der Reaktion der Bürger stark beeinflussen lassen. Richard war nicht gerade ein Mann mit Prinzipien.

»Mattie Wise hat viele Menschen in dieser Stadt geheilt«, begann Caris. »An ebendiesem Tag vor zwei Jahren, als die alte Brücke eingestürzt ist, war sie eine der Ersten, die sich um die Verletzten gekümmert hat, Seite an Seite mit Mutter Cecilia und den Nonnen. Wenn ich heute meinen Blick durch diese Kirche schweifen lasse, sehe ich viele, die in jener schrecklichen Zeit von Matties Fürsorge profitiert haben. Hat irgendjemand sie an jenem Tag den Teufel anrufen hören? Falls ja, so möge er jetzt sprechen.«

Sie hielt lange genug inne, damit das Schweigen die Zuhörer beeindrucken konnte.

Dann deutete sie auf Madge Webber. »Mattie hat dir einen Trank gegeben, um das Fieber deines Kindes zu senken. Was hat sie zu dir gesagt?«

Madge schaute verängstigt drein. Niemandem war es angenehm, als Zeuge eine Hexe verteidigen zu müssen. Doch Madge stand in Caris' Schuld. Sie straffte die Schultern, schaute trotzig drein und erklärte: »Mattie hat zu mir gesagt: ›Bete zu Gott, denn nur er kann heilen.‹«

Caris deutete auf den Büttel. »Und Mattie hat deine Schmerzen gelindert, John, während Matthew Barber deine gebrochenen Knochen gerichtet hat. Was hat sie zu dir gesagt?«

John war es gewohnt, aufseiten der Anklage zu stehen, und auch er schien sich unwohl zu fühlen, doch er sagte mit kräftiger Stimme die Wahrheit: »Sie hat gesagt: ›Bete zu Gott, denn nur er kann heilen.‹«

Caris wandte sich an die Menge. »Jeder weiß, dass Mattie keine Hexe war. Bruder Philemon hat nun die Frage gestellt, warum sie dann geflohen ist? Die Antwort ist einfach: Sie hatte Angst, dass man Lügen über sie erzählen würde – wie man sie auch über mich erzählt hat. Wer von euch Frauen, wenn ihr der Ketzerei angeklagt werdet, würde selbstbewusst glauben, die eigene Unschuld vor einem Gericht aus Priestern und Mönchen beweisen zu können?« Sie schaute über die Köpfe hinweg und ließ ihren Blick jeweils kurz auf den bekanntesten Frauen der Stadt ruhen: Lib Wheeler, Sarah Taverner, Susanna Chepstow.

»Warum habe ich meine Farben in der Nacht gemischt?«, führte Caris ihre Rede fort. »Weil die Tage kurz waren! Wie viele von euch hat auch mein Vater beim letzten Wollmarkt nicht all seine Vliese verkauft. Deshalb habe ich versucht, aus der Rohwolle eine Ware herzustellen, die sich verkaufen ließ. Es war sehr schwierig, die genaue Zusammensetzung des Färbemittels herauszufinden, aber ich habe es geschafft: mit harter Arbeit über viele Stunden hinweg, Tag und Nacht – aber ohne die Hilfe Satans.« Sie hielt kurz inne, um Luft zu holen.

Als sie fortfuhr, verlieh sie ihrer Stimme einen spöttischen Tonfall. »Überdies wirft man mir vor, Merthin verhext zu haben. Ich muss gestehen, dass die Beweise in diesem Fall schwer gegen mich wiegen. Schaut euch Schwester Elizabeth an. Bitte, steht einmal auf, Schwester.«

Widerwillig erhob sich Elizabeth.

»Sie ist wunderschön, nicht wahr?«, sagte Caris. »Und sie ist auch klug und die Tochter eines Bischofs. Oh, verzeiht mir, mein Herr Bischof, ich wollte nicht despektierlich sein.«

Die Menge kicherte über die spitze Bemerkung. Godwyn funkelte Caris wütend an, doch Bischof Richard musste sich ein Lächeln verkneifen.

»Schwester Elizabeth versteht nicht, warum ein Mann mich ihr vorziehen sollte, und um ehrlich zu sein, begreife ich das auch nicht. Aus irgendeinem Grund liebt Merthin mich so, wie ich bin. Ich kann es nicht erklären.« Wieder waren Lacher zu hören. »Es tut mir leid, dass Elizabeth so voller Zorn ist. Würden wir zu der Zeit des Alten Testaments leben, könnte Merthin zwei Frauen haben, und alle wären glücklich.« Erneutes Kichern und Gelächter. Caris wartete, bis es abgeebbt war, und sagte dann in ernstem Tonfall: »Am meisten aber tut es mir leid, dass die Eifersucht einer enttäuschten Frau für das lügnerische Maul eines Novizen zum Vorwand wird, eine so ernste Anklage wie Ketzerei zu erheben!«

Philemon sprang auf, um zu protestieren, doch Bischof Richard winkte ihm, sich zu setzen. »Lass sie sprechen«, sagte er. »Lass sie sprechen.«

Caris kam zu dem Schluss, dass sie genug zum Thema Elizabeth gesagt hatte, und fuhr fort: »Ich gestehe, dass ich mitunter vulgäre Worte benutze, wenn ich allein bin – besonders wenn ich mir den Zeh anstoße. Aber ihr fragt euch vielleicht, warum mein eigener Schwager gegen mich aussagt und die Behauptung aufstellt, ich würde mit meinem Gemurmel böse Geister beschwören. Ich fürchte, diese Frage kann ich euch beantworten.« Erneut hielt sie kurz inne, ehe sie in feierlichem Ernst sagte: »Mein Vater ist krank. Wenn er stirbt, wird sein Vermögen zwischen mir und meiner Schwester geteilt. Sollte jedoch ich sterben, bekommt meine Schwester alles – und sie ist Elfrics Weib.«

Erneut legte sie eine kurze Pause ein und ließ den Blick fragend über die Menge schweifen. »Seid ihr schockiert?«, fragte sie. »Das bin ich auch. Aber Männer haben schon für weniger Geld getötet.«

Caris machte einen Schritt, als wollte sie an ihren Platz zurück, und Philemon erhob sich von seiner Bank. Da drehte sie sich noch einmal um und sprach ihn auf Latein an: »*Caput tuum in ano est.*«

Die Mönche lachten laut, und Philemon errötete.

Caris drehte sich zu Elfric um. »Du hast das nicht verstanden, nicht wahr, Elfric?«

»Nein«, antwortete er mürrisch.

»Was wohl auch der Grund dafür ist, dass du glaubst, ich hätte irgendeine Hexensprache benutzt.« Sie wandte sich wieder an Philemon. »Bruder, du weißt doch, welche Sprache ich benutzt habe?«

»Latein«, antwortete Philemon.

»Vielleicht möchtest du uns dann verraten, was ich gerade zu dir gesagt habe.«

Philemon blickte flehentlich zum Bischof, doch Richard amüsierte sich und sagte: »Beantworte die Frage.«

Wütend gehorchte Philemon. »Sie hat gesagt: ›Dein Kopf steckt in deinem Arsch.‹«

Die Leute grölten vor Lachen, und Caris kehrte an ihren Platz zurück.

Nachdem der Lärm abgeebbt war, schickte Philemon sich an, wieder zu sprechen, doch Richard kam ihm zuvor: »Ich muss nichts mehr von dir hören«, sagte er. »Du hast gewichtige Beweise gegen sie ins Feld geführt, und sie hat eine leidenschaftliche Verteidigung aufgebaut. Hat sonst noch jemand etwas zu dieser Anklage zu sagen?«

»Ja, ich, mein Herr Bischof.« Friar Murdo trat vor. Einige Bürger jubelten, andere stöhnten: Murdo weckte stets solch widerstreitende Gefühle. »Ketzerei ist ein verderbliches Übel«, begann er, und seine

Stimme wechselte in den Tonfall des Predigers: »Sie verdirbt die Seelen von Frauen und Männern und sogar ...«

»Danke, Bruder, aber ich weiß, was Ketzerei anrichtet«, sagte Richard. »Hast du sonst noch etwas zu sagen? Falls nicht ...«

»Nur das«, erwiderte Murdo. »Ich stimme damit überein und sage noch einmal ...«

»Wenn es schon zuvor gesagt worden ist ...«

»... wie Ihr selbst bemerkt habt, dass die Anklage stark war und die Verteidigung ebenfalls.«

»In dem Fall ...«

»Ich möchte eine Lösung vorschlagen.«

»Also gut, Bruder Murdo. Mit möglichst wenig Worten, bitte.«

»Sie muss auf ein Teufelsmal untersucht werden.«

Caris' Herz setzte einen Schlag lang aus.

»Natürlich«, sagte der Bischof. »Ich glaube, mich daran zu erinnern, dass du denselben Vorschlag schon bei einem früheren Verfahren gemacht hast.«

»In der Tat, mein Herr Bischof, denn der geifernde Satan saugt gierig das Blut seiner Akolythen durch seinen eigenen Nippel, wie ein Neugeborenes die prallen und geschwollenen Brüste ...«

»Ja, danke, Bruder. Einzelheiten sind nicht nötig. Mutter Cecilia, würdet Ihr und die anderen Nonnen die Angeklagte bitte an einen Ort bringen, an dem sie untersucht werden kann?«

Caris schaute Merthin an. Er war bleich vor Schreck. Beide dachten das Gleiche.

Caris hatte ein Mal.

Es war winzig, aber die Nonnen würden es finden, und das just an der Stelle, von der es hieß, dass der Teufel besonderes Interesse daran hatte: an der linken Seite ihrer Vulva, genau neben dem Spalt. Es war dunkelbraun, und das rotgoldene Haar verbarg es nicht. Als Merthin es zum ersten Mal gesehen hatte, hatte er gewarnt: »Friar Murdo würde dich eine Hexe nennen – nicht, dass er mal davon erfährt.« Und Caris hatte gelacht und gescherzt: »Nicht mal, wenn er der letzte Mann auf Erden wäre.«

Wie hatte sie nur so sorglos daherreden können? Nun würde sie dafür zum Tode verurteilt werden.

Verzweifelt schaute Caris sich um. Sie wäre geflohen, doch da waren Hunderte von Menschen um sie herum, von denen einige sie aufgehalten hätten. Sie sah Merthins Hand auf dem Messer an seinem Gürtel; doch selbst wenn das Messer ein Schwert gewesen wäre und er ein großer Kämpfer – was er nicht war –, hätte er sich damit keinen Weg durch die Menge bahnen können.

Mutter Cecilia kam und nahm Caris' Hand.

Caris beschloss zu fliehen, sobald sie aus der Kirche waren. Im Kreuzgang konnte sie leicht entkommen.

Da sagte Godwyn: »Büttel, nimm dir einen von deinen Männern, und begleite die Frau zum Ort der Untersuchung. Warte vor der Tür, bis alles getan ist.«

Cecilia hätte Caris nicht festhalten können – zwei Männer aber schon.

John schaute zu Mark Webber, der normalerweise die erste Wahl unter seinen Leuten war. Erneut keimte ein wenig Hoffnung in Caris auf: Mark war ihr ein treuer Freund. Doch der Büttel hatte offenbar den gleichen Gedanken, denn er wandte sich von Mark ab und deutete auf Christopher Blacksmith.

Cecilia zog sanft an Caris' Hand.

Wie eine Schlafwandlerin ließ Caris sich aus der Kirche führen. Sie gingen zum Nordportal hinaus: Cecilia und Caris, gefolgt von Schwester Mair, der alten Julie sowie John Constable und Christopher Blacksmith dichtauf. Sie durchquerten den Kreuzgang, betraten den Konvent und machten sich auf den Weg zum Dormitorium. Die beiden Männer blieben draußen.

Cecilia schloss die Tür.

»Es ist nicht nötig, mich zu untersuchen«, sagte Caris mit matter Stimme. »Ich habe ein Mal.«

»Das wissen wir«, sagte Cecilia.

Caris runzelte die Stirn. »Woher?«

»Wir haben dich gewaschen.« Sie deutete auf Mair und Julie. »Wir drei. Als du vor zwei Weihnachten im Hospital warst. Du hattest etwas gegessen, was dich vergiftet hat.«

Cecilia wusste nicht, dass Caris damals einen Trank genommen hatte, um ihre Schwangerschaft zu beenden – oder sie tat zumindest so.

Sie fuhr fort: »Du hast gekotzt und geschissen und unten geblutet. Du musstest mehrere Male gewaschen werden. Wir alle haben dein Mal gesehen.«

Hoffnungslosigkeit und Verzweiflung brandeten über Caris hinweg. Sie schloss die Augen. »Dann werdet ihr mich also jetzt zum Tod verdammen«, sagte sie mit so leiser Stimme, dass es beinahe schon ein Flüstern war.

»Nicht unbedingt«, entgegnete Cecilia. »Es könnte noch einen anderen Weg geben.«

❋

Merthin wusste nicht ein noch aus. Caris saß in der Falle. Man würde sie zum Tode verurteilen, und er konnte nichts dagegen tun. Er hatte sie noch nicht einmal retten können, wenn er Ralph gewesen wäre mit seinen breiten Schultern, einem Schwert und seiner Lust an Gewalt. Entsetzt starrte er auf die Tür, durch die sie verschwunden war. Er wusste, wo sich Caris' Muttermal befand, und er war sicher, dass die Nonnen es finden würden – das war just die Art von Stelle, die sie sich genau anschauen würden.

Überall um ihn her wurde erregt diskutiert. Die Leute argumentierten für oder gegen Caris, gingen noch einmal den Prozess durch, doch er, Merthin, schien in einer Blase eingeschlossen zu sein, und er konnte kaum hören, was die Leute sprachen. In seinen Ohren klang das Gerede wie das Dröhnen Hunderter Trommeln.

Merthin starrte Godwyn an und fragte sich, was der Prior wohl dachte. Die anderen konnte Merthin verstehen: Elizabeth war von Eifersucht zerfressen, Elfric von Gier, und Philemon war einfach nur boshaft. Doch der Prior war ihm ein Rätsel. Godwyn war mit Caris aufgewachsen – schließlich war sie seine Base –, und er wusste, dass sie keine Hexe war. Dennoch war er bereit, sie sterben zu sehen. Wie konnte er so etwas Böses tun? Wie entschuldigte er das vor sich selbst? Sagte er sich vielleicht, das alles geschehe zum Ruhme Gottes? Godwyn hatte einst den Eindruck eines anständigen, klugen Mannes gemacht, das genaue Gegenteil des engstirnigen Anthony. Tatsächlich war er jedoch noch weit schlimmer als der alte Prior, viel gnadenloser bei der Verfolgung der gleichen überholten Ziele.

Wenn Caris stirbt, bringe ich Godwyn um, schwor Merthin sich.

Seine Eltern kamen zu ihm. Sie waren während des gesamten Prozesses in der Kathedrale gewesen. Sein Vater sagte irgendetwas, doch Merthin konnte ihn nicht verstehen. »Was?«, fragte er.

Dann öffnete sich das Nordportal, und Schweigen senkte sich über die Menge. Mutter Cecilia kam allein in die Kathedrale und schloss die Tür hinter sich. Neugieriges Raunen durchlief die Menge. Was kam jetzt?

Cecilia ging zum Bischof.

Richard fragte: »Nun, Mutter Priorin, was habt Ihr dem Gericht zu berichten?«

Langsam sagte Cecilia: »Caris hat ihre Sünden gestanden ...«

Die Menge schrie entsetzt.

Cecilia hob die Stimme: »... und sie gebeichtet.«

Die Leute verstummten wieder. Was hieß das?

»Und sie hat die Absolution erhalten ...«

»Von wem?«, unterbrach Godwyn sie. »Eine Nonne kann keine Absolution erteilen!«

»Von Vater Joffroi.«

Merthin kannte Joffroi. Er war der Priester von St. Mark, jener Kirche, deren Dach Merthin repariert hatte. Joffroi mochte Godwyn nicht.

Aber was ging hier vor? Alle warteten darauf, dass Cecilia es erklärte.

Sie sagte: »Caris hat um Aufnahme in den Konvent als Novizin gebeten ...«

Wieder gab es Geschrei unter den Städtern.

Cecilia rief über den Lärm hinweg: »... und ich habe sie angenommen!«

Nun brach der Tumult los. Merthin sah, wie Godwyn aus Leibeskräften schrie, doch seine Worte gingen hoffnungslos im Lärm unter. Elizabeth war außer sich vor Wut, Philemon starrte Cecilia mit unverhohlenem Hass an, Elfric wirkte verwirrt, und Richard amüsierte sich köstlich. Merthins Gedanken überschlugen sich. Würde der Bischof akzeptieren? Hieß das, der Prozess war zu Ende? War Caris die Hinrichtung erspart geblieben?

Schließlich verebbte der Tumult. Kaum konnte man sich verständlich machen, ergriff Godwyn das Wort. Sein Gesicht war bleich vor Zorn. »Hat sie die Ketzerei gestanden oder nicht?«

»Die Beichte ist ein geheimes Sakrament«, erwiderte Cecilia unbeeindruckt. »Ich weiß nicht, was sie dem Priester gesagt hat, und würde ich es wissen, würde ich es weder Euch noch sonst jemandem sagen.«

»Trägt sie das Teufelsmal?«

»Wir haben sie nicht untersucht.« Die Antwort war ein Ausweichen, erkannte Merthin, doch Cecilia fügte rasch hinzu: »Das war auch nicht mehr nötig, nachdem ihr die Absolution erteilt wurde.«

»So geht das nicht!«, rief Godwyn. Er ließ nun jedwede Täuschung fahren, dass Philemon der Ankläger war. »Die Priorin darf das Gericht nicht auf diese Art hintergehen!«

Bischof Richard sagte: »Ich danke Euch, Vater Prior, aber ...«

»Der Gerichtsbefehl muss ausgeführt werden!«

Richard hob die Stimme. »Das reicht jetzt!«

Godwyn öffnete den Mund, um zu widersprechen, besann sich dann jedoch eines Besseren.

Richard sagte: »Ich muss weiter nichts hören. Ich habe meine Entscheidung getroffen und werde nun mein Urteil verkünden.«

Schweigen senkte sich über die Versammelten.

»Ich werde dem Vorschlag stattgeben, dass Caris der Eintritt in den Konvent gestattet wird. Ist sie eine Hexe, wird sie in dieser heiligen Umgebung keinen Schaden anrichten können. Der Teufel kann hier nicht hinein. Ist sie jedoch keine Hexe, sind wir vor dem Irrtum bewahrt worden, eine unschuldige Frau zu verurteilen. Caris mag sich das Nonnenleben nicht erträumt haben, doch ein Leben im Dienste Gottes wird ihr Trost dafür sein. Alles in allem eine sehr zufriedenstellende Lösung.«

Godwyn fragte: »Und wenn sie den Konvent verlässt?«

»Das wird sie nicht«, sagte der Bischof. »Denn ich werde sie formell zum Tode verurteilen, die Strafe jedoch aussetzen, solange sie Nonne bleibt. Sollte sie ihr Gelübde widerrufen, wird das Urteil vollstreckt.«

Merthin stiegen Tränen der Wut und Trauer in die Augen. Er hatte Caris für immer verloren.

Richard stand auf. Godwyn verkündete: »Die Sitzung ist beendet!« Der Bischof ging, gefolgt von der Prozession der Mönche und Nonnen.

Merthin war wie benommen. Seine Mutter redete tröstend auf ihn ein, doch er schien sie gar nicht zu hören. Er ließ sich von der Menge zum großen Westportal und hinaus auf den Rasen treiben. Die Händler packten ihre übrig gebliebenen Waren ein und bauten ihre Stände ab: Der Wollmarkt war für dieses Jahr vorbei.

Godwyn hatte bekommen, was er wollte, erkannte Merthin. Nun, da Edmund im Sterben lag und Caris aus dem Weg war, würde Elfric Ratsältester werden und den Antrag auf Erteilung der Stadtrechte wieder zurücknehmen.

Merthin schaute auf die grauen Steinmauern der Klostergebäude. Irgendwo hinter diesen Mauern war Caris. Er wandte sich dorthin, wühlte sich durch die Menge und zum Hospital.

Das Hospital war leer. Es war sauber geputzt, und die mit Stroh gefüllten Matratzen lagen ordentlich gestapelt an den Wänden. Eine Kerze brannte auf dem Altar am Ostende. Langsam ging Merthin durch den langen, stillen Raum. Er wusste nicht, was er als Nächstes tun sollte.

In Timothys Buch hatte er gelesen, dass sein Ahnherr, Jack Builder, für kurze Zeit Novize gewesen war. Der Verfasser des Buches deutete an, dass Jack widerwillig in das Kloster eingetreten sei und Probleme mit der mönchischen Disziplin gehabt habe. Jedenfalls war sein Noviziat abrupt geendet – unter Begleitumständen, über die Timothy taktvoll den Schleier des Vergessens breitete.

Doch Bischof Richard hatte bestimmt, dass Caris hingerichtet würde, sollte sie je den Konvent verlassen.

Eine junge Nonne kam ins Hospital. Als sie Merthin erkannte, schaute sie ihn ängstlich an. »Was wollt Ihr?«, fragte sie.

»Ich muss mit Caris sprechen.«

»Ich werde gehen und fragen«, sagte die Nonne und eilte davon.

Merthin schaute auf den Altar, das Kruzifix und auf das Triptychon, das Elisabeth von Ungarn zeigte, die Schutzheilige der Hospitäler. Auf einem Flügel war die Heilige zu sehen, die einst eine Prinzessin gewesen war, wie sie eine Krone trug und die Armen speiste; der zweite Flügel zeigte, wie sie ihr Hospital baute, und auf dem dritten war das Wunder dargestellt, wie das Essen, das sie unter ihrem Mantel getragen hatte, sich in Rosen verwandelte. Was würde Caris an einem solchen Ort tun? Sie stand fast allem, was die Kirche lehrte, skeptisch gegenüber. Sie glaubte nicht, dass eine Prinzessin Brot in Rosen verwandeln konnte. »Woher wissen sie das?«, sagte sie, wenn sie Geschichten aus der Bibel hörte, die alle anderen, ohne nachzufragen, akzeptierten: Adam und Eva, David und Goliath, selbst die Geburt Christi. Im Konvent würde sie wie eine gefangene Raubkatze sein.

Merthin musste mit ihr reden und herausfinden, was in ihr vorging. Caris musste irgendeinen Plan haben, den er sich nicht einmal vorzustellen vermochte. Ungeduldig wartete er auf die Rückkehr der Nonne. Doch nicht sie kam, sondern die alte Julie. »Dem Himmel sei Dank!«, rief Merthin. »Julie, ich muss Caris sehen, rasch!«

»Es tut mir leid, mein junger Merthin«, sagte Julie. »Caris will dich nicht sehen.«

»Macht Euch nicht lächerlich«, sagte Merthin. »Wir sind verlobt. Wir wollen morgen heiraten. Sie *muss* mich sehen!«

»Sie ist jetzt Novizin. Sie wird niemanden heiraten.«

Merthin hob die Stimme. »Wenn das wahr ist – meint Ihr nicht, sie sollte mir das selbst sagen?«

»Das liegt nicht an mir. Sie weiß, dass du hier bist, und sie will dich nicht sehen.«

»Ich glaube Euch nicht.« Merthin drängte sich an der alten Nonne vorbei und ging durch die Tür, durch die sie gekommen war. Er fand sich in einem kleinen Vorraum wieder. Hier war er noch nie gewesen: Nur wenige Männer hatten je den Nonnenteil des Klosters betreten. Durch eine weitere Tür gelangte er in den Kreuzgang der Nonnen. Mehrere Schwestern standen dort. Einige lasen, andere gingen meditierend umher, und wieder andere unterhielten sich mit leisen Stimmen.

Merthin lief durch die Arkaden. Eine Nonne erblickte ihn und schrie. Merthin beachtete sie nicht. Als er eine Treppe entdeckte, stieg er hinauf und betrat den ersten Raum. Es war das Dormitorium. Hier gab es zwei Reihen Matratzen mit ordentlich gefalteten Decken darauf. Niemand war zu sehen. Merthin ging ein paar Schritt den Gang hinunter und versuchte es an einer anderen Tür. Sie war verschlossen. »Caris!«, rief er. »Bist du da drin? Sprich mit mir!« Er schlug so fest mit der Faust gegen die Tür, dass er sich die Knöchel aufschürfte, sodass sie bluteten, doch er spürte den Schmerz kaum. »Lass mich rein!«, brüllte er. »Lass mich rein!«

Eine Stimme hinter ihm sagte: »Ich werde dich hereinlassen.«

Merthin fuhr herum und sah Mutter Cecilia.

Sie nahm einen Schlüssel von ihrem Gürtel und schloss ruhig die Tür auf. Dahinter verbarg sich ein kleiner Raum mit einem einzelnen Fenster. An den Wänden waren Regale mit gefalteten Kleidern.

»Hier bewahren wir unsere Wintergewänder auf«, erklärte Cecilia. »Das ist ein Lagerraum.«

»Wo ist Caris?«, rief Merthin.

»Sie ist in einem Raum, der auf ihre eigene Bitte hin verschlossen ist. Du wirst diesen Raum nicht finden, und selbst wenn, wird sie dich nicht einlassen. Sie will dich nicht sehen.«

»Woher soll ich wissen, dass sie nicht tot ist?« Merthin hörte, wie seine Stimme vor Erregung brach, aber das kümmerte ihn nicht.

»Du kennst mich«, antwortete Cecilia. »Caris ist nicht tot.« Sie schaute auf Merthins Hand. »Du hast dich verletzt«, sagte sie mitfühlend. »Komm mit mir und lass mich Salbe auf deine Wunden tun.«

Merthin blickte ebenfalls auf seine Hand; dann starrte er die Priorin an. »Ihr seid eine Teufelin«, sagte er.

Er ließ sie stehen und nahm den gleichen Weg zurück, den er gekommen war, ins Hospital, vorbei an der ängstlich dreinblickenden Julie und hinaus ins Freie. Dort bahnte er sich einen Weg durch das Chaos des Marktendes vor der Kathedrale bis auf die Hauptstraße. Kurz erwog er, mit Edmund zu reden, entschied sich jedoch dagegen: Caris' leidendem Vater konnte jemand anders die schreckliche Wahrheit erzählen. Wem konnte er trauen? Merthin dachte an Mark Webber.

Mark und seine Familie waren in ein großes Haus an der Hauptstraße gezogen, mit einem großen Lagerraum aus Stein für die Tuchballen. Jetzt stand kein Webstuhl mehr in ihrer Küche; das Weben übernahmen nun andere für sie. Mark und Madge saßen auf einer Bank und schauten traurig drein. Als Merthin hereinkam, sprang Mark auf. »Hast du sie gesehen?«, rief er.

»Sie lassen mich nicht zu ihr.«

»Das ist unerhört!«, sagte Mark. »Sie haben nicht das Recht, Caris davon abzuhalten, den Mann zu sehen, den sie heiraten wird!«

»Die Nonnen sagen, dass sie mich nicht mehr sehen will.«

»Das glaube ich ihnen nicht.«

»Ich auch nicht. Ich bin reingegangen und habe nach ihr gesucht, konnte sie aber nicht finden. Da gibt es eine Menge verschlossener Türen.«

»Sie muss irgendwo dort sein.«

»Ich weiß. Wirst du mit mir dorthin gehen? Nimmst du einen Hammer mit und hilfst mir, jede Tür einzuschlagen, bis wir sie gefunden haben?«

Mark schaute ihn unbehaglich an. So stark er auch sein mochte, er hasste Gewalt.

Merthin sagte: »Ich muss sie finden. Sie könnte tot sein!«

Bevor Mark etwas darauf erwidern konnte, sagte Madge: »Ich habe eine bessere Idee.«

Die beiden Männer schauten sie an.

»Ich werde in den Konvent gehen«, sagte Madge. »Bei einer Frau werden die Nonnen nicht so misstrauisch sein. Vielleicht werden sie Caris dazu bringen, dass sie mich empfängt.«

Mark nickte. »Zumindest wüssten wir dann, dass sie noch lebt.«

Merthin sagte: »Aber das reicht mir nicht. Was denkt Caris? Was hat sie vor? Will sie warten, bis der Tumult vorbei ist, und dann fliehen? Sollte ich versuchen, sie zu befreien? Oder sollte ich einfach warten? Und wenn ja, wie lange? Einen Monat? Ein Jahr? Sieben Jahre?«

»Ich werde sie fragen, wenn die Nonnen mich einlassen.« Madge stand auf. »Du wartest hier.«

»Nein, ich komme mit«, sagte Merthin. »Ich warte draußen.«

»In dem Fall ... Mark, warum kommst du nicht auch mit, um Merthin Gesellschaft zu leisten?«

Merthin wusste, dass Mark ihm keineswegs nur Gesellschaft leisten, sondern ihn vor Dummheiten bewahren sollte, doch er beschwerte sich nicht. Er war dankbar, zwei Menschen an seiner Seite zu haben, denen er vertraute.

Sie eilten zum Klostergelände. Mark und Merthin warteten vor dem Hospital, während Madge hineinging. Merthin sah, dass Caris' alter Hund, Scrap, vor der Tür saß und darauf wartete, dass sie wieder auftauchte.

Als Madge eine halbe Stunde verschwunden war, sagte Merthin: »Scheint so, als hätten die Nonnen sie hineingelassen. Sonst wäre sie längst wieder da.«

»Wir werden sehen«, sagte Mark.

Sie beobachteten, wie die letzten Händler zusammenpackten und davonzogen, wobei sie den Rasen vor der Kathedrale als aufgewühlten Schlammplatz zurückließen. Merthin ging auf und ab, während Mark dasaß wie eine Statue des Samson. Eine Stunde folgte auf die andere. Trotz seiner Ungeduld war Merthin froh über die Verzögerung, denn das bedeutete sehr wahrscheinlich, dass Madge mit Caris sprach.

Die Sonne versank bereits im Westen der Stadt, als Madge schließlich wieder erschien. Ihre Miene war ernst, ihre Wangen nass von Tränen. »Caris lebt«, sagte sie, »und es geht ihr gut, körperlich und seelisch.«

»Erzähl schon! Was hat sie gesagt?«, fragte Merthin drängend.

»Du wirst jedes Wort erfahren. Komm, setzen wir uns in den Garten.«

Sie gingen in den Gemüsegarten des Klosters, nahmen auf der Steinbank Platz und schauten sich den Sonnenuntergang an.

Madges Gleichmut ließ ungute Ahnungen in Merthin aufsteigen. Es wäre ihm lieber gewesen, sie hätte vor Wut getobt. Ihr Verhalten verriet ihm, dass sie schlechte Neuigkeiten hatte. Merthin verlor die Hoffnung. »Sie will mich nicht sehen, stimmt's?«

Madge seufzte. »Stimmt.«

»Aber warum?«

»Sie hat gesagt, es würde ihr das Herz brechen.«

Merthin brach in Tränen aus.

Madge fuhr mit leiser Stimme fort: »Mutter Cecilia hat uns allein gelassen, damit wir offen miteinander reden konnten, ohne dass jemand uns zuhört. Caris glaubt, dass Godwyn und Philemon entschlossen sind, sie loszuwerden, weil sie sich dafür einsetzt, dass Kingsbridge die Stadtrechte bekommt. Im Konvent ist Caris in Sicherheit, aber sollte sie das Kloster je verlassen, werden Philemon und Godwyn sie finden und töten.«

»Sie könnte fliehen ... ich könnte sie nach London bringen!«, stieß Merthin hervor. »Dort würde Godwyn uns niemals entdecken!«

Madge nickte. »Das habe ich ihr auch gesagt. Wir haben lange darüber gesprochen. Sie meint, ihr beide wärt dann für den Rest eures Lebens Flüchtlinge, und zu einem solchen Schicksal will sie dich nicht verdammen. Es ist deine Bestimmung, der größte Baumeister unserer Zeit zu werden, sagt sie. Du wirst berühmt sein. Aber wenn sie bei dir ist, wirst du stets verleugnen müssen, wer du wirklich bist. Du wirst dich verstecken müssen ...«

»Das ist mir egal!«

»Sie hat gewusst, dass du so reagierst. Aber sie bleibt bei ihrer Entscheidung. Sie wird deine Zukunft nicht beeinflussen, nicht einmal dann, wenn du sie darum bittest.«

»Das kann sie mir auch selbst sagen!«

»Sie hat Angst, du könntest sie umstimmen.«

Merthin wusste, dass Madge die Wahrheit sagte. Ebenso Cecilia. Es war tatsächlich so: Caris wollte ihn nicht sehen. Merthin hatte das Gefühl, an seiner Trauer zu ersticken. Er schluckte, wischte sich mit dem Ärmel die Tränen von den Wangen und versuchte zu sprechen. »Aber ... Aber was wird sie tun?«, fragte er.

»Sie macht das Beste aus ihrer Situation. Sie wird versuchen, eine gute Nonne zu sein.«

»Sie hasst die Kirche!«

»Ich weiß, dass Caris nie viel Respekt vor dem Klerus gehabt hat. In dieser Stadt ist das auch wenig überraschend. Aber sie glaubt, dass sie Trost in einem Leben finden kann, das der Pflege und Heilung Kranker gewidmet ist.«

Mark und Madge beobachteten Merthin schweigend. Er konnte sich durchaus vorstellen, wie Caris im Hospital arbeitete und sich um Kranke kümmerte. Aber wie würde sie darüber denken, ihr Leben lang jede halbe Nacht mit Beten und Singen zu verbringen?

»Sie könnte sich etwas antun«, sagte er nach längerem Schweigen.

»Niemals!«, widersprach Madge ihm voller Überzeugung. »Sie ist sehr traurig, aber einen solchen Ausweg wird sie niemals wählen!«

Erneut trat Stille ein.

»Andererseits«, sagte Merthin schließlich langsam, beinahe widerwillig, »könnte Caris im Kloster ihr Glück finden ... eine andere Art von Glück.«

Madge schwieg. Merthin schaute ihr in die Augen, und sie nickte.

Es ist die bedrückende Wahrheit, dachte er: Caris hatte ihr Heim verloren, ihre Freiheit, ihren zukünftigen Ehemann – und doch könnte sie schlussendlich glücklich werden.

Mehr gab es nicht zu sagen.

Merthin stand auf. »Ich danke euch, dass ihr mir so gute Freunde wart«, sagte er und wandte sich zum Gehen.

Mark rief ihm nach: »Wo willst du hin?«

Merthin drehte sich noch einmal um. In ihm war eine Idee gereift, und nun erkannte er zu seinem eigenen Erstaunen, dass es eine sehr gute Idee war – die beste Entscheidung, die er für die Zukunft treffen konnte.

Merthin wischte sich die Tränen aus dem Gesicht und schaute Mark und Madge im glutroten Licht der untergehenden Sonne an.

»Ich gehe nach Florenz«, sagte er. »Lebt wohl.«

FÜNFTER
TEIL
März 1346 bis Dezember 1348

Schwester Caris verließ den Kreuzgang des Nonnenklosters und ging eiligen Schritts ins Hospital. Drei Kranke lagen auf den Strohsäcken. Die alte Julie war zu gebrechlich, um am Gottesdienst teilzunehmen oder gar die Stufen zum Dormitorium hinaufzusteigen. Bella Brewer, die Frau von Dick Brewers Sohn Danny, erholte sich von einer schweren Geburt. Und der dreizehnjährige Rickie Silvers kurierte einen gebrochenen Arm aus, den Matthew Barber ihm gerichtet hatte. Auf einer Bank an der Seite saßen eine Novizin namens Nellie sowie Bob, ein Bediensteter der Priorei, und schwatzten.

Caris' geübter Blick schweifte durch den Raum. Neben jedem Bett stand noch immer ein schmutziger Teller, doch die Stunde des Mittagessens war längst verstrichen. »Bob!«, sagte sie streng. Er sprang auf. »Schaff die Teller weg. Wir sind in einem Kloster, und Sauberkeit ist eine Tugend. Spute dich!«

»Verzeiht, Schwester«, sagte Bob.

»Nellie, hast du Julie zur Latrine geführt?«

»Noch nicht, Schwester.«

»Nach dem Mittagessen muss sie sich immer erleichtern. Bei meiner Mutter war es genauso. Beeil dich, damit kein Unglück geschieht.«

Nellie half der alten Nonne auf.

Caris bemühte sich, die Tugend der Geduld zu entwickeln, doch nach sieben Jahren als Nonne war es ihr noch immer nicht gelungen; deshalb machte es sie wütend, wenn sie Anweisungen ständig wiederholen musste. Bob wusste genau, dass er abzuräumen hatte, sobald die Teller geleert waren; Caris hatte es ihm oft genug gesagt. Und Nellie kannte Julies Bedürfnisse. Dennoch hatten beide auf der Bank gehockt und getratscht, und Gott allein wusste, wie lange sie noch dagesessen hätten, wäre Caris nicht so unerwartet erschienen.

Seufzend hob sie die Wasserschale auf, in der die Kranken sich die Hände gewaschen hatten, und ging nach draußen, um das Wasser auszugießen. Ein Mann, den sie nicht kannte, pinkelte gegen die Außenmauer. Caris vermutete, dass er ein Reisender war, der auf ein Bett hoffte. »Das nächste Mal benutzt Ihr die Latrine hinter dem Stall«, fuhr sie ihn an.

Mit dem Glied in der Hand grinste er sie an. »Und wer seid Ihr?«, fragte er frech.

»Ich leite dieses Hospital, und wenn Ihr heute hier übernachten wollt, solltet Ihr Euch auf Eure guten Manieren besinnen.«

»Ah!«, sagte er. »Eine von der herrischen Sorte.« In aller Seelenruhe schüttelte er die Tropfen ab.

»Steckt Euer erbärmliches Schwänzchen weg, sonst dürft Ihr nicht mal in der Stadt die Nacht verbringen, geschweige denn in der Priorei.« Caris schleuderte das Wasser gegen seinen Hosenlatz. Erschrocken sprang der Mann zurück. Seine Hose triefte.

Caris ging wieder hinein und füllte die Schüssel am Brunnen nach. Ein Rohr, das unter der gesamten Priorei hindurch verlief, führte sauberes Wasser von einer Stelle flussaufwärts heran und speiste die Brunnen in den Kreuzgängen, den Küchen und dem Hospital. Ein Abzweig des unterirdischen Bachs spülte die Latrinen. Eines Tages wollte Caris eine neue Latrine gleich neben dem Hospital errichten, damit senile Patienten wie Julie nicht mehr so weit zu laufen brauchten.

Der Fremde kam ihr nach. »Wascht Euch die Hände«, sagte Caris und hielt ihm die Schüssel hin.

Er zögerte; dann nahm er sie.

Caris blickte ihn an. Sie war neunundzwanzig; der Fremde war ungefähr in ihrem Alter. »Wer seid Ihr?«, fragte sie.

»Gilbert aus Hereford, ein frommer Pilger«, antwortete er. »Ich bin gekommen, um den Reliquien des heiligen Adolphus meine Verehrung zu zollen.«

»Dann dürft Ihr gern eine Nacht hier im Hospital verbringen, wenn Ihr mich respektvoll anredet – wie alle anderen hier.«

»Jawohl, Schwester.«

Caris machte sich auf den Weg zum Dormitorium der Nonnen. Es war ein milder Frühlingstag, und auf die glatten alten Steine im Kreuzgang schien die Sonne. Am Westgang lehrte Schwester Mair die Mädchenschule ein neues Lied, und Caris hielt inne und hörte zu. Die Leute sagten, Mair sähe aus wie ein Engel mit ihrer reinen

Haut, den strahlenden Augen und dem Mund, der wie ein Bogen geformt war. Die Schule war Caris' Aufsicht unterstellt – sie war Gastmeisterin und für jeden zuständig, der aus der Welt draußen ins Nonnenkloster kam. Vor fast zwanzig Jahren hatte sie diese Schule selbst besucht.

Zehn Schülerinnen waren es, im Alter von neun bis fünfzehn. Einige waren Töchter von Kaufleuten aus Kingsbridge, die anderen Sprösslinge aus Adelsfamilien. Das Lied, das Gottes Güte pries, endete, und eines der Mädchen fragte: »Schwester Mair, wenn Gott so gütig ist, warum hat er dann meine Eltern sterben lassen?«

Es war die klassische Frage, die alle klugen Kinder früher oder später stellten: Wie kann Gott schlimme Dinge geschehen lassen? Caris hatte sich diese Frage einst selbst gestellt. Interessiert blickte sie die Fragestellerin an. Es war Tilly Shiring, die zwölfjährige Nichte Graf Rolands, ein Mädchen mit schelmischem Gesicht, das Caris mochte. Tillys Mutter war bei der Geburt verblutet, und ihr Vater hatte sich wenig später bei einem Jagdunfall das Genick gebrochen; daher war sie im Haushalt des Grafen aufgezogen worden.

Mair antwortete ausweichend, dass Gottes Wege unerforschlich seien. Tilly war damit sichtlich nicht zufrieden, konnte ihre Zweifel aber nicht in Worte fassen und schwieg. Doch die Frage würde wieder aufkommen; da war Caris sicher.

Mair hieß die Mädchen das Lied ein zweites Mal singen; dann trat sie auf Caris zu.

»Ein kluges Kind«, sagte Caris.

»Die Klassenbeste. In ein, zwei Jahren wird sie nicht so schnell Ruhe geben.«

»Sie erinnert mich an jemanden«, sagte Caris stirnrunzelnd. »Ich versuche, mir ihre Mutter vor Augen zu rufen …«

Mair berührte Caris leicht am Arm. Gesten der Zuneigung zwischen Nonnen waren untersagt, doch Caris hielt es damit nicht so streng. »Sie erinnert dich an dich selbst«, sagte Mair.

Caris lachte. »So hübsch war ich nie.«

Dennoch hatte Mair recht: Schon als Kind hatte Caris skeptische Fragen gestellt. Später, nachdem sie Novizin geworden war, hatte sie in jeder Theologiestunde eine Diskussion vom Zaun gebrochen. Binnen einer Woche hatte Mutter Cecilia sich gezwungen gesehen, sie anzuweisen, während der Lektionen zu schweigen. Daraufhin begann Caris gegen die Ordensregeln zu verstoßen und beantwortete

Tadel mit Einwänden gegen den Sinn der Konventsdisziplin. Erneut wurde ihr Schweigen befohlen.

Es dauerte nicht lange, und Mutter Cecilia bot ihr einen Handel an: Caris durfte ihre Zeit zum größten Teil der Krankenbetreuung im Hospital widmen – einem Teil der schwesterlichen Arbeit, den sie nicht infrage stellte – und Stundengebete auslassen, wann immer ihre Arbeit sie davon abhielt. Im Gegenzug verzichtete Caris darauf, die Disziplin zu untergraben, und behielt ihre rebellischen Gedanken für sich. Widerstrebend und schmollend hatte Caris zugestimmt, doch Cecilia war weise, und die Abrede gelang. Sie war noch immer in Kraft, denn Caris verbrachte die meiste Zeit mit der Aufsicht über das Hospital. Sie fehlte bei mehr als der Hälfte aller Stundengebete und sagte oder tat nur selten etwas, das offen gegen die Klosterregeln gerichtet war.

Mair lächelte. »Jetzt bist du schön«, sagte sie. »Besonders, wenn du lachst.«

Für einen Moment war Caris von Mairs blauen Augen gebannt; dann hörte sie ein Kind schreien und wandte sich ab. Der Schrei war nicht von den Schülerinnen im Kreuzgang gekommen, sondern aus dem Hospital. Caris eilte durch den kleinen Vorraum. Christopher Blacksmith trug ein Mädchen von vielleicht acht Jahren herein. Das Kind, das Caris als seine Tochter Minnie erkannte, schrie vor Schmerzen.

»Legt sie hin«, sagte Caris.

Christopher bettete das Kind behutsam auf einen Strohsack.

»Was ist geschehen?«

Christopher, ein kräftiger Mann, sprach vor Furcht mit eigentümlich hoher Stimme. »Sie ist in der Schmiede gestolpert und mit dem Arm gegen eine glühende Eisenstange geprallt. Tut etwas, Schwester, schnell, sie hat schlimme Schmerzen!«

Caris berührte das Kind an der Wange. »Alles wird gut, Minnie, vertrau mir.« Mohnsamenextrakt ist zu stark, überlegte sie; er könnte ein so kleines Mädchen umbringen. Sie benötigte ein milderes Mittel. »Nellie, geh rasch in die Apotheke, und hol mir den Krug, auf dem ›Hanfessenz‹ steht. Beeil dich, aber gibt acht! Wenn du stolperst und den Krug zerbrichst, dauert es Stunden, das Mittel neu zu bereiten.«

Nachdem Nellie losgeeilt war, besah Caris sich Minnies Arm. Sie hatte eine hässliche Brandwunde, die sich zum Glück auf den Arm beschränkte und längst nicht so gefährlich war wie die großflächigen Verbrennungen, die Menschen sich beispielsweise bei Hausbränden zuzogen. Große rote Brandblasen bedeckten fast den ganzen Unterarm; in der Mitte war die Haut weggebrannt, und das versengte Fleisch darunter lag bloß.

Caris blickte sich Hilfe suchend um und entdeckte Schwester Mair. »Geh in die Küche und hol mir einen halben Schoppen Wein und die gleiche Menge Olivenöl, aber in getrennten Krügen. Beides angewärmt, aber nicht zu heiß.« Mair eilte davon.

Caris sprach das Mädchen an. »Ich weiß, dass es wehtut, Minnie, aber gleich bekommst du Medizin, davon geht der Schmerz weg.« Minnie schniefte und schluchzte.

Nellie kam mit der Hanfessenz. Caris goss etwas davon auf einen Löffel, schob ihn Minnie in den Mund und hielt ihr die Nase zu. Das Mädchen schluckte. Sie schrie und jammerte erneut, wurde nach kurzer Zeit aber ruhiger.

»Gib mir ein sauberes Tuch«, sagte Caris zu Nellie. Im Hospital verbrauchten sie viele Tücher, und der Schrank hinter dem Altar war auf Caris' Geheiß stets gut mit sauberen Lappen gefüllt.

Mair kehrte mit dem Öl und dem Wein aus der Küche zurück. Caris breitete neben Minnies Strohsack ein Tuch auf dem Boden aus und legte den verbrannten Arm vorsichtig darauf. »Wie geht es dir jetzt?«, fragte sie.

»Es tut so weh«, jammerte Minnie.

Caris nickte zufrieden. Es waren die ersten zusammenhängenden Worte, die das Mädchen gesprochen hatte. Das Schlimmste war vorbei.

Minnie wurde immer schläfriger, als der Hanf zu wirken begann. Caris sagte: »Ich werde dir jetzt etwas auf den Arm tun, damit er wieder so wird wie vorher. Halt still, hast du gehört?«

Minnie nickte.

Caris goss ein wenig warmen Wein auf Minnies Handgelenk, wo die Verbrennung am leichtesten war. Das Mädchen zuckte zusammen, versuchte aber nicht, den Arm wegzuziehen. Ermutigt von diesem kleinen Erfolg, bewegte Caris den Krug langsam über den Arm und goss den Wein behutsam auf die schlimmste Brandwunde, um sie zu reinigen. Dann wiederholte sie den Vorgang mit dem Olivenöl, das die Wunde beruhigen und das Fleisch vor üblen Einflüssen aus der Luft schützen sollte. Schließlich nahm sie ein frisches Tuch und schlug es leicht um den Arm, um die Fliegen abzuhalten.

Minnie stöhnte, doch sie schlief schon halb. Caris blickte besorgt nach der Farbe ihres Gesichts. Es war vor Anstrengung rosarot angelaufen. Das war gut – Blässe wäre ein Zeichen für eine zu starke Dosis Hanf gewesen.

Bei den Arzneien war Caris sich immer unsicher. Die notwendige Stärke war bei jeder Zubereitung unterschiedlich, ohne dass Caris eine Möglichkeit besaß, sie präzise zu bestimmen. War die Medizin zu schwach, wirkte sie nicht; war sie zu stark, konnte sie gefährlich werden. Caris fürchtete besonders, Kindern eine zu hohe Dosis zu verabreichen, während die Eltern stets um die stärksten Arzneien baten, weil die Schmerzen ihrer Kinder auch ihre Schmerzen waren.

Bruder Joseph kam herein. Er war ein alter Mann geworden – er ging schon auf die sechzig zu – und hatte alle Zähne verloren, war unter den Mönchen der Priorei jedoch immer noch der beste Arzt. Christopher Blacksmith sprang auf. »Bruder Joseph! Gott sei Dank, dass Ihr hier seid«, rief er. »Mein kleines Mädchen hat sich schlimm verbrannt.«

»Sehen wir es uns an«, sagte Joseph.

Caris trat zurück und verbarg ihre Verärgerung. Jeder hielt die Mönche für große Ärzte, die geradezu Wunder wirken konnten, während die Nonnen den Kranken nur zu essen gaben und sie sauber machten. Caris hatte längst aufgegeben, gegen dieses Vorurteil anzukämpfen, doch es erzürnte sie noch immer.

Joseph schlug das Tuch zurück und betrachtete den Arm des Mädchens. Mit dem Finger drückte er auf das verbrannte Fleisch. Minnie wimmerte in ihrem benommenen Schlaf. »Eine schlimme Wunde, aber nicht lebensgefährlich«, sagte Joseph und wandte sich Caris zu. »Macht eine Breipackung aus drei Teilen Hühnerfett, drei Teilen Ziegendung und einem Teil Bleiweiß und bestreicht damit die Brandwunde. Das Mittel zieht den Eiter heraus.«

»Jawohl, Bruder.« Caris bezweifelte den Wert von Breiumschlägen. Sie hatte festgestellt, dass viele Verletzungen gut heilten, ohne dass man den Eiter herausholte, den die Mönche für ein Zeichen der Gesundheit hielten. Caris hatte die Erfahrung gemacht, dass Wunden nach dieser Behandlung manchmal faulig wurden. Doch die Mönche waren anderer Ansicht – bis auf Bruder Thomas, der überzeugt war, seinen Arm vor fast zwanzig Jahren nur wegen des Breiumschlags verloren zu haben, den Prior Anthony verordnet hatte. Doch Caris hatte ihre Schlacht gegen die Heilmethoden der Mönche aufgegeben; schließlich konnten sie sich auf Autoritäten wie Hippokrates und Galen berufen, die großen Heilkundigen der Antike, von denen jeder sagte, dass sie recht haben mussten.

Joseph ging. Caris vergewisserte sich, dass Minnie bequem lag und ihr Vater beruhigt war. »Wenn sie aufwacht, wird sie Durst haben. Sorgt dafür, dass sie viel zu trinken bekommt – dünnes Bier oder gewässerten Wein.«

Mit dem Breiumschlag hatte Caris es nicht eilig. Sie würde Gott ein paar Stunden Zeit geben, ohne Hilfe zu wirken, ehe sie mit Josephs Behandlung begann. Die Wahrscheinlichkeit, dass der Mönch zurückkehrte, um nach seiner Patientin zu sehen, war ohnehin eher gering. Caris schickte Nellie auf die Wiese, die an die Kathedrale grenzte, wo sie Ziegendung sammeln sollte; dann ging sie in die Apotheke.

Der Arbeitsraum, in dem Caris ihre Arzneien bereitete, befand sich neben der Bibliothek des Mönchsklosters. Leider besaß er nicht die gleichen großen Fenster wie der Büchersaal, und es war eng und dunkel. Wenigstens gab es einen Arbeitstisch, Regalbretter für Krüge und Phiolen und einen kleinen Ofen, um Zutaten zu erhitzen.

In einem Schrank bewahrte Caris ein kleines Notizbuch auf. Pergament war kostbar, und einen Block aus gleichen Bögen hätte man nur für heilige Schriften verwendet. Caris jedoch hatte einen Stapel unregelmäßig geformter Abschnitte gesammelt und diese zusammengenäht. Über jeden Patienten mit einer ernsthaften Erkrankung führte sie Protokoll. Sie schrieb das Datum nieder, den Namen des Kranken, sein Leiden und die Behandlung, die sie ihm angedeihen ließ. Später trug sie das Ergebnis ein, wobei sie stets genau aufführte, wie viele Stunden oder Tage verstrichen waren, ehe es dem Patienten besser oder schlechter ging. Oft sah sie die alten Fälle durch, um ihre Erinnerung daran aufzufrischen, wie wirksam die jeweiligen Behandlungen gewesen waren.

Als sie Minnies Alter notierte, musste Caris daran denken, dass ihr eigenes Kind in diesem Jahr acht geworden wäre, hätte sie nicht Matties Trunk zu sich genommen. Ihr Kind wäre ein Mädchen geworden, da war Caris sich sicher, ohne dass sie sagen konnte, woher sie diese Gewissheit bezog. Sie fragte sich, wie sie sich verhalten würde, hätte ihre eigene Tochter einen Unfall erlitten. Wäre sie dann fähig gewesen, das Kind mit einer solch überlegten Ruhe zu behandeln wie Minnie? Oder wäre auch sie aufgelöst gewesen vor Angst wie Christopher Blacksmith?

Caris war gerade mit der Niederschrift fertig, als die Glocke zur Komplet rief. Danach war es Zeit fürs Abendbrot; anschließend gingen die Nonnen zu Bett, ehe sie um drei Uhr früh zur Matutin aufstehen mussten.

Caris jedoch kehrte in die Apotheke zurück, um den Breiumschlag zu machen, statt ins Bett zu gehen. Vor dem Ziegendung ekelte sie sich nicht; wer in einem Hospital arbeitete, sah Schlimmeres. Sie fragte sich nur, wie Joseph auf den Gedanken kam, dass es eine Verbrennung heilen könnte, wenn man sie mit Ziegendreck bestrich.

Den Umschlag könnte sie ohnehin nicht vor dem frühen Morgen aufbringen. Minnie war ein gesundes Kind. Bis dahin war ihre Genesung ein gutes Stück vorangekommen.

Während Caris arbeitete, kam Mair herein.

Caris blickte sie neugierig an. »Warum bist du nicht im Bett?«

Mair stellte sich neben sie an den Arbeitstisch. »Ich wollte dir helfen.«

»Es braucht keine vier Hände, um einen Breiumschlag zu machen. Was hat Schwester Natalie gesagt?« Natalie war die Subpriorin und für die Disziplin verantwortlich; ohne ihre Erlaubnis durfte niemand nachts den Schlafsaal verlassen.

»Sie schläft. Sag mal, Caris ... Findest du wirklich, dass du nicht schön bist?«

»Bist du nur gekommen, um mich das zu fragen?«

»Merthin muss dich schön gefunden haben.«

Caris lächelte. »Ja, das hat er.«

»Vermisst du ihn?«

Caris hatte den Brei fertig angerührt und wandte sich ab, um ihre Hände in einer Schüssel zu waschen. »Ich denke jeden Tag an ihn«, sagte sie. »Heute ist er der reichste Baumeister von Florenz.«

»Woher weißt du das?«

»Bei jedem Wollmarkt erzählt Buonaventura Caroli mir von ihm.«

»Erfährt Merthin auch Neuigkeiten über dich?«

»Was für Neuigkeiten? Es gibt nichts zu berichten. Ich bin Nonne.«

»Sehnst du dich nach ihm?«

Caris schaute Mair in die Augen. »Eine Nonne darf sich nicht nach einem Mann sehnen.«

»Aber von Frauen ist nicht die Rede«, sagte Mair, beugte sich vor und küsste Caris auf den Mund.

Caris war dermaßen überrascht, dass sie erstarrte. Mairs Lippen waren weich, anders als Merthins. Caris war schockiert, aber nicht entsetzt. Sieben Jahre lag es zurück, dass sie zum letzten Mal geküsst worden war – und nun erkannte sie, wie sehr sie es vermisst hatte.

In der Stille hörten beide aus der angrenzenden Bibliothek ein lautes Geräusch.

Mair löste sich hastig von Caris. »Was war das?«

Vom Kuss noch ein wenig verlegen, sagte Caris: »Hörte sich an, als wäre eine Kiste zu Boden gefallen.«

»Wer könnte das sein?«

Caris runzelte die Stirn. »Zu dieser Stunde dürfte sich eigentlich niemand in der Bibliothek aufhalten. Mönche und Nonnen sollten im Bett liegen.«

»Was sollen wir tun?«, fragte Mair mit Angst in der Stimme.

»Wir schauen nach. Komm!«

Sie verließen die Apotheke. Obwohl der Büchersaal gleich nebenan lag, mussten sie durch den Kreuzgang der Nonnen in den der Mönche, von dem sie dann zur Bibliothekstür gelangten. Die Nacht war finster, doch beide lebten seit Jahren in diesem Kloster und hätten den Weg mit verbundenen Augen gefunden. Hinter den hohen Fenstern der Bibliothek glomm ein trübes, flackerndes Licht. Die Tür, die nachts normalerweise verschlossen war, stand einen Spalt weit offen.

Caris drückte sie auf.

Einen Augenblick lang begriff sie nicht, was sie sah. Sie sah eine geöffnete Schranktür, eine Truhe auf einem Tisch, daneben eine Kerze und eine schemenhafte Gestalt. Caris brauchte einen Augenblick, bis ihr klar wurde, dass der Schrank die Schatzkammer war, wo Freibriefe und andere Dinge von Wert lagen, und dass es sich bei der Truhe um die Schatulle handelte, in der das edelsteinbesetzte Kirchengerät aus Gold und Silber aufbewahrt wurde, das bei feierlichen Messen in der Kathedrale verwendet wurde. Die schemenhafte Gestalt nahm Gegenstände aus der Schatulle und stopfte sie in eine Art Schnappsack.

Mit einem Mal sah die Gestalt auf, und Caris erkannte das Gesicht: Es gehörte Gilbert aus Hereford, dem Pilger, der an diesem Tag eingetroffen war. Nur dass er kein Pilger war; wahrscheinlich stammte er nicht einmal aus Hereford. Gilbert war ein Dieb.

Er und die Nonnen starrten einander an, ohne sich zu rühren.

Dann schrie Mair auf.

Gilbert löschte die Kerze.

Caris zog hastig die Tür zu, um den Dieb ein paar Augenblicke länger aufzuhalten. Dann rannte sie den Kreuzgang entlang, flüchtete sich in eine Nische in der Wand und zog Mair mit sich.

Sie standen am Fuße der Treppe, die hinauf zum Schlafsaal der Mönche führte. Mairs Schrei hätte die Brüder eigentlich wecken müssen, doch keiner ließ sich blicken. »Sag den Mönchen, was geschehen ist!«, rief Caris ihr zu. »Los, lauf schon!« Mair eilte die Stufen hinauf.

Caris hörte ein Knarren und vermutete, dass die Tür der Bibliothek sich öffnete. Sie lauschte nach Schritten auf den Steinplatten der Kreuzgänge, doch Gilbert musste ein erfahrener Einbrecher sein, denn er bewegte sich geräuschlos. Caris hielt den Atem an und horchte. In diesem Moment brach im Obergeschoss Tumult aus.

Der Dieb schien zu wissen, dass ihm zur Flucht nur noch wenige Augenblicke blieben, denn er rannte los wie von Furien gehetzt. Caris hörte seine schnellen Schritte näher kommen.

Das kostbare Kirchengerät der Kathedrale war ihr nicht allzu wichtig, war sie doch der Ansicht, dass das Gold und die Juwelen den Bischof und den Prior mehr erfreuten als Gott. Gilbert jedoch war ihr zuwider, und der Gedanke, dass der Halunke reich wurde, indem er die Priorei bestahl, erfüllte sie mit Wut. Sie trat aus der Wandnische hervor, um sich dem Dieb in den Weg zu stellen.

Sie konnte kaum etwas sehen; die Schritte jedoch, die sich ihr rasch näherten, waren nicht zu überhören. Caris streckte die Arme vor, um sich zu schützen, und Gilbert rannte mit voller Wucht in sie hinein. Gedankenschnell grub Caris die Finger in die Kleidung des Mannes, ehe beide zu Boden stürzten. Es klirrte und schepperte, als der Sack mit den Kruzifixen und Abendmahlskelchen aufs Pflaster knallte.

Der Aufprall nahm Caris die Luft. Sie ließ Gilberts Kleider los, griff dorthin, wo sie sein Gesicht vermutete, und zog kräftig die Fingernägel darüber. Gilbert brüllte vor Schmerz auf, und Caris spürte sein warmes Blut an den Händen.

Doch er war kräftiger als sie. Er rang mit ihr und warf sich auf sie. Vom Kopf der Mönchstreppe schien Licht, und plötzlich konnte sie Gilbert sehen – und er sie. Über ihr kniend, schlug er Caris ins Gesicht, erst mit der rechten Faust, dann mit der linken und wieder mit der rechten. Caris schrie.

Das Licht wurde heller. Die Mönche polterten die Stufen herunter. Caris hörte Mairs Stimme: »Lass sie los, du Teufel!« Gilbert sprang auf und tastete nach seinem Schnappsack, doch es war zu spät: Mair warf sich auf ihn, einen stumpfen Gegenstand in der Hand. Gilbert wurde am Kopf getroffen. Mit wütendem Gebrüll fuhr er herum, um Mair an die Kehle zu gehen – da riss eine Flutwelle aus Mönchsleibern ihn zu Boden.

Caris rappelte sich auf. Mair eilte zu ihr und schloss sie in die Arme. »Was hast du getan?«, fragte sie.

»Ich hab den Halunken zu Fall gebracht und ihm das Gesicht zerkratzt. Womit hast du nach ihm geschlagen?«

»Mit dem Holzkreuz von der Wand im Dormitorium.«

Caris kicherte. »So viel zu dem Wort Jesu, dem Feind auch die andere Wange hinzuhalten.«

Gilbert Hereford wurde vor dem geistlichen Gericht angeklagt, für
schuldig befunden und von Prior Godwyn zu einer angemessenen Strafe verurteilt: Ihm sollte bei lebendigem Leib die Haut abgezogen werden.

Am Tag der Hinrichtung hielt Godwyn seine wöchentliche Be-
sprechung mit Mutter Cecilia ab. Auch ihrer beider Stellvertreter
nahmen teil: Subprior Philemon und Subpriorin Natalie. Während
sie im Flur des Priorenhauses auf die Nonnen warteten, sagte Godwyn zu Philemon: »Wir können unsere Kostbarkeiten nicht länger in
einer Kiste in der Bibliothek aufbewahren. Wir müssen die Schwestern überzeugen, eine neue Schatzkammer zu bauen.«

Philemon fragte nachdenklich: »Die von Brüdern und Schwestern gemeinsam genutzt wird?«

»So wird es wohl sein müssen. Etwas anderes können wir uns
nicht leisten.«

Godwyn trauerte dem Ehrgeiz nach, den er als junger Mann entwickelt hatte, die Finanzen des Mönchsklosters neu zu ordnen und
es wieder reich zu machen. Es war ihm nicht gelungen, und bis heute
hatte er keine Erklärung für den Fehlschlag. Er war unnachgiebig gewesen und hatte die Bürger von Kingsbridge gezwungen, gegen ein
stattliches Entgelt die Mühlen, Fischteiche und Gehege der Priorei
zu benutzen, doch schienen sie immer neue Möglichkeiten zu finden,
sich seinen Vorschriften zu entziehen – zum Beispiel, indem sie in
den umliegenden Dörfern eigene Mühlen bauten. Männer und Frauen,
die beim Wildern oder Holzfällen in den Wäldern der Priorei ertappt
worden waren, hatte Godwyn hart bestrafen lassen. Und er hatte sich
den Schmeicheleien all derer widersetzt, die ihn dazu verleiten wollten, das Geld der Priorei auf den Bau weiterer Mühlen zu verwenden
oder das Holz der Priorei zu vergeuden, indem er die Ansiedlung von
Köhlern und Eisenschmelzern zuließ. Godwyn zweifelte nicht daran,
dass sein Weg der richtige war, aber noch hatte er nicht das erhoffte
Ziel erreicht, die Einkünfte des Klosters zu vermehren.

»Also könntet Ihr Cecilia um das Geld bitten«, sagte Philemon nachdenklich. »Es könnte seinen Vorteil haben, wenn wir unsere Schätze am gleichen Ort aufheben wie die Nonnen.«

Godwyn begriff, in welche Richtung Philemons verschlagener Verstand ihn leitete. »Aber das sagen wir Cecilia nicht.«

»Auf keinen Fall.«

»Also gut, ich werde ihr den Vorschlag unterbreiten.«

»Da ist noch etwas«, sagte Philemon.

»Ja?«

»Im Dorf Long Ham gibt es ein Problem, von dem Ihr wissen solltet.«

Godwyn nickte. Long Ham gehörte zu dem Dutzend Dörfern, die Zehnt und Lehnszins an die Priorei zahlten.

Philemon fuhr fort: »Es hängt mit dem Land einer Witwe namens Mary-Lynn zusammen. Nachdem ihr Gatte gestorben war, erklärte sie sich einverstanden, ihr Land von einem Nachbarn bewirtschaften zu lassen, einem Mann namens John Nott. Nun hat die Witwe wieder geheiratet und möchte das Land zurück, damit ihr neuer Gemahl es bestellt.«

Godwyn war erstaunt. Es handelte sich um einen typischen Streit unter Bauern, viel zu banal, als dass es seiner Vermittlung bedurfte. »Was sagt der Vogt?«

»Dass das Land wieder an die Witwe fallen muss, weil die Abmachung von vornherein als zeitweilig gedacht war.«

»Dann soll es so geschehen.«

»Nun, es gibt da ein Problem ... Schwester Elizabeth hat einen Halbbruder und zwei Halbschwestern in Long Ham.«

»Aha.« Godwyn hätte sich gleich denken können, dass Philemons Interesse an dem Fall einen ganz bestimmten Grund hatte. Schwester Elizabeth, ehemals Elizabeth Clerk, war Matricularin des Nonnenklosters und führte die Aufsicht über die Gebäude. Sie war jung und klug und würde weiter aufsteigen. Sie konnte eine wertvolle Verbündete sein.

»Sie sind alles, was Schwester Elizabeth noch an Familie hat – bis auf ihre Mutter, die im Gasthaus Bell arbeitet«, fuhr Philemon fort. »Elizabeth liebt ihre bäuerlichen Verwandten, von denen sie als die Heilige ihrer Familie verehrt wird. Wenn sie nach Kingsbridge kommen, bringen sie dem Nonnenkloster Geschenke – Obst, Honig, Eier und dergleichen.«

»Und weiter?«

»Besagter John Nott ist der Halbbruder von Schwester Elizabeth.«

»Hat Elizabeth dich gebeten, dich für ihn einzusetzen?«

»Ja. Außerdem hat sie darum ersucht, dass ich Mutter Cecilia nichts von ihrer Bitte sage.«

Godwyn wusste, dass Philemon solche Intrigen mochte. Er liebte es, als jemand gesehen zu werden, der seinen Einfluss nutzen konnte, um in einem Disput die eine oder andere Seite zu unterstützen. Das schmeichelte seiner Eitelkeit. Und alles Verborgene zog ihn geradezu magisch an. Wenn Elizabeth nicht wollte, dass ihre Vorsteherin von ihrer Bitte erfuhr, war Philemons Entzücken umso größer, bedeutete es doch, dass er ein Geheimnis kannte, das sich vielleicht noch einmal als nützliches Druckmittel erweisen mochte. Er würde dieses Wissen horten wie ein Geizhals sein Gold.

»Was würdest du raten?«, fragte Godwyn.

»Entscheiden müsst selbstverständlich Ihr, aber ich schlage vor, wir lassen John Nott das Land behalten. Elizabeth würde in unserer Schuld stehen, und das kann uns zu gegebener Zeit sehr nützlich sein.«

»Für die Witwe ist es hart«, sagte Godwyn voll Unbehagen.

»Ja. Für uns aber müssen die Belange der Priorei an oberster Stelle stehen, nicht wahr?«

»Gottes Werk ist das Wichtigste von allen. Also gut. Gib dem Vogt Nachricht.«

»Die Witwe wird ihren Lohn im Paradies erhalten.«

»Allerdings.« Früher hatte Godwyn gezögert, Philemons Ränke zu billigen; aber das war lange her. Philemon hatte sich als zu nützlich erwiesen – genau so, wie Godwyns Mutter Petronilla es vor vielen Jahren prophezeit hatte.

Es klopfte an der Tür, und Petronilla trat ein.

Sie wohnte nun in einem behaglichen kleinen Haus am Candle Court, gleich abseits der Hauptstraße. Ihr Bruder Edmund hatte ihr ein großzügiges Erbe hinterlassen, genug, dass sie für den Rest ihres Lebens ein Auskommen hatte. Sie war achtundfünfzig Jahre alt; ihre hohe Gestalt war gebeugt und gebrechlich, und sie ging am Stock, doch ihr Verstand war messerscharf wie eh und je. Godwyn freute sich, seine Mutter zu sehen, wie immer – und wie jedes Mal verspürte er zugleich Angst und Unbehagen, er könnte etwas getan haben, das ihr missfiel.

Petronilla war nun das Oberhaupt der Familie. Anthony war beim Einsturz der Brücke ums Leben gekommen, und Edmund war vor sieben Jahren gestorben, sodass sie die letzte Überlebende ihrer Generation war. Sie hatte nie gezögert, Godwyn Anweisungen zu erteilen. Ihrer Nichte Alice gegenüber verhielt sie sich nicht anders, und auch Alice' Ehemann Elfric, der Ratsälteste, tanzte meist nach ihrer Pfeife. Petronillas Autorität erstreckte sich sogar auf ihre Stiefenkelin Griselda und deren achtjähriges Söhnchen, Klein-Merthin, das von ihr regelrecht tyrannisiert wurde. Ihr Urteilsvermögen war schärfer denn je; daher gehorchte man ihr zumeist. Und wenn Petronilla einmal nicht den Befehl an sich riss, bat man sie für gewöhnlich von selbst um Rat. Godwyn hätte nicht gewusst, wie die Familie ohne seine Mutter auskommen sollte. Trat einer der seltenen Fälle ein, dass ihr Wille nicht befolgt wurde, gaben alle sich große Mühe, dies zu verheimlichen. Nur Caris bot ihr die Stirn. »Wag es ja nicht, mir zu sagen, was ich zu tun habe!«, hatte sie Petronilla mehr als einmal entgegnet. »Du hättest zugelassen, dass sie mich umbringen.«

Petronilla nahm Platz und sah sich um. »Das ist nicht gut genug«, sagte sie.

Godwyn wurde von Unruhe erfasst. »Wie meinst du das?«

»Du solltest ein schöneres Haus haben.«

»Ich weiß.« Vor acht Jahren hatte Godwyn Mutter Cecilia zu überreden versucht, ihm einen neuen Palast zu finanzieren. Sie hatte ihn zunächst auf drei Jahre vertröstet; als es dann so weit war, hatte sie gesagt, sie habe es sich anders überlegt. Godwyn war sicher, dass es eine Rache dafür war, was er Caris angetan hatte: Nach dem Ketzerprozess hatten seine Schmeicheleien bei Cecilia nie wieder verfangen, und es war schwierig geworden, ihr Geld zu entlocken.

Petronilla sagte: »Du brauchst einen Palast, in dem du Bischöfe und Erzbischöfe, Barone und Grafen empfangen kannst.«

»Heutzutage kommen nicht mehr viele. Graf Roland und Bischof Richard sind in den letzten Jahren die meiste Zeit in Frankreich gewesen.« König Edward war im Jahre 1339 in Nordostfrankreich eingefallen und hatte das gesamte darauf folgende Jahr Krieg geführt. 1342 schließlich hatte er sein Heer nach Nordwestfrankreich geführt und in der Bretagne gekämpft. 1345 hatten englische Truppen im südwestlichen Weinland der Gascogne gefochten. Nun war Edward wieder in England – aber nur, um ein neues Invasionsheer auszuheben.

»Es gibt außer Roland und Richard noch andere Edelleute«, entgegnete Petronilla gereizt.

»Die sind aber nie hierhergekommen.«

Ihr Tonfall wurde schärfer. »Vielleicht liegt es daran, dass du sie nicht standesgemäß unterbringen kannst. Du brauchst einen Bankettsaal, eine Privatkapelle und geräumige Schlafgemächer.«

Sie hat wohl die ganze Nacht wach gelegen und darüber nachgedacht, vermutete Godwyn. Petronilla brütete über den Dingen und schoss ihre Ideen dann wie Pfeile ins Ziel.

»Die Priorei ist nicht so einflussreich, wie sie sein könnte, weil du nie die Mächtigen des Landes empfängst«, fuhr sie fort. »Wenn du erst einen Palast mit schönen Zimmern für sie hast, dann kommen sie auch.«

Wahrscheinlich hatte sie recht. Reiche Klöster wie Durham und St. Albans beklagten sich sogar über die hohe Zahl von Besuchern edlen und königlichen Blutes, die sie beherbergen mussten.

Petronilla fuhr fort: »Gestern hat sich der Todestag meines Vaters gejährt.« Daher also weht der Wind, dachte Godwyn; sie hat an Großvaters glorreiche Laufbahn gedacht. »Seit fast neun Jahren bist du Prior«, sagte sie. »Ich möchte nicht, dass du hier versauerst. Die Erzbischöfe und der König sollten dich für ein Bistum, eine bedeutende Abtei wie Durham oder als Gesandten am päpstlichen Hof in Erwägung ziehen.«

Godwyn hatte Kingsbridge immer als Sprungbrett zu höheren Ämtern betrachtet, doch inzwischen war sein Ehrgeiz geschwunden. Dass er die Wahl zum Prior gewonnen hatte, schien ihm erst kurze Zeit her zu sein. Ihm war, als hätte er seine Aufgaben gerade erst in Angriff genommen. Doch seine Mutter hatte recht – er war nun schon mehr als acht Jahre in Amt und Würden.

»Warum denkt man nicht an dich, wenn wichtigere Posten zu vergeben sind?«, fragte sie rhetorisch. »Weil man nicht weiß, dass es dich gibt! Du bist Prior eines großen Klosters, aber du machst nicht auf dich aufmerksam. Zeig deine Größe! Errichte einen Palast. Lade den Erzbischof von Canterbury als ersten Gast ein. Weihe die Kapelle seinem Lieblingsheiligen. Melde dem König, du hättest ein Königsgemach eingerichtet in der Hoffnung, Seine Majestät werde dich besuchen.«

»Warte, warte, eins nach dem anderen«, protestierte Godwyn. »Ich würde gern einen Palast bauen, nur fehlt mir das Geld.«

»Dann beschaff es dir«, erwiderte sie.

Er wollte sie gerade nach dem Wie fragen, als die Priorin des Nonnenklosters und ihre Stellvertreterin hereinkamen. Petronilla und Mutter Cecilia begrüßten einander mit kühler, wachsamer Höflichkeit, ehe Petronilla sich rasch verabschiedete.

Mutter Cecilia und Schwester Natalie nahmen Platz. Cecilia war nun einundfünfzig. Sie ergraute und hatte schlechte Augen. Noch immer schwirrte sie wie ein emsiges Vöglein im Kloster umher, steckte den Schnabel in jede Kammer und zwitscherte den Nonnen, Novizinnen und Dienern ihre Anweisungen zu; aber die Jahre hatten sie milder werden lassen, und sie war darauf bedacht, Auseinandersetzungen zu vermeiden.

Cecilia hatte eine Schriftrolle bei sich. »Das Nonnenkloster hat ein Vermächtnis erhalten«, sagte sie, nachdem sie es sich bequem gemacht hatte. »Von einer frommen Frau aus Thornbury.«

Godwyn fragte: »Wie viel?«

»Einhundertfünfzig Pfund in Goldmünzen.«

Godwyn war wie vom Donner gerührt. Welch eine Summe! Das war genug, um einen kleineren Palast zu errichten. »Hat das Nonnenkloster geerbt oder die Priorei?«

»Das Nonnenkloster«, erwiderte Cecilia bestimmt. »Diese Rolle ist unsere Abschrift des Testaments.«

»Warum hat die Frau Euch so viel Geld hinterlassen?«

»Offenbar haben wir sie gepflegt, als sie auf dem Heimweg von London krank wurde.«

Natalie ergriff das Wort. Sie war ein paar Jahre älter als Cecilia, eine rundgesichtige, gütige Frau. »Unsere Frage ist nun, wo wir das Geld aufbewahren sollen.«

Godwyn blickte Philemon an. Natalie bot ihnen eine Bresche für das Thema, das anzusprechen sie geplant hatten. »Wo verwahrt Ihr derzeit Euer Geld?«, fragte er.

»In der Schlafkammer der Priorin, die man nur erreichen kann, indem man das Dormitorium durchquert.«

Als käme der Gedanke ihm erst jetzt, sagte Godwyn: »Vielleicht könnten wir einen kleinen Teil der Hinterlassenschaft für eine neue Schatzkammer ausgeben.«

»Ich halte das auch für sinnvoll«, sagte Cecilia. »Ein schlichtes, fensterloses Steingebäude mit einer festen Eichentür müsste reichen.«

»Der Bau sollte nicht lange dauern«, überlegte Godwyn. »Und er dürfte höchstens fünf oder zehn Pfund kosten.«

»Ich finde, zur Sicherheit sollte die Kammer Teil der Kathedrale sein.«

»Ah.« Deshalb also mussten die Nonnen ihre Pläne mit Godwyn besprechen. Hätten sie innerhalb ihres Teils der Priorei bauen wollen, hätten sie sich nicht mit ihm abstimmen müssen, doch das Gotteshaus gehörte sowohl Mönchen als auch Nonnen. »Die Kammer könnte an die Außenmauer angebaut werden«, sagte Godwyn, »in dem Winkel, den das südliche Querschiff und der Chor bilden, aber so, dass sie nur vom Chor aus betreten werden kann.«

»Ja, genau so etwas hatte ich im Sinn.«

»Ich werde noch heute mit Elfric sprechen, wenn Ihr mögt. Dann kann er die Kosten schätzen.«

»Ich bitte darum.«

Godwyn freute sich, Cecilia einen Bruchteil ihres Glücksgewinns abspenstig gemacht zu haben, aber zufrieden war er damit nicht. Nach dem Gespräch mit seiner Mutter verlangte es ihn, mehr davon in die Hände zu bekommen. Am liebsten hätte er alles an sich gebracht. Nur wie?

Die Glocke der Kathedrale läutete, und alle vier erhoben sich und gingen hinaus.

Der Richtplatz lag westlich der Kirche. Der Verurteilte war nackt. Mit Händen und Füßen hatte man ihn an ein aufrecht stehendes, rechteckiges Holzgerüst gebunden, das wie ein Türrahmen aussah. Ungefähr hundert Schaulustige hatten sich eingefunden und warteten auf die Hinrichtung. Die einfachen Mönche und Nonnen waren nicht geladen: Man erachtete es als unangebracht, wenn sie zuschauten, wie Blut vergossen wurde.

Der Henker war Will Tanner, ein Gerber von ungefähr fünfzig Jahren, dem sein Gewerbe die Haut gebräunt hatte. Er trug eine saubere Leinenschürze und stand an einem kleinen Tisch, auf dem er seine Messer ausgelegt hatte. Nun schärfte er eine Klinge am Schleifstein. Das Kreischen von Stahl auf Granit ließ Godwyn erschauern.

Der Prior sprach mehrere Gebete in lateinischer Sprache und schloss mit einer Mahnung auf Englisch, der Tod des Diebes möge Gott dienen, indem er andere von der gleichen Sünde abschrecke. Dann nickte er Will Tanner zu.

Will trat hinter den gefesselten Einbrecher. Er nahm ein kleines, spitzes Messer und drückte mit der Spitze in die Mitte von Gilberts Nacken; dann zog er es in langer, gerader Linie bis ans Ende des Rückgrats herunter. Gilbert brüllte vor Schmerz, und Blut quoll aus dem Schnitt. Will zog einen weiteren Schnitt über die Schultern des Mannes, sodass die Form eines T entstand.

Dann tauschte Will sein Messer gegen eines mit einer langen, schmalen Klinge. Vorsichtig setzte er es an dem Punkt an, wo die beiden Schnitte sich trafen, und hob eine Ecke der Haut ab. Gilbert wand sich und schrie wie am Spieß. Will ergriff die Ecke mit den Fingern der linken Hand und begann, Gilbert vorsichtig die Haut vom Rücken zu schneiden.

Gilbert kreischte jetzt ununterbrochen.

Schwester Natalie gab einen kehligen Laut von sich, wandte sich ab und floh in die Priorei. Cecilia schloss die Augen und begann zu beten. Godwyn war übel. In der Menge brach jemand ohnmächtig zusammen. Nur Philemon wirkte ungerührt.

Will arbeitete rasch. Sein scharfes Messer durchtrennte die Fettschicht unter der Haut und legte das Muskelgeflecht frei, das sie verdeckte. Das Blut floss reichlich, und er musste ständig innehalten, um sich die Hände an der Schürze abzuwischen. Bei jedem Schnitt brüllte Gilbert seinen Todesschmerz heraus. Schon bald hing ihm die Haut seines Rückens in zwei breiten Lappen herunter.

Will kniete am Boden, die Knie einen Zoll tief im Blut, und machte sich an Gilberts Beinen zu schaffen.

Die Schreie brachen plötzlich ab: Gilbert schien das Bewusstsein verloren zu haben. Godwyn war erleichtert. Zwar hatte er den Mann leiden sehen wollen für den Versuch, eine Kirche auszurauben, und es hatte auch in seiner Absicht gelegen, dass andere die Qualen des Diebes miterlebten. Doch gleichzeitig fiel es ihm schwer, sich solch grässliche Schreie anzuhören.

Will schien es egal zu sein, ob sein Opfer bei Bewusstsein war oder nicht. Er setzte gleichmütig seine Arbeit fort, bis er die gesamte Rückenhaut – von Rumpf, Armen und Beinen – abgelöst hatte. Dann machte er vorn weiter. Er ritzte Hand- und Fußgelenke ein und zog die Haut ab, dass sie dem Opfer von Schultern und Hüften hing, und arbeitete sich vom Becken an aufwärts. Godwyn begriff, dass Will versuchte, die Haut in einem Stück zu lassen. Schon bald hatte Gilbert nirgendwo mehr Haut am Körper außer am Kopf.

Er atmete noch.

Will machte ein paar vorsichtige Schnitte rings um den Schädel. Dann legte er seine Messer fort und wischte sich ein weiteres Mal die Hände trocken. Schließlich packte er Gilberts Haut an den Schultern und zog sie mit einem Ruck nach oben. Gesicht und Schwarte wurden vom Kopf gerissen, blieben aber mit dem Rest des Abgezogenen verbunden.

Will hielt Gilberts blutige Haut wie eine Jagdtrophäe in die Luft, und die Menge johlte.

※

Caris war nicht wohl bei dem Gedanken, die neue Schatzkammer mit den Mönchen zu teilen. Sie plagte Schwester Beth mit so vielen Fragen zur Sicherheit ihres Geldes, dass die Mesnerin sie schließlich mitnahm, damit sie sich die Örtlichkeit anschauen konnte.

Wie durch einen Zufall hielten Godwyn und Philemon sich in der Kathedrale auf, als die beiden Nonnen hereinkamen. Als sie zur Schatzkammer gingen, folgten ihnen die Mönche.

Sie traten unter das neue Gewölbe im südlichen Seitenschiff des Chorbereichs, gelangten in einen kleinen Vorraum und blieben vor einer massiven, eisenbeschlagenen Tür stehen. Schwester Beth zog einen großen eisernen Schlüssel hervor. Wie die meisten Nonnen war sie eine einfache, bescheidene Frau. »Das ist unser Schlüssel«, sagte sie zu Caris. »Wir können die Schatzkammer betreten, wann immer wir wollen.«

»Das will ich doch hoffen, schließlich haben wir sie bezahlt«, erwiderte Caris.

Sie gelangten in einen kleinen quadratischen Raum, in dem ein Zähltisch mit einem Stapel Pergamentrollen, zwei Stühle und eine große, mit Eisenbändern beschlagene Truhe standen.

»Die Truhe ist zu groß, als dass sie durch die Tür passt«, sagte Beth.

Caris fragte: »Wie hat man sie dann hereinbekommen?«

Godwyn antwortete: »In Einzelteilen. Der Zimmermann hat sie erst hier in der Kammer zusammengesetzt.«

Caris blickte Godwyn kühl an. Dieser Mann hatte versucht, sie zu töten. Seit dem Hexenprozess begegnete sie ihm mit Abscheu, und wenn irgend möglich vermied sie, das Wort an ihn zu richten. Nun erwiderte sie tonlos: »Die Nonnen benötigen einen Schlüssel zu der Truhe.«

»Das ist nicht nötig«, widersprach Godwyn rasch. »Sie enthält das edelsteinbesetzte Kirchengerät, das sich in der Obhut des Sakristans befindet, und der ist immer ein Mönch.«

Caris sagte: »Ich möchte es sehen.«

Sie sah ihm an, dass ihr Tonfall ihn zornig machte, doch er wollte offen und ohne Falsch erscheinen, deshalb gab er nach. Er zog einen

Schlüssel aus der Tasche an seinem Gürtel und schloss die Truhe auf. Außer dem Kirchengerät enthielt sie Dutzende Schriftrollen, die Urkunden der Priorei.

»Also doch nicht nur das Kirchengerät«, sagte Caris, als ihr Verdacht sich bestätigte.

»Die Dokumente ebenfalls.«

»Einschließlich der Freibriefe des Nonnenklosters«, beharrte sie.

»Ja.«

»In diesem Fall brauchen wir einen Schlüssel.«

»Ich schlage vor, wir kopieren alle unsere Freibriefe und bewahren die Abschriften in der Bibliothek auf. Wann immer wir eine Urkunde einsehen müssen, benutzen wir die Kopie, damit die kostbaren Originale sicher weggeschlossen bleiben.«

Beth, die keinen Streit wollte, warf nervös ein: »Das scheint mir ein sehr vernünftiger Gedanke zu sein, Schwester Caris.«

»Solange wir stets Zugang zu unseren Dokumenten in irgendeiner Form haben«, sagte Caris widerstrebend. Die Urkunden waren ohnehin zweitrangig. An Beth gewandt fragte sie: »Aber wichtiger ist – wo bewahren wir das Geld auf?«

»In Kammern, die im Fußboden verborgen sind«, antwortete Beth. »Es gibt vier davon – zwei für die Mönche und zwei für die Nonnen. Wenn du genau hinschaust, kannst du die losen Steine entdecken.«

Caris betrachtete den Boden und sagte: »Ich hätte sie gar nicht bemerkt, hättest du mir nichts davon gesagt, aber jetzt sehe ich sie. Können sie abgeschlossen werden?«

»Das ist wohl machbar«, sagte Godwyn. »Aber dann wäre offensichtlich, wo sie sich befinden, und man bräuchte sie nicht mehr unter den Steinen zu verbergen.«

»Aber auf diese Weise können Mönche und Nonnen an das Geld des jeweils anderen.«

Philemon blickte Caris anklagend an und fragte: »Weshalb seid Ihr hier? Ihr seid die Gastmeisterin. Mit der Schatzkammer habt Ihr nichts zu schaffen.«

Caris verabscheute Philemon. Er besaß keinen Sinn für Recht und Unrecht, hatte keine Prinzipien und kannte keine Skrupel. Während sie Godwyn als einen gewissenlosen Menschen verabscheute, der genau wusste, wann er Übles tat, war Philemon für sie wie ein bösartiges Tier, ein tollwütiger Hund oder ein wilder Eber. »Ich habe einen Blick für Feinheiten«, entgegnete sie ihm.

»Ihr seid sehr misstrauisch«, sagte Philemon zornig.

Caris lachte trocken auf. »Aus Eurem Munde ist das Ironie.«

Er gab vor, verletzt zu sein. »Ich weiß nicht, was Ihr damit meint.«

Beth ergriff wieder das Wort. Sie versuchte, den Frieden zu wahren. »Ich wollte, dass Schwester Caris mitkommt und es sich ansieht, weil sie Fragen stellt, an die ich nicht denke.«

Caris sagte: »Zum Beispiel, wie wir dafür sorgen sollen, dass die Mönche sich nicht am Geld der Nonnen vergreifen.«

»Ich will es dir zeigen«, sagte Beth. An einem Haken in der Wand hing ein dicker Eichenstock. Sie benutzte ihn als Hebel und stemmte eine Steinplatte hoch. Darunter befand sich ein Hohlraum mit einer eisenbeschlagenen Truhe. »Wir haben verschließbare Schatullen bauen lassen, die in die Kammern passen«, sagte sie, griff hinein und hob die Truhe heraus.

Caris betrachtete sie. Der Deckel wurde von Scharnieren gehalten, die Überfalle von einem walzenförmigen Vorhängeschloss aus Eisen gesperrt. »Woher haben wir das Schloss?«, fragte sie.

»Christopher Blacksmith hat es gemacht.«

Das war gut. Christopher war ein eingesessener Bürger von Kingsbridge, der nicht seinen guten Ruf aufs Spiel setzte, indem er Dieben Nachschlüssel verkaufte.

Caris erschienen die Vorkehrungen ausreichend. Vielleicht hatte sie sich unnötig Sorgen gemacht. Sie wandte sich zum Gehen.

Elfric trat ein, begleitet von einem Lehrburschen, der einen Sack trug. »Soll die Warnung nun angebracht werden?«, fragte er.

Philemon antwortete: »Ja, bitte, nur zu.«

Elfrics Gehilfe nahm etwas aus dem Sack, das wie ein großes Stück Leder aussah.

Beth fragte: »Was ist das?«

»Wartet nur«, sagte Philemon. »Ihr werdet schon sehen.«

Der Lehrjunge hielt es gegen die Tür.

»Ich habe gewartet, bis sie ausgetrocknet war«, erklärte Philemon. »Das ist Gilbert Herefords Haut.«

Beth schrie entsetzt auf.

Caris sagte: »Das ist abscheulich!«

Die Haut färbte sich schon gelb, und an der Kopfhaut fiel das Haar aus, doch das Gesicht war noch zu erkennen: die Ohrläppchen, zwei Augenlöcher und ein schlitzförmiger Mund, der zu grinsen schien.

»Das sollte Diebe abschrecken«, sagte Philemon zufrieden.

Elfric ergriff einen Hammer und machte sich daran, die Haut an die Tür der Schatzkammer zu nageln.

✳

Die beiden Nonnen gingen. Godwyn und Philemon warteten, bis Elfric seine grausige Arbeit beendet hatte, dann kehrten sie in die Schatzkammer zurück.

Godwyn sagte: »Ich denke, wir sind sicher.«

Philemon nickte. »Caris ist eine misstrauische Frau, aber alle ihre Fragen wurden zufriedenstellend beantwortet.«

»Und in diesem Fall …«

Philemon schloss die Tür und verriegelte sie von innen. Dann hob er die Steinplatte über einer der Nonnenkammern ab und nahm die Schatulle heraus.

»Schwester Beth bewahrt eine kleine Geldsumme für den tägli-chen Bedarf irgendwo in den Quartieren der Nonnen auf«, erklärte er Godwyn. »Sie kommt nur hierher, um größere Summen zu hin-terlegen oder abzuholen. Dazu geht sie immer zu dem anderen Fach, in dem hauptsächlich Silberpennys stecken. Diese Schatulle, die das Erbe enthält, öffnet sie kaum einmal.«

Er drehte die Schatulle um und sah sich das Scharnier auf der Rückseite an. Vier Nägel hielten es am Holz. Philemon nahm einen dünnen Meißel aus Stahl und eine Kneifzange aus der Tasche. God-wyn wunderte sich, woher er die Werkzeuge hatte, fragte aber nicht. Manchmal war es besser, nicht alles zu wissen.

Philemon setzte das scharfe Ende des Meißels an der Kante des eisernen Scharniers an und drückte. Das Scharnier hob sich leicht vom Holz, und er schob den Meißel ein wenig tiefer hinein. Er arbei-tete geschickt und geduldig und achtete sorgsam darauf, keinen Schaden zu verursachen, der schon bei einem flüchtigen Blick auf-fiel. Allmählich löste sich die flache Scharnierplatte vom Holz und zog die Nägel mit heraus. Als Philemon genügend Platz hatte, um die Nagelköpfe mit der Zange zu greifen, entfernte er sie aus dem Holz. Nun konnte er das Scharnier ganz abnehmen und den Deckel öffnen.

»Hier ist das Geld der frommen Frau aus Thornbury«, sagte er.

Godwyn blickte in die Truhe. Die Summe bestand aus vene-zianischen Dukaten. Die Goldmünzen zeigten auf der einen Seite den Dogen von Venedig, der vor dem heiligen Markus kniete, auf der anderen die Jungfrau Maria, von Sternen umgeben, um anzudeuten, dass sie im Himmel sei. Dukaten sollten mit den Florinen aus Florenz austauschbar sein und waren von der gleichen Größe, dem gleichen Gewicht und gleich reinem Metall. Ihr Wert betrug drei Shilling oder sechsunddreißig englische Silberpennys. England hatte nun seine eigenen Goldmünzen, eine Erfindung König Edwards – Nobles, Halb-Nobles und Viertel-Nobles –, doch diese waren erst knapp zwei Jahre in Umlauf und hatten die ausländischen Goldstücke noch nicht verdrängen können.

Godwyn nahm fünfzig Dukaten heraus, was einem Gesamtwert von sieben Pfund und zehn Shilling entsprach. Philemon schloss den Deckel der Schatulle. Die Nägel wickelte er jeweils in einen Streifen dünnen Leders, damit sie weiterhin feststeckten, und brachte das Scharnier wieder an. Er stellte die Schatulle in die Kammer zurück und legte die Steinplatte auf das Loch.

»Natürlich werden sie es früher oder später bemerken«, sagte er.

»Das kann noch Jahre dauern«, erwiderte Godwyn. »Über diese Brücke gehen wir erst, wenn wir sie erreichen.«

Sie gingen hinaus, und Godwyn verschloss die Tür.

»Such Elfric, und komme mit ihm auf den Friedhof«, befahl er Philemon.

Der Subprior ging. Godwyn begab sich ans Ostende des Friedhofs gleich hinter seinem Haus. Es war ein stürmischer Maitag, und die Kutte flatterte ihm im frischen Wind um die Beine. Eine einsame Ziege graste zwischen den Grabsteinen. Godwyn beobachtete sie versonnen.

Er riskierte einen schweren Konflikt mit den Nonnen, das war ihm klar. Er glaubte nicht, dass sie im Lauf des nächsten Jahres ihren Verlust entdecken würden, konnte sich aber nicht sicher sein. Wenn sie es bemerkten, würden die Pforten der Hölle sich auftun. Aber was sollten sie schon unternehmen? Er war kein Gilbert Hereford, der für sich selbst stahl. Er hatte das Erbe einer frommen Frau an sich genommen, um es für die Zwecke der Kirche zu nützen.

Godwyn schob seine Bedenken beiseite. Seine Mutter hatte recht: Wenn er vorankommen wollte, musste er seine Rolle als Prior von Kingsbridge mit Glanz umgeben.

Als Philemon mit Elfric kam, sagte Godwyn: »Ich möchte hier einen neuen Priorspalast errichten, ein gutes Stück abseits vom jetzigen Gebäude.«

Elfric nickte. »Ein sehr guter Bauplatz, wenn ich so sagen darf,

Euer Gnaden – nahe am Kapitelhaus und dem Ostteil der Kathedrale, aber vom Marktplatz durch den Friedhof getrennt, sodass Ihr Abgeschiedenheit und Ruhe hättet.«

»Im Erdgeschoss möchte ich einen großen Bankettsaal«, fuhr Godwyn fort. »Hundert Fuß lang. Es muss eine beeindruckende Halle sein, in der Edelleute empfangen werden können, sogar Angehörige des Königshauses.«

»Sehr wohl.«

»Und am Ostende des Erdgeschosses will ich eine Kapelle.«

»Aber Ihr seid doch nur wenige Schritt von der Kathedrale entfernt.«

»Edle Gäste wollen sich nicht immer dem Volk zeigen. Sie müssen in Abgeschiedenheit beten können, wenn ihnen der Sinn danach steht.«

»Und im Obergeschoss?«

»Die Schlafkammer des Priors natürlich, mit Platz für einen Altar und ein Schreibpult. Und drei große Gemächer für Gäste.«

»Glanzvoll.«

»Wie viel wird es kosten?«

»Wenigstens hundert Pfund, vielleicht zweihundert. Ich fertige eine Zeichnung an, dann kann ich Euch eine genauere Schätzung nennen.«

»Lasst den Preis nicht über hundertfünfzig Pfund steigen. Mehr kann ich nicht aufbringen.«

Wenn Elfric sich wunderte, woher Godwyn plötzlich einhundertfünfzig Pfund beschafft hatte, so fragte er nicht. »Ich lege den Stein besser so rasch wie möglich auf Lager«, sagte er. »Könnt Ihr mir Geld geben, dass ich beginnen kann?«

»Wie viel würdet Ihr denn brauchen? Fünf Pfund?«

»Zehn wären besser.«

»Ich gebe Euch sieben Pfund und zehn Shilling in Dukaten«, sagte Godwyn und reichte ihm die fünfzig Goldmünzen, die er aus der Schatulle der Nonnen entnommen hatte.

Drei Tage später, als die Mönche und Nonnen nach dem Mittagsgottesdienst aus der Kathedrale zogen, wurde Godwyn von Schwester Elizabeth angesprochen.

Nonnen und Mönche durften nicht beiläufig miteinander reden, deshalb musste Elizabeth einen Vorwand ersinnen. Zufällig war ein Hund im Mittelschiff und hatte während der heiligen Messe gebellt. Hunde verirrten sich ständig ins Gotteshaus, waren jedoch kein großes Ärgernis, sodass man sie im Allgemeinen gar nicht beachtete. Bei dieser Gelegenheit jedoch hatte Elizabeth die Prozession verlassen, um das Tier hinauszuscheuchen. Dazu musste sie die Reihe der Mönche durchqueren und hatte dabei ihre Richtung so gewählt, dass sie an Godwyn vorbeikam. Sie lächelte ihn entschuldigend an und sagte: »Ich bitte um Vergebung, Vater Prior.« Dann senkte sie die Stimme und fügte hinzu: »Trefft mich in der Bibliothek, als wäre es ein Zufall.« Sodann scheuchte sie den Hund aus der Westtür.

Neugierig begab Godwyn sich nun in die Bibliothek, setzte sich und las in den benediktinischen Ordensregeln. Kurz nach ihm erschien Elizabeth und nahm sich das Matthäusevangelium hervor. Die Nonnen hatten ihre eigene Bibliothek eingerichtet, nachdem Godwyn Prior geworden war, um die Trennung zwischen Männern und Frauen zu vertiefen; doch als die Schwestern ihre Bücher aus der Mönchsbibliothek entfernt hatten, wirkte der Saal wie leer geräumt, und Godwyn widerrief seine Erlaubnis. Das Gebäude der Nonnenbibliothek wurde nun bei kaltem Wetter als Schulzimmer benutzt.

Elizabeth saß mit dem Rücken zu Godwyn, sodass jemand, der hereinkam, nicht den Eindruck gewinnen konnte, sie würden heimlich miteinander reden. Doch sie saß ihm so nahe, dass er sie deutlich hören konnte. »Ihr solltet wissen«, sagte sie, »dass es Schwester Caris nicht gefällt, dass das Gold der Nonnen in der neuen Schatzkammer liegt.«

»Das wusste ich bereits«, erwiderte Godwyn.

»Sie hat Schwester Beth überredet, das Geld zu zählen, um sicher zu sein, dass alles noch an Ort und Stelle ist. Ihr solltet das wissen für den Fall, dass Ihr Euch etwas … geborgt habt.«

Godwyns Herz setzte einen Schlag aus. Bei einer Prüfung würde man feststellen, dass in der Schatulle fünfzig Dukaten fehlten. Und er brauchte auch den Rest, um seinen Palast zu errichten. Godwyn hatte nicht damit gerechnet, dass dieser Fall so rasch einträte. Er verfluchte Caris. Wie konnte sie nur erraten, was er mit solcher Heimlichkeit vollbracht hatte?

»Wann?«, fragte er und spürte einen Kloß in der Kehle.

»Heute. Ich weiß nicht, zu welcher Stunde – es könnte jederzeit sein. Doch Caris war es sehr wichtig, dass Ihr nicht vorgewarnt werdet.«

Er musste die Dukaten zurücklegen, und zwar schnell. »Ich danke Euch«, sagte er. »Habt Dank für diese Mitteilung.«

»Ihr habt meiner Familie in Long Ham geholfen«, sagte Elizabeth, erhob sich und ging hinaus.

Godwyn folgte ihr eilig. Was für ein Glück, dass Elizabeth sich ihm verpflichtet fühlte! Und Philemons intriganter Instinkt war unschätzbar. Gerade, als Godwyn der Gedanke durch den Kopf ging, begegnete er Philemon im Kreuzgang. »Hol dein Werkzeug! Wir treffen uns in der Schatzkammer!«, wisperte er ihm zu. Dann verließ er die Priorei.

Er eilte über die Wiese auf die Hauptstraße. Elfrics Weib Alice hatte das Haus, eines der größten Gebäude in der Stadt, von Edmund Wooler geerbt, und dazu alles Geld, das Caris mit dem Tuchfärben verdient hatte. Elfric lebte im Überfluss.

Godwyn klopfte an die Tür und trat in den Wohnraum. Alice saß vor den Resten eines Mittagessens am Tisch. Bei ihr waren ihre Stieftochter Griselda und Griseldas Sohn, Klein-Merthin. Niemand glaubte noch, dass Merthin Fitzgerald der Vater des kleinen Jungen wäre – er sah Griseldas durchgebranntem Freund Thurstan viel zu ähnlich. Griselda hatte Harold Mason geheiratet, der für ihren Vater arbeitete. Höfliche Menschen nannten den Achtjährigen Merthin Haroldson, die anderen riefen ihn Merthin Bastard.

Alice sprang vom Stuhl auf, als sie Godwyn erblickte. »Vetter Prior! Was für eine Freude, dich in unserem Haus zu sehen! Darf ich dir einen Schluck Wein anbieten?«

Godwyn ignorierte ihre Gastfreundschaft. »Wo ist Elfric?«

»Er ist oben und macht ein Nickerchen, ehe er wieder an die Arbeit geht. Setz dich ins Besucherzimmer, ich hole ihn.«

»Sofort, wenn es geht.« Godwyn begab sich in die angrenzende Stube, in der zwei bequem aussehende Stühle standen, doch er schritt ruhelos auf und ab.

Elfric kam herein. Er rieb sich die Augen. »Ich bitte um Verzeihung«, sagte er. »Ich hatte nur …«

»Die fünfzig Dukaten, die ich Euch vor drei Tagen gab«, sagte Godwyn. »Ich brauche sie zurück.«

Elfric erschrak. »Aber das Geld war für Steine!«

»Ich weiß, wofür es war! Ich muss es sofort zurückhaben.«

»Ich habe einen Teil davon ausgegeben. Ich musste die Fuhrleute bezahlen, damit sie mir den Stein aus dem Steinbruch holen.«

»Wie viel?«

»Ungefähr die Hälfte.«

»Könnt Ihr die andere Hälfte aus Euren eigenen Mitteln ersetzen?«

»Wollt Ihr denn keinen Palast mehr?«

»Natürlich, aber ich muss das Geld zurückhaben. Nur für ein paar Tage. Fragt nicht warum, gebt es mir einfach.«

»Was soll ich mit den Steinen anfangen, die ich gekauft habe?«

»Behaltet sie. Ihr werdet das Geld zurückbekommen. Beeilt Euch!«

»Gewiss. Wartet hier. Bitte.«

»Ich gehe nirgendwohin.«

Elfric verließ den Raum. Godwyn fragte sich, wo er das Geld aufbewahrte. Im Kamin, unter der Feuerstelle, war der übliche Platz. Als Baumeister konnte Elfric allerdings ein listigeres Versteck ausgeklügelt haben. Doch wo immer es war, Elfric kehrte nach kurzer Zeit zurück.

Er zählte Godwyn fünfzig Goldmünzen in die Hand.

Godwyn sagte: »Ich habe Euch Dukaten gegeben – hier sind ein paar Florine darunter.« Der Florin hatte die gleiche Größe, unterschied sich aber in der Prägung: Johannes der Täufer auf der einen Seite, eine Blume auf der anderen.

»Ich habe nicht mehr genug von den gleichen Münzen! Ich sagte Euch doch, ich habe einige davon ausgegeben. Sie sind alle gleich viel wert, oder nicht?«

Das waren sie. Würden die Nonnen den Unterschied bemerken?

Godwyn schob die Münzen in die Gürteltasche und ging ohne ein weiteres Wort.

Er eilte zur Kathedrale zurück und fand Philemon in der Schatzkammer. »Die Nonnen werden eine Prüfung vornehmen«, erklärte er außer Atem. »Ich habe mir das Geld von Elfric zurückgeholt. Mach die Truhe auf, rasch!«

Philemon hob die Steinplatte aus dem Loch, nahm die Truhe heraus und entfernte die Nägel. Dann klappte er den Deckel auf.

Godwyn sah die Münzen durch. Es waren ausnahmslos Dukaten.

Nun, daran ließ sich nichts ändern. Er grub die Hände tief in die Truhe und legte die Florine zuunterst. »Mach die Truhe zu, und stelle sie zurück«, sagte er.

Philemon gehorchte.

Godwyn war erleichtert. Sein Verbrechen war zum Teil vertuscht … nun, zumindest nicht mehr so himmelschreiend offensichtlich.

»Ich möchte dabei sein, wenn sie das Geld zählen«, sagte er zu Philemon. »Sie könnten bemerken, dass jetzt ein paar Florine zwischen den Dukaten sind.«

»Wisst Ihr, wann sie kommen wollen?«

»Nein.«

»Ich lasse einen Novizen den Chor ausfegen. Wenn Beth auftaucht, kommt er uns holen.« Philemon hatte einen kleinen Kreis von Bewunderern – Novizen, die eilfertig taten, was er verlangte.

Allerdings wurde der Novize nicht gebraucht. Als sie gerade die Schatzkammer verlassen wollten, trafen Schwester Beth und Schwester Caris ein.

Godwyn gab vor, in ein Gespräch über Buchführung vertieft zu sein. »Wir müssen das in einer früheren Kontorolle nachsehen, Bruder«, sagte er zu Philemon. »Oh, guten Tag, Schwestern.«

Caris öffnete beide Kammern, die dem Nonnenkloster gehörten, und nahm beide Kassetten heraus.

»Kann ich Euch behilflich sein?«, fragte Godwyn.

Caris beachtete ihn nicht.

Beth sagte: »Wir prüfen nur etwas. Danke, Vater Prior. Es dauert nicht lange.«

»Nur zu, nur zu«, entgegnete er leutselig, obwohl ihm das Herz bis zum Hals klopfte.

Caris sagte gereizt: »Es ist nicht nötig, unsere Anwesenheit zu entschuldigen, Schwester Beth. Es ist unsere Schatzkammer und unser Geld.«

Godwyn öffnete die erstbeste Kontorolle, und Philemon und er taten so, als würden sie konzentriert darin lesen. Beth und Caris zählten das Silber in der ersten Schatulle: Farthings, Halfpennys, Pennys und ein paar Prager Groschen, minderwertige Geldstücke, die primitiv aus gestrecktem Silber geschlagen waren und als Scheidemünzen verwendet wurden. Auch einige wenige Goldstücke lagen in der Truhe: Florine, Dukaten und ähnliche Münzen – Genovivos aus Genua und Reals aus Neapel, dazu ein paar größere französische Mouton d'Ors und neue englische Nobles. Beth verglich die Summen mit den Eintragungen in einem kleinen Notizbuch. Als sie fertig waren, sagte sie: »Stimmt genau.«

Sie legte alle Münzen in die Kassette zurück, verschloss diese und stellte sie in die Kammer unter dem Fußboden zurück.

Dann machten sie sich daran, die Goldstücke in der anderen Schatulle zu zählen, und legten sie in Stapeln zu je zehn Münzen auf den Tisch. Als sie zum Boden der Kassette gelangten, runzelte Beth die Stirn.

»Was ist?«, fragte Caris.

Godwyn, der die Ohren spitzte, überlief ein Frösteln.

Beth sagte: »Diese Schatulle enthält nur das Legat der frommen Frau aus Thornbury. Ich habe es getrennt gehalten.«

»Und?«

»Ihr Mann hat mit Venedig Geschäfte gemacht. Ich bin mir ziemlich sicher, dass es ausschließlich Dukaten waren. Aber hier sind auch Florine.«

Godwyn und Philemon lauschten wie erstarrt.

»Seltsam«, sagte Caris.

»Vielleicht habe ich einen Fehler begangen.«

»Ein wenig verdächtig ist es schon …«

»Eigentlich nicht«, widersprach Beth. »Diebe legen dir kein Geld in die Schatzkammer, oder?«

»Da hast du recht«, sagte Caris widerstrebend.

Als sie mit dem Zählen fertig waren, hatten sie einhundert Stapel zu je zehn Münzen, die insgesamt einhundertfünfzig Pfund wert waren. »Das ist genau die Zahl in meinem Buch«, sagte Beth.

»Also stimmt es auf Pfund und Penny«, sagte Caris.

Beth entgegnete: »Hab ich doch gesagt.«

KAPITEL 45

Viele Stunden lang dachte Caris über Schwester Mair nach.

Sie war von dem Kuss überrascht worden – aber mehr noch davon, wie sie darauf reagiert hatte: Er hatte sie erregt. Bisher hatte sie sich nie zu Mair oder einer anderen Frau hingezogen gefühlt. Tatsächlich gab es nur einen einzigen Menschen, der bei ihr je den Wunsch, ja die Sehnsucht erweckt hatte, angefasst, geküsst und genommen zu werden, und das war Merthin. Im Nonnenkloster hatte Caris gelernt, ohne intime Nähe zu einem anderen Menschen zu leben. Die einzige Hand, die sie an den geheimsten Stellen ihres Körpers berührte, war ihre eigene, wenn sie sich in der Dunkelheit des Schlafsaals an ihre Zeit der jungen Liebe erinnerte, das Gesicht im Kissen vergraben, damit die anderen Nonnen ihr Keuchen nicht hörten.

Für Mair empfand sie nicht die gleiche glückselige Lust, wie Merthin sie in ihr geweckt hatte. Doch Merthin war tausend Meilen und sieben Jahre entfernt. Und Caris musste gestehen, dass sie Mair mochte. Es hatte mit ihrem Engelsgesicht zu tun, ihren blauen Augen, mit ihrer sanften Natur, ihrer angenehmen Art im Hospital und in der Klosterschule.

Mair sprach stets freundlich zu Caris, und wenn niemand hinsah, strich sie ihr über den Arm, die Schulter, sogar über die Wange. Caris wies sie nicht zurück, hütete sich jedoch vor jeder Erwiderung einer solchen Geste. Wobei sie keineswegs der Meinung war, dass es eine Sünde gewesen wäre. Gott war viel zu weise und zu gütig, als dass er es zum Gesetz gemacht hätte, Frauen dürften sich selbst – oder einander – keine harmlosen Freuden bereiten. Dennoch fürchtete Caris sich davor, Mair zu enttäuschen. Der Instinkt sagte ihr, dass Mairs Gefühle für sie tief und aufrichtig waren, während sie sich ihrer eigenen Empfindungen nicht sicher war. Sie liebt mich, dachte Caris, aber ich liebe sie nicht, nicht auf dieselbe Weise. Wenn ich ihre Küsse erwidere, hofft sie am Ende gar, wir könnten für den Rest unseres Lebens Seelengefährtinnen sein, und das kann ich ihr nicht versprechen.

Deshalb hatte sie noch nichts unternommen, als die Woche des Wollmarkts kam.

Der Jahrmarkt von Kingsbridge hatte sich vom Preissturz des Jahres 1338 erholt. Der Handel mit Rohwolle litt noch immer unter der Kriegssteuer des Königs, und die Italiener kamen nur jedes zweite Jahr, doch das neue Web- und Färbegeschäft glich einiges aus. Kingsbridge war längst nicht so wohlhabend, wie es hätte sein können, denn Prior Godwyns Verbot privater Mühlen hatte die Arbeit aus der Stadt in die umliegenden Dörfer gedrängt; doch das meiste Tuch wurde auf dem Markt verkauft und war inzwischen als »Kingsbridger Scharlach« bekannt geworden. Elfric hatte Merthins Brücke vollendet, und die Menschen strömten mit ihren Packtieren und Wagen über den Doppelbogen.

Deshalb quoll das Hospital am Sonnabend vor der feierlichen Eröffnung des Jahrmarkts vor Gästen beinahe über.

Und einer von ihnen war krank.

Sein Name war Maldwyn Cook. Er war ein Mann, der sein Geld damit verdiente, kleine salzige Leckerbissen aus Mehl und Fleisch- oder Fischstückchen zu machen, sie in Butter über dem Feuer zu rösten und sie zu verkaufen, sechs Stück für einen Farthing. Kurz nach seiner Ankunft in Kingsbridge wurde Maldwyn Cook von einem plötzlichen, heftigen Bauchschmerz überfallen, gefolgt von Erbrechen und Durchfall. Caris konnte nichts für ihn tun, als ihm ein Bett nahe der Tür zu geben.

Schon lange wünschte sie sich eine eigene Latrine für das Hospital, damit sie für ständige Reinlichkeit sorgen konnte. Doch das war nur eine der Verbesserungen, auf die Caris hoffte. Sie brauchte eine neue Apotheke gleich neben dem Hospital, geräumig und hell, wo sie Arzneien bereiten und ihre Aufzeichnungen führen konnte. Und sie versuchte eine Möglichkeit zu finden, den Kranken mehr Abgeschiedenheit zu verschaffen. Zurzeit konnte jeder im Saal beobachten, wie eine Frau entband, wie einen Mann die Krämpfe schüttelten und wie ein Kind sich erbrach.

Leidende Menschen sollten eigene kleine Kammern haben, fand Caris, ähnlich den Seitenkapellen in einer großen Kirche. Sie wusste jedoch nicht, wie sie es bewerkstelligen sollte: Das Hospital war nicht groß genug. Sie führte mehrere Gespräche mit Jeremiah Builder – der vor Jahren Merthins Lehrjunge Jimmie gewesen war –, doch auch er hatte noch keine zufriedenstellende Lösung gefunden.

Am nächsten Morgen litten drei Personen unter den gleichen Beschwerden wie Maldwyn Cook.

Caris brachte den Gästen Frühstück und schickte sie hinaus auf den Markt. Nur die Kranken durften bleiben. Der Fußboden des Hospitals war schmutziger als sonst, und so ließ sie ihn kehren und wischen. Dann ging sie zum Gottesdienst in die Kathedrale.

Bischof Richard war zum König gereist, der eine neue Invasion Frankreichs vorbereitete. Ohnehin hatte Richard sein hohes geistliches Amt stets nur als Mittel betrachtet, seine adlige Lebensführung bestreiten zu können. In seiner Abwesenheit führte Erzdiakon Lloyd die Diözese; er trieb für den Bischof den Zehnten und die Lehnspacht ein, taufte Kinder und las mit beharrlicher, aber fantasieloser Tüchtigkeit die Messe. Eben diese Charaktereigenschaft stellte er auch mit einer weitschweifigen Predigt unter Beweis, in der er davon sprach, weshalb Frömmigkeit wichtiger sei als Reichtum – ein seltsames Thema zur Eröffnung eines der größten Handelsmärkte Englands.

Trotzdem waren alle guter Dinge, wie am ersten Tag des Marktes üblich. Der Wollmarkt bildete für die Städter und die Bauern der umliegenden Dörfer den Höhepunkt des Jahres. Die Leute verdienten Geld auf dem Markt, um es dann in den Schänken zu versaufen und zu verspielen. Dralle Dorfmädchen ließen sich von glattzüngigen Stadtburschen verführen. Wohlhabende Bauern bezahlten die Huren der Stadt für Dienste, um die sie ihre Weiber nicht zu bitten wagten. Meist gab es einen Mord, oft sogar mehrere.

Caris erspähte die untersetzte, üppig gewandete Gestalt Buonaventura Carolis in der Gemeinde, und ihr Herz schlug schneller. Ob er Neuigkeiten über Merthin mitbrachte? Geistesabwesend brachte Caris den Gottesdienst hinter sich; die Psalmen murmelte sie nur. Auf dem Weg hinaus gelang es ihr, Buonaventuras Blick aufzufangen. Er lächelte ihr zu. Sie versuchte mit einer Kopfbewegung anzudeuten, dass sie ihn später treffen wolle, war sich aber nicht sicher, ob er die Botschaft verstanden hatte.

Dennoch ging sie ins Hospital, den einzigen Bereich der Priorei, in dem eine Nonne mit einem Mann von außerhalb sprechen durfte. Buonaventura folgte ihr kurz darauf nach. Er sagte: »Als ich Euch das letzte Mal sah, hattet Ihr gerade von Bischof Richard den Schleier empfangen.«

»Ich bin jetzt Gastmeisterin«, sagte sie.

»Meinen Glückwunsch! Ich hätte nie erwartet, dass Ihr Euch so gut an das Klosterleben anpassen würdet.« Buonaventura kannte sie von Kindesbeinen auf.

Caris lachte. »Ich auch nicht.«

»Der Priorei scheint es gut zu gehen.«

»Warum sagt Ihr das?«

»Wie ich sehe, errichtet Godwyn ein neues Priorat. Einen richtigen Palast.«

»Ja.«

»Dann muss er Geld haben.«

»So muss es wohl sein. Wie geht es Euch? Was machen die Geschäfte?«

»Wir haben Schwierigkeiten. Der Krieg zwischen England und Frankreich stört die Schifffahrt, und durch die Steuern Eures Königs Edward ist die englische Wolle teurer als die spanische. Zwar ist sie von besserer Qualität, aber kaum noch zu bezahlen«, sagte Buonaventura, doch Kaufleute klagten immer über zu hohe Preise, wie Caris wusste.

Sie ging zu dem Thema über, das sie wirklich interessierte. »Gibt es Neuigkeiten von Merthin?«

»Allerdings«, antwortete Buonaventura. Obwohl er sich genauso weltmännisch gebärdete wie stets, spürte Caris ein Zögern. »Merthin hat geheiratet.«

Die Worte trafen Caris wie Schläge ins Gesicht. Damit hätte sie niemals gerechnet, nicht im Traum! Wie konnte Merthin so etwas tun? Er war ... sie waren ...

Natürlich gab es keinen Grund, weshalb Merthin nicht heiraten sollte. Caris hatte ihn mehr als einmal zurückgewiesen, und beim letzten Mal hatte sie ihre Abweisung besiegelt, indem sie ins Kloster eingetreten war. Es war erstaunlich, dass Merthin überhaupt so lange gewartet hatte. Sie hatte kein Recht, verletzt zu sein.

Caris zwang sich zu einem Lächeln. »Wie schön!«, sagte sie. »Richtet ihm bitte meine Glückwünsche aus. Wer ist das Mädchen?«

Buonaventura tat so, als würde er nicht bemerken, wie verstört sie war. »Sie heißt Silvia«, sagte er so beiläufig, als würde er ihr harmlosen Tratsch erzählen. »Sie ist die jüngere Tochter eines der bedeutendsten Bürger der Stadt, Alessandro Christis, ein Kaufmann, der mit orientalischen Gewürzen handelt und dem mehrere Schiffe gehören.«

»Wie alt?«

Buonaventura grinste. »Er muss ungefähr in meinem Alter sein.«

»Macht Euch nicht über mich lustig!«, schimpfte Caris, war aber dankbar, dass Buonaventura sich um einen heiteren Tonfall bemühte. »Wie alt ist Merthins Frau?«

»Dreiundzwanzig.«

»Hm. Sechs Jahre jünger als ich.«

»Eine hübsche Frau, aber ...«

»Aber?«

»Nun ja ...« Buonaventura zuckte die Schultern. »Es heißt, sie habe eine scharfe Zunge. Natürlich behaupten die Leute alles Mögliche ... aber vielleicht ist das der Grund, weshalb sie so lange Jungfer geblieben ist. In Florenz heiraten die Mädchen normalerweise, ehe sie achtzehn werden.«

»Das mit der Scharfzüngigkeit wird schon stimmen«, sagte Caris. »Die einzigen Mädchen in Kingsbridge, die Merthin mochte, waren Elizabeth Clerk und ich, und wir sind beide Xanthippen.«

Buonaventura lachte. »Aber nein.«

»Wann war die Hochzeit?«

»Vor zwei Jahren. Nicht lange, nachdem ich Euch das letzte Mal gesehen hatte.«

Also war Merthin Junggeselle geblieben, bis sie das Gelübde abgelegt hatte, erkannte Caris. Wahrscheinlich hatte er von Buonaventura gehört, dass sie den endgültigen Schritt ins klösterliche Leben getan hatte. Als Caris daran dachte, dass Merthin in einem fremden Land vier Jahre lang gewartet und gehofft hatte, wäre sie am liebsten in Tränen ausgebrochen.

»Und sie haben ein Kind«, fuhr Buonaventura fort, »ein kleines Mädchen namens Lolla.«

Das war zu viel. Alle Trauer, die Caris vor sieben Jahren empfunden hatte – der Schmerz, von dem sie gedacht hatte, er sei für immer fort –, überfiel sie aufs Neue. Sie hatte Merthin damals, im Jahre 1339, nicht wirklich verloren. Er war ihrem Andenken jahrelang treu geblieben. Doch nun hatte sie ihn verloren, endgültig und auf ewig.

Caris zitterte wie unter einem Krampf. Mit schwankender Stimme sagte sie: »Es war mir eine Freude, Euch wiederzusehen und das Neueste zu erfahren, aber jetzt muss ich wieder an die Arbeit.«

Auf Buonaventuras Gesicht spiegelte sich Besorgnis. »Ich hoffe, ich habe Euch nicht aus der Fassung gebracht, aber ich wollte es Euch nicht verschweigen.«

»Seid nicht so freundlich zu mir, dass kann ich nicht ertragen.« Caris wandte ihm den Rücken zu und eilte davon.

Sie senkte den Kopf, um ihr Gesicht zu verbergen, als sie vom Hospital zum Kreuzgang eilte. Auf der Suche nach einem Ort, an dem sie allein sein konnte, stürmte sie die Treppe zum Schlafsaal hinauf. Zu dieser Tageszeit hielt sich niemand dort auf. Als Caris durch den kahlen Raum lief, flossen die Tränen. Am anderen Ende befand sich Mutter Cecilias Schlafkammer. Niemand durfte diese Kammer unaufgefordert betreten, doch Caris ging trotzdem hinein und schlug die Tür hinter sich zu. Sie ließ sich auf Cecilias Bett fallen, und es störte sie nicht, dass ihr die Nonnenhaube vom Kopf rutschte. Sie vergrub das Gesicht im Bettzeug und weinte.

Nach einiger Zeit spürte Caris eine Hand, die ihr über das kurz geschnittene Haar strich. Sie hatte gar nicht gehört, dass jemand in den Raum gekommen war. Ihr war egal, wer es war. Dennoch beruhigte sie sich allmählich. Ihre Schluchzer verebbten, ihre Tränen trockneten, und der Sturm der Gefühle legte sich. Sie drehte sich um und schaute ihre Trösterin an. Es war Schwester Mair.

Caris sagte: »Merthin ist verheiratet – er hat eine kleine Tochter.« Sie brach wieder in Tränen aus.

Mair legte sich neben Caris aufs Bett und barg ihren Kopf in den Armen. Caris drückte ihr Gesicht in Mairs weiche Brüste und ließ ihre Tränen von dem wollenen Gewand aufsaugen.

Nach einer Weile beruhigte sich Caris, und ihre Trauer wich der Einsicht, sich in das Unabänderliche fügen zu müssen. Sie stellte sich Merthin vor, wie er einen kleinen, dunkelhaarigen italienischen Säugling hielt, und sah, wie glücklich er sein musste. Sie freute sich über sein Glück und sank in einen Schlaf der Erschöpfung.

Die Krankheit, die mit Maldwyn Cook begonnen hatte, verbreitete sich wie ein Buschfeuer in der Menschenmenge auf dem Wollmarkt. Am Montag griff sie vom Hospital auf die Schänken über, am Dienstag von den Gästen auf die Ortsansässigen. Caris notierte die Symptome in ihrem Buch: Es begann mit Bauchschmerzen, führte rasch zu Erbrechen und Durchfall und hielt zwischen vierundzwanzig und achtundvierzig Stunden an. Erwachsene trugen keinen bleibenden Schaden davon; Alte und Neugeborene jedoch konnten daran sterben.

Am Mittwoch traf es die Nonnen und die Mädchen der Klosterschule. Mair und Tilly litten beide darunter. Caris suchte Buonaventura in Bells Gasthaus auf und fragte ihn besorgt, ob italienische

Ärzte ein Heilmittel gegen solche Seuchen kannten. »Es gibt keine Arznei dagegen«, erwiderte Buonaventura. »Jedenfalls keine, die wirkt, auch wenn die Doktoren immer irgendwas verschreiben, um den Leuten Geld abzuknöpfen. Aber einige arabische Ärzte glauben, man kann die Ausbreitung solcher Krankheiten eindämmen.«

»Wirklich?«, fragte Caris gespannt. Die Kaufleute erzählten, die arabischen Ärzte seien ihren christlichen Kollegen überlegen, auch wenn die Priesterärzte das heftig bestritten. »Wie denn?«

»Sie glauben, man zieht sich die Seuche zu, wenn man einen kranken Menschen anschaut. Der Mensch sieht, behaupten sie, indem von den Augen Strahlen ausgehen und die stofflichen Dinge berühren, die er betrachtet – so wie wir einen Finger ausstrecken, um zu fühlen, ob etwas warm oder kalt, hart oder weich ist. Aber die Strahlen könnten auch Krankheiten übertragen, heißt es. Deshalb könne man Seuchen aus dem Weg gehen, indem man sich nicht im gleichen Raum aufhält wie ein Erkrankter.«

Caris glaubte nicht, dass Krankheiten durch Blicke übertragen wurden. Wenn das stimmte, müsste jeder in der Gemeinde an einem hohen Feiertag beim Gottesdienst jene Krankheiten bekommen, unter denen der Bischof litt. Und wenn der König krank wurde, würde er die Hunderte von Menschen anstecken, die ihn aufsuchten. Und das hätte bestimmt schon jemand bemerkt.

Dennoch – der Gedanke, dass man mit einem Kranken nicht das Zimmer teilen sollte, leuchtete ihr ein. Im Hospital hatte Maldwyns Krankheit sich offenbar zuerst auf seine Nachbarn ausgebreitet: Seine Frau und Kinder hatten sich als Erste angesteckt, dann waren die Leute auf den umliegenden Schlaflagern erkrankt.

Caris hatte überdies festgestellt, dass bestimmte Krankheiten – Bauchgrimmen, Husten und Schnupfen und alle erdenklichen Arten von Pocken – immer wieder während Jahrmärkten und ähnlichen Anlässen aufflackerten; deshalb lag die Erklärung auf der Hand, dass sie auf irgendeine Weise von einem Menschen auf den anderen übertragen wurden.

Zur Abendbrotzeit am Mittwoch litt die Hälfte der Gäste im Hospital an Maldwyns Krankheit; am Donnerstagmorgen zeigten alle die Symptome. Mehrere Dienstboten der Priorei waren ebenfalls betroffen, und Caris mangelte es an Leuten, die sauber machten.

Nachdem Mutter Cecilia sich zur Frühstückszeit die Bescherung angesehen hatte, schlug sie vor, das Hospital zu schließen.

Caris war bereit, jede Lösung in Betracht zu ziehen. Die Machtlosigkeit gegenüber der Seuche entmutigte sie, und sie fühlte sich vom Schmutz in ihrem Hospital übermannt. »Aber wo sollen die Leute schlafen?«, fragte sie.

»Schick sie in die Gasthäuser.«

»Aber dort grassiert die Krankheit ebenfalls. Wir könnten die Leute in der Kathedrale unterbringen.«

Cecilia schüttelte den Kopf. »Godwyn würde nicht dulden, dass die Bauern ins Langhaus kotzen, während er im Chor die Messe liest.«

»Wo immer sie schlafen – wir sollten die Kranken von den Gesunden trennen. Auf diese Weise kann man die Ausbreitung der Krankheit eindämmen, sagt Buonaventura.«

»Das leuchtet ein.«

»Vielleicht sollten wir das Hospital nicht nur erweitern«, meinte Caris, »sondern gleich ein vollkommen neues errichten – nur für die Kranken. Das alte Hospital könnten wir Pilgern und anderen gesunden Gästen vorbehalten.«

Cecilia blickte nachdenklich drein. »Das könnte uns teuer zu stehen kommen.«

»Wir haben hundertfünfzig Pfund.« Caris begeisterte sich immer mehr für ihre Idee. »Wir könnten eine neue Apotheke anbauen und abgetrennte Räume für Leute einrichten, die chronisch krank sind.«

»Bring in Erfahrung, was es kosten würde. Du kannst Elfric fragen.«

Caris hasste Elfric. Schon ehe er beim Hexenprozess gegen sie ausgesagt hatte, hatte sie ihn nicht leiden können. Sie wollte nicht, dass er ihr neues Hospital errichtete. »Elfric ist mit dem Bau von Godwyns neuem Palast beschäftigt«, sagte sie. »Ich würde mich eher an Jeremiah wenden.«

»Dann tue das.«

Caris empfand eine Woge der Zuneigung zu Cecilia. Auch wenn die Priorin eine strenge Zuchtmeisterin war und unerbittlich die Disziplin durchsetzte, gestand sie den nachgeordneten Amtsträgerinnen in der Abtei Raum für eigene Entscheidungen zu. Für die widersprüchlichen Leidenschaften, die Caris antrieben, hatte sie stets Verständnis gehabt und immer neue Wege gefunden, sie zu nutzen, statt sie in Caris zu unterdrücken. Sie hatte Caris eine Arbeit gegeben, die sie fesselte und ihr Gelegenheiten bot, ihrer rebellischen Energie Luft zu machen. »Ich danke Euch, Mutter Cecilia«, sagte sie.

Noch am gleichen Tag schritt sie mit Jeremiah das Gelände der Priorei ab und erklärte ihm ihre Absicht. Er war abergläubisch wie eh und je und sah noch in den banalsten Alltäglichkeiten das Wirken von Heiligen und Teufeln. Dennoch war er ein einfallsreicher Baumeister und neuen Ideen aufgeschlossen. Er hatte von Merthin gelernt. Rasch einigten sie sich auf den besten Bauplatz für das neue Hospital; es sollte sich unmittelbar südlich an den bestehenden Küchenblock anschließen. Damit wäre es von den übrigen Gebäuden getrennt, sodass die Kranken mit den Gesunden weniger in Berührung kämen, das Essen aber nicht allzu weit getragen werden musste, und das neue Bauwerk wäre nach wie vor bequem vom Nonnenkreuzgang aus erreichbar. Mit der Apotheke, den neuen Latrinen und einem Obergeschoss würde es nach Jeremiahs Schätzung um die einhundert Pfund kosten – den Großteil der Erbschaft.

Caris besprach den Bauplatz mit Mutter Cecilia. Das Land gehörte weder den Mönchen noch den Nonnen, und so wandten sie sich in der Sache an Godwyn.

Sie fanden ihn an der Stätte seines eigenen Bauvorhabens, des neuen Priorspalastes. Der Rohbau stand und hatte auch schon ein Dach. Caris hatte den Bauplatz mehrere Wochen lang nicht besucht und staunte über die Größe des Gebäudes – es wurde so groß wie ihr neues Hospital. Sie begriff, weshalb Buonaventura es einen Palast genannt hatte: Der Speisesaal war größer als das Refektorium des Nonnenklosters. Auf der Baustelle wimmelte es von Arbeitern, als habe Godwyn es eilig, das Haus fertigzustellen. Steinmetzen legten einen Fußboden aus farbigen Fliesen in einem geometrischen Muster; mehrere Zimmerleute arbeiteten an Türen, und ein Glasermeister hatte seinen Schmelzofen aufgebaut, um die Fenster anzufertigen. Godwyn gab sehr viel Geld aus.

Er und Philemon zeigten Erzdiakon Lloyd, dem Stellvertreter des Bischofs, das neue Gebäude. Godwyn verstummte in seiner Rede, als die Nonnen herantraten. Cecilia sagte: »Lasst Euch von uns nicht stören – aber wenn Ihr fertig seid, könntet Ihr dann vielleicht vor das Hospital kommen? Ich muss Euch dort etwas zeigen.«

»Aber gewiss«, sagte Godwyn.

Caris und Cecilia gingen über den Marktplatz vor der Kathedrale zurück zum Hospital. Der Freitag war der Abverkaufstag auf dem Wollmarkt, denn die meisten Händler boten an diesem Tag die verbliebenen Waren zu herabgesetzten Preisen an, damit sie möglichst wenig wieder mit nach Hause nehmen mussten. Caris erblickte

Mark Webber, der nun ein rundes Gesicht und einen runden Bauch hatte und einen Mantel in seinem eigenen hellen Scharlachrot trug. Seine vier Kinder halfen an seinem Stand. Caris mochte besonders Dora, die nun fünfzehn war und das geschäftige Selbstvertrauen ihrer Mutter besaß, jedoch in einem schlankeren Körper.

»Ihr seht aus, als gehe es Euch gut«, sagte Caris mit einem Lächeln zu Mark.

»Der Wohlstand hätte Euch zugestanden«, erwiderte er. »Das Färbemittel habt Ihr erfunden. Ich habe nur getan, was Ihr gesagt habt. Ich komme mir fast vor, als hätte ich Euch betrogen.«

»Ihr seid für Eure schwere Arbeit belohnt worden«, erwiderte Caris. Es störte sie nicht, dass Mark und Madge durch ihre Erfindung zu Wohlstand und Ansehen gelangt waren. Obwohl sie stets den Kitzel des Geschäftemachens genossen hatte, war sie nie auf Geld aus gewesen – vielleicht, weil sie aus begütertem Hause stammte und Geld darum immer für selbstverständlich gehalten hatte. Was auch der Grund war, sie empfand keinerlei Bedauern, dass nun die Webbers ein Vermögen verdienten, das ihr hätte gehören können. Das geldlose Leben in der Priorei sagte ihr sehr zu. Und sie war erfreut, die Webber-Kinder gesund und gut gekleidet zu sehen. Sie wusste noch, wie alle sechs sich ihren Schlafplatz auf dem Fußboden eines Raumes teilen mussten, der fast ganz vom Webstuhl eingenommen wurde.

Mit Cecilia ging sie zum Südrand des Prioreigeländes. Das Land rings um die Ställe sah aus wie ein Bauernhof. Einige kleine Gebäude standen dort: ein Taubenschlag, ein Hühnerstall und ein Werkzeugschuppen. Hühner scharrten in der Erde, Schweine wühlten im Küchenabfall. Caris sehnte sich danach, hier Ordnung zu schaffen.

Godwyn und Philemon gesellten sich bald zu ihnen. Lloyd begleitete sie. Cecilia wies auf den Flecken Land neben den Küchen und sagte: »Ich habe die Absicht, ein neues Hospital zu errichten, und ich möchte es hier bauen. Was haltet Ihr davon?«

»Ein neues Hospital?«, fragte Godwyn. »Wozu?«

Caris fand, dass er besorgt wirkte, und das verstand sie nicht.

Cecilia sagte: »Wir wollen ein Hospital für die Kranken und ein getrenntes Gästehaus für gesunde Besucher.«

»Was für eine außergewöhnliche Idee.«

»Es ist wegen der Darmkrankheit, die mit Maldwyn Cook ausgebrochen ist. Sie ist besonders ansteckend, aber Krankheiten verbreiten sich während der Märkte oft. Ein Grund dafür könnte sein, dass wir die Kranken und die Gesunden zusammen essen und schlafen und zur Latrine gehen lassen.«

»Oho!«, rief Godwyn. »Nun sind also die Nonnen zu Ärzten geworden?«

Caris runzelte die Stirn. Eine solche Verächtlichkeit war sonst nicht Godwyns Art. Er schmeichelte sich lieber ein, um seinen Willen zu bekommen, besonders bei einflussreichen Leuten wie Cecilia. Hinter diesem Anfall von Ärger verbarg er etwas anderes.

»Natürlich nicht«, sagte Cecilia. »Aber wir wissen alle, dass bestimmte Leiden sich von einem Kranken zum nächsten ausbreiten – das ist offensichtlich.«

Caris warf ein: »Die Ärzte der Araber glauben, dass Krankheiten übertragen werden, wenn man den kranken Menschen ansieht.«

»Ach wirklich? Wie interessant!«, versetzte Godwyn mit umständlichem Sarkasmus. »Diejenigen unter uns, die an der Universität sieben Jahre lang die Medizin studiert haben, sind immer froh, wenn sie von jungen Nonnen, die kaum das Noviziat hinter sich haben, über ansteckende Krankheiten belehrt werden.«

Caris ließ sich nicht einschüchtern. Es ging ihr gegen den Strich, einem verlogenen Heuchler Respekt zu zeigen, der versucht hatte, sie umzubringen. »Wenn Ihr nicht an die Übertragung von Krankheiten glaubt«, sagte sie, »warum beweist Ihr Eure These dann nicht dadurch, dass Ihr heute im Hospital übernachtet und neben hundert Leuten schlaft, die am Brechdurchfall leiden?«

Cecilia sagte: »Schwester Caris! Das genügt!« Sie wandte sich Godwyn zu. »Vergebt ihr, Vater Prior. Ich hatte selbstverständlich nicht die Absicht, Euch in ein Gespräch über Krankheiten zu verwickeln. Ich möchte mich nur vergewissern, dass Ihr gegen meinen ausgewählten Bauplatz nichts einzuwenden habt.«

»Ihr könnt sowieso noch nicht bauen«, sagte Godwyn. »Elfric hat mit meinem Palast alle Hände voll zu tun.«

Caris erwiderte: »Wir wollen Elfric gar nicht – wir beauftragen Jeremiah.«

Cecilia wandte sich ihr zu. »Caris, sei still! Vergiss nicht deinen Rang. Unterbrich mein Gespräch mit Seiner Gnaden nicht wieder.«

Caris begriff, dass sie Cecilia nicht half, und senkte gegen ihre Überzeugung den Kopf. »Ich bitte um Verzeihung, Mutter Priorin.«

Cecilia sagte zu Godwyn: »Die Frage ist nicht, *wann* wir bauen, sondern *wo*.«

»Ich fürchte, damit bin ich nicht einverstanden«, entgegnete er steif.

»Wo würdet Ihr das neue Gebäude denn lieber sehen?«

»Ich bin nicht der Ansicht, dass Ihr überhaupt ein neues Hospital braucht.«

»Vergebt mir, aber das Nonnenkloster leite ich«, versetzte Cecilia. »Ihr könnt mir nicht befehlen, wie ich unser Geld ausgeben soll. Dennoch beraten wir gewöhnlich miteinander, ehe wir neue Bauwerke errichten – auch wenn ich sagen muss, dass Ihr diese kleine Höflichkeit vergessen habt, als Ihr Euren Palast plantet. Dennoch berate ich mich mit Euch – aber nur in der Frage, wo das Gebäude stehen soll.« Sie blickte Lloyd an. »Gewiss wird der Erzdiakon mir da zustimmen.«

»Es sollte christliches Einvernehmen herrschen«, erwiderte Lloyd nichtssagend.

Caris runzelte verständnislos die Stirn. Warum war es Godwyn so wichtig? Er errichtete seinen Palast an der Nordseite der Kathedrale. Für ihn bedeutete es nichts, wenn die Nonnen im Süden, wohin kaum ein Mönch je kam, ein neues Hospital bauten. Was trieb ihn um?

Godwyn sagte: »Ich sage Euch, dass ich weder mit dem Ort noch mit dem Bau einverstanden bin, und damit ist das Gespräch beendet!«

In einer blitzartigen Eingebung erkannte Caris plötzlich den Grund für Godwyns Verhalten. Sie war so entsetzt, dass sie hervorstieß: »Er hat unser Geld gestohlen!«

Cecilia sagte: »Caris! Ich habe dich angewiesen …«

»Er hat das Erbe der Frau aus Thornbury gestohlen!«, rief Caris; in ihrer Empörung fuhr sie der Priorin über den Mund. »Daher hat er auch das Geld für seinen Palast. Und jetzt versucht er uns von unserem Neubau abzuhalten, weil er weiß, dass wir sofort merken, dass unser Geld verschwunden ist, sobald wir in die Schatzkammer gehen!« Sie war so entrüstet, dass sie glaubte, platzen zu müssen.

Godwyn erwiderte: »Macht Euch doch nicht lächerlich.«

Für solch einen Vorwurf kam die Entgegnung so gedämpft heraus, dass Caris sofort wusste, sie hatte ins Schwarze getroffen. Die Bestätigung ließ sie nur noch wütender werden. »Beweist es!«, rief sie, zwang sich dann aber zu einem ruhigeren Tonfall. »Wir gehen auf der Stelle in die Schatzkammer und prüfen alles nach. Ihr habt doch nichts dagegen, Vater Prior?«

Philemon warf ein: »Das wäre ein vollkommen unwürdiges Unterfangen, und es kommt gar nicht infrage, dass der Prior sich ihm unterwirft.«

Caris würdigte ihn keines Blickes, sondern behielt Prior Godwyn im Auge. »Nun, offensichtlich müssen wir die Kammern dennoch überprüfen, denn hier wurde ein Vorwurf erhoben.« Sie warf einen Blick zu Cecilia, die zustimmend nickte. »Wenn der Prior es vorzieht, nicht dabei zu sein, wird der Erzdiakon gewiss gern als Zeuge fungieren.«

Lloyd machte den Eindruck, als hätte er es vorgezogen, sich nicht in den Disput verwickeln zu lassen, doch er konnte die Rolle des Unparteiischen kaum verweigern, und so murmelte er: »Wenn ich beiden Seiten helfen kann, selbstverständlich …«

Aber Caris war mit ihren Gedanken schon einen Schritt weiter. »Wie habt Ihr die Truhe geöffnet?«, fragte sie. »Christopher Blacksmith hat das Schloss gemacht, und er ist zu ehrlich, um Euch einen Nachschlüssel zu geben, damit Ihr uns bestehlen könnt. Ihr müsst die Truhe aufgebrochen und sie dann wieder repariert haben. Wie habt Ihr das angestellt? Habt Ihr das Scharnier abmontiert?« Sie bemerkte, wie Godwyn unwillkürlich seinen Subprior ansah. »Aha«, sagte Caris triumphierend, »also hat *Philemon* das Scharnier abgemacht. Aber der Prior hat das Geld dann Elfric gegeben.«

Cecilia sagte: »Genug der Spekulation. Bereinigen wir die Angelegenheit. Wir gehen zusammen in die Schatzkammer und öffnen die Schatulle, dann hat die Sache ein Ende.«

Godwyn sagte: »Es war kein Diebstahl.«

Alles starrte ihn an. Bestürztes Schweigen senkte sich herab.

Dann rief Cecilia: »Ihr gebt es also zu!«

»Es war kein Diebstahl«, wiederholte Godwyn. »Das Geld wird zum Besten der Priorei und zum Ruhme Gottes verwendet.«

Caris entgegnete: »Das spielt keine Rolle. Es war nicht Euer Geld!«

»Es ist Gottes Geld«, erwiderte Godwyn starrsinnig.

Cecilia sagte: »Das Geld wurde dem Nonnenkloster hinterlassen. Das wisst Ihr. Ihr habt das Testament gesehen.«

»Ich weiß von keinem Testament.«

»Selbstverständlich wisst Ihr davon. Ich gab es Euch, damit Ihr es kopieren …« Cecilias Stimme versiegte.

Godwyn wiederholte: »Ich weiß nichts von einem Testament.«

Caris sagte: »Er hat es vernichtet. Er versprach, eine Abschrift anfertigen zu lassen und das Original in die Truhe der Schatzkammer zu legen ... aber er hat es vernichtet.«

Cecilia starrte Godwyn offenen Mundes an. »Ich hätte es wissen sollen«, sagte sie. »Nach allem, was Ihr Caris anzutun versucht habt ... ich hätte Euch niemals wieder trauen dürfen. Aber ich dachte, Eure Seele wäre noch zu retten. Was habe ich mich geirrt!«

Caris warf ein: »Wie gut, dass wir unsere eigene Abschrift vom Testament angefertigt haben, ehe wir es aushändigten.« Die schiere Verzweiflung trieb sie zu der Notlüge.

Godwyn sagte: »Offensichtlich eine Fälschung.«

Caris sagte: »Wenn das Geld Euch von Anfang an gehört hätte, hättet Ihr die Schatulle nie aufbrechen müssen, um daran zu kommen. Also wollen wir gehen und nachschauen. Damit steht es dann auf die eine oder andere Weise fest.«

Philemon sagte: »Dass sich an dem Scharnier jemand zu schaffen gemacht hat, beweist gar nichts.«

»Also hatte ich recht!«, rief Caris. »Woher wisst Ihr denn, dass jemand sich am Scharnier zu schaffen gemacht hat? Schwester Beth hat die Kammer seit der Prüfung nicht geöffnet, und da war die Schatulle noch heil. Ihr müsst sie selbst aus der Kammer gehoben haben, wenn Ihr wisst, dass sie geöffnet worden ist.«

Philemon wirkte verwirrt und hatte keine Antwort.

Cecilia wandte sich an Lloyd. »Euer Gnaden, Ihr seid der Vertreter des Bischofs. Ich halte es für Eure Pflicht, dem Prior zu befehlen, dem Nonnenkloster das Geld zurückzuerstatten.«

Lloyd wirkte unschlüssig. Er fragte Godwyn: »Habt Ihr noch etwas von dem Geld übrig?«

Caris sagte wütend: »Wenn man einen Dieb ertappt hat, fragt man ihn nicht, ob er es sich leisten kann, auf seinen verbrecherischen Gewinn zu verzichten!«

Godwyn antwortete dem Erzdiakon: »Mehr als die Hälfte ist bereits auf den Palast verwendet worden.«

»Der Bau muss augenblicklich eingestellt werden«, sagte Caris. »Die Männer sollten noch heute entlassen, das Gebäude abgerissen und das Material verkauft werden. Ihr müsst jeden einzelnen Penny zurückerstatten. Was Ihr nicht in bar zahlen könnt, nachdem der Palast abgebrochen ist, müsst Ihr in Land oder anderen Wertgegenständen aufbringen.«

»Ich weigere mich«, sagte Godwyn.

Cecilia wandte sich wieder an Lloyd. »Euer Gnaden, bitte tut Eure

Pflicht. Ihr könnt nicht zulassen, dass ein Untergebener des Bischofs vom anderen stiehlt, auch wenn beide Gottes Werk verrichten.«

Lloyd erwiderte: »Ich kann über solch einen Streit nicht allein befinden. Dazu ist die Sache zu ernst.«

Caris war sprachlos vor Wut und Bestürzung angesichts von Lloyds Ausflucht.

Cecilia protestierte: »Aber Ihr müsst!«

Lloyd sah sich in die Enge getrieben, doch er schüttelte hartnäckig den Kopf. »Vorwürfe des Diebstahls und der Vernichtung eines Testaments, eine Anklage wegen Fälschung … Darüber muss der Bischof persönlich entscheiden.«

Cecilia wandte ein: »Aber Bischof Richard ist auf dem Weg nach Frankreich – und niemand weiß, wann er zurückkehrt. In der Zwischenzeit verbaut Prior Godwyn das gestohlene Geld!«

»Ich fürchte, daran kann ich nichts ändern«, erwiderte Lloyd. »Ihr müsst Euch an den Bischof wenden.«

»Also schön«, sagte Caris in einem Tonfall, mit dem sie aller Blicke auf sich zog. »In diesem Fall gibt es nur eines zu tun. Wir werden unseren Bischof aufsuchen.«

KAPITEL 46

Im Juli 1346 zog König Edward III. bei Portsmouth fast eintausend Schiffe zusammen, die größte Invasionsflotte, die England je gesehen hatte. Widrige Winde verzögerten das Auslaufen, doch am 11. Juli schließlich setzten sie mit geheimem Ziel die Segel.

Zwei Tage später trafen Caris und Mair in Portsmouth ein und hatten Bischof Richard, der mit dem König aufgebrochen war, knapp verfehlt.

Sie beschlossen, dem Heer nach Frankreich zu folgen.

Schon die Erlaubnis zur Reise nach Portsmouth zu erhalten hatte sich schwierig gestaltet. Mutter Cecilia hatte alle Schwestern in den Kapitelsaal geladen, um den Vorschlag zu besprechen, und einige hatten die Ansicht geäußert, dass Caris sich in Gefahr für Leib und Seele begeben würde. Doch verließen Nonnen durchaus ihren Konvent, nicht nur zu Pilgerfahrten, sondern auch in Angelegenheiten, die sie nach London, Canterbury und Avignon führten. Und die Kingsbridger Schwestern wollten ihr gestohlenes Geld zurück.

Caris war sich allerdings nicht sicher, ob sie die Genehmigung erhalten hätte, den Ärmelkanal zu überqueren. Zum Glück bestand gar keine Möglichkeit, deswegen nachzufragen.

Mair und sie hätten selbst dann dem Heer nicht sofort folgen können, hätten sie das Ziel des Königs gekannt, denn jedes seetüchtige Fahrzeug an der Südküste Englands war für die Invasion beschlagnahmt worden. Deshalb warteten sie in einem Nonnenkloster außerhalb von Portsmouth ungeduldig auf Neuigkeiten.

Caris erfuhr später, dass König Edward und sein Heer an einem breiten Strand an der Nordküste Frankreichs bei St. Vaast la Hogue nahe Barfleur an Land gegangen waren. Dennoch kehrte die Flotte nicht auf der Stelle um. Vielmehr folgten die Schiffe zwei Wochen lang der Küste nach Osten und begleiteten das Invasionsheer bis Caen. Dort füllten sie die Laderäume mit Beute: Schmuck, kostbare Kleidung sowie versilberte und vergoldete Plattenrüstungen, die Edwards Heer aus den wohlhabenden Städten der Normandie geplündert hatten. Dann erst kehrten sie nach England zurück.

Einer der ersten Heimkehrer war die *Grace*, eine Kogge – ein breites Frachtschiff mit rundem Bug und Heck. Ihr Schiffer, ein ledergesichtiger Seebär namens Rollo, lobte den König über den grünen Klee. Rollo war für sein Schiff und seine Leute mit dem Höchstpreis bezahlt worden und hatte einen großzügigen Anteil an der Beute erhalten. »Das größte Heer, das ich je gesehen habe«, schwärmte Rollo. Er glaubte, dass es wenigstens fünfzehntausend Soldaten gewesen wären, etwa die Hälfte davon Bogenschützen, und wohl fünftausend Pferde. »Ihr werdet euch schwertun, sie einzuholen«, sagte er. »Ich bringe euch bis Caen, den letzten Ort, von dem ich weiß, dass sie dort waren. Da könnt ihr euch an ihre Fährte heften. Welche Richtung sie auch genommen haben, sie werden euch um etwa eine Woche voraus sein.«

Caris und Mair handelten mit Rollo den Preis aus; dann gingen sie mit zwei stämmigen Ponys, Blackie und Stamp, an Bord. Die Tiere würden nicht schneller vorankommen als die Pferde des Heeres, sagte sich Caris, nur musste das Heer immer wieder anhalten und kämpfen, was ihr und Mair einen Vorteil verschaffte. Außerdem war ein Großteil der Soldaten zu Fuß unterwegs. Deshalb müssten sie das Heer eigentlich einholen können.

Als sie an einem sonnigen Augustmorgen das französische Ufer erreichten und in die Ornemündung einfuhren, roch Caris im Wind den unangenehmen Geruch kalter Asche. Als sie das Land zu beiden Seiten betrachtete, sah sie, dass die Äcker schwarz waren. Offenbar war die Ernte auf den Feldern verbrannt worden. »Das ist so üblich«, sagte Rollo. »Was das Heer nicht mitnehmen kann, wird vernichtet, sonst könnte es dem Feind zugutekommen.« Als der Hafen von Caen näher kam, fuhren sie an den Wracks ausgebrannter Schiffe vorbei, die vermutlich aus dem gleichen Grund in Flammen gesetzt worden waren.

»Niemand kennt den Plan des Königs«, erklärte Rollo den Schwestern. »Er könnte nach Süden ziehen und gegen Paris vorrücken oder nach Nordosten auf Calais schwenken, in der Hoffnung, sich dort mit seinen flämischen Bundesgenossen vereinigen zu können. Aber ihr solltet keine Mühe haben, seiner Spur zu folgen. Seht einfach zu, dass ihr immer auf beiden Seiten verbrannte Felder habt.«

Ehe sie sich ausschifften, reichte Rollo ihnen einen Schinken. »Habt Dank, aber wir haben Räucherfisch und Hartkäse in den Satteltaschen«, sagte Caris zu ihm. »Und wir haben Geld. Wir können alles erstehen, was wir brauchen.«

»Geld ist euch womöglich nicht von großem Nutzen«, erwiderte der Schiffer. »Es mag gut sein, dass es gar nichts zu kaufen gibt. Ein Heer ist wie eine Heuschreckenplage, es frisst das Land kahl. Nehmt den Schinken bitte an.«

»Ihr seid sehr freundlich. Lebt wohl.«

»Betet für mich, Schwester, wenn Ihr mögt. Ich habe schon einige schwere Sünden auf mich geladen.«

Caen war eine Stadt von mehreren tausend Häusern. Wie in Kingsbridge wurden ihre beiden Hälften, die Altstadt und die Neustadt, von einem Fluss getrennt, der Odon, die vom Pont St. Pierre überspannt wurde. Ein paar Fischer verkauften am Ufer unweit dieser Brücke ihren Fang. Caris fragte nach dem Preis für einen Aal, verstand die Antwort aber kaum: Der Fischer sprach einen Dialekt des Französischen, den sie noch nie gehört hatte. Als ihr endlich klar wurde, was er sagte, verschlug der Preis ihr fast den Atem. Offenbar war Nahrung so knapp, dass sie teurer gehandelt wurde als Juwelen. Dankbar gedachte sie Rollos Großzügigkeit.

Für den Fall, dass man sie nach ihrer Herkunft fragte, hatten die Schwestern beschlossen zu behaupten, sie seien irische Nonnen auf dem Weg nach Rom. Nun allerdings, da sie vom Fluss fortritten, fragte Caris sich beklommen, ob die Einheimischen vielleicht an ihrer Aussprache erkennen konnten, dass sie und Mair Engländerinnen waren.

Von den Einheimischen war indes nicht sehr viel zu sehen. Eingeschlagene Türen und zerhauene Fensterläden zeigten an, wo Häuser leer standen. Eine gespenstische Stille herrschte – kein Händler rief seine Waren aus, keine Kinder stritten sich, keine Kirchenglocke läutete. Die einzige Arbeit, die verrichtet wurde, waren Beerdigungen. Seit der Schlacht war mehr als eine Woche vergangen, aber noch immer trugen kleine Gruppen grimmiger Männer Leichen aus den Häusern und luden sie auf Karren. Wie es aussah, hatte das englische Heer wahllos Männer, Frauen und Kinder niedergemetzelt. Caris und Mair kamen an einer Kirche vorbei, in deren Hof eine riesige Grube ausgehoben war, und beobachteten, wie man die Toten ohne Sarg oder auch nur ein Leichentuch ins Massengrab fallen ließ, während ein Priester eine schier endlose Trauermesse las. Der Gestank war unbeschreiblich.

Ein gut gekleideter Mann verbeugte sich vor ihnen und fragte,

ob sie Hilfe bräuchten. Sein Gebaren legte nahe, dass er ein Ratsherr war, der dafür sorgen musste, dass frommen Besuchern kein
Leid geschah. Caris lehnte sein Angebot ab und bemerkte, dass sein
normannisches Französisch sich nicht von dem eines Adligen in
England unterschied. Vielleicht, überlegte sie, sprachen die niederen Stände ihre unterschiedlichen örtlichen Dialekte, während
die herrschende Schicht eine die Nationen übergreifende Sprache
pflegte.

Die beiden Nonnen nahmen die Landstraße, die nach Osten aus
der Stadt führte. Sie waren erleichtert, die gespenstischen Gassen
Caens hinter sich lassen zu können. Auch das Land war öde und leer.
Der bittere Geschmack nach Asche wich Caris nicht von der Zunge.
Viele Felder und Obsthaine zu beiden Seiten der Straße waren niedergebrannt worden. Alle paar Meilen ritten die Schwestern durch
eine Ansammlung verkohlter Ruinen, die einst ein Dorf gewesen
waren. Die Bauern hatten entweder vor dem Heerwurm die Flucht
ergriffen oder waren in den Flammen umgekommen, denn es zeigte
sich nur wenig Leben: Vögel, gelegentlich ein Schwein oder Huhn,
von den Furagieren des Heeres übersehen, und manchmal ein Hund,
der winselnd an den Trümmern schnüffelte und an einem Haufen
erkalteter Asche den Geruch seines Herrn aufzuspüren hoffte.

Ihr nächstes Ziel war ein Nonnenkloster, das einen halben Tagesritt von Caen entfernt lag. Wann immer möglich, wollten sie die
Nacht in einem frommen Haus verbringen – einem Nonnen- oder
Mönchskloster oder einem Hospital –, wie sie es auch auf dem Weg
von Kingsbridge nach Portsmouth gehalten hatten. Sie kannten die
Namen und Orte von einundfünfzig solcher Einrichtungen zwischen Caen und Paris. Konnten sie diese finden, während sie den
verbrannten Fußspuren König Edwards folgten, wären Unterkunft
und Verpflegung für sie kostenlos und sie selbst sicher vor Dieben –
und, wie Mutter Cecilia hinzugefügt hätte, vor fleischlichen Versuchungen wie starken Getränken und männlicher Gesellschaft.

Mutter Cecilia besaß scharfe Instinkte, hatte jedoch nicht gespürt,
dass zwischen Caris und Mair eine ganz andere Versuchung in der
Luft hing. Daher hatte Caris die Bitte Mairs, sie begleiten zu dürfen,
zunächst abgelehnt. Sie war darauf aus, schnell voranzukommen,
und wollte ihre Mission nicht komplizieren, indem sie sich in einer
leidenschaftlichen Beziehung verfing – oder ihr beständig auswich.
Andererseits brauchte sie jemanden an ihrer Seite, der über Mut und
Einfallsreichtum verfügte. Nun war sie froh über ihre Entscheidung:

Von allen Nonnen hatte allein Mair den nötigen Mumm, das englische Heer durch Frankreich zu verfolgen.

Caris hatte geplant, offen mit Mair zu sprechen, ehe sie aufbrachen, und ihr zu sagen, dass es keine körperliche Beziehung zwischen ihnen geben dürfe, während sie unterwegs waren. Von allem anderen abgesehen konnten sie dadurch in furchtbare Schwierigkeiten kommen. Doch aus einem unerfindlichen Grund war es zu diesem offenen Gespräch nie gekommen. Deshalb hatten die Schwestern Frankreich erreicht, ohne dass die Frage je angesprochen worden wäre, und sie begleitete die beiden wie eine unsichtbare dritte Reisende auf lautlosem Pferd.

Mittags hielten sie an einem Bach, wo sich am Rande eines Waldes eine grüne Wiese ausbreitete, auf der die Ponys grasen konnten. Caris schnitt Scheiben von Rollos Schinken, und Mair nahm aus ihrer Satteltasche einen Laib alten Brotes aus Portsmouth. Sie tranken Wasser aus dem Bach, auch wenn es nach Asche schmeckte.

Caris unterdrückte ihre Ungeduld, gleich wieder aufzubrechen, und zwang sich, die Reittiere in der heißesten Stunde des Tages ausruhen zu lassen. Als sie sich gerade zum Aufbruch rüsteten, erschrak sie, denn sie bemerkte, dass jemand sie beobachtete. Sie erstarrte, den Schinken in der einen und das Messer in der anderen Hand.

Mair fragte: »Was ist?« Dann folgte sie Caris' Blick und verstand.

Ein paar Schritt entfernt standen zwei Männer im Schatten der Bäume und starrten sie an. Sie sahen recht jung aus; aber man konnte sich nicht ganz sicher sein, denn ihre Gesichter waren rußverschmiert, und ihre Kleidung starrte vor Schmutz.

Nach einem Augenblick sprach Caris sie in normannischem Französisch an. »Gott segne euch, meine Kinder.«

Sie antworteten nicht. Caris vermutete, dass sie sich unschlüssig waren, was sie tun sollten. Doch welche Möglichkeiten erwogen sie? Diebstahl? Vergewaltigung? Sie hatten einen Raubtierblick in den Augen.

In Caris keimte Furcht auf, doch sie zwang sich, ruhig zu denken. Was immer diese Männer wollten, sie mussten halb verhungert sein. Sie sagte zu Mair: »Schnell, gib mir zwei Scheiben Brot.«

Mair schnitt zwei dicke Scheiben von dem großen Laib ab. Caris trennte passende Schinkenscheiben herunter. Sie legte den Schinken auf das Brot und sagte zu Mair: »Gib jedem eines davon.«

Mair sah verängstigt aus, doch sie ging sicheren Schrittes über die Wiese und hielt den Männern die Speise hin.

Beide rissen ihr die Brote aus der Hand und bissen gierig hinein. Caris dankte ihren Sternen, dass sie richtig vermutet hatte.

Rasch steckte sie den Schinken wieder in die Satteltasche und das Messer in den Gürtel; dann stieg sie auf Blackie. Mair tat es ihr gleich, verstaute das Brot und kletterte auf Stamps Rücken. Im Sattel fühlte Caris sich sicherer.

Der größere der beiden Männer näherte sich ihnen nun mit hastigen Schritten. Caris war versucht, ihr Pony anzutreiben und davonzureiten, doch sie hatte nicht genügend Zeit: Schon hielt der Mann ihren Zügel in der Hand. Er sprach mit vollem Mund. »Danke«, sagte er mit dem schweren Akzent dieser Gegend.

»Dankt nicht mir, dankt Gott. Er hat mich gesandt, euch zu helfen. Er wacht über euch. Der Herr sieht alles.«

»Ihr habt noch mehr Fleisch in Eurer Tasche?«

»Gott wird mir sagen, wem ich es geben soll.«

Kurz herrschte Schweigen, während der Mann darüber nachdachte; dann sagte er: »Gebt mir Euren Segen.«

Caris wollte den rechten Arm nicht in der üblichen Gebärde des Segnens ausstrecken, denn dazu hätte sie die Hand zu weit von dem Messer an ihrem Gürtel wegziehen müssen. Es war bloß ein Speisemesser mit kurzer Klinge, wie jeder Mann und jede Frau es trug, doch es genügte, um dem Mann, der ihren Zügel festhielt, den Handrücken aufzuschlitzen, damit er losließ.

Dann hatte sie einen Einfall. »Sehr gern«, sagte sie. »Kniet nieder.«

Der Mann zögerte.

»Ihr müsst knien, wenn ich Euch segnen soll«, sagte sie mit leicht erhobener Stimme.

Langsam sank der Mann nieder. Er hielt noch immer sein Brot in der Hand.

Caris richtete ihren Blick auf seinen Begleiter. Nach einem Augenblick ließ auch er sich auf die Knie nieder.

Caris segnete beide; dann stieß sie Blackie die Fersen in die Weichen und trabte rasch davon, wobei sie nach hinten schaute. Mair folgte ihr dichtauf. Die beiden halb verhungerten Männer erhoben sich und starrten ihnen hinterher.

Caris sann besorgt über den Vorfall nach, während sie durch das wüste Land ritten. Die Sonne strahlte hell wie an einem schönen Tag in der Hölle. Hier und da stieg Rauch aus einem Wäldchen oder einer schwelenden Scheune auf. Doch das Land war nicht völlig verlassen. Caris erblickte eine schwangere Frau, die Bohnen auf einem Feld erntete, das den englischen Brandfackeln entgangen war, zwei ängstliche Kindergesichter, die aus den geschwärzten Steinen eines Lehnshauses spähten, sowie mehrere kleine Gruppen von Männern, die den Waldrand durchstreiften und sich mit der wachsamen Zielstrebigkeit von Aasgeiern bewegten. Die Männer weckten Caris' Sorge. Sie sahen hungrig aus, und hungrige Männer waren gefährlich. Caris fragte sich, ob sie sich nicht lieber Gedanken um ihre Sicherheit machen sollte, statt sich um ihr Vorankommen zu sorgen.

Den Weg zu den frommen Häusern zu finden, wo sie haltmachen wollten, erwies sich ebenfalls als schwierig, denn Caris hatte nicht damit gerechnet, dass das englische Heer eine solche Schneise der Vernichtung hinter sich herzog. Sie hatte vielmehr angenommen, dass es Bauern gäbe, die ihr die Richtung weisen konnten. Selbst in normalen Zeiten konnte es schwierig sein, solche Auskünfte von Menschen zu erhalten, die nie weiter als bis zum nächsten Marktflecken gereist waren, doch nun waren ihre Gesprächspartner zudem verschlossen, verängstigt oder bedrohlich.

Dem Sonnenstand entnahm Caris, dass sie nach Osten ritten, und anhand der tiefen Karrenspuren im trockenen Schlamm sagte sie sich, dass sie auf der Hauptstraße waren. Ihr Ziel für den heutigen Abend war ein Dorf, das nach dem dortigen Nonnenkloster Hôpital des Sœurs hieß. Als der Schatten vor ihr länger wurde, hielt Caris mit wachsender Sorge nach jemandem Ausschau, den sie nach dem Weg fragen konnte.

Kinder rannten verängstigt davon, wenn die Nonnen näher kamen. Noch war Caris nicht so verzweifelt, dass sie riskiert hätte, sich in die Nähe der hungrig aussehenden Männer zu wagen. Sie hoffte, einer Frau zu begegnen. Junge Frauen waren nirgends zu sehen, und Caris hegte einen düsteren Verdacht, welches Schicksal ihnen durch die marodierenden Engländer zuteil geworden war. Gelegentlich sah sie in weiter Ferne einzelne einsame Gestalten, die ein Feld abernteten, das von den Flammen verschont geblieben war; doch sie zögerte, sich so weit von der Straße zu entfernen.

Endlich entdeckten sie eine runzlige alte Frau, die unter einem Apfelbaum neben einem stattlichen Steinhaus saß. Sie aß winzige Äpfelchen, die sie vom Baum gerupft hatte, obwohl sie noch längst nicht reif waren. Die Frau wirkte verängstigt, als sie die Nonnen erblickte, und so stieg Caris ab, um weniger einschüchternd zu wirken. Die alte Frau versuchte, ihr karges Mahl in den Falten ihres Kleides zu verstecken; zum Davonlaufen schien ihr die Kraft zu fehlen.

Caris sprach sie höflich an. »Guten Abend, Mutter. Darf ich fragen, ob diese Straße uns nach Hôpital des Sœurs bringt?«

Die Frau riss sich zusammen und wies in die Richtung, in der sie geritten waren: »Durch den Wald und über den Berg.«

Caris bemerkte, dass die Alte keine Zähne mehr hatte. Es muss fast unmöglich für sie sein, unreife Äpfel nur mit dem Zahnfleisch zu essen, dachte sie voll Mitleid. »Wie weit ist es?«, fragte sie.

»Weit.«

In ihrem Alter sind alle Entfernungen groß, dachte Caris. »Können wir bis Sonnenuntergang dort sein?«

»Auf einem Pferd, ja.«

»Dank Euch, Mutter.«

»Ich hatte eine Tochter«, sagte die Alte. »Und zwei Enkelsöhne. Vierzehn und sechzehn. Gute Jungen. Sie sind tot.«

»Das tut mir leid.«

»Die Engländer«, sagte die Alte. »In der Hölle sollen sie schmoren!«

Offenbar kam ihr gar nicht der Gedanke, dass Caris und Mair Engländerinnen sein könnten. Damit beantwortete sie, ohne es zu ahnen, Caris' bange Frage: Die Einheimischen bemerkten die Herkunft von Fremden nicht an der Sprache. »Wie hießen die Jungen, Mutter?«

»Giles und Jean.«

»Ich werde für ihre Seelen beten.«

»Habt Ihr ein Stück Brot?«

Caris blickte sich um. Sie wollte sich vergewissern, dass niemand sprungbereit in der Nähe lauerte, doch sie waren allein. Sie nickte Mair zu, und diese nahm den Rest vom Brotlaib aus der Satteltasche und reichte ihn der alten Frau.

Die Alte riss ihn Mair aus der Hand und kaute mit ihrem zahnlosen Mund darauf herum.

Die Nonnen ritten weiter.

Mair sagte: »Wenn wir unser Essen weiterhin verschenken, verhungern wir.«

»Ich weiß«, sagte Caris, »aber wie könnte ich es verweigern?«

»Wenn wir tot sind, können wir unsere Mission nicht erfüllen.«

»Wir sind Nonnen«, erwiderte Caris gereizt. »Wir müssen denen helfen, die in Not sind, und Gott entscheidet, wann unsere Zeit gekommen ist.«

Mair war erstaunt. »So habe ich dich noch nie reden hören.«

»Mein Vater hat Menschen gehasst, die Moralpredigten hielten. ›Wenn es uns passt, sind wir alle gute Menschen‹, pflegte er zu sagen. ›Das zählt nichts. Erst wenn man gern etwas Schlechtes tun würde – ein Vermögen mit einem ehrlosen Geschäft gewinnen oder die lieblichen Lippen der Nachbarsfrau küssen oder sich mit einer Lüge aus Schwierigkeiten befreien –, erst dann braucht man Regeln. Moral ist wie ein Schwert‹, sagte er immer. ›Man soll nicht damit herumfuchteln, ehe man bereit ist, es auf die Probe zu stellen.‹ Nicht dass er etwas von Schwertern verstanden hätte.«

Mair schwieg eine Zeit lang. Vielleicht dachte sie darüber nach, was Caris gesagt hatte, oder sie hatte den Streit aufgegeben; Caris wusste es nicht.

Kam das Gespräch auf ihren Vater, erkannte Caris jedes Mal, wie sehr sie ihn vermisste. Nach dem Tod ihrer Mutter war er zum Eckpfeiler ihres Lebens geworden. Er war immer für sie da gewesen, wenn sie Mitgefühl und Verständnis oder einen klugen Rat brauchte oder auch nur etwas wissen wollte: Er hatte so viel von der Welt gekannt. Wenn sie sich nun an ihn wenden wollte, war da nichts als Leere.

Sie ritten durch ein Wäldchen; dann überquerten sie eine Erhebung, ganz wie die Greisin gesagt hatte. Als sie in ein flaches Tal blickten, entdeckten sie ein weiteres niedergebranntes Dorf, das sich von den anderen nur durch mehrere Steingebäude unterschied, die wie ein kleines Kloster aussahen. »Das muss Hôpital des Sœurs sein«, sagte Caris. »Dem Herrgott sei Dank.«

Während sie näher kam, wurde ihr klar, wie sehr sie sich an das Klosterleben gewöhnt hatte. Sie freute sich auf das Ritual des Händewaschens, eine schweigend eingenommene Mahlzeit, das frühe Zubettgehen und sogar den schläfrigen Frieden während der Matutin um drei Uhr morgens. Nach dem, was sie heute gesehen hatte, lockte sie die Sicherheit der grauen Steinmauern, und sie trieb den müden Blackie zum Trab an.

Niemand regte sich vor dem Tor, doch das überraschte Caris kaum; es war ein kleines Kloster in einem Dorf, sodass man hier nicht die Betriebsamkeit einer großen Priorei wie Kingsbridge erwarten konnte. Dennoch hätte zu dieser Stunde eine Rauchfahne vom Küchenherd aufsteigen müssen, auf dem das Abendbrot bereitet wurde. Je näher Caris kam, desto mehr Unheil verkündende Anzeichen bemerkte sie, und eine wachsende Furcht stieg in ihr auf. Dem nächststehenden Gebäude, das wie eine Kirche aussah, schien das Dach zu fehlen. Die Fenster waren leere Höhlen ohne Läden oder Scheiben. Mehrere Steinwände waren wie von Rauch geschwärzt.

Das Kloster war still: Keine Glocke schlug, kein Stallknecht brüllte, keine Küchenhilfe rief. Es war verlassen, erkannte Caris niedergeschlagen, als sie Blackie zügelte. Und es war in Brand gesetzt worden wie jedes andere Haus im Dorf. Die Steinmauern standen großenteils noch; aber die Dachbalken waren eingestürzt, Türen und andere Dinge aus Holz verkohlt, die Glasfenster in der Hitze geborsten.

Mair fragte ungläubig: »Sie haben ein Kloster gebrandschatzt?«

Caris war genauso entsetzt wie ihre Gefährtin. Sie hatte geglaubt, dass einmarschierende Heere Kirchen und Klöster unbehelligt ließen. Die Leute sagten, es sei eine eiserne Regel. Ein Heerführer würde nicht zögern, einen Mann, der eine heilige Stätte entweihte, dem Schwert zu überantworten. »So viel zur Ritterlichkeit«, sagte Caris.

Sie stiegen von den Ponys und führten die Tiere zu Fuß. Vorsichtig umgingen sie verkohlte Balken und rußige Trümmer, bis sie die Gebäude erreichten. Als sie sich der Küchentür näherten, schrie Mair plötzlich auf und rief: »O Gott, was ist das?«

Caris wusste die Antwort. »Eine tote Nonne.« Die Frauenleiche am Boden war nackt, hatte aber das typische gestutzte Haar einer Braut Christi. Der Leichnam hatte das Feuer aus einem unerfindlichen Grund überstanden. Die Frau war schon etwa eine Woche tot. Die Vögel hatten ihr die Augen ausgepickt, und ihr Gesicht war von einem Tier angefressen worden.

Außerdem hatte man ihr mit einem Messer die Brüste abgeschnitten.

Mair fragte fassungslos: »Haben *Engländer* das getan?«

»Franzosen gewiss nicht.«

»An der Seite unserer Soldaten kämpfen doch auch Ausländer, oder? Waliser und Deutsche und noch andere. Vielleicht haben sie das getan.«

»Sie alle unterstehen dem Befehl unseres Königs«, erwiderte Caris mit grimmiger Missbilligung. »Er hat sie hierhergeführt, und er ist verantwortlich für das, was sie tun.«

Die beiden Nonnen starrten auf das grässliche Bild. Während sie hinsahen, kroch eine Maus aus dem Mund der Leiche. Mair schrie auf und wandte sich ab.

Caris nahm sie in die Arme. »Beruhige dich«, sagte sie und streichelte Mair den Rücken. »Komm«, sagte sie dann. »Lass uns von hier fortgehen.«

Sie kehrten zu ihren Reittieren zurück. Caris widerstand dem Verlangen, die tote Nonne zu beerdigen: Wenn sie sich aufhielten, waren sie noch bei Anbruch der Dunkelheit hier. Aber wohin sollten sie gehen? Sie hatten hier die Nacht verbringen wollen. »Wir gehen zu der alten Frau am Apfelbaum zurück«, sagte Caris. »Ihr Haus war seit Caen das einzige heile Gebäude.« Sie blickte besorgt zur untergehenden Sonne. »Wenn wir die Pferde antreiben, sind wir dort, ehe es ganz dunkel ist.«

Sie hetzten die müden Ponys auf der Straße in die Richtung, aus der sie gekommen waren. Gleich vor ihnen sank die Sonne allzu eilig hinter den Horizont. Das letzte Licht schwand bereits, als sie am Haus neben dem Apfelbaum ankamen.

Die Greisin – sie hieß Jeanne – freute sich, sie wiederzusehen, und noch mehr, als sie ihr Essen mit ihr teilten. Sie aßen ihr Mahl im Dunkeln. Feuer hatten sie nicht, aber das Wetter war mild, und die drei Frauen wickelten sich Seite an Seite in ihre Decken. Caris und Mair wollten ihrer Gastgeberin jedoch nicht blind vertrauen und drückten im Liegen die Satteltaschen mit ihren Vorräten an sich.

Caris lag eine ganze Weile wach. Sie war froh, nach der langen Verzögerung in Portsmouth wieder unterwegs zu sein, und an den letzten beiden Tagen waren sie gut vorangekommen. Wenn sie Bischof Richard finden konnte, würde er Godwyn gewiss zwingen, das Geld zurückzuzahlen, das dem Nonnenkloster gehörte. Richard war zwar kein Inbegriff der Redlichkeit, aber auch nicht engstirnig, und wenn er sich auch nicht dafür ereiferte, ließ er doch meist der Gerechtigkeit ihren Lauf. Selbst in dem Hexenprozess war längst nicht alles nach Godwyns Willen verlaufen. Caris war zuversichtlich, dass sie Bischof Richard überzeugen konnte, ihr einen Brief zu schreiben, in dem er Godwyn anwies, Eigentum der Priorei zu verkaufen und vom Erlös das gestohlene Geld zurückzuerstatten.

Doch sie machte sich Sorgen um ihre und Mairs Sicherheit. Ihre Annahme, dass die Soldaten den Nonnen nichts antäten, hatte sich als falsch erwiesen, wie der Anblick in Hôpital des Sœurs auf schreckliche Weise gezeigt hatte. Mair und sie selbst brauchten eine Verkleidung.

Als sie beim ersten Licht des Tages erwachten, fragte Caris die alte Jeanne: »Habt Ihr die Sachen Eurer Enkelsöhne noch?«

Die alte Frau öffnete eine Holztruhe. »Nehmt, was Ihr wollt«, sagte sie. »Ich wüsste keinen, dem ich sie geben könnte.« Sie ergriff einen Eimer und ging Wasser holen.

Caris sah die Kleidung in der Truhe durch. Jeanne hatte nicht nach Bezahlung gefragt. Wenn so viele Menschen sterben, dachte Caris, haben Kleider wohl keinen großen Wert.

Mair sagte: »Was hast du vor?«

»Wir sind in Gefahr«, sagte Caris. »Wir geben uns als Pagen im Dienste eines niederen Adligen aus – Pierre, Sieur de Longchamp in der Bretagne. Pierre ist ein häufiger Name, und Orte, die Longchamp heißen, muss es viele geben. Unser Herr wurde von den Engländern gefangen genommen, und unsere Herrin schickt uns, ihn zu suchen und sein Lösegeld auszuhandeln.«

»Einverstanden«, sagte Mair eifrig.

»Giles und Jean waren vierzehn und sechzehn. Mit ein bisschen Glück passen uns ihre Kleider.«

Caris nahm einen Kittel, Beinkleider und einen Kapuzenumhang hervor, alles im stumpfen Braun ungefärbter Wolle. Mair fand ähnliche Sachen in Grün mit kurzen Ärmeln und einem Unterhemd. Frauen trugen gewöhnlich keine Unterhose, Männer schon, und zum Glück hatte Jeanne das Linnen ihrer toten Verwandten liebevoll noch einmal gewaschen. Ihre Schuhe konnten Caris und Mair weiterhin tragen; die praktische Fußbekleidung der Nonnen unterschied sich in keiner Weise von dem, was Männer trugen.

Sie legten ihren Habit ab. Caris hatte Mair noch nie nackt gesehen und konnte nicht widerstehen, einen Blick auf ihren Körper zu werfen. Es verschlug ihr den Atem. Mairs Haut schimmerte wie eine rosafarbene Perle. Ihre Brüste waren üppig und hatten mädchenhaft blasse Spitzen, und ihre Scham zeigte einen vollen Busch hellen Haares. Caris fühlte sich plötzlich befangen, denn sie selbst war längst nicht so schön. Sie sah weg und streifte sich rasch die Kleidung über, die sie sich ausgesucht hatte.

Ihr Kittel ähnelte dem Kleid einer Frau, nur dass er nicht bis zu den Fußknöcheln reichte, sondern nur bis zu den Knien. Sie zog die Unterhose und die Beinlinge über; dann legte sie ihre Schuhe und ihren Gürtel wieder an.

Mair fragte: »Wie sehe ich aus?«

Caris musterte sie. Mair hatte sich eine Jungenkappe in keckem Winkel auf das kurze blonde Haar gesetzt und grinste.

»Du siehst glücklich aus«, sagte Caris verwundert.

»Ich habe Jungenkleider immer gemocht.« Mair stolzierte in der kleinen Stube auf und ab. »Siehst du? So gehen Jungen«, sagte sie. »Sie nehmen sich stets mehr Platz, als sie brauchen.« Sie imitierte es so gut, dass Caris lachen musste.

Unversehens kam ihr ein Gedanke. »Müssen wir jetzt im Stehen Wasser lassen?«

»Ich kann es, aber nicht in Unterhose.«

Caris kicherte. »Wir können die Unterhosen nicht weglassen. Ein plötzlicher Windstoß könnte unsere … Täuschung sichtbar machen.«

Mair lachte. Dann starrte sie Caris mit einem Mal auf eine Weise an, die eigentümlich war, aber nicht unvertraut. Sie betrachtete sie von Kopf bis Fuß, sah ihr in die Augen, hielt ihren Blick gefangen.

»Was tust du?«, fragte Caris.

»So schauen die Männer die Frauen an – als ob sie ihnen gehören würden. Aber gib acht. Wenn du das bei einem Mann tust, wird er wütend.«

»Das wird offenbar schwieriger, als ich dachte.«

»Du bist zu hübsch«, sagte Mair. »Du brauchst ein schmutziges Gesicht.« Sie ging zum Kamin und schwärzte sich die Hand mit Ruß, den sie Caris dann ins Gesicht rieb. Ihre Berührung fühlte sich an wie eine Liebkosung.

»Oh, das war zu viel«, sagte Mair und wischte einiges mit der anderen Hand wieder fort. »So ist es besser.« Sie schmierte Caris den Ruß auf die Hand. »Jetzt du bei mir.«

Caris bedeckte Mairs Wangen und das Kinn mit einem dünnen Rußschmier, damit es so aussah, als hätte sie einen Bartschatten. Es kam Caris sehr vertraulich vor, Mair so tief in die Augen zu schauen und sie so zu berühren. Mair sah nun wie ein hübscher junger Mann aus, nicht mehr wie eine Frau.

Sie musterten einander. Ein Lächeln huschte über den roten Bogen, den Mairs Lippen bildeten. Caris empfand ein Gefühl der Erwartung, als müsste im nächsten Moment etwas Folgenschweres geschehen, als plötzlich eine Stimme fragte: »Wo sind die Nonnen?«

Sie wandten sich schuldbewusst um. Die alte Jeanne stand in der Tür. Sie hielt einen schweren Wassereimer und wirkte verwirrt und ein wenig ängstlich. »Was habt ihr mit den Nonnen gemacht?«

Caris und Mair lachten auf, und da erkannte Jeanne sie. »Ihr zwei habt euch verkleidet!«, rief sie aus.

Sie setzten sich zum Frühstück und tranken Wasser. Während Caris den letzten Räucherfisch verteilte, sagte sie sich, dass es ein gutes Zeichen sei, dass Jeanne sie nicht erkannt hatte. Wenn sie Glück hatten, kamen sie vielleicht damit durch.

Sie verabschiedeten sich von der Greisin und ritten davon. Als sie die Anhöhe vor Hôpital des Sœurs erreichten, ging vor ihnen die Sonne auf und warf glühend rotes Licht auf das Nonnenkloster, sodass die Ruinen den Anschein erweckten, noch immer in Flammen zu stehen. Caris und Mair durchquerten das Dorf, so schnell sie konnten. Sie versuchten, nicht an den verstümmelten Leichnam der Nonne zu denken, der in den Trümmern lag, als sie in den Sonnenaufgang ritten.

Am Dienstag, dem 22. August, befand das englische Heer sich auf
der Flucht.

Ralph Fitzgerald wusste nicht, wie es so weit hatte kommen können. Plündernd und brandschatzend waren die Engländer von Westen nach Osten durch die Normandie gestürmt, und niemand hatte
ihnen widerstehen können. Ralph war in seinem Element gewesen.
Auf dem Vormarsch konnte ein Soldat sich alles nehmen, was er
sah – Geld, Schmuck und Frauen –, und jeden Mann töten, der sich
ihm in den Weg stellte. So und nicht anders sollte das Leben sein.

Der König war ein Mann nach Ralphs Herzen. Edward III. liebte
den Kampf. Wenn er nicht Krieg führte, hielt er gern große Turnie-
re ab, meist Scheinschlachten zwischen Ritterheeren in eigens entworfenen Monturen. Als Feldherr war er verwegen und stets bereit,
einen raschen Vorstoß zu machen oder überfallartige Angriffe zu
führen, wobei er nicht selten das eigene Leben aufs Spiel setzte. Niemals hielt er inne, um ein Risiko gegen den Nutzen abzuwägen wie
ein Krämer aus Kingsbridge. Die älteren Ritter und Grafen jedoch
redeten hinter vorgehaltener Hand von seiner Brutalität, und sie
hatten gegen Zwischenfälle wie die systematische Schändung sämtlicher Frauen in Caen protestiert, doch Edward scherte sich nicht
darum. Als er hörte, dass einige Bürger der Stadt mit Steinen nach
Soldaten geworfen hatten, die ihre Häuser plünderten, befahl er, alle
Stadtbewohner zu töten; erst der energische Protest Sir Godfrey de
Harcourts und anderer hatte ihn umstimmen können.

Als das englische Heer die Seine erreichte, reihte sich ein Fehlschlag an den anderen. Bei Rouen hatten sie die Brücke zerstört vorgefunden, und die Stadt – am anderen Ufer des Flusses – war schwer
befestigt. König Philippe VI. von Frankreich stand dort mit einem
starken Heer.

Auf der Suche nach einer Stelle, an der sie die Seine überqueren
konnten, waren die Engländer flussaufwärts marschiert, doch jede

Brücke wurde entweder heftig verteidigt oder lag in Trümmern. Bis nach Poissy rückten sie vor, nur zwanzig Meilen von Paris entfernt. Ralph rechnete damit, dass sie die Hauptstadt angreifen würden, doch die älteren Männer schüttelten weise ihr Haupt und erklärten dies für unmöglich. Paris sei eine Stadt mit fünfzigtausend Einwohnern, und bestimmt seien die Neuigkeiten aus Caen mittlerweile dort eingetroffen; daher wären die Pariser gewiss bereit, bis zum Tod zu kämpfen, weil sie wüssten, dass sie mit Gnade nicht zu rechnen hätten.

Wenn der König nicht Paris angreifen wollte, fragte sich Ralph, was war dann sein Plan? Niemand wusste es. Ralph vermutete stark, dass Edward keinen anderen Plan hatte, als Verwüstungen anzurichten.

Poissy war geräumt worden, und die englischen Sappeure konnten die Brücke neu aufbauen – während sie gleichzeitig einen französischen Angriff abwehrten –, sodass das Heer endlich den Fluss zu überqueren vermochte.

Mittlerweile war bekannt, dass Philippe ein weit größeres Heer als das englische zusammengezogen hatte. Edward beschloss, nach Norden vorzustoßen, um sich mit einer anglo-flämischen Streitmacht zu vereinigen, die von Nordosten nach Frankreich einfiel.

Philippe nahm die Verfolgung auf.

Heute lagerten die Engländer südlich eines anderen breiten Stromes, der Somme, und die Franzosen spielten ihnen den gleichen Streich wie an der Seine. Spähtrupps meldeten, dass jede Brücke niedergerissen und jede Stadt am Fluss schwer befestigt worden sei. Noch bedrohlicher war, dass eine englische Abteilung am anderen Ufer die Flagge von Philippes berühmtestem und furchteinflößendstem Verbündeten gesehen hatte: Johann, dem blinden König von Böhmen.

Edward war mit fünfzehntausend Mann in Frankreich einmarschiert. Während des sechswöchigen Feldzugs waren viele seiner Streiter gefallen; andere waren desertiert und suchten sich mit goldgefüllten Satteltaschen einen Weg nach Hause. Ralph schätzte, dass das Heer auf etwa zehntausend Mann geschrumpft war. Berichte von Spionen deuteten darauf hin, dass Philippe in Amiens, nur wenige Meilen flussaufwärts, sechzigtausend Fußsoldaten und zwölftausend Reiter zusammengezogen hatte, eine gewaltige Übermacht. Seit Ralph den Fuß auf normannischen Boden gesetzt hatte, hatte er sich keine so großen Sorgen gemacht. Die Engländer steckten in argen Schwierigkeiten.

Am nächsten Tag marschierten sie stromabwärts nach Abbeville, wo die letzte Brücke stand, ehe die Somme sich zu ihrer Mündungsbucht hin verbreiterte, doch die Bürger der Stadt hatten über die Jahre hinweg unter großen Kosten die Wälle verstärkt; die Engländer konnten sehen, dass sie undurchdringlich waren. Die Städter waren sich ihrer Sache so sicher, dass sie die englische Vorhut mit einem großen Ausfallkommando angriffen, und es gab ein heftiges Scharmützel, ehe sie sich wieder in den Schutz der Mauern zurückzogen.

Als Philippes Heer dann von Amiens aufbrach und von Süden heranmarschierte, sah Edward sich in der Spitze eines Dreiecks gefangen: Zu seiner Rechten war die Mündung der Somme, links das Meer, dahinter das französische Heer, das nach dem Blut der barbarischen Invasoren lechzte.

Am Nachmittag erschien Graf Roland, um mit Ralph zu sprechen.

Seit sieben Jahren kämpfte Ralph im Gefolge Rolands. Längst betrachtete der Graf ihn nicht mehr als unerprobten Jungen, auch wenn er nach wie vor den Eindruck machte, Ralph nicht allzu gut leiden zu können. Doch mit Sicherheit achtete ihn der Graf und setzte ihn gern ein, um Schwachstellen in den eigenen Linien zu stützen, einen Ausfall zu machen oder einen Überfall zu planen. Ralph fehlten drei Finger der linken Hand, und seit ihm 1342 vor Nantes der Spießschaft eines Franzosen das Schienbein gebrochen hatte, hinkte er, wenn er müde war. Dennoch hatte der König ihn noch immer nicht zum Ritter geschlagen, und Ralph verübelte es Edward sehr, dass er ihn derart überging. Und trotz der vielen Beute, die er zusammengerafft hatte – der größte Teil befand sich bei einem Londoner Goldschmied in sicherer Verwahrung –, war Ralph unzufrieden. Er wusste, dass sein Vater genauso empfunden hätte. Wie Sir Gerald kämpfte auch Ralph für die Ehre, nicht für Geld; doch in all der Zeit hatte er nicht einmal die unterste Sprosse der Adelsleiter erklommen.

Als Graf Roland erschien, saß Ralph auf einem Acker, auf dem einst Weizen gereift war, den das Heer jedoch in den Boden getrampelt hatte. Zusammen mit Alan Fernhill und einem halben Dutzend Kameraden aß Ralph ein karges Mahl, Erbsensuppe mit Zwiebeln; die Vorräte gingen zur Neige, und es gab kein Fleisch mehr. Genauso wie die anderen Männer fühlte auch Ralph sich erschöpft vom ständigen Marsch und entmutigt von wiederholten Enttäuschungen durch eingerissene Brücken und gut verteidigte Städte. Vor allem ängstigte ihn der Gedanke, was geschehen würde, wenn das französische Heer sie einholte.

Roland war ein alter Mann mit grauem Haar und Bart geworden, doch ging er noch immer aufrecht und sprach mit befehlsgewohnter Stimme. Er hatte gelernt, eine Miene steinerner Ausdruckslosigkeit zu wahren, sodass kaum jemand wusste, dass die linke Hälfte seines Gesichts gelähmt war. Nun sagte er: »In der Mündung der Somme herrschen die Gezeiten. Bei Ebbe könnte das Wasser stellenweise seicht sein. Aber der Grund besteht aus dickem Schlamm, der die Mündung unpassierbar macht.«

»Dann können wir sie nicht durchqueren«, sagte Ralph.

»Nun, es könnte eine Furt geben – eine Stelle, wo der Boden fester ist«, erwiderte Roland. »Und wenn, werden die Franzosen es wissen.«

»Ihr wollt, dass ich es in Erfahrung bringe?«

»So rasch Ihr könnt. Auf dem benachbarten Feld sind ein paar Gefangene.«

Ralph schüttelte den Kopf. »Diese Männer könnten aus ganz Frankreich stammen, sogar aus fremden Ländern. Wenn jemand eine Furt kennt, dann die Einheimischen.«

»Mir ist es gleich, wen Ihr verhört. Hauptsache, Ihr kommt bei Sonnenuntergang mit der Antwort zum Zelt des Königs.« Nach diesen Worten ging Roland davon.

Ralph leerte seine Schale und sprang auf. Er war froh, dass er etwas Handfestes zu tun hatte. »Aufsatteln, Jungs«, befahl er.

Er ritt noch immer den alten Griff. Wie durch ein Wunder hatte sein Lieblingspferd sieben Kriegsjahre überlebt. Griff war etwas kleiner als ein Streitross, hatte aber mehr Feuer als die übergroßen Pferde, denen die meisten Ritter den Vorzug gaben. Griff war kampferfahren, und seine eisenbeschlagenen Hufe waren Ralph im Schlachtgewühl eine zusätzliche Waffe. Sein Pferd war Ralph teurer als die meisten menschlichen Kameraden. Eigentlich war das einzige lebende Geschöpf, dem Ralph sich näher fühlte, sein Bruder Merthin, den er sieben Jahre lang nicht gesehen hatte – und vielleicht nie wiedersehen würde, denn Merthin war nach Florenz gezogen.

Sie ritten nach Nordosten, in Richtung der Flussmündung. Falls es eine Furt gab – und Ralph war überzeugt davon –, würde jeder Bauer im Umkreis von einem halben Tagesmarsch sie kennen und ständig benutzen, um den Fluss zu überqueren, wenn er Vieh kaufte oder verkaufte, zu Hochzeiten und Beerdigungen von Verwandten ging oder Märkte, Volksfeste und Kirchweihen besuchte. Den englischen Eindringlingen würden sie natürlich nichts verraten wollen – doch Ralph wusste, wie man diese Schwierigkeit überwand.

Sie ritten vom Heerlager in ein Gebiet, das noch nicht unter der Ankunft Tausender rauer Männer gelitten hatte; hier standen noch Schafe auf den Weiden, und die Ernte reifte auf den Feldern. Sie erreichten ein Dorf, von dem aus die Mündungsbucht in der Ferne zu sehen war. Auf dem grasigen Weg, der in die Ansiedlung führte, trieben sie ihre Pferde zum Handgalopp an. Die Ein- und Zweizimmerhütten der Hörigen erinnerten Ralph an Wigleigh. Wie erwartet, flohen die Bauern in alle Himmelsrichtungen; die Frauen trugen Säuglinge und Kleinkinder, die meisten Männer hielten Sicheln oder Äxte.

In den letzten Wochen hatten Ralph und seine Gefährten schon zwanzig oder dreißig Mal die gleiche Vorstellung gegeben. Sie verstanden sich auf die militärische Aufklärung. Für gewöhnlich wollten die Heerführer erfahren, wo die Einheimischen ihre Vorräte versteckten: Wenn die verschlagenen Bauern hörten, dass die Engländer kamen, trieben sie ihre Kühe und Schafe in die Wälder, vergruben die Mehlsäcke und versteckten Heuballen im Glockenturm der Kirche. Sie wussten, dass sie wahrscheinlich verhungern mussten, wenn sie verrieten, wo ihre Vorräte waren; trotzdem sagten sie es früher oder später. Bei anderen Gelegenheiten bedurfte das Heer ihrer Ortskenntnis, um den Weg zu einer wichtigen Stadt, einer strategisch bedeutsamen Brücke oder einer befestigten Abtei zu finden. Solche Fragen beantworteten die Hörigen zumeist ohne zu zögern, doch man musste sich unbedingt vergewissern, dass sie nicht logen, denn die Klügeren unter ihnen legten es oft darauf an, das feindliche Heer in die Irre zu führen, weil sie wussten, dass die Soldaten nicht zurückkehren konnten, um sie zu bestrafen.

Als Ralph und seine Leute die fliehenden Bauern durch Gärten und Felder scheuchten, ignorierten sie die Männer und konzentrierten sich auf Frauen und Kinder. Ralph wusste, dass die Ehemänner und Väter zurückkehren würden, sobald ihre Angehörigen in Gefangenschaft gerieten.

Er schloss zu einem Mädchen auf, das um die dreizehn Jahre alt sein mochte, und musterte ihr ängstliches Gesicht. Sie hatte dunkles Haar und einen dunklen Teint, derbe, hausbackene Züge und trotz ihrer Jugend einen gerundeten Frauenleib – die Art, die er mochte. Sie erinnerte ihn an Gwenda. Unter anderen Umständen hätte er sich mit ihr vergnügt wie mit etlichen anderen Mädchen in den letzten Wochen.

Doch heute waren andere Dinge wichtiger. Ralph schnitt ihr mit Griff den Weg ab. Das Mädchen versuchte, sich wegzuducken, stolperte über die eigenen Füße und stürzte der Länge nach in ein Gemüsebeet. Ralph sprang vom Pferd und packte sie, als sie sich aufrappelte. Sie schrie und kratzte ihn im Gesicht, und er schlug ihr in den Magen, damit sie stillhielt. Dann packte er sie bei ihrem langen, dunklen Haar und zerrte sie zum Dorf zurück. Das Mädchen stolperte und stürzte, doch Ralph ging einfach weiter und zog sie am Haar hinter sich her. Vor Schmerzen schreiend, rappelte das Mädchen sich hoch. Danach stürzte sie nicht noch einmal.

Sie trafen sich in der kleinen Holzkirche. Die acht englischen Soldaten hatten vier Frauen, vier Kinder und zwei Säuglinge gefangen, die von ihren Müttern auf dem Arm gehalten wurden. Die Männer hießen die Gefangenen, sich vor dem Altar auf den Boden zu setzen. Kurz darauf kam ein Bauer herbeigerannt. Er plapperte im hiesigen Französisch, bettelte und flehte. Vier andere Einheimische folgten ihm.

Ralph war zufrieden.

Er stand neben dem Altar, der bloß ein weiß angestrichener Holztisch war. »Ruhe!«, rief er und schwenkte sein Schwert. Die Bauern verstummten. Ralph wies auf einen jungen Mann. »Du da«, sagte er. »Was bist du?«

»Ich bin Sattler, Herr. Bitte, tut meiner Frau und meinem Kind nichts!«

Ralph wies auf einen anderen Mann. »Du da! Was bist du für einer?«

Das Mädchen, das er gefangen genommen hatte, wimmerte; Ralph schloss daraus, dass sie und der Mann verwandt waren – Vater und Tochter vermutlich.

»Nur ein armer Kuhhirt, Herr.«

Ralph horchte auf. »Ein Kuhhirt? Wie oft bringst du Kühe über den Fluss?«

»Ein oder zwei Mal im Jahr, Herr, wenn ich zum Markt muss.«

»Und wo ist die Furt?«

Der Mann zögerte. »Welche Furt, Herr? Es gibt keine Furt. Wir müssen über die Brücke von Abbeville.«

»Bist du sicher?«

»Ja, Herr.«

Ralph blickte in die Runde. »Ist das wahr?«

Alle nickten.

Ralph dachte nach. Die Leute hatten Angst, schreckliche Angst; aber lügen konnten sie trotzdem. »Wenn ich den Priester hole, schwört ihr dann auf die Bibel, dass es in der Flussmündung keine Furt gibt?«

»Ja, Herr.«

Aber das würde zu lange dauern. Ralph blickte das Mädchen an, das er gefangen genommen hatte. »Komm her.«

Sie wich einen Schritt zurück.

Der Kuhhirt fiel auf die Knie. »Bitte, Herr, tut dem unschuldigen Kind nichts, sie ist erst dreizehn!«

Alan Fernhill packte das Mädchen wie einen Sack Zwiebeln und schleuderte sie zu Ralph, der sie auffing und festhielt. »Ihr belügt mich doch alle! Es gibt hier eine Furt, nicht wahr? Ich will wissen, wo sie ist!«

»Ich sag's Euch!«, jammerte der Kuhhirt. »Bloß, tut meinem Kind nichts!«

»Raus mit der Sprache! Wo ist die Furt?«

»Eine Meile flussabwärts von Abbeville.«

»Wie heißt das Dorf?«

Für einen Moment war der Kuhhirt von der Frage verblüfft; dann antwortete er: »Da gibt es kein Dorf, aber auf der anderen Seite steht eine Schänke.«

Der Bauer log; da war Ralph sicher. Der Mann war nie weit gereist, deshalb wusste er nicht, dass es an jeder Furt ein Dorf gab.

Ralph packte die Hand des Mädchens und drückte sie auf den Altar. Er zog das Messer. Mit einem raschen Streich schnitt er ihr einen Finger ab. Mühelos durchtrennte die schwere Klinge den dünnen Knochen. Das Mädchen schrie vor Schmerz auf, und ihr Blut lief rot über die weiße Farbe des Altars. Alle Bauern brüllten vor Entsetzen. Der Kuhhirt trat wütend einen Schritt vor, doch Alan Fernhill hielt ihn mit dem Schwert in Schach.

»Ihr seid der Teufel in Menschengestalt!«, rief der Kuhhirt. Er zitterte vor Furcht und Erschütterung.

»Nein, das bin ich nicht.« Ralph wurde dieser Vorwurf nicht zum ersten Mal gemacht, doch er schmerzte ihn noch immer. »Ich rette Tausenden von Männern das Leben«, entgegnete er. »Und wenn es sein muss, hacke ich ihr die anderen Finger auch noch ab, einen nach dem anderen.«

»Bitte nicht!«

»Dann sag mir, wo die Furt ist.« Ralph hob das Messer.

Der Kuhhirt schrie: »Die Blanchetaque! Sie heißt die Blanchetaque! Bitte, lasst mein Kind in Frieden!«

»Die Blanchetaque?« Ralph tat skeptisch, doch was der Bauer gesagt hatte, klang vielversprechend. Ralph kannte das Wort zwar nicht, doch es klang, als wäre damit ein »weißes Plateau« gemeint, und so etwas erfand ein verschreckter Mann nicht aus dem Stegreif.

»Jawohl, Herr. Sie heißt so wegen der weißen Steine auf dem Flussgrund, die einem helfen, dass man nicht durch den Schlamm muss.« Der Mann war außer sich vor Angst und Entsetzen. Tränen liefen ihm übers Gesicht, und er schluchzte. Er sagt die Wahrheit, dachte Ralph zufrieden. Der Kuhhirt stammelte: »Die Leute sagen, die Steine wären in alter Zeit dort versenkt worden … von den Römern. Bitte, lasst mein kleines Mädchen in Frieden.«

»Wo ist die Furt?«

»Zehn Meilen flussabwärts von Abbeville.«

»Nicht eine Meile?«

»Diesmal sag ich die Wahrheit, Herr! Ich schwör's! Weil ich doch will, dass Ihr uns verschont!«

»Wie heißt das Dorf?«

»Saigneville.«

»Ist die Furt immer passierbar, oder nur bei Ebbe?«

»Nur bei Ebbe, Herr, vor allem, wenn man Vieh oder einen Karren dabei hat.«

»Aber du kennst die Gezeiten.«

»Ja, Herr.«

»Ich habe nur noch eine Frage an dich, aber sie ist sehr wichtig. Wenn ich auch nur den Verdacht habe, dass du mich anlügst, hacke ich ihr die Hand ab.« Das Mädchen kreischte auf. Ralph fragte: »Du weißt, dass ich es ernst meine?«

»Ja, Herr, und ich sag Euch alles, was Ihr wollt!«

»Wann ist morgen Ebbe?«

Ein Ausdruck der Panik erschien auf dem Gesicht des Kuhhirten. »Äh … äh … lasst mich überlegen!« Der Mann war so aufgeregt, dass er kaum denken konnte.

Der Sattler sagte: »Ich will es Euch sagen. Mein Bruder hat die Furt erst gestern passiert, deshalb weiß ich es. Die Ebbe wird morgen am Vormittag sein, zwei Stunden vor Mittag.«

»Ja!«, rief der Kuhhirt. »Das stimmt! Ich hab nur versucht, es auszurechnen. Zwei Stunden vor Mittag, oder ein bisschen später. Und dann wieder am Abend!«

Ralph gab die blutige Hand des Mädchens nicht frei. »Wie sicher bist du dir?«

»Oh, Herr, so sicher, wie ich meinen eigenen Namen weiß, ich schwör's!«

Der Mann hätte ihm seinen Namen im Moment wahrscheinlich nicht sagen können, zu sehr beherrschte ihn die Angst. Ralph blickte den Sattler an. Auf dessen Gesicht war kein Anzeichen für Arglist zu erkennen, kein Trotz und keine Eilfertigkeit; er wirkte nur ein wenig beschämt, als hätte man ihn gegen seinen Willen gezwungen, etwas Unrechtes zu tun. Es ist wahr, dachte Ralph zufrieden. Jetzt weiß ich, was ich wissen wollte.

Er sagte: »Die Blanchetaque. Zehn Meilen stromabwärts von Abbeville, am Dorf Saigneville. Weiße Steine auf dem Flussgrund. Ebbe morgen Vormittag.«

»Jawohl, Herr.«

Ralph ließ die Hand des Mädchens los, und sie rannte schluchzend zu ihrem Vater, der sie in die Arme schloss. Ralph starrte auf die Blutpfütze auf dem weißen Altartisch. Es war viel Blut für ein so kleines Mädchen. »Also gut, Männer«, sagte er. »Wir sind hier fertig.«

❊

Die Trompeten weckten Ralph beim ersten Licht. Es blieb keine Zeit, ein Feuer zu machen oder zu frühstücken; das Heer brach das Lager augenblicklich ab. Zehntausend Mann, die meisten zu Fuß, mussten bis zum Vormittag sechs Meilen zurückgelegt haben.

Die Abteilung des Fürsten von Wales führte die Marschkolonne an, gefolgt von der Abteilung des Königs, dem Tross und der Nachhut. Späher wurden ausgesandt, um zu erkunden, wie weit das französische Heer entfernt war. Ralph ritt in der Vorhut, zusammen mit dem sechzehnjährigen Kronprinzen, der den gleichen Namen trug wie sein Vater: Edward.

Sie hofften, die Franzosen zu überraschen, indem sie die Somme an der Furt überquerten. Am Vorabend hatte der König zu Ralph gesagt: »Gut gemacht, Fitzgerald!« Ralph wusste schon längst, dass solche Worte nichts bedeuteten. Er hatte für König Edward, Graf Roland und andere Adelige schon viele bedeutende und tapfere Taten vollbracht; trotzdem hatte man ihn nicht zum Ritter geschlagen. Diesmal jedoch ärgerte er sich kaum darüber. Noch nie war sein Leben so sehr in Gefahr gewesen. Es war ihm so wichtig, einen Fluchtweg für sich gefunden zu haben, dass es ihn nicht scherte, ob jemand anerkannte, dass er das ganze Heer gerettet hatte.

Während ihres Vormarschs patrouillierten ständig Dutzende von Hauptleuten und Adjutanten, lenkten das Heer in die richtige Richtung, hielten die Formation zusammen, sorgten für die Trennung der Abteilungen und fingen Nachzügler ein. Die Hauptleute waren allesamt Adelige, denn sie mussten im Zweifelsfall Befehle erteilen können. König Edward war fanatisch auf die Einhaltung der Marschordnung bedacht.

Sie zogen nach Norden. Das Land erhob sich sanft zu einer Anhöhe, von der sie den fernen Schimmer der Flussmündung sehen konnten. Hinter der Anhöhe ritten sie über Getreidefelder. Während sie die Dörfer durchquerten, sorgten die Hauptleute dafür, dass nicht geplündert wurde, denn das Heer konnte keine zusätzlichen Lasten über den Fluss tragen. Auch die Ernte wurde diesmal nicht niedergebrannt aus Furcht, der Rauch könnte dem Feind verraten, wo genau sie sich befanden.

Die Sonne ging auf, als die Vorhut das Dorf Saigneville erreichte. Es erhob sich auf einem Steilufer dreißig Fuß über dem Fluss. Vom Ufer aus blickte Ralph über ein ansehnliches Hindernis: anderthalb Meilen Wasser und Marschland. Von hier konnte er die weißen Steine am Grund sehen, von denen der Kuhhirt gesprochen hatte. Sie verrieten Ralph, wie die Furt verlief. Am anderen Ufer erhob sich ein grüner Hügel. Als rechter Hand die Sonne höher stieg, sah Ralph an der Böschung Metall glänzen und Farbe aufblitzen, und eine böse Ahnung befiel ihn.

Als das Licht des neuen Tages heller wurde, bestätigte sich sein Verdacht: Der Feind erwartete sie. Natürlich kannten die Franzosen die Furt, und ein kluger Befehlshaber hatte vorgesorgt für den Fall, dass die Engländer sie entdeckten.

Der Plan, den Feind zu überraschen, war dahin.

Ralph starrte auf den Fluss. Er strömte nach Westen – ein Zeichen, dass die Flut zurückwich –, doch das Wasser war noch zu tief, als dass ein Mann es hätte durchwaten können. Sie mussten warten.

Das englische Heer sammelte sich weiterhin am Ufer. Mit jeder Minute trafen Hunderte von Männern ein. Wenn der König jetzt versucht hätte kehrtzumachen, hätte dies ein heilloses Chaos und albtraumhafte Verwirrung zur Folge gehabt.

Einer der Kundschafter kehrte zurück. Ralph hörte zu, als er dem Fürsten von Wales Bericht erstattete. König Philippes Heer hatte Abbeville verlassen und marschierte auf dieser Seite des Flusses in ihre Richtung.

Der Späher wurde wieder weggeschickt, um herauszufinden, wie rasch die französische Armee vorankam.

Eine Umkehr war ausgeschlossen, erkannte Ralph mit Furcht im Herzen. Die Engländer mussten durch den Fluss.

Er spähte zur anderen Seite hinüber und versuchte zu erkennen, wie viele Franzosen sich am Nordufer befanden. Mehr als tausend, schätzte er. Doch das zehntausend Mann starke Heer, das von Abbeville heranrückte, stellte die größere Gefahr dar. Ralph wusste aus vielen Zusammenstößen mit den Franzosen, dass sie außergewöhnlich tapfer waren, mitunter sogar tollkühn, aber auch undiszipliniert. Sie marschierten in Unordnung, gehorchten Befehlen nicht, und manchmal griffen sie an, um ihren Mut zu beweisen, obwohl abzuwarten klüger gewesen wäre. Doch falls sie ihre gewohnte Unbotmäßigkeit überwanden und in den nächsten Stunden hier eintrafen, konnten sie König Edwards Heer während der Flussüberquerung stellen. Wenn der Feind beide Ufer hielt, konnten die Engländer bis zum letzten Mann aufgerieben werden. Und angesichts der Verwüstungen und Verheerungen, die sie in den letzten sechs Wochen angerichtet hatten, hatten die Invasoren keine Gnade zu erwarten.

Ralph dachte nach. Er besaß zwar eine Plattenrüstung, die er vor sieben Jahren bei Cambrai einem toten Franzosen abgenommen hatte, doch sie lag auf einem Trosswagen. Er trug einen stählernen Helm und ein kurzes Kettenhemd; mehr war auf dem Marsch nicht möglich. Er war sich gar nicht sicher, ob er selbst mit dieser Last anderthalb Meilen weit durch Schlamm und Wasser waten konnte. Die anderen waren ähnlich leicht geschützt. Es musste ausreichen. Die meisten Fußsoldaten banden sich die Helme an den Gürtel und setzten sie erst auf, wenn sie in Reichweite des Feindes gelangten; aber niemand marschierte in voller Rüstung.

Im Osten stieg die Sonne höher. Das Wasser sank, bis es nur noch kniehoch stand. Vom Gefolge des Königs kamen Adlige und überbrachten den Befehl, mit dem Durchfurten des Flusses zu beginnen. Graf Rolands Sohn, William von Caster, überbrachte Ralphs Gruppe die Befehle. »Die Bogenschützen gehen zuerst. Sie schießen, sobald sie nahe genug am anderen Ufer sind«, sagte William. Ralph blickte ihn mit steinerner Miene an. Er hatte nicht vergessen, dass William versucht hatte, ihn an den Galgen zu bringen, weil er etwas getan hatte, das seit sechs Wochen das halbe englische Heer tat. »Sobald Ihr das Ufer erreicht«, fuhr William fort, »schwärmen die Schützen nach links und rechts aus und machen eine Gasse für die Ritter und die Schwerbewaffneten frei.« Es klang einfach; aber das war bei Befehlen immer so. Tatsächlich stand ihnen ein blutiges Gemetzel bevor. Auf der Böschung über dem Ufer war der Feind in der idealen Position, um die englischen Soldaten niederzuschießen, während sie schutzlos durch das Wasser wateten.

Hugh Despensers Männer führten den Vorstoß unter seinem auffälligen schwarz-weißen Banner. Seine Bogenschützen stiegen in den Fluss, die Bogen über der Wasserfläche; hinter ihnen platschten die Ritter und die Schwerbewaffneten ins Wasser. Rolands Männer folgten, und bald durchritten auch Ralph und Alan die Somme.

Anderthalb Meilen waren an Land kein weiter Weg, doch wenn dieser Weg durchs Wasser führte, dauerte es ewig, selbst zu Pferd, wie Ralph nun erkannte. Die Tiefe wechselte: An einigen Stellen gingen sie auf sumpfigem Grund fast wie auf dem Land, an anderen Stellen reichte das Wasser den Fußsoldaten bis zu den Hüften. Männer und Tiere ermüdeten rasch. Die Augustsonne brannte ihnen gnadenlos auf die Köpfe, während ihre Füße vor Kälte taub wurden. Gleichzeitig sahen sie, wenn sie nach vorn blickten, immer deutlicher den Feind, der sie am Nordufer erwartete.

Mit wachsender Beklemmung beobachtete Ralph die gegnerische Streitmacht. Die vorderste Linie am Ufer bildeten die feindlichen Armbrustschützen. Ralph wusste, dass sie keine Franzosen waren, sondern italienische Söldner, die allesamt Genueser genannt wurden, jedoch aus verschiedenen Teilen Italiens kamen. Ihre Armbrust feuerte langsamer als der Langbogen, aber die Genueser würden ausreichend Zeit zum Nachladen haben, während ihre lebenden Ziele durch die Untiefen taumelten. Hinter den Schützen hatten Fußsoldaten und Ritter zu Pferd auf der Uferböschung Stellung bezogen, bereit zum Sturmangriff.

Als Ralph zurückblickte, sah er hinter sich Tausende von Engländern den Fluss durchqueren. Er rief sich in Erinnerung, dass Umkehr außer Frage stand; vielmehr drängten die hinter ihnen Gehenden nach vorn und schoben die führenden Truppen vor sich her.

Nun sah Ralph die feindlichen Reihen schon recht deutlich. Das Ufer entlang waren schwere Holzschilde aufgestellt, die man Pavesen nannte und die den Armbrustschützen gehörten. Als die Engländer in Reichweite kamen, begannen die Genueser zu schießen.

Aus einer Entfernung von dreihundert Schritt lagen ihre Schüsse nicht gut im Ziel, und die Bolzen fielen mit verminderter Kraft in den Fluss. Dennoch wurde eine Handvoll Pferde und Männer getroffen. Die Verwundeten stürzten ins Wasser und wurden flussabwärts getrieben, dem sicheren Tod durch Ertrinken entgegen. Verletzte Pferde röchelten, schlegelten wild mit den Hufen im Wasser und färbten es blutig.

Ralph schlug das Herz bis zum Hals. Je näher die Engländer ans Ufer kamen, desto besser wurde die Zielgenauigkeit der Genueser, und die Bolzen schlugen mit größerer Wucht ein. Eine Armbrust hatte zwar eine lange Ladedauer, doch sie verschoss ihren mit einer Stahlspitze versehenen Eisenbolzen mit verheerender Durchschlagskraft. Überall rings um Ralph fielen Männer und Pferde. Einige der Getroffenen waren auf der Stelle tot. Er konnte nichts tun, um sich zu schützen, begriff er mit einem Gefühl nahenden Unheils; entweder hatte er Glück, oder er starb. Der schreckliche Lärm der Schlacht erfüllte die Luft: das Pfeifen tödlicher Geschosse, das Fluchen verwundeter Männer, das Gewieher von Pferden im Todeskampf.

Die Bogenschützen an der Spitze der englischen Kolonne erwiderten nun den Beschuss. Ihre sechs Fuß messenden Langbogen durften mit dem Ende nicht ins Wasser tauchen, sodass die Männer die Waffen in einem ungewohnten Winkel halten mussten, und der Flussgrund unter ihren Füßen war rutschig, doch sie taten ihr Bestes.

Armbrustbolzen konnten auf kurze Entfernung sogar Plattenpanzer durchschlagen, doch kein Engländer trug solch schwere Rüstung. Von ihren Helmen abgesehen schützte sie nur wenig vor dem tödlichen Hagel.

Hätte Ralph gekonnt, er wäre umgekehrt und geflohen. Doch hinter ihm drängten zehntausend Mann und halb so viele Pferde vorwärts; sie hätten ihn niedergetrampelt und ertränkt, hätte er zu wenden versucht. Ihm blieb keine Wahl, als den Kopf an Griffs Hals zu legen und ihn voranzutreiben.

Die Überlebenden der an vorderster Linie kämpfenden englischen Bogenschützen hatten nun flacheres Wasser erreicht und konnten ihre Waffen wirksamer einsetzen. Sie schossen im Bogen über die Pavesen hinweg. Ein englischer Bogenschütze vermochte in der Minute mehr als ein halbes Dutzend Pfeile abzufeuern. Die Schäfte bestanden aus Holz – Esche zumeist –, doch sie besaßen stählerne Spitzen, und wenn sie wie ein tödlicher Regen auf den Feind niedergingen, sorgten sie für Angst und Schrecken.

Mit einem Mal ließ der Beschuss des Gegners nach. Einige Schilde fielen. Die Genueser wurden zurückgedrängt, und die Engländer erreichten das Ufer.

Kaum berührten die Füße der Bogenschützen festen Boden, als sie sich nach links und rechts verteilten und den Rittern das Ufer freimachten, die nun aus den Untiefen hervor auf die feindlichen Linien losdonnerten. Ralph, der noch durch den Fluss watete, sah gebannt zu. Die Franzosen hätten die Linie halten müssen, damit ihre Armbrustschützen weiterhin die Engländer am Ufer und im Wasser abschlachten konnten, doch die Ritterehre gestattete es dem französischen Adel nicht, sich hinter Schützen niederer Herkunft zu verbergen, und so durchbrachen sie die eigene Linie, um die englischen Ritter anzugreifen – und gaben damit viel vom Vorteil ihrer Position preis. Ralph sah einen Hoffnungsschimmer.

Die Genueser wichen zurück, und am Ufer tobte Schlachtgewühl. Ralphs Herz pochte vor Furcht und Erregung. Die Franzosen hatten weiterhin den Vorteil, hangabwärts zu kämpfen, und sie waren voll gepanzert; sie rieben Hugh Despensers Leute bis auf den letzten Mann auf. Die Vorhut des Sturms preschte in die Untiefen und schlug die Männer nieder, die noch im Wasser waren.

Graf Rolands Bogenschützen erreichten knapp vor Ralph und Alan Fernhill den Wasserrand. Die Überlebenden stürmten die Uferböschung hinauf, verteilten sich zu beiden Seiten und wurden sofort in verlustreiche Kämpfe verwickelt. Wie es aussah, waren die Engländer zum Untergang verurteilt. Ralph knirschte mit den Zähnen. Wenn er schon sterben musste, dann im Kampf.

Den Kopf an Griffs Hals, das Schwert erhoben, preschte er auf die französische Linie zu, duckte sich vor einem wilden Schwerthieb und erreichte trockenen Boden. Dröhnend prallte sein erster Hieb von einem stählernen Helm ab; dann stieß Griff mit dem Pferd eines Feindes zusammen. Das französische Ross war größer, aber jünger; es taumelte und warf seinen Reiter in den Schlamm. Ralph riss Griff herum, ritt ein paar Schritt zurück und setzte zu einem zweiten Angriff an.

Sein Schwert vermochte gegen Plattenpanzer nicht viel auszurichten, doch er war ein großer Mann auf einem kampferprobten Pferd, und seine größte Hoffnung bestand darin, feindliche Reiter aus dem Sattel zu stoßen, so wie den Gegner vorhin. Wieder preschte er los. Er hatte jetzt keine Furcht mehr, wurde nur noch von Kampfeswut beherrscht, einer blinden Raserei, die ihn trieb, so viele Feinde zu töten wie nur möglich. Die Zeit stand still, und er dachte nur noch von einem Augenblick zum nächsten. Ralph erlebte diesen Zustand nicht zum ersten Mal. Später, wenn die Schlacht endete und er noch lebte, würde er verwundert beobachten, wie die Sonne sank, und staunen, dass ein ganzer Tag vergangen war. Nun aber ritt er wieder und wieder gegen den Feind, duckte sich unter Schwerthieben, schlug zu, wo er eine Gelegenheit sah, unablässig und ohne langsamer zu werden, denn jedes Zögern wäre tödlich gewesen.

Irgendwann – es hätte nach wenigen Minuten, aber auch nach ein paar Stunden sein können – bemerkte er ungläubig, dass keine englischen Landsleute mehr fielen. Stattdessen schienen sie an Boden zu gewinnen und Hoffnung zu fassen. Ralph löste sich aus dem wildesten Getümmel und hielt keuchend inne, um zu sehen, was nun geschah.

Das Ufer war mit dampfenden Pferdeleibern und Leichen übersät, doch waren unter diesen genauso viele Franzosen wie Engländer, und Ralph begriff, wie töricht der französische Ausfall gewesen war: Als die Ritter beider Heere aufeinander geprallt waren, hatten die französischen Armbrustschützen nicht mehr geschossen, weil sie fürchten mussten, die eigenen Leute zu töten. Hatten sie zuvor die Engländer auf dem Wasser abschießen können wie Enten auf einem Teich, sahen sie sich nun weitgehend zur Untätigkeit verdammt. So waren die Engländer bald in Scharen ans Ufer geströmt; die Bogenschützen waren nach links und rechts aufgefächert, während Reiter und Fußsoldaten vorstießen, sodass die Franzosen von der schieren zahlenmäßigen Übermacht erdrückt zu werden drohten.

Als Ralph nun zum Wasser blickte, sah er, dass die Flut wieder stieg, und die Engländer, die noch im Fluss waren, drängten voller Verzweiflung an Land, egal welches Schicksal sie am Ufer erwartete.

Noch während Ralph Atem schöpfte, verließ die Franzosen der Mut. Vom Ufer vertrieben und zurückgedrängt vom englischen Heer, das aus dem steigenden Wasser der Somme hervorquoll, zogen sie sich immer weiter zurück. Die Engländer stießen unerbittlich nach, konnten ihr Glück kaum fassen; und wie es so oft geschah, währte es nicht lange, bis der Rückzug der Franzosen sich in eine heillose Flucht verwandelte, bei der jeder Mann nur darauf bedacht war, die eigene Haut zu retten.

Ralph blickte über die Mündung der Somme hinweg. Der Tross war mitten im Strom; Pferde und Ochsen zogen die schweren Wagen durch die Furt, von Kutschern gepeitscht, die in panischer Hast vor der Flut flüchteten. Am anderen Ufer wurde hier und da noch gekämpft. König Philippes Vorhut musste eingetroffen sein und Nachzügler angegriffen haben, und Ralph vermeinte im Sonnenlicht die Farben der böhmischen leichten Reiterei zu erkennen. Doch sie kamen zu spät.

Ralph sank im Sattel zusammen, mit einem Mal schwach vor Erleichterung. Die Schlacht war geschlagen. Auf schier unglaubliche Weise und wider alle Erwartung war es den Engländern gelungen, der französischen Falle zu entkommen.

Für heute waren sie sicher.

Am 25. August erreichten Caris und Mair das Umland von Abbeville und trafen dort zu ihrem Entsetzen auf das französische Heer. Zehntausende Fußsoldaten und Bogenschützen hatten in den Feldern vor der Stadt ihr Lager aufgeschlagen. Auf der Straße hörten sie nicht nur französische Dialekte, sondern auch Sprachen aus fernen Ländern: aus Flandern, Böhmen, Italien, Savoyen, Mallorca.

Die Franzosen und ihre Verbündeten jagten König Edward von England und seinem Heerbann hinterher – genau wie Caris und Mair. Caris fragte sich, wie Mair und sie dieses Rennen gewinnen sollten.

Als sie am späten Nachmittag das Tor durchquerten und die Stadt betraten, verstopften französische Adlige die Straßen. Caris hatte noch nie solch eine Zurschaustellung kostbarer Kleidung, prächtiger Waffen, edler Pferde und neuer Schuhe gesehen, selbst in London nicht. Es schien, als wäre die gesamte französische Aristokratie zugegen. Die Wirte und Bäcker, Gaukler und Huren der Stadt arbeiteten ohne Verschnaufpause, um die Bedürfnisse ihrer Gäste zu befriedigen. Jedes Wirtshaus war gerammelt voll mit Rittern, und in fast jedem Haus schlief ein Graf auf dem Fußboden.

Die Abtei des heiligen Petrus stand auf der Liste der frommen Häuser, in denen Caris und Mair hatten unterkommen wollen. Doch selbst wenn sie noch als Nonnen gekleidet gewesen wären, hätten sie Schwierigkeiten gehabt, ins Gästehaus zu gelangen: Dort residierte der König von Frankreich, und sein Gefolge nahm den gesamten verfügbaren Platz ein. Die beiden Nonnen aus Kingsbridge, nun als Christophe und Michel de Longchamp verkleidet, wurden an die große Abteikirche verwiesen, wo mehrere hundert Junker, aber auch Stallknechte und andere Bedienstete des Königs die Nacht auf dem kalten Steinfußboden des Hauptschiffs verbrachten. Der zuständige Hauptmann jedoch wies Caris und Mair ab: Es gebe keinen Platz mehr; sie müssten auf den Feldern schlafen wie jeder andere von niederem Stand.

Im nördlichen Querschiff war ein Lazarett für die Verwundeten eingerichtet. Auf dem Weg nach draußen blieb Caris stehen und beobachtete, wie der Feldscher einem stöhnenden Soldaten einen tiefen Schnitt in der Wange zunähte. Seine Bewegungen waren schnell und geschickt, und als er fertig war, sagte Caris bewundernd: »Das habt Ihr sehr gut gemacht.«

»Danke«, sagte der Feldscher, blickte sie an und fragte: »Aber woher wollt Ihr das wissen, mein Junge?«

Caris kannte sich aus, weil sie Matthew Barber oft genug bei der Arbeit zugesehen hatte, doch nun musste sie sich rasch irgendeine Geschichte einfallen lassen. »Bei uns in Longchamp ist mein Vater der Arzt des Sieur«, sagte sie.

»Und Ihr seid mit Eurem Sieur hier?«

»Er wurde von den Engländern gefangen genommen, und meine Herrin hat mich und meinen Bruder gesandt, um das Lösegeld auszuhandeln.«

»Hmm. Am besten wendet Ihr Euch gleich nach London. Wenn er jetzt noch nicht dort ist, dann bald. Aber da Ihr nun hier seid, könnt Ihr Euch ein Bett für die Nacht verdienen, indem Ihr mir helft.«

»Mit Freuden.«

»Habt Ihr Eurem Vater schon einmal zugesehen, wie er Wunden mit warmem Wein auswäscht?«

Das Wundenwaschen beherrschte Caris im Schlaf. Kurze Zeit später taten Mair und sie, was sie am besten konnten: Sie kümmerten sich um leidende Menschen. Die meisten Männer waren am Vortag in einer Schlacht verwundet worden, die um die Furt an der Somme geführt worden war. Verwundete Adlige mussten bevorzugt behandelt werden, und erst jetzt konnte der Feldscher sich den einfachen Soldaten zuwenden. Mehrere Stunden lang arbeiteten sie ununterbrochen. Der lange Sommerabend dämmerte, und Kerzen wurden herausgebracht. Endlich waren alle Knochen gerichtet, die zerschmetterten Gliedmaßen amputiert und die Wunden vernäht. Der Feldscher, Martin Chirurgien, nahm Caris und Mair zum Abendbrot mit ins Refektorium.

Sie wurden wie Angehörige des königlichen Gefolges behandelt und bekamen geschmortes Lamm mit Zwiebeln vorgesetzt. Eine Woche lang hatten sie kein Fleisch mehr gegessen. Sogar guter Rotwein wurde ihnen eingeschenkt. Mair trank mit Genuss. Caris dankte Gott, dass sie nun wieder ein wenig zu Kräften kamen, doch sie machte sich noch immer große Sorgen, ob sie die Engländer noch einholen konnten.

Ein Ritter an ihrem Tisch sagte: »Wisst Ihr eigentlich, dass nur eine Tür weiter, im Speisesaal des Abtes, vier Könige und zwei Erzbischöfe zu Abend essen?« Er zählte sie an den Fingern auf: »Die Könige von Frankreich, Böhmen, Rom und Mallorca, dazu die Erzbischöfe von Rouen und Sens.«

Diesen Anblick wollte sich Caris nicht entgehen lassen. Sie verließ den Raum durch eine Tür, die zur Küche führte. Sie sah Diener schwer beladene Tabletts in das angrenzende Zimmer tragen und spähte durch den Türspalt.

Die Männer an der Tafel waren ohne Zweifel von hohem Rang – die Tischplatte bog sich unter der Last der Speisen: gegrillte Vögel, saftige Rinder- und Lammkeulen, Schüsseln voll Pudding und Pyramiden aus kandierten Früchten. Der Mann am Kopf der Tafel war wohl König Philippe, dreiundfünfzig Jahre alt, mit grauen Haaren im blonden Bart. Neben ihm ließ sich ein jüngerer Mann aus, der ihm ähnlich sah. »Die Engländer sind keine Edelleute«, sagte er mit zorngerötetem Gesicht. »Sie sind wie Diebe in der Nacht! Sie stehlen, und dann fliehen sie!«

Martin Chirurgien erschien neben Caris und raunte ihr ins Ohr: »Das ist mein Herr – Charles, Graf von Alençon, der Bruder des Königs.«

Eine andere Stimme sagte: »Dem widerspreche ich.« Caris sah sofort, dass der Sprecher blind war, und schloss daraus, dass es sich um König Johann von Böhmen handelte. »Die Engländer können nicht mehr lange fliehen. Ihnen gehen die Vorräte aus, und sie sind erschöpft.«

Charles erwiderte: »Edward will sich mit dem anglo-flämischen Heer vereinigen, das im Nordosten aus Flandern nach Frankreich eingefallen ist.«

Johann schüttelte den Kopf. »Wir haben heute erfahren, dass dieses Heer den Rückzug angetreten hat. Ich glaube, Edward muss sich stellen und kämpfen. Und aus seiner Sicht gilt: je früher, desto besser, denn seine Männer verlieren mit jedem Tag an Kampfgeist.«

Charles rief erregt: »Dann fangen wir sie vielleicht morgen. Für das, was sie in der Normandie verbrochen haben, sollte jeder von ihnen sterben – Ritter, Adlige, sogar Edward selbst!«

König Philippe legte Charles besänftigend die Hand auf den Arm. »Der Zorn Unseres Bruders ist verständlich«, sagte er. »Die Verbrechen der Engländer sind abscheulich. Aber denkt daran: Wenn wir dem Feind begegnen, ist es das Wichtigste, alle Differenzen beiseitezustellen, die es zwischen uns geben mag, unsere Streitigkeiten und unseren Groll zu vergessen und einander zu vertrauen, wenigstens für die Dauer der Schlacht. Wir sind den Engländern gegenüber in der Überzahl und sollten sie leicht überwinden können – aber wir müssen gemeinsam kämpfen, als ein Heer. Lasst uns auf die Einigkeit anstoßen!«

Ein interessanter Trinkspruch, dachte Caris, während sie sich diskret zurückzog. Offenbar ging der König nicht davon aus, dass seine Verbündeten zueinanderstehen würden. Doch was Caris an dem Gespräch wirklich beunruhigte, war die bedrückende Aussicht, dass es bald wieder zur Schlacht kommen würde, vielleicht sogar schon am nächsten Tag. Mair und sie mussten achtgeben, sonst wurden sie darin verwickelt.

Während sie zum Refektorium zurückkehrten, sagte Martin Chirurgien leise: »Auch Ihr habt einen ungebärdigen Bruder, genau wie der König.«

Caris sah, dass Mair sich betrank. Sie übertrieb es mit ihrer Jungenrolle, saß mit gespreizten Beinen da und hatte die Ellbogen auf den Tisch gestützt. »Bei allen Heiligen, das war ein gutes Essen, aber ich muss davon furzen wie der Teufel«, sagte die Nonne mit dem lieben Gesicht in Männerkleidung. »Tut mir leid, wenn's stinkt, ihr Herren.« Sie füllte sich den Weinkelch nach und trank einen tiefen Schluck.

Die Männer lachten nachsichtig. Der Anblick eines Jungen, der sich zum ersten Mal betrank, belustigte sie und erinnerte sie gewiss an peinliche Zwischenfälle aus ihrer eigenen Vergangenheit.

Caris nahm sie beim Arm. »Für dich ist Bettzeit, kleiner Bruder«, sagte sie. »Und auf geht's.«

Mair ließ sich willig mitzerren. »Mein großer Bruder benimmt sich wie ein altes Weib«, sagte sie zu den Männern. »Aber er liebt mich ... stimmt's, Christophe?«

»Ja, Michel, ich liebe dich«, sagte Caris, und die Männer lachten wieder.

Mair drückte sich an sie. Caris führte sie zur Kirche zurück und fand die Stelle im Hauptschiff, wo sie ihre Decken ausgebreitet hatten. Sie brachte Mair dazu, sich hinzulegen, und deckte sie zu.

»Gib mir einen Gutenachtkuss, Christophe«, sagte Mair.

Caris küsste sie auf den Mund und entgegnete: »Du bist betrunken. Schlaf jetzt. Wir müssen morgen früh aufstehen.«

Caris lag noch einige Zeit wach und sorgte sich. Ihr war, als hätte sie schreckliches Pech gehabt. Fast hätte sie mit Mair das englische Heer und Bischof Richard eingeholt – nun aber erreichten sie gerade in dem Augenblick ihr Ziel, als auch die Franzosen zu den Engländern aufschlossen. Eigentlich sollten sie lieber gebührenden Abstand zum Schlachtfeld halten. Blieben sie und Mair jedoch im Rücken des französischen Heerbanns, holten sie ihre Landsleute vielleicht nie ein.

Alles in allem hielt Caris es für das Beste, am nächsten Morgen so früh wie möglich aufzubrechen und den Versuch zu unternehmen, sich vor die Franzosen zu setzen. Ein so großes Heer war schwerfällig und träge; es dauerte Stunden, bis es auch nur Marschordnung eingenommen hatte. Wenn Mair und sie geschickt waren, sollten sie ihren Vorsprung halten können. Riskant war es – doch seit sie Portsmouth verlassen hatten, waren sie ein Wagnis nach dem anderen eingegangen.

Caris schlief ein und erwachte kurz nach drei Uhr, als die Glocke zur Matutin läutete. Sie weckte Mair und zeigte wenig Mitgefühl, als diese über Kopfschmerz klagte. Während die Mönche in der Kirche Psalmen sangen, gingen Caris und Mair zu den Ställen und suchten ihre Pferde. Der Himmel war klar, und sie konnten im Sternenlicht sehen.

Die Bäcker der Stadt hatten die ganze Nacht gearbeitet, und sie konnten Brotlaibe als Reiseproviant erstehen. Doch die Stadttore waren noch geschlossen: Voll Ungeduld mussten sie bis zur Morgendämmerung warten. Sie zitterten in der kühlen Luft, während sie sich an frischem Brot labten.

Gegen halb fünf konnten sie Abbeville endlich verlassen und ritten am rechten Ufer der Somme entlang nach Nordwesten, in die Richtung, die das englische Heer nehmen sollte.

Sie waren nur eine Viertelmeile weit gekommen, als die Trompeten auf den Stadtmauern den Weckruf erschallen ließen. Wie Caris hatte sich auch König Philippe zu einem frühen Aufbruch entschieden. Auf den Feldern regten sich die Soldaten und das Trossgefolge. Die Hauptleute mussten ihre Befehle schon am Vorabend erhalten haben, denn sie schienen zu wissen, was zu tun war, und nach kurzer Zeit gesellten sich Teile des Heeres zu Caris und Mair auf die Straße.

Caris hoffte noch immer, die Engländer vor den Franzosen zu erreichen. Die Franzosen mussten schließlich anhalten und sich formieren, ehe sie in die Schlacht zogen. Währenddessen sollten Caris und Mair die nötige Zeit finden, um ihre Landsleute einzuholen und sich jenseits des Schlachtfelds in Sicherheit zu bringen. Auf keinen Fall wollte sie zwischen den Linien festsitzen. Allmählich kam Caris allerdings zu dem Schluss, dass es äußerst dumm von ihr gewesen war, diese Mission auf sich zu nehmen. Da sie den Krieg nicht kannte, hatte sie sich die drohenden Schwierigkeiten und Gefahren gar nicht vorstellen können. Doch nun war es für Reue zu spät. Und sie waren schon sehr weit gekommen, ohne dass ihnen etwas zugestoßen wäre.

Die Soldaten, die auf der Straße mit ihnen zogen, waren keine Franzosen, sondern Italiener. Sie trugen stählerne Armbrüste und Bündel aus Eisenpfeilen. Freundliche Männer waren es, und Caris schwatzte mit ihnen in einer Mischung aus Normannenfranzösisch, Latein und den italienischen Brocken, die sie von Buonaventura Caroli aufgeschnappt hatte. Die Italiener erzählten ihr, dass sie in der Schlacht stets die vorderste Linie bildeten und aus der Deckung ihrer schweren hölzernen Pavesen schossen, die sich im Moment auf Wagen irgendwo weiter hinten stapelten. Die Männer murrten über das hastige Frühstück, nannten die französischen Ritter sprunghaft und streitsüchtig und sprachen voller Respekt von ihrem Anführer Ottone Doria, der ein Stück weiter vorn marschierte.

Die Sonne stieg am Himmel hoch, und allen wurde warm. Weil die Armbrustschützen wussten, dass sie an diesem Tag vielleicht in die Schlacht zogen, waren sie mit schweren gesteppten Waffenröcken angetan und trugen zu Armbrüsten und Bolzen zusätzlich Helme und Knieschutz aus Eisen. Gegen Mittag erklärte Mair, dass sie ohnmächtig würde, wenn sie nicht endlich Rast machten. Auch Caris war erschöpft – sie ritten seit Tagesanbruch –, und sie wusste, dass auch die Pferde eine Pause nötig hatten. Gegen ihren Wunsch sah sie sich zum Halt gezwungen, während Tausende von Armbrustschützen an ihnen vorbeizogen.

Caris und Mair tränkten ihre Ponys in der Somme und aßen ein paar Bissen Brot. Als sie wieder aufbrachen, stellten sie fest, dass sie nun mit französischen Rittern und deren Gefolgsleuten marschierten. Caris erkannte an der Spitze der Gruppe Charles, den Grafen von Alençon, des Königs cholerischen Bruder. Sie befand sich mitten im französischen Heerbann und konnte nichts tun, als in Bewegung zu bleiben und auf eine Gelegenheit zu hoffen, zur Vorhut vorstoßen zu können.

Kurz nach Mittag lief ein Befehl den Heerzug entlang. Die Engländer waren nicht im Westen, wie bislang geglaubt, sondern im Norden; der französische König befahl nun seinem Heer, in diese Richtung zu schwenken – nicht in Linie, sondern alle gleichzeitig. Die Männer um Caris und Mair, von Graf Charles geführt, bogen von der Uferstraße auf einen schmalen Pfad ab, der durch die Felder führte. Beklommen folgte Caris ihnen.

Eine vertraute Stimme rief sie an, und Martin Chirurgien ritt neben sie. »Was für ein Durcheinander«, sagte er grimmig. »Die Marschordnung ist völlig zusammengebrochen.«

Eine kleine Gruppe von Männern auf schnellen Pferden preschte über die Felder heran und grüßte Graf Charles. »Späher«, sagte Martin und ritt vor, um zu hören, was sie zu sagen hatten. Caris' und Mairs Ponys folgten seinem Tier mit dem natürlichen Instinkt aller Pferde, nahe beieinanderzubleiben.

»Die Engländer haben haltgemacht«, hörten sie. »Sie haben Verteidigungsstellung auf einem Höhenrücken bei Crécy bezogen.«

Martin sagte: »Das ist Henri le Moine, ein alter Kampfgefährte des Königs von Böhmen.«

Charles zeigte sich erfreut von der Neuigkeit. »Dann kommt es heute noch zur Schlacht!«, rief er, und die Ritter jubelten aus rauen Kehlen.

Henri hob warnend die Hand. »Wir empfehlen, dass alle Einheiten haltmachen und sich neu formieren«, sagte er.

»Halt machen?«, grollte Charles. »Jetzt? Wo die Engländer endlich willens sind, sich zu stellen und zu kämpfen? Auf sie, sage ich!«

»Unsere Männer und Pferde brauchen eine Rast«, erwiderte Henri ruhig. »Der König ist weit hinten. Gebt ihm die Gelegenheit, aufzuschließen und das Schlachtfeld in Augenschein zu nehmen. Dann kann er heute schon die Vorbereitungen für einen morgigen Angriff treffen, wenn die Männer ausgeruht sind.«

»Zum Teufel mit den Vorbereitungen. Es sind nur ein paar tausend Engländer. Wir werden sie überrennen!«

Henri machte eine hilflose Geste. »Es steht mir nicht zu, Euch Befehle zu erteilen. Aber ich werde Euren königlichen Bruder um Anweisungen bitten.«

»Bittet ihn, wenn Ihr wollt!«, erwiderte Charles und ritt weiter.

Martin wandte sich an Caris: »Ich weiß gar nicht, weshalb mein Herr so unbeherrscht ist.«

Caris sagte nachdenklich: »Er glaubt wohl, beweisen zu müssen, dass er tapfer genug zum Herrschen ist, auch wenn er durch den Zufall der Geburt kein König wurde.«

Martin blickte sie scharf an. »Für einen Jungen seid Ihr sehr hellsichtig.«

Caris wich seinem Blick aus und schwor sich, nie wieder zu vergessen, dass sie ein junger Mann zu sein vorgab. In Martins Stimme lag zwar keine Feindseligkeit, aber nun war er misstrauisch. Als Feldscher kannte er die Beschaffenheit eines Männerkörpers und dessen Eigenheiten, und dass Christophe und Michel de Longchamp ausgesprochen zierliche Männer mit hohen Stimmen waren, konnte ihm kaum entgangen sein. Ob er sich schon seinen Teil dachte? Zum Glück verfolgte er die Angelegenheit nicht weiter.

Der Himmel bezog sich, aber die Luft war noch warm und feucht. Links tauchte ein Forst auf. Martin erklärte Caris, das sei der Wald von Crécy. Sie konnten nicht mehr weit von den Engländern entfernt sein. Caris zerbrach sich bereits den Kopf, wie sie sich von den Franzosen trennen und zu den Engländern stoßen sollten, ohne von der einen oder anderen Seite getötet zu werden.

Durch den Wald wurde die linke Flanke des marschierenden Heeres abgedrängt, und bald war die Straße, auf der Caris und Mair unterwegs waren, mit Truppen verstopft. Die verschiedenen Einheiten irrten hoffnungslos durcheinander.

Kuriere ritten mit neuen Befehlen des Königs den Heerzug entlang. Die Armee wurde angewiesen, anzuhalten und ein Lager aufzuschlagen.

Caris schöpfte Hoffnung: Jetzt würde sie ihre Gelegenheit bekommen, das französische Heer zu überholen. Zwischen Charles und einem Kurier entbrannte ein Streitgespräch, und Martin ritt an Charles' Seite, um zuzuhören. Als er zu Caris zurückkam, war seine Miene ungläubig. »Graf Charles weigert sich, den Befehlen zu gehorchen!«, sagte er.

»Wieso?«, fragte Caris bestürzt.

»Er hält seinen Bruder für übervorsichtig. Er, Charles, werde nicht so feige sein, vor einem solch schwachen Feind innezuhalten.«

»Ich dachte, im Kampf muss jeder dem König gehorchen.«

»So sollte es sein. Aber französischen Adligen ist nichts so wichtig wie die Ritterehre. Sie würden eher sterben, als etwas zu tun, das sie als feige erachten.«

Gegen die Befehle des Königs marschierte das Heer weiter. »Ich bin froh, dass ihr zwei dabei seid«, sagte Martin. »Ich werde eure

Hilfe bald wieder brauchen. Ob wir siegen oder verlieren – wenn die Sonne sinkt, haben wir viele, viele Verwundete.«

Caris erkannte, dass es kein Entkommen für sie gab. Doch aus einem unerfindlichen Grund wollte sie auch nicht mehr fort. Stattdessen war sie von einer eigentümlichen Ungeduld erfüllt. Wenn diese Männer so verrückt waren, einander mit Schwertern und Pfeilen zu verstümmeln, konnte sie wenigstens den Verwundeten zu Hilfe kommen.

Bald kam Ottone Doria, der Anführer der Armbrustschützen, durch die Menge zurückgeritten – angesichts des Gedrängels kein leichtes Unterfangen –, denn er wollte Charles d'Alençon sprechen. »Haltet Eure Mannen zurück!«, rief er dem Grafen zu.

Charles missfiel sein Tonfall. »Wie könnt Ihr es wagen, mir Befehle zu erteilen?«

»Die Befehle kamen vom König! Wir sollen anhalten. Aber meine Männer können nicht stehen bleiben, weil Eure Ritter von hinten nachdrängen!«

»Dann lasst sie weitermarschieren.«

»Wir sind in Sichtweite des Feindes. Noch ein Stück weiter, und es kommt zum Kampf.«

»Dann soll es so sein.«

»Aber die Männer sind den ganzen Tag marschiert. Sie sind hungrig, durstig und müde. Und meinen Armbrustern fehlen die Pavesen.«

»Sind sie zu feige, ohne Schilde zu kämpfen?«

»Ihr nennt meine Männer Feiglinge?«

»Wenn sie nicht kämpfen wollen – jawohl.«

Ottone schwieg für einen Moment. Dann sprach er mit leiser Stimme, sodass Caris seine Worte gerade noch verstehen konnte: »Ihr seid ein Narr, d'Alençon. Und wenn die Nacht kommt, brennt Ihr in der Hölle.« Damit wandte er sich ab und ritt davon.

Caris spürte Wasser auf dem Gesicht und schaute zum Himmel. Es fing an zu regnen.

Der Schauer war kurz, aber heftig. Als es wieder aufklarte, blickte Ralph übers Tal und sah voller Furcht und Erwartung, dass der Feind eingetroffen war.

Die Engländer hatten einen Höhenkamm besetzt, der sich von Südwesten nach Nordosten zog. In ihrem Rücken, im Nordwesten, befand sich ein Wald. Vor ihnen und zu beiden Seiten senkte sich das Gelände ab. Von ihrer rechten Flanke blickten sie auf das Städtchen Crécy-en-Ponthieu, das sich ins Tal der Maye schmiegte.

Die Franzosen rückten aus dem Süden an.

Ralph stand mit Graf Rolands Mannen an der rechten Flanke, die der junge Fürst von Wales befehligte. Sie waren in der Doppelkeilformation aufgestellt, die sich gegen die Schotten als so wirksam erwiesen hatte: Links und rechts standen vorgeschobene Keile aus Bogenschützen wie die beiden Zinken einer Egge. Zwischen den Zinken, ein gutes Stück zurückgesetzt, hatten abgesessene Reiter und Fußsoldaten Stellung bezogen. Die Aufstellung war eine radikale Neuerung, der sich viele Ritter noch widersetzten: Sie kämpften am liebsten zu Pferd und fühlten sich verwundbar, wenn sie nicht im Sattel saßen. Doch der König blieb unnachgiebig: Jeder focht zu Fuß. Vor den Rittern hatten die Männer Fallgruben ausgehoben – einen Fuß im Geviert groß und einen Fuß tief –, um die französischen Pferde ins Straucheln zu bringen.

Rechter Hand von Ralph, am Ende des Kamms, hatte eine technische Neuheit Stellung bezogen: drei Rohre, die man Bombarden oder Kanonen nannte. Durch die Explosion eines Pulvers verschossen sie runde Steine. Während des gesamten Marsches durch die Normandie hatte man die Bombarden mitgeschleppt, aber noch nie abgefeuert, und niemand wusste mit Sicherheit zu sagen, ob sie den Erwartungen gerecht würden. Heute aber brauchte König Edward jedes Mittel, das ihm zur Verfügung stand, denn die feindliche Überlegenheit betrug zwischen vier zu eins und sieben zu eins.

An der linken englischen Flanke hatten die Mannen des Grafen von Northampton die gleiche Formation eingenommen. Hinter den vordersten Linien stand, vom König persönlich geführt, die Reserve. Im Rücken des Königs wiederum befanden sich zwei Rückzugsstellungen. Die erste wurde von den Trosswagen gebildet, die man in einem Kreis zusammengestellt hatte; ein Teil der nicht kämpfenden Truppe – Köche, Sappeure und Fuhrknechte – kümmerte sich im Innern dieses Kreises um die Pferde. Die zweite Rückzugsstellung war der Wald selbst, in den die Reste des englischen Heeres fliehen konnten, falls es in die Flucht geschlagen wurde; die französischen Ritter könnten ihnen zu Pferde nur mühsam folgen.

Seit dem frühen Morgen standen die Männer bereit. Vielen knurrte der Magen, denn sie hatten außer Erbsensuppe mit Zwiebeln nichts zu essen bekommen. Ralph trug seine Rüstung und war in der Hitze fast umgekommen; deshalb begrüßte er das Gewitter. Außerdem hatte der Regenguss die Böschung verschlammt, die die Franzosen bei einem Angriff hinaufstürmen mussten, und sie gefährlich rutschig gemacht.

Ralph konnte sich gut denken, welche Taktik der Feind anwenden würde. Von ihren großen Schilden gedeckt, würden die Genueser Armbruster zu schießen beginnen, um die englische Linie zu schwächen. Nachdem sie genug Schaden angerichtet hätten, würden sie zur Seite rücken, um die französischen Ritter auf ihren Schlachtrössern den Sturmangriff führen zu lassen.

Nichts war so Furcht einflößend wie solch ein Sturmangriff, *furor franciscus* genannt. Er war die unübertroffene Waffe des französischen Adels, dessen Ehrenkodex verlangte, dass die Ritter ihre persönliche Sicherheit außer Acht ließen. Ihre riesigen Pferde walzten mit ihren Reitern, die so lückenlos gepanzert waren, dass sie wie Männer aus Eisen aussahen, über gegnerische Bogenschützen, Schilde, Schwerter und Soldaten hinweg.

Natürlich gelang der Sturmangriff nicht immer. Er konnte zurückgeschlagen werden – besonders, wenn das Gelände dem Verteidiger Vorteile bot, und das war hier der Fall. Allerdings ließen die Franzosen sich nicht so leicht entmutigen; nach einem Rückschlag würden sie erneut angreifen. Und sie verfügten über eine solch erdrückende zahlenmäßige Überlegenheit, dass Ralph keine Möglichkeit sah, wie die Engländer sie auf Dauer zurückschlagen sollten.

Er hatte Angst, doch er bereute es nicht, in den Krieg gezogen zu sein. Sieben Jahre lang hatte er das Leben führen können, das er sich stets gewünscht hatte – ein Leben voller Kampf und männlicher Bewährung, bei dem die Starken Könige waren und die Schwachen nicht zählten. Er war neunundzwanzig Jahre alt, und Männer der Tat erreichten selten ein hohes Alter. Er hatte schreckliche Sünden begangen, doch ihm war Absolution erteilt worden, zuletzt an diesem Morgen durch den Bischof von Shiring, der nun neben seinem Vater, dem Grafen, stand, einen tückisch aussehenden Streitkolben in der Hand: Priester durften kein Blut vergießen – ein Gebot, das sie der Form nach befolgten, indem sie auf dem Schlachtfeld stumpfe Waffen benutzten, die keine blutenden Wunden schlugen.

Die Armbrustschützen in ihren weißen Mänteln erreichten nun das untere Ende der Böschung. Die englischen Bogner, die am Boden saßen, die Pfeile vor sich mit der Spitze in den Boden gesteckt, erhoben sich und spannten die Sehnen auf die Bogen. Die meisten von ihnen, vermutete Ralph, empfanden das Gleiche wie er: Erleichterung, dass das lange Warten ein Ende hatte, und Furcht vor Tod oder Verstümmelung.

Doch noch war es nicht ganz so weit: Ralph sah, dass die Genueser die schweren hölzernen Pavesen nicht dabeihatten, die ein wesentliches Element ihrer Taktik darstellten. Die Schlacht würde nicht beginnen, ehe diese Schilde gebracht wurden, da war er sicher.

Hinter den Armbrustschützen strömten Tausende von Rittern von Süden her ins Tal und fächerten nach links und rechts aus. Die Sonne brach aus den Wolken hervor und ließ die hellen Farben ihrer Banner und der Schabracken ihrer Pferde erstrahlen. Ralph erkannte das Wappen von Charles, dem Grafen von Alençon, König Philippes Bruder.

Die Armbrustschützen hielten am Fuß der Böschung. Sie waren zu Tausenden. Wie auf ein Zeichen ließen sie ein furchtbares Gebrüll ertönen und stießen die Arme in die Luft. Trompeten schmetterten.

Es war ihr Kriegsruf, der dem Feind Furcht einflößen sollte. Bei einigen Gegnern wirkte er vielleicht, doch das englische Heer bestand aus erfahrenen Kämpen, die einen sechswöchigen Feldzug hinter sich hatten; um diese Männer in Angst zu versetzen, brauchte es mehr als Gebrüll. Sie verzogen keine Miene.

Dann hoben die Genueser zu Ralphs grenzenlosem Erstaunen die Armbrüste und schossen.

Was taten sie da? Sie hatten keine Schilde!

Es hörte sich beängstigend an, das Geräusch von fünftausend eisernen Bolzen, die durch die Luft schwirrten. Doch die Feinde waren außer Reichweite. Vielleicht hatten die Genueser nicht berücksichtigt, dass sie hügelauf schossen; überdies schien ihnen die Nachmittagssonne hinter den englischen Linien in die Augen. Was immer der Grund war – ihre Schüsse lagen zu kurz, und die Bolzen schlugen wirkungslos in den Boden.

Im Zentrum der englischen Front blitzte es auf, und ein Donnergrollen ertönte. Erstaunt sah Ralph Rauch aufsteigen, wo die neuen Bombarden standen. Der Lärm dieser Waffen war beeindruckend, doch als er wieder auf die feindlichen Reihen blickte, sah er nur wenig Schaden. Allerdings waren viele Armbruster dermaßen erschrocken, dass sie beim Nachladen innehielten.

In diesem Moment gab der Fürst von Wales den Bogenschützen den Schießbefehl.

Zweitausend Langbogen wurden gehoben. Die erfahrenen Schützen richteten ihre Waffen so zum Himmel, dass die Flugbahn ihre Pfeile zu den Feinden trug. Alle Bogen krümmten sich gleichzeitig wie Weizenhalme auf einem Feld, über das eine Sommerbrise weht; dann schnellten die Pfeile von den Sehnen – ein zweitausendfach verstärktes Geräusch, das entfernt an das Dröhnen einer Kirchenglocke erinnerte. Die Schäfte, die schneller flogen als der geschwindeste Vogel, stiegen in die Luft, neigten sich nach unten und gingen wie ein Hagelschauer auf die Armbrustschützen nieder.

Die feindlichen Reihen waren dicht, und die gepolsterten Mäntel der Genueser boten nur wenig Schutz. Ohne Pavesen waren die Armbruster entsetzlich verwundbar. Hunderte wurden von den Pfeilen niedergemäht.

Aber das war erst der Anfang.

Als die überlebenden Armbruster nun voller Hast ihre Waffen neu spannten, schossen die Engländer schon wieder. Ein Bogenschütze brauchte nur zehn Sekunden, um einen Pfeil aus dem Boden zu ziehen, ihn aufzulegen, den Bogen zu spannen, zu zielen, zu schießen und nach dem nächsten Pfeil zu greifen. Geübte Männer konnten es noch schneller. Binnen einer Minute gingen zehntausend Pfeile auf die ungeschützten Armbruster nieder. Es war ein Massaker, und bald machten die Genueser kehrt und flohen. Binnen weniger Augenblicke waren sie außer Reichweite der Pfeile, und die Engländer stellten den Beschuss ein. Sie lachten in unerwartetem Triumph und verhöhnten den Feind.

Dann trafen die Armbruster auf eine neue Gefahr, diesmal aus den eigenen Reihen: Die französischen Ritter preschten vor. Eine dichte Traube aus fliehenden Armbrustschützen und ein geballter Reiterpulk, der zum Angriff ansetzte, stürmten einander frontal entgegen. Einen Augenblick lang herrschte Chaos.

Ralph beobachtete fassungslos, wie unter den Feinden ein wütender Kampf ausbrach. Die Ritter zogen die Schwerter und hieben auf die Armbruster ein, die ihre Bolzen auf die Ritter abfeuerten, um dann mit dem Langdolch weiterzukämpfen. Statt dem Gemetzel ein Ende zu machen, griffen die Ritter – allen voran die Adeligen in ihren prächtigen Rüstungen, die in vorderster Linie kämpften – in wilder Wut die eigenen Leute an.

Die Ritter trieben die Armbruster zur Böschung zurück, bis sie erneut in Reichweite der englischen Langbogenschützen waren. Wieder erteilte der Fürst von Wales den Bognern den Befehl zu schießen. Diesmal ging der Pfeilhagel auch auf die französischen Ritter nieder. In sieben Jahren Krieg hatte Ralph nichts Vergleichbares gesehen. Hunderte von Feinden lagen tot oder verwundet am Boden, und kein einziger englischer Soldat hatte bislang auch nur einen Kratzer abbekommen.

Endlich machten die französischen Ritter kehrt, und die überlebenden Armbrustschützen rannten panisch auseinander. Die Böschung war von Leichen übersät. Walisische und kornische Messerkämpfer eilten aus den englischen Reihen auf das Schlachtfeld und machten sich daran, verwundete Franzosen zu töten, unbeschädigte Pfeile für die Langbogenschützen zu bergen und die Leichen zu plündern. Gleichzeitig holten Laufburschen frische Pfeile von den Trosswagen und brachten sie an die vorderste englische Linie.

Die Unterbrechung währte nicht lange.

Die französischen Ritter formierten sich neu und wurden durch frische Kräfte verstärkt, die zu Hunderten und Tausenden eintrafen. Als Ralph in die Reihen der Feinde blickte, sah er, dass sich die Farben von Flandern und der Normandie zum Banner Alençons gesellt hatten. Die Standarte des Grafen von Alençon rückte nach vorn, die Trompeten schmetterten, und die Pferde setzten sich in Bewegung.

Ralph senkte das Visier und zog sein Schwert. Er dachte an seine Mutter. Er wusste, dass sie jedes Mal für ihn betete, wenn sie in die Kirche ging, und für einen Moment durchströmten ihn Liebe und Dankbarkeit. Dann richtete er den Blick entschlossen auf den Feind.

Unter der schweren Last der Reiter in voller Plattenrüstung konnten selbst die riesigen Pferde der Franzosen nur langsam angaloppieren. Die untergehende Sonne funkelte auf den französischen Visieren, und die Banner knatterten im Abendwind. Allmählich wurde der Hufdonner lauter, und die Geschwindigkeit des Sturmangriffs nahm zu. Mit gellenden Rufen feuerten die Ritter ihre Rösser an, machten einander Mut und schwenkten die Schwerter und Lanzen. Sie rückten heran wie eine düstere Gewitterfront, und je näher sie kamen, desto bedrohlicher und größer erschienen sie. Ralphs Mund war trocken, und sein Herz schlug wie eine Trommel.

Dann kam der Feind in Bogenschussweite. Wieder erteilte der Kronprinz den Schießbefehl; wieder sirrten Pfeile zum Himmel und fielen wie tödlicher Regen.

Die anstürmenden französischen Ritter waren von Kopf bis Fuß gepanzert, und nur ein Glückstreffer konnte die Schwachstellen zwischen den Plattengliedern finden. Ihre Pferde jedoch trugen nur Kopfpanzer und einen Hals- und Nackenschutz aus Kettengeflecht. Im Gegensatz zu ihren Reitern waren sie verwundbar. Als die Pfeile in Schultern und Lenden der Tiere einschlugen, brachen viele tot oder verwundet zusammen; andere warfen sich herum und versuchten zu fliehen. Die Schreie gepeinigter Tiere gellten durch die Luft. Weitere Ritter wurden zu Boden geschleudert, als ihre Pferde in verrückter Angst zusammenprallten, und stürzten zwischen die Leichen der Genueser Armbrustschützen. Die nachfolgenden Reihen ritten zu schnell, um auszuweichen, und ihre Tiere stampften über die Gestürzten hinweg.

Doch es waren Tausende von Rittern, die wie eine gigantische Woge heranbrandeten, die unmöglich aufzuhalten war.

Der Abstand für die Bogenschützen wurde kleiner, die Schussbahn flacher. Als die nahende Wand aus gepanzerten Reitern und Pferden nur noch hundert Fuß entfernt war, griffen die Schützen hastig zu anderen Pfeilen, deren Stahlspitzen lang und dreikantig waren, sodass sie Panzerungen durchschlagen konnten. Bald wälzten sich die vordersten Reiter und Pferde im vom Regen schlammigen Boden.

Obendrein traf die französische Angriffswelle nun auf die Fallgruben, die die Engländer zuvor ausgehoben hatten. Die Pferde hatten einen solchen Schwung, dass die meisten mit grellem Wiehern zu Boden gingen; viele zerquetschten ihre Reiter oder klemmten sie unter ihren Leibern ein, sodass sie unter den Hufen der nächsten Reihe zermalmt wurden.

Die Ritter, die im Sattel blieben, wichen den Bogenschützen aus, sodass der Angriff – ganz wie die Engländer es geplant hatten – in eine schmale Todeszone geleitet wurde, wo die Ritter nun von beiden Seiten unter Beschuss genommen wurden.

Das war der Schlüssel zum Erfolg der englischen Taktik. Nun zeigte sich, wie klug der Befehl an die englischen Ritter gewesen war, abzusitzen und zu Fuß zu kämpfen: Im Sattel hätten sie dem Verlangen, den Feind zu Pferde anzugreifen, niemals widerstehen können – mit der Folge, dass die englischen Bogner zur Untätigkeit verdammt gewesen wären, weil sie sonst ihre eigenen Leute beschossen hätten. Doch weil die englischen Ritter und Gewappneten in ihren Reihen verharrten, wurden die Franzosen nun zu Hunderten niedergemäht.

Doch das reichte noch immer nicht, um die anbrandenden Wogen der Franzosen aufzuhalten: Sie waren zu zahlreich und zu tapfer. Immer näher drangen sie bis zu den englischen Linien vor und erreichten bald die vorderen Reihen der abgesessenen Ritter und Gewappneten in der Gabelung zwischen den beiden Zinken aus Bogenschützen.

Der eigentliche Kampf entbrannte.

Die Pferde erreichten die englischen Verteidiger, doch die vom Schlamm glatte Steigung hatte den Schwung der Franzosen verlangsamt, und die dicht stehende englische Linie brachte sie bald zum Stehen. Ralph fand sich plötzlich im dichtesten Schlachtgetümmel wieder. Er wich den Hieben der aufgesessenen Ritter aus und schlug mit dem Schwert nach den Beinen ihrer Pferde, um sie auf die einfachste und verlässlichste Weise kampfunfähig zu machen, indem er ihnen die Sehnen durchtrennte. Der Kampf war verbissen: Die Engländer konnten nicht ausweichen, und die Franzosen wussten, dass sie erneut durch den tödlichen Pfeilhagel reiten müssten, wenn sie sich zurückzogen.

Rings um Ralph fielen Männer; sie wurden von Schwertern und Streitäxten hingestreckt, um dann von den eisenbeschlagenen Hufen der Schlachtrösser zermalmt zu werden. Ralph sah, wie Graf Roland von einem französischen Schwert gefällt wurde. Rolands Sohn, Bischof Richard, schwang den Streitkolben, um den gefallenen Vater zu schützen, doch ein Schlachtross rammte ihn mit der Schulter und stieß ihn um, und der Graf geriet unter die Hufe.

Die Engländer wurden zurückgedrängt, und nun erkannte Ralph, wen die Franzosen zum Ziel erkoren hatten: Edward von Woodstock, den Fürsten von Wales.

Ralph hegte keine Sympathie für den privilegierten sechzehnjährigen Thronfolger, doch ihm war klar, dass es ein vernichtender Schlag für die englische Moral wäre, würde der Kronprinz gefangen genommen oder getötet. Ralph bewegte sich nach rechts und links, schloss sich mehreren anderen an, die den Schutzschild aus Kämpfern um den Prinzen verstärkten. Die Franzosen jedoch forcierten ihre Bemühungen, und sie waren zu Pferd.

Ralph kämpfte sich immer weiter voran und focht schließlich mit dem Prinzen Schulter an Schulter; er erkannte ihn an dem gevierten Wappenrock mit den Lilien auf blauem Grund und den Wappenlöwen auf roter Farbe. Im nächsten Augenblick schlug ein französischer Reiter mit der Streitaxt nach dem Thronfolger, und der Prinz stürzte zu Boden.

Es war ein schrecklicher Augenblick.

Ralph sprang vor und trieb dem Angreifer sein Langschwert in die Achselgrube, dort, wo die Rüstung zusammengehalten wurde. Die Klinge drang in den Leib des Feindes, und ein Blutschwall schoss aus der Wunde.

Ein anderer Mann stellte sich über den am Boden liegenden Prinzen und schwang beidhändig ein großes Schwert; mit Wucht hieb er Männer und Pferde nieder. Ralph erkannte den Standartenträger des Prinzen, Richard FitzSimon, der die Flagge über seinen reglosen Herrn geworfen hatte. Einige Augenblicke kämpften Ralph und Fitz-Simon verbissen um den Schutz des Königssohns, ohne zu wissen, ob dieser noch lebte oder tot war.

Dann traf Verstärkung ein. Der Graf von Arundel erschien mit einer Streitmacht frischer, ausgeruhter Kämpfer. Diese stürzten sich mit wilder Wut in den Kampf und wendeten das Blatt. Die Franzosen wichen zurück.

Der Fürst von Wales erhob sich auf die Knie. Ralph klappte das Visier hoch und half ihm auf die Beine, doch der Junge schien nicht ernsthaft verletzt zu sein, sodass Ralph sich wieder den Feinden zuwandte.

Im nächsten Moment kam der Angriff der französischen Ritter zum Erliegen. Trotz ihrer irrwitzigen Taktik hätte ihr Mut sie fast so weit gebracht, dass sie die englische Linie durchbrochen hätten – doch es war nicht ganz gelungen. Nun flohen sie; viele von ihnen fielen, während sie durch die Schusszone der Bogenschützen hetzten und die blutgetränkte Böschung hinunter zu ihren eigenen Linien strebten. Die erschöpften Engländer brüllten ihren Triumph hinaus.

Erneut drangen die Messerkämpfer aufs Schlachtfeld vor, schnitten den Verwundeten die Kehlen durch und klaubten Tausende von Pfeilen auf. Auch die Bogenschützen beteiligten sich am Aufsammeln der Pfeile, um ihre Vorräte aufzufüllen. Aus den hinteren Reihen kamen Köche mit Krügen voll Bier und Wein, und Feldscher eilten vor, um sich verwundeter Adliger anzunehmen.

Ralph sah, wie William von Caster sich über Graf Roland beugte. Roland atmete noch, doch er hatte die Augen geschlossen und schien dem Tod nahe.

Ralph wischte sein blutiges Schwert am Boden ab und hob das Visier, um einen Krug Bier zu trinken. Der Fürst von Wales trat auf ihn zu und fragte: »Wie heißt Ihr?«

»Ralph Fitzgerald von Wigleigh, gnädiger Herr.«

»Ihr habt tapfer gekämpft. Morgen sollt Ihr Sir Ralph heißen. Ich werde beim König für Euch sprechen.«

Ralph strahlte vor Freude. »Ich danke Euch, Herr.«

Der Kronprinz nickte huldvoll und ging davon.

KAPITEL 50

Caris beobachtete den Beginn der Schlacht von der anderen Seite des Tals. Sie sah, wie die Genueser Armbrustschützen zu fliehen versuchten, nur um von den Rittern des eigenen Heeres niedergemetzelt zu werden. Dann wurde sie Zeugin des ersten großen Sturmangriffs, bei dem die Farben des Charles d'Alençon Tausende von Rittern und Gewappneten anführten.

Sie hatte noch nie eine Schlacht gesehen, und der Anblick war entsetzlich. Hunderte von Reitern fielen den englischen Pfeilen zum Opfer und wurden von den Hufen der großen Streitrösser zertrampelt. Um den Kampf Mann gegen Mann zu sehen, stand Caris zu weit entfernt, doch sie sah die Schwerter blitzen und die Männer fallen, und sie hätte am liebsten geweint. Als Nonne hatte sie schwere Verletzungen gesehen – Männer, die von hohen Gerüsten gefallen waren, die sich mit scharfen Werkzeugen verletzt oder Jagdunfälle erlitten hatten –, und stets fühlte auch sie den Schmerz und den Verlust einer abgetrennten Hand, eines zerquetschten Beines oder eines entstellten Gesichts. Doch dass sie nun erleben musste, wie Männer einander absichtlich zerfleischten, drehte ihr den Magen um.

Lange erschien der Ausgang des Kampfes ungewiss. Wäre Caris im heimatlichen Kingsbridge gewesen und hätte Neuigkeiten von einem Krieg in der Ferne gehört – sie hätte wohl auf einen englischen Sieg gehofft. Doch nach all den Gräueln, die sie in den letzten beiden Wochen gesehen hatte, empfand sie nur noch Abscheu. Sie konnte sich nicht als Engländerin fühlen, hatten die englischen Heere doch Bauern abgeschlachtet und deren Ernte verbrannt, und es machte für sie keinen Unterschied, dass diese Gräueltaten in der Normandie begangen worden waren. Ihre Landsleute hätten so oder so behauptet, die Franzosen bekämen nur, was sie verdienten, weil sie Portsmouth in Brand gesetzt hätten, doch das war eine dumme Sichtweise – so dumm, dass sie zu schrecklichen Szenen wie dieser führte.

Die Franzosen zogen sich zurück. Caris nahm an, sie würden sich ordnen und neu aufstellen, um dann auf ihren König zu warten, dass er einen neuen Schlachtplan ersann. Sie besaßen noch immer eine drückende zahlenmäßige Überlegenheit: Es gab Zehntausende von Kämpfern im Tal, und ständig trafen frische Kräfte ein.

Doch die Franzosen formierten sich nicht neu. Stattdessen ging jedes eintreffende Bataillon sofort zum Angriff über und preschte selbstmörderisch gegen die englischen Stellungen auf dem Hügelkamm. Der zweiten Welle – und den darauffolgenden – erging es noch schlimmer als der ersten Angriffswoge. Ein großer Teil der Angreifer wurde von Bogenschützen niedergestreckt, ehe sie die Schlachtreihe der Engländer erreichten; der Rest fiel den Fußsoldaten zum Opfer. Auf der Böschung unter dem Grat glänzte das vergossene Blut Hunderter Männer und Pferde.

Nach dem ersten Sturmangriff blickte Caris nur gelegentlich noch aufs Schlachtfeld. Sie hatte zu sehr mit den französischen Verwundeten zu tun, denen die Flucht nach hinten geglückt war. Martin Chirurgien hatte erkannt, dass Caris als Feldscher so tüchtig war wie er selbst. Er ließ ihr freien Zugang zu seinen Instrumenten, und so konnten sie und Mair unabhängig von ihm arbeiten. Stunde um Stunde wuschen, nähten und verbanden sie Wunden.

Vom Schlachtfeld traf Nachricht über prominente Gefallene ein. Charles d'Alençon war der erste Tote von hohem Rang. Caris verspürte kein Bedauern; sie fand, er habe sein Schicksal verdient. Schließlich war sie Zeugin seines törichten Überschwangs und seiner leichtsinnigen Disziplinlosigkeit geworden. Stunden später wurde der Tod König Johanns von Böhmen gemeldet, und Caris fragte sich, welcher Irrsinn einen blinden Mann verleiten konnte, in die Schlacht zu ziehen.

»In Gottes Namen, warum hören sie nicht auf?«, fragte sie Martin, als der ihr einen Becher Bier zur Erfrischung brachte.

»Aus Angst«, erwiderte er. »Sie fürchten die Schande. Niemals würden sie das Schlachtfeld verlassen, ohne einen Hieb geführt zu haben. Eher würden sie sterben.«

»Dieser Wunsch wurde vielen von ihnen gewährt«, entgegnete Caris grimmig. Sie trank ihr Bier aus und ging wieder an die Arbeit – eine Arbeit, die sie in wenigen Stunden mehr über den Aufbau und die Beschaffenheit des menschlichen Körpers lehrte als in den Jahren zuvor. Caris schaute in nahezu jeden Körperteil eines lebenden Menschen: das Gehirn unter einem eingeschlagenen Schädel, das Röhrenwerk einer aufgeschlitzten Kehle, die Muskeln und Sehnen eines aufgetrennten Arms, das Herz und die Lungen in einem zerschmetterten Brustkasten, das schleimige Gewirr der Eingeweide, die Gelenke der Gliedmaßen an Hüfte, Knie und Knöchel. In einer Stunde auf dem Schlachtfeld lernte sie mehr als in einem Jahr im Hospital der Priorei. Nun wusste sie, weshalb Matthew Barber sich so gut auskannte. Kein Wunder, dass er so viel Selbstvertrauen besaß.

Das Gemetzel nahm seinen Fortgang, bis die Nacht hereinbrach. Die Engländer entzündeten Fackeln, denn sie fürchteten einen heimlichen Überfall im Schutz der Dunkelheit. Doch Caris hätte ihnen sagen können, dass keine Gefahr mehr bestand: Die Franzosen waren endgültig geschlagen. Sie hörte die Rufe französischer Soldaten, die auf dem Schlachtfeld nach verletzten Verwandten und Kameraden suchten. Der König, der rechtzeitig eingetroffen war, um sich einem der letzten hoffnungslosen Sturmangriffe anzuschließen, zog sich zurück. Dann begann der allgemeine Rückzug.

Vom Fluss zog Nebel heran, füllte das Tal und ließ die Feuer in der Ferne verschwimmen. Caris und Mair versorgten die Verwundeten bei Fackelschein bis in die Nacht. Wer gehen oder humpeln konnte, brach unverzüglich auf, um so viel Vorsprung wie möglich zu bekommen, ehe am Morgen die unausweichliche blutrünstige Säuberung des Schlachtfeldes durch den Sieger begann.

Als Caris und Mair alles getan hatten, was sie für die Opfer tun konnten, brachen auch sie auf. Sie suchten ihre Ponys und führten sie im Licht einer brennenden Fackel davon. Sie erreichten den Talboden und fanden sich im Gelände zwischen den Linien wieder. Verborgen in Nebel und Dunkelheit, streiften sie ihre Jungenkluft ab. Einen Augenblick lang waren sie schrecklich verwundbar – zwei nackte Frauen auf einem blutgetränkten Schlachtfeld –, doch niemand konnte sie sehen, und dann zogen sie auch schon den Nonnenhabit über die Köpfe. Die Männerkleidung packten sie in die Satteltaschen, falls sie die Sachen noch einmal brauchen sollten; bis nach Hause war es ein langer Weg.

Caris beschloss, die Fackel liegen zu lassen, denn sie befürchtete, ein englischer Bogenschütze könnte auf den Gedanken kommen, auf das flackernde Licht zu schießen und erst später Fragen zu stellen. Sie ging weiter, wobei sie und Mair sich an den Händen hielten, um nicht getrennt zu werden. Die Pferde führten sie am Zügel. Es war stockdunkel; der Nebel verschluckte das Mond- und Sternenlicht.

Hügelauf stiegen sie zu den englischen Linien hinauf. In der Luft hing ein Geruch wie im Schlachthaus. Der Boden war von Pferdekadavern und Leichen bedeckt, die so dicht an dicht lagen, dass Caris und Mair sie nicht umgehen konnten. Sie mussten die Zähne zusammenbeißen und über die Toten hinwegsteigen. Schon bald klebte eine Mischung aus Blut und Schlamm an ihren Schuhen.

Dann wurden die Leichen am Boden spärlicher, und schließlich verschwanden sie ganz. Caris fiel ein Stein vom Herzen, als sie sich dem englischen Heer näherten. Mair und sie waren Hunderte von Meilen gereist, hatten zwei Wochen lang entsetzliche Mühen durchgestanden und ihr Leben für diesen Augenblick riskiert. Prior Godwyns dreisten Diebstahl von einhundertfünfzig Pfund aus der Schatulle des Nonnenklosters – den Grund ihrer Reise – hatten sie fast vergessen. Nach all dem Blutvergießen erschien es ihnen kaum mehr von Bedeutung. Dennoch wollten sie bei Bischof Richard vorsprechen und dem Nonnenkloster zu seinem Recht verhelfen.

Der Weg erschien Caris weiter, als es bei Tageslicht den Anschein gehabt hatte. Ängstlich fragte sie sich, ob sie sich verirrt hatten. Hatte sie die falsche Richtung eingeschlagen und das englische Heerlager verfehlt? Vielleicht waren die Männer schon hinter ihr? Caris lauschte auf ein Geräusch – zehntausend Mann mussten auch dann zu hören sein, wenn die meisten von ihnen in einen Schlaf der Erschöpfung gefallen waren –, doch der Nebel dämpfte jeden Laut.

Caris klammerte sich an die Überzeugung, dass sie und Mair sich den englischen Truppen näherten, solange es hügelauf ging, da König Edward sein Heer auf der Kuppe in Stellung gebracht hatte. Doch die Blindheit war schrecklich. Hätte es einen Abgrund gegeben, wären sie unweigerlich ins Leere getreten.

Das Licht des heraufdämmernden Morgens verlieh dem Nebel die schillernde Farbe einer Perle, als Caris endlich eine Stimme hörte: Es war ein Mann, der leise vor sich hin murmelte. Sie blieb stehen. Mair drückte ängstlich ihre Hand. Ein zweiter Mann sagte etwas. Caris kannte die Sprache nicht und fürchtete schon, im Kreis gegangen und wieder am französischen Heerlager angelangt zu sein.

Langsam ging sie in die Richtung, aus der die Stimme kam, ohne Mairs Hand loszulassen. Durch den Nebel hindurch wurde das rote Leuchten der Flammen sichtbar, und Caris hielt dankbar darauf zu. Als sie näher kam, hörte sie deutlicher, was gesprochen wurde, und mit unendlicher Erleichterung erkannte sie, dass die Fremden vor ihr Engländer waren. Bald darauf schälte sich eine Gruppe Männer, die sich um ein Feuer scharten, aus dem Nebel. Mehrere schliefen, in Decken gerollt; drei Mann saßen mit untergeschlagenen Beinen da, blickten in die Flammen und redeten. In der Nähe stand ein weiterer Mann, der in den Nebel spähte; vermutlich hielt er Wache – ein sinnloses Unterfangen; er hatte ja nicht einmal das Näherkommen der beiden Frauen bemerkt.

Um die Aufmerksamkeit des Postens zu wecken, sagte Caris leise: »Gott segne euch, Männer von England.«

Sie erschraken. Einer schrie vor Furcht auf. »Wer da?«, fragte der Posten.

»Zwei Nonnen von der Priorei in Kingsbridge«, sagte Caris. Die Männer starrten sie in abergläubischem Entsetzen an; offenbar glaubten sie, Geistererscheinungen vor sich zu haben. »Keine Bange«, sagte Caris, »wir sind aus Fleisch und Blut, und unsere Ponys auch.«

»Habt Ihr vorhin Kingsbridge gesagt?«, fragte einer der Männer überrascht. »Ich kenne Euch doch …« Er stand auf. »Ich habe Euch schon einmal gesehen!«

Jetzt erkannte Caris ihn. »Herr William von Caster«, sagte sie.

»Ich bin jetzt der Graf von Shiring«, erwiderte er. »Mein Vater ist vor einer Stunde seinen Wunden erlegen.«

»Möge seine Seele in Frieden ruhen. Wir sind hier, um Euren Bruder zu sprechen, Bischof Richard. Er ist unser Abt.«

»Ihr kommt zu spät«, entgegnete William. »Auch mein Bruder ist tot.«

Am gleichen Morgen führte Graf William, nachdem der Nebel sich gehoben hatte und die Walstatt wie ein sonnenbeschienener Schlachthof aussah, Caris und Mair vor König Edward.

Jeder staunte über die Geschichte der beiden Nonnen, die dem englischen Heer durch die ganze Normandie gefolgt waren. Gestandene Soldaten, die erst am Tag zuvor dem Tod ins Auge geblickt hatten, waren fasziniert von ihren Abenteuern. William teilte Caris mit, der König wolle die Geschichte aus ihrem eigenen Munde hören.

Edward III. herrschte seit neunzehn Jahren, war aber erst dreiunddreißig Jahre alt. Er war ein stattlicher Mann, groß und breitschultrig, mit markantem Gesicht: große Nase, hohe Jochbeine und glänzendes langes Haar, das an der hohen Stirn bereits schütter wurde. Caris begriff, weshalb die Leute ihn einen Löwen nannten.

Er saß auf einem Stuhl vor seinem Zelt, modisch in eine zweifarbige Hose und ein Cape mit gekerbtem Saum gekleidet. Er trug weder Rüstung noch Waffen: Die Franzosen waren fort, die Gefahr gebannt, zumal eine Streitmacht rachsüchtiger Kämpfer feindliche Versprengte aufspürte, um sie niederzumetzeln. Mehrere Barone standen in der Nähe des Königs.

Als Caris berichtete, wie Man und sie in der verwüsteten Normandie nach Essen und Unterkunft gesucht hatten, fragte sie sich, ob der König die Schilderung der Grausamkeiten als Kritik auffassen könnte. Doch Edward schien gar nicht auf den Gedanken zu kommen, irgendetwas mit dem Leid der Menschen zu tun zu haben. Er lauschte Caris mit dem Interesse eines Mannes, der einem begabten Geschichtenerzähler zuhört.

Caris endete damit, dass sie dem König von ihrer Enttäuschung berichtete, nach all den Strapazen erfahren zu müssen, dass Bischof Richard, von dem sie Gerechtigkeit erhofft hatte, tot war. »Ich flehe Euch an, Majestät, befehlt dem Prior von Kingsbridge, dem Nonnenkloster das gestohlene Geld zurückzuerstatten.«

Edward lächelte. »Ihr seid eine tapfere Frau, aber von Politik versteht Ihr nichts«, erwiderte er herablassend. »Der König kann sich nicht in einen geistlichen Streit einmischen. Dann würden bald alle Unsere Bischöfe protestierend an Unsere Tür pochen.«

Das mag ja sein, ging es Caris durch den Kopf, aber das hindert dich nicht daran, dich in die Angelegenheiten der Kirche einzumischen, wenn es deinen Zwecken dient.

Edward fuhr fort: »Und es würde Eurer Sache sogar schaden. Die Kirche wäre dermaßen empört, dass jeder Kleriker im ganzen Land Unserer Entscheidung widersprechen würde, ohne zu beachten, wie gerecht sie ist.«

Da konnte etwas dran sein, musste Caris einräumen. Trotzdem war Edward nicht so machtlos, wie er vorgab. »Ich weiß, Ihr werdet Euch der betrogenen Nonnen von Kingsbridge erinnern«, sagte sie. »Wenn Ihr den neuen Bischof für Kingsbridge ernennt, erzählt ihm bitte unsere Geschichte.«

»Gewiss«, sagte der König, doch Caris hatte das unbestimmte Gefühl, dass damit das letzte Wort noch nicht gesprochen war.

»Majestät«, meldete William sich zu Wort, »da Ihr großmütig meine Erhebung zum Nachfolger meines Vaters bestätigt habt, bleibt die Frage, wer nun der Herr von Caster werden soll.«

»Ach ja. Unser Sohn, der Fürst von Wales, schlägt Sir Ralph Fitzgerald vor, der gestern zum Ritter erhoben wurde, da er dem Prinzen das Leben gerettet hat.«

Caris murmelte: »O nein!«

Der König hörte es nicht, William aber schon, und er konnte seine Entrüstung nicht verbergen, als er entgegnete: »Ralph war ein Gesetzloser, der des Diebstahls, des Mordes und mehrerer Schändungen überführt wurde, bis er königliches Pardon erhielt, indem er Eurer Majestät Heer beitrat.«

Der König war längst nicht so beeindruckt, wie Caris erwartet hatte, denn er erwiderte: »Sir Ralph hat sieben Jahre lang mit uns gekämpft. Er hat es verdient, sich zu bewähren.«

»Das hat er ganz gewiss«, sagte William diplomatisch. »Doch in Anbetracht seiner Vergangenheit wäre es mir lieber, dass er ein, zwei Jahre lang den Frieden hält, ehe er in den Adelsstand erhoben wird.«

»Nun, Ihr werdet sein Lehnsherr sein, also müsst Ihr mit ihm zurechtkommen«, gestand Edward ihm zu. »Ich werde ihn Euch nicht gegen Euren Willen aufdrängen. Aber der Prinz legt Wert darauf, dass Sir Ralph eine weitere Belohnung erhält.« Der König dachte einen Augenblick nach; dann fragte er: »Habt Ihr nicht eine Base in heiratsfähigem Alter?«

»Ja, Majestät«, sagte William. »Matilda. Wir nennen sie Tilly.«

Caris kannte Tilly. Sie besuchte die Klosterschule.

»Das Mündel Eures Vaters, nicht wahr?«, sagte Edward. »Und der Vater des Mädchens besaß drei Dörfer in der Nähe von Shiring?«

»Majestät haben ein gutes Gedächtnis für Einzelheiten!«

»Verheiratet Lady Matilda mit Ralph, und gebt ihm die Dörfer ihres Vaters«, befahl der König.

Caris war entsetzt. »Aber sie ist erst zwölf!«, brach es aus ihr hervor.

»Seid still!«, raunzte William sie an.

König Edward bedachte Caris mit einem kühlen Blick. »Die Kinder des Adels werden früh in die Pflicht genommen, Schwester. Königin Philippa war vierzehn, als ich sie geheiratet habe.«

Caris wusste, dass sie den Mund halten sollte, doch sie konnte es nicht. Tilly war nur vier Jahre älter als die Tochter, die sie geboren hätte, hätte sie Merthins Kind ausgetragen. »Zwischen zwölf und vierzehn ist ein großer Unterschied«, sagte sie verzweifelt.

Der Blick Edwards wurde noch frostiger. »In Gegenwart des Königs spricht man seine Ansichten nur aus, wenn man darum gebeten wird. Und der König fragt Frauen so gut wie nie um ihre Meinung!«

Caris erkannte, dass sie es falsch angegangen war. Ihre Einwände gegen die Ehe beruhten weniger auf Tillys Alter als vielmehr auf Ralphs Charakter. »Ich kenne Tilly«, sagte sie. »Ihr könnt sie einfach nicht mit diesem Rohling Ralph verheiraten.«

Mair flüsterte ihr angstlich zu. »Caris! Vergiss nicht, mit wem du sprichst!«

Edward sah William an. »Bringt sie fort, Shiring, ehe sie etwas sagt, das nicht überhört werden kann.«

William ergriff Caris beim Arm und führte sie mit Nachdruck fort vom Angesicht des Königs. Mair folgte den beiden. Hinter ihnen hörte Caris den König sagen: »Jetzt weiß ich, wie diese Nonne in der Normandie überlebt hat. Die Einheimischen müssen sich vor ihr gefürchtet haben wie vor dem Leibhaftigen!« Die Adligen lachten.

»Ihr müsst den Verstand verloren haben!«, zischte William.

»Ach ja?«, entgegnete Caris zornig. Sie waren nun außer Hörweite des Königs, und sie hob die Stimme. »In den letzten sechs Wochen hat der König den Tod unzähliger Männer, Frauen und Kinder verursacht, hat ihre Ernte und ihre Häuser niedergebrannt. Ich habe versucht, ein zwölfjähriges Mädchen vor der Ehe mit einem Mörder zu bewahren. Und jetzt sagt mir noch einmal, Graf William – wer von uns beiden ist verrückt?«

KAPITEL 51

Im Jahre 1347 litten die Bauern von Wigleigh unter einer schlechten Ernte. Die Dörfler taten, was sie zu solchen Zeiten stets zu tun pflegten: Sie aßen weniger, verschoben den Kauf von Hüten und Gürteln und drängten sich um der Wärme willen enger zusammen. Die alte Witwe Hubert starb früher als erwartet; Janey Jones erlag einem Husten, den sie in einem guten Jahr vielleicht überstanden hätte, und Joanna Davids kleiner Säugling, der andernfalls wohl durchgekommen wäre, erlebte seinen ersten Geburtstag nicht.

Gwenda behielt ihre beiden Jungen besorgt im Auge. Sam, der Achtjährige, war groß und stark für sein Alter; er habe Wulfrics Körperbau, sagten die Leute, doch Gwenda wusste, dass er in Wahrheit seinem richtigen Vater nachschlug, Ralph Fitzgerald. Doch auch Sam war im Dezember sichtlich abgemagert. David, nach Wulfrics Bruder benannt, der beim Einsturz der Brücke den Tod gefunden hatte, war sechs. Klein und dunkel, ähnelte er Gwenda. Die schmale Kost hatte ihn geschwächt, und den ganzen Winter hindurch litt er an kleineren Beschwerden: Erkältung, dann Hautausschlag, dann Schnupfen.

Dessen ungeachtet nahm Gwenda die Jungen mit, als sie mit Wulfric auf Perkins Land den Winterweizen aussäte. Ein bitterkalter Wind blies über die freien Felder. Gwenda ließ die Saat in die Furchen fallen, und Sam und David verscheuchten die frechen Vögel, die die Körner wegzupicken versuchten, ehe Wulfric die Erde umdrehen konnte. So wie sie rannten, sprangen und riefen, wunderte sich Gwenda, wie diese beiden winzigen Menschlein aus ihrem Leib hatten kommen können. Aus dem Verjagen der Vögel machten sie eine Art Wettstreit, und Gwenda erfreute sich am Wunder ihres Einfallsreichtums. Einst Teil von ihr, vermochten sie nun eigene Gedanken zu haben, von denen sie nicht einmal etwas ahnte.

Schlamm klebte an ihren Füßen, als sie auf und ab stapften. Ein gurgelnder Bach bildete die Grenze des großen Ackers; am anderen

Ufer stand die Walkmühle, die Merthin vor neun Jahren erbaut hatte. Das ferne Rumpeln der Holzhämmer war bis hierher zu vernehmen. Die Mühle wurde von zwei eigenwilligen Brüdern betrieben, Jack und Eli – beide unverheiratet und ohne eigenen Grund und Boden –, sowie einem Lehrjungen, der zugleich ihr Neffe war. Sie waren die einzigen Dorfbewohner, die nicht unter der schlechten Ernte litten, denn Mark Webber zahlte ihnen den ganzen Winter hindurch den gleichen Lohn.

Es war ein kurzer Mittwintertag. Gwenda und ihre Familie waren gerade mit dem Säen fertig, als der graue Himmel schon zu dunkeln begann und im fernen Wald die dunstige Dämmerung heraufzog. Sie alle waren erschöpft.

Ein halber Sack Saatgut war übrig, und sie brachten ihn zu Perkins Haus. Schon beim Näherkommen erblickten sie Perkin, der aus der anderen Richtung herankam. Er ging neben einem Karren, auf dem seine Tochter Annet mitfuhr. Sie waren in Kingsbridge gewesen, um die letzten Äpfel und Birnen des Jahres von Perkins Bäumen zu verkaufen.

Annet hatte noch immer eine mädchenhafte Figur, obwohl sie nun achtundzwanzig und Mutter eines Kindes war. Sie unterstrich ihre Jugendlichkeit durch ein Kleid, das ein bisschen zu kurz war, und ihr Haar war wirr und unordentlich, was sie umso verlockender aussehen ließ. Gwenda jedoch fand, sie sah albern aus. Diese Ansicht teilten alle Frauen im Dorf, aber kein einziger Mann.

Gwenda bemerkte erschrocken, dass Perkins Karren voll beladen war. »Was ist geschehen?«, fragte sie.

Perkin sah sie düster an. »Auch die Leute in Kingsbridge haben einen harten Winter, genau wie wir«, antwortete er. »Für Äpfel haben sie kein Geld. Aus dieser Ladung müssen wir wohl Most machen.«

Das waren schlechte Neuigkeiten. Gwenda hatte noch nie gehört, dass Perkin mit so viel unverkaufter Ware vom Markt nach Hause kam.

Annets Laune jedoch schien ungetrübt. Sie hielt Wulfric eine Hand hin, und er half ihr vom Karren. Als ihre Füße den Boden berührten, stolperte sie und legte ihm die Hand auf die Brust. »Hoppla!«, sagte sie und lächelte ihm zu, während sie das Gleichgewicht suchte. Wulfric grinste dümmlich, und sein Gesicht lief rot an.

Du blinder Narr, dachte Gwenda.

Sie gingen ins Haus. Perkin setzte sich an den Tisch, und seine Frau Peggy brachte ihm eine Schale mit dicker Suppe. Er schnitt sich einen Kanten Brot von dem Laib ab, der auf dem Tisch lag. Dann trug Peggy ihrer eigenen Familie auf: Annet, deren Mann Billy Howard, Annets Bruder Rob und Robs Frau. Auch Annets vierjährige Tochter Amabel bekam eine kleine Portion, und Robs beide kleine Jungen ebenfalls. Dann bat sie Wulfric und seine Familie, sich zu setzen.

Gwenda löffelte hungrig die Gemüsesuppe. Sie war dicker als die Suppe, die sie machte, denn Peggy tat altes Brot hinein, während in Gwendas Haus das Brot nie so lange hielt, dass es alt werden konnte. Perkins Familie bekam Becher mit Bier, doch Gwenda und Wulfric wurde nichts dergleichen angeboten: In harten Zeiten hatte die Gastfreundschaft ihre Grenzen.

Seinen Kunden gegenüber gab Perkin sich stets humorvoll und gut gelaunt; in Wahrheit war er ein Miesepeter, in dessen Haus meist eine trübselige Stimmung herrschte. Entmutigt erzählte er vom Markt in Kingsbridge. Für die meisten Händler war das Geschäft schlecht gelaufen. Nur diejenigen, die Unverzichtbares wie Getreide, Fleisch und Salz verkauften, hatten ein paar Münzen eingenommen. Das mittlerweile berühmte Tuch, den Kingsbridger Scharlach, wollte derzeit niemand haben.

Peggy zündete eine Lampe an. Gwenda wollte nach Hause gehen, doch Wulfric und sie mussten erst noch auf ihren Lohn warten. Die Jungen wurden quengelig, rannten in der Stube umher und stießen gegen die Erwachsenen. »Es geht auf ihre Bettzeit zu«, sagte Gwenda, obwohl es gar nicht stimmte.

Endlich sagte Wulfric: »Wenn Ihr uns unseren Lohn gebt, Perkin, gehen wir.«

»Ich habe kein Geld«, erwiderte Perkin.

Gwenda starrte ihn an. In den neun Jahren, die Wulfric und sie nun für Perkin arbeiteten, hatte er so etwas noch nie gesagt.

»Wir brauchen unseren Lohn«, sagte Wulfric. »Wir müssen essen.«

»Ihr hattet doch Suppe, oder?«, entgegnete Perkin.

Gwenda stieß zornig hervor: »Wir arbeiten für Geld, nicht für Suppe!«

»Tut mir leid, ich habe kein Geld«, wiederholte Perkin. »Ich bin auf den Markt gefahren, um Äpfel zu verkaufen, aber niemand wollte welche. Jetzt hab ich mehr Äpfel, als wir essen können, aber keinen Penny.«

Gwenda war so entsetzt, dass sie nicht wusste, was sie sagen sollte. Der Gedanke, Perkin könnte sie nicht bezahlen, war ihr noch nie gekommen. Furcht überkam sie. Wenn Perkin keinen Penny herausrückte, konnte sie nichts daran ändern.

Wulfric sagte bedächtig: »Und was sollen wir jetzt tun? Sollen wir zum Langen Feld gehen und die Saat wieder aus dem Boden pulen?«

»Ich muss euch den Lohn für diese Woche schuldig bleiben«, sagte Perkin. »Ich bezahle euch, wenn die Zeiten wieder besser sind.«

»Und nächste Woche?«

»Nächste Woche? Da hab ich immer noch kein Geld. Wo soll es denn herkommen?«

Gwenda sagte: »Wir könnten zu Mark Webber gehen. Vielleicht hat er in der Walkmühle Arbeit für uns.«

Perkin schüttelte den Kopf. »Ich hab gestern in Kingsbridge mit ihm gesprochen und ihn gefragt, ob er euch einstellt. Es geht nicht. Er verkauft nicht genug Tuch. Er wird weiterhin Jack und Eli und den Jungen beschäftigen und das Tuch auf Lager legen, bis die Geschäfte wieder besser gehen, aber zusätzliche Arbeiter kann er nicht brauchen.«

Wulfric konnte es nicht fassen. »Und wovon sollen wir leben? Wie wollt Ihr das Pflügen fürs Frühjahr schaffen?«

»Ihr könnt für Essen arbeiten«, bot Perkin an.

Wulfric tauschte einen Blick mit Gwenda. Sie verbiss sich eine verächtliche Erwiderung. Sie und ihre Familie steckten tief in Schwierigkeiten, und es war nicht der rechte Augenblick, sich jemanden zum Feind zu machen. Sie dachte fieberhaft nach. Ihnen blieb keine große Wahl: essen oder verhungern. »Wir arbeiten für Essen, und das Geld schuldet Ihr uns«, sagte sie.

Perkin schüttelte den Kopf. »Was du vorschlägst, mag ja gerecht sein ...«

»Es ist gerecht!«

»Also gut, es ist gerecht, aber ich kann es trotzdem nicht. Ich weiß nicht, wann ich das Geld haben werde. Bis Pfingsten könnte ich euch ein ganzes Pfund schulden! Ihr könnt für Essen arbeiten oder gar nicht.«

»Aber dann kriegen die Kinder auch Essen.«

»Ja.«

»Und nur Wulfric wird arbeiten.«

»Was!«

»Eine Familie braucht mehr als nur Essen. Kinder brauchen Kleider. Ein Mann braucht Stiefel. Wenn Ihr mich nicht bezahlen könnt, muss ich eine andere Möglichkeit finden, für solche Dinge zu sorgen.«

»Und wie?«

»Das weiß ich noch nicht.« Gwenda hielt inne. Wenn sie ehrlich war, wusste sie weder ein noch aus. Sie kämpfte ihre Angst und Verzweiflung nieder. »Vielleicht muss ich meinen Vater fragen, wie er zurechtkommt.«

Peggy warf ein: »Das würde ich an deiner Stelle nicht tun. Joby wird dir nur sagen, dass du stehlen sollst.«

In Gwenda loderte Zorn auf. Mit welchem Recht gab Peggy sich so überheblich? Anders als Perkin hatte Joby nie jemanden eingestellt, um ihm am Ende der Woche zu sagen, er habe kein Geld, um ihn zu bezahlen! Doch sie biss sich auf die Zunge und erwiderte milde: »Er hat mich achtzehn Winter lang ernährt, auch wenn er mich am Ende an Gesetzlose verkauft hat.«

Peggy warf den Kopf herum und begann unvermittelt den Tisch abzuräumen.

Wulfric sagte: »Wir sollten gehen.«

Gwenda rührte sich nicht. Alles, was sie an Vorteilen kriegen konnte, musste sie sich jetzt und hier verschaffen. Sobald sie Perkins Haus verließen, würde dieser davon ausgehen, dass ein Handel geschlossen war, und sich keine Zugeständnisse mehr abringen lassen. Gwenda dachte angestrengt nach. Als ihr einfiel, dass Peggy nur ihrer eigenen Familie Bier ausgeschenkt hatte, sagte sie: »Ihr werdet uns nicht mit altem Fisch und Dünnbier abspeisen. Ihr gebt uns das Gleiche zu essen, was Eure Familie bekommt ... Fleisch, Brot, Bier. Ganz gleich, was es ist.«

Peggy gab einen missbilligenden Laut von sich. Anscheinend hatte sie genau das geplant, was Gwenda fürchtete.

Gwenda fügte hinzu: »Sonst kann Wulfric nicht mehr die gleiche Arbeit tun wie Ihr und Rob.« Sie alle wussten genau, dass Wulfric mehr arbeitete als Rob und doppelt so viel wie Perkin.

»Also gut«, sagte Perkin.

»Und es ist nur eine Vereinbarung für den Notfall. Sobald Ihr wieder Geld habt, zahlt Ihr uns den alten Lohn – einen Penny für jeden Tag.«

»Ja.«

Kurzes Schweigen; dann fragte Wulfric: »Ist das alles?«

»Ich glaub schon«, sagte Gwenda. »Perkin und du, ihr solltet eure Abmachung mit einem Handschlag besiegeln.«

Sie schüttelten sich die Hände.

Gwenda und Wulfric nahmen ihre Kinder und gingen. Inzwischen war es stockfinster geworden. Wolken verbargen die Sterne, und sie mussten sich ihren Weg in dem Lichtschein suchen, der durch die Ritzen zwischen den Fensterläden und um die Türen fiel. Zum Glück waren sie schon tausendmal den Weg von Perkins Haus zu ihrem gegangen.

Wulfric zündete eine Lampe an und machte Feuer, während Gwenda die Jungen zu Bett brachte. Obwohl es im Obergeschoss Schlafzimmer gab – sie wohnten noch in dem großen Haus, das Wulfrics Eltern gehört hatte –, schliefen alle in der Küche, weil es dort am wärmsten war.

Gwenda fühlte sich niedergeschlagen, als sie ihre Söhne in Decken wickelte und neben das Feuer legte. Sie war mit dem Vorsatz groß geworden, nicht das Leben ihrer Mutter zu führen, das aus ständiger Sorge und Not bestanden hatte. Nach Unabhängigkeit hatte sie gestrebt: nach einem Flecken Land, einem fleißigen Mann, einem vernünftigen Grundherrn. Wulfric wünschte sich nichts mehr, als das Land zurückzuerhalten, das sein Vater bestellt hatte. An jedem dieser Ziele war sie gescheitert. Sie war arm, ihr Mann ein Knecht ohne einen Fußbreit eigenen Bodens, und sein Brotgeber konnte ihm nicht einmal einen Penny am Tag zahlen. Aus dir ist das Gleiche geworden wie aus deiner Mutter, dachte sie mit so viel Wut und Bitterkeit, dass sie nicht einmal weinen konnte.

Wulfric nahm eine Steingutflasche aus einem Regal und goss sich Bier in einen hölzernen Becher. »Lass es dir schmecken«, sagte Gwenda übellaunig. »Du wirst dir eine ganze Weile kein eigenes Bier mehr kaufen können.«

Wulfric sagte beiläufig: »Wirklich erstaunlich, dass Perkin kein Geld haben soll. Von Nathan Reeve abgesehen, ist er der reichste Mann im Dorf.«

»Perkin *hat* Geld«, erwiderte Gwenda. »Unter seinem Kamin ist ein Krug mit Silberpennys. Ich hab's gesehen.«

»Warum bezahlt er uns dann nicht?«

»Er will seine Ersparnisse nicht angreifen.«

Wulfric blickte sie betroffen an. »Aber er könnte uns bezahlen, wenn er wollte?«

»Natürlich.«

»Warum muss ich dann um Essen arbeiten?«

Gwenda stieß ein ungeduldiges Grunzen aus. Wulfric war

schrecklich begriffsstutzig. »Weil du sonst gar keine Arbeit hättest.«

Wulfric fühlte sich hinters Licht geführt. »Wir hätten auf Bezahlung bestehen sollen.«

»Warum hast du's dann nicht getan?«

»Weil ich von dem Krug voll Pennys unter dem Kamin nichts wusste.«

»Um Gottes willen! Glaubst du etwa, ein Mann wie Perkin wird zum armen Schlucker, bloß weil er eine Wagenladung Äpfel nicht verkaufen kann? Perkin ist der reichste Pächter in Wigleigh, seit er vor zehn Jahren die Äcker deines Vaters in die Hände bekam. Natürlich hat er Ersparnisse!«

»Ich verstehe ...«

Gwenda starrte ins Feuer, während Wulfric das Bier austrank. Dann gingen sie zu Bett. Er legte die Arme um sie, und sie ließ den Kopf an seiner Brust ruhen. Aber wenn Wulfric Liebe wollte, würde sie ihm eine Abfuhr erteilen. Sie war zu wütend. Dann aber sagte sie sich, dass sie ihren Zorn nicht an ihrem Mann auslassen sollte: Perkin hatte sie im Stich gelassen, nicht Wulfric. Trotzdem war sie wütend auf Wulfric. Als sie hörte, wie sein Atmen in Schnarchen überging, wurde ihr klar, dass sie nicht wegen des Lohnes so wütend war. Solch ein Unglück traf jeden einmal, genau wie schlechtes Wetter oder Gerstenbrand.

Was war es dann?

Sie erinnerte sich, wie Annet gegen Wulfric gestolpert war, als sie vom Karren stieg. Als Annets kokettes Lächeln und Wulfrics freudiges Erröten ihr wieder vor Augen traten, hätte Gwenda ihren Mann am liebsten geohrfeigt. Sie war wütend auf ihn, weil diese nichtsnutzige, hohlköpfige Buhle noch immer einen solch verdammten Narren aus Wulfric machen konnte.

Am Sonntag vor Weihnachten wurde in der Kirche nach dem Gottesdienst ein Lehnshof abgehalten. Es war kalt, und die Dörfler kauerten sich in Mäntel und Decken gehüllt zusammen. Nathan Reeve hatte den Vorsitz. Der Grundherr, Ralph Fitzgerald, war seit Jahren nicht mehr in Wigleigh gesehen worden. Umso besser, dachte Gwenda. Außerdem hieß er jetzt Sir Ralph und besaß noch drei andere Dörfer als Lehnsgut, und so scherte er sich kaum um Ochsengespanne und Kuhweiden.

Alfred Shorthouse war in der Woche gestorben, ein kinderloser Witwer mit zehn Morgen Land. »Er hat keinen leiblichen Erben«, sagte Nate Reeve. »Perkin ist bereit, sein Land zu übernehmen.«

Gwenda war überrascht. Wie kam Perkin auf den Gedanken, noch mehr Land zu bestellen? Sie war so verblüfft, dass sie nicht sofort antwortete, und so ergriff Aaron Appletree, der Sackpfeifenspieler, als Erster das Wort. »Alfred war seit dem Sommer krank«, sagte er. »Er hat im Herbst nicht gepflügt und keinen Winterweizen gesät. Die ganze Arbeit liegt noch brach. Perkin wird alle Hände voll zu tun haben.«

Nate erwiderte gereizt: »Willst du das Land selber haben?«

Aaron schüttelte den Kopf. »In ein paar Jahren, wenn meine Jungen groß genug sind, um zu helfen, würde ich mich sofort auf eine solche Gelegenheit stürzen«, sagte er. »Aber jetzt könnte ich es nicht schaffen.«

»Aber ich«, sagte Perkin.

Gwenda runzelte die Stirn. Nate wollte offensichtlich, dass Perkin das Land bekam. Ohne Zweifel war hier Bestechung im Spiel. Sie hatte immer gewusst, dass Perkin noch Geld besaß, doch es brachte ihr nichts, seine Lügen bloßzustellen. Sie überlegte, wie sie die Lage zu ihrem Vorteil nutzen und ihre Familie aus der Armut befreien konnte.

Nate sagte: »Du könntest noch einen Knecht einstellen, Perkin.«

»Immer schön langsam«, meldete Gwenda sich zu Wort. »Perkin kann nicht mal die Arbeiter bezahlen, die er jetzt hat. Wie soll er da noch mehr Land bestellen?«

Perkin sah betroffen drein, konnte aber kaum abstreiten, was Gwenda sagte; deshalb schwieg er.

Nate fragte: »Wer sonst kann das Land bestellen?«

Gwenda sagte rasch: »Wir.«

Nate wirkte überrascht.

Eilig fügte sie hinzu: »Wulfric arbeitet um Essen. Ich selbst habe keine Arbeit. Wir brauchen Land.«

Sie bemerkte, dass mehrere Bauern nickten. Keinem im Dorf gefiel, was Perkin getan hatte. Alle fürchteten, eines Tages in die gleiche Klemme zu geraten.

Nate erkannte die Gefahr, dass sein Plan fehlschlug. »Ihr könnt euch die Gebühr nicht leisten«, sagte er.

»Dann bezahlen wir sie ab.«

Nate schüttelte den Kopf. »Ich möchte einen Pächter, der sofort bezahlen kann.« Er blickte die versammelten Dörfler an, doch niemand meldete sich. »David Johns?«

David war ein Mann in mittleren Jahren, dessen Söhne schon ihr eigenes Land bestellten. »Vor einem Jahr hätte ich Ja gesagt«, antwortete er. »Aber der Regen zur Erntezeit hat mich zurückgeworfen.«

Normalerweise hätte ein Angebot von zehn zusätzlichen Morgen zu einem erbitterten Streit unter den ehrgeizigeren Dörflern geführt, doch ein schlechtes Jahr lag hinter ihnen. Bei Gwenda und Wulfric war es anders. Wulfric hatte den Wunsch nach eigenem Landbesitz nie aufgegeben. Alfreds Grund und Boden waren zwar nicht das Land, das Wulfrics Vater bestellt hatte, aber besser als nichts. Außerdem waren Gwenda und Wulfric verzweifelt.

Aaron Appletree sagte: »Gebt es Wulfric, Nate. Er arbeitet schwer, er wird rechtzeitig mit dem Pflügen fertig. Und er und seine Frau haben's verdient, auch mal Glück zu haben – Pech hatten sie mehr als genug.«

Nate blickte unwillig drein, doch von den Bauern kam lautes zustimmendes Gemurmel. Trotz ihrer Armut waren Wulfric und Gwenda wohlgeachtet.

Dieses seltene Zusammentreffen glücklicher Umstände konnte Gwenda und ihrer Familie den Weg zu einem besseren Leben eröffnen, und sie verspürte wachsende Erregung, als es aussah, als könnte es wirklich so weit kommen.

Doch Nate blickte noch immer zweifelnd drein. »Sir Ralph hasst Wulfric«, sagte er.

Wulfric hob die Hand an die Wange und berührte die Narbe, die Ralphs Schwert ihm geschlagen hatte.

»Ich weiß«, erwiderte Gwenda. »Aber Ralph ist nicht hier.«

Als Graf Roland am Tag nach der Schlacht von Crécy starb, stiegen
mehrere Personen eine Stufe die Adelsleiter hinauf. Sein ältester
Sohn William wurde Graf, Herr über die Grafschaft Shiring, nur
dem König verantwortlich. Ein Vetter Williams, Sir Edward Courthouse, wurde Herr von Caster, übernahm als Gefolgsmann des Grafen die Herrschaft über die vierzig Dörfer dieses Lehens und zog
in Williams und Philippas altes Haus in Casterham. Und Sir Ralph
Fitzgerald wurde Herr von Tench.

In den nächsten achtzehn Monaten kehrte keiner von ihnen nach
Hause zurück. Sie waren zu beschäftigt, mit dem König umherzuziehen und Franzosen zu töten. Dann, im Jahre 1347, kam der Krieg
zum Stillstand. Die Engländer eroberten und hielten die wichtige Ha-
fenstadt Calais; davon abgesehen konnten sie nach einem Jahrzehnt
des Krieges aber nur recht wenig vorweisen – außer reicher Beute.

Im Januar 1348 nahm Ralph sein neues Lehen in Besitz. Tench
war ein großes Dorf mit hundert Bauernfamilien. Das Lehen umfasste dazu noch zwei kleinere Dörfer in der Nähe. Er behielt außerdem Wigleigh, das einen halben Tagesritt entfernt war.

Ralph empfand tiefen Stolz, als er durch Tench ritt. Auf diesen
Augenblick hatte er sich gefreut. Die Hörigen verbeugten sich, und
ihre Kinder staunten ihn an. Er war der Herr über jede Person und
Eigentümer jedes Gegenstands im ganzen Dorf.

Das Herrenhaus stand auf einem ummauerten Grundstück.
Als Ralph durchs Tor ritt, gefolgt von einem Karren mit Beute aus
Frankreich, sah er augenblicklich, dass die Wälle schon seit langer
Zeit nicht mehr repariert worden waren. Er fragte sich, ob er sie in-
stand setzen sollte. Die Bürger der Normandie hatten allgemein ihre
Verteidigung vernachlässigt; dadurch war es für Edward III. verhält-
nismäßig einfach gewesen, sie zu überrennen. Andererseits war die
Gefahr einer Invasion in Südengland nunmehr sehr gering. Schon in
einem frühen Stadium des Krieges war im Hafen von Sluys die fran-

zösische Flotte vernichtet worden; danach hatten die Engländer den Kanal beherrscht, der die beiden Länder voneinander trennte. Von kleineren Piratenüberfällen abgesehen, war seit Sluys jede Schlacht auf französischem Boden geschlagen worden. Alles in allem erschien es Ralph wenig lohnend, die Wälle des Anwesens zu erneuern.

Mehrere Knechte kamen und kümmerten sich um die Pferde. Ralph ließ das Abladen von Alan Fernhill beaufsichtigen und ging zu seinem neuen Haus. Er hinkte; sein verletztes Bein schmerzte nach jedem längeren Ritt. Tench Hall war aus Stein errichtet. Es wirkte beeindruckend, bemerkte Ralph zufrieden, auch wenn es einiger Reparaturen bedurfte – was wenig überraschte, denn es war seit dem Tod von Lady Matildas Vater unbewohnt gewesen. Dennoch machte es einen modernen Eindruck. In altmodischen Häusern war das Privatgemach des Hausherrn nachträglich am Ende des großen Saals angefügt worden, wo sich früher immer Herr und Gefolgschaft sammelten, doch Ralph sah schon von außen, dass hier die Gemächer der Familie das halbe Gebäude einnahmen.

Er trat in den Saal und fand zu seinem Verdruss Graf William dort sitzen.

Am anderen Ende des Raumes stand ein großer Sessel, aus dunklem Holz gefertigt und reich beschnitzt. Engel und Löwen zierten Rückenlehne und Armstützen, Schlangen und Ungeheuer die Beine. Offensichtlich war es der Sessel des Herrn. Doch jetzt hatte Graf William darin Platz genommen.

Ralphs gute Laune verflüchtigte sich. Dass der Beginn seiner Herrschaft unter den Blicken seines eigenen Lehnsherrn stattfand, verdarb ihm ein wenig die Freude daran. Das war so, als stiege man mit einer Frau ins Bett, während ihr Ehemann hinter der Tür stand und horchte.

Ralph verbarg sein Missfallen und grüßte Graf William förmlich. Der Graf stellte ihm den Mann vor, der neben ihm stand. »Das ist Daniel. Er ist hier seit zwanzig Jahren Vogt und hat sich im Namen meines Vaters gut um alles hier gekümmert, da Tilly noch nicht mündig war.«

Ralph nickte dem Vogt steif zu. Williams Botschaft war deutlich: Er wollte, dass Ralph diesen Daniel weiterhin als Verwalter beschäftigte. Daniel war Graf Rolands Gefolgsmann gewesen und wäre nun der Gefolgsmann Graf Williams. Ralph hatte jedoch nicht die Absicht, sein Lehen von einem Gefolgsmann des Grafen verwalten zu lassen. Sein Vogt musste allein ihm treu sein.

William wartete gespannt, dass Ralph sich zu Daniel äußerte. Doch Ralph hatte nicht die Absicht, ein Streitgespräch vom Zaun zu brechen. Vor zehn Jahren noch hätte er sich kopfüber in einen Disput gestürzt, doch in der Zeit, die er in der Nähe des Königs verbracht hatte, hatte er einiges gelernt. Er war nicht verpflichtet, die Einwilligung seines Grafen einzuholen, wenn er einen Vogt ernannte, und deshalb würde er nicht darum ersuchen. Er wollte schweigen, bis William gegangen war, und Daniel dann eröffnen, dass er für ihn andere Aufgaben vorgesehen habe.

Eine Zeit lang schwiegen William und Ralph hartnäckig; dann kam Bewegung in die festgefahrene Situation. Am Familienende des Saales öffnete sich eine große Tür, und eine hochgewachsene, elegante Gestalt trat ein. Es war viele Jahre her, dass Ralph Lady Philippa zum letzten Mal gesehen hatte, doch nun befiel seine jungenhafte Leidenschaft ihn wieder mit einer Wucht, als hätte eine Keule ihn getroffen; es raubte ihm schier den Atem. Philippa war älter geworden – sie musste um die vierzig sein, schätzte Ralph –, doch sie war eine Frau in den besten Jahren. Vielleicht hatte sie ein bisschen an Gewicht zugelegt – die Hüften runder, die Brüste voller –, doch in Ralphs Augen machte sie das nur verlockender. Sie schritt noch immer dahin wie eine Königin. Wie eh und je fragte Ralph sich bei ihrem Anblick, weshalb er nicht eine Frau wie sie haben konnte.

In der Vergangenheit hatte Philippa sich kaum dazu herabgelassen, Ralph zu bemerken; heute jedoch lächelte sie, nahm seine Hand und fragte: »Ihr macht Euch gerade mit Daniel bekannt?«

Auch sie wollte also, dass er den Gefolgsmann des Grafen weiter beschäftigte – deshalb war sie so höflich. Ein Grund mehr, den Kerl loszuwerden, dachte Ralph mit insgeheimer Wonne. »Ich bin gerade erst angekommen«, sagte er unverbindlich.

Philippa erklärte ihre Angelegenheit. »Wir wollten hier sein, wenn Ihr die Bekanntschaft der jungen Tilly macht – sie gehört zu unserer Familie.«

Ralph hatte den Nonnen der Priorei von Kingsbridge befohlen, seine Verlobte herzuschaffen, damit sie ihn heute kennenlernte. Offensichtlich hatten die Nonnen das Maul nicht halten können und Graf William davon unterrichtet. »Lady Matilda war das Mündel von Graf Roland, möge seine Seele in Frieden ruhen«, sagte Ralph und wies damit darauf hin, dass die Vormundschaft mit Graf Rolands Tod geendet habe.

»Ja, und dabei hätte ich vom König erwartet, dass er die Vormundschaft auf meinen Gemahl überträgt, denn er ist Graf Rolands Erbe.« Philippa wäre es so gewiss lieber gewesen.

»Aber das hat er nicht getan«, erwiderte Ralph. »Er hat sie mir zur Frau gegeben.« Obwohl noch keine Vermählung stattgefunden hatte, war das Mädchen umgehend in Ralphs Obhut gekommen. Streng genommen stand es William und Philippa überhaupt nicht zu, sich an diesem Tag hier einzufinden, als wollten sie die Rolle von Tillys Eltern spielen. Doch William war Ralphs Lehnsherr und konnte ihn aufsuchen, wann immer es ihm gefiel.

Ralph wollte keine Auseinandersetzung mit William, denn der konnte ihm leicht das Leben schwer machen. Andererseits überschritt William hier seine Befugnisse – wahrscheinlich unter dem Druck seiner Gemahlin. Ralph hatte nicht die Absicht, sich bevormunden zu lassen. Die letzten sieben Jahre hatten ihm das Selbstvertrauen geschenkt, die Unabhängigkeit zu verteidigen, die ihm zustand.

Wie auch immer – Ralph genoss es, mit Philippa die Klingen zu kreuzen, lieferte das Duell ihm doch einen Vorwand, sie anzustarren. Er ließ den Blick von ihrem energischen Kinn über ihre vollen Lippen hinauf zu den Wangenknochen schweifen. Trotz ihres Stolzes war sie gezwungen, sich mit ihm auseinanderzusetzen. Es war das längste Gespräch, das sie je geführt hatten.

»Tilly ist noch sehr jung«, sagte Philippa.

»Sie wird dieses Jahr vierzehn«, erwiderte Ralph. »So alt war unsere Königin, als sie unseren König geheiratet hat – das hat Seine Majestät persönlich zu mir und Graf William gesagt, nach der Schlacht von Crécy.«

»Unmittelbar nach einer Schlacht ist nicht unbedingt der beste Zeitpunkt, über das Schicksal einer Jungfrau zu entscheiden«, sagte Philippa mit gesenkter Stimme.

Ralph wollte sich diese Gelegenheit nicht entgehen lassen. »Ich für meinen Teil fühle mich in der Pflicht, den Entscheidungen Seiner Majestät zu gehorchen.«

»Wie wir alle«, murmelte sie.

Ralph hatte das Gefühl, sie besiegt zu haben. Es war ein sexuelles Empfinden, beinahe so, als hätte er bei ihr gelegen. Zufrieden wandte er sich an Daniel. »Meine zukünftige Frau sollte rechtzeitig zum Essen hier sein«, sagte er. »Sorgt dafür, dass es ein Festmahl wird.«

Philippa warf ein: »Darum habe ich mich schon gekümmert.«

Ralph drehte langsam den Kopf, bis sein Blick wieder auf ihr ruhte. Sie hatte die Grenzen der Höflichkeit überschritten, indem sie in seiner Küche Anweisungen erteilt hatte.

Sie begriff es und errötete. »Ich wusste nicht, wann Ihr eintreffen würdet.«

Ralph erwiderte nichts. Um Entschuldigung bitten würde sie nicht, aber er war es zufrieden, sie gezwungen zu haben, sich ihm zu erklären – eine so stolze Frau wie Philippa musste es Überwindung gekostet haben.

Für kurze Zeit waren draußen Pferde zu hören gewesen, und nun traten Ralphs Eltern ein. Er hatte sie seit Jahren nicht gesehen und eilte ihnen zur Begrüßung entgegen.

Sie waren beide über fünfzig, doch seine Mutter schien rascher gealtert zu sein als sein Vater. Ihr Haar war weiß, ihr Gesicht runzlig, und sie zeigte die leicht gebeugte Haltung einer älteren Frau. Ralphs Vater erschien vitaler, was aber auch an der Aufregung des Augenblicks lag: Sein Gesicht glühte vor Stolz, und er schüttelte Ralphs Hand so überschwänglich, dass er den Arm wie einen Pumpenschwengel auf und ab bewegte. In seinem roten Bart sah man kein Grau, und seine schlanke Gestalt wirkte noch immer rüstig. Beide trugen sie neue Kleider – Ralph hatte ihnen dazu Geld geschickt. Sir Gerald war mit einem schweren Wappenrock aus Wolle bekleidet; Lady Maud trug einen Pelzmantel.

Ralph schnippte nach Daniel. »Wein«, sagte er. Einen Augenblick lang blickte der Vogt drein, als wollte er sich dagegen verwahren, wie eine Dienstmagd behandelt zu werden; dann schluckte er seinen Zorn herunter und ging in die Küche.

Ralph sagte: »Graf William, Lady Philippa – darf ich Euch meinen Vater vorstellen, Sir Gerald, und meine Mutter, Lady Maud.«

Er hatte befürchtet, dass William und Philippa seine Eltern hochnäsig behandeln würden, doch sie begrüßten sie einigermaßen freundlich.

Gerald sagte zu William: »Ich war ein Waffengefährte Eures Vaters, möge er in Frieden ruhen. Ich kannte Euch sogar als Knaben, Graf William, auch wenn Ihr Euch nicht mehr an mich erinnern werdet.«

Ralph wünschte, sein Vater würde nicht auf seine glorreiche Vergangenheit aufmerksam machen. Das unterstrich nur, wie tief er gefallen war.

Doch William schien es nicht zu bemerken. »Jetzt, da Ihr es sagt – ich glaube, ich erinnere mich doch an Euch«, sagte er. Wahrscheinlich wollte er nur freundlich sein, doch Gerald freute sich. »Natürlich«, fügte William hinzu, »erinnere ich mich an einen Riesen von wenigstens sieben Fuß.«

Gerald, der recht kurz geraten war, lachte entzückt.

Maud sah sich um. »Also, das ist ein schönes Haus, Ralph«, sagte sie.

»Ich will es mit den Schätzen schmücken, die ich aus Frankreich mitgebracht habe«, erklärte er. »Aber ich bin gerade erst angekommen.«

Ein Küchenmädchen brachte einen Krug Wein und Kelche auf einem Tablett, und alle tranken etwas. Der Wein war ein guter Bordeaux, schwer und süß. Eines muss man Daniel lassen, ging es Ralph durch den Kopf, den Keller des Hauses hat er gut gefüllt gehalten. Dann aber fiel ihm ein, dass viele Jahre lang niemand von dem Wein hatte trinken können – außer natürlich Daniel selbst.

Er wandte sich an seine Mutter. »Gibt es Neuigkeiten von meinem Bruder Merthin?«

»Ihm geht es sehr gut«, sagte sie stolz. »Er ist verheiratet und hat eine Tochter. Und er ist reich. Er baut einen Palast für die Familie von Buonaventura Caroli.«

»Aber zum *Conte* haben sie ihn noch nicht gemacht, nehme ich an?« Ralph gab vor zu scherzen, doch es war anders gemeint: Er spielte darauf an, dass Merthin trotz all seines Erfolgs noch keinen Adelstitel errungen hatte, sondern dass er es war, Ralph, der die Hoffnung ihres Vaters erfüllt und die Familie in den Adelsstand zurückgeführt hatte.

»Was nicht ist, kann noch werden«, erwiderte sein Vater leichthin, als wäre tatsächlich denkbar, dass Merthin ein italienischer Graf werden könnte. Ralph ärgerte sich, aber nur kurz.

Seine Mutter fragte: »Könnten wir unsere Räume sehen?«

Ralph zögerte. Was meinte sie mit »unsere Räume«? Ihm fuhr der schreckliche Gedanke durch den Kopf, seine Eltern könnten annehmen, dass sie hier wohnen würden. Das konnte er nicht zulassen: Sie wären eine ständige Erinnerung an die Jahre, die die Familie in Schande verbracht hatte. Außerdem könnte er sich in ihrem Beisein nie ungezwungen geben. Andererseits, begriff er nun, wäre es eine Schande für einen Adligen gewesen, seine Eltern als Pensionäre einer Priorei in einem Haus mit nur einem Zimmer wohnen zu lassen.

Darüber musste er nachdenken. »Ich habe die Privatgemächer selbst noch nicht gesehen. Ich hoffe, ich kann es euch für ein paar Nächte bequem machen.«

»Ein paar Nächte?«, fragte seine Mutter rasch. »Schickst du uns wieder nach Kingsbridge zurück, in unsere alte Hütte?«

Ralph war entsetzt, dass sie vor William und Philippa darüber sprach. »Ich glaube nicht, dass hier Platz ist, wo ihr wohnen könnt.«

»Woher willst du das wissen, wenn du dir die Zimmer noch gar nicht angesehen hast?«

Daniel unterbrach das Gespräch: »Ein Dörfler aus Wigleigh ist hier. Er heißt Perkin. Er möchte Euch seine Ehrerbietung erweisen, Sir Ralph, und in einer dringenden Angelegenheit vorsprechen.«

Normalerweise hätte Ralph den Mann abgekanzelt, dass er ihn im Gespräch unterbrach, doch diesmal war er dankbar für die Störung. »Sieh dir die Zimmer an, Mutter«, sagte er. »Ich befasse mich derweil mit diesem Bauern.«

William und Philippa gingen mit seinen Eltern die Wohnräume inspizieren, und Daniel führte Perkin an den Tisch. Perkin war so unterwürfig wie immer. »Ich bin ja so froh, dass Euer Lordschaft die Kriege gegen die Franzosen sicher und heil überstanden haben«, sagte er.

Ralph blickte auf seine linke Hand, an der drei Finger fehlten. »Nun, fast heil«, sagte er.

»Alle Leute in Wigleigh betrauern Eure Wunden, Herr, aber die Belohnungen! Die Ritterwürde, noch drei Dörfer und Lady Matilda zur Frau!«

»Danke für die Glückwünsche, aber in welcher wichtigen Angelegenheit willst du mich sprechen?«

»Herr, es dauert nicht lange. Alfred Shorthouse ist ohne einen Erben für seine zehn Morgen Land gestorben. Ich habe mich erboten, das Land zu übernehmen, auch wenn die Zeiten sehr hart sind nach den Gewittern im August …«

»Halte dich nicht mit dem Wetter auf.«

»Gewiss, Herr. Kurz gesagt, Nathan Reeve traf eine Entscheidung, von der ich vermute, dass sie Euch nicht gefallen wird.«

Ralph wurde ungeduldig. Ihn kümmerte es wirklich nicht, welcher Bauer nun Alfreds zehn Morgen bestellte. »Was immer Nathan entschieden hat …«

»Er gab das Land an Wulfric.«

»Aha.«

»Einige im Dorf sagen, dass Wulfric es verdient hat, denn er hat kein Land; aber er kann den Hauptfall nicht bezahlen, und außerdem ...«

»Du brauchst mich nicht zu überzeugen«, sagte Ralph. »Ich werde nicht zulassen, dass dieser Unruhestifter auf meinem Lehen Land besitzt.«

»Danke, Herr. Soll ich Nathan Reeve sagen, dass ich das Land bekomme, weil Ihr es so wünscht?«

»Ja«, sagte Ralph. Er sah, wie der Graf und die Gräfin aus den Privaträumen kamen, seine Eltern im Schlepptau. »In den nächsten beiden Wochen komme ich persönlich, um es zu bestätigen.« Mit einem Winken entließ er Perkin.

In diesem Augenblick traf Lady Matilda ein.

Sie trat in den Saal, auf beiden Seiten von einer Nonne geleitet. Eine der beiden war Merthins alte Freundin Caris, die dem König einzureden versucht hatte, Tilly wäre zu jung zur Heirat. Auf der anderen Seite ging die Nonne, die mit Caris nach Crécy gereist war, eine Frau mit Engelsgesicht, die Ralph nicht mit Namen kannte. Hinter ihnen kam, wohl als Leibwächter, der einarmige Mönch, der Ralph vor neun Jahren so schlau gefangen hatte, Bruder Thomas.

Und in der Mitte ging Tilly. Ralph sah sofort, weshalb die Nonnen sie vor der Heirat schützen wollten. Ihr Gesicht zeigte einen Ausdruck kindlicher Unschuld; Sommersprossen sprenkelten ihre Nase, und zwischen den Schneidezähnen war eine Lücke. Mit ängstlichen Blicken sah sie um sich. Caris hatte das kindliche Aussehen unterstrichen, indem sie das Mädchen in ein schmuckloses weißes Nonnengewand mit schlichter Haube gekleidet hatte, doch die weiblichen Rundungen ihres Körpers ließen sich dadurch nicht verdecken. Caris hatte dem Mädchen offenbar ein Aussehen verleihen wollen, das es zu jung für die Ehe erscheinen ließ. Die Wirkung, die ihr Anblick auf Ralph hatte, war genau das Gegenteil.

Wenn Ralph im Dienste des Königs eines gelernt hatte, dann dies: In vielen Situationen konnte ein Mann mühelos die Oberhand gewinnen, indem er als Erster sprach. Laut sagte er: »Komm her, Tilly.«

Das Mädchen trat näher heran. Ihr Begleitschutz zögerte; dann blieben alle stehen, wo sie waren.

»Ich bin dein Gemahl, Tilly«, eröffnete Ralph ihr. »Ich bin Sir Ralph Fitzgerald, Herr von Tench.«

Sie sah verängstigt aus. »Ich freue mich, Euch kennenzulernen, Herr.«

»Das ist nun dein Zuhause, wie damals, als du noch ein Kind warst und dein Vater hier als Herr saß. Du bist nun die Herrin von Tench, wie einst deine Mutter. Bist du froh, wieder im Haus deiner Familie zu sein?«

»Ja, Herr.« Sie sah alles andere als glücklich aus.

»Ich bin sicher, die Nonnen haben dir gesagt, dass du ein Leben in Gehorsam führen und alles tun musst, um deinem Mann zu gefallen, der dein Herr und Meister ist.«

»Ja, Herr.«

»Und das sind meine Mutter und mein Vater, die nun auch deine Eltern sind.«

Sie machte einen kleinen Knicks vor Gerald und Maud.

Ralph sagte: »Komm her.« Er streckte die Hände aus.

Ohne nachzudenken griff Tilly nach ihnen; dann sah sie seine verstümmelte linke Hand. Sie stieß einen entsetzten Kiekser aus und zuckte zurück.

Ralph lag ein zorniger Fluch auf den Lippen, doch er unterdrückte ihn. Mit einiger Mühe bezwang er sich und sagte in unbeschwertem Tonfall: »Fürchte dich nicht vor meiner schlimmen Hand. Du solltest sie mit Stolz betrachten. Ich habe meine Finger im Dienst des Königs verloren.« Erwartungsvoll hielt er die Arme ausgestreckt.

Mit einiger Überwindung ergriff das Mädchen seine Hände.

»Du darfst mich jetzt küssen, Tilly.«

Er saß, und sie stand vor ihm. Sie beugte sich vor und bot ihm die Wange dar. Er legte ihr die verstümmelte Hand an den Hinterkopf und drehte ihn, bis sie ihm ihr Gesicht zuwandte; dann küsste er sie auf den Mund. Er spürte ihre Unsicherheit und vermutete, dass noch kein Mann sie geküsst hatte. Er ließ seinen Mund auf ihren Lippen verweilen – teils, weil sie so süß waren, teils, um die Zuschauenden zu erzürnen. Dann legte er ihr langsam und bedacht die heile Hand auf die Brust und fühlte nach ihren Brüsten. Sie waren voll und rund. Sie war kein Kind mehr.

Er ließ sie los und seufzte wohlig. »Wir müssen bald heiraten«, sagte er und wandte sich an Caris, die sichtlich mit ihrem Zorn kämpfte. »In der Kathedrale von Kingsbridge, Sonntag in vier Wochen«, sagte er. Dann blickte er Philippa an, obwohl er zu William redete. »Da wir auf ausdrücklichen Wunsch Seiner Majestät König

Edwards vermählt werden, wäre es mir eine Ehre, wenn Ihr kommen könntet, Graf William.«

William nickte knapp.

Caris ergriff zum ersten Mal das Wort. »Sir Ralph! Der Prior von Kingsbridge sendet Euch Grüße und lässt ausrichten, es sei ihm eine Ehre, die Zeremonie abzuhalten, es sei denn natürlich, der neue Bischof wünscht es selbst zu tun.«

Ralph nickte gnädig.

Sie fügte hinzu: »Doch wir, die wir dieses Kind in Obhut hatten, glauben, dass sie noch immer zu jung ist, um mit ihrem Mann das Ehebett zu teilen.«

Philippa sagte: »Ich stimme zu.«

Ralphs Vater warf ein: »Du weißt, Sohn, ich habe Jahre gewartet, bis ich deine Mutter geehelicht habe.«

Ralph wollte diese Geschichte nicht schon wieder hören. »Hier verhält es sich anders, Vater. Mir wurde die Vermählung mit Lady Matilda vom König befohlen.«

Seine Mutter sagte: »Vielleicht solltest du warten, Sohn.«

»Ich habe über ein Jahr gewartet! Sie war zwölf, als der König sie mir gab.«

Caris sagte: »Heiratet das Kind, jawohl, mit allem Zeremoniell – aber dann lasst sie für ein Jahr ins Nonnenkloster zurückkehren. Lasst sie ganz zur Frau heranwachsen. Bringt sie erst dann in Euer Haus.«

Ralph schnaubte verächtlich. »In einem Jahr könnte ich tot sein, besonders, wenn der König beschließt, nach Frankreich zurückzukehren. Die Fitzgeralds brauchen einen Erben.«

»Sie ist noch ein Kind …«

Ralph unterbrach sie mit erhobener Stimme. »Sie ist kein Kind mehr – seht sie Euch doch an! Diese dämliche Nonnentracht kann ihre Brüste auch nicht verdecken.«

»Brüste? Das ist nur Kinderspeck.«

»Hat sie das Haar einer Frau?«, fragte Ralph.

Tilly schnappte nach Luft ob seiner derben Offenheit, und die Schamesröte schoss ihr ins Gesicht.

Caris zögerte.

Ralph sagte: »Vielleicht sollte meine Mutter sie in meinem Namen untersuchen und es mir sagen.«

Caris schüttelte den Kopf. »Das wird nicht nötig sein. Tilly hat Haare, wo eine Frau sie hat und ein Mädchen nicht.«

»Das wusste ich gleich. Ich habe ...« Ralph hielt inne. Er hatte noch rechtzeitig bemerkt, dass er nicht jeden Anwesenden wissen lassen sollte, unter welchen Umständen er Mädchen in Tillys Alter nackt gesehen hatte. »Ich hab's an ihrer Figur erkannt«, erklärte er, ohne seine Mutter anzusehen.

In Caris' Stimme trat ein beschwörender Ton, der nur selten von ihr zu hören war. »Ralph, im Geiste ist sie noch ein Kind.«

Was schert mich ihr Geist, dachte Ralph, sprach es aber nicht aus. »Sie hat vier Wochen, um zu lernen, was sie nicht weiß«, sagte er und bedachte Caris mit einem wissenden Blick. »Ich bin sicher, Ihr könnt ihr alles beibringen.«

Caris errötete. Nonnen sollten zwar nichts von ehelicher Vertrautheit wissen, doch sie war die Geliebte seines Bruders gewesen.

Seine Mutter begann: »Vielleicht könnte man einen Kompromiss ...«

»Du verstehst nicht, Mutter«, unterbrach Ralph sie grob. »Niemand macht sich wirklich Gedanken um ihr Alter. Wenn ich die Tochter eines Schlachters aus Kingsbridge heiraten würde, könnte sie noch neun sein – es würde niemanden kümmern. Es liegt daran, dass Tilly adlig geboren ist, begreifst du nicht? Die halten sich für etwas Besseres als wir!« Er wusste, dass er brüllte, und sah das Erstaunen auf den Gesichtern der Umstehenden, doch es kümmerte ihn nicht. »Sie wollen nicht, dass eine Base des Grafen von Shiring den Sohn eines verarmten Ritters heiratet! Sie wollen die Heirat hinausschieben, weil sie hoffen, dass ich in der Schlacht falle, ehe die Ehe vollzogen wird!« Er wischte sich über den Mund. »Aber dieser Sohn eines verarmten Ritters hat in der Schlacht von Crécy gekämpft und dem Fürsten von Wales das Leben gerettet. Für den König ist nur das wichtig.« Er blickte sie nacheinander an: den hochmütigen William, die verächtliche Philippa, die wütende Caris und seine erstaunten Eltern. »Nun, ihr solltet euch mit den Tatsachen abfinden. Ralph Fitzgerald ist Ritter und Herr, ein Waffengefährte des Königs. Und er wird Lady Matilda heiraten, die Base des Grafen – ob es euch gefällt oder nicht!«

Für einige Augenblicke herrschte entsetztes Schweigen; dann wandte Ralph sich Daniel zu. »Das Essen kann aufgetragen werden.«

Im Frühjahr 1348 erwachte Merthin wie aus einem Albtraum, an den er sich nicht entsinnen konnte. Er fühlte sich verwirrt und schwach. Als er die Augen aufschlug, blickte er in einen Raum, erhellt von Strahlen aus hellem Sonnenschein, die durch halb offene Läden fielen. Er sah eine hohe Decke, weiße Mauern, rote Fliesen. Die Luft war mild. Die Wirklichkeit kehrte langsam wieder. Er lag im Schlafzimmer seines Hauses in Florenz. Er war krank gewesen ...

Die Krankheit. Daran erinnerte er sich als Erstes. Sie hatte mit Hautausschlag begonnen, purpurn-schwärzlichen Flecken auf der Brust, den Armen, schließlich überall. Kurz darauf bekam er eine schmerzhafte Schwellung in der Achselhöhle. Fieber befiel ihn, und er schwitzte im Bett und verdrehte die Laken, während er sich wand. Er hatte erbrochen und Blut gehustet. Den Tod hatte er vor Augen gehabt. Am schlimmsten aber war der quälende, unstillbare Durst gewesen, der in ihm den Wunsch geweckt hatte, sich offenen Mundes in den Arno zu stürzen, der durch Florenz floss.

Merthin war längst nicht der Einzige, der an der Krankheit litt. Tausende von Italienern waren von der Seuche befallen worden. Zehntausende. Die Hälfte aller Arbeiter waren von Merthins Baustellen verschwunden, ebenso die meisten Hausdiener. Fast jeder, der sich ansteckte, starb binnen fünf Tagen. Sie nannten es *la moria grande*, den Großen Tod.

Aber Merthin lebte.

Er hatte das bohrende Gefühl, irgendeine folgenschwere Entscheidung getroffen zu haben, als er krank gewesen war, konnte sich aber nicht mehr erinnern. Einen Augenblick konzentrierte er sich. Doch je angestrengter er nachdachte, desto mehr entzog sich ihm der Gedanke, bis er schließlich ganz verschwunden war.

Er setzte sich im Bett auf. Seine Arme und Beine waren schlaff, und einen Augenblick lang drehte sich alles um ihn. Er trug ein sauberes Nachthemd aus Linnen und fragte sich, wer es ihm angezogen habe. Nach kurzem Verweilen erhob er sich.

Er besaß ein vierstöckiges Haus mit Hof. Entworfen und gebaut hatte er es selbst, mit glatter Front statt der traditionellen überhängenden Geschosse und dazu architektonischen Merkmalen wie runden Fensterbögen und klassisch anmutenden Säulen. Die Nachbarn nannten es einen *palagetto*, einen kleinen Palast. Sieben Jahre stand das Haus nun schon. Mehrere wohlhabende Florentiner Kaufleute hatten ihn gebeten, *palagetti* für sie zu bauen; damit hatte Merthins Erfolgsgeschichte in dieser Stadt ihren Anfang genommen.

Florenz war eine Republik und wurde statt von einem Fürsten oder Herzog von einer Führungsschicht untereinander zerstrittener Kaufmannsfamilien regiert. In der Stadt lebten Tausende von Webern; reich aber wurden nur die Händler, die ihre Produkte verkauften. Ihr Geld gaben sie für den Bau prächtiger Häuser aus, sodass die Stadt ein ideales Betätigungsfeld für einen aufstrebenden, begabten jungen Architekten war.

Merthin ging zur Schlafzimmertür und rief seine Frau. »Silvia? Wo bist du?« Nach neun Jahren sprach Merthin das Toskanische, ohne erst nach Worten suchen zu müssen.

Dann erinnerte er sich. Auch Silvia war krank geworden. Und was war mit ihrer Tochter, die erst drei Jahre alt war? Sie hieß Laura, doch sie hatten ihre kindliche Aussprache übernommen und nannten sie Lolla. Entsetzliche Furcht griff nach Merthins Herz. Lebte Silvia noch? Und was war aus Lolla geworden?

Im Haus war es still. Ebenso in der Stadt, bemerkte er plötzlich. Der Winkel, in dem das Sonnenlicht in die Häuser fiel, verriet ihm, dass es später Vormittag war. Eigentlich hätte er die Rufe der Straßenhändler hören müssen, das Klappern der Pferdehufe und das Rumpeln hölzerner Karrenräder, das unaufhörliche Gemurmel Tausender Stimmen – doch er hörte nichts.

Merthin stieg die Treppe hinauf. Er war so schwach, dass er dabei nach Luft schnappte. Er stieß die Tür zum Kinderzimmer auf. Der Raum wirkte leer. Merthin brach der Angstschweiß aus. Da stand Lollas Bettchen, die kleine Truhe für ihre Kleider, eine Kiste mit Spielzeug, ein kleiner Tisch mit zwei winzigen Stühlen. Dann hörte er etwas. Dort in der Ecke saß Lolla. Sie saß in einem sauberen Kleidchen am Boden und spielte mit einem kleinen hölzernen Pferd, das bewegliche Beine hatte. Merthin stieß einen unterdrückten Ruf der Erleichterung aus. Als Lolla ihn hörte, sah sie auf. »Papa«, stellte sie nüchtern fest.

· Merthin nahm sie hoch und drückte sie an sich. »Du lebst«, sagte er auf Englisch.

Er hörte ein Geräusch im Nebenzimmer, und dann kam Maria herein. Sie war eine grauhaarige Frau über fünfzig und Lollas Bonne. »Herr!«, sagte sie. »Ihr seid auf – geht es Euch besser?«

»Wo ist deine Herrin?«, fragte er.

Maria machte ein trauriges Gesicht. »Es tut mir schrecklich leid, Herr«, sagte sie. »Die Herrin ist gestorben.«

Lolla sagte: »Mama ist fort.«

Der Schock traf Merthin wie ein Schlag ins Gesicht. Wie betäubt drückte er Lolla in Marias Arme. Mit langsamen, vorsichtigen Bewegungen wandte er sich ab und verließ den Raum, stieg die Treppe zum *piano nobile*, dem Hauptgeschoss, hinunter. Er blickte auf den langen Tisch, die leeren Stühle, die Teppiche am Boden, die Bilder an den Wänden. Ihm war, als besichtige er das Haus eines Fremden.

Er stellte sich vor das Gemälde der Jungfrau Maria mit ihrer Mutter Anna. Italienische Maler waren den englischen und allen anderen überlegen, und dieser Künstler hatte der heiligen Anna das Gesicht Silvias verliehen. Sie war eine stolze Schönheit mit makelloser olivfarbener Haut und edlen Zügen gewesen, doch der Maler hatte auch die Leidenschaft gesehen, die in ihren braunen Augen schwelte.

Merthin konnte nicht begreifen, dass es Silvia nicht mehr gab. Er dachte an ihren schlanken Leib und daran, wie er immer wieder ihre perfekt geformten Brüste bewundert hatte. Der Körper, mit dem er so völlig vertraut gewesen war, verweste nun in der Erde. Bei dieser Vorstellung traten ihm endlich Tränen in die Augen, und er schluchzte vor Trauer.

Wo ist ihr Grab, fragte er sich in seinem Elend. Ihm fiel ein, dass in Florenz keine Beisetzungen mehr stattfanden: Die Menschen hatten Angst, ihre Häuser zu verlassen. Sie zerrten die Leichen einfach auf die Straße und ließen sie dort liegen, was den Dieben, Bettlern und Säufern der Stadt einen neuen Beruf verschafft hatte, den der Leichenträger oder *becchini*. Sie verlangten jedoch horrende Gebühren, um die Toten fortzuschaffen und in Massengräber zu legen. Vielleicht würde er niemals erfahren, wo Silvia begraben lag.

Vier Jahre waren sie verheiratet gewesen. Wie er sie auf dem Bild betrachtete, im traditionell roten Kleid der heiligen Anna, überkam

Merthin ein Anfall schmerzlicher Ehrlichkeit, und er fragte sich, ob er sie je wirklich geliebt hatte. Er hatte sie sehr gern gehabt, doch eine alles verzehrende Leidenschaft war zwischen ihnen nicht gewesen. Silvia besaß einen unabhängigen Geist und eine scharfe Zunge; trotz des Reichtums ihres Vaters war Merthin der einzige Mann in Florenz gewesen, der den Mut besessen hatte, um sie zu werben. Dafür hatte sie sich ihm völlig ergeben. Doch die Art seiner Liebe hatte sie nur zu genau einzuschätzen gewusst. »Woran denkst du?«, pflegte sie manchmal zu fragen, und dann zuckte Merthin schuldbewusst zusammen, weil er in Gedanken in Kingsbridge gewesen war. Schon bald wechselte sie zu: »An wen denkst du?« Er sprach Caris' Namen nie aus, doch Silvia sagte: »Es muss eine Frau sein, ich sehe es am Ausdruck in deinem Gesicht.« Schließlich begann sie, von »deinem englischen Mädchen« zu reden. Sie sagte: »Du denkst an dein englisches Mädchen«, und jedes Mal hatte sie recht. Doch sie schien es hinzunehmen. Merthin war ihr stets treu. Und er vergötterte Lolla.

Nach einer Weile brachte Maria ihm Brot und Suppe. »Welcher Tag ist heute?«, fragte er.

»Dienstag.«

»Wie lange war ich im Bett?«

»Zwei Wochen. Ihr wart sehr krank.«

Er fragte sich, wie er überlebt hatte. Manche Menschen steckten sich gar nicht erst an, als besäßen sie einen natürlichen Schutz; aber die, die an der Seuche erkrankten, starben fast immer. Die winzige Minderheit, die gesund wurde, war doppelt glücklich, denn niemand hatte sich die Krankheit je ein zweites Mal zugezogen.

Nachdem Merthin gegessen hatte, fühlte er sich kräftiger. Ihm wurde klar, dass er sein Leben neu ordnen musste. Vermutlich hatte er diese Entscheidung schon einmal getroffen, während er krank daniederlag, doch erneut neckte ihn dieser Faden seiner Erinnerung, indem er sich nicht packen ließ.

Wer aus seiner Familie wohl noch lebte? Das herauszufinden war seine erste Pflicht.

Er trug sein Geschirr in die Küche, wo Maria die kleine Lolla mit Brot fütterte, das sie in Ziegenmilch getunkt hatte. Merthin fragte sie: »Was ist mit Silvias Eltern? Leben sie noch?«

»Das weiß ich nicht«, antwortete Maria. »Ich habe das Haus nur verlassen, um fürs Essen einzukaufen.«

»Ich muss mich erkundigen.«

Merthin kleidete sich an und ging nach unten. Das Erdgeschoss des Hauses war eine Werkstatt, und auf dem Hinterhof lagerten Holz und Stein. Niemand arbeitete, weder drinnen noch draußen.

Merthin verließ das Haus. Die Gebäude ringsum waren zumeist aus Stein, und einige davon waren sehr eindrucksvoll. In Kingsbridge gab es keine Häuser, die mit diesen Gebäuden zu vergleichen gewesen wären. Der reichste Mann in Kingsbridge, Edmund Wooler, hatte in einem Holzhaus gewohnt. In Florenz lebten nur die Ärmsten in solchen Behausungen.

Die Straße war menschenleer. Noch nie hatte Merthin sie so erlebt, nicht einmal mitten in der Nacht. Gespenstisch wirkte sie. Er fragte sich, wie viele Menschen gestorben waren: Ein Drittel der Einwohner? Die Hälfte? Weilten ihre Geister noch in den Gassen und schattigen Ecken? Betrachteten sie mit neidischem Blick die glücklichen Überlebenden?

Das Haus der Familie Christi stand in der nächsten Straße. Merthins Schwiegervater Alessandro Christi war sein erster und bester Freund in Florenz gewesen. Der Schulkamerad Buonaventura Carolis hatte Merthin seinen ersten Auftrag erteilt, den Bau eines einfachen Lagerhauses. Alessandro war Silvias Vater – und damit auch Lollas Großvater.

Die Tür zu Alessandros *palagetto* war verschlossen. Das allein war ungewöhnlich. Merthin schlug an die Füllung und wartete. Schließlich wurde ihm von Elisabetta geöffnet, einer kleinen, fülligen Frau, die als Wäscherin für Alessandro arbeitete. Sie sah ihn erschrocken an. »Ihr lebt!«, rief sie.

»Hallo, Betta«, sagte er. »Ich freue mich, dass auch du noch am Leben bist.«

Sie wandte sich um und rief ins Haus: »Es ist der englische Herr!«

Merthin hatte ihnen gesagt, er sei kein Herr, doch die Diener glaubten ihm nicht. Er kam herein. »Alessandro?«, fragte er.

Betta schüttelte den Kopf und brach in Tränen aus.

»Und deine Herrin?«

»Beide tot.«

Die Treppe führte aus der Eingangshalle in den ersten Stock. Langsam quälte Merthin sich die Stufen hinauf, erschrocken, wie schwach er sich noch fühlte. Im großen Zimmer setzte er sich, um zu Atem zu kommen. Alessandro war reich gewesen, und so stellte der Raum Teppiche und Wandbehänge zur Schau, Gemälde, Bücher, juwelenbesetzte Truhen.

»Wer ist noch da?«, fragte er Elisabetta.

»Nur Lena und ihre Kinder.« Lena war eine Sklavin aus Asien, was zwar ungewöhnlich, in wohlhabenden Florentiner Häusern jedoch keineswegs einzigartig war. Lena hatte von Alessandro zwei kleine Kinder, einen Jungen und ein Mädchen, und er hatte sie stets wie legitime Nachkommen behandelt. Silvias bissigen Bemerkungen zufolge schenkte er ihnen sogar mehr Liebe, als sie oder ihr Bruder je erhalten hatten. Die weltläufigen Florentiner betrachteten das Arrangement eher als exzentrisch denn skandalös.

Merthin fragte: »Was ist mit Signor Gianni?« Gianni war Silvias Bruder.

»Tot. Seine Frau auch. Das Kleine ist hier bei mir.«

»Gütiger Gott.«

Betta fragte schüchtern: »Und Eure Familie, Herr?«

»Meine Frau ist tot.«

»Oh. Das tut mir leid.«

»Aber Lolla lebt.«

»Gott sei Dank!«

»Maria kümmert sich um sie.«

»Maria ist eine gute Frau. Möchtet Ihr etwas zu trinken?«

Merthin nickte, und sie ging davon.

Lenas Kinder kamen und starrten ihn an: ein dunkeläugiger Junge von sieben Jahren, der wie Alessandro aussah, und eine hübsche Vierjährige mit den asiatischen Augen ihrer Mutter. Dann kam Lena selbst, eine schöne Frau Mitte zwanzig mit goldener Haut und hohen Jochbeinen. Sie kredenzte ihm einen silbernen Kelch mit dunkelrotem toskanischem Wein und ein Tablett mit Mandeln und Oliven.

»Wollt Ihr nun hier wohnen, Herr?«, fragte sie.

Merthin war erstaunt. »Ich glaube nicht. Wieso?«

»Das Haus gehört jetzt Euch.« Sie machte eine Geste, die das gesamte Vermögen der Christis einschloss. »Alles gehört Euch.«

Merthin ging erst jetzt auf, dass sie recht hatte. Er war Alessandro Christis einziger überlebender erwachsener Verwandter. Dadurch wurde er zum Erben und zum Vormund von drei Kindern, die zu Lolla hinzukamen.

»Alles«, wiederholte Lena und sah ihm in die Augen.

Merthin begegnete ihrem offenen Blick und merkte, dass sie sich selbst darbot.

Er dachte darüber nach. Das Haus war schön. Es war das Zuhause von Lenas Kindern und Lolla vertraut, wie auch Giannis Säugling; alle Kinder wären dort glücklich. Er hatte genug Geld geerbt, um für den Rest seiner Tage gut zu leben. Lena war eine Frau mit Intelligenz und Erfahrung, und er konnte sich gut die Freuden ausmalen, mit ihr intim zu werden.

Sie las seine Gedanken, nahm seine Hand und legte sie auf ihren Busen. Ihre Brüste fühlten sich durch das leichte wollene Kleid weich und warm an.

Doch das wollte er nicht. Er zog Lenas Hand an seine Lippen und küsste sie. »Ich werde für dich und deine Kinder sorgen«, sagte er. »Mach dir keine Sorgen.«

»Danke, Herr«, sagte sie, wirkte jedoch enttäuscht, und irgendetwas in ihren Augen verriet Merthin, dass ihr Angebot nicht allein von praktischen Erwägungen herrührte. Sie hatte aufrichtig gehofft, er könnte mehr für sie sein als nur ihr neuer Eigentümer. Doch gerade das belastete ihn. Er konnte sich nicht vorstellen, bei einer Frau zu liegen, die sein Eigentum war. Der Gedanke war ihm so zuwider, dass ihm beinahe übel davon wurde.

Er trank seinen Wein und fühlte sich kräftiger. Wenn ihm nicht an einem leichten Leben in Luxus und sinnlicher Befriedigung gelegen war, was wollte er dann? Seine Familie war nahezu ausgelöscht: Nur Lolla lebte noch. Doch ihm blieb seine Arbeit. In der Stadt gab es drei Baustellen, auf denen Bauwerke nach seinen Entwürfen errichtet wurden. Er wollte nicht den Beruf aufgeben, den er liebte. Er hatte den Großen Tod nicht überlebt, um ein Nichtstuer zu werden. Er rief sich seinen jugendlichen Ehrgeiz in Erinnerung, das höchste Gebäude Englands zu errichten. Er würde dort weitermachen, wo er aufgehört hatte. Er würde den Verlust Silvias überwinden, indem er sich in seine Bauvorhaben stürzte.

Er stand auf, um zu gehen. Lena warf die Arme um ihn. »Ich danke Euch«, sagte sie. »Ich danke Euch sehr, dass Ihr Euch um meine Kinder kümmern wollt!«

Er tätschelte ihr den Rücken. »Sie sind Alessandros Kinder«, sagte er. In Florenz waren die Kinder von Leibeigenen keine Unfreien. »Wenn sie aufwachsen, sind sie reiche Leute.« Er löste sich sanft aus ihren Armen und stieg die Treppe hinunter.

Sämtliche Häuser waren verschlossen, die Fensterläden verriegelt. Auf einigen Türschwellen sah Merthin verhüllte Gestalten liegen, vermutlich Opfer der Seuche. Nur wenige Menschen waren auf den Straßen, meist Arme. Die Trostlosigkeit wirkte zermürbend.

Florenz war die größte Stadt der Christenheit, eine lärmende Handelsmetropole, die jeden Tag Tausende Ellen feinen Wolltuchs produzierte; ein riesiger Markt, auf dem gewaltige Geldsummen gegen so geringe Sicherheiten wie einen Brief aus Antwerpen oder das mündliche Versprechen eines Fürsten ausbezahlt wurden. Durch diese stillen, leeren Straßen zu gehen war bedrückend ... wie der Anblick eines verletzten Pferdes, das gestürzt ist und nicht mehr aufstehen kann: eine gewaltige Kraft, die plötzlich dahin ist. Merthin begegnete niemandem aus seinem Bekanntenkreis. Seine Freunde blieben in ihren Häusern, nahm er an – die, die noch lebten.

Er ging zuerst zu einem nahen Platz im alten römischen Viertel, wo er im Auftrag der Stadt einen Brunnen errichtete. Er hatte ein ausgefeiltes System ersonnen, um während der langen, trockenen Florentiner Sommer fast alles Wasser zurückzugewinnen.

Doch als Merthin den Platz erreichte, sah er sofort, dass niemand arbeitete. Die unterirdischen Rohre waren bereits verlegt und abgedeckt worden, ehe er erkrankt war; auch die erste Schicht des Fundaments für die Fliesen, die die gestufte Plinthe des Beckens umgeben sollten, war gelegt. Doch es war unverkennbar, dass hier seit Tagen niemand mehr einen Handschlag getan hatte. Schlimmer noch – eine kleine Pyramide aus Mörtel auf einem Holzbrett war zu einer festen Masse erstarrt, von der eine Staubwolke aufstieg, als Merthin dagegentrat. Am Boden lag sogar noch Werkzeug. Ein Wunder, dass es nicht gestohlen worden war.

Der Brunnen würde einen atemberaubenden Anblick bieten. In Merthins Werkstatt fertigte der beste Bildhauer der Stadt das Kernstück – oder hatte es getan. Merthin war enttäuscht, dass die Arbeit zum Stillstand gekommen war. Aber es konnten doch nicht alle Arbeiter gestorben sein? Vielleicht warteten sie ab, ob ihr Brotgeber sich erholte.

Der Brunnen war das kleinste seiner drei Projekte, aber das prestigeträchtigste. Merthin verließ den Platz und ging nach Norden, um sich sein zweites Vorhaben anzusehen. Unterwegs wurde er von Sorgen geplagt. Er war noch niemandem begegnet, der genug wusste, dass er ihm ein umfassenderes Bild liefern konnte. Was war von der Regierung der Stadt noch übrig? Ließ die Seuche nach, oder wurde sie schlimmer? Was war mit dem Rest Italiens?

Eins nach dem anderen, sagte er sich.

Merthin baute ein Haus für Guglielmo Caroli, den älteren Bruder Buonaventuras. Es sollte ein echter Palazzo werden, ein hohes Haus mit doppelter Stirnseite, entworfen um eine prächtige Treppe herum, die breiter war als manche Straße der Stadt. Das Erdgeschoss stand bereits. Die Fassade verjüngte sich auf diesem Stockwerk nach oben, und das leichte Vorstehen des Mauersockels erweckte den Anschein von Befestigungswerk; darüber jedoch befanden sich schlanke, spitze, zweibogige Fenster mit einem Dreipass – ein Entwurf, der erkennen ließ, dass die Bewohner des Hauses mächtige und kultivierte Leute waren, und genau diesen Eindruck wollte die Familie Caroli erwecken.

Das Gerüst für das zweite Stockwerk war schon errichtet, aber niemand arbeitete darauf. Eigentlich hätten fünf Maurer da sein müssen. Die einzige lebende Seele an der Baustelle war ein älterer Mann, der als Hausmeister fungierte und in einer Holzhütte hinter dem Rohbau wohnte. Als Merthin ihn aufsuchte, grillte er gerade ein Hähnchen über einem Feuer. Der alte Narr hatte sich aus teuren Marmorplatten einen Herd gebaut. »Wo sind denn alle?«, fragte Merthin schroff.

Der Hausmeister sprang auf. »Signor Caroli ist tot, und sein Sohn wollte die Männer nicht bezahlen, und da sind sie gegangen … die, die nicht schon tot waren, meine ich.«

Das war ein harter Schlag für Merthin. Die Carolis gehörten zu den reichsten Familien in Florenz. Wenn sie der Ansicht waren, sich das Bauen nicht mehr leisten zu können, war die Krise in der Tat sehr ernst.

»Dann lebt Agostino also noch?«

»Ja, Herr. Ich habe ihn heute Morgen gesehen.«

Merthin kannte den jungen Agostino. Er war nicht so klug wie sein Vater oder sein Onkel Buonaventura, doch glich er das aus, indem er überaus vorsichtig war und das Geld zusammenhielt. Er würde den Bau erst wieder aufnehmen, wenn er sicher war, dass die Finanzen der Familie sich von den Folgen der Seuche erholt hatten.

Merthin war jedoch zuversichtlich, dass wenigstens sein drittes und größtes Projekt fortgesetzt wurde: Er baute für einen Mönchsorden, der die Gunst der Kaufleute in der Stadt besaß, eine Kirche. Der Bauplatz lag südlich des Flusses, also überquerte Merthin die neue Brücke.

Diese Brücke war erst vor zwei Jahren fertiggestellt worden. Merthin hatte unter der Ägide des Malers Taddeo Gaddi, der sie entworfen hatte, sogar einiges beigesteuert. Die Brücke musste dem reißenden Wasser des Arno widerstehen, wenn der Schnee des Winters schmolz, und Merthin hatte die Pfeiler entworfen. Doch als er den Arno nun überquerte, sah er zu seiner Bestürzung, dass alle kleinen Goldschmiedewerkstätten auf der Brücke geschlossen waren – ein weiteres schlechtes Zeichen.

Die Kirche von Sant'Anna dei Frari war Merthins bislang ehrgeizigstes Projekt. Es war eine große Kirche, fast schon eine Kathedrale, denn die Mönche waren reich, doch mit der Kathedrale in Kingsbridge war sie nicht zu vergleichen. Zwar gab es in Italien gotische Kathedralen – eine der größten stand in Mailand –, doch modern denkende Italiener mochten die englische und französische Architektur nicht: Hohe Fenster und Strebebögen betrachteten sie als fremdländische Manie, als eine Besessenheit mit Licht und Helligkeit, die im düsteren Nordwesten Europas wohl ihren Sinn besaß, im sonnigen Italien jedoch, wo die Menschen Schatten und Kühle suchten, eher wunderlich anmutete. Italiener identifizierten sich mit der klassischen Architektur des antiken Roms, von dessen Ruinen sie sich allerorten umgeben sahen. Sie schätzten Giebelseiten und Rundbögen, und überladenes äußeres Bildhauerwerk wiesen sie zugunsten schmuckvoller Muster aus verschiedenfarbigem Stein und Marmor zurück.

Doch mit seiner Kirche wollte Merthin sogar die Florentiner zum Staunen bringen. Er plante eine Reihe von Quadraten, jedes von einer Kuppel überwölbt – fünf in einer Reihe und zwei zu beiden Seiten der Vierung. Von Kuppeln hatte er in England gehört, aber nie eine gesehen, bis er die Kathedrale von Siena besucht hatte. Der Lichtgaden sollte aus einer Reihe von Rundfenstern oder *oculi* bestehen. Statt schlanker Säulen, die sich sehnsuchtsvoll gen Himmel reckten, sollte diese Kirche Kreise aufweisen, in sich vollkommen, mit der Ausstrahlung erdverhafteter Selbstgenügsamkeit, die für das Händlervolk von Florenz typisch war.

Merthin war enttäuscht, aber keineswegs überrascht zu sehen, dass auf dem Gerüst keine Maurer standen, dass keine Arbeiter die großen Steine bewegten, dass keine Frauen mit riesigen Stangen den Mörtel rührten. Die Baustelle war genauso verwaist wie die anderen beiden. In diesem Fall jedoch war Merthin zuversichtlich, dass die Arbeiten bald fortgeführt würden: Ein Mönchsorden hatte sein eigenes Leben, unabhängig von der Person Einzelner.

Merthin umrundete das Gelände und betrat das Kloster. Es war still. In Klöstern sollte es natürlich still sein, doch diese Stille hatte etwas an sich, das ihn beklommen machte. Merthin ging aus dem

Vestibül weiter in den Warteraum. Normalerweise verrichtete hier ein Bruder seinen Dienst und studierte die Heilige Schrift, solange er sich um keinen Besucher kümmern musste, doch heute war der Raum leer. Mit grimmiger Vorahnung durchschritt Merthin die andere Tür und fand sich im Kreuzgang wieder. Der Hof war menschenleer. »He!«, rief er aus. »Ist jemand hier?« Seine Stimme hallte durch die steinernen Bogengänge.

Er durchsuchte das Kloster. Sämtliche Mönche waren fort. In der Küche fand er drei Männer vor, die am Tisch saßen, Schinken aßen und Wein tranken. Sie trugen die kostbaren Kleider von Kaufleuten, doch ihr Haar war verfilzt, ihre Bärte nicht gestutzt, ihre Hände schmutzig: Es waren Bettler in den Kleidern toter Reicher. Als er eintrat, blickten sie schuldbewusst, aber trotzig auf.

»Wo sind die frommen Brüder?«, fragte Merthin.

»Alle tot«, sagte ein Mann.

»Alle?«

»Bis auf den letzten Mann. Sie haben sich um die Kranken gekümmert, versteht Ihr, und sich mit der Seuche angesteckt.«

Der Mann war betrunken, Merthin sah es ihm an. Dennoch schien er die Wahrheit zu sagen. Die drei saßen zu sorglos hier mitten im Kloster, aßen das Essen der Mönche und tranken ihren Wein. Sie wussten unverkennbar, dass niemand mehr lebte, der sich beschweren könnte.

Merthin kehrte an den Bauplatz der neuen Kirche zurück. Die Wände des Chors und der Querschiffe standen schon, und die Rundfenster im Lichtgaden waren zu sehen. Er setzte sich mitten in die Vierung, zwischen Steinstapel, und betrachtete sein Werk. Wie lange würde die Arbeit ruhen? Und wenn alle Brüder tot waren – wer würde ihr Geld bekommen? Soviel Merthin wusste, gehörten sie keinem größeren Orden an. Vielleicht erhob der Bischof Anspruch auf das Erbe, vielleicht auch der Papst. Rechtliche Verwicklungen standen bevor, deren Lösung jahrelang dauern konnte.

Am Morgen hatte er beschlossen, sich in die Arbeit zu stürzen, um auf diese Weise die Wunde zu heilen, die ihm durch Silvias Tod geschlagen worden war. Nun aber stand fest, dass er zumindest für die nächste Zeit keine Arbeit haben würde. Seit er mit der Reparatur des Daches an der Kirche von St. Mark in Kingsbridge begonnen hatte – vor zehn Jahren –, war er immer mit wenigstens einem Bauvorhaben befasst gewesen. Ohne eine Aufgabe fühlte er sich verloren. Panik stieg in ihm auf.

Er war aufgewacht und hatte sein Leben in Trümmern vorgefunden. Dass er plötzlich sehr reich war, verstärkte nur das Gefühl, sich in einem Albtraum zu befinden. Außer Lolla war von seinem Leben nichts mehr übrig.

Er wusste nicht, wohin er sich als Nächstes wenden sollte. Am Ende würde er nach Hause gehen, aber er konnte nicht den ganzen Tag damit verbringen, mit seiner dreijährigen Tochter zu spielen und sich mit Maria zu unterhalten. Also blieb er, wo er war, saß auf einem behauenen Steinzylinder, der für eine Säule bestimmt gewesen war, und starrte in das, was einmal das Hauptschiff hätte werden sollen.

Als die Sonne sich dem Nachmittag zuneigte, dachte Merthin an die Zeit seiner Erkrankung. Er war sicher gewesen, dass er sterben musste. Es überlebten nur so wenige, dass er nicht damit rechnete, zu diesen Glücklichen zu gehören. Mitunter hatte er auf sein Leben zurückgeblickt, als wäre es vorüber. Er war zu irgendeiner großen Einsicht gelangt, das wusste er, doch seit seiner Genesung hatte er sich nicht mehr erinnern können, worin diese Einsicht bestand. Jetzt, in der Stille der unvollendeten Kirche, erinnerte er sich, begriffen zu haben, dass er in seinem Leben einen gewaltigen Fehler begangen hatte. Was für einen? Er hatte mit Elfric gestritten, mit Griselda geschlafen, Elizabeth Clerk zurückgewiesen … Jede dieser Entscheidungen hatte ihm Schwierigkeiten eingebracht, doch keine konnte als der große Fehler seines Lebens gelten.

Als Merthin schwitzend, hustend und vom Durst gepeinigt auf dem Bett gelegen hatte, da hatte er fast schon sterben wollen. Aber nur fast. Irgendetwas hatte ihn am Leben gehalten – und jetzt war es ihm wieder eingefallen.

Er wollte Caris wiedersehen.

Das war der Grund gewesen, weshalb er weiterleben wollte. Im Fieberwahn hatte er Caris' Gesicht gesehen und vor Trauer geweint, dass er hier sterben sollte, Tausende Meilen von ihr entfernt. Der große Fehler seines Lebens war, dass er sie verlassen hatte.

Als er diese scheue Erinnerung endlich wiedergefunden und die blendende Wahrheit der Offenbarung erkannt hatte, erfüllte ihn ein ganz eigentümliches Glücksgefühl.

Einen Sinn ergab es nicht, überlegte er. Caris war ins Kloster eingetreten. Sie hatte sich geweigert, ihn zu sehen und sich ihm zu erklären. Doch seine Seele war nicht vernünftig und sagte ihm, dass er dort sein sollte, wo Caris war.

Als er nun in der unfertigen Kirche in einer Stadt saß, die von einer Seuche halb entvölkert worden war, fragte er sich, was Caris wohl gerade machte. Als Letztes hatte er von ihr gehört, dass sie den Schleier genommen hatte. Diese Entscheidung konnte man nicht rückgängig machen – oder so hieß es wenigstens: Caris hatte noch nie hingenommen, dass andere die Regeln für sie festlegten. Andererseits war es im Allgemeinen unmöglich, sie umzustimmen, wenn sie einmal einen Entschluss gefasst hatte. Es konnte kein Zweifel bestehen, dass sie sich ihrem neuen Leben verpflichtet fühlte.

Doch das war Merthin egal. Er wollte sie wiedersehen. Sie nicht wiederzusehen hätte den zweitgrößten Fehler seines Lebens bedeutet.

Und er war nun frei. Was ihn an Florenz gebunden hatte, gab es nicht mehr. Seine Frau war tot, seine angeheiratete Verwandtschaft ebenfalls – bis auf drei Kinder. Das Einzige an Familie, das ihm geblieben war, war Lolla, seine Tochter, und die würde er mitnehmen. Sie war noch so klein, dass sie kaum mitbekommen würde, wenn sie fortgingen.

Ein gewaltiger Schritt, sagte er sich. Zunächst müsste er Alessandros Testament eröffnen und Vorkehrungen für die Kinder treffen; dabei würde Agostino Caroli ihm helfen. Danach müsste er sein Vermögen in Gold einwechseln und Sorge dafür tragen, dass es ihm nach England transferiert wurde. Auch darum konnte sich die Familie Caroli kümmern, falls ihre Beziehungen in andere Länder noch intakt waren. Eine größere Herausforderung war die Tausend-Meilen-Reise durch Europa von Florenz nach Kingsbridge. Und alles musste er angehen, ohne auch nur ahnen zu können, wie Caris ihn empfangen würde.

Ein solcher Entschluss sollte gewiss nicht leichtfertig getroffen werden, sondern erforderte langes, sorgfältiges Nachdenken.

Aber er hatte sich bereits entschieden.

Er wollte nach Hause.

Merthin verließ Italien in Gesellschaft von einem Dutzend Kaufleuten aus Florenz und Lucca. Von Genua nahmen sie ein Schiff zum
alten französischen Hafen von Marseille. Von dort reisten sie über
Land nach Avignon, nun seit über vierzig Jahren das Domizil des
Papstes und der verschwenderischste Hof Europas – und die übelrie-
chendste Stadt, die Merthin je erlebt hatte. In Avignon schlossen sie
sich einer großen Reisegruppe aus Geistlichen und heimkehrenden
Pilgern an, die nach Norden zogen.

Jedermann reiste in Gruppen; je größer, desto besser. Die Kauf-
leute hatten Geld und teures Handelsgut bei sich und beschäftigten
Söldner, die sie vor Gesetzlosen schützen sollten. Sie waren froh,
Zuwachs zu bekommen: Priestertalare und Pilgerstäbe schreckten
Räuber vielleicht ab, und auch gewöhnliche Reisende wie Merthin
trugen zur Sicherheit bei, indem sie die Gruppe vergrößerten.

Merthin hatte den größten Teil seines Vermögens in Florenz gelassen und der Familie Caroli anvertraut. Deren Verwandte in England würden ihm Bargeld geben – die Carolis führten solche Trans-
aktionen in ferne Länder oft durch, und Merthin hatte ihre Dienste
schon vor neun Jahren in Anspruch genommen, um ein kleineres
Vermögen von Kingsbridge nach Florenz zu überweisen. Zugleich
war er sich bewusst, dass das System nicht unfehlbar war; Familien
wie die Carolis verarmten manchmal, besonders wenn sie sich verleiten ließen, unzuverlässigen Schuldnern wie Königen und Fürsten
Geld zu leihen. Deshalb trug Merthin eine große Summe Goldflori-
ne bei sich, eingenäht in seine Unterkleidung.

Lolla genoss die Reise. Als einziges Kind im Zug wurde sie sehr
verwöhnt. An den langen Tagen auf dem Pferderücken saß sie vor
Merthin im Sattel, wo seine Arme sie hielten, während er mit den
Händen die Zügel führte. Er sang ihr Lieder vor, sagte Gedichte auf,
erzählte Geschichten und sprach mit ihr über das, was sie sahen –
Bäume, Mühlen, Brücken, Kirchen. Sie verstand vermutlich nicht

einmal die Hälfte von dem, was er sagte, aber der Klang seiner Stimme machte sie froh.

Noch nie hatte Merthin so viel Zeit mit seiner Tochter verbracht. Den ganzen Tag waren sie zusammen, jeden Tag, Woche für Woche. Er hoffte, dass die enge Nähe wenigstens zum Teil den Verlust der Mutter wettmachen würde. Auf jeden Fall wirkte diese Nähe in umgekehrter Richtung: Ohne Lolla hätte Merthin sich schrecklich einsam gefühlt. Sie redete nicht mehr von ihrer Mama; aber hin und wieder schlang sie ihm die Ärmchen um den Hals und klammerte sich verzweifelt fest, als hätte sie Angst, ihn je wieder loszulassen.

Bedauern empfand er nur, als er vor der großen Kathedrale von Chartres stand, sechzig Meilen von Paris entfernt. An ihrem westlichen Ende ragten zwei Türme auf. Der Nordturm war unvollendet, der Südturm jedoch ragte dreihundertundfünfzig Fuß in die Höhe. Der Anblick erinnerte Merthin daran, wie sehr er sich einst danach gesehnt hatte, solche Bauwerke zu entwerfen. In Kingsbridge würde er diesen Ehrgeiz kaum stillen können.

Zwei Wochen machten sie Rast in Paris. Die Seuche war nicht bis hier vorgedrungen, und Merthin empfand es als große Erleichterung, anstelle von Straßen voller Leichen auf den Türschwellen das normale Leben in einer großen Stadt zu sehen, voller Menschen, die Waren feilboten und kauften und umhergingen. Seine Stimmung hob sich, und erst jetzt erkannte er, wie sehr ihn das entsetzliche Geschehen bedrückt hatte, das nun hinter ihm geblieben war. Er schaute sich die Pariser Kathedralen und Paläste an und machte sich Skizzen von baulichen Details, die ihn faszinierten. Er besaß ein kleines Notizbuch aus Papier, einem neuartigen Schreibmaterial, das sich in Italien großer Beliebtheit erfreute.

Als er Paris verließ, schloss er sich einer adligen Familie an, die auf dem Heimweg nach Cherbourg war. Als die Leute Lolla sprechen hörten, hielten sie Merthin für einen Italiener, und er verzichtete darauf, sie eines Besseren zu belehren, denn in Nordfrankreich hasste man die Engländer aus tiefster Seele. Mit der Adelsfamilie und ihrem Gefolge durchquerte Merthin in gemächlichem Tempo die Normandie, Lolla vor sich im Sattel, das Packpferd am Leitzügel hinter sich, und besah sich die Kirchen und Abteien, die der Zerstörung bei König Edwards Invasion vor achtzehn Monaten entgangen waren.

Er hätte ein wenig schneller vorankommen können, doch er wollte das Beste aus einer Gelegenheit machen, die er vielleicht nie wieder erhielt: eine reiche Vielfalt an Architektur zu besichtigen. Zumindest redete er sich das ein. Doch wenn er ehrlich zu sich selbst war, musste er sich eingestehen, dass er sich vor dem fürchtete, was er in Kingsbridge finden würde.

Er kehrte zu Caris heim – aber nicht zu der Caris, die er vor neun Jahren zurückgelassen hatte. Sie konnte sich verändert haben, körperlich und geistig. Manche Nonnen wurden schrecklich dick, weil das Essen ihre einzige Freude im Leben war, doch bei Caris war eher zu vermuten, dass sie ätherisch dünn geworden war, weil sie sich in eine Ekstase der Selbstversagung gehungert hatte. Vielleicht war sie mittlerweile gar vom Glauben besessen, betete den ganzen Tag und geißelte sich für eingebildete Sünden. Vielleicht war sie sogar tot.

Es waren seine schlimmsten Albträume. Im Herzen wusste er, dass Caris weder unförmig noch zu einer religiösen Fanatikerin geworden war. Und wenn sie gestorben wäre, hätte er davon gehört, so wie er vom Tod ihres Vaters erfahren hatte. Nein, sie war gewiss die Gleiche geblieben: klein und gepflegt, schlagfertig und entschlossen. Merthin machte sich jedoch ernste Sorgen, wie sie ihn empfangen würde. Was empfand sie nach neun Jahren ihm gegenüber? Betrachtete sie ihn als einen Teil ihrer Vergangenheit, der zu weit zurücklag, um noch einer Regung wert zu sein – so, wie er selbst an Griselda dachte, um ein Beispiel zu nennen? Oder sehnte sie sich in tiefster Seele noch immer nach ihm? Er wusste es nicht, und das war der wahre Grund für seine Unruhe.

Sie segelten nach Portsmouth und reisten mit einer Gruppe von Händlern, die sie bei Mudeford Crossing verließen. Die Händler wollten weiter nach Shiring, während Merthin und Lolla den flachen Fluss an der Furt überquerten und die Straße nach Kingsbridge nahmen. Es ist eine Schande, dachte Merthin, dass es kein sichtbares Zeichen für den Weg nach Kingsbridge gibt. Er fragte sich, wie viele Händler nur deshalb nach Shiring weiterzogen, weil sie nicht wussten, dass Kingsbridge näher lag.

Es war ein warmer Sommertag, und die Sonne schien, als sie in Sichtweite ihres Zieles kamen. Als Erstes sahen sie die Turmspitze der Kathedrale, die über den Bäumen in den Himmel ragte. Wenigstens steht der Turm noch, dachte Merthin: Elfrics Reparaturen hatten wirklich und wahrhaftig elf Jahre lang gehalten. Nur schade, dass er nicht von Mudeford Crossing gesehen werden konnte. Wie viele zusätzliche Besucher er in die Stadt locken würde!

Als sie weiterritten, überkam Merthin eine eigentümliche Mischung aus Erregung und Furcht, bei der ihm übel wurde. Einen Augenblick fürchtete er, absitzen und sich übergeben zu müssen. Er versuchte sich zu beruhigen. Was konnte schon geschehen? Selbst wenn Caris ihm gleichgültig begegnete, sterben würde er davon nicht.

Der Vorort Newtown kam in den Blick, und Merthin entdeckte mehrere neue Gebäude. Das prächtige Haus, das er für Dick Brewer errichtet hatte, stand nicht mehr am Rand von Kingsbridge – die Stadt war darüber hinausgewachsen.

Merthin vergaß für kurze Zeit seine Beklommenheit, als er die Brücke sah. Sie schwang sich in einem eleganten Bogen vom Flussufer hoch und endete anmutig auf der Insel im Strom. Auf der anderen Seite der Insel sprang die Brücke ein zweites Mal empor und überspannte den zweiten Flussarm. Ihr weißer Stein funkelte in der Sonne. Menschen und Karren überquerten sie in beiden Richtungen. Bei dem Anblick schwoll Merthin das Herz vor Stolz. Die Brücke verkörperte alles, worauf er immer gehofft hatte: Schön, nützlich und stark habe ich sie geschaffen, dachte er, und so ist es gut.

Doch als er näher kam, erschrak er: Das Mauerwerk des ersten Bogens war am Mittelpfeiler beschädigt. Er sah Risse, die jemand mit Eisenklammern repariert hatte – auf jene unbeholfene Art und Weise, die typisch war für Elfrics Arbeit. Merthin war empört. Braune Rinnsale aus Rost liefen von den Nägeln herunter, die die hässlichen Klammern am Mauerwerk verankerten. Der Anblick warf ihn elf Jahre zurück: Elfrics Reparaturen an der alten Holzbrücke. Fehler machen kann jeder, dachte er, aber wer aus seinen Fehlern nicht lernt, der muss sie stets wiederholen. »Der blöde Trottel«, sagte er laut.

»Blöde Trottel«, wiederholte Lolla. Sie lernte Englisch.

Merthin ritt auf die Brücke. Mit Freude sah er, dass sein Unterbau angemessen fertiggestellt worden war, und die Gestaltung der Brüstung gefiel ihm: eine kräftige Barriere mit gehauener Mauerkrone, die in gedachter Linie die Simse der Kathedrale fortführte.

Auf Leper Island wimmelte es noch immer von Hasen. Merthin fiel ein, dass er noch Pächter auf der Insel hatte. Während seiner Abwesenheit hatte Mark Webber den Zins von den Bewohnern eingetrieben, jedes Jahr die Abgaben an die Priorei gezahlt, die Gebühr abgezogen, auf die sie sich geeinigt hatten, und den Rest jährlich an Merthin in Florenz geschickt, wobei die Familie Caroli den Transfer übernahm. Nach all den Abzügen war es nur eine kleine Summe, doch sie war jedes Jahr ein wenig gewachsen.

Merthins Haus auf der Insel sah bewohnt aus. Die Läden standen offen, vor der Tür war gekehrt. Er hatte dafür gesorgt, dass Jimmie dort wohnen konnte. Der Junge musste inzwischen ein Mann sein.

Fast am Ende des zweiten Bogens saß ein alter Bursche, den Merthin nicht erkannte, träge in der Sonne und kassierte die Maut. Merthin zahlte ihm einen Penny. Der Mann starrte ihn forschend an, als versuchte er sich zu erinnern, wo er ihn schon einmal gesehen hatte, doch er sagte nichts.

Die Stadt war vertraut und fremd zugleich. Vieles war fast so geblieben wie damals; deshalb erschienen Merthin die Veränderungen umso verwirrender und rätselhafter, als hätten sie sich über Nacht ereignet: eine Reihe von Hütten war niedergerissen und durch schmucke Häuser ersetzt worden; eine geschäftige Schänke stand dort, wo einst ein großes, düsteres Haus gewesen war, das eine reiche Witwe bewohnt hatte; ein Brunnen war ausgetrocknet und zugepflastert worden; ein einst graues Haus zeigte nun einen weißen Anstrich.

Merthin ging zu Bells Gasthaus, das an der Hauptstraße neben dem Tor zur Priorei stand. Es hatte sich nicht verändert; eine gut gehende Schänke an solch günstiger Stelle hielt sich wahrscheinlich sogar über die Jahrhunderte. Merthin vertraute seine Pferde und sein Gepäck einem Stallknecht an, nahm Lolla an die Hand und betrat das Bell.

Es war ein typisches Wirtshaus: eine große Eingangsstube voller grob gehauener Tische und Bänke, sowie ein Raum im hinteren Teil, wo die Fässer mit Bier und Wein aufgereiht standen und das Essen zubereitet wurde. Weil das Lokal beliebt war und Gewinn abwarf, wurde das Stroh auf dem Boden regelmäßig erneuert, und die Wände waren in frischem Weiß gestrichen. Im Winter brannte ein großes Feuer im Kamin; jetzt, in der Sommerhitze, standen alle Fenster offen, und ein milder Wind wehte durch den Vorderraum.

Nach einem Moment kam Bessie Bell aus dem Hinterzimmer herein. Vor neun Jahren war sie ein gut gewachsenes Mädchen gewesen; heute war sie eine üppige Frau. Sie schaute Merthin an, ohne ihn zu erkennen, doch er sah, wie sie seine Kleidung prüfend musterte und ihn als wohlhabenden Gast einschätzte. »Einen guten Tag wünsche ich Euch, Reisender«, sagte sie. »Was können wir tun, um es Euch und Eurem Kind bequem zu machen?«

Merthin grinste. »Ich hätte gern das Zimmer nach hinten raus, Bessie.«

Sie erkannte ihn in dem Moment, in dem er das erste Wort sagte. »Meiner Seel!«, rief sie. »Es ist Merthin Bridger!« Er reichte ihr die Hand, doch sie flog ihm um den Hals und drückte ihn an sich. Bessie hatte immer schon eine Schwäche für ihn gehabt. Dann gab sie ihn frei und musterte sein Gesicht. »Einen Bart hast du dir stehen lassen! Sonst hätte ich dich früher erkannt. Ist das deine Tochter?«

»Sie heißt Lolla.«

»Na, du bist mir aber eine Hübsche! Deine Mutter muss sehr schön sein.«

Merthin sagte: »Meine Frau ist gestorben.«

»Oh, wie traurig. Aber Lolla ist noch klein genug, um es zu vergessen. Mein Mann ist auch tot.«

»Ich wusste gar nicht, dass du verheiratet warst.«

»Ich hatte ihn erst kennengelernt, als du weg warst. Richard Brown aus Gloucester. Vor einem Jahr hab ich ihn verloren.«

»Das tut mir leid.«

»Mein Vater ist auf Pilgerfahrt nach Canterbury, deshalb führe ich das Gasthaus zurzeit ganz alleine.«

»Ich habe deinen Vater immer gemocht.«

»Er konnte dich auch gut leiden. Er kommt bestens mit Männern zurecht, die Feuer haben. Mein Richard war ihm zu tranig.«

»Aha.« Merthin wurde das Gespräch ein wenig zu rasch allzu vertraulich. »Was gibt es Neues von meinen Eltern?«

»Sie sind nicht mehr in Kingsbridge. Sie wohnen im neuen Haus deines Bruders in Tench.«

Über Buonaventura hatte Merthin gehört, dass Ralph nun der Herr von Tench war. »Mein Vater muss sehr zufrieden sein.«

»Stolz wie ein Pfau.« Bessie lächelte; dann sah sie ihn mitfühlend an. »Du musst furchtbar hungrig und müde sein. Ich sag den Jungen, sie sollen dein Gepäck nach oben tragen, dann bringe ich dir einen Krug Bier und einen Teller Suppe.« Sie drehte sich um und ging zum Hinterzimmer.

»Das ist nett, aber …«

Bessie blieb in der Tür stehen.

»Wenn du Lolla ein bisschen Suppe geben würdest, wäre ich dir dankbar. Ich habe noch etwas zu erledigen.«

Bessie nickte. »Natürlich.« Sie beugte sich zu Lolla hinunter.

»Möchtest du mit Tante Bessie mitkommen? Du kannst doch bestimmt schon Brot essen. Magst du frisches Brot?«

Merthin übersetzte die Frage ins Italienische, und Lolla nickte glücklich.

Bessie sah Merthin an. »Du willst Schwester Caris besuchen, stimmt's?«

Es war absurd, doch er fühlte sich schuldig. »Ja«, sagte er. »Sie ist also noch hier?«

»O ja. Sie ist jetzt Gastmeisterin des Nonnenklosters. Mich würd's überraschen, wenn sie nicht eines Tages Priorin wird.« Bessie nahm Lolla bei der Hand und führte sie ins Hinterzimmer. »Viel Glück«, wünschte sie ihm über die Schulter hinweg.

Merthin ging hinaus. Bessie konnte ein wenig erdrückend sein, doch ihre Zuneigung war aufrichtig, und es wärmte ihm das Herz, dass man ihn mit solcher Freude willkommen hieß. Er begab sich auf das Gelände der Priorei. Dort blieb er stehen und blickte auf die hoch aufragende Westfassade der Kathedrale, die nun beinahe zweihundert Jahre alt war und so Ehrfurcht gebietend wirkte wie eh und je.

Im Norden der Kirche, jenseits vom Friedhof, bemerkte er ein neues Steingebäude. Es war ein mittelgroßer Palast mit einem beeindruckenden Eingang und einem Obergeschoss. Er stand nahe der Stelle, an der einst das alte Holzhaus des Priors gewesen war; vermutlich war der Palast der Sitz Godwyns und hatte die bescheidene alte Unterkunft ersetzt. Merthin fragte sich, woher der Prior das nötige Geld hatte.

Merthin ging näher. Der Palast war sehr eindrucksvoll, doch gefiel ihm die Gestaltung nicht. Keine einzige Horizontale harmonierte mit den Linien der Kathedrale, die den Palast überragte. Die baulichen Details waren ohne Sorgfalt ausgeführt. Die Oberseite der prunkhaften Türeinfassung verdeckte einen Teil eines Fensters im oberen Stock. Am schlimmsten aber war, dass man den Palast auf einer anderen Achse errichtet hatte als der, die von der Kathedrale vorgegeben wurde, sodass er einen unbeholfen wirkenden Winkel mit dem Gotteshaus bildete.

Ohne Zweifel ein Werk Elfrics.

Eine dicke Katze saß auf der Schwelle in der Sonne. Sie war bis auf die weiße Schweifspitze schwarz. Boshaft funkelte sie Merthin an.

Er wandte sich ab und ging langsam zum Hospital. Die Wiese

um die Kathedrale lag still und verlassen da: Heute war kein Markttag. Beklommenheit erfasste Merthin; angespannte Unruhe wühlte
in seinem Magen. Jeden Augenblick konnte er Caris wiedertref-
fen. Er erreichte den Eingang und ging hinein. Der lang gezogene Raum wirkte heller und roch frischer, als er ihn in Erinnerung
hatte: Alles sah sauber geschrubbt aus. Ein paar Leute lagen auf
Strohsäcken am Boden; die meisten waren alt und gebrechlich. Am
Altar betete laut eine junge Novizin. Merthin wartete, bis sie fertig war. Ihm bangte so sehr, dass er sicher war, den Kranken auf
ihren Lagern erginge es besser als ihm selbst. Tausend Meilen war
er gereist für diesen Augenblick. Sollte die weite Reise vergeblich
gewesen sein?

Endlich sagte die Nonne zum letzten Mal »Amen« und wandte
sich um. Merthin kannte sie nicht. Sie trat näher und sagte höflich:
»Gott segne Euch, Fremder.«

Merthin atmete tief durch. »Ich möchte Schwester Caris sprechen«, sagte er.

❋

Die Kapitel des Nonnenklosters fanden nun im Refektorium statt.
In der Vergangenheit hatten die Schwestern sich den schönen, ehrwürdigen achteckigen Kapitelsaal am Nordostende der Kathedrale
mit den Brüdern geteilt. Leider herrschte mittlerweile so großes
Misstrauen zwischen dem Mönchs- und dem Nonnenkloster, dass
die Nonnen nicht das Risiko eingehen wollten, von den Mönchen
bei ihren Beratungen belauscht zu werden. Daher versammelten
sie sich in dem langen kahlen Saal, in dem sie ihre Mahlzeiten einnahmen.

Die Amtsträgerinnen saßen an einem Tisch, Mutter Cecilia in
der Mitte. Eine Subpriorin gab es nicht: Natalie war vor einigen Wochen im Alter von siebenundfünfzig Jahren gestorben, und Cecilia
hatte sie noch nicht ersetzt. Rechts von Cecilia saßen die Mesnerin
Beth und ihre Matricularin Elizabeth, ehemals Elizabeth Clerk. Zu
Cecilias Linker hatten die Cellerarin Margaret, die für alle Vorräte
zuständig war, und die ihr untergeordnete Caris, die Gastmeisterin,
ihre Plätze. Auf Bänken saßen dreißig Nonnen den Amtsträgerinnen
gegenüber.

Nach dem Gebet und der Tischlesung aus der Heiligen Schrift
machte Mutter Cecilia ihre Bekanntmachungen. »Wir haben einen
Brief von unserem Bischof erhalten, in dem er unsere Beschwerde

beantwortet, dass Prior Godwyn unser Geld gestohlen hat«, sagte sie. Von den Nonnen kam erwartungsvolles Murmeln.

Die Antwort hatte lange auf sich warten lassen. König Edward hatte fast ein Jahr gebraucht, um Bischof Richards Nachfolger zu bestimmen. Graf William hatte sich stark für Jerome, den tüchtigen Verwalter seines Vaters, eingesetzt, doch am Ende fiel Edwards Entscheidung zugunsten von Henri de Mons aus, einem Verwandten seiner Frau aus Hainault in Nordfrankreich. Bischof Henri war zur Weihe nach England gekommen und dann nach Avignon gereist, um vom Papst bestätigt zu werden. Er war nach Shiring gezogen und hatte sich in seinem dortigen Palast eingerichtet, ehe er Cecilias offizielle Beschwerde beantwortete.

Cecilia fuhr fort: »Der Bischof lehnt es ab, wegen des Diebstahls irgendetwas zu unternehmen. Er begründet es damit, dass alles sich zur Amtszeit von Bischof Richard ereignet habe. Vergangen ist vergangen, sagt er.«

Die Nonnen schnappten nach Luft. Die Verzögerung hatten sie geduldig ertragen in der Gewissheit, dass ihnen am Ende Gerechtigkeit widerfahren würde. Nun traf die Ablehnung sie wie ein Schock.

Caris hatte den Brief schon gesehen. Sie war nicht so erstaunt wie ihre Ordensschwestern. Dass der neue Bischof sein Amt nicht antreten wollte, indem er sich mit dem Prior von Kingsbridge entzweite, war für sie nachvollziehbar. Der Brief verriet ihr, dass Henri ein pragmatischer Herr sein würde, kein Mann mit Grundsätzen. Was das betraf, war er nicht anders als die meisten anderen, die in der Kirchenpolitik Erfolg hatten.

Dennoch linderte der Umstand, dass Caris nicht überrascht war, ihre Enttäuschung nicht im Geringsten. Die Entscheidung bedeutete, dass sie für die absehbare Zukunft ihren Traum vom Bau eines neuen Hospitals, in dem Kranke von den gesunden Gästen getrennt untergebracht wären, aufgeben musste. Sie sagte sich, dass sie nicht trauern sollte: Die Priorei hatte seit Jahrhunderten ohne solchen Luxus bestanden, und man konnte auch noch ein weiteres Jahrzehnt darauf verzichten. Andererseits ärgerte es sie, wenn sie hilflos eine sich rasch ausbreitende Seuche miterleben musste wie den Brechdurchfall, den Maldwyn Cook im vorletzten Jahr zum Wollmarkt gebracht hatte. Niemand wusste genau, wie solche Dinge übertragen wurden – indem man einen Kranken anschaute, ihn berührte oder auch nur im gleichen Zimmer mit ihm war –, doch es konnte kein Zweifel bestehen, dass viele Krankheiten tatsächlich von einem

Opfer zum nächsten sprangen und die körperliche Nähe dabei eine Rolle spielte. Das alles aber musste sie vorerst beiseiteschieben.

Mürrisches Gemurmel erhob sich von den Nonnen auf den Bänken. Mairs Stimme übertönte die anderen, als sie sagte: »Da werden die Mönche außer sich sein vor Freude.«

Sie hat recht, dachte Caris. Godwyn und Philemon waren mit Raub am helllichten Tag davongekommen. Sie hatten immer angeführt, dass es kein Diebstahl sei, wenn die Mönche das Geld der Nonnen benutzten, da es am Ende doch dem Ruhme Gottes diente; und nun würden sie sagen, der Bischof habe ihnen recht gegeben. Besonders für Caris und Mair, die so viel Mühe auf sich genommen hatten, war es eine bittere Niederlage.

Doch Mutter Cecilia gedachte keine Zeit mit Bedauern zu verschwenden. »Keine von uns trägt Schuld daran, außer mir vielleicht«, sagte sie. »Wir waren zu vertrauensselig.«

Du hast Godwyn getraut, ich nicht, dachte Caris, hielt den Mund jedoch geschlossen. Sie wartete ab, was Cecilia als Nächstes zu sagen hatte. Sie wusste, dass die Priorin Umbesetzungen bei den Ämtern vornehmen wollte, doch niemand wusste, was sie beschlossen hatte.

»In Zukunft müssen wir sorgfältiger sein. Wir werden unsere eigene Schatzkammer bauen, zu der die Mönche keinen Zugang besitzen; ich hoffe sogar, dass sie nicht einmal erfahren, wo diese Schatzkammer ist. Schwester Beth wird als Mesnerin zurücktreten, begleitet von unserem Dank für lange, treue Dienste. Schwester Elizabeth nimmt ihren Platz ein. Ich habe völliges Vertrauen zu Elizabeth.«

Caris versuchte ihr Gesicht zu bezwingen, damit ihr der Abscheu nicht anzumerken war. Elizabeth hatte seinerzeit bezeugt, dass Caris eine Hexe wäre. Das lag neun Jahre zurück; Mutter Cecilia hatte Elizabeth vergeben, doch Caris würde ihr nie verzeihen. Elizabeth' damalige Anschuldigungen waren allerdings nicht der einzige Grund für Caris' Abneigung: Elizabeth war verbittert und nachtragend, und ihr Groll beeinträchtigte ihr Urteilsvermögen. Solchen Menschen durfte man niemals vertrauen, fand Caris: Sie neigten ständig dazu, schlechte Entscheidungen zu treffen, die auf ihren Vorurteilen beruhten.

Cecilia fuhr fort: »Schwester Margaret hat um Erlaubnis gebeten, von ihren Pflichten zurückzutreten. Schwester Caris nimmt ihren Platz als Cellerarin ein.«

Caris war enttäuscht. Sie hatte gehofft, zur Subpriorin erhoben zu werden, Cecilias Stellvertreterin. Sie versuchte zu lächeln, als wäre sie erfreut, doch es fiel ihr schwer. Cecilia wollte offenbar keine Subpriorin ernennen. Sie überließ es zwei rivalisierenden Untergebenen, Caris und Elizabeth, es untereinander auszukämpfen. Caris begegnete Elizabeth' Blick und sah den kaum unterdrückten Hass in den Augen der anderen.

Cecilia fuhr fort: »Unter Caris' Aufsicht wird Schwester Mair die neue Gastmeisterin.«

Mair strahlte vor Freude. Sie war froh, befördert zu werden, und freute sich noch mehr, Caris unmittelbar zu unterstehen. Auch Caris gefiel diese Entscheidung. Mair teilte ihre Hingabe zur Sauberkeit und ihr Misstrauen gegen mönchische Heilmethoden wie den Aderlass.

Caris hatte nicht bekommen, was sie sich wünschte, versuchte jedoch, froh dreinzuschauen, als Cecilia anderen Schwestern nun eine Reihe weniger bedeutender Aufgaben zuwies. Als die Kapitelsitzung zu Ende war, ging sie zu Cecilia und bedankte sich.

»Glaub ja nicht, die Entscheidung wäre mir leichtgefallen«, sagte die Priorin. »Elizabeth besitzt Verstand und Entschlossenheit, und sie ist beständig, wo du unbeständig bist. Dafür hast du Fantasie und lockst aus den Menschen das Beste hervor. Ich brauche euch beide.«

Caris konnte Cecilias Einschätzung ihrer Person nicht widersprechen. Die Mutter Priorin kennt mich wirklich, dachte sie reumütig; besser als jeder auf der Welt, seit Vater tot ist und Merthin fort. Eine Woge der Zuneigung durchströmte sie. Cecilia war wie eine Vogelmutter, immer in Bewegung, immer beschäftigt, immer um ihre Küken bemüht. »Ich will alles tun, Euren Erwartungen gerecht zu werden«, schwor Caris.

Sie verließ das Refektorium, denn sie musste nach der alten Julie sehen. Ganz gleich, was Caris den jüngeren Nonnen auftrug, keine von ihnen kümmerte sich recht um Julie. Es war, als glaubten sie, ein hilfloser alter Mensch bräuchte es nicht bequem zu haben. Nur Caris sorgte dafür, dass Julie bei kaltem Wetter eine Decke erhielt oder etwas zu trinken, wenn sie durstig war, und dass man ihr zu den Tageszeiten, zu denen sie den Abort aufsuchen musste, zur Latrine half. Caris beschloss, ihr etwas Heißes zu trinken zu holen, einen Kräuteraufguss, der die alte Nonne aufzuheitern schien. Sie ging in die Apotheke und setzte eine kleine Pfanne mit Wasser aufs Feuer.

Mair kam herein und schloss die Tür. »Ist das nicht wunderbar?«, fragte sie. »Wir arbeiten weiter zusammen!« Sie zog Caris an sich und küsste sie auf den Mund.

Caris drückte sie; dann löste sie sich aus der Umarmung. »Küss mich nicht so«, sagte sie.

»Das tue ich nur, weil ich dich liebe.«

»Und ich liebe dich, aber nicht auf die gleiche Weise.«

Sie sagte die Wahrheit. Caris mochte Mair sehr gern. In Frankreich, wo sie gemeinsam ihr Leben riskiert hatten, waren sie einander sehr nahegekommen. Caris hatte sich damals sogar von Mairs Schönheit angezogen gefühlt. Eines Nachts in einem Gasthaus in Calais, wo sie ein Zimmer hatten, das sich verriegeln ließ, ergab Caris sich Mairs Liebeswerben. Mair streichelte und küsste sie an den intimsten Stellen, und Caris erwiderte Mairs Zärtlichkeiten. Mair sagte später, es sei die glücklichste Nacht ihres Lebens gewesen. Doch Caris empfand nicht so. Die Erfahrung war angenehm für sie gewesen, aber nicht verlockend, und sie hatte sie niemals wiederholen wollen.

»Das stimmt schon«, sagte Mair nun. »Solange du mich lieb hast, nur ein kleines bisschen, bin ich glücklich. Und so wird es immer sein, oder?«

Caris übergoss die Kräuter mit kochendem Wasser. »Wenn du so alt bist wie Julie, bringe ich dir ganz bestimmt einen Aufguss, damit du gesund bleibst.«

Mair traten die Tränen in die Augen. »Das ist das Netteste, das je ein Mensch zu mir gesagt hat!«

Caris hatte keinen Schwur ewiger Liebe beabsichtigt. »Sei nicht gefühlsduselig«, sagte sie und goss den Aufguss in einen Holzbecher. »Sehen wir lieber nach Julie.«

Sie durchquerten den Kreuzgang und betraten das Hospital. Am Altar stand ein Mann mit buschigem rotem Bart. »Gott segne Euch, Fremder«, sagte Caris. Der Mann kam ihr vertraut vor. Er antwortete nicht auf ihren Gruß, sondern sah sie mit zwingenden goldbraunen Augen fest an. Da erkannte Caris ihn. Der Becher entglitt ihren Fingern. »O Gott!«, entfuhr es ihr. »Du!«

※

Die wenigen Augenblicke, ehe sie ihn sah, waren bezaubernd, und Merthin wusste, dass er sie sein Leben lang in Erinnerung behalten würde, ganz gleich, was nun geschah. Hungrig, ja begierig blickte er in das Gesicht, das er neun Jahre lang nicht gesehen hatte, und erinnerte sich mit einem Schock ähnlich dem, wenn man an einem heißen Tag in einen kalten Fluss springt, wie lieb und teuer dieses Gesicht ihm gewesen war. Caris hatte sich kaum verändert: Seine Ängste waren unbegründet gewesen. Sie wirkte nicht einmal älter. In diesem Jahr wird sie dreißig, überlegte Merthin, doch sie ist so schlank und rank wie mit zwanzig. Von einer Aura der Autorität umgeben, kam sie raschen Schrittes ins Hospital, in der Hand einen Holzbecher mit einer Arznei; dann sah sie ihn, hielt inne und ließ den Becher fallen.

Merthin grinste sie an, während ein Glücksgefühl ihn durchströmte.

»Du bist hier?«, rief sie. »Ich dachte, du wärest in Florenz!«

»Ich freue mich, wieder daheim zu sein«, erwiderte er.

Sie blickte auf die Lache am Boden. Die Nonne, die mit ihr hereingekommen war, sagte: »Mach dir keine Gedanken deswegen, ich wisch es weg. Geh nur, und sprich mit ihm.« Die zweite Nonne war eine Schönheit und hatte Tränen in den Augen, bemerkte Merthin, doch er war zu aufgeregt, als dass er wirklich darauf geachtet hätte.

Caris fragte: »Seit wann bist du zurück?«

»Ich bin vor einer Stunde eingetroffen. Du siehst gut aus.«

»Und du siehst sehr … männlich aus.«

Merthin lachte.

Caris fragte: »Was hat dich zur Umkehr bewogen?«

»Das ist eine lange Geschichte«, antwortete er. »Aber ich würde sie dir gern erzählen.«

»Gehen wir hinaus.« Sie berührte ihn leicht am Arm und führte ihn aus dem Gebäude. Nonnen sollten andere Menschen nicht berühren oder private Gespräche mit Männern führen, doch Caris hatte solche Regeln nie als bindend angesehen. Merthin war froh, dass sie in den neun Jahren, die verstrichen waren, nicht autoritätsgläubig geworden war.

Er wies auf die Bank im Gemüsegarten. »Dort habe ich mit Mark und Madge Webber an dem Tag vor neun Jahren gesessen, als du ins Kloster eingetreten bist. Madge sagte mir, du hättest dich geweigert, mich zu sehen.«

Sie nickte. »Das war der unglücklichste Tag in meinem Leben – aber ich wusste, es wird noch schlimmer, wenn ich mit dir spreche.«

»Mir ist es genauso ergangen, nur dass ich dich sehen wollte, egal wie schlecht es mir dabei ging.«

Sie schaute ihn direkt an. Ihre goldgefleckten grünen Augen waren offener denn je. »Das klingt ja fast wie ein Tadel.«

»Vielleicht ist es einer. Ich war sehr wütend auf dich. Egal, was du beschlossen hattest, ich fand, dass du mir eine Erklärung schuldig wärst.« Er hatte gar nicht darauf zu sprechen kommen wollen, erkannte nun aber, dass er nicht anders konnte.

Caris entschuldigte sich nicht. »Es ist wirklich ganz einfach. Ich konnte es kaum ertragen, dich zu verlassen. Hätte ich mit dir sprechen müssen, hätte ich mich vielleicht umgebracht.«

Merthin war bestürzt. Neun Jahre lang hatte er geglaubt, sie wäre am Tag ihrer Trennung selbstsüchtig gewesen. Jetzt sah es aus, als wäre er der Selbstsüchtige gewesen, indem er solche Ansprüche an sie stellte. Diese Fähigkeit, ihn seine Haltung neu überdenken zu lassen, hatte Caris schon immer besessen. Das war zwar unangenehm, aber oft hatte sie recht.

Sie setzten sich nicht auf die Bank, sondern gingen über die Wiese um die Kathedrale herum. Der Himmel hatte sich bezogen, die Sonne war fort. »In Italien wütet eine furchtbare Seuche«, sagte Merthin. »Die Leute nennen sie *la moria grande.*«

»Ich habe davon gehört«, sagte Caris. »Tobt die Seuche nicht auch in Südfrankreich? Es klingt furchtbar.«

»Ich war daran erkrankt, bin aber wieder gesund geworden, was sehr selten vorkommt. Meine Frau Silvia ist an der Seuche gestorben.«

Caris sah ihn schockiert an. »Das tut mir leid«, sagte sie. »Du musst schrecklich traurig sein.«

»Ihre ganze Familie ist tot und alle meine Auftraggeber auch. Mir schien es ein guter Zeitpunkt, nach Hause zurückzukehren. Und du?«

»Ich bin gerade zur Cellerarin ernannt worden«, sagte sie mit offenkundigem Stolz.

Merthin erschien es nach all dem Sterben, das er gesehen hatte, recht banal. Solche Dinge waren für das Leben im Nonnenkloster aber wohl wichtig. Er blickte zu der großen Kirche hoch. »Florenz hat eine wunderschöne Kathedrale«, sagte er. »Viele Muster aus buntem Stein. Mir gefällt so etwas besser: gehauene Bilder, alle in der gleichen Farbe.« Während er den Turm betrachtete, dessen Stein sich grau vom grauen Himmel abhob, fing es an zu regnen.

Sie gingen in die Kirche, um trocken zu bleiben. Vielleicht ein Dutzend Menschen standen im Hauptschiff: Besucher, die sich die

Architektur anschauten, und fromme Einheimische beim Beten. Zwei Novizen fegten den Boden. »Ich weiß noch, wie ich dich hinter dieser Säule begrapscht habe«, sagte Merthin grinsend.

»Ich erinnere mich auch«, antwortete sie, sah ihm aber nicht in die Augen.

»Ich empfinde noch dasselbe für dich wie damals. Deshalb bin ich nach Hause gekommen.«

Sie starrte ihn mit zornfunkelnden Augen an. »Aber du hast geheiratet.«

»Und du bist Nonne geworden.«

»Aber wie konntest du sie ... Silvia ... heiraten, wenn du mich liebst?«

»Ich dachte, ich könnte dich vergessen. Ich habe dich aber nicht vergessen. Und als ich glaubte, dass ich sterben muss, wurde mir klar, dass ich niemals über dich hinwegkomme.«

Ihr Zorn verschwand so rasch, wie er aufgeflammt war, und Tränen traten ihr in die Augen. »Ich verstehe«, sagte sie und schaute weg.

»Du empfindest genauso.«

»Ich habe mich nie geändert.«

»Hast du es versucht?«

Sie sah ihm in die Augen. »Es gibt da eine Nonne ...«

»Die Hübsche, die mit dir ins Hospital kam?«

»Wie hast du das erraten?«

»Sie hat geweint, als sie mich sah. Ich habe mich gefragt, wieso.«

Caris blickte schuldbewusst drein. Merthin vermutete, dass sie sich so fühlte, wie er sich gefühlt hatte, wenn Silvia wieder einmal »Du denkst an dein englisches Mädchen« gesagt hatte.

»Mair ist mir teuer«, sagte Caris. »Und sie liebt mich. Aber ...«

»Aber du hast mich nicht vergessen.«

»Nein.«

Merthin ließ sich sein Triumphgefühl nicht anmerken. »Wenn das so ist«, sagte er, »solltest du dein Gelübde widerrufen, das Kloster verlassen und mich heiraten.«

»Das Kloster verlassen?«

»Zuerst musst du von deiner Verurteilung wegen Hexerei begnadigt werden, das ist mir klar, aber es lässt sich bestimmt machen – wir bestechen den Bischof und den Erzbischof und notfalls sogar den Papst. Ich kann es mir leisten ...«

Caris glaubte nicht, dass es so leicht wäre. Aber das war es nicht, was sie am meisten bedrückte. »Ich muss gestehen, dass es eine Versuchung für mich ist«, sagte sie, »aber ich habe Cecilia versprochen, ihren Glauben an mich niemals zu enttäuschen ... Ich muss Mair helfen, bis sie ihre Aufgaben als Gastmeisterin allein verrichten kann ... Wir müssen eine neue Schatzkammer bauen ... Und ich bin die Einzige, die sich um die alte Julie kümmert ...«

Merthin war bestürzt. »Ist das alles so wichtig?«

»Aber sicher!«, rief sie verärgert.

»Ich dachte, im Nonnenkloster wären nur alte Weiblein, die immerzu Gebete brabbeln.«

»Die die Kranken heilen und die Armen speisen und Tausende Morgen Land verwalten. Das ist mindestens so wichtig, wie Brücken und Kirchen zu bauen.«

Damit hatte er nicht gerechnet. Caris war frommen Regeln gegenüber stets skeptisch gewesen. Und sie war nur unter Zwang ins Kloster gegangen, weil sie anders ihr Leben nicht retten konnte. Doch mittlerweile schien sie ihre Aufgabe lieb gewonnen zu haben. »Du bist wie eine Gefangene, die zögert, das Verlies zu verlassen, obwohl ihr die Tür weit geöffnet wird«, sagte er.

»Die Tür steht nicht weit offen. Ich müsste von meinem Gelübde entbunden werden. Mutter Cecilia ...«

»All diese Schwierigkeiten können wir ausräumen. Fangen wir gleich damit an.«

Sie schaute ihn kläglich an. »Ich bin mir nicht sicher.«

Sie war hin- und hergerissen; Merthin sah es ihr an. Er war erstaunt. »Bist du wirklich du selbst?«, fragte er ungläubig. »Du hast die Heuchelei und Falschheit in der Priorei immer gehasst. Faule, gierige, unehrliche, tyrannische ...«

»Für Godwyn und Philemon gilt das noch immer.«

»Dann komm mit mir.«

»Und dann?«

»Heiratest du mich.«

»Ist das alles?«

Wieder war er bestürzt. »Das ist alles, was ich möchte.«

»Nein, das stimmt nicht. Du möchtest Paläste und Burgen bauen. Du möchtest das größte Bauwerk Englands errichten.«

»Wenn du jemanden brauchst, um den du dich kümmern kannst ...«

»Was?«

»Ich habe ein kleines Mädchen. Sie ist drei und heißt Lolla.«

Bei diesen Worten schien Caris ihre Entscheidung zu fällen. Sie seufzte. »Ich bin Amtsträgerin in einem Konvent von fünfunddreißig Nonnen, zehn Novizinnen und fünfundzwanzig Knechten mit einer Schule, einem Hospital und einer Apotheke – und du willst, dass ich das alles wegwerfe, um für ein kleines Mädchen, das ich nicht kenne, Kinderfrau zu spielen.«

Er gab den Versuch auf, sie zu überreden. »Ich weiß nur, dass ich dich liebe und bei mir haben will.«

Sie lachte gezwungen. »Wenn du nur das und sonst nichts gesagt hättest, dann hättest du mich vielleicht überreden können.«

»Ich verstehe nicht …«, sagte er. »War das jetzt eine Zurückweisung?«

»Ich weiß es nicht«, antwortete sie.

Am Abend lag Merthin lange wach. Er war es gewöhnt, in Gast-
häusern zu nächtigen, und die Laute, die Lolla im Schlaf von sich
gab, beruhigten ihn; an diesem Abend jedoch musste er immerzu an
Caris denken. Ihre Reaktion auf seine Rückkehr hatte ihn verstört.
Er wusste nun, dass er sich nie mit nüchternem Verstand überlegt
hatte, was sie empfinden könnte, wenn er so plötzlich vor ihr stand.
Stattdessen war er sich in wirklichkeitsfernen Albträumen darüber
ergangen, wie sie sich verändert haben könnte, und hatte gleichzeitig in der Tiefe seines Herzens auf eine freudige Versöhnung gehofft.
Freilich hatte sie ihn nicht vergessen; er hätte aber von selbst wissen
können, dass sie ihm nicht neun Jahre lang nachgetrauert hatte. Das
hätte ihr nicht ähnlich gesehen.

Gleichzeitig war er überrascht, dass sie so sehr in ihrer Aufgabe
als Nonne aufging. Caris hatte der Kirche immer mehr oder minder feindselig gegenübergestanden. Und wenn man bedachte, wie
gefährlich es war, Religion und Kirche zu kritisieren – es wäre gut
möglich gewesen, dass Caris die wahre Tiefe ihrer Skepsis sogar
vor ihm verborgen gehalten hatte. Deshalb war es ein schrecklicher
Schock für Merthin, dass sie das Kloster nicht verlassen wollte. Wäre
es Furcht vor der Todesstrafe gewesen, die Bischof Richard verhängt
hatte, oder die Sorge, ob man ihr gestatten würde, ihr Gelübde zu
widerrufen – das hätte er ja noch verstanden. Doch nie wäre er auf
den Gedanken gekommen, Caris könnte das Leben im Kloster so
erfüllend finden, dass sie zögerte, es aufzugeben, um seine Frau zu
werden.

Er war wütend auf Caris und auf sich selbst. Er wünschte, er
hätte gesagt: »Ich bin tausend Meilen gereist, um dich zu bitten,
mich zu heiraten – wie kannst du nun sagen, du wärest dir nicht
sicher?« Ihm kamen viele bissige Bemerkungen in den Sinn. Vielleicht war es gut, dass sie ihm nicht eingefallen waren, als er vor ihr
gestanden hatte. Ihr Gespräch hatte damit geendet, dass Caris ihn

gebeten hatte, ihr Zeit zu geben, über den Schock seiner plötzlichen Rückkehr hinwegzukommen und sich zu überlegen, was sie wollte. Er hatte eingewilligt – eine andere Wahl war ihm nicht geblieben –, doch nun musste er in Todesqualen warten wie ein ans Kreuz Geschlagener.

Schließlich versank er in einen sorgenvollen Schlaf.

Lolla weckte ihn früh, wie gewohnlich, und sie gingen hinunter in den Schankraum, um Haferbrei zu frühstücken. Merthin widerstand dem Verlangen, gleich wieder zum Hospital zu gehen und mit Caris zu sprechen. Sie hatte um Zeit gebeten, und es würde seiner Sache nicht nützen, wenn er sie bedrängte. Ihm kam der Gedanke, dass ihm vielleicht noch der eine oder andere Schreck bevorstand und dass er sich lieber ins Bild setzen sollte, was in Kingsbridge so alles geschehen war. Also suchte er nach dem Frühstück Mark Webber auf.

Die Webbers wohnten an der Hauptstraße in einem großen Haus; sie hatten es gekauft, kurz nachdem Caris ihnen geholfen hatte, im Tuchhandel Fuß zu fassen. Merthin erinnerte sich noch an die Zeit, als die Webbers mit ihren vier Kindern in einem einzigen Raum gewohnt hatten, nicht viel größer als der Webstuhl, an dem Mark arbeitete. Ihr neues Haus hatte ein geräumiges, aus Stein errichtetes Erdgeschoss, das als Lagerraum und Werkstatt diente. Die Wohnräume befanden sich in dem aus Holz gezimmerten Obergeschoss. Merthin fand Madge in der Werkstatt, wo sie eine Wagenladung scharlachrotes Tuch prüfte, das gerade von einer der Walkmühlen außerhalb der Stadt eingetroffen war. Sie war nun fast vierzig, und in ihrem dunklen Haar zeigten sich graue Strähnen. Madge war immer schon klein gewesen und nun pummelig geworden; sie hatte einen vorspringenden Busen und ein ausladendes Hinterteil. Merthin musste an eine Taube denken, wenn er sie sah, aber durch ihr vorstehendes Kinn und ihre ganze Art erinnerte sie eher an einen angriffslustigen Vogel dieser Gattung.

Bei ihr waren zwei junge Leute, eine hübsche Jungfer von vielleicht siebzehn und ein strammer junger Mann, der zwei Jahre älter aussah. Merthin erinnerte sich an die ältesten Kinder der Webbers – Dora, ein mageres Mädchen in einem zerlumpten Kleidchen, und John, einen schüchternen Jungen – und begriff, dass sie nun als beinahe Erwachsene vor ihm standen. John hob mühelos die schweren Tuchballen, während Dora sie zählte, indem sie Kerben in einen

Stab ritzte. Merthin fühlte sich alt. Er war erst zweiunddreißig, doch wenn er John anschaute, kam er sich wie ein Greis vor.

Madge stieß einen Ruf freudiger Überraschung aus, als sie Merthin erkannte. Sie umarmte ihn und küsste ihn auf die bärtigen Wangen, und über Lolla wollte sie sich gar nicht mehr beruhigen. »Ich dachte, sie könnte mit Euren Kindern spielen«, sagte Merthin traurig. »Aber natürlich sind sie jetzt viel zu groß.«

»Dennis und Noah gehen in die Klosterschule«, sagte Madge. »Sie sind jetzt dreizehn und elf. Aber Dora wird sich schon mit Lolla befassen – sie liebt Kinder.«

Die junge Frau nahm Lolla auf den Arm. »Die Katze von nebenan hat Junge«, sagte sie. »Möchtest du sie sehen?«

Lolla antwortete mit einem Schwall Italienisch, das Dora als Zustimmung wertete, und sie gingen davon.

Madge ließ John den Karren entladen und nahm Merthin mit nach oben. »Mark ist nach Melcombe«, sagte sie. »Wir verkaufen einiges von unserem Tuch in die Bretagne und die Gascogne. Er müsste heute oder morgen zurückkommen.«

Merthin nahm in der guten Stube Platz und bekam einen Becher Bier. »Kingsbridge scheint zu gedeihen«, sagte er.

»Der Wollhandel ist zurückgegangen«, erwiderte Madge. »Es liegt an den Kriegssteuern. Alles muss über eine Handvoll Großhändler verkauft werden, damit der König seinen Anteil eintreiben kann. Hier in Kingsbridge gibt es noch ein paar Händler – Petronilla führt das Geschäft fort, das Edmund ihr hinterlassen hat –, aber nichts ist mehr, wie es einmal war. Zum Glück ist der Handel mit fertigem Tuch gewachsen und sorgt für Ersatz, wenigstens in unserer Stadt.«

»Ist Godwyn noch Prior?«

»Leider ja.«

»Macht er noch immer Schwierigkeiten?«

»Er ist schrecklich konservativ. Er widersetzt sich jeder Veränderung und verbietet allen Fortschritt. Mark zum Beispiel hat ihm vorgeschlagen, den Markt sowohl am Samstag als auch am Sonntag zu öffnen, nur um zu sehen, was geschieht.«

»Was sollte Godwyn denn dagegen einzuwenden haben?«

»Er sagt, es würde den Leuten ermöglichen, zum Markt zu gehen, ohne die Kirche zu besuchen, und das wäre sündhaft.«

»Einige von ihnen würden die Kirche gewiss auch am Samstag besuchen.«

»Godwyns Becher ist immer halb leer, nie halb voll.«

»Gewiss widerspricht ihm der Gemeinderat?«

»Nicht sehr oft. Elfric ist jetzt Ratsältester. Alice und er sind noch einflussreicher – und wohlhabender –, als Edmund es früher war.«

»Der Ratsälteste muss nicht der reichste Mann in der Stadt sein.«

»Aber gewöhnlich ist es so. Vergesst nicht, dass Elfric viele Handwerker beschäftigt – Zimmerleute, Steinmetzen, Mörtelkocher, Gerüstbauer – und bei allen kauft, die mit Baumaterial handeln. In der Stadt wimmelt es von Menschen, die mehr oder minder von ihm abhängig sind.«

»Und Elfric stand Godwyn immer nahe.«

»Genau. Er bekommt sämtliche Bauaufträge der Priorei – und das bedeutet, jedes öffentliche Projekt.«

»Und dabei ist er ein so schlampiger Baumeister!«

»Seltsam, nicht wahr?«, fragte Madge sinnend. »Man sollte doch meinen, dass Godwyn den Besten mit seinen Aufträgen bedenkt. Aber das tut er nicht. Für ihn ist nur der wichtig, der sich widerspruchslos seinen Wünschen fügt.«

Merthin fühlte sich ein wenig niedergeschlagen. Nichts hatte sich geändert: Seine Feinde waren noch immer mächtig. Für ihn konnte es schwierig werden, sein altes Leben wieder aufzunehmen. »Also keine guten Neuigkeiten für mich.« Er stand auf. »Ich werfe lieber einen Blick auf meine Insel.«

»Mark wird Euch sicher aufsuchen, sobald er von Melcombe zurück ist.«

Merthin wollte Lolla abholen, doch sie hatte so viel Spaß, dass er sie bei Dora ließ. Durch die Stadt schlenderte er zum Flussufer. Wieder warf er einen Blick auf die Risse in seiner Brücke, doch er brauchte sie sich nicht lange anzuschauen: Der Grund war offensichtlich. Er schaute sich auf der ganzen Insel um. Dort hatte sich nur wenig geändert: Am westlichen Ende standen ein paar neue Anlegestellen und Lagerhäuser, am Ostende nur ein einziges Haus – das, welches er Jimmie überlassen hatte. Die Straße, die vom einen Bogen der Brücke zum anderen führte, ging daran vorbei.

Als Merthin die Insel damals in Besitz genommen hatte, hatte er ehrgeizige Pläne geschmiedet, was er daraus machen wollte. In der Zeit seiner Abwesenheit war natürlich nicht viel geschehen. Er schritt den Boden ab, nahm grobe Schätzungen vor und malte sich Gebäude und sogar Straßen aus, bis es Zeit für das Mittagessen wurde.

Er holte Lolla ab und kehrte ins Bell zurück. Bessie trug ihnen ein schmackhaftes Gericht aus Schweinefleisch auf, das mit Gerste angedickt war. In der Gaststube war es ruhig, und Bessie aß mit ihnen. Sie brachte einen Krug von ihrem besten Rotwein mit. Als sie gespeist hatten, schenkte sie Merthin noch einen Becher ein, und er erzählte ihr von seinen Ideen. »Die Straße über die Insel, von einer Brücke zur anderen, ist wie geschaffen für Läden«, sagte er.

»Und Schänken«, erwiderte sie. »Unser Bell und das Holly Bush sind die bestgehenden Wirtshäuser der Stadt, weil wir so nahe an der Kathedrale stehen. Überall dort, wo ständig Leute vorbeikommen, ist ein guter Platz für ein Gasthaus.«

»Wenn ich ein Gasthaus auf Leper Island baue, könntest du es führen.«

Sie sah ihm in die Augen. »Wir könnten es zusammen führen.«

Merthin lächelte sie an. Er war satt von ihrem guten Essen und dem Wein, und jeder Mann hätte es genossen, mit ihr ins Bett zu steigen und sich an ihrem weichen, prallen Leib zu freuen; doch es sollte nicht sein. »Ich habe meine Frau Silvia sehr gern gehabt«, sagte er. »Doch in der ganzen Zeit, in der wir verheiratet waren, habe ich immerzu an Caris gedacht. Und Silvia wusste es.«

Bessie blickte weg. »Wie traurig.«

»Ja. Und das werde ich keiner anderen Frau noch einmal antun. Ich werde nicht mehr heiraten, es sei denn, ich nehme Caris zur Frau. Ich bin kein guter Mann, aber so schlecht nun auch wieder nicht.«

»Caris heiratet dich vielleicht nie.«

»Das weiß ich.«

Bessie stand auf und räumte die Schüsseln ab. »Du bist ein guter Mann«, sagte sie. »Vielleicht zu gut.« Sie kehrte in die Küche zurück.

Merthin legte Lolla zum Mittagsschlaf ins Bett; dann setzte er sich vor das Wirtshaus auf die Bank, blickte über den Hang auf Leper Island, machte Skizzen auf einer großen Schieferplatte und genoss den Schein der Septembersonne. Viel Arbeit schaffte er nicht, denn jeder, der vorbeiging, wollte ihn in der Heimat willkommen heißen und erkundigte sich, was er in den letzten neun Jahren getan habe.

Am späten Nachmittag erblickte er die massige Gestalt Mark Webbers. Der Tuchhändler kam den Hügel auf einem Wagen herauf, der ein Fass geladen hatte. Mark war immer ein Riese gewesen, doch jetzt, stellte Merthin fest, war er ein rundlicher Riese geworden.

Merthin schüttelte ihm die riesige Pranke.

»Ich war in Melcombe«, sagte Mark. »Alle paar Wochen fahre ich dorthin.«

»Was ist in dem Fass?«

»Wein aus Bordeaux, direkt vom Schiff – das auch Nachrichten gebracht hat. Wusstet Ihr, dass Prinzessin Joan auf dem Weg nach Spanien ist?«

»Ja.« Jeder in Europa, der gut unterrichtet war, wusste, dass König Edwards fünfzehnjährige Tochter den Prinzen Pedro heiraten sollte, den Erben des kastilischen Throns. Die Heirat würde für ein Bündnis zwischen England und dem größten Königreich der iberischen Halbinsel sorgen und sicherstellen, dass Edward sich auf seinen nie enden wollenden Krieg gegen Frankreich konzentrieren konnte, ohne Einmischung aus dem Süden befürchten zu müssen.

»Nun«, sagte Mark, »Joan ist in Bordeaux an der Pest gestorben.«

Merthin war schockiert – einmal, weil Edwards Stellung in Frankreich plötzlich ins Wanken geriet, vor allem aber, weil die Seuche sich schon so weit ausgebreitet hatte. »In Bordeaux wütet die Pest?«

»In den Straßen türmen sich die Leichen, sagten mir die französischen Seeleute.«

Merthin war erschüttert. Er hatte geglaubt, *la moria grande* hinter sich gelassen zu haben. Der Große Tod kam doch wohl nicht nach England? Persönlich fürchtete er ihn nicht: Niemand hatte die Pest je zweimal bekommen, deshalb war er vor der Krankheit sicher, und Lolla gehörte zu denen, die aus irgendeinem Grund gar nicht erst daran erkrankten. Doch Merthin fürchtete um jeden anderen, besonders um Caris.

Mark lagen andere Dinge auf der Seele. »Ihr seid genau zur richtigen Zeit zurückgekehrt. Einige jüngere Kaufleute haben Elfric als Ratsältesten satt. Sehr oft ist er nur Godwyns Handlanger. Ich will versuchen, ihm die Stirn zu bieten. Ihr könntet dabei das Zünglein an der Waage sein. Heute Abend trifft sich der Gemeinderat – kommt mit, und wir lassen Euch aufnehmen.«

»Ist es denn egal, dass ich meine Lehre nie beendet habe?«

»Nach allem, was Ihr gebaut habt, hier und im Ausland, spielt das wohl keine Rolle.«

»Also gut.« Merthin musste Ratsmitglied sein, wenn er auf der Insel bauen wollte. Die Leute fanden immer Gründe, etwas gegen neue Bauwerke einzuwenden, und vielleicht musste er sich Fürsprecher suchen. Dennoch war er sich längst nicht so sicher wie Mark, was seine Aufnahme in den Rat anging.

Mark fuhr sein Weinfass nach Hause, und Merthin ging ins Gasthaus, um Lolla ihr Abendbrot zu geben. Bei Sonnenuntergang kehrte Mark zum Bell zurück, und Merthin ging mit ihm die Hauptstraße hinauf, während der warme Nachmittag sich zu einem kühlen Abend wandelte.

Das Rathaus war Merthin als hübsches Bauwerk erschienen, als er dort dem Gemeinderat seinen Brückenentwurf vorgestellt hatte. Heute, nachdem er die prächtigen öffentlichen Gebäude Italiens gesehen hatte, kam es ihm schäbig und freudlos vor. Er fragte sich, was Männer wie Buonaventura Caroli und Loro Fiorentino denken mussten, wenn sie das derbe Steingewölbe mit dem Gefängnis und der Küche sahen, und den Hauptsaal, in dem die Reihe aus Säulen, die das Dach stützten, ungeschickt durch die Mitte verlief.

Mark stellte ihn einer Handvoll Männern vor, die während Merthins Abwesenheit nach Kingsbridge gekommen oder zu Bedeutung aufgestiegen waren. Die meisten Gesichter jedoch wirkten vertraut, wenngleich ein wenig älter. Merthin begrüßte die wenigen, denen er nicht schon heute oder am Vortag begegnet war. Unter ihnen war Elfric, der in einen prächtigen Übermantel aus mit Silberfaden durchwirktem Brokat gekleidet war. Er zeigte keinerlei Überraschung – offensichtlich hatte ihm jemand gesagt, dass Merthin wieder da sei –, doch er funkelte ihn mit unverhohlener Feindschaft an.

Ebenfalls anwesend waren Prior Godwyn und sein Subprior, Bruder Philemon. Mit zweiundvierzig Jahren sah Godwyn seinem Onkel Anthony immer ähnlicher, stellte Merthin fest; Godwyn hatte die gleichen Falten querköpfiger Unzufriedenheit in den Mundwinkeln. Er heuchelte eine Leutseligkeit vor, mit der er vielleicht jemanden täuschen konnte, der ihn nicht kannte. Auch Philemon hatte sich verändert. Er war nicht mehr schlank und unbeholfen. Aufgedunsen wie ein wohlhabender Kaufherr war er und hielt sich mit arroganter Selbstsicherheit – doch Merthin meinte, hinter seiner Fassade noch immer die Ängste und den Selbsthass des kriecherischen Schmeichlers zu sehen. Philemon schüttelte ihm die Hand, als berühre er eine Schlange. Es war niederschmetternd, wie lange alter Hass sich hielt.

Ein gut aussehender, dunkelhaariger junger Mann bekreuzigte sich, als er Merthin erblickte; dann offenbarte er, dass er Merthins früherer Schützling Jimmie sei, den man heute als Jeremiah Builder kannte. Merthin war erfreut, dass es ihm gut genug ging, um dem Gemeinderat anzugehören. Allerdings schien es, als wäre Jeremiah noch immer so abergläubisch wie Jimmie.

Mark erzählte die Neuigkeit über Prinzessin Joan jedem, dem er begegnete. Merthin beantwortete die eine oder andere besorgte Frage über die Pest, doch die Kingsbridger Kaufleute machten sich größere Sorgen um den Zusammenbruch des Bündnisses mit Kastilien, wodurch der Krieg gegen Frankreich verlängert wurde, denn er schadete dem Geschäft.

Elfric setzte sich auf den großen Stuhl vor der riesigen Wollsackwaage und eröffnete die Sitzung. Mark schlug augenblicklich vor, dass Merthin als Mitglied angenommen werden sollte.

Wenig überraschend hatte Elfric Einwände. »Er war niemals Ratsmitglied, weil er seine Lehre nicht abgeschlossen hat.«

»Weil er Eure Tochter nicht heiraten wollte, meint Ihr«, sagte einer der Männer, und alles lachte. Merthin brauchte einen Augenblick, bis er den Sprecher erkannte: Es war Bill Watkin, der Hausbauer, bei dem sich der schwarze Haarkranz um den kahlen Schädel nun grau färbte.

»Weil er kein Handwerker ist, der den Ansprüchen genügt«, beharrte Elfric starrsinnig.

»Wie könnt Ihr das sagen?«, begehrte Mark auf. »Er hat Häuser errichtet, Kirchen, Paläste …«

»Und unsere Brücke, die nach nur acht Jahren Risse bekommen hat.«

»Die habt Ihr gebaut, Elfric.«

»Ich habe mich genau an Merthins Konstruktion gehalten. Die Bögen sind eindeutig nicht stark genug, um das Gewicht der Fahrbahn und des Verkehrs darauf zu tragen. Die Eisenklammern, die ich angebracht habe, reichen nicht aus, um zu verhindern, dass die Risse sich erweitern. Daher schlage ich vor, beide Bögen auf beiden Seiten des zentralen Pfeilers mit einer zweiten Schicht Mauerwerk zu verstärken, der ihre Dicke verdoppelt. Ich dachte mir schon, dass dieses Thema heute Abend zur Sprache kommt, daher habe ich eine Schätzung der Kosten vorbereitet.«

Elfric musste seinen Angriffsplan in dem Augenblick entworfen haben, in dem er gehört hatte, dass Merthin wieder in der Stadt war. Er hatte Merthin stets als Gegner betrachtet; nichts hatte sich geändert. Allerdings hatte er noch immer nicht erkannt, was mit der

Brücke nicht stimmte, und damit gab er Merthin die Gelegenheit, die er brauchte.

Leise sprach er Jeremiah an. »Würdest du mir einen Gefallen tun?«

»Nach allem, was Ihr für mich getan habt? Ich tue, was Ihr wollt!«

»Lauf sofort zur Priorei und sag, du musst unbedingt Schwester Caris sprechen. Bitte sie, meine Originalzeichnung für die Brücke zu suchen. Sie müsste in der Bibliothek der Priorei sein. Bring sie sofort hierher.«

Jeremiah huschte aus dem Raum.

Elfric fuhr fort: »Ich muss euch Ratsherren sagen, dass ich mit Prior Godwyn schon gesprochen habe, und die Priorei kann es sich nicht leisten, für diese Reparatur zu zahlen. Wir müssen das Geld selbst aufbringen, wie wir auch die Kosten für ihren Bau getragen haben, und werden aus der Maut entschädigt.«

Alles stöhnte. Ein langer, übellaunig geführter Streit folgte, wie viel Geld jedes Ratsmitglied vorstrecken sollte. Merthin spürte, wie sich im Saal Missgunst gegen ihn aufbaute. Genau das hatte Elfric ohne Zweifel bezweckt. Merthin nahm die Blicke nicht von der Tür und wünschte sich brennend, Jeremiah würde wiederkommen.

Bill Watkin sagte: »Vielleicht sollte Merthin die Reparatur bezahlen, wenn seine Konstruktion fehlerhaft war.«

Merthin konnte sich nicht mehr aus der Auseinandersetzung heraushalten. Er schlug alle Vorsicht in den Wind. »Das meine ich auch«, sagte er.

Verdutztes Schweigen stellte sich ein.

»Wenn meine Konstruktion für die Risse verantwortlich ist, repariere ich die Brücke auf eigene Kosten«, fuhr Merthin verwegen fort. Brücken waren kostspielig: Irrte er sich, was die Ursache für die Risse betraf, konnte es ihn die Hälfte seines Vermögens kosten.

Bill sagte: »Das nenne ich ein kühnes Wort.«

Merthin fuhr fort: »Aber vorher habe ich etwas zu sagen, wenn der Rat es erlaubt.« Er blickte Elfric an.

Elfric zögerte, suchte offenbar angestrengt nach einem Vorwand, Merthin die Rede zu verweigern, doch Bill forderte: »Lasst ihn sprechen«, und ein Chor der Zustimmung antwortete.

Elfric nickte widerstrebend.

»Danke«, sagte Merthin. »Wenn ein Bogen schwach ist, reißt er auf eine ganz typische Art und Weise. Die Steine am höchsten Punkt des Bogens werden nach unten gedrückt, sodass ihre unteren Enden sich schräg auseinanderspreizen, und Risse erscheinen an der Krone des Bogens in der Laibung – der Unterseite.«

»So ist es«, sagte Bill Watkin. »Solche Risse habe ich schon oft gesehen. Normalerweise sind sie nicht schlimm.«

Merthin fuhr fort: »Aber solche Risse sind an der Brücke nicht zu sehen. Anders als Elfric behauptet, sind die Bögen stark genug: Die Dicke jedes Bogens beträgt ein Zwanzigstel seines Durchmessers an der Basis, und das ist in jedem Land das Standardmaß.«

Die Baumeister im Raum nickten. Dieses Prinzip kannten sie alle.

»Die Krone des Bogens ist intakt. Allerdings gibt es horizontale Risse am Bogenanfang zu beiden Seiten des Mittelpfeilers.«

Bill ergriff erneut das Wort: »So etwas sieht man manchmal in einem vierseitigen Bogen.«

»Aber das ist die Brücke *nicht*«, betonte Merthin. »Die Bögen sind einfach.«

»Was ist dann der Grund für die Risse?«

»Dass Elfric sich nicht an meine Konstruktion gehalten hat.«

Elfric rief: »Das habe ich wohl!«

»Ich hatte vorgeschrieben, dass die unteren Enden beider Pfeiler mit je einem Haufen großer, loser Steine umgeben werden.«

»Steinhaufen?«, fragte Elfric spöttisch. »Ihr wollt sagen, die hätten Eure Brücke aufrecht gehalten?«

»Ja, das sage ich«, erwiderte Merthin. Er merkte wohl, dass auch die Baumeister im Raum Elfrics Skepsis teilten. Doch sie kannten sich mit Brücken nicht aus, die sich von allen anderen Bauwerken unterschieden, weil sie im Wasser standen. »Die Steinhaufen waren ein wesentlicher Bestandteil der Konstruktion.«

»Sie waren nie auf den Zeichnungen.«

»Würdet Ihr uns bitte meine Zeichnungen zeigen, Elfric, um Eure Behauptung zu beweisen?«

»Den Skizzenboden haben wir schon lange gelöscht.«

»Ich habe eine Zeichnung auf Pergament angefertigt. Sie müsste in der Bibliothek der Priorei liegen.«

Elfric blickte Godwyn an. In diesem Moment trat die Komplizenschaft zwischen beiden Männern offen zutage, und Merthin hoffte, dass auch die übrigen Räte sie sahen. Godwyn erwiderte: »Pergament ist teuer. Die Zeichnung wurde abgeschabt, das Material längst neu verwertet.«

Merthin nickte, als glaube er Godwyn. Von Jeremiah noch immer keine Spur. Merthin machte sich darauf gefasst, die Diskussion ohne die Hilfe der Originalpläne für sich entscheiden zu müssen. »Die Steine hätten verhindert, dass sich jetzt Risse bilden.«

Philemon warf ein: »Es stand zu erwarten, dass Ihr das behauptet. Doch warum sollten wir Euch glauben? Euer Wort steht gegen das Elfrics.«

Merthin wurde gewahr, dass er sich weit aus dem Fenster lehnen musste. Alles oder nichts, sagte er sich. »Ich will Euch sagen, wo das Problem liegt, und es Euch beweisen, wenn Ihr Euch morgen früh bei Tagesanbruch mit mir am Flussufer treffen wollt.«

Elfrics Gesicht verriet, dass er diese Herausforderung abzulehnen gedachte, doch Bill Watkin rief: »Das ist nur gerecht! Wir werden dort sein.«

»Bill, könnt Ihr zwei vernünftige Jungen mitbringen, die gute Schwimmer und Taucher sind?«

»Ohne Mühe.«

Elfric hatte die Gewalt über die Sitzung verloren, und als nun Godwyn sich einmischte, entlarvte er sich als der Puppenspieler, der Elfrics Fäden in der Hand hielt. »Welches Blendwerk plant Ihr?«, fragte er ärgerlich.

Doch es war zu spät. Die anderen waren neugierig geworden. »Lasst ihn sagen, was er zu sagen hat«, entgegnete Bill. »Wenn es Blendwerk ist, wissen wir es schon bald.«

In diesem Augenblick kam Jeremiah herein. Erleichtert sah Merthin, dass er einen Holzrahmen trug, in dem ein großes Blatt Pergament aufgespannt war. Elfric starrte Jeremiah entsetzt an.

Godwyn wurde blass und fragte: »Wer hat Euch das ausgehändigt?«

»Eine aufschlussreiche Frage«, bemerkte Merthin. »Seine Gnaden fragen nicht, was die Zeichnung darstellt, noch woher sie kommt – das scheint er schon zu wissen. Er fragt nur, wer sie ausgehändigt hat.«

Bill sagte: »Das ist jetzt egal. Zeigt uns die Zeichnung, Jeremiah.«

Jeremiah stellte sich vor die Waage und drehte den Rahmen, damit jeder die Zeichnung sehen konnte. An den unteren Enden der Stützpfeiler befanden sich die Steinhaufen, von denen Merthin gesprochen hatte.

Merthin erhob sich. »Und morgen früh erkläre ich Euch, wie sie wirken.«

Der Sommer ging in den Herbst über, und in der Morgendämmerung war es kühl am Ufer. Die Neuigkeit, dass es dort ein Spektakel geben werde, hatte sich verbreitet, und nicht nur die Mitglieder des Gemeinderates, sondern zwei- oder dreihundert weitere Zuschauer warteten, Zeuge der Auseinandersetzung zwischen Merthin und Elfric zu werden. Selbst Caris befand sich unter ihnen. Merthin begriff, dass es schon längst keine Meinungsverschiedenheit über eine Konstruktionsfrage mehr war. Er war der junge Nebenbuhler, der den alten Leitstier herausforderte, und die Herde schaute zu.

Bill Watkin brachte zwei Jungen von zwölf oder dreizehn Jahren, die sich bis auf die Unterhosen ausgezogen hatten und in der Kälte schnatterten. Wie sich herausstellte, waren es Mark Webbers jüngere Söhne Dennis und Noah. Dennis, der Dreizehnjährige, war klein und stämmig wie seine Mutter. Er hatte rotbraunes Haar von der Farbe des Herbstlaubs. Noah, zwei Jahre jünger, war größer und würde wahrscheinlich einmal Marks Maße erreichen. Merthin fühlte mit dem kleinen Rotschopf, denn er wusste selbst, wie es war, einen größeren und stärkeren jüngeren Bruder zu haben.

Elfric hätte Einwände gegen Marks Söhne als Taucher vorbringen können; schließlich hätte ihr Vater ihnen im Vorfeld sagen können, was sie berichten sollten. Doch Elfric schwieg: Mark war als zu ehrlich bekannt, als dass jemand ihn einer solchen Täuschung verdächtigt hätte.

Merthin sagte den Jungen, was sie tun sollten. »Schwimmt zum Mittelpfeiler, und taucht dort hinunter. Ihr werdet sehen, dass die Säule ein weites Stück nach unten glatt ist. Dann findet ihr das Fundament, einen großen Brocken aus Steinen, die von Mörtel zusammengehalten werden. Wenn ihr den Flussgrund erreicht, tastet unter das Fundament. Sehen könnt ihr dort wahrscheinlich nichts mehr – das Wasser dürfte zu schlammig sein. Aber haltet die Luft an, solange ihr könnt, und sucht rings unter dem Fundament alles gründlich ab. Dann kommt wieder nach oben und sagt uns, was ihr gefunden habt.«

Sie sprangen ins Wasser und schwammen hinaus. Merthin wandte sich an die versammelten Städter. »Das Bett dieses Flusses besteht nicht aus Fels, sondern aus Erde. Die Strömung umspült die Brückenpfeiler, wäscht das Erdreich unter ihren Fundamenten fort und lässt eine Vertiefung zurück, die nur mit Wasser gefüllt ist. Das ist auch bei der alten Holzbrücke geschehen. Die Eichenpfeiler ruhten nicht mehr auf dem Flussbett, sondern hingen bloß noch vom Überbau herunter. Deshalb ist die Brücke eingestürzt. Um zu verhindern, dass mit der neuen Brücke das Gleiche passiert, hatte ich vorgesehen, große Bruchsteine um die Basis der Pfeiler herum auftürmen zu lassen. Die Steinhaufen hätten die Strömung gebrochen, sodass sie nur noch schwach gewesen wäre und keinen Angriffspunkt mehr gehabt hätte. Die Steinhaufen aber sind weggelassen worden; deshalb wurden die Pfeiler im Laufe der Jahre unterspült. Sie tragen die Brücke nicht mehr, sondern hängen von ihr herab – und deshalb sehen wir dort Risse, wo die Pfeiler mit den Brückenbögen verbunden sind.«

Elfric schnaubte skeptisch, doch die anderen Baumeister wirkten beeindruckt. Die beiden Jungen erreichten die Flussmitte, hielten sich am Mittelpfeiler fest, holten tief Luft und verschwanden.

Merthin rief: »Wenn sie zurückkommen, werden sie uns sagen, dass der Pfeiler nicht auf dem Flussbett ruht, sondern über einem Loch hängt, das mit Wasser gefüllt und so groß ist, dass ein Mann hineinklettern kann.«

Er hoffte, dass er recht behielt.

Beide Jungen blieben erstaunlich lange Zeit unter Wasser. Merthin spürte, wie ihm selbst die Luft knapp wurde, als wäre er auf mystische Weise mit den Jungen verbunden. Endlich tauchte erst ein roter nasser Haarschopf aus dem Wasser, dann ein brauner. Die beiden Jungen sprachen kurz miteinander und nickten, als vergewisserten sie sich, dass sie beide das Gleiche beobachtet hatten. Dann kamen sie zum Ufer geschwommen.

Merthin war sich seiner Diagnose nicht ganz sicher, konnte sich die Risse aber anders nicht erklären. Gleichzeitig hatte er das Bedürfnis empfunden, Zuversicht vorzugeben. Stellte sich nun heraus, dass er sich irrte, stand er umso törichter da.

Die Jungen erreichten das Ufer und stiegen keuchend aus dem Wasser. Madge reichte ihnen Decken, die sie sich um die zitternden Schultern schlangen. Merthin ließ ihnen ein paar Augenblicke, zu Atem zu kommen; dann fragte er: »Und? Was habt ihr gefunden?«

»Nichts«, sagte Dennis, der Ältere.

»Was meinst du mit nichts?«

»Unten an dem Pfeiler, da ist nichts.«

Elfric frohlockte. »Nur der Schlamm des Flussbetts, meinst du.«

»Nein!«, rief Dennis. »Kein Schlamm, nur Wasser.«

Noah warf ein: »Da ist ein Loch, da könnte man ganz leicht reinklettern! Der große Pfeiler hängt einfach im Wasser, und nichts ist drunter.«

Merthin bemühte sich, nicht erleichtert auszusehen.

Elfric plusterte sich auf. »Trotzdem kann man nicht einfach sagen, dass ein Haufen loser Steine das verhindert hätte.« Doch niemand hörte ihm zu. In den Augen der Menge hatte Merthin bewiesen, dass er recht hatte. Sie scharten sich um ihn, machten Bemerkungen und stellten Fragen. Nach einigen Augenblicken ging Elfric allein davon.

Merthin empfand einen Anflug von Mitgefühl. Dann aber fiel ihm ein, wie Elfric ihm mit einer Holzstange ins Gesicht geschlagen hatte, als er noch Lehrjunge gewesen war, und sein Mitleid verflüchtigte sich in die kühle Morgenluft.

Am nächsten Morgen wurde Merthin von einem Mönch im Bell aufgesucht. Als dieser die Kapuze zurückschlug, erkannte Merthin ihn zuerst gar nicht. Dann bemerkte er, dass der linke Arm des Mönchs vom Ellbogen an fehlte, und erkannte ihn als Bruder Thomas, der nun über vierzig war, einen grauen Bart trug und um Augen und Mund tiefe Falten hatte.

Ob sein Geheimnis nach den vielen Jahren noch immer gefährlich ist, fragte sich Merthin. Wäre Thomas' Leben nach wie vor bedroht, wenn die Wahrheit ans Licht käme? Doch Thomas war nicht deshalb gekommen. »Ihr hattet recht mit der Brücke«, sagte er.

Merthin nickte mit schaler Befriedigung. Ja, er hatte recht gehabt – doch Prior Godwyn hatte ihn damals entlassen; infolgedessen war seine Brücke nicht richtig zu Ende gebaut worden. »Ich wollte schon damals die Bedeutung der Steine erklären«, sagte er. »Doch ich wusste, dass Elfric und Godwyn mir niemals zugehört hätten. Deshalb habe ich es Edmund Wooler erklärt, doch er starb.«

»Ihr hättet es mir sagen sollen.«

»Ich wünschte, ich hätte es getan.«

»Begleitet mich in die Kirche«, sagte Thomas. »Da Ihr aus wenigen Rissen so viel herauslesen könnt, möchte ich Euch etwas anderes zeigen.«

Er führte Merthin ins südliche Querhaus. Dort und im südlichen Seitenschiff des Chors hatte Elfric nach dem Einsturz vor elf Jahren die Gewölbe neu errichtet. Merthin sah sofort, was Thomas Sorgen bereitete: Die Risse waren wieder aufgetaucht.

»Ihr habt damals vorausgesagt, dass sie wiederkommen«, sagte Thomas.

»Es sei denn, Ihr hättet die Ursache des Schadens entdeckt.«

»Ihr hattet recht. Elfric hat sich zweimal geirrt.«

Erregung erfasste Merthin. Wenn der Turm umgebaut werden musste … »Ihr wisst es, aber weiß Godwyn es auch?«

Thomas ließ die Frage unbeantwortet. »Was, meint Ihr, ist die Ursache?«

Merthin betrachtete die Schäden. Er hatte jahrelang immer wieder darüber nachgedacht. »Es ist nicht mehr der ursprüngliche Turm, richtig?«, fragte er. »Timothys Buch zufolge wurde er umgebaut und höher gezogen.«

»Ja, vor ungefähr hundert Jahren – als das Geschäft mit der Rohwolle seinen Höhepunkt erreichte. Glaubt Ihr, man hat ihn zu hoch gebaut?«

»Das kommt auf die Fundamente an.« Der Boden, auf dem die Kathedrale stand, fiel nach Süden hin leicht zum Fluss ab, und diese Abschüssigkeit konnte Auswirkungen haben. Merthin ging durch die Vierung, unter dem Turm hinweg, ans nördliche Querhaus. Er stellte sich vor den massigen Pfeiler in der Nordostecke der Vierung und blickte zu dem Bogen hoch, der sich über seinen Kopf erstreckte und über das nördliche Seitenschiff des Chors bis zur Wand reichte.

»Ich sorge mich um das *südliche* Seitenschiff«, sagte Thomas ein wenig gereizt. »Hier ist alles bestens.«

Merthin wies nach oben. »An der Unterseite des Bogens, der Laibung, ist ein Riss an der Krone«, sagte er. »An einer Brücke entstehen solche Risse, wenn die Pfeiler kein ausreichendes Fundament haben und sich voneinander wegspreizen.«

»Wollt Ihr damit sagen, der Turm bewegt sich vom nördlichen Querhaus weg?«

Merthin ging durch die Vierung zurück und besah sich den entsprechenden Bogen an der Südseite. »Dieser Bogen ist ebenfalls gerissen, aber an der Oberseite, dem Gewölberücken, seht Ihr es? Auch die Wand darüber hat einen Riss.«

»Es sind keine großen Risse.«

»Aber sie zeigen uns, was geschieht. Auf der Nordseite wird der Bogen gedehnt, auf der Südseite wird er gestaucht. Das bedeutet, dass der Turm nach Süden kippt.«

Thomas blickte ihn misstrauisch an. »Er sieht aber gerade aus.«

»Mit dem Auge erkennt man es nicht. Aber wenn Ihr auf den Turm steigt und von der Spitze einer Vierungssäule ein Senkblei herunterlasst, gleich unter dem Bogenanfang, werdet Ihr sehen, dass die Schnur sich dort, wo sie den Boden berührt, um ein paar Zoll von der Säule nach Süden entfernt hat. Und weil der Turm sich neigt, reißt er von der Wand des Chors ab, weshalb sich dort der schlimmste Schaden zeigt.«

»Was kann man dagegen tun?«

Am liebsten hätte Merthin gesagt: Ihr müsst mich beauftragen, einen neuen Kirchturm zu bauen. Aber das wäre voreilig gewesen, und er hielt seine Begeisterung zurück. »Zuerst einmal muss man die Sache gründlich untersuchen, bevor man irgendwelche Maßnahmen ergreift«, sagte er. »Wir haben festgestellt, dass die Risse auftreten, weil der Turm sich bewegt – aber *wieso* bewegt er sich?«

»Ja, eben. Wie finden wir das heraus?«

»Wir müssen den Boden aufgraben«, sagte Merthin.

Am Ende war es Jeremiah, der das Loch grub. Thomas wollte Merthin nicht offiziell beauftragen. Er sagte, es sei auch so schwierig genug, von Godwyn, der nie Geld übrig zu haben schien, die Kosten für die bauliche Überprüfung bewilligt zu bekommen. Elfric hatte abfällig gesagt, es gebe nichts zu überprüfen; ihm konnte Thomas den Auftrag also nicht erteilen. Daher fiel seine Wahl auf Merthins alten Lehrjungen.

Jeremiah hatte gut von seinem Meister gelernt und arbeitete schnell. Am ersten Tag hob er die Pflastersteine im südlichen Querhaus an. Am nächsten Tag begannen seine Männer, die Erde um den riesigen Südostpfeiler der Vierung auszuheben.

Als die Grube tiefer wurde, errichtete Jeremiah einen hölzernen Aufzug, um die Erde herauszuschaffen. In der zweiten Woche musste er Holzleitern an den Seiten hinunterlassen, damit die Arbeiter bis zum Boden der Grube gelangen konnten.

Inzwischen erteilte der Gemeinderat Merthin den Auftrag zur Reparatur der Brücke. Elfric stimmte natürlich gegen die Entscheidung, war aber nicht in der Position zu behaupten, der bessere Mann für diese Aufgabe zu sein; so gab er sich kaum Mühe, die anderen davon zu überzeugen.

Merthin machte sich rasch und energisch an die Arbeit. Um die beiden beschädigten Pfeiler errichtete er Fangdämme, legte das von ihnen umschlossene Areal trocken und füllte die Löcher unter den Stützen mit Bruchstein und Mörtel. Als Nächstes wollte er Steinhaufen um die Pfeiler aufschichten, wie er es von Anfang an vorgesehen hatte. Zum Schluss würde er Elfrics hässliche Eisenklammern entfernen und die Risse mit Mörtel füllen. Vorausgesetzt, die reparierten Fundamente hielten, würden die Risse sich nicht wieder öffnen.

Doch die Arbeit, nach der er sich eigentlich sehnte, war der Umbau des Kirchturms.

Einfach würde es nicht. Sein Entwurf musste von der Priorei

und vom Gemeinderat angenommen werden, die von seinen ärgsten Feinden geleitet wurden, Godwyn und Elfric. Und Godwyn müsste überdies das nötige Geld aufbringen.

Als ersten Schritt ermutigte Merthin Mark, sich als Ratsältester zur Wahl zu stellen, um Elfric aus diesem Amt zu verdrängen. Der Ratsälteste wurde einmal im Jahr zu Allerheiligen gewählt, am ersten Tag im November. Im Allgemeinen wurde er ohne Gegenkandidat wiedergewählt, bis er zurücktrat oder starb. Es bestand jedoch kein Zweifel, dass eine Gegenkandidatur erlaubt war: Elfric selbst hatte sich als Ratsältester beworben, während Edmund Wooler noch im Amt gewesen war.

Mark brauchte nicht lange gedrängt zu werden. Er war versessen darauf, Elfrics Herrschaft ein Ende zu setzen. Elfric stand Godwyn so nahe, dass der Gemeinderat kaum noch eine Funktion hatte, geschweige denn Macht besaß: Die Stadt wurde letzten Endes von der Priorei regiert – kleinlich, rückständig, misstrauisch gegen neue Ideen und ohne die Belange der Städter zu berücksichtigen.

Beide Kandidaten begannen Unterstützer um sich zu scharen. Elfrics Anhänger waren hauptsächlich Männer, die für ihn arbeiteten oder bei denen er sein Baumaterial kaufte. Sein Ruf hatte beim Streit um die Brücke jedoch arg gelitten, und wer sich auf seine Seite stellte, tat es gesenkten Hauptes. Marks Befürworter hingegen waren zufrieden und zuversichtlich.

Jeden Tag ging Merthin in die Kathedrale und besah sich das Fundament des Vierungspfeilers, das durch Jeremiahs Grabung nach und nach freigelegt wurde. Es bestand aus den gleichen Ziegeln wie der eigentliche Kirchenbau; die Ziegel waren in gemörtelten Schichten gelegt, allerdings mit weniger Sorgfalt ausgerichtet, weil sie ja nicht zu sehen waren. Jede Schicht war ein wenig breiter als die darüber liegende, sodass eine Pyramidenform entstand. Während der Aushub voranschritt, untersuchte Merthin jede Schicht auf Schwächen, entdeckte aber keine. Trotzdem zweifelte er nicht, dass er am Ende fündig würde.

Merthin verriet niemandem, was er im Sinn hatte. Wenn sein Verdacht sich bestätigte und der Turm aus dem dreizehnten Jahrhundert schlichtweg zu schwer war für die Fundamente, die aus dem zwölften Jahrhundert stammten, gab es nur eine drastische Lösung: Der Turm musste abgerissen und ein neuer erbaut werden. Dieser neue Kirchturm könnte dann der höchste in ganz England werden …

Eines Tages Mitte Oktober erschien Caris an der Grube. Es war früher Morgen, und eine winterliche Sonne schien durch das große Ostfenster. Caris stand am Rand des Lochs, und ihre Kapuze umgab ihren Kopf wie ein Heiligenschein. Merthins Herz schlug schneller. Vielleicht hatte sie eine Antwort für ihn. Eifrig kletterte er die Leiter hinauf.

Sie war schön wie immer, doch im hellen Sonnenschein sah Merthin die kleinen Zeichen des Alters, die neun Jahre auf ihrem Gesicht hinterlassen hatten. Ihre Haut war nicht mehr ganz so glatt, und an den Mundwinkeln waren feine Fältchen zu sehen. Doch aus ihren grünen Augen strahlte noch immer jene wache Intelligenz, die er so sehr liebte.

Sie gingen zusammen durch das südliche Seitenschiff und blieben an der Säule stehen, bei der Merthin jedes Mal daran denken musste, wie er Caris dort berührt hatte. »Wie schön, dich zu sehen«, sagte er. »Du hast dich von mir ferngehalten.«

»Ich bin Nonne. Man erwartet von mir, dass ich mich von Männern fernhalte.«

»Aber du überlegst, dein Gelübde zu widerrufen.«

»Ich habe noch keine Entscheidung getroffen.«

Schwermut legte sich über ihn. »Wie lange brauchst du noch?«

»Ich weiß es nicht.«

Er schaute weg. Er wollte ihr nicht zeigen, wie tief ihr Zögern ihn verletzte. Er sagte nichts. Zwar hätte er ihr vorwerfen können, wie unvernünftig sie war, aber was hätte er damit bewirkt?

»Ich nehme an, du wirst irgendwann deine Eltern in Tench besuchen«, sagte Caris.

Er nickte. »Schon bald. Sie werden Lolla sehen wollen.« Merthin freute sich darauf, die Eltern wiederzusehen, und hatte die Reise nur deshalb hinausgezögert, weil er so viel mit seinen Arbeiten an der Brücke und dem Kirchturm zu tun hatte.

»Ich möchte dich bitten, mit deinem Bruder über Wulfric in Wigleigh zu sprechen, wenn du bei ihm bist.«

Merthin wollte über sich und Caris reden, nicht über Wulfric und Gwenda. Kühl erwiderte er: »Was soll ich Ralph denn sagen?«

»Wulfric arbeitet ohne Bezahlung, nur für Essen, weil Ralph ihm nicht mal ein kleines Stück Land geben will, das er bestellen kann.«

Merthin zuckte mit den Schultern. »Wulfric hat Ralph die Nase gebrochen.« Er hatte das Gefühl, dass ihr Gespräch sich zu einem

Streit entwickelte, und fragte sich, weshalb er so verärgert war. Caris hatte wochenlang kein Wort mit ihm gesprochen und ihr Schweigen nun zugunsten Gwendas gebrochen. Verübelte er ihr, dass Gwenda ihr so sehr am Herzen lag? Merthin sagte sich, dieses Gefühl sei unwürdig, doch er konnte es nicht abschütteln.

Caris errötete vor Zorn. »Das ist zwölf Jahre her! Es ist Zeit, dass Ralph damit aufhört, ihn zu bestrafen, meinst du nicht auch?«

Merthin hatte vergessen, welch zermürbende Streitgespräche Caris und er mitunter geführt hatten, doch nun bemerkte er, wie vertraut es ihm noch war. Abschätzig erwiderte er: »Natürlich meine ich das auch. Hier zählt aber nur Ralphs Meinung.«

»Dann musst du ihn umstimmen.«

Ihre herrische Art stieß ihm übel auf. »Dein Wunsch ist mir Befehl«, sagte er mit säuerlicher Miene.

»Weshalb die Ironie?«

»Weil dein Wunsch mir natürlich *nicht* Befehl ist. Aber du scheinst zu glauben, es müsste so sein. Und ich komme mir ziemlich dumm vor, dass ich es mir anhöre.«

»Um Himmels willen!«, stieß Caris hervor. »Du bist beleidigt, weil ich dich um etwas bitte?«

Aus einem unerfindlichen Grund war Merthin sich plötzlich sicher, dass sie beschlossen hatte, ihn abzuweisen und im Kloster zu bleiben, doch er versuchte, sich nichts anmerken zu lassen. »Wenn wir ein Paar wären, könntest du mich um alles bitten. Doch solange du dir die Möglichkeit offenhältst, mich abzuweisen, kommt es mir ein wenig anmaßend vor, wenn du über mich bestimmen willst.« Er merkte, wie aufgeblasen er sich anhörte, doch er konnte nicht anders. Würde er seine wahren Gefühle offenbaren, würde er in Tränen ausbrechen.

Caris war zu wütend, um seine Not zu bemerken. »Aber ich bitte doch nicht für mich!«, begehrte sie auf.

»Ich weiß. Es ist deine viel gerühmte Großzügigkeit. Trotzdem fühle ich mich benutzt.«

»Dann lass es sein.«

»Natürlich.« Plötzlich konnte Merthin sich nicht mehr beherrschen. Er wandte sich von ihr ab und ließ sie stehen. Er zitterte vor Leidenschaft, die er nicht benennen konnte. Während er durchs Seitenschiff der großen Kirche zu der Baugrube eilte, kämpfte er um Beherrschung. Wie dumm von mir, dachte er. Er drehte sich um und schaute zurück, doch Caris war fort.

Dann stand er am Rand der Grube und blickte hinunter, während er wartete, dass sein innerer Aufruhr sich legte.

Nach einer Weile bemerkte er, dass der Aushub an eine entscheidende Stelle vorgedrungen war. Dreißig Fuß unter ihm hatten die Männer tiefer gegraben, als das gemauerte Fundament reichte, und legten frei, was darunter war. Um den Streit mit Caris zu vergessen, konzentrierte Merthin sich auf die Arbeit. Er holte tief Luft, schluckte und stieg die Leiter hinunter.

Es war der Augenblick der Wahrheit. Sein Kummer verflog, als er beobachtete, wie die Arbeiter tiefer gruben. Eine Schaufel voll schwerem Schlamm nach der anderen wurde fortgeschafft. Merthin betrachtete die Schichtung der Erde, die sie unter dem Fundament freilegten. Sie sah aus, als bestehe sie aus einer Mischung von Sand und kleinen Steinen. Während die Männer den Schlamm wegschaufelten, rieselte das sandige Material in das Loch, das sie schufen.

Merthin hieß sie aufhören.

Er kniete sich hin und nahm eine Handvoll des sandigen Materials. Es war anders beschaffen als der Boden ringsum. Auf natürliche Weise kam diese Erde hier nicht vor, also mussten die Erbauer der Kathedrale sie hierhergeschafft haben. In Merthin stieg Erregung auf und überdeckte nun vollends seinen Kummer mit Caris. »Jeremiah!«, rief er. »Schaut, ob Ihr Bruder Thomas finden könnt, so schnell es geht.«

Er befahl den Männern weiterzugraben, das Loch jedoch schmaler zu machen: Mittlerweile konnte der Aushub die Stabilität des Bauwerks gefährden. Nach einer Weile kehrte Jeremiah mit Thomas zurück, und gemeinsam mit Merthin schauten sie zu, wie die Männer die Grube tiefer aushoben. Schließlich endete die sandige Schicht, und als nächste Lage trat die natürliche schlammige Erde zutage.

»Ich frage mich, was dieser Sand ist«, sagte Thomas.

»Ich glaube, ich weiß es«, entgegnete Merthin und versuchte, nicht triumphierend dreinzuschauen. Schon vor Jahren hatte er prophezeit, dass Elfrics Reparaturen nichts nutzen würden, solange die Ursache für die Risse nicht aufgedeckt war, und er hatte recht behalten – doch es war nie klug, darauf zu beharren, man habe dies und das ja kommen sehen.

Thomas und Jeremiah blickten ihn erwartungsvoll an.

»Wenn man eine Grube für ein Fundament aushebt, bedeckt man den Boden mit einem Beton aus Bruchstein und Mörtel«, erläuterte er. »Darauf errichtet man dann das Fundament aus Ziegeln. Damit kommt man wunderbar zurecht, solange die Fundamente zu dem Gebäude darüber passen.«

Thomas sagte ungeduldig: »Das wissen wir auch.«

»Hier aber war es so, dass ein Turm auf Fundamenten errichtet wurde, die nie für einen Turm dieser Höhe ausgelegt waren. Im Laufe von hundert Jahren hat das zusätzliche Gewicht die Betonschicht zu Sand zerrieben, den der Druck dann in die umliegende Erde gepresst hat, wobei das Mauerwerk abgesackt ist. Auf der Südseite zeigt sich diese Wirkung stärker, weil der Boden dort von Natur aus abschüssig ist.« Merthin verspürte tiefe Befriedigung, die Zusammenhänge erkannt zu haben.

Die beiden anderen blickten nachdenklich drein. Thomas sagte: »Dann müssen wir wohl die Fundamente verstärken.«

Jeremiah schüttelte den Kopf. »Ehe wir eine Verstärkung unter das Mauerwerk setzen können, müssten wir den Sand entfernen, und dann wären die Fundamente nicht mehr abgestützt. Der Turm würde zusammenbrechen.«

Thomas war ratlos. »Was *können* wir denn tun?«

Beide sahen sie Merthin an. Er sagte: »Über der Vierung ein provisorisches Dach errichten, ein Gerüst bauen und den Turm Stein für Stein abtragen. Dann können wir die Fundamente verstärken.«

»Dann müssten wir einen neuen Turm bauen«, sagte Thomas.

Genau das hatte Merthin sich von Anfang an gewünscht, aber das sagte er nicht. Thomas hätte sonst Verdacht geschöpft, Merthins Ehrgeiz habe sein Urteil getrübt. »Ich fürchte, so ist es«, antwortete er mit falschem Bedauern.

»Prior Godwyn wird das gar nicht gefallen.«

»Ich weiß«, sagte Merthin. »Aber es wird ihm wohl keine andere Wahl bleiben.«

※

Am nächsten Tag verließ Merthin Kingsbridge, Lolla vor sich auf dem Sattel. Während sie durch den Wald ritten, ging er wie besessen immer wieder seinen Zank mit Caris durch. Er wusste, dass er kleinlich und verbiestert gewesen war. Wie hatte er so töricht sein können, wo er versuchte, Caris' Liebe zurückzugewinnen? Was war in ihn gefahren? Caris' Bitte war vollkommen vernünftig gewesen. Wieso sollte er der Frau, die er heiraten wollte, nicht einen kleinen Dienst erweisen?

Caris hatte ja noch gar nicht zugestimmt, ihn zu heiraten. Sie behielt sich noch immer das Recht vor, Nein zu sagen, und das war der Quell seines Ärgers. Sie nahm sich einerseits die Rechte einer Verlobten heraus, ohne sich andererseits festlegen zu wollen.

Merthin sah jetzt ein, wie engstirnig er gewesen war, sich ihrem Wunsch aus diesen Gründen zu widersetzen. Dumm hatte er sich verhalten, und was ein schöner, vertrauter Augenblick hätte werden können, hatte sich in einen Streit verwandelt.

Andererseits war der tiefere Grund seines Kummers nur zu echt. Was meinte Caris, wie lange er auf Antwort warten würde? Wie lange war er überhaupt zu warten bereit? Merthin mochte gar nicht darüber nachdenken.

Wie auch immer – es war von Nutzen für ihn, wenn er Ralph überzeugen konnte, dem armen Wulfric nicht mehr zuzusetzen.

Tench lag auf der anderen Seite der Grafschaft, und unterwegs übernachtete Merthin im windigen Wigleigh. Er fand Gwenda und Wulfric nach einem verregneten Sommer und der zweiten schlechten Ernte in Folge abgemagert vor. Wulfrics Narbe schien auf der eingefallenen Wange noch stärker hervorzustechen. Ihre beiden kleinen Söhne sahen blass aus. Ständig lief ihnen die Nase, und sie hatten wunde Stellen auf den Lippen.

Merthin gab ihnen eine Lammkeule, ein kleines Fass Wein und einen Goldflorin, wobei er behauptete, es wären Geschenke von Caris. Gwenda briet die Keule über dem Feuer. Sie war voller Wut und fauchte und zischte wie das Fleisch am Spieß, während sie über die Ungerechtigkeit schimpfte, die ihnen angetan worden war. »Perkin hat sich fast die Hälfte des Landes vom ganzen Dorf unter den Nagel gerissen!«, rief sie. »Er schafft nur deshalb die viele Arbeit, weil er Wulfric hat, der für drei schuftet. Dennoch muss er immer mehr an sich raffen, und uns verurteilt er zur Armut.«

»Es tut mir leid, dass Ralph immer noch einen Groll gegen Wulfric hegt«, sagte Merthin.

»Ralph hat den Kampf herausgefordert!«, erwiderte Gwenda. »Das sagt sogar Lady Philippa.«

»Alter Streit«, sagte Wulfric philosophisch.

»Ich werde versuchen, ihn zur Vernunft zu bringen«, sagte Merthin. »Für den unwahrscheinlichen Fall, dass er mir zuhört – was wollt ihr denn wirklich von ihm?«

»Ach«, sagte Wulfric, und ein abwesender Blick trat in seine Augen, was bei ihm selten vorkam. »Jeden Sonntag bete ich, das Land zurückzubekommen, das mein Vater bestellt hat.«

»Das wird nie geschehen«, sagte Gwenda rasch. »Perkin sitzt zu fest darauf. Und wenn er sterben sollte, hat er einen Sohn und eine verheiratete Tochter, die nur darauf warten, ihn zu beerben, und zwei Enkel, die jeden Tag größer werden. Trotzdem hätten wir gern ein eigenes Stück Land. In den letzten elf Jahren hat Wulfric sich den Buckel krumm geschuftet, um die Kinder anderer Männer zu ernähren. Es wird Zeit, dass ihm seine Kraft einmal selber zugutekommt.«

»Ich will meinem Bruder sagen, dass die Strafe lange genug anhält«, versprach Merthin.

Am nächsten Tag ritt er mit Lolla von Wigleigh nach Tench. Merthin war nun noch entschlossener, etwas für Wulfric zu tun. Nicht nur, dass er Caris gefallen und für seine Schroffheit büßen wollte, er war zudem traurig und wütend, dass zwei ehrliche, hart arbeitende Menschen wie Wulfric und Gwenda nur wegen Ralphs Rachsucht arm und mager und ihre Kinder krank sein sollten.

Seine Eltern wohnten in einem Haus im Dorf und nicht auf Tench Hall selbst. Merthin war entsetzt, wie sehr seine Mutter gealtert war, auch wenn sie munterer wurde, als sie Lolla erblickte. Sein Vater sah besser aus. »Ralph ist sehr gut zu uns«, sagte Sir Gerald in einem abwehrenden Tonfall, der Merthin zu der Annahme veranlasste, es sei genau umgekehrt. Das Haus war durchaus hübsch, doch sie hätten es vorgezogen, bei Ralph auf der Burg zu wohnen. Merthin vermutete, dass es Ralph nicht recht wäre, wenn seine Mutter alles sah, was er tat.

Sie zeigten ihm ihr Haus, und sein Vater fragte Merthin, wie die Dinge in Kingsbridge ständen. »Der Stadt geht es noch gut, trotz der Auswirkungen des Krieges in Frankreich«, antwortete Merthin.

»Ah ... aber Edward muss um sein Geburtsrecht kämpfen«, erwiderte sein Vater. »Er ist schließlich der legitime Erbe des französischen Throns.«

»Ich glaube, das ist ein Traum, Vater«, sagte Merthin. »Ganz gleich, wie oft der König dort einfällt, der französische Adel wird keinen Engländer als König akzeptieren. Und ohne den Rückhalt durch seine Grafen kann kein König herrschen.«

»Aber wir mussten die französischen Überfälle auf unsere Häfen an der Südküste beenden.«

»Seit der Schlacht von Sluys, bei der wir die französische Flotte zerstört haben, belästigen sie uns kaum noch – und das ist acht Jahre her. Und wenn wir den Bauern die Ernte niederbrennen, halten wir keine Piraten auf – wir sorgen eher dafür, dass sie sich vermehren.«

»Die Franzosen unterstützen die Schotten, die immer wieder in unsere nördlichen Grafschaften einfallen.«

»Meinst du nicht, der König könnte mit den schottischen Übergriffen besser fertig werden, wenn er in Nordengland kämpfen würde statt in Nordfrankreich?«

Sir Gerald sah ihn verwirrt an. Der Gedanke, den Sinn dieses Krieges infrage zu stellen, war ihm wohl nie gekommen. »Nun, Ralph ist zum Ritter geschlagen worden«, sagte er. »Und er hat deiner Mutter aus Calais einen silbernen Kerzenleuchter mitgebracht.«

Und damit wäre alles gesagt, dachte Merthin. Im Krieg geht es eigentlich nur um Beute und Ruhm.

Gemeinsam gingen sie zum Lehnshaus. Ralph war mit Alan Fernhill auf der Jagd. Im großen Saal stand ein riesiger, mit Schnitzereien verzierter Holzstuhl, der offensichtlich dem Herrn gehörte. Das hochschwangere junge Mädchen hielt Merthin zunächst für eine Magd und war entsetzt, als sie ihm als Ralphs Frau Tilly vorgestellt wurde. Sie ging in die Küche, um Wein zu holen.

»Wie alt ist sie?«, fragte Merthin seine Mutter, während Tilly fort war.

»Vierzehn.«

Dass ein junges Mädchen von vierzehn Jahren schwanger wurde, war zwar nicht unerhört, doch fand Merthin, dass anständige Leute sich anders benahmen. Schwangerschaften im Kindesalter gab es für gewöhnlich nur in Königshäusern, die unter einem starken politischen Druck standen, Erben hervorzubringen, und bei den niedersten, ungebildetsten Knechten, die es nicht besser wussten. Der mittlere Stand hielt sich an hehrere Maßstäbe. »Sie ist ein wenig jung, nicht wahr?«, fragte er leise.

Seine Mutter erwiderte: »Wir alle haben Ralph gebeten zu warten, aber er wollte nicht hören.« Offensichtlich missbilligte sie es ebenfalls.

Tilly kehrte mit einem Diener zurück, der einen Krug Wein und eine Schale Äpfel brachte. Sie hätte hübsch sein können, dachte Merthin, aber sie wirkte erschöpft. Sein Vater sprach sie mit gezwungener Fröhlichkeit an. »Nur munter, Tilly! Bald kehrt dein Mann heim – du möchtest ihn doch nicht mit einem langen Gesicht begrüßen.«

»Ich habe es satt, schwanger zu sein«, entgegnete sie. »Ich wünschte nur, das Kind würde so bald wie möglich kommen.«

»Lange dauert es nicht mehr«, sagte Lady Maud. »Drei oder vier Wochen, würde ich sagen.«

»Das kommt mir wie eine Ewigkeit vor.«

Sie hörten Pferde vor dem Haus. Maud sagte: »Das hört sich nach Ralph an.«

Während Merthin auf den Bruder wartete, den er neun Jahre lang nicht gesehen hatte, überkamen ihn die gewohnten gemischten Gefühle. Merthins Zuneigung zu Ralph litt von jeher darunter, dass er wusste, welche Missetaten sein Bruder vollbracht hatte. Die Vergewaltigung Annets war nur der Anfang gewesen. Während seiner Zeit als Gesetzloser hatte Ralph unschuldige Männer, Frauen und Kinder gemordet. Auf seiner Reise durch die Normandie hatte Merthin gehört, welche Gräuel von König Edwards Heer verübt worden waren, und wenn er auch nicht genau wusste, was Ralph verbrochen hatte – die Annahme, Ralph hätte sich *nicht* an dieser Orgie der Schändung, Brandschatzung und des Mordens beteiligt, wäre töricht gewesen. Trotzdem war Ralph sein Bruder.

Auch Ralph hatte gemischte Gefühle, da war Merthin sicher. Vielleicht hatte er Merthin noch nicht verziehen, dass dieser sein Versteck preisgegeben hatte. Und obwohl Merthin Bruder Thomas das Versprechen abgenommen hatte, Ralph nicht zu töten, war ihm durchaus klar gewesen, dass man Ralph nach seiner Gefangennahme wahrscheinlich hinrichten würde. Die letzten Worte, die Merthin damals, im Kellerverlies der Ratshalle zu Kingsbridge, von seinem Bruder vernommen hatte, lauteten: »Du hast mich verraten.«

Ralph kam mit Alan herein, beide voller Schlamm und Schmutz von der Jagd. Merthin war entsetzt, als er sah, dass sein Bruder hinkte. Ralph benötigte einen Moment, bis er Merthin erkannte. Dann lächelte er breit. »Mein großer Bruder!«, rief er herzlich. Es war ein alter Scherz zwischen ihnen: Merthin war der Ältere, aber auch deutlich Kleinere von beiden.

Sie umarmten einander, und ungeachtet aller Vorbehalte empfand Merthin ein Gefühl der Wärme. Wenigstens leben wir beide noch, dachte er, trotz Krieg und Pest. Als sie sich damals getrennt hatten, hatte Merthin sich gefragt, ob sie einander je wiedersehen würden.

Ralph warf sich in den großen Stuhl. »Bring uns Bier, wir sind durstig!«, sagte er zu Tilly.

Merthin entnahm seinem Gebaren, dass Ralph ihm keine Vorhaltungen machen würde.

Er musterte seinen Bruder. Seit jenem Tag im Jahre 1339, an dem Ralph in den Krieg geritten war, hatte er sich verändert. Ihm fehlten mehrere Finger der linken Hand – wahrscheinlich hatte er sie in der Schlacht verloren –, und er sah aus, als führe er ein ausschweifendes Leben: Sein Gesicht war vom Trinken rot geädert, und seine Haut wirkte schuppig und trocken. »Hattest du eine gute Jagd?«, fragte Merthin.

»Wir haben ein Reh geschossen, das so fett ist wie eine Krähe«, erwiderte er zufrieden. »Du bekommst die Leber zum Abendbrot.«

Merthin stellte ihm Fragen über das Leben im Heer des Königs, und Ralph erzählte von einigen Höhepunkten des Krieges. Ihr Vater war begeistert. »Ein englischer Ritter ist zehn französische wert!«, rief er. »Das hat die Schlacht von Crécy bewiesen.«

Ralphs Antwort fiel überraschend gemessen aus. »Meiner Meinung nach unterscheidet ein englischer Ritter sich nicht besonders von einem französischen«, sagte er. »Aber die Franzosen haben noch nicht begriffen, wie vorteilhaft die Doppelkeilformation ist, in der wir uns aufstellen, mit den Bogenschützen zu beiden Seiten der abgesessenen Ritter und Soldaten. Was tun die Franzosen? Sie führen immer noch selbstmörderische Sturmangriffe gegen uns. Hoffentlich bleibt das noch lange so. Aber eines Tages werden sie begreifen, und dann ändern sie ihre Taktik. Bis dahin sind wir fast unschlagbar, wenn wir uns verteidigen. Leider eignet sich diese Formation nicht zum Angriff, deshalb haben wir nur wenig hinzugewonnen.«

Merthin erkannte beeindruckt, wie erwachsen sein Bruder geworden war. Der Krieg hatte ihm eine Reife verliehen, die er früher nicht besessen hatte.

Danach erzählte Merthin von Florenz: von der unglaublichen Größe der Stadt, dem Reichtum der Kaufleute, dem Prunk der Kirchen und Paläste. Ralph war geradezu gebannt von dem Gedanken an Sklavenmädchen.

Die Dunkelheit brach an, und die Diener brachten Lampen und Kerzen; dann trugen sie das Abendbrot auf. Ralph trank sehr viel Wein. Merthin bemerkte, dass er kaum mit Tilly sprach. Aber das brauchte wohl nicht zu überraschen: Ralph war ein einunddreißigjähriger Krieger, der sein halbes Erwachsenenleben im Feld verbracht hatte, umgeben von Gebrüll und Waffengeklirr; Tilly war ein Mädchen von vierzehn, in einem Kloster erzogen, umgeben von Stille und Frömmigkeit. Worüber hätten sie reden sollen?

Am späten Abend, als Gerald und Maud zu ihrem Haus zurückgekehrt waren und Tilly zu Bett gegangen war, sprach Merthin das

Thema an, das Caris ihn aufzubringen gebeten hatte. Er war zuversichtlicher als zuvor. Ralph zeigte Anzeichen von Reife. Er hatte
Merthin verziehen, was 1339 geschehen war, und seine kühle Ana-
lyse englischer und französischer Taktik hatte beeindruckend wenig
Stammesdünkel gezeigt.

Merthin sagte: »Auf dem Weg hierher habe ich in Wigleigh übernachtet.«

»Ich sorge dafür, dass die Walkmühle beschäftigt bleibt.«

»Das scharlachrote Tuch ist ein gutes Geschäft für Kingsbridge.«

Ralph zuckte mit den Schultern. »Mark Webber zahlt die Pacht
pünktlich.« Über das Geschäft zu reden war unter der Würde eines
Edelmannes.

»Ich habe bei Gwenda und Wulfric geschlafen«, fuhr Merthin
fort. »Du weißt, dass Gwenda seit ihrer Kindheit eine Freundin von
Caris gewesen ist.«

»Ich kann mich an den Tag erinnern, an dem wir alle im Wald Sir
Thomas Langley begegnet sind.«

Merthin warf einen raschen Blick auf Alan Fernhill. Sie alle hatten ihren kindlichen Schwur von damals gehalten und nie jemandem von dem Vorfall erzählt. Merthin wollte, dass es so blieb, denn
er spürte, dass die Geheimhaltung für Bruder Thomas noch heute
wichtig war, wenngleich er nicht sagen konnte, aus welchem Grund.
Doch Alan zeigte keine Regung: Er hatte viel Wein getrunken und
besaß kein Ohr für stumme, verstohlene Gesten.

Merthin redete rasch weiter. »Caris hat mich gebeten, mit dir
über Wulfric zu sprechen. Sie findet, du hast ihn für die Schlägerei
nun lang genug bestraft. Ich finde das auch.«

»Er hat mir die Nase gebrochen!«

»Ich war dabei, weißt du noch? Du bist nicht gerade ein Un-
schuldslamm gewesen.« Merthin versuchte einen fröhlichen Tonfall
beizubehalten. »Du hast seine Verlobte begrapscht. Wie hieß sie
gleich?«

»Annet.«

»Wenn ihre Titten keine gebrochene Nase wert waren, bist du es
selber schuld.«

Alan lachte, doch Ralph fand es gar nicht komisch. »Wulfric hätte
mich fast an den Galgen gebracht, indem er Herrn William aufhetz-
te, nachdem Annet so tat, als hätte ich ihr Gewalt angetan.«

»Aber du wurdest nicht gehenkt. Und du hast Wulfric die Wange
mit deinem Schwert aufgehackt, nachdem du aus dem Gericht ent-

kommen warst. Es war eine schreckliche Wunde – so tief, dass man seine Backenzähne sehen konnte. Die Narbe wird er nie mehr los.«

»Gut.«

»Du hast Wulfric elf Jahre lang bestraft. Seine Frau ist mager, und seine Kinder sind krank. Hast du ihm nicht genug angetan, Ralph?«

»Nein.«

»Wie meinst du das?«

»Es ist nicht genug.«

»Wieso?«, rief Merthin vor Zorn und Enttäuschung. »Ich verstehe dich nicht.«

»Ich werde Wulfric weiterhin strafen und ihn und sein Weib demütigen.«

Merthin staunte über Ralphs Offenheit. »Warum denn, um Himmels willen?«

»Normalerweise würde ich dir diese Frage nicht beantworten. Ich habe gelernt, dass es einem selten guttut, wenn man sich erklärt. Aber du bist mein großer Bruder, und von Kindesbeinen an war mir an deinem Verständnis gelegen.«

Ralph hatte sich im Grunde doch nicht verändert, erkannte Merthin – nur insofern, dass er seine eigenen Beweggründe nun auf eine Weise begriff, wie er es früher nicht gekonnt hatte.

»Der Grund ist einfach«, fuhr Ralph fort. »Wulfric hat keine Angst vor mir. Er hat sich an jenem Tag auf dem Wollmarkt nicht vor mir gefürchtet, und er fürchtet mich auch heute nicht, nach allem, was ich ihm angetan habe. Deshalb muss er weiterhin leiden.«

Merthin war entsetzt. »Du willst ihn lebenslang bestrafen?«

»An dem Tag, an dem ich Furcht in seinen Augen entdecke, wenn er mich ansieht, soll er alles bekommen, was er will.«

»Ist dir das so wichtig?«, fragte Merthin ungläubig. »Dass die Menschen dich fürchten?«

»Es ist das Wichtigste auf der Welt«, erwiderte Ralph.

KAPITEL 57

Merthins Rückkehr hatte Auswirkungen auf die ganze Stadt. Caris beobachtete die Veränderungen mit Erstaunen und Bewunderung. Es begann mit seinem Sieg über Elfric im Gemeinderat. Den Leuten war klar, dass die Stadt durch Elfrics Unfähigkeit beinahe die Brücke verloren hätte, und das riss sie aus ihrer Apathie. Jeder wusste überdies, dass Elfric ein Werkzeugs Godwyns war, und so stand letztlich die Priorei im Mittelpunkt des allgemeinen Zorns.

Die Haltung der Städter zur Priorei änderte sich. Eine trotzige Stimmung herrschte vor. Caris empfand Zuversicht. Mark Webber hatte gute Aussichten, die Wahl am ersten Novembertag zu gewinnen und Ratsältester zu werden. Wenn das geschah, ginge in der Stadt nicht mehr alles nach Prior Godwyns Willen, und vielleicht könnte Kingsbridge wieder wachsen und gedeihen: Märkte am Samstag, neue Mühlen, eine unabhängige Gerichtsbarkeit, der ein Kaufmann vertrauen konnte.

Die meiste Zeit jedoch verbrachte Caris damit, über sich selbst nachzudenken. Merthins Rückkehr war ein Erdbeben, das die Fundamente ihres Lebens erschütterte. Ihre erste Reaktion war Entsetzen gewesen – die schiere Angst angesichts der Aussicht, alles aufzugeben, wofür sie in den letzten neun Jahren gearbeitet hatte: ihren Rang in der Hierarchie des Konvents, die mütterliche Cecilia, die zärtliche Mair und die kränkelnde alte Julie; vor allem aber ihr Hospital, das so viel sauberer, geordneter und einladender geworden war als früher.

Doch während die Tage kürzer und kälter wurden und Merthin seine Brücke reparierte und die Fundamente der neuen Gebäude an der Straße vorbereitete, die er auf Leper Island errichten wollte, geriet Caris' Entschluss, Nonne zu bleiben, immer mehr ins Wanken. Sie rieb sich wieder an klösterlichen Verboten, die sie schon gar nicht mehr bemerkt hatte. Die Ergebenheit Mairs, die eine angenehme romantische Ablenkung bedeutet hatte, wurde ihr lästig. Immer öfter stellte sie sich die Frage, welches Leben sie als Merthins Frau erwartete.

Sie dachte viel an Lolla, und an das Kind, das sie mit Merthin hätte haben können. Lolla hatte dunkle Augen und schwarzes Haar, wahrscheinlich das Erbe ihrer italienischen Mutter. Caris' Tochter hätte vielleicht die grünen Augen der Woolers geerbt. Die Vorstellung, alles aufzugeben und sich um das Kind einer anderen Frau zu kümmern, hatte Caris zunächst aufgebracht, doch nachdem sie das kleine Mädchen einmal kennengelernt hatte, war sie milder gestimmt.

In der Priorei konnte sie freilich mit niemandem darüber reden. Mutter Cecilia hätte erklärt, Caris müsse ihr Gelübde einhalten, und Mair hätte sie angefleht zu bleiben. Deshalb wälzte Caris in langen einsamen Nächten allein ihre Gedanken.

Ihr Streit, den sie mit Merthin wegen Wulfric geführt hatte, ließ sie verzweifeln. Nachdem Merthin sie wütend hatte stehen lassen, war sie in die Apotheke geflüchtet und hatte geweint. Warum musste alles so schwierig sein? Sie wollte doch nur das Richtige tun.

Während Merthin in Tench war, vertraute sie sich Madge Webber an.

Zwei Tage nach Merthins Aufbruch kam Madge kurz nach Sonnenaufgang ins Hospital, als Caris und Mair ihre Runden machten. »Ich sorge mich um Mark«, sagte sie.

»Ich habe gestern nach ihm gesehen«, erklärte Mair. »Er war in Melcombe und kam mit Fieber und einer Magenverstimmung zurück.« Sie blickte Caris an. »Ich habe nichts gesagt, weil ich es für nichts Ernstes hielt.«

»Jetzt hustet er Blut«, sagte Madge.

»Ich komme mit«, entschied Caris. Die Webbers waren alte Freunde: Um Mark wollte sie sich persönlich kümmern. Sie nahm eine Tasche mit einigen vielfältig verwendbaren Arzneien und begleitete Madge zu deren Haus an der Hauptstraße.

Die Wohnung war im Obergeschoss über dem Laden. Marks drei Söhne drückten sich besorgt im Esszimmer herum. Madge führte Caris in eine Schlafkammer, in der es übel roch. Caris war den Gestank von Krankenzimmern gewöhnt, ein Gemisch aus Schweiß, Erbrochenem und menschlichen Ausscheidungen. Schwitzend lag Mark auf einer Strohmatratze. Sein dicker Bauch ragte in die Luft, als wäre er schwanger. An der Bettstatt stand seine Tochter Dora.

Caris kniete sich neben Mark und fragte: »Wie fühlt Ihr Euch?«

»Elend«, antwortete Mark mit krächzender Stimme. »Kann ich etwas zu trinken haben?«

Dora reichte Caris einen Becher Wein, und sie hielt ihn Mark an die Lippen. Es war eigenartig, den großen Mann so hilflos zu sehen. Mark war immer wie die Unverwüstlichkeit in Person erschienen. Es war beunruhigend, so als fände man eine starke Eiche, deren Anblick man sein Leben lang gewöhnt ist, plötzlich vom Blitz gefällt vor.

Caris berührte Mark an der Stirn. Er brannte innerlich; kein Wunder, dass er Durst litt. »Lasst ihn so viel trinken, wie er möchte«, sagte sie. »Dünnes Bier ist besser als Wein.«

Sie verriet Madge nicht, wie sehr Marks Krankheit sie verstörte und wie groß ihre Sorgen waren. Das Fieber und die Magenbeschwerden waren nicht weiter schlimm, aber wenn er Blut hustete, konnte es nichts Gutes bedeuten.

Caris nahm eine Phiole mit Rosenwasser aus der Tasche, tränkte damit einen kleinen Wolllappen und wischte Mark Gesicht und Hals ab. Die Waschung beruhigte ihn sofort. Das Wasser würde ihm ein wenig Kühlung verschaffen, und der Duft überdeckte die üblen Gerüche in der Kammer. »Ich gebe Euch ein wenig davon aus der Apotheke«, sagte sie zu Madge. »Die Ärzte verschreiben es bei Gehirnentzündung. Ein Fieber ist heiß und feucht, Rosen sind kühl und trocken, sagen die Mönche. Was immer der Grund ist, es lindert seine Beschwerden ein wenig.«

»Ich danke Euch.«

Caris kannte jedoch kein wirksames Mittel gegen blutigen Auswurf. Die Mönchsärzte hätten einen Überschuss an Blut diagnostiziert und einen Aderlass empfohlen, doch den wendeten sie bei allem und jedem an, und Caris glaubte nicht an seine Wirkung.

Als sie Marks Hals sauber wischte, bemerkte sie etwas, das Madge nicht erwähnt hatte: Auf Marks Hals und Brust war ein Ausschlag von purpurn-schwarzen Flecken.

Diese Krankheit hatte Caris noch nie gesehen, und sie stand vor einem Rätsel. Doch das ließ sie Madge nicht wissen. »Kommt mit, und ich gebe Euch das Rosenwasser.«

Die Sonne stieg, als sie vom Haus zum Hospital gingen. »Ihr seid sehr gütig zu meiner Familie gewesen«, sagte Madge. »Wir waren die ärmsten Leute in der ganzen Stadt, bis Ihr Euer Geschäft mit dem Scharlachtuch begonnen habt.«

»Aber es waren Euer Fleiß und Eure Kraft, denen Euer Erfolg zu verdanken ist.«

Madge nickte. Sie wusste, was sie geleistet hatte. »Dennoch wäre es ohne Euch nie dazu gekommen.«

Aus dem Augenblick heraus beschloss Caris, Madge durch den Kreuzgang des Nonnenklosters zur Apotheke zu führen, damit sie unbelauscht reden konnten. Laien wurden gewöhnlich hier nicht eingelassen, doch es gab Ausnahmen, und Caris stand nun hoch genug in der Hierarchie, dass sie entscheiden konnte, wann gegen eine Regel verstoßen werden durfte.

Sie waren allein in dem engen kleinen Raum. Caris füllte eine Tonflasche mit Rosenwasser und bat Madge um sechs Pennys. Dann sagte sie: »Ich erwäge, mein Gelübde zu widerrufen.«

Madge nickte. Überrascht war sie nicht. »Jeder fragt sich, was Ihr tun werdet.«

Caris war entsetzt, dass die Städter ihre Gedanken erraten hatten. »Woher wissen die Leute das?«

»Dazu braucht man kein Hellseher zu sein. Ins Kloster gegangen seid Ihr nur, um der Todesstrafe wegen Hexerei zu entgehen. Nach der Arbeit, die Ihr hier geleistet habt, müsstet Ihr eine Begnadigung erwirken können. Merthin liebt Euch, und Ihr liebt ihn. Ihr wart schon immer wie füreinander geschaffen. Und jetzt, wo Merthin wieder in der Stadt ist, denkt Ihr gewiss darüber nach, ihn zu heiraten. Da muss man kein Hellseher sein.«

»Ich weiß nur nicht, welches Leben ich als Ehefrau führen würde.«

Madge zuckte mit den Schultern. »Ein bisschen wie meines vielleicht. Mark und ich führen den Tuchhandel gemeinsam. Ich muss auch noch den Haushalt machen – das erwarten alle Ehemänner –, aber das ist nicht schwierig, schon gar nicht, wenn man Geld für Knechte und Mägde hat. Und für die Kinder seid Ihr immer mehr verantwortlich als er. Aber ich schaffe es, und da würdet Ihr es auch schaffen.«

»Wie Ihr das Eheleben schildert, klingt es nicht sehr aufregend.«

Madge lächelte. »Ich nehme an, dass Ihr von den guten Seiten schon wisst – dass man sich geliebt und verehrt fühlt; dass man weiß, es gibt einen Menschen auf der Welt, den man immer an seiner Seite haben wird; jeden Abend mit einem starken, zärtlichen Mann zu Bett gehen, der einem beiwohnen möchte … für mich ist das Glück.«

Madges einfache Worte malten ein lebensvolles Bild, und Caris erfüllte plötzlich ein beinahe unerträgliches Verlangen. Sie erkannte, dass sie es kaum mehr erwarten konnte, das kalte, harte, lieblose Leben in der Priorei zu beenden, wo es die größte aller Sünden war, einen anderen Menschen zu berühren. Wäre Merthin in diesem Augenblick ins Zimmer gekommen, hätte sie ihm die Kleider heruntergerissen und ihn auf dem Fußboden bestiegen.

Sie sah, wie Madge sie mit einem leisen Lächeln beobachtete. Sie erriet ihre Gedanken, und Caris errötete.

»Es ist schon gut«, sagte Madge. »Ich verstehe es gut.« Sie legte sechs Silberpennys auf den Tisch und nahm die Flasche. »Ich gehe lieber nach Hause und sehe nach meinem Mann.«

Caris gewann die Fassung wieder. »Versucht es ihm bequem zu machen, und holt mich auf der Stelle, wenn sich etwas ändert.«

»Ich danke Euch, Schwester«, sagte Madge. »Ich weiß nicht, was wir ohne Euch tun sollten.«

<hr>

Auf dem Rückweg nach Kingsbridge war Merthin sehr nachdenklich. Selbst Lollas fröhliches, bedeutungsloses Geplapper konnte ihn nicht aus dieser Stimmung reißen. Ralph hatte vieles dazugelernt, doch in seinem Innersten hatte er sich nicht verändert. Er war noch immer ein grausamer Mann. Er vernachlässigte seine kindliche Frau, duldete die Eltern nur widerwillig und war rachsüchtig bis hin zur Besessenheit. Er genoss es, ein Herr zu sein, doch er empfand kaum eine Verpflichtung, sich um die hörigen Bauern zu kümmern, die unter seiner Lehnsherrschaft standen. Für ihn war alles um ihn herum, die Menschen eingeschlossen, nur zu seinem Vergnügen da.

Dennoch war Merthin zuversichtlich, was Kingsbridge anging. Alles deutete darauf hin, dass Mark an Allerheiligen zum Ratsältesten gewählt wurde, und das konnte der Beginn eines großen Umschwungs sein.

Am letzten Oktobertag traf Merthin wieder in Kingsbridge ein. Dieses Jahr fiel Samhain auf einen Freitag; deshalb strömten nicht solche Menschenmassen zusammen wie immer dann, wenn die Nacht der bösen Geister vom Samstag auf den Sonntag fiel wie in dem Jahr, in dem Merthin elf gewesen war und die zehnjährige Caris kennengelernt hatte. Dennoch waren die Menschen ängstlich, und jeder wollte bei Einbruch der Nacht im Bett sein.

Auf der Hauptstraße begegnete er Mark Webbers ältestem Sohn

John. »Mein Vater liegt im Hospital«, sagte der Junge. »Er hat ein Fieber.«

»Das ist eine schlechte Zeit, um krank zu werden«, sagte Merthin.

»Der Tag steht unter einem schlechten Stern.«

»Ich meine das Datum. Er muss morgen im Gemeinderat sein. Ein Ratsältester kann nicht in Abwesenheit gewählt werden.«

»Ich glaube nicht, dass Vater morgen auf eine Versammlung gehen kann.«

Die Neuigkeit war beunruhigend. Merthin führte seine Pferde zum Bell und ließ Lolla in Bessies Obhut.

Als er das Gelände der Priorei erreichte, kamen ihm Godwyn und Petronilla entgegen. Merthin nahm an, dass sie gemeinsam zu Abend gegessen hätten und Godwyn seine Mutter nun zum Tor brachte. Sie waren in ein sorgenvolles Gespräch vertieft, und Merthin hegte den Verdacht, dass ihnen die Aussicht, ihr Strohmann Elfric könnte das Amt des Ratsältesten verlieren, zu schaffen machte. Als sie Merthin sahen, blieben sie unvermittelt stehen. Petronilla sagte salbungsvoll: »Ich bedaure, dass es Mark schlecht geht, wie mir zu Ohren kam.«

Merthin zwang sich zur Höflichkeit und antwortete: »Es ist nur ein Fieber.«

»Wir beten, dass er rasch wieder gesund wird.«

»Danke.«

Merthin betrat das Hospital. Er fand eine aufgelöste Madge vor. »Er hustet immer Blut«, sagte sie. »Und ich kann seinen Durst nicht stillen.« Sie hielt Mark einen Becher mit Bier an die Lippen.

Mark hatte purpurne Flecke auf Gesicht und Armen. Er schwitzte, und seine Nase blutete.

Merthin sagte: »Es geht Euch nicht gut, Mark?«

Mark schien ihn nicht zu sehen, doch er krächzte: »Ich hab schlimmen Durst.« Madge hielt ihm wieder den Becher an die Lippen. Sie sagte: »Ganz gleich, wie viel er trinkt, er hat immer Durst.« Sie sprach mit einem panischen Unterton, den Merthin noch nie in ihrer Stimme gehört hatte.

Merthin wurde von Entsetzen gepackt, als ihm mit einem Mal etwas einfiel: Mark reiste regelmäßig nach Melcombe; er hatte dort mit Matrosen aus Bordeaux gesprochen. Und in Bordeaux wütete die Pest.

Die morgige Sitzung des Gemeinderats war jetzt Marks geringste Sorge. Und für Merthin galt das Gleiche.

Am liebsten wäre er durch die Straßen gerannt und hätte allen zugerufen, dass sie in Todesgefahr schwebten. Doch er biss die Zähne aufeinander. Niemand hörte einem Mann zu, der in Panik war. Außerdem ... vollkommen sicher konnte sich Merthin noch nicht sein. Vielleicht war Mark ja doch nicht von der Krankheit befallen, die Merthin so sehr fürchtete. Wenn er sich vergewissert hatte, musste er Caris beiseitenehmen und ruhig und vernünftig mit ihr sprechen. Aber es musste bald geschehen.

Caris erschien mit einem Tuch und wusch Marks Gesicht mit einer süßlich riechenden Flüssigkeit. Ihr Gesicht war wie aus Stein. Merthin kannte diese Miene: Caris verbarg, was sie empfand. Offenbar ahnte sie schon, wie ernst Marks Krankheit war.

Mark hielt etwas in der Faust, das wie ein Stück Pergament aussah. Merthin vermutete, dass ein Gebet darauf niedergeschrieben stand, ein Bibelvers oder vielleicht ein Zauberspruch. Es musste Madges Idee gewesen sein – Caris glaubte nicht an die heilende Wirkung geschriebener Worte.

Prior Godwyn kam ins Hospital, wie üblich mit Philemon im Schlepptau. »Zurück vom Bett!«, befahl Philemon augenblicklich. »Wie soll der Mann gesund werden, wenn er den Altar nicht sehen kann?«

Merthin und die beiden Frauen traten zurück, und Godwyn beugte sich über den Kranken. Er berührte Mark an Stirn und Hals; dann fühlte er seinen Puls. »Zeigt mir seinen Harn«, sagte er.

Die Mönchsärzte legten großen Wert auf die Betrachtung des Harns der Kranken. Das Hospital besaß zu diesem Zweck besondere Glasflaschen, die Urinale hießen. Caris reichte Godwyn eine davon. Man brauchte kein Fachmann zu sein, um zu sehen, dass Marks Harn Blut enthielt.

Godwyn gab ihr die Flasche zurück. »Dieser Mann leidet an überhitztem Blut«, sagte er. »Er muss zur Ader gelassen werden und dann saure Äpfel und Kutteln zu essen bekommen.«

Dank seiner Erfahrungen in Florenz wusste Merthin, dass Godwyn Unsinn redete, doch er widersprach nicht. Für ihn bestanden kaum noch Zweifel, woran Mark erkrankt war. Der Hautausschlag, das Bluten, der Durst: Es war die Krankheit, an der er selbst gelitten hatte, die Krankheit, der Silvia und ihre ganze Familie zum Opfer gefallen war. *La moria grande.*

Die Pest war nach Kingsbridge gekommen.

Als die Nacht vor Allerheiligen anbrach, atmete Mark Webber immer schwerer. Caris musste mit ansehen, wie er schwächer wurde. Sie empfand jene wütende Hilflosigkeit, die sie jedes Mal überkam, wenn sie einem Kranken nicht helfen konnte. Mark versank in einen Zustand unruhiger Bewusstlosigkeit; auch wenn seine Augen geschlossen waren und er nicht wahrzunehmen schien, was um ihn vorging, keuchte und schwitzte er noch immer. Auf Merthins leisen Vorschlag hin betastete Caris die Achselhöhlen Marks und fand dort große pustelartige Schwellungen. Sie fragte Merthin nicht, welche Bedeutung das hatte; das würde sie später tun. Die Schwestern beteten und sangen Lieder, während Madge und ihre vier Kinder dabeistanden, hilflos und aufgelöst.

Mit einem Mal verkrampfte sich Mark, und ein Schwall Blut schoss ihm aus dem Mund. Dann sank er zurück und lag ganz still da. Er atmete nicht mehr.

Dora heulte laut auf. Die drei Söhne blickten bestürzt drein und kämpften gegen unmännliche Tränen an. Madge weinte bitterlich. »Er war der beste Mann auf der Welt«, sagte sie zu Caris. »Warum hat Gott ihn mir genommen?«

Caris musste ihre eigene Trauer bezwingen. Ihr Verlust verblasste gegenüber dem der Webbers. Sie wusste nicht zu sagen, weshalb Gott so oft die besten Menschen zu sich nahm und die verdorbenen leben ließ, damit sie noch mehr Böses anrichten konnten. In Augenblicken wie diesen erschien ihr die Vorstellung eines wohlmeinenden Gottes, der über jeden Menschen wachte, unglaubwürdig. Die Geistlichen sagten, Krankheit sei eine Strafe für die Sünde. Mark und Madge liebten einander, sorgten für ihre Kinder und arbeiteten schwer: Wofür sollten sie bestraft werden? Auf solche müßigen Fragen gab es keine Antworten, doch Caris hatte einige dringende und durchaus praktische Erkundigungen vorzunehmen. Marks Krankheit bereitete ihr tiefe Sorge, und sie konnte sich denken, dass Merthin etwas darüber wusste. Sie schluckte ihre Tränen herunter.

Zuerst schickte sie Madge und ihre Kinder nach Hause, damit sie Ruhe fanden, und wies die Nonnen an, den Leichnam für das Begräbnis vorzubereiten. Dann sagte sie zu Merthin: »Ich muss mit dir reden.«

»Und ich mit dir«, erwiderte er.

Sie bemerkte, dass er verstört wirkte. Das kam nur selten vor, und Caris' Angst nahm weiter zu. »Komm in die Kirche. Dort können wir ungestört sprechen.«

Ein winterlicher Wind wehte über den grasbewachsenen Vorplatz der Kathedrale. Es war eine klare Nacht, und das Sternenlicht reichte zum Sehen aus. Im Altarraum bereiteten Mönche den Gottesdienst bei Sonnenaufgang von Allerheiligen vor. Caris und Merthin blieben in der Nordwestecke des Langschiffs stehen, weit weg von den Mönchen, damit sie nicht belauscht werden konnten. Caris fröstelte und zog das Gewand enger um sich. Sie fragte: »Weißt du, woran Mark gestorben ist?«

Merthin holte zittrig Luft. »An der Pest«, antwortete er. »*La moria grande.*«

Caris nickte. Sie hatte es befürchtet. Dennoch wollte sie es nicht so einfach glauben. »Woher weißt du das?«

»Mark war in Melcombe und hat mit Seeleuten aus Bordeaux gesprochen. Und in Bordeaux türmen sich die Leichen auf den Straßen.«

Caris nickte. »Er war gerade zurückgekommen.« Dennoch wollte sie Merthin nicht glauben. »Kannst du dir ganz sicher sein, dass es die Pest ist?«

»Die Symptome sind die gleichen: Fieber, purpurschwarze Flecken, Blutungen, Schwellungen in den Achselhöhlen und vor allem der Durst. An den erinnere ich mich, bei Jesus Christus. Ich bin einer der wenigen, die sich erholt haben. Fast alle anderen sind binnen fünf Tagen gestorben, manchmal noch schneller.«

Caris kam es so vor, als wäre der Tag des Jüngsten Gerichts angebrochen. Aus Italien und Südfrankreich hatte sie entsetzliche Geschichten gehört: ganze Familien ausgelöscht, unbestattete Leichen verwesten in leeren Palästen, verwaiste Kleinkinder irrten weinend durch die Straßen, Vieh verendete in Geisterdörfern. Sollte das auch Kingsbridge widerfahren? »Was haben die italienischen Ärzte unternommen?«

»Sie haben gebetet, fromme Lieder gesungen, zur Ader gelassen, ihre bevorzugten Allheilmittel verschrieben und ein Vermögen dafür verlangt. Doch was sie auch versucht haben – es blieb ohne Wirkung.«

Sie standen dicht zusammen und redeten leise. Im schwachen Licht der Kerzen, die bei den Mönchen brannten, konnte Caris sein Gesicht sehen: Merthin blickte ihr seltsam eindringlich in die Augen. Er war tief bewegt, das merkte Caris, doch nicht die Trauer um Mark schien ihn zu bewegen, sondern sie.

Sie fragte: »Wie sind die italienischen Ärzte im Vergleich mit unseren englischen?«

»Nächst den arabischen sollen die italienischen Ärzte die kundigsten Mediziner auf der ganzen Welt sein. Sie schneiden sogar Leichname auf, um mehr über die Krankheiten zu erfahren. Trotzdem haben sie noch nie einen einzigen Kranken geheilt, der an der Pest litt.«

Caris wollte eine solche Hoffnungslosigkeit nicht akzeptieren. »Wir können doch nicht vollkommen hilflos sein.«

»Nein. Heilen können wir die Pest nicht, aber einige glauben, dass man ihr entkommen kann.«

Eifrig fragte Caris: »Wie?«

»Die Krankheit scheint sich von einem Menschen auf den anderen auszubreiten.«

Sie nickte. »Das tun viele Krankheiten.«

»Meist wird die ganze Familie krank, wenn jemand sich die Pest zuzieht. Die Nähe ist der Schlüssel zur Ansteckung.«

»Ja. Es heißt, dass man sich ansteckt, wenn man kranke Menschen ansieht.«

»In Florenz rieten uns die Nonnen, so weit wie möglich zu Hause zu bleiben und gesellige Zusammenkünfte, Märkte und die Sitzungen von Gilde, Zunft und Rat zu meiden.«

»Und den Gottesdienst?«

»Nein, das sagten sie nicht, aber die meisten Leute blieben auch der Kirche fern.«

Was Merthin sagte, stimmte mit dem überein, was Caris schon seit Jahren dachte. Neue Hoffnung keimte in ihr auf: Vielleicht vermochte sie die Pest zumindest einzudämmen. »Was ist mit den Nonnen und den Ärzten? All den Leuten, die zu den Kranken gehen und sie berühren müssen?«

»Die Priester haben sich geweigert, geflüsterte Beichten zu hören, damit sie nicht zu nahe an andere heranmussten. Die Nonnen trugen Leinenmasken über Mund und Nase, damit sie nicht die gleiche Luft atmeten. Einige wuschen sich jedes Mal, wenn sie einen Kranken berührt hatten, die Hände mit Essig. Die Priesterärzte sagten, nichts davon nütze etwas, aber die meisten von ihnen verließen dennoch die Stadt.«

»Haben die Vorkehrungen denn geholfen?«

»Das lässt sich schwer sagen. Es wurde nichts unternommen, ehe die Pest sich schon ausgebreitet hatte. Und irgendein System gab es auch nicht. Jeder hat etwas anderes versucht.«

»Trotzdem. Wir müssen alles versuchen.«

Er nickte. Nach einer Pause sagte er: »Eine Maßnahme gibt es, die sicher hilft.«

»Und die wäre?«

»Fliehen.«

Das hat er die ganze Zeit sagen wollen, erkannte Caris.

Merthin fuhr dort: »Man sagt: ›Brich früh auf, geh weit weg, und bleib lange fort.‹ Wer sich daran gehalten hat, konnte der Pest entkommen.«

»Wir können nicht weggehen.«

»Warum nicht?«

»Sei nicht albern. In Kingsbridge leben sechs- oder siebentausend Menschen – sie können nicht alle die Stadt verlassen. Wohin sollten sie denn?«

»Ich habe nicht von den Leuten geredet, nur von dir. Hör zu, vielleicht hast du dich nicht bei Mark angesteckt. Madge und die Kinder haben die Krankheit ganz sicher, aber du bist nicht so oft in seiner Nähe gewesen. Wenn du noch immer gesund bist, könnten wir fliehen. Wir könnten heute aufbrechen, du und ich und Lolla.«

Caris war entsetzt, dass Merthin jetzt schon eine solche Ausbreitung der Seuche vermutete. War sie bereits todgeweiht? »Und wohin sollen wir gehen?«

»Nach Wales, oder nach Irland. Wir müssen ein abgelegenes Dorf finden, wo man einen Fremden nur einmal im Jahr sieht.«

»Du hast die Krankheit schon gehabt. Du sagtest, man bekommt sie nicht zweimal.«

»Niemals. Und manche Menschen stecken sich gar nicht erst an. Lolla gehört anscheinend dazu. Da sie sich bei ihrer Mutter nicht angesteckt hat, wird sie die Krankheit wohl auch von sonst niemandem bekommen.«

»Und warum möchtest du nach Wales?«

Wieder blickte Merthin sie durchdringend an, und Caris begriff, dass die Angst, die sie ihm anmerkte, ihr galt. Ihn ängstigte der Gedanke, sie könnte sterben. Die Tränen traten ihr in die Augen. Sie erinnerte sich an Madges Worte: »... dass man weiß, es gibt einen Menschen auf der Welt, den man immer an seiner Seite haben wird.« Merthin sorgte sich um sie, ganz gleich, was sie tat. Caris dachte an Madge und daran, wie schwer der Verlust jenes Menschen sie getroffen hatte, der immer an ihrer Seite sein sollte. Wie konnte sie, Caris, auch nur daran denken, Merthin zurückzuweisen?

Und doch tat sie es. »Ich kann Kingsbridge nicht verlassen. Schon gar nicht jetzt. Wenn jemand krank ist, kommt man zu mir. Wenn die Pest ausbricht, wird man sich an mich um Hilfe wenden. Wenn ich fliehe … ach, ich weiß nicht, wie ich es dir erklären soll.«

»Ich glaube, ich verstehe«, sagte Merthin. »Du wärst wie ein Soldat, der davonläuft, sobald der erste Pfeil verschossen wird. Du kämst dir feige vor.«

»Ja – und wie eine Betrügerin, nachdem ich all die Jahre als Nonne gelebt und das Gelübde abgelegt habe, zu leben, um anderen zu dienen.«

»Ich wusste, du würdest es so sehen«, sagte Merthin, »aber ich musste es versuchen.« Die Trauer in seiner Stimme brach Caris fast das Herz, als er hinzufügte: »Und das heißt wohl auch, dass du in der absehbaren Zukunft dein Gelübde nicht widerrufen wirst.«

»Das stimmt. Die Leute kommen ins Hospital, wenn sie Hilfe brauchen. Ich muss in der Priorei bleiben und meine Pflicht tun. Ich muss Nonne bleiben.«

Merthin schwieg.

»Du sagst, die Krankheit habe die Hälfte der Florentiner Bevölkerung getötet?«, fragte Caris.

»In etwa.«

»Also hat die andere Hälfte die Krankheit nicht bekommen.«

»Wie Lolla. Niemand weiß, warum das so ist. Vielleicht haben sie eine besondere Kraft. Oder vielleicht schlägt die Seuche willkürlich zu, wie Pfeile, die in die Reihen der Feinde geschossen werden, einige töten und andere verfehlen.«

»Dann ist die Aussicht, dass ich der Seuche entgehe, genauso groß wie die Gefahr, dass ich die Krankheit bekomme.«

»Wie beim Wurf einer Münze«, sagte Merthin. »Kopf oder Zahl.«

»Leben oder Tod«, sagte Caris.

KAPITEL 58

Hunderte kamen zu Mark Webbers Beerdigung. Er war einer der hervorragenden Bürger der Stadt gewesen, doch es lag nicht allein daran. Arme Weber aus den umliegenden Dörfern waren erschienen; einige von ihnen hatten einen stundenlangen Fußmarsch hinter sich. Mark Webber war überaus beliebt gewesen. Im Verein mit seinem Riesenleib hatte sein sanftes Gemüt wie ein Zauber gewirkt.

Es war ein regnerischer Tag, und armen wie reichen Männern wurde das bloße Haupt nass, während sie um das Grab standen. Kälte mischte sich mit heißen Tränen auf den Gesichtern der Trauernden. Madge stand da, die Arme um die Schultern ihrer beiden jüngeren Söhne gelegt, Dennis und Noah. Links und rechts standen der älteste Sohn John und die Tochter Dora, beide viel größer als ihre Mutter; es sah aus, als könnten sie die Eltern der drei kleinen Menschen in der Mitte sein.

Merthin fragte sich grimmig, wer als Nächstes sterben würde, Madge oder eines ihrer Kinder.

Sechs kräftige Männer ächzten unter der Last, als sie den übergroßen Sarg ins Grab senkten. Madge schluchzte hilflos, während die Mönche das letzte Lied sangen. Dann machten die Totengräber sich daran, die feuchte Erde wieder ins Loch zu schaufeln, und die Menge zerstreute sich.

Bruder Thomas trat zu Merthin und zog die Kapuze über den Kopf, um den Regen abzuhalten. »Der Priorei fehlt das Geld, um den Turm neu zu bauen«, sagte er. »Godwyn hat Elfric beauftragt, den alten Turm abzureißen und nur die Vierung zu überdachen.«

Merthin riss sich von den apokalyptischen Gedanken über die Pest los. »Wie will Godwyn das bezahlen?«

»Die Nonnen bringen das Geld auf.«

»Ich dachte, sie können Godwyn nicht ausstehen.«

»Schwester Elizabeth ist die Mesnerin. Godwyn achtet darauf, ihre Familie freundlich zu behandeln; sie sind Pächter der Priorei.

Die meisten anderen Nonnen mögen ihn nicht, das ist wahr – aber sie brauchen eine Kirche.«

Merthin hatte die Hoffnung, den Turm höher zu bauen als zuvor, noch nicht aufgegeben. »Wenn ich das Geld beschaffen könnte, würde die Priorei dann einen neuen Turm errichten?«

Thomas zuckte mit den Schultern. »Das ist schwer zu sagen.«

Am Nachmittag wurde Elfric als Ratsältester wiedergewählt. Merthin suchte nach der Sitzung Bill Watkin auf, den nächst Elfric meistbeschäftigten Baumeister der Stadt. »Wenn die Fundamente des Turmes erst instand gesetzt sind, könnte er sogar noch höher gebaut werden«, sagte Merthin.

»Nichts spricht dagegen«, pflichtete Bill ihm bei. »Aber welchen Sinn hätte das?«

»Damit er von Mudeford Crossing aus gesehen werden kann. Viele Reisende – Pilger, Händler und dergleichen – bemerken dort die Straße nach Kingsbridge gar nicht und ziehen gleich nach Shiring weiter. Auf diese Weise verliert die Stadt viele mögliche Besucher.«

»Godwyn wird behaupten, er könne sich einen neuen Turm nicht leisten.«

»Überlegt doch einmal«, sagte Merthin. »Angenommen, der neue Turm kann genauso finanziert werden wie die Brücke? Die Händler der Stadt könnten das Geld vorstrecken und aus der Brückenmaut bezahlt werden.«

Bill kratzte sich den mönchsartigen grauen Haarkranz. Die Idee war unvertraut. »Aber der Turm hat mit der Brücke nichts zu tun.«

»Ist das wichtig?«

»Wohl nicht.«

»Die Brückenmaut ist nur eine von vielen Möglichkeiten, sicherzustellen, dass der Kredit zurückbezahlt wird.«

Bill, auf die eigenen Interessen bedacht, fragte: »Würde ich mit einem Teil der Arbeit beauftragt werden?«

»Es wäre ein großes Unternehmen – jeder Baumeister in der Stadt bekäme seinen Teil ab.«

»Das würde helfen.«

»Also gut. Hört zu, wenn ich einen solchen Turm entwerfe, werdet Ihr mich hier im Gemeinderat bei der nächsten Sitzung unterstützen?«

Bill wirkte skeptisch. »Der Rat wird keine Extravaganzen billigen.«

»Ich glaube nicht, dass der Turm extravagant sein muss – nur hoch muss er sein. Wenn wir die Vierung mit einem Kuppeldach versehen, könnte ich ohne Lehrgerüst auskommen. Das spart viel Geld.«

»Eine Kuppel? Das ist eine neue Idee«, sagte Bill.

»Ich habe Kuppeln in Italien gesehen«, erwiderte Merthin. »Und der Turm kann eine schlanke Holzspitze haben, die ebenfalls Geld spart und trotzdem sehr schön aussieht.«

»Ihr habt Euch das alles schon genau überlegt, was?«

»Nein, eigentlich nicht. Aber es geht mir im Kopf herum, seit ich von Florenz zurückgekehrt bin.«

»Nun, in meinen Ohren hört sich das gut an – gut fürs Geschäft, gut für die Stadt.«

»Und gut für unser Seelenheil.«

»Ich will mein Bestes tun, Euch zu helfen.«

»Ich danke Euch.«

Merthin grübelte über der Konstruktion des Turmes, während er sich seiner alltäglicheren Arbeit zuwandte, der Reparatur der Brücke und der Errichtung der neuen Häuser auf Leper Island. Nur so konnte er seine Gedanken von seinen schrecklichen Visionen einer an der Pest erkrankten Caris ablenken, die ihn nicht losließen. Auch dachte er viel an den Südturm der Kathedrale von Chartres. Er war ein Meisterstück, wenn auch ein wenig altmodisch; schließlich war er vor zweihundert Jahren errichtet worden.

Merthin erinnerte sich deutlich, was ihm am Turm in Chartres so sehr gefallen hatte: der Übergang vom quadratischen Turm zur achteckigen Turmspitze darüber. Am Oberrand des Turmes standen auf allen vier Ecken Fialen, die diagonal nach außen blickten. Auf der gleichen Ebene befanden sich an den Seiten des Quadrats, jeweils in der Mitte, Gauben von einer ähnlichen Form wie die Fialen. Diese acht Gebilde fügten sich auf eine Weise in die acht steilen Seiten des Turmes, der sich über ihnen erhob, dass das Auge den Übergang von Quadrat zu Achteck kaum wahrnahm.

Nach den Maßstäben des vierzehnten Jahrhunderts jedoch war der Turm in Chartres eher klobig. Merthins Turm sollte schlanke Säulen und große Fensteröffnungen umfassen, die das Gewicht auf die Pfeiler verringerten und die Spannung minderten, indem sie den Wind hindurchwehen ließen.

In seiner Werkstatt auf der Insel legte er seinen eigenen Skizzenboden an. Es bereitete ihm Vergnügen, die Details zu planen, die schmalen Spitzbogenfenster der alten Kathedrale zu verdoppeln und zu vervierfachen, um die großen Fenster des neuen Turmes zu konstruieren, die Säulenbündel und die Kapitelle fortzuschreiben.

Bei der Höhe jedoch zögerte er. Er hatte keine Möglichkeit zu berechnen, wie hoch die Turmspitze sein musste, dass sie von Mudeford Crossing aus zu sehen war; das ließ sich nur durch Versuch und Irrtum herausfinden. Sobald er den Steinturm gebaut hatte, musste er eine provisorische Turmspitze errichten und an einem klaren Tag nach Mudeford reiten, um festzustellen, ob die Spitze von dort aus zu sehen war. Die Kathedrale stand auf einer Erhebung, und bei Mudeford führte die Straße über eine Anhöhe, ehe sie sich zur Furt hin absenkte. Sein Instinkt sagte Merthin, dass es reichen müsste, wenn er ein wenig höher ging als in Chartres – etwa vierhundert Fuß.

Der Turm der Kathedrale von Salisbury war vierhundertvier Fuß hoch.

Merthin plante für seinen Turm eine Höhe von vierhundertfünf.

Während er sich über den Skizzenboden beugte und die Dachfialen zeichnete, kam Bill Watkin zu ihm. »Was haltet Ihr davon?«, fragte Merthin ihn. »Brauchen wir ein Kreuz an der Spitze, das zum Himmel weist? Oder einen Engel, der über uns wacht?«

»Weder noch«, erwiderte Bill. »Euer Turm wird nicht gebaut.«

Merthin erhob sich. Er hielt ein Lineal in der linken und eine spitze eiserne Reißahle in der rechten Hand. »Wie kommt Ihr darauf?«

»Bruder Philemon hat mir einen Besuch abgestattet. Ich dachte, ich lasse es Euch so früh wie möglich wissen.«

»Was hatte diese Schlange denn zu sagen?«

»Er hat Freundlichkeit geheuchelt. Er wolle mir einen Rat geben, zu meinem eigenen Besten, behauptete er. Er wies mich darauf hin, dass es nicht klug von mir wäre, wenn ich den Bau eines Turms unterstützte, den Ihr entworfen hättet.«

»Warum nicht?«

»Weil es Prior Godwyn erzürnen würde, der Eure Pläne ohnehin niemals annähme – komme, was wolle.«

Im Grunde überraschte es Merthin kaum. Wäre Mark Webber zum Ratsältesten gewählt worden, hätten die Machtverhältnisse in der Stadt sich geändert, und Merthin wäre vielleicht beauftragt worden, den neuen Turm zu errichten. Doch Marks Tod hatte zur Folge, dass nun alles wieder gegen Merthin stand. Er hatte sich trotzdem an die Hoffnung geklammert; umso tiefer war nun der Schmerz der Enttäuschung. »Ich nehme an, er wird Elfric beauftragen?«

»So habe ich es verstanden.«

»Lernt er es denn nie?«

»Wenn ein Mann stolz ist, wiegt das schwerer als der gesunde Menschenverstand.«

»Wird der Gemeinderat einen gedrungenen kleinen Turm bezahlen, wie Elfric ihn konstruieren könnte?«

»Wahrscheinlich. Begeistert wird der Rat nicht sein, aber das Geld kriegt er schon zusammen. Trotz allem sind die Leute stolz auf ihre Kathedrale.«

»Elfrics Unfähigkeit hätte sie fast die Brücke gekostet!«, rief Merthin zornig.

»Das wissen sie.«

Merthin sah keinen Grund, seine verletzten Gefühle nicht zu zeigen. »Hätte ich die Ursache für die Schäden am Turm nicht entdeckt, wäre er eingestürzt – vielleicht hätte er die ganze Kathedrale zerstört!«

»Das wissen die Leute. Dennoch brechen sie keinen Streit mit dem Prior vom Zaun, nur weil er Euch schlecht behandelt hat.«

»Natürlich nicht«, sagte Merthin, als hielte er es für durchaus vernünftig; doch er verbarg nur seine Verbitterung. Er hatte mehr für Kingsbridge getan als Godwyn und war verletzt, dass die Städter nicht stärker für ihn eintraten. Er wusste aber auch, dass die meisten Leute die meiste Zeit nur ihren eigenen Belangen dienten.

»Die Menschen sind undankbar«, sagte Bill. »Es tut mir leid.«

»Ja«, sagte Merthin. »Ist schon gut.« Er sah Bill an und wandte den Blick ab; dann warf er sein Zeichengerät auf den Boden und ging davon.

※

Während der Laudes vor Tagesanbruch blickte Caris ins Hauptschiff und entdeckte zu ihrer Überraschung im nördlichen Seitenschiff eine Frau, die vor einem Wandgemälde des auferstandenen Christus kniete. Sie hielt eine Kerze, in deren unstetem Licht Caris den stämmigen Leib und das vorspringende Kinn von Madge Webber erkannte.

Madge blieb während des Gottesdienstes knien, ohne den Psalmen Beachtung zu schenken, und war offenbar tief ins Gebet versunken. Vielleicht bat sie Gott, Mark seine Sünden zu vergeben und ihn in Frieden ruhen zu lassen, doch Caris konnte sich nicht vorstellen, dass Mark ein allzu sündiger Mensch gewesen wäre. Nein – eher bat Madge ihren verstorbenen Mann, er möge ihr aus der Geisterwelt Glück senden, denn mit der Hilfe ihrer beiden Ältesten wollte Madge das Tuchgeschäft weiterführen. So war es üblich, wenn ein Kaufmann starb und eine Witwe und ein blühendes Geschäft hinterließ. Dennoch hatte sie ohne Zweifel das Bedürfnis, dass ihr Mann ihre Bemühungen segnete.

Doch diese Erklärung stellte Caris immer noch nicht ganz zufrieden. An Madges Haltung war etwas Eindringliches, das große Leidenschaft erkennen ließ, als flehte sie zum Himmel, dass ihr eine ungeheuer wichtige Gnade erwiesen werde.

Als die Laudes zu Ende ging und die Mönche und Nonnen in Reihen die Kirche verließen, scherte Caris aus der Prozession aus und schritt durch das gewaltige Dunkel des Hauptschiffs auf das einsame Leuchten der Kerze zu.

Madge stand auf, als sie Schritte hörte. Kaum erkannte sie Caris, hob sie mit anklagendem Unterton die Stimme. »Mark ist an der Pest gestorben, nicht wahr?«

Darum also ging es. »Ich nehme es an«, sagte Caris.

»Ihr habt mir nichts davon gesagt.«

»Weil ich mir nicht sicher war. Und ich wollte Euch nicht auf der Grundlage einer Vermutung ängstigen – geschweige denn die Stadt.«

»Ich habe gehört, die Pest ist bis Bristol gekommen.«

Also hatten die Städter darüber geredet. »Und London«, sagte Caris; sie hatte es von einem Pilger erfahren.

»Was soll aus uns werden?«

Der Kummer stach wie ein Dolch in Caris' Herz. »Ich weiß es nicht«, log sie.

»Sie springt von einem zum anderen, habe ich gehört.«

»Das ist bei vielen Krankheiten so.«

Die Angriffslust fiel von Madge ab, und ihr Gesicht nahm einen bittenden Ausdruck an, der Caris das Herz brach. Beinahe flüsternd fragte Madge: »Müssen meine Kinder sterben?«

»Merthins Frau bekam die Pest«, sagte Caris. »Sie starb, und ihre ganze Familie auch, aber Merthin wurde gesund, und Lolla hat sich gar nicht erst angesteckt.«

»Dann wird meinen Kindern nichts geschehen?«

Das hatte Caris nicht gesagt. »Vielleicht. Oder die einen stecken sich an, die anderen nicht.«

Damit gab sich Madge nicht zufrieden. Wie die meisten Kranken im Hospital wollte sie Gewissheit. »Was kann ich tun, um sie zu schützen?«

Caris schaute das Gemälde Christi an. »Ihr tut schon alles, was Ihr könnt«, sagte sie – und dann gelang es ihr nicht mehr, die Fassade der Selbstbeherrschung aufrechtzuerhalten. Als ihr der erste Schluchzer in die Kehle stieg, wandte sie sich ab, um ihre Gefühle zu verbergen, und floh aus der Kathedrale.

Ein paar Minuten saß Caris im Kreuzgang des Nonnenklosters, um sich zu sammeln; dann ging sie ins Hospital, wie zu dieser Stunde üblich.

Mair war nicht da. Sie war wohl zu einem Kranken in der Stadt gerufen worden. Caris übernahm die Leitung, führte Aufsicht, als man den Gästen und den Kranken das Frühstück brachte, sorgte dafür, dass gründlich sauber gemacht wurde, sah nach den Leidenden und las der alten Julie einen Psalm vor. Die Arbeit linderte ihren Kummer um Madge. Als alle Arbeiten getan waren, war Mair noch immer nicht zurück, und Caris machte sich auf die Suche nach ihr.

Sie fand sie im Dormitorium, wo sie mit dem Gesicht nach unten in einem Bett lag. Caris' Herz schlug schneller. »Mair! Bist du wohlauf?«, fragte sie.

Mair drehte sich um. Sie war blass und schwitzte. Sie wollte etwas antworten, hustete aber nur.

Caris kniete sich neben sie und legte ihr eine Hand auf die Stirn. »Du hast Fieber«, sagte sie und versuchte, die Angst zu bezwingen, die wie Übelkeit in ihrem Magen wühlte. »Wann hat es angefangen?«

»Gestern hatte ich Husten«, sagte Mair. »Aber ich habe gut geschlafen und bin heute Morgen aufgestanden. Als ich zum Frühstück wollte, war mir plötzlich schlecht. Ich ging zum Abort, dann kam ich her und hab mich hingelegt. Ich glaube, ich habe geschlafen … wie spät ist es?«

»Die Glocke läutet gleich zur Terz. Aber du brauchst nicht zu gehen.« Es kann auch eine normale Erkrankung sein, sagte sich Caris. Sie berührte Mairs Hals; dann öffnete sie ihr Gewand am Hals.

Mair lächelte schwach. »Willst du meine Brust begaffen?«

»Ja.«

»Ihr Nonnen seid doch alle gleich.«

Soweit Caris sehen konnte, hatte Mair keinen Ausschlag. Vielleicht war es tatsächlich nur eine Erkältung. »Hast du Schmerzen?«

»In der Achselhöhle ist eine schrecklich wunde Stelle.«

Das verriet Caris nicht viel. Schmerzhafte Schwellungen in den Achselhöhlen oder der Leistengegend traten auch bei anderen Krankheiten als der Pest auf. »Wir bringen dich hinunter ins Hospital«, sagte sie.

Als Mair den Kopf hob, sah Caris Blutflecke auf dem Kissen, und eisiges Entsetzen durchfuhr sie. Mark Webber hatte Blut gehustet. Und Mair war die Erste gewesen, die Mark geholfen hatte, nachdem seine Krankheit ausgebrochen war; sie war einen Tag vor Caris zu ihm ins Haus gegangen.

Caris verbarg ihre Furcht und half Mair auf. Tränen traten ihr in die Augen, doch sie riss sich zusammen. Mair legte ihr den Arm um die Hüften und lehnte den Kopf an ihre Schulter, als müsste sie zum Gehen gestützt werden. Caris legte ihr den Arm um die Schultern, und gemeinsam gingen sie die Treppe hinunter und durch den Kreuzgang zum Hospital.

Caris brachte Mair zu einem Strohsack unweit des Altars. Aus dem Brunnen im Kreuzgang holte sie einen Becher kaltes Wasser. Mair trank durstig. Caris wusch ihr Gesicht und Hals mit Rosenwasser. Nach einer Weile schien Mair zu schlafen.

Die Glocke rief zur Terz. Caris durfte diesem Stundengebet zwar fernbleiben, doch heute hatte sie das Bedürfnis nach ein paar Augenblicken der Ruhe und Besinnung. Sie schloss sich der Reihe der Nonnen an, die in die Kirche zogen. Die alten grauen Steine wirkten an diesem Tag kalt und hart. Caris sang mit, ohne auf den Text zu achten, während in ihrem Herzen ein Sturm wütete.

Mair hatte die Pest. Sie zeigte keinen Ausschlag, aber sie hatte Fieber, sie litt Durst, und sie hatte Blut gehustet. Wahrscheinlich würde sie sterben.

Caris empfand schreckliche Schuldgefühle. Mair liebte sie von Herzen, doch Caris war nie fähig gewesen, diese Liebe zu erwidern – nicht auf die Art, nach der Mair sich sehnte. Und nun würde sie sterben. Caris wünschte, sie hätte anders sein und Mair glücklich machen können. Sie weinte, während sie den Psalm sang, und hoffte, dass niemand ihre Tränen sah. Und falls doch, würde er wohl annehmen, sie wäre von frommem Entzücken überwältigt.

Am Ende des Stundengebets erwartete eine Novizin sie sehnsüchtig vor der Tür des südlichen Querhauses. »Im Hospital verlangt jemand dringend nach Euch«, sagte das Mädchen.

Caris sah sich Madge Webber gegenüber, deren Gesicht weiß war vor Angst.

Caris brauchte nicht zu fragen, was Madge wollte. Sie nahm ihre Arzneitasche; dann eilten beide fort. In einem beißenden Novemberwind überquerten sie den Rasen der Kathedrale und gingen zum Haus der Webbers an der Hauptstraße. Im Obergeschoss warteten Madges Kinder im Wohnzimmer. Die beiden Älteren saßen am Tisch und wirkten verängstigt; die kleineren Jungen lagen beide am Boden.

Caris untersuchte sie rasch. Alle vier fieberten. Dem Mädchen blutete die Nase. Die drei Jungen husteten.

Sie alle hatten auf Hals und Schultern einen Ausschlag aus schwarz-purpurnen Flecken.

Madge fragte: »Es ist die Seuche, nicht wahr? Daran ist auch Mark gestorben. Sie haben die Pest.«

Caris nickte bloß.

»Ich hoffe, ich sterbe auch«, sagte Madge. »Dann können wir im Himmel alle beisammen sein.«

Caris führte im Hospital die Vorkehrungen ein, zu denen Merthin ihr geraten hatte. Sie schnitt breite Streifen aus Leinen zurecht, die sich die Nonnen über Mund und Nase legen sollten, während sie mit Kranken zu tun hatten, die an der Pest litten. Und sie drängte alle, sich jedes Mal, nachdem sie einen Befallenen berührt hatten, die Hände mit Essigwasser zu waschen, was dazu führte, dass alle Nonnen rissige Hände bekamen.

Madge brachte ihre vier Kinder ins Hospital und erkrankte danach selbst. Die alte Julie, die im Bett neben Mark Webber gelegen hatte, während er starb, erkrankte ebenfalls. Caris konnte für sie alle nur wenig tun. Sie wusch ihnen die Gesichter, um Kühlung zu spenden, gab ihnen klares Wasser aus dem Brunnen im Kreuzgang zu trinken, beseitigte ihren blutigen Auswurf und wartete, dass sie starben.

Sie war zu beschäftigt, um an ihren eigenen Tod zu denken. In den Augen der Städter entdeckte sie eine Art furchtsamer Bewunderung, wenn sie sahen, wie sie den Pestkranken die Stirn abwischte, doch sie kam sich keineswegs als selbstlose Märtyrerin vor. Sie war ein Mensch, der lieber handelte, als dumpf vor sich hinzubrüten, nicht mehr und nicht weniger. Und wie jeder andere auch stellte sie sich die bange Frage: Wer steckt sich als Nächster an? Doch sie schob diesen Gedanken entschlossen beiseite.

Prior Godwyn kam und sah nach den Kranken. Er weigerte sich, die Gesichtsmaske zu tragen, und nannte sie Unsinn, wie er nur Weibern einfallen könne. Er stellte die gleiche Diagnose wie zuvor, überhitztes Blut, und verordnete Aderlass und eine Diät aus sauren Äpfeln und Schafskutteln.

Was die Kranken aßen, war nicht weiter wichtig, denn wenn es dem Ende entgegenging, erbrachen sie es ohnehin; Caris war sich jedoch sicher, dass es das Siechtum schlimmer machte, zapfte man ihnen Blut ab. Sie bluteten so schon viel zu viel: Sie husteten Blut, erbrachen Blut, pissten Blut. Die Mönche waren jedoch ausgebildete Ärzte, und Caris musste ihre Anordnungen befolgen. Sie hatte gar keine Zeit, jedes Mal ärgerlich zu sein, wenn sie sah, wie ein Mönch oder eine Nonne sich neben einen Kranken kniete, dessen Arm streckte, mit einem besonderen kleinen Messer eine Ader anritzte und den Arm hielt, während ein Schoppen oder mehr kostbares Blut in eine Schale auf dem Boden tröpfelte.

Als es mit Mair zu Ende ging, saß Caris an ihrem Bett und hielt ihr die Hand, ohne sich darum zu scheren, ob jemand es missbilligte. Um Mairs Qualen zu lindern, gab sie ihr eine kleine Menge der berauschenden Droge aus dem Mohn, die zu bereiten Mattie ihr beigebracht hatte. Mair hustete noch immer, aber es tat ihr nicht mehr so sehr weh. Nach einem Hustenkrampf konnte sie unter Wirkung der Droge für kurze Zeit leichter atmen und sogar reden. »Ich danke dir für die Nacht in Calais«, wisperte sie. »Ich weiß, dass du es nicht gerade genossen hast, aber ich war im Himmel.«

Caris versuchte nicht zu weinen. »Es tut mir leid, dass es nicht sein konnte, was du dir gewünscht hast.«

»Du hast mich geliebt, auf deine Weise. Das weiß ich.«

Sie musste wieder husten. Als der Anfall vorüber war, wischte Caris ihr das Blut von den Lippen.

»Ich liebe dich«, sagte Mair und schloss die Augen.

Caris ließ ihren Tränen freien Lauf, und es kümmerte sie nicht, wer es sah oder was er dachte. Durch einen Schleier sah sie zu, wie Mair immer blasser wurde und immer flacher atmete, bis ihre Brust sich nicht mehr hob.

Caris blieb, wo sie war, auf dem Fußboden neben dem Strohsack, und hielt der Toten die Hand. Mair war noch immer schön, selbst so, wie sie jetzt dalag, weiß und ewig reglos. Caris musste daran denken, dass nur ein einziger Mensch sie so sehr liebte, wie Mair sie geliebt hatte, und das war Merthin. Wie seltsam, dass sie auch seine Liebe zurückgewiesen hatte. Stimmte etwas mit ihr nicht? Litt sie unter einer Fehlbildung der Seele, die sie hinderte, wie andere Frauen zu sein und Liebe freudig anzunehmen?

Später in der gleichen Nacht starben alle vier Kinder von Mark und Madge Webber und die alte Julie.

Caris war wie aufgelöst. Konnte sie denn wirklich nichts tun? Die Pest breitete sich in Windeseile aus und tötete jeden. Es war, als lebte man in einem Gefängnis und fragte sich, welcher Häftling als Nächster zum Richtplatz geführt wurde. Sollte es in Kingsbridge zugehen wie in Florenz und Bordeaux, wo man die Leichen auf den Straßen stapeln musste? Am nächsten Sonntag würde auf dem Vorplatz der Kathedrale ein Markt stattfinden. Hunderte von Menschen kämen aus allen Dörfern im Umkreis, um zu kaufen und zu verkaufen und sich in Kirchen und Schänken unter die Städter zu mischen. Wie viele Besucher würden todkrank nach Hause gehen? In solchen Augenblicken, in denen Caris sich hilflos schrecklichen Kräften gegenübersah, konnte sie verstehen, weshalb Menschen die Hände hochwarfen und behaupteten, alles sei von der Geisterwelt gelenkt. Doch ihre Art war das niemals gewesen.

Wenn ein Mitglied der Priorei starb, gab es einen besonderen Gedenkgottesdienst, an dem sämtliche Mönche und Nonnen teilnahmen, um für die Seele zu beten, die von ihnen gegangen war. Mair und die alte Julie waren sehr beliebt gewesen – Julie wegen ihres freundlichen Wesens und Mair wegen ihrer Schönheit –, und viele Nonnen weinten um sie. Madges Kinder wurden in die Fürbitten mit eingeschlossen; deshalb kamen mehrere Hundert Städter in die Kathedrale. Madge selbst war zu krank, um das Hospital zu verlassen.

Sie sammelten sich alle unter schiefergrauem Himmel auf dem Kirchhof. Caris glaubte im Nordwind Schnee zu riechen. Bruder Joseph sprach die Gebete am Grab, und sechs Särge wurden in den Boden gesenkt.

Eine Stimme aus der Menge stellte die Frage, die niemanden losließ. »Müssen wir alle sterben, Bruder Joseph?«

Joseph war der beliebteste unter den Mönchsärzten; er war ein verstandesbetonter Mann, konnte aber am Siechbett sehr herzlich sein. Nun antwortete er: »Wir alle müssen sterben, mein Freund, aber wann, das weiß Gott allein. Deshalb müssen wir stets bereit sein, vor ihn hinzutreten.«

Betty Baxter ergriff das Wort. »Was können wir gegen die Pest unternehmen?«, wollte sie wissen. »Es ist doch die Pest?«

»Der beste Schutz liegt im Gebet«, sagte Joseph. »Und für den Fall, dass Gott entschieden hat, Euch dennoch zu sich zu nehmen, kommt in die Kirche und beichtet Eure Sünden.«

So leicht ließ sich Betty nicht abfertigen. »Merthin sagt, dass in Florenz die Menschen in ihren Häusern geblieben sind, um nicht mit den Kranken in Berührung zu kommen. Ist das eine gute Idee?«

»Ich glaube nicht. Oder sind die Florentiner der Seuche entkommen?«

Alles blickte Merthin an, der mit Lolla auf dem Arm dastand.

»Nein, sie sind ihr nicht entkommen«, sagte er. »Aber vielleicht wären noch mehr gestorben, wenn sie sich anders verhalten hätten.«

Joseph schüttelte den Kopf. »Wer daheimbleibt, kann nicht in die Kirche gehen. Frömmigkeit ist die beste Medizin.«

Caris konnte nicht länger schweigen. »Die Pest springt von einem Menschen zum anderen«, sagte sie zornig. »Wenn ihr euch von anderen Menschen fernhaltet, entgeht ihr der Ansteckung eher.«

Prior Godwyn ergriff das Wort. »So sind nun also die Frauen zu Ärzten geworden?«

Caris beachtete ihn nicht. »Wir sollten den Markt absagen«, schlug sie vor. »Das würde Leben retten.«

»Den Markt absagen!«, rief er höhnisch. »Und wie sollten wir das anstellen? Boten in jedes Dorf senden?«

»Die Stadttore schließen«, erwiderte sie. »Die Brücke sperren. Keinen Fremden in die Stadt lassen.«

»Aber in der Stadt sind schon Kranke.«

»Alle Schänken schließen. Alle Zunft- und Gildenversammlungen absagen. Bei Hochzeiten Gäste verbieten.«

Merthin sagte: »In Florenz wurden sogar die Sitzungen des Stadtrats ausgesetzt.«

Elfric fragte: »Und wie sollen die Leute ihre Geschäfte betreiben?«

»Wenn Ihr Eure Geschäfte betreibt, sterbt Ihr«, sagte Caris. »Und Ihr tötet Eure Frau und Eure Kinder ebenfalls. Also entscheidet Euch.«

Betty Baxter sagte: »Ich möchte meinen Laden nicht schließen – ich würde viel Geld verlieren. Aber ich werde es tun, wenn ich so am Leben bleibe.« Caris' Hoffnung wuchs; dann aber machte Betty sie wieder zunichte. »Was sagen die Ärzte? Sie wissen es doch am besten.« Caris ächzte laut.

Prior Godwyn sagte: »Die Pest hat Gott gesandt, um uns für unsere Sünden zu bestrafen. Die Welt ist schlecht geworden. Ketzerei und Lüsternheit, Gottlosigkeit und Gier gehen um. Männer zweifeln an der Autorität Höhergestellter, Weiber stellen ihre Körper zur Schau, und Kinder missachten das Wort ihrer Eltern. Gott zürnt uns, und der Zorn des Herrn ist furchtbar. Versucht nicht, vor der Gerechtigkeit des Allmächtigen davonzulaufen! Sie wird euch finden, wo ihr euch auch verbergt.«

»Was sollen wir dann tun?«

»Wenn ihr leben wollt, geht in die Kirche, bekennt eure Sünden, betet, und führt ein besseres Leben.«

Caris wusste, dass Widerspruch sinnlos war; dennoch sagte sie: »Ein verhungernder Mann sollte in die Kirche gehen, aber er sollte auch essen.«

Mutter Cecilia sprach: »Schwester Caris, du brauchst nichts mehr zu sagen.«

»Aber wir könnten so viele …«

»Das reicht jetzt!«

»Es geht um Leben und Tod!«

Cecilia senkte die Stimme. »Aber niemand hört dir zu. Lass es auf sich beruhen.«

Caris wusste, dass Cecilia recht hatte. Ganz gleich, wie lange sie widersprach, die Leute glaubten den Priestern und nicht ihr. Sie biss sich auf die Lippe und schwieg.

Der blinde Carlus stimmte ein Lied an, und die Mönche kehrten in einer Reihe in die Kirche zurück. Die Nonnen folgten ihnen, und die Menge zerstreute sich.

Als sie von der Kirche in den Kreuzgang traten, nieste Mutter Cecilia.

Jeden Abend brachte Merthin Lolla in ihrem Zimmer im Bell zu Bett. Er sang ihr dann vor, sagte Gedichte auf oder erzählte Geschichten. Dann sprach auch sie mit ihm und stellte ihm die eigentümlichen, unerwarteten Fragen einer Dreijährigen, von denen einige kindlich, einige tiefgründig und einige urkomisch waren.

An diesem Abend fing sie an zu weinen, während er ihr ein Schlaflied sang.

Er fragte sie, was sie bekümmere.

»Warum musste Dora sterben?«, schluchzte Lolla.

Das also war es. Madges Tochter hatte es Lolla angetan. Sie hatten Zeit zusammen verbracht, Zählspiele gespielt und sich gegenseitig das Haar geflochten. »Sie hatte die Pest«, sagte Merthin.

»Meine Mama hatte auch die Pest«, sagte Lolla. Sie redete auf Italienisch weiter, das sie keineswegs vergessen hatte. »La moria grande.«

»Ich hatte sie auch, aber ich bin wieder gesund geworden.«

»Libia auch.« Libia war die hölzerne Puppe, die Lolla den ganzen Weg von Florenz getragen hatte.

»Libia hatte die Pest?«

»Ja. Sie hat geniest, ihr war heiß, und sie hatte Flecken, aber eine Schwester hat sie gesund gemacht.«

»Da bin ich aber froh. Dann kann ihr ja nichts geschehen. Niemand bekommt die Pest zweimal.«

»Dir kann auch nichts geschehen, ja?«

»Richtig.« Das erschien ihm als ein guter Punkt, das Gespräch zu beenden. »Schlaf jetzt schön.«

»Gute Nacht«, sagte Lolla.

Merthin ging zur Tür.

»Kann Bessie auch nichts geschehen?«, fragte Lolla.

»Schlaf jetzt.«

»Ich hab Bessie lieb.«

»Das ist fein. Gute Nacht.« Er schloss die Tür.

Die Schankstube im Erdgeschoss war leer. Die Menschen mieden das Gedränge. Trotz aller Worte Godwyns hatte Caris' Botschaft die Städter erreicht.

Merthin roch eine pikante Suppe. Er folgte seiner Nase und ging in die Küche. Bessie rührte in einem Topf über dem Feuer. »Bohnensuppe mit Schinken«, sagte sie.

Merthin setzte sich zu ihrem Vater Paul an den Tisch. Paul war ein großer Mann Mitte fünfzig. Merthin nahm sich Brot, während Paul ihm einen Krug Bier einschenkte. Bessie trug die Suppe auf.

Bessie und Lolla freundeten sich an, erkannte Merthin. Er hatte ein Kindermädchen angestellt, das Lolla tagsüber betreute, aber Bessie passte am Abend oft auf sie auf, und Lolla hatte sie lieber.

Merthin gehörte zwar ein Haus auf Leper Island, doch es war klein, vor allem im Vergleich mit dem *palagetto*, an den er sich in Florenz gewöhnt hatte. Gern ließ er Jimmie weiter auf Leper Island wohnen. Merthin fühlte sich wohl im Bell. Es war sauber und warm, und es gab genügend kräftiges Essen und gute Getränke. Jeden Samstag zahlte er seine Rechnung wie jeder Gast, wurde aber wie ein Familienmitglied behandelt. Merthin hatte es nicht eilig, in ein eigenes Haus zu ziehen.

Andererseits konnte er nicht ewig im Wirtshaus wohnen. Und wenn er auszog, würde Lolla vielleicht bittere Tränen vergießen, Bessie zurücklassen zu müssen. Zu viele Menschen, die in ihrem Leben wichtig gewesen waren, waren fortgegangen. Das Mädchen brauchte endlich Beständigkeit. Vielleicht sollte er jetzt ausziehen, ehe sie sich zu sehr an Bessie gewöhnte.

Nach dem Essen ging Paul zu Bett. Bessie goss Merthin noch einen Becher Bier ein, und sie setzten sich ans Feuer. »Wie viele Menschen sind in Florenz gestorben?«, fragte sie.

»Tausende. Zehntausende wahrscheinlich. Niemand konnte es nachhalten.«

»Ich frage mich, wen es in Kingsbridge als Nächsten trifft.«

»Das frage ich mich auch die ganze Zeit.«

»Ich könnte es sein.«

»Das fürchte ich auch.«

»Ich möchte gern noch einmal mit einem Mann liegen, ehe ich sterbe.«

Merthin lächelte, sagte aber nichts.

»Ich bin mit keinem Mann zusammen gewesen, seit mein Richard starb, und das ist über ein Jahr her.«

»Du vermisst ihn.«

»Wie ist es bei dir? Wie lange hast du keine Frau mehr gehabt?«

Merthin hatte keine Frau mehr angerührt, seit Silvia krank geworden war. Wenn er an sie dachte, gab es ihm einen Stich ins Herz. Nie hatte er sich für ihre Liebe angemessen dankbar gezeigt. »Nicht ganz so lange«, sagte er.

»Deine Frau?«

»Ja. Ihre Seele ruhe in Frieden.«

»Das ist eine lange Zeit ohne Liebe.«

»Ja.«

»Aber es wäre nicht deine Art, es mit irgendeiner zu tun. Du möchtest sie lieben können.«

»Da hast du wohl recht.«

»Ich bin genauso. Es ist schön, mit einem Mann zu liegen, das Beste auf der Welt, aber eben nur, wenn man ihn wirklich liebt. Ich habe immer nur einen Mann gehabt, meinen Mann. Ich bin nie bei einem anderen gewesen.«

Merthin fragte sich, ob das stimmte. Er konnte es nicht sicher sagen. Bessie wirkte ehrlich. Doch gerade so etwas würde eine Frau trotz allem behaupten.

»Was ist mit dir?«, fragte sie. »Wie viele Frauen?«

»Drei.« Die vierte, das Mädchen, mit dem er es als Junge einmal probiert hatte, zählte nicht wirklich.

»Deine Frau, davor Caris und … wer noch? Ach, ich erinnere mich … Griselda …«

»Ich sage nicht, wer sie waren.«

»Keine Bange, das weiß jeder.«

Merthin lächelte wehmütig. Natürlich, jeder wusste es. Vielleicht konnten die Leute sich nicht sicher sein, aber sie rieten, und meist rieten sie richtig.

»Wie alt ist Griseldas kleiner Merthin jetzt? Sieben? Acht?«

»Zehn.«

»Ich habe dicke Knie«, sagte Bessie. Sie zog ihr Kleid hoch, damit er es sah. »Ich habe meine Knie immer gehasst, aber Richard hat sie gemocht.«

Merthin sah hin. Ihre Knie waren rundlich und voller Grübchen. Er konnte ihre weißen Schenkel sehen.

»Er hat mich auf die Knie geküsst«, sagte sie. »Er war ein süßer Mann.« Sie zog ihr Kleid zurecht, aber dabei hob sie es, und einen Augenblick lang sah Merthin den dunklen, einladenden Haarfleck zwischen ihren Lenden. »Er hat mich manchmal überall geküsst, vor allem, wenn ich gebadet hatte. Das habe ich gemocht. Ich mochte alles. Ein Mann kann mit einer Frau, die ihn liebt, alles machen, was er will. Meinst du nicht auch?«

Es war jetzt weit genug gegangen. Merthin stand auf. »Ich glaube, du hast recht, aber solche Gespräche führen nur in eine Richtung, und deshalb gehe ich zu Bett, ehe ich eine Sünde begehe.«

Sie lächelte ihn traurig an. »Schlaf gut«, sagte sie. »Wenn du dich einsam fühlst – ich sitze hier am Feuer.«

»Ich werde daran denken.«

Sie legten Mutter Cecilia in eine Bettstatt, nicht auf einen Strohsack, und stellten diese unmittelbar vor dem Altar auf, der heiligsten Stelle im ganzen Hospital. Nonnen sangen und beteten, einander abwechselnd, den ganzen Tag und die ganze Nacht an ihrem Bett. Immer war jemand da, der ihr das Gesicht mit kühlem Rosenwasser wusch, und immer stand ein Becher mit klarem Brunnenwasser neben ihr. Aber es half alles nichts. Sie verfiel so schnell wie die anderen, blutete aus Nase und Scheide, ihr Atem ging immer mühsamer, ihr Durst wurde unstillbar.

In der vierten Nacht, nachdem sie geniest hatte, schickte sie nach Caris.

Caris lag in tiefem Schlaf. Ihre Tage waren anstrengend: Das Hospital quoll über. In ihrem Traum litten alle Kinder in Kingsbridge an der Pest, und während sie im Hospital umhereilte und sich um alle kümmerte, bemerkte sie plötzlich, dass auch sie sich angesteckt hatte. Ein Kind zupfte ihr am Ärmel, aber sie beachtete es nicht und suchte verzweifelt nach einer Möglichkeit, sich um die vielen Kranken zu kümmern, obwohl sie selbst krank war – und dann bemerkte sie, dass jemand sie immer drängender an der Schulter rüttelte und sagte: »Wacht auf, Schwester, die Mutter Priorin will Euch sprechen!«

Sie erwachte. Eine Novizin kniete mit einer Kerze neben ihrem Bett. »Wie geht es ihr?«, fragte Caris.

»Sie verfällt zusehends, aber sie kann noch sprechen, und sie möchte Euch sehen.«

Caris stand auf und zog die Sandalen an. Die Nacht war bitterkalt. Sie trug ihre Nonnenkutte; nun nahm sie die Decke vom Bett und legte sie sich um die Schultern. Dann eilte sie die Steinstufen hinunter.

Das Hospital war voller Sterbender. Die Strohsäcke am Boden waren schräg angeordnet wie die Gräten eines Fisches, damit alle Kranken, die aufrecht zu sitzen vermochten, den Altar sehen konnten. Um die Betten scharten sich die Familien. Es roch nach Blut. Caris nahm sich einen frischen Leinenstreifen aus einem Korb an der Tür und band ihn sich über Mund und Nase.

Vier Nonnen knieten an Cecilias Bett und sangen. Die Priorin lag mit geschlossenen Augen auf dem Rücken, und zuerst fürchtete Caris, sie sei zu spät gekommen. Dann schien die alte Nonne sie zu bemerken. Sie drehte den Kopf und schlug die Augen auf.

Caris setzte sich an die Bettkante. Sie tauchte einen Lappen in eine Schale mit Rosenwasser und wischte Cecilia einen Blutfleck von der Oberlippe.

Cecilias Atem klang gequält. Zwischen den schweren Zügen sagte sie: »Hat jemand diese furchtbare Krankheit überlebt?«

»Nur Madge Webber.«

»Die eine, die nicht weiterleben wollte.«

»Alle ihre Kinder sind tot.«

»Bald sterbe ich.«

»Sagt das nicht.«

»Du vergisst dich. Wir Nonnen fürchten den Tod nicht. Unser ganzes Leben lang sehnen wir uns, mit Jesus Christus im Himmel vereint zu sein. Wenn der Tod kommt, begrüßen wir ihn.« Die lange Rede erschöpfte sie. Sie hustete krampfartig.

Caris wischte ihr das Blut vom Kinn. »Jawohl, Mutter Priorin.

Aber jene, die zurückbleiben, dürfen weinen.« Ihr kamen die Tränen. Sie hatte Mair und die alte Julie verloren, und nun starb ihr auch noch Cecilia unter den Händen.

»Weine nicht. Überlass es den anderen. Du musst stark sein.«

»Ich weiß nicht, wozu.«

»Ich glaube, es ist Gottes Wille, dass du meinen Platz einnimmst und Priorin wirst.«

In dem Fall hätte der Herr eine sehr merkwürdige Wahl getroffen, dachte Caris. Gewöhnlich wählt er Schwestern mit einer herkömmlicheren Gottessicht aus. Doch schon vor langer Zeit hatte Caris gelernt, dass es keinen Sinn hatte, solche Dinge auszusprechen. »Wenn die Schwestern mich wählen, werde ich mein Bestes tun.«

»Ich glaube, sie werden dich wählen.«

»Ich bin sicher, Schwester Elizabeth möchte auch in Betracht gezogen werden.«

»Elizabeth ist klug, aber du spendest Liebe.«

Caris senkte den Kopf. Cecilia hatte vermutlich recht. Elizabeth wäre zu streng. Sie, Caris, eignete sich am besten zur Leitung des Nonnenklosters, auch wenn sie einem Leben skeptisch gegenüberstand, das im Gebet und mit dem Singen frommer Lieder verbracht wurde. Sie glaubte an die Schule und das Hospital. Der Himmel verhüte, dass am Ende Elizabeth das Hospital leitete!

»Da ist noch etwas.« Cecilia senkte die Stimme, und Caris musste sich näher beugen. »Prior Anthony hat es mir gesagt, als er im Sterben lag. Er hat es bis zuletzt geheim gehalten, und nun habe ich das Gleiche getan.«

Caris war sich nicht sicher, ob sie die Bürde eines solchen Geheimnisses wünschte. Doch das Totenbett schien solche Bedenken außer Kraft zu setzen.

Cecilia sagte: »Der alte König ist nicht an einem Sturz gestorben.«

Caris war schockiert. Edward II. war seit über zwanzig Jahren tot, doch sie erinnerte sich an die Gerüchte. Ein schlimmeres Verbrechen als der Mord an einem König war unvorstellbar – es war eine doppelte Schandtat, Mord und Hochverrat zugleich, die beiden schlimmsten aller Verbrechen. Allein davon zu wissen war gefährlich. Kein Wunder, dass Anthony es geheim gehalten hatte.

Cecilia fuhr fort: »Die Königin und ihr Geliebter, Roger Mortimer, wollten Edward II. aus dem Weg schaffen. Der Thronerbe war noch ein kleiner Junge. Mortimer wurde in allem zum König, bis auf den Titel. Letzten Endes dauerte seine Herrschaft freilich nicht so lange, wie er sich erhofft hatte – der junge Edward III. wuchs zu schnell auf.« Sie hustete wieder, schwächer als zuvor.

»Mortimer wurde hingerichtet, als ich noch jung war.«

»Aber selbst Edward wollte nicht, dass jemand erfuhr, was seinem Vater wirklich widerfahren war. Deshalb wurde das Geheimnis gehütet.«

Caris konnte es nicht fassen. Königin Isabella lebte noch, wohnte als geehrte Mutter des Königs in verschwenderischer Pracht in Norfolk. Wenn herauskam, dass das Blut ihres Ehemannes an ihren Händen klebte, gäbe es ein politisches Erdbeben. Caris fühlte sich schuldig, nur weil sie darum wusste.

»Also wurde er ermordet?«, fragte sie.

Cecilia gab keine Antwort. Caris sah genauer hin. Die Priorin regte sich nicht. Ihr Gesicht war ganz ruhig, und ihre Augen starrten zur Decke. Sie war tot.

KAPITEL 60

Am Tag nach Cecilias Tod bat Godwyn Schwester Elizabeth zum Mittagessen.

Es war ein gefährlicher Augenblick. Cecilias Tod brachte die Machtstruktur in der Priorei aus dem Gleichgewicht. Godwyn brauchte das Nonnenkloster, weil das Mönchskloster auf sich gestellt nicht überlebensfähig war: Godwyn war es nie gelungen, die Einkünfte der Priorei ausreichend zu erhöhen. Zugleich zürnten ihm die meisten Schwestern wegen des Geldes, das er ihnen weggenommen hatte, und sie begegneten ihm mit bitterer Feindschaft. Wenn sie unter die Fuchtel einer Priorin gerieten, die es auf Rache anlegte – wie Caris es vielleicht vorhatte –, konnte es das Ende des Klosters bedeuten.

Auch vor der Pest fürchtete Godwyn sich. Was, wenn er sich ansteckte? Was, wenn Philemon starb? Solche albtraumhaften Gedanken zermürbten ihn, doch er vermochte sie in den Hintergrund zu drängen. Er war fest entschlossen, sich durch die Pest nicht von seinen langfristigen Zielen ablenken zu lassen.

Die Wahl der Priorin bedeutete eine unmittelbare Gefahr. Godwyn sah es vor sich, wie das Mönchskloster geschlossen wurde und er selbst Kingsbridge in Schande verlassen musste – gezwungen, als ein gewöhnlicher Bruder in ein anderes Kloster einzutreten, einem Prior unterworfen, der ihn disziplinierte und demütigte. Wenn das geschah, würde er wohl selbst Hand an sich legen.

Andererseits war die Wahl nicht nur eine Gefahr, sondern auch eine Gelegenheit. Wenn er die Dinge klug handhabe, bekam er vielleicht eine Priorin, die ihm zugeneigt und es zufrieden war, ihm die Führung zu überlassen. Was das betraf, war Elizabeth seine beste Hoffnung.

Sie würde eine herrische Vorsteherin abgeben, eine Priorin, die auf ihre Würde achtete. Dennoch konnte man mit ihr zusammenarbeiten. Sie dachte pragmatisch: Das hatte sie bewiesen, als sie ihn warnte, Caris plane eine Prüfung der Schatzkammer. Sie wäre seine Verbündete.

Hoch erhobenen Hauptes trat Elizabeth ein. Sie wusste, dass sie mit einem Mal wichtig geworden war, und genoss es. Godwyn fragte sich besorgt, ob sie in den Plan einwilligen würde, den er vorzuschlagen hatte. Sie musste womöglich behutsam geleitet werden.

Elizabeth blickte sich in dem großen Speisesaal um. »Einen prächtigen Palast habt Ihr Euch bauen lassen«, sagte sie und erinnerte ihn damit zugleich daran, wie sie ihm geholfen hatte, das nötige Geld zu beschaffen.

Elizabeth war noch nie hier gewesen, fiel Godwyn ein, obwohl der Palast schon vor einem Jahr fertiggestellt worden war. Er zog es vor, keine Weiber im Mönchsteil der Priorei zu sehen. Bis zu diesem Tag waren nur Petronilla und Cecilia eingelassen worden. Godwyn sagte: »Habt Dank. Ich glaube, er bringt uns den Respekt der Edlen und Mächtigen ein. Ich habe hier bereits den Erzbischof von Monmouth zu Gast gehabt.«

Die letzten Florine des Nonnenklosters hatte er für Wandteppiche ausgegeben, die Szenen aus dem Leben der Propheten zeigten. Elizabeth betrachtete eingehend ein Bild von Daniel in der Löwengrube. »Das ist sehr gut«, sagte sie.

»Es kommt aus Arras.«

Sie zog eine Braue hoch. »Ist das Eure Katze da unter der Anrichte?«

Godwyn machte einen missbilligenden Laut. »Ich werde sie nicht los«, log er und scheuchte das Tier aus dem Raum. Mönche durften keine Haustiere halten, doch er empfand die Gegenwart der Katze als beruhigend.

Sie setzten sich an ein Ende des langen Banketttisches. Godwyn war es zuwider, dass eine Frau sich zu ihm an den Mittagstisch setzte, als wäre sie so viel wert wie ein Mann, doch er verbarg sein Missvergnügen.

Er hatte ein teures Gericht bestellt, mit Ingwer und Äpfeln geschmortes Schweinefleisch. Philemon schenkte Wein aus der Gascogne ein. Elizabeth kostete von dem Fleisch und befand es als vorzüglich.

Godwyn lag nicht viel an Essen. Für ihn war es nur ein Mittel, andere zu beeindrucken, doch Philemon schlang gierig.

Godwyn wandte sich dem Geschäft zu. »Ich nehme an, Ihr wollt Priorin werden?«

»Ich glaube, dass ich besser für dieses Amt geeignet bin als Schwester Caris«, antwortete Elizabeth.

Godwyn spürte die unterdrückte Gefühlsregung, mit der sie den Namen hervorstieß. Unverkennbar zürnte sie noch immer, dass Merthin ihr Caris vorgezogen hatte. Nun stand ihr ein neuerlicher Wettstreit mit der alten Rivalin bevor. Sie würde töten, um diesmal zu gewinnen, dachte Godwyn.

Das war gut.

Philemon fragte sie: »Wie wollt Ihr Eure Mitschwestern davon überzeugen?«

»Ich bin älter als Caris«, sagte Elizabeth. »Ich bin länger Nonne und habe länger ein Amt inne. Und ich bin in einem sehr frommen Haus aufgewachsen.«

Philemon schüttelte abschätzig den Kopf. »Das wird Euch nichts nützen.«

Erstaunt über seine ungehobelte Art, zog sie die Brauen hoch. Godwyn hoffte, dass Philemon nicht zu schonungslos wäre. Wir brauchen sie willfährig, hätte er ihm am liebsten zugeflüstert. Bringe sie nicht gegen uns auf.

Philemon fuhr erbarmungslos fort: »Ihr habt nur ein Jahr mehr Erfahrung als Caris. Und Euer Vater, der Bischof – möge seine Seele in Frieden ruhen –, zählt gegen Euch. Schließlich sollten Bischöfe keine Kinder haben.«

Sie lief rot an. »Und Prioren keine Katzen.«

»Wir sprechen nicht über den Prior«, erwiderte Philemon ungeduldig. Er war anmaßend, und Godwyn verzog das Gesicht. Er selbst verstand es, seine Feindschaft zu verbergen und eine freundliche Miene aufzusetzen, doch Philemon hatte diese Kunst nie gelernt.

Elizabeth jedoch nahm es ungerührt hin. »Habt Ihr mich etwa hergebeten, um mir zu sagen, dass ich nicht gewinnen könne?« Sie wandte sich Godwyn zu. »Es sieht Euch gar nicht ähnlich, nur zum Spaß mit teurem Ingwer kochen zu lassen.«

»Da habt Ihr ganz recht«, sagte Godwyn. »Wir möchten, dass Ihr Priorin werdet, und wir werden tun, was wir können, um Euch zu helfen.«

Philemon sagte: »Und wir fangen damit an, indem wir Eure Aussichten realistisch betrachten. Schwester Caris ist allseits beliebt – bei Nonnen, Mönchen, Kaufleuten und Adligen. Die Arbeit, die sie tut, gereicht ihr dabei zum Vorteil. Die meisten Brüder und Schwestern sowie Hunderte von Städtern sind mit Beschwerden ins

Hospital gekommen, und sie hat ihnen geholfen. Im Vergleich dazu sieht man Euch nur selten. Ihr seid die Mesnerin, man hält Euch für kalt und berechnend.«

»Ich weiß Eure Offenheit zu schätzen«, sagte Elizabeth. »Vielleicht sollte ich gleich aufgeben.«

Godwyn konnte nicht sagen, ob sie es ironisch meinte oder nicht.

»Ihr könnt nicht gewinnen«, sagte Philemon. »Aber Caris kann verlieren.«

»Sprecht nicht in Rätseln, das ist ermüdend!«, fuhr Elizabeth ihn an. »Sagt mir in schlichten Worten, worauf Ihr hinauswollt!«

Kein Wunder, dass sie so unbeliebt ist, dachte Godwyn.

Philemon gab vor, ihren Tonfall zu überhören. »In den nächsten Wochen wird es Eure Aufgabe sein, Caris' Ansehen zu untergraben«, sagte er. »Ihr müsst versuchen, eine liebenswerte, hart schuftende, mitfühlende Nonne in den Augen Eurer Mitschwestern als Ungeheuer hinzustellen.«

Ein begieriges Funkeln trat in Elizabeth' Augen. »Wäre das möglich?«

»Mit unserer Hilfe schon.«

»Sprecht weiter.«

»Befiehlt Schwester Caris noch immer, dass Nonnen im Hospital Leinenmasken tragen sollen?«

»Ja.«

»Und sich die Hände waschen?«

»Ja.«

»Weder bei Galen noch bei irgendeiner anderen medizinischen Autorität findet sich eine Begründung für solche Praktiken, und in der Bibel schon gar nicht. Es scheint Aberglaube zu sein.«

Elizabeth zuckte mit den Schultern. »Offenbar glauben die italienischen Ärzte, dass die Pest sich durch die Luft verbreitet. Man steckt sich an, indem man Kranke anschaut, sie berührt oder dieselbe Luft atmet wie sie. Ich verstehe nicht, wie …«

»Und woher haben die Italiener diese Vorstellung?«

»Vielleicht durch Beobachtung von Patienten.«

»Ich habe Merthin sagen hören, die italienischen Ärzte seien die besten – mit Ausnahme der arabischen.«

Elizabeth nickte. »Das habe ich auch gehört.«

»Also stammt die Idee, Masken zu tragen, letztlich wohl von den Muslimen.«

»Vermutlich.«

»Mit anderen Worten, es handelt sich um einen heidnischen Brauch.«

»Das ist wohl so.«

Philemon lehnte sich zufrieden zurück, als hätte er eine schwierige Beweiskette dargelegt.

Elizabeth begriff noch nicht. »Also stechen wir Caris aus, indem wir sagen, sie habe heidnischen Aberglauben ins Nonnenkloster gebracht?«

»Nicht ganz«, sagte Philemon mit einem verschlagenen Grinsen. »Wir behaupten, sie praktiziere Hexerei.«

Da verstand Elizabeth. »Aber natürlich! Das hätte ich beinahe vergessen.«

»Ihr habt im Prozess gegen sie ausgesagt!«

»Das ist lange her.«

»Ich würde doch meinen, dass man es nie vergisst, wenn der Gegner einmal solch eines Verbrechens angeklagt wurde«, erklärte Philemon.

Du jedenfalls, mein lieber Philemon, vergisst so etwas nie, dachte Godwyn. Die Schwächen der Menschen zu kennen und schamlos auszunutzen war Philemons Spezialität. Selbst Godwyn empfand manchmal Schuld angesichts der abgrundtiefen Bosheit seines Subpriors. Doch diese Bosheit war für Godwyn so nützlich, dass er seine Zweifel stets unterdrückte. Wer sonst hätte sich die Teufelei ausdenken können, die Nonnen mit tückischem Gift gegen ihre geliebte Caris einzunehmen?

Ein Novize brachte Äpfel und Käse, und Philemon schenkte Wein nach. Elizabeth sagte: »Nun gut, das alles leuchtet mir ein. Habt Ihr schon überlegt, wie wir im Einzelnen vorgehen wollen?«

»Zunächst ist es wichtig, den Boden zu bereiten«, sagte Philemon. »Ihr solltet niemals eine Anschuldigung wie diese offiziell erheben, ehe sie nicht von vielen Leuten geglaubt wird.«

Philemon versteht sich wirklich gut auf solche Dinge, dachte Godwyn bewundernd.

Elizabeth fragte: »Und wie sollen wir das erreichen?«

»Taten sind besser als Worte. Weigert Euch, die Maske zu tragen. Fragt man Euch nach dem Grund, zuckt Ihr mit den Schultern und sagt, Ihr hättet gehört, es sei ein Brauch der Araber, und dass Ihr christliche Schutzmittel vorzieht. Ermutigt Eure Anhängerinnen, als Zeichen ihrer Unterstützung die Maske zu verweigern. Wascht Euch auch nicht zu oft die Hände. Wenn Ihr seht, wie jemand Caris' Vorschriften befolgt, runzelt missbilligend die Stirn, sagt aber nichts.«

Godwyn nickte zustimmend. Philemons Verschlagenheit nahm manchmal genialische Züge an.

»Sollten wir nicht die Ketzerei erwähnen?«

»Darüber sprecht, so viel Ihr wollt, aber bezieht es nicht direkt auf Caris. Sagt, Ihr hättet gehört, in einer anderen Stadt sei ein Ketzer hingerichtet worden, oder ein Teufelsanbeter, der es geschafft habe, ein ganzes Nonnenkloster zu verderben – in Frankreich meinetwegen.«

»Ich würde nichts sagen wollen, was nicht wahr wäre«, erwiderte Elizabeth steif.

Philemon vergaß manchmal, dass nicht jeder so skrupellos war wie er. Godwyn warf hastig ein: »Natürlich nicht. Philemon meint ja auch nur, dass Ihr solche Geschichten erzählen sollt, falls sie Euch zu Ohren kommen, um die Nonnen an die stets lauernde Gefahr zu erinnern, dass ihre reinen Seelen dem Pferdefüßigen anheimfallen.«

»Sehr gut.« Die Glocke rief zum Mittagsoffizium, und Elizabeth erhob sich. »Ich darf das Stundengebet nicht verpassen. Ich möchte nicht, dass jemand meine Abwesenheit bemerkt und errät, dass ich hier war.«

»Ganz recht«, sagte Godwyn. »Wie auch immer, wir haben uns auf einen Plan geeinigt.«

Sie nickte. »Keine Masken.«

Godwyn merkte ihr an, dass sie einen Zweifel hegte. Er sagte: »Ihr glaubt doch nicht, dass diese Masken helfen, oder?«

»Nein«, erwiderte Elizabeth. »Natürlich nicht. Wie sollten sie?«

»Genau.«

»Ich danke Euch für das Essen.« Sie ging hinaus.

Das ist gut verlaufen, dachte Godwyn. Doch er sorgte sich noch immer. Angespannt sagte er zu Philemon: »Auf sich gestellt kann Elizabeth die Leute vielleicht nicht überzeugen, dass Caris noch immer eine Hexe ist ...«

»Da stimme ich Euch zu. Wir müssten dazu beitragen.«

»Vielleicht mit einer Predigt?«

»Genau.«

»Ich spreche von der Kanzel der Kathedrale über die Pest.«

Philemon sah skeptisch drein. »Es könnte gefährlich sein, Caris direkt anzugreifen. Das könnte auf uns zurückfallen.«

Godwyn war der gleichen Ansicht. Wenn es zum offenen Bruch zwischen ihm und Caris kam, würden die Städter vermutlich sie unterstützen. »Ihr Name wird nicht fallen.«

»Wir säen nur Zweifel und lassen die Leute ihre eigenen Schlüsse ziehen.«

»Ich gebe Ketzerei, Teufelsanbetung und heidnischen Bräuchen die Schuld.«

Godwyns Mutter Petronilla kam herein. Sie ging tief gebeugt und benötigte zwei Krücken, doch ihr großer Kopf schob sich auf den knochigen Schultern noch immer energisch nach vorn. »Wie ist es verlaufen?«, fragte sie. Sie hatte Godwyn gedrängt, Caris zu attackieren, und Philemons Plan gutgeheißen.

»Elizabeth wird genau das tun, was wir wollen«, sagte Godwyn zufrieden. Er genoss es, seiner Mutter gute Neuigkeiten zu bringen.

»Gut. Nun möchte ich etwas anderes mit dir bereden.« Sie wandte sich Philemon zu. »Euch brauchen wir nicht.«

Einen Augenblick wirkte Philemon verletzt wie ein Kind, dem man unerwartet eine Backpfeife verpasst hatte. So schroff er selber war, hatte er doch eine dünne Haut. Allerdings erholte er sich rasch und gab vor, Petronillas Anmaßung habe ihn nicht beeindruckt und erscheine ihm sogar erheiternd. »Natürlich, Herrin«, sagte er übertrieben unterwürfig.

Godwyn bat ihn: »Übernimm für mich das Mittagsoffizium, ja?«

»Sehr wohl.«

Als er fort war, setzte Petronilla sich an den großen Tisch und sagte: »Ich weiß, dass ich es war, die dich gedrängt hat, die Talente dieses Mannes zu fördern, aber ich muss gestehen, dass er mir mitunter eine Gänsehaut verursacht.«

»Er ist heute nützlicher denn je.«

»Einem skrupellosen Mann kannst du niemals trauen. Wenn er treulos gegen andere ist, wieso sollte er ausgerechnet dich nicht betrügen?«

»Ich werde daran denken«, versprach Godwyn, auch wenn er nunmehr so eng mit Philemon verbunden war, dass er sich nur schwer vorstellen konnte, ohne dessen Hilfe zurechtzukommen. Das jedoch wollte er seiner Mutter gegenüber nicht erwähnen. Um das Thema zu wechseln, fragte er: »Möchtest du einen Becher Wein?«

Sie schüttelte den Kopf. »Ich bin zu schlecht auf den Beinen. Setz dich, und hör mir zu.«

»Sehr wohl, Mutter.« Er setzte sich neben sie an den Tisch.

»Ich möchte, dass du Kingsbridge verlässt, ehe die Pest noch viel schlimmer wütet.«

»Das kann ich nicht. Aber du müsstest …«

»Ich bin nicht wichtig! Ich sterbe sowieso bald.«

Der Gedanke erfüllte Godwyn mit Schrecken. »Sag das nicht!«

»Sei nicht dumm. Ich bin sechzig Jahre alt. Sieh mich doch an! Ich kann nicht einmal gerade stehen. Für mich ist es Zeit abzutreten. Aber du bist erst zweiundvierzig – vor dir liegt noch so viel! Du könntest Bischof werden, Erzbischof, sogar Kardinal.«

Wie immer schwindelte Godwyn von dem grenzenlosen Ehrgeiz seiner Mutter. Hatte er wirklich das Zeug zum Kardinal? Oder war es nur die Blindheit einer Mutter? Er wusste es nicht.

»Ich will nicht, dass du an der Pest stirbst, ehe du deine Bestimmung erfüllt hast«, sagte sie.

»Und was ist mit dir?«

»Denke jetzt nicht an mich!«, sagte sie ärgerlich.

»Ich kann die Stadt nicht verlassen. Ich muss dafür sorgen, dass die Nonnen nicht Caris zur Priorin wählen.«

»Du musst sie dazu bringen, die Wahl rasch abzuhalten. Gelingt dir das nicht, reise fort von hier, und lege die Wahl in Gottes Hand.«

Godwyn fürchtete sich vor der Pest, aber auch vor dem Versagen. »Wenn sie Caris wählen, könnte das mein Untergang sein!«

Petronillas Stimme wurde weich. »Godwyn, hör mir zu. Ich habe nur ein Kind, und das bist du. Ich könnte es nicht ertragen, dich zu verlieren.«

Die plötzliche Veränderung ihres Tonfalls erschreckte ihn so sehr, dass er verstummte.

Sie fuhr fort: »Bitte, ich flehe dich an, verlasse diese Stadt, und begib dich irgendwohin, wo die Pest dich nicht erreichen kann.«

Godwyn hatte noch nie erlebt, dass sie flehte, und bekam es mit der Angst. »Lass mich darüber nachdenken«, sagte er, nur damit sie aufhörte.

»Diese Seuche«, sagte Petronilla. »Sie ist wie ein Wolf im Wald. Wenn du einen siehst, denkst du nicht lange nach – du rennst weg.«

✻

Am vierten Advent hielt Godwyn die Predigt.

Der Tag war trocken, und eine hohe Wolkendecke verhüllte das kalte Himmelszelt. Der Turm der Kathedrale war in ein gewaltiges

Vogelnest gekleidet, ein Gerüst aus Stangen und Seilen, in dessen Schutz Elfric ihn von oben nach unten abtragen ließ. Im Markt auf dem Vorplatz machten zitternde Händler vereinzelte Geschäfte mit wenigen Kunden, die nicht ganz bei der Sache waren. Jenseits des Marktes sprenkelten die braunen Rechtecke von mehr als hundert frischen Gräbern das gefrorene Gras des Kirchhofs.

Doch die Kathedrale war voll. Der Raureif, den Godwyn während der Prim auf den Innenwänden bemerkt hatte, war von der Wärme Tausender Leiber vertrieben worden, als er in die Kirche trat, um den Adventsgottesdienst abzuhalten. Die Menschen kauerten in ihren schweren erdfarbenen Mänteln und Umhängen da und machten Gesichter wie eingepferchtes Vieh. Sie waren der Pest wegen gekommen. Die Gemeinde wurde durch Hunderte Kirchenbesucher aus dem Umland verstärkt; sie alle suchten Gottes Schutz vor einer Krankheit, die in jeder Straße der Stadt und in jedem Dorf bereits wenigstens eine Familie heimgesucht hatte. Godwyn verstand die Leute gut. Selbst er hatte in letzter Zeit mit größerer Inbrunst gebetet.

Zumeist folgten nur die Leute in den vorderen Reihen aufmerksam dem Gottesdienst. Die dahinter Sitzenden schwatzten mit Freunden und Nachbarn, und ganz hinten vertrieben sich die Kinder und Halbwüchsigen die Zeit mit allerlei Unsinn. An diesem Tag aber drang aus dem Hauptschiff nur wenig Lärm. Aller Gesichter waren den Mönchen und Nonnen zugewandt und beobachteten mit ungewohnter Aufmerksamkeit die kirchlichen Rituale. Die Menge murmelte brav die vorgeschriebenen Antworten und bemühte sich verzweifelt, so viel schützende Frömmigkeit zu erlangen, wie sie nur konnte. Godwyn musterte ihre Gesichter, las ihre Mienen. Was er sah, war Todesfurcht. Wie er selbst fragten die Menschen sich ängstlich, wer als Nächster nieste, Nasenbluten bekam oder einen Ausschlag von purpur-schwarzen Flecken zeigte.

In der vordersten Reihe sah er Graf William mit seiner Frau Philippa, den beiden erwachsenen Söhnen Roland und Richard und der viel jüngeren Tochter Odila, die erst vierzehn war. William herrschte auf die gleiche Weise über die Grafschaft wie zuvor sein Vater Roland – mit einem Sinn für Ordnung, Gerechtigkeit und einer festen Hand, die gelegentlich hart zupacken konnte. Er wirkte besorgt: Einem Ausbruch der Pest in seiner Grafschaft konnte er mit all seiner Härte nichts entgegensetzen. Philippa hatte den Arm um das junge Mädchen gelegt, als wollte sie es beschützen.

Neben ihnen stand Sir Ralph, Herr von Tench. Ralph hatte es nie gut verstanden, seine Gefühle zu verbergen, und man sah ihm an, dass er Angst hatte. Seine kindliche Frau hielt ihren winzigen Säugling in den Armen. Godwyn hatte den Jungen erst jüngst auf den Namen Gerald getauft, nach seinem Großvater, der mit der Großmutter, Maud, neben ihnen stand.

Godwyns Blick wanderte die Reihe entlang zu Ralphs Bruder Merthin. Als Merthin aus Florenz zurückgekehrt war, hatte Godwyn gehofft, Caris würde ihr Gelübde aufgeben und das Nonnenkloster verlassen, denn als Frau eines einfachen Bürgers wäre sie eine geringere Plage. Doch so war es nicht gekommen. Merthin hielt sein italienisches Töchterchen an der Hand. An seiner Seite stand Bessie aus dem Gasthaus Bell. Bessies Vater, Paul Bell, lag bereits mit der Pest danieder.

Nicht weit entfernt stand die Familie, die Merthin abgewiesen hatte: Elfric mit seiner Tochter Griselda, dem kleinen Jungen, den sie Merthin genannt hatten – er war jetzt zehn –, und Harry Mason, dem Mann, den Griselda geheiratet hatte, nachdem sie die Hoffnung auf den älteren Merthin hatte aufgeben müssen. Neben Elfric stand seine zweite Frau, Godwyns Base Alice. Elfric blickte ständig nach oben. Er hatte ein Behelfsdach über der Vierung errichtet, während er den Turm abtrug; entweder bewunderte er sein Werk, oder er sorgte sich, dass nicht Gottes Zorn, sondern Tonnen von Stein auf die Gläubigen niederfuhren.

Auffallend war die Abwesenheit des Bischofs von Shiring, Henri de Mons. Normalerweise hielt am Sonntag vor Weihnachten der Bischof die Predigt in der Kathedrale von Kingsbridge, doch er war nicht erschienen. So viele Kleriker waren an der Pest gestorben, dass der Bischof in höchster Eile die Gemeinden besuchte und sich um Ersatz kümmerte. Es wurde schon davon gesprochen, die Anforderungen für Priester herabzusetzen und Männer unter fünfundzwanzig zu weihen, und sogar solche, die unehelich zur Welt gekommen waren.

Godwyn trat vor, um zu sprechen. Seine Aufgabe war heikel. Er musste die Angst anstacheln und Hass auf die beliebteste Person in Kingsbridge wecken, und das, ohne sie beim Namen zu nennen, ja sogar, ohne dass die Leute auf den Gedanken kämen, er stünde ihr feindlich gegenüber. Mit Zorn mussten sie sich gegen Caris stellen, dabei aber glauben, dieser Zorn komme aus ihrem eigenen Herzen.

Nicht bei jeder Messe wurde gepredigt. Nur an hohen Feiertagen, wenn große Menschenmengen in die Kirchen strömten, sprach Godwyn zur Gemeinde, und selbst dann predigte er nicht immer. Oft handelte es sich nur um Ankündigungen, um Mitteilungen des Erzbischofs oder des Königs zu Ereignissen, die das ganze Land betrafen – Siege im Krieg, Steuern, Geburten und Todesfälle im Königshaus. Doch heute war ein besonderer Tag.

»Was ist Siechtum?«, fragte Godwyn. In der Kirche war es schon still, doch jetzt wurde die Gemeinde völlig ruhig. Er hatte die Frage gestellt, die jeden beschäftigte.

»Warum sendet Gott Krankheiten und Seuchen, die uns quälen und töten?« Godwyn begegnete dem Blick seiner Mutter, die hinter Elfric und Alice stand, und erinnerte sich plötzlich ihrer Worte, sie werde bald sterben. Für einen Augenblick erstarrte er, vor Furcht gelähmt, unfähig zu sprechen. Aus den Reihen der Gläubigen waren Füßescharren und Hüsteln zu vernehmen. Alles wartete unruhig, dass der Prior fortfuhr. Godwyn wusste, dass ihm die allgemeine Aufmerksamkeit zu entgleiten drohte. Panik stieg in ihm auf, was seine Lähmung noch verstärkte. Dann war der Moment vorüber.

»Krankheit ist eine Strafe für die Sünde«, fuhr er fort. Im Laufe der Jahre hatte er seinen eigenen Stil als Prediger entwickelt. Er war kein wortgewaltiger Donnerer wie Bruder Murdo, der Mystiker und Prophet der Apokalypse, sondern blieb mehr dem Irdischen verhaftet. Nun aber fragte sich Godwyn, ob dieser Stil sich eignete, jene Art von Hass aufzupeitschen, den er in der Gemeinde wecken wollte. Doch Philemon behauptete, seine Worte klängen ihrer Nüchternheit wegen umso überzeugender.

»Die Pest ist eine besonders schwere Krankheit, und darum wissen wir, dass Gott uns eine besonders schwere Strafe auferlegt.« Von der Menge kam ein leiser Laut zwischen einem Murmeln und einem Stöhnen. Genau das hatten die Leute hören wollen. Godwyn fasste frischen Mut.

»Wir müssen uns fragen, welche Sünden wir begangen haben, dass wir solch eine Strafe verdienen.« Während er dies sagte, bemerkte er Madge Webber, die allein stand. Bei ihrem vorigen Besuch der Kirche hatte sie noch einen Mann und vier Kinder gehabt. Godwyn überlegte, anzuführen, dass sie sich bereichert habe, indem sie Färbemittel benutzte, die mit Hilfe von Hexerei ausgebrütet waren, entschied sich dann aber gegen diese Taktik. Madge war zu beliebt und würde zu sehr respektiert.

»Ich sage euch, Gott straft uns für Ketzerei. Auf der Welt – ja, in dieser Stadt und sogar heute in dieser großen Kathedrale – sind Menschen, die das Wort der Mutter Kirche und ihrer Geistlichen infrage stellen. Diese Menschen zweifeln an, dass das heilige Sakrament Brot in den Leib Christi verwandele; sie bestreiten die Wirksamkeit von Messen für die Toten; sie behaupten, es wäre Götzenverehrung, vor den Statuen der Heiligen zu beten.« Er zählte die üblichen Ketzereien auf, über die unter den Studenten in Oxford hitzige Dispute entbrannten, doch in Kingsbridge bedeuteten solche Streitfragen nur wenigen Leuten etwas, und Godwyn sah Verdrossenheit und Langeweile in den Gesichtern. Er bemerkte, dass er die Leute erneut zu verlieren drohte, und wieder überfiel ihn Panik. Verzweifelt fügte er hinzu: »In dieser Stadt aber leben Menschen, die Hexerei praktizieren.«

Damit erlangte er ihre Aufmerksamkeit zurück. Er hörte allgemeines Luftschnappen.

»Wir müssen wachsam sein gegen falsche Lehren«, sagte er. »Vergesst nie, dass nur Gott allein Krankheiten heilen kann. Gebet, Beichte, die heilige Kommunion, Buße – das sind die Heilmittel, die von der Christenheit geheiligt sind.« Er hob die Stimme ein wenig. »Alles andere ist Blasphemie!«

Das ist noch nicht deutlich genug, sagte er sich. Du musst präziser werden.

»Denn wenn Gott uns eine Strafe sendet und wir versuchen, ihr zu entgehen – stellen wir uns dann nicht gegen den göttlichen Willen? Wir können dann zum Herrn beten, uns zu vergeben, und in seiner Weisheit heilt er uns vielleicht von unserem Siechtum. Ketzerische Heilmittel jedoch machen alles nur schlimmer.« Die Gemeinde lauschte gespannt, und Godwyn redete sich immer mehr in Begeisterung. »Ich warne euch! Zaubersprüche, Bitten an die Feen, unchristliche Beschwörungen und besonders heidnische Gebräuche – das alles ist Hexenkunst! Es ist von der Mutter Kirche streng verboten!«

Sein eigentliches Publikum waren die zweiunddreißig Nonnen, die hinter ihm im Altarraum der Kirche standen. Bislang hatten nur wenige ihre Gegnerschaft zu Caris bezeugt, indem sie sich weigerten, ihre Pestmaske zu tragen. Wie es im Moment aussah, würde Caris die Wahlen in der nächsten Woche ohne Mühe für sich entscheiden. Er musste den Nonnen die deutliche Botschaft zukommen lassen, dass Caris' Ideen auf dem Gebiet der Medizin nichts anderes waren als Ketzerei.

»Jeder, der sich solcher Praktiken schuldig gemacht hat ...« Er hielt inne, um seinen Worten mehr Gewicht zu verleihen, beugte sich vor und sah die Gemeinde zwingend an. »Jeder in der Stadt ...« Er wandte sich um und blickte hinter sich, auf die Mönche und Nonnen im Chor. »... oder selbst in der Priorei ...« Er drehte sich wieder der Gemeinde zu. »Wer sich solcher Praktiken schuldig gemacht hat, der soll gemieden werden, sage ich!«

Um der Wirkung willen hielt er inne.

»Und möge Gott der Herr ihrer Seele gnädig sein.«

Drei Tage vor Weihnachten wurde Paul Bell beerdigt. Alle, die in der Dezemberkälte an seinem eisigen Grab standen, waren eingeladen, im Gasthaus Bell auf sein Andenken zu trinken. Seiner Tochter Bessie gehörte nun die Schänke. Sie wollte nicht allein trauern, und so schenkte sie großzügig das beste Bier aus. Lennie Fiddler spielte traurige Melodien auf seinem fünfsaitigen Instrument, und die Trauernden wurden umso gefühlsseliger, je mehr sie tranken, und vergossen manche Träne.

Merthin saß mit Lolla in der Ecke. Beim gestrigen Markt hatte er süße Rosinen aus Korinth gekauft – ein teurer Luxus. Er teilte sie sich mit Lolla und brachte ihr dabei das Zählen bei. Für sich zählte er neun Rosinen ab, doch als er ihr welche gab, ließ er jede zweite Nummer aus und sagte: »Eins, drei, fünf, sieben, neun!«

»Nein!«, rief sie. »Das stimmt nicht!« Sie lachte, denn sie wusste, dass er sie nur neckte.

»Aber ich habe jedes Mal bis neun gezählt!«, widersprach er.

»Aber du hast mehr!«

»Tja, wie kann das denn sein?«

»Du hast nicht richtig gezählt! Du bist dumm!«

»Dann solltest du sie zählen, dann sehen wir ja, ob du es besser kannst.«

Bessie setzte sich zu ihnen. Sie trug ihr bestes Kleid, das ihr ein wenig eng war. »Kann ich auch Rosinen haben?«, fragte sie.

Lolla antwortete: »Ja, aber lass sie dir nicht von Daddy zählen.«

»Nur keine Angst«, sagte Bessie. »Seine Schliche kenne ich.«

»Hier, bitte«, sagte Merthin zu Bessie. »Eins, drei, neun, dreizehn … Nein, dreizehn sind zu viele. Ich nehme lieber welche zurück. Zwölf, elf, zehn.« Er nahm drei Rosinen weg. »So, jetzt hast du zehn Rosinen.«

Lolla fand es furchtbar komisch. »Aber sie hat doch nur eine!«, krähte sie.

»Habe ich mich schon wieder verzählt?«

»Ja!« Sie sah Bessie an. »Wir kennen seine Schliche.«

»Dann zähl du sie.«

Die Tür öffnete sich und ließ einen Schwall eisiger Luft in die Schankstube. Caris kam herein, in einen dicken Umhang gewickelt. Merthin lächelte: Jedes Mal, wenn er sie sah, war er froh, dass sie noch lebte.

Bessie sah ihr wachsam entgegen, hieß sie aber willkommen. »Seid gegrüßt, Schwester«, sagte sie. »Es ist freundlich von Euch, dass Ihr meines Vaters gedenkt.«

Caris sagte: »Ich bedaure sehr, dass Ihr ihn verloren habt. Er war ein guter Mann.« Auch sie war steif und förmlich. Merthin begriff, dass die beiden Frauen sich als Rivalinnen um seine Gunst betrachteten. Er wusste nicht, was er getan hatte, um solche Hingabe zu verdienen.

»Danke«, sagte Bessie zu Caris. »Möchtet Ihr einen Becher Bier?«

»Das ist sehr freundlich, aber nein. Ich muss Merthin sprechen.«

Bessie sah Lolla an. »Sollen wir uns Nüsse über dem Feuer rösten?«

»O ja!«

Bessie führte Lolla fort.

»Sie kommen gut miteinander aus«, sagte Caris.

Merthin nickte. »Bessie hat ein warmes Herz und keine eigenen Kinder.«

Caris sah traurig aus. »Ich habe ebenfalls keine Kinder … aber vielleicht fehlt mir auch das warme Herz.«

Merthin berührte ihre Hand. »Das weiß ich besser«, sagte er. »Du hast solch ein warmes Herz, dass du dich nicht nur um ein oder zwei Kinder kümmerst, sondern gleich um Dutzende von Menschen.«

»Es ist lieb, dass du es so siehst.«

»Es ist wahr. Wie geht es im Hospital?«

»Unerträglich. Es ist voller Sterbender, und ich kann nichts für sie tun, außer sie zu begraben.«

Merthin empfand ein tiefes Mitgefühl. Sie war immer so tüchtig, so verlässlich, doch die Anstrengung machte sich bemerkbar. Aber nur ihm gegenüber ließ sie es sich anmerken. »Du siehst müde aus«, sagte er.

»Das bin ich, weiß Gott.«

»Ich nehme an, du sorgst dich auch um die Wahl.«

»Ich bin gekommen, dich in der Sache um Hilfe zu bitten.«

Merthin zögerte, zwischen widersprüchlichen Gefühlen hin- und hergerissen. Einerseits wünschte er ihr, dass sie ihr Ziel erreichte und Priorin wurde. Aber würde sie dann je seine Frau? Er empfand eine schmählich selbstsüchtige Hoffnung, dass sie die Wahl verlieren und ihr Gelöbnis widerrufen könnte. Gleichzeitig wollte er ihr alle Hilfe erweisen, um die sie bat, weil er sie liebte. »Also gut«, sagte er.

»Godwyns Predigt gestern hat mir geschadet.«

»Haftet dir der Vorwurf der Hexerei denn ewig an? Das ist absurd!«

»Die Menschen sind dumm. Die Predigt hatte große Wirkung auf die Nonnen.«

»Das war wohl Godwyns Absicht.«

»Zweifellos. Nur wenige haben Elizabeth geglaubt, als sie behauptete, meine Leinenmasken wären heidnisch. Nur ihre engsten Anhängerinnen haben die Masken abgelegt: Cressie, Elaine, Jeannie, Rosie und Simone. Doch als die Übrigen die gleiche Botschaft aus der Kanzel hörten, war es etwas anderes. Jetzt tragen weitere Schwestern die Maske nicht mehr. Andere meiden eine offensichtliche Entscheidung, indem sie nicht mehr ins Hospital kommen. Nur eine Handvoll trägt noch die Masken. Außer mir nur vier Schwestern, die mir nahestehen.«

»Das hatte ich befürchtet.«

»Nachdem nun Mutter Cecilia, Mair und die alte Julie tot sind, haben wir nur zweiunddreißig wahlberechtigte Schwestern. Man braucht also siebzehn Stimmen, um zu gewinnen. Elizabeth hatte ursprünglich fünf eingeschworene Anhängerinnen. Die Predigt hat ihr elf weitere zugeführt. Mit ihrer eigenen Stimme sind es siebzehn. Ich habe nur fünf, und selbst wenn alle Schwankenden für mich stimmten, würde ich verlieren.«

In Merthin stieg Zorn auf. Nach allem, was Caris für das Nonnenkloster getan hatte, musste es schmerzhaft sein, derart zurückgewiesen zu werden. »Was kannst du tun?«

»Der Bischof ist meine letzte Hoffnung. Wenn er sich gegen Elizabeth stellt und verkündet, dass er ihre Wahl nicht bestätigen wird, verliert sie vielleicht an Unterstützung, und dann könnte ich doch noch siegen.«

»Wie willst du den Bischof beeinflussen?«

»Ich kann es nicht, aber du. Oder wenigstens der Gemeinderat.«

»Ich weiß nicht ...«

»Er trifft sich heute Abend. Du wirst dort sein, nehme ich an?«

»Ja.«

»Denk darüber nach. Godwyn hat die Stadt schon im Würgegriff. Er steht Elizabeth nahe – ihre Angehörigen sind Pächter der Priorei, und Godwyn hat sie bevorzugt, wo er konnte. Wenn sie Priorin wird, wird sie ihm so ergeben sein wie Elfric. Dann würde Godwyn auf keinen Widerstand mehr treffen, weder innerhalb noch außerhalb der Priorei. Das wäre der Tod von Kingsbridge.«

»Das ist wahr, aber ob die Gemeinderäte bereit sind, beim Bischof vorzusprechen ...«

Plötzlich sah sie schrecklich entmutigt aus. »Bitte, versuch es. Wenn sie es ablehnen, dann soll es so sein.«

Caris' Verzweiflung rührte ihn, und er wünschte, er könnte zuversichtlicher sein. »Ich werde es versuchen.«

»Danke.« Sie stand auf. »Du musst in einem Zwiespalt sein. Danke, dass du ein wahrer Freund bist.«

Merthin lächelte schief. Er wollte ihr Ehemann sein, nicht ihr Freund. Doch er würde nehmen, was er bekommen konnte.

Caris ging hinaus in die Kälte.

Merthin gesellte sich zu Bessie und Lolla am Kamin und probierte ihre gerösteten Nüsse, doch mit den Gedanken war er woanders. So unheilvoll Godwyns Einfluss wirkte, seine Macht vergrößerte sich ständig. Woran lag das? Vielleicht, weil er ein ehrgeiziger Mann ohne Gewissen war – eine hoch wirksame Kombination.

Als die Dunkelheit kam, brachte er Lolla zu Bett und bezahlte die Tochter einer Nachbarin dafür, dass sie auf das Mädchen aufpasste. Bessie ließ das Wirtshaus in der Obhut Sairys, der Schankmagd, zurück. In schweren Umhängen gingen sie auf der Hauptstraße zur Ratshalle, wo die Mittwintersitzung des Gemeinderats stattfand.

Im hinteren Teil des lang gestreckten Raumes stand das weihnachtliche Bierfass für die Mitglieder. Dieses Jahr hatte das Feiern etwas Verzweifeltes, beinahe Gespenstisches. Beim Leichenschmaus bei Paul Bells Beerdigung hatten sie viel getrunken, und einige von denen, die Merthin in den Saal folgten, eilten vor und ließen sich die Krüge so gierig füllen, als hätten sie eine ganze Woche lang kein Bier zu schmecken bekommen. Vielleicht lenkte das Trinken sie von der Pest ab.

Bessie war eine von vier Personen, die als neue Mitglieder vorgestellt wurden. Die anderen drei waren älteste Söhne führender Händler, die gestorben waren. Als Lehnsherr der Städter musste

Godwyn einen Anstieg an Erbschaftssteuer zu verzeichnen haben, überlegte Merthin.

Als die üblichen Angelegenheiten erledigt waren, sprach Merthin das Thema der Wahl der neuen Priorin an.

»Das ist nicht unsere Sache«, sagte Elfric augenblicklich.

»Im Gegenteil, das Ergebnis wird den Handel in dieser Stadt auf Jahre beeinflussen, wenn nicht sogar auf Jahrzehnte«, widersprach Merthin. »Die Priorin ist einer der reichsten und mächtigsten Menschen in Kingsbridge, und wir sollten tun, was wir können, um eine Priorin zu bekommen, die den Handel nicht behindert.«

»Aber wir können doch gar nichts unternehmen. Wir haben keine Stimme!«

»Wir haben Einfluss. Wir könnten den Bischof anrufen.«

»So etwas wurde noch nie getan.«

»Das ist kein Argument.«

Bill Watkin mischte sich ein. »Wer sind die Kandidatinnen?«

Merthin antwortete: »Verzeiht, ich dachte, das wüsstet Ihr. Schwester Caris und Schwester Elizabeth. Ich finde, wir sollten Schwester Caris unterstützen.«

»Das war ja nicht anders zu erwarten«, sagte Elfric. »Und wir wissen auch alle, warum!«

Gelächter erhob sich. Jeder wusste von der langen, immer wieder unterbrochenen Liebschaft zwischen Merthin und Caris.

Merthin lächelte. »Nur zu, lacht nur! Mir ist es gleich. Aber denkt daran, dass Caris im Wollgeschäft groß geworden ist und ihrem Vater geholfen hat. Sie kennt die Schwierigkeiten und Herausforderungen, denen Händler sich gegenübersehen – während ihre Rivalin die Tochter eines Bischofs ist und viel eher auf Seiten des Priors stehen wird.«

Elfric war rot im Gesicht – nicht nur von dem Bier, das er getrunken hatte, hauptsächlich vor Zorn. »Warum hasst Ihr mich, Merthin?«, fragte er.

Merthin war überrascht. »Ich dachte immer, es wäre genau andersherum.«

»Ihr habt meine Tochter verführt und Euch dann geweigert, sie zu heiraten. Ihr habt zu verhindern versucht, dass ich die Brücke baue. Dann dachte ich, wir wären Euch los, aber Ihr kamt zurück und habt mich wegen der Risse in der Brücke gedemütigt. Ihr wart erst ein paar Tage hier, und schon habt Ihr versucht, mich als Ratsältesten abwählen und durch Euren Freund Mark ersetzen zu lassen. Ihr habt sogar angedeutet, die Risse in der Kathedrale wären meine

Schuld, obwohl sie gebaut wurde, ehe ich zur Welt kam. Ich frage noch einmal – weshalb hasst Ihr mich so?«

Merthin wusste nicht, was er sagen sollte. Elfric wusste doch nur zu gut, was er ihm, seinem einstigen Lehrjungen, angetan hatte! Doch diesen Streit wollte Merthin nicht vor dem Gemeinderat austragen – es kam ihm kindisch vor. »Ich hasse Euch nicht, Elfric. Ihr wart ein grausamer Herr, als ich Lehrjunge war, und Ihr seid ein nachlässiger Baumeister und kriecht vor Godwyn, aber trotzdem hasse ich Euch nicht.«

Eines der neuen Mitglieder, Joseph Blacksmith, fragte: »Was soll das? Trefft Ihr zwei Euch nur, um dummen Zank auszubreiten?«

»Joe hat recht«, sagte Bill Watkin. »Wir sind nicht hier, um zuzuhören, wie Elfric und Merthin sich streiten.«

Merthin war beunruhigt, dass Joe und Bill ihn offenbar mit Elfric auf eine Stufe stellten. Im Allgemeinen mochten die Ratsmitglieder ihn seit dem Disput über die Risse in der Brücke und empfanden eine milde Feindschaft gegenüber Elfric. Sie hätten Elfric sogar abgewählt, wäre Mark nicht gestorben. Doch irgendetwas hatte sich verändert.

Merthin sagte: »Können wir zum Thema zurückkommen, nämlich der Bitte an den Bischof, Caris als Priorin zu bevorzugen?«

»Ich bin dagegen«, sagte Elfric. »Prior Godwyn möchte, dass Elizabeth Priorin wird.«

Eine neue Stimme ergriff das Wort. »Ich bin auf Elfrics Seite. Wir wollen keinen Streit mit dem Vater Prior.« Die Stimme gehörte Marcel Chandler, der den Vertrag besaß, der Priorei Wachskerzen zu liefern. Merthin war nicht überrascht.

Der nächste Sprecher jedoch schockierte ihn. Es war Jeremiah Builder, der sagte: »Ich meine, wir sollten keine Frau unterstützen, die der Ketzerei angeklagt gewesen ist.« Er spuckte zweimal auf den Fußboden, nach links und nach rechts, und bekreuzigte sich.

Merthin war zu erstaunt, um zu antworten. Jeremiah war immer schrecklich abergläubisch gewesen, doch Merthin hätte nie gedacht, dass es ihn dazu bringen könnte, seinem Lehrmeister in den Rücken zu fallen.

So blieb es an Bessie, Caris in Schutz zu nehmen. »Der Vorwurf der Hexerei war von Anfang an lächerlich«, sagte sie.

»Aber entkräftet wurde er nie«, erwiderte Jeremiah.

Merthin starrte ihn an, doch Jeremiah wich seinem Blick aus. »Was ist in dich gefahren, Jimmie?«, fragte Merthin.

»Ich will nicht an der Pest sterben«, sagte Jeremiah. »Ihr habt die

Predigt doch alle gehört. Jeder, der heidnische Heilmittel anwendet, soll gemieden werden. Jetzt reden wir darüber, den Bischof zu bitten, Schwester Caris zur Priorin zu machen. Unter Meiden verstehe ich etwas anderes!«

Merthin hörte zustimmendes Gemurmel und erkannte, wie sehr die Meinung umgeschlagen war. Die anderen waren nicht so leichtgläubig wie Jeremiah, teilten aber seine Furcht. Die Pest verängstigte sie alle und untergrub ihre Vernunft. Godwyns Predigt übte eine stärkere Wirkung aus, als Merthin vermutet hatte.

Er wollte schon aufgeben; dann aber dachte er an Caris und daran, wie müde und entmutigt sie dreingeblickt hatte, und unternahm noch einen letzten Versuch. »Ich habe das schon einmal durchgemacht, in Florenz«, sagte er. »Ich warne euch alle. Priester und Mönche haben dort keinen einzigen Kranken vor der Pest gerettet. Ihr werdet Godwyn die Stadt auf einem silbernen Tablett darbringen, für nichts und wieder nichts.«

Jeremiah sagte: »Das hört sich sehr nach Blasphemie an.«

Merthin blickte um sich. Die anderen stimmten Jeremiah zu. Sie hatten zu große Angst, als dass sie noch klar denken konnten. Merthin konnte nichts mehr ausrichten.

Der Rat beschloss, sich aus der Wahl der Priorin herauszuhalten, und schon bald darauf endete die Versammlung in schlechter Stimmung. Die Mitglieder nahmen sich brennende Stecken aus dem Feuer, um auf dem Nachhauseweg Licht zu haben.

Merthin sagte sich, dass es zu spät sei, um Caris noch zu unterrichten – wie die Mönche gingen auch die Nonnen bei Einbruch der Nacht zu Bett und standen in den frühen Morgenstunden auf. Doch vor der Ratshalle wartete eine Gestalt in einem großen wollenen Umhang, und zu Merthins Erstaunen offenbarte seine Fackel Caris' besorgtes Gesicht. »Wie ist es gelaufen?«, fragte sie.

»Sie wollen nicht«, sagte er. »Tut mir leid.«

Im Licht der Fackel wirkte sie verletzt. »Was haben sie gesagt?«

»Sie werden sich nicht einmischen. Sie haben Godwyns Predigt geglaubt.«

»Narren.«

Gemeinsam gingen sie die Hauptstraße hinunter. Am Tor der Priorei sagte Merthin: »Verlass das Kloster, Caris. Nicht meinetwegen, sondern um deiner selbst willen. Solange Elizabeth Priorin ist, kannst du nichts mehr ausrichten. Sie hasst dich und wird alles vereiteln, was du tun möchtest.«

»Noch hat sie nicht gesiegt.«

»Das wird sie aber, du hast es selbst gesagt. Widerrufe dein Gelübde, und heirate mich.«

»Auch die Heirat ist ein Gelübde. Wenn ich mein Gelübde gegenüber Gott breche, wie solltest du dann darauf vertrauen, dass ich mein Versprechen dir gegenüber halte?«

Er lachelte. »Ich werde es riskieren.«

»Lass mich darüber nachdenken.«

»Du denkst schon seit Monaten darüber nach«, entgegnete Merthin ungehalten. »Wenn du jetzt nicht gehst, gehst du nie.«

»Ich kann nicht gehen. Die Menschen brauchen mich dringender denn je.«

Allmählich wurde er wütend. »Ich werde dich nicht ewig fragen.«

»Das weiß ich.«

»Um genau zu sein, ich frage dich heute Abend zum letzten Mal.«

Sie brach in Tränen aus. »Es tut mir leid, aber ich kann das Hospital jetzt nicht im Stich lassen, wo die Seuche grassiert.«

»Das Hospital.«

»Und die Menschen in der Stadt.«

»Aber was ist mit dir?«

Im Fackelschein glänzten ihre Tränen. »Sie brauchen mich dringend.«

»Sie sind undankbar, allesamt – Nonnen, Mönche, Städter. Bei Gott, ich sollte es wissen.«

»Das macht keinen Unterschied.«

Er nahm ihre Entscheidung mit einem Nicken hin und unterdrückte seinen selbstsüchtigen Zorn. »Wenn du es so siehst, musst du deine Pflicht tun.«

»Danke für dein Verständnis.«

»Ich wollte, es wäre anders gekommen.«

»Ich auch.«

»Nimm lieber du die Fackel.«

»Ich danke dir.«

Sie nahm den brennenden Stecken aus seiner Hand entgegen und wandte sich ab. Merthin sah ihr hinterher und fragte sich: So endet es? Das war alles? Caris entfernte sich mit dem entschlossenen und selbstsicheren Schritt, der so typisch für sie war, jedoch gesenkten Hauptes. Sie durchquerte den Torbogen und verschwand.

Die Lichter des Bell leuchteten fröhlich durch die Spalten um die Läden und die Tür. Merthin ging hinein.

Die wenigen letzten Gäste verabschiedeten sich mit trunkenen Worten, und Sairy sammelte die Krüge ein und wischte die Tische ab. Merthin sah nach Lolla, die fest schlief, und entließ das Nachbarsmädchen, das auf sie aufgepasst hatte. Er überlegte, ins Bett zu gehen, aber er wusste, dass er noch nicht schlafen könnte. Er war zu aufgeregt. Warum war ihm ausgerechnet heute Abend die Geduld ausgegangen, die er so oft bewahrt hatte? Er war zornig geworden. Sein Zorn jedoch entsprang der Furcht, wie Merthin klar wurde, als er sich allmählich beruhigte: Es war der Gedanke, Caris könnte sich mit der Pest anstecken und sterben, der ihn mit Entsetzen erfüllte.

Merthin setzte sich auf eine Bank in der Schankstube und zog die Stiefel aus. Er blieb sitzen, starrte ins Feuer und fragte sich, weshalb er nicht das eine haben konnte, das er sich am meisten wünschte.

Bessie kam herein und hängte ihren Umhang auf. Sairy verabschiedete sich, und Bessie verriegelte die Tür. Sie setzte sich Merthin gegenüber auf den großen Sessel, den ihr Vater immer benutzt hatte. »Es tut mir leid, was im Rat geschehen ist«, sagte sie. »Ich bin mir nicht sicher, wer recht hat, aber ich weiß, dass du enttäuscht bist.«

»Danke, dass du mich trotzdem unterstützt hast.«

»Ich werde dich immer unterstützen.«

»Vielleicht sollte ich aufhören, Caris' Schlachten zu schlagen.«

»Das meine ich auch. Ich sehe aber, wie traurig es dich stimmt.«

»Traurig und wütend zugleich. Es kommt mir vor, als hätte ich mein halbes Leben mit Warten auf Caris vergeudet.«

»Liebe ist nie vergeudet.«

Er blickte sie erstaunt an. Nach kurzem Schweigen sagte er: »Du bist eine kluge Frau.«

»Außer Lolla ist niemand im Haus«, sagte sie. »Alle Weihnachtsgäste sind fort.« Sie stand vom Sessel auf und kniete vor ihm. »Ich würde dich gern trösten«, sagte sie. »Auf jede Weise, die mir möglich ist.«

Er blickte in ihr rundes, freundliches Gesicht und spürte seine Erregung. Wie lange es her war, dass er den weichen Leib einer Frau in den Armen gehalten hatte. Doch er schüttelte den Kopf. »Ich möchte dich nicht benutzen.«

Sie lächelte. »Du brauchst mich ja nicht gleich zu heiraten. Du brauchst mich nicht einmal zu lieben. Ich habe gerade meinen Vater zu Grabe getragen, du bist von Caris enttäuscht, und wir brauchen beide jemanden, an dem wir uns festhalten können.«

»Wie wäre es mit einem Krug Wein, um den Schmerz zu lindern?«

Sie nahm seine Hand und küsste sie auf die Innenseite. »Besser als Wein«, sagte sie und drückte seine Hand auf ihre Brust. Sie war groß und weich, und seufzend liebkoste er sie. Bessie hob den Kopf, und Merthin beugte sich vor und küsste sie auf den Mund. Sie stöhnte leise vor Wonne. Der Kuss war köstlich, wie ein kühler Schluck an einem heißen Tag, und Merthin wollte gar nicht aufhören.

Schließlich löste sie sich keuchend von ihm, erhob sich und zog ihr wollenes Kleid über den Kopf. Im Feuerschein leuchtete ihr nackter Leib rosig. Sie bestand nur aus Rundungen: runde Hüften, runder Bauch, runde Brüste. Ohne aufzustehen legte Merthin ihr die Hände auf die Hüften und zog sie an sich, küsste die warme Haut ihres Bauches, die rosigen Spitzen ihrer Brüste und blickte in ihr erhitztes Gesicht. »Wollen wir nach oben gehen?«, fragte er leise.

»Nein«, antwortete sie atemlos, »so lange kann ich nicht warten.«

Die Wahl zur Priorin wurde am Tag nach Weihnachten abgehalten. Am Morgen war Caris so niedergeschlagen, dass sie gar nicht aufstehen wollte. Als in der Früh die Glocke zur Matutin rief, verspürte sie die große Versuchung, den Kopf unter die Decken zu stecken und zu lügen, sie fühle sich nicht wohl. Doch sie konnte sich nicht krank stellen, wenn so viele im Sterben lagen, und am Ende überwand sie sich.

Seite an Seite mit Elizabeth schlurfte sie über die eiskalten Pflastersteine des Kreuzgangs; sie führten beide die Prozession zur Kirche. Auf dieses Protokoll hatten sie sich geeinigt, weil keine der anderen den Vortritt lassen wollte, solange sie um das Amt der Priorin konkurrierten. Doch heute war es Caris gleich. Das Ergebnis stand ohnehin schon fest. Gähnend und fröstelnd stand sie im Chor, während die Schwestern die Psalmen sangen und aus der Bibel gelesen wurde. Sie war zornig. Am heutigen Tag wurde Elizabeth zur Priorin gewählt. Caris verübelte es den Schwestern, dass sie sie ablehnten, hasste Godwyn für seine Feindschaft und verachtete die Händler der Stadt, weil sie zu feige waren, Stellung zu beziehen.

Ihr war, als sei ihr Leben ein einziger Fehlschlag. Sie hatte das neue Hospital, von dem sie träumte, nicht errichtet, und nun würde sie es niemals bauen.

Auch auf Merthin war sie wütend; sie verübelte ihm, ihr ein Angebot gemacht zu haben, das sie nicht annehmen konnte. Er verstand sie einfach nicht. Für ihn wäre ihre Ehe ein Teil seines Lebens als Baumeister. Ihr hingegen müsste die Ehe die Arbeit ersetzen, der sie ihr Leben gewidmet hatte. Nur deshalb hatte sie so viele Jahre lang geschwankt. Es lag nicht daran, dass sie Merthin nicht gewollt hätte. Sie sehnte sich nach ihm – mit einem Verlangen, das sie kaum ertragen konnte.

Sie murmelte die letzten Antworten und schritt dann mechanisch an der Spitze der Prozession aus der Kirche. Während sie wieder den Kreuzgang durchschritt, nieste jemand hinter ihr. Caris war zu niederschlagen, um sich auch nur umzudrehen und zu schauen, wer es gewesen war.

Die Nonnen stiegen die Stufen zu ihrem Schlafsaal hinauf. Als Caris das Dormitorium betrat, hörte sie schweren Atem und wurde gewahr, dass jemand zurückgeblieben war. Ihre Kerze beschien die Novizenmeisterin, Schwester Simone – eine strenge Frau in mittleren Jahren, eine gewissenhafte Nonne, die sich niemals krank gestellt hätte. Caris band sich einen Leinenstreifen vor Mund und Nase; dann kniete sie an Simones Strohsack nieder. Simone schwitzte und sah ängstlich aus.

Caris fragte: »Wie fühlst du dich?«

»Furchtbar«, sagte Simone. »Ich habe schlecht geträumt.«

Caris berührte sie an der Stirn. Sie war brennend heiß.

Simone fragte: »Könnte ich etwas zu trinken bekommen?«

»Sofort.«

»Es ist nur eine Erkältung.«

»Auf jeden Fall leidest du an Fieber.«

»Ich habe doch nicht die Pest, oder? So schlimm ist es nicht.«

»Wir bringen dich trotzdem ins Hospital«, erwiderte Caris ausweichend. »Kannst du gehen?«

Simone rappelte sich auf. Caris nahm eine Decke vom Bett und schlug sie ihr um die Schultern.

Als sie zur Tür gingen, hörte Caris erneut, wie jemand nieste. Diesmal sah sie, dass es Schwester Rosie gewesen war, die beleibte Matricularin. Caris blickte Rosie, die sich zu fürchten schien, scharf an.

Caris wählte eine andere Nonne aus. »Schwester Cressie, bring Simone ins Hospital, während ich nach Rosie sehe.«

Cressie nahm Simone beim Arm und führte sie die Treppe hinunter.

Caris hielt ihre Kerze vor Rosies Gesicht. Auch sie schwitzte, und Caris zog die Halsöffnung ihrer Kutte herunter. Auf Schultern und Brustansatz hatte sie einen Ausschlag aus kleinen purpurnen Flecken.

»Nein«, sagte Rosie. »Nein, bitte nicht.«

»Es muss nichts zu bedeuten haben«, log Caris.

»Ich will nicht an der Pest sterben!«, hauchte Rosie mit versagender Stimme.

Caris sagte leise: »Sei ganz ruhig, und komm mit.« Sie ergriff Rosie fest beim Arm.

Rosie wehrte sich. »Nein, ich fühle mich schon besser.«

»Versuch es mit einem Gebet«, sagte Caris. »Ein Ave Maria, komm schon.«

Rosie begann zu beten und ließ sich widerstandslos von Caris wegführen.

Das Hospital quoll über von Kranken und ihren Familien, und trotz der frühen Stunde waren die meisten von ihnen wach. In der Luft hing der Gestank von verschwitzten Leibern, Erbrochenem und Blut. Talglichter und die Kerzen auf dem Altar erhellten den Raum mit trübem, flackerndem Licht. Eine Handvoll Nonnen kümmerte sich um die Siechen, brachte ihnen Wasser und säuberte sie. Einige Nonnen trugen die Masken, andere nicht.

Auch Bruder Joseph war zugegen. Gerade erteilte er Dick Silvers, dem Zunftmeister der Goldschmiede, die Letzte Ölung. Vorgebeugt lauschte er der geflüsterten Beichte des Sterbenden. Silvers' Kinder und Enkel standen um sie herum.

Caris schuf Platz für Rosie und überredete sie, sich niederzulegen. Eine Nonne brachte ihr einen Becher mit klarem Brunnenwasser. Rosie lag regungslos da, doch ihre Blicke huschten unruhig hin und her. Sie wusste, welches Schicksal ihrer harrte, und fürchtete sich. »Bruder Joseph wird bald nach dir sehen«, sagte Caris.

»Du hast recht gehabt, Schwester Caris«, sagte Rosie.

»Was meinst du?«

»Simone und ich gehörten zu den ersten Anhängerinnen von Schwester Elizabeth, die sich geweigert haben, die Maske zu tragen – und nun sieh, was uns widerfahren ist.«

Caris hatte noch gar nicht darüber nachgedacht. Sollte sich auf diese furchtbare Weise offenbaren, dass sie recht hatte – durch den Tod derer, die ihr widersprochen hatten? Dann hätte sie lieber unrecht behalten.

Sie ging zu Simone, um nach ihr zu sehen. Die Kranke lag auf einem Strohsack und hielt Cressies Hand. Simone war älter und gelassener als Rosie, doch auch in ihren Augen stand die Furcht. Fest umklammerte sie Cressies Finger.

Caris sah Cressie an. Sie hatte einen dunklen Fleck über der Lippe. Caris streckte die Hand vor und wischte ihn mit einem Ärmelzipfel ab.

Cressie hatte als eine der Ersten die Maske abgelehnt.

Sie sah den Fleck auf Caris' Ärmel. »Was ist das?«, fragte sie.

»Blut«, sagte Caris.

Die Wahl fand in der Stunde vor dem Mittagessen im Refektorium statt. Caris und Elizabeth saßen nebeneinander an einem Tisch am Ende des Saales, während die Nonnen auf den Bankreihen Platz genommen hatten.

Alles hatte sich geändert. Simone, Rosie und Cressie lagen im Hospital, von der Pest befallen. Die beiden anderen Schwestern aus der Gruppe, die zuerst die Masken verweigert hatten, waren anwesend und zeigten frühe Symptome der Erkrankung: Elaine nieste, Jeannie schwitzte. Bruder Joseph, der die Pestkranken von Anfang an ohne Maske behandelt hatte, war am Vormittag von der Seuche befallen worden. Alle anderen Nonnen trugen im Hospital wieder die Masken. Falls die Maske noch immer als Zeichen galt, dass man Caris unterstützte, hatte sie die Wahl gewonnen.

Die Nonnen waren ruhelos und angespannt. Schwester Beth, die frühere Mesnerin und heute die älteste Nonne, eröffnete die Kapitelsitzung mit einem Gebet. Kaum hatte sie zu Ende gesprochen, ergriffen mehrere Schwestern gleichzeitig das Wort. Die Stimme, die sich durchsetzte, gehörte Schwester Margaret, der einstigen Cellerarin. »Caris hatte recht, und Elizabeth hatte unrecht!«, rief sie. »Wer sich geweigert hat, die Maske zu tragen, ist krank geworden.«

Zustimmendes Gemurmel antwortete ihr.

Caris sagte: »Ich wünschte, es wäre anders. Mir wäre es lieber, wenn Rosie, Simone und Cressie hier bei uns sitzen und gegen mich stimmen könnten.« Caris meinte es aufrichtig. Sie konnte keine Menschen mehr sterben sehen. Es erinnerte sie daran, wie unwichtig alles andere war.

Elizabeth erhob sich. »Ich schlage vor, wir verschieben die Wahl«, sagte sie. »Drei Schwestern wurden zu Gott befohlen, drei weitere liegen im Hospital. Wir sollten warten, bis die Seuche vorüber ist.«

Damit überraschte sie Caris völlig. Sie hatte geglaubt, Elizabeth könnte ihrer Niederlage nicht mehr entgehen, doch sie hatte sich geirrt. Im Augenblick würde zwar niemand für Elizabeth stimmen, doch ihre Anhängerinnen zogen es möglicherweise vor, überhaupt keine Entscheidung zu treffen.

Caris' Teilnahmslosigkeit verflog. Mit einem Mal erinnerte sie sich all der Gründe, weshalb sie Priorin sein wollte: um das Hospital auszubauen, um mehr Mädchen das Lesen und Schreiben zu lehren und um dafür zu sorgen, dass die Stadt gedieh. Es wäre eine Katastrophe, sollte Elizabeth gewählt werden.

Die alte Schwester Beth pflichtete Elizabeth unverzüglich bei.

»Wir sollten die Wahl nicht im Zustand der Furcht stattfinden lassen und eine Entscheidung treffen, die wir später bereuen könnten, wenn die Lage sich wieder beruhigt hat.« Ihre Erklärung wirkte einstudiert: Elizabeth hatte offensichtlich vorausgeplant. Ihr Argument an sich, erkannte Caris beklommen, war allerdings nicht unvernünftig.

Margaret erwiderte indigniert: »Du sagst das nur, Beth, weil du weißt, dass Elizabeth unterliegen würde.«

Caris enthielt sich einer Entgegnung, denn sie fürchtete, damit einen ähnlichen Streit auf sich herabzubeschwören.

Schwester Naomi, die keiner von beiden Seiten anhing, sagte: »Wir haben nun keine Vorsteherin mehr. Mutter Cecilia, ihre Seele ruhe in Frieden, hat nach Natalies Tod nie eine Subpriorin ernannt.«

»Ist das so schlimm?«, sagte Elizabeth.

»Ja!«, erwiderte Margaret. »Wir können uns nicht einmal einigen, wer in der Prozession als Erste geht!«

Caris beschloss, das Risiko einzugehen und ein praktisches Argument vorzubringen. »Wir haben eine lange Liste von Entscheidungen, die zu treffen sind, besonders, was die Erbfolge an Klosterbesitz betrifft, dessen Pächter von der Pest dahingerafft wurden. Es wäre schwierig, noch viel länger ohne Priorin auszukommen.«

Schwester Elaine, eine der fünf engsten Anhängerinnen von Elizabeth, argumentierte nun gegen die Verschiebung. »Ich kann Wahlen nicht ausstehen«, sagte sie. Sie nieste und fuhr fort: »Sie stellen Schwester gegen Schwester und führen zu Erbitterung. Ich möchte, dass die Wahl vorüber ist, damit wir im Angesicht dieser entsetzlichen Seuche wieder einig handeln können.«

Beifall erhob sich.

Elizabeth funkelte Elaine zornig an. Elaine bemerkte den Blick und sagte: »Ihr seht, ich kann nicht einmal eine versöhnliche Bemerkung machen, ohne dass Elizabeth mich anstarrt, als hätte ich sie hintergangen!«

Elizabeth senkte den Blick.

Margaret sagte: »Also gut, Schwestern, lasst uns abstimmen. Wer für Elizabeth ist, sage ›Ja‹.«

Einen Augenblick lang sprach niemand. Dann sagte Beth leise: »Ja.«

Caris wartete, dass sich noch jemand meldete, doch Beth blieb die Einzige.

Caris' Herz schlug schneller. Sollte sie wirklich ihr Ziel erreichen?

Margaret fragte: »Wer ist für Caris?«

Die Antwort kam sofort. Laut wurde »Ja!« gerufen. Caris schien es, als hätten fast alle Schwestern für sie gestimmt.

Ich habe es geschafft, dachte sie. Ich bin Priorin. Jetzt können wir wirklich an die Arbeit gehen.

Margaret sagte: »In diesem Fall ...«

Eine Männerstimme unterbrach sie plötzlich: »Wartet!«

Mehrere Nonnen schnappten nach Luft, und eine schrie auf. Alle schauten zur Tür. Dort stand Philemon, der offenbar draußen gelauscht hatte.

Er sagte: »Ehe ihr noch weiter...«

Caris wollte es ihm nicht durchgehen lassen. Sie stand auf und unterbrach ihn. »Wie könnt Ihr es wagen, ins Nonnenkloster einzudringen?«, fragte sie. »Ihr habt keine Erlaubnis dazu, und Ihr seid hier nicht willkommen. Geht! Auf der Stelle!«

»Der Vater Prior schickt mich ...«

»Er hat kein Recht ...«

»Er ist der ranghöchste Kleriker in Kingsbridge, und in Ermangelung einer Priorin oder Subpriorin untersteht auch das Nonnenkloster seinem Befehl.«

»Wir sind nicht mehr ohne Priorin, Bruder Philemon.« Caris trat auf ihn zu. »Ich bin soeben gewählt worden.«

Die Nonnen, die Philemon hassten, brachen in Jubel aus.

Philemon sagte: »Vater Godwyn ist nicht gewillt, diese Wahl zu gestatten.«

»Zu spät. Sagt ihm, dass nun *Mutter* Caris das Nonnenkloster leitet – und Euch hinausgeworfen hat.«

Philemon wich zurück. »Ihr seid keine Priorin, ehe Eure Wahl vom Bischof bestätigt wurde!«

»Hinaus!«, rief Caris.

Die Schwestern wiederholten im Chor: »Hinaus! Hinaus! Hinaus!«

Philemon zog eingeschüchtert den Kopf zwischen die Schultern. Er kannte es nicht, dass man sich ihm widersetzte. Caris trat einen weiteren Schritt auf ihn zu – und Philemon wich einen weiteren zurück. Er schien verwundert zu sein über das, was hier vor sich ging, aber mehr noch verängstigt. Der Chor wurde lauter. Plötzlich fuhr Philemon herum und huschte davon.

Die Nonnen lachten und jubelten.

Doch Caris wusste, dass er mit seiner letzten Bemerkung recht gehabt hatte: Ihre Wahl musste von Bischof Henri bestätigt werden. Und Godwyn würde alles in seiner Macht Stehende tun, um dies zu verhindern.

⚜

Freiwillige aus der Stadt hatten auf der anderen Seite des Flusses einen Morgen Wald gerodet, und Godwyn weihte das neue Land als Friedhof. Jeder Totenacker innerhalb der Stadtmauern war voll belegt, und der noch verfügbare Platz auf dem Friedhof der Kathedrale schrumpfte rasch.

Im schneidend kalten Wind schritt Godwyn die Grenzen des Areals ab und versprengte Weihwasser, das gefror, sobald es am Boden auftraf, während hinter ihm Mönche und Nonnen einherschritten und einen Psalm sangen. Obwohl die Zeremonie noch nicht ganz vorüber war, hatten die Totengräber sich schon an die Arbeit gemacht. Kleine Hügel frisch ausgehobener Erde reihten sich neben Gruben mit geraden Seiten, die so dicht aneinandergesetzt waren wie möglich, um Platz zu sparen. Ein Morgen Land würde nicht lange reichen, und andere Männer rodeten bereits das nächste Stück Wald.

In Augenblicken wie diesen hatte Godwyn Mühe, die Fassung zu wahren. Die Pest war wie eine anrollende Flut; unaufhaltsam überschwemmte sie alles, was ihr in den Weg kam. Die Mönche hatten während der Weihnachtswoche hundert Menschen beerdigt, und die Zahlen stiegen noch. Am Vortag war Bruder Joseph gestorben, und zwei andere Mönche lagen krank danieder. Wo sollte es enden? Würden alle Menschen auf der Welt sterben? Fand sogar er, Godwyn, sein Ende?

Der Prior hatte so schreckliche Angst, dass er stehen blieb und auf das goldene Aspergill starrte, mit dem er das Weihwasser versprengte, als könnte er sich nicht erklären, wie es in seine Hand gekommen war. Einen Augenblick lang vermochte er sich vor Entsetzen nicht zu rühren. Dann aber schob Philemon, der an der Spitze der Prozession ging, ihn von hinten sachte an. Godwyn taumelte einen Schritt vor und ging weiter. Er musste die Furcht erregenden Gedanken aus seinem Geist verbannen.

Er wandte sich nun dem Debakel zu, das die Abstimmung der Nonnen für ihn bedeutete. Seine Predigt war so günstig aufgenommen worden, dass er geglaubt hatte, Elizabeth' Sieg stehe fest. Doch mit erschreckender Schnelligkeit hatte ein Umschwung zu Caris' Gunsten eingesetzt. Philemons Einmischung war ein letzter verzweifelter Versuch gewesen, doch er hatte zu spät gehandelt. Wann immer Godwyn daran dachte, hätte er am liebsten aufgeschrien vor Wut.

Doch noch war es nicht vorbei. Caris hatte Philemon verhöhnt, tatsächlich aber verhielt es sich so, dass sie ihrer Stellung nicht sicher sein konnte, bis sie von Bischof Henri im Amt bestätigt worden war.

Leider hatte Godwyn noch keine Gelegenheit gefunden, sich bei Henri verdient zu machen. Der neue Bischof, der kein Englisch sprach, hatte Kingsbridge nur einmal besucht. Deshalb hatte Philemon noch nicht herausfinden können, ob er eine fatale Schwäche besaß. Aber er war ein Mann und ein Priester, und daher sollte er sich auf Godwyns Seite stellen.

Godwyn hatte an Henri geschrieben und behauptet, Caris habe die Nonnen verhext, sodass diese nun glaubten, von ihrer neuen Priorin vor der Pest bewahrt werden zu können. Im Einzelnen hatte er Caris' Vorgeschichte dargelegt: die Anklage wegen Ketzerei, den Prozess und die Verurteilung vor acht Jahren, ihre Rettung durch Cecilia. Er hoffte, Bischof Henri damit bereits gegen Caris eingenommen zu haben, wenn dieser in Kingsbridge eintraf.

Aber wann würde Henri kommen? Es war unerhört, dass der Bischof zu Weihnachten nicht ein einziges Mal die Kathedrale besucht hatte. In einem Brief hatte der tüchtige, fantasielose Erzdiakon Lloyd geschrieben, Henri sei zu sehr damit beschäftigt, Geistliche zu ernennen, die jene Priester ersetzen sollten, welche von der Pest dahingerafft worden waren. Lloyd konnte durchaus Godwyns Gegner sein: Er war Graf Williams Gefolgsmann, denn er verdankte seine Stellung Williams verstorbenem Bruder Richard, und Graf Roland, der Vater Richards und Williams, hatte Godwyn gehasst. Doch nicht Lloyd traf die Entscheidung, sondern Henri. Was geschehen würde, ließ sich nur schwer vorhersagen. Godwyn hatte das Gefühl, dass die Dinge ihm aus der Hand glitten. Seine Karriere wurde von Caris bedroht und sein Leben von einer gnadenlosen Seuche.

Leichter Schneefall setzte ein, als die Weihezeremonie zum Ende kam. Gleich außerhalb des gerodeten Landes standen sieben Trauerzüge und warteten darauf, sich in Bewegung setzen zu können. Auf Godwyns Zeichen traten sie näher. Der erste Leichnam lag in einem

Sarg; die übrigen ruhten nur in Leichentücher gehüllt auf Bahren. Selbst zu den besten Zeiten waren Särge ein Luxus für die Wohlhabenden, doch jetzt, wo das Holz teuer geworden war und die Sargtischler mit der Arbeit kaum nachkamen, konnten sich nur die Reichen leisten, in einem hölzernen Sarg bestattet zu werden.

Am Kopf der ersten Prozession ging Merthin Fitzgerald, Schneeflocken im kupferroten Haar und Bart. Er hielt sein kleines Mädchen auf dem Arm. Die reiche Leiche im Sarg musste also Bessie Bell sein, folgerte Godwyn. Bessie war ohne Verwandte gestorben und hatte Merthin das Wirtshaus hinterlassen. An dem Kerl bleibt das Geld kleben wie nasses Laub, dachte Godwyn unwillig. Merthin besaß bereits Leper Island und das Vermögen, das er in Florenz gewonnen hatte. Nun gehörte ihm auch noch das einträglichste Gasthaus in Kingsbridge.

Godwyn wusste von Bessies Testament, weil die Priorei das Recht auf Erbschaftssteuer besaß und einen beträchtlichen Prozentsatz vom Wert der Schänke eingestrichen hatte. Merthin hatte das Geld ohne Zögern in Goldflorinen ausbezahlt.

Die Pest hatte nur ein Gutes: Die Priorei verfügte plötzlich über viel Geld.

Godwyn nahm die Bestattung aller sieben Toten zugleich vor. Es war normal geworden, eine Totenfeier am Morgen und eine am Nachmittag abzuhalten, ganz gleich, wie viele gestorben waren. In Kingsbridge gab es nicht genügend Priester, um jeden Toten einzeln zu bestatten.

Dieser Gedanke ließ Godwyns Angst wieder aufkeimen. Während der Liturgie stolperte er über die Worte, da er sich schon in einem der Gräber sah, doch irgendwie gelang es ihm, sich zusammenzureißen und fortzufahren.

Endlich war die Beerdigung vorüber, und Godwyn führte die Prozession aus Mönchen und Nonnen zurück zur Kathedrale. Nachdem sie die Kirche betreten hatten, strebten sie im Hauptschiff auseinander. Die Mönche machten sich wieder an ihre gewohnten Aufgaben. Eine Novizin trat nervös zu Godwyn und fragte: »Vater Prior, wärt Ihr so freundlich, ins Hospital zu kommen?«

Godwyn ließ sich nicht von Novizinnen irgendwohin zitieren. »Weshalb?«, fuhr er sie an.

»Verzeiht, ehrwürdiger Vater, ich weiß es nicht, ich … ich sollte Euch nur bitten, ins Hospital zu kommen.«

»Ich komme, sobald ich kann«, sagte er gereizt. Er hatte nichts Dringendes zu tun, doch des frommen Scheins wegen verweilte er noch eine Zeit lang in der Kathedrale und sprach mit Bruder Eli über die Kutten der Mönche.

Einige Minuten später durchquerte er die Kreuzgänge und betrat das Hospital.

Die Nonnen drängten sich um ein Bettgestell, das gleich vor dem Altar aufgestellt worden war. Dort musste ein bedeutender Kranker liegen. Godwyn fragte sich, wer es sein mochte. Eine der Nonnen wandte sich ihm zu. Sie trug eine Leinenmaske über Mund und Nase, aber Godwyn erkannte die goldfleckigen Augen, die er mit allen seinen Verwandten gemein hatte: Es war Caris. Obwohl er nur wenig von ihrem Gesicht sehen konnte, bemerkte er einen eigentümlichen Ausdruck. Er erwartete Ablehnung und Verachtung, stattdessen sah er Mitgefühl.

Beklommen trat er näher an das Bett. Als die anderen Schwestern ihn sahen, wichen sie ehrerbietig zur Seite. Im nächsten Moment sah er, wer in dem Bett lag.

Seine Mutter.

Petronillas großer Kopf ruhte auf einem weißen Kissen. Sie schwitzte, und unablässig lief ihr Blut aus der Nase. Eine Nonne wischte es fort, doch sofort strömte es wieder. Eine andere Schwester reichte der Kranken einen Becher Wasser. Auf Petronillas runzligem Hals sah Godwyn purpurnen Ausschlag.

Er schrie auf, als hätte man ihn geschlagen. Entsetzt starrte er seine Mutter an. Sie musterte ihn mit leidendem Blick. Es gab keinen Zweifel: Sie hatte die Pest. »Nein!«, rief er. »Nein! Nein!« Ein unerträglicher Schmerz wühlte in seiner Brust, als hätte man ihm einen Dolch hineingestoßen.

Er hörte, wie Philemon neben ihm mit furchtsamer Stimme sagte: »Bleibt doch ruhig, Vater Prior«, aber das konnte er nicht. Er öffnete den Mund zu einem Schrei, doch kein Laut kam hervor.

Plötzlich fühlte er sich von seinem Körper getrennt; er konnte seine Bewegungen nicht mehr beherrschen. Ein schwarzer Nebel stieg aus dem Boden und umschloss ihn, wallte an ihm empor, bis er Nase und Mund überdeckte, sodass er nicht mehr atmen konnte, und als Nächstes seine Augen, sodass er blind war; und dann verlor er das Bewusstsein.

Fünf Tage lang hütete Godwyn das Bett. Er aß nichts und trank nur, wenn Philemon ihm einen Becher an die Lippen setzte. Er konnte sich nicht bewegen, denn er schien sich nicht entscheiden zu können, was er tun sollte. Er schluchzte und schlief ein, bis er aufwachte und weiterschluchzte. Schwach war er sich bewusst, dass ein Mönch seine Stirn befühlte, eine Harnprobe nahm, ein Hirnfieber feststellte und ihn zur Ader ließ.

Dann, am letzten Dezembertag, brachte ihm ein ängstlicher Philemon die Nachricht vom Tod seiner Mutter.

Godwyn stand auf. Er ließ sich rasieren, legte eine frische Kutte an und ging ins Hospital.

Die Schwestern hatten den Leichnam bereits gewaschen und angekleidet. Petronillas Haar war gekämmt, und sie trug ein Gewand aus kostbarer italienischer Wolle. Als Godwyn sie so sah, die Leichenblässe im Gesicht, die Augen auf ewig geschlossen, verspürte er ein Wiederaufwallen jener Panik, die ihn zuvor schon überwältigt hatte; diesmal jedoch gelang es ihm, sie niederzuzwingen. »Bringt sie in die Kathedrale«, befahl er. Üblicherweise war die Ehre, in der Kathedrale aufgebahrt zu werden, Mönchen und Nonnen, höheren Geistlichen und dem Adel vorbehalten; Godwyn jedoch wusste, dass niemand es wagen würde, ihm zu widersprechen.

Nachdem die Bahre in die Kirche gebracht und vor dem Altar abgestellt worden war, kniete Godwyn neben seiner toten Mutter nieder und betete. Das Gebet half ihm, sein Entsetzen zu mindern, und allmählich wurde ihm klar, was er unternehmen konnte. Als er sich schließlich erhob, wies er Philemon an, auf der Stelle eine Sitzung im Kapitelsaal einzuberufen.

Er war erschüttert, wusste jedoch, dass er sich zusammenreißen musste. Stets war er mit der Gabe der Überzeugungskraft gesegnet gewesen. Nun benötigte er sie dringender denn je.

Nachdem die Mönche sich versammelt hatten, las Godwyn ihnen aus dem ersten Buch Mose vor. »Nach diesen Ereignissen stellte Gott Abraham auf die Probe. Er sprach zu ihm: Abraham! Er antwortete: Hier bin ich. Gott sprach: Nimm deinen Sohn, deinen einzigen, den du liebst, Isaak, geh in das Land Morija und bring ihn dort auf einem der Berge, den ich dir nenne, als Brandopfer dar. Frühmorgens stand Abraham auf, sattelte seinen Esel, holte seine beiden Jungknechte und seinen Sohn Isaak, spaltete Holz zum Opfer und machte sich auf den Weg zu dem Ort, den Gott ihm bezeichnet hatte.«

Godwyn blickte von der Bibel auf. Die Mönche beobachteten ihn gespannt. Nicht wegen der Geschichte von Abraham und Isaak; die kannten sie alle. Nein, auf Godwyn schauten sie. Die Brüder waren wachsam und misstrauisch und fragten sich, was als Nächstes kommen würde.

»Was lehrt uns die Geschichte von Abraham und Isaak, liebe Brüder?«, fragte Godwyn. »Gott befiehlt Abraham, seinen Sohn zu töten – nicht nur den ältesten, sondern den *einzigen* Sohn, der ihm geboren ward, als er hundert Jahre alt war. Hat Abraham widersprochen? Flehte er um Gnade? Haderte er mit Gott? Rief er ihm zu, dass Isaak zu töten Kindesmord sei, eine Sünde, eine Todsünde gar?« Godwyn ließ die Frage einen Augenblick unbeantwortet, schaute wieder in die Bibel und las vor: »Frühmorgens stand Abraham auf, sattelte seinen Esel ...«

Er hob wieder den Blick. »Gott mag auch uns versuchen. Er mag uns Dinge befehlen, die uns falsch erscheinen. Vielleicht heißt er uns, etwas zu tun, das uns wie eine Sünde erscheint. Wenn dies geschieht, müssen wir uns Abrahams erinnern.«

Godwyn predigte in dem Tonfall, von dem er wusste, dass er am überzeugendsten war, rhythmisch, aber zwanglos. An der Stille im achteckigen Kapitelsaal erkannte er, dass ihm die volle, gespannte Aufmerksamkeit des Konvents galt: Niemand rührte sich, flüsterte oder scharrte mit den Füßen.

»Wir dürfen nicht zweifeln«, sagte er. »Wir dürfen nicht widersprechen. Wenn Gott uns führt, müssen wir folgen – ganz gleich, wie töricht, sündig oder grausam sein Wunsch unserem schwachen menschlichen Verstand auch erscheinen mag. Wir sind schwach und fehlbar. Uns steht es nicht zu, Entscheidungen oder Wahlen zu treffen. Unsere Pflicht ist ganz einfach: Wir müssen gehorchen.«

Und dann sagte er ihnen, was sie zu tun hatten.

***

Der Bischof traf lange nach Einbruch der Dunkelheit ein. Es war fast schon Mitternacht, als er und sein Gefolge das Gelände der Abtei erreichten: Sie waren bei Fackellicht geritten. Die Priorei hatte seit Stunden zu Bett gelegen; nur eine Gruppe von Schwestern arbeitete im Hospital. Eine von ihnen weckte Caris. »Der Bischof ist da«, sagte sie.

»Warum möchte er mich sprechen?«, fragte Caris schläfrig.

»Ich weiß es nicht, Mutter Priorin.«

Natürlich wusste sie es nicht. Caris stand vom Bett auf und zog einen Mantel über.

Im Kreuzgang hielt sie inne. Sie nahm einen großen Schluck Wasser und atmete einige Augenblicke die kühle Nachtluft ein, um den Schlaf aus ihrem Kopf zu vertreiben. Sie wollte einen guten Eindruck auf den Bischof machen, damit es keine Schwierigkeiten gab, wenn er ihre Wahl zur Priorin bestätigen sollte.

Erzdiakon Lloyd war im Hospital. Er sah müde aus, und die Spitze seiner langen Nase war rot vor Kälte. »Kommt und begrüßt Euren Bischof«, sagte er gereizt, als hätte sie wach sein und ihn erwarten müssen.

Caris folgte ihm hinaus. Vor dem Tor stand ein Diener mit brennender Fackel. Sie gingen über den grasbewachsenen Vorplatz zum Bischof, der auf seinem Pferd saß.

Er war ein kleiner Mann mit großem Hut und machte einen zutiefst verärgerten Eindruck.

Caris sagte in normannischem Französisch: »Willkommen in der Priorei von Kingsbridge, Exzellenz.«

Henri fragte missmutig: »Und Ihr seid?«

Caris hatte ihn schon gesehen, aber noch nie mit ihm gesprochen. »Ich bin Schwester Caris, designierte Priorin.«

»Die Hexe.«

Ihr sank das Herz. Godwyn musste bereits versucht haben, Henri gegen sie einzunehmen und seinen Verstand zu vergiften. Sie war entrüstet. »Nein, Euer Exzellenz, hier gibt es keine Hexen«, sagte sie schärfer, als klug war. »Nur gewöhnliche Nonnen, die ihr Bestes tun, um einer Stadt zu helfen, die von der Pest befallen ist.«

Er beachtete ihre Worte nicht. »Wo ist Prior Godwyn?«

»In seinem Palast.«

»Nein, da ist er nicht!«

Erzdiakon Lloyd erklärte: »Wir sind dort gewesen. Das Gebäude ist leer.«

»Wirklich?«

»Ja«, erwiderte der Erzdiakon gereizt. »Wirklich.«

In diesem Augenblick entdeckte Caris Godwyns Katze mit der unverkennbaren weißen Schwanzspitze. Die Novizen riefen sie »Erzbischof«. Das Tier strebte zur Westfassade der Kathedrale und blickte in die Zwischenräume der Säulen, als suchte es dort nach seinem Herrn.

Caris war verblüfft. »Wie eigenartig ... vielleicht hat Godwyn beschlossen, mit den anderen Mönchen im Dormitorium zu schlafen.«

»Warum sollte er? Ich hoffe, hier geht nichts Unschickliches vor.«

Caris schüttelte verneinend den Kopf. Der Bischof vermutete Unkeuschheit, doch dieser Sünde neigte Godwyn nicht zu. »Er hat es schlecht aufgenommen, als seine Mutter die Pest bekam. Er hatte eine Art Anfall und brach zusammen. Heute ist sie gestorben.«

»Wenn es ihm schlecht geht, sollte er umso eher in seinem eigenen Bett schlafen, würde ich meinen.«

Alles Mögliche konnte geschehen sein. Petronillas Krankheit hatte Godwyn ziemlich aus dem Gleichgewicht gebracht. Caris fragte: »Würden Exzellenz gern mit einem seiner Stellvertreter sprechen?«

Henri entgegnete barsch: »Wenn ich einen finden könnte, ja!«

»Vielleicht sollte ich mit Erzdiakon Lloyd zum Dormitorium gehen ...«

»Wenn es Euch nichts ausmacht!«

Lloyd nahm von einem Diener eine Fackel, und Caris führte ihn rasch durch die Kathedrale in die Kreuzgänge. Es war still, wie zu dieser nächtlichen Stunde in Klöstern üblich. Als sie das untere Ende der Treppe erreichten, die zum Dormitorium hinaufführte, blieb Caris stehen. »Ihr geht lieber allein hoch«, sagte sie. »Eine Nonne sollte keine Mönche im Bett sehen.«

»Das ist wahr.« Lloyd stieg mit seiner Fackel die Stufen hinauf und ließ Caris in der Finsternis zurück. Neugierig wartete sie. Sie hörte, wie er rief. Eine merkwürdige Stille folgte. Dann, nach wenigen Augenblicken, rief er mit eigentümlicher Stimme zu ihr herunter: »Schwester?«

»Ja?«

»Ihr könnt heraufkommen.«

Verwundert stieg Caris die Stufen hinauf und betrat das Dormitorium. Dann stand sie neben Lloyd und blickte im unruhigen Licht der brennenden Fackel in den Schlafsaal. Die Strohsäcke der Mönche lagen ordentlich an ihren Plätzen längs der Seiten des Saals, doch keiner war belegt. »Es ist niemand hier«, sagte Caris.

»Keine Menschenseele«, stimmte Lloyd ihr zu. »Was um alles in der Welt ist geschehen?«

»Ich weiß es nicht, aber ich kann raten«, erwiderte Caris.

»Dann erleuchtet mich bitte.«

»Ist es nicht offensichtlich?«, fragte sie. »Sie sind davongelaufen.«

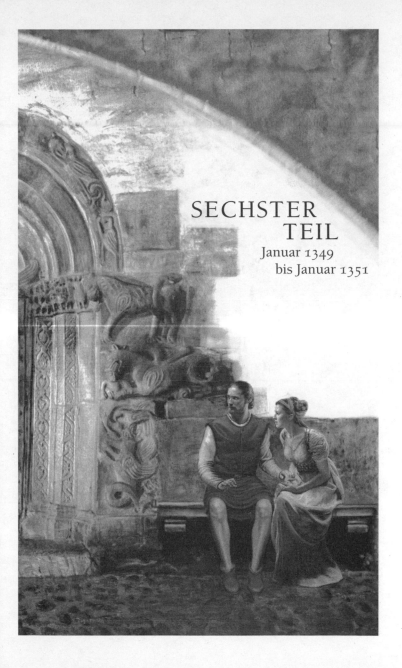

SECHSTER
TEIL
Januar 1349
bis Januar 1351

Bei seiner Flucht hatte Godwyn sämtliche Wertgegenstände des Mönchsklosters aus der Schatzkammer und alle Dokumente mitgenommen, darunter auch die Freibriefe und Urkunden des Nonnenklosters, die noch immer in der verschlossenen Truhe gelegen hatten. Auch die unersetzlichen Reliquien einschließlich der Gebeine des heiligen Adolphus in ihrem kostbaren Reliquiar hatte Godwyn an sich gerafft.

Caris entdeckte die Tat am Morgen nach dem Eintreffen des Bischofs, am ersten Januartag, dem Fest der Beschneidung des Herrn. Begleitet von Bischof Henri und Schwester Elizabeth begab sie sich in die Schatzkammer am südlichen Querhaus. Bischof Henri war Caris gegenüber steif und förmlich, was sie jedoch kaum beunruhigte: Er war ein mürrischer Mensch, der sich wohl allen gegenüber so verhielt.

An der Tür hing noch immer die abgezogene Haut von Gilbert aus Hereford. Sie wurde langsam hart und gelb und verströmte einen leichten, aber unverkennbaren Verwesungsgestank.

Die Tür war nicht verschlossen.

Sie gingen hinein. Caris war nicht mehr hier gewesen, seit Prior Godwyn dem Nonnenkloster die hundertfünfzig Pfund gestohlen hatte, von denen er seinen Priorspalast errichten ließ.

Alle sahen auf den ersten Blick, was geschehen war: Die Steinplatten, mit denen die Öffnung im Boden verdeckt wurde, waren angehoben und nicht zurückgelegt worden, und der Deckel der eisenbeschlagenen Truhe stand offen. Bodenkammern und Truhe waren leer.

Caris sah sich in ihrer Meinung über Godwyn wieder einmal bestätigt: Ihr Misstrauen gegenüber dem Prior war gerechtfertigt gewesen. Obwohl ausgebildeter Arzt, Priester und Vorsteher des Mönchsklosters war er just dann geflohen, als die Menschen ihn am dringendsten gebraucht hatten. Jetzt würde wohl jeder die wahre Natur dieses Mannes erkennen.

Erzdiakon Lloyd war empört. »Er hat alles mitgenommen!«

Caris sagte zu Bischof Henri: »Der Mann, der Euch gebeten hat, meine Wahl für ungültig zu erklären!«

Henri antwortete mit einem tiefen Seufzer.

Elizabeth suchte verzweifelt nach einer Rechfertigung für Godwyns Verhalten. »Ich bin sicher, der Vater Prior hat den Kirchenschatz mitgenommen, um ihn in Sicherheit zu bringen.«

»Unsinn!«, sagte Bischof Heni schroff. »Wenn Euer Diener Euch die Börse leert und dann bei Nacht und Nebel spurlos verschwindet, bringt er Euer Geld nicht in Sicherheit, sondern stiehlt es.«

Elizabeth versuchte es auf andere Weise: »Das war bestimmt die Idee von Philemon …«

»Dem Subprior?« Henri blickte sie verächtlich an. »Selbst wenn es so wäre – Godwyn ist sein Vorgesetzter, also trägt er auch die Verantwortung.«

Elizabeth sagte nichts mehr.

Godwyn hatte sich offenbar vom Tod seiner Mutter erholt, überlegte Caris – zumindest vorübergehend. Denn leicht konnte es nicht gewesen sein, sämtliche Brüder zu überzeugen, ihm zu folgen. Caris fragte sich nur, wohin die Mönche gegangen waren.

Bischof Henri stellte sich dieselbe Frage. »Wo sind die erbärmlichen Feiglinge hin?«

Caris erinnerte sich, wie Merthin sie zu überreden versucht hatte, Kingsbridge zu verlassen: Nach Wales oder Irland sollten sie gehen, hatte er gesagt. Ein abgelegenes Dorf, wo man im Jahr nur einen einzigen Fremden zu Gesicht bekommt. »Sie werden irgendwo sein, wo selten jemand hinkommt«, sagte sie.

»Dann findet heraus, wo das ist«, entgegnete Henri.

Caris wusste, dass aller Widerstand gegen ihre Wahl zur Priorin mit Godwyn verschwunden war, und sie musste sich beherrschen, nicht allzu zufrieden dreinzuschauen. »Ich werde mich in der Stadt erkundigen«, sagte sie. »Bestimmt hat jemand den Auszug der Brüder beobachtet.«

»Gut«, sagte der Bischof. »Ich glaube allerdings nicht, dass sie so bald zurückkehren. In der Zwischenzeit müsst Ihr ohne Männer zurechtkommen, so gut es eben geht. Führt die Stundengebete so weit fort, wie es mit den Nonnen möglich ist. Und lasst einen Priester in die Kathedrale kommen, damit er die Messe liest – falls Ihr einen finden könnt, der noch lebt. Den Gottesdienst dürft Ihr selbst nicht leiten, aber Ihr könnt die Beichte abnehmen. Nachdem so viele Geistliche gestorben sind, hat der Erzbischof einen Dispens erteilt.«

»Werdet Ihr mich als Priorin bestätigen?«, fragte Caris.

»Aber gewiss.«

»In diesem Fall möchte ich, ehe ich dieses ehrenvolle Amt antrete ...«

»Ihr habt keine Forderungen zu stellen, Mutter Priorin«, unterbrach Henri sie gereizt. »Es ist Eure Pflicht, mir zu gehorchen. Oder wollt Ihr die Probleme der Kirche für Eure Zwecke ausnutzen?«

»Nein, aber Ihr müsst mir schon die Möglichkeit geben, Eure Anweisungen auch auszuführen!«, entgegnete Caris zornig.

Henri starrte sie finster an. Er war zweifellos nicht gewöhnt, in diesem Tonfall angesprochen zu werden. Doch wie Caris vermutet hatte, brauchte er ihre Hilfe dringender als sie die seine. »Also schön, was wollt Ihr?«

»Ich möchte, dass Ihr ein geistliches Gericht einberuft und meinen Prozess wegen Hexerei neu eröffnet.«

»Warum denn das, um aller Heiligen willen?«

»Um mich für unschuldig zu erklären. Solange das nicht geschehen ist, könnte es schwierig für mich sein, meine Amtsgewalt durchzusetzen. Wer mit meinen Entscheidungen nicht einverstanden ist, könnte meine Autorität untergraben, indem er herausstreicht, dass ich als Hexe verurteilt wurde.«

Dem ordungsliebenden Buchhalterwesen von Erzdiakon Lloyd gefiel diese Vorstellung. »Es wäre wirklich zu begrüßen, wenn dieser Streitpunkt ein für alle Mal beigelegt würde, Eminenz.«

»Also gut«, sagte Henri.

»Ich danke Euch.« Caris neigte den Kopf aus Furcht, ihr Triumph könnte sich auf ihrem Gesicht widerspiegeln. »Ich werde mein Bestes tun, um dem hohen Amt der Priorin zu Kingsbridge Ehre zu machen.«

»Erkundigt Euch umgehend nach Prior Godwyn. Ich hätte gern eine Antwort, ehe ich weiterreise.«

»Der Ratsälteste der Stadt ist ein Freund von Godwyn. Wenn jemand weiß, wohin der Prior wollte, dann er. Ich werde ihn aufsuchen.«

»Tut das. Am besten sofort.«

Caris machte sich auf den Weg. Bischof Henri war zwar kein Ausbund an Freundlichkeit und Herzensgüte, doch er machte einen kompetenten Eindruck, und Caris hatte das Gefühl, dass er ein

Mann war, mit dem sie zusammenarbeiten konnte. Vielleicht traf er seine Entscheidungen ja auf der Grundlage von Vernunft und Einsicht, statt sich auf die Seite dessen zu stellen, den er als Verbündeten betrachtete. Das wäre mal eine angenehme Abwechslung in der Priorei zu Kingsbridge.

Als Caris am Gasthaus Bell vorbeikam, war sie versucht, hineinzugehen und Merthin von ihrem Glück zu berichten. Dann aber sagte sie sich, dass sie so rasch wie möglich zu Elfric musste, und schritt schneller aus.

Vor dem Holly Bush sah sie Duncan Dyer auf der Straße liegen. Seine Frau Winnie saß auf der Bank vor der Schänke und weinte. Caris glaubte zuerst, Duncan sei etwas zugestoßen; dann aber sagte Winnie: »Er ist betrunken.«

Caris war entsetzt. »Es ist noch nicht einmal Mittag!«

»Sein Onkel Peter hat die Pest bekommen und ist gestorben. Seine Frau und seine Kinder wurden ebenfalls von der Seuche dahingerafft. Duncan hat das ganze Geld geerbt, aber nun gibt er in seinem Kummer alles für Wein aus. Ich weiß nicht mehr ein noch aus!«

»Schaffen wir ihn nach Hause«, sagte Caris. »Komm, ich helfe dir.« Beide fassten Duncan am Arm und zogen ihn hoch, hielten ihn aufrecht und schleppten ihn die Straße hinunter zu seinem Haus. Dort legten sie ihn auf den Boden und breiteten eine Decke über ihn. Winnie sagte: »So ist er jeden Tag. Er sagt, es lohnt sich nicht zu arbeiten, weil wir sowieso alle an der Pest sterben. Was soll ich nur tun?«

Caris überlegte kurz. »Vergrab das Geld im Garten, jetzt gleich, solange er noch schläft«, sagte sie dann. »Wenn er aufwacht, sag ihm, er habe es beim Spiel an einen Hausierer verloren, der die Stadt schon verlassen habe.«

»Das könnte gehen«, sagte Winnie.

Caris überquerte die Straße zu Elfrics Haus. Ihre Schwester Alice saß in der Küche und stopfte Socken. Was noch an schwesterlichen Gefühlen zwischen ihnen bestanden hatte, war endgültig zerstört worden, als Elfric im Hexenprozess gegen Caris ausgesagt hatte. Gezwungen, sich zwischen Caris und ihrem Mann zu entscheiden, hatte Alice sich auf Elfrics Seite gestellt. Caris konnte es verstehen, doch Alice war ihr dadurch zu einer Fremden geworden.

Als Alice sie sah, stand sie auf und ließ das Nähzeug fallen. »Was tust du denn hier?«, fragte sie.

»Die Mönche sind verschwunden«, erklärte Caris. »Sie müssen in der Nacht fortgegangen sein.«

»Das also war es!«, rief Alice.

»Hast du sie gesehen?«

»Nein, aber ich habe einen langen Zug Männer und Pferde gehört. Sie waren nicht besonders laut … wenn ich es mir recht überlege, haben sie sich sogar sehr bemüht, leise zu sein. Aber man kann Pferde nicht völlig ruhig halten, und Männer machen schon Geräusche, wenn sie nur über die Straße gehen. Ich bin davon wach geworden, bin aber nicht aufgestanden und habe es mir angesehen; dazu war es mir zu kalt. Kommst du deshalb zum ersten Mal seit zehn Jahren in mein Haus?«

»Du hast also nicht gewusst, dass die Mönche davonlaufen?«

»Du meinst, sie sind davongelaufen? Wegen der Pest?«

»Ich nehme es an.«

»Ich hatte keine Ahnung! Wie konnte Godwyn so etwas tun? Was nutzt den Leuten ein Arzt, der vor der Krankheit flieht?« Alice war besorgt, der Gönner ihres Mannes könnte sich tatsächlich derart schändlich verhalten haben. »Ich verstehe das nicht.«

»Ob Elfric davon wusste?«

»Falls ja, hat er mir nichts gesagt.«

»Wo kann ich ihn finden?«

»In St. Peter. Rick Silvers hat der Kirche eine kleine Summe hinterlassen. Der Priester wollte das Geld dazu verwenden, den Boden des Langhauses pflastern zu lassen.«

»Ich gehe hin und frage ihn.« Caris überlegte, ob sie sich die Zeit für ein paar höfliche Worte nehmen sollte. Alice hatte keine eigenen Kinder, aber eine Stieftochter. »Wie geht es Griselda?«

»Sie ist glücklich«, erwiderte Alice mit einem Anflug von Trotz, als glaubte sie, Caris hätte lieber etwas anderes gehört.

»Und dein Enkel?« Caris konnte sich nicht überwinden, den Namen des Kindes – Merthin – auszusprechen.

»Ein Prachtkerl. Und ein weiterer Enkel ist schon unterwegs.«

»Das freut mich für Griselda.«

»Ja. Wie sich gezeigt hat, war es gar nicht so schlimm, dass sie deinen Merthin nicht geheiratet hat. Eher das Gegenteil.«

Caris wollte sich nicht herausfordern lassen. »Ich gehe jetzt Elfric suchen.«

Die Kirche St. Peter stand am Westrand der Stadt. Als Caris durch die gewundenen Gassen schritt, traf sie auf zwei Männer, die sich beschimpften und wild aufeinander einprügelten. Zwei Weiber, wahrscheinlich die Ehefrauen, kreischten Beleidigungen, während mehrere Nachbarn der Schlägerei gespannt zuschauten. Die Tür des nächststehenden Hauses war eingeschlagen. Auf dem Boden stand ein aus Zweigen und Binsen geflochtener Käfig mit drei gackernden Hühnern.

Caris versuchte, die Widersacher zu trennen, und drängte sich zwischen sie. »Hört sofort auf!«, rief sie. »Ich befehle es euch im Namen des Herrn!«

Sie brauchte die Streithähne nicht lange zu überzeugen. Die beiden hatten ihren Zorn wohl schon mit den ersten Hieben verbraucht und waren vielleicht sogar dankbar, dass sie nun einen Grund hatten, den Kampf zu beenden. Sie traten zurück und ließen die Arme sinken.

»Was soll der Streit?«, fragte Caris.

Beide redeten gleichzeitig drauflos. Ihre Frauen ebenfalls.

»Einer nach dem anderen!«, rief Caris und wies auf den größeren der beiden Männer, einen dunkelhaarigen Kerl, dem sein geschwollenes Auge ein wenig das gute Aussehen verdarb. »Ihr seid Joe Blacksmith, nicht wahr? Sagt mir, was hier los ist.«

»Ich habe Toby Peterson erwischt, wie er Jack Marrows Hühner stehlen wollte. Er hat die Tür eingeschlagen.«

Toby war ein kleiner Mann mit dem Gebaren eines Kampfhahns. Nun sagte er mit blutigen Lippen: »Jack Marrow war mir fünf Shilling schuldig. Ich habe ein Recht auf die verdammten Hühner!«

Joe erwiderte: »Jack und seine ganze Familie sind vor zwei Wochen an der Pest gestorben. Seitdem hab ich seine Hühner gefüttert. Ohne mich wären die Viecher längst tot. Wenn jemand sie nehmen darf, dann ich!«

»Ich würde sagen, ihr habt beide ein Anrecht darauf«, sagte Caris. »Toby wegen der Schuld, und Joe, weil er die Tiere auf eigene Kosten am Leben erhalten hat.«

Die beiden starrten Caris verblüfft an, als ihnen der Gedanke kam, dass sie tatsächlich beide recht haben könnten.

Caris sagte: »Joseph, nehmt Euch ein Huhn aus dem Käfig.«

»Augenblick mal …«, begann Toby.

»Vertraut mir, Toby«, sagte Caris. »Ihr wisst, dass ich Euch nicht ungerecht behandeln würde, oder?«

»Nun ja, ich kann's mir jedenfalls nicht vorstellen …«

Joe öffnete den Käfig und zog ein mageres braunes Huhn an den

Füßen heraus. Der Vogelkopf zuckte hin und her, als wäre das Tier völlig verwirrt, dass die Welt plötzlich falsch herum hing.

Caris sagte: »Jetzt gebt es Tobys Weib.«

»Was?«

»Würde ich Euch betrügen, Joseph?«

Joe reichte das Huhn widerstrebend Tobys hübscher, nun jedoch schmollender Frau. »Da, bitte, Jane.«

Jane nahm das Tier eilig entgegen.

Caris sagte zu ihr: »Nun bedankt Euch bei Joe.«

Jane wirkte immer noch bockig, rang sich aber zu den Worten durch: »Danke, Joseph Blacksmith.«

Caris fuhr fort: »Toby – Ihr gebt Ellie Blacksmith ein Huhn.«

Toby gehorchte mit einem verlegenen Grinsen. Joes hochschwangere Frau Ellie lächelte und sagte: »Ich danke Euch, Toby Peterson.«

Sie schienen allmählich zu begreifen, wie dumm sie sich verhalten hatten.

Jane fragte: »Was ist mit dem dritten Huhn?«

»Dazu komme ich noch«, sagte Caris. Sie blickte in die Zuschauermenge und deutete auf ein besonnen wirkendes Mädchen von elf oder zwölf Jahren. »Wie heißt du?«

»Ich bin Jesca, Mutter Priorin. Die Tochter von John Constable.«

»Bring das andere Huhn zur Kirche von St. Peter, und gib es Vater Michael. Sag ihm, dass Toby und Joe kommen und um Vergebung bitten würden, denn sie hätten die Sünde der Habsucht begangen.«

»Ja, Mutter Priorin.« Jesca nahm das dritte Huhn und eilte davon.

Joes Frau Ellie sagte: »Ihr wisst vielleicht noch, Mutter Caris, wie Ihr Minnie, der kleinen Schwester meines Mannes, einmal geholfen habt, als sie sich in der Schmiede den Arm verbrannt hatte.«

»O ja, natürlich«, sagte Caris. Sie erinnerte sich gut. Es war eine hässliche Verbrennung gewesen. »Sie muss jetzt zehn sein.«

»Das stimmt.«

»Geht es ihr gut?«

»Dank Euch und Gottes Gnade ist alles bestens mit dem Kind.«

»Das freut mich zu hören.«

»Möchtet Ihr auf einen Becher Bier mit zu uns kommen, Mutter Priorin?«

»Das würde ich gerne, aber ich hab's eilig.« Sie wandte sich den Männern zu. »Gott segne euch, und streitet euch nicht wieder!«

Joe sagte: »Danke, Mutter Priorin.«

Caris ging davon.

Toby rief ihr hinterher: »Danke, Mutter Priorin!«

Sie winkte, ohne zurückzublicken.

Caris fiel auf, dass anscheinend noch mehr Häuser aufgebrochen worden waren; man hatte sie offenbar geplündert, nachdem die Bewohner verstorben waren. Das musste sich ändern! Doch mit einem Elfric als Ratsältestem und einem Prior, der feige das Weite suchte, ergriff niemand die erforderlichen Maßnahmen.

Caris erreichte St. Peter und traf Elfric mit mehreren Steinsetzern und deren Lehrjungen im Kirchenschiff an. Überall stapelten sich Steinplatten. Die Männer bereiteten den Untergrund vor, indem sie Sand aufschütteten und mit Stecken glatt zogen. Mit einem kompliziert aussehenden Apparat – ein Holzgestell, von dem eine Schnur mit bleierner Spitze baumelte – prüfte Elfric, ob die Fläche eben war. Das Ding sah wie ein kleiner Galgen aus und erinnerte Caris daran, wie Elfric vor zehn Jahren versucht hatte, sie wegen Hexerei hinrichten zu lassen. Mit Erstaunen stellte sie fest, dass sie keinen Hass auf ihn empfand. Dazu war der Mann zu niederträchtig und kleingeistig. Als sie ihn anblickte, fühlte sie nichts als kalte Verachtung.

Sie wartete, bis Elfric seine Arbeit beendet hatte; dann fragte sie ohne Einleitung: »Habt Ihr gewusst, dass Godwyn mitsamt allen Mönchen letzte Nacht davongelaufen ist?«

Caris schien ihn überrascht zu haben, denn Elfric zuckte zusammen. An seiner erstaunten Miene konnte sie erkennen, dass er nichts von der Flucht der Brüder gewusst hatte. »Warum sollte er? Letzte Nacht, sagt Ihr?«

»Habt Ihr sie gesehen?«

»Ich habe nur etwas gehört.«

»Ich hab sie gesehen«, sagte ein Steinsetzer, der sich auf seinen Spaten stützte. »Ich kam aus dem Holly Bush. Es war dunkel, aber sie hatten Fackeln. Der Prior ritt, der Rest ging zu Fuß. Und sie hatten jede Menge Gepäck dabei – Weinfässer, große Käselaibe und andere Dinge.«

Caris wusste bereits, dass Godwyn die Lebensmittelvorräte des Mönchsklosters geplündert hatte. Den Vorrat des Nonnenklosters, der getrennt aufbewahrt wurde, hatte er nicht anzurühren gewagt. »Wann war das?«

»Nicht sehr spät … neun oder zehn Uhr.«

»Habt Ihr mit ihnen gesprochen?«

»Ich hab denen nur eine gute Nacht gewünscht.«

»Habt Ihr eine Ahnung, wohin sie wollten?«

Der Steinsetzer schüttelte den Kopf. »Sie zogen über die Brücke, aber ich hab nicht gesehen, welche Straße sie am Galgenkreuz genommen haben.«

Caris wandte sich wieder an Elfric: »Denkt an die letzten Tage zurück. Hat Godwyn irgendetwas zu Euch gesagt, das im Nachhinein mit seinem Verschwinden zusammenhangen konnte? Hat er Ortsnamen erwähnt? Monmouth, York, Antwerpen, Bremen?«

»Nein. Ich habe keine Ahnung! So glaubt mir doch!«

Wenn schon Elfric überrascht war, erschien es Caris unwahrscheinlich, dass irgendjemand von Godwyns schändlichem Plan gewusst hatte. Der Prior floh vor der Pest und wollte offenkundig nicht, dass jemand ihm folgte, der die Krankheit mit sich trug. »Brich früh auf, geh weit weg, und bleib lange fort«, war Merthins bester Rat zur Vermeidung der Pest gewesen. Godwyn konnte überall sein.

»Wenn Ihr von ihm hört – oder von einem der Mönche –, verständigt mich bitte«, sagte Caris.

Elfric gab keine Antwort.

Caris hob die Stimme, damit die Arbeiter sie hörten. »Godwyn hat den Kirchenschatz gestohlen!«, rief sie, was empörtes Murmeln hervorrief. Die Männer betrachteten den Kirchenschatz der Kathedrale als ihr Eigentum – die reicheren Handwerker hatten vermutlich einige der Kostbarkeiten bezahlt. »Der Bischof möchte den Schatz zurück. Wer Godwyn hilft – und sei es nur dadurch, dass er seinen Aufenthalt verschweigt –, macht sich des Kirchenraubs schuldig!«

Elfric blickte sie fassungslos an. Er hatte sein Leben darauf gegründet, sich Godwyn zu verpflichten. Nun war sein Gönner fort. Er sagte: »Es kann eine ganz harmlose Erklärung geben ...«

»Wenn dem so wäre, warum hat Godwyn keinem ein Wort gesagt? Oder einen Brief hinterlassen?«

Darauf wusste Elfric nichts zu erwidern.

Caris erkannte, dass sie mit den führenden Geschäftsleuten der Stadt sprechen musste; je eher, desto besser. »Ich möchte Euch bitten, eine Sitzung einzuberufen«, sagte sie zu Elfric. Dann fiel ihr eine Möglichkeit ein, ihr Anliegen noch überzeugender vorzubringen. »Der Bischof wünscht heute nach dem Mittagsmahl zum Gemeinderat zu sprechen. Bitte unterrichtet die Mitglieder.«

»Das mache ich«, gelobte Elfric.

Sie würden alle kommen, gespannt vor Neugier, das wusste Caris.

Sie verließ St. Peter und kehrte zur Priorei zurück. Als sie am White Horse vorbeikam, sah sie vor der Schänke eine Szene, die sie innehalten ließ: Ein junges Mädchen sprach zu einem älteren Mann, was an sich nichts Ungewöhnliches war, doch diese Szene strahlte irgendetwas aus, dass Caris sich die Nackenhärchen aufstellten. Die Verletzlichkeit von Mädchen war ihr immer schon deutlich bewusst gewesen – vielleicht, weil sie sich nur zu gut erinnerte, wie es ihr selbst als Heranwachsender ergangen war, vielleicht auch wegen der Tochter, die sie nie zur Welt gebracht hatte. Caris zog sich in einen Türeingang zurück und beobachtete den Mann und das Mädchen.

Der Mann war bis auf eine teure Pelzkappe ärmlich gekleidet. Caris kannte ihn nicht, vermutete jedoch, dass er ein Knecht war und die Kappe geerbt hatte. Unzählige Menschen waren gestorben, sodass es gute Kleidung im Überfluss gab, und allenthalben begegnete man einem verdächtigen Anblick wie diesem. Das Mädchen war ungefähr vierzehn Jahre alt und hübsch, mit der Figur einer Heranwachsenden. Sie versuchte, sich kokett zu geben, wie Caris missbilligend erkannte; allerdings wirkte sie nicht sonderlich überzeugend. Der Mann nahm Geld aus der Börse, und sie schienen zu handeln. Dann griff der Mann dem Mädchen an die kleine Brust.

Caris hatte genug gesehen. Mit entschlossenen Schritten ging sie zu den beiden. Als der Mann Caris' Nonnenhabit erblickte, machte er, dass er fortkam. Das Mädchen blickte unschuldig und verärgert zugleich drein. »Was tust du?«, fragte Caris. »Willst du deinen Körper verkaufen?«

»Nein, Mutter.«

»Sag die Wahrheit! Warum hast du dir von dem Kerl an den Busen fassen lassen?«

»Ich … ich weiß nicht mehr, was ich machen soll! Ich hab nichts zu essen, und jetzt habt Ihr den Mann verjagt.« Sie brach in Tränen aus.

Caris glaubte dem Mädchen, dass es hungerte; es war blass und dünn. »Komm mit«, sagte sie. »Ich gebe dir zu essen.«

Sie nahm das Mädchen beim Arm und führte es zur Priorei. »Wie heißt du?«, fragte sie.

»Ismay.«

»Wie alt bist du?«

»Dreizehn.«

In der Priorei brachte sie Ismay in die Küche, wo das Mittagessen für die Nonnen unter der Aufsicht einer Novizin namens Oonagh zubereitet wurde. Die Küchenmeisterin Josephine war an der Pest gestorben. »Gib dem Mädchen Brot und Butter«, sagte Caris zu Oonagh.

Sie setzte sich und schaute zu, wie das Mädchen aß. Ismay hatte offenbar tagelang nichts in den Magen bekommen. Sie verschlang die Hälfte eines vierpfündigen Brotlaibs, ehe sie es gemächlicher angehen ließ.

Caris goss ihr einen Becher Apfelmost ein. »Warum musstest du hungern?«, fragte sie.

»Meine ganze Familie ist an der Pest gestorben.«

»Wer war dein Vater?«

»Er war Schneider, und ich kann sehr gut nähen, aber niemand kauft Kleider – die Leute finden alles, was sie brauchen, in den Häusern der Toten.«

»Und deshalb hast du dich dem Mann als Dirne angeboten?«

Ismay senkte den Blick. »Es tut mir leid, Mutter Priorin, aber ich hatte doch solchen Hunger.«

»Hast du es heute zum ersten Mal versucht?«

Sie schüttelte den Kopf und wich Caris' Blick aus.

Tränen der Wut traten Caris in die Augen. Was für ein Mann wollte mit einer halb verhungerten Dreizehnjährigen ins Bett steigen? Was war das für ein Gott, der ein Mädchen in solche Verzweiflung trieb? »Möchtest du hier wohnen, bei den Nonnen, und in der Küche arbeiten?«, fragte sie. »Du bekämst genug zu essen.«

Ismay hob den Blick. »Das wäre schön!«

»Also gut. Du kannst beim Zubereiten des Mittagmahls für die Nonnen helfen. Schwester Oonagh – hier hast du ein neues Küchenmädchen.«

»Danke, Mutter Caris. Ich kann jede Hilfe brauchen.«

Caris verließ die Küche und ging nachdenklich zur Sext in die Kathedrale. Die Pest war nicht nur ein körperliches Leiden, begriff sie allmählich: Ismay war der Seuche entkommen, doch ihre Seele war in höchster Gefahr gewesen.

Bischof Henri las die Messe, sodass Caris Zeit zum Nachdenken fand. Sie musste vor dem Gemeinderat über mehr Dinge sprechen als nur die Flucht der Mönche, erkannte sie. Es war Zeit, wieder Ordnung in die Stadt zu bringen, damit die Einwohner den Folgen der Seuche geschlossen entgegentreten konnten. Aber wie?

Zumindest war der Zeitpunkt günstig, weitreichende Entscheidungen zu treffen. Dank des Bischofs, der ihr den Rücken stärken konnte, war Caris vielleicht imstande, Maßnahmen durchzusetzen, denen man sich ansonsten widersetzt hätte.

Außerdem war der Zeitpunkt ebenfalls günstig, um vom Bischof zu bekommen, was sie wollte.

Nach dem Essen suchte sie Henri im Priorspalast auf, in dem er untergebracht war. Er saß mit Erzdiakon Lloyd bei Tisch. Sie hatten Essen aus der Nonnenküche bekommen und tranken Wein, während ein Diener der Priorei die Tafel abräumte. »Ich hoffe, Ihr habt Euer Mahl genossen, Eminenz«, sagte Caris förmlich.

Henri war nicht ganz so mürrisch wie sonst. »Es war sehr gut, danke, Mutter Caris – ein sehr schmackhafter Hecht. Habt Ihr Neuigkeiten über den entlaufenen Prior?«

»Godwyn scheint sehr darauf bedacht gewesen zu sein, keinen Hinweis auf sein Ziel zurückzulassen.«

»Das ist enttäuschend.«

»Ja. Aber da ist noch mehr. Als ich durch die Stadt ging und Erkundigungen anstellte, habe ich einige Dinge beobachtet, die mich beunruhigen: ein dreizehnjähriges Mädchen, das sich an einen Mann verkaufen wollte, zwei bisher gesetzestreue Bürger, die sich um das Eigentum eines Toten geprügelt haben, und einen Mann, der schon vor Mittag sturzbetrunken war.«

»Nun, so etwas geht mit der Pest einher. Es ist überall das Gleiche.«

»Wir müssen solchen Auswüchsen entgegenwirken.«

Der Bischof zog die Brauen hoch. Daran hatte er anscheinend noch nicht gedacht. »Und wie?«

»Der Prior ist der Lehnsherr von Kingsbridge. *Er* sollte Maßnahmen ergreifen.«

»Aber er ist verschwunden.«

»So ist es. Und als Bischof seid Ihr unser Abt und nehmt nun seine Stelle ein. Ihr solltet in Kingsbridge bleiben, als geistlicher Herr dieser Stadt, der dafür sorgt, dass es hier gottgefällig zugeht.«

Tatsächlich wünschte Caris sich als Letztes, dass Henri in der Priorei blieb. Zum Glück stand es praktisch außer Frage, dass der Bischof zustimmte: Er hatte anderswo zu viel zu tun. Caris versuchte lediglich, ihn unter Druck zu setzen.

Henri zögerte, und einen Augenblick lang sorgte Caris sich schon, sie könnte ihn falsch eingeschätzt haben und er würde ihren Vorschlag annehmen. Dann aber sagte er: »Zu meinem großen Bedauern geht das nicht. Jede Stadt in der Diözese kämpft mit den gleichen Schwierigkeiten. In Shiring ist es noch schlimmer als hier. Ich muss versuchen, unsere Schäfchen zusammenzuhalten, weil meine Priester dahinsterben. Ich habe keine Zeit, mir Gedanken um Trinker und Huren zu machen.«

»Aber jemand muss Prior von Kingsbridge sein! Die Stadt braucht jemanden, der sie in Fragen des Glaubens und der Moral führt.«

Erzdiakon Lloyd warf ein: »Eminenz, es ist auch die Frage, wer die Gelder entgegennehmen kann, die der Priorei geschuldet werden, wer die Kathedrale und die anderen Gebäude pflegt, wer das Land verwaltet und die Hörigen beaufsichtigt ...«

Henri sagte: »Nun, dann werdet Ihr das alles tun müssen, Mutter Caris.«

Sie gab vor, den Vorschlag zu erwägen, als hätte sie nicht längst schon darüber nachgedacht. »Ich könnte alle weniger wichtigen Pflichten erledigen, könnte das Geld und das Land des Mönchsklosters verwalten, aber ich könnte nicht tun, was Ihr vermögt, Eminenz. Ich könnte nicht die heiligen Sakramente spenden.«

»Das haben wir bereits besprochen«, erwiderte Henri ungeduldig. »Ich bilde neue Priester aus, so rasch ich nur kann. Alles andere könnt Ihr übernehmen.«

»Das hört sich beinahe so an, als würdet Ihr mich bitten, als amtierender Prior von Kingsbridge ...«

»Genau das!«

Caris ließ sich ihre Freude nicht anmerken. Das war fast zu schön, um wahr sein. Sie war Prior in jeder Hinsicht – nur nicht in den geistlichen Belangen, die ihr ohnehin gleichgültig waren. Gab es verborgene Haken, an die sie nicht gedacht hatte?

Erzdiakon Lloyd sagte: »Es wäre am besten, Ihr lasst mich der Mutter Priorin eine Ernennungsurkunde ausstellen, falls sie ihre Autorität belegen muss.«

Caris sagte: »Wenn Ihr wollt, dass die Stadt Euren Wünschen folgt, solltet Ihr den Leuten vielleicht deutlich machen, dass es Eure persönliche Entscheidung ist. Gerade eben beginnt eine Sitzung des Gemeinderats. Wenn Euer Exzellenz willens ist, würde ich Euch bitten, daran teilzunehmen und den Stadträten zu verkünden, was Ihr beschlossen habt.«

»Gut. Lasst uns gehen.«

Sie verließen den Priorspalast und folgten der Hauptstraße zur

Ratshalle. Die Ratsmitglieder warteten bereits gespannt; sie brannten darauf zu erfahren, wo die Mönche abgeblieben waren. Caris berichtete ihnen, was sie wusste. Mehrere Personen hatten den nächtlichen Exodus der Mönche gesehen oder gehört, doch niemandem war der Verdacht gekommen, sämtliche Brüder könnten das Kloster im Stich lassen.

Caris bat die Ratsmitglieder, darauf zu achten, ob Reisende von einer großen Gruppe Mönche mit viel Gepäck berichteten, denen sie auf der Straße begegnet seien.

»Aber wir müssen uns damit abfinden, dass die Mönche nicht so bald zurückkehren«, verkündete Caris. »In diesem Zusammenhang hat Seine Exzellenz etwas bekannt zu geben.« Sie blickte den Bischof auffordernd an.

Henri räusperte sich und sagte: »Ich habe die Wahl von Schwester Caris zur Priorin bestätigt und sie überdies zum amtierenden Prior ernannt. Ihr alle werdet sie in sämtlichen Angelegenheiten als meine Vertreterin und Euren Lehnsherrn betrachten, ausgenommen lediglich die Verrichtungen, die allein geweihten Priestern erlaubt sind.«

Caris beobachtete die Gesichter. Elfric kochte vor Wut. Merthin lächelte matt; er vermutete, dass Caris selbst das meiste zu ihrer Ernennung beigetragen hatte, und er freute sich für sie und die Stadt. Doch der wehmütige Zug um seinen Mund ließ erkennen, dass er wusste, dass die Ernennung sie umso mehr seinen zärtlichen Umarmungen entzog. Alle anderen jedoch waren sichtlich erfreut. Man kannte Caris und traute ihr, und sie hatte dadurch, dass sie blieb, während Godwyn geflohen war, noch größere Sympathie errungen.

Caris wollte das Beste daraus machen. »Es gibt drei wichtige Dinge, um die ich mich an meinem ersten Tag als amtierender Prior kümmern möchte«, sagte sie. »Erstens, die Trunkenheit. Heute habe ich Duncan Dyer noch vor dem Mittag besinnungslos auf der Straße liegen sehen. Solche Ausschweifungen können die Stadt und ihre Bürger in dieser schrecklichen Zeit am wenigsten brauchen!«

Rufe der Zustimmung wurden laut. Die älteren Kaufleute der Stadt beherrschten den Gemeinderat: Wenn sie sich morgens betranken, taten sie es zu Hause, wo niemand sie sah.

Caris fuhr fort: »Ich möchte John Constable einen zusätzlichen Mann zur Seite stellen und ihn anweisen, jeden festzusetzen, der tagsüber betrunken angetroffen wird. Er soll die Betreffenden ins Gefängnis stecken, bis sie wieder nüchtern sind.«

Selbst Elfric nickte.

»Zweitens geht es um die Frage, was mit dem Eigentum der Leute geschehen soll, die ohne Erben sterben. Heute Morgen habe ich gesehen, wie Joseph Blacksmith und Toby Peterson sich auf der Straße um drei Hühner prügelten, die Jack Marrow gehört haben.«

Die Räte lachten über die Vorstellung, dass gestandene Männer wegen solcher Lappalien handgreiflich wurden.

Caris hatte eine Lösung für diesen Missstand. »Grundsätzlich geht solcher Besitz an den Lehnsherrn – für die Bürger von Kingsbridge die Priorei. Allerdings möchte ich nicht, dass die Gebäude des Klosters sich mit alten Kleidern und Gerümpel füllen; deshalb schlage ich vor, wir setzen diese Regel für jeden außer Kraft, dessen Habseligkeiten weniger als zwei Pfund wert sind. Stattdessen sollen die beiden nächsten Nachbarn das Haus verschließen und darauf achten, dass nichts gestohlen wird. Dann wird der Besitz vom Gemeindepriester erfasst, der auch die Forderungen etwaiger Schuldner aufnimmt. Wo es keinen Priester gibt, kann man sich an mich wenden. Wenn alle Schulden bezahlt sind, wird der persönliche Besitz des Verstorbenen – Kleider und Möbel und Nahrungsmittel – unter den Nachbarn aufgeteilt, und alles Münzgeld geht an die Gemeindekirche.«

Auch dieser Vorschlag fand weitgehende Zustimmung.

»Dritter Punkt: Ich habe vor dem White Horse ein dreizehnjähriges Waisenmädchen aufgegriffen, das seinen Körper verkaufen wollte, weil es nichts mehr zu essen hatte. Es heißt Ismay.« Caris blickte sich mit herausforderndem Blick im Raum um. »Kann jemand mir sagen, wie so etwas in einer christlichen Stadt geschehen kann? Die Familie ist tot, aber gibt es denn keine Freunde oder Nachbarn? Wer lässt zu, dass ein Kind verhungert?«

Edward Butcher sagte leise: »Ismay Taylor ist ein ungehöriges Kind.«

Ausflüchte wollte Caris nicht zulassen. »Sie ist dreizehn!«

»Vielleicht wurde ihr Hilfe angeboten, und sie hat sie verschmäht.«

»Das sind Ausflüchte! Wenn ein Kind Waise wird, ist es unser aller Pflicht, uns darum zu kümmern. Was bedeutet denn sonst Euer Glaube?«

Alle senkten beschämt die Köpfe.

»Wenn in Zukunft ein Kind seine Familie verliert, werden die beiden nächsten Nachbarn es zu mir bringen. Kinder, die nicht bei einer gastfreundlichen Familie unterkommen, ziehen in die Priorei. Die Mädchen können bei den Nonnen wohnen, und das Dormitorium der Mönche wandeln wir in einen Schlafsaal für Jungen um. Die Kinder können dann morgens die Klosterschule besuchen und am Nachmittag sinnvolle Arbeit leisten.«

Auch dieser Vorschlag fand allgemeine Zustimmung.

Elfric ergriff das Wort. »Seid Ihr fertig, Mutter Caris?«

»Ich denke schon – es sei denn, jemand möchte die Einzelheiten meiner Vorschläge besprechen.«

Niemand sagte etwas, und die Räte begannen ungeduldig mit den Füßen zu scharren.

Elfric sagte spöttisch: »Ein paar Männer hier werden sich vielleicht erinnern, dass sie *mich* zum Ältesten des Rates gewählt haben.« Seine Stimme war voller Groll. Die Ratsmitglieder zogen die Köpfe ein.

»Und nun sind wir Zeuge geworden, wie der Prior von Kingsbridge des Diebstahls angeklagt und ohne Prozess verurteilt wurde!«, fuhr er fort.

Diesmal erklang ablehnendes Murren. Niemand hielt Godwyn für unschuldig.

Doch Elfric ignorierte die Stimmung im Saal. »Und wir haben uns hierhergesetzt wie die Hörigen und lassen uns von einer Frau vorschreiben, nach welchen Gesetzen die Stadt zu leben hat. Auf wessen Geheiß sollen Betrunkene eingesperrt werden? Auf ihres! Wer ist der oberste Erbschaftsrichter? Sie! Wer kümmert sich um die Waisen der Stadt? Sie! Was ist aus euch geworden? Seid ihr denn keine Männer?«

»Nein«, erwiderte Betty Baxter.

Der ganze Saal lachte.

Caris beschloss, sich nicht einzumischen. Es war unnötig. Sie blickte den Bischof an, ob der sich gegen Elfric verwahren würde, und sah, dass er sich mit fest geschlossenem Mund zurückgelehnt hatte: Offensichtlich hatte auch Henri erkannt, dass Elfric auf verlorenem Posten kämpfte.

Elfric hob die Stimme. »Ich sage, wir weisen einen weiblichen Prior zurück! Auch einen weiblichen amtierenden Prior! Und wir bestreiten der Priorin das Recht, in den Gemeinderat zu kommen und uns Anweisungen zu erteilen!«

Mehrere Räte murrten ablehnend. Zwei oder drei standen auf, als wollten sie voller Abscheu den Saal verlassen. Jemand rief: »Das kannst du dir aus dem Kopf schlagen, Elfric.«

Er ließ sich nicht beirren. »Sie ist eine Frau, die der Hexerei überführt und zum Tode verurteilt wurde!«

Alle Männer hatten sich nun erhoben. Der erste ging zur Tür hinaus.

»Kommt zurück!«, brüllte Elfric. »Ich habe die Sitzung noch nicht geschlossen!«

Niemand beachtete ihn.

Caris ging zu der Gruppe an der Tür. Sie bahnte dem Bischof und dem Erzdiakon einen Weg. Sie selbst ging als Letzte. Am Ausgang wandte sie sich um und blickte Elfric an. Er saß einsam und allein am hinteren Ende des Saales.

Caris ging hinaus.

Zwölf Jahre war es her, seit Godwyn und Philemon die Zelle von St.-John-in-the-Forest besucht hatten. Godwyn erinnerte sich, wie sehr die ordentlichen Felder ihn beeindruckt hatten, die beschnittenen Hecken, die freien Ablaufgräben, die geraden Reihen der Apfelbäume im Obstgarten. Heute war es noch genauso wie damals. Offensichtlich hatte auch Saul Whitehead sich nicht geändert.

Godwyn und sein Zug überquerten das Schachbrett aus gefrorenen Äckern zu den gedrängt stehenden Gebäuden des Klosters. Als sie näher kamen, konnte Godwyn erkennen, dass es einige Veränderungen gegeben hatte. Vor zwölf Jahren war die kleine Steinkirche mit ihrem Kreuzgang und Dormitorium von einer Vielzahl winziger Holzgebäude umstanden gewesen: Küche, Ställe, Molkerei, Backstube. Heute waren diese Bretterbuden verschwunden, und der aus Stein erbaute, der Kirche angeschlossene Komplex war entsprechend gewachsen. »Die Anlage ist sicherer als früher«, sagte Godwyn.

»Weil immer mehr Soldaten, die aus dem Krieg in Frankreich heimkehren, zu den Gesetzlosen stoßen«, sagte Philemon.

Godwyn runzelte die Stirn. »Ich erinnere mich nicht, wegen des Ausbaus um Erlaubnis gebeten worden zu sein ...«

»Man hat Euch auch nicht gebeten.«

»Hmm.« Leider konnte Godwyn sich nicht beschweren; dann nämlich hätte jemand fragen können, wie Saul ohne Wissen des Priors ein solches Vorhaben hatte durchführen können – und das wiederum hätte bewiesen, dass Godwyn seine Aufsichtspflicht verletzt hatte. Außerdem diente es Godwyns Zwecken, wenn das Kloster sich leicht gegen Eindringlinge absperren ließ.

Die zweitägige Reise hatte ihn ein wenig beruhigt. Der Tod seiner Mutter hatte ihn in panische Angst verfallen lassen. Mit jeder Stunde, die er in Kingsbridge blieb, war seine Furcht gewachsen, sterben zu müssen. Er hatte gerade noch den Mut und die Kraft aufgebracht, im Kapitelsaal zum Konvent zu sprechen und den Auszug der Brüder vorzubereiten. Trotz seiner Wortgewalt hatten einige Mönche ihre Zweifel am Sinn der Flucht geäußert. Zum Glück waren sie alle zu Gehorsam verpflichtet, und die Gewohnheit, stets zu tun, was man ihnen sagte, hatte obsiegt. Dennoch hatte Godwyn sich erst sicher gefühlt, nachdem sie mit leuchtenden Fackeln Merthins Doppelbrücke überquert hatten und in der Nacht verschwunden waren.

Godwyn spürte, dass er noch immer am Rand der Panik stand. Hin und wieder grübelte er über irgendetwas und beschloss, seine Mutter zu fragen, was sie davon hielt – und erst dann wurde ihm schmerzlich bewusst, dass er Petronilla nie wieder um Rat bitten konnte, und erneut stieg die Panik ihm wie Erbrochenes in die Kehle.

Godwyn floh vor der Pest – nur hätte er schon vor zwei Monaten aufbrechen sollen, als Mark Webber gestorben war. Hatte er sich zu spät entschieden? Er bezwang sein Entsetzen. Er würde sich erst sicher fühlen, wenn er völlig von der Außenwelt abgeschlossen war.

Mit Mühe wandte er seine Gedanken wieder der Gegenwart zu. Zu dieser Jahreszeit war niemand auf den Feldern, doch auf einem Hof vor dem Kloster entdeckte er eine Handvoll Mönche bei der Arbeit: Einer beschlug ein Pferd, ein anderer reparierte einen Pflug, und eine kleine Gruppe drehte die Stange einer Mostpresse.

Sie alle hielten inne und starrten erstaunt die Gäste an, die sich näherten: zwanzig Mönche, ein halbes Dutzend Novizen, vier Karren und zehn Packpferde. Außer den Dienern der Priorei hatte Godwyn niemanden zurückgelassen.

Einer der Brüder an der Mostpresse löste sich aus der Gruppe und kam näher. Godwyn erkannte Saul Whitehead. Zwar sahen sie einander bei Sauls jährlichen Besuchen in Kingsbridge, doch zum ersten Mal bemerkte Godwyn das Weiß in Sauls aschblondem Haar.

Zwanzig Jahre zuvor hatten sie beide in Oxford studiert. Saul war der bessere Student gewesen, mit rascher Auffassungsgabe und gewandt in der Argumentation, und obendrein der Frömmste von allen. Wäre er weniger vergeistigt gewesen und hätte seine Karriere klug geplant, statt sie dem Herrgott zu überlassen, wäre vielleicht er Prior von Kingsbridge geworden. So aber hatte der gerissene Godwyn ihn mühelos ausmanövrieren können, als Prior Anthony gestorben war und sein Nachfolger gewählt wurde.

Dennoch war Saul kein schwacher Mensch. Godwyn fürchtete sogar seinen Hang zur Rechtschaffenheit. Würde er sich Godwyns Plänen fügen oder Schwierigkeiten machen? Wieder zwang Godwyn die aufkeimende Panik nieder.

Sorgfältig musterte er Sauls Gesicht. Der Prior von St. John war überrascht, ihn zu sehen, und offenbar nicht sehr erfreut. Er hatte eine höfliche Miene aufgesetzt, lächelte aber nicht.

Während der Auseinandersetzung um die Nachfolge Anthonys als Prior hatte Godwyn jeden glauben gemacht, er selbst wolle das Amt gar nicht, hatte zugleich aber die anderen möglichen Kandidaten mit allen Mitteln aus dem Rennen geworfen – einschließlich Saul. Hatte Saul einen Verdacht, wie er um das Amt gebracht worden war?

»Guten Tag, Vater Prior«, sagte Saul, als er näher kam. »Eure Ankunft ist uns ein unerwarteter Segen.«

Wenigstens verhielt Saul sich nicht offen feindselig. Ohne Zweifel hielt er solches Verhalten für nicht vereinbar mit seinem Gehorsamsgelübde. Godwyn war erleichtert. Er antwortete: »Gott segne Euch, mein Sohn. Es ist lange her, dass ich meine Kinder in St. John besucht habe.«

Saul blickte auf die Mönche, die Pferde und die Karren voller Vorräte. »Es scheint mehr als nur ein einfacher Besuch zu sein.« Er machte keine Anstalten, Godwyn Hilfe beim Absteigen anzubieten. Es war, als verlangte er eine Erklärung, ehe er die Brüder ins Kloster bat – was lächerlich war: Er besaß keinerlei Recht, seinen Oberen abzuweisen.

Dennoch fand Godwyn sich zu einer Erklärung bemüßigt. »Habt Ihr von der Pest gehört?«

»Nur Gerüchte«, sagte Saul. »Es kommen nur wenige Besucher hierher und bringen uns Neuigkeiten.«

Das hörte sich gut an. Der Mangel an Besuchern nämlich hatte Godwyn hierhergelockt. »Die Pest hat in Kingsbridge Hunderte dahingerafft. Ich hatte Angst, die Seuche könnte die ganze Priorei auslöschen. Deshalb habe ich die Brüder hierhergeführt. Es ist vielleicht der einzige Weg, unser Überleben sicherzustellen.«

»Ihr seid willkommen, was immer der Grund für Euren Besuch sein mag.«

»Das versteht sich von selbst«, erwiderte Godwyn steif. Es ärgerte ihn, dass er sich zu einer Rechtfertigung hatte verleiten lassen.

Saul blickte ihn nachdenklich an. »Ich weiß nur nicht, wo so viele Männer schlafen sollen …«

»Das werde ich entscheiden«, sagte Godwyn, um seine Autorität geltend zu machen. »Ihr könnt mich umherführen, während Eure Küche uns das Mittagsmahl bereitet.« Er stieg ohne Hilfe vom Pferd und betrat das Kloster.

Saul war gezwungen, ihm zu folgen.

Das Kloster war blitzblank und sauber, aber vollkommen schmucklos, was darauf hindeutete, wie ernst Saul es mit dem mönchischen Gelübde der Armut hielt. Doch heute kam es Godwyn mehr darauf an, wie rasch das Kloster sich vor der Außenwelt verschließen ließ. Zum Glück war Saul ein Mensch, der auf Ordnung bedacht war und gern alles im Auge behielt; deshalb besaßen die Gebäude nur wenige Eingänge. In die Priorei gab es drei Wege: durch die Küche, den Stall oder die Kirche. Jeder Zugang besaß eine massive Tür, die fest verriegelt werden konnte.

Das Dormitorium war klein, denn üblicherweise waren hier nur neun oder zehn Mönche untergebracht, und es gab keine getrennte Schlafkammer für den Prior. Zwanzig zusätzliche Mönche konnten nur Platz finden, wenn sie in der Kirche schliefen.

Godwyn erwog, das Dormitorium für sich zu beanspruchen, doch in dem Raum konnte man den Kirchenschatz nirgendwo verbergen, und er wollte ihn nahe bei sich wissen. Zum Glück hatte die Kirche eine kleine Seitenkapelle, die sich abschließen ließ, und Godwyn erwählte sie als sein Quartier. Die anderen Brüder aus Kingsbridge breiteten Stroh auf dem gestampften Boden der Kirche aus und richteten sich ein, so gut es ging.

Das Essen und der Wein wanderten in die Küche und den Keller, doch den Kirchenschatz brachte Philemon in Godwyns Kapellen-Schlafkammer. Der Subprior hatte mit den Mönchen von St. John gesprochen. »Saul leitet sein Kloster auf seine eigene Art«, berichtete er. »Er verlangt strikten Gehorsam gegenüber Gott und den Regeln des heiligen Benedikt, aber es heißt, er selbst stelle sich auf kein Podest. Er schläft im Dormitorium, isst das gleiche Essen wie die anderen und nimmt sich auch sonst keine Vorrechte heraus. Ich brauche wohl nicht zu erwähnen, dass man ihn dafür schätzt. Doch es gibt einen Mönch, der beständig bestraft werden muss – Bruder Jonquil.«

»Ich erinnere mich an ihn.« Jonquil war während seines Noviziats in Kingsbridge ständig in Schwierigkeiten gewesen: wegen Zuspätkommens, Nachlässigkeit, Faulheit und Gier. Er besaß keine Selbstbeherrschung und war vermutlich nur deshalb Mönch geworden, weil ihm dadurch Beschränkungen auferlegt wurden, die er auf sich allein gestellt nicht einhalten konnte. »Ich bezweifle, dass er uns viel helfen kann.«

»Wenn Jonquil auch nur den Hauch einer Möglichkeit sieht, tanzt er aus der Reihe«, sagte Philemon. »Aber er hat keinerlei Autorität. Niemand würde ihm folgen.«

»Und niemand hat eine Beschwerde gegen Saul? Schläft er nicht zu lang? Weicht er keinen unangenehmen Pflichten aus? Nimmt er sich nicht den besten Wein?«

»Offenbar nicht.«

»Hmm.« Saul war so aufrecht wie eh und je. Godwyn war enttäuscht, aber nicht sehr überrascht.

Während der Abendandacht bemerkte Godwyn, wie ernst und diszipliniert die Mönche von St. John waren. Im Laufe der Jahre hatte er stets jene Brüder hierhergesandt, die sich nicht fügten: die aufrührerischen, wirrköpfigen und diejenigen, die die Lehren der Kirche in Frage stellten und sich mit häretischen Ideen befassten. Saul hatte sich nie beschwert und niemals jemanden zurückgeschickt. Anscheinend vermochte er solche Feuerköpfe in vorbildliche Mönche zu verwandeln.

Nach der Messe sandte Godwyn die meisten der Brüder aus Kingsbridge zum Abendessen ins Refektorium und behielt nur Philemon und zwei kräftige junge Mönche bei sich. Als sie die Kirche für sich hatten, hieß er Philemon die Tür bewachen, durch die man aus dem Kreuzgang ins Gotteshaus gelangte, und befahl den jungen Mönchen, den geschnitzten Holzaltar zu verschieben und unter der Stelle, an der er stand, eine Grube auszuheben.

Als das Loch tief genug war, trug Godwyn den Kirchenschatz aus der Kapelle herbei, damit er unter dem Altar vergraben werden konnte. Doch ehe er damit fertig war, kam Saul an die Tür.

Godwyn hörte, wie Philemon sagte: »Der Vater Prior möchte allein sein.«

Saul erwiderte: »Das soll er mir selbst sagen.«

»Er hat mich gebeten, es auszurichten, und ...«

Saul erhob die Stimme. »Ich lasse mich nicht aus meiner eigenen Kirche aussperren! Schon gar nicht von dir!«

»Wollt Ihr mir Gewalt androhen?«, rief Philemon. »Mir, dem Subprior von Kingsbridge?«

»Ich schmeiß dich in den Brunnen, wenn du mir noch länger den Weg vertrittst.«

Godwyn griff ein. Ihm wäre es lieber gewesen, Saul im Unwissen zu halten, doch es sollte nicht sein. »Philemon, lass ihn herein!«, rief er.

Philemon wich in die Kirche zurück, und Saul folgte ihm auf dem Fuße. Er sah das Gepäck, öffnete einen Sack, ohne um Erlaubnis zu fragen, und blickte hinein. »Meiner Seel!«, rief er aus und zog ein versilbertes Altarkännchen hervor. »Was ist denn das?«

Godwyn war versucht, ihm zu entgegnen, seine Oberen nicht infrage zu stellen. Saul hätte solch eine Zurechtweisung vielleicht sogar hingenommen: Er glaubte an die Demut oder wenigstens an das Prinzip. Doch Godwyn wollte nicht, dass in Saul der Verdacht gärte, und so sagte er: »Ich habe den Kirchenschatz von Kingsbridge mitgebracht.«

Saul zog ein angewidertes Gesicht. »Mir ist bewusst, dass man solchen Tand in einer großen Kathedrale für passend hält, doch in einer bescheidenen Zelle im Walde sind solche Dinge fehl am Platze.«

»Ihr werdet die Juwelen auch gar nicht sehen müssen. Ich werde sie verstecken. Und es schadet nicht, wenn Ihr wisst, wo sie sind, auch wenn ich Euch die Bürde dieses Wissens ersparen wollte.«

Saul wirkte misstrauisch. »Warum bringt Ihr sie dann überhaupt mit?«

»Damit sie sicher sind.«

So leicht ließ Saul sich nicht beruhigen. »Ich bin überrascht, dass der Bischof eingewilligt hat, den Kirchenschatz aus der Kathedrale zu entfernen.«

Der Bischof war natürlich erst gar nicht gefragt worden, doch davon sagte Godwyn nichts. »Derzeit stehen die Dinge in Kingsbridge so schlecht, dass wir nicht wussten, ob der Kirchenschatz sicher ist, selbst in der Priorei.«

»Aber gewiss doch sicherer als *hier*? Wir sind von Gesetzlosen umgeben! Dem Herrgott sei Dank, dass Ihr ihnen nicht auf der Landstraße begegnet seid!«

»Ja. Gott wacht über uns.«

»Und hoffentlich auch über seine Juwelen.«

Sauls Gebaren lief beinahe auf Insubordination hinaus, doch Godwyn tadelte ihn nicht, weil er fürchtete, eine zu heftige Erwiderung könnte auf Schuldgefühle hindeuten. Er merkte sich allerdings, dass auch Sauls Demut ihre Grenzen kannte. Vielleicht ahnte Saul ja doch, dass er vor zwölf Jahren bei der Wahl des Priors hinters Licht geführt worden war.

Nun sagte Godwyn: »Bittet alle Brüder, nach dem Abendbrot im Refektorium zu bleiben. Ich möchte zu ihnen sprechen, sobald ich hier fertig bin.«

Saul nahm die Entlassung hin und ging hinaus. Godwyn vergrub den Kirchenschatz von Kingsbridge, die Freibriefe der Priorei, die Reliquien des heiligen Adolphus und fast alles Geld. Die Mönche schaufelten die Erde ins Loch zurück, klopften sie fest und wuchteten den Altar an seinen Platz zurück. Ein wenig lose Erde war übrig, welche die Brüder ins Freie trugen und dort verstreuten.

Danach gingen sie ins Refektorium. Der kleine Speisesaal war wegen der Mönche aus Kingsbridge überfüllt. Ein Mönchsbruder stand am Pult und las einen Abschnitt aus dem Markusevangelium vor, verstummte jedoch, als Godwyn hereinkam.

Godwyn bedeutete dem Vorleser, sich zu setzen, und nahm seinen Platz ein. »Wir sind auf einem heiligen Rückzug«, begann er. »Gott hat diese entsetzliche Seuche gesandt, um uns für unsere Sünden zu bestrafen! Wir sind hierhergekommen, uns von diesen Sünden zu läutern, fern vom verderblichen Einfluss der Stadt.«

Godwyn hatte keine offene Diskussion im Sinn gehabt, doch Saul fragte gedehnt: »Welche Sünden meint Ihr genau, Vater Godwyn?«

Godwyn musste sich rasch etwas einfallen lassen. »Nun … Männer stellen die Autorität von Gottes heiliger Kirche infrage. Frauen werden unzüchtig. Mönche halten sich nicht fern von weiblicher Gesellschaft, und Nonnen wenden sich der Irrlehre und der Hexerei zu.«

»Und wie lange wird es dauern, sich von diesen Sünden zu läutern?«

»Wir werden wissen, dass wir gesiegt haben, sobald die Seuche verschwunden ist.«

Ein anderer Mönch von St. John ergriff das Wort, und Godwyn erkannte Jonquil, einen großen, ungelenken Mann mit einem wirren Ausdruck in den Augen. »Und wie werdet Ihr Euch läutern?«

Godwyn war erstaunt, dass die Mönche sich hier offenbar das Recht herausnahmen, ihre Oberen zu hinterfragen. »Durch Gebet und Fasten.«

»Das mit dem Fasten ist eine gute Idee«, sagte Jonquil. »Viel zu essen haben wir nämlich nicht mehr.«

Leises Lachen im Refektorium.

Godwyn sorgte sich, die Gewalt über seine Zuhörer zu verlieren. Er forderte Ruhe, indem er auf das Pult schlug. »Von nun an ist jeder, der von außen zu uns kommt, eine Gefahr«, sagte er. »Alle Türen zur Klausur sind Tag und Nacht von innen verriegelt zu halten. Ohne meine ausdrückliche Erlaubnis geht kein Mönch nach draußen, und diese Erlaubnis wird nur im Notfall erteilt. Sämtliche Besucher werden abgewiesen. Wir werden uns einschließen, bis die schreckliche Pest vorüber ist.«

Jonquil fragte: »Aber was, wenn …«

Godwyn schnitt ihm das Wort ab. »Ich habe nicht um Fragen gebeten, Bruder.« Er starrte drohend in den Raum, zwang alle mit Blicken zum Schweigen. »Ihr seid Mönche, und der Gehorsam ist eure Pflicht! Und nun lasst uns beten.«

※

Schon am nächsten Tag kam es zur Krise.

Godwyn spürte, dass Saul und dessen Mönche seine Amtsgewalt zumindest vorläufig akzeptiert hatten. Sie alle waren überrascht worden, und aus dem Moment heraus fielen ihnen keine triftigen Einwände ein; mangels eines stichhaltigen Grundes zur Auflehnung gehorchten sie ihrem Oberen. Godwyn war jedoch bewusst, dass der Moment kommen würde, in dem Saul und seine Brüder eine Entscheidung treffen mussten.

Er hätte nur nicht damit gerechnet, dass es schon so bald geschehen würde.

Sie sangen das Offizium der Prim. In der kleinen Kirche war es klirrend kalt. Godwyn fühlte sich nach einer unbequemen Nacht steif und wund. Oh, wie er seinen Palast mit den Kaminen und weichen Betten vermisste!

Das graue Licht eines Wintermorgens erschien in den Fenstern, als an die schwere Westtür der Kirche gepocht wurde. Godwyn spannte sich an. Er hätte sich gewünscht, einen oder zwei Tage mehr zu haben, um seine Stellung zu festigen.

Er bedeutete den Mönchen, das Klopfen gar nicht zu beachten und mit dem Stundengebet fortzufahren. Das Klopfen wurde daraufhin durch Rufe verstärkt. Saul erhob sich, um zur Tür zu gehen, doch Godwyn gab ihm Handzeichen, sich zu setzen, und nach kurzem Zögern gehorchte Saul. Godwyn war fest entschlossen, sich nicht vom Fleck zu rühren. Wenn die Mönche nicht auf das Klopfen reagierten, würden die Störenfriede schon weiterziehen.

Doch Godwyn erkannte, dass es außergewöhnlich schwierig war, Menschen davon zu überzeugen, nichts zu unternehmen. Die Brüder waren zu abgelenkt, um sich auf den Psalm zu konzentrieren. Sie wisperten und raunten und blickten über die Schultern auf das Westende. Ihr Gesang wurde unmelodisch und ungleichmäßig und verstummte schließlich, bis nur noch Godwyns Stimme erklang.

Zorn loderte in ihm auf. Hätten die Brüder seine Anweisung befolgt, hätten sie die Störung ignorieren können! Wütend über ihre Schwäche, verließ er seinen Platz und ging das kurze Hauptschiff entlang zur Tür, die verriegelt war. »Was ist?«, rief er.

»Lasst uns rein!«, hörte er die gedämpfte Antwort.

»Ihr könnt nicht herein«, rief Godwyn zurück. »Macht, dass ihr fortkommt.«

Saul stand plötzlich neben ihm. »Ihr weist ihnen die Tür der Kirche?«, fragte er entsetzt.

»Ich habe es Euch gesagt«, erwiderte Godwyn. »Keine Besucher.«

Das Klopfen setzte wieder ein. »Lasst uns ein!«

Saul rief: »Wer seid ihr?«

Eine Pause folgte; dann sagte die Stimme: »Wir sind Männer des Waldes.«

»Gesetzlose«, sagte Philemon.

Saul entgegnete indigniert: »Sünder wie wir und auch Kinder Gottes.«

»Das ist kein Grund, uns von ihnen abschlachten zu lassen.«

»Vielleicht sollten wir erst einmal herausfinden, ob sie das vorhaben.« Saul ging an das Fenster rechts von der Tür. Die Kirche war ein niedriges Bauwerk, und die Fenstersimse lagen knapp unterhalb der Augenhöhe. Glasscheiben gab es hier nicht; nur Vorhänge aus Leinen hielten die Kälte ab. Saul öffnete den Vorhang und stellte sich auf die Zehenspitzen, um hinausblicken zu können. »Was wollt ihr hier?«, fragte er.

Godwyn hörte die Antwort: »Einer von uns ist krank.«

Godwyn sagte zu Saul: »Ich werde mit ihnen sprechen.«

Saul starrte ihn an.

»Weg vom Fenster«, sagte Godwyn.

Widerstrebend gehorchte Saul.

Godwyn brüllte: »Wir können euch nicht einlassen. Verschwindet!«

Saul blickte ihn ungläubig an. »Ihr wollt einen kranken Mann fortschicken?«, fragte er. »Wir sind Mönche und Ärzte!«

»Wenn der Mann die Pest hat, können wir nichts für ihn tun. Wenn wir ihn einlassen, bedeutet es unser Ende.«

»Das liegt in Gottes Hand, Bruder.«

»Gott gestattet uns den Selbstmord nicht.«

»Ihr wisst doch gar nicht, was dem Mann fehlt. Er könnte sich nur den Arm gebrochen haben.«

Godwyn öffnete das gleiche Fenster links von der Tür und schaute hinaus. Er sah eine Gruppe von sechs abgerissenen Gestalten um eine Trage, die sie vor der Kirchentür abgestellt hatten. Ihre Kleider waren kostbar, doch sie starrten vor Schmutz, als hätten sie in ihrem Sonntagsstaat im Wald übernachtet. Ihr Aussehen war typisch für Gesetzlose, die Reisenden gute Kleidung raubten und diese dann verlottern ließen. Die Männer waren schwer bewaffnet; einige trugen Schwerter, Dolche und Langbogen, was darauf hindeutete, dass es sich um entlassene Soldaten handelte.

Auf der Trage lag ein Mann, der aus der Nase blutete und heftig schwitzte, obwohl es ein frostiger Januarmorgen war. Plötzlich und ungewollt sah Godwyn seine Mutter vor sich, die sterbend im Hospital lag; das Blut rann ihr immer wieder auf die Oberlippe, sooft die Nonnen es auch abwischten. Der Gedanke, er könnte auch so sterben, brachte ihn dermaßen aus der Fassung, dass er sich am liebsten von einem Dach gestürzt hätte. Wie viel besser wäre es doch, in einem kurzen Moment überwältigenden Schmerzes dahinzugehen als in drei, vier oder fünf Tagen wirren Deliriums und mörderischen Durstes. »Dieser Mann hat die Pest!«, rief Godwyn und hörte in seiner eigenen Stimme den Unterton der Hysterie.

Einer der Gesetzlosen trat vor. »Ich kenne Euch«, sagte er. »Ihr seid der Prior von Kingsbridge.«

Godwyn versuchte sich zusammenzureißen. Voller Angst und Wut starrte er den Mann an, offenbar der Anführer der Gesetzlosen. Er besaß das arrogante Selbstvertrauen eines Adligen und schien einst ein gut aussehender Bursche gewesen zu sein, auch wenn sein Äußeres durch jahrelanges Leben in der Wildnis gezeichnet war. Godwyn erwiderte: »Und wer bist du, dass du gegen eine Kirchentür hämmerst, während die Mönche Gott die Psalmen singen?«

»Manche nennen mich Tam Hiding«, entgegnete der Gesetzlose.

Die Mönche schnappten nach Luft: Tam Hiding war eine Legende. Bruder Jonquil kreischte schrill: »Mein Gott, sie werden uns alle umbringen!«

Saul wandte sich ihm zu. »Sei still«, sagte er. »Wir sterben, wann Gott es wünscht, nicht vorher.«

»Jawohl, Vater.«

Saul kehrte ans Fenster zurück und sagte: »Du hast uns letztes Jahr die Hühner gestohlen!«

»Das bedaure ich, Vater«, antwortete Tam. »Wir waren am Verhungern.«

»Und trotzdem bittet ihr uns jetzt um Hilfe?«

»Weil Ihr predigt, dass Gott voller Vergebung ist.«

Godwyn befahl Saul: »Überlasst das *mir*!«

Sauls innerer Widerstreit war ihm deutlich anzusehen; sein Gesicht zeigte abwechselnd Scham und Auflehnung, doch am Ende neigte er das Haupt.

Godwyn sagte zu Tam: »Gott vergibt denen, die aufrichtig bereuen.«

»Nun, dieser Mann heißt Win Forester, und er bereut aufrichtig seine vielen Sünden. Er würde gern in die Kirche kommen und um Heilung beten, oder, wenn das nicht geht, wenigstens auf geweihtem Boden sterben.«

Einer der anderen Gesetzlosen nieste.

Saul trat vom Fenster weg und baute sich vor Godwyn auf, die Hände in die Hüften gestemmt. »Wir können den Mann nicht abweisen!«

Godwyn bemühte sich um Gleichmut. »Ihr habt das Niesen doch gehört – wisst Ihr denn nicht, was es bedeutet?« Er wandte sich den anderen Brüdern zu, damit sie auch ganz bestimmt hörten, was er als Nächstes sagte. »Sie haben *alle* die Pest!«

Die Mönche bekreuzigten sich hastig und gaben Stoßgebete von sich. Godwyn war zufrieden: Er wollte, dass sie sich fürchteten. Dann würden sie ihn unterstützen, falls Saul beschloss, seiner Anweisung zu trotzen.

Saul sagte: »Selbst wenn sie die Pest haben, müssen wir ihnen helfen. Unser Leben gehört nicht uns, wir können es nicht schützen wie Geld, das in der Erde vergraben wird. Wir haben uns Gott geschenkt, der uns benutzen soll, wie er es wünscht, und er beendet unser Leben, wann es seinem heiligen Werk dient.«

»Diese Gesetzlosen einzulassen wäre Selbstmord! Sie würden uns alle töten!«

»Wir sind Männer Gottes. Der Tod bedeutet für uns die glückliche Wiedervereinigung mit Jesus Christus. Was also haben wir zu befürchten, Vater Prior?«

Godwyn begriff, dass er ängstlich klang, während Saul einen gelassenen Tonfall anschlug. Godwyn zwang sich, weise und würdevoll zu erscheinen. »Es wäre eine Sünde, würden wir den Tod suchen, Bruder.«

»Aber wenn der Tod uns in Ausübung unserer frommen Pflicht ereilt, nehmen wir ihn froh entgegen.«

Godwyn begriff, dass er den ganzen Tag mit Saul argumentieren konnte, ohne einen Schritt weiterzukommen. Auf diese Weise konnte er seine Autorität nicht ausüben. Er schloss den Vorhang. »Mach das Fenster zu, Bruder Saul, und komm her zu mir«, sagte er. Er blickte Saul an und wartete.

Nach kurzem Zögern gehorchte Saul.

Godwyn fragte: »Was sind deine drei Gelübde, Bruder?«

Saul schwieg. Er wusste, was vor sich ging. Godwyn weigerte sich, mit ihm wie mit einem Gleichgestellten zu verkehren. Zuerst blickte Saul drein, als wollte er die Antwort verweigern; dann aber konnte er sich der Kraft seiner mönchischen Ausbildung nicht entziehen und sagte: »Armut, Keuschheit und Gehorsam.«

»Und wem musst du gehorchen?«

»Gott, der Regel des heiligen Benedikt, und meinem Oberen.«

»Und dein Oberer steht jetzt vor dir. Erkennst du mich an?«

»Jawohl.«

»›Jawohl, Vater Prior.‹«

»Jawohl, Vater Prior.«

»Nun werde ich dir sagen, was du tun musst, und du wirst gehorchen.« Godwyn blickte in die Runde. »Ihr alle – kehrt auf eure Plätze zurück.«

Einen Augenblick lang herrschte erstarrtes Schweigen. Niemand rührte sich, niemand sprach. Willfährigkeit oder Auflehnung, dachte Godwyn, beides ist möglich. Ordnung oder Chaos, Sieg oder Niederlage. Er hielt den Atem an.

Endlich bewegte sich Saul. Er neigte den Kopf und wandte sich ab, folgte dem kurzen Gang und nahm seinen Platz vor dem Altar wieder ein.

Die anderen schlossen sich ihm an.

Von draußen erschollen noch ein paar Rufe, doch es hörte sich an, als hätten die Gesetzlosen es bereits aufgegeben. Vielleicht hatten sie endlich begriffen, dass sie den Arzt nicht zwingen konnten, ihren kranken Kameraden zu behandeln. Godwyn kehrte an den Altar zurück und wandte sich den Mönchen zu. »Wir setzen das unterbrochene Gebet nun fort«, sagte er und hub zu singen an: »*Gloria Patri et Filio et Spiritui Sancto …*« Ehre sei dem Vater und dem Sohn und dem Heiligen Geist.

Der Gesang der Brüder klang noch holprig. Sie waren zu aufgeregt, um die angemessen würdevolle Haltung zu erlangen. Dennoch – sie standen an ihren Plätzen und folgten seinen Anweisungen. Godwyn hatte gesiegt.

»*Sicut erat in principio et nunc et semper et in saecula saeculorum.*« Wie es war im Anfang, so auch jetzt und alle Zeit und in Ewigkeit.

»*Amen*«, sangen die Mönche.

Einer von ihnen nieste.

KAPITEL 65

Kurz nach Godwyns Flucht starb Elfric an der Pest.

Caris tat ihre Schwester Alice leid, die nun Witwe war, doch davon abgesehen konnte sie eine klammheimliche Freude über Elfrics Hinscheiden nur schwer bezwingen. Er hatte die Schwachen unterdrückt und war vor den Starken gekrochen, und seine Lügen bei dem Hexenprozess hätten sie beinahe an den Galgen gebracht. Die Welt war ohne Elfric besser dran. Selbst das Geschäft vermochte sein Schwiegersohn Harold Mason mit größerem Können zu führen als er.

Der Rat wählte Merthin an Elfrics Stelle zum Ratsältesten. Merthin sagte dazu: »Das ist so, als würde man zum Kapitän eines sinkenden Schiffes ernannt.«

Während das Sterben weiterging und die Menschen ihre Verwandten, Nachbarn, Freunde, Mitarbeiter und Kunden begraben mussten, schien der ständige Schrecken viele von ihnen immer brutaler und gewissenloser zu machen, bis keine Gewalttat, keine Grausamkeit sie noch entsetzen konnte: Menschen, die glaubten, sterben zu müssen, verloren allen Halt und gehorchten ihren Trieben, ohne an die Folgen zu denken.

Gemeinsam kämpften Merthin und Caris, um in Kingsbridge wenigstens einen Hauch von Alltagsleben aufrechtzuerhalten. Von Caris' Einrichtungen war das Waisenhaus am erfolgreichsten. Nach der schweren Prüfung, die die Kinder hatten durchstehen müssen, als sie ihre Eltern an die Pest verloren hatten, waren sie umso dankbarer für die Sicherheit des Nonnenklosters. Sich um die Kleinen zu kümmern und sie das Lesen und das Singen von Lobliedern zu lehren weckte in einigen Nonnen lange unterdrückte mütterliche Gefühle. Zu essen gab es genug, da die Wintervorräte für immer weniger Menschen reichen mussten. Die Priorei von Kingsbridge war erfüllt vom Lachen und Lärmen der Kinder.

In der Stadt jedoch standen die Dinge schlechter. Die gewalttätigen Streitereien um den Besitz der Toten nahmen ihren Fortgang: Die Plünderer drangen in leere Häuser ein und nahmen, was ihnen gefiel. Kinder, die Geld, Kleider oder Lagerhäuser voller Getreide geerbt hatten, wurden manchmal von skrupellosen Nachbarn aufgenommen, die nur das Erbe an sich raffen wollten. Die Aussicht, etwas ohne Gegenleistung zu bekommen, bringt in manchen Menschen das Schlimmste zum Vorschein, dachte Caris, der Verzweiflung nahe.

Beim Kampf gegen den Verfall der öffentlichen Moral konnten Caris und Merthin nur geringe Erfolge verzeichnen. Caris war enttäuscht, wie wenig die Maßnahmen John Constables gegen die Trunkenheit fruchteten. Die vielen Witwer und Witwen schienen panisch nach neuen Gattinnen und Gatten zu suchen, und es war nichts Ungewöhnliches, wenn man in einer Schänke oder gar in einem Hauseingang Menschen mittleren Alters in leidenschaftlicher Umarmung sah. Doch weder Caris noch Merthin und der Gemeinderat bekamen diese öffenliche Zügellosigkeit, die Trunkenheit und die Handgreiflichkeiten in den Griff.

In einer Zeit, in der die Städter in besonderem Maße moralische Stärkung brauchten, hatte die Flucht der Mönche zum genauen Gegenteil geführt. Ihr Davonlaufen entmutigte jeden: Gottes Vertreter waren verschwunden; der Allmächtige hatte die Stadt aufgegeben. Einige sagten, die Reliquien des heiligen Adolphus hätten stets ein günstiges Schicksal gebracht, und nun, wo sie fort seien, sei es vorbei mit dem Glück. Auch das Fehlen der kostbaren Kruzifixe und Kerzenleuchter bei den Sonntagsmessen war eine beständige Erinnerung, dass Gott die Stadt Kingsbridge als zum Untergang verdammt ansah. Warum sich also nicht betrinken und auf der Straße Unzucht treiben?

Von ungefähr siebentausend Einwohnern hatte Kingsbridge Mitte Januar wenigstens eintausend verloren. In anderen Städten war es ähnlich. Trotz der Schutzmasken, die Caris ersonnen hatte, stieg der Todeszoll auch unter den Nonnen – zweifellos, weil sie ständig mit den Pestkranken in Berührung kamen. Wo vor der Pest fünfunddreißig Schwestern gelebt hatten, gab es jetzt nur noch zwanzig. Man hörte jedoch von Klöstern, in denen fast alle Mönche oder Nonnen dahingerafft worden waren, und konnte sich deshalb noch glücklich schätzen. Caris hatte in der Zwischenzeit das Noviziat verkürzt und die Ausbildung verstärkt, damit sie möglichst schnell weitere Hilfe im Hospital bekam.

Merthin stellte den Schankkellner aus dem Holly Bush ein und vertraute ihm das Bell an. Außerdem nahm er ein siebzehnjähriges Mädchen namens Martina als Kindsmagd für Lolla in Lohn und Brot.

Allmählich schien die Pest nachzulassen. Nachdem in der Vorweihnachtszeit jede Woche einhundert Menschen begraben werden mussten, sank die Zahl im Januar auf fünfzig und im Februar auf zwanzig. Caris gestattete sich die Hoffnung, dass der Albtraum sich vielleicht seinem Ende näherte.

Einer der Unglücklichen, die in dieser Zeit noch erkrankten, war ein dunkelhaariger Mann Mitte dreißig, der in der Stadt zu Gast weilte und einst ein hübscher Bursche gewesen zu sein schien. »Gestern dachte ich, ich hätte einen Schnupfen«, sagte er, als er zur Tür hereinkam. »Aber jetzt habe ich dieses Nasenbluten, das nicht aufhören will.« Er hielt sich einen blutigen Lumpen an die Nase.

»Ich suche Euch einen Platz, an dem Ihr Euch hinlegen könnt«, sagte Caris durch ihre Leinenmaske.

»Es ist die Pest, nicht wahr?«, fragte er. Caris war überrascht, in seiner Stimme statt panischer Angst, wie sie es gewöhnt war, gelassene Schicksalsergebenheit zu hören. »Könnt Ihr etwas tun, dass ich wieder gesund werde?«

»Wir können es Euch bequem machen und für Euch beten.«

»Das nutzt eh nichts. Ihr glaubt ja selbst nicht daran, das merke ich doch.«

Caris war entsetzt, wie mühelos der Mann in ihrem Herzen las. »Ihr wisst nicht, was Ihr sagt«, widersprach sie zaghaft. »Ich bin Nonne, ich muss es ja wohl glauben.«

»Ihr könnt mir die Wahrheit sagen. Wie lange noch, bis ich sterbe?«

Sie schaute ihn forschend an. Er erwiderte ihren Blick mit einem einnehmenden Lächeln, von dem Caris annahm, dass dabei einst so manches Frauenherz dahingeschmolzen war. »Warum fürchtet Ihr Euch nicht?«, fragte sie. »Jeder andere hat Angst.«

»Ich glaube nicht an das, was die Priester mir sagen.« Er sah sie scharfsinnig an. »Und ich habe den Verdacht, dass es Euch genauso ergeht.«

Mit einem Fremden – ganz gleich, wie gewinnend er war – wollte Caris nicht darüber reden. »Fast jeder, der an der Pest erkrankt, stirbt binnen drei bis fünf Tagen«, sagte sie offen. »Wenige überleben, und niemand weiß, wieso.«

Er nahm es gut auf. »Wie ich es mir dachte.«

»Ihr könnt Euch hierherlegen.«

Er bedachte sie wieder mit seinem Lächeln. »Wird es mir denn etwas nützen?«

»Wenn Ihr Euch nicht bald hinlegt, werdet Ihr umfallen.«

»Also gut.« Er legte sich auf den Strohsack, auf den Caris wies.

Sie reichte ihm eine Decke. »Wie heißt Ihr?«

»Tam.«

Sie musterte sein Gesicht. Hinter seinem einnehmenden Wesen spürte sie einen Hang zur Grausamkeit. Er würde eine Frau verführen, dachte sie, doch wenn sie nicht will, tut er ihr Gewalt an. Seine Haut war vom Leben im Freien verwittert, und er hatte die rote Nase eines Trinkers. Seine Kleidung war teuer, aber schmutzig. »Ich weiß, wer Ihr seid«, sagte sie. »Habt Ihr keine Angst, dass Ihr für Eure Sünden büßen müsst?«

»Würde ich das glauben, hätte ich sie nicht begangen. Habt Ihr denn Angst, dass Ihr in der Hölle brennen werdet?«

Dieser Frage wich Caris gewöhnlich aus, sagte sich aber, dass der sterbende Gesetzlose eine ehrliche Antwort verdiente. »Ich glaube daran, dass das, was ich tue, zu einem Teil von mir wird«, sagte sie. »Wenn ich tapfer und stark bin, wenn ich mich um Kinder, Kranke und Arme kümmere, werde ich ein besserer Mensch. Und wenn ich grausam bin oder feige, wenn ich Lügen erzähle oder mich betrinke, verliere ich die Achtung vor mir selbst. Das ist die göttliche Vergeltung, an die ich glaube.«

Tam blickte sie nachdenklich an. »Ich wünschte, ich hätte Euch vor zwanzig Jahren gekannt.«

Caris gab einen missbilligenden Laut von sich. »Da wäre ich zwölf gewesen.«

Er zog vieldeutig eine Braue hoch.

Das genügt jetzt, sagte sie sich. Er begann mit ihr zu tändeln – und ihr gefiel es. Caris wandte sich ab.

»Ihr seid eine tapfere Frau, dass Ihr diese Arbeit tut«, sagte er. »Sie wird vermutlich Euer Tod sein.«

»Ich weiß«, sagte Caris und drehte sich wieder zu ihm um. »Aber das ist meine Bestimmung. Ich kann niemanden im Stich lassen, der mich braucht.«

»Euer Prior scheint das anders zu sehen.«

»Er ist verschwunden.«

»Kein Mensch kann einfach so verschwinden.«

»Nein. Ich meinte damit … niemand weiß, wohin Prior Godwyn und seine Mönche gegangen sind.«

»Ich schon«, erwiderte Tam Hiding.

Ende Februar herrschte sonniges und mildes Wetter. Caris verließ Kingsbridge auf einem graubraunen Pony und schlug den Weg nach St.-John-in-the-Forest ein. Merthin begleitete sie auf dem Rücken eines gedrungenen Rappen. Normalerweise hätte man die Brauen hochgezogen und die Nase gerümpft, wenn eine Nonne sich nur von einem Mann begleitet auf eine Reise begab, doch die Zeiten waren nicht normal.

Die Gefahr, die von Gesetzlosen drohte, hatte nachgelassen. Viele waren der Pest zum Opfer gefallen, hatte Tam vor seinem Tod Caris verraten. Auch hatte der plötzliche Schwund an Menschen im ganzen Land einen Überschuss an Nahrung, Wein und Kleidern zur Folge – Dinge, die Wegelagerer und Plünderer für gewöhnlich raubten. Die Gesetzlosen, die die Pest überlebten, konnten unbehelligt in die Geisterstädte und die verlassenen Dörfer gehen und sich am helllichten Tag nehmen, was immer sie wollten.

Caris hatte zunächst Enttäuschung empfunden, als sie erfuhr, dass Godwyn nur zwei Tagesreisen von Kingsbridge entfernt sein sollte. Sie hatte gehofft, er wäre so weit fortgegangen, dass er nie zurückkehrte. Dennoch war sie froh über die Gelegenheit, das Geld, den Kirchenschatz und besonders die Freibriefe des Nonnenklosters zurückholen zu können, die unverzichtbar waren, falls es zum Streit über Eigentumsverhältnisse oder Rechte kam.

Wenn sie Godwyn stellen konnte, würde sie im Namen des Bischofs die Rückgabe des Eigentums der Priorei verlangen. Sie besaß einen Brief Bischof Henris, der ihr das Recht dazu verlieh. Weigerte Godwyn sich noch immer, bewies er über jeden Zweifel hinaus, dass er es weniger auf Schutz abgesehen hatte, sondern auf Diebstahl. Der Bischof würde rechtliche Schritte einleiten, um den Kirchenschatz von Kingsbridge zurückzuerhalten – oder die Zelle mit einem Trupp Soldaten aufsuchen und sich nehmen, was er wollte.

Auch wenn Caris es vorgezogen hätte, wenn Godwyn für immer aus ihrem Leben verschwunden wäre, freute sie die Aussicht, ihm seine Feigheit und Unehrlichkeit vorzuhalten.

Als sie Kingsbridge hinter sich ließen, musste Caris daran denken, dass ihre letzte Reise sie mit Mair nach Frankreich geführt hatte – in jeder Hinsicht ein echtes Abenteuer. Von allen Menschen, die an der Pest gestorben waren, vermisste sie Mair am meisten: ihr schönes Gesicht, ihr gutes Herz, ihre aufrichtige Liebe.

Doch es war eine Freude, Merthin zwei volle Tage ganz für sich zu haben. Während sie Seite an Seite der Waldstraße folgten, sprachen sie über alles, was ihnen in den Sinn kam – so wie vor zehn Jahren, als sie noch jung gewesen waren.

Merthin sprühte noch immer vor Ideen und steckte voller Tatendrang. Trotz der Pest errichtete er auf Leper Island Läden und Schänken; er erzählte Caris, dass er vorhabe, das Gasthaus abzureißen, das er von Bessie Bell geerbt hatte, und es doppelt so groß wieder aufzubauen.

Caris vermutete, dass Merthin ein Verhältnis mit Bessie gehabt hatte – warum sonst hätte Bessie ihm ihr Eigentum hinterlassen sollen? Doch daran konnte Caris nur sich selbst die Schuld geben. Sie war die Einzige, die Merthin wirklich begehrte; Bessie war bloß die zweite Wahl gewesen. Das hatten beide Frauen gewusst. Dennoch empfand Caris Eifersucht und Zorn, wenn sie sich vorstellte, wie Merthin mit dieser pummeligen Schankmagd ins Bett gestiegen war.

Mittags machten sie halt und rasteten an einem Bach. Sie aßen Brot, Käse und Äpfel – den Proviant, den alle außer den reichsten Reisenden mit sich führten. Den Pferden gaben sie Hafer: Das Grasen genügte einem Reittier nicht, das den ganzen Tag einen Mann oder eine Frau tragen musste. Nachdem sie gegessen hatten, legten sie sich ein paar Minuten in die Sonne, doch war der Boden zu kalt und feucht, um darauf zu schlafen, und so erhoben sie sich bald wieder und setzten ihren Weg fort.

Die liebevolle Vertrautheit ihrer Jugend stellte sich rasch wieder ein. Merthin hatte es von jeher verstanden, Caris zum Lachen zu bringen, und sie bedurfte der Aufheiterung, da in ihrem Hospital jeden Tag Menschen litten und starben. Schon bald vergaß sie ihre Eifersucht und ihren Zorn wegen Merthins Romanze mit Bessie Bell.

Sie folgten einem Weg, den Mönche aus Kingsbridge seit Jahrhunderten nahmen, und kehrten am üblichen Punkt, der die Hälfte der Strecke markierte, zur Nacht ein, in ein Gasthaus namens Red Cow in der kleinen Ortschaft Lordsborough. Zum Abendbrot aßen sie Rinderbraten und tranken Starkbier dazu.

Mittlerweile sehnte Caris sich schmerzlich nach Merthin. Die letzten zehn Jahre schienen völlig aus ihrem Gedächtnis verschwunden zu sein; sie wollte ihn nur noch in die Arme nehmen und von ihm geliebt werden wie früher. Doch das durfte nicht sein. Das Red Cow hatte zwei Schlafkammern, eine für Männer und eine für Frauen; ohne Zweifel war das der Grund, weshalb die Mönche diesem Gasthaus seit jeher den Vorzug gegeben hatten. Caris und Merthin trennten sich oben an der Treppe – und dann lag Caris wach im Bett, lauschte dem Schnarchen einer adligen Dame und dem pfeifenden Atmen einer Gewürzhändlerin, befriedigte sich selbst und wünschte, die Hand zwischen ihren Schenkeln gehöre Merthin.

Müde und mutlos erwachte sie und aß lustlos ihren Frühstücksbrei. Doch Merthin war so glücklich, bei ihr zu sein, dass Caris' Stimmung sich bald wieder hob. Kaum hatten sie Lordsborough hinter sich gelassen, redeten und lachten sie so fröhlich und unbeschwert miteinander wie am Tag zuvor.

Die zweite Tagesreise führte sie durch dichten Wald, und den ganzen Morgen begegneten sie keinem anderen Reisenden. Ihr Gespräch wandte sich persönlichen Dingen zu. Caris erfuhr mehr über Merthins Zeit in Florenz: Wie er Silvia kennengelernt hatte und was für ein Mensch sie gewesen war. Caris wollte fragen: Wie war es, sie zu lieben? War sie anders als ich? Inwiefern? Doch sie bezwang sich; mit solchen Fragen hätte sie sich in die intimsten Dinge einer Toten gemischt. Außerdem konnte sie Merthins Tonfall viel entnehmen: Er war mit Silvia im Bett glücklich gewesen, das spürte sie, auch wenn die Beziehung nicht so leidenschaftlich gewesen war wie mit ihr, Caris.

Die ungewohnt lange Zeit im Sattel setzte ihr zu, und sie war froh, als sie zum Mittagessen hielten und sie absteigen konnte. Nachdem sie gegessen hatten, saßen sie an einen dicken Baumstamm gelehnt nebeneinander, um auszuruhen und das Essen zu verdauen, ehe sie die Reise fortsetzten.

Caris dachte an Godwyn und fragte sich, was sie in St.-John-in-the-Forest wohl vorfanden, als ihr mit einem Mal klar wurde, dass sie gleich mit Merthin schlafen würde. Caris hätte nicht erklären können, woher sie es wusste – sie berührten einander nicht einmal –, und dennoch bestand für sie kein Zweifel. Sie wandte sich Merthin zu und sah, dass er es ebenfalls spürte. Er lächelte sie wehmütig an, und in seinen Augen sah sie zehn Jahre der Hoffnung, des Bedauerns und des Schmerzes.

Er nahm ihre Hand, küsste ihre Finger, legte die Lippen auf die weiche Innenseite des Handgelenks und schloss die Augen. »Ich spüre deinen Herzschlag«, sagte er leise.

»Der Herzschlag verrät nicht viel«, flüsterte sie. »Du musst mich schon sorgfältiger untersuchen.«

Er küsste ihr die Stirn, die Augenlider und die Nase. »Ich hoffe, es ist dir nicht peinlich, wenn ich deinen nackten Körper sehe.«

»Überhaupt nicht. Aber bei diesem Wetter ziehe ich mich nicht aus.«

Sie kicherten beide.

Merthin sagte: »Vielleicht wärst du so freundlich, deine Kutte zu heben, damit ich mit der Untersuchung fortfahren kann.«

Caris ergriff den Saum ihrer Kutte. Sie trug Beinkleider, die ihr bis an die Knie reichten. Langsam hob sie den Habit, entblößte ihre Fesseln, die Schienbeine, die Knie und die weiße Haut ihrer Schenkel. Es war ein Spiel für sie ... doch insgeheim fragte sie sich bang, ob Merthin die Veränderungen bemerkte, die ihr Körper in den letzten zehn Jahren durchgemacht hatte. Sie war dünner geworden; ihr Hinterteil jedoch dicker. Ihre Haut war nicht mehr so geschmeidig und glatt wie früher, ihre Brust nicht mehr so fest und aufrecht. Was würde er denken? Sie verdrängte ihre Sorge und spielte das Spiel weiter. »Genügt das für ärztliche Zwecke?«

»Nicht ganz.«

»Aber ich fürchte, ich trage kein Unterzeug. Solcher Luxus wird bei uns Nonnen als unziemlich betrachtet.«

»Da kann man nichts machen. Wir Ärzte sind zur Gründlichkeit verpflichtet, ganz gleich, welchem Ungemach wir ausgesetzt sind.«

»Oje«, sagte sie lächelnd. »Welche Schande. Also dann ... na gut.« Ohne den Blick von seinem Gesicht zu nehmen, hob sie langsam die Kutte bis zu den Hüften.

Merthin starrte auf ihre Blöße, und sie hörte, dass sein Atem schwerer ging. »Meine Güte«, sagte er. »Das ist ein ernster Fall. Ich finde sogar ...« Er sah ihr ins Gesicht, schluckte und sagte: »Ich kann nicht mehr darüber scherzen.«

Sie umarmte ihn und zog ihn an sich, drückte ihn, so fest sie konnte, klammerte sich an ihn, als würde er sie vor dem Ertrinken bewahren. »Liebe mich, Merthin«, sagte sie. »Jetzt! Schnell!«

Das Kloster von St.-John-in-the-Forest lag still im Licht des Nach-mittags – ein sicheres Anzeichen, dass etwas nicht stimmte. Die kleine Zelle versorgte sich traditionell selbst und war von Feldern umgeben, die – nass vom Frühlingsregen – gepflügt und geeggt wer-den mussten. Doch auf den Feldern war niemand.

Als Caris und Merthin näher kamen, sahen sie die Reihe frischer Gräber auf dem kleinen Friedhof neben der Kirche. »Anscheinend hat die Pest sie doch eingeholt«, sagte Merthin.

Caris nickte. »Also ist Godwyn mit seinem feigen Fluchtplan ge-scheitert.« Sie konnte nicht anders: Sie empfand einen Anflug rach-süchtiger Genugtuung.

Merthin erwiderte: »Ich bin gespannt, ob auch er selbst der Pest zum Opfer gefallen ist.«

Caris hoffte es, schämte sich aber, es auszusprechen.

Merthin und sie umrundeten das stille Kloster, bis sie vor die Stallungen gelangten. Die Tür stand offen; die Pferde hatte man herausgelassen. Sie grasten auf der kleinen Wiese, in deren Mitte sich der Teich befand. Doch niemand trat hervor, um den Besuchern beim Absatteln zu helfen.

Sie gingen durch die leeren Ställe ins Innere des Klosters. Es war gespenstisch still, sodass Caris sich fragte, ob alle Mönche gestorben waren. Sie schauten in eine Küche, die nicht so sauber war, wie sie sein sollte, und eine Backstube mit einem kalten Ofen. Ihre Schritte hallten hohl durch die kühlen grauen Bogenreihen des Kreuzgangs. Dann, als sie sich der Tür zur Kirche näherten, kam ihnen Bruder Thomas entgegen.

»Ihr habt uns gefunden!«, rief er aus. »Gott sei Dank.«

Caris umarmte ihn. Sie wusste, dass Frauenleiber für Thomas keine Versuchung darstellten. »Oh, Thomas! Ich freue mich, dass Ihr noch lebt!«

»Ich war krank, aber Gott hat mich wieder gesund gemacht«, sagte Thomas.

»Nicht viele überleben.«

»Ich weiß.«

»Erzählt uns, was geschehen ist.«

»Godwyn und Philemon hatten wohl alles geplant«, sagte Tho-mas. »Wir waren völlig unvorbereitet. Godwyn sprach zum Konvent und erzählte die Geschichte von Abraham und Isaak, um uns zu ver-deutlichen, dass Gott manchmal Dinge von uns verlangt, die falsch zu sein scheinen, letztlich aber richtig sind. Dann sagte er, dass wir noch in der gleichen Nacht aufbrechen würden. Die meisten Brüder waren froh, der Pest zu entfliehen, und wer Bedenken äußerte, dem wurde befohlen, sich an sein Gehorsamsgelübde zu halten.«

Caris nickte. »Es ist nicht schwer, einen Befehl zu befolgen, wenn er so sehr den eigenen Belangen dient.«

»Ich bin nicht stolz auf mich.«

Caris berührte den Stumpf seines linken Arms. »Das war nicht als Tadel gemeint.«

Merthin warf ein: »Aber ich bin überrascht, dass niemand durchblicken ließ, wohin ihr gewollt habt.«

»Das kommt daher, dass Godwyn uns das Ziel nicht mitgeteilt hat. Die meisten von uns haben es nicht einmal bei der Ankunft erkannt. Wir mussten die hiesigen Mönche fragen, wo wir sind.«

»Aber die Pest hat euch eingeholt.«

»Ihr habt den Kirchhof ja gesehen. Dort liegen sämtliche Mönche von St. John – bis auf Prior Saul, der in der Kirche begraben wurde. Fast alle Brüder aus Kingsbridge sind ebenfalls tot. Einige sind davongelaufen, nachdem die Krankheit hier ausbrach. Gott allein weiß, was aus ihnen geworden ist.«

Caris entsann sich, dass Thomas stets einem bestimmten Mönch nahegestanden hatte, einem freundlichen Mann, der ein paar Jahre jünger war als er. Zögernd fragte sie: »Und Bruder Matthias?«

»Tot«, erwiderte Thomas knapp; dann traten ihm Tränen in die Augen, und er schaute verlegen zur Seite.

Caris legte ihm eine Hand auf die Schulter. »Das tut mir leid.«

»Sehr viele Menschen sind ihrer Lieben beraubt worden«, sagte Thomas leise.

Caris erkannte, dass es rücksichtsvoller war, nicht mehr von Matthias zu reden. »Was ist mit Godwyn und Philemon?«

»Philemon ist davongelaufen. Godwyn lebt noch, und es geht ihm gut. Zumindest hat er sich nicht angesteckt.«

»Ich habe eine Nachricht des Bischofs an Godwyn.«

»Das kann ich mir vorstellen.«

»Bringt mich lieber gleich zu ihm.«

»Er ist in der Kirche. Er hat sein Bett in einer Seitenkapelle aufgestellt, weil er überzeugt ist, nur deshalb nicht erkrankt zu sein. Kommt mit.«

Sie durchquerten den Kreuzgang und gelangten in die kleine Kirche. Im Innern roch es eher wie in einem Dormitorium – der Gestank nach Urin, Schweiß und anderen menschlichen Ausdünstungen stieg ihnen in die Nase. Das Wandgemälde vom Jüngsten Gericht an der Ostmauer wirkte auf schreckliche Weise passend. Das Kircheninnere war mit Stroh ausgelegt; Decken lagen auf dem Boden, als hätten dort viele Menschen geschlafen. Doch nur Godwyn war hier. Mit dem Gesicht nach unten lag er vor dem Altar, die Arme zu den Seiten ausgestreckt. Einen Augenblick lang hielt Caris ihn für tot; dann erkannte sie, dass er die Haltung tiefer Bußfertigkeit eingenommen hatte.

Thomas sagte: »Ihr habt Gäste, Vater Prior.«

Godwyn verharrte in seiner Haltung. Normalerweise hätte Caris den Verdacht gehegt, dass er seine fromme Demut nur vortäuschte, doch irgendetwas an seiner völligen Regungslosigkeit ließ sie erkennen, dass er tatsächlich um Vergebung flehte.

Dann stand Godwyn langsam auf und wandte sich um.

Er war blass und dünn, und er wirkte müde und sorgenvoll.

»Ihr.« Mehr sagte er nicht.

»Endlich habe ich Euch aufgespürt, Godwyn«, erwiderte Caris. Sie hatte nicht die Absicht, ihn mit »Vater« anzureden. Er war bloß ein jämmerlicher Schurke, und sie hatte ihn erwischt. Caris empfand tiefe Genugtuung.

»Es war wohl Tam Hiding, der mich verraten hat.«

Sein Verstand ist so scharf wie eh und je, dachte Caris. »Ihr habt versucht, Euch der Gerechtigkeit zu entziehen, aber es war vergebens.«

»Ich habe von der Gerechtigkeit nichts zu fürchten«, erwiderte Godwyn trotzig. »Ich bin hierhergekommen, um meinen Brüdern das Leben zu retten. Mein Fehler war, dass ich zu spät aufgebrochen bin.«

»Ein Unschuldiger stiehlt sich nicht bei Nacht und Nebel davon!«

»Ich musste mein Ziel geheim halten. Hätte ich jemandem erlaubt, uns zu folgen, wäre meine Absicht vereitelt gewesen.«

»Den Kirchenschatz hättet Ihr trotzdem nicht zu stehlen brauchen.«

»Ich habe ihn nicht gestohlen«, entgegnete Godwyn. »Ich habe ihn mitgenommen, um ihn in Sicherheit zu bringen. Ich werde den Schatz an seinen angestammten Ort zurückschaffen, sobald dies ohne Gefahr möglich ist.«

»Warum habt Ihr dann niemandem gesagt, dass Ihr den Schatz mitnehmt?«

Godwyn blickte erstaunt. »Aber das habe ich! Ich habe an Bischof Henri geschrieben. Hat er meinen Brief denn nicht erhalten?«

In Caris keimte Furcht auf: Würde Godwyn sich auch hier wieder herauswinden können, wie er sich schon sein Leben lang vor jeder Schuld und Verantwortung gedrückt hatte? »Ganz sicher nicht«, sagte sie. »Es ist kein Brief eingegangen, und ich glaube Euch nicht, dass je einer geschickt wurde.«

»Vielleicht ist der Bote an der Pest gestorben, ehe er ihn abliefern konnte.«

»Und wie hieß dieser spurlos verschwundene Bote?«

»Den Namen habe ich nie erfahren. Philemon hat den Mann beauftragt.«

»Und Philemon ist nicht hier. Das kommt Euch ja sehr gelegen«, erwiderte Caris voll bitterem Spott. »Aber es spielt keine Rolle. Ihr könnt sagen, was Ihr wollt – Bischof Henri klagt Euch an, den Kirchenschatz gestohlen zu haben, und er schickt mich her, um die Rückgabe zu verlangen. Ich habe einen Brief, in dem er Euch befiehlt, mir auf der Stelle alles auszuhändigen.«

»Das wird nicht nötig sein. Ich bringe ihm den Schatz selbst.«

»Euer Bischof befiehlt Euch aber etwas anderes.«

»Ich weiß selbst, was am besten ist.«

»Eure Weigerung ist der Beweis für Euren Diebstahl.«

»Ich bin sicher, ich kann Bischof Henri überzeugen, die Dinge mit anderen Augen zu sehen.«

Und das könnte ihm sogar gelingen, dachte Caris mit wachsender Verzweiflung. Godwyn konnte sehr glaubhaft lügen, und wie die meisten Bischöfe vermied Henri in der Regel eine Auseinandersetzung, wann immer möglich. Caris hatte das Gefühl, als würde ihr die Siegestrophäe aus den Händen gleiten.

Godwyn bemerkte es. Ihm wurde klar, dass er den Ereignissen eine Wende gegeben hatte, und er erlaubte sich ein zufriedenes Lächeln. Es weckte Caris' Zorn, aber mehr hatte sie einfach nicht vorzubringen. Sie konnte nur umkehren und Bischof Henri berichten, was sich zugetragen hatte.

Caris konnte es kaum fassen. Würde Godwyn wirklich nach Kingsbridge zurückkehren und sein Amt als Prior wieder antreten? Wie konnte dieser Mann noch erhobenen Hauptes durch die Kathedrale schreiten? Nach all dem Schaden, den er der Priorei, der Stadt und der Kirche zugefügt hatte? Und selbst wenn der Bischof

Godwyns Ausflüchte akzeptierte, mussten die Städter doch gegen ihn aufbegehren! Die Aussicht war trübe, doch es war schon Seltsameres geschehen. Gab es denn keine Gerechtigkeit?

Caris starrte Godwyn an. Triumph spiegelte sich auf seinem Gesicht.

Dann aber sah sie etwas, was den Geschehnissen eine neuerliche Wendung gab: Über Godwyns Oberlippe, gleich unter seinem linken Nasenloch, hing ein dünner Faden aus Blut.

※

Am nächsten Morgen stand Godwyn nicht auf.

Caris legte ihre Leinenmaske an und versorgte ihn. Sie wusch sein Gesicht mit Rosenwasser und gab ihm mit Wasser vermischten Wein zu trinken, wann immer er darum bat. Jedes Mal, nachdem sie ihn berührt hatte, wusch sie sich die Hände in Essig.

Außer Godwyn und Thomas waren nur noch zwei Mönche am Leben, beide Novizen aus Kingsbridge, doch auch sie waren an der Pest erkrankt und dem Tod geweiht. Caris brachte sie deshalb aus dem Dormitorium in die Kirche und kümmerte sich genauso um sie wie um den Prior. Wie ein Schatten huschte sie durch das düstere Langhaus, wenn sie von einem Sterbenden zum anderen ging.

Sie fragte Godwyn, wo der Kirchenschatz liege, doch er verweigerte die Antwort.

Merthin und Thomas durchsuchten die Priorei. Als Erstes schauten sie unter dem Altar nach: Dort war vor Kurzem etwas vergraben worden, wie an der lockeren Erde zu erkennen war. Als sie jedoch ein Loch aushoben – Thomas grub mit einer Hand erstaunlich gut –, fanden sie nichts. Was immer dort verscharrt gewesen war, es lag nicht mehr dort.

Jeden einzelnen Raum des verlassenen Klosters durchsuchten sie; sogar im kalten Backofen und den trockenen Braukesseln schauten sie nach. Doch sie fanden keinen Kirchenschatz, keine Reliquie und keinen Freibrief.

Nach der ersten Nacht räumte Thomas – ohne dass man ihn gebeten hätte – wortlos das Dormitorium und überließ es Caris und Merthin, allein dort zu schlafen. Er gab keinen Kommentar ab, machte nicht die kleinste Bemerkung, zwinkerte ihnen nicht einmal wissend zu. Dankbar für seine diskrete und stillschweigende Duldung schmiegten Caris und Merthin sich unter einem Stoß Decken aneinander und liebten sich. Danach lag Caris wach. Irgendwo im

Dach wohnte eine Eule; Caris hörte die nächtlichen Rufe des Vogels und manchmal auch die Todesschreie der kleinen Tiere, die er mit seinen Krallen schlug. Sie fragte sich, ob sie schwanger wurde. Sie wollte ihre Berufung nicht aufgeben, konnte aber der Versuchung nicht widerstehen, in Merthins Armen zu liegen. Um endlich Schlaf zu finden, vertrieb sie jeden Gedanken an die Zukunft.

Am dritten Tag sagte Thomas, als er mit Caris und Merthin im leeren Refektorium zu Abend aß: »Wenn Godwyn um etwas zu trinken bittet, verweigert es ihm, bis er Euch gesagt hat, wo der Kirchenschatz vergraben ist.«

Caris zog es kurz in Erwägung: Es wäre gerechtfertigt gewesen, hätte letztendlich aber Folter bedeutet. »Das kann ich nicht«, sagte sie. »Ich weiß, dass er es verdient hätte, aber … Ich kann es einfach nicht. Wenn ein Kranker mich um etwas zu trinken bittet, muss ich es ihm geben. Das ist wichtiger als jeder von Juwelen funkelnde Kirchenschatz der Christenheit.«

»Ihr schuldet Godwyn kein Mitgefühl«, sagte Thomas. »Er hat es Euch auch nie erwiesen.«

»Ich habe aus der Kirche ein Hospital gemacht, aber zur Folterkammer verkommen lasse ich sie nicht.«

Thomas öffnete den Mund, als wollte er weiter darüber streiten, doch Merthin hielt ihn mit einem Kopfschütteln davon ab. »Denkt nach, Thomas«, sagte er stattdessen. »Wann habt Ihr den Kirchenschatz zuletzt gesehen?«

»In der Nacht unserer Ankunft«, sagte Thomas. »Er befand sich in Ledertaschen und Kisten auf zwei Pferden. Er wurde zugleich mit allem anderen abgeladen. Ich glaube, sie haben ihn in die Kirche getragen.«

»Und was geschah dann mit ihm?«

»Ich habe ihn nie wieder gesehen. Doch einmal, nach der Abendandacht, als wir alle ins Refektorium gingen, fiel mir auf, dass Godwyn und Philemon mit zwei anderen Mönchen, Juley und John, in der Kirche zurückblieben.«

»Lasst mich raten: Juley und John waren beide jung und kräftig.«

»Ja.«

Merthin sagte: »Dann haben sie an dem Abend wahrscheinlich den Schatz unter dem Altar vergraben. Aber wann haben sie ihn wieder hervorgeholt?«

»Keine Ahnung. Solange niemand in die Kirche kam, so viel steht jedenfalls fest. Und da konnten sie sich nur während der Mahlzeiten sicher sein.«

»Haben Godwyn und seine Komplizen denn auch bei anderen Mahlzeiten gefehlt?«

»Ja. Godwyn und Philemon benahmen sich immer so, als gälte die Regel für sie nicht. Dass sie Mahlzeiten und Messen ausließen, kam öfters vor. Ich kann mich nicht an jede einzelne Gelegenheit erinnern.«

Caris fragte: »Erinnert Ihr Euch denn, ob auch John und Juley bei irgendeiner Gelegenheit ein zweites Mal fehlten? Godwyn und Philemon hätten ja erneut ihre Hilfe benötigt.«

»Nicht unbedingt«, sagte Merthin. »Erde auszuheben, die schon einmal gelockert wurde, ist viel leichter. Godwyn ist dreiundvierzig, und Philemon erst vierunddreißig. Sie hätten es auch ohne Hilfe geschafft, wenn sie entschlossen waren.«

In dieser Nacht begann Godwyn wirr und zusammenhanglos zu reden. Zeitweise schien er aus der Bibel zu zitieren; manchmal predigte er, und gelegentlich machte er Ausflüchte. Caris hörte eine Weile zu, weil sie hoffte, Hinweise über den Verbleib des Kirchenschatzes zu erhalten. »Gefallen ist Babylon die Große«, brabbelte Godwyn, »und von dem Wein des Zorns ihrer Unzucht haben alle Länder getrunken, und aus dem Thron schossen Feuer und Donner; und die Kaufleute der Erde weinen und trauern um sie …« Er holte keuchend Atem. »Bereut, o bereut ihr alle, die ihr mit der Mutter aller Huren Unzucht getrieben habt! Alles diente einem höheren Zweck, alles geschah zum Ruhme Gottes, denn der Zweck heiligt die Mittel … Um der Liebe Gottes willen, gebt mir etwas zu trinken.« Das apokalyptische Thema seines Deliriums war vermutlich dem Wandgemälde zu verdanken, auf dem überaus anschaulich die Höllenqualen dargestellt waren.

Caris hielt ihm einen Becher an den Mund. »Wo ist der Kirchenschatz, Godwyn?«

»Ich sah sieben goldene Leuchter, alle mit Perlen bedeckt … und mit kostbaren Steinen, in feine Leinwand geschlagen … und Purpur und Seide und Scharlachstoff, in einer Arche liegend aus Zedernholz und Sandelholz und Silber. Und ich sah … Ich sah ein Weib auf einem scharlachroten Tier sitzen, das sieben Köpfe und zehn Hörner hatte und voll Lästernamen war.« Seine Worte hallten gespenstisch durch das Kircheninnere.

Am folgenden Morgen starben die beiden Novizen. Am Nachmittag begruben Thomas und Merthin sie auf dem Kirchhof nördlich der Priorei. Der Tag war kalt und feucht, doch die Männer schwitzten von der Anstrengung. Thomas las die Totenmesse. Caris stand mit Merthin am Grab: Wenn die Welt auseinanderfiel, halfen Rituale, wenigstens den Anschein von Normalität zu wahren. Ringsum befanden sich die frischen Gräber aller anderen Mönche bis auf Godwyn und Saul. Sauls Leichnam lag unter dem kleinen Altarraum der Kirche – eine Ehre, die nur höchstgeachteten Prioren vorbehalten war.

Nach der Beerdigung ging Caris in die Kirche zurück und blickte auf Sauls Grab im Altarraum. Dieser Teil des Gotteshauses war mit Platten ausgelegt, die man herausgenommen hatte, um das Grab ausheben zu können. Ehe die Mönche die Platten zurückgelegt hatten, war eine davon poliert und mit einer Inschrift versehen worden.

Caris fiel das Nachdenken schwer, solange der sterbende Godwyn in seiner dunklen Ecke im Fieberwahn von Bestien mit sieben Köpfen brabbelte.

Merthin bemerkte Caris' Grübeln und folgte ihrem Blick. Beinahe auf Anhieb erriet er, was sie dachte. Mit entsetzter Stimme fragte er: »Godwyn wird den Schatz doch wohl nicht in Saul Whiteheads Sarg versteckt haben?«

»Es ist schwer vorstellbar, dass Mönche ein Grab entweihen«, erwiderte sie. »Andererseits hätte der Schatz auf diese Weise nicht aus der Kirche gemusst.«

Thomas sagte: »Vater Saul ist eine Woche vor Eurer Ankunft verstorben. Zwei Tage später ist Philemon verschwunden.«

»Also könnte Philemon Godwyn geholfen haben, das Grab zu öffnen.«

»Ja.«

Die drei blickten einander an und versuchten, das wirre Gefasel Godwyns zu überhören.

»Es gibt nur eine Möglichkeit, das herauszufinden«, sagte Merthin.

Er und Thomas holten ihre Holzspaten. Sie hoben den Gedenkstein und die Steinplatten ringsum heraus und begannen zu schaufeln.

Thomas hatte eine Technik des einarmigen Grabens entwickelt: Er stieß die Schaufel in die Erde, kippte den Stiel, fuhr mit der Hand daran entlang bis zum Blatt und hob es. Infolge dieser Anpassung war sein rechter Arm überaus kräftig geworden.

Dennoch waren sie lange beschäftigt. Viele Verstorbene waren in letzter Zeit in flachen Gräbern beigesetzt worden, um sich das mühselige Graben zu ersparen, doch für Prior Saul hatte man die vollen sechs Fuß ausgehoben. Draußen brach die Nacht herein, und Caris holte Kerzen. In ihrem flackernden Licht schienen die Teufel auf dem Wandgemälde zu tanzen.

Thomas und Merthin standen zusammen im Loch, und nur ihre Köpfe waren über dem Boden sichtbar, als Merthin plötzlich sagte: »Hier ist etwas!«

Caris sah schmutzigen weißen Stoff, der wie die geölte Leinwand aussah, die mitunter als Leichentuch benutzt wurde. »Ihr habt den Toten gefunden«, sagte sie.

Thomas fragte: »Aber wo ist der Sarg?«

»Prior Saul hatte einen Sarg?« Särge waren etwas für die Reichen; arme Leute wurden im Leichentuch bestattet.

Thomas sagte: »Ja, er hat in einem Sarg gelegen – ich habe es gesehen. Hier im Wald gibt es genügend Holz. Alle Mönche sind in Särgen bestattet worden, bis auch Bruder Silas krank wurde – er war der Zimmermann.«

»Wartet« sagte Merthin. Am unteren Ende des Leichentuchs drückte er den Spaten in die Erde und hob eine Schaufel heraus. Dann klopfte er mit dem Blatt, und Caris hörte das dumpfe Pochen von Holz auf Holz. »Hier ist der Sarg!«, stieß Merthin hervor, »aber der Tote liegt daneben …«

Thomas fragte entsetzt: »Bei allen Heiligen! Wie ist Saul denn aus dem Sarg gekommen?«

Caris schauerte vor Furcht.

In der Ecke erhob Godwyn die Stimme: »Und er soll gepeinigt werden mit Feuer und Schwefel vor den Augen der heiligen Engel! Und der Rauch seiner Qualen soll aufsteigen in alle Ewigkeit!«

Thomas fragte Caris: »Könnt Ihr nicht dafür sorgen, dass er endlich still ist?«

»Ich habe keine Arzneien mitgebracht.«

Merthin sagte: »Hier ist nichts Übernatürliches am Werk. Ich nehme an, dass Godwyn und Philemon den Leichnam herausgenommen und den Sarg dann mit ihren gestohlenen Schätzen gefüllt haben.«

Thomas riss sich zusammen. »Dann schauen wir mal in den Sarg.«

Zuerst mussten sie den Toten im Leichentuch entfernen. Merthin und Thomas beugten sich hinunter, packten ihn an Schultern und

Knien und hoben ihn hoch. Als sie den Toten bis in Schulterhöhe gestemmt hatten, konnten sie ihn nur weiterbewegen, indem sie ihn aus der Grube auf den Boden schleuderten. Der Leichnam landete mit einem dumpfen Aufprall. Merthin und Thomas blickten furchtsam drein. Selbst Caris, die nicht viel von dem glaubte, was man über die Geisterwelt erzählte, bekam es mit der Angst und ertappte sich dabei, wie sie schaudernd über die Schulter in die finsteren Ecken der Kirche spähte.

Merthin schob die Erde von der Oberseite des Sarges, während Thomas eine eiserne Stange holte. Dann hoben sie den Deckel an.

Caris hielt zwei Kerzen über das Grab, damit sie besser sehen konnten.

Im Sarg lag ebenfalls ein verhüllter Leichnam.

Thomas sagte bestürzt: »Wer ist denn das?«

»Wir müssen Ruhe bewahren.« Merthin hörte sich gefasst an, doch Caris, die ihn besser kannte als sonst jemand, merkte ihm an, dass dieser Gleichmut ihn alle Mühe kostete. »Sehen wir uns an, wer in dem Sarg liegt.«

Merthin bückte sich, packte mit beiden Händen das Leichentuch und riss es am Kopf längs der Naht auf. Der Leichnam war eine Woche alt und roch übel, doch im kalten Boden unter der ungeheizten Kirche war die Verwesung noch nicht allzu weit vorangeschritten. Selbst im unsteten Licht von Caris' Kerzen konnte kein Zweifel bestehen, wer der tote Mann gewesen war: das Haupt umgab ein unverkennbarer aschblonder Haarkranz.

Thomas sagte: »Das ist Prior Saul!«

»In seinem rechtmäßigen Sarg«, sagte Merthin.

Caris fragte: »Wer ist dann der andere Tote?«

Merthin zog das Leichentuch über Sauls Kopf und setzte den Sargdeckel wieder auf.

Caris kniete sich neben den anderen Leichnam. Sie hatte schon mit vielen Toten zu tun gehabt, doch aus dem Grab gehoben hatte sie noch keinen, und ihre Hände zitterten. Dennoch öffnete sie das Leichentuch und legte das Gesicht frei. Zu ihrem Entsetzen standen die Augen des Toten weit offen und schienen sie anzustarren. Sie überwand sich und drückte die kalten Lider des großen jungen Mönchs zu, den sie nie zuvor gesehen hatte.

Thomas stellte sich auf die Zehenspitzen, spähte aus dem Grab und sagte: »Das ist Bruder Jonquil. Er ist einen Tag nach Prior Saul gestorben.«

Caris fragte: »Und wo wurde er beerdigt?«

»Auf dem Kirchhof – dachten wir alle.«

»In einem Sarg?«

»Ja.«

»Was tut Bruder Jonquil dann hier?«

»Ich weiß nicht. Ich weiß nur, dass sein Sarg schwer gewesen ist«, flüsterte Thomas. »Ich habe ihn mit getragen.«

Merthin sagte: »Ich kann mir denken, was geschehen ist. Jonquil lag vor seiner Beerdigung in seinem Sarg hier in der Kirche aufgebahrt. Während die anderen Mönche aßen, haben Godwyn und Philemon den Sarg geöffnet und die Leiche herausgenommen. Dann öffneten sie auch Sauls Grab und warfen Jonquil auf den Deckel von Sauls Sarg. Anschließend haben sie das Grab zugeschaufelt. Zum Schluss haben sie den Kirchenschatz in Jonquils Sarg gelegt und ihn wieder geschlossen.«

Thomas sagte: »Also müssen wir in Jonquils Grab suchen.«

Caris blickte zu den Kirchenfenstern. Dahinter war es dunkel: Während sie Sauls Grab geöffnet hatten, war die Nacht hereingebrochen. »Wir könnten bis morgen früh warten«, sagte sie.

Die Männer schwiegen nachdenklich; dann sagte Thomas: »Nein. Bringen wir es hinter uns.«

Caris ging in die Küche, nahm zwei Äste aus dem Stoß Feuerholz, entzündete sie und kam zur Kirche zurück.

Als sie das Gotteshaus zu dritt verließen, hörten sie Godwyn schreien: »Und vor der Stadt ward die Kelter des Weines des grimmen Zornes Gottes getreten, und aus den Früchten trat Blut, und über das Land stieg das Blut bis an die Zügel der Pferde!«

Caris erschauerte. Es war ein schreckliches Bild aus der Offenbarung des Johannes; sie empfand Abscheu und versuchte es aus ihren Gedanken zu schieben.

Rasch gingen die drei im flackernden Licht der Fackeln zum Friedhof. Caris war erleichtert, das Wandgemälde nicht mehr sehen und Godwyns wirres Gerede und seine apokalyptischen Schreckensbilder nicht mehr hören zu müssen.

Bald hatten sie Jonquils letzte Ruhestätte gefunden und machten sich ans Graben. Merthin und Thomas ermüdeten nun zusehends: Sie hatten bereits zwei Gräber für die Novizen geschaufelt und auch Sauls Grab geöffnet. Seit dem Mittagessen hoben sie nun zum vierten Mal ein Grab aus. Merthin war erschöpft, und Thomas schwitzte heftig. Doch beide arbeiteten verbissen weiter. Langsam wurde die

Grube tiefer, und der Haufen Erde daneben wuchs. Endlich stieß ein Spatenblatt auf Holz.

Caris reichte Merthin die Brechstange; dann kniete sie sich an den Rand der Grube und hielt beide Fackeln darüber. Merthin hebelte den Sargdeckel auf und warf ihn aus dem Grab.

In der Holzkiste lag kein Leichnam.

Vielmehr war sie mit Taschen und Kästen vollgepackt. Merthin öffnete einen Ledersack und zog ein juwelenbesetztes Kruzifix hervor. »Halleluja«, sagte er müde.

Thomas fand in einem Kasten mehrere Pergamentrollen, so dicht zusammengesteckt wie Fische in einem Fass. Es waren die Freibriefe.

Caris spürte, wie ihr eine gewaltige Sorgenlast von den Schultern rutschte. Sie hatte die Urkunden des Nonnenklosters wieder!

Thomas schob seine verbliebene Hand in eine andere Tasche. Als er betrachtete, was er diesmal herausgezogen hatte, grinste ihn ein Totenschädel an. Thomas schrie auf und ließ ihn fallen.

»Der heilige Adolphus«, sagte Merthin nüchtern. »Pilger reisen Hunderte von Meilen, um den Kasten zu berühren, der seine Gebeine birgt.« Er hob den Schädel auf und blickte in das Knochengesicht. »Schenk uns Glück«, sagte er und legte den Totenkopf dann in die Tasche zurück.

»Darf ich einen Vorschlag machen?«, fragte Caris. »Wir müssen alles auf einem Karren zurück nach Kingsbridge bringen. Warum lassen wir den Schatz nicht im Sarg? Er ist bereits gepackt, und die Totenlade schreckt vielleicht Räuber ab.«

»Gute Idee!«, sagte Merthin.

Thomas ging zur Priorei zurück und holte Seile, mit deren Hilfe sie den Sarg aus dem Grab hoben. Sie befestigten den Deckel wieder; dann banden sie die Seile um die Kiste, um diese dann über den Boden in die Kirche zu ziehen.

Sie wollten gerade damit beginnen, als sie einen grässlichen Schrei hörten.

Caris kreischte vor Schreck.

Sie blickten zur Kirche. Eine Gestalt rannte mit stierem Blick und blutigem Mund durch die Dunkelheit auf sie zu. Caris durchlitt einen Augenblick grellen Entsetzens, in dem sie plötzlich jeden Aberglauben über Geister und Dämonen für bare Münze nahm. Dann aber wurde ihr klar, dass es Godwyn war. Irgendwie hatte er die Kraft gefunden, sich von seinem Sterbebett zu erheben. Im Delirium war er aus der Kirche getaumelt und hatte das Licht der Fackeln gesehen; nun rannte er in seiner geistigen Umnachtung auf sie zu.

Wie gebannt starrten sie ihm entgegen.

Godwyn blieb stehen und stierte erst auf den Sarg, dann auf das leere Grab. Im flackernden Licht der Fackeln glaubte Caris, auf seinem verzerrten Gesicht einen Funken des Begreifens zu erkennen. Dann schien ihn alle Kraft zu verlassen, und er brach zusammen. Er stürzte auf den Haufen ausgehobener Erde neben Jonquils leerem Grab, rollte zur Seite und fiel in die Grube.

Sie traten langsam vor und schauten ängstlich hinein.

Dort lag Godwyn auf dem Rücken und starrte sie mit weit aufgerissenen, blicklosen Augen an.

Kaum traf Caris in Kingsbridge ein, zog es sie schon wieder fort.

Sie hatte ein Bild von St.-John-in-the-Forest vor Augen, doch dieses Bild zeigte weder den Kirchhof noch die Leichen, die Merthin und Thomas ausgegraben hatten, sondern die ordentlichen Äcker, die niemand bestellte. Auf dem Ritt nach Hause an der Seite Merthins, während Thomas den Karren lenkte, hatte Caris viel gutes Land gesehen, das brachlag; nun ahnte sie, dass bald eine neue Krise hereinbrechen würde.

Den größten Teil ihres Einkommens erzielten sowohl Mönchsals auch Nonnenkloster aus der Pacht. Auf dem Land, das der Priorei zu Kingsbridge gehörte, bauten Hörige Feldfrüchte an und züchteten Vieh; statt für dieses Recht einem Herrn oder Grafen zinspflichtig zu sein, zahlten sie an den Prior oder die Priorin. Früher hatten die Hörigen einen Teil ihrer Ernte zur Kathedrale gebracht – ein Dutzend Säcke Mehl, drei Schafe, ein Kalb, eine Wagenladung Zwiebeln –, heute zahlten die meisten mit Geld.

Doch wenn niemand das Land bestellte, wurde keine Pacht gezahlt. Wovon sollten die Nonnen dann leben?

Der Kirchenschatz, das Geld und die Freibriefe, die Caris in St.-John-in-the-Forest geborgen hatte, ruhten nun in der geheimen Schatzkammer, die Mutter Cecilia einst von Jeremiah an einer Stelle hatte bauen lassen, die nur sehr schwer zu entdecken war. Bis auf ein einziges Stück war der gesamte Kirchenschatz aufgefunden worden; es fehlte lediglich ein goldener Leuchter, den die Kerzenzieherzunft, die Gemeinschaft der Wachskerzenmacher von Kingsbridge, gespendet hatte. Dieser Leuchter blieb verschwunden.

Caris ließ eine triumphale Sonntagsmesse lesen, bei der den verzückten Gläubigen die erretteten Gebeine des heiligen Adolphus gezeigt wurden. Bruder Thomas erhielt die Aufsicht über die Jungen im Waisenhaus – einige waren inzwischen in ein Alter gekommen, dass sie einer starken männlichen Hand bedurften. Caris selbst zog ins Haus des Priors. Voller Genugtuung stellte sie sich den Wutausbruch vor, mit dem Godwyn darauf reagiert hätte, dass nun eine Frau seinen Palast bewohnte.

Kaum hatte Caris sich um alles gekümmert, reiste sie nach Outhenby. Das Tal des Flusses Outhen war ein fruchtbarer Einschnitt mit schwerem Lehmboden, eine Tagesreise von Kingsbridge entfernt. Vor hundert Jahren hatte ein lasterhafter alter Herr auf dem Sterbebett dem Nonnenkloster dieses Tal hinterlassen – sein letzter Versuch, sich von den Sünden eines langen Lebens voller Hurerei und Völlerei zu läutern. An den Ufern der Outhen standen fünf Dörfer, und auf beiden Seiten bedeckten weite Felder das Land und die unteren Berghänge.

Die Felder waren in Streifen gegliedert, die verschiedenen Familien zugeteilt waren. Wie Caris befürchtet hatte, wurden viele Streifen nicht bestellt. Die Pest hatte jede Ordnung zerstört, und niemand besaß den Verstand – oder den Mut –, im Licht der tragisch veränderten Umstände den Ackerbau umzustellen. Caris musste die Sache selbst in die Hand nehmen. Sie wusste grob, was erforderlich war; die Einzelheiten würde sie herausbekommen, während sie sich mit den Problemen beschäftigte.

Caris wurde von Schwester Joan begleitet, einer jungen Nonne, die gerade erst das Noviziat hinter sich hatte. Joan war ein kluges Mädchen, das Caris an sich selbst vor zehn Jahren erinnerte – nicht, was das Aussehen betraf, denn Joan hatte schwarzes Haar und blaue Augen, sondern was den scharfen Verstand und die gesunde Skepsis anging.

Sie ritten zum größten Dorf, nach Outhenby. Der Vogt des Tales, Will Bailiff, wohnte hier in einem Holzhaus neben der Kirche. Er war nicht daheim, doch sie fanden ihn auf dem entlegensten Feld, wo er Hafer säte – ein großer Mann mit langsamen Bewegungen. Der nächste Streifen Landes lag brach; nur ein paar Schafe weideten das Wildgras und das Unkraut, die auf dem Acker sprossen.

Will Bailiff besuchte die Priorei mehrmals im Jahr, wenn er die Pacht aus den Dörfern brachte. Daher kannte er Caris, zeigte sich jedoch erstaunt, sie auf seinem Land zu sehen. »Schwester Caris!«, rief er. »Was führt Euch denn hierher?«

»Ich bin nun Priorin, Will, und ich bin gekommen, um dafür zu sorgen, dass das Land unseres Klosters angemessen bebaut wird.«

Will zuckte die Schultern. »Wir tun unser Bestes, wie Ihr seht, aber wir haben so viele Männer verloren, dass es sehr schwierig ist.«

Vögte behaupteten immer, die Zeiten seien schwer – nur entsprach es diesmal der Wahrheit.

Caris stieg vom Pferd. »Geht ein Stück mit mir und berichtet.« Ein paar Hundert Schritt entfernt, an der sanften Böschung eines Hügels, sah Caris einen Bauern, der mit einem Gespann aus acht Ochsen pflügte. Nun zügelte er die Ochsen und schaute neugierig zu ihr hinüber. Caris ging in seine Richtung.

Will, der neben ihr schritt, sagte: »Von einer Frau Gottes, wie Ihr es seid, kann man nicht erwarten, dass sie viel davon versteht, wie man den Acker bestellt, aber ich werde mein Bestes tun, Euch die Einzelheiten zu erklären.«

»Das wäre sehr freundlich.« Caris war es gewöhnt, dass Männer vom Schlage Wills sie herablassend behandelten, und sie hatte die Erfahrung gemacht, dass es am besten war, sie nicht zu reizen, sondern in falscher Sicherheit zu wiegen. Auf diese Weise erfuhr sie mehr von ihnen. »Wie viele Männer habt Ihr durch die Pest verloren?«

»Oh, viele!«

»Wie viele?«

»Nun, lasst mich überlegen. Da waren William Jones und seine beiden Söhne, dann Richard Carpenter und seine Frau ...«

»Die Namen brauche ich nicht zu wissen«, unterbrach sie ihn. »Wie viele, grob geschätzt?«

»Da muss ich nachdenken ...«

Sie hatten nun den Pflug erreicht. Mit einem Achtergespann umzugehen erforderte großes Geschick und viel Verstand, und Pflüger gehörten oft zu den klügsten Dörflern. Caris sprach den jungen Mann an: »Wie viele Menschen sind in Outhenby an der Pest gestorben?«

»Ungefähr zweihundert, würde ich sagen.«

Caris musterte ihn. Er war klein, aber muskulös, und hatte einen struppigen blonden Bart. Er schien sehr von sich eingenommen, wie es bei jungen Männern oft der Fall war. »Wer seid Ihr?«, fragte Caris.

»Harry Ploughman. Mein Vater war Richard, heilige Schwester.«

»Ich bin Mutter Caris. Wie kommt Ihr auf die Zahl von zweihundert?«

»Hier in Outhenby hatten wir nach meiner Rechnung zweiundvierzig Tote. In Ham und Shortacre ist es genauso schlimm, das macht zusammen ungefähr hundertzwanzig. Longwater ist verschont geblieben, aber in Oldchurch sind alle gestorben bis auf den alten Roger Breton, was ungefähr achtzig Menschen ausmacht … zusammen zweihundert.«

Caris wandte sich Will zu. »Von wie vielen Menschen im ganzen Tal?«

»Äh … lasst mich nachdenken …«

Harry Ploughman sagte: »Vor der Pest waren es ungefähr tausend.«

»Deshalb muss ich selber aussäen«, sagte Will, »obwohl es Knechte tun sollten. Aber ich hab keine Knechte mehr. Sie sind alle tot.«

Harry fügte hinzu: »Oder fortgegangen, um woanders für höheren Lohn zu arbeiten.«

Caris horchte auf. »Wer bietet denn höheren Lohn?«

»Ein paar von den reicheren Bauern im Nachbartal«, sagte Will verärgert. »Der Adel zahlt einen Penny am Tag – so viel sollten Landarbeiter immer und überall bekommen. Mehr zahlen nur Dummköpfe!«

»Aber bei denen wird gesät«, sagte Caris.

»Trotzdem gibt es das Richtige und das Falsche, Mutter Caris«, erwiderte Will eingeschnappt.

Caris wies auf den brachliegenden Streifen, auf dem die Schafe grasten. »Und was ist mit diesem Land? Wieso wird es nicht gepflügt?«

Will sagte: »Es hat William Jones gehört. Er und seine Söhne sind tot, und seine Frau ist zu ihrer Schwester in Shiring gezogen.«

»Habt Ihr einen neuen Pächter gesucht?«

»Ich finde keinen.«

Harry warf ein: »Jedenfalls nicht zu den alten Bedingungen.«

Will funkelte ihn an, doch Caris fragte: »Wie meint Ihr das?«

»Die Preise für Getreide sind gefallen, und das im Frühjahr, wo es meist teuer ist.«

Caris nickte. Wenn es weniger Käufer gab, sanken die Preise; das kannte sie nur zu gut aus eigener Erfahrung. »Aber von etwas müssen die Leute doch leben.«

»Sie wollen keinen Weizen, keine Gerste und keinen Hafer anbauen – aber sie müssen pflanzen, was man ihnen befiehlt, wenigstens in diesem Tal. Ein Mann, der nach einer Pacht sucht, muss deshalb woanders hin.«

»Und was bekommt er anderswo?«

»Sie wollen Zinspächter sein, die ihre Pacht mit Geld bezahlen, und keine Hörigen, die einen Tag in der Woche das Land ihres Lehnsherrn bestellen müssen«, sagte Harry. »Und sie wollen andere Feldfrüchte anbauen dürfen.«

»Welche denn?«

»Hanf oder Flachs oder Äpfel und Birnen. Da wissen sie wenigstens, dass sie die auf dem Markt verkaufen können. Vielleicht jedes Jahr etwas anderes. Aber in Outhenby war das ja noch nie erlaubt.« Harry stockte und fügte rasch hinzu: »Das ging nicht gegen Euren heiligen Orden, Mutter Priorin, oder gegen Will Bailiff, den jeder als ehrlichen Mann kennt.«

Caris begriff. Vögte hielten stets am Althergebrachten fest. In guten Zeiten spielte das kaum eine Rolle, in Zeiten der Not aber sehr wohl.

»Also gut, hört mir aufmerksam zu, Will, denn ich sage Euch jetzt, was Ihr tun werdet.« Will blickte Caris erstaunt an: Er hatte geglaubt, sie würde ihn um Rat bitten, aber nicht, von ihr herumkommandiert zu werden. »Erstens werdet Ihr das Pflügen der Böschungen einstellen. Es ist töricht, solange wir gutes unbebautes Land haben.«

»Aber …«

»Seid still und hört zu. Bietet jedem Pächter einen Tausch an, Morgen gegen Morgen, guten Talboden statt Böschung.«

»Und was fangen wir mit den Böschungen an?«

»Macht Weiden daraus. An den tieferen Hängen können Kühe und an den höheren Schafe weiden. Dazu braucht Ihr nicht viele Männer, nur ein paar Jungen, die das Vieh hüten.«

»Ich …«, setzte Will an und verstummte. Ihm war deutlich anzusehen, dass er am liebsten widersprochen hätte, doch ihm wollte kein Einwand einfallen.

Caris fuhr fort: »Danach soll alles Land am Talboden, das noch unverpachtet ist, als Zinspacht gegen Geld jedem angeboten werden, der es haben möchte.« Eine Zinspacht bedeutete, dass der Pächter kein Höriger war, nicht auf dem Land des Lehnsherrn arbeiten musste und weder zur Heirat noch zum Bau eines Hauses dessen Einwilligung benötigte. Er brauchte nur seine Pacht zu zahlen.

»Ihr brecht mit den alten Bräuchen, Mutter Caris!«

Caris wies auf den brachliegenden Acker. »Die alten Bräuche lassen das Land verwildern. Wisst Ihr eine andere Möglichkeit, wie wir das verhindern können?«

»Nun ja …«, sagte Will, dachte angestrengt nach und schüttelte schließlich den Kopf.

»Noch etwas: Ihr bietet jedem Knecht einen Lohn von zwei Pennys pro Tag.«

»Zwei Pennys pro Tag?«

Caris hatte das ungute Gefühl, sich nicht darauf verlassen zu können, dass Will diese Änderung mit Nachdruck ausführte. Er würde sich Ausflüchte einfallen lassen. Also wandte Caris sich dem selbstsicheren Pflüger zu, um diesen zum Verfechter ihrer Reformen zu machen. »Harry, Ihr zieht in den nächsten Wochen auf jeden Marktflecken in der Grafschaft. Verbreitet dort, dass es jedem, der sich verändern will, in Outhenby gut ergehen wird. Wenn es Landarbeiter gibt, die nach Lohn suchen, sollen sie zu uns kommen.«

Harry nickte grinsend, auch wenn Will mit finsterer Miene neben ihm stand.

»Ich möchte, dass dieses gute Land diesen Sommer Früchte trägt«, sagte Caris. »Ist das klar?«

»Jawohl«, sagte Will. »Habt Dank, Mutter Priorin.«

Caris ging mit Schwester Joan sämtliche Dokumente durch und schrieb das Datum und den Inhalt jedes einzelnen auf. Sie hatte entschieden, dass die Schriftstücke allesamt kopiert werden sollten – was Godwyn seinerzeit bereits vorgeschlagen hatte, wenngleich es nur ein Vorwand gewesen war, um den Nonnen die Freibriefe wegnehmen zu können. Die Idee war dennoch gut: Je mehr Abschriften es gab, desto unwahrscheinlicher wurde es, dass ein wertvolles Dokument verschwand.

Eine Urkunde aus dem Jahre 1327 versetzte Caris in Erstaunen. In diesem Schriftstück wurde dem Nonnenkloster der große Hof bei Lynn in Norfolk zugeeignet, der als Lynn Grange bekannt war. In der Schenkung wurde jedoch zur Bedingung gemacht, dass die Priorei einen Ritter namens Sir Thomas Langley als Novizen aufnahm.

Caris fühlte sich in ihre Kindheit zurückversetzt – an jenen Tag, als sie sich mit Merthin, Ralph und Gwenda in den Wald gewagt und dort erlebt hatte, wie Thomas im Kampf jene Wunde davontrug, durch die er seinen Arm verlieren sollte.

Caris zeigte Joan die Urkunde. Die Schwester zuckte mit den Schultern und sagte: »Solche Schenkungen sind üblich, wenn jemand aus einer reichen Familie Mönch wird.«

»Aber sieh doch, wer die Schenkung veranlasst hat.«

Joan schaute genauer hin. »Königin Isabella!« Isabella war die Witwe Edwards II. und die Mutter Edwards III. »Was liegt der Königin an Kingsbridge?«

»Oder an Thomas?«, fragte Caris.

Ein paar Tage später sollte sie Gelegenheit erhalten, der Sache auf den Grund zu gehen: Andrew, der Aufseher von Lynn Grange, kam zu seinem halbjährlichen Besuch nach Kingsbridge. Er war ein ungefähr fünfzigjähriger Mann aus Norfolk, der die Aufsicht über den Gutshof führte, seit dieser der Priorei gestiftet worden war. Als Caris den Aufseher erblickte – weißhaarig, füllig und zufrieden –, sagte sie sich, dass der Gutshof trotz der Pest gedeihen musste. Da Norfolk mehrere Tagesreisen von Kingsbridge entfernt war, zahlte der Gutshof seine Abgaben an die Priorei in Münzen, statt über die weite Strecke Vieh zu treiben oder Feldfrüchte zu karren. Andrew brachte die Pacht in goldenen Nobles, der neuen Münze, deren Wert den dritten Teil eines Pfundes betrug und die König Edward zeigte, wie er an Deck eines Schiffes stand. Nachdem Caris das Geld gezählt und es Joan übergeben hatte, damit diese es in der neuen Schatzkammer hinterlegte, fragte sie Andrew: »Warum hat Königin Isabella uns vor zweiundzwanzig Jahren den Gutshof geschenkt? Wisst Ihr das?«

Zu Caris' Erstaunen wurde Andrews rosarotes Gesicht blass. Er setzte mehrmals zu einer Antwort an; dann sagte er: »Es steht mir nicht zu, die Entscheidung Ihrer Majestät infrage zu stellen.«

»Natürlich nicht«, erwiderte Caris beruhigend. »Ich wollte ja auch nur wissen, was Isabella dazu bewegt hat.«

»Sie ist eine gottesfürchtige Frau und hat viele fromme Taten vollbracht.«

Wie den Mord an ihrem Ehemann, dachte Caris, sagte jedoch: »Dennoch muss es auch einen Grund geben, weshalb sie dafür gesorgt hat, dass Bruder Thomas in die Priorei aufgenommen wurde.«

»Er hat die Königin um eine Gunst gebeten, wie Hunderte anderer auch, und Ihre Majestät hat sie ihm gnädig gewährt, wie große Herrinnen es manchmal tun.«

»Vor allem, wenn sie dem Bittsteller in irgendeiner Weise verpflichtet sind.«

»Nein, nein! Ich bin sicher, dass es da keine Verbindung gibt.«

Andrews Beklommenheit überzeugte Caris, dass er log und ihr auch dann nicht die Wahrheit anvertraut hätte, wenn sie es ihm ins

Gesicht sagte. Also ließ sie das Thema fallen und schickte den Aufseher zum Mittagsmahl ins Hospital.

Am nächsten Morgen traf sie im Kreuzgang auf Bruder Thomas, den einzigen überlebenden Mönch der Priorei. Er wirkte zornig, als er Caris fragte: »Warum habt Ihr Andrew Lynn all diese Fragen gestellt?«

»Weil ich neugierig war«, antwortete sie verwundert.

»Was habt Ihr vor?«

»Ich habe gar nichts vor!« Thomas' hitziges Gebaren ärgerte Caris, doch sie wollte nicht mit ihm streiten. Sie machte eine beschwichtigende Geste und setzte sich auf die niedrige Mauer, die am Rand der Bogenreihe verlief. Die warme Frühlingssonne schien in das Geviert. Mit ruhiger Stimme fragte sie: »Warum seid Ihr so gereizt, Bruder Thomas?«

Thomas fragte steif: »Weshalb zieht Ihr Erkundigungen über mich ein?«

»Das tue ich doch gar nicht«, erwiderte Caris. »Ich schaue bloß sämtliche Urkunden durch, fertige ein Verzeichnis davon an und lasse sie kopieren. Dabei bin ich auf ein Schriftstück gestoßen, das mich verwirrt hat.«

»Ihr mischt Euch in Dinge ein, die Euch nichts angehen.«

Caris hob den Kopf. »Ich bin die Priorin von Kingsbridge und amtierender Prior. Nichts bleibt vor mir geheim.«

»Wenn Ihr diese alten Geschichten ausgrabt, werdet Ihr es bitter bereuen, das verspreche ich Euch.«

Es klang wie eine Drohung, wie Caris verwundert zur Kenntnis nahm. Sie versuchte, einen anderen Weg einzuschlagen: »Ich dachte, wir wären Freunde, Thomas. Außerdem habt Ihr nicht das Recht, mir etwas zu verbieten, und es betrübt mich, dass Ihr es überhaupt versucht. Vertraut Ihr mir denn nicht?«

»Ihr wisst nicht, was Ihr aufrührt, wenn Ihr in den alten Urkunden wühlt!«

»Dann sagt es mir. Was hat Königin Isabella mit Euch, mit mir und mit Kingsbridge zu tun?«

»Nichts. Isabella ist heute eine alte Frau und lebt zurückgezogen.«

»Isabella ist dreiundfünfzig. Sie hat einen König beseitigt und könnte wahrscheinlich noch einen beseitigen, wenn sie es sich in den Kopf setzte. Und sie hat irgendwie mit meiner Priorei zu tun. Wie und weshalb, liegt seit langer Zeit im Verborgenen. Nur Ihr wisst es, wollt es mir aber verheimlichen.«

»Zu Eurem Besten!«

Caris überging seinen Einwurf. »Vor zweiundzwanzig Jahren hat jemand versucht, Euch zu töten. War es dieselbe Person, die Euch, nachdem der Mordanschlag fehlgeschlagen war, die Aufnahme ins Kloster bezahlte?«

»Andrew wird nach Lynn zurückkehren und Isabella berichten, was Ihr gefragt habt – ist Euch das klar?«

»Ja, und? Was sollte es sie kümmern? Wieso fürchten die Menschen Euch, Thomas?«

»Alles wird eine Antwort finden, wenn ich tot bin. Dann zählt nichts mehr von alldem.« Er wandte ihr den Rücken zu und ging.

Die Glocke rief zum Essen. Tief in Gedanken ging Caris zum Priorspalast. Erzbischof, Godwyns Katze, saß auf der Türschwelle und funkelte Caris an. Sie scheuchte das Tier fort. Sie wollte es nicht im Haus haben.

Caris hatte es sich zur Gewohnheit gemacht, jeden Tag mit Merthin zu speisen. Zwar aß der Prior regelmäßig mit dem Ratsältesten der Stadt, so war es Tradition, doch jeden Tag mit ihm zu speisen war ungewöhnlich. Doch es waren schließlich auch ungewöhnliche Zeiten – mit dieser Bemerkung jedenfalls hätte Caris sich gerechtfertigt, wäre sie darauf angesprochen worden, was aber noch nie geschehen war. Während der gemeinsamen Mahlzeiten suchten sie und Merthin stets nach einem Vorwand zu einer neuerlichen Reise, damit sie wieder ungestört zusammen sein konnten.

Merthin kam herein, schmutzig von der Arbeit auf seiner Baustelle auf Leper Island. Er bat Caris inzwischen nicht mehr, ihr Gelübde zu widerrufen und die Priorei zu verlassen; zurzeit schien er es zufrieden zu sein, sie jeden Tag zu sehen und auf zukünftige Veränderungen zu hoffen, die ihnen eine intimere Vertrautheit ermöglichten.

Eine Magd der Priorei servierte ihnen mit Wintergemüse geschmorte Schweinskeule. Als die Magd gegangen war, berichtete Caris Merthin von der Urkunde und von Thomas' eigentümlichem Verhalten. »Er hütet ein Geheimnis, das der alten Königin Unheil bringen könnte, wenn es bekannt wird.«

»Ich glaube, da hast du recht«, erwiderte Merthin nachdenklich.

»Damals, an Allerheiligen 1327, nachdem ich davongelaufen war, bist du noch geblieben, nicht wahr? Was ist damals geschehen?«

»Thomas hat mich gezwungen, ihm zu helfen, einen Brief zu vergraben. Ich musste ihm schwören, die Stelle bis zu seinem Tod geheim zu halten. Dann sollte ich den Brief ausgraben und einem Priester übergeben.«

»Thomas sagte mir, nach seinem Tod fänden alle Fragen eine Antwort. Was mag das für ein Brief sein?«

»Ich glaube, der Brief ist eine Drohung, mit der er seine Feinde in Schach hält: Sie wissen, dass der Inhalt des Briefes öffentlich wird, sobald Thomas tot ist. Und eben deshalb fürchten sie den Tag seines Todes. Sie haben sogar dafür gesorgt, dass Thomas am Leben bleibt, indem sie ihm halfen, Mönch in Kingsbridge zu werden.«

»Kann es heute denn noch wichtig sein?«

»Zehn Jahre nachdem wir den Brief vergraben hatten, sagte ich Thomas, dass ich nie jemandem davon erzählt hätte, worauf er mir entgegnete: ›Hättest du das getan, wärst du schon tot.‹ Das hat mir noch mehr Angst gemacht als der Eid, den ich Thomas schwören musste.«

»Mutter Cecilia hat mir vor langer Zeit gesagt, Edward II. sei keines natürlichen Todes gestorben.«

»Woher will sie das wissen?«

»Mein Onkel Anthony hatte es ihr erzählt. Ich nehme an, das Geheimnis des Briefes wird darin bestehen, dass Königin Isabella ihren Gemahl hat ermorden lassen.«

»Das glaubt sowieso das halbe Land. Aber wenn es Beweise gäbe … Hat Cecilia dir gesagt, wie Edward getötet wurde?«

Caris dachte angestrengt nach. »Nein. Ich erinnere mich nur, dass sie sagte: ›Der alte König ist nicht an einem Sturz gestorben.‹ Darauf fragte ich sie, ob Edward ermordet wurde. Aber Cecilia starb, ohne mir je eine Antwort gegeben zu haben.«

»Dennoch – weshalb eine Lüge über den Tod des Königs verbreiten, wenn man kein Verbrechen verschleiern will?«

»Und Thomas' Brief muss der Beweis sein, dass ein Verbrechen geschehen *ist* und die Königin daran beteiligt war.«

In nachdenklichem Schweigen beendeten sie ihre Mahlzeit. Im Ablauf eines Klostertages diente die Stunde nach dem Mittagsmahl der Ruhe oder dem Studium. Caris und Merthin verweilten zumeist noch eine Zeit lang am Tisch. An diesem Tag jedoch hatte Merthin nur sein neues Gasthaus im Kopf, das er auf Leper Island errichtete, und so küssten sie einander zum Abschied, und Merthin eilte wieder zur Baustelle. Enttäuscht schlug Caris ein Buch mit dem Titel *Ars Medica* auf, die lateinische Übersetzung eines Werks des antiken griechischen Arztes Galen. Es war der Grundpfeiler der Medizin, wie sie an den Universitäten gelehrt wurde. Caris las dieses Werk, um herauszufinden, was die Magister in Oxford und Paris über Heilkunst lehrten. Bislang hatte sie jedoch in dem Buch nur wenig gefunden, was von Nutzen für sie war.

Die Magd kam zurück und räumte den Tisch ab. »Bitte Bruder Thomas zu mir«, sagte Caris, denn sie wollte sich davon überzeugen, dass sie trotz ihres unerfreulichen Gesprächs noch immer Freunde waren.

Doch ehe Thomas erschien, gab es einen Tumult vor der Tür. Caris hörte mehrere Pferde und jene Art von herrischem Gebrüll, das erkennen ließ, dass ein Adliger Aufmerksamkeit verlangte. Augenblicke später wurde die Tür aufgerissen, und herein marschierte Sir Ralph Fitzgerald, Herr von Tench.

Er sah wütend aus, doch Caris gab vor, dies zu übersehen. »Ralph!«, sagte sie so freundlich sie konnte. »Welch unerwartetes Vergnügen. Willkommen in Kingsbridge.«

»Lass den Unsinn«, sagte er grob. Er kam zu dem Stuhl, auf dem sie saß, und baute sich hitzig vor ihr auf. »Ist dir klar, dass du die Bauern im ganzen Land verdirbst?«

Ein weiterer Mann kam herein und stellte sich an die Tür; es war ein großer Kerl mit kleinem Kopf. Caris erkannte ihn als Ralphs langjährigen Schatten, Alan Fernhill. Beide Männer waren mit Schwertern und Dolchen bewaffnet. Caris war sich nur zu deutlich bewusst, dass sie allein im Priorspalast war; deshalb versuchte sie, die Lage zu entschärfen. »Möchtest du Schinken, Ralph? Einen Becher Wein?«

Ralph ließ sich nicht ablenken. »Du stiehlst mir meine Knechte!«

»Deine Rechte?«

Alan Fernhill lachte auf.

Ralph lief rot an und wirkte noch gefährlicher als zuvor. Caris wünschte, sie hätte den Scherz gelassen. »Wenn du mich verhöhnst, wird es dir leid tun!«, drohte Ralph.

Caris füllte einen Becher mit Bier. »Ich verhöhne dich nicht«, sagte sie. »Sag mir, was du auf dem Herzen hast.« Sie hielt ihm den Becher hin.

Das Zittern ihrer Hand verriet ihre Furcht, doch Ralph achtete in seiner Wut gar nicht auf den Becher, sondern zeigte drohend mit dem Finger auf Caris. »Aus meinen Dörfern verschwinden die Landarbeiter – und wenn ich nach ihnen frage, was erfahre ich dann?

Dass sie in Dörfer ziehen, die dir gehören und wo sie mehr Lohn bekommen!«

Caris nickte. »Wenn du ein Pferd verkaufst und zwei Männer es haben wollen – gibst du es dann nicht dem Mann, der den höheren Preis bietet?«

»Das ist nicht dasselbe!«

»Das glaube ich aber doch. Trink einen Schluck Bier.«

Mit einem plötzlichen Hieb schlug Ralph ihr den Becher aus der Hand. Er fiel zu Boden, und das Bier ergoss sich über das Stroh. »Es sind *meine* Landarbeiter!«

Caris brannte die Hand, doch sie versuchte, den Schmerz nicht zu beachten. »Wenn es Landarbeiter sind, heißt das, dass du ihnen kein Land gegeben hast, und deshalb haben sie das Recht zu gehen, wohin sie wollen.«

»Ich bin trotzdem ihr Herr! Und noch etwas: Gestern habe ich einem freien Mann eine Pacht angeboten, und was geschieht? Er lehnt ab und sagt, von der Priorei zu Kingsbridge bekäme er ein besseres Angebot!«

»Ich brauche alle Leute, die ich bekommen kann. Also gebe ich ihnen, was sie haben möchten.«

»Du bist eine Frau! Du denkst die Dinge nicht zu Ende! Du begreifst nicht, dass es letztlich darauf hinausläuft, dass die Landarbeiter bald Forderungen stellen können!«

»Das ist Unsinn. Höhere Löhne bewirken etwas ganz anderes: Sie locken Leute auf die Felder, die bisher nicht arbeiten – die vielen Vagabunden zum Beispiel, die von dem leben, was sie in den Dörfern finden, die von der Pest entvölkert wurden. Und mancher, der heute Landarbeiter ist, wird vielleicht Pächter und arbeitet härter, weil er sein eigenes Land bestellt, und dient auf diese Weise dem Allgemeinwohl.«

Ralph hämmerte die Faust auf den Tisch, und Caris zuckte bei dem Knall zusammen. »Du hast kein Recht zu ändern, was immer so war!«

»Das ist kein Grund.«

Er packte sie vorn an der Kutte. »Ich lasse mir das nicht bieten!«

»Nimm die Hände weg, du ungehobelter Dummkopf«, sagte sie.

In dem Moment kam Bruder Thomas herein. »Ihr habt nach mir geschickt, Mutter Caris … bei allen Heiligen, was geht hier vor?«

Er schritt rasch durch den Saal, und Ralph ließ Caris' Kutte los, als hätte diese plötzlich Feuer gefangen. Thomas hatte keine Waffen und nur einen Arm, doch er hatte Ralph schon einmal besiegt, und Ralph fürchtete ihn.

Er wich einen Schritt zurück. Dann wurde ihm klar, dass er sich seine Angst hatte anmerken lassen, und zornig rief er Alan zu: »Komm, wir sind hier fertig!«, und ging zur Tür.

Caris sagte: »Was ich in Outhenby und anderswo tue, ist vollkommen rechtmäßig, Ralph.«

»Es stört die natürliche Ordnung!«, brüllte er.

»Es verstößt gegen kein Gesetz.«

Alan öffnete seinem Herrn die Tür.

»Das werden wir noch sehen«, sagte Ralph und ging hinaus.

Anfang März dieses Jahres 1349 begleiteten Gwenda und Wulfric ihren Vogt Nathan Reeve zum Mittwochsmarkt in der kleinen Stadt Northwood.

Sie arbeiteten nun für Sir Ralph. Gwenda und Wulfric waren der Pest bislang entkommen, doch mehrere Knechte Ralphs waren an der Seuche gestorben, sodass er dringend Arbeitskräfte brauchte. Nate, dem das Dorf Wigleigh unterstand, hatte befohlen, Gwenda und Wulfric einzustellen. Er konnte es sich leisten, normale Löhne zu zahlen, während Perkin ihnen nichts weiter gegeben hatte als warmes Essen.

Kaum hatten Gwenda und Wulfric erklärt, fortan für Ralph zu arbeiten, hatte Perkin plötzlich festgestellt, dass er ihnen doch wieder normalen Lohn zahlen konnte; aber da war es zu spät gewesen.

An diesem Tag brachten sie eine Wagenladung Holz aus Ralphs Wald, um es in Northwood zu verkaufen, einer Stadt, in der es seit uralten Zeiten einen Holzmarkt gab. Die Jungen, Sam und David, begleiteten sie, denn es gab niemanden, der auf sie aufpassen konnte. Wulfrics Eltern lebten schon lange nicht mehr, ihrem eigenen Vater traute Gwenda nicht, und ihre Mutter war vor zwei Jahren gestorben.

Auf dem Markt waren noch andere Bewohner Wigleighs: Vater Gaspard kaufte Saatgut für seinen Gemüsegarten, und Gwendas Vater Joby bot frisch erlegte Kaninchen feil.

Nate Reeve, der Vogt, war ein verkümmerter Mann mit krummem Rücken geworden, der die großen Holzscheite nicht mehr heben konnte. Er redete mit den Kunden, während Wulfric und Gwenda die körperliche Arbeit verrichteten. Am Mittag gab Nate ihnen einen Penny, von dem sie sich Essen im Old Oak kaufen konnten, einem Wirtshaus am Marktplatz. Dort gab es gekochten Lauch mit Speck, den Gwenda und Wulfric mit ihren Jungen teilten. David mit seinen acht Jahren aß noch die eher mäßigen Mengen eines Kindes, doch Sam war zehn, wuchs rasch und hatte entsprechenden Hunger.

Während sie aßen, hörten sie ein Gespräch, das augenblicklich Gwendas Aufmerksamkeit fesselte.

In der Ecke stand eine Gruppe junger Männer mit großen Bierkrügen in der Hand. Sie alle waren schlecht gekleidet, bis auf einen Burschen mit buschigem blondem Bart, der die teure Kleidung eines wohlhabenden Bauern oder Dorfhandwerkers trug: lederne Hose, feine Stiefel und eine neue Kappe. Der Satz, der Gwenda hatte aufhorchen lassen, lautete: »In Outhenby zahlen wir allen Landarbeitern zwei Pennys am Tag.«

Sie lauschte angestrengt und versuchte mehr zu erfahren, schnappte aber nur zusammenhanglose Wortfetzen auf. Gwenda hatte schon davon gehört, dass mancherorts angeblich mehr gezahlt wurde als der übliche Penny am Tag, weil durch die Pest ein Mangel an Landarbeitern herrschte. Sie hatte immer gezögert, solchen Geschichten zu glauben, denn sie hörten sich zu gut an, um wahr zu sein.

Vorerst sagte sie nichts zu Wulfric, der die zauberischen Worte offenbar nicht gehört hatte, doch Gwendas Herz schlug schneller. Sie und ihre Familie hatten so viele Jahre in Armut gelebt ... sollte es möglich sein, dass ihr Leben nun eine Wende zum Besseren nahm?

Sie musste mehr erfahren!

Nachdem sie gegessen hatten, setzten sie sich auf eine Bank vor dem Old Oak und schauten den Jungen und ein paar anderen Kindern zu, die Fangen spielten und um die dicke Eiche herumrannten, die dem Gasthaus seinen Namen gab. »Wulfric«, sagte Gwenda leise, »was, wenn wir zwei Pennys am Tag verdienen könnten? Jeder von uns?«

»Wie sollte das denn gehen?«

»Indem wir nach Outhenby gehen.« Gwenda berichtete ihm, was sie gehört hatte, und schloss mit den Worten: »Es könnte ein neuer Anfang für uns sein.«

»Aber dann bekomme ich das Land meines Vaters nie zurück!«

Gwenda seufzte. Glaubte er wirklich noch, es würde je dazu kommen? War er so töricht?

Sie versuchte ihm so sanft wie möglich zuzureden. »Es ist zwölf Jahre her, seit man dich enterbt hat«, sagte sie. »Während dieser Zeit ist Ralph immer mächtiger geworden. Und es hat nie das geringste Anzeichen gegeben, dass er dir gegenüber nachsichtiger wird. Was glaubst du denn, wie deine Aussichten sind?«

Wulfric beantwortete die Frage nicht. »Und wo sollten wir dann wohnen?«

»In Outhenby wird es wohl Häuser geben, meinst du nicht?«

»Aber wird Ralph uns gehen lassen?«

»Er kann uns nicht aufhalten. Wir sind Landarbeiter, keine Hörigen. Das weißt du doch.«

»Aber weiß Ralph es?«

»Wir werden ihm keine Möglichkeit geben, einen Einwand vorzubringen.«

»Und wie sollen wir das anstellen?«

»Ich …« Gwenda stockte. Erst jetzt erkannte sie, dass sie einen Sprung ins kalte Wasser wagen mussten. »Wir könnten heute noch gehen. Gleich von hier aus.«

Es war ein beängstigender Gedanke. Beide hatten sie ihr ganzes Leben in Wigleigh verbracht. Wulfric war nicht einmal von einem Haus in ein anderes umgezogen. Und nun dachten sie darüber nach, in ein Dorf zu gehen, das sie noch nie gesehen hatten, und alles hinter sich zu lassen.

Doch Wulfric sorgte sich um etwas ganz anderes. Er wies auf den buckligen Vogt, der soeben den Platz überquerte, um zu einem Kerzenzieher zu gehen. »Was wird Nathan dazu sagen?«

»Wir werden ihm nicht verraten, was wir vorhaben. Wir erzählen ihm etwas anderes … dass wir hier über Nacht bleiben wollen, aus irgendeinem Grund, und morgen heimkehren. Dann weiß keiner, wo wir sind. Und wir gehen nie wieder nach Wigleigh zurück.«

»Nie wieder?«, sagte Wulfric niedergeschlagen.

Gwenda bezwang ihre Ungeduld. Sie kannte ihren Mann: Hatte er sich erst einmal entschieden, war er nicht mehr aufzuhalten; aber er brauchte lange, um einen Entschluss zu fassen. Doch er würde ihrem Vorschlag schon zustimmen. Wulfric war nicht uneinsichtig; er war nur vorsichtig und hasste es, schnelle Entscheidungen zu treffen. Doch Gwenda wusste, dass es in diesem Fall nicht anders ging.

Der junge Mann mit dem blonden Bart kam aus dem Old Oak. Gwenda sah sich um: Niemand aus Wigleigh war in Sicht. Sie stand auf und sprach den Mann an. »Habe ich richtig gehört, Herr, dass Ihr Landarbeitern zwei Pennys am Tag zahlt?«

»Das stimmt«, erwiderte er. »Im Tal der Outhen, nur einen halben Tag südwestlich von hier. Wir brauchen jeden, den wir kriegen können.«

»Wer seid Ihr?«

»Ich bin der Pflüger von Outhenby. Ich heiße Harry.«

Outhenby muss ein großes, wohlhabendes Dorf sein, wenn es

einen eigenen Pflüger hat, dachte Gwenda. Die meisten Pflüger arbeiteten für mehrere Dörfer. »Und wer ist der Lehnsherr?«

»Die Priorin von Kingsbridge.«

»Caris!« Welch wunderbare Neuigkeit. Caris konnte man vertrauen. Gwenda hätte am liebsten vor Freude gejubelt.

»Ja. Mutter Caris. Sie ist jetzt Priorin«, sagte Harry. »Eine sehr entschlossene Frau.«

»Ich kenne sie.«

»Sie will, dass ihre Felder bestellt werden, damit sie ihre Schwestern im Konvent ernähren kann, und sie lässt keine Entschuldigungen gelten.«

»Habt ihr in Outhenby denn Häuser, in denen Landarbeiter wohnen können? Mit ihren Familien?«

»Ob wir Häuser haben? Mehr als genug! Im Dorf haben wir viele Leute an die Pest verloren.«

»Und Outhenby liegt südwestlich von hier?«

»Nehmt die Südstraße nach Badfort, dann folgt der Outhen stromaufwärts. Wann kommt ihr denn?«

Gwenda gemahnte sich zur Zurückhaltung. »Ich … ich selbst will gar nicht dahin«, sagte sie rasch.

»Aha. Natürlich.« Er glaubte ihr nicht.

»Ich habe für einen Freund gefragt.«

»Nun, dann sagt Eurem Freund, er soll kommen, so schnell er kann. Wir müssen mit dem Pflügen und Säen fertig werden.«

»Ja.«

Gwenda war schwindlig, als hätte sie starken Wein getrunken. Zwei Pennys am Tag … für Caris arbeiten … meilenweit weg von Ralph, Perkin und Annet! Es war wie im Traum.

Sie setzte sich wieder neben Wulfric. »Hast du das gehört?«

»Ja«, sagte er und wies auf eine Gestalt in der Wirtshaustür. »Und er auch.«

Gwenda sah hin. Es war ihr Vater.

»Schirr das Pferd an«, sagte Nate am späten Nachmittag zu Wulfric. »Es wird Zeit, dass wir uns auf den Heimweg machen.«

Wulfric entgegnete: »Wir brauchen unseren Lohn für diese Woche.«

»Geld bekommt ihr wie üblich am Sonnabend«, erwiderte Nate abweisend. »Und nun spann die Mähre an!«

Wulfric rührte sich nicht. »Ich muss Euch bitten, mich heute auszuzahlen«, beharrte er. »Ich weiß, dass Ihr das Geld habt, denn Ihr habt alles Holz verkauft.«

Nate starrte ihn an. »Weshalb sollte ich dich diesmal früher bezahlen?«

»Weil ich heute nicht mit Euch nach Wigleigh zurückkehre.«

»Wieso nicht?«, fragte Nate verblüfft.

Gwenda sagte rasch: »Wir gehen nach Melcombe.«

»Was?« Nate war außer sich. »Wieso wollt ihr nach Melcombe?«

»Wir haben einen Fischer kennengelernt, der für zwei Pennys am Tag Helfer braucht.« Gwenda hatte sich diese Geschichte überlegt, um mögliche Verfolger auf eine falsche Spur zu führen.

Wulfric warf ein: »Unseren respektvollen Gruß an Sir Ralph, und möge Gott ihm weiterhin beistehen.«

»Aber wir werden Ralph wohl nie wiedersehen«, fügte Gwenda hinzu. Sie sprach es nur aus, um den wundervollen Klang zu hören: Ralph nie wiedersehen!

Nate erwiderte gereizt: »Er könnte etwas dagegen haben, wenn ihr geht!«

»Wir sind keine Hörigen, wir haben kein Land. Ralph kann es uns nicht verbieten.«

»Du bist der Sohn eines Hörigen, Wulfric«, sagte Nathan.

»Aber Ralph hat mir mein Erbe verweigert«, entgegnete Wulfric. »Da kann er jetzt nicht auf Lehnsdienst bestehen.«

»Für einen armen Mann ist es gefährlich, wenn er auf sein Recht pocht.«

»Das ist wahr«, räumte Wulfric ein. »Aber ich tue es trotzdem.«

Nate gab sich geschlagen. »Du wirst noch von Sir Ralph hören«, sagte er.

»Soll ich Euch das Pferd anspannen?«

Nate runzelte die Stirn. Allein konnte er es nicht, wegen seines Rückens. »Ja.«

»Ich tu es gern. Aber wärt Ihr so freundlich, mich vorher auszuzahlen?«

Mit zorniger Miene holte Nate seinen Geldbeutel hervor und zählte sechs Silberpennys ab.

Gwenda nahm das Geld, und Wulfric schirrte das Pferd an.

Nate fuhr ohne ein weiteres Wort davon.

»Na also!«, rief Gwenda. »Das wäre geschafft.« Sie blickte Wulfric an. Er lächelte breit. »Was ist mit dir?«, fragte Gwenda.

»Es kommt mir vor, als hätte ich seit Jahren ein Kummet getragen, und plötzlich wurde es mir abgenommen.«

»Gut.« Genau so sollte er sich fühlen. »Jetzt suchen wir uns eine Bleibe für die Nacht.«

Das Old Oak befand sich in bester Lage am Marktplatz und verlangte gesalzene Preise, also schlenderten sie in der kleinen Stadt umher und suchten nach einer billigeren Unterkunft. Schließlich übernachteten sie im Gate House, wo Gwenda sie alle vier für einen Penny unterbrachte – Abendbrot, ein Strohsack auf dem Fußboden und Frühstück. Die Jungen mussten in der Nacht gut schlafen und am Morgen gut essen, wenn sie den ganzen Vormittag marschieren sollten.

Die Aufregung hielt Gwenda wach. Sie machte sich große Sorgen. Was stand ihr und ihrer Familie bevor? Sie hatte nur das Wort eines Mannes, eines Fremden, was sie in Outhenby vorfinden würden. Jetzt beschlich Gwenda ein ungutes Gefühl: Sie hätte in Erfahrung bringen müssen, was sie in dem Dorf erwartete, ehe sie diesen folgenschweren Entschluss gefasst hatte.

Doch sie und Wulfric hatten zehn Jahre lang in einem Loch festgesessen, und Harry Ploughman aus Outhenby war der Erste, der ihnen einen Ausweg bot.

Das Frühstück war karg: dünner Brei mit wässrigem Apfelmost. Gwenda kaufte einen großen Laib frischen Brotes als Wegzehrung, und Wulfric füllte seine Lederflasche mit kaltem Wasser aus einem Brunnen. Eine Stunde nach Sonnenaufgang gingen sie durchs Stadttor und folgten der Straße nach Süden.

Gwenda dachte an ihren Vater Joby: Sobald ihm zu Ohren kam, dass sie nicht nach Wigleigh zurückgekehrt war, würde er sich an das Gespräch erinnern, das er belauscht hatte, und sich denken können, dass sie in Outhenby weilten. Von der Geschichte über Melcombe ließ Joby sich bestimmt nicht täuschen: Er war selbst ein geübter Lügner und viel zu erfahren, um auf eine solch simple List hereinzufallen. Doch würde ihn überhaupt jemand fragen, ob er wisse, wo seine Tochter sein könne? Jeder wusste, dass Gwenda nie mit ihrem Vater sprach. Und selbst wenn man ihn fragte – plauderte er dann aus, was er vermutete? Oder würde ein letzter Rest väterlicher Gefühle ihn bewegen, seine Tochter zu schützen?

Doch ändern konnte Gwenda jetzt nichts mehr, also dachte sie auch nicht mehr an ihn.

Das Wetter war gut für eine Reise. Der Boden war vom Regen weich und staubte deshalb nicht; immer wieder kam die Sonne hervor, und es war weder zu warm noch zu kalt. Die Jungen wurden rasch müde, besonders David, der kleinere, doch Wulfric verstand es gut, die beiden mit Liedern und Reimen abzulenken; er fragte sie nach den Namen von Bäumen und Pflanzen, spielte mit ihnen Zahlenrätsel und erzählte ihnen Geschichten.

Gwenda konnte es immer noch nicht fassen, welch gewaltigen Schritt sie gewagt hatten. Noch gestern zur gleichen Zeit hatte es so ausgesehen, als sollte ihr Leben sich nie ändern: als wären harte Arbeit, Armut und unerreichte Ziele für immer ihr Los. Jetzt waren sie unterwegs in ein neues Leben.

Gwenda dachte an die Hütte, in der sie zehn Jahre lang mit Wulfric gewohnt hatte. Viel ließ sie nicht zurück: ein paar Kochtöpfe, einen Stapel Feuerholz, einen halben Schinken und vier Decken. Sie besaß keine anderen Kleider als die, welche sie am Leibe trug, und Wulfric auch nicht. Sie hatte keinen Schmuck, keine bunten Bänder, Handschuhe oder Kämme. Vor zehn Jahren hatte Wulfric hinter dem Haus Hühner und Schweine gehalten, doch sie waren im Laufe der Jahre geschlachtet oder verkauft worden. Ein einziger Wochenlohn in Outhenby würde ausreichen, um ihre gesamte ärmliche Habe zu ersetzen!

Sie folgten Harrys Wegbeschreibung und gingen die Straße nach Süden bis an eine schlammige Furt, die über die Outhen führte, dann nach Westen und stromaufwärts am Flüsschen entlang. Je weiter sie kamen, desto schmaler wurde der Wasserlauf, bis er sich zwischen zwei Hügelgraten trichterartig verengte. »Guter, fruchtbarer Boden«, sagte Wulfric. »Aber man braucht dafür den schweren Pflug.«

Bald kamen sie zu einem großen Dorf mit einer Kirche aus Stein, neben der ein schmuckes Haus stand. Beklommen klopfte Gwenda an die Tür. Wurde ihr jetzt beschieden, dass es hier keine Arbeit gebe? Dass Harry Ploughman sie auf den Arm genommen habe? Hatte sie ihre Familie sinnlos einen halben Tag lang marschieren lassen? Wie demütigend es wäre, nach Wigleigh zurückkehren zu müssen und darum zu betteln, dass Nate Reeve sie wieder einstellte!

Eine grauhaarige Frau kam an die Tür. Sie musterte Gwenda mit dem misstrauischen, ablehnenden Blick, mit dem Dörfler allerorten Fremde bedachten. »Ja?«

»Guten Tag, Herrin«, sagte Gwenda. »Ist das hier Outhenby?«
»Allerdings.«

»Wir sind Landarbeiter und suchen nach Arbeit. Harry Ploughman sagte uns, wir sollen hierherkommen.«

»So, hat er das?«

Stimmte etwas nicht, oder war diese Frau bloß eine mürrische alte Kuh? Um ein Haar hätte Gwenda diese Frage laut gestellt. Doch sie hielt sich zurück und erkundigte sich: »Wohnt Harry in diesem Haus?«

»Ganz sicher nicht«, erwiderte die Frau. »Er ist nur ein Pflüger. Hier wohnt der Vogt.«

Offenbar gab es Zwist zwischen Vogt und Pflüger. »Vielleicht sollten wir dann mit dem Vogt sprechen.«

»Er ist nicht da.«

Geduldig fragte Gwenda: »Wärt Ihr so freundlich, uns zu sagen, wo wir ihn finden können?«

Die Frau wies in das Tal. »Nordfeld.«

Gwenda blickte in die gewiesene Richtung. Als sie sich wieder der Frau zuwenden wollte, war diese im Haus verschwunden.

Wulfric sagte: »Sie freut sich nicht, uns zu sehen.«

»Alte Frauen hassen Veränderungen«, erwiderte Gwenda. »Suchen wir den Vogt.«

»Die Jungen sind müde.«

»Sie können sich bald ausruhen.«

Sie gingen auf die Felder. Auf den Äckern herrschte emsige Betriebsamkeit. Kinder lasen Steine vom gepflügten Boden auf; Frauen säten, Männer karrten Dünger heran. In der Ferne sah Gwenda ein Gespann aus acht großen Ochsen, die geduldig den Pflug durch die feuchte, schwere Krume zogen.

Sie erreichten eine Gruppe von Männern und Frauen, die versuchten, eine von einem Pferd gezogene Egge zu bewegen, die in einem Graben festsaß. Gwenda und Wulfric packten mit an. Wulfrics Kraft gab den Ausschlag, und die Egge kam frei.

Die Dörfler betrachteten den Fremden. Ein großer Mann mit einer alten Brandnarbe, die eine Hälfte seines Gesichts entstellte, sprach ihn freundlich an: »Du bist ein nützlicher Bursche. Wie heißt du?«

»Ich bin Wulfric, und meine Frau heißt Gwenda. Wir sind Landarbeiter und suchen nach Arbeit.«

»Auf einen wie dich haben wir gewartet, Wulfric«, sagte der Mann. »Ich bin Carl Shaftesbury.« Er reichte Wulfric die Hand. »Willkommen in Outhenby.«

Ralph kam acht Tage später.

Wulfric und Gwenda waren in ein kleines, schmuckes Haus mit steinernem Kamin gezogen. Im Obergeschoss gab es eine Schlafkammer, wo sie, von den Jungen getrennt, leidenschaftliche Nächte verbringen konnten. Von den älteren Dörflern wurden sie mit Misstrauen aufgenommen – besonders von Will Bailiff und seiner Frau Vi, die sie am Tag ihrer Ankunft so unfreundlich empfangen hatte. Harry Ploughman und die jüngeren Leute jedoch waren begeistert von den Veränderungen, die sich anbahnten, und froh über die zusätzliche Hilfe bei der Feldarbeit.

Man zahlte ihnen wie versprochen zwei Pennys am Tag. Gwenda konnte das Ende der ersten vollen Woche kaum erwarten, wenn sie jeder zwölf Pennys – einen ganzen Shilling! – erhalten würden. Das war die höchste Summe, die sie je verdient hatten, und das gleich zweimal. Was sollten sie mit dem vielen Geld nur anstellen?

Weder Wulfric noch Gwenda hatten je woanders gearbeitet als in Wigleigh und stellten nun erstaunt fest, dass längst nicht alle Dörfer gleich waren. Die höchste Autorität in Outhenby war die Priorin von Kingsbridge, und das bedeutete einen großen Unterschied zu Wigleigh: Ralphs Herrschaft war von persönlichen Vorlieben gefärbt; seine Entscheidungen waren willkürlich, und es war gefährlich, ihn um irgendetwas anzugehen. Die Leute von Outhenby jedoch schienen in den allermeisten Fällen zu wissen, was die Priorin von ihnen erwartete, und sie konnten Streitereien oft beilegen, indem sie sich fragten, was die Priorin sagen würde, hätte man sie um Schlichtung gebeten, und entsprechend handelten.

Einen solchen Zwist gab es auch an dem Tag, an dem Ralph erschien.

Bei Sonnenuntergang gingen alle von den Feldern nach Hause – die Erwachsenen müde von der Arbeit, während die Kinder vergnügt vorausliefen. Harry Ploughman bildete mit den abgeschirrten Ochsen den Schluss. Carl Shaftesbury, der Mann mit der Brandnarbe, war ein Neuankömmling wie Gwenda und Wulfric und hatte bei Sonnenaufgang drei Aale gefangen, die an diesem Tag das Abendessen seiner Familie sein sollten, denn es war ein Freitag. Die Streitfrage lautete nun, ob Landarbeiter das gleiche Recht wie Pächter hätten, an Fastentagen Fisch aus der Outhen zu angeln. Harry Ploughman meinte, dieses Recht gelte für alle Bewohner Outhenbys. Vi Bailiff hielt dem entgegen, dass Pächter dem Lehnsherrn nach Gewohnheitsrecht Abgaben schuldeten, was bei Landarbeitern nicht der Fall sei; wer zusätzliche Pflichten habe, sollte auch besondere Rechte genießen.

Will Bailiff wurde um eine Entscheidung gebeten, und er entschied gegen sein Weib. »Ich glaube, die Mutter Priorin würde sagen, wenn die Kirche möchte, dass die Leute Fisch essen, müssen sie den Fisch auch irgendwo bekommen können«, sagte er, und alle gaben sich damit zufrieden.

Als Gwenda über die Felder zum Dorf blickte, sah sie die beiden Reiter.

Ein kalter Wind kam plötzlich auf.

Die Fremden, die große Pferde ritten, waren eine halbe Meile entfernt und näherten sich den Häusern schräg zu der Richtung, aus der die Dörfler kamen. Gwenda sah, dass es Edelleute waren, und stieß Wulfric an.

»Ich hab sie schon gesehen«, sagte er grimmig.

Solche Männer kamen nicht ohne Grund in ein Dorf. Sie verachteten die Menschen, die sich auf Äckern und mit Vieh abplagten. Zumeist suchten sie ein Dorf nur auf, wenn sie den Bauern Fleisch, Brot oder Bier wegnehmen wollten; denn sich mit Ackerbau oder einem Handwerk zu beschäftigen war für diese Männer unter ihrer Würde. Ihre Ansichten, was sie sich von Rechts wegen nehmen durften und was nicht, wichen stets von denen der Bauern ab; deshalb gab es unausweichlich Streit.

Nach kurzer Zeit hatten alle Dörfler die Reiter gesehen, und die Gruppe wurde still. Gwenda bemerkte, dass Harry die Ochsen leicht vom Weg abbrachte und das andere Ende des Dorfes ansteuerte, auch wenn sie nicht gleich erriet, was er vorhatte.

Gwenda zweifelte nicht, dass die Männer gekommen waren, um flüchtige Landarbeiter zu suchen. Sie sprach ein stummes Stoßgebet, es möge sich bei den Reitern um die früheren Dienstherren Carl Shaftesburys oder eines anderen Neuankömmlings handeln. Doch als sie sich den Reitern näherten, erkannte Gwenda Ralph Fitzgerald und Alan Fernhill, und Angst überfiel sie.

Vor diesem Augenblick hatte sie sich gefürchtet. Ihr war stets bewusst gewesen, dass Ralph herausfinden könnte, wohin sie gegangen waren; außerdem musste ihr Vater es geahnt haben, und bei Joby durfte man sich nie darauf verlassen, dass er den Mund hielt, nicht einmal, wenn es um die eigene Tochter ging. Und obwohl Ralph kein Recht hatte, sie zurückzuholen, so war er doch ein Herr und Edelmann, und solche Leute taten meist, was ihnen gefiel.

Zur Flucht war es jedenfalls zu spät. Die Gruppe folgte einem Weg zwischen weiten, gepflügten Feldern: Wenn jemand davonrannte, würden Ralph und Alan es sofort bemerken und die Verfolgung aufnehmen – und dann verloren Gwenda und ihre Familie jeden Schutz, den die anderen Dörfler ihnen vielleicht bieten konnten. Auf freiem Feld saßen sie in der Falle.

Gwenda rief ihren Söhnen zu. »Sam! David! Kommt her!«

Die Jungen hörten sie nicht oder wollten sie nicht hören und rannten weiter. Gwenda eilte ihnen nach, doch die Jungen hielten es für ein Spiel und versuchten, ihrer Mutter zu entkommen. Mittlerweile hatten sie das Dorf fast erreicht, und Gwenda musste einsehen, dass sie zu müde war, um Sam und David zu fangen. Den Tränen nahe rief sie: »Kommt hierher!«

Wulfric nahm sich nun der Sache an: Er rannte an Gwenda vorbei, fing mühelos David und hob den Jungen mit beiden Armen hoch. Doch er kam zu spät, um auch Sam zu fangen, ehe dieser lachend zwischen den Häusern verschwand.

Die Reiter hatten an der Kirche haltgemacht. Als Sam auf sie zulief, ließ Ralph sein Pferd ein paar Schritte gehen, beugte sich aus dem Sattel und riss den Jungen am Hemd in die Höhe. Sam kreischte vor Angst.

Gwenda schrie auf.

Ralph setzte Sam auf den Widerrist seines Pferdes.

Wulfric, noch immer David in den Armen, blieb vor Ralph stehen.

»Dein Sohn, nehme ich an«, sagte Ralph.

Gwenda hatte schreckliche Angst. Sie fürchtete um ihren Sohn. Einem Kind etwas anzutun wäre zwar unter Ralphs Würde, doch es konnte einen Unfall geben. Und es bestand noch eine andere Gefahr: Wenn Wulfric Ralph und Sam nebeneinander sah, begriff er möglicherweise, dass sie Vater und Sohn waren.

Sam war zwar noch ein kleiner Junge mit dem Körper und dem Gesicht eines Kindes, doch er hatte Ralphs dichtes Haar und seine dunklen Augen, und seine knochigen Schultern waren breit und eckig.

Gwenda blickte ihren Mann an. Wulfric ließ mit keiner Miene erkennen, ob er gesehen hatte, was ihr selbst so offensichtlich war. Gwenda musterte die anderen Dörfler: Auch sie schienen der unübersehbaren Wahrheit blind gegenüberzustehen – bis auf Vi Bailiff, die Gwenda durchdringend anstarrte. Der alte Drachen erriet vielleicht etwas. Aber niemand sonst schien bisher etwas bemerkt zu haben.

Will trat vor und sagte: »Guten Tag, ihr Herren. Ich bin Will, der Vogt von Outhenby. Darf ich fragen ...«

»Halt's Maul«, sagte Ralph grob und wies auf Wulfric. »Was macht der hier?«

Gwenda bemerkte, dass die anderen Dörfler aufatmeten, als ihnen klar wurde, dass der Zorn des Fremden nicht auf sie gerichtet war.

Will erwiderte: »Mylord, er ist ein Landarbeiter, angestellt auf Geheiß der Priorin von Kingsbridge ...«

»Er ist flüchtig, und er wird mit nach Hause kommen«, sagte Ralph.

Will schwieg verängstigt.

Carl Shaftesbury fragte: »Mit welchem Recht erhebt Ihr diese Forderung?«

Ralph blickte Carl an, als wollte er sich dessen halb verbranntes Gesicht einprägen. »Halt das Maul, oder ich lass dir auch die andere Wange versengen.«

Will sagte unruhig: »Wir wollen kein Blutvergießen.«

»Sehr klug, Vogt«, sagte Ralph. »Wer ist denn dieser freche Bauerntrampel?«

»Kümmert Euch nicht darum, wer ich bin«, sagte Carl mutig. »Ich weiß aber, wer Ihr seid. Ihr seid Ralph Fitzgerald, und ich habe gesehen, wie das Gericht in Shiring Euch der Vergewaltigung für schuldig befand und zum Tode verurteilt hat.«

»Aber ich bin nicht tot«, erwiderte Ralph.

»Ihr solltet es aber sein. Und Ihr habt kein Lehnsrecht über Landarbeiter. Wenn Ihr versucht, Gewalt anzuwenden, werden wir Euch eine schmerzhafte Lektion erteilen!«

Mehrere Dörfler schnappten vor Entsetzen nach Luft. Es war gefährlich, in diesem Ton mit einem bewaffneten Edelmann zu sprechen.

Wulfric sagte: »Sei still, Carl. Ich möchte nicht, dass du wegen mir sterben musst.«

»Es geht gar nicht um dich«, entgegnete Carl. »Wenn dieser Mordbube dich wegschleppen kann, kommt nächste Woche ein anderer und holt mich. Wir müssen zusammenhalten. Wir sind nicht hilflos.«

Carl war ein kräftiger Mann, größer als Wulfric und fast genauso breit, und Gwenda sah, dass er meinte, was er sagte. Sie selbst hatte schreckliche Angst. Wenn es zum Kampf kam, würde Blut fließen – und Sam saß noch immer bei Ralph auf dem Pferd. »Wir gehen mit ihm«, sagte sie verzweifelt. »Das ist das Beste.«

Carl erwiderte: »Nein, ist es nicht. Ich werde ihn daran hindern, dich mitzunehmen, ob du willst oder nicht. Es ist zu deinem eigenen Besten.«

Die anderen murmelten zustimmend. Gwenda ließ den Blick in die Runde schweifen: Die meisten Männer hielten Schaufeln oder Hacken in den Händen und schienen bereit zu sein, sie als Waffen zu benutzen, auch wenn sie ängstlich wirkten.

Wulfric wandte Ralph den Rücken zu und sagte mit drängender Stimme: »Ihr Frauen, bringt die Kinder in die Kirche – schnell!«

Mehrere Frauen hoben Kleinkinder auf und packten die Größeren bei den Armen. Gwenda blieb, wo sie war; mehrere jüngere Frauen ebenfalls. Die Dörfler rückten näher zusammen, standen Schulter an Schulter.

Ralph und Alan wirkten mit einem Mal verunsichert. Sie hatten nicht damit gerechnet, fünfzig oder mehr feindseligen Bauern gegenüberzustehen. Doch sie waren zu Pferd und konnten fliehen, wann immer sie wollten.

»Also gut«, sagte Ralph, »dann nehme ich den Jungen mit nach Wigleigh.«

Gwenda schrie auf.

Ralph fuhr fort: »Wenn seinen Eltern an ihm gelegen ist, wissen sie, wo sie ihn finden.«

Gwenda war außer sich. Ralph hatte Sam und konnte jederzeit mit ihm davonreiten. Sie kämpfte einen verzweifelten Schrei nieder. Entschlossenheit überkam sie: Wenn Ralph sein Pferd wendete, um mit Sammy wegzureiten, würde sie sich auf ihn stürzen und versuchen, ihn aus dem Sattel zu reißen. Sie trat einen Schritt näher.

Da sah sie die Ochsen hinter Ralph und Alan näher kommen. Harry Ploughman trieb sie vom anderen Ende des Dorfes heran. Acht massige Tiere näherten sich dem kleinen Platz vor der Kirche; dann blieben sie stehen und blickten dumpf umher, ohne zu wissen, wohin sie gehen sollten. Harry stand hinter dem Gespann. Ralph und Alan fanden sich mit einem Mal in einer Falle wieder, in der ihnen nach drei Seiten der Weg versperrt war: durch die Bauern, die Ochsen und die steinerne Kirche.

Gwenda vermutete, dass Harrys eigentliche Absicht gewesen war,

Ralph daran zu hindern, mit Wulfric und ihr wegzureiten, doch Harrys Taktik kam ihnen auch in ihrer jetzigen Lage sehr gelegen.

Carl sagte: »Lasst den Jungen herunter, Sir Ralph, und zieht in Frieden.«

Doch Ralph konnte jetzt nicht mehr nachgeben, ohne das Gesicht zu verlieren; das wusste Gwenda. Er musste etwas unternehmen, um nicht als Dummkopf dazustehen – für einen Herrn das Schlimmste, was ihm widerfahren konnte. Männer wie Ralph sprachen ständig über ihre Ehre, was aber nichts zu bedeuten hatte: Wenn es ihnen Nutzen brachte, verhielten sie sich ehrlos. Ihr Stolz jedoch war ihnen wirklich wichtig. Sie würden eher sterben, als sich demütigen zu lassen.

Für Sekunden war die Szene wie erstarrt: der Herr und das Kind auf dem Pferd, die aufsässigen Dörfler, die stumpfsinnigen Ochsen.

Dann setzte Ralph Sam auf den Boden.

Tränen der Erleichterung rannen Gwenda über die Wangen.

Sam lief zu ihr, klammerte sich an sie und begann zu weinen.

Die Haltung der Dörfler entspannte sich; die Männer senkten die Schaufeln und Hacken.

Ralph ruckte an den Zügeln seines Pferdes und feuerte es an. Das Tier stieg auf die Hinterhand. Ralph grub ihm die Sporen in die Weichen und ritt geradewegs auf die Menge zu, gefolgt von Alan. Die Leute spritzten auseinander, um nicht niedergeritten zu werden, warfen sich hastig zur Seite und stürzten auf den schlammigen Boden. Andere trampelten wild über die Liegenden hinweg, doch wie durch ein Wunder blieben alle von den Pferdehufen verschont.

Mit grölendem Lachen ritten Ralph und Alan aus dem Dorf, als wäre der Zwischenfall für sie nur ein prächtiger Scherz gewesen. Doch in Wahrheit war Ralph gedemütigt worden.

Und das bedeutete, dass er wiederkommen würde, da war Gwenda sicher.

Earlscastle hatte sich nicht verändert. Vor zwölf Jahren, erinnerte Merthin sich, war er gebeten worden, die alte Feste abzureißen und eine neue, moderne Burganlage zu errichten, wie es einem Grafen in einem friedlichen Land geziemte. Doch er hatte abgelehnt und lieber die neue Brücke von Kingsbridge gebaut. Seither war es mit dem Vorhaben offenbar nicht vorangegangen, denn Merthin sah denselben achteckigen Wall mit zwei Zugbrücken wie damals, und auch den altmodischen Wehrturm im oberen Zwinger gab es noch, wo die Familie wie verängstigte Hasen am Ende eines Stollens wohnte, ohne zu wissen, dass vom Fuchs keine Gefahr mehr drohte. Schon zu Zeiten Lady Alienas und Jack Builders musste die Burg mehr oder weniger so ausgesehen haben wie jetzt. Merthin begleitete Caris, die von der Gräfin hierhergerufen worden war. Graf William war erkrankt; Lady Philippa befürchtete, er leide an der Pest. Caris war entsetzt, hatte sie doch geglaubt, die Seuche sei verebbt: In Kingsbridge war sechs Wochen lang niemand mehr an der Pest gestorben.

Caris und Merthin waren unverzüglich aufgebrochen. Philippas Bote hatte zwei Tage gebraucht, um von Earlscastle nach Kingsbridge zu reisen, und nun waren sie die gleiche Zeit unterwegs gewesen; deshalb erschien es gut möglich, dass der Graf bereits tot war oder im Sterben lag. »Ich kann ihm Mohnessenz geben, um die Todesqualen zu lindern«, sagte Caris, während sie ritten.

»Du selbst bewirkst mehr als jede Medizin«, erwiderte Merthin. »Deine Gegenwart tröstet die Menschen. Du bist sanft und kundig, und du sprichst von Dingen, die jeder kennt und versteht – von Verwirrung, Furcht und Schmerz. Du versuchst nicht, die Leute mit gelehrten medizinischen Begriffen oder den lateinischen Namen für Kräuter oder Säfte zu beeindrucken, wodurch sie sich nur umso unwissender und ängstlicher fühlen. Wenn du da bist, bekommen die Leute das Gefühl, dass alles für sie getan wird – und mehr wollen sie gar nicht.«

»Ich hoffe, du hast recht.«

Merthin wusste nur zu gut, dass er recht hatte: Mehr als einmal hatte er miterlebt, wie ein vor Furcht zitternder Kranker, ob Mann oder Frau, sich in Caris' Gegenwart nach kurzer Zeit beruhigte und seinem Schicksal gefasst ins Auge blickte, wie immer es aussah.

Der Ruf, den Caris dank dieser angeborenen Gabe genoss, hatte sich seit dem Ausbruch der Pest in geradezu unglaublichem Maße gesteigert. Im Umkreis von Dutzenden Meilen wusste jeder, dass sie und ihre Nonnen sich auch nach der Flucht der Mönche aus der Priorei weiterhin um die Kranken gekümmert hatten, obwohl es für sie selbst den Tod bedeuten konnte. Die Leute hielten Caris für eine Heilige.

Auf der Burg herrschte eine gedrückte Stimmung. Wer Pflichten hatte, kam ihnen lustlos nach: Feuerholz und Wasser holen, Pferde füttern, Waffen schleifen, Brot backen, Fleisch hacken. Viele andere – Schreiber, Soldaten, Boten – saßen untätig herum und warteten auf Neuigkeiten aus dem Krankenzimmer.

Die Krähen riefen Merthin und Caris einen spöttischen Gruß zu, als sie die innere Brücke zum Wehrturm überquerten. Merthins Vater, Sir Gerald, hatte stets behauptet, direkt von Graf Thomas abzustammen, dem Sohn von Jack Builder und Aliena. Während Merthin nun die Stufen zählte, die hinauf zum großen Saal führten, und die Füße behutsam in die glatten Vertiefungen setzte, die Tausende von Stiefeln hinterlassen hatten, überlegte er, dass seine Ahnen wahrscheinlich über die gleichen uralten Steine gewandelt waren. Solche Gedanken waren faszinierend für Merthin, wenngleich ohne Belang. Doch im Gegensatz zu Merthin war sein Bruder Ralph besessen von der Vorstellung, den alten Ruhm der Familie wiederherzustellen.

Caris ging Merthin voraus, und der Anblick ihrer beim Treppensteigen schwingenden Hüften entlockte ihm ein flüchtiges Lächeln. Es machte ihn schier verrückt vor Begierde, nicht jede Nacht mit ihr schlafen zu können, doch die seltenen Gelegenheiten, da sie zusammen sein konnten, waren dafür umso wundervoller. Gestern hatten sie sich einen ganzen milden Frühlingsnachmittag lang auf einer sonnenbeschienenen Waldlichtung geliebt, während die Pferde in der Nähe grasten, ohne sich um die Leidenschaft ihrer Reiter zu kümmern.

Caris war eine außergewöhnliche Frau: Wenngleich sie Priorin war, zweifelte sie vieles von dem an, was die Kirche lehrte; wenngleich eine gefeierte Heilerin, wies sie die Schulmedizin von Autoritäten wie Galen oder Avicenna zurück; wenngleich sie eine Nonne war, schlief sie voller Leidenschaft mit ihrem Geliebten, wann immer sie sich unbeobachtet glaubte.

Der Saal war voller Menschen. Einige arbeiteten, legten frisches Stroh aus, fachten das Feuer an oder deckten den Tisch zum Essen; andere warteten bloß. Am anderen Ende des langen Raumes saß am unteren Ende der Treppe, die hinauf zu den Gemächern des Grafen führte, ein gut gekleidetes Mädchen von vielleicht fünfzehn Jahren. Als es sich erhob und ihnen gemessenen Schrittes entgegenkam, erkannte Merthin, dass es sich um Lady Philippas Tochter handeln musste: Wie ihre Mutter hatte sie eine Figur von der Form einer Sanduhr. »Ich bin Lady Odila«, sagte sie mit einem Anflug von Hochmut, der typisch für Philippa war. Wenngleich Odila die Fassung wahrte, sah Merthin, dass die Haut um ihre Augen rot und rau war vom Weinen. »Ihr müsst Mutter Caris sein. Danke, dass Ihr kommt und nach meinem Vater seht.«

Merthin sagte: »Ich bin der Ratsälteste von Kingsbridge, Merthin Bridger. Wie geht es Graf William?«

»Er ist sehr krank, und meine beiden Brüder ebenfalls.« Merthin erinnerte sich, dass der Graf und die Gräfin zwei Söhne von neunzehn und zwanzig Jahren hatten. »Meine Mutter lässt Euch bitten, sofort hinaufzukommen.«

Caris sagte: »Gewiss.«

Odila stieg die Treppe hinauf. Caris nahm einen Leinenstreifen aus ihrer Tasche und band ihn sich vor Mund und Nase; dann folgte sie dem Mädchen.

Merthin setzte sich auf eine Bank, um zu warten. Auch wenn er sich damit abgefunden hatte, die lustvollen Stunden mit Caris nur in unregelmäßigen Abständen genießen zu können, hielt er eifrig Ausschau nach passenden Örtlichkeiten und musterte das Gebäude mit scharfem Auge, um die Lage der Schlafkammern herauszufinden. Leider war der Wehrturm auf traditionelle Weise errichtet, sodass fast alle in dem großen Saal aßen und schliefen, in dem er nun saß. Die Treppe führte vermutlich zu einem einzelnen Gemach, in dem der Graf und die Gräfin nächtigten. In neueren Burgen gab es zusätzliche Wohnräume für die Familie und die Gäste, doch hier schien es solchen Luxus nicht zu geben. Er und Caris würden die Nacht wohl auf dem Boden des Saales verbringen müssen und nichts anderes tun dürfen als schlafen, wollten sie einen Skandal vermeiden.

Nach einiger Zeit kam Lady Philippa aus dem Wohnraum und

stieg die Treppe herunter. Sie betrat den Saal wie eine Königin, die sich bewusst war, dass aller Blicke auf ihr ruhten. Merthin betrachtete ihre verlockend gerundeten Hüften und ihren straffen Busen. Doch ihr sonst so gelassenes Gesicht war heute fleckig vor Aufregung und Sorge; ihre Augen waren rot; ihr modisch aufgetürmtes Haar saß ein wenig schief, und einzelne Locken hatten sich aus der schwarzen Haarpracht gelöst und unterstrichen den Eindruck ängstlicher Unruhe.

Merthin erhob sich und blickte sie erwartungsvoll an.

»Ich fürchte, mein Gemahl hat die Pest«, sagte Lady Philippa, »und auch meine beiden Söhne.«

Die Leute ringsum murmelten bestürzt.

Es konnte ein letztes Aufbäumen der Seuche sein, aber genauso gut der Ausbruch einer neuen – was Gott verhüten möge, dachte Merthin.

»Wie geht es dem Grafen?«, fragte er.

Philippa setzte sich auf die Bank, und Merthin nahm neben ihr Platz. »Mutter Caris hat seine Schmerzen gelindert. Doch sie sagt, dass sein Ende nahe ist.«

Ihre Knie berührten sich fast. Merthin spürte den Reiz dieser Frau, obwohl sie in Trauer ertrank. »Und Eure Söhne …?«

Philippa blickte auf ihren Schoß, als studiere sie das Muster der Gold- und Silberfäden, die in ihr blaues Kleid eingewoben waren. »Auch sie werden wohl an der Seuche sterben.«

Merthin sagte leise: »Das ist schrecklich für Euch, Mylady. Ich wünschte, ich könnte helfen.«

Sie blickte ihn an. »Ihr seid anders als Euer Bruder.«

Merthin wusste, dass Ralph seit Jahren von Lady Philippa geradezu besessen war. Ahnte sie es? Wusste sie es? Merthin konnte es nicht sagen. Ralph hatte jedenfalls eine gute Wahl getroffen: Wenn man sich schon hoffnungslos verliebte, dann wenigstens in eine reizvolle Frau. »Ralph und ich sind sehr unterschiedlich«, sagte er.

»Ich erinnere mich an euch beide, als ihr noch Jugendliche wart. Ralph war der Starke, Ihr der Freche. Ihr habt mir gesagt, grüne Seide passe am besten zu meinen Augen. Dann hat Euer Bruder einen Streit vom Zaun gebrochen.«

»Ich glaube, ein jüngerer Bruder versucht manchmal nur um des Unterscheidens willen das Gegenteil des älteren zu sein.«

»Nun, auf meine beiden Jungen trifft das ganz gewiss zu. Rollo ist willensstark und führt sich auf wie sein Vater und sein Großvater;

Rick war immer liebenswürdig und entgegenkommend.« Sie brach in Tränen aus. »O Gott, ich werde sie beide verlieren!«

Merthin nahm ihre Hand. »Ihr könnt nicht wissen, was wird«, sagte er begütigend. »In Florenz bin ich an der Pest erkrankt und habe überlebt. Und meine Tochter hat sich gar nicht erst angesteckt.«

Sie schaute zu ihm hoch. »Und Eure Frau?«

Merthin senkte den Blick und sah auf ihre Hände. Philippas Haut zeigte deutlich mehr Falten, obwohl sie nur vier Jahre älter war als er. »Silvia ist gestorben.«

»Ich flehe zu Gott, dass ich mich anstecke! Wenn meine Männer sterben, will ich auch nicht mehr leben!«

»So etwas dürft Ihr nicht sagen, Mylady.«

»Es ist das Schicksal adliger Frauen, Männer zu heiraten, die sie nicht lieben, aber ... wisst Ihr, mit William hatte ich Glück. Er wurde mir zwar zum Gemahl bestimmt, doch ich habe ihn trotzdem von Anfang an geliebt. Ich könnte es nicht ertragen, wenn jemand anderer ...« Die Stimme versagte ihr.

»So empfindet Ihr jetzt, und das ist natürlich.« Wie seltsam, so zu reden, während ihr Mann noch lebt, dachte Merthin. Doch Philippa war so sehr von Trauer überwältigt, dass sie nicht darüber nachdachte, was sich schickte, und aussprach, was ihr auf dem Herzen lag.

Sie sammelte sich mit einiger Mühe. »Was ist mit Euch?«, fragte sie. »Habt Ihr wieder geheiratet?«

»Nein.« Merthin konnte ihr schwerlich anvertrauen, dass er eine Liebesbeziehung zur Priorin von Kingsbridge hatte. »Ich könnte es wohl, wenn die richtige Frau dazu bereit wäre. Bei Euch wäre es nicht anders, würdet Ihr dem richtigen Mann begegnen.«

»Da irrt Ihr Euch. Als Witwe eines Grafen, der keine Erben hat, müsste ich jemanden heiraten, den König Edward für mich aussucht. Meine Wünsche würde der König nicht berücksichtigen. Ihm wäre nur wichtig, wer der nächste Graf von Shiring wird.«

»Ich verstehe.« Merthin hatte nicht daran gedacht. Er konnte sich vorstellen, dass eine vom König befohlene Heirat für eine Witwe, die ihren ersten Mann aufrichtig geliebt hatte, ein Albtraum sein musste.

»Wie schrecklich von mir, dass ich von einer neuen Ehe spreche, wo mein Gemahl noch lebt«, sagte Lady Philippa. »Ich weiß gar nicht, was über mich gekommen ist ...«

Merthin ergriff mitfühlend ihre Hand.

Die Tür am oberen Ende der Treppe öffnete sich, und Caris trat heraus. Sie trocknete sich die Hände an einem Tuch ab. Merthin war es plötzlich unangenehm, Philippas Hand zu halten. Er war versucht, sie von sich zu schieben, doch es hätte nach einem schlechten Gewissen ausgesehen, und so ließ er es. Stattdessen lächelte er Caris an und fragte: »Was machen Eure Patienten, Mutter Caris?«

Caris' Blick fiel auf die verschränkten Hände Merthins und Philippas, doch sie sagte nichts, sondern band sich bloß die Leinenmaske ab.

Philippa zog bedächtig ihre Hand zurück.

Caris nahm die Maske ab. »Mylady, es tut mir sehr leid, aber ich muss Euch mitteilen, dass Graf William tot ist.«

❊

»Ich brauche ein neues Pferd«, sagte Ralph Fitzgerald. Griff, sein narbiges Jagdpferd, wurde alt. Zudem hatte es sich eine Verstauchung des linken Hinterbeins zugezogen und lahmte, und es würde Monate brauchen, bis die Verletzung verheilt war. Ralph war traurig; Griff war das Pferd, das Graf Roland ihm als Junker geschenkt hatte, und es hatte ihn auf allen Wegen treu begleitet. Sogar den Krieg in Frankreich hatte Griff mit ihm durchgestanden. Bei gemächlichen Ritten von Dorf zu Dorf über seine Ländereien konnte Griff ihm vielleicht noch ein paar Jahre dienen, doch seine Tage als Jagdpferd waren gezählt.

»Wir könnten morgen auf den Markt von Shiring gehen und eines kaufen«, sagte Fernhill.

Sie waren im Stall und besahen sich Griffs Köte. Ralph liebte diese Umgebung: den Geruch von Pferdemist, von Heu und Leder, die Kraft und Schönheit der Rösser und die Gesellschaft von Männern mit rauen Stimmen und schwieligen Händen, die harte körperliche Arbeit verrichteten. Er fühlte sich in seine Jugend zurückversetzt, als ihm die Welt noch so einfach erschienen war.

Zunächst reagierte er nicht auf Alans Vorschlag. Alan wusste nicht, dass Ralph gar nicht das Geld hatte, sich ein neues Pferd zu kaufen.

Die Pest hatte ihn dank der Erbschaftssteuer anfangs reich gemacht: Land, das üblicherweise von einer Generation auf die nächste überging, vom Vater auf den Sohn, hatte binnen weniger Monate zweimal oder noch öfter den Besitzer gewechselt, und Ralph war jedes Mal bezahlt worden – wie es üblich war, mit dem besten Stück

Vieh, oft aber auch mit einer festgesetzten Geldsumme. Doch das Land lag brach, weil es niemanden mehr gab, der es hätte bestellen können. Gleichzeitig waren die Preise für Feldfrüchte gesunken. Das hatte zur Folge, dass Ralphs Einkommen, ob nun in Geld, Naturalien oder anderen Erträgen, drastisch gesunken war.

Die Dinge standen wirklich sehr schlecht, wenn ein Herr sich nicht einmal mehr ein Pferd leisten konnte.

Ralph fiel ein, dass Nate Reeve an diesem Tag mit den vierteljährlichen Abgaben aus Wigleigh nach Tench Hall kommen sollte. Jeden Frühling musste das Dorf seinem Lehnsherrn vierundzwanzig noch nicht geschorene einjährige Schafe bringen. Er könnte die Schafe zum Markt von Shiring treiben und dort verkaufen; das sollte genug Geld einbringen, dass er sich einen Zelter zulegen konnte, wenn nicht sogar ein richtiges Jagdpferd. »Komm«, sagte er zu Alan. »Sehen wir nach, ob der Vogt von Wigleigh schon da ist.«

Sie gingen ins Haus. Hier war Frauengebiet, und Ralphs Laune verschlechterte sich augenblicklich. Tilly saß am Feuer und stillte ihren drei Monate alten Sohn. Mutter und Kind erfreuten sich trotz Tillys Jugend bester Gesundheit. Ihr zierlicher, mädchenhafter Körper hatte sich deutlich verändert. Sie hatte nun pralle Brüste mit großen, ledrigen Warzen, an denen der kleine Gerry gierig saugte. Ihr Bauch hing schlaff herab wie der einer alten Frau. Ralph hatte viele Monate nicht mehr bei Tilly gelegen und würde es wohl auch nie wieder tun.

In der Nähe saßen der Großvater, nach dem der Säugling seinen Namen trug, und seine Frau, Lady Maud. Ralphs Eltern waren alt und gebrechlich geworden, doch jeden Morgen kamen sie aus dem Dorf zum Lehnshaus, um ihren Enkel zu sehen. Maud behauptete, Gerry sehe genauso aus wie Ralph, doch er konnte keine Ähnlichkeit entdecken.

Erfreut sah Ralph, dass auch Nate gekommen war.

Der bucklige Vogt sprang von der Bank auf. Er wirkte zerknirscht. »Einen guten Tag wünsche ich Euch, Sir Ralph«, sagte er unterwürfig.

»Was ist denn mit dir, Nate?«, fragte Ralph. »Hast du meine Schafe gebracht?«

»Nein, Herr.«

»Was? Warum nicht?«

»Wir haben keine, Herr. In Wigleigh gibt es keine Schafe mehr, nur ein paar alte Zibben.«

Ralph ballte die Fäuste. »Hat jemand sie gestohlen?«

»Nein, aber ein paar habt Ihr ja schon bekommen, als Hauptfall nach dem Tod ihrer Besitzer, und dann konnten wir keinen Pächter finden, der Jack Shepherds Land übernehmen wollte, und viele Schafe sind im Winter gestorben. Es war auch niemand da, der sich im Frühjahr um die Lämmer kümmern konnte. Deshalb haben wir die meisten verloren, und einige Mutterschafe noch dazu.«

»Aber das ist unmöglich!«, rief Ralph wutentbrannt. »Wie sollen Edelleute leben, wenn ihre Bauern das Vieh krepieren lassen?«

»Wir dachten, die Pest sei vorüber, als sie im Januar und Februar nachließ, aber sie scheint wiederzukommen.«

Ralph unterdrückte einen Schauder der Angst. Wie jeder andere war auch er glücklich gewesen, der Pest entkommen zu sein. Die Seuche konnte doch nicht wirklich wieder ausbrechen …?

Nate fuhr fort: »Perkin ist diese Woche gestorben – und seine Frau Meg, sein Sohn Rob und Billy Howard, sein Schwiegersohn. Jetzt steht Annet mit den vielen Morgen allein da. Das schafft sie nicht.«

»Dann muss es doch für diesen Besitz einen Hauptfall geben.«

»Wird es auch, sobald ich einen Pächter finden kann, der ihn übernimmt.«

Das Parlament würde in Kürze ein neues Gesetz erlassen, das es Landarbeitern untersagte, im Land umherzuziehen und immer höheren Lohn zu verlangen. Sobald diese Verfügung Gesetzeskraft erlangte, würde Ralph sie gnadenlos durchsetzen und seine Knechte zurückholen. Doch selbst dann, erkannte er nun, wäre es sehr schwierig, Pächter zu finden.

»Ich nehme an, Ihr habt schon vom Tod des Grafen gehört, Herr«, sagte Nate.

»Nein!« Ralph war entsetzt.

»Was sagst du da?«, fragte nun auch Sir Gerald. »Graf William ist tot?«

»Ja. Die Pest«, erklärte Nate.

Tilly sagte: »Armer Onkel William!«

Der Säugling spürte ihre Trauer und ließ ein klägliches Jammern vernehmen.

»Wann war das?«, fragte Ralph.

»Vor drei Tagen«, antwortete Nate.

Tilly gab Gerry wieder die Brust, und er verstummte.

»Jetzt ist also Williams ältester Sohn der neue Graf …«, sagte Ralph und rieb sich das Kinn. »Er kann höchstens zwanzig sein.«

Nate schüttelte den Kopf. »Auch Rollo ist an der Pest gestorben.«

»Hm. Dann also der jüngere.«

»Nein, Herr. Der ist auch tot.«

»Beide Söhne!« Ralphs Herz machte einen Freudensprung. Von jeher war es sein Traum gewesen, Graf von Shiring zu werden. Jetzt verschaffte die Pest ihm die Gelegenheit, zumal sie schon viele andere Kandidaten für den Titel dahingerafft hatte.

Er begegnete dem Blick seines Vaters. Sir Gerald war derselbe Gedanke gekommen.

Tilly flüsterte: »Rollo und Rick … tot?« Sie brach in Tränen aus.

Ralph beachtete sie nicht, sondern überdachte bereits fieberhaft seine Möglichkeiten.

Gerald fragte: »Und die Gräfin? Ist sie auch tot?«

»Nein, Herr«, antwortete Nate. »Lady Philippa und ihre Tochter Odila leben noch.«

»Aha!«, rief Gerald aus. »Wen immer der König also aussucht – er muss Philippa heiraten, um Graf zu werden.«

Ralph war wie vom Donner gerührt. Seit er ein Junge war, hatte er davon geträumt, Lady Philippa zu heiraten. Jetzt bot sich ihm die Gelegenheit, beide Ziele mit einem Streich zu erreichen.

Aber er war schon verheiratet.

Gerald, der dasselbe dachte, sagte: »Das war es dann wohl.« Er lehnte sich zurück. Seine Erregung hatte sich so schnell verflüchtigt, wie sie gekommen war.

Ralph beobachtete Tilly, die vor Trauer schluchzend ihr Kind säugte. Fünfzehn Jahre alt und kaum fünf Fuß groß, stand sie dennoch wie eine Wehrmauer zwischen ihm und einer Zukunft, nach der es ihn stets verlangt hatte.

Wie er dieses Weib hasste!

Graf Williams Begräbnis fand in der Kathedrale von Kingsbridge statt. Außer Bruder Thomas war kein Mönch zugegen. Bischof Henri las die Messe, und die Nonnen sangen die Trauerlieder. Lady Philippa und Lady Odila, beide verschleiert, folgten dem Sarg in ihrer schwarzen Trauerkleidung. Trotz aller Feierlichkeit fand Ralph, dass die Atmosphäre des Dramatischen und Bedeutungsvollen fehlte, die sich für gewöhnlich einstellte, wenn ein Mitglied des Hochadels zu

Grabe getragen wurde: der Eindruck, dass die Zeit vorüberfließt wie ein gewaltiger Strom, der auch die Mächtigsten mit sich reißt. Doch der Tod war überall und schlug jeden Tag zu, und selbst das Sterben Adliger war nichts Besonderes mehr.

Ralph fragte sich, ob jemand in der Gemeinde bereits erkrankt war und genau jetzt, in diesem Moment, mit seinem Atem oder dem Blick seiner Augen die Seuche verbreitete. Der Gedanke machte Ralph unruhig. Er hatte sich dem Tod schon oft gestellt und auf dem Schlachtfeld gelernt, seine Angst zu bezähmen; dieser Feind aber konnte nicht bekämpft werden. Die Pest war ein Meuchelmörder, der den Menschen sein Messer von hinten in den Leib stieß und ungesehen davonschlüpfte. Ralph schauderte und versuchte nicht daran zu denken.

Neben ihm stand die hohe Gestalt von Sir Gregory Longfellow, jenes Advokaten, der in der Vergangenheit vor dem königlichen Gericht in Godwyns Auftrag als Anwalt der Priorei von Kingsbridge aufgetreten war. Sir Gregory gehörte nun dem Kronrat an, einer ausgewählten Gruppe von Fachleuten, die den König berieten – nicht dahingehend, *was* er tun sollte, denn das war Aufgabe des Parlaments, sondern *wie* er es tun sollte.

Während einer Messe wurden des Öfteren königliche Erlasse bekannt gegeben, besonders bei großen Zeremonien wie dieser. Heute ergriff Bischof Henri die Gelegenheit, das neue Gesetz über die Anstellung von Landarbeitern zu verkünden. Ralph vermutete, dass Sir Gregory die Neuigkeit gebracht hatte und geblieben war, um nun zu sehen, wie sie von der Allgemeinheit aufgenommen wurde.

Ralph hörte aufmerksam zu. Er war nie ins Parlament gerufen worden, hatte jedoch mit Graf William, der im Oberhaus saß, und mit Sir Peter Jeffries, der Shiring im Unterhaus vertrat, über den Mangel an Landarbeitern gesprochen; daher wusste er, was diskutiert worden war.

»Jeder Mann muss für den Herrn des Dorfes arbeiten, in dem er lebt, und darf nicht in ein anderes Dorf ziehen oder für einen anderen arbeiten, solange sein Herr ihn nicht freigelassen hat«, verkündete der Bischof.

Ralph frohlockte. Er hatte gewusst, dass es so kommen würde. Endlich war die Verordnung offiziell in Kraft!

Vor dem Ausbruch der Pest hatte es nie Mangel an Landarbeitern gegeben. Im Gegenteil, in vielen Dörfern hatten so viele Menschen gewohnt, dass man gar nicht gewusst hatte, was man mit ihnen anfangen sollte. Wenn Landarbeiter keine bezahlte Arbeit finden konnten, hatten sie sich oft mit der Bitte um Almosen an ihren Herrn gewandt – was für diesen stets peinlich war, ob er nun half oder nicht –, sodass die Grundherren sich erleichtert gezeigt hatten, wenn die Landarbeiter in ein anderes Dorf gezogen waren. Ein Gesetz, das sie hielt, wo sie waren, hatten die Grundherren am allerwenigsten gebraucht. Jetzt aber besaßen die Landarbeiter die Überhand – eine Lage, die eindeutig nicht andauern durfte.

Die Gemeinde reagierte mit zustimmendem Gemurmel auf die Verlautbarung des Bischofs, denn es hatten sich mehr Grundherren als deren Hörige und Arbeiter in der Kirche eingefunden.

Der Bischof fuhr fort: »Von heute an ist es ein Verbrechen, Löhne zu verlangen, anzubieten oder anzunehmen, die höher sind als die Summe, die im Jahre 1347 für eine entsprechende Arbeit gezahlt wurde.«

Ralph nickte erfreut: Sogar Knechte, die in ihrem Dorf geblieben waren, hatten mehr Geld verlangt. Das würde nun ein Ende haben!

Sir Gregory begegnete seinem Blick. »Ihr nickt«, stellte er fest. »Euch scheint das neue Gesetz zu gefallen.«

»Was glaubt Ihr denn? Es ist genau das, was wir wollten!«, sagte Ralph. »Schon in wenigen Tagen werde ich die neuen Bestimmungen durchsetzen. Es gibt da ein paar Flüchtlinge von meinem Land, die ich ganz besonders gern nach Hause holen möchte.«

»Ich begleite Euch, wenn es Euch recht ist«, sagte der Advokat. »Ich würde gern sehen, wie die Dinge sich entwickeln.«

KAPITEL 69

Seit der Pfarrer von Outhenby an der Pest gestorben war, hatte es in der Kirche keine Messe mehr gegeben; deshalb war Gwenda erstaunt, als am Sonntagmorgen die Glocke läutete.

Wulfric ging nachsehen. Als er zurückkam, erzählte er, dass ein reisender Priester mit Namen Derek im Ort eingetroffen sei. Gwenda wusch den Jungen rasch durch die Gesichter; dann verließen sie alle das Haus.

Es war ein schöner Frühlingsmorgen, und die Sonne tauchte den verwitterten grauen Stein der kleinen Kirche in helles, klares Licht. Alle Dorfbewohner kamen auf die Straße, neugierig auf den Neuankömmling.

Vater Derek erwies sich als wortgewandter Prediger, der für eine Dorfkirche zu gelehrt erschien und auch zu fein gekleidet war. Gwenda fragte sich, ob sein Besuch eine besondere Bedeutung habe. Aus welchem Grund erinnerte der Klerus sich plötzlich an die Existenz dieser Gemeinde? Sie ermahnte sich zwar, dass es eine schlechte Angewohnheit sei, stets das Schlimmste anzunehmen; zugleich aber spürte sie, dass etwas im Argen lag.

Mit Wulfric und den Jungen stand Gwenda dann in der kleinen Kirche, während Vater Derek die Messe las. Gwendas Gefühl eines bevorstehenden Unheils wurde immer stärker. Üblicherweise wandte ein Pfarrer sich der Gemeinde zu, wenn er betete oder sang, um auf diese Weise hervorzuheben, dass alles um seiner Schäfchen willen geschehe und dass es keine persönliche Zwiesprache zwischen ihm, dem Priester, und Gott sei; doch Vater Derek schaute über die Gemeinde hinweg.

Schon bald sollte Gwenda den Grund dafür erfahren. Am Ende der Messe verkündete Vater Derek ein neues Gesetz, das König und Parlament verabschiedet hatten: »Landlose Knechte müssen für den Grundherrn im Dorf ihrer Geburt arbeiten, wenn der Herr es so verlangt!«

In Gwenda stieg Wut auf. »Wie kann das sein?«, rief sie. »Der

Grundherr ist nicht verpflichtet, den Knechten in schweren Zeiten zu helfen! Ich weiß das gut, denn mein Vater war Tagelöhner, und wenn es keine Arbeit gab, mussten wir hungern. Wie kann der Knecht einem Grundherrn Gefolgschaft schulden, wenn der Grundherr ihm nichts gibt?«

Zustimmendes Geraune war zu vernehmen, und Vater Derek musste die Stimme heben. »So hat der König entschieden, und der König wurde von Gott erwählt, auf dass er über uns herrsche! Deshalb müssen wir tun, was immer er verlangt.«

»Kann der König einen Brauch ändern, den es seit Hunderten von Jahren gibt?«, beharrte Gwenda.

»Es sind schwere Zeiten, mein Kind. Ich weiß, dass viele von euch in den letzten Wochen nach Outhenby gekommen sind …«

»Vom Pflüger dazu aufgefordert«, unterbrach ihn Carl Shaftesbury. Sein narbiges Gesicht war rot vor Zorn.

»Ja, vom ganzen Dorf dazu aufgefordert«, räumte der Priester ein. »Und die Dörfler waren dankbar, dass ihr gekommen seid. Doch der König hat in seiner Weisheit beschlossen, dass es so nicht weitergehen darf.«

»Und dass arme Leute arm bleiben müssen«, sagte Carl.

»Gott hat es so gefügt. Jeder Mensch hat seinen Platz.«

Harry Ploughman warf ein: »Und hat Gott auch gefügt, wie wir unsere Felder ohne Hilfe bestellen sollen? Wenn alle Neuen wieder gehen, werden wir nie mit der Arbeit fertig.«

»Vielleicht müssen nicht alle Neuankömmlinge gehen«, sagte Vater Derek. »Das neue Gesetz besagt, dass nur die heimkehren müssen, von denen es verlangt wird.«

Die Menge verstummte. Die Zugewanderten fragten sich ängstlich, ob ihre alten Grundherren sie finden konnten; die Einheimischen fragten sich, wie viele Landarbeiter ihnen bleiben würden. Nur Gwenda wusste, was ihr bevorstand: Früher oder später kehrte Ralph zurück und holte sie und ihre Familie.

Doch bis dahin würden sie fort sein.

Nach dem Ende der Messe, als die Gemeinde zur Tür des Gotteshauses strömte, sagte Gwenda mit leiser Stimme zu Wulfric: »Wir müssen weg von hier, ehe Ralph uns holen kommt!«

»Und wohin sollen wir gehen?«

»Das weiß ich nicht – und vielleicht ist das besser so. Denn wenn wir selbst nicht wissen, wohin wir ziehen, weiß es auch niemand anders.«

»Aber wo sollen wir leben?«

»Wir finden schon ein anderes Dorf, in dem fleißige Hände gesucht werden.«

»Ob es viele davon gibt?«

Gwenda seufzte. Wulfric hatte immer schon langsamer gedacht als sie. »Natürlich«, sagte sie geduldig. »Der König hat dieses Gesetz sicher nicht allein für Outhenby erlassen.«

»Da hast du wohl recht.«

»Wir sollten heute schon von hier fortgehen«, sagte Gwenda entschlossen. »Es ist Sonntag, also verlieren wir keine Arbeit.« Sie blickte zu den Kirchenfenstern hinauf und versuchte, die Tageszeit zu schätzen. »Noch ist es nicht Mittag. Vor Einbruch der Dunkelheit können wir ein ordentliches Wegstück hinter uns bringen. Wer weiß – vielleicht arbeiten wir schon morgen früh woanders.«

»Ja, wir sollten noch heute verschwinden«, pflichtete Wulfric ihr bei. »Wer weiß, wie schnell Ralph kommt.«

»Sag keinem etwas! Wir gehen nach Hause, packen zusammen, was wir mitnehmen wollen, und schleichen uns davon.«

»Ja.«

Als sie die Kirchentür erreichten und hinaus in die Sonne traten, sah Gwenda, dass es bereits zu spät war.

Sechs Männer zu Pferde warteten vor der Kirche: Ralph, sein Schatten Alan, ein großer Mann in städtischer Kleidung sowie drei schmutzige, brutal aussehende Schlagetots, wie man sie in jeder üblen Schänke um wenige Pennys anwerben konnte.

Ralph begegnete Gwendas Blick und grinste triumphierend.

Gwenda sah sich verzweifelt um. Vor ein paar Tagen hatten die Dörfler sich noch Schulter an Schulter gegen Ralph und Alan gestellt, doch heute war es anders. Sie hatten nicht mit zwei, sondern mit sechs Männern zu tun. Und die Dörfler waren unbewaffnet, denn sie kamen aus der Kirche und standen nicht mit Hacken und Schaufeln auf den Feldern. Vor allem waren sie bei der ersten Begegnung mit Ralph überzeugt gewesen, das Recht auf ihrer Seite zu haben, doch heute, nach der Verkündung des neues Gesetzes, konnten sie nicht mehr sicher sein.

Mehrere Männer bemerkten Gwendas verzweifelte Blicke und wandten sich rasch ab. Gwenda sah ihren Verdacht bestätigt: Diesmal würden die Dörfler nicht kämpfen.

Gwendas Schock saß so tief, dass ihr schwindlig wurde. Aus Furcht, sie könnte zusammenbrechen, lehnte sie sich gegen die steinerne Stütze des Kirchenvordachs, von Verzweiflung und Hoffnungslosigkeit erfüllt.

Ein paar Tage lang waren sie frei gewesen. Doch nun war dieser schöne Traum zu Ende.

❊

Ralph ritt gemächlich durch Wigleigh. Wulfric zerrte er an einem Seil um den Hals hinter sich her.

Sie erreichten ihr Ziel am späten Nachmittag. Um schneller voranzukommen, hatte Ralph die beiden Jungen auf den Pferden seiner gedungenen Spießgesellen mitreiten lassen. Gwenda ging hinter ihnen. Ralph hatte sich gar nicht erst die Mühe gemacht, sie anzubinden: Er konnte darauf zählen, dass sie bei ihren Kindern blieb.

Weil es ein Sonntag war, hielt sich fast das ganze Dorf im Freien auf; die Leute genossen das schöne Wetter. Genauso hatte Ralph es sich erhofft. Alles starrte in entsetztem Schweigen auf die schreckliche Prozession. Ralph genoss in vollen Zügen, dass ganz Wigleigh Zeuge von Gwendas und Wulfrics Demütigung wurde.

Sie erreichten das kleine Lehnshaus, das Ralph bewohnt hatte, ehe er nach Tench Hall umgezogen war. Er band Wulfric los und scheuchte ihn und seine Familie in ihre alte Kate. Dann entlohnte er seine Helfer und führte Alan und Sir Gregory ins Lehnshaus. Er befahl Vira, Wein zu bringen und das Abendessen zu bereiten. Um nach Tench weiterzureisen, war es schon zu spät: Vor Einbruch der Nacht kamen sie nicht mehr so weit.

Gregory setzte sich und streckte die langen Beine aus. Er wirkte wie ein Mann, der es sich überall behaglich machen konnte. Sein glattes dunkles Haar zeigte mittlerweile graue Strähnen, doch die lange Nase mit den breiten Flügeln verlieh ihm nach wie vor ein herablassendes Aussehen.

Ralph sagte: »So wird es nicht gehen mit dem neuen Gesetz.«

Gregory zog die Brauen hoch. »Ach?«

Alan sagte: »Ich stimme Sir Ralph zu.«

»Und wieso?«

»Erstens ist es schwer herauszufinden, wohin die vielen Flüchtigen verschwunden sind«, sagte Ralph.

»Das meine ich auch. Dass wir Wulfric gefunden haben, war pures Glück«, warf Alan ein. »Jemand hat zufällig gehört, wie Gwenda und Wulfric darüber flüsterten, wohin sie wollten. Sonst wären sie uns entkommen.«

»Außerdem«, fuhr Ralph fort, »macht es zu viel Mühe, die flüchtigen Knechte zurückzuholen.«

Gregory nickte. »Das stimmt. Wir haben einen ganzen Tag benötigt.«

»Und ich musste meine Helfer anwerben und ihnen Pferde beschaffen. Ich kann meine Zeit und mein Geld nicht darauf verwenden, das ganze Land nach entlaufenen Knechten abzusuchen.«

»Das verstehe ich.«

»Außerdem – was sollte dieses Gesindel davon abhalten, nächste Woche wieder zu fliehen?«, sagte Ralph. Er konnte einen Mann nicht Tag und Nacht an den Pflug ketten.

»Und wenn sie nicht verraten, wohin sie wollen«, sagte Alan, »finden wir sie vielleicht nie.«

»Das Gesetz wird sich nur dann umsetzen lassen«, sagte Ralph, »wenn man in die Dörfer geht, feststellt, wer zugewandert ist, und die Betreffenden bestraft.«

Gregory fragte: »Ihr sprecht von Suchtrupps, die Knechten und Mägden nachspüren?«

»So ist es. In jeder Grafschaft könnte man ein Dutzend Männer anwerben, die von Dorf zu Dorf ziehen und Flüchtlinge aufspüren.«

»Ihr wollt, dass jemand anders Euch die schmutzige Arbeit abnimmt.«

Es war ein Stich, doch Ralph achtete darauf, sich nicht getroffen zu zeigen. »Nicht unbedingt. Das kann ich auch selbst erledigen. Mir geht es nur darum, *wie* die Aufgabe ausgeführt wird. Man kann auch kein Heu machen, indem man das Gras Halm für Halm abschneidet.«

»In der Tat«, sagte Gregory.

Vira brachte einen Krug und Kelche und schenkte den drei Männern Wein ein.

Gregory sagte: »Ihr seid ein kluger Mann, Sir Ralph. Ihr seid kein Parlamentsmitglied, oder?«

»Nein.«

»Wie schade. Ich glaube, Euer Rat könnte dem König eine Hilfe sein.«

Ralph lächelte geschmeichelt. »Ihr seid sehr freundlich.« Er beugte sich zu Gregory vor. »Nachdem Graf William nun tot ist, gibt es allerdings einen freien Sitz ...« Er sah, wie die Tür sich öffnete, und verstummte.

Nate Reeve kam herein. »Das habt Ihr großartig gemacht, Sir

Ralph, wenn ich das bemerken darf!«, sagte er. »Wulfric und Gwenda sind wieder in der Hürde – die beiden fleißigsten Arbeiter, die wir haben.«

Ralph hätte Nate erwürgen können, dass der ihn in einem so wichtigen Augenblick unterbrochen hatte. Gereizt stieß er hervor: »Ich verlasse mich darauf, dass das Dorf nun einen größeren Teil seiner Abgaben leisten kann!«

»Jawohl, Herr«, sagte Nate und fügte zögernd hinzu: »Es sei denn, sie verschwinden wieder. Aber es gibt da etwas, womit sich sicherstellen ließe, dass Wulfric für immer in Wigleigh bleibt.«

Ralph horchte auf: »Raus mit der Sprache!«

Nate sagte: »Gebt Wulfric das Land wieder, das seinem Vater gehört hat.«

Ralph hätte sich auf den Vogt gestürzt, wäre Sir Gregory nicht bei ihnen gewesen. So aber beherrschte er seinen Zorn und sagte nachdrücklich: »Niemals!«

»Aber ich finde keinen Pächter für das Land«, jammerte Nate. »Annet kann es nicht bewirtschaften, und sie hat keine lebenden männlichen Verwandten mehr.«

»Das ist mir egal!«, sagte Ralph. »Wulfric bekommt das Land nicht!«

Sir Gregory fragte: »Wieso nicht?«

Ralph wollte nicht zugeben, dass er Wulfric wegen einer Schlägerei, die zwölf Jahre zurücklag, noch heute bis aufs Blut hasste. Gregory hatte sich eine gute Meinung über ihn gebildet, und die wollte Ralph nicht verderben. Was sollte der Berater des Königs von einem Herrn halten, der sich wegen einer kindischen Kabbelei die eigene Zukunft verdarb? Rasch suchte Ralph nach einer Ausrede. »Wenn Wulfric das Land bekäme, würde es so aussehen, als wollte ich ihn für das Weglaufen auch noch belohnen«, sagte er schließlich.

»Das sehe ich anders«, erwiderte Gregory. »Nach allem, was Nate sagt, würdet Ihr ihm mit dem Land etwas geben, das niemand sonst haben will.«

»Aber es wäre das falsche Zeichen für die anderen Dörfler!«

»Ich glaube, das nehmt Ihr übertrieben genau«, sagte Gregory, der mit seiner Meinung nie hinter dem Berg hielt. »Jeder weiß, dass Ihr verzweifelt nach Pächtern sucht. Den meisten Grundherren ergeht es genauso. Wenn Ihr Wulfric das Land gebt, werden die Dörfler sehen, dass Ihr zwar Eure Belange verfolgt, einer der ihren zugleich aber der glückliche Nutznießer ist.«

Nate fügte hinzu: »Wulfric und Gwenda werden doppelt so hart arbeiten, wenn sie ihr eigenes Land besitzen.«

Ralph fühlte sich in die Ecke gedrängt. Doch er wollte den begehrten Grafentitel nicht wegen Wulfric aufs Spiel setzen, also musste er nachgeben.

»Womöglich habt Ihr recht«, sagte er. Er bemerkte, dass er mit zusammengebissenen Zähnen sprach, und gab sich Mühe, ungezwungen zu klingen. »Wenigstens habe ich den Kerl mit einem Seil um den Hals nach Hause gezerrt und vor aller Augen in seine Schranken verwiesen. Vielleicht war das Strafe genug.«

»Ganz sicher.«

»Also gut«, sagte Ralph. Einen Augenblick lang wollten ihm die Worte im Halse stecken bleiben, so sehr verabscheute er es, Wulfric seinen Herzenswunsch zu erfüllen. Doch der Titel eines Grafen war ihm wichtiger. »Sag Wulfric, er kann das Land seines Vaters zurückhaben, Nate.«

»Ich sage es ihm noch vor Einbruch der Nacht«, erwiderte der Vogt und ging.

Gregory fragte: »Was habt Ihr vorhin über Graf Roland sagen wollen?«

Ralph wählte seine Worte mit Bedacht. »Nachdem Graf Roland bei der Schlacht von Crécy gefallen war, glaubte ich, der König würde mich als Graf von Shiring in Erwägung ziehen, zumal ich dem jungen Fürsten von Wales das Leben gerettet hatte.«

»Aber Roland hatte einen guten Erben, der wiederum zwei Söhne hatte.«

»Ja. Aber nun sind alle drei tot.«

»Hm.« Gregory trank einen Schluck aus dem Kelch. »Das ist ein guter Wein.«

»Aus der Gascogne«, sagte Ralph.

»Ich nehme an, er wird in den Hafen von Melcombe verschifft.«

»Ja.«

»Köstlich.« Gregory nahm noch einen Zug. Er schien etwas sagen zu wollen; deshalb schwieg Ralph. Gregory überlegte lange. Schließlich sagte er: »Irgendwo in Kingsbridge oder Umgebung liegt ein Brief verborgen, den es nicht geben sollte.«

Ralph wartete verwundert. Was kam jetzt?

Gregory fuhr fort: »Viele Jahre lang befand sich dieser Brief in den Händen einer Person, bei der man sich aus verschiedenen Gründen darauf verlassen konnte, dass sie ihn sicher verwahrte. In letzter

Zeit jedoch sind gewisse unangenehme Fragen gestellt worden, die darauf hindeuten, dass das Geheimnis, das der Brief enthält, ans Licht zu kommen droht.«

Ralph war diese Rede zu geheimnisvoll. Ungeduldig sagte er: »Ich verstehe nicht ... Wer hat unangenehme Fragen gestellt?«

»Die Priorin von Kingsbridge.«

»Oh.«

»Es kann natürlich sein, dass ihre Fragen harmlos sind. Doch die Freunde des Königs fürchten, der Brief könnte in den Besitz der Priorin gelangt sein.«

»Was steht in dem Brief?«

Erneut drückte Gregory sich sehr behutsam aus, als überquere er einen reißenden Fluss auf einer alten, schwankenden Hängebrücke. »Es geht um eine Sache, die des Königs geliebte Mutter betrifft ...«

»Königin Isabella?« Die alte Hexe lebte noch und wohnte auf ihrer Burg bei Lynn im Überfluss. Es hieß, sie verbringe ihre Tage mit dem Lesen von Romanen in ihrer französischen Muttersprache.

»Kurz gesagt«, erklärte Gregory, »ich muss in Erfahrung bringen, ob die Priorin diesen Brief besitzt oder nicht. Aber niemand darf von meinem Interesse erfahren!«

Ralph erwiderte: »Und das heißt, entweder geht Ihr heimlich in die Priorei und durchsucht die Urkunden des Nonnenklosters, oder die Dokumente müssen heimlich zu Euch gelangen.«

»Die zweite Möglichkeit.«

Ralph nickte. Er begriff allmählich, was Gregory von ihm verlangte.

»Ich habe vorsichtige Erkundigungen angestellt und herausgefunden, dass niemand weiß, wo genau sich die Schatzkammer des Nonnenklosters befindet.«

»Die Nonnen werden es wissen, zumindest einige von ihnen.«

»Aber sie werden nichts verraten. Allerdings kam mir zu Ohren, dass Ihr ein Meister in der Kunst seid, andere .... nun ja, zu überzeugen, Geheimnisse preiszugeben.«

Also wusste Gregory von Ralphs Tun damals in Frankreich. Ralph erkannte, dass Gregory dieses Gespräch bestens vorbereitet hatte. Vermutlich war es der eigentliche Grund für seine Reise nach Kingsbridge. »Vielleicht bin ich tatsächlich imstande, den Freunden des Königs bei der Beseitigung ihres Problems zu helfen«, sagte Ralph.

»Gut.«

»Wenn man mir zur Belohnung die Grafschaft von Shiring verspricht.«

Gregory runzelte die Stirn. »Der neue Graf müsste die alte Gräfin heiraten.«

Ralph beschloss, seine heimliche Liebe zu Lady Philippa zu verschweigen; er hatte das Gefühl, dass Gregory weniger Respekt vor einem Mann hätte, den – zumindest teilweise – die Lust nach einer Frau antrieb. »Nun ja, Lady Philippa ist nicht mehr die Jüngste, aber ich habe nichts gegen ältere Damen.«

Gregory wirkte befremdet. »Sie ist eine sehr schöne Frau!«, sagte er streng. »Wem immer der König sie zur Frau gibt, sollte sich glücklich schätzen.«

Ralph begriff, dass er es mit der Zurückhaltung übertrieben hatte. »Natürlich! Ich fürchte, Ihr habt mich falsch verstanden«, sagte er rasch. »Sie ist in der Tat eine Schönheit.«

»Aber ich dachte, Ihr wärt schon verheiratet«, entgegnete Gregory. »Oder sollte ich mich geirrt haben?«

Ralph begegnete Alans Blick und sah, dass sein Freund neugierig auf die Antwort wartete.

Ralph seufzte. »Meine Frau ist sehr krank«, sagte er. »Sie hat nicht mehr lange zu leben.«

✳

Gwenda entfachte in der alten Kate, in der Wulfric seit seiner Geburt gewohnt hatte, das Feuer. Dann nahm sie einen der Kochtöpfe, füllte ihn am Brunnen mit Wasser und warf ein paar Frühzwiebeln hinein, um eine Suppe zu kochen. Wulfric brachte Feuerholz. Die Jungen waren lachend nach draußen gerannt, um mit ihren alten Freunden zu spielen, ohne zu begreifen, welch schlimmes Schicksal die Familie befallen hatte.

Während es draußen dunkelte, lenkte Gwenda sich mit häuslicher Arbeit ab. Sie versuchte, an nichts zu denken – nicht an die Zukunft, nicht an die Vergangenheit, nicht an ihren Ehemann und nicht an sich selbst –, denn alles erschien ihr düster und bedrückend. Wulfric setzte sich und starrte in die Flammen. Niemand sprach ein Wort.

Ihr Nachbar, David Johns, kam mit einem großen Krug Bier herein. Seine Frau war an der Pest gestorben, doch seine erwachsene Tochter Joanna begleitete ihn. Gwenda seufzte; sie wäre in ihrem Kummer lieber allein gewesen. Doch David und Joanna kamen als

Besucher, und sie konnte die beiden unmöglich abweisen. Seufzend wischte Gwenda den Staub aus ein paar Holzbechern, und David goss allen Bier ein.

»Es tut uns sehr leid für euch, dass es so gekommen ist, aber wir sind auch froh, dass ihr wieder hier seid«, sagte David, als sie tranken.

Wulfric leerte seinen Becher auf einen Zug und hielt ihn David hin, dass der ihm nachschenkte.

Kurz darauf erschienen auch Aaron Appletree und seine Frau Ulla. Sie brachte einen Korb mit kleinen Laiben Brot. »Ich dachte mir schon, dass ihr kein Brot habt, deshalb habe ich welches gebacken«, sagte Ulla. Sie reichte es herum. Ein Duft breitete sich aus, bei dem allen das Wasser im Mund zusammenlief. David Johns schenkte auch den Appletrees Bier ein. »Woher habt ihr nur den Mut genommen und seid davongelaufen?«, fragte Ulla bewundernd. »Ich wäre vor Angst gestorben!«

Gwenda erzählte gerade von ihren Abenteuern, als weitere Besucher kamen: Jack und Eli Fuller. Sie brachten in Honig gebackene Birnen. Wulfric aß reichlich und trank viel. Es ging immer ausgelassener zu, und sogar Gwendas Stimmung hob sich ein wenig. Noch mehr Nachbarn kamen, und jeder brachte ein Geschenk.

Gwenda erzählte, wie die Bewohner von Outhenby sich Ralph und Alan mit Schaufeln und Hacken entgegengestellt hatten, was alle mit Erstaunen zur Kenntnis nahmen. Dann kam Gwenda auf die Ereignisse des heutigen Tages zu sprechen, und ihre gute Laune verflog. »Alles war gegen uns«, sagte sie bitter. »Nicht nur Ralph und seine Spießgesellen, auch der König und die Kirche. Das Scheitern war uns vorherbestimmt.«

Die Nachbarn nickten finster.

»Und dann, als Ralph meinem Wulfric, dem stärksten und tapfersten Mann auf der Welt, den Strick um den Hals legte ...« Gwendas Stimme brach, und sie konnte nicht weitersprechen. Sie trank einen Schluck Bier und versuchte es noch einmal: »Als Ralph meinem Wulfric den Strick um den Hals legte und ihn wie ein wildes Tier durchs Dorf zerrte, da habe ich mir gewünscht, dass der Himmel herabstürzt und uns alle erschlägt!«

Die anderen nickten. Von allen Boshaftigkeiten, die ein Adliger einem Bauern antun konnte, war die öffentliche Demütigung eine der bittersten. Man vergaß sie nie.

Plötzlich wollte Gwenda nur noch alleine sein. Die Sonne war untergegangen; draußen war es dunkel. Sie wollte sich hinlegen, die Augen schließen und mit ihren Gedanken für sich sein. Nicht einmal mit Wulfric mochte sie reden. Als Gwenda die Gäste gerade bitten wollte, sie allein zu lassen, kam Nate Reeve in die Kate.

Es wurde still.

»Was wollt Ihr?«, fragte Gwenda.

»Ich bringe gute Kunde«, sagte der Vogt fröhlich.

Gwenda zog ein mürrisches Gesicht. »Für uns kann es heute keine gute Kunde geben!«

»Das würde ich nicht sagen. Ihr habt sie doch noch gar nicht gehört.«

»Also gut. Was ist denn so erfreulich für uns?«

»Sir Ralph sagt, dass Wulfric das Land seines Vaters zurückbekommt.«

Wulfric sprang auf. »Als Pächter?«, stieß er hervor. »Ich soll da nicht nur arbeiten?«

»Als Pächter, zu den gleichen Bedingungen wie dein Vater«, sagte Nate gedehnt, als mache er selbst das Zugeständnis, statt nur eine Botschaft zu überbringen.

Wulfric strahlte vor Freude. »Das ist ja wunderbar!«

»Nimmst du das Angebot an?«, fragte Nate jovial, als wäre es nur eine Formsache.

Gwenda rief: »Wulfric! Schlag es aus!«

Er sah sie verwirrt an. Wie üblich blickte er nicht weiter als bis zu seiner Nasenspitze.

»Du musst die Bedingungen aushandeln!«, drängte Gwenda ihn. »Sei kein Höriger wie dein Vater! Verlange eine Zinspacht ohne Lehnspflichten! Du wirst nie wieder aus einer solchen Stärke verhandeln können wie jetzt!«

»Ich soll verhandeln? Auf diesen Moment habe ich zwölf Jahre lang gewartet! Was soll ich da verhandeln?« Er wandte sich Nate zu. »Ich nehme an«, sagte er und hob den Becher.

In der Kate brach Jubel los.

Das Hospital war wieder belegt. Die Pest, die während der ersten drei Monate des Jahres 1349 scheinbar nachgelassen hatte, kehrte im April zurück, verheerender als je zuvor. Am Montag nach Ostern blickte Caris müde auf die Reihen von Strohsäcken, die schräg versetzt so dicht zusammengeschoben waren, dass die maskierten Nonnen Mühe hatten, ihre Schritte zu setzen, wenn sie von einem Kranken zum anderen wollten. Nur noch wenige Familienangehörige harrten an den Siechbetten aus, denn bei einem sterbenden Verwandten zu sitzen war gefährlich; man steckte sich dann wahrscheinlich selbst an. Außerdem waren die Menschen härter geworden, was Schmerz, Leid und Tod betraf. Nach dem ersten Ausbruch der Seuche waren sie trotz der Gefahren für sich selbst bei ihren Angehörigen geblieben: Mütter bei den Kindern, Ehemänner bei ihren Frauen, Menschen mittleren Alters bei ihren greisen Eltern. Die Liebe hatte die Furcht überwunden. Doch das hatte sich geändert. Auch die stärksten Familienbande wurden irgendwann von der Unentrinnbarkeit des Todes durchtrennt. Heute wurden die Kranken meist von Mutter oder Vater, Ehemann oder Eheweib ins Hospital gebracht, die dann einfach davongingen, ohne auf die Tränen, das Flehen oder die herzzerreißenden Klagerufe zu achten, die ihnen als letzter Abschied folgten. Nur die Nonnen mit den Masken vor dem Gesicht und den in Essig gewaschenen Händen kämpften unermüdlich gegen die Krankheit.

Erstaunlicherweise mangelte es Caris nicht an Hilfe: Das Nonnenkloster hatte Zuwachs an Novizinnen erhalten, die die verstorbenen Schwestern ersetzten. Zum Teil lag es an Caris' Ruf als Heiliger. Doch auch das Mönchskloster erfuhr eine ähnliche Wiederbelebung; Thomas hatte sogar eine Klasse von Novizen auszubilden. Sie alle suchten in einer verrückt gewordenen, chaotischen Welt nach ein wenig Ordnung.

Diesmal hatte die Pest einige bedeutende Bürger der Stadt getroffen, die bislang verschont geblieben waren. Einer von ihnen war

John Constable, dessen Tod Caris besonders hart traf. Seine raue, grobschlächtige Art, das Recht durchzusetzen, hatte Caris zwar nie gemocht, doch ohne ihn würde es noch schwieriger sein, die Ordnung in Kingsbridge aufrechtzuerhalten. Auch die dicke Betty Baxter, die zu jedem festlichen Anlass in der Stadt ihre besonderen Brötchen gebacken und bei den Sitzungen des Gemeinderats scharfsinnige Fragen gestellt hatte, war tot; ihr Geschäft war nun mehr schlecht als recht auf vier zerstrittene Töchter aufgeteilt. Und auch Dick Brewer war gestorben, der letzte Vertreter der Generation von Caris' Vater – Männer, die gewusst hatten, wie man Geld verdiente und seinen Wohlstand genoss.

Caris und Merthin hatten die Ausbreitung der Seuche ein wenig verlangsamen können, indem sie größere öffentliche Zusammenkünfte absagten. In der Kathedrale hatte es keine große Osterprozession gegeben, und an Pfingsten gab es keinen Wollmarkt. Der Wochenmarkt fand zwar außerhalb der Stadtmauern auf Lovers' Field statt, doch die meisten Städter hielten sich fern.

Caris hatte solche Maßnahmen schon beim ersten Ausbruch der Seuche verlangt, doch Godwyn und Elfric hatten sich ihr damals in den Weg gestellt. Merthin zufolge hatten einige italienische Städte sogar für eine Zeit von dreißig oder vierzig Tagen die Tore geschlossen; man nannte es *trentana* beziehungsweise *quarantana*. Mittlerweile war es zu spät, um die Seuche noch von Kingsbridge fernzuhalten, doch Caris war nach wie vor der Überzeugung, man könne mit solchen Einschränkungen Leben retten.

Nur Geld gab es reichlich, denn immer mehr Menschen starben ohne überlebende Verwandte und vermachten ihr Vermögen dem Nonnenkloster, und viele Novizinnen brachten Ländereien, Vieh, Obsthaine oder Gold und Schmuck in das Vermögen des Konvents mit ein. Das Kloster war reicher denn je. Doch was nützte alles Geld, wenn die Welt unterzugehen drohte?

Zum ersten Mal im Leben fühlte Caris sich ausgelaugt – nicht nur erschöpft und müde von harter Arbeit, sondern am Ende ihrer Willenskraft, aufgezehrt von der unaufhörlichen Not. Der Schwarze Tod wütete schlimmer denn je, tötete zweihundert Menschen in der Woche, und Caris wusste bald nicht mehr, wie es weitergehen sollte. Ihre Glieder schmerzten, ihr Kopf schien zu platzen, und manchmal wurde ihr schwarz vor den Augen. Wo soll das enden, fragte sie sich verzweifelt. Müssen alle sterben, bis es keine Menschen mehr gibt auf der Welt?

Zwei Männer taumelten durch die Tür. Beide bluteten. Caris eilte zu ihnen. Doch ehe sie bei ihnen war, roch sie den süßlich-fauligen Geruch der Trunkenheit. Die Männer waren beinahe hilflos, obwohl es nicht einmal Mittag war. Caris seufzte. So etwas kam in Zeiten der Pest nur allzu häufig vor.

Sie kannte die Männer flüchtig: Barney und Lou, zwei kräftige junge Burschen, die in dem Schlachthaus arbeiteten, das Edward Slaughterhouse gehörte. Barney hing ein Arm schlaff herunter; vermutlich war er gebrochen. Lous Gesicht war schrecklich zugerichtet: Seine Nase war zu Brei zerschlagen, und ein Auge war nur noch eine glibberige Masse. Beide schienen viel zu betrunken zu sein, um Schmerzen zu spüren. »Wir ha'm uns gehauen«, sagte Barney mit schwerer Zunge. Seine Worte waren kaum verständlich. »Ich wollt das nich', er is' mein bester Freund, ich hab ihn doch gern.«

Caris und Schwester Nellie brachten die beiden Betrunkenen dazu, sich auf benachbarte Strohsäcke zu legen, Schulter an Schulter. Nellie untersuchte Barney und erklärte, sein Arm sei nicht gebrochen, sondern ausgekugelt; sie schickte eine Novizin los, um Matthew Barber zu holen, den Bader, der versuchen sollte, den Arm wieder einzurenken. Caris wusch Lou das Gesicht. Für sein Auge kam jede Hilfe zu spät; es war geplatzt wie ein weich gekochtes Ei.

Unbändige Wut stieg in Caris auf. Diese beiden Männer litten an keiner Krankheit und waren bei keinem Unfall zu Schaden gekommen; stattdessen hatten sie sich sinnlos betrunken und gegenseitig verletzt. Nach der ersten Pestwelle war es Caris gelungen, die Städter so weit aufzurütteln, dass sie Recht und Ordnung wiederhergestellt hatten; doch die zweite Welle der Seuche hatte eine furchtbare Wirkung auf die Menschen ausgeübt und sie gleichsam gelähmt, als hätten sie alle Hoffnung und jeden Lebenswillen verloren. Caris wusste nicht, was sie als Nächstes tun sollte, und fühlte sich unbeschreiblich müde.

Während sie nun die beiden jungen Männer musterte, von denen zumindest einer zeitlebens verkrüppelt bleiben würde, hörte sie von draußen ein merkwürdiges Geräusch. Einen Augenblick lang fühlte sie sich drei Jahre in der Zeit zurückversetzt, zu der Schlacht von Crécy und dem Furcht erregenden Donnerlaut, den König Edwards neue Waffen erzeugt hatten, wenn sie Steinkugeln in die Reihen der Feinde schleuderten. Im nächsten Moment ertönte der Lärm erneut, und Caris begriff, dass er von mehreren Trommeln stammte, die ohne einheitlichen Rhythmus geschlagen wurden. Dann vernahm sie das Trillern von Pfeifen und den Klang von Glocken, deren Zusammenspiel jedoch keine Melodie ergab, sondern misstönend war. Dazu ertönten raue Schreie, Geheul und Rufe, die sowohl Triumph als auch Todesqualen bedeuten konnten, oder beides zugleich. Das Getöse war dem Schlachtenlärm nicht unähnlich, doch es fehlte das Zischen tödlicher Pfeile und das grelle Wiehern sterbender Pferde. Stirnrunzelnd ging Caris hinaus.

Eine Gruppe von ungefähr vierzig seltsamen Erscheinungen war auf den Kathedralenvorplatz gekommen und vollführte nun einen irrwitzigen, grotesken Tanz. Einige spielten Musikinstrumente oder brachten sie, genauer gesagt, zum Klingen, denn der Lärm kannte weder Melodie noch Harmonie. Die fadenscheinige helle Kleidung der Leute war fleckig und zerrissen; einige gingen halb nackt und entblößten ohne Scham die Geschlechtsteile. Wer kein Musikinstrument hatte, trug eine Geißel. Eine Schar Städter folgte ihnen und begaffte sie neugierig und fasziniert.

Angeführt wurden die Tänzer von Friar Murdo, der dicker war als je zuvor, aber schwungvoll tanzte, während der Schweiß ihm über das schmutzige Gesicht lief und vom struppigen Bart tropfte. Er führte seinen abgerissenen Haufen vor das Westportal der Kathedrale, wo er sich zu den Leuten umwandte. »Wir alle haben gesündigt!«, brüllte er.

Seine Anhänger stießen als Antwort unartikuliertes Geschrei und Gegrunze aus.

»Wir sind Fäulnis und Verwesung!«, rief Murdo. »Wir suhlen uns in Lüsternheit wie Schweine im Dreck! Wir ergeben uns, vor Geilheit sabbernd, unserer Wollust! Wir fressen, saufen und huren! Wir haben die Pest verdient!«

»Ja! Ja!«

»Was müssen wir tun?«

»Leiden!«, riefen seine Jünger. »Leiden!«

Einer von ihnen stürzte vor. Wild schwenkte er eine Geißel mit drei Lederriemen, in die spitze Steine geknotet waren. Er warf sich vor Murdo auf die Knie und begann, sich über die Schulter hinweg zu geißeln. Die Peitsche zerriss den dünnen Stoff seines Gewandes und schlug ihm den Rücken blutig. Er schrie vor Schmerz, während die anderen Anhänger Murdos ein beinahe wollüstiges Stöhnen hören ließen.

Dann trat eine Frau vor. Sie zog sich das Gewand bis zu den Hüften herunter und wandte sich mit entblößten Brüsten der Menge zu;

dann schlug sie sich mit einer ähnlichen Geißel wie ihr Vorgänger auf den nackten Rücken. Wieder stöhnten und ächzten Murdos Anhänger.

Während sie dann einzeln oder zu zweit vortraten und sich geißelten, sah Caris, dass viele von ihnen blaue Flecken und halb verheilte Schnittwunden auf der Haut hatten, die offenbar von früheren Selbstzüchtigungen stammten. Zog diese Truppe von Stadt zu Stadt und wiederholte jedes Mal ihren Auftritt? Angesichts der Beteiligung Friar Murdos war Caris sicher, dass früher oder später jemand durch die Reihen der Gaffer ging und Geld sammelte.

Eine Frau in der Zuschauermenge rannte plötzlich vor und schrie: »Auch ich muss leiden!« Zu ihrem Erstaunen sah Caris, dass es Mared war, die schüchterne junge Gemahlin von Marcel Chandler. Caris konnte sich nicht vorstellen, dass Mared in ihrem Leben schon viele Sünden begangen hatte, aber vielleicht sah sie die Gelegenheit, ihrem bisher farblosen Dasein durch dieses Spektakel ein wenig Farbe und Dramatik zu verleihen. Sie riss sich ihr Kleid herunter und stand splitternackt vor Friar Murdo. Mared war eine schöne Frau mit makelloser Haut.

Murdo musterte sie lange und sagte dann: »Küss mir die Füße.«

Mared kniete sich vor ihn, reckte das Hinterteil obszön der Menge entgegen und senkte ihr Gesicht an Murdos schmutzige Füße.

Der Friar nahm einem anderen Büßer die Geißel ab und reichte sie Mared. Sie schlug sich damit und kreischte, sei es vor Schmerz oder Lust. Rote Striemen erschienen auf ihrer weißen Haut.

Nun stürmten weitere Anhänger Murdos begierig nach vorn, die meisten davon Männer, und Murdo vollzog mit jedem das gleiche Ritual. Schon bald herrschte unbeschreiblicher Tumult. Wenn die Geißler sich nicht selbst peitschten, schlugen sie ihre Trommeln, läuteten ihre Glocken und tanzten ihren Todesreigen in wahnsinniger, zuckender Ekstase, doch Caris' geübtes Auge bemerkte, dass die Hiebe mit der Geißel, auch wenn sie schrecklich aussahen und zweifellos schmerzten, keine allzu schlimmen Wunden hinterließen.

Merthin trat neben Caris und fragte: »Was hältst du davon?«

Sie runzelte die Stirn und entgegnete: »Es mag ja welche geben, die sich geißeln und sich danach geläutert fühlen, aber wo Murdo beteiligt ist, da ist meist Betrug im Spiel.«

Diese Büßer jedenfalls waren keine reuigen Sünder, erkannte Caris immer deutlicher. Sie hielten nicht reumütig Rückschau auf ihr Leben; sie empfanden keine Seelenqual und keine Sehnsucht nach Erlösung. Menschen, die aufrichtig bereuten, waren eher still und in sich gekehrt. Hier ging es um etwas ganz anderes: um Ausschweifung, Erregung und Wollust.

»Denen geht es bloß darum, ihre Gelüste zu befriedigen«, sagte Caris.

Murdo hieß seine Prozession aufbrechen und führte sie vom Gelände der Priorei. Caris bemerkte, dass einige Flagellanten tatsächlich Schalen hervorzogen und die Menge um Münzen angingen. Die vermeintlichen Büßer würden durch die Straßen der Stadt ziehen und auch dort betteln, vermutete sie. Wahrscheinlich endete ihr Zug an einem größeren Wirtshaus, wo sie sich von den Gästen aushalten ließen.

Merthin berührte sie am Arm. »Du siehst blass aus«, sagte er. »Fühlst du dich nicht gut?«

»Ich bin nur müde«, erwiderte Caris. Sie musste weitermachen, ganz gleich, wie sie sich fühlte und wie erschöpft sie aussah. »Komm mit. Es ist gleich Zeit fürs Abendessen.«

Während die Prozession der Geißler davonzog, überquerten Caris und Merthin den Kathedralenvorplatz und gingen in den Priorspalast. Kaum waren sie allein, legte Caris die Arme um Merthin und küsste ihn. Ihre Sinnlichkeit erwachte, und sie schob ihm die Zunge in den Mund. Merthin nahm ihre Brüste in beide Hände, rieb und drückte sie sanft. Im Priorspalast hatten sie sich noch nie so geküsst, und Caris fragte sich flüchtig, ob Friar Murdos Orgie bewirkt hatte, dass auch sie nun beinahe alle Hemmungen fallen ließ.

»Deine Haut ist ganz heiß«, flüsterte Merthin ihr ins Ohr.

Caris drängte sich ihm entgegen; sie fieberte danach, dass er ihr die Kutte herunterzog und ihre Brustwarzen zwischen die Lippen nahm, dass er sie an den intimsten Stellen streichelte und liebkoste. Sie spürte, wie ihre Beherrschung schwand. Nicht mehr lange, und sie und Merthin würden sich gleich hier auf dem Fußboden lieben, wo man sie jederzeit entdecken konnte …

»Ich wollte nicht lauschen«, sagte plötzlich eine Mädchenstimme.

Caris fuhr zusammen und zuckte von Merthin zurück. Atemlos drehte sie sich um und suchte nach der Sprecherin. Am anderen Ende des Zimmers saß eine junge Frau mit einem Säugling in den Armen auf einer Bank. Es war die Gemahlin Ralph Fitzgeralds.

»Tilly!«, rief Caris.

Tilly erhob sich. Sie wirkte erschöpft und verängstigt. »Es tut mir leid, ich wollte Euch nicht erschrecken«, sagte sie.

Caris fiel ein Stein vom Herzen. Tilly hatte jahrelang im Kloster gelebt und auch die Klosterschule besucht, und sie mochte Caris. Bei Tilly konnte man darauf zählen, dass sie niemandem berichtete, was sie gesehen hatte. Doch was tat sie hier?

»Was ist, Tilly?«, fragte Caris.

»Ich bin schrecklich müde«, sagte Tilly, erhob sich und stand schwankend da. Caris eilte zu ihr und hielt sie am Arm fest.

Der Säugling schrie mit dünnem Stimmchen. Merthin nahm ihn und wiegte ihn sanft. »Na, na, mein kleiner Neffe«, murmelte er. Das Geschrei verebbte und wurde zu einem unzufriedenen Quengeln.

Caris fragte Tilly: »Wie seid Ihr hierhergekommen?«

»Ich bin gelaufen.«

»Den ganzen weiten Weg von Tench Hall? Mit Gerry auf dem Arm?« Der Junge war nun sechs Monate alt und schon eine ziemliche Last.

»Ich habe drei Tage gebraucht.«

»Du meine Güte. Was ist denn geschehen?«

»Ich bin weggelaufen.«

»Ist Ralph Euch nicht gefolgt?«

»Doch, Ralph und Alan«, sagte Tilly. »Aber ich habe mich im Wald versteckt, als sie vorbeiritten. Gerry war ganz still und brav, Gott sei Dank, und hat nicht geweint.«

Caris schauderte, als sie sich diese Szene vorstellte. »Aber ...« Sie schluckte. »Aber wieso seid Ihr fortgelaufen?«

»Weil mein Gemahl mich umbringen will«, sagte Tilly und brach in Tränen aus.

Caris setzte Tilly auf die Bank, und Merthin reichte ihr einen Becher Wein, während die junge Frau schluchzend dasaß. Caris setzte sich neben sie und legte ihr einen Arm um die Schultern, während Merthin den kleinen Gerry wiegte. Als Tillys Tränen endlich versiegten, fragte Caris: »Was hat Ralph Euch angetan?«

Tilly schüttelte den Kopf. »Getan hat er mir nichts. Aber wie er mich anschaut ... Ich weiß, er will mich ermorden!«

Merthin murmelte: »Ich wünschte, ich könnte behaupten, dass mein Bruder zu so etwas nicht imstande wäre.«

»Aber warum sollte Ralph etwas so Schreckliches tun?«, fragte Caris.

»Ich weiß es nicht«, sagte Tilly kläglich. »Ralph war auf Onkel Williams Beerdigung. Da war auch ein Advokat aus London ... Sir Gregory Longfellow.«

»Ich kenne ihn«, sagte Caris. »Ein kluger Mann, aber ich mag ihn nicht.«

»Ich kann ihn auch nicht leiden, und irgendwie habe ich das Gefühl, als wäre er für das alles verantwortlich.« Tilly brach wieder in Tränen aus. »Ich weiß, es hört sich verrückt an, aber Ralph sitzt nur da und stiert mich voller Hass an. Wie kann ein Mann die eigene Frau so anstarren, als wollte er sie umbringen?«

»Jedenfalls ist es gut, dass Ihr zu mir gekommen seid«, sagte Caris. »Hier seid Ihr sicher.«

»Kann ich bleiben?«, flehte Tilly. »Ihr schickt mich doch nicht zurück?«

»Natürlich nicht«, sagte Caris. »Ihr bleibt hier.« Sie schaute Merthin in die Augen. Sie wusste, was er dachte: Zwar konnten Flüchtlinge in einer Kirche Schutz finden, doch es war zweifelhaft, ob auch ein Nonnenkloster das Recht besaß, der Frau eines Herrn Zuflucht zu gewähren und ihn unbegrenzt von ihr fernzuhalten. Zudem besaß Ralph mit Sicherheit das Recht, die Herausgabe Gerrys zu verlangen, seines Sohnes und Erben. Dennoch legte Caris so viel Zuversicht in ihre Stimme, wie sie nur konnte, als sie erklärte: »Ihr könnt hier bleiben, solange Ihr wollt.«

»Oh, ich danke Euch!«

Caris betete im Stillen, dass sie ihr Versprechen halten konnte.

»Ihr könnt in einem der Gästezimmer über dem Hospital wohnen«, sagte sie.

Tilly wirkte beunruhigt. »Und wenn Ralph hierherkommt ...?«

»Das wird er nicht wagen. Aber wenn Ihr Euch besser fühlt, gebe ich Euch Mutter Cecilias alte Kammer am Ende des Dormitoriums.«

»Ja, bitte.«

Eine Magd kam herein und deckte den Tisch zum Abendbrot. Caris sagte zu Tilly: »Ich bringe Euch ins Refektorium. Ihr könnt mit den Nonnen essen. Anschließend legt Ihr Euch in die Schlafkammer und ruht Euch aus.« Sie stand auf.

Plötzlich war ihr schwindlig, und sie musste sich am Tisch abstützen. Merthin, der noch immer den kleinen Gerry hielt, fragte besorgt: »Caris? Was ist denn?«

»Es geht gleich wieder. Ich bin nur schrecklich müde.«

Dann fiel sie zu Boden.

Merthin war einen Augenblick lang wie gelähmt. Caris war noch nie krank gewesen, niemals hilflos – sie war Heilerin, die gegen die Krankheit kämpfte; als Opfer konnte er sich Caris gar nicht vorstellen.

Dann war der Augenblick der Panik vorüber. Merthin bezwang seine Furcht und reichte Tilly vorsichtig den Säugling.

Die Magd hatte mit dem Aufdecken des Tisches innegehalten und starrte erschrocken auf die bewusstlose Caris. Merthin sagte mit ruhiger, aber drängender Stimme zu ihr: »Lauf rasch ins Hospital und sag dort Bescheid, dass Mutter Caris krank ist. Bring Schwester Oonagh mit!« Die Magd eilte davon.

Merthin kniete sich neben Caris. »Hörst du mich, Liebling?«, fragte er. Er nahm ihre schlaffe Hand und tätschelte sie, berührte ihre Wange, hob ein Lid. Sie war bewusstlos.

Tilly stieß verängstigt hervor: »Sie hat doch nicht die Pest, oder?«

Merthin nahm Caris in die Arme, hob sie mit Leichtigkeit hoch und legte sie vorsichtig auf den Tisch. »Stirb nicht«, wisperte er. »Bitte, stirb nicht.«

Er küsste Caris auf die Stirn. Sie war heiß. Er hatte es bereits gespürt, als sie sich vor wenigen Minuten umarmt hatten, hatte es jedoch auf ihre Erregung geschoben.

Schwester Oonagh kam herein. Merthin war so dankbar, sie zu sehen, dass ihm Tränen in die Augen traten. Oonagh war eine junge Nonne, die das Noviziat erst seit ein oder zwei Jahren hinter sich hatte, doch Caris schätzte ihr Geschick als Krankenpflegerin und hoffte, dass sie eines Tages die Verantwortung für das Hospital übernehmen konnte.

Oonagh zog sich eine Leinenmaske über Nase und Mund und verknotete sie im Nacken. Dann berührte sie Caris' Stirn und Wangen. »Hat sie geniest?«, wollte sie wissen.

Merthin wischte sich über die Augen. »Nein«, antwortete er. Er war sicher, dass er es bemerkt hätte: Ein Niesen war ein unheilvolles Vorzeichen.

Oonagh zog Caris' Kutte vorn herunter. Als Merthin ihre kleinen Brüste entblößt sah, erschien Caris ihm schrecklich mager und verletzlich. Erleichtert sah er, dass ihre Brust frei von jedem Ausschlag war; die gefürchteten purpurn-schwarzen Flecken waren nicht zu sehen. Oonagh zog Caris' Kutte wieder hoch und schaute in ihre Nasenlöcher. »Kein Blut«, sagte sie und fühlte Caris' Puls.

Dann blickte sie Merthin an. »Möglicherweise ist sie von der Pest verschont geblieben, aber sie ist ernsthaft krank. Sie fiebert, ihr Herz schlägt rasend schnell, und sie atmet flach. Bringt sie nach oben, legt sie hin, und badet ihr Gesicht mit Rosenwasser. Alle, die sich um sie kümmern, müssen eine Maske tragen und sich die Hände waschen, auch wenn wir nicht wissen, ob sie die Pest hat. Das gilt auch für Euch.« Sie reichte ihm einen Leinenstreifen.

Während Merthin sich die Maske umband, liefen ihm Tränen über die Wangen. Er trug Caris ins Obergeschoss, legte sie behutsam auf den Strohsack in ihrem Zimmer und zog ihre Kutte glatt. Die Nonnen brachten Rosenwasser und Essig. Merthin teilte ihnen Caris' Anweisungen mit, was Tilly betraf, worauf die Nonnen die junge Mutter und ihr Kind ins Refektorium mitnahmen. Merthin blieb neben Caris sitzen und tupfte ihr Stirn und Wangen mit einem Lappen ab, den er mit dem duftenden Rosenwasser getränkt hatte. Er betete, dass sie wieder zu sich kam.

Es dauerte eine ganze Weile; dann schlug Caris zu Merthins unendlicher Erleichterung die Augen auf. Verwirrt runzelte sie die Stirn, schaute ihn besorgt an und fragte: »Was ist geschehen?«

»Du hast die Besinnung verloren«, sagte er und lächelte sie an.

Caris versuchte sich aufzusetzen.

»Bleib liegen«, sagte Merthin. »Du bist krank. Wahrscheinlich ist es nicht die Pest, aber es ist trotzdem ernst.«

Caris schien sich tatsächlich sehr schwach zu fühlen, denn sie sank ohne Widerspruch aufs Kissen zurück. »Lass mich nur ein Stündchen ausruhen«, sagte sie leise.

Aus dem Stündchen wurden zwei Wochen.

⁂

Nach drei Tagen hatten Caris' Augäpfel die Farbe von Senf angenommen. Schwester Oonagh erklärte, sie habe die Gelbsucht, und bereitete ihr einen Kräuteraufguss, den sie mit Honig süßte und den Caris dreimal am Tag heiß trinken musste. Das Fieber ging zurück, doch Caris blieb schwach. Jeden Tag erkundigte sie sich besorgt nach Tilly. Oonagh beantwortete ihre Fragen, weigerte sich jedoch, über andere Belange des klösterlichen Lebens zu sprechen, um die Priorin nicht noch mehr zu ermüden. Caris fühlte sich zu schwach, um mit Oonagh zu streiten.

Merthin verließ den Priorspalast nicht. Tagsüber saß er unten – so nahe bei Caris, dass er sie rufen hörte –, während seine Mitarbeiter kamen und gingen und sich bei ihm Anweisungen holten, was die verschiedenen Gebäude betraf, an denen sie arbeiteten. Nachts lag Merthin auf einem Strohsack neben Caris, in leichtem Schlaf, aus dem er jedes Mal erwachte, wenn ihr Atem anders ging oder wenn sie sich auf ihrem Lager herumdrehte. Lolla schlief im angrenzenden Zimmer.

Am Ende der ersten Woche erschien Ralph.

»Mein Weib ist verschwunden!«, sagte er, kaum dass er in den Priorspalast gestürmt war.

Merthin hob den Blick von der Zeichnung, die er auf einer großen Schieferplatte anfertigte. »Ralph!«, rief er verwundert.

Ralph wirkte unsicher. Unübersehbar hatte er wegen Tillys Verschwinden gemischte Gefühle. Er liebte sie nicht; andererseits schätzte es kein Mann, wenn ihm das Eheweib davonlief.

Merthin überkamen Schuldgefühle. Schließlich hatte er Ralphs Frau geholfen, ihn zu verlassen.

Ralph setzte sich schwer auf eine Bank. »Hast du Wein? Ich verdurste.«

Merthin ging zur Anrichte und schenkte aus einem Krug einen Becher ein. Er fragte sich, ob er Ralph vorschwindeln sollte, nicht zu wissen, wo Tilly sein könnte, doch alles in ihm sträubte sich gegen die Vorstellung, den eigenen Bruder zu belügen, zumal in dieser persönlichen Angelegenheit. Es konnte ohnehin nicht lange geheim gehalten werden, dass Tilly sich in der Priorei aufhielt: Zu viele Nonnen, Novizinnen und Mägde hatten sie gesehen. Ehrlich währt am längsten, sagte sich Merthin. Als er Ralph den Wein reichte, vertraute er ihm an: »Tilly ist mit dem Jungen hier.«

»Das dachte ich mir.« Ralph hob den Becher mit der linken Hand, sodass die drei Fingerstümpfe zu sehen waren, und nahm einen tiefen Zug. »Was ist mit ihr?«

»Sie ist vor dir davongelaufen, Ralph.«

»Du hättest mich benachrichtigen sollen.«

»Ja. Aber ich habe es nicht über mich gebracht, Tilly zu verraten. Sie fürchtet sich vor dir.«

»Warum stellst du dich gegen mich, Merthin? Ich bin dein Bruder!«

»Weil ich dich kenne. Wenn Tilly verängstigt ist, wird es schon seinen Grund haben.«

»Das ist verrückt!« Ralph tat beleidigt, doch er war ein schlechter Schauspieler.

Merthin fragte sich, was sein Bruder wirklich empfand.

»Wir können Tilly nicht hinauswerfen«, sagte Merthin. »Sie hat um Zuflucht gebeten.«

»Gerry ist mein Sohn und Erbe! Ihr dürft ihn mir nicht vorenthalten!«

»Nicht für immer. Und würdest du einen Prozess anstrengen, würdest du ihn wohl gewinnen. Aber du willst Gerry doch nicht von seiner Mutter trennen?«

»Wenn mein Junge nach Hause kommt, dann kommt das Weib auch!«

Damit hatte er vermutlich recht. Merthin dachte fieberhaft über eine andere Möglichkeit nach, Ralph umzustimmen, als Bruder Thomas ins Zimmer kam. Er zerrte Alan Fernhill mit sich. Mit seiner verbliebenen Hand hielt Thomas ihn am Arm gepackt, als wollte er ihn am Weglaufen hindern. »Ich habe diesen Halunken beim Herumschnüffeln erwischt«, sagte er.

»Ich wollte mich nur umsehen!«, rief Alan. »Ich dachte, im Mönchskloster wäre niemand!«

Merthin erwiderte: »Wie Ihr seht, irrt Ihr Euch. Hier gibt es einen Mönch, sechs Novizen und zwei Dutzend Waisenjungen.«

»Der Mann war nicht im Mönchskloster, sondern im Kreuzgang, drüben bei den Nonnen«, sagte Thomas.

Merthin runzelte die Stirn. Was hatte der Mann bei den Nonnen verloren? Aus dem Konvent klangen die Stimmen der Schwestern herüber, die einen Psalm sangen, und Merthin erkannte, wie gut Alan seinen Vorstoß geplant hatte: Sämtliche Nonnen, Novizen und Novizinnen waren zur Sext in der Kathedrale. Zu dieser Stunde waren die meisten Gebäude der Priorei verlassen. Wahrscheinlich hatte Alan eine ganze Weile ungehindert umherstreifen können.

Was suchte der Bursche? Aus purer Neugier hatte er sicher nicht herumgeschnüffelt.

»Zum Glück hat eine Küchenhilfe ihn gesehen«, sagte Thomas, »und mich herbeigeholt.«

Merthin nickte bloß und musterte Alan. Wonach hatte der Mann gesucht? Nach Tilly? Er hätte es doch sicher nicht gewagt, sie am helllichten Tag aus einem Nonnenkloster zu zerren? Merthin wandte sich Ralph zu. »Was habt ihr vor?«

Ralph wälzte die Frage auf Alan ab. »Was hast du dir dabei gedacht?«, rief er zornig, doch Merthin wusste, dass Ralphs Zorn bloß gespielt war.

Alan zuckte mit den Schultern. »Ich habe mich nur umgesehen, um mir das Warten zu verkürzen.«

Merthin glaubte ihm nicht. Ein Soldat wartete in einer Schänke oder einer Küche auf seinen Herrn, aber nicht im Kreuzgang eines Nonnenklosters.

Ralph sagte: »Tu das nicht noch einmal!«

Merthin erkannte, dass Ralph nicht von dieser Geschichte abweichen würde; also wandte er sich dem näher liegenden Problem zu. »Warum lässt du Tilly nicht ein paar Wochen hier?«, fragte er. »Hier geht es ihr sehr gut. Und vielleicht wird sie nach einer Weile begreifen, dass du ihr nichts Böses willst, und sie kommt zu dir zurück.«

»Ich soll sie hier lassen?«, stieß Ralph hervor. »Ich mache mich doch nicht zum Gespött!«

»Das tust du doch gar nicht. Viele adlige Frauen verbringen ein paar Wochen im Kloster, wenn sie das Gefühl haben, sich eine Zeit lang von der Welt zurückziehen zu müssen.«

»Ja, wenn sie verwitwet oder ihre Männer in den Krieg gezogen sind!«

»So ist es nicht immer.«

»Tilly bleibt nicht hier!«, rief Ralph. »Sie hat keinen Grund! Nachher glauben die Leute noch, dieses Weib will sich von mir fernhalten!«

»Wäre das so schlimm? Vielleicht möchtest du dich auch einmal von deiner Frau fernhalten.«

Ralph lachte auf. »Da könntest du sogar recht haben. Also gut, soll sie eine Weile hierbleiben.«

Die Antwort erstaunte Merthin. Er hatte nicht erwartet, dass Ralph sich so leicht überzeugen ließ. Er brauchte einen Augenblick, um seine Überraschung zu überwinden; dann sagte er: »Gib ihr drei Monate, dann komm wieder her und rede mit ihr.« Merthin hatte zwar das Gefühl, als wollte Tilly nie mehr von hier fort; aber wenigstens zögerte er mit diesem Vorschlag die Auseinandersetzung hinaus.

»Drei Monate«, sagte Ralph und erhob sich. »Also gut.«

»Wie geht es Vater und Mutter? Ich habe sie seit Monaten nicht gesehen.«

»Sie werden alt. Vater verlässt das Haus nicht mehr.«

»Ich komme sie bald besuchen«, versprach Merthin.

Er begleitete Ralph und Alan zur Tür und beobachtete, wie sie davonritten. Merthin war zutiefst beunruhigt. Ralph führte irgendetwas im Schilde, und es ging ihm nicht nur darum, Tilly zurückzukommen.

Merthin kehrte zu der Schieferplatte zurück und starrte lange auf die Zeichnung, ohne sie zu sehen.

⁂

Gegen Ende der zweiten Woche stand fest, dass Caris auf dem Weg der Besserung war. Merthin war erschöpft, aber glücklich. Er fühlte sich wie ein Mann, der begnadigt worden war.

An einem Abend, nachdem er Lolla früh zu Bett gebracht hatte, ging er zum ersten Mal seit Tagen hinaus ins Freie. Es war ein milder Frühlingsabend; die Sonne und die linde Luft machten Merthin ein wenig benommen. Sein Gasthaus, das Bell, war wegen Umbaus geschlossen, doch im Holly Bush ging es hoch her. Die Gäste saßen mit ihren Krügen auf Bänken vor der Schänke. Merthin sah so viele Leute, die das schöne Wetter genossen, dass er stehen blieb und sich unwillkürlich fragte, ob heute ein Feiertag sei; es war gut möglich, dass er es über seine Sorgen um Caris vergessen hatte. »Heutzutage ist jeder Tag ein Feiertag«, antwortete jemand auf seine Frage. »Wozu arbeiten, wenn wir alle an der Pest krepieren? Hier, trink einen Becher Bier.«

»Nein, danke.« Merthin ging weiter.

Ihm fiel auf, dass viele Leute erlesene Kleidung trugen, teure Kopfbedeckungen und bestickte Jacken, die sie sich normalerweise niemals hätten leisten können. Entweder hatten sie die Sachen geerbt oder die Leichen reicher Leute gefleddert. Der Anblick wirkte unwirklich und albtraumhaft: Samtkappen auf schmutzigem Haar, Essensflecken auf golddurchwirktem Stoff, zerlumpte Hosen zu juwelenbesetzten Schuhen.

Merthin sah zwei Männer, die von Kopf bis Fuß in Frauengewänder gekleidet waren – bodenlange Kleider und Schleier. Arm in Arm gingen sie die Hauptstraße entlang wie Kaufmannsgattinnen, die ihren Reichtum zur Schau stellten; aber sie waren unverkennbar Männer mit großen Händen und Füßen und Kinnbärten. Merthin fühlte sich verwirrt. In dieser verrückt gewordenen Welt schien es nichts Beständiges mehr zu geben; auf nichts mehr schien Verlass zu sein.

Als die Dunkelheit zunahm, überquerte er die Brücke nach Leper Island. Er hatte dort zwischen den beiden Brückenhälften eine Straßenzeile errichten lassen, an der sich Läden und Schänken reihten. Nun waren die Bauarbeiten beendet, doch die Gebäude standen leer.

Fenster und Türen waren mit Brettern vernagelt, damit keine Streuner und Vagabunden sich in den Häusern einnisteten. Hier lebten bloß die Hasen von Leper Island, in denen angeblich die Seelen der Verstorbenen wohnten. Die Gebäude würden wohl unbewohnt bleiben, bis die Pest vorüber war und in Kingsbridge wieder das normale Leben einkehrte. Sollte die Pest anhalten, würden die Gebäude kaum jemals bezogen werden; aber in diesem Fall wäre die Vermietung seiner Häuser Merthins geringste Sorge.

Er kehrte in die Altstadt zurück, als das Tor geschlossen wurde. Auch im White Horse wurde gefeiert, als würde morgen die Welt untergehen. Die Schänke war hell erleuchtet, und die Menge drängte sich vor dem Wirtshaus auf der Straße. »Was ist hier los?«, fragte Merthin einen Zecher.

»Der junge Davey hat die Pest, aber keine Erben, denen er die Schänke hinterlassen kann, deshalb schenkt er sein ganzes Bier aus«, sagte der Mann und grinste trunken. »Sauf, so viel du verträgst, mein Freund, es kostet nichts!«

Viele Zecher hatten diesen Ratschlag schon ausgiebig befolgt, Dutzende von ihnen taumelten im Rausch umher. Merthin schob sich durch die Menge. Jemand schlug eine Trommel, und andere Zecher tanzten ausgelassen. Er sah einen Kreis aus Männern, die nahe beieinanderstanden, und blickte ihnen über die Schultern, um zu sehen, was im Innern des Kreises vor sich ging. Eine sturzbetrunkene Frau von vielleicht zwanzig Jahren hatte sich nach vorn über einen Tisch gebeugt, während ein Mann von hinten in sie eindrang. Mehrere andere warteten offensichtlich, dass sie bei der Frau an die Reihe kamen. Merthin wandte sich angewidert ab.

An der Seite des Gebäudes, zur Hälfte von leeren Fässern verdeckt, sah er Ozzie Ostler, einen reichen Pferdehändler, der vor einem jüngeren Mann kniete und an dessen Glied lutschte. Derartige Handlungen waren schwere Gesetzesverstöße, die mit dem Tod bestraft werden konnten, doch offenbar kümmerte es niemanden mehr. Ozzie, ein verheirateter Mann, der dem Gemeinderat angehörte, sah Merthin aus dem Augenwinkel, hielt aber nicht inne, im Gegenteil, er legte sich stärker ins Zeug, als erregte es ihn, beobachtet zu werden. Merthin schüttelte fassungslos den Kopf. Gleich vor der Wirtshaustür stand ein Tisch, der sich unter der Last halb verzehrter Speisen bog: gebratene Fleischstücke und Räucherfisch, Pudding und Käse. Ein Hund stand am Tisch, die Vorderbeine auf der Tischplatte, und leckte an einem Schinken. Ein Mann erbrach sich in eine

Suppenschüssel. Neben der Wirtshaustür saß Davey Whitehorse in einem großen hölzernen Sessel, einen Kelch Wein in der Hand. Er nieste und schwitzte, und das gefürchtete blutige Rinnsal, das den Tod verhieß, lief ihm aus der Nase, doch er schaute kichernd hierhin und dorthin und feuerte die Zecher grölend an. Anscheinend wollte er sich zu Tode saufen, ehe die Pest ihn dahinraffte.

Merthin wurde übel. Er kehrte dem White Horse den Rücken zu und rannte zur Priorei.

Zu seiner Überraschung hatte Caris sich angekleidet und war auf den Beinen. »Es geht mir besser«, sagte sie. »Morgen kümmere ich mich wieder um meine Pflichten.« Als sie Merthins skeptischen Blick bemerkte, fügte sie hinzu: »Schwester Oonagh hat es mir erlaubt.«

»Wenn du dir von jemand anderem etwas erlauben oder verbieten lässt, heißt das noch lange nicht, dass du wieder gesund bist«, sagte er, worauf Caris fröhlich lachte. Bei dem Anblick stiegen Merthin Tränen der Freude in die Augen. Zwei Wochen lang hatte Caris nicht gelacht, und es hatte Augenblicke gegeben, da Merthin sich gefragt hatte, ob er ihr Lachen jemals wieder hören würde.

»Wo bist du gewesen?«, fragte sie.

Er berichtete ihr von seinem Streifzug durch die Stadt und den schrecklichen Beobachtungen, die er dabei gemacht hatte. »Ich frage mich, was die Leute als Nächstes tun«, sagte er. »Werden sie einander umbringen, wenn sie überhaupt keine Hemmungen mehr kennen?«

Eine Küchenhilfe brachte ihnen eine Terrine Suppe als Abendbrot. Caris aß mit Appetit. Lange Zeit war ihr vom Essen übel geworden; nun aber schien die Lauchsuppe ihr zu bekommen, und sie aß die Schale leer.

Als die Magd abgeräumt hatte, sagte Caris: »Während ich krank war, habe ich viel über das Sterben nachgedacht.«

»Du hast aber nicht nach einem Priester rufen lassen.«

»Ob ich nun ein guter oder schlechter Mensch gewesen bin – ich glaube nicht, dass Gott sich von einem Sinneswandel in letzter Minute täuschen lässt.«

»Was war es dann?«

»Ich habe mich gefragt, ob es irgendetwas gibt, was ich wirklich bereue.«

»Und? Gibt es etwas?«

»Vieles. Ich bin mit meiner Schwester zerstritten. Ich habe keine Kinder. Ich habe den scharlachroten Mantel nicht mehr, den mein Vater meiner Mutter an dem Tag geschenkt hat, an dem sie starb.«

»Wieso hast du den Mantel weggegeben?«

»Ich durfte ihn nicht behalten, als ich ins Kloster eintrat. Ich weiß nicht, was aus ihm geworden ist.«

»Was bereust du am meisten?«

»Dass ich mein Hospital nicht gebaut habe, und …« Sie stockte.

»Und?«

»Dass ich zu selten mit dir im Bett gewesen bin.«

Er zog die Brauen hoch. »Nun, das lässt sich leicht beheben.«

»Ich weiß.«

»Was werden die Schwestern dazu sagen?«

»Es kümmert sie nicht. Es kümmert niemanden mehr. Du hast doch gesehen, wie es in der Stadt zugeht. Hier im Kloster haben wir zu viel mit den Sterbenden zu tun, als dass wir uns allzu viele Gedanken um die Ordensregeln machen könnten. Joan und Oonagh schlafen jede Nacht in einem Zimmer über dem Hospital zusammen. In Zeiten wie dieser spielt es keine Rolle mehr.«

Merthin runzelte die Stirn. »Joan und Oonagh sind Geliebte? Seltsam, dass sie trotzdem mitten in der Nacht zum Stundengebet gehen. Wie bringen sie das unter einen Hut?«

»Im Lukasevangelium steht: ›Wer zwei Unterkleider hat, teile mit dem, der keines hat.‹ Trotzdem besitzt der Bischof von Shiring eine Truhe voller Gewänder, ohne dass er sich fragt, wie es sich mit der Heiligen Schrift vereinbaren lässt. Jeder nimmt sich aus den Lehren der Kirche, was ihm gefällt, und lässt aus, was ihm nicht passt.«

»Und du?«

»Ich tue das auch, aber ich bin wenigstens ehrlich dabei. Würde jemand mich fragen, ob ich wie deine Frau mit dir lebe, würde ich die Wahrheit sagen.« Sie stand auf, ging zur Tür und verriegelte sie. »Du hast jetzt zwei Wochen lang hier im Priorspalast geschlafen. Bitte, bleib.«

»Einzusperren brauchst du mich nicht«, sagte er lachend. »Ich bleibe freiwillig.« Er legte die Arme um sie.

Caris sagte: »Ehe ich bewusstlos wurde – was war da?«

»Du hast gefiebert.«

»Nun, jetzt fiebere ich schon wieder, wenn du weißt, was ich meine.«

»Vielleicht sollten wir dann da weitermachen, wo wir unterbrochen wurden.«

»Gute Idee.«

Sie nahmen sich bei den Händen und stiegen die Treppe hinauf.

KAPITEL 71

Ralph und seine Männer verbargen sich im Wald nördlich von Kingsbridge und warteten. Es war Mai, und die Abende waren lang. Als die Nacht hereinbrach, sagte Ralph zu den anderen, sie sollten ein Nickerchen machen, während er sich setzte und wachte.

Ralph wurde von Alan Fernhill und vier gedungenen Männern begleitet, entlassenen Soldaten aus dem königlichen Heer, denen es im Frieden nicht gelungen war, einen festen Platz im Leben zu finden. Alan hatte sie im Red Lion, einer Schänke in Gloucester, angeworben. Sie wussten nicht, wer Ralph war, und hatten ihn nie bei Tageslicht gesehen. Sie würden tun, was man ihnen sagte, ihr Geld nehmen und keine Fragen stellen.

Ralph blieb wach, versunken in Gedanken und Erinnerung, während die Zeit verstrich, wobei er sich stets bewusst war, wie viele Stunden vergangen waren: Er hatte dieses Zeitempfinden damals in Frankreich entwickelt, als er im Heer des Königs gekämpft hatte. Er brauchte keine brennende Kerze mit eingeschnittenen Stundenringen, wie die Mönche sie benutzten, und keine Sand- oder Wasseruhr.

Er saß ganz still da, mit dem Rücken an einen Baum gelehnt, und starrte in die tiefe Feuergrube, die seine Männer ausgehoben hatten. Er hörte das Rascheln kleiner Tiere im Unterholz und gelegentlich den Schrei einer jagenden Eule. Niemals fühlte er eine so tiefe Ruhe wie in den Stunden des Wartens vor einem Kampf. Er liebte diese Stille, die Dunkelheit, die Zeit zum ungestörten Nachdenken. Das Wissen um die bevorstehende Gefahr für das eigene Leben, das die meisten Männer mit Furcht erfüllte, beruhigte Ralph.

Doch heute Nacht war nicht der Kampf die größte Gefahr. Gewiss würde es ein Handgemenge geben, vielleicht sogar Tote, aber der Feind waren diesmal fette Städter und verweichlichte Mönche. Die eigentliche Gefahr bestand darin, dass Ralph erkannt wurde. Denn was er vorhatte, war schändlich und abscheulich. In jeder Kirche im ganzen Land, vielleicht sogar in ganz Europa würde man mit Empörung davon sprechen. Und Gregory Longfellow, für den Ralph diese Tat verübte, würde am lautesten von allen schimpfen. Wenn je herauskam, dass Ralph dieses Verbrechen verübt hatte, würde man ihn hängen.

Doch wenn er Erfolg hatte, würde man ihn zum Grafen von Shiring machen.

Zwei Stunden nach Mitternacht weckte er die anderen.

Sie ließen ihre angebundenen Pferde zurück, verließen den Wald und folgten der Straße zur Stadt. Alan trug die Ausrüstung, wie er es schon damals getan hatte, als sie in Frankreich gekämpft hatten. Er hatte auch eine kurze Leiter dabei, eine Rolle Seil und einen Kletterhaken, mit dem sie in der Normandie so manche Stadtmauer erstiegen hatten. In seinem Gürtel steckten ein Meißel und ein Hammer. Vielleicht benötigten sie diese Werkzeuge gar nicht, doch sie hatten die Erfahrung gemacht, dass eine gute Vorbereitung den halben Erfolg ausmachte.

Alan hatte außerdem mehrere große Säcke dabei, die fest zusammengerollt und mit Kordeln zu einem Bündel verschnürt waren.

Als sie in Sichtweite der Stadt kamen, teilte Ralph die Kapuzen aus, in die Löcher für Augen und Mund geschnitten waren, und alle zogen sie über den Kopf. Ralph trug an der linken Hand zusätzlich einen Fäustling, der die verräterischen Stümpfe seiner drei fehlenden Finger verbarg. Er war unmöglich zu erkennen – es sei denn natürlich, dass man ihn fing.

Schließlich schoben sie sich Filztaschen über die Stiefel und banden sie an den Knien fest, um ihre Schritte zu dämpfen.

Es lag Hunderte von Jahren zurück, dass Kingsbridge von einem Heer angegriffen worden war, und so zeigten die Wachen wenig Aufmerksamkeit. Seit der zweiten Pestwelle waren sie sogar noch nachlässiger geworden. Dennoch war der Südeingang zur Stadt verriegelt. Am stadtwärtigen Ende von Merthins langer Brücke stand ein großes steinernes Torhaus mit einer schweren Holztür. Der Fluss führte nur im Osten und Süden an Kingsbridge vorbei; im Norden und Westen brauchte man deshalb keine Brücke, und dort war die Mauer an manchen Stellen baufällig. Aus diesem Grund näherten Ralph und seine Männer sich der Stadt von Norden.

Schäbige Hütten kauerten vor der Mauer wie magere Straßenhunde vor einer Metzgerei. Alan hatte den Weg vor ein paar Tagen ausgekundschaftet, als sie nach Kingsbridge gekommen waren und nach Tilly gefragt hatten. Nun folgten Ralph und die gedungenen Männer ihm und schlichen zwischen den Bruchbuden hindurch, so leise sie es vermochten. Auch die armen Bewohner der Vorstadt konnten Alarm schlagen, wenn man sie weckte. Ein Hund bellte, und Ralph erstarrte, doch jemand beschimpfte das Tier, worauf es verstummte. Kurz darauf gelangten Ralph und seine Männer an eine Stelle, an der die Mauer eingestürzt war. Mühelos konnten sie über den Berg aus Schutt und Steinen hinwegklettern.

Sie gelangten in eine schmale Gasse hinter mehreren Lagerhäusern, die zum nördlichen Stadttor führte. Am Tor, das wusste Ralph, stand unter einem Regendach ein Posten. Die sechs Männer näherten sich ihm leise. Obwohl sie nun innerhalb der Mauern waren, hätte der Wächter sie beim Anblick ihrer Kapuzen anhalten und sofort um Hilfe rufen müssen. Doch zu Ralphs Erleichterung schlief der Posten tief und fest. Er saß auf einem Stuhl, an die Seite des Unterstands gelehnt; auf einem Brett neben ihm blakte das Flämmchen auf einem Kerzenstumpf.

Ralph wollte nicht das Risiko eingehen, dass der Posten aufwachte. Er schlich auf Zehenspitzen näher, beugte sich in das Häuschen hinein und schlitzte dem Posten mit einem langen Messer die Kehle auf. Der Mann fuhr in die Höhe, riss die Augen auf, wollte seinen Schmerz und sein Entsetzen hinausbrüllen, doch nur ein Blutschwall schoss aus seinem Mund. Als er zusammensank, packte Ralph ihn und hielt ihn die wenigen Augenblicke fest, bis er das Bewusstsein verlor. Dann lehnte er den Sterbenden an die Wand des Unterstands. Am Wams des Mannes wischte er das Blut von der Klinge und schob das Messer in die Scheide zurück.

In die große Flügeltür im Torbogen war ein kleinerer, mannshoher Durchgang eingelassen. Ralph entriegelte die kleine Tür, damit sie später rasch fliehen konnten.

Die sechs Männer gingen leise zu der Straße, die zur Priorei führte.

Die Nacht war mondlos, doch die Sterne warfen ein schwaches Licht. Besorgt blickte Ralph auf die Fenster im Obergeschoss der Häuser zu beiden Seiten der Straße. Wenn jemand nicht schlafen konnte und just in diesem Moment hinausschaute, bot sich ihm der verdächtige Anblick von sechs maskierten Männern. Zum Glück war es noch nicht warm genug, um bei offenem Fenster zu schlafen, und alle Läden waren geschlossen. Dennoch zog Ralph die Kapuze so tief über den Kopf, wie es nur ging, und bedeutete den anderen, es ihm gleichzutun.

In dieser Stadt hatte er seine Jugend verbracht; die Straßen waren ihm vertraut. Sein Bruder Merthin wohnte noch immer hier, auch wenn Ralph nicht wusste, wo sein Haus stand.

Sie gingen die Hauptstraße entlang, am Holly Bush vorbei, das zur Nacht geschlossen hatte und schon vor Stunden verriegelt worden war. Dann bogen sie zur Kathedrale ab. Am Eingang gab es hohe eisenbeschlagene Holztore, doch sie standen offen, nachdem man sie jahrelang nicht geschlossen hatte, und ihre Angeln waren festgerostet.

Die Priorei war dunkel bis auf ein schwaches Licht im Fenster des Hospitals. Ralph vermutete, dass die Mönche und Nonnen zu dieser Zeit im tiefsten Schlaf lagen. In ungefähr einer Stunde wurden sie zur Matutin geweckt, die vor dem Morgengrauen begann.

Alan, der auch die Priorei ausgekundschaftet hatte, führte die Gruppe nördlich um die Kathedrale herum. Beinahe lautlos huschten die Männer über den Vorplatz und am Priorspalast vorbei; dann bogen sie auf den schmalen Streifen Land ab, der sich zwischen der Ostwand der Kathedrale und dem Flussufer hinzog. Alan stellte die kurze Leiter an eine kahle Mauer und flüsterte: »Zum Kreuzgang im Nonnenkloster. Folgt mir.«

Er stieg die Mauer hinauf und über das Dach. Seine Füße machten auf den Schieferplatten kaum Geräusche. Zum Glück brauchte er den Kletterhaken nicht, der möglicherweise auf dem Stein gescharrt oder geklappert hätte.

Die anderen folgten, Ralph als Letzter.

Innen ließen sie sich vom Dach herunter und landeten leise auf dem Rasen im viereckigen Hof. Ralph blickte wachsam auf die regelmäßigen Steinsäulen der Bogengänge ringsum. Die Bogen schienen ihn anzustarren wie Wächter, doch nichts rührte sich. Ein Glück, dass es Mönchen und Nonnen nicht gestattet war, Hunde zu halten.

Alan führte die Männer über den tief beschatteten Gehweg zu einer schweren Tür. »Küche«, flüsterte er. Der Raum wurde schwach von den glühenden Resten eines großen Feuers erleuchtet. »Bewegt euch vorsichtig, dass ihr keine Töpfe umwerft!«

Ralph wartete, bis seine Augen sich an das schwache Licht gewöhnt hatten. Bald konnte er die Umrisse eines großen Tisches, mehrere Fässer sowie Töpfe und Pfannen ausmachen. »Sucht euch eine Stelle, wo ihr euch setzen oder hinlegen könnt, und macht es euch bequem«, sagte er. »Wir bleiben hier, bis sie aufstehen und in die Kirche gehen.«

Als Ralph eine Stunde später aus der Küche spähte, zählte er die Nonnen und Novizinnen, die mit müden Schritten aus dem Dormitorium kamen und durch den Kreuzgang zur Kathedrale gingen. Einige trugen Lampen, die tanzende Schatten an die gewölbte Decke warfen. »Fünfundzwanzig«, flüsterte er Alan zu. Wie er es erwartet hatte, war Tilly nicht unter ihnen. Von Edelfrauen auf Besuch erwartete man nicht, dass sie mitten in der Nacht am Stundengebet teilnahmen.

Als die letzte Nonne in der Kathedrale verschwunden war, setzte Ralph sich in Bewegung. Die anderen blieben zurück.

Nur an zwei Orten konnte Tilly schlafen: im Hospital oder im Dormitorium des Nonnenklosters. Ralph vermutete, dass sie sich im Dormitorium sicherer fühlte, und so ging er zuerst dorthin.

Als er die Steintreppe hinaufstieg, dämpften die Filzüberschuhe das Geräusch seiner Schritte. Er warf einen Blick ins Dormitorium. Eine einzige Kerze sorgte für schummriges Licht im Saal. Ralph hoffte, dass die Nonnen alle in der Kirche waren; anderenfalls würde es noch schwieriger für ihn werden, als es ohnehin schon war. Er fürchtete nur, eine oder zwei Schwestern könnten wegen Krankheit oder aus Unlust zurückgeblieben sein. Doch der Saal war leer – nicht einmal Tilly war hier. Ralph wollte sich schon zurückziehen, als er am anderen Ende des Saales eine Tür entdeckte.

Er durchschritt die Länge des Saales, nahm die Kerze und trat leise durch die Tür. Im unsteten Licht des Flämmchens sah er den Kopf seiner jungen Frau auf einem Kissen; ihr Haar lag wirr auf dem weißen Leinen. Sie wirkte so unschuldig und schön, dass Ralph einen Anflug von Reue empfand, sodass er sich zwingen musste, an seinen Hass auf dieses Weib zu denken und daran, dass sie seinen Plänen im Weg stand.

Der Säugling, sein Sohn Gerry, lag in einer Wiege neben ihr; die Augen geschlossen, den winzigen Mund geöffnet, schlummerte er friedlich.

Ralph schlich näher heran. Mit einer raschen Bewegung presste er Tilly die rechte Hand auf den Mund, weckte sie dadurch und verhinderte gleichzeitig, dass sie einen Mucks von sich gab.

Tilly riss die Augen auf und starrte ihn voll Entsetzen an.

Ralph stellte die Kerze ab und schob die freie Hand in die Tasche, in der unter anderem Stofflappen und Lederriemen steckten. Er stopfte Tilly einen Fetzen in den Mund, damit sie still blieb. Er hatte das Gefühl, dass sie ihn trotz seiner Kapuze, der Handschuhe und seines Schweigens erkannt hatte. Vielleicht kann sie mich wittern wie ein Hund, dachte Ralph. Aber das spielte keine Rolle. Sie würde niemandem etwas verraten.

Er fesselte ihr die Hände und Füße mit Lederriemen. Sie wehrte sich nicht, doch Ralph wusste, dass sich das später ändern würde. Er überzeugte sich davon, dass ihr Knebel fest saß. Dann setzte er sich, um zu warten.

Aus der Kirche hörte er Gesang: einen harmonischen Frauenchor und ein paar holprige Männerstimmen, die versuchten, es ihnen gleichzutun. Tilly starrte ihn unentwegt mit großen, flehenden Augen an. Er wandte sich um, sodass er ihr Gesicht nicht sehen musste.

Sie hatte erraten, dass er sie töten wollte. Hatte sie seine Gedanken gelesen? Dann musste sie eine Hexe sein, so wie die meisten Weiber. Wie auch immer – sie hatte seine Absichten erkannt. Besonders an den Abenden waren ihre furchtsamen Blicke jeder seiner Bewegungen gefolgt, ganz gleich, was er tat. In der Nacht dann hatte sie starr neben ihm gelegen, voller Anspannung und Wachsamkeit, während er einschlief, und wenn er am Morgen aufwachte, war sie jedes Mal schon wach. Dann, nachdem es einige Tage lang so gegangen war, verschwand sie. Ralph und Alan suchten erfolglos nach ihr, bis er ein Gerücht hörte, sie habe in der Priorei von Kingsbridge Zuflucht gesucht.

Was hervorragend in seine Pläne passte.

Der Säugling brabbelte im Schlaf, und Ralph kam die Befürchtung, dass er zu weinen anfing. Was, wenn ausgerechnet dann die Nonnen zurückkamen? Er überlegte fieberhaft: Eine oder zwei würden wahrscheinlich hereinkommen und nachsehen, ob Tilly Hilfe brauchte. Ralph beschloss, sie in diesem Fall zu töten. Es wäre nicht das erste Mal. Schon in Frankreich hatte er Nonnen getötet.

Endlich hörte er, wie die Schwestern ins Dormitorium zurückkehrten.

Alan beobachtete sie von der Küche aus und zählte sie. Sobald sie alle im Raum waren, würden er und seine vier Männer die Schwerter ziehen und losschlagen.

Ralph zog Tilly auf die Beine. Ihr Gesicht war tränenüberströmt.

Er drehte sie so, dass sie ihm den Rücken zukehrte, legte ihr einen Arm um die Taille, hob sie hoch und drückte sie an sich. Sie war so leicht wie ein Kind.

Er zog den langen Dolch.

Von draußen hörte er eine Männerstimme: »Seid still, oder ihr sterbt!« Es war Alan, auch wenn die Kapuze die Stimme dämpfte und verzerrte.

Der entscheidende Augenblick war gekommen. Im Kloster waren noch andere Menschen – Nonnen und Kranke im Hospital, Mönche im Dormitorium –, und Ralph wollte auf keinen Fall, dass sie herkamen und den Ablauf seines Unternehmens störten.

Trotz Alans Warnung hörte er mehrere Schreckenslaute und Angstschreie, doch sie waren nicht sehr laut, wie Ralph zufrieden registrierte.

So weit, so gut.

Er trat gegen die Tür, dass sie aufflog, und betrat den Schlafsaal, Tilly noch immer an sich gedrückt.

Im Licht der Lampen, die die Nonnen getragen hatten, konnte er endlich besser sehen. Am anderen Ende des Raumes hielt Alan eine Frau gepackt und drückte ihr sein Messer an die Kehle. Zwei der gedungenen Männer standen hinter Alan. Die beiden anderen wachten am unteren Ende der Treppe.

»Hört mir zu«, sagte Ralph.

Als er sprach, fuhr Tilly heftig zusammen. Sie hatte seine Stimme erkannt. Doch das war nicht wichtig, solange sie die Einzige blieb.

Im Saal herrschte nun Totenstille.

Ralph fragte: »Welche von euch ist die Mesnerin?«

Niemand sprach.

Ralph berührte mit der Schneide seiner Klinge die Haut an Tillys Kehle. Sie versuchte sich zu wehren, war aber zu schwach, und er hielt sie mühelos im Zaum. Jetzt, sagte er sich. Jetzt ist der richtige Moment, sie zu töten. Doch er zögerte. Er hatte viele Menschen umgebracht, Frauen und Männer, doch plötzlich zögerte er, die Klinge in den warmen Leib eines Weibes zu stoßen, das er umarmt und geküsst und mit dem er geschlafen hatte und das die Mutter seines Kindes war.

Und für die Nonnen ist es sicher schlimmer, sagte er sich, wenn eine von ihnen stirbt.

Er nickte Alan zu.

Mit einem Ruck schlitzte Alan der Nonne, die er festhielt, die

Kehle auf. Blut schoss aus der klaffenden Wunde und spritzte auf den Boden.

Eine Frau schrie auf.

Es war nicht bloß ein Kreischen oder Jammern, es war ein gellender Schrei reinsten Entsetzens, der sogar die Toten geweckt hätte, und dieser Schrei hielt an, bis einer von Ralphs gedungenen Spießgesellen der Frau seine Keule mit solcher Wucht an den Kopf schmetterte, dass sie bewusstlos zu Boden stürzte und das Blut ihr die Wange hinunterlief.

Ralph fragte noch einmal: »Welche von euch ist die Mesnerin?«

Merthin war kurz aufgewacht, als die Glocke zur Matutin rief und Caris aus dem Bett schlüpfte. Wie immer drehte er sich um und fiel in einen leichten Schlummer, sodass es ihm bei Caris' Rückkehr so vorkam, als wäre sie nur eine oder zwei Minuten fort gewesen. Ihre Haut war kalt, wenn sie wieder ins Bett kam, und dann zog er sie an sich und schloss die Arme um sie. Oft blieben sie dann eine Zeit lang wach und redeten, und zumeist liebten sie sich. Merthin schätzte diese Zeit des Tages über alles.

Caris drückte sich an ihn, und er genoss es, ihren weichen Busen an der Brust zu spüren. Erregung überkam ihn, und er schob eine Hand zwischen ihre Beine und streichelte sie sanft.

Doch ihr war eher nach Reden zumute. »Hast du das Gerücht von gestern gehört? Im Wald nördlich der Stadt wurden Gesetzlose gesichtet.«

»Hast du keine Lust?«, fragte Merthin enttäuscht.

»Die Stadtmauer ist auf der Nordseite arg baufällig und bietet kaum noch Schutz.«

»Aber was sollten die Gesetzlosen stehlen? Die können sich doch einfach nehmen, was sie brauchen. Wenn sie Fleisch wollen – auf den Weiden stehen Tausende von Schafen und Kühen, auf die niemand achtet und die niemand beansprucht.«

»Deshalb ist es ja so seltsam, dass sie sich hier herumtreiben.«

»Heutzutage ist Diebstahl so, als würde man sich über den Zaun lehnen, um von der Luft des Nachbarn zu atmen.«

Sie seufzte. »Vor drei Monaten habe ich geglaubt, diese schreckliche Seuche wäre vorüber.«

»Was meinst du, wie viele Menschen gestorben sind?«

»Seit Ostern haben wir tausend begraben.«

»Ich habe gehört, in anderen Städten ist es ähnlich.«

Als Caris nickte, strich ihr Haar wie ein Hauch über Merthins Schulter. »Ich glaube, mittlerweile ist ungefähr ein Viertel des englischen Volkes an der Seuche gestorben«, sagte sie.

»Und mehr als die Hälfte aller Priester.«

»Ja. Weil sie mit so vielen Menschen in Berührung kommen, wenn sie eine Messe lesen. Sie können der Pest kaum entrinnen.«

»Deshalb ist ja auch die Hälfte aller Kirchen geschlossen.«

»Es ist besser so. In einer Menschenmenge kann die Seuche sich schneller ausbreiten als irgendwo sonst.«

»Jedenfalls haben die meisten Leute den Glauben verloren«, sagte Merthin.

Caris schien das nicht allzu sehr zu bedauern. »Vielleicht hören sie nun endlich auf, an den Hokuspokus der Mönchsärzte zu glauben«, sagte sie, »und überlegen sich, was ihnen wirklich hilft.«

»Aber wie sollen einfache Leute zwischen einem wirksamen Heilmittel und dem Aberglauben unterscheiden?«

»Da gibt es vier Regeln, die ich dir gern auflisten kann.«

Er lächelte, ohne dass sie es im Dunkeln sehen konnte: Caris hatte schon immer eine Schwäche für Listen gehabt. »Und welche Regeln sind das?«

»Erstens: Wenn es ein Dutzend verschiedene Heilmittel für eine Beschwerde gibt, kannst du sicher sein, dass keins davon hilft.«

»Wieso?«

»Würde eines helfen, hätten die Leute die anderen längst verworfen.«

»Das leuchtet mir ein.«

»Zweitens: Nur weil ein Heilmittel widerlich ist, muss es noch lange nicht gut sein. Rohes Lerchenhirn hilft nicht gegen Halsschmerzen, auch wenn es dich erbrechen lässt; dagegen beruhigt dich ein Becher heißes Wasser mit Honig.«

»Gut zu wissen.«

»Drittens: Die Ausscheidungen von Mensch und Tier helfen nicht gegen Krankheiten, sondern machen alles nur noch schlimmer.«

»Da bin ich erleichtert.«

»Viertens: Wenn ein Heilmittel den Merkmalen der Krankheit ähnlich sieht – etwa die gefleckten Federn einer Drossel, die angeblich gegen Pocken helfen, oder Schafsharn und die Gelbsucht –, ist die Wirksamkeit bloß Einbildung.«

»Du solltest ein Buch darüber schreiben.«

Sie schnaubte verächtlich. »An den Universitäten studiert man nur die griechischen Texte der großen Gelehrten.«

»Ich rede nicht von einem Buch für Magister und ihre Studenten, sondern von einem Buch für Leute wie dich: Nonnen, Hebammen, Bader, Kräuterfrauen ...«

»Kräuterfrauen und Hebammen können nicht lesen.«

»Einige können es. Und andere haben jemanden, der ihnen vorliest.«

»Vielleicht hast du recht. Vielleicht würde den Leuten eine Art Ratgeber gefallen, was man gegen die Pest unternehmen kann ...«

Sie dachte nach.

Ein Schrei zerriss die Stille.

»Was war das?«, fragte Merthin.

»Hörte sich an, als würden sich Katzen balgen«, sagte Caris.

»Das war es ganz bestimmt nicht«, entgegnete Merthin und stand auf.

Eine der Nonnen trat vor und sprach Ralph an. Sie war jung, wie fast alle anderen auch, mit schwarzem Haar und blauen Augen. »Bitte, tut Tilly nichts«, bat sie. »Ich bin Schwester Joan, die Mesnerin. Wir geben Euch, was Ihr wollt. Aber ich bitte Euch, tut keinem mehr etwas an, Herr.«

»Ich bin kein Herr, ich bin Tam Hiding«, sagte Ralph. »Wo sind die Schlüssel zur Schatzkammer?«

»Hier, an meinem Gürtel.«

»Bring mich hin.«

Schwester Joan zögerte. Vielleicht spürte sie, dass Ralph nicht wusste, wo die Schatzkammer war. Bei seinem Erkundungsbesuch hatte Alan das Nonnenkloster zwar gründlich durchforschen können, ehe er ertappt worden war, hatte jedoch nichts bemerkt, was nach einer Schatzkammer aussah. Und Joan dachte offensichtlich nicht daran, die Lage dieser Kammer zu verraten.

Ralph hatte keine Zeit zu verlieren. Wer konnte schon sagen, wer den Schrei gehört hatte? Er drückte die Messerspitze in Tillys Kehle, bis ein Blutstropfen erschien. »Ich will in die Schatzkammer«, sagte er.

»Also gut, aber tut Tilly nichts! Ich zeige Euch den Weg!«

»Dachte ich 's mir«, sagte Ralph.

Er ließ zwei seiner gedungenen Spießgesellen im Dormitorium

zurück, damit die Nonnen sich still verhielten. Dann folgten er und Alan Schwester Joan die Stufen zum Kreuzgang hinunter. Tilly zerrte Ralph mit sich.

Am unteren Ende der Treppe hielten die beiden anderen Helfer Ralphs drei weitere Nonnen mit Messern in Schach. Ralph vermutete, dass die Schwestern im Hospital gearbeitet hatten und herbeigeeilt waren, um zu sehen, was es mit dem Schrei auf sich hatte. Ralph frohlockte: Damit war eine weitere Gefahr gebannt. Doch wo steckten die Mönche?

Ralph scheuchte die drei Nonnen hinauf ins Dormitorium. Einen seiner Helfer wies er an, weiterhin Wache an der Treppe zu halten; dem anderen befahl er, mitzukommen.

Joan führte die Gruppe ins Refektorium, das im Erdgeschoss unmittelbar unter dem Schlafsaal lag. Ihre flackernde Lampe offenbarte Tische auf Böcken, Bänke, ein Lesepult und ein Wandgemälde, das Christus bei einer Hochzeitsfeier zeigte.

Schwester Joan durchquerte den Speisesaal und verschob am hinteren Ende des Raums einen Tisch. Im Fußboden wurde eine Falltür sichtbar. Sie hatte ein Schlüsselloch wie eine normale Zimmertür. Joan schob einen Schlüssel ins Schloss, drehte ihn und hob die Falltür an. Eine schmale steinerne Wendeltreppe kam zum Vorschein. Joan stieg die Stufen hinunter. Ralph befahl seinem verbliebenen Helfer, Wache zu stehen, und folgte Joan, wobei er Tilly im Nacken gepackt hielt und mit sich zerrte. Alan schloss sich ihnen als Letzter an.

Als Ralph den Fuß der Treppe erreichte, blickte er sich zufrieden um. Er hatte das Allerheiligste gefunden, die geheime Schatzkammer des Nonnenklosters! Sie befanden sich in einem kleinen unterirdischen Raum ähnlich einem Verlies: Die Wände bestanden aus den gleichen behauenen Steinen wie die Kathedrale, und der Boden war mit nahezu fugenlos passenden Steinplatten ausgelegt. Die Luft war kühl und trocken. Ralph setzte Tilly, die verschnürt war wie ein Huhn, auf den Boden.

Den größten Teil des Raums nahm eine große Truhe mit Deckel ein, die an einen Sarg für einen Riesen denken ließ und mit einer Kette an einem Ring in der Wand befestigt war. Sonst gab es nicht viel: zwei Schemel, ein Schreibpult und ein Regal mit einem Stapel Pergamentrollen, vermutlich die Kontobücher des Klosters. An einem Haken in der Wand hingen zwei dicke Wollmäntel; Ralph vermutete, dass sie für die Mesnerin und ihre Helferin bestimmt waren, wenn sie in den kältesten Wintermonaten hier unten arbeiteten.

Die Truhe war viel zu groß, als dass sie durch das Treppenhaus gepasst hätte. Offenbar war sie in Teilen hier heruntergetragen und an Ort und Stelle zusammengebaut worden. Ralph zeigte auf die Überfalle. »Aufmachen«, sagte er zu Joan.

Joan öffnete das Schloss mit einem anderen Schlüssel an ihrem Gürtel.

Gespannt blickte Ralph in die Truhe. Dutzende Pergamentrollen lagen darin – Freibriefe und Besitzurkunden, die das Eigentum des Nonnenklosters an Grund und Boden sowie die verliehenen Rechte bestätigten. Außerdem erblickte Ralph mehrere Leder- und Wollbeutel, die zweifellos den juwelenbesetzten Kirchenschatz enthielten, und schließlich eine Schatulle, in der sich vermutlich Geld befand.

Ralph zügelte seine Erregung. Er musste einen kühlen Kopf bewahren und überlegt vorgehen. Er hatte es auf die Freibriefe abgesehen, aber das durfte er sich nicht anmerken lassen. Er musste die Briefe stehlen und zugleich den Anschein erwecken, dies gar nicht beabsichtigt zu haben.

Ralph befahl Schwester Joan, die Schatulle zu öffnen. Zu seinem Erstaunen enthielt sie bloß eine Handvoll Goldmünzen. Ralph konnte kaum glauben, wie wenig es war. Möglich, dass die Nonnen den größten Teil des Geldes an anderen Stellen in der Kammer versteckt hatten, hinter losen Steinen in der Wand vielleicht. Doch Ralph nahm sich nicht die Zeit, darüber nachzudenken: Er gab vor, es nur auf das Geld abgesehen zu haben, und schüttete die Münzen in die Börse an seinem Gürtel. Währenddessen zog Alan einen großen Sack auf und machte sich daran, ihn mit dem Kirchenschatz zu füllen.

Nachdem Ralph sicher war, dass Joan sie bei ihrem Tun beobachtet hatte, befahl er ihr, wieder die Treppe hinaufzusteigen.

Tilly beobachtete alles mit großen, ängstlichen Augen, doch es spielte keine Rolle, was sie sah. Sie würde keine Gelegenheit bekommen, es jemandem zu erzählen.

Ralph zog einen weiteren Sack auf und stopfte eilends die Pergamentrollen hinein.

Als alles verstaut war, befahl er Alan, die Holztruhen mit Hammer und Meißel zu zerlegen. Er selbst nahm die Wollmäntel vom Haken, rollte sie zusammen und hielt die Spitze seiner Kerzenflamme daran. Die Wolle fing augenblicklich Feuer. Ralph häufte das Holz der zerlegten Truhen auf die brennenden Mäntel. Schon bald loderte ein fröhlicher Scheiterhaufen. Der Rauch kratzte ihm in der Kehle.

Er blickte auf Tilly, die hilflos am Boden lag, und zog sein Messer. Dann zögerte er.

⊠

Vom Priorspalast führte eine kleine Tür direkt in den Kapitelsaal, der wiederum mit dem nördlichen Querhaus der Kathedrale verbunden war. Diesen Weg nahmen Merthin und Caris bei ihrer Suche nach dem Ursprung des Schreies. Der Kapitelsaal war leer; deshalb eilten sie weiter in die Kathedrale. Das flackernde Licht der einzelnen Kerze reichte nur ein paar Schritt weit, und so blieben sie in der Vierung stehen und lauschten angestrengt.

Sie hörten, wie ein Riegel schnappte.

Merthin rief: »Wer ist da?«, und schämte sich seiner Furcht, die seine Stimme beben ließ.

»Bruder Thomas«, klang es aus dem Dunkel zurück.

Die Stimme kam vom südlichen Querschiff. Im nächsten Moment trat Thomas in den Lichtschein der Kerze. »Ich habe einen Schrei gehört«, sagte er.

»Wir auch«, erwiderte Merthin erleichtert. »Aber hier ist niemand.«

»Sehen wir uns um.«

»Was ist mit den Novizen und den Jungen?«

»Ich habe ihnen gesagt, sie sollen weiterschlafen.«

Sie durchschritten das südliche Querhaus und gelangten zum Kreuzgang des Mönchsklosters. Wieder war nichts zu hören und zu sehen. Sie gingen weiter, durchquerten das Vorratslager der Küche und kamen zum Hospital. Die Kranken lagen auf ihren Strohsäcken. Einige schliefen, andere wälzten sich herum und stöhnten vor Schmerz. Seltsamerweise waren keine Nonnen zu sehen.

»Das ist eigentümlich«, sagte Caris. »Wo sind sie alle hin?«

Sie gingen in die Küche. Auch hier hielt niemand sich auf.

Thomas schnüffelte, als nähme er Witterung auf.

Merthin fragte: »Was ist?«

»Mönche sind reinlich«, gab Thomas zur Antwort. »Hier drin war jemand, der sich lange nicht gewaschen hat.«

Merthin schnüffelte ebenfalls, roch aber nichts Ungewöhnliches.

Thomas ergriff ein Hackbeil von der Art, wie ein Koch es benutzte, um Fleisch und Knochen zu durchtrennen.

Sie gingen zur Küchentür. Thomas hob warnend den Stumpf seines linken Armes, und sie blieben stehen. Aus dem Kreuzgang des Nonnenklosters drang ein schwaches Licht, das von der Nische am Eingang zu kommen schien. Merthin vermutete, dass es sich um den Widerschein einer Kerze handelte.

Thomas zog die Sandalen aus und ging auf bloßen Füßen weiter, die auf den Steinplatten kein Geräusch machten. Bald verschmolz er mit der Dunkelheit im Kreuzgang. Merthin konnte ihn gerade noch erkennen, als er sich langsam in Richtung der Nische bewegte.

Ein schwacher, stechender Geruch stieg Merthin in die Nase. Doch es waren unverkennbar nicht die Ausdünstungen eines ungewaschenen Körpers, die Thomas in der Küche gerochen hatte, sondern etwas anderes. Im nächsten Moment erkannte Merthin, dass es Rauch war.

Auch Thomas musste den Geruch bemerkt haben, denn er erstarrte, an die Wand gelehnt.

Plötzlich erklang das Scharren von Schuhsohlen; dann huschte eine Gestalt aus der Nische in den Kreuzgang. Sie war nur schemenhaft erkennbar, doch selbst im schwachen Licht der Kerze war zu sehen, dass es sich um einen Mann handelte, der sich eine Kapuze über den Kopf gezogen hatte. Der Mann wandte sich zur Tür des Refektoriums.

Thomas schlug zu.

Das Hackbeil blitzte in der Dunkelheit auf; dann hörte Merthin den widerlichen dumpfen Schlag, als die Schneide in den Körper des Mannes drang. Der Getroffene schrie vor Angst und Schmerz. Als er zu Boden schlug, hieb Thomas erneut zu. Der Schrei des Mannes wurde zu einem scheußlichen Gurgeln, das rasch leiser wurde und dann verstummte.

Caris schnappte vor Entsetzen nach Luft.

Merthin eilte zu Thomas. »Wer ist das?«, stieß er hervor.

Thomas wandte sich um und bedeutete ihm mit einer Bewegung des Hackbeils, zurückzutreten. »Seid still!«, zischte er.

Binnen eines Herzschlags loderten Flammen auf. Augenblicke später war der Kreuzgang von hellem Feuerschein erleuchtet.

Jemand kam mit raschen Schritten aus dem Refektorium, ein großer Mann, der einen Sack in der einen und eine lodernde Fackel in der anderen Hand trug. Er wirkte wie ein Gespenst, bis Merthin begriff, dass er sich eine Kapuze über den Kopf gezogen hatte, in die Löcher für Augen und Mund geschnitten waren.

Thomas stellte sich dem heranstürmenden Mann in den Weg und hob das Hackbeil, doch einen Augenblick zu spät: Ehe er zuschlagen konnte, prallte der Mann gegen ihn und schleuderte ihn zur Seite.

Thomas wurde gegen einen Pfeiler geworfen; dem dumpfen Geräusch nach schlug er sich den Kopf an. Besinnungslos sank er zu Boden. Der Mann, der ihn zur Seite gerammt hatte, geriet ins Stolpern und stürzte.

Caris schob sich an Merthin vorbei und kniete sich neben den bewusstlosen Thomas.

Weitere Maskierte erschienen, Fackeln in den Händen. Einige kamen aus dem Refektorium, während andere die Treppe zum Schlafsaal hinunterstürmten. Gleichzeitig war das Jammern und Schreien von Frauen zu vernehmen. Einen Augenblick lang herrschte ein wildes Durcheinander.

Merthin eilte an Caris' Seite, um sie mit seinem Körper davor zu bewahren, dass die heranstürmenden Männer sie niedertrampelten.

Doch die Maskierten entdeckten ihren toten Kameraden und blieben unvermittelt stehen, starr vor Schreck. Im Licht der Fackeln war zu sehen, dass Thomas' Schlag mit dem Hackbeil dem Mann den Hals fast gänzlich durchtrennt hatte; das Blut des Toten war zu einer großen Pfütze verlaufen, die dunkel auf dem Steinboden schimmerte. Die Maskierten blickten sich um, bewegten die Köpfe von einer Seite zur anderen und spähten durch die Löcher in ihren Kapuzen. Sie sahen aus wie schwarze Fische in einem dunklen Bach.

Einer von ihnen entdeckte Thomas' Hackbeil, das blutverschmiert neben Thomas und Caris auf dem Boden lag, und zeigte darauf, sodass die anderen es bemerkten. Mit einem wilden Fluch zückte der Mann ein Schwert.

Merthin fürchtete um Caris. Er trat vor und zog dadurch die Aufmerksamkeit des Mannes auf sich. Er kam auf Merthin zu und hob das Schwert zum Schlag. Merthin wich zurück und lockte ihn so von Caris fort. Doch nun bekam er Angst um sein eigenes Leben. Rückwärtsgehend, mit vor Furcht weichen Knien, rutschte er im Blut des Toten aus, verlor den Boden unter den Füßen und krachte schwer auf den Rücken.

Der Mann mit dem Schwert blieb vor ihm stehen, die Waffe zum tödlichen Schlag erhoben.

Merthin schloss die Augen und erwartete das Ende. Dann geschah etwas Unerwartetes. Der Mann, der gestolpert war, trat vor.

Er war der größte der Maskierten und bewegte sich erstaunlich geschmeidig. Mit der linken Hand packte er den Arm von Merthins Angreifer. Der große, wuchtige Mann schien den Befehl zu führen, denn er schüttelte bloß den maskierten Kopf, und der Mann mit dem Schwert ließ gehorsam die Klinge sinken.

Merthin fiel auf, dass sein Retter an der linken Hand einen Fäustling trug, während die Rechte unbedeckt war.

Doch dieses Zwischenspiel dauerte nur so lange, wie man brauchte, um bis zehn zu zählen; dann wandte der Anführer der Maskierten sich in Richtung der Küche und rannte los. Die anderen folgten. Sie mussten ihre Flucht auf diesem Weg geplant haben, begriff Merthin: Die Küche hatte eine Tür zum Kathedralenvorplatz, dem schnellsten Weg aus der Priorei. Die Maskierten verschwanden, und ohne den Schein ihrer Fackeln versank der Kreuzgang im Dunkeln.

Merthin blieb regungslos stehen, unschlüssig, was er tun sollte. Die Maskierten verfolgen? Hinauf ins Dormitorium, um nachzusehen, weshalb die Nonnen so geschrien hatten? Nachschauen, wie weit das Feuer sich ausgebreitet hatte?

Er kniete sich neben Caris. »Was ist mit Thomas?«

»Er hat sich den Kopf angeschlagen und ist bewusstlos, aber er atmet, und ich sehe kein Blut.«

Hinter sich hörte Merthin die vertraute Stimme von Schwester Joan. »Bitte, helft mir!« Er wandte sich um. Joan stand in der Tür des Refektoriums, das Gesicht verzerrt vom flackernden Licht der Kerzenlampe in ihrer Hand, den Kopf von Rauch umhüllt, als würde sie einen Schleier tragen. »Bitte, beeilt Euch!«

Merthin stand auf und folgte Joan ins Refektorium.

Ihre Lampe warf huschende Schatten, doch es gelang Merthin, den Möbeln und anderen Hindernissen auszuweichen, die unvermittelt vor ihm auftauchten, als er ihr zum hinteren Ende des Raumes folgte. Rauch quoll aus einer Öffnung im Boden. Merthin sah auf den ersten Blick, dass diese Öffnung das Werk eines tüchtigen Baumeisters war: ein exaktes Quadrat mit sauberen Kanten und einer soliden Falltür. Er vermutete, dass es sich um die geheime Schatzkammer des Nonnenklosters handelte, die Jeremiah einst heimlich erbaut hatte. Doch heute Nacht war sie von den Maskierten entdeckt worden.

Merthin atmete Rauch ein und hustete. Er fragte sich, was dort unten brannte und wieso, hatte aber nicht die Absicht, es herauszufinden; es wäre ein zu gefährliches Unterfangen gewesen.

Da rief Joan ihm zu: »Tilly ist da unten!«

»Gütiger Himmel!«, stieß Merthin hervor und rannte die Stufen hinunter.

Er musste den Atem anhalten und blickte blinzelnd durch den Rauch. Trotz seiner Furcht sah sein geschultes Baumeisterauge, dass die steinerne Wendeltreppe von einem Meister seines Faches gebaut worden war: Jede Stufe hatte genau die gleiche Größe und Form, und alle standen in exakt dem gleichen Winkel; dadurch konnte Merthin die Stufen gefahrlos hinuntersteigen, ohne jedes Mal nachschauen zu müssen, wohin er seine Füße setzte.

Rasch hatte Merthin die unterirdische Kammer erreicht, in deren Mitte Flammen loderten. Die Hitze war wie der Gluthauch der Hölle; er würde sie nur wenige Augenblicke aushalten können. Dichter Rauch erfüllte die Kammer. Merthin hielt noch immer den Atem an, doch kamen ihm vom beißenden Rauch bald die Tränen, und seine Sicht verschwamm. Er wischte sich die Augen mit dem Hemdsärmel und blinzelte ins Halbdunkel. Wo war Tilly?

Er konnte den Boden der Kammer nicht sehen und ließ sich auf die Knie sinken. Die Sicht wurde ein wenig besser, denn am Boden war der Rauch nicht so dicht. Auf allen vieren bewegte Merthin sich voran, spähte in die Ecken der Kammer und tastete mit den Händen an den Stellen, die er nicht einsehen konnte. »Tilly!«, rief er. »Tilly, wo seid Ihr?« Er schluckte Rauch und bekam einen Hustenanfall, der jede Antwort übertönt hätte, die Tilly geben konnte.

Merthin wusste, dass er nicht mehr lange durchhalten würde. Er hustete krampfartig, wodurch er noch mehr Rauch schluckte. Seine Augen tränten so sehr, dass er fast blind war. Mit dem Mut der Verzweiflung näherte er sich dem Brandherd so weit, dass die Flammen ihm den Ärmel versengten. Wenn er zusammenbrach und die Besinnung verlor, würde er hier sterben.

Dann berührte seine Hand etwas Weiches.

Er packte zu. Es war ein Bein, ein kleines Bein, das Bein eines Mädchens. Er zog sie zu sich. Ihr Nachtgewand qualmte. Merthin konnte ihr Gesicht kaum erkennen und wusste auch nicht, ob sie bei Bewusstsein war, doch es war Tilly, an Händen und Füßen mit Lederriemen gefesselt, sodass sie sich nicht rühren konnte. Merthin unterdrückte das Husten, schob die Arme unter Tillys Körper und hob sie hoch.

Kaum stand er, wurde der Rauch so dicht, dass er die Orientierung verlor. Plötzlich konnte er sich nicht mehr erinnern, in welcher

Richtung sich die Treppe befand. Er taumelte von den Flammen weg und prallte gegen eine Wand; fast hätte er Tilly fallen lassen. Nach links oder rechts? Merthin entschied sich für links und endete in einer Ecke. Fluchend ging er zurück.

Ihm war, als stünde er kurz vor dem Ertrinken. Seine Kräfte verließen ihn, und er sank auf die Knie. Das rettete ihm das Leben, denn erneut stellte er fest, dass er nahe am Boden besser sehen konnte, und unmittelbar vor ihm erschien eine steinerne Treppenstufe wie eine himmlische Vision.

Verzweifelt hielt er den schlaffen Körper Tillys fest, rutschte auf den Knien voran und erreichte die Treppe. Mit letzter Kraft richtete er sich auf, setzte einen Fuß auf die unterste Stufe und stieg hinauf; dann tat er den nächsten Schritt. Hustend und keuchend quälte er sich eine Stufe nach der anderen hinauf, bis er das Ende der Treppe erreichte. Er taumelte, fiel auf die Knie, ließ Tilly fallen und kippte nach vorn auf den Boden des Refektoriums.

Jemand beugte sich über ihn. Er stammelte: »Die Falltür zu ... erstickt das Feuer ...« Im nächsten Moment hörte er, wie die Holztür mit einem Knall zugeschlagen wurde.

Jemand packte ihn unter den Armen. Kurz schlug er die Augen auf und sah Caris' Gesicht: Es stand auf dem Kopf. Dann verschwamm sein Blick. Caris zerrte ihn über den Boden. Der Rauch wurde dünner, und Merthin bekam wieder Luft. Er wurde ins Freie gezogen. Herrliche, wohltuende Kühle umfing ihn, und gierig sog er die frische Nachtluft ein. Caris legte ihn behutsam zu Boden. Merthin hörte, wie ihre Schritte wieder im Refektorium verschwanden.

Er japste und keuchte, doch allmählich kam er wieder zu Atem. Seine Augen tränten nicht mehr, und er sah, dass der Morgen heraufdämmerte. Eine Gruppe Nonnen, die um ihn herum standen, schälte sich aus dem trüben Licht.

Merthin setzte sich auf und sah Caris und eine andere Nonne, die Tilly aus dem Refektorium herbeitrugen und neben ihn legten. Caris beugte sich über sie. Merthin versuchte zu sprechen, brachte aber nur ein heiseres Krächzen zustande und versuchte es noch einmal. »Wie geht es ihr?«

»Ihr wurde ins Herz gestochen«, sagte Caris, und ihre Stimme brach. »Sie war schon tot, als du sie gefunden hast.«

Merthin schlug die Augen auf und sah helles Tageslicht. Er hatte lange geschlafen: Der Winkel, in dem die Sonnenstrahlen in die Schlafkammer fielen, verriet ihm, dass es später Vormittag war. An die Ereignisse der vergangenen Nacht erinnerte er sich wie an einen bösen Traum, und einen Augenblick lang erfreute er sich an dem Gedanken, dass dies alles vielleicht gar nicht geschehen war. Doch ihm stach es in der Brust, wenn er atmete, und sein Gesicht war versengt und brannte wie Feuer. Das Entsetzen über den Mord an Tilly und Schwester Nellie überfiel ihn wieder. Zwei unschuldige junge Frauen. Wie konnte Gott zulassen, dass so etwas geschah?

Merthin erkannte, was ihn geweckt hatte, als sein Blick auf Caris fiel, die ein Tablett auf das Tischchen neben dem Bett stellte. Sie wandte ihm den Rücken zu, doch er bemerkte an der Spannung ihrer Schultern und ihrer Kopfhaltung, dass sie wütend war. Es überraschte ihn nicht. Sie trauerte um Tilly und war voller Bitterkeit, dass der heilige Boden des Klosters mit dem Blut unschuldiger Opfer besudelt worden war.

Merthin stand vom Bett auf. Caris zog zwei Schemel an den Tisch, und beide nahmen Platz. Liebevoll betrachtete er Caris' Gesicht. Um ihre Augen zeigten sich Fältchen der Anspannung. Er fragte sich, ob sie geschlafen hatte. Auf ihrer linken Wange waren Ruß und Asche verschmiert, und Merthin leckte sich den Daumen an und wischte den Schmutz sanft fort.

Caris hatte frisches Brot, Butter und einen Krug Apfelmost gebracht. Merthin, hungrig und durstig, griff zu. Caris, die mit ihrem inneren Schmerz zu kämpfen hatte, aß keinen Bissen.

Mit vollem Mund fragte Merthin: »Wie geht es Thomas?«

»Er liegt im Hospital. Er hätte sich beinahe den Schädel gebrochen, hat aber Glück gehabt. Er kann zusammenhängend sprechen und Fragen beantworten, also hat sein Verstand wohl keinen dauerhaften Schaden davongetragen.«

»Wegen Tilly und Nellie wird es eine Untersuchung geben, nicht wahr?«

»Natürlich. Ich habe dem Sheriff von Shiring schon eine Botschaft geschickt.«

»Vermutlich geben sie Tam Hiding die Schuld.«

»Tam Hiding ist tot.«

Merthin nickte. Das Frühstück hatte seine Laune gehoben, doch nun sank seine Stimmung wieder, denn er wusste, was jetzt kam. Er schluckte und schob den Teller von sich fort.

»Wer immer heute Nacht hier eingebrochen ist«, sagte Caris, »er wollte verbergen, wer er war. Also hat er gelogen – ohne zu wissen, dass Tam vor drei Monaten in unserem Hospital gestorben ist.«

»Was meinst du, wer es gewesen sein könnte?«

»Jemand, den wir kennen. Deshalb die Maskierung.«

»Vielleicht.«

»Gesetzlose maskieren sich nicht.«

Da hatte sie recht: Wer außerhalb des Gesetzes lebte, dem war es gleich, ob man ihn erkannte und wusste, welche Verbrechen er verübt hatte. Bei den Räubern der vergangenen Nacht war es anders gewesen. Dass sie Kapuzen getragen hatten, ließ darauf schließen, dass es sich um angesehene Bürger handelte, die fürchten mussten, erkannt zu werden.

Caris fuhr mit gnadenloser Logik fort: »Nellie haben sie ermordet, um Joan dazu zu bringen, die Schatzkammer zu öffnen – aber Tilly hätten sie nicht töten müssen: Als das geschah, waren sie bereits in der Schatzkammer. Tilly musste aus einem anderen Grund sterben. Und die Mörder waren es nicht zufrieden, Tilly liegen zu lassen, damit sie am Rauch erstickte und verbrannte: Sie haben sie erstochen. Aus irgendeinem Grund wollten sie ganz sichergehen, dass sie starb.«

»Und was schließt du daraus?«

Caris beantwortete die Frage nicht direkt. »Tilly glaubte, Ralph wollte sie töten.«

»Ich weiß.«

»Einer dieser Maskierten wollte auch dich umbringen.« Caris versagte die Stimme, und sie musste innehalten. Sie nahm einen Schluck von Merthins Apfelmost, ehe sie fortfuhr: »Aber der Anführer hat ihn aufgehalten. Warum? Sie hatten bereits eine Nonne und eine Edelfrau ermordet. Warum sollten sie da Skrupel haben, dich zu erschlagen, einen einfachen Baumeister?«

»Du glaubst, es war Ralph.«

»Du nicht?«

»Doch.« Merthin seufzte schwer. »Hast du seinen Fäustling gesehen?«

»Ja, er trug Handschuhe.«

Merthin schüttelte den Kopf. »Nur einen. An der linken Hand. Und keinen Fingerhandschuh, sondern einen Fäustling.«

»Um seine Verstümmelung zu verbergen, meinst du?«

»Ich kann es nicht mit Sicherheit sagen, und wir können auch nichts beweisen, aber ich fürchte, so ist es.«

Caris erhob sich. »Sehen wir uns den Schaden an.«

Sie begaben sich zum Kreuzgang der Nonnen. Die Novizen und die Waisen reinigten die Schatzkammer. Säckeweise trugen sie verkohltes Holz und Asche die Wendeltreppe hinauf, lieferten alles, was nicht völlig zerstört war, bei Schwester Joan ab und kippten den Rest auf den Misthaufen.

Auf dem Tisch im Refektorium sah Merthin den Kirchenschatz: goldene und silberne Leuchter, Kruzifixe und Kelche, alles fein gearbeitet und mit kostbaren Steinen besetzt. »Das haben sie nicht mitgenommen?«, fragte er verwundert.

»Doch. Aber dann haben sie es sich offenbar anders überlegt und den Kirchenschatz vor der Stadt in einen Graben geworfen. Ein Bauer, der in die Stadt wollte, um Eier zu verkaufen, hat ihn heute Morgen gefunden. Zum Glück war er ein ehrlicher Mann.«

Merthin nahm ein goldenes Aquamanile auf, ein Gefäß zur Handwaschung in Gestalt eines jungen Hahnes mit wundervoll ziselierten Halsfedern. »So etwas lässt sich nur schwer verkaufen. Das können sich nur wenige Menschen leisten – und von denen würden die meisten wissen, dass es gestohlen ist.«

»Die Räuber hätten es einschmelzen und das Gold verkaufen können.«

»Das war ihnen offenbar zu umständlich.«

»Schon möglich.«

Doch Caris war nicht überzeugt – und Merthin auch nicht: Seine Erklärung passte irgendwie nicht. Der Raubüberfall war allem Anschein nach sorgfältig geplant gewesen. Warum hatten die Verbrecher sich dann nicht im Voraus überlegt, was sie mit dem Kirchenschatz anstellen wollten? Ihn mitnehmen oder zurücklassen?

Caris und Merthin stiegen die Stufen in die Schatzkammer hinunter. Merthins Magen verkrampfte sich vor Furcht, als er an die

Ereignisse der vergangenen Nacht erinnert wurde. Novizinnen säuberten die Wände und den Boden mit Bürsten und Zubern.

Caris schickte sie in eine Pause. Als sie mit Merthin allein war, nahm sie ein Holzbrett aus einem Regal und stemmte damit eine Bodenplatte hoch. Merthin war zuvor nicht aufgefallen, dass die Platte nicht so passgenau war wie die anderen, sondern von Ritzen und Spalten umrahmt wurde. Nun sah er, dass sich unter der Platte ein Hohlraum verbarg, in dem eine Holztruhe stand. Caris nahm sie heraus und öffnete sie mit einem Schlüssel an ihrem Gürtel. Die Truhe war voller Goldmünzen.

Merthin rief erstaunt: »Sie haben es übersehen!«

»Hier gibt es noch drei andere versteckte Kammern«, erklärte Caris. »Eine weitere im Boden und zwei in den Wänden. Sie haben alle vier übersehen.«

»Dann können sie nicht sehr gründlich nachgeschaut haben. Die meisten Schatzkammern haben Verstecke. Das weiß man doch.«

»Besonders als Räuber.«

»Also ging es ihnen vielleicht nicht in erster Linie um das Geld.«

»Genau.« Caris verschloss die Truhe und stellte sie zurück.

»Wenn die Räuber den Kirchenschatz nicht wollten, und wenn ihnen auch nicht so viel am Geld gelegen war, dass sie die Schatzkammer gründlich nach Geheimverstecken durchsucht haben, warum sind sie dann überhaupt hergekommen?«

»Um Tilly zu töten. Der Raub war nur Tarnung.«

Merthin überlegte. »Aber wenn es ihnen nur darum ging, Tilly zu ermorden, hätten sie es im Dormitorium tun können und wären lange wieder fort gewesen, ehe die Nonnen von der Matutin zurückkamen. Und hätten sie den Mord geschickt verübt – etwa durch Ersticken mit einem Federkissen –, hätten wir vielleicht nie bemerkt, dass Tilly umgebracht wurde. Es hätte ausgesehen, als wäre sie im Schlaf gestorben.«

»Dann gibt es keine Erklärung für den Überfall. Sie haben so gut wie nichts erbeutet, nur ein paar Goldmünzen.«

Merthin ließ den Blick durch den Keller schweifen. »Wo sind die Urkunden?«, fragte er.

»Sie müssen verbrannt sein. Aber ich habe von jeder eine Abschrift.«

»Pergament brennt nicht sehr gut.«

»Ich habe nie versucht, welches anzustecken.«

»Es glimmt und schwelt, aber es fängt kein Feuer.«

»Vielleicht wurden die Freibriefe aus den Trümmern geborgen.«

»Schauen wir nach.«

Sie stiegen die Treppe hinauf und verließen den Keller. Im Kreuzgang fragte Caris: »Schwester Joan, hast du Pergament in der Asche gefunden?«

Sie schüttelte den Kopf. »Kein bisschen.«

»Könntest du es übersehen haben?«

»Eigentlich nicht – es sei denn, es war zu Asche verbrannt wie alles andere.«

»Merthin sagt, Pergament brennt überhaupt nicht.« Caris wandte sich ihm zu. »Wer könnte denn Interesse an unseren Urkunden haben? Sie sind für niemanden von Nutzen.«

Merthin folgte ihrem Gedankengang, nur um zu sehen, wohin er führte. »Angenommen, es gibt ein Dokument, hinter dem die Halunken her sind und das du hast ... oder haben *könntest* ... oder von dem sie *glauben*, dass du es hast ...«

»Was könnte das sein?«

Merthin runzelte die Stirn. »Solche Dokumente sind für die Öffentlichkeit bestimmt. Der Sinn, so etwas aufzuschreiben, liegt ja vor allem darin, dass Leute es sich in der Zukunft ansehen können. Ein geheimes Dokument wäre etwas Merkwürdiges ...«

Er verstummte, denn ihm fiel etwas ein. Er zog Caris von Joan weg und ging mit ihr den Kreuzgang entlang, bis er sicher war, dass niemand hören konnte, was sie sprachen. Dann sagte er: »Caris, wir *wissen* von einem geheimen Dokument!«

»Der Brief, den Thomas damals im Wald vergraben hat!«

»Stimmt.«

»Aber wie kann jemand auf den Gedanken kommen, dass dieser Brief in der Schatzkammer des Nonnenklosters liegt?«

»Denk nach! Ist in letzter Zeit irgendetwas geschehen, das einen solchen Verdacht hätte wecken können?«

Entsetzen spiegelte sich auf Caris' Gesicht. »O Gott!«, rief sie aus.

»Es gibt also etwas?«, fragte Merthin aufgeregt.

»Ich habe dir doch erzählt, dass Königin Isabella uns vor vielen Jahren Lynn Grange gestiftet hat, den Hof bei Norfolk, und dass als Gegenleistung Thomas hier im Kloster aufgenommen wurde?«

»Ja, sicher. Hast du mit jemandem darüber gesprochen?«

»Ja, mit dem Aufseher von Lynn. Thomas war wütend darüber und sagte, es würde schlimme Folgen haben.«

»Also hat jemand Angst, Thomas' geheimer Brief könnte in deine Hände gelangt sein.«

»Ralph?«

»Ich glaube nicht, dass Ralph von dem Brief weiß. Damals habe ich als Einziger von uns Kindern zugeschaut, wie Thomas ihn vergraben hat, und er hat ihn bestimmt nie erwähnt. Ralph muss im Auftrag von jemand anderem gehandelt haben.«

Caris blickte ängstlich drein. »Königin Isabella?«

»Oder dem König selbst.«

»Wäre es möglich, dass Ralph vom König den Befehl erhalten hat, ins Kloster einzubrechen?«

»Nicht vom König persönlich. Er hätte einen Mittelsmann benutzt, jemanden, der zuverlässig, ehrgeizig und völlig ohne Skrupel ist. Ich bin solchen Männern in Florenz begegnet; sie hielten sich stets im Dunstkreis der Mächtigen auf. Sie sind der Abschaum der Erde.«

»Ich frage mich, wer es war.«

»Ich hab da eine Ahnung …«, sagte Merthin.

Zwei Tage später traf Sir Gregory Longfellow sich im Lehnshaus in Wigleigh mit Ralph und Alan. Wigleigh war unauffälliger als Tench. Auf Tench Hall gab es zu viele Leute, die jeden Schritt Ralphs beobachteten: Diener, Gefolgsleute und seine Eltern. In Wigleigh hingegen waren die Bauern mit ihrer Knochenarbeit beschäftigt, und niemand hätte Ralph zu fragen gewagt, was in dem Sack sei, den Alan bei sich trug.

»Ich nehme an, alles verlief wie geplant«, sagte Gregory. Die Nachricht vom Überfall auf das Nonnenkloster hatte sich in Windeseile im ganzen Land verbreitet.

»Ohne große Schwierigkeiten«, sagte Ralph. Gregorys verhaltene Reaktion enttäuschte ihn ein wenig. Nach all den Problemen bei der Beschaffung der Urkunden hätte Gregory durchaus ein bisschen Begeisterung zeigen können.

»Der Sheriff hat natürlich eine Untersuchung angeordnet«, sagte Gregory mürrisch.

»Man wird irgendwelchen Gesetzlosen die Schuld geben.«

»Hat man euch nicht erkannt?«

»Wir haben Kapuzen getragen.«

Gregory blickte Ralph seltsam an. »Ich wusste gar nicht, dass Eure Frau im Nonnenkloster war.«

»Eine glückliche Fügung«, erwiderte Ralph, »die es mir erlaubt hat, zwei Fliegen mit einer Klappe zu schlagen.«

Der eigentümliche Ausdruck auf Gregorys Gesicht verstärkte sich. Was dachte der Advokat? Wollte er so tun, als wäre er schockiert, dass Ralph seine Frau ermordet hatte? Wenn ja, würde Ralph ihn darauf hinweisen, dass er sein Komplize war, sowohl beim Mord als auch beim Raub; schließlich hatte Gregory ihn zu der Tat angestiftet. Ralph wartete, dass Gregory etwas sagte, doch nach einer langen Pause des Schweigens hörte er nur: »Lasst uns jetzt die Urkunden ansehen.«

Sie schickten Vira, die Haushälterin, auf einen langen Botengang. Ralph befahl Alan, vor der Tür Posten zu stehen und alle etwaigen Besucher abzuweisen. Dann schüttete Gregory die Urkunden aus dem Sack auf den Tisch, machte es sich bequem und begann die Papiere durchzusehen. Einige waren zusammengerollt und wurden von einer Schnur gehalten; andere waren gebündelt und ebenfalls verschnürt; wieder andere waren zu kleinen Büchern zusammengenäht. Gregory entfaltete das erste Dokument und las im hellen Sonnenlicht, das durch die offenen Fenster fiel, die ersten Zeilen; dann warf er die Urkunde in den Sack und nahm sich die nächste.

Ralph wusste nicht, wonach Gregory eigentlich suchte. Der Advokat hatte nur gesagt, das Schriftstück könne den König in Verlegenheit bringen. Ralph konnte sich nicht vorstellen, woher Caris ein Dokument besitzen sollte, das einem König Schwierigkeiten bereiten konnte.

Bald langweilte es Ralph, Gregory beim Durchstöbern der Urkunden zuzuschauen, doch er wollte den Advokaten keinesfalls allein lassen. Er hatte Gregory geliefert, was er wünschte, und würde sitzen bleiben, bis Gregory seinen Teil der Abmachung bestätigte.

Der hochgewachsene Advokat arbeitete sich geduldig durch die Dokumente. Eine Urkunde weckte seine Aufmerksamkeit, und er las sie vom Anfang bis zum Ende, doch dann warf er sie zu den anderen in den Sack.

Ralph und Alan hatten den größten Teil der vergangenen Woche in Bristol verbracht. Dass man sie nach ihrem Aufenthalt fragte, stand kaum zu befürchten; dennoch hatten sie Vorsichtsmaßnahmen getroffen: Sie hatten jede Nacht in Schänken gezecht, nur nicht an dem Abend, an dem sie nach Kingsbridge geritten waren. Ihre Zechkumpane würden sich erinnern, von Ralph und Alan freigehalten worden zu sein, sich aber nicht entsinnen, dass die beiden an einem bestimmten Abend nicht da gewesen waren – und wenn, wüssten sie bestimmt nicht, ob am vierten Mittwoch nach Ostern oder am drittletzten Donnerstag vor Pfingsten.

Schließlich hatte Gregory die Dokumente durchgesehen, und der Sack war wieder voll. Ralph fragte: »Habt Ihr nicht gefunden, was Ihr sucht?«

Gregory ließ die Frage unbeantwortet. »Habt Ihr alles mitgebracht?«

»Alles.«

»Gut.«

»Aber was Ihr sucht, ist nicht dabei?«, wiederholte Ralph seine Frage.

Wie stets, wählte Gregory seine Worte mit Bedacht. »Das gesuchte Dokument war nicht darunter. Ich bin jedoch auf eine Besitzurkunde gestoßen, die erklären könnte, weshalb die … Frage in den letzten Monaten aufgekommen ist.«

»Also seid Ihr zufrieden?«, beharrte Ralph.

»Ja.«

»Und der König braucht sich keine Sorgen mehr zu machen?«

Gregory wirkte ungeduldig. »Ihr solltet Euch nicht mit den Sorgen des Königs belasten. Das übernehme ich.«

»Dann kann ich umgehend mit meiner Belohnung rechnen?«

»Aber ja«, sagte Gregory. »Zur Erntezeit sollt Ihr der Graf von Shiring sein.«

Ralph hätte jubeln können. Graf von Shiring! Endlich! Er hatte errungen, wonach er sich immer gesehnt hatte – und sein Vater lebte noch, sodass er davon erfahren und stolz auf seinen jüngeren Sohn sein würde! »Ich danke Euch«, sagte er.

»An Eurer Stelle«, gab Gregory zurück, »würde ich um Lady Philippa werben.«

»Werben?« Ralph sah ihn erstaunt an.

Gregory zuckte mit den Schultern. »Sie hat in der Sache natürlich keine Wahl. Dennoch sollte man die Form wahren. Sagt ihr, der König habe Euch erlaubt, um ihre Hand anzuhalten. Sagt ihr: ›Ich hoffe, Ihr lernt mich so sehr zu lieben, wie ich Euch liebe.‹«

»Oh«, sagte Ralph. »Also gut.«

»Und bringt ihr ein Geschenk mit«, fügte Gregory hinzu.

Am Morgen des Tages, an dem Tilly zu Grabe getragen wurde, trafen sich Caris und Merthin bei Sonnenaufgang auf einer Arbeitsplattform hoch oben an der Westfassade der Kathedrale.

Allein der Blick auf das Dach des Gotteshauses war überwältigend. Die Fläche des Schiefers zu berechnen, mit dem es gedeckt war, hätte selbst die gelehrten Mathematiker an der Universität zu Oxford vor einige Probleme gestellt. Maurer, Steinmetze und andere Bauhandwerker brauchten wegen der Instandhaltungsarbeiten ständigen Zugang zum Dach; deshalb verband ein Flechtwerk aus Laufstegen und Leitern die Schrägen und Firste, Winkel und Regenrinnen, Türmchen und Fialen, Rohre und Wasserspeier. Der Bau des neues Turms war noch nicht in Angriff genommen worden, doch vom höchsten Punkt der Westfassade hatte man dessen ungeachtet einen beeindruckenden Ausblick.

In der Priorei herrschte bereits rege Geschäftigkeit: Es wurde eine große Beerdigung. Im Leben hatte Tilly keine Bedeutung besessen, doch nun war sie das Opfer eines berüchtigten Mörders, eine adlige Dame, in einem Nonnenkloster ermordet; sie wurde von Menschen betrauert, die nie auch nur drei Worte mit ihr gewechselt hatten. Weil nach wie vor die Gefahr bestand, sich mit der Pest anzustecken, hätte Caris die Trauernden gern abgewiesen, doch sie durfte es nicht.

Der Bischof war bereits eingetroffen und belegte das beste Zimmer im Priorspalast, sodass Caris und Merthin die Nacht getrennt verbracht hatten – sie im Dormitorium, Merthin und Lolla im Holly Bush. Ralph, der gramgebeugte Witwer, bewohnte ein Privatgemach im Obergeschoss des Hospitals. Um seinen kleinen Sohn Gerry kümmerten sich die Nonnen. Lady Philippa und ihre Tochter Odila, die einzigen noch lebenden Verwandten des ermordeten Mädchens, hatten ebenfalls ein Zimmer im Hospital belegt.

Weder Merthin noch Caris hatten mit Ralph gesprochen, nachdem er am Vortag eingetroffen war. Sie konnten nichts tun. Es gab keine Möglichkeit, Tilly Gerechtigkeit zu verschaffen, denn sie konnten nichts beweisen; dennoch glaubten sie die Wahrheit zu kennen. Doch bislang hatten sie niemandem gesagt, was sie vermuteten. Welchen Sinn hätte das gehabt? Während der Trauerfeierlichkeiten mussten sie so tun, als stünde zwischen ihnen und Ralph alles zum Besten. Das würde nicht leicht für sie sein.

Während die wichtigen Persönlichkeiten noch schliefen, arbeiteten die Nonnen und Bediensteten der Priorei an der Vorbereitung des Leichenschmauses. Von der Backstube stieg Rauch auf; dort lagen schon Dutzende langer, vierpfündiger Weißbrote im Ofen. Zwei Männer rollten ein Fass Wein zum Priorspalast. Mehrere Novizinnen stellten für die gemeinen Trauernden Bänke und einen langen Tisch auf dem Rasen des Kathedralenvorplatzes auf.

Als die Sonne über den Fluss stieg und gelbes Licht über die Hausdächer von Kingsbridge warf, betrachtete Caris aus luftiger Warte die Wunden, die der Stadt von neun Monaten Pest geschlagen worden waren. Aus dieser Höhe sahen die Lücken in den Häuserreihen wie ausgefallene Zähne aus. Zwar entstanden immer wieder Lücken, wenn Holzhäuser sich an einer Straße reihten – durch Feuer, Regenschäden, schlampige Bauweise oder einfach durch ihr Alter –, nur war es hier in Kingsbridge so, dass niemand sich die Mühe machte, die Häuser instand zu setzen. Wem das Haus einstürzte, der zog eben in ein von der Pest leer stehendes Gebäude auf der gleichen Straße. Der Einzige, der noch Häuser baute, war Merthin, und ihn betrachtete man als verrückten Träumer, der sein Geld zum Fenster hinauswarf.

Auf der anderen Seite des Flusses waren die Totengräber auf dem neuesten, frisch geweihten Friedhof bereits an der Arbeit, denn die Pest wollte nicht nachlassen. Wie würde das enden? Würden die Menschen weiterhin wie die Fliegen sterben? Würden die Häuser weiterhin zusammenstürzen, eines nach dem anderen, bis die Stadt nur noch menschenleeres Ödland aus zerborstenen Ziegeln und verkohlten Balken war, in dessen Mitte eine verlassene Kathedrale emporragte?

»Das werde ich nicht zulassen«, sagte Caris.

Merthin begriff zunächst nicht. »Das Begräbnis?«, fragte er stirnrunzelnd.

Caris machte eine ausholende Gebärde, mit der sie die Stadt und die ganze Welt einschloss. »Alles. Betrunkene, die sich gegenseitig zu Krüppeln schlagen. Eltern, die ihre kranken Kinder auf der

Schwelle des Hospitals zurücklassen. Männer, die Schlange stehen, um auf einem Tisch vor dem White Horse eine Betrunkene zu ficken. Vieh, das auf den Weiden stirbt. Halb nackte Büßer, die sich erst geißeln und dann Pennys von den Umstehenden erbetteln, um das Geld zu versaufen. Und vor allem, dass eine junge Mutter in meinem Kloster brutal ermordet wird. Mir ist es gleich, ob wir alle an der Pest sterben. Aber solange wir noch leben, werde ich nicht zulassen, dass unsere Welt in Scherben fällt.«

»Was wirst du tun?«

Sie lächelte Merthin dankbar an. Die meisten Leute hätten ihr gesagt, dass ja doch alles vergebens sei und dass man den Dingen machtlos gegenüberstehe, doch Merthin glaubte ihr. Caris blickte auf die gemeißelten Steinengel an einer Fiale; die Gesichter waren vom Wind und Regen Hunderter Jahre abgeschliffen und kaum noch zu erkennen. Dennoch gemahnten sie Caris an den unbeugsamen Geist, der die Erbauer dieser Kathedrale erfüllt und dazu angetrieben hatte, dieses gewaltige Gotteshaus allen Widrigkeiten zum Trotz zu errichten. Es durfte nicht so weit kommen, dass die Kathedrale sich bald als sinnloses Mahnmal inmitten einer toten Stadt erhob. »Wir müssen dafür sorgen, dass die Bürger von Kingsbridge neuen Mut fassen und ihr Leben wieder in die Hand nehmen. Wir müssen diese Stadt neu aufbauen, trotz der Pest. Und jetzt ist der richtige Zeitpunkt, damit anzufangen.«

»Weil alle wegen Tilly so wütend sind?«

»Und weil alle sich fürchten, dass nachts Bewaffnete in die Stadt kommen und plündern und morden. Die Leute glauben, dass niemand mehr sicher ist.«

»Und was willst du tun?«

»Ich werde ihnen sagen, dass so etwas nie wieder geschehen darf.«

⊠

»Das darf nie wieder geschehen!«, rief Caris, und ihre Stimme gellte über den Friedhof und hallte von den alten grauen Mauern der Kathedrale wider.

Während einer Messe durfte keine Frau je das Wort ergreifen, doch bei einer Beisetzung war es anders, denn sie wurde außerhalb der Kirche abgehalten und war die einzige Gelegenheit, dass Laien – Verwandte oder Freunde der Verstorbenen – eine Rede hielten oder laut beteten.

Doch Caris wagte sich weit vor. Bischof Henri leitete die Zeremonie, begleitet von Erzdiakon Lloyd und Kanonikus Claude. Lloyd war seit Jahrzehnten der Diözesanverwalter, und Claude war mit Henri aus Frankreich angereist. In Gesellschaft solch hochrangiger Geistlicher war es geradezu verwegen, wenn eine Nonne eine unangekündigte Ansprache hielt.

Caris hatten solche Überlegungen freilich nie viel bedeutet.

Sie sprach, während der kleine Sarg in die Grube gesenkt wurde. Viele Trauergäste – es waren wenigstens fünfhundert an der Zahl – brachen in Tränen aus. Doch alle verstummten, als Caris' Stimme erklang.

»Mörder sind in der Nacht in unsere Stadt gekommen. Sie haben im Kloster, auf heiligem Boden, diese junge Frau umgebracht. Gibt es ein verabscheuungswürdigeres Verbrechen? Nein!«, rief sie.

In der Menge erhob sich beipflichtendes Murmeln.

Caris hob die Stimme. »Ich lasse mir das nicht bieten! Die Priorei lässt es sich nicht bieten! Der Bischof lässt es sich nicht bieten! Und die Männer und Frauen von Kingsbridge lassen es sich nicht bieten!«

Die Zustimmung wurde lauter. »Nein!«, rief die Menge, und: »Amen!«

»Man sagt, Gott habe die Pest geschickt. Ich sage: Wenn Gott den Regen schickt, stellen wir uns unter. Wenn Gott den Winter schickt, entfachen wir ein Feuer. Wenn Gott Unkraut sät, reißen wir es an der Wurzel aus. Wir müssen uns verteidigen!«

Sie blickte Bischof Henri an. Er wirkte unschlüssig. Niemand hatte ihm diese Predigt angekündigt, und wäre er um Erlaubnis gebeten worden, hätte er sie verweigert; doch er merkte, dass die Städter auf Caris' Seite standen, und so wagte er es nicht, sich einzumischen.

»Was können wir tun?«

Caris blickte in die Runde. Alle Augen waren erwartungsvoll auf sie gerichtet. Die Leute wussten nicht mehr, was sie tun sollten, und hingen gebannt an Caris' Lippen. Was immer sie vorschlug, die Menge würde es bejubeln, wenn es ihnen nur Hoffnung schenkte.

»Wir müssen die Stadtmauer wiedererrichten!«, rief Caris.

Tosender Beifall erklang.

»Eine neue Mauer, die höher, stärker und länger ist als die alte.« Sie begegnete Ralphs Blick. »Eine Mauer, die Mörder aus Kingsbridge fernhält!«

Die Menge rief: »Ja!« Ralph schaute zur Seite.

»Und wir müssen einen neuen Büttel wählen und neue Stadt-knechte und Hilfsbüttel einstellen, die das Gesetz aufrechterhalten und Ausschweifungen verhindern.«

»Ja!«

»Heute Abend trifft sich der Gemeinderat, um die Einzelheiten auszuarbeiten. Die Entscheidungen des Rates werden nächsten Sonntag in der Kathedrale bekannt gegeben. Ich danke euch. Gott segne euch alle.«

✠

Beim Leichenschmaus im großen Speisesaal des Priorenhauses saß Bischof Henri am Kopf der Tafel, zu seiner Rechten Lady Philippa, die verwitwete Gräfin von Shiring. Neben ihr wiederum saß der Hauptleidtragende des Dramas, Tillys Witwer Sir Ralph Fitzgerald.

Ralph war entzückt, neben Philippa zu sitzen, denn so konnte er ihre Brüste anstarren, während sie sich auf das Essen konzen-trierte, und jedes Mal, wenn sie sich vorbeugte, spähte er in den rechteckigen Ausschnitt ihres leichten Sommerkleides. Sie wusste es noch nicht, doch die Zeit war nicht fern, da Ralph ihr befehlen konnte, sich auszuziehen und nackt vor ihn hinzustellen, sodass er diese wunderbaren Brüste ausgiebig betrachten konnte.

Das Essen, für das Caris gesorgt hatte, war reichlich, aber nicht allzu ausgefallen. Weder gab es vergoldete Schwäne noch Zucker-türme, aber viel Braten, gekochten Fisch, frisches Brot, Bohnen und Frühlingsbeeren. Ralph reichte Philippa eine Schale mit einer Suppe aus Hühnerklein und Mandelmilch.

Sie sagte ernst: »Welch eine entsetzliche Tragödie für Euch! Ihr habt mein tiefstes Mitgefühl.«

Die Menschen nahmen so viel Anteil, dass Ralph sich manchmal selbst als das bemitleidenswerte Opfer eines grausamen Schicksals vorkam und ganz vergaß, dass er es gewesen war, der Tilly das Mes-ser ins junge Herz gestoßen hatte. »Ich danke Euch«, sagte er feier-lich. »Meine geliebte Tilly war noch so jung! Doch ein Soldat wie ich ist an den plötzlichen Tod gewöhnt. An einem Tag rettet Euch ein wackerer Mann das Leben, und Ihr schwört ihm ewige Freundschaft und Treue; am nächsten Tag trifft ihn ein Armbrustbolzen ins Herz, und bald habt Ihr ihn vergessen.«

Philippa musterte ihn mit einem eigentümlichen Blick ähnlich dem, mit dem Sir Gregory ihn bedacht hatte: eine Mischung aus

Neugier und Abscheu. Ralph fragte sich verwundert, was diese Reaktion hervorgerufen haben konnte.

Philippa sagte: »Ihr habt einen kleinen Jungen.«

»Ja, Gerald heißt er, nach meinem Vater. Die Nonnen kümmern sich heute um ihn, aber morgen nehme ich ihn mit heim nach Tench Hall. Ich habe eine Amme gefunden.« Er erkannte eine Gelegenheit, einen diskreten Hinweis zu geben: »Natürlich braucht er wieder eine richtige Mutter.«

»Ja.«

Ralph erinnerte sich an Philippas Verlust. »Ihr wisst ja selbst, wie es ist, den Gemahl zu verlieren.«

»Mir war das große Glück beschieden, einundzwanzig Jahre an der Seite meines geliebten William verbringen zu dürfen.«

»Umso einsamer müsst Ihr jetzt sein.« Es war vielleicht nicht der richtige Augenblick, sich ihr zu erklären, doch Ralph wollte das Gespräch unbedingt auf dieses Thema lenken.

»Allerdings. Ich habe meine drei Männer verloren – William und unsere beiden Söhne. Die Burg kommt mir schrecklich leer vor.«

»Vielleicht nicht mehr für lange. Hört Ihr denn nicht, dass schon ein liebendes Herz für Euch schlägt?«

Sie sah ihn abschätzig an, als traute sie ihren Ohren nicht, und ihm wurde klar, dass er ein bisschen zu weit gegangen war. Lady Philippa wandte sich zur anderen Seite und begann ein Gespräch mit Bischof Henri.

Rechts von Ralph saß Philippas Tochter Odila. »Mögt Ihr Pastete?«, fragte Ralph. »Sie ist aus Pfauen und Hasen.« Sie nickte, und er legte ihr eine Scheibe auf. »Wie alt seid Ihr?«, fragte er.

»Ich werde dieses Jahr fünfzehn.«

Sie war groß und hatte bereits die Figur ihrer Mutter: einen vollen Busen und breite, frauliche Hüften. »Ihr seht älter aus«, sagte Ralph und starrte auf ihre Brüste.

Ralph hatte ein Kompliment machen wollen – junge Menschen wünschten sich im Allgemeinen, älter zu erscheinen, als sie waren –, doch Odila errötete und schaute weg.

Ralph starrte auf sein Schneidebrett und spießte ein Stück mit Ingwer gewürztes Schweinefleisch auf. Mürrisch kaute er darauf herum. Was Gregory als »Werben« bezeichnet hatte, war wirklich nicht seine Stärke.

Caris saß links von Bischof Henri; Merthin als Ratsältester hatte neben ihr Platz genommen. Neben Merthin wiederum saß Sir Gregory Longfellow, der vor drei Monaten zum Begräbnis von Graf William gekommen war und die Grafschaft seither nicht wieder verlassen hatte. Caris musste ihren Abscheu unterdrücken, mit dem Mörder Ralph und dem Mann, der ihn mit ziemlicher Sicherheit zu der Tat angestiftet hatte, an einem Tisch zu sitzen. Doch sie durfte sich dadurch nicht von ihrem Plan abbringen lassen, den Bürgern Kingsbridges wieder Mut und Zuversicht zu geben. Der Wiederaufbau der Stadtmauer war nur der erste Schritt. Um den zweiten Schritt tun zu können, musste sie Bischof Henri auf ihre Seite bringen.

Sie schenkte ihm einen Kelch Rotwein aus der Gascogne ein, und er nahm einen tiefen Zug, wischte sich den Mund ab und sagte: »Ihr versteht Euch auf eine Ansprache.«

»Danke«, sagte Caris, doch ihr war der ironische Tadel in seinen Worten nicht entgangen. »In dieser Stadt verkommt das Leben zu Unordnung und Ausschweifung. Da werdet Ihr mir sicher beipflichten.«

»Es ist ein wenig zu spät, mich nach meiner Meinung zu fragen. Aber ich gebe Euch recht.« Bischof Henri war ein Vernunftmensch, der verlorene Schlachten nicht noch einmal schlug. Genau darauf hatte Caris gezählt.

Sie nahm sich mit Pfeffer und Nelken gerösteten Reiher, aß aber noch nichts, denn es gab noch viel zu sagen. »Mein Plan erschöpft sich nicht mit dem Wiederaufbau der Stadtmauer und der Einstellung neuer Büttel.«

»Das dachte ich mir bereits.«

»Ich glaube, Ihr als Bischof von Kingsbridge solltet die höchste Kathedrale von ganz England haben!«

Er zog die Brauen hoch. »Meint Ihr?«

»Vor zweihundert Jahren war Kingsbridge eine der wichtigsten Prioreien des Landes. So sollte es wieder werden. Ein neuer Kirchturm wäre das Symbol der Neubelebung – und Eures Ranges unter den Bischöfen.«

Henri lächelte schief, doch er war erfreut. Ihm war bewusst, dass Caris ihm schmeichelte, und das gefiel ihm.

Caris sagte: »Der Turm würde auch der Stadt nutzen, denn er wäre aus weiter Ferne zu sehen und würde Pilgern und Händlern den Weg hierher weisen.«

»Aber wie wollt Ihr den Bau bezahlen?«

»Die Priorei ist reich.«

Wieder blickte Henri sie überrascht an. »Prior Godwyn hat stets über Geldmangel geklagt!«

»Er war ein schlechter Wirtschafter.«

»Mir kam er ziemlich tüchtig vor.«

»Vielen Leuten kam er tüchtig vor, aber er hat stets die falschen Entscheidungen getroffen. Gleich zu Anfang hatte er sich geweigert, die Walkmühle reparieren zu lassen, die ihm ein Einkommen verschafft hätte; doch für seinen Priorspalast hat er Unsummen ausgegeben.«

»Und inwieweit hat sich etwas geändert?«

»Ich habe die meisten Vögte entlassen und durch jüngere Männer ersetzt, die bereit sind, am Umschwung in Kingsbridge mitzuarbeiten. Die Hälfte des Landes habe ich in Weiden umwandeln lassen, die trotz des Mangels an Arbeitskräften bestellt werden können. Die übrigen Ländereien habe ich verpachtet, ohne den Pächtern die üblichen Pflichten aufzuerlegen. Außerdem haben wir von den Erbschaftssteuern und den Hinterlassenschaften derjenigen profitiert, die ohne Erben an der Pest gestorben sind. Das Mönchskloster ist nun genauso reich wie das Kloster der Nonnen.«

»Und alle Pächter sind frei?«

»Die meisten. Statt einen Tag in der Woche für einen Grundherrn zu arbeiten, sein Heu zu karren, seine Schafe auf seinem Feld einzupferchen und was es sonst noch an Frondiensten gibt, zahlen sie nur Geld. Sie mögen es lieber so – und unser Leben macht es mit Sicherheit einfacher.«

»Viele Grundherren, besonders die Äbte, verschmähen diese Art von Pacht. Sie sagen, es verderbe die Kleinbauern.«

Caris zuckte mit den Schultern. »Was verlieren wir schon dabei? Bloß die Befugnis, bestimmte Hörige zu bevorzugen und andere zu drangsalieren, um sie alle unter der Knute zu halten. Doch es ist nicht die Aufgabe von Mönchen und Nonnen, den Bauern Vorschriften zu machen. Sie wissen selbst am besten, was sie aussäen müssen und auf dem Markt verkaufen können. Sie arbeiten tüchtiger, wenn man ihnen freie Hand lässt.«

Der Bischof blickte misstrauisch drein. »Also glaubt Ihr, die Priorei kann einen neuen Kirchturm bezahlen?«

Er hatte offenbar erwartet, dass sie ihn um mehr Geld anging, vermutete Caris. »Ja, mit Hilfe der Kaufleute dieser Stadt. Und da könntet auch Ihr uns helfen.«

Henri verzog das Gesicht. »Ich dachte mir gleich, dass so etwas kommt.«

»Ich bitte Euch nicht um Geld. Was ich von Euch wünsche, ist mehr wert als Münzen.«

»Da bin ich gespannt!«

»Ich möchte beim König um die Erteilung der Stadtrechte ersuchen.« Als sie diese Frage anschnitt, zitterten Caris die Hände: Sie fühlte sich zehn Jahre in der Zeit zurückversetzt – zu der Auseinandersetzung, die sie mit Godwyn geführt hatte mit dem Ergebnis, dass sie der Hexerei angeklagt worden war. Auch damals war es um die Erteilung der Stadtrechte gegangen, und diesen Kampf hätte sie beinahe mit dem Leben bezahlt. Heute waren die Umstände völlig anders; dennoch waren die Stadtrechte für Kingsbridge nicht weniger wichtig. Caris legte das Essmesser weg und faltete die Hände im Schoß, damit sie ruhig blieben.

»Ich verstehe«, sagte Henri unverbindlich.

Caris schluckte mühsam und fuhr fort: »Die Stadtrechte sind wichtig, damit Kingsbridge wieder erblühen kann. Lange Zeit wurden Handel und Wandel in dieser Stadt durch die Priorei niedergehalten. Prioren sind vorsichtig und stehen jeder Veränderung und Neuerung mit Misstrauen gegenüber. Die Kaufleute jedoch leben von der Veränderung. Denn wenn es keine Veränderung gibt, wenn immerzu alles beim Alten bleibt, bieten sich keine neuen Möglichkeiten, einen Wandel zu bewirken, den Handel zu beleben und Geld zu verdienen, zum Wohle der Stadt und ihrer Bürger. Wenn die Bewohner von Kingsbridge unseren neuen Kirchturm mitbezahlen sollen, müssen wir ihnen neue Freiheiten gewähren!«

»Kingsbridge eine freie Stadt …«, murmelte Henri.

»Ja. Sie hätte ihr eigenes Gericht, könnte eigene Verordnungen erlassen und würde von einem richtigen Stadtrat regiert und nicht von dem Gemeinderat, den wir jetzt haben und der keine wirkliche Macht besitzt.«

»Aber würde der König die Stadtrechte denn erteilen?«

»Es ist doch nur in seinem Sinne, denn freie Städte zahlen hohe Steuern an ihn. In der Vergangenheit hat der Prior von Kingsbridge sich allerdings stets gegen die Erteilung der Stadtrechte gestellt.«

»Nun, die Prioren halten am Althergebrachten fest.«

»Sie sind zaghaft und vorsichtig!«

Der Bischof lachte. »Euch hat bestimmt noch keiner als zaghaft bezeichnet, darauf wette ich.«

»Ich glaube sogar«, fuhr Caris unbeirrt fort, »die Stadtrechte sind unverzichtbar, wenn wir den neuen Turm bauen sollen.«

»Da könntet Ihr recht haben.«

»Also seid Ihr einverstanden?«

»Mit dem Turm oder mit der Erteilung der Stadtrechte?«

»Beides gehört zusammen.«

Henri wirkte belustigt. »Feilscht Ihr mit mir, Mutter Caris?«

»Wenn Ihr am Schluss einwilligt, gern.«

»Also gut. Baut mir einen Turm, und ich helfe Euch, dass Kingsbridge die Stadtrechte erhält.«

»Nein, es muss in umgekehrter Reihenfolge sein. Wir brauchen zuerst die Stadtrechte.«

»Dann müsste ich Euch blind vertrauen.«

»Ist das so schwer?«

»Um ehrlich zu sein – nein.«

»Gut. Dann sind wir uns einig?«

»Ja.«

Caris beugte sich vor und sprach an Merthin vorbei. »Sir Gregory?«

»Ja, Mutter Caris?«

Sie zwang sich, höflich zu ihm zu sein. »Habt Ihr den Hasen in Zuckersoße schon probiert? Ich kann ihn sehr empfehlen.«

Gregory nahm die Schale entgegen und legte sich auf. »Ich danke Euch.«

Caris sagte: »Ihr wisst, dass Kingsbridge keine freie Stadt ist?«

»O ja.« Gregory hatte dies vor mehr als einem Jahrzehnt dazu benutzt, Caris beim Streit um die Walkmühle vor dem königlichen Gericht auszumanövrieren.

»Der Herr Bischof hält es für an der Zeit, beim König um die Erteilung der Stadtrechte nachzusuchen.«

Gregory nickte. »Ich glaube, der König würde solch einer Bitte geneigt sein – besonders, wenn sie ihm auf angemessene Art und Weise vorgelegt wird.«

In der Hoffnung, dass ihr der Abscheu nicht anzumerken war, sagte Caris: »Vielleicht wärt Ihr so freundlich, uns in der Sache zu beraten.«

»Können wir das später im Einzelnen besprechen?«

Gregory würde natürlich ein Bestechungsgeld verlangen, auch wenn er es zweifellos als »Honorar« bezeichnete. »Unbedingt«, sagte Caris und unterdrückte einen Schauder des Ekels.

Die Diener räumten die Tafel ab. Caris blickte auf ihr Schneidbrett. Sie hatte nichts gegessen.

»Unsere Familien sind verwandt«, sagte Ralph zu Lady Philippa. »Nicht eng natürlich«, fügte er rasch hinzu. »Aber mein Vater stammt vom Grafen von Shiring ab, der wiederum der Sohn von Lady Aliena und Jack Builder war.« Über den Tisch hinweg blickte er Merthin an, den Ratsältesten. »Ich glaube, ich habe das Blut des Grafen geerbt, mein Bruder das des Baumeisters.«

Er schaute Philippa ins Gesicht, um zu sehen, wie sie seine Worte aufnahm. Sie wirkte nicht sehr beeindruckt.

»Ich bin im Hause Eures verstorbenen Schwiegervaters aufgewachsen, bei Graf Roland«, fuhr Ralph fort.

»Ich kann mich an Euch als Junker erinnern, ja.«

»Unter Graf William habe ich in Frankreich im Heer des Königs gedient. In der Schlacht von Crécy habe ich dem Fürsten von Wales das Leben gerettet!«

»Dann seid Ihr gewiss ein tapferer Mann«, erwiderte Philippa höflich, aber unverfänglich.

Ralph überlegte fieberhaft, wie er es erreichen konnte, dass sie ihn als Gleichgestellten betrachtete, sodass es natürlicher erschien, wenn er ihr einen Heiratsantrag machte. Doch nichts schien zu ihr durchzudringen oder ihr gar zu imponieren. Sie wirkte gelangweilt und ein wenig verwundert über die Richtung, die das Gespräch nahm.

Der Nachtisch wurde serviert: gezuckerte Erdbeeren, Honigwaffeln, Datteln, Rosinen und gewürzter Wein. Ralph leerte einen Becher Wein und schenkte sich nach in der Hoffnung, dass er dann etwas entspannter mit Philippa reden könnte. Er war sich nicht sicher, weshalb es ihm so schwerfiel, ein normales Gespräch mit ihr zu beginnen. Lag es daran, dass heute seine Frau unter die Erde gebracht worden war? Weil Philippa eine Gräfin war? Weil er seit Jahren hoffnungslos in sie verliebt war? Weil er es nicht fassen konnte, dass nun tatsächlich die Möglichkeit bestand, dass sie seine Frau wurde?

»Wenn Ihr aufbrecht, kehrt Ihr dann nach Earlscastle zurück?«, fragte Ralph.

»Ja. Wir reisen morgen ab.«

»Werdet Ihr lange dort bleiben?«

»Wohin sollte ich denn sonst gehen?« Sie runzelte die Stirn. »Was fragt Ihr?«

»Ich würde Euch gern besuchen, wenn ich darf.«

Ihre Reaktion fiel frostig aus. »Zu welchem Zweck?«

»Ich möchte etwas mit Euch besprechen ... eine Angelegenheit, die zu bereden sich hier und jetzt nicht schicken würde.«

»Wovon sprecht Ihr?«

»Ich werde Euch in den nächsten Tagen besuchen, dann sage ich's Euch.«

Philippa wirkte unwirsch und neugierig zugleich. »Aber was wollt Ihr denn so Wichtiges mit mir bereden?«

»Wie ich bereits sagte, wäre es unschicklich, heute davon zu sprechen.«

»Weil heute Eure Frau zu Grabe getragen wird?«

Ralph nickte.

Lady Philippa erblasste. »O du lieber Gott«, sagte sie. »Ihr wollt doch nicht etwa andeuten ...«

»Bitte, ich möchte heute nicht darüber reden.«

»Aber ich muss es wissen!«, rief Philippa. »Habt Ihr etwa vor, um meine Hand anzuhalten?«

Er zögerte, zuckte die Achseln und nickte.

»Aber mit welchem Recht?«, fragte sie. »Gewiss braucht Ihr dazu doch die Erlaubnis des Königs!«

Ralph sah sie nur an und zog die Brauen hoch.

Unvermittelt erhob sich Philippa. »Nein!«, rief sie. Alles am Tisch blickte zu ihr. Sie starrte Gregory an. »Ist das wahr?«, fragte sie. »Will der König mich mit *dem da* verheiraten?« Mit dem Daumen zeigte sie abfällig auf ihren Verehrer.

Ralph verspürte einen Stich des Zorns und der Enttäuschung. Er hatte nicht erwartet, dass sie einen solchen Abscheu zeigen würde. War er denn so abstoßend?

Gregory blickte Ralph tadelnd an. »Das war nun wirklich nicht der rechte Moment, die Angelegenheit anzusprechen.«

Philippa schrie: »Also ist es wahr! Gott schütze mich!«

Ralph begegnete Odilas Blick. Sie starrte ihn entsetzt an. Ralph konnte es nicht fassen. Was hatte er getan, sich auch die Abneigung der Tochter zu verdienen?

Philippa sagte: »Das ist unerträglich!«

»Warum?«, fragte Ralph. »Was ist so verkehrt daran? Welches Recht habt Ihr, auf mich und meine Familie herabzusehen?« Er blickte sich an der Tafel um: Er schaute seinen Bruder an, seinen Verbündeten Gregory, den Bischof, die Priorin, niedere Edelleute und führende Bürger. Sie alle waren still, schockiert und beeindruckt von Philippas Ausbruch.

Philippa überging Ralphs Frage. An Gregory gerichtet sagte sie: »Ich werde ihn nicht heiraten! Nie und nimmer, versteht Ihr?« Sie war weiß vor Zorn, und Tränen rannen ihr die Wangen hinunter. Ralph weidete sich an ihrer Schönheit, obwohl sie ihn gerade so schmerzhaft zurückgewiesen und gedemütigt hatte.

Gregory erwiderte kühl: »Die Entscheidung liegt nicht bei Euch, Lady Philippa, und ganz gewiss nicht bei mir. Der König tut, wie es ihm gefällt.«

»Ihr könnt mich vielleicht zwingen, ein Brautkleid anzuziehen, und Ihr könnt mich zum Altar führen!«, wetterte Philippa. Sie wies auf Bischof Henri. »Aber wenn Seine Gnaden mich dann fragt, ob ich Ralph Fitzgerald zu meinem angetrauten Ehemann nehmen will, werde ich niemals Ja sagen! Das werde ich nicht! Nie und nimmer!«

Sie stürmte aus dem Zimmer, und Odila folgte ihr.

❊

Als das Bankett vorüber war, gingen die Städter nach Hause, und die wichtigen Gäste zogen sich in ihre Gemächer zurück, um ihren Rausch auszuschlafen. Caris beaufsichtigte das Aufräumen. Philippa tat ihr zutiefst leid, denn anders als sie wusste Caris, dass Ralph seine erste Frau ermordet hatte. Doch sie sorgte sich um das Schicksal einer ganzen Stadt, und so war sie mit ihren Gedanken bei ihren Plänen für Kingsbridge. Es war besser gelaufen, als sie gehofft hatte. Die ganze Stadt hatte ihr zugejubelt, und der Bischof hatte ihren Vorschlägen zugestimmt. Vielleicht würde trotz der Pest doch die Zivilisation nach Kingsbridge zurückkehren.

Vor der Hintertür, wo ein großer Abfallhaufen aus Knochen und Brotrinden lag, entdeckte sie Godwyns Katze, Erzbischof, wie sie genüsslich den Kadaver einer Ente verspeiste. Caris jagte das Tier davon. Es flitzte ein paar Schritte und verfiel dann in einen steifbeinigen Gang; arrogant hielt es den Schweif mit der weißen Spitze aufrecht.

Gedankenverloren stieg Caris die Treppe im Priorspalast hinauf. Sie überlegte, wie sie die gewaltigen Veränderungen vornehmen sollte, für die Bischof Henri ihr seinen Segen erteilt hatte. Ohne innezuhalten öffnete sie die Tür der Schlafkammer, die sie mit Merthin teilte, und ging hinein.

Sie blieb wie angewurzelt stehen. Zwei Männer waren im Zimmer: Bischof Henri und Kanonikus Claude. Beide waren nackt, hielten sich umarmt und küssten sich mit feuriger Leidenschaft.

Caris starrte auf die Liebhaber. »Oh!«, stieß sie hervor.

Bischof und Kanonikus hatten die Tür nicht gehört, und so war ihnen gar nicht bewusst gewesen, dass sie beobachtet wurden. Als sie nun Caris' erstaunten Ausruf hörten, fuhren beide zu ihr herum. Auf Henris Gesicht trat ein Ausdruck grellen Entsetzens, und er riss den Mund auf.

»Tut mir leid!«, rief Caris.

Die Männer sprangen voneinander fort, als hofften sie, dadurch abstreiten zu können, was zwischen ihnen vorging; dann fiel ihnen ein, dass sie beide nackt waren. Henri war füllig, mit rundem Bauch und dicken Armen und Beinen; auf seiner Brust sprießte graues Haar. Claude war jünger und schlanker und hatte nur sehr wenig Körperbehaarung, sah man von dem kastanienbraunen Fleck an seinen Lenden ab. Caris hatte noch nie zwei erigierte Glieder gleichzeitig gesehen.

»Ich bitte um Vergebung!«, rief sie und wurde rot vor Verlegenheit. »Mein Fehler! Ich hatte ganz vergessen …«

Sie verstummte, während Henri und Claude wie vom Donner gerührt vor ihr standen. Caris und die beiden Kirchenmänner starrten einander in dumpfem Schweigen an. Niemandem fiel etwas ein, was die Lage hätte retten können.

Schließlich löste Caris sich aus ihrer Starre, wich aus dem Zimmer zurück und schlug die Tür hinter sich zu.

❖

Merthin verließ das Bankett in Begleitung von Madge Webber. Er mochte die kleine, stämmige Frau mit dem vorstehenden Kinn und dem prallen Hinterteil. Er bewunderte, wie Madge den Mut bewahrt hatte, nachdem ihr Mann und ihre Kinder an der Pest gestorben waren. Sie hatte das Geschäft weitergeführt, webte Tuch und färbte es nach Caris' Rezeptur rot. Nun sagte sie zu Merthin: »Caris hat wie immer recht. So kann es nicht weitergehen.«

»Wenigstens Ihr habt weitergemacht wie immer.«

Madge seufzte. »Aber es ist schwer, Helfer zu finden.«

»Das geht jedem so. Ich finde keine Maurer.«

»Rohwolle ist billig geworden, aber die reichen Leute zahlen noch immer gute Preise für Kingsbridger Scharlach«, sagte Madge. »Ich könnte mehr verkaufen, wenn ich mehr herstellen könnte.«

Merthin erwiderte nachdenklich: »Ich habe in Florenz einen Webstuhl gesehen, der mit einem Fußpedal bedient wird. Er arbeitet schneller als die englischen Webstühle.«

»Ach?« Madge blickte ihn mit wacher Neugierde an. »Ich hab noch nie davon gehört.«

Merthin fragte sich, wie er es erklären sollte. »In jedem Webstuhl streckt man doch eine Anzahl Fäden über den Rahmen, um die sogenannte Kette zu bilden, und webt einen anderen Faden rechtwinklig hindurch, unter dem einen Faden weg und über den nächsten drüber, dann wieder drunter her und so fort – von einer Seite zur anderen, um den Schussfaden zu bilden.«

»So geht es bei einem einfachen Webstuhl, ja. Unsere sind besser.«

»Ich weiß. Damit es schneller geht, befestigt Ihr jeden zweiten Kettfaden an einem beweglichen Metalldraht, der Helfe heißt, sodass die Hälfte der Fäden vom Rest weggehoben wird, sobald man die Helfe zieht. Anstatt mit dem Schussfaden immer wieder hoch- und runterzufahren, könnt Ihr ihn mit einer leichten Bewegung ganz durch die Lücken ziehen. Dann senkt man die Helfe für den zweiten Durchgang unter den Kettfaden.«

»Ja. Außerdem ist der Schussfaden auf einer Spule aufgewickelt, der Bobine.«

»Richtig, und jedes Mal, wenn Ihr diese Spule von links nach rechts durch den Kettfaden gezogen habt, müsst Ihr sie absetzen, mit beiden Händen die Helfe bewegen, die Spule wieder aufnehmen und sie von rechts nach links führen.«

»Genau.«

»Beim Florentiner Webstuhl bewegt Ihr die Helfe mit den Füßen. Dadurch braucht Ihr die Bobine niemals abzusetzen.«

»Wirklich? Meiner Seel!«

»Das wäre schon ein Unterschied, oder?«

»Ein gewaltiger sogar. Man könnte doppelt so schnell weben – oder noch schneller!«

»Das dachte ich mir auch. Soll ich Euch einen solchen Webstuhl bauen, damit Ihr es mit ihm versuchen könnt?«

»O ja!«

»Ich erinnere mich nicht mehr genau, wie er aufgebaut ist. Ich glaube, das Fußpedal bewegte ein System von Rollen und Hebeln ...« Merthin runzelte nachdenklich die Stirn. »Ich bin jedenfalls sicher, ich bekomme es heraus.«

Am späten Nachmittag begegnete Caris, als sie an der Bibliothek vorbeiging, dem Kanonikus Claude, der gerade mit einem kleinen Buch herauskam. Ihre Blicke trafen sich, und er blieb stehen. Beide dachten sofort an die Szene, die Caris erst vor einer Stunde erlebt hatte. Zuerst wirkte Claude verlegen; dann zog ein Grinsen seine Mundwinkel hoch. Er hielt die Hand vors Gesicht, um es zu verbergen; offenbar hatte er das Gefühl, es sei unpassend, Erheiterung zu zeigen.

Caris musste daran denken, wie schreckensstarr die beiden nackten Männer gewesen waren, und kicherte in sich hinein. Aus dem Gefühl heraus sagte sie, was ihr durch den Kopf ging: »Ihr beide habt ganz schön komisch ausgesehen.« Wider Willen musste Claude kichern, und auch Caris konnte sich nicht mehr zurückhalten, bis sie einander in die Arme fielen, hilflos vor Lachen und Tränen in den Augen.

Am Abend führte Caris Merthin in die südwestliche Ecke des Prioreigeländes, wo sich am Flussufer der Gemüsegarten befand. Die Luft war mild, und die feuchte Erde verströmte den Duft neuen Wachstums. Caris sah, dass die Frühlingszwiebeln und Radieschen sprossen. »Also wird dein Bruder Graf von Shiring«, sagte sie.

»Nicht, wenn Lady Philippa auch nur ein Wörtchen mitzureden hat.«

»Eine Gräfin muss tun, was der König ihr befiehlt, oder nicht?«

»Alle Frauen sind dem Manne untertan, theoretisch zumindest«, erwiderte Merthin grinsend. »Einige widersetzen sich aber der Konvention.«

»Ich weiß nicht, auf wen du anspielst.«

Merthins Stimmung schlug abrupt um. »Was für eine Welt«, sagte er. »Ein Mann ermordet seine Frau, und der König erhebt ihn in den Adelsstand.«

»Wir wussten, dass so etwas vorkommt«, erwiderte sie. »Schockierend ist nur, wenn es in der eigenen Familie geschieht. Die arme Tilly.«

Merthin rieb sich die Augen, als wollte er fortwischen, was er sah. »Warum hast du mich hierhergebracht?«

»Um über den letzten Teil meines Plans zu sprechen, das neue Hospital.«

»Aha. Ich habe mich schon gefragt …«

»Kannst du es hier bauen?«

Merthin schaute sich um. »Ich sehe nichts, was dagegen spräche. Das Gelände ist zwar ein wenig geneigt, aber die gesamte Priorei ist am Hang gebaut, und es geht dir ja nicht darum, eine zweite Kathedrale zu errichten. Ein Stockwerk oder zwei?«

»Eines. Aber das Hospital soll in mittelgroße Zimmer unterteilt sein, in denen jeweils nur vier oder sechs Betten stehen, damit Krankheiten sich nicht so leicht von einem Kranken auf alle anderen ausbreiten können. Und es muss eine eigene Apotheke geben – einen großen und gut beleuchteten Raum –, um dort Arzneien herzustellen. Und ich möchte einen Kräutergarten vor der Tür. Und eine geräumige, luftige Latrine mit Wasserversorgung, sodass sie sich leichter sauber halten lässt. Im ganzen Gebäude soll es viel Licht und Platz geben. Vor allem soll das neue Hospital wenigstens hundert Schritt von den anderen Gebäuden der Priorei entfernt stehen. Wir müssen die Siechen vom Brunnen fernhalten. Das ist das Allerwichtigste.«

»Ich werde morgen ein paar Zeichnungen machen.«

Caris blickte sich um, und als sie sah, dass niemand sie beobachtete, küsste sie ihn. »Das ist der Höhepunkt meines Lebenswerks, das weißt du wohl?«

»Du bist zweiunddreißig. Ist es da nicht ein bisschen früh, vom Höhepunkt deines Lebenswerks zu reden?«

»Noch steht das neue Hospital nicht.«

»Aber der Bau dauert nicht lange. Ich werde damit anfangen, noch während ich die Fundamente für den neuen Kirchturm ausheben lasse. Wenn das Hospital dann fertig ist, können meine Steinmetze an der Kathedrale weiterarbeiten.«

Sie machten sich auf den Rückweg. Caris merkte, dass Merthins wahre Begeisterung der Kathedrale galt. »Wie hoch wird der Turm?«

»Vierhundertfünf Fuß.«

»Und wie hoch ist der Turm in Salisbury?«

»Vierhundertvier Fuß.«

»Dann ist es das höchste Bauwerk Englands!«

»Bis jemand ein noch höheres baut.«

Also wird auch Merthin sein höchstes Ziel erreichen, ging es Caris durch den Kopf. Während sie zum Priorspalast zurückgingen, hakte sie sich bei ihm ein. Sie fühlte sich glücklich. Es war seltsam: Tausende von Kingsbridgern waren dem Schwarzen Tod zum Opfer gefallen, und Tilly hatte man ermordet, doch Caris empfand Hoffnung. Wahrscheinlich lag es daran, dass sie und Merthin große Ziele hatten. Der Kirchturm, die neue Stadtmauer, die Büttel, die Erteilung der Stadtrechte und vor allem das neue Hospital. Hoffentlich war ihr Zeit genug vergönnt, dies alles verwirklicht zu sehen.

Arm in Arm mit Merthin ging Caris in den Priorspalast. Bischof Henri und Sir Gregory waren dort, im Gespräch mit einem dritten Mann, der Caris den Rücken zuwandte. Doch der Fremde hatte etwas unangenehm Vertrautes, selbst von hinten – etwas, das Caris schaudern ließ. Dann drehte er sich zu ihr um, und sie sah sein Gesicht: frohlockend, verächtlich und voller Boshaftigkeit.

Es war Philemon.

Bischof Henri und die anderen Gäste verließen Kingsbridge am nächsten Morgen. Caris, die im Dormitorium des Nonnenklosters übernachtet hatte, kehrte nach dem Frühstück in den Priorspalast zurück und ging in ihr Zimmer im Obergeschoss.

Dort traf sie Philemon an.

Zum zweiten Mal innerhalb zweier Tage erschrak sie über einen Mann in ihrer Schlafkammer. Philemon allerdings war allein und vollständig angekleidet und stand am Fenster, ein Buch in der Hand. Als Caris sein Profil sah, bemerkte sie, dass die Entbehrungen der letzten sechs Monate ihn hatten abmagern lassen.

Sie fragte: »Was wollt Ihr hier?«

Philemon gab vor, erstaunt über diese Frage zu sein. »Hier ist der Priorspalast. Warum sollte ich nicht hier sein?«

»Weil das hier nicht Euer Zimmer ist!«

»Ich bin immer noch der Subprior von Kingsbridge. Der Prior ist tot. Wer sonst sollte hier wohnen?«

»Ich natürlich.«

»Ihr seid nicht mal ein Mönch.«

»Bischof Henri hat mich zum amtierenden Prior ernannt, und gestern Abend hat er mich trotz Eurer Rückkehr nicht von diesem Amt entbunden. Ich bin Euer Oberer, Subprior Philemon, und Ihr habt mir zu gehorchen.«

»Aber Ihr seid eine Nonne und müsst bei den Nonnen wohnen, nicht bei den Mönchen.«

»Ich wohne hier seit Monaten.«

»Allein?«

Plötzlich bemerkte Caris, auf welch dünnem Eis sie wandelte. Philemon wusste, dass sie mit Merthin wie Mann und Frau zusammengelebt hatte. Sie waren diskret gewesen, doch die Leute errieten so etwas, und gerade Philemon spürte mit dem Instinkt eines Tieres die Schwächen anderer.

Caris dachte nach. Sie konnte darauf bestehen, dass Philemon auf der Stelle das Gebäude verließ. Nötigenfalls konnte sie ihn sogar hinauswerfen lassen: Thomas und die Novizen würden ihr gehorchen und nicht Philemon. Aber was dann? Philemon würde alles tun, um ihr intimes Verhältnis mit Merthin öffentlich zu machen. Das würde in der Stadt einen Disput auslösen, und die Ratsmitglieder müssten Stellung beziehen. Die meisten würden Caris dank ihres guten Rufes unterstützen; doch es gab einige, die ihr Verhalten verurteilen würden. Eine Auseinandersetzung wäre unvermeidlich, und der Streit würde ihre Autorität schwächen und ihre Pläne in Gefahr bringen. Es wäre besser, wenn sie ihre Niederlage eingestand.

»Meinetwegen könnt Ihr die Schlafkammer haben«, sagte sie. »Aber nicht den Saal. Den benutze ich für Sitzungen mit Würdenträgern und den führenden Leuten der Stadt. Wenn Ihr keine Messen in der Kathedrale besucht, haltet Euch im Kreuzgang auf, aber nicht hier. Ein Subprior kann nicht in einem Palast residieren.« Caris ging, ohne ihm Gelegenheit für Einwände zu bieten. Sie hatte ihr Gesicht gewahrt, doch der Sieger war Philemon.

Am Abend zuvor war Caris die Hinterlist Philemons wieder einmal deutlich vor Augen geführt worden: Als Bischof Henri ihn befragte, schien er für jede seiner schändlichen, unehrenhaften Taten eine glaubhafte Erklärung vorbringen zu können. Der Bischof hatte wissen wollen, wie Philemon es rechtfertige, seinen Posten in der Priorei verlassen zu haben und nach St.-John-in-the-Forest geflohen zu sein. Das Kloster sei von der Auslöschung bedroht gewesen, hatte Philemon geantwortet, und seine einzige Rettung habe in der Flucht bestanden, getreu dem Motto: Brich früh auf, geh weit weg, und bleib lange fort – nach allgemeiner Übereinkunft noch immer die einzig sichere Methode, der Pest zu entkommen. Sein Fehler – und der Godwyns – habe darin gelegen, zu lange in Kingsbridge ausgeharrt zu haben. Warum dann niemand ihn, den Bischof, davon unterrichtet habe, hatte Henri wissen wollen. Philemon antwortete, es tue ihm leid, aber er und die anderen Mönche hätten lediglich Prior Godwyns Anweisungen befolgt. Warum er dann von St.-John-in-the-Forest davongelaufen sei, als die Pest die Brüder dort eingeholt hatte? Er sei, erwiderte Philemon, von Gott zum Seelsorger der Einwohner von Monmouth berufen worden, und Godwyn habe ihm die Erlaubnis zu gehen erteilt. Wie komme es dann, wollte Henri wissen, dass Bruder Thomas nichts von dieser Erlaubnis wisse, ja sogar bestreite, dass sie jemals erteilt worden sei? Die anderen Mönche, antwortete Philemon, seien aus Furcht vor Neid und Missgunst nicht über Godwyns Entscheidung unterrichtet worden. Warum habe Philemon dann Monmouth verlassen, wollte Henri wissen. Er sei Friar Murdo begegnet, erwiderte Philemon, der ihm gesagt habe, die Priorei von Kingsbridge brauche ihn, und das habe er als eine weitere Botschaft Gottes betrachtet.

Caris schloss daraus, dass Philemon vor der Pest davongelaufen war, bis ihm klar wurde, dass er zu den Glücklichen gehörte, die sich nicht ansteckten. Dann hatte er von Friar Murdo erfahren, dass Caris im Priorspalast mit Merthin schlief, und augenblicklich erkannt, wie er dieses Wissen nutzen konnte, um seine Stellung wiederzuerlangen. Gott hatte mit alldem rein gar nichts zu tun.

Doch Bischof Henri hatte Philemon seine Geschichte geglaubt. Philemon verstand sich gut darauf, demütig bis an die Grenze zur Unterwürfigkeit aufzutreten. Henri kannte ihn nicht und blickte nicht hinter seine Fassade.

Caris ließ Philemon im Priorspalast zurück und ging zur Kathedrale. Sie stieg die lange, schmale Wendeltreppe in der Nordwestecke hinauf und fand Merthin in der Modellkammer vor, wo er im Licht, das durch die hohen Nordfenster einfiel, Entwürfe auf dem Skizzenboden anfertigte.

Interessiert schaute sie sich an, was er gezeichnet hatte. Sie fand es stets schwierig, Pläne zu lesen. Die dünnen Linien, die in den Mörtel geritzt waren, mussten in der Vorstellung des Baumeisters in dicke Steinmauern mit Fenstern und Türen verwandelt werden.

Merthin beobachtete sie erwartungsvoll, während sie seine Arbeit studierte. Offensichtlich rechnete er mit einer überschwänglichen Reaktion.

Zuerst war Caris verwundert über die Zeichnung. Das Gebäude sah überhaupt nicht aus wie ein Hospital. »Aber ... aber du hast da einen Kreuzgang gezeichnet!«, rief sie.

»Genau«, sagte er. »Wer sagt denn, dass ein Hospital ein langer schmaler Raum ähnlich einem Kirchenschiff sein muss? Du möchtest ein helles, luftiges Gebäude. Statt also die Räume dicht an dicht aneinanderzureihen, habe ich sie um ein Quadrat herum gesetzt.«

Caris stellte es sich vor: die quadratische Rasenfläche; das Bauwerk ringsum, dessen Türen in Zimmer mit vier oder sechs Betten führten; die Nonnen, die sich im Schutz des Bogengangs von einem Raum zum anderen bewegten. »Das ist großartig!«, rief sie. »Es wird perfekt!«

»Du kannst im Innenhof Kräuter ziehen. Dort haben die Pflanzen Sonne und sind vor dem Wind geschützt. In der Mitte des Gartens baue ich dir einen Springbrunnen für Frischwasser, das dann durch die Latrine im Süden zum Fluss hin abläuft.«

Sie küsste ihn begeistert. »Du bist so klug!« Dann aber dachte sie an die Neuigkeit, die sie ihm zu überbringen hatte, und Kummer beschattete ihr Gesicht.

Merthin fragte: »Was hast du?«

»Wir müssen aus dem Priorspalast ausziehen«, antwortete sie und berichtete ihm von ihrer Auseinandersetzung mit Philemon und weshalb sie nachgegeben hatte. »Ich fürchte, mit Philemon wird es große Schwierigkeiten geben, und ich will mich nicht ihm gegenüber verantworten müssen, weil du und ich ein Verhältnis haben.«

»Ich verstehe«, sagte Merthin. Er klang einsichtig, doch Caris sah ihm an, dass er verstimmt war. Er starrte auf seine Zeichnung, ohne sie wirklich zu sehen.

»Und da ist noch etwas«, sagte Caris. »Immer wieder sagen wir den Leuten, dass sie zu einem normalen Leben zurückkehren sollen und dass in den Städten und Dörfern wieder Ordnung einkehren muss und dass es keine Trinkgelage und andere Ausschweifungen mehr geben darf. Wir selbst müssen ein Beispiel setzen.«

Merthin nickte. »Eine Priorin, die mit ihrem Geliebten zusammenlebt, passt schlecht als Vorbild an Tugend und Moral«, sagte er traurig.

»Es tut mir sehr leid.«

»Mir auch.«

»Aber wir dürfen nicht aufs Spiel setzen, was uns am meisten am Herzen liegt – für dich ist es dein Turm, für mich mein Hospital, und für uns gemeinsam die Zukunft der Stadt.«

»Aber wir opfern dafür unser gemeinsames Leben.«

»Nicht ganz. Wir werden getrennt schlafen müssen, was schmerzlich ist, aber wir werden schon noch Gelegenheit haben, zusammen zu sein.«

»Und wo?«

Caris zuckte mit den Schultern. »Hier zum Beispiel.« Sie lächelte schalkhaft, ging durchs Zimmer, hob langsam die Kutte und blieb am Torbogen am oberen Ende der Treppe stehen. »Ich sehe niemanden kommen«, sagte sie, wobei sie die Kutte bis zu den Hüften hob.

»Ich höre aber etwas«, erwiderte er schmunzelnd. »Die Tür am Fuß der Treppe quietscht.«

Sie drehte sich um, beugte sich nach vorn und tat so, als blicke sie ins Treppenhaus. »Kannst du von da, wo du stehst, etwas Ungewöhnliches sehen?«

Er lachte leise. »Ich sehe, dass mir etwas zuzwinkert. Könntest du dich noch ein bisschen tiefer bücken?«

Sie ging zu ihm zurück, die Kutte noch immer hochgezogen, und lächelte siegesgewiss. »Wie du siehst, musst du mich nicht aufgeben.«

Merthin ließ sich auf einen Schemel sinken und zog sie an sich. Sie spreizte die Beine und setzte sich auf seinen Schoß. »Am besten, du schaffst einen Strohsack hier rauf«, sagte sie, die Stimme belegt vor Verlangen.

Er schob die Nase zwischen ihre Brüste. »Wie soll ich denn erklären, warum ich ein Bett in der Modellkammer haben möchte?«

»Sag einfach, dass du etwas Weiches brauchst, wo du dein bestes Werkzeug lassen kannst.«

※

Eine Woche später besichtigten Caris und Bruder Thomas den Wiederaufbau der Stadtmauer. Es war ein großer Auftrag, der jedoch keine besonderen bautechnischen Anforderungen stellte, denn nachdem der Verlauf der Mauer festgelegt war, konnten die Bauarbeiten von unerfahrenen jungen Maurern und Lehrlingen ausgeführt werden. Caris war froh, dass man das Projekt so zügig in Angriff genommen hatte, denn die Mauer war notwendig, damit die Stadt sich im Fall eines Angriffs verteidigen konnte, doch Caris verfolgte noch ein wichtigeres Motiv: Wenn sie die Städter dazu brachte, sich gegen Bedrohungen von außen zu wappnen, entstand dabei vielleicht ganz von allein ein neues Bewusstsein gegenseitiger Verantwortung.

Außerdem ging sie gegen Ausschweifungen jeder Art vor, besonders gegen Trinkgelage. Dass das Schicksal gerade ihr die Rolle der Sitten- und Ordnungswächterin zugeteilt hatte, ließ Caris schmunzeln, hatte sie doch nie zu denen gehört, die sich an Vorschriften hielten. Sie hatte stets die Meinung vertreten, ihr stehe das Recht zu, ihre eigenen Regeln festzulegen. Es grenzte an ein Wunder, dass noch niemand sie eine Heuchlerin genannt hatte.

Auch Merthin gehörte zu denen, die ohne Einengungen besser zurechtkamen, zumal auch er nach Veränderungen und Neuerungen strebte. Caris erinnerte sich an die Tür mit dem Relief der weisen und törichten Jungfrauen, das Merthin vor vielen Jahren geschnitzt hatte, auf eine ganz neue und eigenwillige Weise – und gerade dieses Neue hatte Elfric dermaßen rasend gemacht, dass er die Tür in Stücke gehauen hatte. Regeln engten auch Merthin nur ein. Doch für Männer wie Barney und Lou, die Schlachthausarbeiter, musste es Gesetze geben, die verhinderten, dass sie sich im betrunkenen Zustand gegenseitig zum Krüppel schlugen.

Doch Caris' Position war wenig gefestigt. Wenn man versucht, Recht und Ordnung durchzusetzen, kann man nur schwer erklären, weshalb ausgerechnet diese Regeln auf einen selbst nicht zutreffen sollen.

Sie grübelte über diese Frage nach, als sie mit Thomas zur Priorei zurückkehrte. Vor der Kathedrale kam ihr eine aufgelöste und zornige Schwester Joan entgegen. »Dieser Philemon!«, sagte sie. »Er behauptet, Ihr hättet sein Geld gestohlen und müsstet es zurückgeben!«

»Beruhige dich«, sagte Caris. Sie führte Joan unter das Vordach der Kathedrale, und sie setzten sich auf eine Steinbank. »Erzähl in Ruhe, was geschehen ist.«

»Philemon kam nach der Terz zu mir und sagte, er brauche zehn Shilling, um Kerzen für den Schrein des heiligen Adolphus zu kaufen. Ich habe ihm geantwortet, da müsse er schon Euch fragen.«

»Sehr richtig.«

»Er wurde wütend und schrie herum, es sei das Geld des Mönchsklosters und ich hätte kein Recht, es ihm zu verweigern. Er verlangte meine Schlüssel. Ich glaube, er hätte versucht, sie mir aus der Hand zu reißen. Aber ich sagte ihm, die Schlüssel würden ihm nichts nützen, da er nicht wisse, wo die Schatzkammer sei.«

»Es war eine gute Idee, das geheim zu halten«, sagte Caris.

Thomas stand neben ihnen und hörte zu. Er warf ein: »Dieser Philemon! Zu dem Zeitpunkt war ich nicht in der Priorei. Wahrscheinlich hat dieser Feigling darauf gewartet.«

Caris sagte: »Joan, du hast dich vollkommen richtig verhalten, als du Philemon abgewiesen hast. Es tut mir leid, dass er versucht hat, dich einzuschüchtern. Thomas, geht ihn bitte suchen, und bringt ihn zu mir.«

Gedankenverloren überquerte Caris den Kirchhof. Philemon legte es offensichtlich darauf an, Unruhe zu stiften. Und er war kein angeberischer Dummkopf, den sie mit Leichtigkeit in die Schranken verweisen konnte, sondern ein verschlagener Gegner.

Sie musste auf der Hut sein.

Als sie die Tür des Priorspalasts öffnete, saß Philemon am Kopf der langen Tafel im Saal.

Caris blieb in der Tür stehen. »Ihr dürft hier nicht sein«, sagte sie. »Ich habe Euch ausdrücklich verboten ...«

»Ich habe nach Euch gesucht«, unterbrach er sie.

Caris erkannte, dass sie das Gebäude in Zukunft abschließen musste. Andernfalls fand Philemon immer wieder einen Vorwand, sich über ihre Befehle hinwegzusetzen. Caris zügelte ihren Zorn. »Ihr habt an der falschen Stelle nach mir gesucht«, sagte sie.

»Aber ich habe Euch gefunden.«

Sie musterte ihn. Nach seiner Ankunft hatte er sich rasiert und das Haar geschoren, und er trug eine frische Kutte. Mit jedem Zoll war er ein Amtsträger der Priorei, würdevoll und Respekt einflößend. Caris sagte: »Ich habe mit Schwester Joan gesprochen. Sie ist sehr aufgebracht.«

»Das bin ich auch.«

Erst jetzt wurde Caris gewahr, dass Philemon im Sessel des Priors saß, während sie vor ihm stand wie eine Bittstellerin. Wie raffiniert er solche Situationen herbeiführte! »Wenn Ihr Geld braucht«, sagte sie, »müsst Ihr mich darum bitten.«

»Ich bin der Subprior!«

»Und ich bin amtierender Prior, was mich zu Eurem Oberen macht.« Sie hob die Stimme. »Und als Erstes werdet Ihr aufstehen, wenn Ihr mit mir redet, Bruder!«

Erschrocken über ihren Tonfall, fuhr Philemon zusammen, fasste sich aber rasch wieder, erhob sich mit beleidigender Langsamkeit vom Sessel und trat zur Seite.

Caris nahm an seiner Stelle Platz.

Er wirkte ungerührt. »Wie ich höre, zahlt Ihr mit dem Geld des Klosters für den neuen Kirchturm.«

»Ja. Auf Anweisung des Bischofs.«

Zorn verdüsterte Philemons Miene. Er hatte gehofft, sich beim Bischof einschmeicheln zu können und ihn zu seinem Verbündeten gegen Caris zu machen. Schon als Kind hatte er ständig bei Leuten geliebedienert, die etwas zu sagen hatten. Nur so war er überhaupt ins Kloster aufgenommen worden.

»Ich muss Zugang zum Geld des Mönchsklosters erhalten«, sagte er nun. »Das ist mein Recht. Das Vermögen des Mönchskonvents gehört in meine Obhut.«

»Beim letzten Mal, als dieses Vermögen in Eurer Obhut war, habt Ihr es gestohlen.«

Philemon wurde blass: Caris' Pfeil hatte ins Schwarze getroffen. »Lächerlich!«, begehrte er auf und versuchte, seine Verlegenheit zu kaschieren. »Prior Godwyn hatte das Geld in sichere Verwahrung genommen.«

»Solange ich amtierender Prior bin, wird niemand es in ›sichere Verwahrung‹ nehmen«, erwiderte Caris kühl.

»Aber den Kirchenschatz müsst Ihr mir auf jeden Fall übergeben. Er ist geweiht und gehört in die Hände von Priestern, nicht von Frauen.«

»Oh, der Kirchenschatz ist bei Bruder Thomas in besten Händen. Er nimmt ihn für die Gottesdienste heraus und legt ihn dann wieder in unsere Schatzkammer.«

»Mir genügt es nicht ...«

Caris fiel etwas ein, und sie unterbrach ihn. »Außerdem habt Ihr nicht alles zurückgegeben, was Ihr genommen habt.«

»Das Geld ...«

»Der Kirchenschatz. Es fehlt ein goldener Leuchter, ein Geschenk der Kerzengießerzunft. Was ist daraus geworden?«

Philemons Reaktion überraschte Caris. Sie hatte erneutes zorniges Leugnen erwartet, doch Philemon blickte sie nur verlegen an und sagte: »Der Leuchter hat immer im Zimmer des Priors gestanden.«

Sie runzelte die Stirn. »Und ...?«

»Ich habe ihn vom Kirchenschatz getrennt aufbewahrt.«

Caris konnte es kaum glauben. »Wollt Ihr etwa sagen, Ihr hattet den Leuchter die ganze Zeit bei Euch?«

»Godwyn hat mich gebeten, auf den Leuchter achtzugeben.«

»Und darum habt Ihr ihn nach Monmouth und sonst wohin mitgenommen?«

»Es war der Wunsch des Priors.«

Die Geschichte war völlig unglaubwürdig, und das wusste Philemon. Tatsache blieb, dass er den Kerzenleuchter gestohlen hatte. »Habt Ihr ihn noch?«

Er nickte unbehaglich.

In diesem Augenblick kam Thomas herein. »Hier seid Ihr also!«, sagte er zu Philemon.

Caris bat: »Thomas, geht nach oben und durchsucht Philemons Zimmer.«

»Wonach?«

»Nach dem verschwundenen goldenen Leuchter.«

Philemon sagte: »Ihr braucht ihn nicht zu suchen. Er steht auf dem Betpult.«

Thomas ging ins Obergeschoss, kehrte mit dem Leuchter zurück und reichte ihn Caris. Der Leuchter war schwer, und sie musterte ihn neugierig. Mit winzigen Buchstaben waren die Namen der zwölf Zunftmeister in den Sockel graviert. Warum hatte Philemon ihn besitzen wollen? Nicht um ihn zu verkaufen oder einzuschmelzen, das lag auf der Hand: Er hätte mehr als genügend Zeit gehabt, das kostbare Stück loszuwerden. Anscheinend hatte er schlicht seinen eigenen goldenen Kerzenleuchter besitzen wollen. Betrachtete Philemon den Leuchter liebevoll, wenn er allein in seinem Zimmer war? Berührte er ihn sanft?

Als Caris ihn anblickte, hatte er Tränen in den Augen.

»Werdet Ihr mir den Leuchter wegnehmen?«, fragte er.

Was für eine dumme Frage. »Natürlich«, erwiderte Caris. »Er gehört in die Kathedrale, nicht in eine Schlafkammer. Die Kerzengießer haben ihn zum Ruhme Gottes und zur prachtvolleren Gestaltung der heiligen Messe gespendet, nicht zur Ergötzung eines einzelnen Mönchs.«

Philemon erhob keine Einwände. Er wirkte niedergeschlagen, aber nicht bußfertig. Er begriff nicht, dass er Unrecht getan hatte. Er empfand keine Reue wegen einer Missetat, nur Trauer um das, was man ihm genommen hatte.

»Ich würde sagen, damit ist unser Gespräch über Euren Zugang zu den Schätzen der Priorei beendet«, sagte Caris. »Ihr dürft jetzt gehen.«

Nachdem Philemon sich davongeschlichen hatte, gab sie den Leuchter Thomas zurück. »Bringt ihn Schwester Joan, und sagt ihr, sie soll ihn wegschließen«, wies sie ihn an. »Wir unterrichten die Kerzengießerzunft, dass der Leuchter gefunden wurde, und benutzen ihn nächsten Sonntag bei der Messe.«

Thomas ging davon.

Caris blieb, wo sie war, und dachte nach. Philemon hasste sie, daran gab es keinen Zweifel. Caris verschwendete keine Zeit auf die Frage, wie das kam: Er machte sich rascher Feinde, als ein Kesselflicker Freunde gewann. Doch Philemon war ein unerbittlicher Gegner ohne jeden Skrupel. Er war sichtlich entschlossen, ihr bei jeder Gelegenheit Schwierigkeiten zu bereiten. Und es wurde immer schlimmer: Jedes Mal, wenn sie Philemon bei einem Scharmützel besiegte, fachte sie damit seine Boshaftigkeit an. Caris stand ein Machtkampf bevor, ohne dass sie sicher sein konnte, wie er enden würde.

❈

An einem Samstagabend im Juni kehrten die Flagellanten zurück.

Caris war im Skriptorium und schrieb an ihrem medizinischen Ratgeber. Sie hatte beschlossen, mit der Behandlung der Pest zu beginnen und sich dann weniger schweren Krankheiten zuzuwenden. Sie beschrieb die leinenen Gesichtsmasken, die sie im Hospital zu Kingsbridge eingeführt hatte, und verschwieg nicht, dass die Masken zwar wirksam seien, aber keinen vollständigen Schutz bieten könnten. Die einzige sichere Vorsichtsmaßnahme bestehe darin, die Stadt zu verlassen, ehe der Schwarze Tod Einzug hielt, und sich fernzuhalten, bis die Seuche vorüber war; nur stünde diese Möglichkeit der Mehrheit nicht offen. Doch ein teilweiser Schutz, wie die Masken ihn boten, war für Menschen, die an Zauber und Wunderheilungen glaubten, schwer zu begreifen, zumal sich ja auch einige der maskierten Nonnen mit der Pest angesteckt hatten. Caris fragte sich, wie sie die Wirkungsweise der Masken veranschaulichen sollte. Schließlich beschloss sie, sie mit Schilden zu vergleichen: Ein Schild garantierte einem Soldaten nicht, dass er einen Angriff überlebte, doch er gewährte ihm wertvollen Schutz; kein Ritter wäre ohne Schild in den Kampf gezogen. Caris schrieb diesen Vergleich gerade auf einem frischen Bogen Pergament nieder, als sie die Geißler hörte. Sie seufzte tief.

Die Trommeln klangen wie die stampfenden, unregelmäßigen Schritte eines Betrunkenen, die Sackpfeifen wie die kläglichen Schreie einer gequälten Kreatur und die Glocken wie das Zerrbild eines Grabgeläuts. Caris ging hinaus, als die Prozession auf das Gelände der Priorei zog. Es waren mehr Büßer geworden, siebzig oder achtzig an der Zahl, und sie wirkten noch verrückter als zuvor: Ihr Haar war lang und verfilzt, ihre Kleidung hing in Fetzen, ihre Schreie klangen noch irrer. Sie waren bereits durch die Stadt gezogen, sodass sich ihnen nun eine teils neugierige, teils faszinierte Menge Einheimischer angeschlossen hatte; es waren vor allem Schaulustige, doch gab es auch Leute, die sich den Büßern anschließen wollten, denn sie zerrissen ihre Kleider, rauften sich das Haar und bejammerten laut ihre Sünden.

Caris hatte nicht erwartet, die Flagellanten wiederzusehen. Papst Clemens VI. hatte das Flagellantentum verurteilt. Doch der Papst war weit fort, in Avignon, und so oblag es anderen, seine Entscheidungen durchzusetzen.

Noch immer führte Friar Murdo die Flagellanten an. Als er sich dem Westportal der Kathedrale näherte, sah Caris zu ihrer Verwunderung, dass das große Flügeltor weit offen stand, obwohl sie es nicht erlaubt hatte, und Thomas hätte es niemals geöffnet, ohne sie zu fragen. Es musste Philemon gewesen sein. Caris erinnerte sich, dass er auf seiner Reise Murdo begegnet war. Vermutlich war Philemon im Voraus von Murdo über dessen Erscheinen in Kingsbridge informiert worden, wobei die beiden sich abgesprochen hatten, den Flagellanten den Zugang zur Kathedrale zu ermöglichen. Würde Caris ihn zur Rede stellen, würde Philemon zweifellos als Argument anführen, dass er der einzige geweihte Priester der Priorei sei und daher das Recht habe zu entscheiden, welche Art von Gottesdienst in der Kathedrale gefeiert werden dürfe.

Doch was war Philemons Motiv? Weshalb lagen ihm Murdo und die Flagellanten am Herzen?

Murdo führte seine Prozession nun durch das Hauptportal ins Kircheninnere. Kaum waren die Flagellanten lärmend und tanzend in der Kathedrale verschwunden, strömten auch die Städter hinein. Caris zögerte, sich dem wilden Haufen anzuschließen, fürchtete jedoch um die Unversehrtheit des Kircheninnern; also folgte sie der Menge.

Philemon stand am Altar. Friar Murdo trat neben ihn. Sodann hob Philemon Schweigen gebietend die Arme und sagte: »Wir kommen hierher, um unsere Schlechtigkeit zu beichten, unsere Sünden zu bereuen und Buße zu tun, auf dass uns vergeben werde.«

Philemon war kein Prediger, und seine Worte riefen nur ein gedämpftes Echo hervor; doch augenblicklich riss der charismatische Murdo das Wort an sich. »Wir sind Gewürm, o Gott! Doch voller Furcht vor den Feuern der Hölle wollen wir Buße tun, weil wir lüsterne und böse Gedanken hegten und Dinge getan haben, die dem Satan gefallen, Gott jedoch widerwärtig sind!«, rief er, und seine Anhänger brüllten begeistert.

Die Zeremonie folgte dem gleichen Ablauf wie damals. Von Murdos Predigten in Raserei versetzt, kamen Menschen nach vorn, brüllten, dass sie Sünder seien, und geißelten sich. Die Städter sahen zu, von der Gewalt und der Nacktheit gebannt. Es war wie die Aufführung einer Theatertruppe, doch die Peitschenhiebe waren echt, und Caris schauderte, wenn sie auf den Rücken der Büßer die Striemen und die aufgerissene Haut sah. Einige von ihnen trugen die Narben früherer Selbstgeißelungen, andere hatten frisch verschorfte Wunden, die unter den neuerlichen Hieben wieder aufbrachen.

Bald schon beteiligten sich Städter an der Aufführung. Sobald sie vortraten, hielt Philemon ihnen eine Kollektenschale hin, und Caris erkannte, dass allein Geldgier sein Antrieb war. Niemand durfte Murdo die Füße küssen und bekennen, ehe er Philemon eine Münze in die Schale gelegt hatte. Murdo behielt die Einnahmen aufmerksam im Auge. Caris nahm an, dass die beiden Halunken sich das Geld hinterher teilten.

Das Trommeln und Pfeifen schwoll an, als immer mehr Städter vortraten. Philemons Schale füllte sich rasch. Die, denen »vergeben« worden war, tanzten ekstatisch zu der misstönenden Musik.

Am Ende tanzten alle Büßer, ohne dass noch weitere vortraten. Die Musik erreichte einen schrillen, dissonanten Höhepunkt und verstummte dann abrupt. In diesem Augenblick bemerkte Caris, dass Murdo und Philemon verschwunden waren. Sie vermutete, dass die beiden durch das südliche Querhaus aus der Kathedrale geschlüpft waren und nun im Kreuzgang des Mönchsklosters ihre Einnahmen zählten.

Das Spektakel war vorüber. Die Tänzer legten sich erschöpft auf den Steinboden. Unter den Zuschauern begann der allgemeine Aufbruch; sie schoben sich durch das offene Portal in die reine Luft des Sommerabends. Bald fanden auch Murdos Anhänger die Kraft, die Kirche zu verlassen, und Caris folgte ihnen. Sie sah, dass die meisten Flagellanten auf das Holly Bush zuhielten.

Erleichtert kehrte sie in die kühle Stille des Nonnenklosters zurück. Als die Dämmerung über dem Kreuzgang anbrach, gingen die Schwestern zur Abendandacht und aßen anschließend. Ehe Caris zu Bett ging, sah sie im Hospital nach dem Rechten. Noch immer war es bis auf den letzten Platz belegt. Die Pest wütete ohne Unterlass.

Es gab nur wenig zu bemängeln. Schwester Oonagh befolgte ihre Anordnungen: Gesichtsmasken, kein Aderlass, peinlichste Reinlichkeit. Caris wollte gerade zu Bett gehen, als ein bewusstloser Flagellant hereingetragen wurde.

Der Mann war im Holly Bush zusammengebrochen und hatte sich an einer Bank den Schädel angeschlagen. Sein Rücken blutete noch immer; Caris vermutete, dass eher der Blutverlust als der Schlag an den Kopf für die Bewusstlosigkeit des Mannes verantwortlich war.

Oonagh wusch ihm die Wunden mit Salzwasser, ohne dass er zur

Besinnung kam. Um ihn wieder zu Bewusstsein zu bringen, entzündete sie ein Stück Hirschgeweih und fächelte ihm den stechenden Rauch unter die Nase. Dann ließ sie ihn zwei Schoppen Wasser mit Zimt und Zucker trinken, das die Körperflüssigkeit ersetzen sollte, die er verloren hatte.

Doch er war nur der erste neue Patient. Etliche weitere Männer und Frauen wurden hereingebracht, die an Blutverlust, Volltrunkenheit und Verletzungen jeder Art litten, die sie sich bei Unfällen oder Schlägereien zugezogen hatten. Durch die orgiastische Geißelung stieg die Zahl der Einlieferungen um das Zehnfache. Unter den Verletzten war ein Mann, der sich so oft gegeißelt hatte, dass das Fleisch auf seinem Rücken faulig war. Nach Mitternacht schließlich wurde eine Frau ins Hospital gebracht, die man gefesselt, ausgepeitscht und dann vergewaltigt hatte.

In Caris kochte der Zorn, während sie sich mit den anderen Nonnen um die Kranken kümmerte, deren Wunden von den verdrehten Glaubensvorstellungen herrührten, die von Geschäftemachern wie Murdo verbreitet wurden. Diese Männer predigten, die Pest sei die Strafe Gottes für die Sünder dieser Welt, doch könne man ihr entgehen, indem man sich selbst auf andere Weise züchtige. Friar Murdo und seinesgleichen zufolge war Gott ein rachsüchtiges Ungeheuer, das ein Spiel mit irrsinnigen Regeln spielte, und sie beschworen apokalyptische Visionen herauf, die vielen Menschen schon auf Erden eine blutrote Hölle bescherten.

Caris arbeitete bis zur Matutin am Sonntagmorgen; dann legte sie sich zwei Stunden schlafen. Anschließend suchte sie Merthin auf, der nun im größten der Häuser wohnte, die er auf Leper Island gebaut hatte. Es stand am Südufer des Flusses in einem großen Garten mit jungen Apfel- und Birnbäumen. Merthin hatte ein Ehepaar mittleren Alters angestellt, das sich um Lolla kümmern und das Haus in Ordnung halten sollte. Sie hießen Arnaud und Emily, nannten einander jedoch Arn und Em. Caris traf Em in der Küche an und wurde in den Garten verwiesen.

Merthin zeigte Lolla, wie sie ihren Namen schreiben sollte, indem er mit einem angespitzten Stock die Buchstaben in den kahlen Boden ritzte. In das O zeichnete er ein Gesicht, und Lolla kreischte vor Vergnügen. Sie war nun vier, ein hübsches Mädchen mit dunkler Haut und braunen Augen.

Als Caris die beiden beobachtete, überkam sie tiefes Bedauern. Fast ein halbes Jahr lang hatte sie mit Merthin geschlafen. Sie hatte sich kein Kind gewünscht, denn es hätte das Ende ihrer ehrgeizigen Pläne bedeutet; dennoch bedauerte sie, dass sie nicht schwanger geworden war. Caris fragte sich, ob sie überhaupt noch ein Kind empfangen konnte. War sie von dem Trank, den Mattie Wise ihr vor einem Jahrzehnt gegeben hatte, um ihre Schwangerschaft zu beenden, unfruchtbar geworden? Wie so oft wünschte Caris sich, mehr über den menschlichen Körper und seine Leiden zu wissen.

Merthin küsste sie zur Begrüßung, und sie spazierten durch den Garten, während Lolla vor ihnen herrannte und ein Spiel spielte, bei dem es offenbar darum ging, mit jedem Baum zu sprechen. Der Garten wirkte unfertig mit seinen neuen Pflanzen und dem weichen Erdboden, der hierhergekarrt und auf den steinigen Boden der Insel gekippt worden war. »Ich wollte mit dir über die Flagellanten sprechen«, begann Caris, erzählte Merthin von der zurückliegenden Nacht im Hospital und sagte abschließend: »Ich möchte diese Leute aus Kingsbridge verbannen.«

»Eine gute Idee«, erwiderte Merthin. »Ihr Auftritt dient bloß Murdo, der sich daran bereichert.«

»Vergiss Philemon nicht. Auch ihm kommt das Spektakel zugute. Er hat die Bettelschüssel gehalten. Sprichst du mit dem Gemeinderat?«

»Natürlich.«

Als amtierender Prior hatte Caris die Stellung des Grundherrn inne und hätte die Geißler aus Kingsbridge ausweisen können, ohne jemanden zu fragen. Doch nun lag ihr Antrag auf Erteilung der Stadtrechte dem König vor, und sie rechnete damit, bald die Macht über Kingsbridge an den Rat abtreten zu müssen, sodass sie die augenblickliche Lage als Übergang betrachtete. Außerdem war es immer klüger, sich erst um Unterstützung zu bemühen, ehe man versuchte, irgendeine Bestimmung durchzusetzen.

»Mir wäre es sehr recht«, sagte sie, »wenn der Büttel noch vor der Mittagsmesse Murdo und seine Anhänger aus der Stadt weisen könnte.«

»Philemon wird toben vor Wut.«

»Er hätte ihnen nicht eigenmächtig die Kirche öffnen dürfen.« Caris wusste, dass Schwierigkeiten bevorstanden, durfte sich aber nicht von der Furcht vor Philemons Reaktion daran hindern lassen, im Interesse der Stadt zu handeln. »Der Heilige Vater steht auf unserer Seite. Wenn wir schnell und unauffällig vorgehen, können wir das Problem beseitigt haben, noch ehe Philemon gefrühstückt hat.«

»Also gut«, sagte Merthin. »Ich versuche, die Räte im Holly Bush zu versammeln.«

»In einer Stunde bin ich dort.«

Wie jede Gemeinschaft in der Stadt war auch der Rat von Kingsbridge durch die Pest geschrumpft, doch eine Handvoll führender Kaufleute hatte überlebt, darunter Madge Webber, Jake Chepstow und Edward Slaughterhouse. Der neue Büttel, John Constables Sohn Mungo, nahm ebenfalls an der Sitzung teil. Seine Stadtknechte erwarteten ihre Befehle vor der Tür.

Die Debatte dauerte nicht lange. Kein führender Bürger hatte sich an der Orgie der Flagellanten beteiligt, und einhellig missbilligten sie die öffentliche Zurschaustellung derartiger Schamlosigkeiten. Die päpstliche Weisung bekräftigte diese Ablehnung. Als amtierender Prior erließ Caris eine Verordnung, die das Geißeln auf den Straßen und Nacktheit in der Öffentlichkeit untersagte. Wer dagegen verstieß, sollte auf Geheiß von wenigstens drei Räten durch den Büttel der Stadt verwiesen werden. Der Rat gab eine Erklärung ab, diese neue Verordnung zu unterstützen.

Daraufhin ging Mungo Constable nach oben und holte Friar Murdo aus dem Bett.

Murdo verließ Kingsbridge so lärmend, wie er gekommen war. Schon während er die Treppe hinunterstieg, schimpfte, schluchzte, betete und fluchte er. Zwei Stadtknechte packten ihn bei den Armen und schleiften ihn aus dem Gasthaus. Auf der Straße schrie und wetterte Murdo und beschwor Pech und Schwefel auf Kingsbridge herab. Etliche seiner Anhänger kamen, um zu protestieren, und wurden mitsamt ihrem Anführer weggeführt. Nur wenige Städter folgten dem Zug, als er sich über die Hauptstraße bewegte und auf Merthins Brücke zuhielt. Kein Bürger erhob Einwände, und Philemon ließ sich nicht blicken. Selbst diejenigen, die sich am Vortag noch gegeißelt hatten, kuschten heute; sie wirkten allenfalls verlegen.

Die Menge blieb zurück, als die Prozession die Brücke überquerte. Angesichts seiner geschrumpften Zuhörerschaft wurde Murdo sehr viel ruhiger. Seine gerechte Empörung wich schwelender Bosheit. Als man ihn am anderen Ende der Doppelbrücke gehen ließ, stapfte er ohne einen Blick zurück durch die Vorstadt davon, gefolgt von einer Handvoll Getreuer.

Caris hoffte, ihn niemals wiederzusehen.

Sie dankte Mungo und seinen Männern und kehrte ins Kloster zurück.

Im Hospital entließ Oonagh die Unfallopfer der vergangenen Nacht, um Platz für neue Pestkranke zu schaffen. Caris arbeitete bis zum Mittag im Hospital; dann führte sie die Prozession zur Sonntagsmesse in die Kirche. Sie freute sich auf die ein, zwei Stunden, die von Psalmen, Gebeten und einer sicherlich langweiligen Predigt Philemons erfüllt waren, boten diese Stunden ihr doch ein wenig Erholung.

Philemon führte Thomas und die Novizen mit dusterer Miene in die Kathedrale. Offenbar war ihm die Nachricht von der Verbannung Murdos bereits zu Ohren gekommen. Zweifellos hatte Philemon die Flagellanten als eine von Caris unabhängige Einkommensquelle betrachtet. Diese Hoffnung war nun zunichte gemacht, und Philemon wusste seine Wut kaum zu bezwingen. Einen Augenblick lang fragte sich Caris, wozu er in seinem Zorn fähig sei, doch diese Frage war müßig; es führte zu nichts, sich darüber den Kopf zu zerbrechen.

Während der Gebete nickte Caris ein und erwachte erst, als Philemon seine Predigt begann. Wieder einmal fiel ihr auf, dass die Kanzel Philemons wenig gewinnende Art noch unterstrich, und im Allgemeinen fanden seine Predigten wenig Anklang. Heute jedoch weckte er die Aufmerksamkeit seiner Zuhörer, indem er verkündete, er wolle über Unzucht sprechen.

Als Text seiner Predigt nahm er einen Vers aus dem ersten Brief an die Korinther. Erst las er ihn auf Latein vor; dann übersetzte er ihn mit schallender Stimme: »Ich ermahne euch, Brüder, im Namen unseres Herrn, dass ihr nichts mit Unzüchtigen zu schaffen haben sollt. Esst nicht mit ihnen, trinkt nicht mit ihnen, wohnt nicht mit ihnen, sprecht nicht mit ihnen.« Caris fragte sich beklommen, worauf er abzielte. Er würde doch wohl nicht wagen, sie von der Kanzel aus anzugreifen? Sie schaute durch den Chor zu Thomas hinüber, der mit den Novizen des Mönchsklosters auf der anderen Seite stand, und fing seinen besorgten Blick auf.

Wieder schaute sie in Philemons Gesicht, das vor Wut rot anlief, und erkannte, dass ihm alles zuzutrauen war.

»Auf wen beziehen sich diese Worte?«, rief er von der Kanzel. »Nicht auf Fremde, schreibt der Heilige ausdrücklich. Über die wird Gott richten. Aber für jene, die zu euch gehören, seid *ihr* die Richter.« Er wies in die Gemeinde. »Ihr!« Er blickte wieder in die Bibel und las vor: »Schafft den Übeltäter aus eurer Mitte!«

Die Gemeinde schwieg. Die Leute begriffen, dass Philemons Worte keine allgemein gehaltene Ermahnung waren, sondern dass er auf irgendetwas anspielte.

»Wir müssen uns in unserer Umgebung umsehen«, fuhr er fort. »In unserer Stadt, unserer Kirche, unserer Priorei! Gibt es hier Unzüchtige? Wenn ja, müssen sie beseitigt werden!«

Für Caris bestand nun kein Zweifel mehr, dass sie gemeint war. Die Scharfsinnigeren unter den Städtern waren bestimmt schon zu dem gleichen Schluss gelangt. Aber was konnte sie unternehmen? Zu Philemon auf die Kanzel steigen und Widerspruch einlegen kam schwerlich infrage. Sie konnte nicht einmal schweigend die Kirche verlassen, denn damit hätte sie ihm recht gegeben und auch dem Dümmsten in der Gemeinde klargemacht, dass sie das Ziel seiner Hasspredigt war.

Deshalb blieb sie sitzen und hörte zu, wie Philemon zum allerersten Mal eine gute Predigt hielt. Er stockte nicht, versprach sich nicht und formulierte klar und deutlich; es gelang ihm sogar, sein gewohnt monotones Gemurmel abzulegen. Für Philemon war Hass der beste Antrieb.

Natürlich würde niemand Caris aus dem Kloster vertreiben. Selbst wenn sie eine unfähige Priorin gewesen wäre, hätte der Bischof wegen des Mangels an Klerikern an ihr festgehalten. Im ganzen Land wurden Kirchen und Klöster geschlossen, weil es niemanden gab, der Messen lesen oder Psalmen singen konnte. Bischöfe bemühten sich händeringend, neue Priester, Mönche und Nonnen zu weihen und nicht, sie zu entlassen. Und selbst wenn es anders gewesen wäre, hätten die Städter sich gegen jeden Bischof erhoben, der Caris verstoßen wollte.

Dennoch richtete Philemons Predigt Schaden an. Von nun an wäre es für die Stadtoberen noch schwieriger, Caris' Liebesverhältnis mit Merthin zu übersehen. Und dass diese Romanze den Respekt untergrub, wusste Caris nur zu gut. Einem Mann konnten die Leute einen Fehltritt leichter vergeben als einer Frau. Außerdem forderte ihr Amt es geradezu heraus, dass man sie der Heuchelei bezichtigte.

Zähneknirschend erduldete sie Philemons Schlussrede, in der die gleiche Botschaft noch einmal herausgebrüllt wurde, und ließ den Rest der Messe über sich ergehen. Kaum waren die Mönche und Nonnen aus der Kirche gezogen, eilte Caris in die Apotheke, setzte sich an den Tisch und schrieb einen Brief an Bischof Henri, in dem sie ihn bat, Philemon in ein anderes Kloster zu versetzen.

Doch statt versetzt zu werden, wurde Philemon von Bischof Henri befördert.

Seit der Verbannung Friar Murdos waren zwei Wochen vergangen. Philemon, Caris, Erzdiakon Lloyd, Bischof Henri und Kanonikus Claude saßen im nördlichen Querschiff der Kirche. Draußen herrschte warmes Sommerwetter, doch in der Kathedrale war es wie immer kuhl. Der Bischof saß auf einem beschnitzten Holzstuhl, die anderen auf Bänken.

»Ich ernenne Euch zum Prior von Kingsbridge«, sagte Bischof Henri zu Philemon.

Philemon strahlte übers ganze Gesicht und warf Caris einen triumphierenden Blick zu.

Sie war entsetzt. Erst zwei Wochen lag es zurück, dass sie Henri eine lange Liste stichhaltiger Gründe zugesandt hatte, weshalb es Philemon nicht gestattet werden könne, auf verantwortlicher Position in Kingsbridge zu verbleiben – angefangen mit seinem Diebstahl eines goldenen Leuchters. Anscheinend hatte ihr Brief genau das Gegenteil von dem bewirkt, was sie hatte erreichen wollen.

Sie öffnete den Mund zum Widerspruch, doch Henri funkelte sie an und hob die Hand. Caris beschloss zu schweigen und sich anzuhören, was er sonst noch zu sagen hatte. Der Bischof sprach weiterhin Philemon an. »Ich tue dies nicht wegen, sondern trotz Eures Verhaltens seit Eurer Rückkehr, Bruder Philemon. Ihr habt Euch als boshafter Unruhestifter erwiesen, und wenn die Kirche nicht so dringend Kleriker bräuchte, würde ich Euch in hundert Jahren nicht befördern.«

Warum tat er es jetzt, fragte sich Caris.

»Doch wir brauchen einen Prior, und trotz ihrer unbestreitbaren Befähigung genügt es nicht, wenn Mutter Caris diese Aufgabe übernimmt.«

Caris wäre es lieber gewesen, er hätte Thomas zum Prior ernannt. Doch ihr war klar, dass Thomas sich verweigert hätte: Der bittere Zwist um die Nachfolge Prior Anthonys hatte ihm zugesetzt, und er hatte geschworen, sich nie wieder in eine Priorenwahl einbinden zu lassen. Gut möglich, dass der Bischof mit Thomas gesprochen und eine abschlägige Antwort erhalten hatte, ohne dass Caris davon wusste.

»Eure Ernennung wird jedoch eingeschränkt«, fuhr Henri fort. »Erstens werdet Ihr nicht im Amt bestätigt, ehe Kingsbridge die Stadtrechte erteilt wurden. Ihr seid unfähig, die Stadt zu regieren, und ich werde Euch diese Macht nicht in die Hände geben. Bis zu Eurer Bestätigung wird daher Mutter Caris weiterhin als amtierender Prior fungieren, und Ihr werdet im Dormitorium der Mönche wohnen. Der Priorspalast wird verschlossen. Falls Ihr Euch während der Wartezeit etwas zuschulden kommen lasst, werde ich Eure Ernennung augenblicklich widerrufen.«

Philemon wirkte verletzt und verärgert, doch er hielt den Mund. Er wusste, dass er gewonnen hatte, und wollte auf keinen Fall einen Disput über die Bedingungen seiner Ernennung vom Zaun brechen.

»Zweitens wird das Mönchskloster zwar eine eigene Schatzkammer erhalten, doch Bruder Thomas wird Mesner, und ohne sein Wissen und seine Zustimmung werden weder Gelder ausgegeben noch Kostbarkeiten entnommen. Darüber hinaus habe ich den Bau eines neuen Kirchturms befohlen und Zahlungen nach einem Plan genehmigt, den Merthin Bridger vorgelegt hat. Die Priorei wird diese Zahlungen aus den Mitteln des Mönchsklosters leisten, und weder Philemon noch sonst jemand soll die Macht besitzen, diese Vereinbarung abzuändern. Ich möchte nicht mit einem halben Kirchturm dastehen.«

Wenigstens Merthin wird sein Wunsch erfüllt, dachte Caris dankbar.

Henri wandte sich an sie. »Ich habe noch einen Befehl zu erteilen. Er richtet sich an Euch, Mutter Priorin.«

Was kam jetzt?

»Es wurde der Vorwurf der Unzucht erhoben.«

Caris starrte den Bischof an und musste daran denken, wie sie ihn und Claude nackt beim Austausch von Zärtlichkeiten überrascht hatte. Wie konnte gerade Henri es wagen, dieses Thema anzuschneiden?

Bischof Henri fuhr fort: »Über die Vergangenheit möchte ich schweigen. In Zukunft jedoch kann die Priorin von Kingsbridge unmöglich ein Verhältnis mit einem Mann unterhalten.«

Am liebsten hätte Caris gerufen: Aber du lebst selbst mit deinem Geliebten zusammen! Dann aber bemerkte sie Henris Miene. Sein Gesicht zeigte einen beschwörenden Ausdruck. Er flehte sie an, nicht den Vorwurf zu erheben, der ihn als Heuchler entlarvt hätte. Er wusste, wie ungerecht er sich verhielt, doch ihm blieb keine Wahl. Philemon hatte ihn in die Enge getrieben.

Caris war versucht, den Bischof dennoch bloßzustellen, zügelte sich aber. Es hatte keinen Sinn. Henri stand mit dem Rücken zur Wand und versuchte, das Beste aus der Situation zu machen. Caris presste die Lippen zusammen und schwieg.

»Darf ich um Eure Versicherung bitten, Mutter Priorin«, sagte Henri, »dass es von nun an keinen Grund mehr für den Vorwurf der Unzucht geben wird?«

Caris blickte zu Boden. Sie hatte schon einmal an dieser Stelle gestanden. Erneut musste sie sich entscheiden zwischen Merthin und allem, wofür sie gearbeitet hatte: das Hospital, die Erteilung der Stadtrechte, den Turm der Kathedrale. Erneut entschied sie sich für ihre Arbeit.

Sie hob den Kopf und blickte Henri in die Augen. »Ja, Eminenz«, sagte sie. »Ihr habt mein Wort.«

Den Tränen nahe, ging Caris ins Hospital zurück. Sie wusste, dass ihre Entschlossenheit ins Wanken geriete, sobald sie mit Merthin allein wäre; sie würde ihm in die Arme fallen und ihm sagen, dass sie ihn liebte, würde ihm versprechen, aus dem Kloster auszutreten und ihn zu heiraten. Deshalb schickte sie einen Boten zu Merthin, empfing ihn gleich an der Tür des Hospitals und sprach in nüchternem Tonfall zu ihm, die Arme fest vor der Brust verschränkt, damit sie gar nicht erst in Versuchung geriet, in herzlicher Geste die Hand auszustrecken und jenen Körper zu berühren, nach dem sie sich verzehrte.

Als sie Merthin das Ultimatum des Bischofs und ihre Entscheidung mitgeteilt hatte, starrte er sie an und stieß hervor: »Das war das letzte Mal.«

»Was meinst du damit?«

»Wenn du dich diesmal wieder so entscheidest, dann ist es für immer. Ich werde nicht mehr warten und darauf hoffen, dass du eines Tages vielleicht meine Frau wirst.«

Caris war, als hätte er sie geschlagen. Und als er fortfuhr, versetzte er ihr mit jedem Satz einen weiteren Hieb: »Wenn es dir ernst ist mit dem, was du sagst, werde ich von jetzt an versuchen, dich zu vergessen. Ich bin dreiunddreißig. Ich habe nicht ewig Zeit – mein Vater ist mit achtundfünfzig ein Greis. Ich werde eine andere heiraten, Kinder mit ihr haben und glücklich sein.«

Caris biss sich auf die Lippe und versuchte, ihren Schmerz zu bezähmen, doch die Tränen rannen ihr die Wangen hinunter.

Merthin hatte sich in Rage geredet. »Ich werde mein Leben nicht damit verschwenden, dich zu lieben!«, sagte er, und Caris war, als hätte er ihr ein Messer ins Herz gebohrt. »Entweder du verlässt diesmal das Kloster, oder du bleibst für immer.«

Sie blickte ihn ruhig an, auch wenn es ihr unendlich schwerfiel. »Ich werde dich nicht vergessen. Ich werde dich immer lieben.«

»Aber nicht genug.«

Caris schwieg. Was Merthin sagte, stimmte nicht, doch es hatte keinen Sinn, mit ihm zu streiten. »Wenn du das glaubst«, sagte sie, »tut es mir sehr leid.«

»Mir auch«, erwiderte er, kehrte ihr den Rücken zu und verließ das Hospital.

Sir Gregory Longfellow war wieder nach London gereist, kehrte jedoch überraschend schnell zurück, als wäre er wie ein Ball von der Mauer der großen Stadt abgeprallt. Um die Abendbrotzeit traf er auf Tench Hall ein. Er wirkte abgehetzt und atmete schwer durch geblähte Nasenlöcher, und sein langes graues Haar war schweißfeucht. Ralph und Alan standen gerade an einem Fenster und schauten sich einen Dolch neuerer Art mit breiter Klinge an, der Basilard genannt wurde, als Gregory hereinkam und sich ohne ein Wort in Ralphs großen, beschnitzten Sessel fallen ließ.

Ralph und Alan starrten ihn verwundert an. Ralphs Mutter schniefte herablassend: Schlechte Manieren verabscheute sie.

Endlich sagte Gregory: »Der König schätzt es nicht, wenn man ihm den Gehorsam verweigert.«

Besorgt musterte Ralph den Advokaten und fragte sich, was er getan hatte, das man als Ungehorsam gegenüber dem König auslegen könnte. Ihm wollte nichts einfallen. Beinahe ängstlich sagte er: »Ich bedaure, dass Seine Majestät ungehalten ist. Ich hoffe, es liegt nicht an mir.«

»Zumindest seid Ihr daran beteiligt«, erwiderte Gregory verärgert. »Und ich leider auch. Der König ist der Meinung, dass es ein schlechtes Beispiel setzt, wenn seine Wünsche nicht befolgt werden.«

»Dem kann ich nur zustimmen.«

»Deshalb werden wir beide morgen aufbrechen, nach Earlscastle reiten, Lady Philippa aufsuchen und sie *zwingen*, Euch zu heiraten.«

Das also war es! Ralph fiel ein Stein vom Herzen, denn Philippas Widerspenstigkeit konnte man schwerlich ihm zum Vorwurf machen. Wie es aussah, gab der König die Schuld eher Sir Gregory – und der war offenbar entschlossen, die Absichten des Königs nun durchzusetzen.

Wut und Missgunst spiegelten sich auf Gregorys Gesicht. Er

sagte: »Wenn ich mit Lady Philippa fertig bin, wird sie Euch anfle-
hen, dass Ihr sie heiratet, das schwöre ich.«

Ralph wusste nicht, wie Gregory das bewerkstelligen wollte. Philippa hatte es deutlich genug gesagt: Man konnte eine Frau vor den
Traualtar führen, aber man konnte sie nicht zum Jawort zwingen.
»Irgendwo habe ich gehört«, sagte Ralph, »das Recht einer Witwe,
sich einer Heirat zu widersetzen, sei sogar in der Magna Charta niedergelegt.«

Gregory bedachte ihn mit einem düsteren Blick. »Erinnert mich
nicht daran. Ich habe den Fehler gemacht, dies Seiner Majestät gegenüber zu erwähnen.«

Ralph fragte sich, welche Drohungen oder Versprechen Gregory
anwenden wollte, um Philippa seinem Willen zu unterwerfen. Ihm
selbst wäre nichts anderes eingefallen, als sie zu entführen und in
eine abgelegene Kirche zu bringen, wo ein großzügig bestochener
Priester sich ihrem verzweifelt herausgeschrienen »Niemals!« gegenüber taub stellte.

Früh am nächsten Morgen brachen sie mit kleinem Gefolge auf.
Es war Erntezeit, und im Nordfeld mähten die Männer den reifen
Roggen, während die Frauen die Garben banden.

In letzter Zeit hatte Ralph sich mehr Gedanken um die Ernte gemacht als um Philippa. Das lag nicht etwa an der Witterung – das
Wetter war gut –, sondern an der Pest. Ralph hatte zu wenig Pächter und fast gar keine Landarbeiter. Viele waren ihm von skrupellosen Grundherren wie Priorin Caris gestohlen worden, die Knechte
und Mägde mit hohen Löhnen und günstigen Pachtverträgen lock-
ten. Aus schierer Verzweiflung hatte Ralph einigen seiner Hörigen
sogar die freie Pacht zugestanden, sodass sie nicht mehr verpflichtet
waren, auf dem Land ihres Grundherrn zu arbeiten – eine Vereinbarung, die Ralph während der Erntezeit der Arbeitskräfte beraubte.
Deshalb war damit zu rechnen, dass ein Teil seiner Ernte auf dem
Feld verfaulte.

Allerdings glaubte er, dass seine Schwierigkeiten vorüber wären,
wenn er Philippa heiraten könnte. Dann hätte er zehnmal so viel
Land wie jetzt, dazu ein Einkommen aus einem Dutzend anderer
Quellen einschließlich Gerichte, Wälder, Märkte und Mühlen. Und
seine Familie hätte den ihr gebührenden Platz im Adel wieder. Sir
Gerald würde vor seinem Tod noch zum Vater eines Grafen!

Wieder fragte sich Ralph, was Gregory im Sinne hatte. Lady
Philippa jedenfalls stand auf verlorenem Posten: Sie hatte sich eine

kaum zu lösende Aufgabe gestellt, wollte sie sich dem streitbaren Willen und den weitreichenden Beziehungen Sir Gregorys widersetzen. Ralph hätte sich nicht gewünscht, in ihren perlenbestickten Seidenschuhen zu stecken.

Kurz vor Mittag erreichten sie Earlscastle. Das Krächzen der Krähen, die auf den Zinnen zankten, erinnerte Ralph jedes Mal an die Zeit, die er hier als Junker im Dienste Graf Rolands verbracht hatte – manchmal glaubte er, es sei die glücklichste Zeit seines Lebens gewesen. Doch heute lag die Burg ruhig und still da. Im unteren Zwinger trieben keine Knappen ihre derben Spiele, keine Schlachtrösser schnaubten und stampften mit den Hufen, während sie vor den Ställen gestriegelt wurden, keine Soldaten würfelten auf den Stufen zum Wehrturm.

Philippa war mit Odila und einer Handvoll Mägde in der altmodischen Halle. Mutter und Tochter saßen Seite an Seite auf einer Bank vor dem Webstuhl und arbeiteten gemeinsam an einem Wandteppich. Das Bild sah aus, als sollte es eine Waldszene zeigen, wenn es fertig war. Philippa wob braunen Faden für die Baumstämme ein, Odila ein helles Grün für die Blätter.

»Sehr schön, aber es braucht mehr Leben«, sagte Ralph mit gezwungener Fröhlichkeit. »Ein paar Vögel und Hasen ... und vielleicht ein paar Hunde, die einen Hirsch hetzen.«

Philippa war wie stets immun gegen seinen Charme. Sie erhob sich steif. Odila tat es ihr gleich. Ralph bemerkte, dass Mutter und Tochter gleich groß waren. Philippa fragte: »Wieso kommt Ihr hierher?«

Wie du willst, dachte Ralph zornig. Er wandte sich halb von ihr ab. »Sir Gregory hat Euch etwas zu sagen«, erklärte er, ging an ein Fenster und blickte hinaus, als würde er sich langweilen.

Gregory sprach die beiden Frauen förmlich an und erklärte, er hoffe, sich ihnen nicht aufzudrängen. Natürlich war das Unsinn – es war ihm völlig gleichgültig, ob er sie störte oder nicht –, doch seine höflichen Worte schienen Philippa zu besänftigen, und sie bat ihn, sich zu setzen. Als Gregory Platz genommen hatte, fuhr er fort: »Der König zürnt Euch, Mylady.«

Philippa neigte den Kopf. »Ich bedaure zutiefst, wenn ich Seine Majestät verärgert habe.«

»Er möchte seinen treuen Diener Sir Ralph belohnen, indem er ihn zum Grafen von Shiring erhebt. Gleichzeitig verschafft er Euch einen jungen, kraftvollen Ehemann und Eurer Tochter einen guten

Stiefvater.« Philippa schauderte, doch Gregory achtete nicht darauf. »Seine Majestät begreift Eure hartnäckige Weigerung nicht.«

Philippa wirkte ängstlich, und sie hatte allen Grund dazu. Hätte sie einen Bruder oder Onkel gehabt, der für sie Partei ergriff, hätte es anders für sie ausgesehen, doch ihre ganze Familie war von der Pest dahingerafft worden. Als Frau ohne männliche Verwandte hatte sie niemanden mehr, der sie vor dem Zorn des Königs schützte. »Was wird Seine Majestät tun?«, fragte sie besorgt.

»Er hat das Wort ›Verrat‹ noch nicht in den Mund genommen. *Noch* nicht.«

Ralph bezweifelte, ob Philippa zu Recht des Hochverrats angeklagt werden konnte; dennoch erbleichte sie angesichts der Drohung.

»Nun hat er mich gebeten«, fuhr Gregory fort, »Euch gut zuzureden.«

Philippa entgegnete: »Wenn Seine Majestät die Heirat als politische Angelegenheit betrachtet …«

»Politisch ist sie in jedem Fall«, unterbrach Gregory sie. »Wenn Eure hübsche Tochter sich in den gut aussehenden Sohn einer Küchenmagd verlieben würde, dann würdet Ihr dem Mädchen gewiss das Gleiche sagen, was ich nun Euch sage: Frauen von Adel können nicht heiraten, wen sie möchten. Ihr würdet Odila in ihr Zimmer sperren und den Jungen vor ihrem Fenster auspeitschen lassen, bis er ihrer auf immer entsagt.«

Philippa blickte ihn zornig an. Sie schätzte es nicht, wenn ein schlichter Advokat sie über ihre Standespflichten belehrte. »Über die Obliegenheiten einer Adelswitwe bin ich mir im Klaren«, erwiderte sie hochmütig. »Ich bin eine Gräfin, meine Großmutter war eine Gräfin, und meine Schwester war eine Gräfin, bis sie an der Pest starb. Trotzdem ist eine Heirat nicht *nur* eine politische Angelegenheit. Wir Frauen ergeben uns der Gnade der Männer, die unsere Herren und Meister sind und die Pflicht haben, unser Schicksal weise zu bestimmen. Wir Frauen können nur bitten, dass dabei nicht völlig übergangen wird, was in unseren Herzen vor sich geht.«

Sie war aufgebracht, wie Ralph erkannte; dennoch beherrschte sie sich, und noch immer war sie voller Verachtung. Das Wort »weise« hatte einen spöttischen Beiklang gehabt.

»Normalerweise hättet Ihr vielleicht recht, doch es sind außergewöhnliche Zeiten«, erwiderte Gregory. »Üblicherweise hat der König, wenn er nach jemandem Ausschau hält, der einer Grafschaft würdig wäre, die Wahl unter einem Dutzend kluger und tatkräftiger Männer, die ihm treu ergeben und bestrebt sind, ihm auf jede Weise zu dienen. Jedem dieser Männer könnte er vertrauensvoll den Titel zuerkennen. Aber heute, wo viele der besten von der Pest dahingerafft worden sind, ist der König wie eine Hausfrau, die erst am späten Nachmittag zum Fischhändler geht und nehmen muss, was noch auf der Theke liegt.«

Ralph erkannte Gregorys Argument als durchaus stichhaltig, fühlte sich aber gekränkt. Doch er gab vor, nichts bemerkt zu haben.

Philippa wechselte den Kurs. Sie winkte eine Magd heran und sagte: »Bringe uns einen Krug vom besten Wein aus der Gascogne. Da Sir Gregory hier speisen wird, nehmen wir das Lamm der Saison mit Knoblauch und Rosmarin.«

»Jawohl, Mylady.«

»Ihr seid eine Gastgeberin, wie man sie sich freundlicher nicht wünschen könnte«, sagte Gregory.

Philippa erwiderte nichts auf dieses Kompliment: Vorzutäuschen, sie sei nur gastfreundlich, ohne eigene Ziele zu verfolgen, lag nicht in ihrer Natur. Sie kehrte gleich zum Thema zurück. »Sir Gregory, ich muss Euch sagen, dass mein Herz, meine Seele und mein ganzer Körper sich dagegen aufbäumen, Sir Ralph Fitzgerald zu heiraten.«

»Aber warum?«, fragte Gregory. »Er ist ein Mann wie alle anderen.«

»Das stimmt nicht«, erwiderte sie.

Sie sprachen über Ralph, als wäre er gar nicht zugegen – und auf eine Weise, die er als tief verletzend empfand. Doch Philippa war verzweifelt und erlegte sich keine Schranken auf; Ralph wiederum war neugierig, was genau sie an ihm so sehr verabscheute.

»Sir Ralph ist ein starker und tapferer Mann«, sagte Sir Gregory.

»Und ein Frauenschänder, Folterer und Mörder«, entgegnete Lady Philippa.

Ralph war verblüfft. So sah er sich nicht. Natürlich hatte er im Dienste des Königs gefoltert; er hatte Annet und anderen Frauen Gewalt angetan, und er hatte in seinen Tagen als Gesetzloser Männer, Frauen und Kinder getötet. Wenigstens, tröstete er sich, schien Philippa nicht erraten zu haben, dass er die maskierte Gestalt gewesen war, die Tilly ermordet hatte, seine eigene Frau.

Philippa fuhr fort: »Die allermeisten Menschen tragen etwas in sich, das sie von solchen Taten abhält. Es ist die Fähigkeit, wenn nicht gar das Verlangen, des anderen Leid mitzuempfinden. Ihr, Sir Gregory, könntet keiner Frau Gewalt antun, weil Ihr den Schmerz spüren und mit ihr leiden würdet, und das würde Euch dazu bewegen, von ihr abzulassen. Aus dem gleichen Grund könntet Ihr niemals foltern oder morden. Doch wem diese Fähigkeit fehlt, der ist kein Mensch, auch wenn er vielleicht auf zwei Beinen geht und Englisch spricht! Er ist kein Mensch, sondern ein wildes Tier!« Sie beugte sich vor und senkte die Stimme, doch Ralph verstand sie dennoch deutlich: »Und ich werde nicht mit einem Tier im Bett liegen.«

Ralph stieß hervor: »Ich bin kein Tier!«

Er hatte erwartet, dass Gregory ihm beipflichtete. Stattdessen schien er nachzugeben. »Ist das Euer letztes Wort, Lady Philippa?«

Ralph war erstaunt. Würde Gregory es ihr durchgehen lassen, als könnte es auch nur die halbe Wahrheit sein?

»Ich möchte«, sagte Philippa zu Sir Gregory, »dass Ihr zum König zurückkehrt und ihm sagt, dass ich ihm eine treue und gehorsame Untertanin bin und seine Gunst gern wiedererringen möchte, dass ich Sir Ralph aber nicht einmal dann heiraten könnte, würde der Erzengel Gabriel es mir befehlen.«

»Ich verstehe.« Gregory erhob sich. »Wir bleiben nicht zum Essen.«

War das alles? Ralph hatte damit gerechnet, dass Gregory mit einer Überraschung aufwartete, einer geheimen Waffe, einer unwiderstehlichen Bestechung oder Drohung. Hatte der gerissene Hofadvokat wirklich keinen Trumpf mehr in seinem teuren Brokatärmel?

Philippa wirkte nicht minder erstaunt, dass die Diskussion so rasch vorüber war.

Gregory ging zur Tür, und Ralph blieb keine andere Wahl, als ihm zu folgen. Philippa und Odila blickten ihnen hinterher, unschlüssig, wie sie diesen plötzlichen und kühlen Aufbruch deuten sollten. Die Hofdamen verstummten.

Philippa sagte: »Ich bitte Euch, redet dem König gut zu, dass er gnädig ist!«

»Er wird Gnade walten lassen, Mylady«, erwiderte Gregory. »Er hat mich ermächtigt, Euch mitzuteilen, dass er Euch keineswegs zwingen wird, einen Mann zu ehelichen, den Ihr verabscheut, wenn Ihr nicht von Eurem Starrsinn abweicht.«

»Ich danke Euch!«, rief sie. »Ihr rettet mir das Leben.«

Ralph öffnete den Mund zu einem Einwand. Lady Philippa war ihm versprochen worden! Für diese Belohnung hatte er fast alle Sünden dieser Welt auf sich geladen! Man konnte ihm diese Frau doch jetzt nicht verweigern!

Doch Gregory kam ihm zuvor: »Deshalb soll Ralph Eure Tochter ehelichen, wenn Ihr ihn nicht wollt. So befiehlt es Seine Majestät.« Er hielt inne und wies auf das große, fünfzehnjährige Mädchen, das neben seiner Mutter stand. »Odila«, sagte er, als müsste er klarstellen, von wem er redete.

Philippa wurde weiß wie die Wand, und Odila kreischte auf.

Gregory verbeugte sich. »Einen guten Tag wünsche ich Euch.«

Philippa rief: »Wartet!«

Gregory beachtete sie gar nicht und ging hinaus.

Ralph folgte ihm völlig verwirrt.

Gwenda war schon beim Aufstehen müde. Es war Erntezeit, und sie verbrachte jede Stunde der langen Augusttage auf dem Feld. Wulfric schwang unermüdlich die Sense, von Sonnenaufgang bis zum Einbruch der Dunkelheit, und mähte das Getreide. Gwendas Aufgabe war das Binden der Garben. Den ganzen Tag bückte sie sich und raffte die geschnittenen Stängel auf, bückte und raffte, bückte und raffte, bis ihr Rücken vor Schmerzen brannte. Wenn es zu dunkel geworden war, um noch weiterzuarbeiten, schwankte sie nach Hause und fiel todmüde ins Bett. Die Familie musste sich von dem ernähren, was sie im Schrank fand.

Wulfric erwachte bei Sonnenaufgang, und seine Bewegungen drangen in Gwendas tiefen Schlaf. Sie erhob sich mühsam. Sie alle brauchten ein gutes Frühstück, und Gwenda konnte kalten Hammel, Brot, Butter und Starkbier auf den Tisch stellen. Sam, der Zehnjährige, stand von selbst auf, aber Davy, der erst acht war, musste wachgerüttelt werden.

»Dieser Besitz wurde noch nie von nur einem einzigen Mann und seiner Frau bestellt«, sagte Gwenda mürrisch, als sie aßen.

Wulfric war zuversichtlich. »Du und ich, wir haben schon einmal allein die Ernte eingebracht – in dem Jahr, als die Brücke einstürzte«, erwiderte er munter.

»Damals war ich zwölf Jahre jünger.«

»Aber heute bist du schöner.«

Sie war nicht in der Stimmung für Schmeicheleien. »Selbst als dein Vater und dein Bruder noch lebten, hast du zur Ernte einen Knecht gehabt.«

»Mach dir keine Gedanken. Es ist unser Land, und wir haben gepflanzt, also gehört die Ernte uns, statt dass wir wie damals nur einen Penny am Tag verdienen. Je mehr wir arbeiten, desto mehr bekommen wir. Das hast du doch immer gewollt, oder?«

»Ich wollte immer unabhängig und nicht auf fremde Hilfe angewiesen sein, wenn du das meinst.« Sie ging zur Tür. »Der Wind kommt aus Westen, und am Himmel sind ein paar Wolken.«

Wulfric wirkte besorgt. »Ich hoffe, der Regen wartet noch zwei oder drei Tage.«

»Ich glaube, das Wetter hält. Kommt, Jungs, es wird Zeit, aufs Feld zu gehen. Essen könnt ihr unterwegs.« Gwenda steckte Brot und Fleisch fürs Mittagsmahl in einen Sack, als Nate Reeve zur Tür hereinhinkte. »O nein!«, rief Gwenda. »Nicht heute – wir haben unsere Ernte fast eingebracht!«

»Die Ernte des Herrn muss auch eingebracht werden«, erwiderte der Vogt.

Nate folgte sein zehnjähriger Sohn Jonathan, den alle nur Jonno riefen. Kaum sah er Sam, schnitt er ihm Fratzen.

Gwenda sagte: »Gebt uns noch drei Tage für unser Land.«

»Es ist sinnlos, mit mir darüber zu streiten«, entgegnete Nate. »Ihr schuldet dem Herrn einen Tag in der Woche, zur Erntezeit zwei. Ihr werdet heute und morgen seine Gerste auf dem Feld am Bach ernten.«

»Der zweite Tag wird normalerweise erlassen. So ist es schon lange Brauch.«

»So war es Brauch, als es noch genügend Knechte gab«, sagte Nate. »Doch jetzt ist der Herr in einer verzweifelten Lage. Er hat kaum noch jemanden, der ihm die Ernte einbringt. Zu viele Leute haben sich Zinspachten ausgehandelt.«

»Das ist ja gerade so ungerecht!«, schimpfte Gwenda. »Wer mit Euch gefeilscht und verlangt hat, von den alten Pflichten befreit zu werden, der wird belohnt, während Leute wie wir, die die alten Bedingungen angenommen haben, mit doppelter Arbeit auf dem Land des Grundherrn bestraft werden.« Sie musste daran denken, dass Wulfric damals nicht auf ihren Rat gehört hatte, die Bedingungen mit Nate auszuhandeln; nun blickte sie ihn anklagend an.

»So ist es nun mal«, sagte Nate gleichgültig.

»Höllenpest!«, rief Gwenda.

»Kein Grund zu fluchen«, sagte Nate. »Ihr bekommt ein kostenloses Mittagessen. Es gibt Weizenbrot und ein volles Fass Bier. Darauf kann man sich doch wohl freuen?«

»Sir Ralph füttert seine Pferde mit Hafer!«

»Säumt nicht zu lange!« Nate verließ das Haus.

Sein Sohn Jonno streckte Sam die Zunge heraus. Sam versuchte ihn zu packen, doch Jonno entwand sich seinem Griff und rannte dem Vater hinterher.

Müde schleppten sich Gwenda und ihre Familie über die Felder zu dem Acker, auf dem Ralphs Gerste sich im Wind wiegte. Sie machten sich an die Arbeit. Wulfric mähte, Gwenda band die Garben. Sam folgte ihr, hob die einzelnen Halme auf, die Gwenda übersehen hatte, und sammelte sie, bis er genug für eine eigene Garbe zusammenhatte. Dann reichte er sie Gwenda, die sie band. David flocht mit seinen kleinen, geschickten Fingern Stroh zu dem festen Garbenband, das Gwenda zum Schnüren benutzte. Neben ihnen arbeiteten die anderen Familien, die ebenfalls der althergebrachten Fron unterlagen, während die klügeren Hörigen ihre eigenen Felder abernteten.

Als die Sonne ihren höchsten Stand erreicht hatte, fuhr Nate einen Karren mit einem Fass heran. Seinem Wort getreu, gab er jeder Familie einen großen Laib köstlichen frischen Weizenbrots. Jeder aß seinen Teil; dann legten die Erwachsenen sich in den Schatten, um zu ruhen, während ihre Sprösslinge spielten.

Gwenda war gerade eingedöst, als sie das wilde Geschrei von Kindern hörte. An der Stimme erkannte sie sofort, dass es keiner ihrer Jungen war, der da schrie; trotzdem sprang sie auf. Sie sah, dass ihr Sohn Sam sich mit Jonno Reeve prügelte. Obwohl sie gleichaltrig und ähnlich groß waren, hielt Sam Jonno am Boden fest und schlug und trat ihn gnadenlos. Gwenda eilte zu den Jungen, doch Wulfric war schneller. Er packte Sam mit einer Hand und zerrte ihn weg.

Gwenda betrachtete Jonno entsetzt. Der Junge blutete aus Nase und Lippen, und um ein Auge war die Haut rot und geschwollen. Er hielt sich den Bauch, wobei er abwechselnd stöhnte und schluchzte. Gwenda hatte schon mehr als einmal Prügeleien zwischen Jungen gesehen, doch diesmal war es etwas anderes: Jonno war der Sohn des Vogts.

Gwenda musterte Sam. Sein Gesicht zeigte keinerlei Blessuren. Offenbar hatte Jonno nicht einen Treffer gelandet. Sam ließ keine Reue erkennen, dass er Jonno verprügelt hatte; vielmehr lag ein Ausdruck selbstgefälligen Triumphs auf seinem Gesicht. Die Miene kam Gwenda irgendwie vertraut vor, und sie wühlte in ihrem Gedächtnis, wo sie diesen Ausdruck schon einmal gesehen hatte. Sie brauchte nicht lange, bis es ihr einfiel.

Den gleichen Gesichtsausdruck kannte sie von Ralph Fitzgerald, Sams leiblichem Vater.

�֍

Zwei Tage nach Ralphs und Gregorys Besuch auf Earlscastle kam Lady Philippa nach Tench Hall.

Ralph hatte die Aussicht überdacht, Odila zu heiraten. Sie war ein schönes junges Mädchen, aber in London bekam man schöne junge Mädchen für ein paar Pennys. Außerdem hatte Ralph mit Tilly bereits erfahren, wie es war, mit einem halben Kind verheiratet zu sein: Nachdem die anfängliche Erregung verblasst war, hatte sie ihn nur noch gelangweilt und verärgert.

Eine Zeit lang fragte er sich, ob er Odila heiraten und Philippa dennoch bekommen konnte. Ihn faszinierte der Gedanke, die Tochter zu heiraten und sich die Mutter als Mätresse zu halten. Ja, vielleicht konnte er sie beide haben! In Calais hatte er es einmal mit zwei Huren getrieben, Mutter und Tochter, und der Gedanke an Inzest hatte ein erregendes Gefühl der Verruchtheit in ihm erweckt.

Doch bei näherer Betrachtung wusste er, dass es diesmal nicht so kommen konnte: In solch ein Verhältnis hätte Philippa niemals eingewilligt. Er konnte zwar Druck auf sie ausüben, doch sie ließ sich gewiss nicht so schnell einschüchtern.

»Ich möchte Odila nicht heiraten«, hatte Ralph zu Gregory gesagt, als sie von Earlscastle nach Hause geritten waren.

»Das braucht Ihr auch nicht«, hatte Gregory erwidert, ohne seine Erklärung näher auszuführen.

Nun traf Philippa in Begleitung einer Hofdame und eines Leibwächters ein, doch ohne Odila. Als sie Tench Hall betrat, trug sie zum ersten Mal keine stolze Miene zur Schau. Sie sah nicht einmal schön aus, fand Ralph. Offensichtlich hatte sie zwei Nächte lang nicht geschlafen.

Sie hatten sich gerade zum Mittagsmahl gesetzt: Ralph, Alan, Sir Gregory, eine Handvoll Junker und ein Vogt. Philippa war die einzige Frau im Raum.

Sie trat vor Gregory hin.

Die Höflichkeit, die er ihr vorgestern erwiesen hatte, war vergessen. Er stand nicht auf, sondern musterte sie mit herablassendem Blick von oben bis unten, als wäre sie eine Dienstmagd mit einer Beschwerde. »Nun?«, fragte er endlich.

»Ich werde Ralph heiraten.«

»Oh!«, rief er in gespielter Überraschung. »Werdet Ihr?«

»Ja. Ehe ich ihm meine Tochter opfere, heirate ich ihn selbst.«

»Mylady«, erwiderte Gregory mit höhnischer Stimme, »Ihr scheint zu glauben, der König habe Euch vor eine überhäufte Tafel geführt, wo Ihr Euch den besten Leckerbissen aussuchen dürft. Aber da irrt Ihr Euch. Der König fragt nicht danach, was Ihr wünscht – er befiehlt. Und Ihr habt seinen Befehl missachtet, also hat er einen anderen erteilt. Eine Wahl bietet er Euch nicht.«

Sie senkte den Kopf. »Verzeiht. Es tut mir sehr leid. Aber ich flehe Euch an, verschont meine Tochter.«

»Wenn es nach mir ginge, würde ich Eure Bitte als Strafe für Euren Starrsinn ablehnen. Aber vielleicht solltet Ihr Euch ja an Sir Ralph wenden.«

Philippa blickte Ralph an. Er sah Wut und Verzweiflung in ihren Augen. Erregung erfasste ihn. Ihm war nie eine hochmütigere Frau begegnet als Philippa, und nun hatte er ihren Stolz gebrochen! Er wollte sie haben, jetzt gleich, hier, auf der Stelle.

Doch es war noch nicht vorbei.

Er fragte: »Habt Ihr mir etwas zu sagen?«

»Ich entschuldige mich und bitte Euch …«

»Seid still«, unterbrach Ralph sie. »Kommt her.« Er saß am Kopf der Tafel, und Philippa trat näher und stellte sich vor ihn. Ralph streichelte den Löwenkopf, der in die Armlehne seines Sessels geschnitzt war. »Was wolltet Ihr sagen?«, fragte er.

»Es tut mir leid, dass ich Euch vorgestern verschmäht habe. Ich nehme jedes Wort zurück. Ich nehme Euren Antrag an. Ich werde Euch heiraten.«

»Aber ich habe meinen Antrag nicht erneuert. Der König befiehlt mir, Odila zu ehelichen.«

»Wenn Ihr den König bittet, die ursprüngliche Verfügung wieder in Kraft zu setzen, gewährt er es Euch bestimmt!«, rief Philippa verzweifelt.

»Bittet Ihr mich darum?«

»Ja.« Sie sah ihm in die Augen und schluckte die Demütigung herunter. »Ich bitte Euch … Ich flehe Euch an. Bitte, Sir Ralph, nehmt mich zur Frau.«

Ralph schob den Sessel zurück und erhob sich. »Dann küss mich.«

Sie schloss die Augen.

Er legte ihr den Arm um die Schultern, zog sie an sich und küsste sie grob auf den Mund. Sie unterwarf sich, ohne den Kuss zu erwidern. Mit der rechten Hand knetete Ralph ihre Brust. Sie war so fest und schwer, wie er es sich immer vorgestellt hatte. Er fuhr mit der Hand ihren Leib hinunter und schob sie zwischen ihre Beine. Sie zuckte, erduldete seine Berührung jedoch ohne Widerstand, und er drückte seine Hand gegen die Gabelung ihrer Schenkel, griff nach ihrem Schamhügel und umschloss das üppige Dreieck mit den Fingern.

Dann brach er den Kuss ab, ohne die Hand wegzunehmen, und blickte nacheinander seine Freunde im Saal an.

KAPITEL 76

Zur gleichen Zeit, als Ralph zum Grafen von Shiring erhoben wurde, machte man einen jungen Mann namens David Caerleon zum Grafen von Monmouth. Er war erst siebzehn und nur entfernt mit dem toten Grafen verwandt, doch alle anderen möglichen Erben des Titels waren der Pest zum Opfer gefallen.

Ein paar Tage vor Weihnachten las Bischof Henri in der Kathedrale zu Kingsbridge eine Messe, um die beiden neuen Grafen zu segnen. Anschließend waren David und Ralph Ehrengäste eines Banketts, das Merthin in der Ratshalle ausrichten ließ: Die Kaufleute feierten, dass Kingsbridge die Stadtrechte zuerkannt worden waren.

Ralph fand, dass David sehr viel Glück gehabt hatte. Der Junge war noch nie außerhalb des Königreichs gewesen, hatte nie in der Schlacht gekämpft, und dennoch wurde er mit siebzehn zum Grafen. Ralph hingegen war mit König Edward durch die Normandie marschiert und hatte sein Leben in einer Schlacht nach der anderen riskiert, aber dennoch auf den begehrten Titel warten müssen, bis er zweiunddreißig wurde.

Doch am Ende hatte er es geschafft: Nun saß er neben Bischof Henri am Tisch und trug einen kostbaren Brokatmantel, der mit goldenen und silbernen Fäden durchwirkt war. Wer ihn kannte, machte Fremde respektvoll auf ihn aufmerksam; reiche Händler wichen vor ihm zur Seite und neigten demütig das Haupt, wenn er vorbeiging, und die Hand der Magd zitterte, als sie ihm Wein einschenkte. Sein Vater, Sir Gerald, war mittlerweile ans Bett gefesselt, klammerte sich aber hartnäckig ans Leben und hatte verkündet: »Ich bin der Nachfahre eines Grafen, und ich bin der Vater eines Grafen. Ich bin glücklich.« Das alles war überaus erfreulich.

Ralph konnte es kaum erwarten, mit David über den Mangel an Knechten zu sprechen. Doch erst einmal würde dieser Missstand gemildert werden, nachdem nun die Ernte eingebracht und das herbstliche Pflügen erledigt war: In dieser Jahreszeit mit ihren kurzen Tagen und dem kalten Wetter konnte auf den Feldern nicht viel gearbeitet werden. Doch sobald im Frühling die Zeit des Pflügens begann und der Boden wieder weich genug war, dass die Bauern säen konnten, ging das Elend von vorn los: Die Knechte würden wieder höheren Lohn verlangen; weigerte man sich, ihren Forderungen nachzugeben, liefen sie zu großzügigeren Dienstherren davon.

Damit diese Umtriebe ein für alle Mal endeten, musste der Adel im Ganzen fest bleiben, Forderungen nach höherem Lohn widerstehen und sich weigern, Landflüchtige einzustellen. Genau darüber wollte Ralph mit David sprechen.

Allerdings zeigte der neue Graf von Monmouth keine Neigung, sich mit Ralph zu unterhalten. Sein ganzes Augenmerk galt Ralphs Stieftochter Odila, die fast in seinem Alter war. Sie waren einander schon begegnet, vermutete Ralph; Philippa und Graf William, ihr erster Mann, waren oft Gäste in der Burg gewesen, als David noch als Knappe im Dienst des alten Grafen Roland stand. Was immer vorausgegangen war, sie waren nun Freunde: David redete beschwingt, und Odila hing an seinen Lippen, pflichtete seinen Ansichten bei, lauschte andächtig, wenn er eine Geschichte erzählte, und lachte über seine Scherze.

Ralph hatte immer schon Männer beneidet, die Frauen zu faszinieren vermochten. Auch sein Bruder besaß diese Gabe und konnte die schönsten Frauen haben, obwohl er ein unscheinbarer kleiner Kerl mit rotem Haar war.

Dennoch empfand Ralph Mitleid für Merthin. Seit dem Tag, an dem Graf Roland ihn, Ralph, zum Junker erhoben und Merthin ein Dasein als Lehrling eines Baumeisters zugewiesen hatte, war Merthin das Scheitern vorherbestimmt gewesen. Er, Ralph – obwohl der Jüngere –, war Graf geworden. Merthin, der nun auf der anderen Seite Graf Davids saß, hatte sich damit begnügen müssen, ein schlichter Bürgermeister zu werden.

Doch er verstand es, Frauen zu bezaubern. Ralph konnte nicht einmal sein eigenes Weib für sich einnehmen. Sie redete kaum ein Wort mit ihm. Seinem Hund hatte sie mehr zu sagen.

Wie ist es nur möglich, fragte sich Ralph, dass ich so enttäuscht bin, wo Philippa endlich mir gehört? Nichts hatte er so sehnlich begehrt wie diese Frau. Er hatte sich nach ihr verzehrt, seit er ein neunzehnjähriger Junker gewesen war. Jetzt, nach drei Ehemonaten, wünschte er sich nichts mehr, als sie wieder loszuwerden.

Dabei konnte er sich kaum beschweren. Philippa tat alles, was von einem Weib verlangt werden konnte. Sie leitete mit kundiger Hand die Küche der Burg, wie sie es getan hatte, seit ihr Mann nach der Schlacht von Crécy zum Grafen erhoben worden war. Sie bestellte Vorräte, zahlte Rechnungen, sorgte dafür, dass Kleidung geflickt und Feuer entfacht wurde und jeden Tag Speis und Trank auf den Tisch kamen. Und sie ergab sich Ralphs sexuellen Wünschen. Er konnte mit ihr tun, was er wollte: ihr die Kleider vom Leib reißen, seine Finger unsanft in sie hineinstoßen, sie im Stehen oder von hinten nehmen – niemals klagte sie.

Aber sie erwiderte seine Liebkosungen auch nicht. Niemals begegneten ihre Lippen den seinen, niemals steckte sie ihm die Zunge in den Mund, niemals streichelte sie ihn. Sie hatte stets eine Phiole mit Mandelöl zur Hand, mit dem sie sich von innen befeuchtete, wann immer Ralph sie besteigen wollte. Reglos wie ein Leichnam lag sie dann da, während er sie grunzend rammelte. Kaum rollte er sich von ihr herunter, ging sie sich waschen.

Das einzig Gute an dieser Ehe war, dass Odila den kleinen Gerry gern mochte. Der Säugling hatte ihre schlummernden Muttergefühle geweckt. Sie liebte es, mit ihm zu sprechen, ihm vorzusingen und ihn in den Schlaf zu wiegen. Sie ließ ihm die liebevolle Bemutterung zukommen, die er von einer bezahlten Amme niemals erhalten hätte.

Dennoch war Ralph ein unzufriedener Mann: Philippas üppiger Leib, den er so viele Jahre lang verlangend angestarrt hatte, stieß ihn ab. Seit Wochen hatte er sie nicht mehr angerührt und würde es wohl auch nicht mehr tun. Wenn er ihre schweren Brüste und runden Hüften betrachtete, sehnte er sich nach den schlanken Gliedmaßen und dem mädchenhaften Körper Tillys zurück. Tilly, die er mit einem langen, spitzen Messer erstochen hatte, indem er es unter ihren Rippen hindurch in ihr pochendes kleines Herz stieß! Diese Sünde wagte er nicht einmal zu beichten. Wie lange, fragte er sich, würde er im Fegefeuer wohl dafür büßen müssen?

Der Bischof und seine Begleitung nächtigten im Priorspalast, während das Gefolge des Grafen von Monmouth in den Gästegemächern der Priorei untergebracht war; deshalb wohnten Ralph und Philippa mitsamt ihrer Dienerschaft in einem Gasthaus. Ralph hatte das Bell ausgewählt, jenes umgebaute Wirtshaus, das seinem Bruder gehörte. Es war das einzige dreistöckige Gebäude in Kingsbridge; im Erdgeschoss gab es einen großen, offenen Schankraum, im ersten Stock getrennte Schlafsäle für Männer und Frauen, und ganz oben gab es sechs schmucke Einzelzimmer. Als das Bankett vorüber war, kehrten Ralph und seine Leute ins Bell zurück, wo sie sich vor dem Feuer niederließen, nach mehr Wein riefen und sich dem Würfelspiel widmeten. Philippa war im Kloster geblieben, um mit Caris zu sprechen und Odila und Graf David im Auge zu behalten.

Ralph und seine Begleiter hatten eine Schar Bewunderer angelockt, junge Männer und Frauen, wie sie sich stets um spendable Adlige zusammenfanden. In der Euphorie des Trinkens und dem Kitzel des Würfelspiels vergaß Ralph allmählich seinen Missmut.

Er bemerkte eine hellhaarige junge Frau, die ihn mit sehnsüchtigem Ausdruck anschaute, als er beim Würfeln nun fröhlich Berge von Silberpennys setzte und verlor. Ralph winkte sie näher und hieß sie, sich neben ihn auf die Bank zu setzen. Er erfuhr, dass sie Ella hieß. Immer wenn es spannend wurde, packte Ella nun Ralphs Oberschenkel, als hätte die Spielleidenschaft auch sie erfasst, obwohl sie wahrscheinlich sehr genau wusste, was sie tat – bei Frauen war es meist so.

Nach und nach verlor Ralph das Interesse am Spiel und verlagerte seine Aufmerksamkeit auf Ella. Seine Männer würfelten weiter, während Ralph sich der Aufgabe widmete, Ella näher kennenzulernen. Sie war alles das, was Philippa nicht war: glücklich, liebreizend und von Ralph begeistert. Immer wieder berührte sie ihn und sich selbst: Sie strich sich das Haar aus dem Gesicht, tätschelte seinen Arm, führte die Hand an ihre Kehle, fuhr ihm wie zufällig über den Oberschenkel. Ralphs Erlebnisse in Frankreich schienen sie sehr zu fesseln.

Zu Ralphs Verdruss kam Merthin in den Schankraum und setzte sich zu ihm. Merthin betrieb das Gasthaus Bell nicht selbst – er hatte es an die jüngste Tochter von Betty Baxter verpachtet –, doch ihm war sehr daran gelegen, dass seine Pächterin einen Erfolg daraus machte, und so fragte er Ralph, ob alles zu seiner Zufriedenheit sei. Ralph stellte seine Gefährtin vor, und Merthin erwiderte: »Ja, ich kenne Ella«, in einem abschätzigen Tonfall, der untypisch unhöflich ausfiel.

Heute war es erst das dritte oder vierte Mal, dass die Brüder sich seit dem Tod Tillys begegneten. Bei den bisherigen Gelegenheiten, wie Ralphs Heirat mit Philippa, war kaum Zeit zum Reden geblieben. Dennoch sah Ralph an der Art, wie sein Bruder ihn anblickte, dass Merthin ihn des Mordes an Tilly verdächtigte. Der unausgesprochene Gedanke stand drohend zwischen ihnen und wurde zwar nie angesprochen, ließ sich aber genauso wenig ignorieren wie die Kuh in der beengten Kate eines armen Bauern. Wenn das Gespräch auf

Tilly käme, wäre es das letzte Mal, dass sie miteinander redeten; so viel wusste Ralph.

Deshalb tauschten sie an diesem Abend – wie in gegenseitigem Einvernehmen – wieder nur Belanglosigkeiten aus; dann ging Merthin mit der Bemerkung, er müsse noch arbeiten. Ralph fragte sich kurz, welche Arbeit sein Bruder in der Dämmerung eines Dezemberabends wohl verrichtete. Eigentlich wusste er überhaupt nicht, wie Merthin seine Zeit verbrachte. Er jagte nicht, er hielt nicht Hof, er brauchte nicht dem König aufzuwarten. War es möglich, dass er den ganzen Tag – jeden Tag – nur zeichnete und Maurer beaufsichtigte? Ein solches Leben hätte Ralph in den Wahnsinn getrieben. Auf der anderen Seite musste er staunen, wie viel Geld Merthin mit seinen Geschäften zu verdienen schien. Ralph hatte es stets an Geld gefehlt, seit er Herr von Tench geworden war; Merthin jedoch schien es nie auszugehen.

Ralph wandte sich wieder Ella zu. »Mein Bruder ist ein bisschen schlecht gelaunt«, sagte er entschuldigend.

»Weil er schon ein halbes Jahr keine Frau mehr gehabt hat.« Sie kicherte. »Früher hat er die Priorin bestiegen, aber sie musste ihn rauswerfen, als Philemon zurückkam.«

Ralph tat, als wäre er geschockt. »Eine Nonne? Die darf das doch nicht!«

»Mutter Caris ist eine wunderbare Frau, aber es juckt sie. Das sieht man schon daran, wie sie geht.«

Solch offene Rede aus dem Mund einer Frau erregte Ralph. »Es ist sehr schlecht für einen Mann«, ließ er sich auf ihr Spiel ein, »so lange ohne Frau auskommen zu müssen.«

»Das finde ich auch.«

»Man bekommt davon ... Beulen.«

Sie hob fragend die Augenbrauen. »Beulen?«

Ralph schaute in seinen Schoß, und Ella folgte seinem Blick. »Oje«, sagte sie. »Das sieht aber unbequem aus.« Sie legte ihm die Hand auf das erigierte Glied.

In diesem Augenblick kam Philippa herein.

Ralph erstarrte. Er fühlte sich schuldig und war ängstlich; gleichzeitig war er wütend auf sich selbst, dass es ihn überhaupt kümmerte, ob Philippa sah, was er trieb.

Sie sagte: »Ich werde hinaufgehen und ... oh!«

Ella gab Ralph nicht frei. Sie drückte sein Glied sogar, während sie mit triumphierendem Lächeln zu Philippa aufblickte.

Philippa lief rot an. Ihr Gesicht zeigte Scham und Abscheu.

Ralph öffnete den Mund; dann aber wusste er nicht, was er sagen sollte. Er war nicht bereit, sich bei dem leidenschaftslosen Weib zu entschuldigen, das er zur Frau hatte, denn er fand, dass sie diese Demütigung selbst heraufbeschworen hatte. Gleichzeitig kam er sich ein bisschen töricht vor, dass er mit einer Kneipenhure dasaß, die seinen Schwanz hielt, während seine Gemahlin, die Gräfin, verlegen vor ihnen stand.

Die Szene währte nur einen Augenblick. Ralph gab einen erstickten Laut von sich, Ella kicherte, und Philippa rief in angewidertem Ton: »Oh!« Dann wandte sie sich ab und ging mit unnatürlich hoch erhobenem Kopf zur breiten Treppe. Anmutig wie ein Hirsch an einem Hang stieg sie die Stufen hinauf und verschwand, ohne sich noch einmal umzusehen.

Ralph war verärgert und beschämt zugleich, obwohl er sich sagte, dass er weder für das eine noch für das andere Veranlassung habe. Sein Interesse an Ella schwand jedoch sichtlich, und sie nahm die Hand fort.

»Trinken wir noch einen Schluck Wein«, sagte sie und schenkte aus dem Krug ein, der auf dem Tisch stand, doch Ralph spürte aufkommenden Kopfschmerz und schob den Holzbecher fort.

Ella legte ihm eine Hand auf den Arm und sagte mit leiser, kehliger Stimme: »Lasst mich jetzt nicht hier sitzen, nachdem Ihr mich so … aufgeheizt habt.«

Er schüttelte ihre Hand ab und stand auf.

Ihre Miene wurde kühl, und sie sagte: »Dann gebt mir wenigstens eine Entschädigung.«

Er nahm eine Handvoll Silberpennys aus der Börse und legte sie auf den Tisch, ohne Ella anzuschauen. Ob er ihr zu viel oder zu wenig gab, war ihm vollkommen gleich.

Ella raffte die Münzen an sich.

Ralph ließ sie sitzen und ging nach oben.

Philippa saß mit dem Rücken am Kopfende aufrecht auf dem Bett. Die Schuhe hatte sie ausgezogen, ansonsten aber war sie vollständig bekleidet. Als Ralph ins Zimmer kam, starrte sie ihn vorwurfsvoll an.

Er sagte: »Du hast kein Recht, zornig auf mich zu sein!«

»*Ich* bin nicht zornig«, erwiderte sie. »*Du* bist es.«

Sie verstand sich immer gut darauf, ihm die Worte im Mund umzudrehen, bis sie im Recht und er im Unrecht war.

Ehe ihm eine Antwort einfiel, fragte sie: »Wäre es dir genehm, wenn ich mich aus deinem Leben zurückziehe?«

Erstaunt sah er sie an. Damit hatte er am allerwenigsten gerechnet. »Wohin willst du gehen?«

»Ich würde hierbleiben«, antwortete sie. »Ich würde keine Nonne werden, aber dennoch im Konvent leben. Ich würde nur wenige Diener mitnehmen: eine Zofe, einen Schreiber und meinen Beichtvater. Ich habe bereits mit Mutter Caris gesprochen, und sie wäre einverstanden.«

»Schon meine letzte Frau ist ins Kloster gegangen. Was sollen die Leute denken?«

»Viele Frauen von Adel ziehen sich irgendwann in ihrem Leben in ein Kloster zurück, zeitweilig oder dauerhaft. Die Leute werden denken, du hättest mich zurückgewiesen, weil ich keine Kinder mehr bekommen kann, was vermutlich tatsächlich der Fall ist. Außerdem – seit wann kümmert es dich, was die Leute sagen?«

Kurz schoss ihm der Gedanke durch den Kopf, wie bedauerlich es wäre, wenn der kleine Gerry Odila verlor, doch die Aussicht, von Philippas stolzer, missbilligender Gegenwart befreit zu werden, war unwiderstehlich. »Also gut, was hält dich noch? Tilly hat nie um Erlaubnis gebeten.«

»Vorher möchte ich Odila verheiratet sehen.«

»An wen?«

Sie blickte ihn an wie einen Dummkopf.

»Ach so«, sagte er. »Jung-David, nehme ich an.«

»Er liebt sie, und ich finde, sie passen gut zusammen.«

»Er ist noch minderjährig – er muss den König um Erlaubnis bitten.«

»Deshalb habe ich das Thema angeschnitten. Wirst du ihn begleiten, wenn er beim König vorspricht, und dich für die Erlaubnis verwenden? Wenn du das für mich tust, schwöre ich, dich nie wieder um etwas zu bitten. Dann lass ich dich in Frieden.«

Sie bat ihn um keinerlei Opfer. Ein Bund mit Monmouth konnte Ralph nur nützlich sein. »Und du verlässt Earlscastle und ziehst ins Nonnenkloster?«

»Ja, sobald Odila verheiratet ist.«

Es war das Ende eines Traumes, begriff Ralph – nur war dieser Traum zu düsterer Wirklichkeit geworden. Er konnte den Fehlschlag genauso gut eingestehen und von Neuem beginnen.

»Also gut«, sagte er und empfand Bedauern, in das sich ein Gefühl der Befreiung mischte. »Abgemacht.«

Im Jahre 1350 war Ostern früh, und am Abend des Karfreitags loderte ein großes Feuer in Merthins Kamin. Auf dem Tisch stand ein
kaltes Abendbrot: Räucherfisch, Weichkäse, frisches Brot, Birnen
und ein Bocksbeutel Rheinwein. Merthin trug sauberes Unterzeug
und ein neues, gelbes Gewand. Das Haus war geputzt worden, und
auf der Anrichte stand ein Krug mit Osterglocken.

Merthin war allein. Lolla war bei seinen Dienern, Arn und Em.
Ihr Häuschen stand am anderen Ende des Gartens, doch Lolla – inzwischen fünf Jahre alt –, liebte es, bei ihnen zu übernachten. Sie
nannte es »pilgern« und nahm eine Reisetasche mit ihrer Haarbürs-
te und ihrer Lieblingspuppe mit.

Merthin öffnete ein Fenster und blickte hinaus. Eine kalte Brise
wehte von der Wiese am Südufer über den Fluss. Das letzte Abend-
licht schwand, schien vom Himmel herabzusinken und im Wasser
unterzugehen, bis es in der Schwärze verschwand.

Merthin stellte sich eine kapuzenverhüllte Gestalt vor, die aus
dem Nonnenkloster kam. Er sah, wie die Gestalt einem ausgetretenen Pfad folgte, der quer über den Kathedralenvorplatz führte; er
stellte sich vor, wie sie an den Lichtern des Gasthauses Bell vorbeieil-
te und in die Hauptstraße einbog, wobei sie ihr Gesicht beschattete
und sorgsam darauf achtete, mit niemandem zu reden. Er stellte sich
vor, wie sie das Uferland erreichte. Blickte sie zur Seite in den kalten
schwarzen Fluss und gemahnte sich an einen Augenblick so großer
Verzweiflung, dass selbstzerstörerische Gedanken aufkamen? Falls
ja, wurde die Erinnerung rasch beiseitegeschoben, und die Gestalt
trat auf das Kopfsteinpflaster seiner Brücke und kam herüber nach
Leper Island, wo sie die Hauptstraße verließ, niedriges Strauchwerk
durchquerte und über die von Gestrüpp durchsetzte Wiese ging, auf
der das Gras von den Hasen kurz gehalten wurde. Schließlich umrundete sie die Ruine des alten Aussätzigenhauses, bis sie das südwestliche Ufer erreichte.

Dann klopfte die Gestalt an Merthins Tür.

Er schloss das Fenster und wartete, hörte jedoch kein Klopfen. Sein Wunschdenken war der Zeit vorausgeeilt.

Er war versucht, ein Glas Wein zu trinken, ließ es dann aber. Er wollte am Ablauf des Rituals nichts ändern.

Wenige Augenblicke später vernahm er das Klopfen und öffnete die Tur. Sie trat ein, warf die Kapuze zurück und streifte sich den schweren grauen Umhang von den Schultern.

Sie war eine Handbreit größer als er und ein paar Jahre älter. Auf ihrem stolzen Gesicht, das üblicherweise den Ausdruck von Hochmut zeigte, lag nun ein Lächeln, so warm wie die Sonne. Sie trug ein Kleid aus hellem Kingsbridger Scharlach. Merthin schloss sie in die Arme, genoss es, ihren üppigen Leib zu spüren, und küsste ihren breiten, vollen Mund.

»Philippa«, flüsterte er.

Sie liebten sich voller Gier auf dem Fußboden, ohne sich zu entkleiden. Der Hunger auf den jeweils anderen war schier unstillbar. Merthin breitete hastig ihren Umhang auf dem Stroh aus, und sie hob ihr Kleid und legte sich hin, schwer atmend vor Verlangen. Wie eine Ertrinkende klammerte sie sich an ihn, die Beine um seine Hüften geschlungen, während sie ihn an ihren weichen Leib zog und ihr Gesicht an seinen Hals presste. Merthin spürte ihren heißen Atem und hörte ihre erstickten Schreie, während ihr Körper unter seinen kräftigen Stößen bebte.

Sie hatte ihm gesagt, sie sei überzeugt gewesen, niemand würde sie jemals wieder berühren, nachdem sie Ralph verlassen und in die Priorei gezogen war. Sie hatte geglaubt, nie mehr bei einem Mann zu liegen, bis die Schwestern ihren kalten Leib zur Bestattung vorbereiteten. Allein der Gedanke rührte Merthin zu Tränen.

Bei ihm war es ähnlich. Seine Liebe zu Caris war so überwältigend gewesen, dass er nie geglaubt hätte, eine andere Frau könne je seine Zuneigung gewinnen. Nun kam Philippas Liebe wie ein unerwartetes Geschenk für ihn, ein kühler Quell, der in einer heißen Wüste sprudelte, und beide tranken so gierig davon wie Verdurstende.

Hinterher lagen sie erschöpft beim Feuer, und er erinnerte sich an das erste Mal. Kurz nachdem Philippa in die Priorei gezogen war, hatte sie Interesse am Bau des neuen Kirchturms entwickelt. Als praktisch veranlagter Frau fiel es ihr schwer, die langen Stunden auszufüllen, die mit Gebet und Meditation verbracht werden sollten.

Die Bibliothek erweckte zwar ihre Begeisterung, doch sie konnte nicht den ganzen Tag lesen. So kam sie Merthin in der Modellkammer besuchen, und er zeigte ihr seine Pläne. Rasch wurden die Besuche zur täglichen Gewohnheit, und sie sprach mit ihm, während er arbeitete. Merthin hatte Philippas Intelligenz stets bewundert, und in der Stille und Behaglichkeit des Skizzenbodens lernte er sie als einen freundlichen, warmherzigen Menschen kennen, der sich hinter einem kühlen, aristokratischen Gebaren verbarg. Er entdeckte, dass sie einen lebhaften Sinn für Humor besaß, und schaffte es, sie zum Lachen zu bringen. Es war ein dunkles Lachen tief in der Kehle, das in ihm den Wunsch erweckte, sie zu lieben. Eines Tages hatte sie ihm dann ein Kompliment gemacht. »Ihr seid ein feiner Mann«, hatte sie gesagt. »Davon gibt es viel zu wenige.« Ihre Aufrichtigkeit rührte ihn, und er küsste ihr die Hand. Es war eine Geste der Zuneigung, die sie ohne Weiteres zurückweisen konnte, wenn sie wollte: Sie brauchte nur die Hand wegzuziehen und einen Schritt zurückzutreten, und er hätte gewusst, dass er ein bisschen zu weit gegangen war. Doch sie wies ihn nicht zurück, im Gegenteil; sie hielt seine Hand fest und schaute ihn mit geradezu verliebten Augen an, und er legte die Arme um sie und küsste ihren Mund.

Sie liebten sich auf dem Strohsack auf dem Zeichenboden; erst hinterher war Merthin wieder eingefallen, dass Caris ihn dazu bewogen hatte, den Sack dorthinzulegen, wobei sie gescherzt hatte, dass er etwas bräuchte, wo er sein bestes Werkzeug lassen könne.

Caris wusste nichts von ihm und Philippa. Kaum jemand wusste davon, nur Philippas Zofe sowie Arn und Em. Philippa ging in ihrem eigenen Zimmer im Obergeschoss des Hospitals kurz nach Sonnenuntergang zu Bett, um die gleiche Zeit, in der die Nonnen sich ins Dormitorium zurückzogen. Sie schlich sich hinaus, wenn die Schwestern schliefen, indem sie die Außentreppe benutzte, die es wichtigen Gästen erlaubte, zu kommen und zu gehen, ohne das Quartier der gewöhnlichen Leute durchqueren zu müssen. Vor dem Morgengrauen kehrte sie auf die gleiche Weise zurück, während die Schwestern die Matutin sangen, und erschien zum Frühstück, als hätte sie die ganze Nacht in ihrem Zimmer verbracht.

Merthin war erstaunt, dass er, weniger als ein Jahr nachdem Caris ihn endgültig verlassen hatte, eine andere Frau lieben konnte. Natürlich hatte er Caris nicht vergessen. Im Gegenteil – er dachte jeden Tag an sie und verspürte das Verlangen, mit ihr zu reden, ihr von all dem zu erzählen, was er erlebt hatte, oder sie in einer kniffligen Frage um

Rat zu fragen; oder er ertappte sich dabei, wie er irgendetwas genau so tat, wie Caris es gewollt hätte – zum Beispiel, wenn er Lolla das aufgeschürfte Knie mit warmem Wein abwusch.

Und an den meisten Tagen sah er Caris: Das neue Hospital war beinahe fertig, die Fundamente für den Turm der Kathedrale wurden gelegt, und Caris behielt beide Bauvorhaben aufmerksam im Auge. Auch wenn die Priorei ihre Macht über die Kaufleute der Stadt eingebüßt hatte, interessierte Caris sich für alles, was Merthin und der Rat unternahmen: Sie richteten Gerichtshöfe ein, planten die Wiederbelebung des Wollmarkts und ermutigten die Zünfte, Maßeinheiten und andere Standards festzulegen, wie es einer freien Stadt zustand.

Doch wenn Merthin an Caris dachte, hinterließ es stets einen unangenehmen Nachgeschmack, der wie die Bitterkeit in der Kehle war, wenn man saures Bier getrunken hatte. Er war ihr mit Leib und Seele verfallen gewesen, doch am Ende hatte sie ihn abgewiesen. Es war, als erinnerte er sich an einen schönen Tag, der im Streit geendet hatte.

»Ob ich mich wohl besonders zu Frauen hingezogen fühle, die nicht frei sind?«, fragte er Philippa.

»Nein, wieso?«

»Nun, es ist doch seltsam, dass ich ausgerechnet bei der Frau meines Bruders lande, nachdem ich zwölf Jahre lang eine Nonne geliebt und neun Monate im Zölibat gelebt habe.«

»Ich bin nie Ralphs Frau gewesen«, erwiderte Philippa. »Ich wurde gegen meinen Willen vermählt und habe sein Bett nur wenige Tage lang geteilt. Er ist froh, wenn er mich niemals wiedersieht.«

Merthin tätschelte ihr entschuldigend die Schulter. »Trotzdem müssen wir vorsichtig sein, genau wie Caris und ich es damals gewesen sind.« Er sprach nicht aus, dass einem Mann das Recht zustand, sein Weib zu töten, wenn er es beim Ehebruch ertappte. Merthin hatte nie gehört, dass so etwas tatsächlich geschehen wäre, schon gar nicht beim Adel, doch Ralphs Stolz machte ihn unberechenbar: Merthin wusste – und das hatte er Philippa auch gesagt –, dass Ralph seine erste Frau Tilly ermordet hatte.

Nun sagte sie: »Dein Vater hat lange Zeit vergeblich um deine Mutter gefreit, nicht wahr?«

»Ja.« Merthin hatte die alte Geschichte beinahe vergessen.

»Und du hast dich in eine Nonne verliebt.«

»Und mein Bruder hat jahrelang nach dir geschmachtet, der

glücklich verheirateten Frau eines Grafen. Wie die Priester sagen, die Sünden der Väter kommen über die Söhne. Aber genug davon. Möchtest du Abendbrot?«

»Gleich.«

»Kann ich vorher noch etwas für dich tun?«

»Das weißt du doch.«

Das wusste er allerdings. Er kniete sich zwischen ihre Beine und küsste ihren Bauch und ihre Schenkel. Es war Philippas Eigenart, dass sie stets noch auf eine andere Art befriedigt werden wollte. Merthin begann sie mit der Zunge zu liebkosen. Sie stöhnte und drückte seinen Hinterkopf. »Ja«, sagte sie. »Du weißt, wie ich das liebe, besonders, wenn ich deinen Samen in mir habe.«

Er hob den Kopf. »Ja, ich weiß es«, sagte er. Dann beugte er sich wieder vor und ergab sich seiner Pflicht.

Der Frühling brachte Erholung von der Pest. Noch immer starben Menschen an der Seuche, doch es erkrankten weniger. Am Ostersonntag verkündete Bischof Henri, dass der Wollmarkt in diesem Jahr wie üblich stattfinden sollte.

Während des Hochamts legten sechs Novizen ihr Gelübde ab und wurden vollgültige Mönche. Ohne Ausnahme hatten sie ein ungewöhnlich kurzes Noviziat hinter sich, doch Henri war sehr darauf bedacht, das Mönchskloster in Kingsbridge zu verstärken, wie überhaupt jedes Kloster im ganzen Land. Zusätzlich wurden fünf Priester geweiht – auch ihnen kam die verkürzte Ausbildung zugute –, die an der Pest verstorbene Geistliche aus dem Umland ersetzen sollten. Und von der Universität schließlich trafen zwei Kingsbridger Mönche ein, die ihren Abschluss als Ärzte nach nur drei Jahren statt der üblichen fünf bis sieben Jahre erhalten hatten.

Die neuen Ärzte hießen Austin und Sime. Caris erinnerte sich nur vage an sie: Sie war noch Gastmeisterin gewesen, als die beiden vor drei Jahren das Kloster verlassen hatten, um die Universität in Oxford zu besuchen. Am Nachmittag des Ostermontags führte sie Austin und Sime durch das beinahe fertiggestellte neue Hospital. Wegen des Feiertags war niemand bei der Arbeit.

Beide Mönche waren sehr von sich eingenommen: Die Universität vermittelte ihren Abgängern zusammen mit medizinischem Wissen und einer Vorliebe für Wein aus der Gascogne vor allem ein Gefühl geistiger Überlegenheit. Doch der jahrelange Umgang mit Kranken hatte Caris Selbstvertrauen geschenkt, und sie beschrieb die Einrichtungen des Hospitals und die Art, wie sie es zu führen gedachte.

Austin war ein schlanker, lebhafter junger Mann mit schütterem Haar. Er war beeindruckt von der Anlage der Räume, die an einen Kreuzgang erinnerte. Sime, ein wenig älter und rundgesichtig, schien aus Caris' Erfahrungen jedoch nichts lernen zu wollen: Sie bemerkte, dass er jedes Mal grinste, wenn sie sprach.

»Ein Hospital sollte stets sauber sein«, sagte sie.

»Wieso?«, fragte Sime in herablassendem Tonfall. »Welche medizinische Autorität hat Euch das gelehrt?«

»Die Erfahrung. Reinlichkeit ist eine Tugend.«

»Oh! Dann hat es nichts mit dem Gleichgewicht der Körpersäfte zu tun?«

»Das weiß ich nicht. Wir hier schenken den Säften keine besondere Beachtung. Beim Kampf gegen die Pest ist die Lehre von den Säften kläglich gescheitert.«

»Aber den Fußboden zu fegen hatte Erfolg?«

»Zumindest hebt ein sauberer Raum die Stimmung der Kranken.«

Austin warf ein: »Du musst zugeben, Sime, dass einige Magister in Oxford die neuen Ideen der Mutter Priorin teilen.«

»Ja. Eine kleine Gruppe wissenschaftlicher Laien!«

Caris sagte: »Vor allem geht es darum, sämtliche Patienten mit ansteckenden Kankheiten von den anderen zu trennen.«

»Zu welchem Zweck?«, fragte Sime.

»Um die Ausbreitung von Seuchen zu verhindern.«

»Auf welchem Weg werden sie denn übertragen?«

»Das weiß niemand.«

Ein triumphierendes Lächeln umspielte Simes Lippen, denn er glaubte, Caris' Argument durch eine einfache Frage entkräften zu können: »Woher wollt Ihr dann wissen, wie Ihr die Ausbreitung eindämmen könnt?«

»Aus Erfahrung«, sagte Caris. »Ein Schafhirt begreift zwar nicht das Wunder, wie im Leib einer Zicke ein Lamm heranwächst, aber er weiß, dass es nie dazu kommt, wenn er den Widder von der Weide fernhält.«

»Hm.«

Caris missfiel, wie er »Hm« machte. Er ist klug, dachte sie, aber seine Klugheit wurzelt nicht in der Welt und kommt auch nicht von dort. Was war es doch für ein Unterschied zwischen Bruder Sime und

Merthin! Merthins Wissen war breit gefächert, und die Kraft seines Verstandes, komplexe Zusammenhänge zu erfassen, war einzigartig; dennoch kannte er keinen intellektuellen Hochmut: Er wusste, dass seine Gebäude zusammenstürzten, wenn er einen Irrweg einschlug. Edmund Wooler, Caris' Vater, war genauso gewesen – überaus klug, aber pragmatisch und bescheiden.

Austin lächelte. »Da hat sie dich, Sime«, sagte er, offenkundig amüsiert, dass sein selbstgefälliger Freund an dieser ungebildeten Frau gescheitert war. »Wir wissen vielleicht nicht genau, wie Krankheiten sich ausbreiten, aber es kann sicher nicht schaden, die Kranken von den Gesunden zu trennen.«

Schwester Joan, die Mesnerin des Nonnenklosters, unterbrach das Gespräch. »Der Vogt von Outhenby fragt nach Euch, Mutter Caris.«

»Hat er die Kälber mitgebracht?« Outhenby war verpflichtet, dem Nonnenkloster zu Ostern zwölf einjährige Kälber zu bringen.

»Ja.«

»Dann bring die Tiere in den Pferch, und bitte den Vogt hierher.«

Sime und Austin verabschiedeten sich, und Caris inspizierte den gekachelten Boden des Aborts, als Harry Ploughman zu ihr kam, der klügste junge Mann im Dorf, der nun das Amt des Vogts innehatte. Den alten Vogt hatte Caris entlassen, da er sich zu langsam auf Veränderungen einließ.

Harry Ploughman, der nach reiner Luft und frischer Erde roch, schüttelte ihr die Hand, was ein wenig zu vertraulich war, doch Caris mochte ihn und störte sich nicht daran.

Sie sagte: »Es muss doch lästig sein, eine Herde den ganzen Weg hierherzutreiben, besonders, wenn das Frühjahrspflügen ansteht.«

»Das stimmt«, sagte er. Wie die meisten Pflüger war er breitschultrig und hatte starke Arme. Kraft und Geschicklichkeit waren vonnöten, um das Achtergespann Ochsen der Gemeinde zu führen, wenn es die schwere Pflugschar durch den feuchten Lehmboden zog.

»Würdest du nicht lieber mit Münzen zahlen?«, fragte Caris. »Fast jeder Zehnt wird heutzutage in Geld gezahlt.«

»Bequemer wäre es.« Bauernschlau kniff er die Augen zusammen. »Aber wie viel?«

»Ein Jährlingskalb erzielt auf dem Markt normalerweise zehn bis zwölf Shilling, obwohl die Preise diesmal niedriger liegen.«

»Ja, um die Hälfte. Zwölf Kälber könnt Ihr für drei Pfund kaufen.«

»Oder für sechs Pfund in einem guten Jahr.«

Harry grinste. Er genoss die Unterhandlung. »Da habt Ihr das Problem.«

»Aber du würdest lieber mit Geld zahlen.«

»Wenn wir uns über den Betrag einig werden.«

»Sagen wir acht Shilling.«

»Aber wenn der Preis für ein Kalb bei nur fünf Shilling liegt, woher soll das Dorf dann den Rest nehmen?«

»Ich sag dir was: In Zukunft kann Outhenby dem Kloster entweder fünf Pfund zahlen oder zwölf Kälber geben – die Wahl liegt bei euch.«

Harry überlegte und suchte nach einem Haken an der Sache, fand aber keinen. »Also gut«, sagte er. »Sollen wir den Handel besiegeln?«

»Und wie?«

Zu ihrer Überraschung küsste er sie.

Mit seinen rauen Händen hielt er sie an den schlanken Schultern fest, beugte den Kopf vor und presste seine Lippen auf ihre. Hätte Bruder Sime das getan, wäre Caris zurückgezuckt. Bei Harry war es etwas vollkommen anderes; die kraftvolle Männlichkeit, die er ausstrahlte, erregte sie. Jedenfalls ergab sie sich dem Kuss, was immer der Grund dafür sein mochte. Er drückte sich so fest an sie, dass sie seine Erektion spürte. Sie begriff, dass er sie am liebsten gleich hier auf den frisch verlegten Fliesen des Abortbodens genommen hätte, und dieser Gedanke brachte sie wieder zur Besinnung. Sie brach den Kuss ab und schob ihn von sich. »Hör auf!«

Caris erkannte, dass sie ein Problem hatte. Ohne Zweifel hatten die Gerüchte über Merthin und sie die Runde gemacht: Wahrscheinlich waren sie beide die bekanntesten Personen in der ganzen Grafschaft. Auch wenn Harry die Wahrheit sicher nicht kannte, hatten die Gerüchte ihn ermutigt. So etwas konnte Caris' Autorität schaden. Sie musste es im Keim ersticken. »So etwas darfst du nie wieder tun«, sagte sie so streng sie konnte.

»Aber der Kuss schien Euch zu gefallen.«

»Dann war deine Sünde umso größer, denn du hast eine schwache Frau in Versuchung geführt, ihre heiligen Gelübde zu brechen.«

»Aber ich liebe Euch doch.«

Er sprach die Wahrheit, begriff sie, und sie erriet auch den Grund dafür: Sie war wie ein Wirbelwind durch sein Dorf gefegt, hatte alles neu geordnet und die Bauern ihrem Willen unterworfen. Sie hatte Harrys Möglichkeiten erkannt und ihn über die anderen in seinem

Dorf erhoben. Kein Wunder, dass er zu ihr aufsah und sich in sie verliebt hatte. Doch diese Zuneigung wollte Caris ihm so schnell wie möglich austreiben. »Wenn du das noch einmal tust, muss ich mir einen anderen Vogt für Outhenby suchen.«

»Oh.« Diese Drohung zügelte ihn wirkungsvoller als der Vorwurf der Sünde.

»Jetzt geh nach Hause.«

»Sehr wohl, Mutter Caris.«

»Und such dir eine andere Frau – möglichst eine, die kein Keuschheitsgelübde abgelegt hat.«

»Ja, Mutter Caris«, sagte er, doch sie glaubte ihm nicht.

Harry ging, doch Caris blieb, wo sie war. Sie fühlte sich ruhelos und war noch immer erregt. Hätte sie sicher sein können, eine Zeit lang allein zu sein, hätte sie sich selbst berührt, um ihre Lust zu befriedigen. Seit neun Monaten war es das erste Mal, dass körperliches Verlangen sie überkam. Nachdem sie sich von Merthin getrennt hatte, war sie in eine Art geschlechtslosen Zustand verfallen, in dem sie nicht an Liebe dachte. Ihre Beziehungen zu den anderen Nonnen waren von Wärme und Zuneigung durchdrungen: Sie mochte Joan und Oonagh, obwohl beide sie nicht körperlich liebten, wie Mair es getan hatte. Nun ließen andere Leidenschaften Caris' Herz schneller schlagen: das neue Hospital, der neue Kirchturm und die Wiedergeburt von Kingsbridge.

Als Caris an den Turm dachte, verließ sie das Hospital und ging über den Kathedralenvorplatz zur Baustelle. Merthin hatte um die Fundamente des alten Turms herum vier Gruben ausheben lassen, die tiefsten, die je ein Mensch gesehen hatte. Außerdem hatte er große Kräne gebaut, um die Erde und den Schlamm aus den Gruben zu heben und auf Fuhrwerke zu kippen. Während der feuchten Herbstmonate waren den ganzen Tag lang Ochsenkarren zwischen hier und Leper Island hin- und hergerollt und hatten den Aushub auf den kargen Felsboden der Insel gekippt; an Merthins Anlegestelle auf der Insel waren derweil Steine für den Bau des neuen Kirchturms und der Fundamente angelandet worden; die Ochsenkarren hatten sie auf dem Rückweg von Leper Island zur Kathedrale gekarrt, und nun türmten die Steine sich um die Gruben herum zu Bergen auf. Kaum waren die Winterfröste vorüber gewesen, hatten Maurer mit dem Bau der Fundamente begonnen.

Caris ging zur Nordseite der Kathedrale und blickte in eine der schwindelerregend tiefen Gruben hinein. Der Boden war bereits mit rechteckig behauenen Steinen ausgelegt: In geraden Reihen lagen sie in einem Bett aus Mörtel und bildeten das Fundament des neuen Turms.

Im Hospital war am Ostermontag niemand bei der Arbeit, doch Caris sah Bewegung unten in der Grube: Jemand ging am Fundament entlang. Im nächsten Moment erkannte sie Merthin. Sie stieg auf eine der dünnen Strickleitern, die von Maurern benutzt wurden, und kletterte unsicher hinunter.

Sie atmete auf, als sie den Boden erreichte. Merthin half ihr von der letzten Sprosse. »Du siehst blass aus«, sagte er.

»Es ist ein langer Weg hier herunter. Wie kommst du voran?«

»Oh, das wird noch sehr lange dauern!«

»Wieso eigentlich? Es ist doch bloß ein Turm. Das Hospital ist ein viel komplizierteres Bauwerk.«

»Ein Turm ist vor allem aus zwei Gründen ganz anders: Je höher wir kommen, desto weniger Maurer können daran arbeiten. Im Augenblick lasse ich von zwölf Männern das Fundament legen. Aber je höher der Turm wächst, desto beengter wird es, und die Männer haben nicht mehr alle Platz. Der zweite Grund ist, dass Mörtel lange braucht, um abzubinden. Wir müssen ihn einen Winter lang aushärten lassen, ehe wir ihn mit einem solch riesigen Gewicht belasten können.«

Caris hörte ihm kaum zu. Wenn sie ihn anschaute, musste sie daran denken, wie sie sich zwischen Matutin und Laudes im Priorspalast geliebt hatten, während das erste Licht des neuen Tages durch das offene Fenster auf ihre nackten Körper gefallen war.

Sie tätschelte seinen Arm. »So lange braucht das Hospital nicht, oder?«

»Gegen Pfingsten dürfte es fertig sein.«

»Da bin ich froh«, sagte Caris. »Aber viel mehr noch darüber, dass die Pest nicht mehr so schrecklich wütet. Sie fordert weniger Opfer.«

»Gott sei Dank«, sagte Merthin inbrünstig. »Vielleicht hat es bald ein Ende damit.«

Caris schüttelte düster den Kopf. »Das haben wir schon einmal geglaubt, letztes Jahr um die gleiche Zeit. Dann kam die Seuche umso schlimmer zurück.«

»Ja. Gott bewahre uns davor, dass das noch einmal geschieht.«

Sie berührte ihn mit der Hand an der Wange und spürte seinen rauen Bart. »Wenigstens dir kann nichts passieren.«

Er sah leicht verstimmt aus. »Sobald das Hospital fertig ist, können wir uns um den Wollmarkt kümmern.«

»Ich hoffe, du hast recht und der Handel floriert bald wieder.«

»Wenn nicht, sterben wir sowieso.«

»Sag nicht so was.« Sie küsste ihn auf die Wange.

»Wir müssen so handeln, als wären wir sicher, dass wir überleben.« Er klang gereizt. »Aber das sind wir natürlich nicht.«

»Denken wir nicht an das Schlimmste.« Sie legte ihm die Arme um die Hüften und schmiegte sich an ihn.

Er schob sie von sich. Sie taumelte zurück und wäre fast gestürzt. »Lass das!«

Caris blickte ihn an. »Was ist denn?«

»Rühr mich nicht an!«

»Ich habe doch nur …«

»Vor neun Monaten hast du unsere Liebe beendet. Ich sagte damals, es sei das letzte Mal, und dabei bleibt es.«

Sie begriff seinen Zorn nicht. »Aber ich habe dich doch nur umarmt …«

»Ich bin nicht mehr dein Geliebter. Du hast kein Recht dazu.«

»Ich habe kein Recht, dich zu berühren?«

»Du hast es erfasst.«

»Ich hätte nicht gedacht, dass ich dazu eine Erlaubnis brauche.«

»Du lässt dich doch auch nicht von anderen Leuten berühren.«

»Du bist nicht irgendwer. Du und ich, wir …« Doch noch während sie sprach, begriff Caris, dass sie unrecht hatte. Sie hatte Merthin zurückgewiesen, ohne sich mit den Folgen abzufinden. Die Begegnung mit Harry aus Outhenby hatte ihre Lust entfacht, und sie war zu Merthin gekommen, um diese Lust zu befriedigen. Sie hatte sich eingeredet, ihn bloß als Freundin zu besuchen, doch damit machte sie sich nur etwas vor. Sie hatte ihn behandelt wie einen Gegenstand, der einem nach Lust und Laune zur Verfügung stand, so wie eine reiche, verwöhnte Dame einen Liebesroman zur Seite legt und später wieder darin liest, wenn ihr danach ist. Nachdem sie es Merthin die ganze Zeit verwehrt hatte, sie zu berühren, konnte sie jetzt nicht erwarten, dieses Recht für sich selbst in Anspruch nehmen zu dürfen, nur weil ein junger Pflüger ihre Leidenschaft wachgeküsst hatte.

Doch sie hätte wenigstens erwartet, dass Merthin sie behutsam darauf hinwies. Stattdessen war er feindselig und grob gewesen. Hatte sie nicht nur seine Liebe, sondern auch seine Freundschaft weggeworfen? Tränen traten ihr in die Augen. Caris wandte sich von ihm ab und ging zur Leiter zurück.

Es kostete sie große Mühe, die Sprossen hinaufzusteigen. Es war anstrengend, und sie schien alle Kraft verloren zu haben. Schon bald hielt sie inne, um zu verschnaufen. Als sie in die Tiefe blickte, stand Merthin am Fuß der Leiter und stabilisierte sie mit seinem Körpergewicht, damit sie nicht ins Pendeln geriet.

Als Caris fast oben war, blickte sie noch einmal in die Grube. Merthin hielt noch immer die Leiter. Ihr kam der Gedanke, dass alles Leid ein Ende hätte, wenn sie stürzte. Es war ein tiefer Fall auf den granitharten Stein. Sie wäre auf der Stelle tot.

Merthin schien zu spüren, was sie dachte, denn er winkte ungeduldig zum Zeichen, dass sie sich beeilte und von der Leiter kam. Caris blickte ihn aus tränenden Augen an: Was würde er empfinden, wenn sie ihrem Leben ein Ende setzte? Einen schrecklichen Augenblick lang genoss sie es, sich seinen Kummer und seine Schuldgefühle vorzustellen. Gewiss würde Gott sie im Leben nach dem Tod, wenn es so etwas gab, nicht dafür strafen.

Sie stieg die letzten Sprossen hinauf und gelangte wieder auf festen Boden. Wie töricht sie diesen schrecklichen Moment lang gewesen war! Sie würde ihr Leben niemals wegwerfen. Sie hatte noch so viel zu tun.

Caris kehrte ins Nonnenkloster zurück. Es war Zeit für das Abendgebet, und bald darauf führte sie die Prozession in die Kathedrale. Als junge Novizin war ihr die Zeit für die Stundengebete als Verschwendung erschienen; deshalb hatte Mutter Cecilia ihr Arbeit zugewiesen, damit sie von den meisten Horen befreit wurde. Heutzutage freute Caris sich darauf, boten die Stundengebete ihr doch Gelegenheit, zu ruhen und nachzudenken. Dieser Nachmittag jedoch war schrecklich gewesen, und sie kämpfte gegen die Tränen an, als sie die Psalmen sang.

Zum Abendbrot aßen die Nonnen Räucheraal. Das zähe Fleisch mit seinem aufdringlichen Geschmack gehörte nicht zu Caris' Lieblingsspeisen. Doch sie hatte sowieso keinen Hunger und aß nur ein paar Bissen Brot.

Nach dem Essen kehrte sie in die Apotheke zurück. Zwei Novizinnen arbeiteten dort und kopierten Caris' Buch über die Heilkunde. Kurz nach Weihnachten hatte sie die Niederschrift beendet. Viele Leute hatten sie um Kopien gebeten: Apotheker, Priorinnen, Bader, sogar ein paar Ärzte. Das Buch zu kopieren war inzwischen zu einem Teil der Ausbildung jener Nonnen geworden, die später einmal im Hospital arbeiten wollten. Die Kopien anzufertigen war nicht allzu schwierig; es war ein dünnes Buch, und es gab weder komplizierte Zeichnungen, noch wurden teure Tinten verwendet. Doch die Nachfrage schien nie nachzulassen.

Mit drei Personen war es beengt im Zimmer. Caris freute sich auf den vielen Platz und das helle Licht in der Apotheke im neuen Hospital.

Sie wollte allein sein und schickte die Novizinnen fort. Doch ihre Hoffnung auf Ungestörtheit erfüllte sich nicht: Kurz darauf kam Lady Philippa herein.

Caris war mit der zurückhaltenden Gräfin nie so recht warm geworden, hatte jedoch Verständnis für ihre Notlage und hätte jeder Frau, die vor einem Gemahl wie Ralph die Flucht ergriff, Asyl gewährt. Philippa war ein angenehmer Gast, stellte kaum Anforderungen und verbrachte den größten Teil ihrer Zeit auf ihrer Stube. Am Leben der Nonnen teilzunehmen, das von Gebet und Selbstversagung geprägt war, zeigte sie nur wenig Neigung – doch wer hätte das besser verstanden als Caris.

Caris bot ihr an, sich auf einen Schemel am Arbeitstisch zu setzen.

Philippa war trotz ihrer höfischen Umgangsformen eine Frau, die keine Umschweife machte. »Lasst Merthin in Ruhe«, sagte sie geradeheraus.

»Wie bitte?«, fragte Caris verdutzt.

»Ihr sollt Merthin in Ruhe lassen. Natürlich müsst Ihr mit ihm reden, das ist mir schon klar, aber Ihr solltet ihn weder küssen noch berühren.«

»Wie könnt Ihr es wagen …?« Was wusste Philippa – und weshalb kümmerte es sie überhaupt?

»Er ist nicht mehr Euer Geliebter! Lasst ihn in Ruhe!«

Merthin musste Philippa von dem Streit am Nachmittag erzählt haben. »Aber wieso sollte er Euch …?« Noch ehe Caris die Frage ausgesprochen hatte, wusste sie die Antwort.

Philippa bestätigte es mit dem nächsten Satz: »Er gehört jetzt nicht mehr Euch, sondern mir.«

»Was sagt Ihr da?«, stieß Caris hervor. »Wollt Ihr damit sagen, Merthin und Ihr seid ein Paar?«

»Ja.«

»Ich hatte ja keine Ahnung!« Caris fühlte sich schändlich betrogen, obwohl ihr klar war, dass sie kein Recht dazu hatte. Wann war das bloß geschehen? »Aber wie? Und wo?«

»Die Einzelheiten braucht Ihr nicht zu wissen.«

»Natürlich nicht.« In Merthins Haus auf Leper Island, nahm sie an. Wahrscheinlich nachts. »Wie lange …?«

»Das ist unerheblich.«

Caris konnte es sich ausrechnen. Philippa war noch keinen Monat hier. »Da habt Ihr aber schnell zugegriffen.«

Die Spitze war Caris' nicht würdig, und Philippa überhörte sie wohlwollend. »Merthin hätte alles getan, um Euch zu behalten. Doch Ihr habt ihn von Euch gewiesen. Nun lasst ihn auch gehen. Es ist schwer genug für ihn, eine andere Frau zu lieben, nachdem er mit Euch zusammen war; aber es ist ihm gelungen. Wagt ja nicht, Euch einzumischen.«

Caris wollte sie beschimpfen, wollte ihr wütend entgegnen, dass sie kein Recht habe, ihr Befehle zu erteilen oder gar moralische Ansprüche zu stellen – doch sie konnte Philippa nicht widersprechen. Sie *hatte* Merthin von sich gewiesen, und das für immer.

Doch sie wollte Philippa ihren Schmerz nicht merken lassen. »Würdet Ihr jetzt bitte gehen«, sagte sie und versuchte dabei, Philippas herablassende Art nachzuahmen. »Ich möchte allein sein.«

Philippa blieb unbeirrt sitzen. »Werdet Ihr tun, was ich verlange?«

Caris hatte allen Kampfgeist eingebüßt. »Ja«, sagte sie resigniert.

»Ich danke Euch.« Philippa erhob sich vom Schemel und ging.

Als Caris sicher war, dass Philippa sie nicht mehr hören konnte, ließ sie ihren Tränen freien Lauf.

Als Prior war Philemon nicht so tüchtig wie Godwyn. Er war mit der Aufgabe, die Mittel der Priorei zu verwalten, schlichtweg überfordert, obwohl er auf Caris' Aufzeichnungen hätte zurückgreifen können. Während ihrer Zeit als amtierender Prior hatte sie eine Liste der wichtigsten Einkommensquellen des Mönchsklosters aufgestellt:

1. Pachten
2. Anteil des Gewinns aus Handel und Gewerbe (Zehnt)
3. Ernteerträge von unverpachtetem Land
4. Gewinn aus Getreide- und anderen Mühlen
5. Flusswegmaut und Anteile an gefangenem Fisch
6. Standgeld auf Märkten
7. Einkünfte aus der Rechtsprechung – Gebühren und Strafen
8. Fromme Geschenke von Pilgern und anderen
9. Verkauf von Büchern, Weihwasser, Kerzen etc.

Sie hatte Philemon die Liste überreichen wollen, doch er hatte sie zurückgewiesen, als hätte sie ihn damit beleidigt. Caris wusste, dass Godwyn geschickter reagiert hätte: Er hätte ihr gedankt und ihre Liste dann in der Bibliothek verschwinden lassen.

Im Konvent hatte Caris eine neue Methode der Buchführung eingeführt, die sie von Buonaventura Caroli erlernt hatte, als sie noch für ihren Vater im Wollhandel arbeitete. Die alte Methode bestand darin, dass man sich zu jeder Transaktion eine kurze Notiz auf einem Pergament machte – einen Eintrag, den man später immer wieder nachlesen konnte. Das italienische System bestand darin, Einnahmen auf der linken und Ausgaben auf der rechten Seite niederzuschreiben und am unteren Rand der Seite zu addieren. Die Differenz zwischen beiden Summen zeigte, ob man Geld hinzugewann oder einbüßte. Schwester Joan hatte die Idee begeistert aufgegriffen, doch als Caris sich erbot, sie Philemon zu zeigen, wies der sie barsch ab: Hilfsangebote betrachtete er als Zweifel an seiner Tüchtigkeit, wenn nicht gar als Herabsetzung seiner Fähigkeiten.

Philemon besaß nur eine einzige herausragende Begabung – ein Talent, das auch Godwyn besessen hatte: das Gespür, wie man Menschen so beeinflusste, dass sie einem dienlich waren. Mit diesem Gedanken im Hinterkopf hatte Philemon sich inzwischen ein Bild von den neuen Mönchen gemacht und sich von denen befreit, die er als schwierig betrachtete: den einen der beiden Ärzte, Bruder Austin, der allem Neuen aufgeschlossen war, sowie zwei andere kluge junge Männer. Er hatte sie nach St.-John-in-the-Forest gesandt, wo sie zu weit weg waren, um seine Autorität infrage zu stellen.

Doch Philemon war nun Sache des Bischofs. Henri hat ihn ernannt, sagte sich Caris, also soll Henri sich auch mit ihm abplagen. Kingsbridge besaß nun die Stadtrechte und Caris ihr neues Hospital.

Das Hospital sollte am Pfingstsonntag, wie stets sieben Wochen nach Ostern, vom Bischof geweiht werden. Wenige Tage zuvor brachte Caris ihre Gerätschaften und Vorräte in die neue Apotheke. Diese bot genügend Platz, dass zwei Personen am Tisch arbeiten und Arzneien bereiten konnten, während eine dritte am Schreibpult saß.

Caris mischte ein Brechmittel; Oonagh zerrieb getrocknete Kräuter, und eine Novizin namens Greta kopierte Caris' medizinischen Ratgeber, als ein Novize mit einer kleinen Holztruhe hereinkam. Er hieß Josiah, doch man rief ihn gewöhnlich Joshie. In Gegenwart dreier Frauen war er verlegen. »Wo soll ich das hinstellen?«, fragte er.

Caris blickte ihn an. »Was ist das?«

»Eine Truhe.«

»Das sehe ich selbst«, sagte sie geduldig. Dass jemand in der Lage war, Lesen und Schreiben zu lernen, machte noch keinen klugen Menschen aus ihm. »Was ist darin?«

»Bücher.«

»Und warum bringst du mir eine Truhe Bücher?«

»Es wurde mir befohlen.« Nach einem Augenblick begriff Joshie, dass die Antwort nicht ausreichend viel verriet, und fügte hinzu: »Von Bruder Sime.«

Caris hob die Brauen. »Bruder Sime schenkt mir Bücher?« Sie öffnete die Truhe.

Joshie machte sich davon, ohne die Frage beantwortet zu haben.

In der Truhe lagen medizinische Lehrbücher, allesamt auf Latein. Caris sah sie durch. Es waren durchweg Klassiker: Der *Canon medicinae* des Avicenna, *De victu salubri* von Hippokrates, *De partibus artis medicae* von Galen und *De Urinis* von Isaak Judaeus. Jedes dieser Werke war vor wenigstens dreihundert Jahren verfasst worden.

Joshie kam mit einer weiteren Truhe.

»Was denn nun?«, fragte Caris.

»Medizinische Instrumente. Bruder Sime sagt, Ihr sollt sie nicht anrühren. Er selbst wird kommen und sie einräumen.«

Caris fragte erstaunt: »Bruder Sime möchte seine Bücher und Instrumente hier aufbewahren? Will er hier arbeiten?«

Joshie zuckte verlegen die Schultern. Er wusste nichts von Simes Absichten.

Ehe Caris noch etwas sagen konnte, trat Sime ein. Philemon begleitete ihn. Sime sah sich um und machte sich dann ohne jede Erklärung daran, seine Truhen auszupacken. Er nahm einige von Caris' Gefäßen von einem Regal und stellte seine Bücher dorthin. Dann nahm er scharfe Flieten zum Öffnen von Adern sowie die birnenförmigen Flaschen zum Betrachten von Urinproben hervor.

Caris fragte vorsichtig: »Habt Ihr die Absicht, viel Zeit hier im Hospital zu verbringen, Bruder Sime …?«

Philemon antwortete an seiner Stelle; er schien nur auf diese Frage gewartet zu haben. »Wo denn sonst?«, sagte er gereizt, als hätte Caris ihn beleidigt. »Dies hier ist doch das Hospital, oder? Und Bruder Sime ist der einzige Arzt der Priorei. Wie und wo sollen Kranke behandelt werden, wenn nicht hier und von ihm?«

Plötzlich erschien die Apotheke gar nicht mehr so geräumig.

Ehe Caris etwas entgegnen konnte, trat ein Fremder ein. »Bruder Thomas hieß mich hierherzukommen«, sagte er. »Ich bin Jonas Powderer aus London.«

Der Besucher war ein Mann um die fünfzig, der einen bestickten Mantel und eine Pelzkappe trug. Seines beflissenen Lächelns und liebenswürdigen Gebarens wegen vermutete Caris, dass er seinen Lebensunterhalt verdiente, indem er den Leuten etwas verkaufte. Jonas reichte den Anwesenden die Hand und blickte sich im Raum um. Caris' ordentliche Reihen etikettierter Krüge und Phiolen bedachte er mit einem anerkennenden Nicken. »Bemerkenswert«, sagte er. »Außerhalb Londons habe ich noch keine so gut ausgestattete Apotheke gesehen.«

»Seid Ihr Arzt?«, fragte Philemon. Er klang vorsichtig: Er war sich Jonas' Stellung nicht sicher.

»Ich bin Apotheker aus Smithfield. Meine Apotheke ist neben dem Hospital des heiligen Bartholomäus. Ich will ja nicht prahlen, aber sie ist die größte in der ganzen Stadt!«

Philemon entspannte sich. Ein Apotheker war bloß ein Händler, der in der Hackordnung weit unter einem Prior stand. Mit einem Anflug von Spott fragte er: »Und was führt den größten Apotheker Londons zu uns?«

»Ich hoffe, hier ein Exemplar der *Kingsbridge Panacea* erwerben zu können.«

»Der was?«

Jonas lächelte wissend. »Ihr übt Euch in Bescheidenheit, Vater Prior, aber ich sehe doch, dass diese Novizin hier in Eurer Apotheke eine Kopie dieses Werkes anfertigt, mit dessen Hilfe man jede Krankheit heilen kann!«

Caris fragte: »Die *Panacea*? Wer behauptet denn, dass darin steht, wie man jede Krankheit heilt?«

»Ich habe es schon oft gehört! Das Buch enthält Anweisungen, wie man Mittel gegen jedes Gebrechen bereiten kann!«

Da hatte er nicht ganz unrecht, musste Caris einräumen. »Aber wie habt Ihr davon erfahren?«

»Ich reise viel, suche nach seltenen Kräutern und anderen Zutaten, während meine Söhne sich um das Geschäft kümmern. Ich habe eine Nonne aus Southampton kennengelernt, die mir eine Kopie der *Panacea* gezeigt hat. Sie nannte das Werk ein Allheilmittel und sagte mir, es sei in Kingsbridge geschrieben worden.«

»Hieß diese Nonne Schwester Claudia?«

»Claudia – ja, so hieß sie. Ich habe sie angefleht, mir das Buch nur so lange zu leihen, wie es dauert, eine Kopie anzufertigen, aber sie wollte sich nicht davon trennen.«

»Ich erinnere mich an sie.« Claudia hatte eine Pilgerfahrt nach Kingsbridge unternommen, im Kloster gewohnt und sich ohne Gedanken an die eigene Sicherheit um Pestkranke gekümmert. Zum Dank hatte Caris ihr das Buch geschenkt.

»Ein bemerkenswertes Werk«, sagte Jonas begeistert. »Und noch dazu in englischer Sprache!«

»Nun«, sagte Caris, »es ist ja auch für Heiler bestimmt, die keine Priester sind und deshalb oft kein Latein beherrschen.«

»Was ist denn so ungewöhnlich an diesem Buch?«, fragte Philemon.

»Die Gliederung!«, begeisterte sich Jonas. »Statt nach den Körpersäften oder den Klassen der Krankheiten sind die Kapitel nach den Beschwerden eines Kranken geordnet. Ob Bauchweh oder Übelkeit, Fieber oder Durchfall, Kopfschmerz oder Gliederreißen – man kann gleich auf der richtigen Seite nachschlagen!«

Philemon sagte spöttisch: »Also eher ein Buch für Apotheker und ihre Kunden als für Ärzte und ihre Patienten.«

Jonas schien seinen herablassenden Tonfall nicht zu bemerken. »Ich nehme an, Vater Prior, dass Ihr der Verfasser dieses unbezahlbaren Werkes seid.«

»Mitnichten!«, rief Philemon.

»Wer hat es dann geschrieben?«

»Ich«, sagte Caris.

»Eine Frau!«, wunderte sich Jonas. »Aber woher habt Ihr all dieses Wissen? In den alten Texten steht kaum etwas davon, nicht einmal in denen der berühmtesten Gelehrten.«

»Die alten Texte waren mir nie sehr nützlich. Mich hat eine weise Frau aus Kingsbridge in das Wissen um die Zubereitung von Arzneien eingeführt. Sie hieß Mattie und musste leider diese Stadt verlassen, weil sie als Hexe angeklagt zu werden drohte. Auch von Mutter Cecilia, meiner Vorgängerin als Priorin, habe ich viel gelernt. Doch die Rezepte und Kuren zu sammeln ist nicht schwer. Die Schwierigkeit liegt darin, unter dem vielen Unsinn die wenigen wirksamen Mittel herauszufinden. Ich habe dazu über Jahre hinweg ein Tagebuch über die Wirkungen eines jeden Mittels geführt, das ich je ausprobiert habe. In mein Buch habe ich dann nur die Arzneien aufgenommen, deren Wirksamkeit ich mit eigenen Augen mehrmals beobachten konnte.«

»Welche Ehre, mit Euch persönlich zu sprechen!«

»Nun, Ihr sollt eine Kopie meines Buches bekommen. Ich fühle mich geschmeichelt, dass jemand dafür eine so lange Reise unternimmt.« Caris öffnete einen Schrank. »Dieses Exemplar war für unsere Zelle von St.-John-in-the-Forest bestimmt, aber dort können sie noch ein Weilchen auf die nächste Kopie warten.«

Jonas nahm das Buch entgegen, als wäre es eine heilige Reliquie. »Ich bin Euch unendlich dankbar!« Er zog eine Tasche aus weichem

Leder hervor und reichte sie Caris. »Und ich möchte die Nonnen von Kingsbridge bitten, ein bescheidenes Geschenk meiner Familie als Zeichen meiner Dankbarkeit anzunehmen.«

Caris öffnete den Beutel und nahm einen kleinen, in ein Wolltuch geschlagenen Gegenstand heraus. Als sie ihn auswickelte, hielt sie ein goldenes, mit Edelsteinen verziertes Kruzifix in der Hand.

Philemons Augen funkelten vor Gier.

Caris erschrak. »Das ist ein viel zu kostbares Geschenk!«, rief sie aus. »Ihr solltet nicht …«

»Das ist außerordentlich großzügig von Eurer Familie, Jonas«, fiel Philemon ihr ins Wort.

Jonas machte eine wegwerfende Geste. »Wir sind wohlhabend, dem Herrn sei Dank.«

Philemon blickte Caris triumphierend an und sagte: »Eine solche Kostbarkeit für ein Buch voller Altweiberunsinn und Aberglauben! Gott wird es Euch lohnen.«

Jonas erwiderte: »Ach, Vater Prior, Ihr steht natürlich über solchen Dingen. Wir beabsichtigen ja auch nicht, in Eure geistigen Höhen aufzusteigen. Wir versuchen gar nicht erst, das Wirken der Körpersäfte zu verstehen. Wie ein Kind, das sich geschnitten hat, am Daumen lutscht, weil das den Schmerz lindert, verschreiben wir Mittel, nur weil sie helfen. Warum und wie so etwas geschieht – dies zu erklären überlassen wir Gelehrten wie Euch! Gottes Schöpfung ist zu geheimnisvoll, als dass unsereins sie begreifen könnte.«

Caris hatte den Eindruck, dass Jonas' Rede vor Ironie troff. Sie sah, wie Schwester Oonagh sich ein Grinsen verkniff. Doch auch Sime bemerkte den spöttischen Unterton, und seine Augen blitzten vor Wut.

Nur Philemon ahnte nichts und schien sich von der Schmeichelei besänftigen zu lassen. Ein verschlagener Ausdruck legte sich auf sein Gesicht. Caris vermutete, dass er sich fragte, wie er wohl an dem Verdienst teilhaben könnte, das Buch verfasst zu haben, damit auch er juwelenbesetzte Kruzifixe geschenkt bekam.

Der Wollmarkt wurde wie immer am Pfingstsonntag eröffnet. Seit jeher war es ein betriebsamer Tag für das Hospital gewesen, und dieses Jahr bildete keine Ausnahme. Ältere Menschen erkrankten, nachdem sie die lange Reise nach Kingsbrigde hinter sich gebracht hatten; Säuglinge und Kleinkinder bekamen von ungewohntem

Essen und fremdem Wasser Durchfall; in den Schänken tranken Männer und Frauen zu viel und verletzten sich und andere.

Zum ersten Mal konnte Caris die Kranken in zwei Kategorien unterteilen und sie entsprechend unterbringen. Die Pestopfer, die an Zahl stark nachließen, und andere, die sich Krankheiten wie Magenverstimmungen und Blattern zugezogen hatten, kamen in das neue Gebäude, das vom Bischof früh am Morgen offiziell eingesegnet worden war. Opfer von Unfällen und Schlägereien wurden im alten Hospital behandelt, wo sie sicher vor Ansteckung waren. Vergangen die Tage, an denen jemand mit einem ausgerenkten Daumen in die Priorei kam und dort an Lungenentzündung starb.

Zur Krise kam es am Pfingstmontag.

Am frühen Nachmittag war Caris auf dem Markt, machte einen Spaziergang nach dem Mittagessen und sah sich um. Im Vergleich zu früher, als sich Tausende von Besuchern auf dem Kathedralenvorplatz und in den größeren Straßen gedrängt hatten, war es eher ruhig. Dennoch wurde das diesjährige Fest besser besucht, als man hatte erwarten dürfen, nachdem es im Jahr zuvor abgesagt worden war. Vermutlich lag es daran, dass der tödliche Griff der Pest sich zu lockern schien. Wer bisher überlebt hatte, hielt sich wohl für sicher. Einige waren es auch, andere aber nicht, denn der Schwarze Tod raffte weiterhin Menschen dahin.

Madge Webbers Tuch war das Gesprächsthema des Marktes. Die neuen Webstühle, die Merthin gebaut hatte, waren nicht nur schneller, sie erleichterten es überdies, komplizierte Muster einzuweben. Madge hatte bereits ihren halben Lagerbestand verkauft.

Caris sprach gerade mit ihr, als der Kampf begann. Madge brachte Caris in Verlegenheit, indem sie sagte – wie schon so oft –, dass sie ohne Caris noch immer eine mittellose Weberin wäre. Caris wollte dies gerade abstreiten – wie jedes Mal –, als sie laute Stimmen hörte.

Sie erkannte auf Anhieb die herausfordernden Rufe rauflustiger junger Männer. Sie kamen von einem Bierausschank dreißig Schritt entfernt. Das Gebrüll wurde immer lauter; dann schrie eine junge Frau auf. Caris eilte los. Sie hoffte, den Kampf beenden zu können, ehe er sich zu einer wilden Keilerei auswuchs.

Sie kam zu spät.

Die Schlägerei war schon im Gange. Vier junge Rabauken aus der Stadt prügelten sich mit einer Gruppe von Bauern, die an ihrer ländlichen Kleidung zu erkennen waren und die wahrscheinlich alle aus dem gleichen Dorf stammten. Ein hübsches Mädchen – ohne Zweifel war sie es, die geschrien hatte – versuchte, zwei junge Männer zu trennen, die gnadenlos aufeinander einschlugen. Einer der Stadtjungen hatte ein Messer gezogen, und die Bauernjünglinge hielten schwere Holzschaufeln in Händen. Als Caris eintraf, schlossen sich auf beiden Seiten weitere junge Männer dem Kampf an.

Caris wandte sich Madge zu, die ihr gefolgt war. »Schickt jemanden zu Mungo Constable, rasch! Er ist wahrscheinlich im Keller der Ratshalle!« Madge eilte davon.

Der Kampf wurde erbitterter. Mehrere junge Burschen aus der Stadt hatten die Messer gezückt. Ein Bauernjunge lag am Boden und blutete heftig aus einer Wunde am Arm; ein anderer kämpfte trotz eines klaffenden Schnitts im Gesicht weiter. Noch während Caris zusah, rannten zwei Städter nach vorn und traten nach dem Bauernjungen.

Nach einem Augenblick des Zögerns trat Caris vor und packte den nächststehenden Streithahn am Hemd. »Willie Bakerson, hör sofort auf!«, herrschte sie ihn mit ihrer gebieterischsten Stimme an.

Beinahe hätte es geholfen.

Willie trat erschrocken von seinem Gegner zurück und blickte Caris schuldbewusst an. Sie öffnete den Mund, um ihre Standpauke fortzusetzen, als ein wuchtiger Hieb mit einer Schaufel, der für Willie bestimmt gewesen war, sie am Kopf traf.

Der Schmerz war grauenhaft. Caris wurde schwarz vor Augen, und sie verlor das Gleichgewicht. Sie stürzte, lag benommen auf dem Boden und kämpfte gegen die drohende Ohnmacht an, während die Welt sich um sie drehte. Dann griff ihr jemand unter die Arme und zog sie fort.

»Seid Ihr verletzt, Mutter Caris?« Die Stimme klang vertraut, doch Caris wusste nicht, wem sie gehörte.

Endlich wurde ihr Kopf wieder klar, und mit der Hilfe ihres Retters, in dem sie nun den kräftigen Getreidehändler Megg Robbins erkannte, kam sie auf die Beine. »Wir dürfen nicht zulassen«, sagte sie benommen und mit schwerer Zunge, »dass diese Jungen sich gegenseitig umbringen.«

»Da kommen schon die Stadtknechte. Überlassen wir es ihnen.«

Tatsächlich eilten soeben Mungo und sechs oder sieben Hilfsbüttel herbei, Knüppel in den Händen. Sie mischten sich unter die Kämpfenden und schlugen zu, ohne einen Unterschied zu machen. Dabei richteten sie ebenso viel Schaden an wie die Streithähne, doch ihr Auftauchen zeigte Wirkung: Die jungen Männer rannten davon, und das Schlachtfeld leerte sich. Nach erstaunlich kurzer Zeit war der Kampf vorüber.

»Megg«, sagte Caris, »bitte lauft ins Hospital und holt Schwester Oonagh. Sie soll Verbände mitbringen.«

Megg eilte davon.

Die Verletzten, die noch gehen konnten, machten sich aus dem Staub. Caris untersuchte diejenigen, die zurückbleiben mussten. Ein Bauernjunge hatte einen Messerstich in den Magen abbekommen und hielt seine hervorquellenden Gedärme fest: Für ihn bestand nur wenig Hoffnung. Der mit der Armwunde würde überleben, falls Caris die Blutung stillen konnte. Sie band ihm seinen Gürtel ab, schlang ihn um den Oberarm und zog ihn zu, bis der Blutfluss zu einem Rinnsal versiegte. »Halt das so fest«, befahl sie dem Burschen und ging zu einem Stadtjungen, der sich offenbar mehrere Knochen einer Hand gebrochen hatte. Caris' Kopf schmerzte noch immer, doch sie beachtete es gar nicht.

Oonagh und mehrere andere Nonnen trafen ein. Augenblicke später war auch Matthew Barber mit seiner Tasche an Ort und Stelle. Gemeinsam verbanden sie die Verletzten. Nach Caris' Anweisungen hoben Freiwillige die Opfer mit den schlimmsten Blessuren auf und trugen sie zur Priorei. »Bringt sie in das alte Hospital, nicht in das neue«, sagte Caris.

Als sie sich aus der knienden Haltung erhob, wurde ihr schwindlig. Sie musste sich an Oonagh festhalten. »Was habt Ihr?«, fragte die Schwester.

»Nichts. Es geht schon wieder. Wir müssen ins Hospital.«

Sie suchten sich einen Weg zwischen den Marktständen hindurch zum alten Hospital, wo sie feststellten, dass keiner der Verletzten dort war. Caris fluchte. »Die Narren haben sie ins falsche Hospital gebracht!«, schimpfte sie. Offenbar würde es noch eine Weile dauern, bis die Leute begriffen hatten, wie bedeutsam der Unterschied zwischen dem alten und dem neuen Hospital war.

Oonagh und Caris gingen zu dem neuen Gebäude. Durch einen breiten Torbogen gelangte man auf den Kreuzgang. Dort begegneten ihnen die Freiwilligen auf dem Heimweg. »Ihr habt sie in das falsche Haus gebracht!«, fuhr Caris sie an.

Einer entgegnete: »Aber Mutter Caris ...«

»Keine Widerrede, dafür fehlt die Zeit«, sagte sie ungeduldig. »Tragt sie ins alte Hospital.«

Im Kreuzgang sah Caris, wie der junge Bauer mit dem tiefen

Schnitt im Arm in einen Raum getragen wurde, in dem fünf Pestkranke lagen, wie sie wusste. Sie eilte durch das Geviert. »Halt!«, rief sie zornig. »Was tut ihr da?«

Eine Männerstimme erwiderte: »Sie führen meine Anweisungen aus.«

Caris blieb stehen und sah sich um. Es war Bruder Sime. »Seid kein Narr«, sagte sie. »Er hat einen Messerstich! Wollt Ihr, dass er an der Pest stirbt?«

Simes rundes Gesicht lief rot an. »Ich habe nicht die Absicht, meine Entscheidungen Eurer Billigung zu unterwerfen, Mutter Caris.«

Das war eine dumme Erwiderung, und Caris ging nicht darauf ein. »Die verletzten jungen Männer müssen von den Pestopfern ferngehalten werden, sonst stecken sie sich an!«

»Ich glaube, Ihr seid überreizt. Am besten, Ihr legt Euch ein Weilchen hin.«

»Hinlegen?«, stieß sie hervor. »Ich habe diese jungen Männer gerade erst verbunden! Jetzt werde ich dafür sorgen, dass sie angemessen behandelt werden. Aber nicht hier!«

»Ich danke Euch für die Nothilfe, Mutter«, sagte Sime. »Aber Ihr könnt es nun mir überlassen, die Verletzten gründlich zu untersuchen.«

»Ihr Narr! Ihr bringt sie um!«

»Bitte verlasst das Hospital, bis Ihr Euch beruhigt habt.«

»Ihr könnt mich hier nicht rauswerfen, Ihr dummer Junge! Ich habe dieses Hospital mit dem Geld des Nonnenklosters errichtet. Ich habe hier das Sagen.«

»Glaubt Ihr?«, erwiderte er kühl.

Caris erkannte, dass sie diesen Augenblick nicht vorhergesehen hatte, doch Sime sehr wohl. Er war zornig, doch er bezähmte seine Gefühle. Er war ein Mann, der einen Plan verfolgte. Caris hielt inne und dachte angestrengt nach. Als sie sich umblickte, bemerkte sie, dass die Nonnen und Helfer zuschauten und warteten, wie der Streit ausging.

»Wir müssen uns um die Verletzten kümmern«, sagte Caris. »Während wir hier streiten, verbluten sie uns unter den Händen. Wir werden vorerst einen Kompromiss schließen, Bruder Sime.« Sie hob die Stimme. »Legt jeden dort hin, wo er gerade ist.« Der Tag war warm; die Patienten brauchten kein Dach über dem Kopf. »Wir behandeln sie jetzt erst einmal und entscheiden später, wo sie liegen sollen.«

Die Freiwilligen und die Nonnen gehorchten eilfertig: Sie kannten und respektierten Caris, während Sime ein Unbekannter für sie war.

Sime sah, dass er besiegt war. Ein Ausdruck ungezügelter Wut erschien auf seinem Gesicht. »Unter solchen Umständen kann ich keine Kranken behandeln!«, stieß er hervor und stapfte zornig davon.

Caris blickte ihm verwundert nach. Sie hatte versucht, ihm mit ihrem Kompromissvorschlag den Stolz zu retten; nie hätte sie damit gerechnet, dass er in einem Anfall von Bockigkeit verletzten Menschen den Rücken kehren würde.

Kaum hatte sie sich wieder den Verwundeten zugewandt, dachte sie nicht mehr an ihn.

Die nächsten zwei Stunden wusch sie geschäftig Wunden aus, nähte Schnitte, trug lindernde Kräuter auf und verabreichte beruhigende Tränke. Matthew Barber arbeitete an ihrer Seite, richtete Knochenbrüche und renkte Glieder ein. Matthew war nun Mitte fünfzig, doch sein Sohn Luke stand ihm mit gleicher Fertigkeit bei.

Als sie fertig waren, kühlte der Nachmittag bereits zum Abend hin ab. Sie setzten sich an die Mauer des Kreuzgangs und ruhten aus. Schwester Joan brachte ihnen Krüge mit kaltem Apfelmost. Caris litt noch immer unter Kopfschmerzen. Solange sie beschäftigt gewesen war, hatte sie den Schmerz ignorieren können, doch nun machte er ihr zu schaffen. Sie beschloss, früh ins Bett zu gehen.

Während sie den Apfelmost tranken, kam der junge Joshie zu ihnen. »Mutter Priorin, Seine Eminenz der Bischof bittet Euch, zu ihm in den Priorspalast zu kommen, wenn es Euch genehm ist.«

Caris seufzte gereizt. Zweifellos hatte Sime sich beschwert, und das konnte sie jetzt am allerwenigsten brauchen. »Sag ihm, ich komme sofort.« Mit leiser Stimme fügte sie hinzu: »Dann habe ich es hinter mir.« Sie leerte ihren Krug und ging.

Müde überquerte sie den Kathedralenvorplatz. Die Händler packten bereits zusammen, deckten ihre Waren ab und verschlossen die Stände.

Caris betrat den Priorspalast. Bischof Henri saß am Kopf der Tafel. Kanonikus Claude und Erzdiakon Lloyd waren bei ihm. Philemon und Sime waren ebenfalls zugegen. Godwyns Katze, Erzbischof, saß auf Henris Schoß und blickte selbstgefällig drein. Der Bischof sagte: »Bitte setzt Euch.«

Caris nahm neben Claude Platz. Der Kanonikus sagte besorgt: »Ihr seht müde aus, Mutter Caris.«

»Ich habe den Nachmittag damit verbracht, dumme Jungen zu verbinden, die sich auf eine nicht minder dumme Katzbalgerei eingelassen hatten. Außerdem habe ich selbst einen Schlag auf den Kopf abbekommen.«

»Wir haben von dem Kampf gehört.«

Henri fügte hinzu: »Und von dem Streit um das neue Hospital.«

»Ich nehme an, deshalb hat man mich gerufen.«

»So ist es.«

»Das neue Hospital wurde vor allem deshalb errichtet, Kranke mit ansteckenden Leiden ...«, begann Caris.

»Ich weiß, um was es bei dem Streit geht«, unterbrach Henri sie; dann wandte er sich an sämtliche Anwesende. »Mutter Caris hatte befohlen, die bei dem Kampf Verletzten in das alte Hospital zu bringen. Bruder Sime widerrief ihre Anweisungen. Daraufhin trugen beide vor aller Augen einen Streit aus, der sich für eine Priorin und einen gelehrten Mönch nicht geziemt.«

Sime sagte: »Dafür entschuldige ich mich, Euer Eminenz.«

Henri achtete nicht auf ihn. »Ehe wir weiterreden, möchte ich etwas klarstellen.« Er blickte zwischen Sime und Caris hin und her. »Ich bin euer Bischof und ex officio der Abt der Priorei zu Kingsbridge. Ich habe das Recht und die Macht, euch allen zu befehlen, und es ist eure Pflicht, mir zu gehorchen. Ist das klar, Bruder Sime?«

Sime neigte das Haupt. »Jawohl.«

Henri wandte sich an Caris. »Mutter Priorin?«

Es stand natürlich außer Frage. Henri hatte vollkommen recht. »Ja«, sagte Caris. Sie war zuversichtlich, dass der Bischof es nicht darauf ankommen ließ, dass verletzte Rabauken sich die Pest zuzogen.

Henri fuhr fort: »Gestattet mir, die Argumente darzulegen. Das neue Hospital ist vom Geld des Nonnenklosters nach Mutter Caris' Vorgaben errichtet worden. Sie beabsichtigte dort die Pestopfer und andere Kranke unterzubringen, deren Siechtum sich nach ihrer Meinung auf Gesunde übertragen kann. Sie hält es für entscheidend wichtig, die Pestkranken von allen anderen Kranken zu trennen. Vor allem glaubt sie, darauf bestehen zu können, dass nach ihren Weisungen verfahren wird. Ist das richtig, Mutter?«

»Ja.«

»Bruder Sime war zu der Zeit noch nicht hier und konnte daher zu diesen Fragen nicht konsultiert werden«, fuhr Henri fort. »Doch anders als Mutter Caris hat Bruder Sime an der Universität drei

Jahre lang Medizin studiert und besitzt einen akademischen Grad. Er weist darauf hin, dass Mutter Caris keine Ausbildung vorweisen kann und über die Natur der Krankheiten nur das wenige weiß, was sie durch praktische Erfahrung gelernt hat. Bruder Sime hingegen ist ein hochgelehrter Arzt und mehr noch – er ist der einzige Medicus in der Priorei und in ganz Kingsbridge.«

»So ist es«, sagte Sime.

»Wie könnt Ihr behaupten, ich hätte keine Ausbildung?«, fuhr Caris auf. »Nach all den Jahren, die ich mich um Kranke gekümmert habe …«

»Seid bitte still«, sagte Henri, fast ohne die Stimme zu heben, und irgendetwas an seinem ruhigen Tonfall ließ Caris verstummen. »Ich wollte Eure Verdienste gerade erwähnen. Eure Arbeit ist von unschätzbarem Wert. Ihr seid weithin berühmt für die Entschlossenheit, mit der Ihr die Pest bekämpft, die uns noch immer plagt. Eure Erfahrung und Euer praktisches Wissen sind unbezahlbar.«

»Danke.«

»Doch Sime ist Priester, studierter Arzt – und ein Mann. Sein Wissen ist unverzichtbar für den Betrieb des Hospitals einer Priorei. Wir wollen ihn nicht verlieren.«

Caris warf ein: »Einige Magister an der Universität geben mir mit meinen Methoden recht. Fragt Bruder Austin.«

»Bruder Austin«, erwiderte Philemon, »wurde nach St.-John-in-the-Forest versetzt.«

»Und wir wissen alle, warum«, entgegnete Caris.

Der Bischof sagte streng: »*Ich* muss diese Entscheidung fällen, nicht Bruder Austin oder die Herren Magister.«

Caris begriff, dass sie unvorbereitet in einen Entscheidungskampf gegangen war. Sie war erschöpft, hatte Kopfschmerzen und konnte nicht mehr klar denken. Wäre sie klar im Kopf gewesen, als der Bischof sie rufen ließ, wäre sie seiner Aufforderung, bei ihm zu erscheinen, gar nicht erst gefolgt. Sie wäre ins Bett gegangen, hätte die Kopfschmerzen überwunden und wäre am Morgen erfrischt aufgewacht. Ohne einen Schlachtplan hätte sie sich gar nicht erst mit Henri getroffen.

War es nun zu spät?

»Eminenz«, sagte sie, »ich fühle mich der Diskussion heute Abend nicht gewachsen. Vielleicht sollten wir das Gespräch auf morgen verschieben, wenn ich mich wieder besser fühle.«

»Das ist nicht nötig«, erwiderte Henri. »Ich habe Bruder Simes

Beschwerde gehört und kenne Eure Ansicht. Außerdem breche ich im Morgengrauen auf.«

Also hatte er seine Entscheidung bereits getroffen. Caris fiel nichts ein, was sie noch zu ihren Gunsten hätte vorbringen können. Wie hatte Henri sich entschieden? In welche Richtung wendete er sich? Sie wusste es nicht. Sie war so erschöpft, dass sie nur noch dasitzen und sich anhören konnte, welches Schicksal ihr beschieden wurde.

»Der Mensch ist schwach«, sagte Henri. »Wir sehen alles wie in einem dunklen Spiegel, wie der Apostel Paulus es ausdrückt. Wir irren, wir weichen vom Weg ab, wir überlegen schlecht. Wir brauchen Hilfe. Zu diesem Behufe hat Gott uns seine Kirche gegeben, den Heiligen Vater und die Priesterschaft – um uns anzuleiten, weil unsere eigenen Mittel fehlbar und unzureichend sind. Wenn wir dem Weg unserer eigenen Gedanken folgen, werden wir scheitern. Wir müssen uns an die Autoritäten wenden.«

Es sah aus, als stärkte er Bruder Sime den Rücken, schloss Caris. Konnte er wirklich so dumm sein?

»Bruder Sime«, fuhr Henri fort, »hat unter Anleitung der Magister an der Universität die großen Lehrer der Medizin studiert. Seine Studien sind von der Kirche gebilligt. Wir müssen die Autorität der alten Gelehrten anerkennen – und damit auch die von Bruder Sime. Sein Urteil kann nicht dem eines ungelehrten Menschen unterstellt werden, ganz gleich, wie tapfer und bewundernswürdig dieser Mensch auch sein mag. Bruder Simes Entscheidungen müssen beachtet werden.«

Caris war so müde, dass sie beinahe froh war, dass diese Diskussion zu Ende ging. Sime hatte gesiegt, und sie war die Verliererin.

Caris wollte nur noch schlafen. Sie erhob sich und wandte sich zum Gehen.

Henri sagte: »Ich enttäusche Euch nur ungern, Mutter Caris, aber ...«

Seine Stimme verebbte, als Caris schweigend davonging.

Philemon rief: »Was für ein unverschämtes Benehmen!«

Henri sagte ruhig: »Lasst sie gehen.«

Caris verließ das Haus des Priors, ohne einen Blick zurückzuwerfen.

Die volle Bedeutung des Geschehens ging ihr erst auf, als sie mit müden Schritten über den Kathedralenvorplatz ging: Jetzt leitete Bruder Sime das Hospital. Sie musste seine Anweisungen befolgen.

Es würde keine Trennung der Kranken mehr geben, keine Gesichtsmasken, kein Händewaschen mit Essig. Schwache würden durch den Aderlass noch mehr geschwächt; Ausgezehrte durch Abführmittel noch verhärmter; Wunden würden mit Breiumschlägen aus Tierkot behandelt, damit der Körper Eiter produzierte. Niemand würde sich Gedanken um Reinlichkeit oder frische Luft machen.

Caris sprach mit niemandem, als sie durch den Kreuzgang schritt, die Treppe hinaufstieg und durch das Dormitorium in ihre Schlafkammer ging. Sie legte sich mit dem Gesicht nach unten aufs Bett. Ihr dröhnte der Schädel.

Sie hatte Merthin verloren, sie hatte ihr Hospital verloren, sie hatte alles verloren.

Kopfverletzungen konnten tödlich sein, das wusste sie. Vielleicht schlief sie ja ein und wachte nie mehr auf.

Vielleicht wäre es das Beste.

KAPITEL 79

Merthins Obsthain war im Frühjahr 1349 gepflanzt worden. Ein Jahr später hatten die meisten Bäume Wurzeln geschlagen und ließen wacker Blätter sprießen. Zwei oder drei kämpften ums Überleben, und nur einer hatte es eindeutig nicht geschafft. Merthin erwartete nicht, dass sie schon Früchte trugen, doch zu seiner Überraschung hatte ein Schößling ein halbes Dutzend kostbare, winzige dunkelgrüne Birnen hervorgebracht, noch klein und steinhart, die versprachen, im Herbst zu reifen.

Eines Sonntagnachmittags zeigte er sie Lolla. Sie wollte ihm nicht abnehmen, dass diese kleinen grünen Dinger zu dem saftigen, würzigen Obst heranwachsen könnten, das sie so gern aß. Sie glaubte – oder gab vor zu glauben –, er treibe mit ihr eines seiner Spiele, mit denen er sie zum Denken reizte. Als er sie fragte, was sie denn denke, woher reife Birnen kämen, sah sie ihn tadelnd an und erwiderte: »Vom Markt!«

Auch sie würde eines Tages heranreifen, dachte er, auch wenn er sich nur schwer vorstellen konnte, wie ihr kindlicher Körper weiche, frauliche Formen annahm. Er fragte sich, ob sie ihm Enkel schenken würde. Sie war fünf Jahre alt, also mochte dieser Tag nur ein Jahrzehnt entfernt liegen.

Noch immer befassten sich seine Gedanken mit Reife, als er sah, wie Philippa durch den Garten zu ihm kam, und er bemerkte, wie rund und voll ihre Brüste waren. Dass sie ihn bei Tageslicht aufsuchte, war ungewöhnlich, und er fragte sich, was sie zu ihm führte. Für den Fall, dass sie beobachtet wurden, begrüßte er sie nur mit einem züchtigen Kuss auf die Wange, wie ein Schwager ihn der Schwägerin geben konnte, ohne dass es zu Gerede kam.

Philippa wirkte nervös, und ihm wurde bewusst, dass sie nun schon einige Tage reservierter und nachdenklicher war als gewöhnlich. Nachdem sie sich neben ihn ins Gras gesetzt hatte, fragte er: »Was bedrückt dich?«

»Ich habe mich noch nie gut darauf verstanden, jemandem etwas sanft beizubringen«, sagte sie. »Ich bin schwanger.«

»Gütiger Himmel!« Merthin war zu erschrocken, um seine Reaktion zu verbergen. »Ich bin überrascht, denn du hattest mir gesagt ...«

»Ich weiß. Ich war mir auch sicher gewesen, dass ich dafür zu alt wäre. Über zwei Jahre lang habe ich unregelmäßige Monatsblutungen gehabt, und dann hörten sie ganz auf – dachte ich. Aber mir ist morgens schlecht, und meine Brustwarzen tun weh.«

»Ich habe deine Brüste bemerkt, als du in den Garten kamst. Aber bist du dir wirklich sicher?«

»Ich bin schon sechsmal schwanger gewesen – drei Kinder und drei Fehlgeburten –, ich weiß, wie sich das anfühlt. Es kann kein Zweifel bestehen.«

Er lächelte. »Nun, dann bekommen wir ein Kind.«

Sie erwiderte sein Lächeln nicht. »Schau nicht so selbstzufrieden drein. Mein Mann ist der Graf von Shiring. Ich habe seit Oktober nicht mehr mit ihm geschlafen, lebe seit Februar nicht mehr bei ihm, und doch bin ich im Juli im zweiten, höchstens dritten Monat. Er und die ganze Welt werden wissen, dass das Kind nicht von ihm ist und dass die Gräfin von Shiring Ehebruch begangen hat.«

»Aber er kann dich doch nicht –«

»Töten? Er hat Tilly getötet, oder?«

»O du lieber Gott. Ja, das hat er. Aber –«

»Und wenn er mich tötet, bringt er auch mein Kind um.«

Merthin wollte entgegnen, Ralph würde so etwas nie tun – aber er wusste es besser.

»Ich muss entscheiden, was ich tue«, sagte Philippa.

»Ich glaube nicht, dass du versuchen solltest, die Schwangerschaft mit Trünken zu beenden – das ist zu gefährlich.«

»Das werde ich auch nicht.«

»Also bringst du das Kind zur Welt.«

»Ja. Aber was dann?«

»Angenommen, du bleibst im Kloster und hältst das Kind geheim? Im Kloster wimmelt es von Kindern, die die Pest zu Waisen gemacht hat.«

»Die Liebe einer Mutter könnte kein Geheimnis bleiben. Jeder würde wissen, dass sich dieses Kind meiner besonderen Fürsorge erfreute. Und davon würde Ralph erfahren.«

»Du hast recht.«

»Ich könnte fortgehen – verschwinden. Nach London, nach Paris, nach Avignon. Niemandem sagen, wohin ich gehe, sodass Ralph mich nie finden würde.«

»Und ich könnte mit dir gehen.«

»Aber dann würdest du deinen Turm nie vollenden.«

»Und du würdest Odila vermissen.«

Philippas Tochter war seit sechs Monaten mit Graf David verheiratet. Merthin konnte sich vorstellen, wie schwer es für Philippa wäre, sie zu verlassen. Und für ihn wäre es wahrlich sehr schmerzhaft, den Turm im Stich zu lassen. Seit er erwachsen war, hatte er das höchste Gebäude Englands errichten wollen. Nun, da er endlich begonnen hatte, würde es ihm das Herz brechen, sein Vorhaben aufzugeben.

Bei dem Gedanken an den Kirchturm trat ihm Caris vor Augen. Seit Wochen hatte er sie nicht gesehen: Sie hatte krank im Bett gelegen, nachdem sie beim Wollmarkt einen Schlag auf den Kopf bekommen hatte, und nun verließ sie, obwohl sie vollkommen wiederhergestellt war, die Priorei kaum noch. Merthin vermutete, dass sie eine Art Machtkampf verloren hatte, denn Bruder Sime leitete nun das Hospital. Für Caris wäre Philippas Schwangerschaft ein weiterer vernichtender Schlag.

Philippa fügte hinzu: »Und Odila trägt ebenfalls ein Kind unter dem Herzen.«

»So bald schon! Das ist eine gute Neuigkeit. Aber zugleich ein Grund mehr, weshalb du nicht ins Exil gehen kannst: Du würdest nicht nur sie nie wiedersehen, sondern auch dein Enkelkind niemals zu Gesicht bekommen.«

»Ich kann nicht fliehen, und ich kann mich nicht verstecken. Aber wenn ich nichts tue, wird Ralph mich töten.«

»Es muss einen Ausweg geben«, sagte Merthin.

»Mir will nur eine Möglichkeit einfallen.«

Er sah sie an und begriff, dass sie sich alles bereits überlegt hatte. Sie schilderte ihm ihre Not erst jetzt, wo sie eine Lösung wusste. Zugleich hatte sie ihm behutsam gezeigt, dass alle offensichtlichen Wege falsch wären. Es konnte nur bedeuten, dass ihm der Plan, für den sie sich entschieden hatte, nicht gefallen würde.

»Sag es mir«, forderte er sie auf.

»Wir müssen Ralph glauben machen, das Kind wäre von ihm.«

»Aber dazu müsstest du …«

»Ja.«

»Ich verstehe.«

Der Gedanke, dass Philippa mit Ralph schlief, war Merthin zuwider. Sein Gefühl rührte weniger von Eifersucht her; er wusste, dass sie Ralph nur etwas vorspielen würde. Aber sie würde sich schrecklich dabei vorkommen, und dieser Gedanke bewegte ihn. Sie verabscheute Ralph körperlich und seelisch. Merthin verstand ihren Ekel, auch wenn er ihn nicht teilte. Mit Ralphs Grausamkeit hatte er sein ganzes Leben verbracht, aber der Unhold war sein Bruder, und daran gab es nichts zu rütteln, ganz gleich, was Ralph tat. Gleichzeitig bereitete es ihm Übelkeit, dass Philippa sich zwingen musste, mit dem Mann zu liegen, den sie auf der ganzen Welt am meisten hasste.

»Ich wünschte, mir fiele eine bessere Lösung ein«, sagte er.

»Ich auch.«

Er sah sie genau an. »Du hast dich schon entschieden.«

»Ja.«

»Es tut mir sehr leid.«

»Mir auch.«

»Aber wird es überhaupt gehen? Kannst du ihn ... verführen?«

»Ich weiß es nicht«, sagte sie. »Ich muss es versuchen.«

Das Westwerk der Kathedrale war symmetrisch angelegt, mit zwei niedrigen Türmen, einem im Norden und einem im Süden. Die Modellkammer lag an der Vorderseite des Nordturms, und von ihr sah man auf die Vorhalle des Portals hinab. Im Südturm gab es einen Raum von ähnlicher Größe und Form, von dem man auf den Kreuzgang hinausblickte. In ihm wurden Dinge von geringem Wert gelagert, die nur selten gebraucht wurden. So bewahrte man dort zum Beispiel die Kostüme und symbolischen Gegenstände für die Mysterienspiele auf, dazu eine Reihe von mehr oder weniger nutzlosen Dingen: Kerzenleuchter aus Holz, rostige Ketten, gesprungene Töpfe und ein Buch mit derart verrotteten Pergamentseiten, dass die Worte, die jemand so sorgfältig darauf niedergeschrieben hatte, nicht mehr lesbar waren.

Merthin war hier hinaufgestiegen, um zu prüfen, wie senkrecht die Wand stand. Dazu hielt er ein Senkblei an langer Schnur aus dem Fenster. Und dabei machte er eine Entdeckung.

In der Wand waren Risse. Risse waren nicht unbedingt ein Zeichen für Schäden: Ihre Bedeutung musste von einem erfahrenen Auge ausgelegt werden. Alle Gebäude arbeiteten, und Risse zeigten womöglich nur, wie ein Bauwerk sich Veränderungen anpasste. Merthin hatte den Eindruck, dass die meisten Risse in der Wand dieses Lagerraums gutartig waren. Einen aber gab es, der ihn durch seine Form verwirrte. Er sah nicht normal aus. Ein zweiter Blick verriet ihm, dass jemand sich einen natürlichen Riss zunutze gemacht hatte, um einen kleinen Stein zu lockern. Er zog den Stein heraus.

Sofort begriff er, dass er ein Geheimversteck gefunden hatte. Der Hohlraum hinter dem Stein war das Beutelager eines Diebes. Einen nach dem anderen nahm er die Gegenstände heraus, die darin lagen: eine Frauenbrosche mit einem großen grünen Stein, eine silberne Gürtelschnalle, ein Seidenschal und eine Schriftrolle mit einem Psalm. Ganz hinten fand er den Gegenstand, der ihm einen Hinweis auf die Identität des Diebes lieferte. Er war das Einzige in dem Loch ohne Geldwert, ein einfaches Stück aus poliertem Holz, in dessen Oberfläche Buchstaben geschnitzt waren: M:Phmn:AMAT

M war nur ein Anfangsbuchstabe. Amat war das lateinische Wort für »liebt«. Und »Phmn« bedeutete gewiss Philemon.

Jemand, dessen Name mit M begann, Junge oder Mädchen, hatte einst Philemon geliebt und ihm das Holz geschenkt; und er hatte es bei seinen gestohlenen Kostbarkeiten versteckt.

Seit seiner Kindheit hieß es von Philemon, dass er die Finger nicht bei sich behalten könne. Wo er sich aufhielt, fehlten nachher Dinge. Anscheinend war dieses Mauerloch der Ort, wo er sie versteckte. Merthin stellte sich vor, wie er allein hier heraufkam, des Nachts vielleicht, um den Stein herauszuziehen und sich an seinen Beutestücken zu ergötzen. Ohne Zweifel war das eine Art von Krankheit.

Nie hatte es ein Gerücht gegeben, dass Philemon eine Liebesaffäre hätte. Wie sein Mentor Godwyn schien er zu der kleinen Minderheit von Männern zu gehören, bei denen das Bedürfnis nach körperlicher Liebe nur schwach ausgeprägt war. Jemand hatte ihn aber begehrt, irgendwann einmal, und Philemon war die Erinnerung daran teuer.

Merthin legte die Gegenstände wieder genauso zurück, wie er sie vorgefunden hatte – er besaß ein gutes Gedächtnis für solche Dinge. Nachdem er den losen Stein wieder ins Loch geschoben hatte, verließ er nachdenklich den Raum und stieg die Wendeltreppe hinunter.

✳

Ralph war überrascht, als Philippa heimkam.

Es war an einem selten schönen Tag in jenem feuchten Sommer, und er wäre zu gern auf die Falkenjagd gegangen, aber zu seinem Verdruss ging das nicht. Die Ernte stand bevor, und die meisten der zwanzig oder dreißig Verwalter, Büttel und Vögte der Grafschaft mussten ihn dringend sprechen. Sie alle führten dieselbe Klage: Die Ernte reifte auf den Feldern, und sie hatten zu wenig Knechte und Mägde, um sie einzubringen.

Helfen konnte er ihnen nicht. Er hatte bei jeder Gelegenheit Knechte verfolgt, die sich der königlichen Verordnung widersetzten, indem sie auf der Suche nach höherem Lohn ihre Dörfer verließen. Aber die wenigen, die gefangen wurden, zahlten die Strafe von ihrem höheren Verdienst und liefen erneut weg. Daran konnten seine Vögte nichts ändern. Dennoch wollte ihm jeder Einzelne seine Schwierigkeiten darlegen, und Ralph blieb keine Wahl, als ihnen zuzuhören und ihren hastig entworfenen Plänen zuzustimmen.

Der Saal war voller Menschen: Vögte, Ritter, Soldaten, zwei Priester und mehr als ein Dutzend herumlungernder Diener. Als sie alle still wurden, hörte Ralph plötzlich von draußen die Krähen; ihr rauer Schrei klang wie ein Warnruf. Als er aufblickte, sah er Philippa in der Tür stehen.

Die Dienerschaft sprach sie zuerst an. »Martha! Der Tisch ist noch schmutzig vom Mittagessen. Hol sofort heißes Wasser, und schrubbe ihn ab. Dickie – ich habe gerade gesehen, dass das Lieblingspferd des Grafen von Schlamm starrt, und der ist nicht frisch, aber du sitzt hier herum und schnitzt an einem Stock. Zurück in den Stall, wo du hingehörst, und mach das Tier sauber. Du, Junge, bring deinen Welpen nach draußen, er hat gerade auf den Boden gepisst. Der einzige Hund, der in den Saal darf, ist der Mastiff des Grafen, das weißt du genau.« Die Diener stürzten sich in die Arbeit; sogar die, die Philippa nicht direkt angesprochen hatte, fanden plötzlich Beschäftigung.

Ralph hatte nichts dagegen, dass Philippa den Hausdienern Befehle gab. Ohne eine Herrin, die sie auf Trab hielt, faulenzten sie nur.

Sie trat vor ihn und verneigte sich tief, wie es nach langer Abwesenheit angemessen war. Einen Kuss bot sie ihm nicht.

Er sagte unbeteiligt: »Das ist … unerwartet.«

Philippa entgegnete gereizt: »Ich hätte mir die Reise gern erspart.«

Ralph stöhnte innerlich. »Was führt dich her?«, fragte er. Was immer es war, ihm drohten Widrigkeiten, das merkte er genau.

»Mein Gut in Ingsby.«

Philippa hatte eigenen Besitz, einige Dörfer in Gloucestershire, die nicht an den Grafen, sondern an sie Tribut entrichteten. Seit sie im Kloster lebte, hatten die Vögte dieser Dörfer sie in der Priorei zu Kingsbridge aufgesucht und ihr dort Bericht über die Abgaben erstattet. Ingsby war jedoch eine schwierige Ausnahme. Das Gut zahlte den Tribut an Ralph, und er leitete ihn an sie weiter – was er vergessen hatte, seit sie fortgegangen war. »Verdammt«, sagte er. »Das ist mir entfallen.«

»Es ist schon gut«, erwiderte sie. »Du musst viel im Kopf behalten.« Es klang erstaunlich nachsichtig.

Philippa ging nach oben in die Schlafkammer, und Ralph setzte sich wieder an die Arbeit. Das halbe Jahr Trennung ist ihr gut bekommen, dachte er, während ein weiterer Vogt ihm die Felder voll reifendem Korn aufzählte und den Mangel an Erntearbeitern beklagte. Dennoch hoffte er, dass sie nicht plante, allzu lange zu bleiben. Nachts neben ihr zu liegen war, als schliefe er bei einer toten Kuh.

Zum Abendessen kam sie wieder aus dem Zimmer. Sie saß neben Ralph und sprach während des Mahles höflich mit mehreren der anwesenden Ritter. Sie war so kühl und reserviert wie immer, zeigte keine Zuneigung, nicht einmal Humor. Aber er sah auch keinerlei Anzeichen für den unversöhnlichen, eisigen Hass, den sie nach ihrer Vermählung an den Tag gelegt hatte. Der Hass war fort, oder sie verbarg ihn sehr tief. Als das Essen vorüber war, zog sie sich wieder zurück und überließ es Ralph, mit den Rittern zu zechen.

Er überlegte, ob es möglich sei, dass sie auf Dauer zurückkehrte, aber am Ende verwarf er die Idee. Sie könnte ihn nie lieben oder auch nur mögen. Die lange Abwesenheit hatte nur die Schneide ihrer Abneigung gestumpft. Das zugrunde liegende Gefühl würde sie wohl nie verlassen.

Er nahm an, dass sie schon schlief, als er nach oben ging, doch zu seiner Überraschung saß sie in einem elfenbeinfarbenen linnenen Nachthemd am Schreibtisch, und eine einzelne Kerze warf weiches Licht auf ihre stolzen Züge und das dichte braune Haar. Vor ihr lag ein langer Brief in mädchenhafter Schrift, von dem er annahm, dass er von Odila stammte, die nun Gräfin von Monmouth war. Philippa schrieb eine Antwort. Wie die meisten Adligen diktierte sie geschäftliche Briefe einem Schreiber, doch private Zeilen schrieb sie selbst.

Er trat in den Aborterker, und als er wieder herauskam, zog er seine Oberkleidung aus. Es war Sommer, und er schlief gewöhnlich in Unterhose.

Philippa beendete den Brief, stand auf – und stieß das Tintenfass um, das auf dem Schreibtisch stand. Sie sprang zurück, doch zu spät. Irgendwie fiel es in ihre Richtung und entstellte ihr weißes Nachtgewand mit einem großen schwarzen Fleck. Sie fluchte. Er verzog belustigt den Mund: Sie war immer so makellos ordentlich, dass es für ihn eine Freude war, wenn sie sich mit Tinte bespritzte.

Sie zögerte einen Augenblick, dann zog sie sich das Nachtgewand über den Kopf.

Ralph war erstaunt. Normalerweise legte sie so rasch die Kleider nicht ab. Er begriff, dass sie von der Tinte aus dem Gleichgewicht gebracht worden war. Er starrte ihren nackten Körper an. Sie hatte im Nonnenkloster ein wenig Gewicht zugelegt: Ihre Brüste wirkten größer und runder, ihr Bauch zeigte eine leichte, aber erkennbare Wölbung, und ihre Hüften hatten eine anziehende, ausladende Kurve. Zu seiner Überraschung empfand er Erregung.

Sie beugte sich nieder, um mit dem zusammengeknüllten Nachthemd die Tinte vom gefliesten Boden zu wischen. Ihre Brüste wiegten sich, während sie die Kacheln abrieb. Sie wandte sich um, und er genoss den vollen Anblick ihres üppigen Hinterteils. Hätte er es nicht besser gewusst, hätte er sie verdächtigt, ihn entflammen zu wollen. Doch Philippa hatte in ihrem ganzen Leben noch nicht versucht, jemanden zu entflammen, und ihn zuallerletzt. Sie war nur unbeholfen und verlegen. Und das machte es umso stimulierender, sie in ihrer freigelegten Nacktheit zu betrachten, während sie den Boden wischte.

Es lag mehrere Wochen zurück, dass er mit einer Frau zusammen gewesen war, und die letzte war eine sehr wenig zufriedenstellende Hure in Salisbury gewesen.

Als Philippa sich erhob, hatte er eine Erektion.

Sie sah, wie er sie anstierte. »Starr mich nicht so an«, sagte sie. »Geh zu Bett.« Sie warf das beschmutzte Kleidungsstück in den Wäschekorb.

Sie ging zur Wäschetruhe und hob den Deckel. Den Großteil ihrer Kleidung hatte sie zurückgelassen, als sie nach Kingsbridge ging; es galt als unpassend, wenn sich jemand prächtig kleidete, der im Kloster lebte, auch wenn er dort nur zu Gast war. Sie fand ein frisches Nachthemd. Ralph fuhr ihren Leib mit den Augen ab, während sie es heraushob. Er starrte ihre aufgerichteten Brüste an, den Hügel ihres Geschlechts mit seinem dunklen Haar, und er bekam eine trockene Kehle.

Sie begegnete seinem Blick. »Rühr mich nicht an«, sagte sie.

Ohne diese Worte hätte er sich wohl schlafen gelegt. Doch ihre schroffe Zurückweisung stachelte ihn auf. »Ich bin der Graf von Shiring, und du bist mein Weib«, erwiderte er. »Ich rühre dich an, wann immer ich will.«

»Das wagst du nicht«, entgegnete sie und kehrte ihm den Rücken zu, um das Nachthemd überzustreifen.

Damit verärgerte sie ihn. Als sie das Hemd über den Kopf hob, schlug er ihr klatschend auf die Hinterbacke. Mit einem Aufschrei fuhr sie hoch. Der Hieb war fest, und er merkte, dass er ihr wehgetan hatte. »Ich wage es nicht?«, sagte Ralph. Sie wandte sich ihm zu, um zu protestieren, und aus dem Impuls heraus schlug er ihr die Faust ins Gesicht. Sie wurde zurückgeschleudert und fiel zu Boden. Sie schlug die Hände vor die Lippen; Blut quoll zwischen ihren Fingern hindurch. Sie lag nackt auf dem Rücken, die Beine gespreizt, und Ralph sah das haarige Dreieck an der Gabelung ihrer Schenkel, den Schlitz leicht geöffnet, dass es wie eine Einladung aussah.

Er warf sich auf sie.

Sie wand sich wütend, aber er war größer als sie und kräftig. Mühelos überwand er ihren Widerstand. Im nächsten Moment war er in sie eingedrungen. Sie war trocken, doch irgendwie erregte ihn das.

Es war sehr rasch vorüber. Er rollte sich keuchend von ihr herunter. Nach einigen Augenblicken sah er sie an. Ihr Mund war blutig. Sie erwiderte seinen Blick nicht: Sie hatte die Augen geschlossen. Dennoch schien es ihm, als zeige Philippas Gesicht einen merkwürdigen Ausdruck. Ralph dachte eine Weile darüber nach, bis er begriff; danach war er noch verwirrter als zuvor.

Sie sah aus, als triumphiere sie.

Merthin wusste, dass seine Geliebte nach Kingsbridge zurückgekehrt war, weil er Philippas Magd im Bell gesehen hatte. Er erwartete, dass Philippa am Abend zu ihm nach Haus kommen würde, und war enttäuscht, als sie sich nicht sehen ließ. Ohne Zweifel fühlte sie sich unbehaglich. Keiner Frau konnte bei dem, was sie getan hatte, wohl zumute sein, auch wenn die Umstände ihr keine andere Wahl ließen und der Mann, den sie liebte, davon wusste und es verstand.

Eine weitere Nacht verging, ohne dass sie erschien, dann war es Sonntag, und er war sich sicher, dass er sie in der Kirche sehen würde. Aber sie kam nicht zur Messe. Es war fast unerhört, dass ein Mitglied des Adels die Sonntagsmesse ausließ. Was hielt sie fern?

Nach dem Gottesdienst schickte er Lolla mit Arn und Em nach Hause, dann ging er über das Gras des Kathedralenplatzes zum alten Hospital. Im Obergeschoss gab es drei Zimmer für wichtige Gäste. Merthin nahm die Außentreppe.

Im Korridor stand er Caris von Angesicht zu Angesicht gegenüber.

Sie fragte ihn gar nicht erst, was er wollte. »Die Gräfin möchte nicht, dass du sie siehst«, sagte sie. »Aber es wäre vielleicht trotzdem gut.«

Merthin fiel sofort ihre eigentümliche Formulierung auf. Nicht: ›Die Gräfin möchte dich nicht sehen‹, sondern: ›Die Gräfin möchte nicht, dass *du sie* siehst.‹ Sein Blick fiel in die Schüssel, die Caris trug. Ein blutiger Lappen lag darin. Furcht drang in sein Herz. »Was ist geschehen?«

»Nichts Ernstes«, antwortete Caris. »Dem Kind ist nichts geschehen.«

»Gott sei Dank.«

»Der Vater bist natürlich du?«

»Bitte lass das nie irgendjemanden hören.«

Sie sah traurig drein. »All die Jahre waren wir beide zusammen, und ich habe nur ein einziges Mal empfangen.«

Er sah weg. »In welchem Gemach ist sie?«

»Verzeih, dass ich von mir sprach. Ich sollte dich zuallerletzt kümmern. Lady Philippa ist im mittleren Gemach.«

Er bemerkte die kaum unterdrückte Trauer in ihrer Stimme und hielt trotz seiner Sorge um Philippa inne. Er berührte Caris am Arm. »Bitte glaube nicht, dass du mir gleichgültig wärst«, sagte er. »Mir wird immer wichtig sein, was aus dir wird und ob du glücklich bist.«

Sie nickte, und Tränen traten ihr in die Augen. »Das weiß ich«, sagte sie. »Ich bin selbstsüchtig. Geh zu Philippa.«

Er ließ Caris stehen und betrat das mittlere Zimmer. Philippa kniete mit dem Rücken zu ihm auf dem Betpult. Er unterbrach sie. »Bist du wohlauf?«

Sie stand auf und wandte sich ihm zu. Ihr Gesicht sah furchtbar aus. Ihre Lippen waren auf die dreifache Größe angeschwollen und übel verschorft.

Er vermutete, dass Caris die Wunde gewaschen hatte – daher der blutige Lappen. »Was ist geschehen?«, fragte er. »Kannst du sprechen?«

Sie nickte. »Es klingt merkwürdig, aber reden kann ich.« Ihre Stimme war kaum mehr als ein Murmeln, aber verständlich.

»Wie schlimm bist du verletzt?«

»Mein Gesicht sieht schrecklich aus, aber es ist nichts Ernstes. Davon abgesehen geht es mir gut.«

Er nahm sie in die Arme. Sie legte den Kopf an seine Schulter. Er wartete und hielt sie fest. Nach einer Weile begann sie zu weinen. Er strich ihr über das Haar und den Rücken, während sie unter den Schluchzern bebte. »Alles wird gut«, sagte er und küsste sie auf die Stirn, aber er versuchte nicht, sie zum Schweigen zu bringen.

Allmählich versiegten ihre Tränen.

Merthin fragte: »Kann ich deine Lippen küssen?«

Sie nickte. »Aber sanft.«

Er strich mit seinem Mund darüber. Ihre Lippen schmeckten nach Mandeln; Caris hatte die aufgeplatzten Stellen mit Öl behandelt. »Sag mir, was geschehen ist«, bat er.

»Es ging wie geplant. Er hat sich täuschen lassen. Er wird sicher sein, dass es sein Kind ist.«

Er berührte sie mit der Fingerspitze am Mund. »Und das hat er getan?«

»Sei nicht ärgerlich. Ich habe versucht, ihn zu reizen, und das ist mir gelungen. Sei froh, dass er mich geschlagen hat.«

»Froh! Wieso?«

»Weil er nun glaubt, dass er mich zwingen musste. Er glaubt, ohne Gewalt hätte ich mich ihm nie ergeben. Er ahnt nicht im Geringsten, dass es meine Absicht war, ihn zu verführen. Er wird die Wahrheit niemals vermuten. Das heißt, ich bin sicher – und unser Kind auch.«

Er legte ihr die Hand auf den Leib. »Aber warum bist du nicht zu mir gekommen?«

»Mit diesem Gesicht?«

»Ich möchte auch dann bei dir sein, wenn du leidest.« Er legte seine Hand auf ihre Brust. »Außerdem habe ich dich vermisst.«

Sie streifte seine Hand ab. »Ich kann nicht wie eine Hure vom einen zum anderen gehen.«

»Oh.« So hatte er es noch gar nicht betrachtet.

»Verstehst du mich?«

»Ich glaube schon.« Er sah ein, dass eine Frau sich billig vorkam ... obwohl ein Mann vielleicht stolz wäre, wenn er genau das Gleiche tat. »Aber wie lange ...?«

Sie seufzte und rückte von ihm ab. »Wie lange ist nicht die Frage.«

»Wie meinst du das?«

»Wir haben uns geeinigt, der Welt zu sagen, dass das Kind von Ralph ist, und ich habe dafür gesorgt, dass er es glaubt. Nun wird er es aufziehen wollen.«

Merthin war entsetzt. »So weit habe ich nicht gedacht. Aber ich hatte angenommen, du würdest weiterhin in der Priorei wohnen.«

»Ralph würde kaum erlauben, dass sein Kind in einem Nonnenkloster aufwächst – und wenn es ein Junge wird, schon gar nicht.«

»Was also willst du tun – nach Earlscastle zurückkehren?«

»Ja.«

Das Kind war natürlich noch nichts; keine Persönlichkeit, nicht einmal ein Säugling, nur eine Schwellung in Philippas Bauch. Dennoch erfasste Merthin ein tiefer Kummer. Lolla war zu der großen Freude in seinem Leben geworden, und er hatte der Geburt eines zweiten Kindes geradezu entgegengefiebert.

Doch wenigstens hätte er Philippa noch eine Weile für sich. »Wann willst du aufbrechen?«, fragte er.

»So bald wie möglich«, sagte sie. Als sie sein Gesicht sah, kamen ihr die Tränen. »Ich kann gar nicht sagen, wie leid es mir tut – aber es käme mir so falsch vor, wenn ich mich von dir lieben lasse und gleichzeitig plane, zu Ralph zurückzukehren. Mit allen anderen zwei Männern wäre es das Gleiche. Dass ihr Brüder seid, macht es nur noch schlimmer.«

Seine Sicht verschwamm. »Also ist es vorbei mit uns? Jetzt schon?«

Sie nickte. »Und ich muss dir noch etwas sagen, einen weiteren Grund, weshalb wir nie wieder Geliebte sein können. Ich habe meinen Ehebruch gebeichtet.«

Merthin wusste, dass Philippa ihren eigenen Beichtvater hatte, wie es einer hochrangigen Adligen zustand. Seit sie nach Kingsbridge gekommen war, hatte er im Mönchskloster gelebt und eine willkommene Bereicherung des ausgedünnten Konvents dargestellt. Also hatte sie ihm von der Liebesgeschichte erzählt. Merthin hoffte, dass er das Beichtgeheimnis zu wahren wusste.

Philippa sagte: »Ich habe Absolution erhalten, aber ich darf die Sünde nicht fortsetzen.«

Merthin nickte. Sie hatte recht. Sie hatten beide gesündigt. Sie hatte ihren Gemahl betrogen, er seinen Bruder. Sie besaß eine Entschuldigung: Zu der Heirat war sie gezwungen worden. Er hatte nichts vorzubringen. Eine schöne Frau hatte sich in ihn verliebt, und er hatte ihre Liebe erwidert, obwohl er dazu kein Recht besaß. Der Schmerz von Trauer und Verlust, den er nun empfand, war die natürliche Folge solchen Verhaltens.

Er blickte sie an – die kühlen graugrünen Augen, den verunstalteten Mund, den üppigen Leib – und begriff, dass er sie verloren hatte. Vielleicht hatte er sie nie wirklich besessen. In jedem Fall war ihre Beziehung immer falsch gewesen, und nun war sie vorüber. Er versuchte zu sprechen, ihr Lebewohl zu wünschen, doch seine Kehle war wie zugeschnürt, und er brachte nichts heraus. Kaum sah er sie weinen. Er wandte sich ab, tastete nach der Tür und verließ irgendwie das Gemach.

Eine Nonne kam mit einem Krug in der Hand den Korridor entlang. Er konnte nicht erkennen, wer sie war, aber er erkannte Caris' Stimme, als sie fragte: »Merthin? Bist du wohlauf?«

Er gab keine Antwort. Er ging an ihr vorbei, durchquerte die Tür und stieg die Außentreppe hinunter. Blind vor Tränen schritt er über den grasbewachsenen Platz vor der Kathedrale, folgte der Hauptstraße und erreichte über die Brücke seine Insel.

Der September des Jahres 1350 war kalt und nass, und doch lag
eine Hochstimmung in der Luft. So feucht die Weizengarben auch
waren, die auf dem Land gebunden wurden, in Kingsbridge starb
während dieses Monats nur noch ein einziger Mensch: Marge Taylor,
eine sechzigjährige Schneiderin. Im Oktober gab es keinen weiteren Ansteckungsfall, desgleichen im November und Dezember. Der
Schwarze Tod schien verschwunden zu sein, wenigstens vorerst.

Die alte Wanderschaft zupackender, ruheloser Menschen vom
Land in die Stadt hatte sich während der Pest umgekehrt, doch nun
setzte sie wieder ein. Die Leute kamen nach Kingsbridge, zogen in
leer stehende Häuser, brachten sie wieder in Schuss und zahlten der
Priorei Miete. Einige eröffneten neue Geschäfte – Bäckereien, Brau-
häuser, Kerzenziehereien –, die an die Stelle der alten traten, welche
verschwunden waren, als die Inhaber und alle ihre Erben starben.
Als Ratsältester machte Merthin es den Menschen einfacher, einen
Laden oder Marktstand zu eröffnen, indem er den langwierigen Ge-
nehmigungsprozess abschaffte, an dem die Priorei stets festgehalten
hatte. Auf dem Wochenmarkt ging es immer geschäftiger zu.

Nacheinander vermietete Merthin alle Läden, Häuser und Schänken, die er auf Leper Island errichtet hatte. Seine Mieter waren entweder wagemutige Neuankömmlinge oder alteingesessene Händler,
die einen besseren Standort suchten. Die Straße, die sich zwischen
den beiden Brücken quer über die Insel zog, war zu einer Verlänge-
rung der Hauptstraße geworden und damit beste Lage – wie Merthin
es vor zwölf Jahren vorhergesehen hatte, als man ihn für verrückt
hielt, weil er den nackten Fels als Bezahlung für seine Arbeit an der
Brücke annahm.

Der Winter brach herein, und erneut hing der Rauch von Tausenden Feuern als niedrige braune Wolke über der Stadt, aber die
Menschen arbeiteten und kauften noch immer, aßen und tranken,
würfelten in den Schänken und gingen des Sonntags in die Kirche.

Die Ratshalle sah ihr erstes Weihnachtsbankett, seit der Gemeinderat zu einem Stadtrat geworden war.

Merthin lud Prior und Priorin zum Mahl. Sie besaßen nicht mehr die Macht, die Kaufleute zu überstimmen, aber dennoch gehörten sie nach wie vor zu den wichtigsten Leuten in der Stadt. Philemon kam, doch Caris lehnte die Einladung ab: Sie führte ein beunruhigend zurückgezogenes Leben.

Merthin saß neben Madge Webber. Sie war nun unter allen Kaufleuten am reichsten und der größte Arbeitgeber in Kingsbridge, vielleicht sogar in der ganzen Grafschaft. Sie war stellvertretende Ratsälteste und hätte eigentlich sogar dem Rat vorstehen sollen, wäre es nicht unüblich gewesen, dass eine Frau dieses Amt bekleidete.

Zu Merthins vielen Unternehmungen gehörte eine Werkstatt, in der die Pedalwebstühle gefertigt wurden, mit denen sich die Qualität des Kingsbridger Scharlachtuchs hatte steigern lassen. Madge erwarb mehr als die Hälfte der Maschinen aus Merthins Produktion. Den Rest sicherten sich unternehmungslustige Kaufleute, die dafür selbst aus London herkamen. Die Webstühle waren komplizierte Maschinen, die auf Maß gefertigt und präzise zusammengebaut werden mussten, sodass Merthin darauf angewiesen war, die besten Zimmerleute zu beschäftigen, die er bekommen konnte. Für einen fertigen Webstuhl verlangte er mehr als das Doppelte dessen, was ihn die Herstellung kostete, welche nicht gerade billig war, und dennoch konnten die Leute kaum abwarten, ihm das Geld dafür auf den Tisch zu legen.

Von mehreren Seiten wurde ihm angedeutet, dass er Madge heiraten solle, doch die Idee reizte weder ihn noch sie. Sie hatte nie einen Mann finden können, der an ihren Mark heranreichte, welcher den Körperbau eines Riesen und das Gemüt eines Heiligen besessen hatte. Sie war immer stämmig gewesen, doch mittlerweile schlichtweg dick geworden. Sie hatte die vierzig überschritten und entwickelte sich zu einer jener Frauen, die wie Fässer aussahen und von Schultern bis Hinterteil überall den gleichen Umfang maßen. Gut zu essen und zu trinken ist nun ihr Hauptvergnügen, dachte Merthin, während er zusah, wie sie sich an Ingwerschinken mit einer Soße aus Äpfeln und Nelken gütlich tat. Das und das Geldverdienen.

Am Ende des Festmahls gab es einen Würzwein, der Hippocras genannt und erhitzt getrunken wurde. Madge nahm einen langen Zug, rülpste und rückte auf der Bank näher zu Merthin. »Wir müssen etwas wegen des Hospitals unternehmen«, sagte sie.

»Aha?« Er war keiner Schwierigkeiten gewahr. »Ich hätte angenommen, dass die Leute jetzt, wo die Pest vorüber ist, ein Hospital
nicht mehr so dringend bräuchten.«

»Aber natürlich brauchen sie es«, erwiderte sie schnippisch. »Sie
bekommen immer noch Fieber, Bauchschmerzen und Ausschlag.
Frauen wollen schwanger werden und können es nicht, oder sie
haben eine komplizierte Geburt. Kinder verbrennen sich und fallen
vom Baum. Männer werden vom Pferd abgeworfen und von ihren
Feinden niedergestochen, oder ihnen wird von ihrem zornigen Weib
der Schädel eingeschlagen ...«

»Ja, ich verstehe schon«, sagte Merthin, amüsiert von ihrer Weit-
schweifigkeit. »Was liegt denn nun im Argen?«

»Niemand will mehr ins Hospital gehen. Die Leute mögen Bruder
Sime nicht, und vor allem vertrauen sie nicht auf seine Methoden.
Während wir gegen die Pest kämpften, hat er in Oxford gesessen
und uralte Bücher studiert, und er wendet noch immer Heilmittel
wie Aderlass und Schröpfen an, an die niemand mehr glaubt. Die
Leute wollen zu Caris – aber sie kommt nie ins Hospital.«

»Was tun die Leute, wenn sie krank werden, aber nicht ins Hospital wollen?«

»Sie gehen zu Matthew Barber, zu Silas Pothecary oder einer
Neuen in der Stadt namens Marla Wisdom, die sich auf Frauenlei-
den spezialisiert hat.«

»Und das bereitet Euch Sorge?«

»Die Leute murren schon gegen die Priorei. Wenn sie von den
Mönchen und Nonnen keine Hilfe mehr bekommen, fragen sie,
warum sollen sie dann für den Bau des Kirchturms zahlen?«

»Oh.« Der Turm war ein gewaltiges Projekt. Nur wenn Mönchskloster, Nonnenkloster und Stadt sich gemeinsam daran beteiligten,
ließ er sich bezahlen. Wenn die Stadt ihren Beitrag nicht mehr leis-
tete, war das Vorhaben in Gefahr. »Ja, ich verstehe«, sagte Merthin
besorgt. »Das ist allerdings eine missliche Lage.«

Für die meisten Leute ist es ein gutes Jahr gewesen, dachte Caris, als
sie an Weihnachten im Hochamt saß. Die Menschen gewöhnten sich
erstaunlich rasch an die Verwüstungen, die die Pest hinterließ. Der
Schwarze Tod hatte nicht nur entsetzliches Leid und beinahe den Zusammenbruch der Zivilisation gebracht, sondern auch die Gelegenheit
zu einer Neuordnung. Nach Caris' Schätzungen war fast die Hälfte

der Bevölkerung dahingerafft worden. Als Folge davon bestellten die verbliebenen Bauern nur das fruchtbarste Land, sodass jeder einzelne mehr erzeugte als früher. Trotz der Arbeitsverordnung und der Bemühungen von Adligen wie Graf Ralph, sie durchzusetzen, beobachtete Caris, dass es die Menschen dennoch dorthin zog, wo sie den höchsten Lohn bekamen, und das waren gewöhnlich die Güter mit dem besten Land. Korn stand überreichlich zur Verfügung, und die Kuh- und Schafherden nahmen an Kopfzahl wieder zu. Das Nonnenkloster gedieh, und weil Caris nach Godwyns Flucht die Angelegenheiten des Mönchsklosters neu geordnet hatte, war Letzteres nun so wohlhabend wie seit hundert Jahren nicht mehr. Reichtum erzeugte Reichtum, und gute Zeiten auf dem Land führten zu besseren Geschäften in den Städten, sodass die Kingsbridger Handwerker und Ladenbesitzer allmählich zu ihrem früheren Wohlstand zurückfanden.

Als die Nonnen nach der Messe die Kirche verließen, wurde Caris von Prior Philemon angesprochen. »Ich muss mit Euch sprechen, Mutter Priorin. In meinem Haus.«

Früher einmal hätte sie solch einer Bitte ohne Zögern höflich zugestimmt, doch diese Tage waren vorüber. »Ich lasse mir von Euch nichts vorschreiben«, erwiderte sie.

Er lief sofort rot an. »Ihr könnt mir ein Gespräch nicht verweigern!«

»Das habe ich nicht getan. Ich weigere mich nur, Euren Palast zu betreten. Ich lehne es ab, mich wie eine Untergebene herbeizitieren zu lassen. Weshalb wollt Ihr mich sprechen?«

»Wegen des Hospitals. Es gab Beschwerden.«

»Redet mit Bruder Sime – er leitet es, wie Ihr wohl wisst.«

»Kann man mit Euch denn nicht vernünftig diskutieren?«, fragte er aufgebracht. »Wenn Sime die Probleme bereinigen könnte, würde ich mit ihm reden und nicht mit Euch.«

Mittlerweile waren sie im Kreuzgang des Mönchsklosters. Caris setzte sich auf die niedrige Mauer, die das Geviert umgab. Der Stein war kalt. »Wir können hier reden. Was habt Ihr mir zu sagen?«

Philemon ärgerte sich, aber er gab nach. Wie er vor ihr stand, war er es nun, der wie ein Untergebener aussah. »Die Städter sind mit dem Hospital nicht zufrieden«, sagte er.

»Das überrascht mich keineswegs.«

»Merthin hat sich beim Weihnachtsmahl des Rates bei mir beschwert. Die Leute kommen nicht mehr hierher, sondern gehen zu Quacksalbern wie Silas Pothecary.«

»Wenn hier einer ein Quacksalber ist, dann Sime.«

Philemon bemerkte, dass mehrere Novizen in der Nähe standen und den Disput mithörten. »Weg mit euch allen«, sagte er. »Habt ihr nichts zu tun?«

Sie huschten davon.

Philemon wandte sich wieder Caris zu. »Die Städter sind der Meinung, Ihr solltet im Hospital arbeiten.«

»Der Meinung bin ich auch. Ich werde mich aber nicht an Simes Methoden halten. Seine Behandlungen richten bestenfalls keinen Schaden an. Viel öfter geht es den Kranken danach schlechter. Deshalb kommen die Leute nicht mehr hierher, wenn ihnen etwas fehlt.«

»In Eurem neuen Hospital sind so wenige Kranke, dass wir darin Gäste beherbergen. Stört Euch das nicht?«

Der Stich traf sie. Caris schluckte und sah weg. »Es bricht mir das Herz«, sagte sie leise.

»Dann kommt zurück. Früher, als Ihr im Hospital gearbeitet habt, hat es auch Mönchsärzte gegeben. Bruder Joseph war der angesehenste unter ihnen. Er hatte die gleiche Ausbildung wie Sime.«

»Da habt Ihr recht. Schon damals fanden wir, dass die Mönche mehr Schaden anrichteten, als sie Gutes taten, aber wir kamen mit ihnen zurecht. Meist riefen wir sie gar nicht erst, sondern taten, was wir für das Beste hielten. Wenn sie doch zugegen waren, hielten wir uns nicht immer genau an ihre Anweisungen.«

»Ihr könnt doch nicht ernsthaft glauben, dass sie sich immer irrten.«

»Nein. Manchmal haben sie Menschen geheilt. Ich erinnere mich, wie Joseph den Schädel eines Mannes öffnete und angesammelte Flüssigkeit entfernte, die dem Kranken unerträgliche Kopfschmerzen bereitet hatte – das war sehr beeindruckend.«

»Da seht Ihr's. Warum könnt Ihr nicht mit den Ärzten zusammenarbeiten, so wie damals.«

»Das ist nicht mehr möglich. Dafür hat Bruder Sime gesorgt. Er hat seine Bücher und seine Instrumente in die Apotheke geschafft und allein die Leitung des Hospitals übernommen. Ich bin sicher, dass Ihr ihn dazu ermutigt habt. Vermutlich war es sogar von Anfang an Eure Idee.« Sie sah Philemon am Gesicht an, dass sie richtig lag. »Ihr und er habt konspiriert, um mich hinauszudrängen. Damit hattet Ihr Erfolg – nun müsst Ihr mit den Konsequenzen leben.«

»Ich könnte Sime befehlen, wieder auszuziehen. Dann hätten wir wieder die alten Bedingungen.«

Caris schüttelte den Kopf. »Es hat sich noch mehr verändert. Durch die Pest habe ich vieles gelernt. Ich bin mir sicherer denn je, dass die Methoden der Ärzte tödlich sein können. Um eines Kompromisses willen werde ich keine Menschen töten.«

»Ihr begreift nicht, wie viel auf dem Spiel steht.« Er wirkte leicht selbstgefällig.

Da war also noch etwas. Caris hatte sich gewundert, weshalb er das Thema angesprochen hatte. Es sah ihm nicht ähnlich, sich über das Hospital Gedanken zu machen: Die Krankenfürsorge hatte ihm nie sehr gelegen. Ihn interessierte nur, was seine Stellung erhöhte und seinen zerbrechlichen Stolz schützte. »Also gut«, fragte sie, »was wäre dann noch?«

»Die Städter reden davon, die Mittel für den neuen Turm zu streichen. Warum sollten sie zusätzlich für die Kathedrale zahlen, fragen sie, wenn sie von uns nicht bekommen, was sie wollen? Und da Kingsbridge nun freie Stadt ist, kann ich als Prior die Zahlungen nicht mehr erzwingen.«

»Und wenn sie nicht zahlen ...?«

»... wird Euer geliebter Merthin seine Herzenssache aufgeben müssen«, sagte Philemon genüsslich.

Caris verstand, weshalb er glaubte, sie damit umstimmen zu können. Und tatsächlich hatte es einmal eine Zeit gegeben, in der sie von dieser Offenbarung erschüttert worden wäre. Doch auch das lag zurück. »Merthin ist nicht mehr mein Geliebter«, erwiderte sie. »Auch das habt Ihr unterbunden.«

Ein panischer Ausdruck zuckte über sein Gesicht. »Aber der Turm ist auch Herzenssache des Bischofs – das könnt Ihr nicht aufs Spiel setzen!«

Caris stand von dem Mäuerchen auf. »Nein?«, fragte sie. »Wieso nicht?« Sie wandte sich ab und schlug den Weg zum Nonnenkloster ein.

Philemon war entgeistert. Er rief ihr nach: »Wie könnt Ihr nur so herzlos sein?«

Sie wollte ihn ignorieren, doch dann besann sie sich und entschied, es ihm zu erklären. Sie wandte sich zu Philemon um. »Seht Ihr, alles, was mir je teuer war, ist mir genommen worden«, sagte sie in nüchternem Tonfall. »Und wenn man alles verloren hat ...« Caris' Fassade bröckelte, ihre Stimme brach, doch sie zwang sich weiterzureden. »Wenn man alles verloren hat, dann hat man nichts mehr zu verlieren.«

Im Januar fiel der erste Schnee. Er bildete eine dicke Haube auf dem Dach der Kathedrale, glättete die zierlichen eingeritzten Bilder an den Türmchen und bedeckte die Gesichter der Engel und Heiligen über dem Westportal. Das neue Mauerwerk der Turmfundamente war mit Stroh abgedeckt worden, um den frischen Mörtel vor dem Winterfrost zu schützen, und nun lag der Schnee auf dem Stroh.

In einer Priorei gab es nur wenige Feuerstellen. Die Küche hatte natürlich Feuer, weshalb die Küchenarbeit bei Novizinnen und Novizen immer beliebt war. Die Kathedrale hingegen, in der Mönche und Nonnen jeden Tag sieben bis acht Stunden verbrachten, war unbeheizt. Wenn Kirchen niederbrannten, dann gewöhnlich, weil ein verzweifelter Mönch ein Kohlebecken mit ins Gebäude gebracht hatte und ein Funke aus der Glut an die Holzdecke geflogen war. Weilten Mönche und Nonnen nicht in der Kirche oder arbeiteten, erwartete man von ihnen, dass sie im Kreuzgang wandelten und lasen, im Freien also. Das einzige Zugeständnis an ihr Behagen war die Wärmstube, eine kleine Kammer abseits des Kreuzgangs, wo bei schlimmstem Wetter ein Feuer entzündet wurde. Man durfte sich für eine kleine Weile aus dem Kreuzgang in die Wärmstube zurückziehen.

Wie üblich ignorierte Caris Regeln und Traditionen und gestattete den Nonnen, im Winter Wollhosen zu tragen. Sie glaubte nicht daran, dass Gott von seinen Bräuten erwartete, sich in seinem Dienst Frostbeulen zuzuziehen.

Bischof Henri machte sich solche Sorgen um das Hospital – oder eher um seinen Turm –, dass er trotz Schnees von Shiring nach Kingsbridge reiste. Er kam in einer Charette, einer schweren Holzkutsche mit einem Dach aus gewachstem Leintuch und mit gepolsterten Sitzen. Kanonikus Claude und Erzdiakon Lloyd begleiteten ihn. Sie gönnten sich im Priorspalast nur gerade so viel Rast, dass sie ihre Kleider trocknen und zum Aufwärmen einen Becher Wein trinken konnten, dann beriefen sie eine Krisensitzung mit Philemon, Sime, Caris, Oonagh, Merthin und Madge Webber ein.

Caris wusste, dass es Zeitverschwendung wäre, doch sie nahm trotzdem teil: Es war leichter, als sich zu weigern, denn dann hätte sie im Nonnenkloster sitzen und sich mit endlosen Botschaften herumschlagen müssen, in denen sie angefleht, befehligt und bedroht wurde.

Sie blickte auf die Schneeflocken, die an den bereiften Fensterscheiben vorbeitrieben, während der Bischof langatmig einen Streit zusammenfasste, an dem sie wirklich kein Interesse hatte. »Diese Krise ist durch die illoyale und ungehorsame Haltung von Mutter Caris heraufbeschworen worden«, sagte Henri abschließend.

Damit entlockte er ihr eine Erwiderung. »Zehn Jahre lang habe ich im hiesigen Hospital gearbeitet«, sagte sie. »Durch meine Arbeit und die Arbeit meiner Vorgängerin Mutter Cecilia war es bei den Städtern so beliebt.« Unhöflich wies sie mit dem Finger auf den Bischof. »Das habt Ihr geändert. Wälzt die Schuld nicht auf andere ab. In diesem Sessel habt Ihr gesessen und verkündet, dass Bruder Sime fortan das Hospital leiten soll. Nun solltet Ihr auch die Verantwortung für die Folgen Eurer törichten Entscheidung auf Euch nehmen.«

»Ihr habt mir zu gehorchen!«, rief er, und seine Stimme überschlug sich fast vor Erbitterung. »Ihr seid eine Nonne – Ihr habt ein Gelübde geleistet.« Die schrillen Laute störten die Katze, Erzbischof, und sie erhob sich und verließ den Saal.

»Das ist mir klar«, sagte Caris. »Es bringt mich in eine unhaltbare Lage.« Sie sprach, ohne sich die Worte vorher zurechtgelegt zu haben, doch als sie hervorkamen, begriff sie, dass sie keineswegs unüberlegt zu nennen waren. Vielmehr handelte es sich bei ihnen um die Frucht monatelangen Brütens. »Ich kann Gott auf diese Weise nicht mehr dienen«, fuhr sie fort. Ihre Stimme klang ruhig, doch das Herz pochte ihr bis zum Hals. »Deshalb habe ich entschieden, meinem Gelübde zu entsagen und das Kloster zu verlassen.«

Henri erhob sich tatsächlich von seinem Sitz. »Auf keinen Fall!«, brüllte er. »Aus Eurem heiligen Gelübde entlasse ich Euch nicht!«

»Ich nehme an, Gott wird es dennoch tun«, erwiderte sie mit kaum verhohlener Verachtung.

Damit machte sie ihn noch wütender. »Dieser Gedanke, dass ein Mensch allein mit Gott rechten kann, ist Häresie. Seit der Pest hat es schon zu viel solch lockere Rede gegeben.«

»Könnte es daran liegen, dass die Leute, wenn sie sich während der Pest an die Kirche wandten, oft feststellen mussten, dass ihre Priester und Mönche« – sie blickte Philemon an – »geflohen waren wie erbärmliche Feiglinge?«

Henri hob die Hand, um Philemons entrüstete Entgegnung zu

unterbinden. »Wir mögen fehlbar sein, doch zugleich können sich Männer und Frauen nur über die Vermittlung der Kirche und ihrer Priester an Gott wenden.«

»Das müsst Ihr natürlich sagen«, erwiderte Caris. »Dadurch wird es trotzdem nicht wahr.«

»Ihr seid eine Ketzerin!«

Kanonikus Claude ergriff das Wort. »Alles in allem, Eminenz, wäre ein öffentlicher Bruch zwischen Euch und Mutter Caris nicht hilfreich.« Er lächelte sie freundlich an. Seit dem Tag, an dem sie ihn und den Bischof beim Liebesspiel ertappt und nichts davon verraten hatte, war er ihr gewogen. »Ihre jetzige Weigerung zur Zusammenarbeit muss gegen viele Jahre aufopfernder, manchmal heldenhafter Dienste aufgewogen werden. Und die Menschen lieben sie.«

Henri erwiderte: »Aber was, wenn wir sie von ihrem Gelübde entbinden? Wie würde sich dadurch das Problem lösen?«

An dieser Stelle meldete sich Merthin zum ersten Mal zu Wort. »Ich hätte einen Vorschlag zu machen«, sagte er.

Aller Augen wandten sich ihm zu.

Er sagte: »Die Stadt soll ein neues Hospital bauen. Ich werde einen großen Bauplatz auf Leper Island stiften. Es soll von einem Konvent aus Nonnen geleitet werden, der von der Priorei ganz getrennt ist, einer neuen Gemeinschaft. Der Konvent würde natürlich der geistlichen Autorität des Bischofs von Shiring unterliegen, aber er hätte keine Verbindung zum Prior von Kingsbridge oder einem Arzt des Mönchsklosters. Das neue Hospital müsste einen Laien als Patron haben, der ein führender Bürger der Stadt sein sollte, vom Rat ausgewählt. Er würde die Priorin einsetzen.«

Einen Augenblick lang waren sie alle still und ließen seinen umwälzenden Vorschlag auf sich wirken. Caris war wie vom Donner gerührt. Ein neues Hospital ... auf Leper Island ... das die Städter bezahlten ... mit einem neuen Nonnenorden ... der keine Verbindung zur Priorei besaß ...

Sie blickte in die Runde. Philemon und Sime machten aus ihrer ablehnenden Haltung keinen Hehl. Henri, Claude und Lloyd sahen nur verblüfft drein.

Schließlich sagte der Bischof: »Dieser Patron wäre sehr mächtig – er verträte die Städter, würde die Rechnungen begleichen und die Priorin ernennen. Wer immer diese Stellung einnimmt, herrscht über das Hospital.«

»Richtig«, sagte Merthin.

»Wenn ich ein neues Hospital genehmige, wären die Städter dann wieder bereit, für den Turm aufzukommen?«

Madge Webber sprach zum ersten Mal. »Wenn der richtige Patron ernannt wird, ja.«

»Und wer sollte das sein?«, fragte Henri.

Caris bemerkte, dass alle sie anblickten.

Einige Stunden später wickelten sich Merthin und Caris in schwere Mäntel, zogen Stiefel an und gingen durch den Schnee zur Insel, wo er ihr den Bauplatz zeigte, an den er gedacht hatte. Er lag auf der westlichen Hälfte der Insel, nicht weit von seinem Haus entfernt, und bot einen schönen Ausblick auf den Fluss.

Caris schwindelte noch von der plötzlichen Veränderung in ihrem Leben. Sie würde ihrer Gelübde als Nonne entpflichtet werden. Nach fast zwölf Jahren wäre sie wieder eine gewöhnliche Bürgerin. Sie stellte fest, dass der Gedanke, die Priorei zu verlassen, ihr keinen Schmerz bereitete. Die Menschen, die ihr teuer gewesen waren, lebten nicht mehr: Mutter Cecilia, die alte Julie, Mair und Tilly. Sie konnte Schwester Joan und Schwester Oonagh gut leiden, aber mit ihnen war es nicht mehr das Gleiche.

Und sie würde noch immer das Hospital leiten. Mit dem Recht, die Priorin der neuen Einrichtung zu bestimmen, wäre sie in der Lage, das Krankenhaus nach den neuen Gedanken zu führen, die aus der Zeit der Pest entstanden waren. Der Bischof hatte in alles eingewilligt.

»Ich finde, wir sollten wieder den Grundriss eines Kreuzgangs benutzen«, sagte Merthin. »Während der kurzen Zeit, die du das Hospital geleitet hast, scheint er sich wirklich bewährt zu haben.«

Sie starrte auf die unberührte Schneefläche und bewunderte wieder seine Fähigkeit, sich Wände und Räume vorzustellen, wo sie nur Weiß sah. »Der Eingang wurde fast wie eine Vorhalle genutzt«, sagte sie. »Dort warteten die Leute, und dort untersuchten wir die Kranken zunächst, ehe wir entschieden, was mit ihnen zu tun war.«

»Du möchtest sie größer haben?«

»Ich finde, es sollte ein richtiger Empfangssaal werden.«

»Gut.«

Sie war fassungslos. »Ich kann es noch kaum glauben. Alles hat sich so ergeben, wie ich es mir immer gewünscht habe.«

Er nickte. »So war es geplant.«

»Wie meinst du das?«

»Ich habe mich gefragt, was du dir gewünscht hättest, und dann habe ich mir überlegt, wie man es erreichen kann.«

Sie starrte ihn an. Er hatte es leichthin gesagt, als wollte er nur den Gedankengang erklären, der ihn zu seinen Schlussfolgerungen geführt hatte. Er schien nicht zu ahnen, von welcher Tragweite es für sie war, wenn er über ihre Wünsche nachdachte und sich überlegte, wie sie verwirklicht werden konnten.

»Hat Philippa schon entbunden?«, fragte sie.

»Ja, vor einer Woche.«

»Was ist es?«

»Ein Junge.«

»Ich gratuliere. Hast du ihn schon gesehen?«

»Nein. Soweit es die Welt betrifft, bin ich nur der Onkel. Ralph hat mir geschrieben.«

»Haben sie ihm schon einen Namen gegeben?«

»Roland, nach dem alten Grafen.«

Caris wechselte das Thema. »Das Flusswasser ist stromabwärts der Stadt nicht sehr rein. Ein Hospital braucht aber sauberes Wasser.«

»Ich werde eine Leitung legen, die dir sauberes Wasser von weiter flussaufwärts heranführt.«

Der Schneefall ließ nach und hörte ganz auf, und sie hatten einen klaren Blick über die Insel.

Caris lächelte ihn an. »Du weißt auf alles eine Antwort.«

Merthin schüttelte den Kopf. »Nur auf die einfachen Fragen: sauberes Wasser, luftige Räume, eine Empfangshalle.«

»Und was sind die schwierigen?«

Er wandte sich ihr zu. In seinem roten Bart waren Schneeflocken. Er sagte: »Zum Beispiel: Liebt sie mich noch?«

Einen langen Augenblick starrten sie einander an.

Caris war glücklich.

SIEBTER
TEIL
März bis November 1361

Auch mit vierzig Jahren war Wulfric der stattlichste Mann, den Gwenda je gesehen hatte. Die silbernen Fäden, die sein lohfarbenes Haar nun durchzogen, ließen ihn nicht mehr nur stark, sondern auch weise wirken. Als er jung gewesen war, hatten sich seine breiten Schultern keilförmig zu schmalen Hüften verjüngt; heute waren die Hüften nicht mehr so schmal und die Keilform nicht mehr so ausgeprägt, doch noch immer schaffte Wulfric die Arbeit zweier Männer. Und er würde immer zwei Jahre jünger als Gwenda bleiben.

Sie glaubte sich weniger verändert zu haben. Gwenda hatte jene Art von dunklem Haar, die erst spät im Leben grau wird. Sie wog nicht mehr als vor zwanzig Jahren, doch nach der Geburt der Kinder waren ihre Brüste und ihr Bauch nicht mehr ganz so straff wie zuvor.

Erst wenn sie ihren Sohn Davey mit seiner glatten Haut anblickte und seinen ruhelosen, federnden Schritt sah, spürte sie die Jahre. Er war nun zwanzig und sah aus wie eine männliche Ausgabe ihrer selbst in diesem Alter. Auch sie hatte ein faltenloses Gesicht gehabt und war beschwingten Fußes gegangen. Ein von Feldarbeit bei Wind und Wetter erfülltes Leben hatte ihr runzlige Hände gegeben und sie gelehrt, langsam zu gehen und ihre Kräfte zu schonen.

Davey war wie Gwenda klein, scharfsinnig und verschwiegen. Schon als er klein war, hatte sie nie mit Sicherheit sagen können, was er dachte. Sam war das genaue Gegenteil: groß und stark, nicht klug genug, um verschlagen zu sein, aber mit einem Hang zur Grausamkeit, die Gwenda seinem wirklichen Vater, Ralph Fitzgerald, zuschrieb.

Mehrere Jahre lang hatten die Jungen an Wulfrics Seite auf den Feldern gearbeitet – bis Sam vor zwei Wochen verschwunden war.

Weshalb er fortgegangen war, wussten sie genau. Den ganzen Winter lang hatte er davon gesprochen, Wigleigh zu verlassen und in ein Dorf zu gehen, wo er höheren Lohn erhielt. Verschwunden war er genau bei Beginn der Frühlingspflugzeit.

Gwenda fand, dass er recht hatte, wenn er mehr verdienen wollte. Zwar war es verboten, sein Dorf zu verlassen oder einen höheren Lohn anzunehmen als den, der 1347 üblich gewesen war, doch im ganzen Land übertraten rastlose junge Männer das Gesetz, und Bauern, denen keine andere Wahl blieb, stellten sie ein. Grundherren wie Graf Ralph konnten dagegen kaum mehr unternehmen, als mit den Zähnen zu knirschen.

Sam hatte nicht gesagt, wohin er wollte, und seinen Aufbruch mit keinem Wort angekündigt. Wäre Davey an seiner Stelle gewesen, hätte Gwenda gewusst, dass er alles sorgsam durchdacht und sich für den besten Weg entschieden hätte. Bei Sam ahnte sie, dass er aus dem Augenblick heraus gehandelt hatte. Jemand hatte den Namen eines Dorfes fallen lassen, und Sam war früh am nächsten Morgen aufgewacht und hatte beschlossen, auf der Stelle dorthin aufzubrechen.

Gwenda sagte sich immer wieder, ihre Sorgen seien überflüssig. Sam sei zweiundzwanzig Jahre alt, groß und stark. Niemand werde ihn ausbeuten oder schlecht behandeln. Doch sie war seine Mutter, und sie vermisste ihn.

Wenn sie Sam nicht finden konnte, so vermochte es keiner, glaubte sie, und das war gut so. Dennoch sehnte sie sich danach zu erfahren, wo er lebte, ob er für einen anständigen Herrn arbeitete und ob die Menschen gut zu ihm waren.

In diesem Winter hatte Wulfric einen neuen leichten Pflug für die sandigeren Bereiche seines Landes gebaut, und an einem Tag im Frühjahr gingen Gwenda und er nach Northwood, um eine eiserne Pflugschar zu kaufen, das einzige Teil, das sie nicht selbst anfertigen konnten. Wie gewöhnlich reiste eine kleine Gruppe von Leuten aus Wigleigh zusammen zum Markt. Jack und Eli, die für Madge Webber die Walkmühle betrieben, stockten ihre Vorräte auf; sie besaßen kein eigenes Land und mussten alles kaufen, was sie zum Leben brauchten. Annet und ihre achtzehnjährige Tochter Amabel hatten ein Dutzend Hühner in einem Käfig dabei, die sie auf dem Markt feilbieten wollten. Auch der Vogt, Nathan Reeve, kam mit seinem erwachsenen Sohn Jonno mit, der in Kindheitstagen Sams Erzfeind gewesen war.

Annet tändelte noch immer mit jedem gut aussehenden Mann, der ihr über den Weg lief, und die meisten von ihnen grinsten dümmlich und ließen sich auf ihr Spiel ein. Auf dem Weg nach Northwood schwatzte sie mit Davey. Dabei lächelte sie anhimmelnd, verdrehte den Kopf und schlug Davey in gespieltem Tadel auf den Arm, als wäre sie zweiundzwanzig und nicht zweiundvierzig. Sie ist kein Mädchen mehr, aber sie hat es immer noch nicht erkannt, dachte Gwenda missgelaunt. Annets Tochter Amabel, die so schön war wie einst Annet, ging ein kleines Stück abseits und schien sich für ihre Mutter zu schämen.

Am spaten Vormittag erreichten sie Northwood. Nachdem Wulfric und Gwenda ihre Pflugschar gekauft hatten, gingen sie zum Mittagessen ins Old Oak.

Soweit Gwenda zurückdenken konnte, hatte immer eine ehrwürdige alte Eiche vor dem Wirtshaus gestanden, ein dicker, gedrungener Baum mit knorrigen Ästen, der im Winter aussah wie ein gebeugter Greis und im Sommer willkommenen tiefen Schatten spendete. Gwendas Söhne hatten sich, als sie noch klein waren, gegenseitig um den Stamm gejagt. Der Baum musste jedoch abgestorben sein oder umzustürzen gedroht haben, denn man hatte ihn gefällt, und nun gab es nur noch einen Stumpf von einer Mannslänge im Durchmesser, der von den Gästen als Stuhl, als Tisch oder – von manchem erschöpften Kärrner – als Bett benutzt wurde.

Auf der Kante saß Harry Ploughman, der Vogt von Outhenby, und trank Bier aus einem gewaltigen Krug.

Gwenda fühlte sich augenblicklich um zwölf Jahre zurückversetzt. Noch einmal durchlebte sie die Hoffnung, die ihr Herz erfüllt hatte, als sie an jenem Morgen von Northwood aufgebrochen waren, um durch den Wald nach Outhenby einem neuen Leben entgegenzugehen, und sie war so überwältigt, dass ihr die Tränen in die Augen traten. Keine zwei Wochen später war ihre Hoffnung zermalmt und Wulfric – die Erinnerung weckte noch immer heiße Wut in Gwenda – mit einem Seil um den Hals nach Wigleigh zurückgeschafft worden.

Doch seither war nicht alles nach Ralphs Wünschen verlaufen. Die Umstände hatten ihn gezwungen, Wulfric das Land zurückzugeben, das schon sein Vater bestellt hatte, eine Entwicklung, die Gwenda mit grimmiger Genugtuung erfüllte. Gwenda war froh, dass sie heute Grundholde waren und keine landlosen Knechte mehr, und für Wulfric hatte sich ein Lebenstraum erfüllt. Gwenda aber sehnte sich noch immer nach mehr Unabhängigkeit – einer Zinspacht ohne Fron, die mit Geld abgegolten werden konnte, und einer schriftlichen Vereinbarung, aus der sich kein Grundherr herausreden konnte. Die meisten Hörigen strebten danach, und seit der Pest wurde sie immer mehr von ihnen zuteil.

Harry begrüßte Gwenda und Wulfric überschwänglich und bestand darauf, sie zum Bier einzuladen. Kurz nach ihrem damaligen Aufenthalt in Outhenby war Harry von Mutter Caris zum Vogt ernannt worden und hatte die Stellung weiterhin inne, obwohl Caris längst ihr Amt niedergelegt hatte und die heutige Priorin Mutter Joan hieß. Nach Harrys Doppelkinn und Bierbauch zu urteilen, gedieh Outhenby weiterhin prächtig.

Während sie sich daranmachten, mit den übrigen Dörflern aus Wigleigh wieder aufzubrechen, sprach Harry mit leiser Stimme zu Gwenda: »Ein junger Mann namens Sam arbeitet für mich.«

Gwendas Herz machte einen Sprung. »Mein Sam?«

»Nein, das kann unmöglich sein.«

Sie war verblüfft. Warum erwähnte Harry ihn dann?

Doch der Vogt tippte sich an die weinrote Nase, und Gwenda begriff, dass er sich absichtlich verstellte. »Dieser Sam versichert mir, dass sein Herr ein Ritter aus Hampshire sei, von dem ich noch nie gehört habe, und der ihm erlaubt habe, sein Dorf zu verlassen und anderswo zu arbeiten, während der Herr Eures Sam ja Graf Ralph ist, der nie einen Mann gehen lässt. Euren Sam kann ich also überhaupt nicht in Dienst genommen haben.«

Gwenda verstand. So würde Harry es sagen, wenn offiziell Fragen gestellt wurden. »Und er ist also in Outhenby.«

»In Oldchurch, einem der kleineren Dörfer im Tal.«

»Geht es ihm gut?«, fragte sie wissbegierig.

»Er macht sich.«

»Gott sei Dank.«

»Ein starker Junge und guter Arbeiter, aber streitlustig ist er auch.«

Das wusste sie. »Lebt er in einem warmen Haus?«

»Er wohnt bei einem gutherzigen älteren Ehepaar, dessen eigener Sohn in Kingsbridge bei einem Gerber in die Lehre geht.«

Gwenda hatte noch ein Dutzend Fragen, doch plötzlich bemerkte sie die verkrümmte Gestalt Nathan Reeves. Der Vogt lehnte am Türpfosten der Wirtshaustür und starrte Gwenda an. Sie verbiss sich einen Fluch. So vieles wollte sie erfahren, doch sie fürchtete, Nate auch nur den leisesten Hinweis auf Sams Aufenthalt zu liefern. Sie musste sich mit dem zufriedengeben, was sie erfahren hatte. Und sie war froh, wenigstens zu wissen, wo sie ihren Sohn finden konnte.

Sie wandte sich von Harry ab und versuchte, den Eindruck zu

erwecken, sie beende beiläufig ein belangloses Gespräch. Aus dem Mundwinkel sagte sie: »Haltet ihn aus Kämpfen raus.«

»Ich will tun, was ich kann.«

Sie winkte flüchtig und ging Wulfric hinterher.

Auf dem Heimweg trug Wulfric die schwere Pflugschar ohne sichtliche Anstrengung auf der Schulter. Gwenda platzte fast vor Drang, ihm die Neuigkeit mitzuteilen, aber sie musste warten, bis die Gruppe sich auf der Straße ein wenig auseinandergezogen hatte und sie und ihr Mann ein paar Schritt weit von den anderen getrennt waren. Dann erst berichtete sie ihm mit leiser Stimme von ihrem Gespräch mit Harry.

Wulfric war erleichtert. »Dann wissen wir wenigstens, wo der Junge ist«, sagte er, ohne zu schnaufen, trotz seiner schweren Last.

»Ich will nach Outhenby«, sagte Gwenda.

Wulfric nickte. »Das dachte ich mir schon.« Er widersprach ihr nur selten, doch nun bekundete er einen Einwand. »Es ist aber gefährlich. Du musst dafür sorgen, dass niemand erfährt, wohin du gehst.«

»Genau. Vor allem Nate nicht.«

»Wie willst du das bewerkstelligen?«

»Er wird es sicher merken, wenn ich ein paar Tage lang nicht im Dorf bin. Wir müssen uns etwas ausdenken.«

»Wir können sagen, du wärst krank.«

»Zu gefährlich. Dann kommt er wahrscheinlich im Haus nachsehen.«

»Wir könnten sagen, du bist bei deinem Vater.«

»Das würde Nate nie glauben. Er weiß, dass ich bei ihm nicht länger bleibe, als ich muss.« Sie kaute an einem Niednagel und zermarterte sich das Hirn. In den Gespenstergeschichten und Märchen, die Leute einander während der langen Winterabende am Feuer erzählten, glaubten die Figuren stets die Lügen der anderen, ohne zu zweifeln; wirkliche Menschen ließen sich nicht so leicht täuschen. »Wir könnten sagen, ich wäre nach Kingsbridge gegangen«, sagte sie schließlich.

»Wozu?«

»Vielleicht, um auf dem Markt Leghennen zu kaufen?«

»Hennen könntest du auch von Annet bekommen.«

»Dem Miststück würde ich nie etwas abkaufen, das weiß jeder.«

»Stimmt.«

»Und Nate weiß, dass Caris und ich alte Freundinnen sind, also würde er auch glauben, dass ich bei ihr übernachte.«

»Gut.«

Die Geschichte war nicht besonders originell, doch ihr fiel nichts Besseres ein. Und sie sehnte sich verzweifelt danach, ihren Sohn wiederzusehen.

Am nächsten Morgen ging sie los.

Schon vor Sonnenaufgang schlich sie sich aus dem Haus, in einen schweren Mantel gehüllt, um sich vor dem kalten Märzwind zu schützen. In pechschwarzer Finsternis durchquerte sie leise das Dorf. Ihren Weg fand sie durch Tasten und aus dem Gedächtnis. Sie wollte nicht gesehen und befragt werden, ehe sie die Umgebung verlassen hatte. Doch niemand war schon auf den Beinen. Nathan Reeves Hund knurrte leise, dann erkannte er sie am Schritt, und sie hörte das leise Klopfen, mit dem sein Schweif beim Wedeln gegen das Holz der Hundehütte schlug.

Gwenda ließ das Dorf zurück und folgte dem Weg durch die Felder. Als der Morgen anbrach, war sie schon eine Meile weit gekommen. Sie blickte hinter sich auf den Weg. Er war leer. Niemand folgte ihr.

Als Frühstück kaute sie eine harte Brotkruste und machte erst gegen Mittag an einer Schänke Rast, wo der Weg von Wigleigh nach Kingsbridge den von Northwood nach Outhenby kreuzte. An der Schänke erkannte sie niemanden. Nervös beobachtete sie die Tür, während sie eine Schale salziger Fischsuppe aß und einen Schoppen Apfelmost trank. Jedes Mal, wenn jemand hereinkam, setzte sie an, ihr Gesicht zu verbergen, doch es war immer ein Fremder, und niemand achtete auf sie. Rasch ging sie wieder und schlug den Weg nach Outhenby ein.

Am späten Nachmittag erreichte sie das Tal. Zwölf Jahre lag es zurück, dass sie zum letzten Mal hier gewesen war, aber verändert hatte sich nicht viel. Das Tal schien sich bemerkenswert rasch von der Pest erholt zu haben. Von einigen kleinen Kindern abgesehen, die bei den Häusern spielten, waren die meisten Dörfler auf den Feldern und pflügten und säten oder kümmerten sich um die neugeborenen Lämmer. Von den Äckern aus starrten sie zu Gwenda herüber; denn sie wussten, dass sie fremd war, und fragten sich, wer sie sei. Aus der Nähe würden sie einige erkennen. Gwenda hatte nur zehn Tage in Outhenby gelebt, doch das war eine dramatische Zeit gewesen, und man hatte sie nicht vergessen. Oft erlebten Dörfler solche Aufregung nicht.

Sie folgte der Outhen, die sich durch die Ebene zwischen den beiden Hügelketten schlängelte. Von dem großen Dorf Outhenby gelangte Gwenda durch die kleineren Gemeinden, die sie aus der Zeit, die sie im Tal verbracht hatte, als Ham, Shortacre und Longwater kannte, in die kleinste und abgelegenste Ortschaft Oldchurch.

Ihre Aufregung wuchs, je näher sie kam, und sie vergaß sogar ihre wunden Füße. Oldchurch war ein Weiler von dreißig Katen, von denen keine groß genug war, um als Lehnshaus oder auch nur als Sitz eines Vogts zu dienen. In Übereinstimmung mit dem Namen gab es dort allerdings eine alte Kirche. Sie stand schon mehrere Hundert Jahre dort, schätzte Gwenda. Sie hatte einen gedrungenen Turm und ein kurzes Hauptschiff aus grobem Mauerwerk mit winzigen quadratischen Fenstern, die anscheinend planlos in die dicken Wände eingelassen worden waren.

Sie ging zu den Feldern auf der anderen Seite des Dorfes. Der Gruppe von Schäfern auf einer fernen Weide schenkte Gwenda erst gar keine Beachtung: Der kluge Harry Ploughman hätte Sams Arbeitskraft niemals an eine solch leichte Aufgabe vergeudet. Sam würde eggen, einen Abwassergraben frei räumen oder bei dem aus acht Ochsen bestehenden Pfluggespann helfen. Während Gwenda die drei Felder absuchte, hielt sie nach einer Gruppe Ausschau, die hauptsächlich aus Männern mit warmen Kappen, schlammigen Stiefeln und lauten Stimmen bestand, mit denen sie sich über das weite Land zurufen konnten, und einem jungen Mann, der die anderen um Haupteslänge überragte. Als sie ihren Sohn zunächst nicht sah, überfiel sie wieder Unruhe. War er bereits festgenommen worden? Oder in ein anderes Dorf gezogen?

Sie fand ihn in einer Reihe von Männern, die Dung auf ein frisch gepflügtes Feld schaufelten. Trotz der Kälte hatte Sam den Mantel abgelegt. In den Händen hielt er eine Eichenholzschaufel. Unter dem alten Leinenhemd wölbten und regten sich die Muskeln seiner Arme und auf seinem Rücken. Ihr Herz füllte sich mit Stolz, als sie ihn sah, und sie wunderte sich einmal mehr, dass solch ein Kerl ihrem zierlichen Leib entsprungen sein sollte.

Als sie näher kam, sah alles auf. Die Männer starrten sie neugierig an: Wer war sie, und was wollte sie hier? Sie ging direkt zu Sam und umarmte ihn, obwohl er nach Pferdemist stank. »Sei gegrüßt, Mutter«, sagte er, und die anderen Männer lachten.

Ihre Fröhlichkeit verblüffte Gwenda.

Ein drahtiger Mann mit einer leeren Augenhöhle rief: »Wein nicht, Sam, alles wird gut!«, und sie lachten wieder.

Gwenda begriff, dass sie es komisch fanden, wenn ausgerechnet die kleine Mutter des großen Sam herbeikam und nach ihm sah, als sei er ein ungeratener Junge.

»Wie hast du mich gefunden?«, fragte Sam.

»Ich habe Harry Ploughman auf dem Markt von Northwood getroffen.«

»Ich hoffe, niemand ist dir hierher gefolgt.«

»Ich bin aufgebrochen, ehe es hell wurde. Dein Vater sagt den Leuten, ich wäre nach Kingsbridge gegangen. Niemand ist mir gefolgt.«

Sie sprachen einige Minuten lang, dann sagte Sam, er müsse wieder an die Arbeit, sonst wären die anderen Männer ärgerlich, dass er alles ihnen überließ. »Geh ins Dorf zurück und such die alte Liza«, sagte er. »Sie wohnt gegenüber der Kirche. Sag ihr, wer du bist, und sie wird dir zu essen geben. Ich bin bei Sonnenuntergang dort.«

Gwenda blickte in den Himmel. Es war früher Abend, und die Männer dürften in etwa einer Stunde gezwungen sein, mit der Arbeit aufzuhören, weil sie nichts mehr sehen konnten. Sie küsste Sam auf die Wange und ließ ihn zurück.

Sie fand Liza in einer Kate, die etwas größer war als die meisten – sie hatte zwei Zimmer statt des üblichen einen. Die Frau stellte Gwenda ihrem Mann Rob vor, der blind war. Wie Sam gesagt hatte, war Liza gastfreundlich: Sie stellte Brot und Suppe auf den Tisch und schenkte Gwenda einen Becher Bier ein.

Gwenda fragte Liza nach deren Sohn, und es war, als hätte sie einen Zapfhahn geöffnet. Liza hörte nicht auf, von ihm zu erzählen, begann mit dem Säugling und schilderte sein Leben minutiös bis zur Lehrzeit, als der alte Mann sie schroff mit einem Wort unterbrach: »Pferd.«

Sie verstummten, und Gwenda hörte den rhythmischen Hufschlag eines trottenden Pferdes.

»Kleines Pferd«, sagte der blinde Rob. »Ein Zelter oder ein Pony. Zu klein für einen Edelmann oder Ritter, aber es könnte eine Dame tragen.«

Gwenda überkam ein Angstschauder.

»Zwei Besucher innerhalb einer Stunde«, stellte Rob fest. »Es muss zusammenhängen.«

Davor hatte sich Gwenda gefürchtet.

Sie stand auf und sah aus der Tür. Ein stämmiges schwarzes Pony folgte dem Weg zwischen den Häusern. Augenblicklich erkannte sie den Reiter, und ihr sank das Herz: Es war Jonno Reeve, der Sohn des Vogts von Wigleigh.

Wie hatte er sie gefunden?

Sie versuchte sich rasch in die Kate zurückzuziehen, doch er hatte sie gesehen. »Gwenda!«, rief er und zügelte sein Pferd.

»Du Teufel«, sagte sie.

»Ich wüsste gern, was Ihr hier sucht?«, erwiderte er spöttisch.

»Wie kommst du hierher? Niemand ist mir gefolgt!«

»Mein Vater hat mich nach Kingsbridge geschickt, um zu sehen, was Ihr dort treibt, aber unterwegs hielt ich bei der Schänke am Kreuzweg, und die Leute erinnerten sich, dass Ihr die Straße nach Outhenby eingeschlagen hattet.«

Sie fragte sich, ob sie diesen klugen jungen Mann überlisten konnte. »Und warum sollte ich meine alten Freunde hier nicht besuchen?«

»Dazu hättet Ihr keinen Grund«, entgegnete er. »Wo ist Euer flüchtiger Sohn?«

»Hier nicht, aber ich hatte es gehofft.«

Einen Augenblick lang wirkte er unsicher, als hielte er es für möglich, dass sie die Wahrheit sprach. Dann sagte er: »Vielleicht versteckt er sich. Ich schaue mich um.« Er trieb das Pony an.

Gwenda sah ihm nach. Sie hatte ihn nicht getäuscht, aber zumindest Zweifel in ihm gesät. Wenn sie Sam vor ihm erreichte, konnte sie ihren Sohn vielleicht verstecken.

Rasch trat sie in die Kate, sprach hastig zu Liza und Rob und verließ das Haus durch die Hintertür. Zielstrebig ging sie zum Feld, wobei sie sich immer dicht an der Hecke hielt. Als sie zum Dorf zurückblickte, sah sie einen Berittenen, der sich schräg zu ihrer Richtung bewegte. Das Licht schwand, und Gwenda bezweifelte, dass ihre kleine Gestalt sich von dem dunklen Hintergrund der Hecke abhob.

Sie begegnete Sam und den anderen, als sie ins Dorf zurückkamen, die Spaten über den Schultern, die Stiefel dick mit Schlamm verkrustet. Aus der Entfernung hätte man Sam auf den ersten Blick für Ralph halten können: Er hatte die gleiche Figur und den gleichen selbstsicheren Schritt, die gleiche Haltung des stattlichen Kopfes auf dem kräftigen Hals. Doch wenn er redete, erkannte sie auch Wulfric in ihm: Die Art, wie er den Kopf wandte, das leise Lächeln und die wegwerfende Handbewegung entsprachen genau dem Gebaren seines Pflegevaters.

Die Männer sahen sie. Durch ihr Kommen am frühen Abend waren sie aufgestachelt, und nun rief der Einäugige: »Sei gegrüßt, Mutter!«, und alle lachten.

Sie nahm Sam zur Seite und sagte: »Jonno Reeve ist hier.«

»Verdammt!«

»Es tut mir leid.«

»Du hast gesagt, niemand ist dir gefolgt!«

»Ich habe ihn nicht gesehen, aber er ist mir auf die Spur gekommen.«

»Verdammt. Was soll ich jetzt tun? Ich gehe nicht wieder nach Wigleigh zurück!«

»Er sucht nach dir, aber er hat das Dorf Richtung Osten verlassen.« Sie musterte die dunkelnde Landschaft, aber sie konnte kaum etwas erkennen. »Wenn wir uns sputen, nach Oldchurch zu kommen, könnten wir dich verstecken – zum Beispiel in der Kirche.«

»Also gut.«

Sie beschleunigten ihren Schritt. Gwenda sagte über die Schulter: »Wenn Ihr einem Vogt namens Jonno begegnen solltet … Sam aus Wigleigh kennt Ihr nicht.«

»Nie von ihm gehört, Mutter«, sagte einer, und die anderen gehorchten. Wenn es galt, den Vogt zu überlisten, halfen Hörige einander in der Regel gern.

Gwenda und Sam erreichten den Weiler, ohne Jonno zu sehen. Sie eilten zur Kirche. Gwenda vermutete, dass sie wahrscheinlich hineingehen konnten: Auf dem Land waren die Gotteshäuser meist leer und kahl, und man verschloss sie nicht. Wenn dies sich als Ausnahme erweisen sollte, wusste sie nicht, was sie tun sollten.

Sie fädelten sich zwischen den Häusern hindurch und kamen in Sichtweite der Kirche. Als sie Lizas Vordertür passierten, entdeckte Gwenda ein schwarzes Pony und sog scharf die Luft ein. Jonno musste im Schutz der Dunkelheit umgekehrt sein. Er hatte darauf gesetzt, dass Gwenda ihren Sohn finden und ins Dorf bringen würde, und gewonnen. Er besaß die niederträchtige Schläue seines Vaters Nate.

Sie nahm Sam beim Arm, um mit ihm über die Straße in die Kirche zu eilen – als Jonno aus Lizas Haus trat.

»Sam«, sagte er. »Ich dachte mir, dass du hier bist.«

Gwenda und Sam hielten an und wandten sich um.

Sam stützte sich auf seinen Holzspaten. »Und was willst du jetzt tun?«

Jonno grinste triumphierend. »Dich nach Wigleigh zurückbringen.«

»Das möchte ich sehen.«

Eine Gruppe von Bauern, die meisten Frauen, tauchte am Westrand des Dorfes auf und blieb stehen, um sich die Konfrontation anzusehen.

Jonno griff in die Satteltasche seines Ponys und zog eine Schelle aus Metall hervor, an der eine Kette baumelte. »Ich lege dir ein Fußeisen an«, sagte er. »Wenn du auch nur einen Funken Verstand im Kopf hast, wehrst du dich nicht.«

Gwenda war von Jonnos Mut überrascht. Glaubte er wirklich, er könnte Sam ganz allein festnehmen? Er war ein kräftiger Junge, aber nicht so groß wie Sam. Hoffte er auf die Hilfe der Dörfler? Zwar hatte er das Gesetz auf seiner Seite, aber nur wenige Bauern fanden seine Sache gerecht. Typisch junger Mann, dachte sie. Er besitzt kein Gefühl für seine Grenzen.

Sam sagte: »Schon als wir noch klein waren, habe ich Hackfleisch aus dir gemacht, und heute tue ich das wieder.«

Gwenda wollte nicht, dass sie kämpften. Egal wer gewann, in den Augen des Gesetzes hätte Sam unrecht. Sie sagte: »Es ist sowieso zu spät, um heute noch irgendwohin zu kommen. Warum reden wir nicht morgen früh weiter?«

Jonno lachte verächtlich. »Damit Sam vor Morgengrauen entschlüpfen kann, wie Ihr Euch aus Wigleigh hinausgeschlichen habt? Wohl kaum. Er schläft heute Nacht in Ketten.«

Die Männer, an deren Seite Sam gearbeitet hatte, kamen herbei und blieben stehen, um zuzusehen, was vor sich ging. Jonno sagte: »Alle gesetzestreuen Männer sind verpflichtet, mir zu helfen, diesen Landflüchtigen zu verhaften, und wer mich daran hindern will, wird vom Gesetz bestraft.«

»Verlass dich auf mich«, rief der Einäugige. »Ich halte dein Pferd.« Die anderen lachten leise. Jonno traf auf wenig Sympathie. Andererseits erhob kein Dörfler das Wort zu Sams Verteidigung.

Jonno handelte unvermittelt. Das Fußeisen in beiden Händen, trat er auf Sam zu und bückte sich, um es mit einer überraschenden Bewegung zuschnappen zu lassen.

Bei einem älteren Mann, der sich langsamer bewegte, hätte er vielleicht Erfolg gehabt, aber Sam reagierte blitzschnell. Er machte einen Schritt zurück und trat aus. Ein schlammiger Stiefel landete auf Jonnos ausgestrecktem Arm.

Jonno grunzte vor Schmerz und Wut. Er richtete sich auf, zog den rechten Arm zurück und schwang die Fußschelle, um sie Sam über den Schädel zu ziehen. Gwenda hörte einen Angstschrei und bemerkte erst dann, dass er von ihr kam. Sam wich noch einen Schritt zurück außer Reichweite.

Als Jonno sah, dass sein Hieb Sam verfehlen würde, ließ er das Fußeisen im letzten Augenblick los.

Es sauste durch die Luft. Sam zuckte zurück, wandte sich ab, duckte sich, aber er konnte dem Eisen nicht ausweichen. Die Schelle traf ihn am Ohr, die Kette peitschte ihm durchs Gesicht. Gwenda schrie auf, als wäre sie verletzt worden. Die Zuschauer keuchten. Sam taumelte, und das Fußeisen klirrte zu Boden. Einen Augenblick lang erstarrte alles. Sam rann das Blut aus Ohr und Nase. Gwenda machte einen Schritt auf ihn zu und breitete die Arme aus.

Dann erholte sich Sam von dem Schock.

Er wandte sich Jonno wieder zu und schwang mit einer geradezu anmutigen Bewegung den schweren Holzspaten. Jonno hatte nach dem Wurf noch nicht das Gleichgewicht wiedererlangt und konnte nicht ausweichen. Mit der Kante traf ihn der Spaten seitlich gegen den Kopf. Sam war kräftig, und das Knirschen von Holz auf Knochen schallte über die Dorfstraße.

Jonno taumelte noch, als Sam erneut zuschlug. Diesmal kam das Spatenblatt direkt von oben. Von Sam mit beiden Armen geschwungen, prallte es mit unglaublicher Gewalt auf Jonnos Schädel. Diesmal schallte der Treffer nicht, sondern klang eher wie ein dumpfer Schlag, und Gwenda bekam es mit der Angst, dass ihr Sohn Jonno den Schädel gebrochen haben könnte.

Als Jonno in die Knie sank, schlug ihn Sam zum dritten Mal, und ein mit aller Kraft geführter Hieb mit dem Eichenholzblatt traf das Opfer auf die Stirn. Ein eisernes Schwert hätte kaum größeren Schaden anrichten können, dachte Gwenda verzweifelt. Sie trat vor, um Sam Einhalt zu gebieten, doch die Dörfler waren einen Augenblick früher auf die gleiche Idee gekommen und erreichten ihn vor ihr. Sie zerrten Sam weg. Jeden seiner Arme mussten zwei von ihnen festhalten.

Jonno lag am Boden. Eine Lache von Blut breitete sich um seinen Kopf aus. Gwenda wurde bei dem Anblick übel, und sie konnte nicht anders, sie musste an den Vater des Jungen denken, an Nate, und wie bestürzt er über die Verletzungen seines Sohnes sein musste. Jonnos Mutter war an der Pest gestorben, deshalb war wenigstens sie an einem Ort, wo der Kummer ihr nichts mehr anhaben konnte.

Gwenda sah, dass Sam nicht schlimm verletzt war. Er blutete, aber er wehrte sich noch gegen die Männer, die ihn festhielten, und versuchte sich zu befreien, um wieder zuschlagen zu können. Gwenda beugte sich über Jonno. Er hatte die Augen geschlossen und rührte sich nicht. Als sie die Hand auf sein Herz legte, spürte sie nichts. Sie suchte nach dem Puls, wie Caris es ihr gezeigt hatte, aber sie fand keinen. Jonno atmete nicht mehr.

Ihr dämmerte, was es zu bedeuten hatte, was geschehen war, und sie begann zu weinen.

Jonno war tot, und Sam war ein Mörder.

Am Ostersonntag dieses Jahres 1361 war Caris zehn Jahre lang mit Merthin verheiratet.

Während sie in der Kathedrale stand und der Osterprozession zusah, erinnerte sie sich an ihre Hochzeit. Weil Merthin und sie so lange, wenn auch immer wieder unterbrochen, Geliebte gewesen waren, hatten sie ihre Trauung als nichts weiter als die Bestätigung einer lange feststehenden Tatsache betrachtet und törichterweise an eine kleine, stille Feier gedacht: einen bescheidenen Gottesdienst in der Kirche von St. Mark, und danach für den engsten Kreis ein Festmahl im Bell. Doch Vater Joffroi unterrichtete das Brautpaar am Tag vor der Hochzeit, dass seines Wissens mindestens zweitausend Menschen beabsichtigten, zu der Vermählung zu kommen, und sie sahen sich gezwungen, in der Kathedrale zu heiraten. Dann stellte sich heraus, dass Madge Webber insgeheim für die führenden Bürger ein Bankett im Rathaus veranstaltete und für alle anderen Kingsbridger ein Fest im Freien auf Lovers' Field organisiert hatte. Am Ende war es daher die Hochzeit des Jahres geworden.

Caris lächelte bei der Erinnerung. Sie hatte ein neues Kleid aus Kingsbridger Scharlach getragen, in einer Farbe also, die der Bischof für eine Frau wie sie vermutlich als angemessen erachtete. Merthin trug ein reich gemüstertes italienisches Gewand, kastanienbraun und mit goldenen Fäden durchwirkt, und strahlte vor Glück. Beide bemerkten verspätet, dass ihre ausgedehnte Liebesaffäre, die sie stets für ein privates Drama gehalten hatten, die Bürger von Kingsbridge jahrelang unterhalten hatte und dass jeder ihr glückliches Ende feiern wollte.

Caris' angenehme Erinnerungen verflogen, als nun ihr alter Feind Philemon in die Kanzel stieg. In dem Jahrzehnt, seit sie ihre Gelübde widerrufen hatte, hatte er an Gewicht zugelegt. Seine Mönchstonsur und das glatt rasierte Gesicht offenbarten einen Speckring um den Hals, und der Priestertalar wölbte sich wie ein Zelt.

Er hielt eine Predigt gegen das Sezieren.

Die Körper der Toten gehörten Gott, sagte Philemon. Jeder Christ sei angewiesen, sie nach einem genau festgelegten Ritus zu bestatten; die Erlösten in geweihter Erde, die Verdammten andernorts. Mit Leichen anders, gleich wie, zu verfahren verstoße gegen Gottes Willen. Sie aufzuschneiden sei ein Sakrileg, betonte Philemon mit einer Inbrunst, die gar nicht zu ihm passen wollte. Seine Stimme bebte sogar, als er die Gemeinde bat, sich den schrecklichen Anblick eines Menschenleibes vorzustellen, der von sogenannten medizinischen Forschern geöffnet, in seine Teile zerlegt und zerschnitten und durchbohrt werde. Wahre Christen wüssten, dass es für die Taten solcher leichenschänderischer Männer und Frauen keine Entschuldigung gebe.

Die Wendung »Männer und Frauen« war aus Philemons Mund nicht oft zu hören, sagte sich Caris, und wenn er sie heute benutzte, musste ein tieferer Sinn dahinterstecken. Sie blickte Merthin an, der neben ihr im Hauptschiff stand, und er hob die Brauen zu einer besorgten Miene.

Das Verbot der Leichenöffnung war eine gängige Lehrmeinung und wurde von der Kirche vertreten, so weit Caris zurückdenken konnte, doch seit der Pest hatte man es gelockert. Vielen jüngeren Geistlichen stand lebhaft vor Augen, wie sehr die Kirche während des Schwarzen Todes die Menschen im Stich gelassen hatte, und sie wollten unbedingt ändern, wie die Medizin von den Priestern gelehrt und praktiziert wurde. Der konservative ältere Klerus jedoch hing fest den alten Wegen an und verhinderte jeden Wandel. Letzten Endes war das Sezieren im Prinzip verboten, wurde aber in der Praxis geduldet.

Caris hatte von Anfang an in ihrem neuen Hospital Leichenöffnungen durchgeführt. Außerhalb des Gebäudes sprach sie niemals darüber: Es hatte keinen Zweck, die Abergläubischen zu beunruhigen. Doch bei jeder Gelegenheit, die sich bot, sah sie in die Körper der Toten.

In den letzten Jahren gesellte sich gewöhnlich einer, manchmal auch zwei der jüngeren Mönchsärzte hinzu. Viele ausgebildete Ärzte erhielten niemals Einblick in den menschlichen Körper, es sei denn, sie behandelten sehr tiefe Wunden. Öffnen durften sie traditionell nur die Kadaver von Schweinen, von denen man sagte, es seien die Tiere, deren Anatomie der des Menschen am meisten gleiche.

Caris war sowohl verdutzt als auch besorgt über Philemons Attacke. Er hatte sie stets gehasst, das wusste sie, auch wenn sie nie sicher hätte sagen können, was der Grund dafür war. Seit dem großen Unentschieden im Winter 1351 hatte Philemon sie nicht mehr beachtet. Als wollte er seinen Verlust an Macht über die Stadt ausgleichen, schmückte er seinen Palast mit kostbaren Dingen: Gobelins, Teppichen, Silbergeschirr, Buntglasfenstern, illuminierten Handschriften. Der Prior zu Kingsbridge gebärdete sich immer erhabener. Er trug prächtige Talare zu den Messen und reiste, wenn er in andere Städte musste, in einem Wagen, der eingerichtet war wie das Gemach einer Herzogin.

Während der Messe waren mehrere bedeutende Geistliche im Chor, die zu Besuch in Kingsbridge weilten – Bischof Henri von Shiring, Erzbischof Piers von Monmouth und Erzdiakon Reginald von York –, und wahrscheinlich hoffte Philemon sie mit seinem Ausbruch konservativer Doktrin zu beeindrucken. Zu welchem Zweck aber? Wollte er befördert werden? Der Erzbischof war krank – man hatte ihn in die Kirche tragen müssen –, doch Philemon konnte es doch nicht auf seine Stellung abgesehen haben? Allein dass der Sohn von Joby aus Wigleigh zum Prior von Kingsbridge aufgestiegen war, bedeutete schon ein Wunder. Zudem hätte die Erhebung vom Prior zum Erzbischof einen ungewöhnlich großen Sprung bedeutet, fast als würde ein Ritter zum Herzog erhoben, ohne zuvor Baron oder Graf zu werden. Nur ein besonderer Günstling konnte auf solch rasanten Aufstieg hoffen.

Doch Philemons Ehrgeiz, wie Caris wohl wusste, kannte keine Grenzen. Nicht weil er sich für unglaublich hoch qualifiziert hielt. Godwyn war solch ein Mensch gewesen, von arroganter Selbstsicherheit bestimmt. Godwyn hatte angenommen, dass Gott ihn zum Prior gemacht habe, weil er der klügste Mann der Stadt sei. Philemon war das genaue Gegenteil: Im Grunde seines Herzens hielt er sich für einen Niemand. Sein Leben war ein Feldzug, mit dem er sich überzeugen wollte, nicht vollkommen wertlos zu sein. Auf Zurückweisung reagierte er so empfindlich, dass er den Gedanken, für irgendein Amt, und sei es noch so erhaben, ungeeignet zu sein, schlichtweg nicht ertragen konnte.

Caris überlegte, ob sie nach der Messe mit Bischof Henri sprechen sollte. Sie konnte ihn an das zehn Jahre alte Abkommen erinnern, nach dem der Prior von Kingsbridge keinerlei Hoheit über das Hospital der heiligen Elisabeth auf Leper Island besaß, welches der direkten Gewalt des Bischofs unterstand, und dass daher jede Anfeindung des Hospitals einen Angriff auf die Rechte und Privilegien Henris bedeutete. Doch solch ein Protest, das wurde ihr bei näherer Überlegung klar, hätte dem Bischof nur bestätigt, dass sie Sektionen durchführte, und was bislang lediglich ein vager Verdacht war, den er leicht übergehen konnte, wäre damit zu einer bekannten Tatsache geworden, auf die er reagieren musste. Daher beschloss Caris, Schweigen zu wahren.

Neben ihr standen die beiden Neffen Merthins, die Söhne von Graf Ralph: Gerry, der dreizehn, und Roley, der zehn Jahre alt war. Beide Jungen besuchten die Schule des Mönchsklosters. Sie wohnten in der Priorei, aber ihre Freizeit verbrachten sie oft bei Merthin und Caris im Haus auf der Insel. Merthin ließ seine Hand beiläufig auf Roleys Schulter ruhen. Nur drei Menschen auf der ganzen Welt wussten, dass Roley nicht sein Neffe war, sondern sein Sohn: Merthin, Caris und die Mutter des Jungen, Lady Philippa. Merthin versuchte Roley niemals in irgendeiner Weise vorzuziehen, doch er fand es schwer, seine Empfindungen zu verbergen, und war immer besonders erfreut, wenn Roley etwas Neues lernte oder sich in der Schule gut machte.

Caris musste oft an das Kind denken, das sie von Merthin empfangen und dann abgetrieben hatte. Stets stellte sie sich vor, es wäre ein Mädchen geworden. Sie wäre jetzt eine Frau, sann Caris, von dreiundzwanzig Jahren, wäre wohl verheiratet und hätte eigene Kinder. Der Gedanke war wie der Schmerz einer alten Wunde, qualvoll, aber zu vertraut, als dass man sich darüber erregte.

Als die Messe vorüber war, verließen sie gemeinsam das Gotteshaus. Die Jungen waren, wie stets, zum Sonntagsessen eingeladen. Vor der Kathedrale wandte Merthin sich um und blickte auf den neuen Turm über der Vierung, der mittlerweile hoch gen Himmel strebte.

Während er seine beinahe beendete Arbeit betrachtete und über einige Einzelheiten die Stirn runzelte, die nur er sah, musterte Caris ihn liebevoll. Sie kannte ihn, seit er elf Jahre alt gewesen war, und hatte ihn fast genauso lange geliebt. Er war nun fünfundvierzig. Sein rotes Haar wich aus der Stirn zurück und umgab seinen Kopf wie ein krauser Heiligenschein. Seitdem ein kleiner behauener Kragstein, der einem achtlosen Maurer vom Gerüst gefallen war, ihn an der linken Schulter getroffen hatte, hielt er den Arm steif. Trotzdem zeigte sein Gesicht noch immer den Ausdruck jungenhaften Eifers, der an einem Samhainabend vor einem Dritteljahrhundert die zehnjährige Caris zu ihm hingezogen hatte.

Sie wandte sich um und sah in die gleiche Richtung wie er. Der Turm schien genau auf den vier Seiten der Vierung zu stehen und exakt zwei Joche im Geviert groß zu sein, obwohl sein Gewicht tatsächlich von massiven Strebepfeilern getragen wurde, die in die Außenecken der Querschiffe eingebaut waren und wiederum auf neuen Fundamenten ruhten, welche Merthin vor dem ursprünglichen alten Unterbau errichtet hatte. Mit seinen schlanken Säulen und zahlreichen Fensteröffnungen, durch die man bei schönem Wetter den blauen Himmel sehen konnte, wirkte der Turm leicht und luftig. Über dem quadratischen Dach des Turmes wurde ein Gerüst errichtet, um den letzten Teil, die Turmspitze, bauen zu können.

Als Caris den Blick wieder senkte, sah sie, dass ihre Schwester näher kam. Mit fünfundvierzig war Alice nur ein Jahr älter als sie, doch Caris erschien es oft, als entstammte ihre Schwester einer anderen Generation. Elfric, ihr Mann, war an der Pest gestorben, und sie hatte nicht wieder geheiratet, sondern war eine verbitterte alte Frau geworden, als dächte sie, eine Witwe müsse ihren Verlust jederzeit vor sich hertragen. Vor langer Zeit hatte sich Caris über die Behandlung, die Elfric seinem Lehrjungen Merthin angedeihen ließ, mit Alice entzweit. Im Laufe der Zeit hatten die gegenseitigen Feindseligkeiten an Schärfe verloren, doch als Alice ihre Schwester begrüßte, kündete die Haltung ihres Kopfes dennoch von einem nachtragenden Groll.

Neben ihr ging ihre Stieftochter Griselda, die nur ein Jahr jünger war als Alice. Griseldas Sohn, als Merthin Bastard bekannt, stand neben ihr und überragte sie, ein großer Mann mit oberflächlichem Charme – ganz wie sein Vater, der lange verschwundene Thurstan, und von Merthin Bridger so verschieden, wie es nur möglich war. Griselda wurde ferner von ihrer sechzehnjährigen Tochter Petronilla begleitet.

Griseldas Ehemann, Harold Mason, hatte das Geschäft übernommen, nachdem Elfric gestorben war. Merthin zufolge war er kein großer Baumeister, aber es ging ihm ganz gut, auch wenn er nicht das Monopol auf Reparaturen und Erweiterungen an der Priorei besaß, durch das Elfric ein reicher Mann geworden war. Er stand nun neben Merthin und sagte: »Die Leute glauben, Ihr wollt die Turmspitze ganz ohne Schalung bauen.«

Caris verstand. Die Schalung war der hölzerne Aufbau, der das Mauerwerk an Ort und Stelle hielt, während der Mörtel trocknete.

»Das enge Türmchen bietet nicht genug Platz für eine Schalung«, erwiderte Merthin. »Und wo sollten wir das Lehrgerüst unterbringen?« Sein Tonfall blieb höflich, doch seiner Forschheit merkte Caris an, dass er Harold nicht leiden konnte.

»Ich würde es für machbar halten, wenn die Turmspitze rund wäre.«

Auch das verstand Caris. Ein runder Turm ließ sich errichten, indem man einen Ring aus Steinen auf den anderen legte und jeden um eine Winzigkeit schmaler machte als den vorhergehenden. Dabei brauchte man keine Schalung, weil die Ringe sich gegenseitig stützten: Die Steine konnten nicht einwärts fallen, weil sie gegeneinanderdrückten. Für eine Form mit Ecken galt das jedoch nicht.

»Ihr habt die Zeichnungen gesehen«, sagte Merthin. »Es ist ein Achteck.«

Die Eckfialen am oberen Rand des quadratischen Turmes zeigten diagonal nach außen und führten das Auge, während es sich zu dem anderen Umriss hinaufbewegte. Merthin hatte dieses Merkmal von der Kathedrale in Chartres kopiert. Sinn ergab es jedoch nur bei einer achteckigen Turmspitze.

Harold sagte: »Aber wie wollt Ihr einen achteckigen Turm ohne Schalung bauen?«

»Wartet nur ab, dann seht Ihr's«, erwiderte Merthin und ging davon.

Als sie der Hauptstraße folgten, fragte Caris: »Warum verrätst du den Leuten nicht, wie du es machen willst?«

»Damit sie mich nicht entlassen können«, antwortete er. »Als ich die Brücke bauen sollte, haben sie mich ausgebootet, nachdem ich den schwierigen Teil getan hatte, und jemanden in Dienst genommen, der billiger war als ich.«

»Ich erinnere mich gut.«

»Das können sie diesmal nicht, weil außer mir niemand die Turmspitze zu bauen versteht.«

»Damals warst du ein junger Mann. Heute bist du Ratsältester. Niemand würde es wagen, dir den Auftrag abzunehmen.«

»Vielleicht nicht. Trotzdem ist es schön zu wissen, dass sie es einfach nicht könnten.«

Am Ende der Hauptstraße, wo die alte Brücke gestanden hatte, gab es eine Schänke von üblem Ruf, die das White Horse hieß. Caris sah, dass Merthins sechzehnjährige Tochter Lolla in einer Gruppe von älteren Freunden an der Außenmauer lehnte. Lolla war ein hübsches Mädchen mit olivfarbener Haut und glänzend schwarzem Haar, einem üppigen Mund und schwülen braunen Augen. Die Gruppe scharte sich um ein Würfelspiel, und alle tranken sie Bier aus großen Krügen. Caris war traurig, aber nicht überrascht, als sie ihre Stieftochter am helllichten Tag auf der Straße zechen sah.

Merthin wurde ärgerlich. Er ging zu Lolla und nahm sie beim Arm. »Du kommst lieber zum Essen mit nach Hause«, sagte er mit gepresster Stimme.

Sie warf den Kopf zur Seite und schwenkte das dichte Haar in einer Geste, die zweifellos für die Augen eines anderen als ihres Vaters bestimmt waren. »Ich will nicht nach Hause, ich fühle mich hier wohl«, erwiderte sie.

»Ich habe dich nicht nach deinen Wünschen gefragt«, entgegnete Merthin und zerrte sie von den anderen fort.

Ein gut aussehender junger Mann von etwa zwanzig löste sich aus der Menge. Er hatte lockiges Haar und zeigte ein spöttisches Grinsen, und er stocherte sich mit einem Zweig in den Zähnen. Caris erkannte Jake Riley, einen Burschen ohne besonderen Beruf, der dennoch stets die Taschen voller Geld zu haben schien. »Was ist denn hier los?«, fragte er. Beim Sprechen ließ er den Zweig aus dem Mund ragen wie eine Beleidigung.

»Das geht dich nichts an«, erwiderte Merthin.

Jake stellte sich ihm in den Weg. »Das Mädchen will nicht gehen.«

»Du gibst mir jetzt den Weg frei, Freundchen, es sei denn, du möchtest den Rest des Tages am städtischen Pranger stehen.«

Caris erstarrte besorgt. Merthin war im Recht: Ihm stand es zu, Lolla zu maßregeln, denn sie wurde erst in fünf Jahren mündig. Jake war aber die Sorte junger Mann, der vielleicht trotzdem zuschlug und die Folgen auf sich nahm. Dennoch mischte sich Caris nicht ein, denn sie wusste, dass Merthin dann statt auf Jake auf sie wütend werden konnte.

Jake sagte: »Du bist wohl ihr Vater.«

»Du weißt sehr genau, wer ich bin, und du wirst mich mit Ratsältester anreden, dich eines anderen Tones befleißigen und mich nicht duzen, sonst hast du dir die Folgen selbst zuzuschreiben.«

Jake starrte Merthin unverschämt an, dann wandte er sich zur Seite und sagte beiläufig: »Ja, ja, sicher.«

Caris war erleichtert, dass es zu keinen Handgreiflichkeiten gekommen war. Merthin brach sonst nie einen Streit vom Zaun, aber Lolla konnte ihn zur Raserei bringen.

Sie gingen zur Brücke. Lolla riss sich aus dem Griff ihres Vaters los und ging mit finster gesenktem Kopf voraus, die Arme unter den Brüsten verschränkt, und murmelte schmollend vor sich hin.

Merthin hatte Lolla nicht zum ersten Mal in schlechter Gesellschaft ertappt. Er war entsetzt und erzürnt, dass sein kleines Mädchen derartigem Volk so entschlossen nachlaufen sollte. »Warum tut sie das?«, fragte er Caris, während sie Lolla über die Brücke nach Leper Island folgten.

»Das weiß Gott allein.« Caris war aufgefallen, dass ähnliches Verhalten bei Heranwachsenden, die ein Elternteil verloren hatten, häufiger vorkam. Nach Silvias Tod war Lolla von Bessie Bell, Lady Philippa, Merthins Haushälterin Em und natürlich Caris selbst bemuttert worden. Vielleicht wusste sie nicht recht, welcher Stiefmutter sie nacheifern sollte. Caris sprach den Gedanken jedoch nicht aus, um Merthin nicht das Gefühl zu geben, er habe als Vater in irgendeiner Hinsicht versagt. »Als ich in ihrem Alter war, hatte ich ständig furchtbaren Streit mit Tante Petronilla.«

»Worüber?«

»Ähnliche Dinge. Ihr passte es nicht, dass ich Zeit mit Mattie Wise verbrachte.«

»Das ist etwas ganz anderes. Du bist nicht mit irgendwelchen Strolchen in übel beleumdete Schänken gegangen.«

»Petronilla hielt Mattie für schlechte Gesellschaft.«

»Es ist nicht das Gleiche.«

»Wohl nicht.«

»Von Mattie hast du viel gelernt.«

Lolla lernte zweifellos viel von dem gut aussehenden Jake Riley, doch diesen aufwühlenden Gedanken behielt Caris für sich – Merthin war schon zornig genug.

Die Insel war endlich fertig bebaut und gehörte fest zur Stadt. Sie hatte sogar ihre eigene Gemeindekirche. Wo man einst über Ödland schritt, folgte der Fuß nun einem Weg, der gerade zwischen Häusern hindurchführte und scharfe Ecken beschrieb. Die Kaninchen waren lange verschwunden. Das Hospital nahm den Großteil des westlichen Inselzipfels ein. Obwohl Caris jeden Tag dorthinging, empfand sie noch immer einen warmen Stolz, wenn ihr Blick auf das saubere graue Mauerwerk, die regelmäßigen Reihen aus großen

Fenstern und die Kamine fiel, die sich nebeneinander in die Höhe reckten wie Soldaten in der Schlachtreihe.

Durch ein Tor kamen sie auf Merthins Land. Der Obsthain stand in vollem Wuchs, und schneeweiße Blüten schmückten die Apfelbäume.

Wie immer gingen sie durch die Küchentür ins Haus. Das Gebäude hatte ein zum Fluss weisendes großes Portal, das nie jemand nutzte. Selbst ein brillanter Architekt kann einen Fehler begehen, dachte Caris amüsiert; doch auch diesmal beschloss sie, den Gedanken heute nicht in Worte zu kleiden.

Lolla stapfte nach oben in ihr Zimmer.

Aus dem vorderen Zimmer rief eine Frau: »Seid gegrüßt, ihr alle!« Mit fröhlichen Rufen schossen die beiden Jungen in den Raum davon. Die Stimme gehörte ihrer Mutter, Lady Philippa. Merthin und Caris begrüßten sie herzlich.

Als Caris und Merthin geheiratet hatten, waren Caris und Philippa Schwägerinnen geworden, aber durch ihre zurückliegende Rivalität hatte sich Caris einige Jahre lang in Philippas Gesellschaft stets unwohl gefühlt. Am Ende hatten die Kinder sie zusammengebracht. Als erst Gerry und dann Roley auf die Klosterschule kamen, lag es auf der Hand, dass Merthin sich um seine Neffen kümmerte, und danach wurde es zur Selbstverständlichkeit, dass Philippa in Merthins Haus kam, wann immer sie in Kingsbridge weilte.

Zuerst war Caris eifersüchtig gewesen, weil Philippa eine sexuelle Anziehung auf Merthin ausgeübt hatte. Merthin hatte nie vorzugeben versucht, seine Liebe zu Philippa sei nur oberflächlich gewesen. Lady Philippa war ihm nach wie vor nicht gleichgültig. Das Leben hatte ihr arg mitgespielt. Sie war jetzt neunundvierzig, sah aber älter aus. Ihr Haar war grau geworden, und die Enttäuschung hatte tiefe Linien in ihr Gesicht gegraben. Sie lebte nur noch für ihre Kinder. Bei ihrer Tochter Odila, der Gräfin von Monmouth, war sie regelmäßig zu Gast, und hielt sie sich nicht dort auf, verbrachte sie viel Zeit bei ihren Söhnen in der Priorei zu Kingsbridge. Philippa gelang es, nur sehr wenig Zeit mit ihrem Ehemann Ralph auf Earlscastle zu verbringen.

»Ich muss die Jungen nach Shiring bringen«, erklärte sie ihre Ankunft. »Ralph möchte, dass sie mit ihm zum Grafschaftsgericht kommen. Er sagt, es sei ein wichtiger Teil ihrer Erziehung.«

»Da hat er recht«, sagte Caris. Gerry würde Graf werden, wenn er lange genug lebte, und wenn nicht, erbte Roley den Titel. Beide mussten sie daher mit Gerichtshöfen vertraut sein.

Philippa fügte hinzu: »Ich wollte zur Ostermesse in die Kathedrale kommen, aber an meinem Wagen brach ein Rad, und ich konnte erst heute Morgen weiterfahren.«

»Nun, wo du nun hier bist, bleibst du hoffentlich zum Essen«, sagte Caris.

Sie gingen in den Speisesaal. Caris öffnete das Fenster, durch das man auf den Fluss blickte. Kühle frische Luft drang herein. Sie fragte sich, was Merthin wegen Lolla unternehmen wollte. Zu Caris' Erleichterung sagte er nichts und ließ sie auf ihrem Zimmer schmoren: Mürrische Heranwachsende am Esstisch konnten jedem die Laune verderben.

Sie aßen Hammelbraten mit Lauch. Merthin schenkte Rotwein ein, und Philippa trank durstig. Sie war dem Wein nun sehr zugeneigt. Vielleicht spendete der Rebensaft ihr Trost.

Während sie aßen, kam Em mit angespanntem Gesicht herein. »An der Küchentür ist jemand, der die Herrin sprechen möchte«, sagte sie.

Merthin fragte ungeduldig: »Nun, und wer ist es?«

»Er will seinen Namen nicht nennen, aber er sagt, die Herrin würde ihn kennen.«

»Was ist das für ein Mensch?«

»Ein junger Mann. Nach seiner Kleidung ein Bauer, kein Städter.« Gegenüber Dörflern empfand Em eine herablassende Abneigung.

»Nun, er klingt harmlos. Lass ihn hereinkommen.«

Im nächsten Moment trat eine hochgewachsene Gestalt ein, deren Gesicht unter einer Kapuze im Schatten lag. Als sie zurückgezogen wurde, erkannte Caris Gwendas Ältesten, Sam.

Caris kannte ihn, solange er lebte. Sie war bei seiner Geburt dabei gewesen und hatte beobachtet, wie sein schleimiges Köpfchen aus dem kleinen Leib seiner Mutter hervorkam. Sie hatte zugesehen, wie er heranwuchs, sich veränderte und zum Mann wurde. Heute merkte sie ihm an der Art, wie er ging und stand und leicht die Hand hob, wenn er etwas sagen wollte, Wulfric an. Sie hatte immer vermutet, dass Wulfric gar nicht sein Vater sei – aber obwohl sie Gwenda so nahestand, hatte sie ihre Zweifel nie erwähnt. Gewisse Fragen ließ man lieber ungestellt. Dennoch, ihr Verdacht war unweigerlich zurückgekehrt, als sie hörte, dass Sam wegen Mordes an Jonno Reeve gesucht wurde. Denn bei seiner Geburt hatte Sam ausgesehen wie Ralph.

Er trat auf Caris zu, hob die Hand in jener bekannten Gebärde

Wulfrics, zögerte und ließ sich vor ihr auf ein Knie nieder. »Bitte, helft mir«, sagte er.

Caris war entsetzt. »Wie soll ich dir helfen?«

»Versteckt mich. Ich bin seit Tagen auf der Flucht. Noch im Dunkeln hab ich Oldchurch verlassen und bin durch die Nacht gegangen und habe seither kaum je geruht. Eben wollte ich in einer Schänke was zu essen kaufen, aber jemand hat mich erkannt, und ich musste fliehen.«

Er sah so verzweifelt aus, dass Caris eine Woge des Mitleids befiel. Dennoch rief sie: »Aber ich kann dich hier nicht verstecken. Du wirst wegen Mordes gesucht!«

»Es war kein Mord, es war ein Kampf. Jonno hat zuerst zugeschlagen. Er hat mich mit einem Fußeisen angegriffen – seht, hier.« Sam berührte an zwei Stellen sein Gesicht. An Ohr und Nase waren verschorfte Wunden.

Die Ärztin in Caris kam nicht umhin festzustellen, dass die Verletzungen vielleicht fünf Tage alt waren und die Nase gut heilte, während das Ohr dringend genäht werden musste. Ihr eigentlicher Gedanke aber lautete, dass Sam nicht bei ihnen sein durfte. »Du musst dich der Gerechtigkeit stellen«, sagte sie.

»Die stehen doch alle auf Jonnos Seite, was sonst. Ich bin aus Wigleigh weggelaufen, weil ich in Outhenby höheren Lohn bekomme. Jonno hat versucht, mich zurückzuholen. Sie werden sagen, er hätte das Recht gehabt, einen Landflüchtigen in Ketten zu legen.«

»Das hättest du dir überlegen sollen, ehe du zugeschlagen hast.«

Anklagend rief er: »Ihr habt doch selbst Landflüchtige in Outhenby beschäftigt, als Ihr noch Priorin wart!«

Caris war betroffen, aber sie entgegnete: »Landflüchtige – ja; Mörder – nein.«

»Sie werden mich aufhängen.«

Caris fühlte sich hin- und hergerissen. Wie konnte sie ihn nur abweisen?

Merthin ergriff das Wort. »Es gibt zwei Gründe, weshalb du dich hier nicht verstecken kannst, Sam. Erstens ist es ein Verbrechen, einen flüchtigen Täter zu verbergen, und ich bin nicht bereit, um deinetwillen das Gesetz zu brechen, so teuer mir deine Mutter auch ist. Zweitens weiß aber jeder, dass deine Mutter eine alte Freundin von Caris ist, und wenn die Kingsbridger Büttel nach dir suchen, dann schauen sie hier zuerst nach.«

»Wirklich?«, fragte Sam.

Caris wusste, dass er nicht sehr helle war – den meisten Verstand hatte sein Bruder Davey abbekommen.

»Es gäbe kaum ein schlechteres Versteck für dich als unser Haus«, sagte Merthin. »Trink einen Becher Wein, nimm einen Laib Brot mit, und dann verlass die Stadt«, fügte er freundlicher hinzu. »Ich muss Mungo Constable aufsuchen und melden, dass du hier warst, aber ich kann mir Zeit dafür nehmen.« Er goss Wein in einen hölzernen Becher.

»Danke.«

»Deine einzige Hoffnung ist, weit fortzugehen, an einen Ort, wo man dich nicht kennt, und ein neues Leben anzufangen. Du bist kräftig, du findest immer Arbeit. Geh nach London, melde dich auf ein Schiff. Und lass dich nicht auf Streit ein.«

Philippa sagte plötzlich: »Ich erinnere mich an deine Mutter … Gwenda heißt sie?«

Sam nickte.

Philippa wandte sich Caris zu. »Ich habe sie in Casterham kennengelernt, als William noch lebte. Sie kam wegen des Mädchens in Wigleigh zu mir, das von Ralph geschändet worden war.«

»Annet.«

»Richtig.« Philippa wandte sich Sam wieder zu. »Du musst der Junge sein, den sie damals in den Armen hielt. Deine Mutter ist eine gute Frau. Um ihretwillen bedaure ich sehr, dass du in Schwierigkeiten steckst.«

Einen Augenblick lang herrschte Stille. Sam leerte den Becher Wein. Caris sann, wie ohne Zweifel auch Philippa und Merthin, darüber nach, wie das Verstreichen der Zeit einen unschuldigen, geliebten Säugling in einen Mann verwandeln konnte, der einen Mord beging.

In der Stille hörten sie Stimmen.

Es klang, als näherten sich mehrere Männer der Küchentür.

Sam warf den Kopf nach links und rechts wie ein Bär in der Falle. Eine Tür führte in die Küche, die andere vors Haus. Er schoss zur Vordertür, riss sie auf und rannte hinaus. Ohne innezuhalten, floh er hinunter zum Fluss.

Im nächsten Moment öffnete Em die Küchentür, und Mungo Constable kam in den Speisesaal. Vier Hilfsbüttel drängten sich hinter ihm. Alle trugen Holzknüppel.

Merthin wies auf die Vordertür. »Er ist gerade hindurch.«

»Ihm nach, Jungs«, sagte Mungo. Sie hasteten durch den Saal und hetzten zur Tür hinaus.

Caris erhob sich und eilte nach draußen. Die anderen folgten ihr.

Das Haus stand auf einem niedrigen, felsigen Steilufer, das nur etwa drei oder vier Fuß aus dem Wasser ragte. Am Fuße der kleinen Felswand wirbelte der Fluss vorbei. Zur Linken überspannte Merthins Brücke anmutig das Wasser, zur Rechten lag ein schlammiger Strand. Am anderen Ufer spross an den Bäumen auf dem alten Pestfriedhof das erste Laub. Zu beiden Seiten des Friedhofs hatten sich ärmliche kleine Vorstadtkaten wie Unkraut ausgebreitet.

Sam hätte sich nach links oder rechts wenden können, und Caris sah mit einem Gefühl der Verzweiflung, dass er die falsche Wahl getroffen hatte: Er war nach rechts gerannt, und dieser Weg führte nirgendwohin. Er lief über das Uferland, seine Stiefel hinterließen tiefe Abdrücke im Schlamm. Wie Hunde einen Hasen hetzten ihn die Büttel. Caris tat es um Sam leid, wie sie auch immer Mitleid für den Hasen empfand. Mit Gerechtigkeit hatte es nichts zu tun, nur mit der Frage, wer das Opfer war.

Als Sam sah, dass er nicht weiterkam, watete er ins Wasser.

Mungo war auf dem gepflasterten Fußweg vor dem Haus geblieben, und nun wandte er sich in die andere Richtung, zur Linken, und rannte zur Brücke.

Zwei Hilfsbüttel ließen die Knüppel fallen, zogen die Stiefel aus, legten die Mäntel ab und sprangen in Unterkleidung ins Wasser. Die beiden anderen blieben am Ufer stehen, entweder weil sie nicht schwimmen konnten, oder weil sie an einem kalten Tag nicht in den Fluss springen wollten. Die beiden Schwimmer setzten Sam nach.

Sam war kräftig, aber sein schwerer Wintermantel war bald durchtränkt und zog ihn in die Tiefe. Caris beobachtete mit gebanntem Entsetzen, wie die Hilfsbüttel aufholten.

Aus der anderen Richtung kam ein Ruf. Mungo hatte die Brücke erreicht und rannte hinüber, aber er war stehen geblieben und winkte die beiden Nichtschwimmer zu sich. Sie sahen sein Signal und rannten ihm nach, während Mungo weiter die Brücke überquerte.

Sam erreichte das andere Ufer, unmittelbar bevor die Schwimmer ihn einholten. Er kam auf die Füße und stapfte durchs seichte Wasser. Aus der Kleidung rann ihm das Wasser, und er schüttelte ruckartig den Kopf. Als er sich umwandte, sah er, dass ein Hilfsbüttel ihn fast erreicht hatte. Der Mann taumelte und bekam das Übergewicht nach vorn, worauf Sam ihm mit einem schweren, triefnassen Stiefel ins Gesicht trat. Der Mann schrie auf und platschte rücklings ins Wasser.

Der zweite Hilfsbüttel war vorsichtiger. Er trat auf Sam zu und blieb außer Reichweite stehen. Sam wandte sich um und eilte davon. Er erreichte das Ufer vor dem Pestfriedhof, doch der Hilfsbüttel kam ihm nachgelaufen. Als Sam wieder stehen blieb, hielt auch sein Verfolger an. Sam begriff, dass er hingehalten werden sollte. Er brüllte vor Wut und stürzte sich auf seinen Häscher. Der Hilfsbüttel wich zurück, doch hinter ihm war der Fluss. Er kam ins seichte Wasser, das sein Vorankommen hemmte, und Sam konnte ihn erreichen.

Sam packte den Mann bei den Schultern, riss ihn herum und versetzte ihm einen Kopfstoß. Noch am anderen Ufer hörte Caris das Knacken, mit dem die Nase des armen Mannes brach. Sam stieß ihn zur Seite, und der Büttel stürzte, während sein Blut ins Wasser des Flusses rann.

Wieder wandte sich Sam dem Ufer zu – doch dort erwartete ihn schon Mungo. Sam stand tiefer auf der abschüssigen Uferböschung und wurde vom Wasser behindert. Mungo lief auf ihn zu, hielt dann inne und ließ Sam näher kommen, dann hob er den schweren Holzknüppel. Er fintete, Sam duckte sich, Mungo schlug zu und traf Sam auf den Schädel.

Es sah nach einem fürchterlichen Hieb aus, und Caris sog schockiert die Luft ein, als wäre sie selbst getroffen worden. Sam brüllte vor Schmerz auf und schützte unwillkürlich den Kopf mit den Handen. Mungo, der Erfahrung im Kampf gegen kräftige junge Männer hatte, traf ihn erneut mit dem Knüppel – diesmal zielte er auf die ungeschützten Rippen. Sam fiel ins Wasser. Die beiden Hilfsbüttel, die über die Brücke gerannt waren, erreichten den Kampfplatz. Beide warfen sich auf Sam und hielten ihn im seichten Wasser fest. Die beiden anderen, die er verletzt hatte, traten und prügelten ihn wild, während ihre Kameraden ihn niederdrückten. Als sich Sam nicht mehr wehrte, rissen sie ihn hoch und zerrten ihn aus dem Wasser.

Eilig fesselte Mungo Sam die Hände auf den Rücken. Dann geleiteten die Büttel den Flüchtling zurück in die Stadt.

»Wie schrecklich«, sagte Caris. »Die arme Gwenda.«

KAPITEL 83

Wenn in Shiring das Grafschaftsgericht tagte, herrschte in der Stadt eine Stimmung wie bei einem Volksfest. Alle Wirtshäuser am Gerichtsplatz hatten Hochbetrieb; Männer und Frauen in ihren besten Kleidern bevölkerten die Säle und riefen nach Essen und Trinken. Die Stadt ergriff natürlich die Gelegenheit und hielt einen Markt ab, und dadurch war der Platz mit Ständen so vollgestellt, dass man eine halbe Stunde brauchte, um zweihundert Schritt vorwärts zu kommen. Außer den Händlern an den Ständen gab es Dutzende anderer, die mit allem Möglichen ihr Glück versuchten: Bäcker mit Tabletts voller Brötchen, ein Fiedelspieler, verstümmelte und blinde Bettler, Huren, die ihre Brüste sehen ließen, ein Tanzbär und ein predigender Bettelmönch.

Graf Ralph gehörte, eine Handvoll Diener im Gefolge, zu den wenigen Männern, die den Platz rasch überqueren konnten, denn vor ihm ritten drei Ritter und durchschnitten das Getümmel wie eine Pflugschar. Mit der Kraft ihrer Bewegung drängten sie die Menge einfach beiseite, ohne auch nur einen Gedanken an die Sicherheit von Menschen zu verschwenden, die ihnen im Weg standen.

Bald hatten sie den Hügel zur Burg des Sheriffs erreicht und ritten hinauf. Im Hof ließen sie die Pferde tänzeln und stiegen ab. Die Diener riefen sofort nach Stallknechten und Trägern. Ralph liebte es, alle wissen zu lassen, dass er eingetroffen war.

Er war angespannt. Der Sohn seines alten Feindes sollte wegen Mordes angeklagt werden. Er stand an der Schwelle der denkbar süßesten Rache, die er üben konnte, aber insgeheim fürchtete er, dass es doch nicht dazu kommen würde. Er war so aufgewühlt, dass er sich ein wenig schämte: Seine Ritter durften nicht erfahren, wie viel es ihm bedeutete, Sam hängen zu sehen. Sogar vor Alan Fernhill ließ er sich nichts anmerken. Niemand wusste besser als er, wie leicht das Räderwerk der Justiz versagen konnte; schließlich war er selbst zweimal dem Galgen entkommen.

Während des Prozesses würde er am Richtertisch sitzen, wie es sein Recht war, und sein Bestes geben, um sicherzustellen, dass diesmal alles den rechten Lauf nahm.

Er reichte seine Zügel einem Stallknecht und sah sich um. Die Burg war keine militärische Befestigung, sondern eher ein großes Wirtshaus mit Hof, wenngleich fest gebaut und gut bewacht. Hier lebte der Sheriff von Shiring geschützt vor den rachsüchtigen Verwandten derjenigen, die er verhaftete. Im Keller befanden sich Verliese, in denen Gefangene untergebracht waren, und Gästewohnungen, in denen reisende Richter unbelästigt blieben.

Sheriff Bernard führte Ralph in sein Gemach. Der Sheriff war der Vertreter des Königs in der Grafschaft und ebenso für das Eintreiben der Steuern verantwortlich wie für das Gerichtswesen. Das Amt war lukrativ, und die Bezahlung wurde durch Geschenke, Bestechungsgelder und Anteile an den verhängten Geldstrafen und verfallenen Kautionen kräftig aufgestockt. Zwischen Graf und Sheriff konnte es leicht Reibungen geben: Der Graf bekleidete den höheren Rang, aber in der Ausübung seiner Befugnisse war der Sheriff unabhängig. Bernard, ein reicher Wollhändler etwa im gleichen Alter wie Ralph, behandelte den Grafen mit einer Mischung aus Anbiederung und Respekt, der sein Unbehagen anzumerken war.

In der Wohnung, die man für sie vorbereitet hatte, erwartete Philippa ihren Gemahl. Das lange graue Haar war zu einer komplizierten Frisur hochgesteckt, und sie trug einen teuren Mantel in stumpfen Grau- und Brauntönen. Ihr hochmütiges Gehabe hatte sie einst zu einer stolzen Schönheit gemacht, doch heute wirkte sie nur noch wie eine verdrießliche alte Frau. Ralph erinnerte sie an seine Mutter.

Er begrüßte seine Söhne Gerry und Roley. Er wusste mit Kindern nicht gut umzugehen und hatte von seinen Söhnen nie viel gesehen: Als sie noch klein gewesen waren, hatten sich natürlich Frauen um sie gekümmert, und jetzt besuchten sie die Klosterschule. Er redete sie stets nur kurz angebunden an, als wären sie Pagen in seinen Diensten, gab ihnen im einen Moment Befehle und neckte sie freundlich im nächsten. Wenn sie älter waren, würde er unbefangener mit ihnen reden können. Aber es schien keine Rolle zu spielen: Was er auch tat, sie betrachteten ihn als Helden.

»Morgen werdet ihr im Gerichtssaal neben dem Richtertisch sitzen«, sagte er. »Ich möchte euch zeigen, wie Recht gesprochen wird.«

Gerry, der Ältere, fragte: »Dürfen wir uns heute Nachmittag auf dem Markt umsehen?«

»Ja – Dickie soll euch begleiten.« Dickie war einer der Diener aus Earlscastle. »Hier, da habt ihr ein bisschen Geld.« Er gab beiden eine Handvoll Silberpennys.

Die Jungen verließen den Raum. Ralph setzte sich abseits von Philippa. Er berührte sie niemals und war stets auf Abstand bedacht, damit es nicht durch Zufall geschah. Er war sich sicher, dass sie sich wie eine alte Frau kleidete und verhielt, damit er sich nicht zu ihr hingezogen fühlte. Außerdem ging sie jeden Tag in die Kirche.

Für zwei Menschen, die einmal zusammen ein Kind gezeugt hatten, herrschte zwischen ihnen ein merkwürdiges Verhältnis, doch das ging seit Jahren so und würde sich niemals ändern. Wenigstens besaß Ralph dadurch die Freiheit, Dienstmädchen zu befingern und sich mit Schankmägden zu vergnügen.

Sie mussten jedoch über die Kinder sprechen. Philippa vertrat klare Ansichten, und im Laufe der Jahre hatte Ralph gelernt, dass es einfacher war, die Dinge mit ihr zu bereden, als einseitige Entscheidungen zu treffen und sich mit ihr streiten zu müssen, falls sie ihr missfielen.

Ralph sagte: »Gerald ist alt genug, um Knappe zu werden.«

»Das meine ich auch«, antwortete Philippa.

»Gut!«, rief Ralph überrascht – er hatte mit einer Auseinandersetzung gerechnet.

»Ich habe schon mit David Monmouth über ihn gesprochen«, fügte sie hinzu.

Daher ihre Bereitwilligkeit: Sie war ihm einen Schritt voraus. »Aha«, sagte er, um Zeit zu gewinnen.

»David ist einverstanden und schlägt vor, dass wir ihn zu ihm schicken, sobald er vierzehn ist.«

Nur war Gerry gerade erst dreizehn geworden. Philippa zögerte seinen Aufbruch also um fast ein Jahr hinaus. Doch das war nicht Ralphs Hauptsorge. David, Graf von Monmouth, war mit Philippas Tochter Odila verheiratet. »Die Zeit als Knappe soll einen Jungen zum Mann machen«, erwiderte Ralph. »Aber Gerry wird es bei David zu leicht haben. Seine Stiefschwester liebt ihn – sie wird ihn wahrscheinlich bemuttern.« Nach kurzem Nachdenken fügte er hinzu: »Ich nehme an, deshalb möchtest du ihn dorthin schicken.«

Sie stritt es nicht ab, sondern entgegnete: »Ich dachte, du würdest gern dein Bündnis mit dem Grafen von Monmouth stärken.«

Da hatte sie nicht unrecht. David war Ralphs wichtigster Bundesgenosse innerhalb des Adels. Wenn Gerry im Haushalt von Monmouth Knappe wurde, knüpfte es ein weiteres Band zwischen den beiden Grafschaften. David fraß vielleicht sogar einen Narren an dem Jungen. Später kamen dann womöglich Davids Söhne als Knappen nach Earlscastle. Solche Familienbande waren unbezahlbar. »Wirst du dafur sorgen, dass der Junge dort nicht verzärtelt wird?«, fragte Ralph.

»Selbstverständlich.«

»Also gut, dann bin ich einverstanden.«

»Gut. Ich bin froh, dass das geklärt ist.« Philippa erhob sich.

Aber Ralph war noch nicht fertig. »Was wird dann aus Roley? Er könnte ebenfalls gehen, dann würden sie zusammenbleiben.«

Philippa gefiel die Idee kein bisschen, das merkte Ralph ihr an, doch sie war zu klug, um ihm rundheraus zu widersprechen. »Roley ist noch etwas jung«, sagte sie, als denke sie darüber nach. »Und er beherrscht das Alphabet noch immer nicht richtig.«

»Schreiben ist für einen Edelmann nicht so wichtig, wie zu lernen, wie man kämpft. Schließlich ist er Zweiter in der Erbfolge eines Grafen. Wenn Gerry etwas zustoßen sollte ...«

»Das verhüte Gott.«

»Amen.«

»Dennoch meine ich, er sollte warten, bis er vierzehn ist.«

»Ich weiß nicht recht. Roley war immer ein bisschen weichlich. Manchmal erinnert er mich an meinen Bruder.« Ralph sah, wie in ihren Augen die Furcht aufblitzte. Sie fürchtete wohl, ihren kleinen Jungen loslassen zu müssen. Ralph fühlte sich versucht, darauf zu bestehen, nur um sie zu quälen. Aber mit zehn Jahren war er wirklich noch jung für einen Knappen. »Wir werden sehen«, erwiderte er unverbindlich. »Früher oder später muss er aber hart werden.«

»Alles zu seiner Zeit«, erwiderte Philippa.

※

Der Richter, Sir Lewis Abingdon, stammte nicht aus der Grafschaft, sondern war ein Londoner Advokat vom königlichen Gericht, der durch das Land reiste und ernste Fälle in den Grafschaften behandelte. Er war ein massiger Mann mit rosafarbenem Gesicht und einem hellen Bart. Er war außerdem zehn Jahre jünger als Ralph.

Das war aber, sagte sich Ralph, nicht unbedingt verwunderlich.

Er selbst war nun vierundvierzig. Die Pest hatte seine Generation zur Hälfte ausgelöscht. Dennoch war er jedes Mal erstaunt, wenn ein herausragender, mächtiger Mann sich als jünger erwies als er.

Mit Gerry und Roley warteten sie in einem Nebenzimmer des Gasthauses, in dem das Gericht tagte, während sich die Geschworenen sammelten und die Gefangenen von der Burg hergeführt wurden. Wie sich herausstellte, hatte Sir Lewis als Junker bei Crécy gekämpft, doch Ralph erinnerte sich nicht an ihn. Der Richter behandelte Ralph mit wachsamer Höflichkeit.

Ralph suchte ihn vorsichtig auszuhorchen, um herauszufinden, ob er ein strenger Richter war. »Wir finden hier, dass die Arbeitsverfügung sich nur schwer durchsetzen lässt«, sagte er. »Sobald Bauern eine Gelegenheit sehen, Geld zu verdienen, verlieren sie jeden Respekt vor Recht und Ordnung.«

»Für jeden Landflüchtigen, der um ein rechtswidriges Entgelt arbeitet, gibt es einen Dienstherrn, der es zahlt«, erwiderte der Richter.

»Ganz genau! Die Nonnen der Priorei zu Kingsbridge haben sich nie an das Gesetz gehalten.«

»Nonnen anzuklagen ist schwierig.«

»Das sollte es aber nicht sein.«

Sir Lewis wechselte das Thema. »Habt Ihr ein besonderes Interesse an dem heutigen Verfahren?«, fragte er. Ihm war wohl zu Ohren gekommen, dass es ungewöhnlich sei, wenn Ralph von seinem Recht, neben dem Richter zu sitzen, Gebrauch machte.

»Der Mörder ist einer meiner Hörigen«, gab Ralph zu. »Aber hauptsächlich bin ich hier, um meinen Söhnen einen Einblick in das Wirken der Justiz zu verschaffen. Wenn ich einmal den Geist aufgebe, wird einer von ihnen wohl Graf werden. Sie sollen sich morgen auch die Hinrichtung ansehen. Je früher sie sich daran gewöhnen, Männer sterben zu sehen, desto besser.«

Lewis nickte zustimmend. »Die Söhne des Adels können sich ein weiches Herz nicht leisten.«

Sie hörten, wie der Gerichtsdiener mit dem Hammer klopfte und das Gemurmel aus dem Nachbarraum erstarb. Das Gespräch mit Sir Lewis hatte Ralphs Befürchtungen nicht zerstreuen können; tatsächlich hatte der Richter ihm recht wenig Aufschluss darüber gegeben, wie er zu urteilen gedachte. Vielleicht war das für sich genommen schon aufschlussreich – es konnte bedeuten, dass der Mann sich nicht leicht beeinflussen ließ.

Der Richter öffnete die Tür und trat zur Seite, damit der Graf als Erster eintreten konnte.

Gleich neben der Tür standen zwei große Holzstühle auf einem Podest. Neben ihnen befand sich eine niedrige Bank. Ein interessiertes Gemurmel brach los, als Gerry und Roley auf dieser Bank Platz nahmen. Die Menschen waren immer gebannt, wenn sie die Kinder sahen, die zu ihren künftigen Herren heranwuchsen. Vor allem aber, vermutete Ralph, hatten die beiden kindlichen Jungen eine Unschuld an sich, die in einem Gericht, das sich mit Gewalt, Diebstahl und Unehrlichkeit zu befassen hatte, fehl am Platze wirkte. Sie wirkten wie Lämmer in einem Schweinekoben.

Ralph nahm auf einem der beiden Sessel Platz und dachte an den Tag vor zweiundzwanzig Jahren, als er, der Frauenschändung angeklagt, in diesem Gerichtssaal gestanden hatte – ein lächerlicher Vorwurf gegen einen Grundherrn, wenn das sogenannte Opfer eine seiner Hörigen war. Hinter dieser boshaften Verfolgung hatte niemand anderer als Philippa gesteckt. Nun, dafür hatte er sie leiden lassen.

Bei jenem Prozess hatte sich Ralph den Weg aus dem Saal freigekämpft, kaum dass die Geschworenen ihn schuldig gesprochen hatten, und war begnadigt worden, als er ins königliche Heer eintrat und nach Frankreich ging. Sam würde nicht entkommen: Er hatte keine Waffe, und seine Füße waren aneinandergekettet. Und die französischen Kriege schienen auch vorüber zu sein, sodass es keinen Pardon für Freiwillige mehr gab.

Ralph musterte Sam, als die Anklage verlesen wurde. Er war gebaut wie Wulfric und nicht wie Gwenda: ein großer Junge mit breiten Schultern. Wäre er etwas höher geboren worden, hätte er einen brauchbaren Gefolgsmann abgeben können. Wulfric sah er eigentlich kaum ähnlich, aber trotzdem kamen seine Züge Ralph bekannt vor. Wie so viele Angeklagte trug er einen Ausdruck oberflächlichen Trotzes, unter dem sich die Furcht verbarg. Genauso habe ich mich gefühlt, dachte Ralph.

Nathan Reeve trat als erster Zeuge auf. Er war der Vater des Toten, und, noch wichtiger, er bezeugte, dass Sam ein Höriger von Graf Ralph war und keine Erlaubnis erhalten hatte, nach Oldchurch zu gehen. Er sagte aus, er habe seinen Sohn Jonno ausgeschickt, damit dieser Gwenda folge, in der Hoffnung, den Landflüchtigen zu finden. Nate weckte wenig Sympathien, doch an der Aufrichtigkeit seiner Trauer konnte niemand zweifeln. Ralph war zufrieden: Die Aussage hatte vernichtendes Gewicht.

Neben Sam stand seine Mutter; sie reichte ihrem Sohn nur bis zur Schulter. Gwenda war keine schöne Frau: Ihre dunklen Augen saßen dicht an der Hakennase, und ihre Stirn und ihr Kinn wichen scharf zurück, sodass sie das Aussehen eines entschlossenen Nagetiers hatte. Dennoch ging, obschon sie bereits im mittleren Alter war, eine starke sexuelle Anziehung von ihr aus. Dass Ralph mit ihr gelegen hatte, war über zwanzig Jahre her, doch er erinnerte sich daran, als wäre es erst gestern geschehen. Sie hatten es in einem Zimmer des Bell in Kingsbridge getan, und er hatte sie auf dem Bett knien lassen. Er sah es selbst jetzt noch vor sich, und die Erinnerung an ihren kompakten Leib erregte ihn. Sie hatte viel dunkles Haar, erinnerte er sich.

Plötzlich trafen sich ihre Blicke. Sie wich ihm nicht aus und schien zu spüren, was er dachte. Auf jenem Bett war sie gleichgültig und reglos gewesen, anfangs jedenfalls, und hatte seine Stöße passiv hingenommen, weil er sie zwang; doch am Ende hatte etwas Eigenartiges sie überkommen, und fast gegen ihren Willen hatte sie sich rhythmisch mit ihm bewegt. Sie musste an das Gleiche denken, denn ein schamhafter Ausdruck zog über ihr reizloses Gesicht, und sie sah rasch weg.

Neben ihr stand ein anderer junger Mann, der jüngere Sohn vermutlich. Er sah Gwenda ähnlicher als Sam, war klein und drahtig und erweckte einen listigen Eindruck. Er erwiderte Ralphs Blick mit einem durchdringenden Starren, einem Ausdruck intensiver Konzentration, als sei er neugierig, was im Kopf eines Grafen vor sich ging, und glaubte, in Ralphs Gesicht vielleicht die Antwort finden zu können.

Doch am meisten interessierte sich Ralph für den Vater. Seit ihrem Kampf auf dem Wollmarkt von 1337 hasste er Wulfric. Unwillkürlich ging seine Hand zu seiner gebrochenen Nase. In späteren Jahren war er von anderen Männern mehrfach verwundet worden, aber niemand hatte ihn so schwer in seinem Stolz verletzt. Dafür jedoch war Ralphs Rache an Wulfric furchtbar gewesen. Ein ganzes Jahrzehnt lang habe ich ihm sein Geburtsrecht verweigert, dachte Ralph. Ich habe mit seiner Frau gelegen. Ich habe ihm die Narbe auf der Wange beigebracht, als er versuchte, mich an der Flucht aus diesem Gerichtssaal zu hindern. Ich habe ihn nach Hause geschleift, als er wegzulaufen versuchte. Und jetzt werde ich seinen Sohn aufknüpfen lassen.

Wulfric war schwerer als früher, aber es schadete ihm nicht. In

seinem ergrauten Bart war immer noch die lange Narbe der Schwertwunde zu erkennen, die er Ralph verdankte. Sein Gesicht war faltig und wettergegerbt. Anders als Gwenda, die wütend wirkte, war
Wulfric von Trauer erfüllt. Während die Bauern von Oldchurch
aussagten, wie Sam Jonno mit einem Spaten aus Eichenholz getötet
hatte, blitzten Gwendas Augen vor Trotz, aber Wulfrics breite Stirn
zerfurchte sich vor Qual.

Der Sprecher der Geschworenen fragte, ob Sam um sein Leben
habe fürchten müssen.

Ralph war verstimmt. Die Frage deutete an, es könnte eine Ausflucht für den Mörder geben.

Ein dürrer Bauer mit nur einem Auge antwortete. »Nein, vor dem
Vogt hatte er keine Angst. Aber vor seiner Mutter hat er gezittert.«
Die Menge lachte leise.

Der Sprecher fragte, ob Jonno den Angriff herausgefordert habe,
eine weitere Frage, die Ralph störte, weil sie auf Sympathien für Sam
hindeutete.

»Herausgefordert?«, fragte der Einäugige. »Er hat ihm nur mit
dem Fußeisen ins Gesicht geschlagen – wenn Ihr das eine Herausforderung nennen wollt ...« Die Zuhörer lachten laut.

Wulfric wirkte verstört. Wie können sich diese Leute amüsieren,
schien seine Miene zu fragen, wenn das Leben meines Sohnes auf
dem Spiel steht?

Ralphs Besorgnis wuchs. Der Sprecher schien ihm eher Sams
Partei zu ergreifen.

Sam wurde in den Zeugenstand gerufen, und Ralph bemerkte,
dass der junge Mann Wulfric stärker ähnelte, sobald er sprach. Seine
Art, den Kopf zu neigen, und eine Gebärde ließen augenblicklich
an Wulfric denken. Sam erklärte, wie er angeboten habe, sich am
nächsten Morgen mit Jonno auseinanderzusetzen, woraufhin Jonno
versucht habe, ihm das Fußeisen anzulegen.

Ralph sprach den Richter mit leiser Stimme an. »Das macht überhaupt keinen Unterschied«, sagte er mit mühsam unterdrückter Entrüstung. »Ob er nun Angst hatte, ob er herausgefordert wurde, ob er
ein Treffen am nächsten Tag anbot.«

Sir Lewis erwiderte nichts.

Ralph fuhr fort: »Es ist eine Tatsache, dass er ein Landflüchtiger
ist und den Mann getötet hat, der ihn zurückholen sollte.«

»Das hat er gewiss getan«, sagte Sir Lewis zurückhaltend.

Ralph blickte die Zuschauer an, während die Geschworenen Sam vernahmen. Merthin saß mit seiner Frau in der Menge. Ehe Caris Nonne geworden war, hatte sie sich gern modisch gekleidet, und diese Gewohnheit war wieder zum Vorschein gekommen, nachdem ihre Gelübde aufgehoben worden waren. Heute trug sie ein Kleid aus zwei kontrastierenden Stoffen, einer blau, der andere grün, einen pelzbesetzten Mantel aus Kingsbridger Scharlach und einen kleinen runden Hut. Ralph erinnerte sich, dass Caris und Gwenda als Kinder Freundinnen gewesen waren. Beide waren an dem Tag zugegen gewesen, als Sir Thomas Langley im Wald zwei Soldaten der Königin getötet hatte. Merthin und Caris würden Gwenda zuliebe hoffen, dass Sam Gnade widerfuhr. Aber nicht, wenn ich ein Wörtchen mitzureden habe, dachte Ralph.

Caris' Nachfolgerin als Priorin, Mutter Joan, war ebenfalls im Saal, vermutlich, weil das Tal der Outhen dem Nonnenkloster gehörte und dieses daher der rechtswidrige Dienstherr Sams war. Joan sollte gleich neben Sam stehen und mit ihm verurteilt werden, dachte Ralph; doch als er dem Blick der Priorin begegnete, sah sie ihn so anklägerisch an, als denke sie, er sei mehr schuld an dem Mord als sie.

Der Prior von Kingsbridge war nicht gekommen. Sam war der Neffe Prior Philemons, doch Philemon wollte wohl nicht darauf aufmerksam machen, dass er der Onkel eines Mörders war. Früher einmal hatte Philemon eine schützende Hand über seine kleine Schwester gehalten, erinnerte sich Ralph; doch vielleicht war dieser Drang den Jahren zum Opfer gefallen.

Dafür war Sams Großvater zugegen, der übel beleumdete Joby, ein weißhaariger Greis, gebeugt und zahnlos. Weshalb war er gekommen? Seit Jahren lag er mit Gwenda im Streit, und es hätte ihm nicht ähnlich gesehen, wenn er große Zuneigung gezeigt hätte. Wahrscheinlich wollte er den Leuten ein paar Münzen aus den Börsen stehlen, während sie vom Prozess gefesselt waren.

Sam verließ den Zeugenstand, und Sir Lewis sprach kurz. Seine Zusammenfassung weckte Ralphs Zufriedenheit. »War Sam Wigleigh ein Landflüchtiger?«, fragte er. »Hatte Jonno Reeve das Recht, ihn dingfest zu machen? Und hat Sam mit seinem Spaten Jonno getötet? Wenn die Antwort auf alle drei Fragen ja lautet, dann ist Sam des Mordes schuldig.«

Ralph war überrascht und erleichtert zugleich. Kein Unsinn von wegen, ob Sam etwa herausgefordert wurde. Der Richter war doch ein verlässlicher Mann.

»Wie lautet Euer Urteil?«, fragte Sir Lewis.

Ralph sah Wulfric an. Das Entsetzen hielt den Mann gepackt. So soll es allen widerfahren, die mir trotzen, dachte Ralph, und er wünschte, er könnte es laut aussprechen.

Wulfric bemerkte seinen Blick. Ralph hielt seinem Starren stand und versuchte, Wulfrics Gedanken zu lesen. Was empfand der Kerl? Ralph sah ihm an, dass es Furcht war. Noch nie im Leben hatte Wulfric vor Ralph Angst gezeigt, doch jetzt brach sein Widerstand zusammen. Sein Sohn würde sterben, und das traf ihn ins Herz. Eine tiefe Genugtuung erfüllte Ralph, während er Wulfric in die Augen blickte. Endlich habe ich dich zermalmt, dachte er, vierundzwanzig Jahre hat es gedauert. Endlich hast du Angst vor mir.

Die Geschworenen berieten. Der Sprecher schien mit den anderen zu streiten. Ralph sah ihnen ungeduldig zu. Nach dem, was der Richter gesagt hatte, konnte doch kein Zweifel mehr bestehen? Doch bei Geschworenen wusste man nie. Es kann doch jetzt nicht mehr schiefgehen, dachte Ralph. Oder doch?

Die Leute schienen sich geeinigt zu haben, doch er vermochte nicht zu erraten, wer die Oberhand gewonnen hatte. Der Sprecher erhob sich.

»Wir befinden Sam Wigleigh des Mordes für schuldig«, sagte er.

Ralph hielt den Blick auf seinen alten Feind fixiert. Wulfric sah drein, als hätte ihn ein Messerstich getroffen. Sein Gesicht wurde blass, und wie in tiefem Schmerz schloss er die Augen. Ralph versuchte, nicht triumphierend zu lächeln.

Sir Lewis wandte sich Ralph zu, und der Graf löste seinen Blick von Wulfric. »Welche Strafe haltet Ihr für angemessen?«, fragte der Richter.

»Soweit es mich betrifft, gibt es nur eine Möglichkeit.«

Sir Lewis nickte. »Die Geschworenen haben keine Milde empfohlen.«

»Sie wollen nicht, dass ein Landflüchtiger ungestraft seinen Vogt erschlagen kann.«

»Dann steht die Strafe fest?«

»Freilich.«

Der Richter wandte sich wieder an den Saal. Ralph fixierte seinen Blick wieder auf Wulfric. Alles andere sah Sir Lewis an. Der Richter sagte: »Sam Wigleigh, du hast den Sohn deines Vogtes ermordet und wirst zum Tode verurteilt. Morgen früh in der Dämmerung sollst du auf dem Marktplatz von Shiring gehängt werden, und möge Gott deiner Seele gnädig sein.«

Wulfric taumelte. Der jüngere Sohn packte den Vater beim Arm und stützte ihn, sonst wäre er zusammengebrochen. Soll er fallen, wollte Ralph sagen; er ist am Ende.

Ralph sah Gwenda an. Sie hielt Sams Hand, aber ihr Blick gehörte Ralph. Ihn erstaunte ihre Miene. Er hatte Kummer erwartet, Tränen, Schreie, Hysterie. Doch sie sah ihn nur ruhig an. Hass stand in ihren Augen, und noch etwas anderes: Trotz. Im Gegensatz zu ihrem Gemahl wirkte sie nicht niedergeschmettert. Sie glaubte nicht, dass die Angelegenheit schon vorbei war.

Sie sieht aus, dachte Ralph bestürzt, als hätte sie ihre Mittel noch nicht ausgeschöpft.

Caris brach in Tränen aus, als Sam abgeführt wurde, doch Merthin brachte es nicht über sich, Kummer und Niedergeschlagenheit zu heucheln. Für Gwenda war es eine Tragödie, und Wulfric tat ihm aufrichtig leid. Dennoch war es für den Rest der Welt nichts Schlechtes, wenn Sam gehenkt wurde. Jonno Reeve hatte das Gesetz ausgeführt. Es mochte ein schlechtes Gesetz sein, ungerecht und unterdrückerisch – doch das verlieh Sam kein Recht, Jonno zu töten. Auch Nathan Reeve war eines Sohnes beraubt worden. Dass niemand Nate leiden konnte, machte keinen Unterschied.

Ein Dieb wurde vor den Richter geführt, und Merthin und Caris verließen den Saal und gingen in den Schankraum des Wirtshauses. Merthin holte ihnen Wein und schenkte Caris einen Becher ein. Gleich darauf kam Gwenda an ihren Tisch. »Es ist Mittag«, sagte sie. »Uns bleiben achtzehn Stunden, um Sam zu retten.«

Merthin blickte sie überrascht an. »Wie stellst du dir das vor?«, fragte er.

»Wir müssen Ralph dazu bewegen, dass er den König um eine Begnadigung ersucht.«

Das erschien Merthin aussichtslos. »Wie willst du Ralph dazu bewegen?«

»Ich kann das nicht, so viel steht fest«, sagte Gwenda. »Aber du könntest es.«

Merthin kam sich vor, als sitze er in der Falle. Er fand nicht, dass Sam einen Gnadenerlass verdiente. Andererseits war es schwierig, eine bittende Mutter zurückzuweisen. Er fragte: »Ich habe schon einmal zu deinen Gunsten bei meinem Bruder vorgesprochen – erinnerst du dich?«

»Gewiss«, sagte Gwenda. »Weil Wulfric nicht seines Vaters Land erben sollte.«

»Er hat mich rundheraus abgewiesen.«

»Das weiß ich«, sagte sie. »Aber du musst es versuchen.«

»Ich bin mir nicht sicher, ob ich dazu der beste Mann bin.«

»Wen sonst würde er anhören?«

Da hatte sie recht. Merthin besaß nur geringe Erfolgsaussichten, aber jeder andere brauchte es gar nicht erst zu versuchen.

Caris bemerkte sein Zögern und unterstützte Gwenda. »Bitte, Merthin«, sagte sie. »Stell dir vor, wie du dich fühlen würdest, wenn es um Lolla ginge.«

Er wollte entgegnen, dass Mädchen nicht kämpften, doch dann begriff er, dass es in Lollas Fall durchaus so weit kommen konnte, und er seufzte. »Ich halte den Versuch für aussichtslos«, sagte er und sah Caris an. »Aber um deinetwillen werde ich zu ihm gehen.«

»Warum gehst du nicht gleich?«, fragte Gwenda.

»Weil Ralph noch im Gericht sitzt.«

»Gleich ist Mittagszeit. Sie sind bald fertig. Du könntest in seinem Zimmer auf ihn warten.«

Ihre Entschlossenheit musste er bewundern. »Also gut«, sagte er.

Er verließ die Schankstube und ging auf die Rückseite des Gasthauses. Vor dem Privatgemach des Richters stand ein Wachposten. »Ich bin der Bruder des Grafen«, sagte Merthin. »Ratsältester Merthin von Kingsbridge.«

»Jawohl, Herr, ich kenne Euch«, sagte der Wächter. »Es wird wohl recht sein, wenn Ihr drinnen wartet.«

Merthin ging in den kleinen Raum und setzte sich. Ihm war unbehaglich bei dem Gedanken, seinen Bruder um einen Gefallen zu bitten. Sie standen einander seit vielen Jahren nicht mehr nahe. Ralph war schon vor langer Zeit zu einem Menschen geworden, den Merthin nicht mehr wiedererkannte. Der Mann, der Annet schänden und Tilly ermorden konnte, war Merthin fremd. Seit dem Tod ihrer Eltern hatten sie sich nur noch zu offiziellen Anlässen gesehen, und selbst dann sprachen sie wenig miteinander. Es war aufdringlich, wenn er nun ihre Verwandtschaft zum Vorwand nahm, ein Privileg zu erbitten. Für Gwenda hätte er es nicht getan. Doch da Caris ihn gebeten hatte, musste er sich überwinden.

Lange brauchte er nicht zu warten. Schon nach einigen Minuten kamen der Richter und der Graf herein. Merthin bemerkte, dass das Hinken seines Bruders – die Hinterlassenschaft einer Wunde, die er in den französischen Kriegen erlitten hatte – mit dem Alter schlimmer wurde.

Sir Lewis erkannte Merthin und reichte ihm die Hand. Während

Ralph es dem Richter gleichtat, sagte er ironisch: »Ein Besuch meines Bruders ist ein seltenes Vergnügen.«

Der Stich ging nicht tief, und Merthin quittierte ihn mit einem Nicken. »Andererseits«, sagte er, »bin ich wohl der Einzige, der ein Recht hätte, dich um Gnade anzugehen.«

»Welcher Gnade bedarfst du denn? Hast du jemanden getötet?«

»Noch nicht.«

Sir Lewis lachte stillvergnügt in sich hinein.

»Was dann?«, fragte Ralph.

»Du und ich kennen Gwenda, seit wir alle Kinder waren.«

Ralph nickte. »Ich habe mit dem Bogen, den du gemacht hattest, ihren Hund erschossen.«

Merthin hatte diesen Zwischenfall vergessen. Im Nachhinein begriff er, dass es sich dabei um ein frühes Zeichen gehandelt hatte, wie Ralph geraten würde. »Vielleicht schuldest du ihr deshalb ein wenig Gnade.«

»Ich finde, Nate Reeves Sohn ist mehr wert als ein dreibeiniger Köter. Siehst du das etwa nicht so?«

»Gewiss. Nur dass du die Grausamkeit von damals vielleicht heute mit Freundlichkeit aufwiegen könntest.«

»Aufwiegen?«, erwiderte Ralph, und Zorn stieg in seiner Stimme auf. Merthin wusste, dass er verloren hatte. »Aufwiegen?« Er klopfte sich gegen die gebrochene Nase. »Was sollte ich dagegen aufwiegen?« Hitzig wies er mit dem Finger auf Merthin. »Ich will dir sagen, weshalb Sam keine Gnade bekommt. Weil ich heute im Gerichtssaal Wulfrics Gesicht gesehen habe, als sein Sohn des Mordes für schuldig erklärt wurde, und weißt du, was ich dort sah? Angst. Der freche Bauer hat endlich Angst vor mir. Ich habe ihn gezähmt.«

»Bedeutet dir das so viel?«

»Dafür würde ich sechs Männer hängen.«

Merthin wollte schon aufgeben, doch dann dachte er an Gwenda in ihrem Kummer und versuchte es noch einmal. »Wenn du ihn besiegt hast, dann ist dein Werk doch getan, oder?«, wandte er ein. »Also lass den Jungen gehen. Bitte den König um Gnade.«

»Nein. Ich möchte, dass Wulfric genau so bleibt, wie er ist.«

Merthin wünschte, er hätte seinen Bruder nicht aufgesucht. Wenn Ralph unter Druck stand, brach stets das Schlimmste in ihm hervor. Merthin fühlte sich von Ralphs Rachsucht und Niedertracht abgestoßen. Er verspürte den plötzlichen Wunsch, nie wieder mit seinem Bruder zu sprechen. Das Gefühl war ihm vertraut; er empfand es nicht zum ersten Mal. Dennoch traf es ihn immer wieder wie ein Schock, wenn er daran erinnert wurde, wie Ralph wirklich war.

Merthin wandte sich ab. »Nun, ich musste es versuchen«, sagte er. »Lebe wohl.«

Ralph wurde leutselig. »Komm zum Abendessen in die Burg«, sagte er. »Der Sheriff hält guten Tisch. Bring Caris mit. Wir sollten uns einmal richtig unterhalten. Philippa ist bei mir – du magst sie doch, oder?«

Merthin hatte nicht die Absicht, der Einladung zu folgen. »Lass mich mit Caris sprechen«, sagte er. Merthin wusste genau, dass Caris eher mit Luzifer zu Abend gegessen hätte als mit Ralph.

»Vielleicht sehen wir uns dann später.«

Merthin entkam.

Er kehrte in den Schankraum zurück. Caris und Gwenda blickten ihn erwartungsvoll an, als er die Stube durchquerte. Er schüttelte den Kopf. »Ich habe mein Bestes versucht«, sagte er. »Es tut mir leid.«

Gwenda hatte nichts anderes erwartet. Sie war enttäuscht, aber keineswegs überrascht. Sie hatte das Gefühl gehabt, es zunächst mit Merthins Hilfe versuchen zu müssen, weil das andere Mittel, das ihr verblieb, erheblich drastischer war.

Pflichtschuldig dankte sie Merthin und verließ das Gasthaus. Sie richtete ihre Schritte zu der Burg auf dem Hügel hin. Wulfric und Davey waren in eine billige Schänke in der Vorstadt gegangen, wo sie sich für einen Farthing satt essen konnten. Wulfric verstand sich auf solche Dinge ohnehin nicht. In Verhandlungen mit Ralph und seinesgleichen waren seine Kraft und seine Ehrbarkeit nutzlos.

Außerdem durfte Wulfric nicht einmal ahnen, wie sie Ralph umzustimmen hoffte.

Auf dem Weg hügelaufwärts hörte Gwenda Pferde hinter sich. Sie blieb stehen und wandte sich um. Es waren Ralph und sein Gefolge mit dem Richter. Reglos stand Gwenda da und sah Ralph scharf an, bis er ihren Blick erwidern musste, als er an ihr vorbeiritt. Er wusste nun, dass sie kam, um ihn zu sprechen.

Einige Minuten später kam sie auf den Hof der Burg, aber der Zugang zum Haus des Sheriffs war versperrt. Sie gelangte in den Vorraum des Hauptgebäudes und sprach mit dem Hausmeier. »Ich bin Gwenda aus Wigleigh«, sagte sie. »Bitte teilt Graf Ralph mit, dass ich ihn unter vier Augen sprechen muss.«

»Ach was«, sagte der Hausmeier. »Sieh dich um: Jeder hier möchte den Grafen, den Richter oder den Sheriff sprechen.«

Zwanzig bis dreißig Menschen standen auf dem Hof. Einige hielten Pergamentrollen in der Hand.

Gwenda war bereit, ein schreckliches Risiko einzugehen, um ihren Sohn vor dem Galgen zu bewahren – aber sie würde keine Gelegenheit erhalten, wenn es ihr nicht gelang, Ralph vor dem Morgengrauen zu sprechen.

»Wie viel?«, fragte sie den Meier.

Er blickte sie etwas weniger respektlos an. »Ich kann nicht versprechen, dass er dich empfängt.«

»Ihr könnt ihm meinen Namen nennen.«

»Zwei Shilling. Vierundzwanzig Silberpennys.«

Das war viel Geld, doch Gwenda trug ihre gesamten Ersparnisse in der Börse bei sich. Dennoch war sie noch nicht bereit, ihm das Geld zu geben. »Wie heiße ich?«, fragte sie.

»Das weiß ich nicht.«

»Ich habe es gerade gesagt. Wie wollt Ihr Graf Ralph meinen Namen nennen, wenn Ihr ihn schon vergessen habt?«

Er zuckte mit den Schultern. »Sag ihn mir halt noch mal.«

»Gwenda aus Wigleigh.«

»Also gut, ich nenne ihn ihm.«

Gwenda tauchte die Hand in die Börse, zog eine Handvoll kleine Silbermünzen hervor und zählte vierundzwanzig davon ab. Vier Wochen müsste ein Knecht dafür schuften. Sie dachte an die Knochenarbeit, die sie geleistet hatte, um das Geld zu verdienen. Und nun bekam es dieser träge, hochnäsige Türsteher praktisch fürs Nichtstun.

Der Hausmeier streckte die Hand aus.

Sie fragte: »Wie heiße ich?«

»Gwenda.«

»Gwenda von wo?«

»Wigleigh.« Er fügte hinzu: »Der Mörder von heute Morgen kommt doch auch daher, oder?«

Sie gab ihm das Geld. »Der Graf *wird* mich empfangen wollen«, sagte sie so nachdrücklich, wie sie konnte.

Der Hausmeier steckte die Münzen ein.

Gwenda kehrte auf den Hof zurück, ohne zu wissen, ob sie ihr Geld verschwendet hatte.

Im nächsten Moment sah sie eine vertraute Gestalt mit kleinem Kopf auf breiten Schultern: Alan Fernhill. Welch ein Glück. Er ging vom Stall zur Halle. Die anderen Bittsteller erkannten ihn nicht. Gwenda stellte sich ihm in den Weg. »Hallo, Alan«, sagte sie.

»Ich heiße jetzt Sir Alan.«

»Meinen Glückwunsch. Werdet Ihr Ralph sagen, dass ich ihn sprechen möchte?«

»Weshalb, das brauche ich wohl nicht zu fragen.«

»Sagt ihm, ich möchte ihn allein sprechen.«

Alan zog eine Augenbraue hoch. »Nimm es mir nicht übel, aber beim letzten Mal warst du noch ein junges Mädchen. Heute bist du zwanzig Jahre älter.«

»Meint Ihr nicht, das solltet Ihr lieber ihn entscheiden lassen?«

»Natürlich.« Er grinste beleidigend. »Ich weiß, dass er sich an diesen Nachmittag im Bell heute noch erinnert.«

Alan war natürlich dabei gewesen. Er hatte zugesehen, wie Gwenda ihr Kleid auszog, und ihren nackten Körper angestarrt. Er hatte beobachtet, wie sie zum Bett ging und sich, von ihm abgewandt, auf den Strohsack kniete. Er hatte rau gelacht, als Ralph sagte, von hinten sehe sie besser aus als von vorn.

Sie verbarg ihren Abscheu und die Beschämung, die sie noch heute empfand. »Ich hatte gehofft, dass er noch daran denkt«, sagte sie so gleichgültig, wie sie konnte.

Die anderen Bittsteller erkannten, dass Alan jemand Wichtiges sein musste. Sie scharten sich um ihn, sprachen ihn an, flehten und bettelten. Er stieß die Leute grob beiseite und ging in die Halle.

Gwenda richtete sich aufs Warten ein.

Nach einer Stunde stand fest, dass Ralph sie nicht vor dem Essen empfangen würde. Sie fand einen Flecken, der nicht allzu schlammig war, und setzte sich an eine Steinmauer, aber sie nahm niemals die Augen vom Eingang zur Halle.

Eine zweite Stunde verstrich und eine dritte. Das Mittagessen von Edelleuten dehnte sich oft bis in den Nachmittag aus. Gwenda fragte sich, wie Adlige so lange immerfort essen und trinken konnten. Mussten sie nicht irgendwann platzen?

Sie hatte den ganzen Tag lang nichts gegessen, aber sie war zu angespannt, um Hunger zu verspüren.

Es war graues Aprilwetter, und der Himmel wurde schon früh dunkel. Gwenda bibberte auf dem kalten Boden, aber sie blieb, wo sie war. Eine zweite Gelegenheit würde sie nicht erhalten.

Diener kamen heraus und entzündeten Fackeln im Hof. Hinter den Läden einiger Fenster war Licht zu sehen. Die Nacht brach an, und Gwenda begriff, dass bis zum Sonnenaufgang nur noch zwölf Stunden übrig waren. Sie dachte an Sam, der in einer Zelle unter der Burg auf dem Boden saß, und fragte sich, ob er fror. Gwenda kämpfte mit den Tränen.

Es ist noch nicht vorbei, sagte sie sich, aber ihr Mut schwand.

Eine hohe Gestalt verdeckte das Licht der nächsten Fackel. Als Gwenda aufblickte, sah sie Alan. Ihr Herz machte einen Satz.

»Komm mit«, sagte er.

Sie sprang auf und wollte zur Tür der Halle gehen.

»Nicht diesen Weg.«

Gwenda sah ihn fragend an.

»Unter vier Augen, hast du doch gesagt, richtig?«, fragte Alan. »In dem Gemach, das er mit der Gräfin teilt, wird er dich kaum empfangen. Komm hier entlang.«

Sie folgte ihm durch eine kleine Tür bei den Ställen. Er führte sie durch mehrere Räume, dann eine Treppe hinauf. Schließlich öffnete Alan Fernhill die Tür zu einer engen Schlafkammer. Gwenda ging hinein. Alan folgte ihr nicht, sondern schloss die Tür von außen.

Das Zimmer war niedrig, und eine Bettstatt nahm fast den ganzen Platz ein. Ralph stand im Unterhemd am Fenster. Seine Stiefel und Oberkleidung lagen auf dem Fußboden. Sein Gesicht war vom Trinken gerötet, doch er sprach mit klarer, ebenmäßiger Stimme.

»Zieh dich aus«, sagte er mit erwartungsvollem Lächeln.

»Nein«, erwiderte Gwenda.

Er sah sie erstaunt an.

»Ich ziehe mich nicht aus«, sagte sie.

»Warum hast du Alan dann gesagt, du willst mich allein sehen?«

»Damit Ihr denkt, ich wollte mit Euch schlafen.«

»Aber wenn du nicht … Warum bist du dann hier?«

»Um Euch anzuflehen, den König um Gnade zu ersuchen.«

»Aber du bietest dich mir nicht an?«

»Warum sollte ich? Das habe ich schon einmal getan, und es hat nichts geholfen. Ihr habt Euch nicht an Euer Versprechen gehalten. Ich gab Euch meinen Körper, aber Ihr gabt meinem Mann nicht sein Land.« Sie gestattete der Verachtung, die sie empfand, ihre Stimme zu färben. »Ihr würdet das Gleiche wieder tun. Euer Ehrenwort ist wertlos. Ihr erinnert mich an meinen Vater.«

Ralph errötete. Einem Grafen zu sagen, dass man ihm nicht vertrauen könne, war eine Beleidigung, aber eine noch größere Schmähung bedeutete es, mit einem landlosen Knecht verglichen zu werden, der in den Wäldern Eichhörnchen fing. Ärgerlich fragte er: »Hältst du das für den richtigen Weg, mich zu überzeugen?«

»Nein. Aber Ihr werdet um diese Gnade bitten.«

»Warum sollte ich?«

»Weil Sam Euer Sohn ist.«

Ralph starrte sie an. »Pah!«, rief er. »Als ob ich das glauben würde.«

»Er ist Euer Sohn«, wiederholte sie.

»Das kannst du nicht beweisen.«

»Nein, das kann ich nicht«, gab Gwenda zu, »aber Ihr wisst, dass ich mit Euch im Bell zu Kingsbridge lag, neun Monate, ehe Sam geboren wurde. Gewiss, ich habe auch mit Wulfric gelegen. Wer von euch ist also der Vater? Seht Euch den Jungen an! Er hat einige Gewohnheiten Wulfrics angenommen, das stimmt – im Lauf von zweiundzwanzig Jahren war das nicht zu vermeiden. Aber betrachtet sein Gesicht.«

Sie bemerkte, wie ein nachdenklicher Ausdruck auf Ralphs Gesicht trat, und wusste, dass einige ihrer Worte ins Schwarze getroffen hatten.

»Vor allem aber führt Euch seinen Charakter vor Augen«, setzte sie nach. »Ihr habt die Aussagen beim Prozess gehört. Sam hat Jonno nicht nur abgewehrt, wie Wulfric es getan hätte. Er hat ihn nicht niedergeschlagen und ihm dann wieder aufgeholfen, wie Wulfric sich verhalten hätte. Wulfric ist stark und leicht zu reizen, aber er hat ein weiches Herz. Sam nicht. Sam hat Jonno mit dem Spaten getroffen, dass jeder Mann besinnungslos geworden wäre; dann, noch ehe Jonno hinfiel, hat Sam wieder zugeschlagen, noch härter, obwohl Jonno schon hilflos war; und dann, ehe Jonno schlaff am Boden zusammenbrach, ein drittes Mal. Wenn die Bauern von Oldchurch sich nicht auf Sam gestürzt und ihn festgehalten hätten, hätte er Jonno mit dem verdammten Spaten den Kopf zu blutigem Brei gehauen. Er wollte Jonno umbringen!« Sie bemerkte, dass sie weinte, und wischte sich die Tränen mit dem Ärmel ab.

Ralph starrte sie mit einem Blick an, den man nur entsetzt nennen konnte.

»Woher soll dieser Drang zum Töten kommen, Ralph?«, fragte Gwenda. »Seht in Euer schwarzes Herz. Sam ist Euer Sohn. Und, Gott vergib mir, der meine.«

Nachdem Gwenda gegangen war, setzte sich Ralph auf das Bett in der kleinen Kammer und starrte in eine Kerzenflamme. War es möglich? Gwenda würde natürlich lügen, wenn es ihr zupass käme; auf ihr Wort zu vertrauen stand außer Frage. Trotzdem konnte Sam genauso sehr wie Wulfrics Sohn der Spross seiner Lenden sein. Es war richtig, zur fraglichen Zeit hatten sie beide bei Gwenda gelegen. Die Wahrheit kam vielleicht niemals sicher ans Licht.

Allein die Möglichkeit, dass Sam sein Kind sein konnte, erfüllte Ralphs Herz mit Entsetzen. Ließ er seinen eigenen Sohn henken? Die schreckliche Strafe, die er Wulfric zugedacht hatte, konnte nun ihn selbst treffen.

Es war schon Nacht. Die Hinrichtung würde am Morgen stattfinden. Ralph blieb nicht viel Zeit für eine Entscheidung.

Er nahm die Kerze und verließ die Kammer. Er hatte beabsichtigt, hier seine fleischliche Lust zu stillen. Stattdessen war ihm der Schreck seines Lebens bereitet worden.

Er ging hinaus und überquerte den Hof zum Verlies. Im Erdgeschoss des Gebäudes waren Stuben für die Leute des Sheriffs. Ralph ging hinein und sprach mit dem Wachhabenden. »Ich will den Mörder sehen, Sam Wigleigh.«

»Sehr wohl, Mylord«, sagte der Wärter. »Ich zeige Euch den Weg.« Er nahm eine Lampe und führte Ralph in den Nebenraum.

In den Boden war ein Gitter eingelassen, und in der Luft hing ein übler Geruch. Ralph blickte durch die Gitterstäbe. Die Zelle war neun oder zehn Fuß tief, hatte Steinwände und einen Boden aus gestampfter Erde. Sie war völlig kahl. Sam saß mit dem Rücken an der Wand auf dem Boden. Neben ihm stand ein Holzkrug, der wohl Wasser enthielt. Ein kleines Loch im Boden schien der Abort zu sein. Sam sah hoch, dann wandte er gleichgültig den Blick ab.

»Öffnen«, sagte Ralph.

Der Wärter schloss das Gitter mit einem Schlüssel auf und schwang es an einer Angel hoch.

»Ich will hinunter.«

Der Wärter war erstaunt, wagte es aber nicht, einem Grafen zu widersprechen. Er nahm eine Leiter, die an der Wand lehnte, und schob sie in die Zelle. »Gebt bitte Obacht, Mylord«, sagte er nervös. »Vergesst nicht, der Schurke hat nichts zu verlieren.«

Ralph kletterte hinunter, seine Kerze in der Hand. Der Gestank war widerlich, doch das störte ihn kaum. Als er das untere Ende der Leiter erreicht hatte, drehte er sich um.

Sam blickte ihn voller Groll an und fragte: »Was wollt Ihr denn?«

Ralph starrte ihn an. Er kauerte nieder und hielt die Kerze dicht an Sams Gesicht, studierte seine Züge, versuchte es mit dem Gesicht zu vergleichen, das er sah, wenn er in den Spiegel blickte.

»Was ist?«, fragte Sam, unruhig unter Ralphs durchdringender Musterung.

Ralph gab keine Antwort. Konnte das wirklich sein Sohn sein? Es wäre möglich, dachte er. Sehr gut möglich. Sam war ein gut aussehender junger Mann, und Ralph hatte man in seiner Jugend, ehe ihm die Nase gebrochen wurde, stattlich genannt. Im Gerichtssaal hatte Ralph bereits gedacht, dass Sams Gesicht ihn an etwas erinnere, und nun konzentrierte er sich, versuchte zu ergründen, an wen Sam ihn denken ließ. Diese gerade Nase, der Blick der dunklen Augen, der dichte Haarschopf, um den Mädchen ihn beneidet hätten …

Dann verstand er.

Sam sah aus wie Ralphs Mutter, die verstorbene Lady Maud.

»Gütiger Gott«, krächzte er.

»Was denn?«, fragte Sam, und seine Stimme verriet Furcht. »Was soll das alles?«

Ralph musste etwas sagen. »Deine Mutter …«, begann er, und seine Stimme verebbte. Seine Kehle schnürte sich vor Bewegung zusammen und erschwerte es ihm, die Worte auszusprechen. Er setzte neu an. »Deine Mutter hat sich für dich verwendet … auf sehr beredsame Weise.«

Sam sah ihn misstrauisch an und sagte kein Wort. Er glaubte, Ralph wäre zu ihm gekommen, um ihn zu verhöhnen.

»Sag mir«, sagte Ralph. »Als du Jonno mit dem Spaten geschlagen hast – wolltest du ihn da töten? Du kannst ehrlich sein, du hast nichts weiter zu befürchten.«

»Natürlich wollte ich ihn umbringen«, erwiderte Sam. »Er wollte mich anketten.«

Ralph nickte. »Ich hätte es genauso gesehen«, sagte er. Er verstummte, starrte Sam lange an und wiederholte seine Worte: »Ich hätte es genauso gesehen.«

Er richtete sich auf, drehte sich zur Leiter um, hielt inne, wandte sich zurück und stellte die Kerze neben Sam auf den Boden. Dann stieg er die Leiter hoch.

Der Wärter klappte das Gitter zu und verschloss es.

Ralph sagte zu ihm: »Die Hinrichtung wird abgesagt. Der Gefangene wird begnadigt. Ich werde augenblicklich mit dem Sheriff sprechen.«

Als er den Raum verließ, nieste der Wärter.

Als Merthin und Caris von Shiring nach Kingsbridge zurückkehrten, mussten sie feststellen, dass Lolla verschwunden war.

Ihre langjährigen Hausdiener, Arn und Em, warteten am Gartentor, und es sah aus, als hätten sie den ganzen Tag dort gestanden. Em setzte zum Sprechen an, brachte jedoch nur zusammenhanglose Schluchzer hervor, und Arn musste die Neuigkeit offenlegen. »Wir können Lolla nicht finden«, sagte er niedergeschlagen. »Wir wissen nicht, wo sie ist.«

Zuerst missverstand Merthin ihn. »Zum Abendessen ist sie wieder da«, sagte er. »Reg dich nicht auf, Em.«

»Aber gestern Abend ist sie nicht nach Hause gekommen, und vorgestern auch nicht«, erwiderte Arn.

Da erst begriff Merthin, was sie meinten: Lolla war davongelaufen. Ein Anflug von Angst ließ ihn frösteln wie ein winterlicher Wind und umschloss sein Herz. Sie war erst sechzehn. Einen Augenblick lang konnte er nicht klar denken. Er stellte sich nur seine Tochter vor, auf halbem Weg vom Kind zur Erwachsenen, mit den tiefen dunkelbraunen Augen und dem sinnlichen Mund ihrer Mutter, erfüllt von unbekümmerter falscher Selbstsicherheit.

Als er seine Fassung wiedererlangt hatte, fragte er sich, was fehlgegangen war. Seit Lolla fünf war, hatte er sie immer wieder einige Tage lang in der Obhut von Arn und Em zurückgelassen, und nie war etwas geschehen. Hatte sich etwas verändert?

Er wurde gewahr, dass sie seit dem vergangenen Ostersonntag, der zwei Wochen zurücklag und an dem er sie am Arm gepackt und von ihren zwielichtigen Freunden vor dem White Horse weggezerrt hatte, kaum ein Wort miteinander gesprochen hatten. Lolla hatte sich oben in ihrem Zimmer verschanzt, während die Familie zu Mittag aß, und selbst als Sam verhaftet wurde, war sie nicht heruntergekommen. Noch einige Tage später, als Merthin und Caris sie zum Abschied küssten und nach Shiring aufbrachen, hatte sie geschmollt.

Merthin fühlte sich schuldig. Er hatte sie schroff behandelt und fortgetrieben. Sah Silvias Geist zu und zürnte ihm für sein Versagen an ihrer Tochter?

Wieder dachte er an Lollas übel beleumdete Freunde. »Da steckt dieser Jake Riley hinter«, sagte er. »Hast du mit ihm gesprochen, Arn?«

»Nein, Herr.«

»Dann tue ich es am besten sofort. Weißt du, wo er wohnt?«

»Er wohnt neben dem Fischhändler hinter der Kirche von St. Paul.«

»Ich komme mit«, sagte Caris zu Merthin.

Über die Brücke gelangten sie in die Stadt und gingen nach Westen. Die Gemeinde von St. Paul umfasste das Gewerbe am Flussufer: Schlachthäuser, Gerbereien, Sägemühlen, Manufakturen und die Färberbetriebe, welche seit der Erfindung des Kingsbridger Scharlachs wie die Septemberpilze aus dem Boden geschossen waren. Merthin hielt auf den gedrungenen Turm der Kirche von St. Paul zu, der über die niedrigen Hausdächer hinweg zu sehen war. Den Fischhändler fand er mithilfe des Geruchs und klopfte an die Tür des großen, heruntergekommenen Hauses nebenan.

Sal Sawyers öffnete ihm, die arme Witwe eines Aushilfszimmermanns, der an der Pest gestorben war. »Jake kommt und geht, Ratsältester«, sagte sie. »Ich habe ihn eine ganze Woche nicht gesehen. Er kann tun, was er will, solange er die Miete zahlt.«

Caris fragte: »Als er ging, war Lolla da bei ihm?«

Sal warf einen besorgten Seitenblick auf Merthin. »Ich urteile nicht gern über andere«, sagte sie.

»Sagt mir nur, was Ihr wisst«, erwiderte Merthin. »Ich nehme keinen Anstoß.«

»Gewöhnlich ist sie bei ihm. Sie tut alles, was Jake will, mehr sage ich nicht. Wenn Ihr ihn sucht, findet Ihr sie.«

»Wisst Ihr, wohin er gegangen sein könnte?«

»Er sagt mir nie etwas.«

»Fällt Euch jemand ein, der etwas wissen könnte?«

»Außer ihr bringt er niemanden mit hierher. Aber ich glaube, seine Freunde sind gewöhnlich im White Horse zu finden.«

Merthin nickte. »Dann versuchen wir es dort. Ich danke Euch, Sal.«

»Sie fängt sich wieder«, sagte Sal. »Sie ist nur in einem wilden Alter.«

»Ich hoffe, Ihr habt recht.«

Merthin und Caris kehrten den Weg zurück, den sie gekommen waren, bis sie das White Horse erreichten, das unweit der Brücke am Flussufer stand. Merthin trat die Orgie vor Augen, deren Zeuge er hier zur Hochzeit des Schwarzen Todes geworden war, als der sterbende Davey Whitehorse seine Bierbestände verschenkte. Das Wirtshaus hatte danach mehrere Jahre lang leer gestanden, war heute aber wieder eine belebte Schänke. Merthin fragte sich, weshalb sie so beliebt war. Die Räumlichkeiten waren eng und schmuddelig, und es kam regelmäßig zu Streitigkeiten. Ungefähr einmal im Jahr wurde dabei jemand getötet.

Sie kamen in eine funzelige Gaststube. Es war erst früher Nachmittag, doch etwa ein Dutzend vereinzelte Zecher saßen bereits auf den Bänken. Eine kleine Gruppe scharte sich um ein Puffbrett, und mehrere Stapel von Silberpennys auf dem Tisch deuteten darauf hin, dass auf das Ergebnis des Spiels Geld geboten wurde. Eine rotwangige Hure namens Joy blickte hoffnungsvoll auf, als die neuen Gäste eintraten, sah, wer es war, und versank wieder in gelangweilte Gleichgültigkeit. In einer Ecke zeigte ein Mann einer Frau einen teuer aussehenden Mantel, den er offenbar zum Verkauf anbot; doch als er Merthin sah, faltete er das Kleidungsstück rasch zusammen und verbarg es unter dem Tisch. Merthin nahm an, dass es sich um Diebesgut handelte.

Der Wirt, der Evan hieß, saß an einem späten Frühstück aus gebratenem Speck. Er stand auf, wischte sich die Hände am Kittel ab und sagte nervös: »Einen guten Tag wünsche ich Euch, Ratsältester – eine Ehre, Euch in meinem Haus zu sehen. Darf ich Euch einen Krug Bier zapfen?«

Merthin ging gar nicht darauf ein. »Ich suche meine Tochter Lolla.«

»Ich habe sie seit einer Woche nicht mehr gesehen«, sagte Evan.

Sal hatte genau das Gleiche von Jake behauptet, erinnerte sich Merthin. »Sie könnte bei Jake Riley sein«, sagte er.

»Ja, mir ist aufgefallen, dass sie befreundet sind«, antwortete Evan taktvoll. »Er ist ungefähr die gleiche Zeit weg.«

»Wisst Ihr, wohin sie wollten?«

»Er macht nicht gern den Mund auf, dieser Jake«, erklärte Evan. »Wenn Ihr ihn fragt, wie weit es bis Shiring ist, dann schüttelt er bloß den Kopf und sagt, das geht ihn nichts an.«

Joy, die Dirne, hatte dem Gespräch zugehört und warf ein: »Aber großzügig ist er. Das muss man ihm lassen.«

Merthin sah sie streng an. »Und woher kommt sein Geld?«

»Pferde«, sagte sie. »Er zieht über die Dörfer, kauft den Bauern Fohlen ab und verkauft sie in der Stadt.«

Wahrscheinlich stiehlt er auch unvorsichtigen Reisenden die Reittiere, dachte Merthin mürrisch. »Macht er das gerade – Pferde einkaufen?«

Evan meinte: »Das könnte gut hinkommen. Bald ist die Zeit der großen Märkte. Er könnte seinen Bestand aufstocken.«

»Und vielleicht ist Lolla mit ihm gegangen.«

»Ich möchte nicht Euren Anstoß erregen, Ratsältester, aber das ist gut denkbar.«

»Ich verstehe«, erwiderte Merthin. Er nickte knapp zum Abschied und verließ das Wirtshaus. Caris folgte ihm.

»So ist das also«, sagte er ärgerlich. »Sie ist mit Jake auf und davon. Sie hält es wahrscheinlich für ein großes Abenteuer.«

»Ich fürchte, du hast recht«, sagte Caris. »Ich hoffe, sie wird nicht schwanger.«

»Ich wünschte, das wäre meine größte Angst.«

Ohne nachzudenken schlugen sie den Heimweg ein. Auf der Brücke blieb Merthin am höchsten Punkt stehen und blickte über die Hausdächer der Vorstadt auf den Wald, der dahinter lag. Irgendwo dort zog sein kleines Mädchen mit einem zwielichtigen Rosstäuscher umher. Sie schwebte in Gefahr, und er konnte nichts tun, um sie zu schützen.

Als Merthin am nächsten Morgen zur Kathedrale ging, um nach dem neuen Turm zu sehen, sah er, dass alle Arbeit ruhte. »Befehl des Priors«, sagte Bruder Thomas, als Merthin ihn befragte. Thomas war nun beinahe sechzig, und sein Alter zeigte sich. Sein Soldatenleib war gebeugt, und er schlurfte unsicher über das Gelände. »Im südlichen Seitenschiff gab es einen Einsturz«, fügte er hinzu.

Merthin sah Bartelmy French an, einen knorrigen alten Steinmetz aus der Normandie, der vor der Modellkammer saß und einen Meißel schärfte. Bartelmy schüttelte still verneinend den Kopf.

»Der Einsturz ist vierundzwanzig Jahre her, Bruder Thomas«, sagte Merthin.

»Ach ja, Ihr habt ganz recht«, sagte Thomas. »Mein Gedächtnis ist nicht mehr so gut wie früher, wisst Ihr.«

Merthin klopfte ihm auf die Schulter. »Wir werden alle älter.«

Bartelmy sagte: »Der Prior ist auf dem Turm, falls Ihr ihn sprechen wollt.«

Das wollte Merthin allerdings. Er ging zum nördlichen Querschiff, trat durch einen kleinen Torbogen und stieg die schmale Wendeltreppe innerhalb der Mauer hoch. Als er von der alten Vierung in den neuen Turm kam, änderte sich die Farbe der Steine vom Dunkelgrau der Gewitterwolken zum hellen Perlgrau des Morgenhimmels. Es war ein langer Aufstieg: Der Turm war schon über dreihundert Fuß hoch. Merthin war daran gewöhnt. Elf Jahre lang hatte er beinahe jeden Tag eine Treppe erstiegen, die mit jedem Mal höher wurde. Ihm kam der Gedanke, dass Philemon, der heutzutage ziemlich dick war, einen sehr dringenden Grund gehabt haben müsse, seine Masse die vielen Stufen hinaufzuschleppen.

Fast oben angelangt, durchquerte Merthin eine Kammer, die das große Rad beherbergte, einen doppelt mannshohen, hölzernen Windenmechanismus, der benutzt wurde, um Steine, Mörtel und Bauholz dorthinzubefördern, wo sie gebraucht wurden. Wenn der Turm fertiggestellt war, würde das Rad hier bleiben, um von zukünftigen Baumeistergenerationen zu Reparaturarbeiten benutzt zu werden, bis die Posaunen zum Jüngsten Gericht bliesen.

Merthin trat an der Oberseite des Turmes heraus. Ein heftiger, kalter Wind blies, von dem am Boden nichts zu merken war. Ein Weg aus bleiernen Dachplatten führte an der Innenseite des Turmdaches herum. Ein Gerüst umgab ein achteckiges Loch und erwartete die Maurer, die die Turmspitze bauen würden. Behauene Natursteine waren in der Nähe aufgestapelt, und auf einem Holzbrett trocknete sinnlos ein Haufen Mörtel.

Arbeiter waren nicht zu sehen. Auf der anderen Seite des Daches stand Prior Philemon mit Harold Mason. Sie waren ins Gespräch vertieft, hielten aber schuldbewusst inne, als Merthin in Sicht kam. Er musste gegen den Wind brüllen, damit man ihn hörte. »Warum habt Ihr die Arbeit angehalten?«

Philemon hatte sich eine Antwort zurechtgelegt. »Es gibt ein Problem mit Eurer Konstruktion.«

Merthin sah Harold an. »Ihr meint, es gibt Leute, die sie nicht begreifen.«

»Erfahrene Kräfte sagen, er kann so nicht gebaut werden«, erwiderte Philemon trotzig.

»Erfahrene Kräfte?«, wiederholte Merthin spöttisch. »Wer in Kingsbridge hat denn Erfahrung? Wer hat hier denn schon eine

Brücke gebaut? Wer hat mit den großen Architekten von Florenz gearbeitet? Wer hat Rom gesehen, Avignon, Paris, Rouen? Unser Harold hier ganz gewiss nicht. Ich will Euch nicht zu nahetreten, Harold, aber Ihr seid nicht einmal bis London gekommen.«

Harold entgegnete: »Ich bin nicht der Einzige, der es für unmöglich hält, ohne Schalung einen achteckigen Turm zu bauen.«

Merthin hätte beinahe etwas Sarkastisches erwidert, aber er zügelte sich, denn er begriff, dass Philemon mehr in der Hand haben musste. Der Prior ging diesen Kampf mit Vorbedacht ein. Folglich musste er stärkere Waffen besitzen als die bloße Meinung eines Harold Mason. Vermutlich hatte er sich Rückhalt bei einigen Ratsmitgliedern verschafft – nur wie? Wenn andere Baumeister bereit waren auszusagen, dass Merthins Turmbau unmöglich wäre, musste ihnen ein Anreiz geboten worden sein. Wahrscheinlich erhielten sie Bauaufträge. »Um was geht es?«, wandte er sich an Philemon. »Was wollt Ihr bauen?«

»Ich weiß nicht, was Ihr meint«, brauste Philemon auf.

»Ihr verfolgt ein anderes Vorhaben und habt Harold und seinen Freunden einen Teil davon angeboten. Was für ein Gebäude soll das sein?«

»Ihr wisst ja gar nicht, wovon Ihr redet.«

»Einen größeren Palast für Euch? Ein neues Kapitelhaus? Ein Hospital kann es nicht sein, wir haben bereits drei. Kommt schon, Ihr könnt es mir ruhig sagen. Es sei denn, Ihr schämt Euch dafür.«

Philemon fühlte sich zu einer Antwort bemüßigt. »Das Mönchskloster möchte eine Marienkapelle errichten.«

»Aha.« Die Verehrung der Heiligen Jungfrau erfreute sich zunehmender Beliebtheit. Die Kirchenhierarchie begrüßte die Entwicklung, weil die Welle der Frömmigkeit, die mit der Marienverehrung einherging, ein Gleichgewicht zu der Skepsis und der Ketzerei bildete, die seit dem Schwarzen Tod die Gemeinden befallen hatte. Zahllose Kathedralen und Kirchen wurden durch eine eigene kleine Kapelle am Ostende – dem heiligsten Teil des Gotteshauses – ergänzt, die der Muttergottes geweiht war. Merthin gefiel diese architektonische Lösung nicht, denn an den meisten Kirchen wirkte eine Marienkapelle wie angestückelt, was sie im Grunde auch war.

Was veranlasste Philemon zu dem Bau? Er versuchte stets, sich bei jemandem verdient zu machen. Mit einer Marienkapelle für Kingsbridge wollte er sich ohne Zweifel beim konservativen älteren Klerus einschmeicheln.

Zum zweiten Mal bewegte sich Philemon in diese Richtung. Am Ostersonntag hatte er von der Kanzel der Kathedrale die Leichensektion verdammt. Merthin begriff, dass Philemon eine Kampagne führte. Die Frage war nur, mit welchem Ziel?

Merthin beschloss, nichts weiter zu unternehmen, bis er herausgefunden hatte, was der Prior plante. Ohne ein weiteres Wort verließ er das Dach und begab sich auf der Abfolge von Treppenhäusern und Leitern zum Boden.

Zur Mittagsstunde war Merthin zu Hause, und wenige Minuten später trat Caris vom Hospital kommend ein. »Bruder Thomas geht es schlechter«, sagte er zu ihr. »Können wir denn nicht irgendetwas für ihn tun?«

Sie schüttelte den Kopf. »Gegen Senilität gibt es kein Heilmittel.«

»Er hat mir heute erzählt, das südliche Seitenschiff sei eingestürzt, als wäre es gestern geschehen.«

»Das ist typisch. Er erinnert sich an die ferne Vergangenheit, aber er weiß nicht mehr, was heute vorgeht. Armer Thomas. Er wird vermutlich recht schnell verfallen. Aber wenigstens lebt er an einem vertrauten Ort. Klöster verändern sich im Laufe der Jahrzehnte nicht sehr. Sein Tagesablauf ist wohl der gleiche wie immer. Das tut ihm gut.«

Als sie sich zu Hammelbraten mit Lauch und Minze setzten, erklärte Merthin die Entwicklungen des Morgens. Beide kämpften sie seit Jahrzehnten gegen die Prioren von Kingsbridge: erst Anthony, dann Godwyn und nun Philemon. Sie hatten gedacht, die Verleihung der Stadtrechte würde dem ständigen Gerangel ein Ende machen. Zwar war die Lage dadurch besser geworden, doch anscheinend hatte Philemon noch immer nicht aufgegeben.

»Ich mache mir eigentlich keine Gedanken über den Turm«, sagte Merthin. »Bischof Henri wird Philemon überstimmen und befehlen, dass der Bau wieder aufgenommen wird, sobald er davon hört. Henri möchte der Bischof mit dem höchsten Kirchturm in ganz England sein.«

»Philemon muss das wissen«, erwiderte Caris nachdenklich.

»Vielleicht tut er nur so, als wollte er eine Marienkapelle errichten, um den Verdienst für den Versuch einzustreichen, während er das Scheitern auf jemand anderen schiebt.«

»Möglich wäre es«, sagte Caris zweifelnd.

Merthin ging eine viel wichtigere Frage durch den Kopf. »Aber worauf hat er es wirklich abgesehen?«

»Alles, was Philemon tut, ist von dem Bedürfnis bestimmt, sich wichtig zu machen«, sagte Caris voll Überzeugung. »Ich vermute, er ist auf eine Beförderung aus.«

»Welches Amt könnte er im Sinne haben? Der Erzbischof von Monmouth scheint im Sterben zu liegen, aber Philemon kann doch nicht hoffen, sein Nachfolger zu werden?«

»Er muss etwas wissen, was uns unbekannt ist.«

Ehe sie noch mehr sagen konnten, kam Lolla herein.

Merthins erste Reaktion war eine so starke Erleichterung, dass ihm die Tränen in die Augen stiegen. Sie war wieder da, und sie war gesund.

Er besah sie von oben bis unten. Sie zeigte keine offensichtlichen Blessuren, sie ging beschwingten Schrittes, und ihr Gesicht zeigte nur die übliche mürrische Unzufriedenheit.

Caris ergriff als Erste das Wort. »Du bist wieder da!«, rief sie. »Was bin ich froh!«

»Wirklich?«, entgegnete Lolla. Sie gab oft vor zu glauben, dass Caris sie nicht leiden konnte. Merthin ließ sich davon nicht täuschen, aber Caris fiel manchmal in Zweifel, denn es führte ihr schmerzlich vor Augen, dass sie nicht Lollas leibliche Mutter war.

»Wir sind beide froh«, sagte Merthin. »Du hast uns einen Schreck eingejagt.«

»Wieso?«, fragte Lolla. Sie hängte ihren Mantel an einen Haken und setzte sich an den Tisch. »Mir ging es wunderbar.«

»Aber das wussten wir nicht, und deshalb haben wir uns große Sorgen gemacht.«

»Braucht ihr nicht«, erwiderte Lolla. »Ich kann auf mich allein aufpassen.«

Merthin unterdrückte eine ärgerliche Entgegnung. »Da bin ich mir nicht so sicher«, sagte er, so milde er konnte.

Caris schritt ein, um die Gemüter abzukühlen. »Wo warst du?«, fragte sie. »Du bist zwei Wochen fort gewesen.«

»Ich bin herumgekommen.«

Merthin fragte gepresst: »Könntest du uns ein, zwei Beispiele nennen?«

»Mudeford Crossing. Casterham. Outhenby.«

»Und was hast du dort gemacht?«

»Willst du mich aushorchen?«, fragte sie bockig. »Muss ich denn alle Fragen beantworten?«

Caris legte Merthin die Hand auf den Unterarm, damit er sich zügelte, und sagte zu Lolla: »Wir wollen nur sicher wissen, dass du nicht in Gefahr gewesen bist.«

Merthin fügte hinzu: »Außerdem möchte ich wissen, mit wem du unterwegs warst.«

»Mit niemand Besonderem.«

»Heißt das, mit Jake Riley?«

Sie zuckte mit den Schultern und wirkte verlegen. »Ja«, sagte sie, als handle es sich um eine banale Einzelheit.

Merthin war bereit gewesen, ihr zu vergeben und sie in die Arme zu nehmen, aber sie machte es ihm nicht leicht. Um einen ruhigen Ton bemüht sagte er: »Wie viele Decken hatten Jack und du denn dabei?«

»Das ist meine Sache!«, schrie Lolla.

»Nein, das ist es nicht!«, brüllte Merthin zurück. »Es ist meine Sache und die deiner Stiefmutter. Wenn du schwanger bist, wer sorgt dann für dein Kind? Bist du dir sicher, dass Jake schon eine Familie gründen und Ehemann und Vater spielen möchte? Hast du mit ihm darüber gesprochen?«

»Lass mich in Ruhe!«, schrie sie ihn an. Dann brach sie in Tränen aus und stürmte die Treppe hoch.

»Manchmal«, sagte Merthin, »wünschte ich mir, wir lebten in nur einem Zimmer – dann könnte sie das nicht machen.«

»Du warst nicht sehr sanft mit ihr«, sagte Caris mit gelinder Missbilligung.

»Was sollte ich denn tun?«, erwiderte Merthin. »Sie redet, als hätte sie nichts falsch gemacht!«

»Sie weiß es aber besser. Deshalb weint sie ja.«

»Ach, zum Teufel«, sagte er.

Es klopfte, und ein Novize steckte den Kopf durch die Tür. »Verzeiht, wenn ich Euch störe, Ratsältester«, sagte er. »Sir Gregory Longfellow ist in der Priorei und wäre Euch verbunden, wenn er Euch möglichst bald sprechen könnte.«

»Verdammt«, sagte Merthin. »Sagt ihm, ich bin in ein paar Minuten dort.«

»Danke«, erwiderte der Novize und ging.

Merthin sagte zu Caris: »Vielleicht ist es ganz gut, wenn wir ihr ein wenig Zeit lassen, um sich zu beruhigen.«

»Und du brauchst das auch«, erwiderte sie.

»Du stellst dich doch nicht etwa auf ihre Seite?«, fragte er mit einem Anklang von Gereiztheit.

Sie lächelte und berührte ihn am Arm. »Ich bin immer auf deiner Seite«, antwortete sie. »Ich erinnere mich aber noch, wie ich mich als Sechzehnjährige gefühlt habe. Lolla macht sich über ihre Beziehung zu Jake genauso viele Sorgen wie du. Aber sie gibt es nicht zu, nicht einmal vor sich selbst, weil das ihren Stolz verletzen würde. Deshalb verübelt sie dir, dass du die Wahrheit aussprichst. Sie hat einen zerbrechlichen Schutzwall um ihre Selbstachtung errichtet, und du reißt ihn einfach ein.«

»Was sollte ich tun?«

»Hilf ihr, einen besseren Wall zu bauen.«

»Ich weiß nicht, was du damit meinst.«

»Du wirst es schon herausfinden.«

»Ich gehe lieber und spreche mit Sir Gregory.« Merthin erhob sich.

Caris legte die Arme um ihn und küsste ihn auf die Lippen. »Du bist ein guter Mann und tust dein Bestes, und ich liebe dich von ganzem Herzen«, sagte sie.

Damit nahm sie seinem Verdruss die Schärfe, und er fühlte sich ruhiger, während er über die Brücke marschierte und der Hauptstraße zur Priorei folgte. Er mochte Sir Gregory nicht. Der Advokat war verschlagen und prinzipienlos, bereit, für seinen Herrn, den König, alles zu tun, ganz wie Philemon, während er Godwyn als Subprior diente. Merthin fragte sich voll Unbehagen, was Gregory mit ihm zu besprechen hatte. Vermutlich ging es um Steuern – sie waren stets des Königs größte Sorge.

Merthin ging als Erstes zum Priorspalast, wo Philemon ihm mit selbstzufriedenem Gesicht ausrichtete, Sir Gregory sei im Kreuzgang zu finden. Merthin fragte sich, was der Advokat für das Vorrecht geleistet hatte, seine Audienz dort abhalten zu dürfen.

Sir Gregory wurde alt. Sein Haar war weiß, seine hohe Gestalt gebeugt. Tiefe Linien hatten sich zu beiden Seiten der hochmütigen Nase eingeschnitten wie Halteklammern, und eines seiner blauen Augen war wolkig. Doch das andere Auge blickte scharf genug, und er erkannte Merthin sofort, obwohl sie einander zehn Jahre lang nicht gesehen hatten. »Ratsältester«, sagte er. »Der Erzbischof von Monmouth ist tot.«

»Er ruhe in Frieden«, sagte Merthin automatisch.

»Amen. Der König bat mich, da ich die Stadt von Kingsbridge durchquere, Euch seinen Gruß zu entrichten und diese wichtige Botschaft zu überbringen.«

»Ich danke dafür. Der Tod des Erzbischofs kommt nicht unerwartet. Er war ein kranker Mann.« Der König, überlegte Merthin misstrauisch, hatte Gregory mit Sicherheit nicht persönlich gebeten, ihn aufzusuchen, um ihn auf dem Laufenden zu halten.

»Ihr seid ein beeindruckender Mann, wenn ich das sagen darf«, fuhr Gregory weit ausholend fort. »Eure Frau habe ich vor mehr als zwanzig Jahren kennengelernt. Seither konnte ich beobachten, wie sie und Ihr langsam, aber sicher die Herrschaft über die Stadt an Euch brachtet. Und Ihr habt alles bekommen, woran Ihr Euer Herzblut setztet: die Brücke, das Hospital, das Stadtrecht, einander. Ihr seid entschlossen, und Ihr seid geduldig.«

So herablassend seine Schmeicheleien waren, zu seinem Erstaunen entdeckte Merthin darin einen Hauch von Respekt. Er ermahnte sich, misstrauisch zu bleiben: Männer wie Gregory lobten nur, wenn sie sich etwas davon versprachen.

»Ich bin unterwegs zum Mönchskloster von Abergavenny, das über den neuen Erzbischof abstimmen muss.« Gregory lehnte sich zurück. »Als das Christentum vor Hunderten von Jahren nach England kam, wählten die Mönche alle ihre Oberen selbst.« Weitschweifige Erklärungen waren die Gewohnheit eines alten Mannes, überlegte Merthin; der junge Gregory hätte sich diese Mühe nicht gemacht. »Heutzutage sind Bischöfe und Erzbischöfe natürlich zu wichtig und zu mächtig, um von kleinen Zirkeln weltabgewandter frommer Idealisten ausgesucht zu werden. Der König trifft die Wahl, und Seine Heiligkeit der Papst ratifiziert die königliche Entscheidung.«

Selbst ich weiß, dass es ganz so einfach nicht ist, dachte Merthin. Gewöhnlich kommt es zu einem Machtkampf. Aber er entgegnete nichts.

Gregory fuhr fort: »Wie auch immer, das Ritual, mit dem die Mönche wählen, wird weiterhin ausgeführt, und es ist leichter, die Abstimmung in die richtigen Bahnen zu lenken, als es abzuschaffen. Daher meine Reise.«

»Ihr werdet also den Mönchen sagen, wen sie wählen sollen«, erwiderte Merthin.

»Unverblümt ausgedrückt, ja.«

»Und welchen Namen werdet Ihr ihnen nennen?«

»Sagte ich das nicht? Euren Bischof, Henri de Mons. Ein ausgezeichneter Mann: loyal, vertrauenswürdig, macht nie Schwierigkeiten.«

»Ach du je.«

»Es freut Euch nicht?« Gregorys aufgeräumte Art verflog, und er zeigte eine scharfe Wachsamkeit.

Merthin begriff, weshalb Gregory eigentlich gekommen war: um herauszufinden, wie die Einwohner von Kingsbridge – die Merthin vertrat – seine Pläne sahen und ob sie sich ihnen widersetzen würden. Merthin sammelte seine Gedanken. Die Aussicht auf einen neuen Bischof bedrohte den Turm und das Hospital. »Henri ist der Schlüssel zum Machtgleichgewicht in dieser Stadt«, sagte er. »Vor zehn Jahren wurde zwischen den Kaufleuten, dem Mönchskloster und dem Hospital eine Art Waffenstillstand geschlossen. Als Folge davon gediehen alle drei sehr gut.« Er fügte hinzu, um an Gregorys – und des Königs – Belange zu appellieren: »Dieser Wohlstand erlaubt es uns erst, solch hohe Steuern zu zahlen.«

Gregory quittierte den Hinweis mit einem Neigen des Kopfes.

»Ein Weggang Henris würde die Stabilität unserer Beziehungen womöglich infrage stellen.«

»Es kommt darauf an, wer ihm nachfolgt, möchte ich meinen.«

»Ganz genau«, sagte Merthin. Kommen wir zu der Crux, dachte er. »Habt Ihr jemanden im Sinn?«, fragte er.

»Als Kandidat läge Prior Philemon auf der Hand.«

»Nein!« Merthin war entsetzt. »Philemon? Wieso das?«

»Er ist ein standhafter Konservativer, was dem Klerus in diesen Zeiten von Skepsis und Ketzerei sehr wichtig ist.«

»Freilich. Jetzt begreife ich auch, weshalb er gegen die Leichenöffnung gepredigt hat. Und weshalb er eine Marienkapelle errichten will.« Ich hätte es vorhersehen müssen, dachte Merthin.

»Und er hat verlauten lassen, dass er gegen die Besteuerung des Klerus keine Einwände hat – ein steter Quell der Reibung zwischen dem König und einigen Bischöfen.«

»Philemon plant schon seit einiger Zeit für diesen Fall.« Merthin war ärgerlich, dass er es nicht hatte kommen sehen.

»Seit der Erzbischof erkrankte, nehme ich an.«

»Es ist eine Katastrophe.«

»Warum sagt Ihr das?«

»Philemon ist streitsüchtig und nachtragend. Sobald er Bischof ist, wird er Kingsbridge mit ständigen Querelen überziehen. Wir müssen verhindern, dass er das Amt erringt.« Er sah Gregory in die Augen. »Wieso kommt Ihr, um mich zu warnen?« Kaum hatte er die Frage gestellt, als er die Antwort wusste. »Ihr wollt Philemon ebenfalls nicht zum Bischof. Von mir brauchtet Ihr gar nicht zu hören, was für ein Unruhestifter er ist – Ihr wusstet es bereits. Aber Ihr könnt kein Veto gegen ihn einlegen, weil er sich beim hohen Klerus bereits Rückhalt zu verschaffen gewusst hat.« Gregory lächelte nur rätselhaft – was Merthin als Bestätigung nahm, dass er recht habe. »Was also soll ich für Euch tun?«

»Wenn ich an Eurer Stelle wäre«, sagte Gregory, »würde ich einen anderen Kandidaten suchen, den Ihr gegen Philemon aufstellen könntet.«

Das also war es. Merthin nickte nachdenklich. »Darüber muss ich nachdenken«, sagte er.

»Bitte tut das.« Gregory erhob sich, und Merthin wurde klar, dass das Gespräch beendet war. »Und lasst mich wissen, was Ihr entscheidet«, fügte Gregory hinzu.

Merthin verließ die Priorei und kehrte nachdenklich auf Leper Island zurück. Wen konnte er als Bischof von Kingsbridge vorschlagen? Die Städter waren immer gut mit Erzdiakon Lloyd zurechtgekommen, doch er war zu alt – wenn man wirklich bewirken konnte, dass er gewählt wurde, musste man sich vielleicht binnen Jahresfrist die gleiche Mühe noch einmal machen.

Als er zu Hause ankam, war ihm noch niemand eingefallen. Er fand Caris in der guten Stube und wollte ihr gerade berichten, doch sie ergriff als Erste das Wort. Mit bleichem Gesicht und besorgter Miene stand sie auf und sagte: »Lolla ist wieder weg.«

KAPITEL 86

Die Priester nannten den Sonntag einen Tag der Ruhe, doch für Gwenda war er das nie gewesen. Nach dem Kirchgang am Morgen und dem anschließenden Mittagessen arbeitete sie mit Wulfric im Garten hinter dem Haus. Es war ein schöner Garten, knapp einen Morgen groß, mit einem Hühnerstall, einem Birnbaum und einer Scheune. In dem Gemüsefeld am Rand zog Wulfric Furchen, und Gwenda säte Erbsen aus.

Die Jungen waren in ein anderes Dorf gegangen, um dort Fußball zu spielen, ihr übliches Sonntagsvergnügen. Fußball war das Gegenstück der Bauern zu den Turnieren des Adels: eine gespielte Schlacht, in der man manchmal wirklich verletzt wurde. Gwenda betete nur, dass ihre Jungen heil wieder nach Hause kamen.

An diesem Tag kehrte Sam früh zurück. »Der Ball ist geplatzt«, sagte er mürrisch.

»Wo ist Davey?«, fragte Gwenda.

»Er war nicht da.«

»Ich dachte, er wäre mit dir gegangen.«

»Nein, er geht oft alleine weg.«

»Das wusste ich gar nicht.« Gwenda runzelte die Stirn. »Wohin geht er denn?«

Sam zuckte mit den Schultern. »Das verrät er mir nicht.«

Vielleicht trifft er sich mit einem Mädchen, überlegte Gwenda. Davey war in allem sehr verschlossen. Wenn es ein Mädchen war, wer konnte sie sein? In Wigleigh gab es nicht viele Jungfern, die in Frage kamen. Die Überlebenden der Pest hatten rasch neu geheiratet, als wären sie entschlossen, das Land wieder zu bevölkern; die Mädchen, die seither zur Welt gekommen waren, waren noch zu jung für Davey. Vielleicht traf er sich im Wald mit jemandem aus dem nächsten Dorf. Solche Stelldicheins waren so verbreitet wie Herzeleid.

Als Davey zwei Stunden später nach Hause kam, sprach Gwenda ihn auf seine Heimlichkeiten an. Er bestritt gar nicht, dass er sich häufig davonschlich. »Wenn du willst, zeige ich dir, was ich gemacht habe«, sagte er. »Ich kann es sowieso nicht ewig geheim halten. Komm mit.«

Alle begleiteten sie ihn: Gwenda, Wulfric und Sam. Der Sonntag wurde insoweit eingehalten, als niemand auf den Feldern arbeitete, und Hundredacre lag verlassen da, während die vier es in einem frischen Frühlingswind überquerten. Einige Äcker sahen vernachlässigt aus; noch immer gab es Dörfler, die mehr Land besaßen, als sie bestellen konnten. Annet zählte zu ihnen – wenn sie keine Feldarbeiter anwerben konnte, was noch immer schwierig war, half ihr nur ihre achtzehnjährige Tochter Amabel. Auf ihrem Haferfeld breitete sich das Unkraut aus.

Davey führte sie eine halbe Meile weit in den Wald und blieb an einer Lichtung weitab des ausgetretenen Pfades stehen. »Hier ist es«, sagte er.

Einen Augenblick lang wusste Gwenda gar nicht, wovon er sprach. Sie stand am Rande eines unscheinbaren Fleckens Erde, auf dem zwischen den Bäumen niedrige Pflanzen wuchsen. Erst als Gwenda die Gewächse genauer betrachtete, bemerkte sie, dass sie zu einer Art gehörten, die sie noch nie gesehen hatte. Sie hatten einen eckigen Stiel mit langen, spitzen Blättern, die sich immer zu viert von den Zweigen abspreizten. Die Art, wie die Gewächse den Boden bedeckt hatten, ließ an eine Kriechpflanze denken. Ein Haufen entwurzelten Unkrauts am Rand des Feldes zeigte, dass Davey gejätet hatte. »Was ist das?«, fragte sie.

»Man nennt es Krapp. Ich habe die Samen einem Seemann abgekauft, als wir in Melcombe waren.«

»In Melcombe?«, fragte Gwenda. »Aber das ist drei Jahre her.«

»So lange haben sie gebraucht, um zu wachsen.« Davey lächelte. »Zuerst hatte ich Angst, sie würden gar nicht aufgehen. Der Matrose hatte mir gesagt, dass die Pflanzen sandigen Boden brauchen und leichten Schatten ertragen. Ich habe die Lichtung umgegraben und die Körner ausgesät, aber im ersten Jahr hatte ich nur drei oder vier zarte Pflänzchen. Ich dachte schon, ich hätte mein Geld verschwendet. Dann, im zweiten Jahr, hatten sich die Wurzeln unterirdisch ausgebreitet und trieben Sprösslinge hoch, und dieses Jahr ist die ganze Lichtung davon bedeckt.«

Gwenda war erstaunt, dass ihr Sohn es so lange vor ihr hatte verborgen halten können. »Aber was nutzt Krapp?«, fragte sie. »Schmeckt er gut?«

Davey lachte. »Nein, er ist überhaupt nicht essbar. Du gräbst die Wurzeln aus, trocknest sie und mahlst sie zu einem Pulver, aus dem man ein rotes Färbemittel macht. Es ist sehr teuer. Madge Webber in Kingsbridge zahlt sieben Shilling für eine Gallone.«

Das war ein erstaunlicher Preis, überlegte Gwenda. Weizen, das teuerste Korn, brachte gut sieben Shilling pro Scheffel ein, und ein Scheffel entsprach vierundsechzig Gallonen. »Dann ist Krapp vierundsechzig Mal so wertvoll wie Weizen!«, rief sie.

Davey lächelte. »Deshalb habe ich ihn gepflanzt.«

»Deshalb hast du was gepflanzt?«, fragte eine neue Stimme. Sie alle wandten sich um und erblickten Nathan Reeve, der neben einem Weißdorn stand, welcher genauso gebeugt und verdreht war wie er. Der Vogt zeigte ein triumphierendes Grinsen: Er hatte sie auf frischer Tat erwischt.

Davey war rasch mit einer Antwort zur Hand. »Das ist ein Heilkraut namens ... Vettelwurz«, sagte er. Gwenda vermutete, dass er improvisierte, aber sicher sein konnte sie sich nicht. »Es hilft gegen die Kurzatmigkeit meiner Mutter.«

Nate sah Gwenda an. »Ich wusste nicht, dass sie kurzatmig ist.«

»Im Winter«, sagte Gwenda.

»Ein Kraut?«, fragte Nate skeptisch. »Was hier wächst, das heilt ganz Kingsbridge. Und du hast es gejätet, um mehr zu bekommen.«

»Ich bin gern gründlich«, erwiderte Davey.

Es war eine dürftige Antwort, und Nate ging nicht darauf ein. »Unerlaubter Anbau«, sagte er. »Erstens brauchen Hörige eine Erlaubnis für das, was sie pflanzen – sie können nicht einfach aussäen, was sie wollen. Dann gäbe es ein furchtbares Durcheinander. Zweitens dürfen sie nicht den Wald ihres Grundherrn bestellen, auch nicht mit Kräutern.«

Darauf wusste keiner von ihnen etwas zu entgegnen. So lauteten die Regeln. Es war zum Verrücktwerden! Oft wussten Bauern, dass sie viel Geld verdienen könnten, indem sie unübliche Pflanzen anbauten, die nachgefragt wurden und hohe Preise erzielten: Hanf, um daraus Seile zu machen, Flachs für teures Unterzeug oder Kirschen als Leckerei für reiche Damen. Doch viele Grundherren und ihre Vögte verweigerten die Erlaubnis dazu allein schon aus dem Grund, weil sie kein Wagnis eingehen wollten.

Nate sah sie giftig an. »Der eine Sohn ein Landflüchter und Mörder«, sagte er. »Der andere trotzt seinem Herrn. Was für eine Familie!«

Er hatte ein Recht auf seine Wut, fand Gwenda. Sam hatte Jonno getötet und war ungeschoren davongekommen. Ohne Zweifel würde Nate ihre Familie bis zum Tag seines Todes hassen.

Der Vogt beugte sich nieder und zerrte grob eine Pflanze aus dem Boden. »Damit gehe ich vor den Lehnshof«, sagte er zufrieden; dann wandte er sich um und hinkte zwischen den Bäumen davon.

Gwenda und ihre Familie folgten ihm. Davey war unerschüttert. »Nate wird eine Strafe verhängen, und ich werde sie zahlen«, sagte er. »Ich verdiene trotzdem dabei.«

»Und was, wenn er befiehlt, die Ernte zu zerstören?«, fragte Gwenda.

»Wie denn?«

»Er könnte sie niederbrennen oder zertrampeln lassen.«

Wulfric warf ein: »Das würde Nate niemals tun. Das Dorf würde es niemals mitmachen. Für so etwas wurde schon immer eine Geldstrafe verhängt.«

Gwenda sagte: »Ich frage mich nur, was Graf Ralph dazu sagen wird.«

Davey machte eine wegwerfende Handbewegung. »Warum sollte der Graf von dieser Kleinigkeit erfahren?«

»Ralph hat unsere Familie besonders im Auge.«

»Ja, das stimmt«, sagte Davey nachdenklich. »Ich begreife einfach nicht, wieso er Sam begnadigt hat.«

Der Junge war nicht dumm. Gwenda sagte: »Vielleicht hat Lady Philippa ihn überredet.«

»Sie erinnert sich an dich, Mutter«, warf Sam ein. »Das hat sie mir gesagt, als ich in Merthins Haus war.«

»Aus irgendeinem Grund muss ich bei ihr einen Stein im Brett haben«, sagte Gwenda aus dem Stegreif. »Oder vielleicht hat sie nur Mitleid mit mir gehabt. Sie ist auch eine Mutter.« Eine sonderlich gute Erklärung war es nicht, doch Gwenda fiel nichts weniger Dürftiges ein.

Seit Sams Freilassung hatten sie mehrmals darüber gesprochen, was Ralph bewegt haben konnte, ihn zu begnadigen. Gwenda gab jedes Mal vor, genauso verwundert zu sein wie alle anderen auch. Zum Glück war Wulfric noch nie ein misstrauischer Mensch gewesen.

Sie erreichten das Haus. Wulfric blickte in den Himmel und sagte, es sei noch eine gute Stunde Licht. Er kehrte in den Garten zurück, um weiter Erbsen zu säen. Sam ging ihm zur Hand. Gwenda setzte sich und nähte einen Riss in Wulfrics Beinlingen. Davey nahm vor ihr Platz und begann: »Ich muss dir noch ein anderes Geheimnis erzählen.«

Gwenda lächelte. Es störte sie nicht, wenn er Heimlichkeiten hatte, solange er sie seiner Mutter mitteilte. »Nur zu.«

»Ich habe mich verliebt.«

»Das ist ja wunderbar!« Sie beugte sich vor und küsste ihn auf die Wange. »Ich freue mich sehr für dich. Wie ist sie denn?«

»Sie ist schön.«

Ehe Gwenda von dem Krapp erfuhr, hatte sie überlegt, ob Davey sich mit einem Mädchen aus einem anderen Dorf traf. Ihre Ahnung hatte sie nicht getrogen. »Ich habe es mir schon gedacht«, sagte sie.

»Wirklich?« Er wirkte unbehaglich.

»Keine Sorge, es ist ja nichts Falsches daran. Mir ist nur so durch den Kopf gegangen, du könntest dich mit jemandem treffen.«

»Wir gehen immer zu der Lichtung, wo ich den Krapp anbaue. So ist es letzten Endes losgegangen.«

»Und wie lange geht es schon?«

»Über ein Jahr.«

»Dann ist es ernst.«

»Ich möchte sie heiraten.«

»Das freut mich so sehr.« Sie sah ihn liebevoll an. »Du bist zwar erst zwanzig, aber wenn du die Richtige gefunden hast, ist das alt genug.«

»Ich bin froh, dass du es so siehst.«

»Aus welchem Dorf ist sie?«

»Von hier, aus Wigleigh.«

»Ach?« Gwenda war erstaunt. Sie hätte nicht sagen können, welches Mädchen aus Wigleigh infrage käme. »Wer denn?«

»Mutter, es ist Amabel.«

»Nein!«

»Schrei doch nicht.«

»Nicht Annets Tochter!«

»Du darfst dich jetzt nicht ärgern.«

»Nicht ärgern!« Gwenda kämpfte um Ruhe. Ihr war, als hätte sie einen Schlag ins Gesicht bekommen. Sie atmete mehrmals tief durch. »Hör mir zu«, sagte sie. »Seit über zwanzig Jahren liegen wir mit dieser Familie im Streit. Diese dumme Kuh von Annet hat deinem Vater das Herz gebrochen und ihn hinterher nie in Ruhe gelassen.«

»Es tut mir leid, aber das ist alles Vergangenheit.«

»Das stimmt nicht – Annet tändelt mit deinem Vater bei jeder Gelegenheit, die sie bekommt.«

»Das ist dein Problem, nicht unseres.«

Gwenda erhob sich. Das Nähzeug rutschte ihr vom Schoß. »Wie kannst du mir das antun? Diese Dirne würde zu unserer Familie gehören! Meine Enkel wären auch ihre Enkel. Sie könnte in diesem Haus ein und aus gehen und auf ihre kokette Art deinen Vater zum Narren machen und mich dann auslachen.«

»Ich heirate ja nicht Annet.«

»Amabel wird ebenso schlimm sein. Sieh sie dir an – sie ist genau wie ihre Mutter!«

»Das stimmt nicht –«

»Das kannst du mir nicht antun! Ich verbiete es dir!«

»Du kannst es mir nicht verbieten, Mutter.«

»O doch, das kann ich – du bist noch zu jung.«

»Das bleibt nicht immer so.«

Von der Tür hörten sie Wulfrics Stimme. »Was ist das für ein Geschrei?«

»Davey sagt, er will Annets Tochter heiraten – aber das erlaube ich nicht.« Gwendas Stimme überschlug sich. »Nie und nimmer!«

✳

Graf Ralph überraschte Nathan Reeve, als er sagte, er wolle sich Daveys eigenartige Pflanze selbst ansehen. Nate hatte die Sache beiläufig erwähnt, als er ohnehin Earlscastle besuchte. Unerlaubter Anbau im Wald war ein belangloser Verstoß gegen das Gesetz und wurde normalerweise mit einem Bußgeld geahndet. Nate war ein oberflächlicher Mensch, dem es nur um Bestechungen und Gewinnanteile ging; er sah überhaupt nicht, wie tief besessen Ralph von Gwendas Familie war: seinen Hass auf Wulfric, seine Lust auf Gwenda und nun die Wahrscheinlichkeit, dass er Sams echter Vater war. Deshalb war Nate überrascht, als Ralph sagte, er wolle sich die Aussaat ansehen, wenn er das nächste Mal in die Gegend käme.

An einem schönen Tag zwischen Ostern und Pfingsten ritt Ralph mit Alan Fernhill von Earlscastle nach Wigleigh. Als sie das kleine hölzerne Lehnshaus erreichten, sahen sie gleich die alte Haushälterin Vira, nun grau und gebeugt, aber noch immer unermüdlich. Sie trugen ihr auf, ein Abendessen zu bereiten, dann suchten sie Nate auf und folgten ihm in den Wald.

Ralph erkannte die Pflanze. Er war kein Bauer, aber er kannte den Unterschied zwischen den einzelnen Gewächsen, und während seiner Heerzüge hatte er viele Kulturpflanzen gesehen, die in England von Natur aus nicht vorkamen. Er beugte sich aus dem Sattel nieder und riss eine Handvoll aus. »Das ist Färberkrapp«, sagte er. »Ich habe ihn in Flandern gesehen. Er wird angebaut, um das Färbemittel zu gewinnen, das nach ihr Krapprot heißt.«

Nate sagte: »Davey behauptete, es wäre ein Kraut namens Vettelwurz, mit dem man Kurzatmigkeit heilen kann.«

»Ich glaube, Krapp hat auch eine heilende Wirkung, aber dafür baut man ihn nicht an. Wie hoch ist das Bußgeld?«

»Ein Shilling wäre das Übliche.«

»Das reicht nicht.«

Nate sah nervös drein. »Wenn man vom Hergebrachten abweicht, weckt man immer Unmut, Mylord. Ich würde abraten –«

»Schon gut«, sagte Ralph. Er trieb sein Pferd an und lenkte es mitten durch die Lichtung, sodass es die Pflanzen niedertrampelte. »Komm schon, Alan, mach mit«, sagte er. Alan tat es ihm nach, und in engen Kreisen preschten sie über die Erde, bis kein einziger Stängel mehr stand. Es dauerte nur wenige Minuten, und alle Pflanzen waren zerstört.

Ralph sah Nate an, wie entsetzt der Vogt über die Vergeudung war, auch wenn es sich um eine rechtswidrige Pflanzung handelte. Bauern konnten es nicht mit ansehen, wenn Ertrag vernichtet wurde. In Frankreich hatte Ralph gelernt, dass es kein besseres Mittel gab, um die Landbevölkerung zu demoralisieren, als ihr die Ernte auf den Feldern zu verbrennen.

»Das genügt«, sagte er. Ihm war rasch langweilig geworden. Ihn ärgerte zwar Daveys Unverschämtheit, die Pflanze anzubauen, aber das war nicht der eigentliche Grund, weshalb er nach Wigleigh geritten war. In Wirklichkeit wollte er Sam wiedersehen.

Während sie zurück zum Dorf ritten, suchte Ralph mit Blicken die Felder nach einem hochgewachsenen jungen Mann mit dichtem schwarzem Haar ab. Sam musste schon allein durch seine Größe aus diesen verkümmerten Bauern hervorstechen, die sich über ihren Spaten kauerten. Er entdeckte ihn aus der Entfernung auf Brook Field. Er zügelte sein Pferd und musterte über die windige Landschaft seinen zweiundzwanzigjährigen Sohn, den er nie gekannt hatte.

Sam und Wulfric – der Mann, den er für seinen Vater hielt – pflügten mit einem leichten, von einem Pferd gezogenen Pflug. Etwas stimmte nicht, denn sie hielten inne und rückten das Geschirr zurecht. Wenn sie nebeneinanderstanden, fielen die Unterschiede zwischen ihnen sofort ins Auge. Wulfric hatte lohfarbenes Haar, Sams Haar war dunkel; Wulfric hatte eine gewölbte Brust wie ein Ochse, während Sam breitschultrig und schlank war wie ein Pferd; Wulfric bewegte sich bedächtig und gezielt, Sam rasch und anmutig.

Es war höchst seltsam, einen Fremden anzublicken und zu denken: Das ist mein Sohn. Ralph hatte immer geglaubt, er sei gegen weibische Anwandlungen gefeit. Wäre er je Gefühlen wie Mitleid oder Bedauern unterworfen gewesen, hätte er ein anderes Leben führen müssen. Die Entdeckung Sams jedoch drohte ihn zu entmannen.

Er riss sich von dem Anblick los und ritt im Handgalopp zum Dorf zurück; dort aber gab er erneut der Wissbegierde und dem Gefühl nach und schickte Nate aus, um Sam zu suchen und ins Lehnshaus zu bringen.

Er war sich nicht sicher, was er mit dem Jungen anfangen wollte: mit ihm reden, ihn zurechtstutzen, ihn zum Abendessen einladen oder was sonst. Er hätte vorhersehen können, dass Gwenda ihm keine freie Wahl lassen würde. Sie kam mit Nate und Sam herein, und Wulfric und Davey folgten ihnen. »Was wollt Ihr von meinem Sohn?«, fuhr sie Ralph in einem Ton an, als sei er ihresgleichen und nicht ihr Lehnsherr.

Ralph antwortete, ohne nachzudenken. »Sam wurde nicht geboren, um als Höriger das Feld zu bestellen«, sagte er und bemerkte, dass Alan Fernhill ihn überrascht anblickte.

Auch Gwenda sah ihn verblüfft an. »Gott allein weiß, wofür wir geboren sind«, erwiderte sie, um Zeit zu gewinnen.

»Wenn ich mir von Gott erzählen lassen will, frage ich einen Priester, aber nicht dich«, entgegnete Ralph ihr. »Dein Sohn hat das Zeug zu einem Kämpfer. Um das zu sehen, brauche ich nicht zu beten – für mich ist es so offensichtlich wie für jeden Kriegsveteran.«

»Aber er ist kein Kämpfer, er ist ein Bauer und der Sohn eines Bauern, und es ist ihm bestimmt, wie sein Vater das Feld zu bestellen und Vieh aufzuziehen.«

»Sein Vater ist unwichtig.« Ralph erinnerte sich, was Gwenda zu ihm in der Burg des Sheriffs zu Shiring gesagt hatte, als sie ihn überredete, Sam zu begnadigen. »Sam hat den Drang zum Töten«, sagte er. »Bei einem Bauern ist das gefährlich, bei einem Soldaten unbezahlbar.«

Gwenda sah ihn verängstigt an; ihr wurde allmählich klar, was Ralph im Sinn hatte. »Worauf wollt Ihr hinaus?«, fragte sie.

Ralph wurde der Gedankenkette gewahr, die ihn lenkte. »Sam soll lieber nützlich sein als gefährlich. Er soll das Kriegerhandwerk erlernen.«

»Lächerlich. Er ist zu alt.«

»Er ist zweiundzwanzig. Das ist spät, aber er ist gesund und stark. Er kann es schaffen.«

»Ich wüsste nicht, wie.«

Gwenda gab vor, praktische Hindernisse zu finden, doch Ralph durchschaute ihre Anstrengungen und wusste, dass sie die Vorstellung von ganzem Herzen verabscheute. Es machte ihn nur umso entschlossener. Mit einem triumphalen Lächeln sagte er: »Das ist das Einfachste. Er kann ein Knappe werden. Er wird nach Earlscastle kommen und dort leben.«

Gwenda sah ihn an, als hätte er ihr ein Messer ins Herz gestoßen. Einen Moment lang schloss sie die Augen, und ihr olivfarbenes Gesicht erblasste. Ihre Lippen bildeten das Wort *nein,* aber kein Laut drang hervor.

»Er ist seit zweiundzwanzig Jahren bei dir«, sagte Ralph. »Das genügt.« Jetzt bin ich an der Reihe, dachte er, doch stattdessen sagte er: »Er ist nun ein Mann.«

Weil Gwenda vorübergehend schwieg, ergriff Wulfric das Wort. »Wir erlauben es nicht«, sagte er. »Wir sind seine Eltern und sind damit nicht einverstanden.«

»Ich habe dich nicht um deine Erlaubnis gebeten«, erwiderte Ralph verächtlich. »Ich bin euer Graf, und ihr seid meine Hörigen. Ich bitte nicht, ich befehle.«

Nate Reeve warf ein: »Außerdem ist Sam über einundzwanzig, also entscheidet er selbst und nicht sein Vater.«

Plötzlich wandte sich alles Sam zu und sah ihn an.

Ralph war sich nicht sicher, was er erwarten sollte. Ein Knappe zu werden war etwas, wovon viele junge Männer aus allen Ständen träumten, aber er wusste nicht, ob Sam zu ihnen gehörte. Das Leben in einer Burg war luxuriös und aufregend, verglichen mit der täglichen Schinderei auf den Feldern; doch andererseits starben Soldaten jung oder kehrten – noch schlimmer – als Krüppel nach Hause zurück und mussten für den Rest ihrer Tage ein elendes Dasein fristen und vor Schänken um Farthings betteln.

Doch kaum sah Ralph Sams Gesicht, da wusste er, dass er gewonnen hatte. Sam lächelte breit, und seine Augen funkelten begeistert. Er konnte es kaum abwarten.

Gwenda erlangte ihre Stimme wieder. »Tu es nicht, Sam!«, beschwor sie ihren Sohn. »Lass dich nicht in Versuchung führen. Komm nicht blind von einem Pfeil zu deiner Mutter wieder, von den Schwertern der französischen Ritter verstümmelt oder zertrampelt von den Hufen ihrer Streitrösser!«

Wulfric sagte: »Geh nicht, Sohn. Bleib in Wigleigh und lebe lang.«

Sam packten die Zweifel.

Ralph sagte: »Also gut, Junge. Du hast deine Mutter angehört und den bäurischen Vater, der dich aufgezogen hat. Aber die Entscheidung liegt bei dir. Was willst du? Dein Leben hier in Wigleigh verbringen und neben deinem Bruder den Acker pflügen? Oder entkommen?«

Sam hielt nur einen Augenblick lang inne. Schuldbewusst sah er Wulfric und Gwenda an, dann wandte er sich Ralph zu. »Ich habe mich entschieden«, sagte er. »Ich möchte ein Knappe werden, und ich danke Euch, Mylord!«

»Guter Junge«, lobte Ralph ihn.

Gwenda begann zu weinen. Wulfric legte ihr den Arm um die Schultern. Indem er zu Ralph hochsah, fragte er: »Wann soll er zu Euch kommen?«

»Heute«, sagte Ralph. »Er kann mit mir und Alan nach dem Abendessen nach Earlscastle reiten.«

»Nicht so bald!«, schrie Gwenda auf.

Niemand achtete auf sie.

Ralph sagte zu Sam: »Geh nach Hause, und hol alles, was du mitnehmen willst. Iss mit deiner Mutter. Komm danach hierher, und warte im Stall auf mich. Währenddessen beschafft Nate ein Pferd, das dich nach Earlscastle trägt.« Er wandte sich ab; mit Sam und seiner Familie war alles beredet. »Also, wo ist mein Abendessen?«

Wulfric und Gwenda gingen mit Sam hinaus, doch Davey blieb zurück. Hatte er bereits herausgefunden, dass seine Ernte niedergetrampelt worden war? Oder wollte er etwas anderes? »Was ist?«, fragte Ralph.

»Herr, ich muss Euch um etwas bitten.«

Es war fast zu gut, um wahr zu sein. Der freche Bauer, der ohne Erlaubnis im Wald Färberkrapp angebaut hatte, kam nun als Bittsteller. Was für ein befriedigender Tag es war. »Du kannst kein Knappe werden, du bist gebaut wie deine Mutter«, beschied ihn Ralph, und Alan lachte.

»Ich möchte Amabel heiraten, die Tochter Annets«, sagte der junge Mann.

»Das würde deiner Mutter nicht gefallen.«

»Es dauert kein Jahr mehr, und ich bin mündig.«

Ralph wusste natürlich alles über Annet. Ihretwegen wäre er beinahe gehenkt worden. Sein Leben war mit dem ihren fast so eng verflochten wie mit Gwendas. Er erinnerte sich, dass ihre ganze Familie an der Pest zugrunde gegangen war. »Annet hat immer noch Ländereien, die ihrem Vater gehörten.«

»Jawohl, Herr, und sie ist bereit, sie an mich abzutreten, wenn ich ihre Tochter heirate.«

Solch ein Ersuchen wäre normalerweise nicht abgewiesen worden, auch wenn alle Grundherren eine Steuer auf die Abtretung erhoben, den sogenannten Handlohn. Der Grundherr war jedoch nicht verpflichtet, einer Abtretung zuzustimmen. Das Recht des Herrn, solche Bitten aus einer Laune heraus abzulehnen und damit das Schicksal eines Hörigen zu besiegeln, gehörte zu den größten Nöten der Bauern. Es verlieh dem Herrn jedoch ein Mittel zur Disziplinierung, das außergewöhnlich wirksam sein konnte.

»Nein«, sagte Ralph. »Dir übertrage ich das Land nicht.« Er grinste. »Du und deine Braut, ihr sollt Krapp fressen.«

Caris musste vereiteln, dass Philemon Bischof wurde. Er hatte noch
nie so einen kühnen Schachzug versucht, doch dieser war sorgsam
vorbereitet, und Philemon besaß durchaus Aussicht, dass sein Plan
aufging. Wäre ihm Erfolg beschieden, hätte er wieder Gewalt über
das Hospital, und es läge in seiner Macht, Caris' Lebenswerk zu zerstören. Doch das wäre noch nicht alles: Philemon würde die engstir-
nige Rechtgläubigkeit von einst wieder aufleben lassen und Priester
in die Dörfer schicken, die so hartherzig waren wie er selbst, die
Schulen für Mädchen schließen und gegen den Tanz predigen.

Bei der Auswahl eines Bischofs besaß Caris keine Mitsprache,
doch es gab Möglichkeiten, Druck auszuüben.

Sie begann bei Bischof Henri.

Merthin und sie reisten nach Shiring, um den Bischof in seinem
Palast aufzusuchen. Unterwegs starrte Merthin jedes dunkelhaarige
Mädchen an, das in Sicht kam, und wenn er keines sah, suchte er mit
Blicken den Wald an den Straßenrändern ab. Doch sie erreichten
Shiring, ohne eine Spur von Lolla zu entdecken.

Der Bischofspalast stand am Stadtplatz gegenüber der Kirche. Es
war kein Markttag, daher war der Platz leer bis auf das Schafott, das
ständig aufgebaut blieb, als Drohung für alle Gesetzesbrecher in dieser Grafschaft.

Der Palast war ein unaufdringlicher Steinbau mit einer Halle und
einer Kapelle im Erdgeschoss und einer Reihe von Büros und Privat-
gemächern im ersten Stock. Bischof Henri hatte dem Palast einen
Stil aufgeprägt, den Caris für französisch hielt. Jeder Raum sah wie
ein Gemälde aus. Anders als Philemons Palast zu Kingsbridge, wo
der Überfluss an Teppichen und Juwelen an eine Räuberhöhle denken ließ, wirkte das Haus nicht überladen. Dennoch war etwas angenehm Kunstvolles an allem in Henris Heim: dem silbernen Leuchter,
der so gestellt war, dass er das Licht fing, welches durch ein Fenster
fiel, dem Schimmern eines polierten alten Eichentisches, den Früh-

lingsblumen in einem kalten Kamin und dem kleinen Gobelin an der Wand, der David und Jonathan darstellte.

Bischof Henri war kein Feind, aber auch kein echter Verbündeter, sann Caris nervös, während sie im Saal auf ihn warteten. Er würde vermutlich behaupten, er wolle sich aus den Streitigkeiten von Kingsbridge heraushalten. Caris dachte jedoch zynisch, dass er bei jeder Entscheidung, die er treffen musste, unerschütterlich seine eigenen Belange an die erste Stelle setzte. Er mochte Philemon nicht, aber womöglich ließ er sich in seiner Entscheidung davon nicht beeinflussen.

Als Henri hereinkam, folgte ihm wie immer Kanonikus Claude. Beide schienen nicht älter zu werden. Henri war ein wenig älter als Caris und Claude vielleicht zehn Jahre jünger, doch beide hatten sie sich etwas Jungenhaftes bewahrt. Caris war bereits aufgefallen, dass Geistliche oft weniger alterten als Adlige. Vermutlich hing es damit zusammen, dass die meisten Priester – von einigen berüchtigten Ausnahmen abgesehen – ihr Leben in Mäßigung verbrachten. Das Fastengebot erlegte ihnen auf, an Freitagen, allen Feiertagen und während der Fastenzeit nur Fisch und Gemüse zu essen, und theoretisch durften sie niemals betrunken werden. Im Vergleich dazu ergingen sich Edelleute in orgiastischem Fleischverzehr und heldenhaftem Weinkonsum. Vielleicht wurden ihre Gesichter deshalb faltig, ihre Haut schuppig und ihre Körper gebeugt, während Geistliche einen längeren Teil ihres stillen, asketischen Lebens rege und in Form blieben.

Merthin gratulierte Henri zu seiner Nominierung zum Erzbischof von Monmouth, dann kam er gleich auf das Thema zu sprechen. »Prior Philemon hat die Arbeiten am Turm stilllegen lassen.«

Henri fragte mit eingeübter Reglosigkeit: »Nennt er einen Grund?«

»Es gibt einen Vorwand und einen Grund«, sagte Merthin. »Der Vorwand lautet fehlerhafte Konstruktion.«

»Und worin besteht der angebliche Fehler?«

»Er behauptet, eine achteckige Turmspitze könne nicht ohne Schalung gebaut werden. Im Prinzip stimmt das zwar, aber ich habe eine Möglichkeit entdeckt, es zu umgehen.«

»Und die wäre …?«

»Recht einfach. Ich baue eine runde Turmspitze, die keine Schalung braucht, und verkleide ihr Äußeres mit einer Schicht aus Mörtel und schmalen Steinen in Form eines Achtecks. Nach außen hin wird es eine achteckige Turmspitze sein, aber aufgebaut ist sie wie ein Konus.«

»Habt Ihr Philemon das gesagt?«

»Nein. Wenn ich das tue, sucht er einen anderen Vorwand.«

»Was ist sein eigentlicher Grund?«

»Er möchte eine Marienkapelle errichten, statt die Kathedrale fertigzustellen.«

»Aha.«

»Es ist Teil einer Kampagne, mit der er sich beim älteren Klerus beliebt machen will. Als Erzdiakon Reginald zugegen war, hielt er eine Predigt gegen die Sektion. Und den Beratern des Königs hat er versichert, nicht gegen die Besteuerung der Geistlichkeit einzutreten.«

»Was hat er vor?«

»Er möchte Bischof von Shiring werden.«

Henri zog die Brauen hoch. »Philemon hatte schon immer hochfliegende Pläne, das muss man ihm lassen.«

Claude ergriff zum ersten Mal das Wort. »Woher wisst Ihr davon?«

»Sir Gregory Longfellow hat es mir gesagt.«

Claude blickte Henri an und sagte: »Wenn jemand so etwas weiß, dann Gregory.«

Caris merkte deutlich, dass Henri und Claude bei Philemon nicht mit solchem Ehrgeiz gerechnet hatten. Um sicherzustellen, dass sie die Bedeutung dieser Offenbarung nicht übersahen, sagte sie: »Wenn Philemons Wunsch in Erfüllung geht, wird der Erzbischof von Monmouth ständig Dispute zwischen Bischof Philemon und der Stadt Kingsbridge schlichten müssen. Ihr wisst selbst, wie viel Reibung es schon in der Vergangenheit gegeben hat.«

Claude erwiderte: »Das ist wohl wahr.«

»Ich bin froh, dass wir uns einig sind«, sagte Merthin.

Claude dachte laut: »Wir müssen einen anderen Kandidaten ins Spiel bringen.«

Caris hatte gehofft, dass er das sagen würde. »Wir haben schon jemanden im Sinn.«

»Wen?«, fragte Claude.

»Euch.«

Schweigen folgte darauf. Caris merkte Claude an, dass ihm die Vorstellung gefiel. Sie vermutete, dass er Henri im Stillen um seine Beförderung beneidete und sich fragte, ob es seine Bestimmung sei, auf ewig der Zweite hinter Henri zu bleiben. Das Amt des Bischofs konnte er mit Leichtigkeit bewältigen. Er kannte die Diözese gut und verwaltete sie bereits zum größten Teil selbst.

Allerdings dachten beide Männer nun an ihr persönliches Leben. Sie lebten ohne Zweifel wie Mann und Frau zusammen: Caris würde nie vergessen, wie sie die beiden im innigen Beisammensein miteinander ertappt hatte. Doch seit dem ersten Aufflammen der Romanze waren Jahrzehnte verstrichen, und ihre Eingebung sagte ihr, dass sie eine vorübergehende Trennung ertragen konnten.

»Ihr würdet dennoch eng zusammenarbeiten«, fuhr sie fort.

»Der Erzbischof hätte oft Grund, Kingsbridge und Shiring zu besuchen«, sagte Claude.

»Und der Bischof von Kingsbridge müsste häufig nach Monmouth kommen«, fügte Henri hinzu.

Claude sagte: »Es wäre eine große Ehre, Bischof zu sein.« Mit einem Augenzwinkern fügte er hinzu: »Besonders unter Euch, Herr Erzbischof.«

Henri wandte den Blick ab und gab vor, die Doppeldeutigkeit nicht bemerkt zu haben. »Ich halte es für eine ausgezeichnete Idee«, sagte er.

»Der Rat von Kingsbridge würde Claude unterstützen – das kann ich garantieren. Aber Ihr, Eminenz, müsstet dem König den Vorschlag unterbreiten«, sagte Merthin.

»Freilich«, sagte Henri.

Caris fragte: »Wenn ich noch etwas anregen dürfte?«

»Bitte.«

»Findet für Philemon einen anderen Posten. Schlagt ihn vor als ... was weiß ich ... als Erzdiakon von Lincoln. So etwas würde ihm gefallen, aber es würde ihn viele Meilen von uns entfernen.«

»Das ist ein sehr guter Vorschlag«, sagte Henri. »Wenn er für zwei Ämter gehandelt wird, wäre sein Stand in beiden Fällen schwächer. Ich will sehen, was ich tun kann.«

Claude erhob sich. »Wie aufregend all das ist«, sagte er. »Wollt Ihr mit uns zu Abend essen?«

Ein Diener kam herein und sprach Caris an. »Da fragt jemand nach Euch, Herrin«, sagte der Mann. »Es ist nur ein Junge, aber er wirkt sehr bedrückt.«

Henri sagte: »Bring ihn herein.«

Ein Junge von etwa dreizehn Jahren kam in den Saal. Er war schmutzig, doch seine Kleidung war nicht billig gewesen, und Caris vermutete, dass er einer wohlhabenden Familie angehörte, die in einer Krise steckte. »Kommt Ihr bitte zu mir nach Haus, Mutter Caris?«

»Ich bin keine Nonne mehr, mein Kind, aber was gibt es denn?«

Der Junge sprudelte hervor: »Mein Vater und meine Mutter sind krank, und mein Bruder auch, und meine Mutter hat gehört, dass Ihr beim Bischof seid, und sie sagte mir, ich soll Euch holen, und sie weiß, dass Ihr den Armen helft, aber sie kann Euch bezahlen, und kommt Ihr bitte mit?«

Das Ansinnen war Caris nicht fremd, und sie führte, wohin sie auch ging, eine Ledertasche mit medizinischem Rüstzeug mit sich. »Aber natürlich komme ich mit, mein Junge«, sagte sie. »Wie heißt du denn?«

»Giles Spicers, Mutter, und ich soll warten und Euch mitbringen.«

»Also gut.« Caris wandte sich an den Bischof. »Bitte macht ohne mich weiter. Ich komme zurück, sobald ich kann.« Sie nahm ihre Tasche und folgte dem Jungen hinaus.

Shiring verdankte seine Existenz der Burg des Sheriffs auf dem Hügel so wie Kingsbridge die ihre der Priorei. Unweit des Marktplatzes standen die großen Häuser der führenden Bürger, der Wollhändler, der Hilfssheriffs und königlichen Beamten wie dem Leichenbeschauer. Ein wenig weiter entfernt waren die Häuser wohlhabender Händler und Handwerker, der Goldschmiede, Schneider und Apotheker. Giles' Vater handelte, wie sein Name sagte, mit Gewürzen, und der Junge führte Caris in eine Straße, die zu diesem Viertel gehörte. Wie die meisten Häuser dieses Standes hatte es ein Erdgeschoss aus Stein, das als Lager und Geschäft diente, und darüber weniger solide Wohnräume mit Wänden aus Holz. Das Geschäft war geschlossen und verriegelt. Giles führte Caris die Außentreppe hinauf.

Sie roch den vertrauten Geruch nach Krankheit, kaum dass sie das Haus betrat. Dann zögerte sie. An dem Geruch war etwas Besonders, das in ihrem Gedächtnis eine ganz bestimmte Saite anschlug und sie aus irgendeinem Grunde mit Furcht erfüllte.

Statt darüber nachzusinnen, durchquerte sie das Wohnzimmer zum Schlafgemach, und dort fand sie die schreckliche Antwort.

Auf Matratzen lagen drei Menschen im Raum: eine Frau in Caris' Alter, ein etwas älterer Mann und ein halbwüchsiger Junge. Bei dem Mann war die Krankheit am weitesten vorangeschritten. Er stöhnte und lag im Fieber. Sein am Hals offenes Hemd entblößte einen

Ausschlag von purpur-schwarzen Flecken auf Brust und Kehle. An seinen Lippen und Nasenlöchern klebte Blut.

Er hatte die Pest.

»Sie ist zurückgekehrt«, sagte Caris. »Gott helfe mir.«

Im ersten Augenblick lähmte sie die Furcht. Reglos stand sie in dem Gemach, starrte die Szene an und fühlte sich machtlos. Theoretisch war ihr stets klar gewesen, dass die Pest zurückkehren konnte – ihr Buch hatte sie zur Hälfte nur deswegen geschrieben –, doch selbst so war sie nicht auf den Schock vorbereitet gewesen, nun wieder diesen Ausschlag zu sehen, das Fieber, das Nasenbluten.

Die Frau erhob sich auf einen Ellbogen. Bei ihr war die Krankheit noch nicht so weit fortgeschritten: Sie litt an dem Ausschlag und dem Fieber, doch zu bluten schien sie nicht. »Gebt mir etwas zu trinken, um der Gnade Jesu willen«, sagte sie.

Giles nahm einen Krug mit Wein zur Hand, und endlich begann Caris' Verstand wieder zu arbeiten, und ihre Erstarrung löste sich. »Gib ihr keinen Wein – davon wird sie nur durstiger«, sagte sie. »Im Nebenzimmer habe ich ein Fass Bier gesehen – zapf ihr einen Becher davon.«

Die Frau konzentrierte sich auf Caris. »Ihr seid die Priorin, nicht wahr?«, fragte sie. Caris berichtigte sie nicht. »Die Leute sagen, Ihr seid eine Heilige. Könnt Ihr meine Familie wieder gesund machen?«

»Ich will es versuchen, aber eine Heilige bin ich nicht, nur eine Frau, die die Menschen in Gesundheit und Siechtum beobachtet hat.« Caris nahm einen Leinenstreifen aus ihrer Tasche und band ihn sich über Mund und Nase. Zehn Jahre lang hatte sie kein Pestopfer mehr gesehen, aber ihr war es zur Gewohnheit geworden, aus Vorsicht die Leinenmaske zu tragen, wann immer sie mit Kranken zu tun hatte, bei denen sie sich vielleicht anstecken konnte. Sie befeuchtete ein sauberes Tuch mit Rosenwasser und wusch der Frau das Gesicht ab. Wie immer beruhigte die Waschung die Kranke.

Giles kam mit einem Becher Bier zurück, und die Frau trank. Caris sagte zu ihm: »Lass sie so viel trinken, wie sie möchten, aber gib ihnen Bier oder verdünnten Wein.«

Sie ging zu dem Vater, der nicht mehr lange zu leben hatte. Er konnte nicht mehr zusammenhängend sprechen, und sein Blick irrte stets an Caris vorbei. Sie wusch auch ihm das Gesicht und entfernte das getrocknete Blut an Nase und Mund. Schließlich kümmerte sie sich um Giles' älteren Bruder. Er hatte sich erst kürzlich angesteckt und nieste noch, aber er war alt genug, um zu wissen, wie ernst es um ihn stand, und sah sie verängstigt an.

Als sie fertig war, sagte sie zu Giles: »Versuche, es ihnen bequem zu machen, und gib ihnen zu trinken. Sonst kannst du nichts tun. Habt ihr Verwandte? Onkel oder Vettern?«

»Sie sind alle in Wales.«

Sie nahm sich vor, Bischof Henri darauf vorzubereiten, dass er sich vielleicht um einen Waisenjungen kümmern musste.

»Mutter hat mir aufgetragen, ich soll Euch bezahlen«, sagte der Junge.

»Ich habe nicht viel für euch getan«, sagte Caris. »Du kannst mir sechs Pence geben.«

Neben dem Bett der Mutter lag eine lederne Geldbörse. Er nahm sechs Silberpennys heraus.

Die Frau richtete sich wieder auf. Mit ruhigerer Stimme fragte sie: »Was fehlt uns?«

»Es tut mir leid«, antwortete Caris, »aber es ist die Pest.«

Die Frau nickte schicksalsergeben. »Das hatte ich befürchtet.«

»Erkennt Ihr die Anzeichen nicht vom letzten Mal?«

»Wir lebten damals in einem kleinen Ort in Wales – wir sind dem Schwarzen Tod entgangen. Müssen wir nun sterben?«

Caris hielt nichts davon, Menschen in solch wichtigen Fragen zu täuschen. »Einige überleben es«, sagte sie. »Aber nicht viele.«

»Möge Gott mit uns Erbarmen haben«, sagte die Frau.

»Amen«, erwiderte Caris.

Auf dem ganzen Rückweg nach Kingsbridge brütete Caris über der Pest. Sie würde sich natürlich ausbreiten, genauso schnell wie beim letzten Mal, und Tausende töten. Die Aussicht erfüllte Caris mit Zorn. Fast glich sie dem sinnlosen Blutvergießen des Krieges, nur dass der Krieg ein Werk von Menschenhand war, die Pest hingegen nicht. Was sollte sie tun? Sie konnte nicht ruhig dasitzen und zusehen, wie das Geschehen von vor dreizehn Jahren sich auf grausame Weise wiederholte.

Es gab kein Heilmittel gegen die Pest, doch Caris hatte Methoden entdeckt, um den mörderischen Vormarsch der Seuche einzudämmen.

Während ihr Pferd der alten Straße durch den Wald folgte, überlegte sie, was sie über die Pest und deren Bekämpfung wusste. Merthin schwieg. Er hatte ihre Stimmung bemerkt und vermutlich erraten, was sie beschäftigte.

Als sie zu Hause ankamen, erklärte sie ihm, was sie beabsichtigte. »Es wird Widerstand geben«, warnte er sie. »Dein Plan ist drastisch. Wer beim letzten Mal keine Familie und Freunde verloren hat, hält sich vielleicht für unverletzlich und sagt, dass du es übertreibst.«

»Und da kannst du mir helfen«, erwiderte sie.

»In dem Fall empfehle ich, dass wir die möglichen Gegner deines Planes aufteilen und uns getrennt mit ihnen befassen.«

»Einverstanden.«

»Du musst dir drei Gruppen gewogen machen: den Rat, die Mönche und die Nonnen. Beginnen wir mit dem Rat. Ich berufe eine Sitzung ein – und Philemon wird nicht hinzugebeten.«

Mittlerweile tagte der Rat in der Tuchbörse, einem großen neuen Steingebäude an der Main Street. Das Haus erlaubte den Händlern, auch bei schlechtem Wetter Geschäfte zu betreiben. Bezahlt worden war es mit dem Gewinn aus dem Verkauf von Kingsbridger Scharlach.

Doch ehe der Rat zusammentrat, sprachen Caris und Merthin einzeln mit den führenden Mitgliedern, um sich im Voraus ihrer Unterstützung zu versichern, eine Technik, die Merthin schon seit Langem anwendete. Seine Devise lautete: »Berufe niemals eine Ratsversammlung ein, ehe das Ergebnis bereits feststeht.« Der Rat hätte von Petronilla stammen können.

Caris ging zu Madge Webber.

Madge war wieder verheiratet. Zur allgemeinen Belustigung hatte sie sich einen Dörfler ausgesucht, der genauso gut aussah wie ihr erster Mann und fünfzehn Jahre jünger war als sie. Er hieß Anselm und schien sie auf Händen zu tragen, obwohl sie so füllig war wie immer und ihr graues Haar unter einer reichen Auswahl exotischer Kappen verschwinden ließ. Noch überraschender war, dass sie in ihrem Alter von weit über vierzig noch einmal empfangen hatte und ein gesundes kleines Mädchen zur Welt gebracht hatte, das Selma hieß, mittlerweile acht Jahre alt war und die Nonnenschule besuchte. Die Mutterschaft hatte Madge noch nie an der Arbeit gehindert, und so dominierte sie nach wie vor den Markt an Kingsbridger Scharlach, während Anselm ihre rechte Hand war.

Sie wohnte noch immer in dem großen Haus auf der Hauptstraße, in das sie mit Mark gezogen war, nachdem das Weben und Färben den ersten Profit erbrachte. Caris traf auf sie und Anselm, als sie gerade eine Lieferung roten Tuchs entgegennahmen und in dem überfüllten Lagerraum im Erdgeschoss Platz dafür zu finden versuchten. »Ich lege Vorräte für den Wollmarkt an«, erklärte Madge.

Caris wartete, während Madge die Lieferung prüfte, dann ging sie mit ihr nach oben; den Laden ließen sie in Anselms Obhut zurück. Als Caris in das Wohnzimmer trat, erinnerte sie sich lebhaft an den Tag vor dreizehn Jahren, als sie hierher an das Krankenbett von Mark gerufen worden war – dem ersten Kingsbridger Pestopfer. Plötzlich überkam sie eine tiefe Niedergeschlagenheit.

Madge bemerkte ihr Gesicht. »Was hast du denn?«, fragte sie.

Vor Frauen konnte man sich nicht so leicht verstellen wie vor Männern. »Vor dreizehn Jahren bin ich hier hereingekommen, weil Mark krank war«, sagte Caris.

Madge nickte. »Das war der Anfang der schlimmsten Zeit meines Lebens«, sagte sie mit nüchterner Stimme. »An dem Tag hatte ich noch einen wunderbaren Mann und vier gesunde Kinder. Drei Monate später war ich eine kinderlose Witwe mit nichts, wofür ich leben konnte.«

»Traurige Tage«, sagte Caris.

Madge ging zu der Anrichte, wo Becher und ein Krug standen, doch anstatt Caris etwas zu trinken anzubieten, starrte sie an die Wand. »Soll ich dir etwas Merkwürdiges sagen?«, fragte sie. »Nachdem sie gestorben waren, konnte ich beim Paternoster nicht mehr ›Amen‹ sagen.« Sie schluckte, und ihre Stimme wurde leiser. »Siehst du, ich weiß, was der lateinische Text bedeutet. Mein Vater hat es mir erklärt. ›Fiat voluntas tua: Dein Wille geschehe.‹ Ich konnte es nicht mehr aussprechen. Gott hatte mir meine Familie genommen, und das war mir solch eine Folter – ich wollte mich ihr nicht fügen.« Die Erinnerung trieb ihr die Tränen in die Augen. »Ich wollte nicht, dass Gottes Wille geschieht, ich wollte meine Kinder zurück. ›Dein Wille geschehe.‹ Ich wusste, dass ich dafür in die Hölle komme, aber trotzdem konnte ich nicht Amen sagen.«

»Die Pest ist zurückgekehrt«, sagte Caris.

Madge taumelte und hielt sich an der Anrichte fest. Ihre stämmige Gestalt wirkte plötzlich gebrechlich, und als die Selbstsicherheit aus ihrem Gesicht wich, wirkte sie alt. »Nein«, hauchte sie.

Caris zog eine Bank vor und hielt Madge beim Arm, während sie sich darauf setzte. »Es tut mir leid, wenn ich dir einen Schrecken einjage«, sagte sie.

»Nein«, sagte Madge wieder. »Sie darf nicht wiederkommen. Ich will nicht Anselm und Selma verlieren. Das kann ich nicht ertragen. Nicht noch einmal.« Sie wirkte so bleich und bedrückt, dass Caris schon fürchtete, sie könnte einen Anfall irgendeiner Art erleiden.

Caris goss Wein aus dem Krug in einen Becher. Sie reichte ihn Madge, die ihn leerte, ohne es zu bemerken. In ihr Gesicht kehrte ein wenig Farbe zurück.

»Wir wissen heute mehr über die Pest«, sagte Caris. »Vielleicht können wir sie bekämpfen.«

»Sie bekämpfen? Wie soll das gehen?«

»Um dir das zu sagen, bin ich hier. Fühlst du dich ein wenig besser?«

Madge sah Caris endlich in die Augen. »Sie bekämpfen …«, sagte sie. »Natürlich müssen wir das tun. Sag mir nur, wie.«

»Wir müssen die Stadt sperren. Alle Tore schließen, die Wälle bemannen und verhindern, dass irgendjemand hereinkommt.«

»Aber die Stadt muss essen.«

»Auf Leper Island werden Vorräte geliefert. Merthin wird als Mittelsmann fungieren und sie bezahlen – er hat die Pest beim letzten Mal bekommen und überlebt, und niemand hat sich je zweimal angesteckt. Die Händler werden ihre Waren auf der Brücke lassen. Wenn sie wieder fort sind, kommen Leute von der Stadt und holen die Lebensmittel.«

»Könnte jemand die Stadt verlassen?«

»Ja, aber er dürfte nicht zurückkehren.«

»Was ist mit dem Wollmarkt?«

»Das ist das Schwierige«, sagte Caris. »Er muss abgesagt werden.«

»Aber dann verlieren die Kingsbridger Kaufleute Hunderte von Pfund an Umsatz!«

»Besser als ihr Leben.«

»Wenn wir deine Vorschläge annehmen, werden wir der Pest dann entrinnen? Wird meine Familie überleben?«

Caris zögerte und widerstand der Versuchung, eine beruhigende Lüge auszusprechen. »Ich kann nichts versprechen«, sagte sie. »Die Pest kann uns schon erreicht haben. In einer Kate am Flussufer könnte schon jemand im Sterben liegen, ohne dass es irgendwer weiß. Deshalb fürchte ich, dass wir vielleicht nicht vollkommen verschont bleiben. Ich glaube aber, mein Plan bietet die größte Aussicht, dass du Anselm und Selma zu Weihnachten noch bei dir hast.«

»Dann tun wir es«, sagte Madge entschlossen.

»Deine Unterstützung ist entscheidend«, sagte Caris. »Offen gesagt verlierst du durch die Absage des Wollmarkts mehr Gewinn als irgendjemand sonst. Aus diesem Grund werden dir die Leute am ehesten glauben. Du musst betonen, wie ernst die Lage ist.«

»Keine Sorge«, sagte Madge. »Ich mache es ihnen schon klar.«

»Ein überaus solider Vorschlag«, sagte Prior Philemon.

Merthin war überrascht. Er konnte sich nicht erinnern, dass Philemon auch nur einmal bereitwillig einem Vorschlag des Rates zugestimmt hatte. »Dann werdet Ihr ihn unterstützen?«, fragte er, um sich zu vergewissern, dass er richtig gehört hatte.

»Aber gewiss«, erwiderte der Prior. Er aß eine Schüssel Rosinen, indem er sie sich händeweise in den Mund stopfte, so rasch er kauen konnte. »Freilich«, fuhr er fort, »kann die Regel nicht für Mönche gelten.«

Merthin seufzte. Er hätte es ahnen sollen. »Im Gegenteil, sie gilt für jeden«, sagte er.

»Nein, nein«, sagte Philemon im Ton eines Mannes, der ein Kind zurechtweist. »Der Rat besitzt nicht die Macht, die Freizügigkeit von Mönchen einzuschränken.«

Merthin bemerkte eine Katze zu Philemons Füßen. Wie er war das Tier fett und hatte ein gemeines Gesicht. Sie sah genauso aus wie Godwyns Katze, Erzbischof, obwohl diese Kreatur lange tot sein musste. Vielleicht war sie ein Nachkomme. Merthin sagte: »Der Rat besitzt die Macht, die Tore zu schließen.«

»Aber wir haben das Recht, zu kommen und zu gehen, wie wir wünschen. Wir unterliegen nicht dem Geheiß des Rates – das wäre lächerlich.«

»Dennoch gebietet der Rat über die Stadt, und wir haben beschlossen, dass niemand hereinkommt, solange die Pest grassiert.«

»Ihr könnt der Priorei keine Vorschriften auferlegen.«

»Aber der Stadt, und die Priorei befindet sich nun einmal in der Stadt.«

»Wollt Ihr mir sagen, dass Ihr mir, wenn ich heute Kingsbridge verlasse, morgen den Einlass verwehrt?«

Merthin war sich nicht sicher. Es wäre zumindest höchst peinlich gewesen, wenn der Prior von Kingsbridge vor dem Stadttor stand und Einlass begehrte. Er hatte gehofft, Philemon vom Sinn der Beschränkung überzeugen zu können. In dieser dramatischen Weise wollte er die Entschlossenheit des Rates lieber nicht auf die Probe stellen. Dennoch bemühte er sich um eine zuversichtliche Antwort. »Durchaus.«

»Ich werde mich beim Bischof beschweren.«

»Sagt ihm aber gleich, dass er Kingsbridge nicht betreten kann.«

Die Belegschaft des Nonnenklosters hatte sich in den letzten zehn Jahren kaum verändert. So war es mit Nonnenklöstern: Es wurde erwartet, dass man blieb, bis Gott einen zu sich rief. Mutter Joan war noch immer Priorin, und Schwester Oonagh führte das Hospital unter der Aufsicht von Bruder Sime. Nur wenige Kranke kamen noch in die Priorei, um sich versorgen zu lassen: Die meisten bevorzugten Caris' Hospital auf der Insel. Die wenigen Kranken, die sich an Sime wandten, waren zum größten Teil sehr fromm und wurden im alten Hospital versorgt, gleich neben der Küche, während das neue Gebäude Gästen vorbehalten blieb.

Caris setzte sich mit Joan, Oonagh und Sime in der alten Apotheke zusammen, die nun der Priorin als Büro diente, und erläuterte ihren Plan. »Wer außerhalb der Mauern der Altstadt an der Pest erkrankt, kommt in mein Hospital auf der Insel«, sagte sie. »Während die Seuche anhält, bleiben die Nonnen und ich Tag und Nacht im Gebäude. Niemand verlässt es bis auf die wenigen Glücklichen, die wieder gesund werden.«

»Was geschieht hier in der Altstadt?«, fragte Joan.

»Wenn die Pest trotz unserer Vorkehrungen in die Stadt gelangt, gibt es vielleicht mehr Opfer, als Ihr unterbringen könnt. Der Rat hat entschieden, dass Pestkranke und ihre Familien in ihren Häusern bleiben müssen. Die Regel gilt für jeden, der in einem Haus lebt, das von der Pest betroffen ist: Eltern, Kinder, Großeltern, Gesinde, Lehrbuben. Wer dabei ertappt wird, wie er solch ein Haus verlässt, kommt an den Galgen.«

»Das ist sehr streng«, sagte Joan. »Aber wenn es das furchtbare Sterben wie bei der letzten Seuche verhindert, dann wird es wohl so sein müssen.«

»Ich wusste, dass Ihr es so sehen würdet.«

Sime sagte kein Wort. Die Nachricht von der Pest hatte ihn in seiner Arroganz offenbar ernüchtert.

Oonagh fragte: »Wie sollen die Kranken zu essen bekommen, wenn sie in ihren Häusern gefangen sitzen?«

»Die Nachbarn können Essen auf der Türschwelle zurücklassen. Niemand soll hineingehen – außer Mönchsärzten und Nonnen. Sie werden die Kranken besuchen, aber sie dürfen nicht mit den Gesunden in Berührung kommen. Sie gehen von der Priorei zu dem Haus und von dem Haus zurück zur Priorei, ohne ein anderes Gebäude zu betreten und auch nur mit jemandem auf der Straße zu sprechen. Die ganze Zeit sollten sie Masken tragen und sich jedes Mal, wenn sie einen Kranken berührt haben, die Hände mit Essig waschen.«

Sime wirkte verängstigt. »Wird uns das schützen?«, fragte er.

»In einem gewissen Maß«, antwortete Caris. »Nicht vollkommen.«

»Aber dann ist es für uns höchst gefährlich, die Kranken zu behandeln!«

Oonagh antwortete ihm. »Wir haben keine Furcht«, sagte sie. »Wir sehen dem Tod freudig entgegen. Für uns ist er die lang ersehnte Wiedervereinigung mit Jesus Christus.«

»Ja, natürlich«, erwiderte Sime.

Am nächsten Tag verließen sämtliche Mönche Kingsbridge.

Gwenda hätte vor Wut jemanden erschlagen können, als sie sah, wie
Ralph Daveys Krapppflanzen zugerichtet hatte. Mutwillige Zerstörung von Feldfrüchten war eine Sünde. Edelleuten, die vernichteten,
was Bauern im Schweiße ihres Angesichts zum Wachsen gebracht
hatten, sollte in der Hölle ein eigener Flügel vorbehalten sein.

Doch Davey ließ sich nicht entmutigen. »Ich glaube nicht, dass
das wichtig ist«, sagte er. »Der Wert liegt in den Wurzeln, und die
hat er nicht angerührt.«

»Das wäre ihm zu viel Arbeit gewesen«, erwiderte Gwenda mürrisch, aber ihre Stimmung hob sich.

Tatsächlich erholten sich die Pflanzen bemerkenswert schnell.
Ralph wusste wohl nicht, dass Krapp sich unterirdisch ausbreite-
te. Im Mai und Juni, während die Nachrichten von einem neuen
Ausbruch der Pest Wigleigh erreichten, trieben die Wurzeln neue
Sprosse aus der Erde, und Anfang Juli beschloss Davey, dass man
sie ernten könne. Einen ganzen Sonntagnachmittag lang gruben
Gwenda, Wulfric und Davey die Wurzeln aus. Zuerst lockerten sie
rings um die Pflanze die Erde, dann zogen sie den Krapp aus dem
Boden, streiften die Blätter ab und ließen nur einen kurzen Stängel
an der Wurzel. Es war die gleiche rückenzermürbende Schinderei,
wie Gwenda sie schon ihr ganzes Leben ausführte.

Die Hälfte der Pflanzung ließen sie unberührt, in der Hoffnung,
dass sie sich bis zum nächsten Jahr regeneriert hätte.

Durch den Wald zogen sie einen ganzen Handkarren voller
Krappwurzeln nach Wigleigh, luden sie dort in die Scheune und
breiteten sie zum Trocknen auf dem Heuboden aus.

Davey wusste nicht, ob er seine Ernte würde verkaufen können.
Kingsbridge war eine gesperrte Stadt. Die Städter kauften noch
immer zu essen, aber nur über Vermittler. Davey bot etwas Neues
feil und müsste es seinen Käufern erst erklären. Über einen Mittelsmann ging das nur sehr umständlich. Trotzdem wollte er es ver-

suchen. Zuerst aber musste er die Wurzeln trocknen und zu Pulver zermahlen, und das dauerte sowieso.

Davey sagte kein Wort mehr von Amabel, doch Gwenda war sich sicher, dass die beiden sich immer noch trafen. Davey gab vor, sich in sein Schicksal ergeben zu haben. Wenn er Amabel wirklich aufgegeben hätte, hätte er heimlich geschmollt.

Gwenda konnte nichts weiter tun, als zu hoffen, dass er über diese Liebelei hinwegkam, ehe er alt genug wurde, um ohne Erlaubnis heiraten zu können. Den Gedanken, dass ihre Familie mit der Annets verbunden sein sollte, konnte sie noch immer kaum ertragen. Annet hatte nie aufgehört, sie zu demütigen, indem sie mit Wulfric tändelte, der weiterhin bei jeder dummen, koketten Bemerkung töricht grinste. Annet war mittlerweile über vierzig und hatte geplatzte Äderchen in ihren rosigen Wangen und weiße Strähnen in den hellen Löckchen, und ihr Gebaren wirkte nicht nur peinlich, sondern geradezu grotesk; dennoch benahm sich Wulfric, als wäre sie noch immer ein junges Mädchen.

Und jetzt, dachte Gwenda, ist mein Sohn in die gleiche Falle getappt. Amabel sah aus wie Annet vor fünfundzwanzig Jahren, sie hatte ein hübsches Gesicht mit fliegenden Locken, einen langen Hals auf schmalen weißen Schultern und kleine Brüste wie die Eier, die Mutter und Tochter auf Märkten verkauften. Sie warf das Haar auf die gleiche Art und hatte die gleiche Art, einen Mann mit gespieltem Tadel anzublicken und ihm mit dem Handrücken auf die Brust zu schlagen, was wie ein Hieb aussah, aber in Wirklichkeit eine Liebkosung darstellte.

Wie auch immer, wenigstens war Davey körperlich gesund und in Sicherheit. Um Sam machte sich Gwenda größere Sorgen, denn er wohnte jetzt bei Graf Ralph in der Burg und lernte das Kämpfen. In der Kirche betete sie, dass er keinen Unfall bei der Jagd erlitt, beim Üben mit dem Schwert oder dem Kampf in einem Turnier. Zweiundzwanzig Jahre lang hatte sie ihn jeden Tag gesehen, und jetzt war er plötzlich nicht mehr da. Das ist für jede Frau schwer, dachte sie. Da liebt man seinen Kleinen von ganzem Herzen und mit ganzer Seele, und eines Tages geht er einfach fort.

Mehrere Wochen lang hielt sie nach einem Vorwand Ausschau, nach Earlscastle zu reisen und nach Sam zu sehen. Dann hörte sie, dass die Pest dort zugeschlagen hatte, und das brachte sie zu einem Entschluss. Sie würde gehen, ehe die Ernte begann. Wulfric sollte sie nicht begleiten: Er hatte auf dem Land zu viel zu tun. Sie fürchtete sich nicht, allein zu reisen. »Zu arm, um ausgeraubt, und zu alt, um geschändet zu werden«, scherzte sie. In Wahrheit war sie für beides zu wehrhaft. Und sie führte ein langes Messer bei sich.

An einem heißen Julitag überquerte sie die Zugbrücke nach Earlscastle. Auf den Zinnen des Torhauses stand ein Rabe wie ein Wächter, und seine glänzenden schwarzen Federn schimmerten in der Sonne. Er krächzte sie warnend an. Es klang wie: »Geh! Geh!« Sie war der Pest natürlich schon einmal entgangen, doch das konnte Glück gewesen sein; indem sie hierherkam, riskierte sie ihr Leben.

Im unteren Zwinger sah es aus wie immer, auch wenn es ein wenig still war. Neben dem Backhaus entlud ein Holzfäller einen Wagen voll Brennholz, und ein Stallknecht sattelte vor dem Stall ein staubiges Pferd ab, aber davon abgesehen ging es nicht sehr betriebsam zu. Gwenda bemerkte eine kleine Gruppe von Männern und Frauen vor dem Westportal der kleinen Kirche und näherte sich über die gestampfte Erde, um zu sehen, was dort vorging. »Drinnen sind Pestopfer«, beantwortete eine Magd ihre Frage.

Gwenda ging durch die Tür und spürte Furcht wie einen kalten Klumpen in ihrem Herzen. Zehn oder zwölf Strohsäcke waren auf dem Boden angeordnet, sodass die darauf Liegenden den Altar sehen konnten, ganz wie in einem Hospital. Ungefähr die Hälfte der Kranken waren Kinder, drei der Erwachsenen waren Männer. Angstvoll musterte Gwenda ihre Gesichter.

Sam war nicht unter ihnen.

Sie kniete nieder und sprach ein Dankgebet.

Vor der Kirche sprach sie die Magd an, mit der sie schon geredet hatte. »Ich suche Sam aus Wigleigh«, sagte sie. »Er ist ein neuer Knappe.«

Die Frau wies auf die Brücke zum inneren Zwinger. »Versucht es im Wohnturm.«

Gwenda nahm den Weg, der ihr gezeigt worden war. Der Posten an der Brücke beachtete sie nicht. Sie stieg die Stufen zum Wohnturm hoch.

In der großen Halle war es kühl und dunkel. Ein Hund schlief auf den kalten Steinen vor dem Kamin. An den Wänden standen Bänke, am anderen Ende des Saales zwei große Sessel mit Armlehnen. Gwenda bemerkte, dass es keine Kissen gab, keine gepolsterten Sitze und keine Wandbehänge. Sie vermutete, dass Lady Philippa hier nur wenig Zeit verbrachte und sich um die Einrichtung nicht kümmerte.

Sam saß mit drei jüngeren Burschen an einem Fenster. Die Teile einer Rüstung lagen vor ihnen auf dem Boden ausgelegt, vom Visier bis zu den Beinschienen geordnet. Jeder der jungen Männer reinigte ein Teil. Sam rieb den Brustpanzer mit einem glatten Kiesel ab, um ihn von Rost zu befreien.

Gwenda blieb einen Moment lang stehen und betrachtete ihn. Er trug neue Kleidung im Rot und Schwarz des Grafen von Shiring. Die Farben bekamen seinem gut aussehenden dunklen Gesicht. Er schien sich wohlzufühlen und sprach zwanglos mit den anderen, während sie arbeiteten. Er wirkte gesund und gut genährt. Darauf hatte Gwenda gehofft, doch zugleich durchfuhr sie ein Stich der Enttäuschung, dass er ohne sie so gut zurechtkam.

Als er aufblickte, sah er sie. Auf sein Gesicht trat erst Überraschung, dann Freude und schließlich Heiterkeit. »Jungs«, sagte er, »ich bin der Älteste von euch, und ihr glaubt vielleicht, ich könnte allein auf mich aufpassen, aber es ist nicht so. Meine Mutter folgt mir auf Schritt und Tritt und vergewissert sich, dass es mir gut geht.«

Sie sahen sie an und lachten. Sam legte seine Arbeit nieder und kam näher. Mutter und Sohn setzten sich in der Ecke neben der Treppe, die nach oben führte, auf eine Bank. »Ich verlebe eine wunderbare Zeit«, sagte Sam. »Hier spielt jeder fast immer ein Spiel. Wir jagen, wir betreiben *fauconnerie*, wir halten Wettstreite im Ringen und in *équitation* ab, und wir spielen Fußball. Ich habe so viel gelernt! Es ist ein wenig peinlich, die ganze Zeit mit Halbwüchsigen üben zu müssen, aber das kann ich ertragen. Ich muss noch lernen, ein Schwert und einen Schild zu führen, während ich gleichzeitig ein Pferd lenke.«

Er sprach schon anders, bemerkte sie. Er verlor den gemächlichen Rhythmus der Sprache, wie sie auf dem Dorf üblich war, und er benutzte französische Wörter für Falknerei und Reitkunst. Er gewöhnte sich schon an das Leben als Edelmann.

»Und Arbeit?«, fragte sie. »Es kann doch nicht alles nur Vergnügen sein.«

»Ja, Arbeit gibt es viel.« Er wies auf die anderen Rüstungsreiniger. »Aber im Vergleich mit Pflügen und Eggen ist es leicht.«

Sam fragte nach seinem Bruder, und sie berichtete ihm die Neuigkeiten von zu Hause: dass Daveys Färberkrapp nachgewachsen war; dass sie die Wurzeln ausgegraben hatten; dass Davey noch immer nicht von Amabel ließ; dass in Wigleigh noch niemand an der Pest erkrankt war. Während sie redeten, beschlich Gwenda das Gefühl, beobachtet zu werden, und sie wusste, dass sie es sich nicht nur einbildete. Nach einem Augenblick sah sie sich über die Schulter.

Graf Ralph stand am oberen Ende der Treppe vor einer offenen

Tür; offenbar war er aus seinem Gemach getreten. Sie fragte sich, wie lange er sie betrachtet hatte. Gwenda sah ihm in die Augen. Durchdringend starrte er zurück, doch sie konnte seinen Blick nicht deuten, begriff nicht, was er ausdrückte. Sie gewann den Eindruck, dass er unangenehm zudringlich war, und sah weg.

Als sie wieder hinschaute, war Ralph fort.

✖

Am nächsten Tag, als Gwenda den Heimweg halb hinter sich hatte, kam von hinten ein Reiter in schnellem Galopp die Straße entlang. Er zügelte sein Tier und blieb neben ihr stehen.

Ihre Hand fiel an den langen Dolch in ihrem Gürtel.

Der Reiter war Sir Alan Fernhill. »Der Graf will dich sprechen«, sagte er.

»Dann wäre er besser selbst gekommen, als Euch zu schicken«, entgegnete Gwenda.

»Du hast immer eine freche Antwort parat, was? Glaubst du, damit machst du dir Höhergestellte zugeneigt?«

Er hatte recht. Sie war verblüfft, und das lag vielleicht daran, dass Alan in all den Jahren, in denen er schon Ralphs Schatten war, in ihrem Beisein kein einziges Mal etwas Kluges gesagt hatte. Wenn sie wirklich schlau wäre, würde sie Leuten wie Alan schmeicheln, statt sie zu verspotten. »Also gut«, sagte sie müde. »Der Graf ruft mich zu sich. Muss ich den ganzen Weg zur Burg zurücklaufen?«

»Nein. Er hat nicht weit von hier eine Hütte im Wald, wo er sich auf der Jagd manchmal erfrischt. Dort ist er jetzt.« Er wies auf den Forst neben der Straße.

Gwenda gefiel es wenig, aber als Hörige besaß sie kein Recht, sich dem Ruf ihres Grafen zu verweigern. Und wenn sie sich widersetzte, würde Alan sie gewiss niederschlagen, fesseln und zu besagter Hütte tragen. »Na schön«, sagte sie.

»Du kannst vor mir im Sattel reiten, wenn du möchtest.«

»Nein, danke, ich gehe lieber zu Fuß.«

In dieser Jahreszeit war das Unterholz dicht. Gwenda folgte dem Reiter zwischen die Bäume und machte sich den Pfad zunutze, den das Pferd in Nesseln und Farne trampelte. Die Straße hinter ihr verschwand rasch im Blattwerk. Gwenda fragte sich nervös, aus welcher Laune heraus Ralph dieses Treffen im Walde befohlen hatte. Sie spürte deutlich, dass es für sie und ihre Familie nichts Gutes bedeuten konnte.

Eine Viertelmeile gingen sie so und kamen schließlich zu einer niedrigen, strohgedeckten Hütte. Gwenda hätte sie für den Sitz eines Jagdhüters gehalten. Alan stieg ab, schlang die Zügel um einen jungen Baum und ging Gwenda voran.

Innen sah die Hütte ebenso kahl und zweckdienlich aus wie der Rittersaal von Earlscastle. Der Boden bestand aus gestampfter Erde, die Wände aus unverputztem Lehmflechtwerk, die Unterseite des Strohdaches bildete die Decke. Möbel gab es nur wenige: einen Tisch, einige Bänke und ein einfaches hölzernes Bettgestell mit einem Strohsack. Eine Tür auf der anderen Seite des Raumes stand halb offen und führte in eine kleine Küche, wo wahrscheinlich Ralphs Diener Essen und Getränke für ihn und seine Jagdgefährten bereiteten.

Ralph saß mit einem Becher Wein am Tisch. Gwenda stellte sich vor ihn und wartete. Alan lehnte hinter ihr an der Wand. »Also hat Alan dich gefunden«, sagte Ralph.

»Ist hier sonst niemand?«, fragte Gwenda nervös.

»Nur du, ich und Alan.«

Gwendas Besorgnis stieg. »Warum wolltet Ihr mich sehen?«

»Natürlich, um über Sam zu reden.«

»Ihr habt ihn mir weggenommen. Was gibt es da noch zu sagen?«

»Er ist ein guter Junge, weißt du … unser Sohn.«

»Nennt ihn nicht so.« Sie warf einen Blick auf Alan. Er zeigte keine Überraschung; offenbar war er in das Geheimnis eingeweiht. Gwenda war entsetzt. Wulfric durfte es nie herausfinden. »Nennt ihn nicht unseren Sohn«, sagte sie. »Ihr seid ihm nie ein Vater gewesen. Wulfric hat ihn großgezogen.«

»Wie hätte ich ihn großziehen sollen? Ich wusste ja nicht einmal, dass er von mir war! Aber ich mache die verlorene Zeit wieder gut. Es geht ihm prächtig, hat er dir das gesagt?«

»Gerät er auch nicht in Schlägereien?«

»Wieso denn nicht? Knappen sollen miteinander kämpfen. Das ist eine gute Übung, wenn es in den Krieg geht. Du hättest fragen sollen, ob er gewinnt.«

»Das ist nicht das Leben, das ich für ihn gewünscht habe.«

»Es ist das Leben, für das er geschaffen wurde.«

»Habt Ihr mich herbringen lassen, um zu prahlen?«

»Warum setzt du dich nicht?«

Widerstrebend nahm sie ihm gegenüber am Tisch Platz. Er schenkte Wein in einen Becher und schob ihn Gwenda hinüber. Sie sah nicht einmal hin.

Ralph sagte: »Jetzt, wo ich weiß, dass wir einen Sohn zusammen haben, finde ich, dass wir vertrauter miteinander Umgang pflegen sollten.«

»Nein, danke.«

»Sei keine Spaßverderberin.«

»Was redet Ihr da von Spaß? Ihr seid die Geißel meines Lebens. Von ganzem Herzen wünschte ich, ich wäre Euch nie begegnet. Ich will mit Euch nicht Umgang pflegen, ich will von Euch fort. Wenn Ihr bis nach Jerusalem ziehen würdet, wäre es immer noch nicht weit genug.«

Vor Wut lief er rot an im Gesicht, und sie bedauerte die Zügellosigkeit ihrer Worte. Alans Mahnung fiel ihr ein. Sie wünschte, sie könnte einfach und gelassen Nein sagen, ohne Sticheleien hinzuzufügen, die tief ins Mark drangen. Doch Ralph stachelte ihren Zorn an wie sonst niemand.

»Begreift Ihr nicht?«, versuchte sie ihm zuzureden. »Ihr hasst meinen Mann seit … seit einem Vierteljahrhundert! Er hat Euch die Nase gebrochen, und Ihr habt ihm die Wange aufgeschlitzt. Ihr habt ihm sein Erbrecht verweigert und wart dann gezwungen, ihm doch das Land seiner Familie zurückzugeben. Ihr habt die Frau geschändet, die er liebte. Er ist weggelaufen, und Ihr habt ihn mit einem Strick um den Hals zurückgeholt. Nach all dem kann uns nicht einmal die Tatsache, dass wir einen gemeinsamen Sohn haben, zu Freunden machen.«

»Das sehe ich anders«, erwiderte Ralph. »Ich finde, wir könnten nicht nur Freunde sein, sondern sogar Geliebte.«

»Nein!« Davor hatte sie sich insgeheim gefürchtet, seit Alan vor ihr sein Pferd zügelte.

Ralph grinste. »Zieh dein Kleid aus.«

Sie erstarrte.

Alan beugte sich von hinten vor und riss ihr mit einer geschmeidigen Bewegung den langen Dolch aus dem Gürtel. Er hatte sich offenbar genau überlegt, wie er es anstellen würde, und es ging zu schnell, um etwas dagegen zu tun.

Doch Ralph sagte: »Nein, Alan – das ist nicht nötig. Sie wird es freiwillig tun.«

»Ganz gewiss nicht!«, rief Gwenda.

»Alan, gib ihr den Dolch wieder.«

Widerstrebend drehte Alan das Messer herum, ergriff es an der Klinge und reichte es ihr mit dem Griff voran.

Sie riss es an sich und sprang auf. »Ihr könnt mich umbringen, aber bei Gott, einen von Euch nehme ich mit«, sagte sie.

Sie wich zurück, das Messer auf Armeslänge vor sich, kampfbereit.

Alan ging zur Tür, um ihr den Weg zu verstellen.

»Lass sie«, sagte Ralph. »Sie geht nirgendwohin.«

Gwenda wusste nicht, weshalb Ralph so zuversichtlich war, aber er irrte sich. Sie würde die Hütte verlassen und dann so rasch davonlaufen, wie sie nur konnte, und innehalten würde sie erst, wenn sie zusammenbrach.

Alan blieb, wo er war.

Gwenda wich an die Tür zurück, griff hinter sich und hob den einfachen hölzernen Riegel.

Ralph fragte: »Wulfric weiß es natürlich nicht, oder?«

Gwenda erstarrte. »Weiß was nicht?«

»Dass ich Sams Vater bin.«

Gwenda konnte nur noch flüstern. »Nein, das weiß er nicht.«

»Ich frage mich, wie ihm zumute ist, wenn er es herausfindet.«

»Es würde ihn umbringen«, hauchte sie.

»Das sehe ich auch so.«

»Bitte sagt ihm nichts«, flehte sie.

»Gewiss nicht … solange du mir gehorchst.«

Was konnte sie tun? Gwenda wusste, dass Ralph sie anziehend fand. Dieses Wissen hatte sie aus Verzweiflung eingesetzt, damit sie ihn in der Burg des Sheriffs sprechen konnte. Ihr Zusammentreffen im Bell vor so vielen Jahren, eine Erinnerung, die Gwenda verfolgte, hatte in seinem Gedächtnis als wunderbarer Augenblick überlebt und war von der verstrichenen Zeit wahrscheinlich noch vergoldet worden. Und die Idee, diesen Augenblick wiederaufleben zu lassen, hatte sie ihm in den Kopf gesetzt.

Es war ihre eigene Schuld.

Konnte sie ihn irgendwie von seiner Absicht abbringen? »Wir sind nicht mehr die gleichen wie vor all den Jahren«, sagte sie. »Ich werde nie wieder ein unschuldiges junges Mädchen. Ihr solltet zu Euren Schankmägden zurückkehren.«

»Ich will keine Schankmagd, ich will dich.«

»Nein«, sagte sie. »Bitte.« Sie kämpfte mit den Tränen.

Er war unerbittlich. »Zieh dein Kleid aus.«

Gwenda schob das Messer in die Scheide und löste den Gürtel.

KAPITEL 89

Sobald Merthin aufwachte, dachte er an Lolla.

Drei Monate war sie nun verschwunden. Er hatte Botschaften an die Räte von Gloucester, Monmouth, Shaftesbury, Exeter, Winchester und Salisbury geschickt. Briefe von ihm, dem Ratsältesten einer der großen Städte des Landes, nahm man ernst, und von allen erhielt er umfassende Antworten. Nur der Bürgermeister von London zeigte sich wenig hilfsbereit; kurz gefasst schrieb er, dass die Hälfte aller Mädchen in seiner Stadt ihren Vätern davongelaufen sein dürften und es nicht Sache des Bürgermeisters sei, sie wieder auf den Heimweg zu schicken.

Merthin erkundigte sich persönlich in Shiring, Bristol und Melcombe. Er hatte mit den Wirten aller Gasthäuser gesprochen und ihnen Lolla beschrieben. Alle hatten sie viele dunkelhaarige junge Mädchen gesehen, oft in Begleitung gut aussehender Schurken namens Jake, Jack oder Jock; aber keiner konnte mit Sicherheit sagen, er habe Merthins Tochter gesehen oder den Namen Lolla gehört.

Auch einige von Jakes Freunden waren verschwunden, dazu die eine oder andere Freundin; alle verschwundenen jungen Mädchen waren einige Jahre älter als Lolla.

Lolla konnte tot sein – dessen war sich Merthin bewusst –, aber er wollte die Hoffnung nicht aufgeben. Dass Lolla die Pest bekommen hatte, glaubte er nicht. Die neue Welle plagte die Städte und Dörfer und raffte die meisten Kinder unter zehn dahin. Aber Überlebende der ersten Welle wie Lolla und er mussten Menschen sein, die aus einem unerfindlichen Grund die Kraft besaßen, der Krankheit zu widerstehen oder sich – in sehr wenigen Fällen wie seinem eigenen – von ihr wieder zu erholen; und diesmal erkrankte keiner von ihnen. Die Pest war indessen nur eine der Gefahren, die einer Sechzehnjährigen drohten, die von zu Hause ausgerissen war, und Merthins fruchtbare Fantasie quälte ihn nächtens mit Bildern dessen, was ihr zugestoßen sein konnte.

Eine Stadt, die von der Pest bisher kaum behelligt wurde, war Kingsbridge. In der Altstadt hatte die Seuche vielleicht eines von hundert Häusern getroffen, wie Merthin aus den Gesprächen erfuhr, die er mit Madge Webber über das Stadttor hinweg führte. Madge fungierte innerhalb der Stadtmauern als Ratsälteste, während Merthin sich um alles kümmerte, was außerhalb vorging. In den Vorstädten Kingsbridges war wie in anderen Städten etwa jedes fünfte Haus betroffen. Doch hatten Caris' Vorkehrungen die Pest besiegt oder nur verzögert? Würde die Krankheit über kurz oder lang die Barrieren überwinden, die Merthins Frau errichtet hatte? Würde die Seuche am Ende genauso verheerend wüten wie beim letzten Mal? Das wüssten sie erst, wenn der Schwarze Tod wieder verschwunden war – und das konnte Monate oder Jahre dauern.

Seufzend erhob er sich aus seinem einsamen Bett. Caris hatte er nicht gesehen, seit die Stadt abgeriegelt worden war. Sie wohnte im Hospital, nur wenige Schritt von Merthins Haus entfernt, aber sie konnte das Gebäude nicht verlassen. Leute durften hinein, aber nicht mehr heraus. Caris hatte sich gesagt, dass sie unglaubwürdig erscheinen würde, wenn sie nicht an der Seite ihrer Nonnen arbeitete, und saß daher fest.

Merthin war zwar sein halbes Leben lang von ihr getrennt gewesen – so kam es ihm zumindest vor –, doch das machte ihm das Warten nicht leichter. In seinen mittleren Jahren sehnte er sich sogar mehr nach Caris denn als Jüngling.

Seine Haushälterin Em war vor ihm aufgestanden, und er fand sie in der Küche, wo sie Kaninchen das Fell abzog. Er aß ein Stück Brot und trank ein wenig Dünnbier, dann ging er hinaus.

Auf der Hauptstraße, die die Insel überquerte, wimmelte es bereits von Bauern und ihren Karren, mit denen sie Vorräte brachten. Merthin und eine Reihe von Helfern redeten mit den Leuten. Diejenigen, welche übliche Dinge feilboten, für die ein fester Preis gezahlt wurde, waren am schnellsten abgefertigt: Merthin schickte sie über die innere Brücke, wo sie ihre Waren vor der verschlossenen Tür des Torhauses abstellten, und bezahlte sie, wenn sie mit leerem Karren zurückkehrten. Mit denen, die Saisonware wie Obst und Gemüse lieferten, handelte er einen Preis aus, ehe er sie passieren ließ. Bei einigen besonderen Lieferungen war schon Tage vorher, bei der Bestellung, ein Preis ausgemacht worden: Es handelte sich um Häute für die Lederherstellung, Steine für die Maurer, die auf Befehl Bischof Henris den Bau der Turmspitze wieder aufgenommen hatten,

Silber für die Juweliere, Eisen, Stahl, Hanf und Bauholz für die Manufakturen der Stadt, die weiterarbeiteten, obwohl sie zeitweilig von ihren meisten Kunden abgeschnitten waren. Und schließlich gab es noch einmalige Lieferungen, für die Merthin mit jemandem in der Stadt Rücksprache halten musste. Heute traf ein Händler mit italienischem Brokat ein, den er an einen der Schneider in der Stadt verkaufen wollte, außerdem ein einjähriger Ochse für das Schlachthaus und Davey aus Wigleigh.

Merthin hörte sich Daveys Geschichte voll Verwunderung und Freude an. Er respektierte die Unternehmungslust des jungen Mannes, Krappsamen zu kaufen und die Pflanze anzubauen, um das kostbare Färbemittel zu gewinnen. Als er hörte, dass Ralph versucht hatte, das Vorhaben zu vereiteln, war er nicht überrascht: Ralph glich in seiner Verachtung für alles, was mit Handarbeit oder Geschäft einherging, den meisten Adligen. Doch Davey besaß sowohl Mut als auch Verstand und hatte beharrlich weitergemacht. Er hatte sogar einen Müller bezahlt, damit er ihm die getrockneten Wurzeln zu Pulver zermahlte.

»Als der Müller hinterher den Mühlstein wusch, hat sein Hund von dem Wasser getrunken, das herunterlief«, erzählte er Merthin. »Der Hund hat eine ganze Woche lang rot gepinkelt, deshalb wissen wir, dass die Farbe wirkt.«

Nun stand er vor Merthin mit einem Handkarren, der mit alten Vier-Gallonen-Mehlsäcken beladen war, von denen er glaubte, dass sie den kostbaren Farbstoff der Krappwurzel enthielten.

Merthin hieß ihn einen Sack nehmen und zum Tor bringen. Als sie dort eintrafen, rief er den Wächter auf der anderen Seite. Der Mann stieg auf die Zinnen und blickte hinunter. »Dieser Sack ist für Madge Webber«, rief Merthin hinauf. »Sorgt bitte dafür, dass sie ihn persönlich bekommt.«

»Zu Befehl, Ratsältester«, sagte der Wächter.

Wie immer wurden einige Pestkranke aus den Dörfern von ihren Verwandten auf die Insel gebracht. Die meisten Menschen wussten nun, dass es kein Heilmittel gegen den Schwarzen Tod gab, und ließen ihre Angehörigen sterben, aber einige waren so unwissend oder so hoffnungsvoll, dass sie glaubten, Caris könne Wunder wirken. Die Kranken wurden vor den Türen des Hospitals zurückgelassen wie die Vorräte am Stadttor. Die Nonnen kamen sie bei Nacht holen, wenn die Verwandten fort waren. Hin und wieder kam ein glücklicher Überlebender gesund wieder hervor, doch die meisten verließen das Hospital durch die Hintertür und wurden auf einem neuen Friedhof an der Rückseite des Hospitalgebäudes bestattet.

Merthin lud Davey zum Mittagessen ein. Über Kaninchenpastete und jungen Erbsen gestand Davey, dass er sich in die Tochter der Erzfeindin seiner Mutter verliebt hatte. »Ich weiß nicht, weshalb Ma Annet so sehr hasst, aber es liegt alles so lange zurück, dass es nichts mit mir oder Amabel zu tun hat«, sagte er mit der Empörung der Jugend über die Unvernunft der Eltern. Als Merthin mitfühlend nickte, fragte Davey: »Haben Euch Eure Eltern auch so im Weg gestanden?«

Merthin dachte kurz nach. »Ja«, sagte er. »Ich wollte Junker werden und mein Leben im Kampf für den König verbringen. Mir brach das Herz, als sie mich bei einem Zimmermann in die Lehre gaben. In meinem Fall also erwies sich am Ende als gut, was meine Eltern für mich entschieden.«

Davey zeigte sich über diese Anekdote wenig erfreut.

Am Nachmittag wurde der Zugang zur inneren Brücke am Ende der Insel geschlossen, und man öffnete die Stadttore. Lastenträger kamen hervor, schafften alles fort und brachten die Vorräte an ihre Bestimmungsorte in der Stadt.

Von Madge kam keine Nachricht bezüglich des Färbemittels.

Merthin erhielt an diesem Tag noch einen zweiten Besucher. Als der Nachmittag sich dem Abend zuneigte und der Abtransport zu Ende ging, traf Kanonikus Claude ein.

Claudes Freund und Gönner, Bischof Henri, war mittlerweile zum Erzbischof von Monmouth geweiht worden. Seinen Nachfolger als Bischof von Kingsbridge hatte man jedoch noch nicht ernannt. Claude wünschte sich die Stellung sehr und war in London gewesen, um mit Sir Gregory Longfellow zu sprechen. Nun befand er sich auf dem Rückweg nach Monmouth, wo er im Moment noch als Henris Stellvertreter fungierte.

»Der König hat Philemons Stellungnahme zur Besteuerung des Klerus mit Wohlwollen zur Kenntnis genommen«, sagte er über kalter Kaninchenpastete und einem Kelch mit Merthins bestem Gascogner. »Und der hohen Geistlichkeit gefiel seine Predigt gegen die Leichenöffnung und sein Plan, eine Marienkapelle zu errichten. Andererseits mag Sir Gregory den guten Prior gar nicht – er sagt, man könne ihm nicht trauen. Im Augenblick hat der König eine Entscheidung mit der Begründung vertagt, dass die Mönche von Kingsbridge nicht abstimmen könnten, solange sie in St.-John-in-the-Forest im Exil seien.«

Merthin erwiderte: »Der König sieht wohl wenig Sinn darin, einen Bischof zu ernennen, während die Seuche wütet und die Stadt abgeriegelt ist.«

Claude nickte zustimmend. »Ich habe immerhin etwas erreicht, wenn auch wenig«, fuhr er fort. »Das Amt des englischen Botschafters am päpstlichen Hof ist unbesetzt. Der Ernannte muss in Avignon leben. Ich habe Philemon vorgeschlagen. Sir Gregory schien begeistert von der Idee. Zumindest hat er sie nicht sofort verworfen.«

»Gut!« Der Gedanke, Philemon könnte außer Landes geschickt werden, hob Merthins Stimmung. Er wünschte, er könnte etwas tun, um Claudes Vorschlag größeres Gewicht zu verleihen, aber er hatte bereits an Gregory geschrieben und um Unterstützung für den Ratsentscheid gebeten; damit war die Grenze seines Einflusses ausgeschöpft.

»Noch eine Neuigkeit – eine traurige aber«, sagte Claude. »Auf dem Weg nach London besuchte ich St.-John-in-the-Forest. Henri ist rechtlich gesehen immer noch Abt und sandte mich aus, um Philemon zu tadeln, weil er ohne Erlaubnis aufgebrochen war. Es war eine Zeitverschwendung. Philemon hat Caris' Vorsichtsmaßnahmen angewandt und wollte mich nicht einlassen. Bislang sind die Mönche der Pest entgangen. Aber Euer alter Freund Bruder Thomas ist an Altersschwäche gestorben. Ich bedaure seinen Tod sehr.«

»Gott sei seiner Seele gnädig«, sagte Merthin. »Er war am Ende sehr gebrechlich. Sein Verstand ließ zusehends nach.«

»Der Marsch nach St. John ist ihm vermutlich nicht gut bekommen.«

»Thomas hat mich als jungen Baumeister ermutigt.«

»Seltsam, wie Gott uns manchmal die guten Männer nimmt und die schlechten lässt.«

Claude brach früh am nächsten Morgen auf.

Während Merthin seine alltäglichen Verrichtungen erledigte, kam einer der Kärrner mit einer Nachricht vom Stadttor: Madge Webber stehe auf der Bastion und wolle Merthin und Davey sprechen.

»Glaubt Ihr, sie kauft meinen Krapp?«, fragte Davey, während sie die innere Brücke überquerten.

Merthin wusste es nicht. »Ich hoffe darauf«, sagte er.

Nebeneinander stellten sie sich vor das geschlossene Tor und blickten hoch. Madge lehnte sich über die Brustwehr und rief hinunter: »Woher hast du das?«

»Ich habe es angebaut«, antwortete Davey.

»Und wer bist du?«

»Davey aus Wigleigh, Sohn des Wulfric.«

»Ach – Gwendas Sohn?«

»Ja, der jüngere.«

»Nun, ich habe dein Färbemittel probiert.«

»Es wirkt, oder nicht?«, rief Davey eifrig.

»Es ist sehr schwach. Hast du die Wurzeln ganz gemahlen?«

»Ja – was hätte ich sonst tun sollen?«

»Du hättest die Wurzeln vorher schälen müssen.«

»Das wusste ich nicht.« Davey war niedergeschmettert. »Ist das Pulver nutzlos?«

»Wie gesagt, ist es schwach. Ich kann dir dafür nicht den Preis für reines Färbemittel zahlen.«

Davey wirkte so entmutigt, dass er Merthin im Herzen leidtat.

Madge fragte: »Wie viel hast du davon?«

»Noch neun weitere Vier-Gallonen-Säcke wie den, den ich Euch bringen ließ«, antwortete Davey bedrückt.

»Ich gebe dir dafür den halben üblichen Preis – drei Shilling und sechs Pence pro Gallone. Das sind pro Sack vierzehn Shilling, also bekommst du für zehn Sack genau sieben Pfund.«

Daveys Gesicht zeigte das pure Entzücken. Merthin wünschte, Caris wäre bei ihm, damit sie es sehen konnte. »Sieben Pfund!«, wiederholte Davey.

Madge glaubte, er wäre enttäuscht, denn sie sagte: »Mehr kann ich dafür nicht geben – das Färbemittel ist nicht stark genug.«

Doch für Davey waren sieben Pfund ein Vermögen; selbst bei den Löhnen, die man im Moment erzielen konnte, musste ein Knecht mehrere Jahre lang arbeiten, um so viel Geld zu verdienen. Er sah Merthin an. »Ich bin reich!«, rief er.

Merthin lachte und erwiderte: »Gib nicht alles auf einmal aus.«

Der nächste Tag war ein Sonntag. Merthin ging zur Morgenmesse in die kleine Kirche der Insel, die der heiligen Elisabeth von Ungarn geweiht war, der Schutzpatronin der Heiler. Danach ging er nach Hause und nahm einen kräftigen Eichenspaten aus dem Werkzeugschuppen. Den Spaten über der Schulter, verließ er die Insel über die äußere Brücke, durchquerte die Vorstadt und marschierte seiner Vergangenheit entgegen.

Angestrengt versuchte er sich des Weges durch den Wald zu entsinnen, den er mit Caris, Ralph und Gwenda vor vierunddreißig Jahren gegangen war. Ihn wiederzufinden erschien ihm unmöglich.

Außer Wildpfaden gab es keine Wege. Sprösslinge waren zu erwachsenen Bäumen geworden, mächtige Eichen von den Holzfällern des Königs geschnitten worden. Zu seiner Überraschung entdeckte er trotzdem Wegweiser: einen Quell, der aus dem Boden gurgelte und an dem die zehnjährige Caris zum Trinken niedergekniet war; einen großen Felsen, von dem sie gesagt hatte, er sehe aus, als sei er vom Himmel gefallen; ein enges Tal mit steilen Hängen und einem sumpfigen Boden, wo ihr Schlamm in die Schuhe gelaufen war.

Während Merthin ging, wurde seine Erinnerung an jenen Kindheitstag immer lebhafter. Er erinnerte sich an den kleinen dreibeinigen Hund Hop, der sich ihnen angeschlossen hatte und dem wiederum Gwenda gefolgt war. Erneut empfand er die Freude, als Caris seinen Scherz verstand. Sein Gesicht rötete sich, wenn er daran dachte, wie ungeschickt er sich vor Caris mit dem Bogen anstellte, den er selbst gemacht hatte – und wie gewandt sein jüngerer Bruder die Waffe meisterte.

Vor allem aber erinnerte er sich an Caris als Mädchen. Sie waren damals noch Kinder, aber dennoch war er verzaubert gewesen von ihrer raschen Auffassungsgabe, ihrem Wagemut und der Mühelosigkeit, mit dem sie den Befehl über die kleine Gruppe übernahm. Liebe war es noch nicht gewesen, aber eine Art von Faszination, der Liebe nicht unähnlich.

Die Erinnerungen hatten ihn von der Wegsuche abgelenkt, und er verlor die Orientierung. Allmählich fühlte er sich, als befände er sich in völlig unvertrautem Gelände – dann plötzlich trat er auf eine Lichtung und wusste, er hatte die richtige Stelle gefunden. Die Büsche standen nun dichter; der Stamm der Eiche war noch dicker geworden, und anders als an jenem Novembertag im Jahre 1327 schmückten farbenfrohe Sommerblumen die Lichtung. Dennoch hatte Merthin keine Zweifel: Es war wie ein vertrautes Gesicht, das er jahrelang nicht gesehen hatte, verändert, aber unverwechselbar.

Ein kleinerer, dünnerer Merthin war unter jenen Busch gekrochen, um sich vor dem großen Mann zu verstecken, der durch das Unterholz krachte. Er erinnerte sich, wie der erschöpfte, keuchende Sir Thomas sich mit dem Rücken an die Eiche gestellt und Schwert und Dolch gezückt hatte.

Vor seinem inneren Auge sah er die Geschehnisse dieses Tages noch einmal. Zwei Männer in gelb-grünen Waffenröcken hatten Thomas eingeholt und einen Brief von ihm gefordert. Thomas lenkte die Männer zunächst ab, indem er ihnen sagte, dass jemand sie beobachte, der sich im Busch verstecke. Merthin war sich sicher gewesen, dass man ihn und die anderen Kinder ermorden würde – dann erschoss Ralph, erst zehn Jahre alt, einen der beiden Soldaten und bewies schon damals die raschen, tödlichen Reflexe, die ihm Jahre später in den französischen Kriegen so gute Dienste leisteten. Thomas bezwang den zweiten Soldaten, aber zuvor empfing er noch die Wunde, die ihn den linken Arm kosten sollte – trotz oder vielleicht auch wegen der Behandlung, die ihm im Hospital der Priorei zu Kingsbridge zuteil wurde. Dann half Merthin dem Ritter, den Brief zu vergraben.

»Einfach hier«, hatte Thomas gesagt. »Genau vor der Eiche.«

Heute wusste Merthin, dass in dem Brief ein Geheimnis niedergelegt war; ein so gefährliches Geheimnis, dass hochrangige Personen es fürchten mussten. Das Geheimnis hatte Thomas Schutz verliehen, aber er hatte trotzdem Zuflucht im Mönchskloster gesucht und sein ganzes Leben dort verbracht.

»Solltest du hören, dass ich tot bin«, hatte Thomas zu Merthin dem Jungen gesagt, »hätte ich gerne, dass du den Brief wieder ausgräbst und einem Priester gibst.«

Merthin der Mann stach das Spatenblatt in die Erde und begann zu graben.

Er war sich nicht sicher, ob Thomas beabsichtigt hatte, dass es so kam. Der vergrabene Brief war eine Sicherheitsvorkehrung gewesen, sollte Thomas durch Gewalt getötet werden, nicht aber für den Fall, dass er im Alter von achtundfünfzig Jahren eines natürlichen Todes starb. Hätte er noch immer gewollt, dass der Brief ausgegraben wurde? Merthin wusste es nicht. Er würde entscheiden, was er tun wollte, wenn er den Brief gelesen hatte. Er konnte der Neugier nicht widerstehen, er musste lesen, was darin geschrieben stand.

Seine Erinnerung an die Stelle, wo er die Tasche vergraben hatte, war nicht sehr genau, und mit dem ersten Versuch verfehlte er sie. Nachdem er zwei Fuß tief gegraben hatte, begriff er seinen Fehler: Das Loch war nur etwa anderthalb Fuß tief gewesen, da war er sicher. Er versuchte es einige Handbreit weiter links.

Diesmal lag er richtig.

In anderthalb Fuß Tiefe traf das Spatenblatt auf etwas, was keine Erde war. Es war weich, gab aber nicht nach. Merthin legte den Spaten weg und grub mit den Fingern weiter. Er ertastete ein Stück altes, morsches Leder. Vorsichtig schob er die Erde beiseite und zog es heraus. Es war die lederne Brieftasche, die Thomas vor all den Jahren an seinem Gürtel getragen hatte.

Er wischte seine erdigen Hände an der Jacke ab und öffnete sie. Darin war eine Tasche aus geölter Wolle, noch völlig intakt. Merthin löste das Zugband der Tasche und griff hinein. Er zog ein zusammengerolltes Pergament hervor, das mit Wachs versiegelt war.

Er handhabte es vorsichtig, aber dennoch zerfiel das Wachs, kaum dass er es berührte. Mit spitzen Fingern entrollte er das Pergament. Es hatte die vierunddreißig Jahre in der Erde bemerkenswert gut überstanden.

Augenblicklich sah Merthin, dass es kein offizielles Dokument, sondern ein persönlicher Brief war. Er sah es an der Handschrift, bei der es sich um die gewissenhaften Striche eines gebildeten Edelmanns handelte und nicht um die geübte Schrift eines Schreibers.

Er begann zu lesen. Die Grußformel lautete:

Von Edward, als Zweiter seines Namens König von England,
in der Burg von Berkeley, durch die Hand seines treuen Dieners,
Sir Thomas Langley, an seinen geliebten ältesten Sohn Edward
königliche Grüße und väterliche Liebe.

Merthin bekam es mit der Angst. Er las eine Nachricht des alten Königs an den neuen. Die Hand, mit der er das Dokument hielt, zitterte, und er blickte davon auf und musterte seine Umgebung, als könnte ihn jemand aus den Büschen beobachten.

Mein geliebter Sohn, schon bald wirst Du hören, ich sei tot.
Wisse, dass dem nicht so ist.

Merthin runzelte die Stirn. Damit hatte er nicht gerechnet.

Deine Mutter, die Königin, die Frau meines Herzens, hat Graf
Roland von Shiring und seine Söhne behext und ihre Herzen
verdorben, und sie haben Mörder hierhergesandt; doch Sir Thomas
hat mich gewarnt, und die Meuchler wurden erschlagen.

Also war Thomas doch nicht der Mörder, sondern der Retter des Königs gewesen.

Deine Mutter wird, nachdem ihr einmal misslungen ist, mich zu
töten, es gewiss wieder versuchen, denn solange ich lebe,
können sie und ihr ehebrecherischer Beischläfer sich nicht sicher

fühlen. Deshalb habe ich mit einem der gefallenen Meuchler, einem
Mann meiner Größe und meines ungefähren Aussehens, die Kleider
getauscht und mehrere Leute bestochen zu beschwören, der Tote
wäre ich. Deine Mutter wird die Wahrheit erkennen, wenn sie den
Leichnam sieht, aber sie wird auf die Täuschung eingehen;
denn hält man mich für tot, bedeute ich keine Gefahr mehr für
sie, und kein Rebell oder Rivale im Kampfe um den Thron kann in
Anspruch nehmen, ich unterstützte ihn.

Merthin konnte es nicht fassen. Das ganze Land hielt Edward II. für
tot. Ganz Europa war getäuscht worden.
Doch was war dann aus ihm geworden?

Ich werde Dir nicht sagen, wohin ich gehe, aber wisse, dass ich
beabsichtige, mein englisches Königreich auf immer zu verlassen
und nie zurückzukehren. Dennoch bete ich, dass ich Dich, meinen
Sohn, wiedersehe, ehe ich sterbe.

Warum hatte Thomas diesen Brief vergraben, statt ihn abzuliefern?
Weil er um sein eigenes Leben gefürchtet und den Brief als mächtige
Schutzwaffe betrachtet hatte. Nachdem Königin Isabella einmal auf
die Täuschung, ihr Mann wäre tot, eingegangen war, musste sie die
wenigen ihrer Gegner, die die Wahrheit kannten, beseitigen. Merthin
fiel nun ein, dass der Graf von Kent des Hochverrats überführt und
enthauptet worden war, weil er verkündet hatte, Edward II. sei noch
am Leben; Merthin war damals noch ein halber Junge gewesen.
    Königin Isabella hatte Männer ausgesandt, die Thomas töten
sollten, und kurz vor Kingsbridge hatten sie ihn eingeholt. Thomas
jedoch hatte sich – mit der Hilfe des zehnjährigen Ralph – ihrer ent-
ledigen können. Danach musste Thomas gedroht haben, die gesamte
Täuschung zu offenbaren – und er besaß in Form des Briefes von der
Hand des alten Königs den untrüglichen Beweis. An diesem Abend
hatte Thomas, während er verwundet im Hospital der Priorei zu
Kingsbridge lag, mit der Königin verhandelt, oder genauer mit Graf
Roland und seinen Söhnen als ihren Vertretern. Er hatte gelobt, das
Geheimnis zu wahren, wenn er dafür als Mönch in das Kloster eintreten dürfte. Hinter den Mauern der Klausur konnte er sich sicher
fühlen – und für den Fall, dass die Königin ihrem Versprechen un-
treu zu werden gedachte, hatte er klargestellt, dass der Brief sich an
einem sicheren Ort befinde und bei seinem Tod an die Öffentlichkeit

kommen werde. Die Königin musste sich daher bemühen, ihn am Leben zu erhalten.

Der alte Prior Anthony hatte einiges davon gewusst und es, als er mit dem Tode rang, Mutter Cecilia mitgeteilt, die auf ihrem eigenen Sterbebett einen Teil der Geschichte vor Caris wiederholt hatte. Die Menschen konnten Geheimnisse jahrzehntelang bewahren, überlegte Merthin, aber wenn der Tod nahte, fühlten sie sich getrieben, die Wahrheit mitzuteilen. Caris hatte ferner ein belastendes Dokument gesehen, mit dem Lynn Grange der Priorei unter der Bedingung gestiftet wurde, dass sie Thomas als Mönch aufnahm. Nun begriff Merthin, wieso die Nachfragen, die Caris wegen dieses Dokuments angestellt hatte, so viele Schwierigkeiten hervorgerufen hatten. Sir Gregory Longfellow hatte Ralph verleitet, in die Priorei einzubrechen und sämtliche Urkunden zu entwenden, weil er hoffte, darunter den belastenden Brief zu finden.

Hatte die Vernichtungskraft dieses Pergamentblattes durch das Verstreichen der Zeit nachgelassen? Isabella war vor drei Jahren in hohem Alter verstorben. Edward II. war fast mit Sicherheit tot – lebte er noch, musste er nun siebenundsiebzig sein. Würde Edward III. die Offenbarung fürchten, dass sein Vater gelebt hatte, während die Welt ihn für tot hielt? Er war nun ein zu starker König, um ernsthaft bedroht zu werden, doch er müsste sich großer Peinlichkeit und Demütigung stellen.

Was also sollte Merthin tun?

Er blieb, wo er war, auf dem grasigen Waldboden zwischen den Wildblumen, lange stehen. Am Ende rollte er das Pergament zusammen, steckte es wieder in die Wolltasche und schob sie in den alten Lederbeutel zurück.

Ihn legte er wieder in das Loch im Boden und füllte es auf. Ebenso schaufelte er seine erste, an falscher Stelle ausgehobene Grube wieder zu. Bei beiden strich er die Oberfläche glatt, dann zupfte er Blätter von den Büschen und verstreute sie vor der Eiche. Er trat zurück und betrachtete sein Werk. Er war zufrieden: Einem beiläufigen Blick konnten die Grabungsstellen nicht mehr auffallen.

Schließlich wandte er der Lichtung den Rücken zu und ging nach Hause.

Gegen Ende August machte Graf Ralph eine Rundreise durch seine Ländereien rings um Shiring, begleitet von seinem langjährigen Gefährten Sir Alan Fernhill und seinem jüngst gefundenen Sohn Sam. Er genoss es, Sam an seiner Seite zu haben, der sein Kind und dennoch ein erwachsener Mann war. Seine beiden anderen Söhne, Gerry und Roley, waren für so etwas noch zu klein. Sam wusste nichts von Ralphs Vaterschaft, doch dieser hegte das Geheimnis voller Freude.

Von dem, was sie auf ihrem Rundritt sahen, waren sie entsetzt. Hunderte von Ralphs Hörigen waren tot oder lagen im Sterben, und das Korn stand auf den Feldern und konnte nicht geerntet werden. Während sie von einem Dorf zum nächsten ritten, wuchsen Ralphs Ärger und Verzweiflung. Mit seinen sarkastischen Bemerkungen schüchterte er seine Begleiter ein, mit seiner schlechten Laune machte er sein Pferd scheu.

In jedem Dorf und auch auf dem Land der Hörigen wurden einige Morgen ausschließlich für den Grafen bestellt. Die Arbeit darauf sollte von seinen Knechten und von Grundholden verrichtet werden, die einen Tag in der Woche Frondienst zu leisten hatten. Dieses Land sah am schlimmsten aus. Viele von Ralphs Knechten waren tot, und das Gleiche galt für zahlreiche Hörige, die ihm Schardienst geschuldet hatten; andere Hörige hatten nach dem letzten Ausbruch der Seuche günstigere Bedingungen ausgehandelt und mussten keine Fron mehr leisten; und zu guter Letzt war es unmöglich, unbeschäftigte Arbeitskräfte zu finden.

Als Ralph nach Wigleigh kam, ging er hinter das Lehnshaus und blickte in den großen Holzschuppen, der sich zu dieser Jahreszeit mit gedroschenem Korn füllen sollte, das zur Mühle gebracht werden konnte – doch er war leer, und auf dem Heuboden hatte eine Katze ihre Jungen bekommen.

»Womit sollen wir Brot backen?«, brüllte er Nathan Reeve an.

»Was sollen wir trinken, wenn wir keine Gerste haben, um Bier zu brauen? Bei Gott, ich hoffe für dich, dass du einen Plan hast!«

Nate sah ihn missmutig an. »Uns bleibt nichts anderes übrig, als die Ackerstreifen neu zu verteilen«, sagte er.

Ralph war überrascht von der mürrischen Art seines Vogtes. Nate war normalerweise ein Kriecher. Dann aber ging Nates Blick zu dem jungen Sam, und Ralph begriff, wieso der Wurm sich krümmte. Nate hasste Sam, weil dieser Jonno, seinen Sohn, getötet hatte. Statt Sam zu bestrafen, hatte Ralph ihn erst begnadigt und dann zum Knappen gemacht. Kein Wunder, dass Nate sich getreten fühlte.

Ralph sagte: »Im Dorf muss es doch den einen oder anderen jungen Mann geben, der ein paar Morgen Land zusätzlich bestellen kann.«

»Das schon, aber sie sind nicht bereit, den Handlohn zu zahlen«, erwiderte Nate.

»Sie wollen Land umsonst?«

»Ja. Sie sehen genau, dass Ihr zu viel Land und zu wenig Arbeitskräfte habt, und sie wissen, dass sie in einer starken Verhandlungsposition sind.« In der Vergangenheit hatte Nate aufmüpfigen Bauern bereitwillig Wasser in den Wein gegossen, aber nun schien er Ralphs Zwangslage zu genießen.

»Sie benehmen sich, als gehörte England ihnen und nicht dem Adel«, sagte Ralph zornig.

»Es ist eine Schande, Mylord«, stimmte Nate ihm wieder höflicher zu, und ein verschlagener Blick trat auf sein Gesicht. »Zum Beispiel möchte Wulfrics Sohn Davey gern Amabel heiraten und das Land ihrer Mutter übernehmen. Das wäre sehr sinnvoll, denn Annet war nie in der Lage, ihren Besitz ganz auszunutzen.«

Sam ergriff das Wort. »Meine Eltern würden den Handlohn niemals bezahlen – sie sind gegen die Heirat.«

Nate sagte: »Aber Davey könnte ihn selbst entrichten.«

Ralph war überrascht. »Wovon?«

»Er hat diese neue Pflanze verkauft, die er im Wald gezogen hat.«

»Den Färberkrapp. Offenbar haben wir ihn nicht gründlich genug zertrampelt. Wie viel hat er eingenommen?«

»Das weiß niemand. Aber Gwenda hat eine junge Milchkuh gekauft, und Wulfric besitzt ein neues Messer … und am Sonntag trug Amabel ein gelbes Halstuch zur Kirche.«

Und Nate ist eine dicke Bestechung angeboten worden, vermutete Ralph. »Ich belohne Daveys Ungehorsam gar nicht gerne«, sagte er, »aber ich bin in einer verzweifelten Lage. Er soll das Land bekommen.«

»Ihr müsstet ihm eine Sondererlaubnis erteilen, gegen den Willen seiner Eltern zu heiraten.«

Davey hatte Ralph darum gebeten, und Ralph hatte ihn abgewiesen, aber das war geschehen, ehe die Pest die Bauernschaft dezimierte. Ralph schätzte es gar nicht, solche Entscheidungen nachträglich umwerfen zu müssen. Dennoch bedeutete es einen nur geringen Preis. »Ich gebe ihm die Erlaubnis.«

»Sehr wohl.«

»Aber suchen wir ihn auf. Ich möchte ihm das Angebot persönlich machen.«

Nate erschrak, aber natürlich erhob er keinen Einwand.

In Wahrheit wollte Ralph Gwenda wiedersehen. Sie hatte etwas an sich, bei dem er eine trockene Kehle bekam. Durch seine letzte Begegnung mit ihr in der Jagdhütte war sein Verlangen nur kurz gestillt worden. In den Wochen, die seither vergangen waren, hatte er oft an sie gedacht. Neuerdings zog er nur geringe Befriedigung aus der Art Frauen, mit denen er gewöhnlich lag: jungen Huren, Schankmägden und Küchenmädchen. Sie alle gaben vor, von ihm betört zu sein, doch er wusste, dass sie es nur auf das Geld abgesehen hatten, das er ihnen hinterher schenkte. Gwenda hingegen verabscheute ihn unverhohlen und schauderte, wenn er sie berührte; paradoxerweise befriedigte ihn das, weil es aufrichtig war und daher wirklich. Nach ihrem Zusammensein in der Jagdhütte hatte er Gwenda einen Beutel mit Silberpennys gegeben, den sie so fest auf ihn zurückschleuderte, dass er einen blauen Fleck an der Brust davontrug.

»Sie sind heute auf dem Brookfield und wenden die gemähte Gerste«, sagte Nate. »Ich führe Euch hin.«

Ralph folgte Nate mit Alan und Sam aus dem Dorf. Am Ufer des Baches gelangten sie zum Rand des weiten Feldes. In Wigleigh war es immer windig, doch die sommerliche Luft fühlte sich weich und warm an wie Gwendas Brüste.

Einige Streifen waren schon gemäht, doch auf anderen sah Ralph überreifen Hafer stehen oder von Unkraut überwucherte Gerste, und ein Roggenfeld war zwar gemäht, aber die Halme waren nicht gebunden worden, sodass die Ernte auf dem Boden verstreut lag.

Vor einem Jahr hatte er geglaubt, seine Geldsorgen wären endgültig vorüber. Aus dem jüngsten französischen Krieg war er mit einer Geisel heimgekehrt, dem Marquis de Neuchâtel, und hatte ein Lösegeld von fünfzigtausend Pfund verlangt. Die Familie des Marquis hatte diese Summe jedoch nicht aufbringen können. Ähnliches war mit dem französischen König Jean II. geschehen, den der Fürst von Wales bei der Schlacht von Poitiers gefangen genommen hatte. Vier Jahre lang hatte König Jean in London geweilt, dem Namen nach ein Gefangener, obwohl er behaglich im Savoy Palace lebte, dem neuen Palast des Herzogs von Lancaster. Das Lösegeld für den König war gesenkt und dennoch nicht voll entrichtet worden. Ralph hatte Alan Fernhill nach Neuchâtel entsandt, um das Lösegeld neu auszuhandeln, und Alan war mit dem Preis auf zwanzigtausend Pfund heruntergegangen, doch erneut hatte die Familie nicht gezahlt. Dann starb der Marquis an der Pest, und Ralph stand wieder mittellos da und musste sich um die Ernte sorgen.

Es war Mittag. Die Bauern setzten sich zum Mittagessen an den Rand des Feldes. Gwenda, Wulfric und Davey rasteten unter einem Baum und aßen kaltes Schweinefleisch mit rohen Zwiebeln. Als die Pferde näher kamen, sprangen sie alle auf. Ralph ging zu Gwendas Familie und winkte die anderen Bauern fort.

Gwenda trug ein weites grünes Kleid, das ihre Gestalt verbarg. Ihr Haar war in den Nacken zurückgebunden, sodass ihr Gesicht mehr denn je an eine Ratte denken ließ. Ihre Hände waren schmutzig, sie hatte Erde unter den Nägeln. Doch als Ralph sie anblickte, stellte er sie sich nackt vor, wie sie bereit auf ihn wartete, auf dem Gesicht einen Ausdruck resignierten Abscheus gegen das, was er tun würde; und es erregte ihn.

Er sah von ihr auf ihren Ehemann. Wulfric erwiderte ruhig den Blick, weder trotzig noch eingeschüchtert. Sein lohfarbener Bart zeigte nun graue Strähnen, doch noch immer überwuchs er nicht die Schwertnarbe, die Ralph ihm geschlagen hatte. »Wulfric, dein Sohn möchte Amabel heiraten und Annets Land übernehmen.«

Gwenda antwortete ihm. Sie hatte nie gelernt, nur dann zu sprechen, wenn man das Wort an sie richtete. »Ihr habt mir den einen Sohn gestohlen – nehmt Ihr mir jetzt auch noch den anderen?«, fragte sie bitter.

Ralph überging ihren Einwurf. »Wer wird den Handlohn entrichten?«

Nate sagte: »Es sind dreißig Shilling.«

Wulfric erwiderte: »Ich habe keine dreißig Shilling.«

»Ich kann es zahlen«, sagte Davey gelassen.

Er muss sehr gut an seinem Färberkrapp verdient haben, dachte

Ralph, wenn er bei solch einer Summe so gleichmütig bleibt. »Gut«, sagte er. »In diesem Fall –«

Davey unterbrach ihn. »Aber zu welchen Bedingungen bietet Ihr mir das Land?«

Ralph merkte, wie er rot anlief. »Wie meinst du das?«

Nate mischte sich wieder ein. »Natürlich zu den gleichen Bedingungen, zu denen auch Annet das Land hält.«

Davey sagte: »Dann danke ich Mylord, aber ich lehne sein großzügiges Angebot ab.«

Ralph fragte: »Wovon, zum Teufel, redest du?«

»Ich würde das Land gern übernehmen, Mylord, aber nur als freier Pächter, der seinen Zins in bar bezahlt, ohne Fron.«

Sir Alan fragte drohend: »Wagst du frecher Hund es, mit dem Grafen von Shiring zu feilschen?«

Davey fürchtete sich, aber er hielt stand. »Ich will Euch nicht kränken, Mylord, aber ich möchte die Freiheit haben, anzubauen, was immer ich verkaufen kann. Ich möchte nicht pflanzen, was Nate Reeve bestimmt, ohne die Preise zu bedenken, die es auf dem Markt erbringt.«

Diese starrsinnige Ader hat Davey von Gwenda geerbt, dachte Ralph. Ärgerlich fragte er: »Nate gibt nur meine Wünsche weiter! Glaubst du etwa, du wüsstest es besser als dein Graf?«

»Verzeiht mir, Mylord, aber weder pflügt Ihr den Acker, noch geht Ihr zum Markt.«

Alans Hand zuckte an den Schwertgriff. Ralph bemerkte, wie Wulfric einen Blick auf die Sense warf, die am Boden lag. Ihre scharfe Klinge funkelte im Sonnenlicht. Auf Ralphs anderer Seite scheute Sams Pferd, als es die Anspannung seines Reiters spürte. Wenn es zum Kampf kommt, fragte sich Ralph, würde Sam dann für seinen Herrn oder seine Familie kämpfen?

Ralph wollte keinen Kampf. Er wollte die Ernte einbringen, und wenn er seine Bauern tötete, wurde das nicht leichter. Mit einer Handbewegung gebot er Alan Einhalt. »So untergräbt die Pest die Moral«, sagte er angewidert. »Ich gebe dir, was du willst, Davey, weil ich muss.«

Davey schluckte trocken und fragte: »Schriftlich, Mylord?«

»Du verlangst auch noch einen Eintrag in die Register?«

Davey nickte; zum Sprechen fürchtete er sich zu sehr.

»Du zweifelst das Wort deines Grafen an?«

»Nein, Mylord.«

»Warum willst du dann eine schriftliche Vereinbarung?«

»Um späteren Meinungsverschiedenheiten vorzubeugen.«

Das sagten alle, die eine schriftliche Vereinbarung verlangten. Eigentlich meinten sie, dass der Grundherr, wenn die Pacht schriftlich niedergelegt war, die Bedingungen nicht mehr so leicht ändern könnte – wieder eine Beeinträchtigung des Althergebrachten. Ralph wollte keine weiteren Zugeständnisse machen – doch erneut blieb ihm keine andere Wahl.

Und dann fiel ihm eine Möglichkeit ein, wie er die Lage nutzen konnte, um etwas anderes zu bekommen, nach dem es ihn verlangte, und seine Laune besserte sich.

»Also gut«, sagte er. »Ich gebe dir ein schriftliches Zinslehen. Ich will aber nicht, dass Männer während der Ernte die Felder liegen lassen. Nächste Woche soll deine Mutter nach Earlscastle kommen und die Urkunde abholen.«

An einem glühend heißen Tag ging Gwenda nach Earlscastle. Sie wusste, weshalb Ralph sie herbestellt hatte, und bei der Aussicht war ihr elend zumute. Als sie die Zugbrücke zur Burg überquerte, schienen die Krähen sie in ihrer Not höhnisch zu verlachen.

Die Sonne brannte gnadenlos auf den Zwinger, dessen Wälle den Wind abhielten. Knappen und Junker regten sich vor dem Stall. Sam war bei ihnen und zu vertieft, um Gwenda zu bemerken.

Sie hatten eine Katze in Augenhöhe so an einem Pfosten verschnürt, dass sie nur noch Kopf und Beine bewegen konnte. Ein Knappe musste sie töten, während ihm die Hände auf den Rücken gebunden waren. Gwenda hatte das Spiel schon gesehen. Der Knappe konnte sein Ziel nur erreichen, indem er dem armen Tier Kopfstöße versetzte, doch die Katze verteidigte sich natürlich, indem sie dem Angreifer das Gesicht zerkratzte und zerbiss. Der Herausforderer, ein Junge von vielleicht sechzehn Jahren, stand vor dem Pfosten, von der verängstigten Katze beobachtet. Plötzlich zuckte der Kopf des Jünglings hervor. Seine Stirn prallte gegen die Brust der Katze, doch das Tier schlug mit ausgefahrenen Krallen zu. Der Knappe jaulte vor Schmerz auf und sprang zurück. Aus seinen Wangen strömte das Blut, und die anderen Knappen brüllten vor Lachen. Zornig versetzte der Herausforderer der Katze gleich noch einen Kopfstoß. Er wurde noch schlimmer gekratzt und stieß sich den Schädel, was seine Gesellen noch lustiger fanden. Beim dritten Mal war er vorsichtiger. Er näherte sich dicht an und fintete, sodass die Krallen der Katze durch die Luft fuhren; dann traf er das Tier mit einem sorgsam gezielten Stoß am Kopf. Blut quoll der Katze aus dem Mund und den Nasenlöchern, und sie sackte bewusstlos zusammen, atmete aber noch. Er traf sie ein letztes Mal und tötete sie. Die anderen jubelten und klatschten in die Hände.

Gwenda war angewidert. Sie mochte Katzen nicht besonders – sie zog Hunde vor –, aber es war nicht schön anzusehen, wie ein hilfloses Tier zu Tode gequält wurde. Sie nahm an, die jungen Männer wurden zu so etwas angehalten, um sie darauf vorzubereiten, Menschen im Krieg zu verstümmeln und zu erschlagen. Aber musste es denn so sein?

Sie ging weiter, ohne ihren Sohn angesprochen zu haben. Schwitzend überquerte sie die zweite Brücke und stieg die Stufen zum Wohnturm hoch. Im Rittersaal war es gnädig kühl.

Sie war froh, dass Sam sie nicht gesehen hatte. Gwenda hoffte, ihm heute so lange wie möglich aus dem Weg gehen zu können. Sie wollte nicht, dass er vermutete, etwas sei nicht in Ordnung. Zwar war er nicht sonderlich feinfühlig, aber vielleicht merkte er seiner Mutter ihr Elend doch an.

Sie erklärte dem Hausmeier, weshalb sie gekommen war, und er versprach, es den Grafen wissen zu lassen. »Ist Lady Philippa auf der Burg?«, fragte Gwenda hoffnungsvoll. Vielleicht hielt sich Ralph in Gegenwart seiner Gemahlin etwas zurück.

Doch der Meier schüttelte den Kopf. »Sie weilt bei ihrer Tochter in Monmouth.«

Gwenda nickte grimmig und nahm zum Warten Platz. Sie musste wieder an ihre Begegnung mit Ralph in der Jagdhütte denken. Wenn sie auf die schmucklosen grauen Wände des Rittersaals blickte, sah sie ihn, wie er sie angestarrt hatte, den Mund erwartungsvoll leicht geöffnet, während sie sich auskleidete. So sehr die Vereinigung mit dem Mann, den sie liebte, eine Wonne war, so widerlich war sie ihr mit einem, den sie hasste.

Beim ersten Mal, vor über zwanzig Jahren, hatte Ralph sie zwar auch gezwungen, doch ihr Körper hatte sie verraten: Sie hatte körperliche Lust empfunden, während sie seelisch nur Abscheu empfand. Das Gleiche war ihr mit Alwyn, dem Gesetzlosen, im Wald widerfahren. In der Jagdhütte war es nicht dazu gekommen. Gwenda schrieb die Veränderung dem Alter zu. Als sie noch ein junges Mädchen war, voller Verlangen, hatte der körperliche Akt eine unwillkürliche Reaktion ausgelöst – etwas, wogegen sie nichts tun konnte, so sehr sie sich auch dafür schämte. In reiferen Jahren war ihr Leib nicht mehr so verletzlich, der Reflex nicht ohnehin kurz vor dem Ausbruch. Wenigstens dafür konnte sie dankbar sein.

Die Treppe am anderen Ende des Saales führte zum Gemach des Grafen. Ständig gingen Männer hoch und kamen wieder herunter: Ritter, Gesinde, Pächter, Vögte. Nach einer Stunde sagte ihr der Meier, sie solle nach oben gehen.

Gwenda hatte Angst, dass Ralph sofort und an dieser Stelle mit ihr liegen wollte, und war erleichtert, als sie feststellte, dass er einen Audienztag abhielt. Sir Alan und zwei Priesterschreiber saßen mit ihm an einem Tisch voller Schreibzeug. Einer der Schreiber reichte ihr eine kleine Pergamentrolle.

Gwenda warf keinen Blick hinein. Sie konnte nicht lesen.

»So«, sagte Ralph. »Jetzt ist dein Sohn ein Zinspächter. Hast du das nicht von jeher gewollt?«

Freiheit für sich hatte sie gewollt, das wusste Ralph genau. Gwenda hatte sie nicht erreicht, doch Davey – da hatte Ralph recht – war es nun gelungen. Das aber hieß, dass ihr Leben nicht völlig ohne Sinn gewesen war. Ihre Enkel wären frei und unabhängig, könnten anbauen, was sie wollten, bezahlten ihre Pacht und behielten alles, was sie darüber hinaus verdienten, für sich. Die erbärmliche Existenz voll Armut und Hunger, in die Gwenda geboren worden war, würden sie nie kennenlernen.

War das alles wert, was sie durchgemacht hatte? Gwenda hätte es gern gewusst, aber sie konnte es nicht sagen.

Sie nahm die Pergamentrolle entgegen und ging zur Tür.

Alan folgte ihr und sprach sie leise an, als sie den Raum verließ. »Bleib heute Nacht hier, im Rittersaal«, sagte er. Der große Saal war der Schlafplatz für die meisten Bewohner der Burg. »Sei morgen zwei Stunden nach Mittag an der Jagdhütte.«

Sie versuchte zu gehen, ohne eine Antwort zu geben.

Alan versperrte ihr mit dem Arm den Weg.

»Verstanden?«, fragte er.

»Ja«, sagte sie leise. »Ich bin am Nachmittag da.«

Er ließ sie gehen.

❊

Erst spät am Abend sprach sie mit Sam. Die Knappen verbrachten den ganzen Nachmittag mit unterschiedlichen brutalen Spielen.

Gwenda war froh, sich selbst überlassen zu sein. Allein mit ihren Gedanken saß sie in der kühlen Halle. Sie versuchte sich einzureden, dass geschlechtlicher Umgang mit Ralph ihr nichts bedeutete. Sie sei schließlich keine Jungfrau mehr, sondern seit zwanzig Jahren verheiratet. Tausende Male sei sie mit einem Mann gewesen. Nach ein paar Minuten wäre alles vorüber, und es blieben keine Narben zurück. Sie würde es tun und wieder vergessen.

Bis zum nächsten Mal.

Das war das Schlimmste daran. Er würde sie immer wieder zwingen können. Seine Drohung, das Geheimnis zu lüften, dass er Sams Vater war, würde sie so lange verfolgen, wie Wulfric lebte.

Gewiss würde Ralph ihrer bald müde werden und zu den festen jungen Leibern seiner Schänkenhuren zurückkehren.

»Was hast du?«, fragte Sam sie, als bei Sonnenuntergang die Knappen zum Abendbrot hereinkamen.

»Nichts«, sagte sie rasch. »Davey hat mir eine Milchkuh gekauft.«

Sam schaute ein wenig neidisch drein. Er genoss das Leben, aber Knappen wurden nicht bezahlt. Sie brauchten nur wenig Geld – sie erhielten Essen, Trinken, Unterkunft und Kleidung –, aber dennoch hatte ein junger Mann gern ein paar Pennys im Beutel.

Sie sprachen über Daveys bevorstehende Hochzeit. »Du und Annet, ihr werdet bald Großmütter sein«, sagte Sam. »Du solltest deinen Frieden mit ihr machen.«

»Sei nicht dumm«, fuhr Gwenda ihn an. »Du weißt ja gar nicht, wovon du redest!«

Ralph und Alan kamen aus dem Gemach, als das Abendbrot aufgetragen wurde. Alle Bewohner der Burg und alle Besucher versammelten sich im Rittersaal. Die Köche brachten drei große, in Kräutern gebackene Hechte herein. Gwenda setzte sich an das untere Ende des Tisches, weit von Ralph entfernt, und er würdigte sie keines Blickes.

Nach dem Abendessen legte sie sich neben Sam im Stroh auf dem Boden schlafen. Es tröstete sie, dicht bei ihm zu liegen, ganz wie früher, als er noch klein war. Sie erinnerte sich, wie sie in der Stille der Nacht auf seinen leisen und zufriedenen kindlichen Atem gelauscht hatte. Während sie in den Schlaf sank, überlegte sie, wie Kinder aufwuchsen und den Erwartungen ihrer Eltern trotzten. Ihr eigener Vater hatte sie wie einen Gegenstand verschachern wollen, doch sie hatte wütend dagegen aufbegehrt, sich so benutzen zu lassen. Nun schlugen ihre Söhne beide einen eigenen Lebensweg ein, und beide

Male war es nicht der, den sie geplant hatte. Sam wurde ein Ritter, und Davey heiratete Annets Tochter. Wenn wir wüssten, was aus ihnen wird, dachte sie, würden wir sie dann immer noch so freudig in die Welt setzen?

Sie träumte, sie käme in Ralphs Jagdhütte und stellte fest, dass er nicht dort war, doch auf seinem Bett saß eine Katze. Sie wusste, dass sie die Katze töten musste, aber ihr waren die Hände auf den Rücken gebunden, also stieß sie mit dem Kopf nach ihr, bis das Tier starb.

Als Gwenda aufwachte, fragte sie sich, ob sie Ralph in der Jagdhütte töten könnte.

Vor vielen Jahren hatte sie Alwyn umgebracht. Sie hatte ihm das eigene Messer in die Kehle gestoßen und es durch den Kopf getrieben, bis die Spitze an einem Auge wieder herauskam. Auch Sim Chapman hatte sie umgebracht, hatte seinen Kopf unter Wasser gedrückt, während er strampelte und sich wand, bis er das Flusswasser einatmete und ertrank. Wenn Ralph allein in die Jagdhütte kam, konnte sie ihn vielleicht töten; sie musste den richtigen Moment abwarten.

Aber er käme nicht allein. Grafen gingen nirgendwohin allein. Er hätte Alan bei sich, wie immer. Wenn er mit nur einem Begleiter reiste, war es schon ungewöhnlich. Es war sehr unwahrscheinlich, dass er gar niemanden dabeihätte.

Konnte sie beide töten? Niemand wusste, dass sie sich dort mit ihnen treffen sollte. Wenn sie Ralph und Alan umbrachte und einfach nach Hause ging, würde niemand sie je verdächtigen. Niemand kannte ihren Grund; er war ein Geheimnis, und das war gut so. Selbst wenn es jemandem auffiel, dass sie zur fraglichen Zeit in der Nähe der Jagdhütte gewesen war, würde man sie höchstens fragen, ob sie dort irgendwelche verdächtig erscheinenden Männer gesehen hätte. Keiner käme auf den Gedanken, dass eine kleine Frau mittleren Alters den großen starken Ralph überwinden könnte.

Was sollte sie tun? Sie dachte darüber nach, doch im Grunde ihres Herzens wusste sie, dass keine Hoffnung bestand. Ralph und Alan kannten sich aus mit der Gewalt. Immer wieder waren sie in den Krieg gezogen, über zwanzig Jahre hinweg, zuletzt im Feldzug des vorletzten Winters. Beide besaßen rasche Reflexe, und ihre Reaktionen waren tödlich. Viele französische Ritter hatten versucht, sie zu töten, und bei dem Versuch das Leben gelassen.

Sie hätte vielleicht einen von ihnen töten können, indem sie List und Überraschung anwandte, aber nicht beide.

Sie würde sich Ralph ergeben müssen.

Grimmig ging sie hinaus und wusch sich Gesicht und Hände. Als sie wieder in den Rittersaal trat, trug das Küchengesinde ein Frühstück aus Roggenbrot und Dünnbier auf. Sam tunkte das altbackene Brot in das Bier, um es aufzuweichen. »Du ziehst schon wieder diese Miene«, sagte er. »Was ist denn los?«

»Nichts«, sagte sie. Sie zog ihr Messer und schnitt sich eine Scheibe Brot ab. »Ich habe einen weiten Marsch vor mir.«

»Deswegen machst du dir Gedanken? Aber es stimmt, du solltest wirklich nicht allein gehen. Die meisten Frauen reisen nicht gern ohne Begleitung.«

»Ich bin zäher als die meisten Frauen.« Sie freute sich, weil er sich um sie besorgt zeigte. Dazu hätte sich sein wirklicher Vater, Ralph, niemals hinreißen lassen. Wulfric hatte also doch einigen guten Einfluss auf den Jungen ausgeübt. Dennoch war es ihr peinlich, dass er ihre Miene gedeutet und ihren Gemütszustand erraten hatte. »Du brauchst dir um mich keine Sorgen zu machen.«

»Ich könnte mit dir kommen«, bot er an. »Der Graf gibt mir dazu bestimmt frei. Er braucht heute keine Knappen – er will mit Alan Fernhill irgendwohin reiten.«

Nichts käme ihm weniger gelegen. Wenn sie ihr Stelldichein nicht einhielt, deckte Ralph das Geheimnis auf. Sie konnte sich gut vorstellen, welches Vergnügen er dabei empfinden würde. Viel brauchte es nicht, um ihn dazu zu reizen. »Nein«, lehnte sie fest ab. »Du bleibst hier. Du weißt nie, wann dein Graf dich rufen lässt.«

»Er ruft schon nicht nach mir. Ich möchte dich begleiten.«

»Und was sollen die anderen Knappen von dir halten, wenn du deiner alten Mutter nachläufst?« Gwenda schluckte einen Mundvoll Brot und stopfte sich den Rest in den Beutel. »Du bist ein guter Junge, dass du dich um mich sorgst, aber es ist nicht nötig.« Sie küsste ihn auf die Wange. »Pass auf dich auf. Geh keine unnötigen Risiken ein. Wenn du etwas für mich tun willst, dann bleib am Leben.«

Sie ging davon. An der Tür wandte sie sich um. Er sah ihr nachdenklich hinterher. Gwenda zwang sich zu einem Lächeln, von dem sie hoffte, es wirke unbeschwert. Dann ging sie hinaus.

⬚

Unterwegs sorgte Gwenda sich immer mehr, jemand könnte von ihrem Verhältnis zu Ralph erfahren. Solche Dinge hatten eine Neigung, ans Licht zu kommen. Sie hatte sich einmal mit ihm getroffen, nun tat sie es zum zweiten Mal, und sie fürchtete, dass es noch öfter geschehen würde. Wie lange würde es dauern, bis jemand sah, wie sie die Straße verließ und in den Wald ging, und sich darüber wunderte? Was, wenn jemand durch ein ungünstiges Geschick im falschen Moment in die Hütte kam? Wie vielen fiel auf, dass Ralph jedes Mal allein mit Alan ausritt, wenn Gwenda von Earlscastle nach Wigleigh zurückkehrte?

Kurz vor Mittag machte sie an einer Schänke Rast und nahm etwas Bier und Käse zu sich. Reisende verließen solche Stätten im Allgemeinen in der Gruppe, weil es am sichersten war, doch sie blieb absichtlich zurück, damit sie allein auf der Straße wäre. Als sie die Stelle erreichte, wo sie in den Wald abbiegen musste, blickte sie in alle Richtungen und vergewisserte sich, dass niemand in der Nähe war. Sie glaubte, eine Viertelmeile hinter sich eine Bewegung zwischen den Bäumen auszumachen, doch als sie angestrengt in die neblige Ferne spähte, war nichts zu erkennen. Sie wurde schreckhaft, das war alles.

Während Gwenda durch das sommerliche Unterholz stapfte, malte sie sich wieder aus, Ralph zu töten. Wenn Alan durch glückliche Umstände nicht bei ihm war, fand sie dann vielleicht eine Gelegenheit? Alan war jedoch der einzige Mensch auf der Welt, der wusste, dass Ralph sich mit ihr traf. Wenn Ralph getötet wurde, wüsste Alan, dass Gwenda es getan hatte. Sie müsste also auch ihn töten. Und das erschien ihr unmöglich.

Vor der Hütte standen zwei Pferde. Ralph und Alan waren schon da. Sie saßen an dem kleinen Tisch, vor sich die Überreste ihres Mittagessens: einen halben Laib Brot, einen Schinkenknochen, die Rinde eines Käses und einen Weinschlauch. Gwenda schloss die Tür hinter sich.

»Hier ist sie, wie versprochen«, sagte Alan aufgeräumt. Eindeutig hatte er die Aufgabe erhalten, sie zu bewegen, zu diesem Stelldichein zu erscheinen, und nun war er erleichtert, dass sie dem Befehl gefolgt war. »Ideal zum Nachtisch«, sprach er weiter. »Wie eine Rosine: verschrumpelt, aber süß.«

Gwenda sagte zu Ralph: »Warum werft Ihr ihn nicht hinaus?«

Alan erhob sich. »Immer das gleiche freche Mundwerk«, sagte er. »Lernst du es denn nie?« Dennoch verließ er den Raum; er ging in die Küche und warf die Tür hinter sich zu.

Ralph lächelte Gwenda an. »Komm her«, sagte er. Gehorsam trat sie näher zu ihm. »Ich will Alan sagen, dass er nicht so ungehobelt zu dir sein soll, wenn du willst.«

»Bitte nicht!«, erwiderte sie entsetzt. »Wenn er mich plötzlich freundlich behandelt, wird sich jeder fragen, wie das kommt.«

»Wie du möchtest.« Er nahm ihre Hand und versuchte, sie zu sich zu ziehen. »Setz dich auf meinen Schoß.«

»Können wir nicht einfach ficken, damit es vorbei ist?«

Er lachte. »Das mag ich so an dir – du bist ehrlich.« Er stand auf, nahm sie bei den Schultern und blickte ihr in die Augen; dann beugte er den Kopf vor und küsste sie.

Er küsste sie zum ersten Mal. Sie hatten zweimal miteinander gelegen, ohne sich zu küssen. Gwenda stieß es ab. Als er seine Lippen auf ihren Mund drückte, fühlte sie sich mehr verletzt, als wenn er seinen Schwanz in sie hineinstieß. Er öffnete den Mund, und sie schmeckte seinen Käseatem. Angewidert zog sie sich zurück. »Nein«, sagte sie.

»Vergiss nicht, was du zu verlieren hast.«

»Bitte tut es nicht.«

Er wurde ärgerlich. »Ich will dich haben!«, rief er laut. »Herunter mit dem Kleid.«

»Bitte lasst mich gehen«, sagte sie. Er wollte etwas entgegnen, doch sie hob die Stimme, um ihn zu übertönen. Die Wände waren dünn, und sie wusste, dass Alan in der Küche ihr Flehen hörte, doch es war ihr gleich. »Zwingt mich nicht, ich bitte Euch!«

»Mir ist egal, was du sagst!«, brüllte er. »Auf das Bett mit dir.«

»Bitte zwingt mich nicht!«

Die Vordertür flog auf.

Gwenda und Ralph wandten sich um und starrten auf den Eingang.

Sam stand in der Tür.

»O Gott, nein!«, rief Gwenda.

Einen flüchtigen Moment lang waren sie alle drei wie erstarrt, und während dieses Augenblicks erriet Gwenda ganz plötzlich, was geschehen war. Sam hatte sich um sie gesorgt und war ihr – ihren Befehl missachtend – von Earlscastle gefolgt, immer außer Sicht, aber nicht allzu weit hinter ihr. Er hatte beobachtet, wie sie die Straße verließ und in den Wald ging – sie hatte eine kurze Bewegung gesehen, als sie hinter sich blickte, sie aber für eine Täuschung gehalten. Er hatte die Jagdhütte gefunden und war eine oder zwei Minuten nach ihr eingetroffen. Danach musste er draußen gewartet haben und hatte das Brüllen gehört, das sich nicht anders deuten lassen konnte, als dass Ralph Gwenda zwingen wollte, sich ihm hinzugeben – blitzartig schoss ihr durch den Kopf, was sie geredet hatten, und sie begriff, dass der wahre Grund, aus dem sie sich Ralph unterwerfen musste, nicht ausgesprochen worden war. Das Geheimnis war sicher – zumindest bis jetzt.

Sam zog sein Schwert blank.

Ralph sprang auf. Während Sam sich auf ihn stürzte, vermochte er ebenfalls sein Schwert zu zücken. Sam schlug nach Ralphs Kopf, doch Ralph riss gerade noch rechtzeitig seine Klinge hoch und parierte den Hieb.

Gwendas Sohn versuchte, seinen Vater zu töten.

Sam schwebte in furchtbarer Gefahr. Er war kaum mehr als ein Junge und stand gegen einen schlachterprobten Soldaten.

Ralph rief: »Alan!«

Da begriff Gwenda, dass Sam nicht ein, sondern zwei Veteranen gegenüber standen.

Sie schoss durch den Raum. Als die Tür zur Küche sich öffnete, stellte sie sich neben den Durchgang und drückte sich gegen die Wand. Dann zückte sie den langen Dolch an ihrem Gürtel.

Die Tür flog auf, und Alan trat in den Raum.

Er sah die beiden Kämpfenden, doch Gwenda sah er nicht. Einen Augenblick lang blieb er stehen und musterte die Szene vor seinen Augen. Sams Schwert durchschnitt wieder die Luft, es zielte auf Ralphs Hals; und erneut wehrte Ralph den Hieb mit seiner eigenen Waffe ab.

Alan erkannte sofort, dass sein Herr schwer bedrängt wurde. Seine Hand fuhr an seinen Schwertgriff, und er machte einen Schritt nach vorn. In diesem Augenblick stieß Gwenda ihm das Messer in den Rücken.

Sie trieb den langen Dolch, so fest sie konnte nach oben, drückte mit der Kraft einer Feldarbeiterin, presste ihn durch die Muskeln von Alans Rücken, durch Nieren, Magen und Lunge und hoffte, das Herz zu treffen. Zehn Zoll lang war die Klinge, spitz und scharf, und sie zertrennte seine Organe; dennoch tötete sie ihn nicht auf der Stelle.

Er brüllte vor Schmerz auf und verstummte plötzlich. Torkelnd wandte er sich um und packte sie, zog sie an sich wie ein Ringer. Sie stach ihn erneut, in den Bauch diesmal, und wieder stemmte sie die Klinge nach oben, in die lebenswichtigen Organe. Blut schoss Alan aus dem Mund. Er wurde schlaff, und seine Arme sackten herab. Einen Augenblick lang starrte er mit einem Ausdruck grenzenloser

Ungläubigkeit die nichtswürdige kleine Frau an, die sein Leben beendet hatte. Dann schloss er die Augen und brach auf dem Boden zusammen.

Gwenda sah zu den anderen beiden.

Sam schlug zu, und Ralph parierte; Ralph wich zurück, Sam drängte nach; Sam holte wieder aus, und Ralph wehrte erneut ab. Ralph verteidigte sich gekonnt, aber er griff nicht an.

Ralph hatte Angst, seinen Sohn zu töten.

Sam, der nicht wusste, dass sein Gegner sein Vater war, empfand keine solchen Skrupel und drängte nach, setzte Ralph mit einem Schwertstreich nach dem anderen zu.

Gwenda wusste, dass es nicht lange so weitergehen konnte. Einer würde den anderen verletzen, und dann wurde es zu einem Kampf auf Leben und Tod. Gwenda hielt das blutige Messer stoßbereit und wartete verzweifelt auf eine Gelegenheit, sich einzumischen und Ralph genauso niederzustechen wie Alan.

»Warte«, sagte Ralph und hob die linke Hand; doch Sam war außer sich vor Zorn und stach dennoch nach ihm. Ralph parierte und sagte wieder: »Warte!« Er keuchte vor Erschöpfung, doch er konnte einige Worte hervorstoßen. »Da gibt es etwas, was du nicht weißt.«

»Ich weiß genug!«, brüllte Sam, und Gwenda hörte den Unterton jungenhafter Hysterie in seiner Männerstimme. Wieder holte er aus.

»Nein, das stimmt nicht!«, schrie Ralph.

Gwenda wusste, was Ralph ihrem Sohn sagen wollte. *Ich bin dein Vater,* würde er sagen.

Das durfte nicht geschehen.

»Hör mir doch zu!«, rief Ralph, und endlich reagierte Sam. Er trat zurück, aber er senkte das Schwert nicht.

Ralph rang keuchend um den Atem, den er zum Sprechen brauchte; und dann, als er innehielt, stürmte Gwenda auf ihn zu.

Er wirbelte zu ihr herum und schwang dabei sein Schwert in flachem Bogen nach rechts. Seine Klinge klirrte gegen Gwendas Messer und schlug es ihr aus der Hand. Sie war völlig wehrlos und wusste, dass sie sterben musste, wenn er sie mit dem Rückschwung seines Schwertes traf.

Doch zum ersten Mal, seit Sam blankgezogen hatte, stand Ralph ohne Deckung da; seine Vorderseite war ungeschützt.

Sam trat vor und stieß Ralph das Schwert in die Brust.

Die Spitze durchdrang Ralphs leichte Sommerkleidung und verschwand links vom Brustbein in seinem Körper. Die Klinge musste zwischen zwei Rippen hindurchgleiten, denn sie drang tiefer ein. Sam stieß einen blutdurstigen Triumphschrei aus und drückte fester zu. Unter der Kraft des Stoßes taumelte Ralph zurück. Mit den Schultern prallte er gegen die Wand hinter sich, doch Sam setzte weiter nach. Die Schwertspitze trat aus dem Rücken hervor und bohrte sich mit einem eigentümlichen Laut in das Holz der Wand.

Ralph starrte Sam ins Gesicht, und Gwenda erriet, was er dachte. Ralph hatte begriffen, dass er tödlich verwundet war, und die letzten Augenblicke seines Lebens verbrachte er in dem Wissen, dass er von der Hand seines eigenen Sohnes starb.

Sam ließ das Schwert los, aber es fiel nicht. Es steckte in der Wand und spießte Ralph auf grauenerregende Weise auf. Sam trat entsetzt zurück.

Ralph war noch nicht tot. Er hob die Arme in dem matten Versuch, das Schwert zu packen und aus seiner Brust zu ziehen, aber er vermochte seine Bewegungen nicht mehr zu koordinieren. Gwenda erinnerte er in diesem schrecklichen Augenblick an die Katze, die seine Knappen an den Pfosten gebunden hatten.

Sie bückte sich und hob ihren Dolch vom Boden auf.

Dann, es war unglaublich, setzte Ralph zum Sprechen an.

»Sam«, sagte er. »Ich bin …« Das Blut schoss ihm aus dem Mund und schnitt ihm das Wort ab.

Gwenda wurden vor Erleichterung die Knie weich.

Der Blutstrom versiegte so rasch, wie er begonnen hatte, und wieder erhob Ralph die Stimme. »Ich bin …«

Diesmal machte Gwenda seinen Worten ein Ende. Sie sprang vor und stieß ihm den Dolch in den Mund. Er gab einen entsetzlichen, erstickten Laut von sich. Die Klinge hatte seinen Nacken durchbohrt.

Gwenda ließ das Messer los und trat zurück.

Fassungslos starrte sie ihr Werk an. Der Mann, der sie so lange gequält hatte, war an die Wand genagelt, als wäre er gekreuzigt, ein Schwert in der Brust, ein Messer im Mund. Er machte keinen Laut mehr, doch seine Augen zeigten, dass er noch lebte; sie zuckten von Gwenda zu Sam und wieder zurück, erfüllt von Todesschmerz, Angst und Verzweiflung.

Sie standen starr vor ihm, beobachteten ihn schweigend und wartend.

Endlich schloss Ralph die Augen.

Im September ließ die Seuche nach. Caris' Hospital leerte sich allmählich, als die Kranken starben, ohne dass ihnen neue Opfer nachrückten. Die leeren Zimmer wurden gefegt und sauber geschrubbt, und in den Kaminen brannte Wacholderholz und erfüllte das ganze Hospital mit einem scharfen Herbstduft. Anfang Oktober wurde das letzte Opfer auf dem Friedhof des Hospitals bestattet. Eine dunstigrote Sonne stieg über der Kathedrale von Kingsbridge auf, während vier kräftige junge Nonnen den verhüllten Leichnam in die Grube senkten. Der Tote war ein buckliger Weber aus Outhenby, doch als Caris in das Grab blickte, sah sie ihren alten Feind, die Pest, in der kalten Erde liegen. Unhörbar hauchte sie: »Bist du wirklich tot, oder kommst du noch einmal wieder?«

Als die Nonnen nach der Beerdigung ins Hospital zurückkehrten, gab es nichts mehr zu tun.

Caris wusch sich das Gesicht, bürstete ihr Haar und zog das neue Kleid an, das sie sich für diesen Tag aufgespart hatte. Es strahlte im hellen Rot des Kingsbridger Scharlachs. Dann verließ sie zum ersten Mal seit einem halben Jahr das Hospital.

Sie ging sofort zu Merthins Garten.

In der Morgensonne warfen die Birnbäume lange Schatten. Die Blätter wurden allmählich rot und trocken, aber an den Zweigen hingen noch einige späte Früchte, rundbauchig und braun. Arn, der Gärtner, hackte Feuerholz mit einer Axt. Als er Caris erblickte, erschrak er und sah sie ängstlich an; dann begriff er, was ihr Erscheinen bedeutete, und ein strahlendes Lächeln breitete sich über sein Gesicht aus. Er ließ das Beil fallen und lief ins Haus.

In der Küche kochte Em Haferbrei. Sie sah Caris an wie eine himmlische Erscheinung. So gerührt war sie, dass sie Caris die Hände küsste.

Caris stieg die Treppe hinauf und ging in Merthins Zimmer.

Er stand im Untergewand am Fenster und sah auf den Fluss hinaus, der vor seinem Haus entlangfloss. Er wandte sich ihr zu, und ihr stockte das Herz, als sie sein vertrautes, unebenmäßiges Gesicht sah, den Ausdruck wachsamer Intelligenz in seinen Zügen und den schlagfertigen Humor im Schwung seiner Lippen. Seine goldbraunen Augen blickten sie liebend an, und sein Mund verbreiterte sich zu einem Begrüßungslächeln. Er zeigte keine Überraschung: Er musste mitbekommen haben, dass immer weniger Kranke ins Hospital kamen, und jeden Tag damit gerechnet haben, dass sie zu ihm zurückkehrte. Er sah aus wie ein Mann, dessen größte Hoffnung sich erfüllt hatte.

Sie trat neben ihn ans Fenster. Er legte den Arm um ihre Schultern, sie ihren um seine Taille. In seinem Bart war ein wenig mehr Grau als noch vor sechs Monaten, und der Heiligenschein aus rotem Haar schien noch etwas weiter zurückgewichen zu sein, es sei denn, sie bildete es sich nur ein.

Einen Augenblick lang sahen sie beide aus dem Fenster. Im grauen Morgenlicht zeigte das Wasser das Grau von Eisen. Die Oberfläche wandelte sich ständig, spiegelhell oder tiefschwarz in ungleichmäßigen Mustern, die immerfort wechselten und doch stets gleich blieben.

»Es ist vorüber«, sagte Caris.

Sie küssten einander.

※

Merthin rief einen außerordentlichen Herbstmarkt aus, um die Öffnung der Stadttore zu feiern. Abgehalten wurde er in der letzten Oktoberwoche. Die Saison des Wollhandels war zwar vorbei, doch Vlies war ohnedies nicht mehr die wichtigste Ware, die in Kingsbridge umgeschlagen wurde, und Tausende kamen, um das scharlachrote Tuch zu kaufen, für das die Stadt inzwischen berühmt war.

Auf dem Bankett am Samstagabend, mit dem der Markt eröffnet wurde, ehrte der Rat Caris. Obschon Kingsbridge nicht völlig von der Pest verschont geblieben war, hatte es weniger gelitten als andere Städte, und die meisten Einwohner waren der Ansicht, sie verdankten Caris' Vorkehrungen ihr Leben. Sie war jedermanns Heldin. Die Räte bestanden darauf, ihre Verdienste öffentlich herauszustellen, und Madge Webber ersann eine neue Zeremonie, in der Caris ein goldener Schlüssel überreicht wurde, der den Schlüssel zum Stadttor symbolisierte. Merthin war sehr stolz auf seine Frau.

Am nächsten Tag, dem Sonntag, suchten Merthin und Caris die Kathedrale auf. Die Mönche waren noch in St.-John-in-the-Forest, und deshalb las Vater Michael aus der Gemeindekirche St. Peter die Messe. Auch Lady Philippa, Gräfin von Shiring, war zugegen.

Seit Ralphs Beerdigung hatte Merthin sie nicht mehr gesehen. Philippa hatte für seinen Bruder, ihren Gemahl, nicht sonderlich viele Tränen vergossen. Normalerweise wäre die Totenmesse für den Grafen in der Kathedrale zu Kingsbridge abgehalten worden, doch weil die Stadt gesperrt gewesen war, hatte man Ralph in Shiring bestattet.

Sein Tod blieb rätselhaft. Ralph war in einer Jagdhütte aufgefunden worden. Ein Stich durch die Brust hatte ihn getötet. In seiner Nähe lag Alan Fernhill am Boden, ebenfalls an Stichwunden gestorben. Die beiden Männer schienen gemeinsam zu Mittag gegessen zu haben, denn die Reste der Mahlzeit standen noch auf dem Tisch. Offensichtlich war es danach zu einem Kampf gekommen, doch es war nicht klar, ob Ralph und Alan sich die tödlichen Wunden gegenseitig zugefügt hatten oder ob noch jemand anders darin verwickelt gewesen war. Gestohlen worden war nichts: Bei beiden Toten wurde Geld gefunden, ihre kostbaren Waffen lagen neben ihnen, und auf der Lichtung grasten zwei wertvolle Pferde. Deshalb hatte der Leichenbeschauer aus Shiring der Ansicht zugeneigt, die beiden Männer hätten sich gegenseitig getötet.

In anderer Hinsicht war es kein Rätsel. Ralph hatte ein Leben der Gewalt geführt, und daher überraschte es niemanden, dass er einem gewaltsamen Tod zum Opfer gefallen war. Wer zum Schwert greift, wird durch das Schwert umkommen, spricht der Herr; unter der Herrschaft König Edwards III. zitierten die Priester diesen Vers allerdings nur selten. Wenn überhaupt etwas bemerkenswert war, so der Umstand, dass Ralph so viele Feldzüge überlebt hatte, so viele blutige Schlachten und so viele Sturmangriffe der französischen Ritter, nur um dann bei einer Handgreiflichkeit wenige Meilen von seinem Zuhause entfernt zu sterben.

Merthin war überrascht gewesen, als ihm während der Beisetzung die Tränen kamen. Er fragte sich, worum er trauerte. Sein Bruder war ein schlechter Mensch gewesen, der viel Leid verursacht hatte, und sein Tod war ein Segen. Seit dem Mord an Tilly hatte sich Merthin ihm nicht mehr verbunden gefühlt. Was gab es da zu betrauern? Schließlich sagte sich Merthin, er traure um das, was Ralph hätte sein können – ein Mann, der sich der Gewalt nicht ergab, sondern sie beherrschte; dessen Hitzigkeit nicht von dem Streben nach persönlichem Ruhm, sondern seinem Gerechtigkeitssinn gelenkt wurde. Vielleicht war es einmal möglich gewesen, dass Ralph zu solch einem Mann heranwachsen würde. Als sie beide fünf und sechs Jahre alt waren und zusammen spielten, hölzerne Boote in einer Schlammpfütze fahren ließen, da war Ralph weder grausam noch rachsüchtig gewesen. Und um diesen kleinen Ralph hatte Merthin geweint.

Philippas beide Jungen waren auf der Beerdigung gewesen, und sie begleiteten sie auch heute. Der ältere, Gerald, war Ralphs Sohn mit der armen Tilly. Von dem jüngeren, Roland, glaubte jeder, er wäre Ralphs Sohn mit Philippa, doch Merthin und Philippa wussten es besser. Zum Glück war Roley kein kleiner, lebhafter Rotschopf wie Merthin. Er würde so groß und würdevoll werden wie seine Mutter.

Roley hielt eine Holzschnitzerei in der Hand und reichte sie Merthin mit ernstem Gesicht. Sie stellte ein Pferd dar und war für einen Zehnjährigen bemerkenswert gut ausgeführt. Die meisten Kinder hätten das Tier fest auf allen vier Beinen stehend geschnitzt, doch Roley hatte ihm Bewegung verliehen; die Beine waren in unterschiedlichen Haltungen, und die Mähne flog im Wind. Der Junge hatte die Fähigkeit seines leiblichen Vaters geerbt, sich komplizierte Gegenstände räumlich vorzustellen. Merthin stieg unerwartet ein Kloß in die Kehle. Er beugte sich vor und küsste Roley auf die Stirn.

Philippa warf er ein dankbares Lächeln zu. Er vermutete, dass sie Roley ermutigt hatte, ihm das Pferd zu schenken, weil sie wusste, was es ihm bedeuten würde. Als er Caris anblickte, sah er, dass auch sie die Bedeutung des Geschenkes begriff; trotzdem wurde kein Wort gesprochen.

In der großen Kirche herrschte eine freudige Stimmung. Vater Michael war kein mitreißender Prediger und kaum zu verstehen, als er die Messgebete sprach. Die Nonnen jedoch sangen so schön wie immer, und eine frohe Sonne schien durch die tiefen, dunklen Farben der Buntglasfenster.

Danach gingen sie in der frischen Herbstluft auf dem Markt umher. Caris hielt Merthins Arm, Philippa ging auf seiner anderen Seite. Die beiden Jungen liefen voraus, während Philippas Leibwächter und Hofdame folgten. Das Geschäft ging gut, das sah Merthin. Die Kingsbridger Handwerker und Händler waren schon dabei, ihr Vermögen zurückzugewinnen. Von diesem Ausbruch des großen Sterbens würde sich die Stadt schneller erholen als vom letzten.

Die älteren Ratsmitglieder gingen umher und prüften Maße und Gewichte. Das Gewicht eines Wollsacks, die Breite einer Stoffbahn, die Größe eines Scheffels und so weiter waren vorgeschrieben, damit die Leute wussten, was sie kauften. Merthin ermunterte die Räte, diese Prüfungen demonstrativ durchzuführen, damit die Käufer sahen, wie sorgfältig die Stadt ihre Händler beaufsichtigte. Wurde jemand ernsthaft des Betruges verdächtigt, prüfte man ihn freilich unauffällig, und war er schuldig, entfernte man ihn in aller Stille.

Philippas Söhne liefen aufgeregt von einem Stand zum nächsten. Merthin beobachtete Roley und fragte Philippa leise: »Jetzt, da Ralph tot ist – besteht noch ein Grund, weshalb Roley die Wahrheit nicht erfahren sollte?«

Sie sah nachdenklich drein. »Ich wünschte, ich könnte sie ihm sagen – aber wäre das zu seinem Besten oder zu unserem? Zehn Jahre lang hat er geglaubt, Ralph wäre sein Vater. Vor zwei Monaten hat er an Ralphs Grab geweint. Es wäre ein entsetzlicher Schock für ihn, wenn er nun erfährt, dass er der Sohn eines anderen ist.«

Sie sprachen mit gedämpfter Stimme, aber Caris hörte sie und sagte: »Ich stimme Philippa zu. Du musst an das Kind denken, nicht an dich selbst.«

Merthin erkannte die Weisheit in ihren Worten. Für ihn trübte es den glücklichen Tag, aber nur ein wenig.

»Es gibt noch einen anderen Grund«, fuhr Philippa fort. »Gregory Longfellow kam letzte Woche zu mir. Der König möchte Gerry zum Grafen von Shiring ernennen.«

»Im Alter von dreizehn Jahren?«, fragte Merthin.

»Anders als bei den Baronen wird der Titel eines Grafen immer vererbt, nachdem er einmal verliehen wurde. Für die nächsten drei Jahre müsste ich so oder so die Grafschaft verwalten.«

»Wie du es ständig getan hast, während Ralph gegen die Franzosen kämpfte. Du bist sicher erleichtert, dass der König nicht von dir verlangt, noch einmal zu heiraten.«

Sie verzog das Gesicht. »Dazu bin ich zu alt.«

»Also ist Roley der Zweite in der Erbfolge der Grafschaft – vorausgesetzt, wir wahren unser Geheimnis.« Sollte Gerry etwas zustoßen, dachte Merthin, wird mein Sohn der Graf von Shiring. Man stelle es sich vor.

»Roley wäre ein guter Lehnsherr«, sagte Philippa. »Er ist klug und hat einen recht starken Willen, aber er ist nicht grausam wie Ralph.«

Ralphs niedere Gesinnung war schon in einem zarten Alter zutage getreten: Er war zehn gewesen, genauso alt wie Roley, als er

Gwendas Hündchen erschoss. »Aber vielleicht möchte Roley lieber etwas anderes werden.« Er blickte wieder auf das geschnitzte Holzpferd.

Philippa lächelte. Sie lächelte nicht oft, aber wenn, dann blendete ihr Lächeln. Sie ist noch immer eine schöne Frau, dachte Merthin. Sie sagte: »Füg dich, und sei stolz auf ihn.«

Merthin erinnerte sich, wie stolz sein Vater gewesen war, als Ralph zum Grafen erhoben wurde. Er sah jedoch deutlich, dass er selbst nie so denken würde. Auf Roley würde er stolz sein, ganz gleich, was er tat, solange er es gut machte. Vielleicht wurde der Junge ein Steinmetz und fertigte Bildnisse von Heiligen und Engeln an. Vielleicht wurde er ein kluger, gnädiger Edelmann. Oder er tat etwas ganz anderes, etwas, womit seine Eltern nie gerechnet hätten.

Merthin lud Philippa und die Jungen zum Mittagessen ein, und sie verließen das Gelände der Kathedrale. Gegen den Strom beladener Karren, die zum Markt kamen, überquerten sie die Brücke. Gemeinsam durchschritten sie Leper Island und kamen durch den Obsthain ins Haus.

In der Küche saß Lolla.

Als sie ihren Vater sah, brach sie in Tränen aus. Er legte die Arme um sie, und sie schluchzte an seiner Schulter. Wo immer sie gewesen war, sie musste sich das Waschen abgewöhnt haben, denn sie roch wie ein Schweinekoben, doch er war zu froh, um sich daran zu stören.

Es dauerte eine Weile, bis sie Lolla entlocken konnten, was geschehen war. Als Erstes rief sie: »Sie sind alle tot!« Dann fing sie wieder an zu weinen. Nach einer Weile beruhigte sie sich und sprach zusammenhängender. »Sie sind alle tot«, wiederholte sie und unterdrückte ihr Schluchzen. »Jake, Boyo, Netty und Hal, Joanie und Chalkie und Ferret, einer nach dem anderen sind sie gestorben, und ich konnte nichts machen!«

Sie hatten im Wald gelebt, erfuhr Merthin, eine Gruppe junger Leute, die Nymphen und Schafhirten spielten. Die Einzelheiten kamen allmählich zutage. Die Jungen erlegten hin und wieder einen Hirsch oder anderes Wild, und manchmal gingen sie für einen Tag fort und kamen mit Brot und einem Fass Wein wieder zurück. Lolla behauptete, sie hätten diese Lebensmittel gekauft, doch Merthin vermutete eher, dass sie Reisende ausgeraubt hatten. Lolla hatte sich aus einem unerfindlichen Grund eingebildet, sie könnten ewig so weiterleben; dass es im Winter anders wurde, hatte sie nie überlegt.

Am Ende leitete jedoch nicht das Wetter, sondern die Pest das Ende der Idylle ein. »Ich hatte solche Angst«, sagte Lolla. »Ich wollte nur zu Caris.«

Gerry und Roley hörten ihr mit offenem Mund zu. Sie beteten ihre ältere Base an. Obwohl sie in Tränen nach Hause zurückgekehrt war, erhöhte der Bericht ihrer Abenteuer Lollas Ansehen in ihren Augen nur.

»Ich möchte mich nie wieder so allein fühlen«, sagte Lolla. »So machtlos, während ringsum alle meine Freunde krank sind und sterben.«

»Das verstehe ich gut«, sagte Caris. »So fühlte ich mich, als meine Mutter starb.«

»Lehrst du mich, Menschen zu heilen?«, bat Lolla sie. »Ich möchte ihnen wirklich helfen, so wie du, nicht bloß fromme Lieder singen und ihnen ein Bild von einem Engel zeigen. Ich will wissen, wie Blut und Knochen zusammenhängen, Kräuter kennen und Mittel, von denen es den Menschen besser geht. Ich möchte etwas unternehmen können, wenn jemand krank ist.«

»Natürlich bringe ich es dir bei, wenn du das möchtest«, sagte Caris. »Es wäre mir eine Freude.«

Merthin war erstaunt. Lolla war seit mehreren Jahren aufmüpfig und übellaunig gewesen, und ihre Ablehnung jeder Autorität hatte sich zum Teil in der Behauptung geäußert, dass Caris nur ihre Stiefmutter und nicht ihre richtige Mutter sei und daher nicht respektiert werden müsste. Über den Sinneswandel seiner Tochter war er sehr froh. Fast schien er Merthin sogar die quälende Sorge wert, die er durchlitten hatte.

Im nächsten Moment kam eine Nonne in die Küche. »Die kleine Annie Jones hat einen Anfall, und wir wissen nicht, was es ist«, sagte sie zu Caris. »Könnt Ihr kommen?«

»Aber freilich«, antwortete Caris.

Lolla fragte: »Kann ich mit?«

»Nein«, sagte Caris. »Hier ist deine erste Lektion: Sauberkeit ist das höchste Gebot. Geh und wasch dich. Morgen kannst du mich begleiten.«

Als sie gerade gehen wollte, kam Madge Webber herein. »Habt ihr das Neuste gehört?«, fragte sie mit unwilligem Gesichtsausdruck. »Philemon ist wieder da.«

Am gleichen Sonntag wurden Davey und Amabel in der kleinen Kirche von Wigleigh vermählt.

Lady Philippa hatte ihnen erlaubt, das Lehnshaus für die Feier zu benutzen. Wulfric schlachtete ein Schwein und briet es über einem Feuer im Hof. Davey hatte süße Korinthen gekauft, und Annet hatte Weckchen damit gebacken. Bier gab es keines – aus Mangel an Schnittern war die Gerste zum großen Teil auf den Feldern verrottet –, aber Philippa hatte Sam mit einem Fass Apfelwein nach Hause geschickt.

Gwenda dachte noch immer jeden Tag an die Szene in der Jagdhütte. Mitten in der Nacht starrte sie in die Finsternis und sah Ralph mit ihrem Messer im Mund, wie der Griff zwischen seinen braunen Zähnen hervorragte, während Sams Schwert ihn an die Wand nagelte.

Nachdem sie und Sam ihre Waffen wieder an sich genommen hatten, indem sie die Klingen grob aus Ralph herauszerrten, und der Leichnam zu Boden gefallen war, sah es aus, als hätten die beiden toten Männer sich gegenseitig getötet. Gwenda hatte Blut auf ihre blanken Waffen geschmiert und sie liegen lassen. Draußen hatte sie die Zügel der Pferde gelöst, damit die Tiere notfalls einige Tage lang überleben konnten, bis jemand sie fand. Dann war sie mit Sam davongegangen.

Der Leichenbeschauer von Shiring hatte zunächst vermutet, dass Gesetzlose beteiligt gewesen wären, doch am Ende war er zu dem Schluss gelangt, den Gwenda erwartete. Auf sie oder Sam war kein Verdacht gefallen. Ihre Tat blieb ungesühnt.

Gwenda erzählte Sam eine gekürzte Fassung dessen, was zwischen ihr und Ralph vorgefallen war. Sie gab vor, es wäre das erste Mal, dass er versuchte, sie zu zwingen, und behauptete, er hätte schlichtweg gedroht, sie zu töten, wenn sie sich weigerte. Sam war wie vom Donner gerührt, dass er einen Grafen getötet hatte, doch für ihn bestand kein Zweifel, dass seine Tat gerechtfertigt gewesen war. Er besaß das Temperament eines Soldaten, begriff Gwenda: Hatte er jemanden getötet, litt er weder an Reue noch an Gewissensbissen.

Und ihr ging es genauso, ganz gleich, wie oft sie sich voll Abscheu die Szene vor Augen führte. Sie hatte Alan Fernhill getötet und Ralph den Gnadenstoß versetzt, doch sie empfand keinen Hauch von Bedauern. Ohne die beiden war die Welt ein besserer Ort. Ralph war in dem Bewusstsein gestorben, dass sein eigener Sohn ihm das Schwert in die Brust gestoßen hatte, und nichts anderes hatte er verdient. Mit der Zeit, da war sie sicher, würden die Bilder dessen, was sie getan hatte, sie nächtens nicht mehr heimsuchen.

Sie schob die Erinnerung fort und blickte im Saal des Lehnshauses auf die feiernden Dörfler.

Das Schwein war verspeist, und die Männer tranken den letzten Apfelwein. Aaron Appletree holte die Sackpfeifen hervor. Seit dem Tod von Annets Vater Perkin gab es im Dorf keinen Trommler mehr. Gwenda fragte sich, ob nun Davey das Trommeln anfangen würde.

Wie immer, wenn Wulfric den Bauch voll hatte und in bester Stimmung war, wollte er tanzen. Gwenda war seine erste Partnerin und lachte, während sie versuchte, mit seinen langen Hüpfern Schritt zu halten. Er hob sie hoch, schwang sie durch die Luft, drückte sie an sich und stellte sie wieder ab, nur um sie mit großen Sprüngen zu umkreisen. Er besaß keinen Sinn für Rhythmus, aber seine Begeisterung steckte an. Danach erklärte Gwenda, sie sei erschöpft, und Wulfric tanzte mit seiner neuen Schwiegertochter Amabel.

Darauf natürlich tanzte er mit Annet.

Sein Blick fiel auf sie, kaum dass die Melodie verklang und er Amabel losließ. Annet saß auf einer Bank an der Seite der Halle. Sie trug ein grünes Kleid, das mädchenhaft kurz war und ihre zierlichen Fußgelenke entblößte. Das Kleid war nicht neu, aber sie hatte die Büste mit gelben und rosaroten Blumen bestickt. Wie immer waren ihrer Frisur einige Löckchen entkommen, und sie hingen ihr ins Gesicht. Sie war zwanzig Jahre zu alt, um sich so zu kleiden, aber das begriff sie nicht und Wulfric genauso wenig.

Gwenda lächelte, als sie zu tanzen begannen. Sie wollte fröhlich und sorglos aussehen, aber schnell erkannte sie, dass ihr Ausdruck zur Grimasse gerann, und gab sich keine weitere Mühe. Sie riss ihren Blick von ihnen los und sah Davey und Amabel zu. Vielleicht entwickelte sich Amabel anders als ihre Mutter. Annets kokette Art hatte ein wenig auf sie abgefärbt, aber noch nie hatte Gwenda sie tändeln sehen, und gerade jetzt schien sie an niemandem interessiert als an ihrem Gemahl.

Gwenda suchte den Raum ab und fand ihren anderen Sohn. Sam saß bei den jungen Männern. Mit Händen und Füßen erzählte er eine Geschichte, zeigte, wie er die Zügel eines Pferdes hielt und beinahe aus dem Sattel stürzte. Sie hingen an seinen Lippen. Vermutlich beneideten sie ihn um sein großes Glück, ein Knappe zu sein.

Sam lebte noch immer auf Earlscastle. Lady Philippa hatte die meisten Knappen, Junker und Soldaten behalten, denn ihr Stiefsohn

Gerald brauchte sie, damit sie mit ihm ritten und jagten, den Umgang mit Schwert und Lanze übten. Gwenda hoffte, dass Sam während Philippas Regentschaft einen klügeren, gnädigeren Verhaltenskodex lernte, als Ralph ihn ihrem Sohn beigebracht hätte.

Sonst gab es nicht viel, was sie sich ansehen konnte, und Gwendas Blick kehrte zu ihrem Mann und der Frau zurück, die er einmal hatte heiraten wollen. Wie Gwenda befürchtet hatte, machte sich Annet Wulfrics Übermut und Trunkenheit hemmungslos zunutze. Sie bedachte ihn mit einem aufreizenden Lächeln, solange sie getrennt tanzten, und wenn sie wieder zusammenkamen, schmiegte sie sich an ihn wie ein nasses Hemd.

Der Tanz schien sich ewig hinzuziehen. Aaron Appletree wiederholte die schmissige Melodie unablässig auf seinen Sackpfeifen. Gwenda kannte die Stimmungen ihres Mannes, und nun sah sie das Funkeln in seinen Augen, das immer erschien, kurz bevor er sie bat, mit ihm zu liegen. Annet weiß genau, was sie tut, dachte Gwenda wütend. Sie rutschte ruhelos auf der Bank umher, wollte nur noch, dass die Musik aufhörte, und versuchte, sich ihren Zorn nicht anmerken zu lassen.

Dennoch kochte sie vor Empörung, als die Melodie mit einem Tusch endete. Sie hatte sich entschieden, dass sie Wulfric bezähmen und neben ihr sitzen lassen würde. Für den Rest des Nachmittags hielte sie ihn dicht bei sich, und es gäbe keine Schwierigkeiten.

Doch dann küsste Annet ihn.

Während er noch die Hände auf ihrer Taille hatte, stellte sie sich auf die Zehenspitzen, legte den Kopf in den Nacken und küsste ihn auf die Lippen, kurz, aber bestimmt; und in Gwenda kochte es über.

Sie sprang von der Bank und stapfte durch die Halle. Als sie am Brautpaar vorbeikam, sah Davey den Ausdruck im Gesicht seiner Mutter und versuchte sie aufzuhalten, aber Gwenda achtete nicht auf ihn. Sie trat auf Wulfric und Annet zu, die sich noch immer ansahen und töricht zulächelten. Mit ihrem Finger stach sie in Annets Schulter und sagte laut: »Lass meinen Mann in Ruhe!«

Wulfric sagte: »Gwenda, bitte –«

»Sag kein Wort«, erwiderte Gwenda. »Halt dich nur von dieser Hure fern.«

Annets Augen blitzten trotzig auf. »Huren tanzen nicht – oder werden zumindest nicht dafür bezahlt.«

»Ich bin sicher, du kennst dich mit allem aus, was Huren tun.«

»Was erlaubst du dir!«

Davey und Amabel kamen herbei. Amabel sagte zu Annet: »Bitte brich keinen Streit vom Zaun, Ma.«

»Das tue nicht ich, sondern Gwenda!«

»Ich versuche hier nicht, den Mann einer anderen Frau zu verführen«, entgegnete Gwenda.

Davey sagte: »Mutter, du verdirbst die ganze Hochzeit.«

Gwenda war zu wütend, um zuzuhören. »Ständig tut sie es. Vor dreiundzwanzig Jahren hat sie ihm den Laufpass gegeben, aber loslassen wollte sie ihn nie!«

Annet begann zu weinen. Gwenda war nicht erstaunt. Tränen waren für Annet nur eine weitere Methode, das zu bekommen, was sie wollte.

Wulfric streckte die Hand vor, um Annet auf die Schulter zu klopfen, und Gwenda fuhr auf: »Fass sie nicht an!« Er riss die Hand zurück, als hätte er sich verbrannt.

»Du verstehst das nicht«, schluchzte Annet.

»Ich verstehe dich nur zu gut«, erwiderte Gwenda.

»Nein, das tust du nicht«, sagte Annet. Sie wischte sich die Augen und sah Gwenda erstaunlich direkt und offen an. »Du verstehst nicht, dass du gewonnen hast. Er gehört dir. Du weißt nicht, wie er dich verehrt, respektiert und bewundert. Du siehst nicht, wie er dich anhimmelt, wenn du mit jemand anderem sprichst.«

Gwenda war verblüfft. »Also ...«, murmelte sie, aber sie wusste nicht, was sie sonst sagen sollte.

Annet fuhr fort: »Beäugt er jüngere Frauen? Schleicht er sich je von dir fort? Wie viele Nächte habt ihr in den letzten zwanzig Jahren getrennt geschlafen? Begreifst du denn nicht, dass er in seinem ganzen Leben niemals eine andere Frau lieben wird als dich?«

Gwenda sah Wulfric an und erkannte, dass Annet die Wahrheit sprach. Im Grunde war es offensichtlich. Gwenda wusste es, und jeder andere im Dorf auch. Sie versuchte sich zu erinnern, weshalb sie so zornig auf Annet war, doch irgendwie entglitt ihr die Überlegung immer wieder.

Der Tanz hatte aufgehört, Aaron die Sackpfeifen hingelegt. Sämtliche Dörfler scharten sich um die beiden Frauen, die Mütter des Brautpaares.

Annet sagte: »Ich war töricht und selbstsüchtig, und ich habe eine dumme Entscheidung getroffen und den besten Mann verloren, dem ich je begegnet bin. Und du hast ihn bekommen. Manchmal kann ich der Versuchung nicht widerstehen, so zu tun, als wäre es anders gekommen, und er gehörte mir. Deshalb lächle ich ihn an, deshalb tätschle ich seinen Arm; und er ist so lieb zu mir, weil er weiß, dass er mir das Herz gebrochen hat.«

»Du hast dir dein Herz selbst gebrochen«, erwiderte Gwenda.

»Richtig. Und du bist die Glückliche, der meine Dummheit zugutegekommen ist.«

Gwenda war sprachlos. Sie hatte Annet nie als traurigen Menschen gesehen. Für sie war Annet immer eine mächtige, bedrohliche Figur gewesen, die stets darauf hinarbeitete, Wulfric zurückzubekommen. Genau das aber würde niemals geschehen.

Annet sagte: »Ich weiß, es ärgert dich, wenn Wulfric nett zu mir ist. Ich würde gern sagen, dass es nicht wieder vorkommt, aber ich kenne meine Schwächen. Musst du mich dafür hassen? Lass es uns nicht die Freude an der Hochzeit und den Enkeln verderben, auf die wir uns beide freuen. Statt mich als deine lebenslange Feindin zu sehen, könntest du mich doch als missratene Schwester betrachten, die sich manchmal danebenbenimmt und dich rasend macht, aber trotzdem zur Familie gehört und entsprechend behandelt werden muss?«

Sie hatte recht. Gwenda hatte Annet immer als hübsches Gesicht auf hohem Kopf betrachtet, doch bei dieser Gelegenheit war sie die weisere von ihnen, und Gwenda kam sich klein vor. »Ich weiß es nicht«, sagte sie. »Vielleicht sollte ich es versuchen.«

Annet trat vor und küsste Gwenda auf die Wange. Gwenda spürte Annets Tränen auf ihrer Haut. »Danke«, sagte Annet.

Gwenda zögerte, dann legte sie die Arme um Annets knochige Schultern und drückte sie.

Überall ringsum applaudierten und jubelten die Dörfler.

Dann begann wieder Musik zu spielen.

Anfang November las Philemon eine Dankesmesse zum Ende der Pest. Erzbischof Henri kam mit Kanonikus Claude. Auch Sir Gregory Longfellow reiste an.

Sir Gregory kommt nach Kingsbridge, um die Entscheidung des Königs zu verkünden, wer neuer Bischof wird, dachte Merthin. Offiziell überbrachte er den Mönchen die Botschaft, dass der König eine bestimmte Person bevorzuge, und es läge an den Mönchen, ob sie diese Person wählten oder jemand anderen; doch am Ende stimmten die Mönche gewöhnlich für den, den der König ausgesucht hatte.

Merthin konnte Philemons Gesicht nichts entnehmen, und er vermutete, dass Gregory des Königs Empfehlung noch nicht verkündet hatte. Diese Entscheidung bedeutete für Merthin und Caris alles. Erhielt Claude das Amt, gehörten ihre Sorgen der Vergangenheit an. Er war gemäßigt und der Vernunft zugänglich. Wurde aber Philemon neuer Bischof, standen ihnen Jahre der Streitigkeiten und Gerichtsprozesse bevor.

Henri las die Messe, aber Philemon hielt die Predigt. Er dankte Gott, dass der Herr die Gebete der Mönche von Kingsbridge erhört und die Stadt vor den schlimmsten Folgen der Pest bewahrt hatte. Davon, dass die Mönche geschlossen nach St.-John-in-the-Forest geflohen waren und die Städter sich selbst überlassen hatten, sprach er nicht, und er ließ auch unerwähnt, dass Caris und Merthin Gott geholfen hatten, die Gebete der Mönche zu erhören, indem sie die Stadttore sechs Monate lang geschlossen hielten. Er ließ es klingen, als hätte er Kingsbridge gerettet.

»Ich könnte aus der Haut fahren«, sagte Merthin zu Caris, ohne auch nur daran zu denken, die Stimme zu senken. »Er verdreht alle Tatsachen!«

»Nur ruhig«, erwiderte sie. »Gott kennt die Wahrheit, und die Menschen hier auch. Philemon kann niemanden täuschen.«

Sie hatte natürlich recht. Nach einer Schlacht dankten die Soldaten der siegreichen Seite stets Gott, und dennoch kannten sie den Unterschied zwischen guten Feldherren und schlechten.

Nach dem Gottesdienst war Merthin als Ratsältester geladen, mit dem Erzbischof im Priorspalast zu Mittag zu essen. Man setzte ihn neben Kanonikus Claude. Kaum war das Tischgebet gesprochen, brach ein allgemeines Stimmengewirr aus, und Merthin wandte sich leise und drängend an Claude. »Weiß der Erzbischof schon, wen der König zum Bischof nominiert hat?«

Claude antwortete mit einem beinahe nicht wahrnehmbaren Nicken.

»Seid Ihr es?«

Claudes Kopfschütteln fiel genauso minimal aus.

»Philemon also?«

Erneut das winzige Nicken.

Merthin sank der Mut. Wie konnte der König den Toren und Feigling Philemon einem tüchtigen, vernünftigen Mann wie Claude vorziehen? Doch er kannte die Antwort. Philemon hatte sich immer ins rechte Licht zu setzen gewusst. »Hat Gregory die Mönche schon instruiert?«

»Nein.« Claude beugte sich näher. »Vermutlich wird er Philemon heute Abend nach dem Essen inoffiziell unterrichten und morgen früh im Kapitelhaus zum Konvent sprechen.«

»Also haben wir bis heute Abend Zeit.«

»Wozu?«

»Seinen Sinn zu ändern.«

»Das könnt Ihr nicht.«

»Ich werde es versuchen.«

»Das wird Euch nicht gelingen.«

»Vergesst nicht, ich bin verzweifelt.«

Merthin stocherte in seinem Essen herum. Er aß wenig und rang um seine Geduld, bis der Erzbischof sich vom Tisch erhob; dann sprach er Gregory an. »Wenn Ihr mit mir einen Gang in die Kathedrale machen wollt, würde ich gern mit Euch über etwas sprechen, von dem ich glaube, dass es Euch sehr interessieren wird«, sagte er, und Gregory nickte zustimmend.

Nebeneinander schritten sie durch das Hauptschiff, wo Merthin sicher sein konnte, dass niemand nahe genug stand, um sie zu belauschen. Er holte tief Luft. Was er vorhatte, war gefährlich. Er versuchte, dem König seinen Willen aufzuzwingen. Wenn er scheiterte, würde man ihn vielleicht wegen Hochverrats anklagen – und hinrichten.

Er sagte: »Seit Langem gibt es Gerüchte, dass irgendwo in Kingsbridge ein Dokument existiere, das der König nur zu gern vernichtet wüsste.«

Gregorys Gesicht erstarrte zu Stein, doch er sagte: »Fahrt fort.« Seine Reaktion kam einer Bestätigung gleich.

»Dieser Brief befand sich im Besitz eines Ritters, der kürzlich verstarb.«

»Wirklich?«, rief Gregory aufgeregt.

»Ihr wisst offenbar genau, wovon ich spreche.«

Gregorys Antwort verriet den Advokaten. »Unterstellen wir einmal rein theoretisch, dass dem so sei.«

»Ich würde dem König gern den Dienst erweisen, ihm dieses Dokument zukommen zu lassen – was immer darin steht.« Er wusste zwar genau, was es enthielt, doch er konnte genauso vorsichtig Unkenntnis vorschützen wie Gregory.

»Der König wäre dankbar«, erwiderte Gregory.

»Wie dankbar?«

»Woran denkt Ihr?«

»An einen Bischof, der mehr Verständnis für die Einwohner von Kingsbridge hätte als Philemon.«

Gregory sah ihn scharf an. »Versucht Ihr, den König von England zu erpressen?«

Merthin wusste genau, dass er am kritischen Punkt angelangt war. »Wir Bürger von Kingsbridge sind Kaufleute und Handwerker«, sagte er und bemühte sich, besonnen zu klingen. »Wir kaufen, wir verkaufen, wir treffen Abmachungen. Ich versuche lediglich, mit Euch einen Handel zu schließen. Ich möchte Euch etwas verkaufen und habe Euch meinen Preis genannt. Da sind keine Erpressung und kein Zwang dabei. Ich spreche keine Drohung aus. Wenn Ihr nicht haben wollt, was ich verkaufe, hat sich die Angelegenheit damit erledigt.«

Sie erreichten den Altar. Gregory starrte das Kruzifix an, das ihn krönte. Merthin wusste genau, was der Advokat dachte. Sollte er Merthin festnehmen, nach London schaffen und foltern lassen, bis er das Versteck des Dokuments preisgab? Oder wäre es für den König einfacher und bequemer, einfach einen anderen Mann als Bischof von Kingsbridge zu nominieren?

Eine lange Weile herrschte Stille. In der Kathedrale war es kalt, und Merthin zog seinen Umhang enger um sich. Endlich sagte Gregory: »Wo ist das Dokument?«

»In der Nähe. Ich führe Euch hin.«

»Sehr wohl.«

»Und unsere Abmachung?«

»Wenn es sich bei dem Dokument um das Schriftstück handelt, für das ich es halte, so stehe ich für meinen Teil des Handels gerade.«

»Und Ihr macht Kanonikus Claude zum Bischof?«

»Ja.«

»Ich danke Euch«, sagte Merthin. »Wir müssen ein kleines Stück in den Wald gehen.«

Seite an Seite gingen sie die Hauptstraße hinunter und überquerten die Brücke. Ihr Atem bildete Wölkchen in der Luft. Die winterliche Sonne spendete nur wenig Wärme, als sie in den Wald gelangten. Diesmal fand Merthin den Weg, nachdem er ihn erst vor wenigen Wochen wiederentdeckt hatte, mit Leichtigkeit. Er erkannte den kleinen Quell, den großen Felsen und das sumpfige Tal. Rasch erreichten sie die Lichtung mit der dicken Eiche, und Merthin ging direkt zu der Stelle, an der er die Schriftrolle ausgegraben hatte.

Zu seinem Entsetzen musste er sehen, dass ihm jemand zuvorgekommen war.

Obwohl er die lockere Erde sorgsam geglättet und mit Blättern bedeckt hatte, war das Versteck von jemandem gefunden worden. Im Boden klaffte ein anderthalb Fuß tiefes Loch, und daneben häufte sich die ausgehobene Erde. Und das Loch war leer.

Merthin starrte entsetzt in die Grube. »Verdammt«, sagte er.

Gregory sagte: »Ich hoffe sehr, dass Ihr kein Spiel mit mir treibt ...«

»Lasst mich nachdenken«, versetzte Merthin.

Gregory verstummte.

»Nur zwei Personen wussten davon«, dachte Merthin laut nach. »Ich habe niemandem etwas gesagt, also bleibt nur Thomas. Er wurde senil, ehe er starb. Ich glaube, er hat das Versteck ausgeplaudert.«

»Aber wem gegenüber?«

»Thomas verbrachte die letzten Monate seines Lebens in St.-John-in-the-Forest, und die Mönche ließen niemanden hinein, also muss es ein Bruder gewesen sein.«

»Wie viele sind es?«

»Ungefähr zwanzig. Aber nicht viele hätten genug vom Hintergrund gewusst, um zu begreifen, wie bedeutend das Gemurmel eines alten Mannes über einen vergrabenen Brief war.«

»Das ist alles schön und gut, aber wo ist das Schriftstück jetzt?«

»Ich glaube, ich weiß es«, sagte Merthin. »Habt noch ein wenig Geduld.«

»Na schön.«

Sie kehrten zur Stadt zurück. Als sie die Brücke überquerten, senkte sich die Sonne auf Leper Island hinab. Sie gingen in die Kathedrale, in der es schon düster wurde, begaben sich zum Südwestturm und stiegen die schmale Wendeltreppe zu dem kleinen Raum hinauf, in dem die Kostüme für die Mysterienspiele aufbewahrt wurden.

Merthin war elf Jahre lang nicht hier gewesen, doch staubige Lagerräume ändern sich kaum und in Kathedralen schon gar nicht; auch hier war es so. Er suchte den losen Stein in der Mauer und zog ihn heraus.

Hinter dem Stein lagen sämtliche Schätze Philemons einschließlich der geschnitzten Liebesnachricht. Und unter ihnen fand sich nun auch eine Tasche aus geölter Wolle. Merthin öffnete sie und zog eine Pergamentrolle heraus.

»Dachte ich es mir doch«, sagte er. »Philemon hat das Geheimnis erfahren, als Thomas den Verstand verlor.« Ohne Zweifel hatte Philemon den Brief als Faustpfand behalten, sollte man sich bei der Besetzung des Bischofsamtes gegen ihn entscheiden – doch nun konnte Merthin das Schreiben für seine Zwecke verwenden.

Er reichte Gregory das Pergament.

Gregory entrollte es. Während er es las, trat ein andächtiger Ausdruck in sein Gesicht. »Gütiger Gott«, sagte er. »Die Gerüchte sind also wahr.« Er rollte das Pergament wieder zusammen. In seinem Gesicht stand die Miene eines Mannes, der nach vielen Jahren endlich am Ziel seiner Suche angelangt war.

»Ist es, was Ihr erwartet habt?«, fragte Merthin.

»Aber ja.«

»Und der König wird dankbar sein?«

»Zutiefst.«

»Euer Teil der Abmachung …?«

»Wird eingehalten«, sagte Gregory. »Claude soll Euer Bischof werden.«

»Amen«, sagte Merthin.

✳

Acht Tage später war Caris frühmorgens im Hospital und lehrte Lolla, einen Verband anzulegen, als Merthin hereinkam. »Ich möchte dir etwas zeigen«, sagte er. »Komm in die Kathedrale.«

Es war ein heller, klarer Wintertag. Caris hüllte sich in einen schweren roten Umhang. Als sie über die Brücke in Richtung Stadt gingen, blieb Merthin stehen und deutete nach vorn. »Die Turmspitze ist fertig«, sagte er.

Caris blickte hoch. Sie konnte die Form durch das Spinnennetz der zerbrechlichen Gerüste erkennen, die den Turm noch umgaben. Die Spitze war außerordentlich hoch und anmutig. Als ihr Blick der aufwärts strebenden Verjüngung folgte, hatte Caris das Gefühl, sie würde niemals aufhören.

»Und es ist das höchste Gebäude Englands?«, fragte sie.

Er lächelte. »Ja.«

Sie folgten der Hauptstraße und gingen in die Kathedrale. Merthin führte sie die Treppe hoch, die sich innerhalb der Wände des Kirchturms hinaufzog. Er war daran gewöhnt, sie hochzusteigen, aber Caris keuchte, als sie am Ende der Treppe an die Luft kamen und auf dem Laufgang standen, der die Basis der aufgesetzten Spitze umgab. Hier oben war der Wind kalt und schneidend.

Während Caris Atem schöpfte, genossen sie die Aussicht. Nach Norden und Westen lag ganz Kingsbridge unter ihnen: die Hauptstraße, das Gewerbeviertel, der Fluss und die Insel mit dem Hospital. Aus tausend Schornsteinen stieg Rauch auf. Winzige Menschen eilten durch die Straßen, gingen zu Fuß, ritten oder fuhren auf Karren, trugen Werkzeugtaschen, Körbe mit Esswaren oder schwere Säcke; Männer, Frauen und Kinder, dick oder dünn, die Kleidung armselig und abgetragen oder teuer und schwer, meist braun und grün, aber zwischendrin Tupfer in Pfauenblau und Scharlachrot. Ihr Anblick erfüllte Caris mit Staunen: Jeder dieser Menschen hatte sein eigenes Leben, und jedes einzelne davon war voller Verwicklungen und unerwarteter Wendungen, mit dramatischen Situationen in der Vergangenheit und Herausforderungen, die noch in der Zukunft lagen, mit glücklichen Erinnerungen und geheimem Kummer und einer Schar von Freunden und Feinden und teuren Menschen.

»Bist du bereit?«, fragte Merthin.

Caris nickte.

Er führte sie auf das Gerüst. Es war ein dürftiges Gebilde aus Seilen und Ästen, dessen Anblick Caris stets nervös machte, auch wenn sie es nicht laut sagte. Aber wenn Merthin es erklettern konnte, so konnte sie es auch. Der Wind ließ das gesamte Werk ein wenig schwanken, und der Saum von Caris' Robe schlug ihr um die Beine wie die Segel eines Schiffes. Die Spitze war noch einmal so hoch wie der Turm, und der Aufstieg über die Strickleitern war anstrengend für beide.

Auf halbem Weg hielten sie an, um sich auszuruhen. »Die Kirchturmspitze ist sehr einfach«, sagte Merthin, der nicht um Atem zu ringen brauchte. »Nur ein Rundstabprofil an den Ecken.« Caris wusste, dass andere Turmspitzen, die sie gesehen hatte, schmückende Rosetten trugen, Bänder aus farbigem Stein oder Kacheln und fensterartige Vertiefungen. Die Schlichtheit von Merthins Konstruktion war es, was den Anschein erweckte, die Turmspitze reckte sich in den Himmel, ohne je zu enden.

Merthin wies nach unten. »Ach, schau, was da geschieht!«

»Ich würde lieber nicht hinunterblicken ...«

»Ich glaube, da bricht Philemon nach Avignon auf.«

Das musste Caris sehen. Sie stand auf einer breiten Plattform aus Planken, aber dennoch musste sie sich mit beiden Händen an der senkrechten Stange festklammern, um sich zu überzeugen, dass sie nicht stürzte. Mühsam schluckte sie und richtete ihren Blick die Flanke des Turmes entlang auf den Boden tief unter ihnen.

Der Anblick freilich war der Mühe wert. Eine Charette, von zwei Ochsen gezogen, stand vor dem Priorspalast. Eine Eskorte aus einem Mönch und einem Soldaten, beide zu Pferd, wartete geduldig. Neben dem Wagen stand Philemon, und die Mönche von Kingsbridge traten einer nach dem anderen vor und küssten ihm die Hand.

Als sie alle damit fertig waren, reichte Bruder Sime dem scheidenden Prior eine schwarz-weiße Katze, und Caris erkannte die Nachkommin von Godwyns Schoßtier Erzbischof.

Philemon stieg in den Wagen, und der Kutscher peitschte die Ochsen. Langsam rollte das Gespann durch das Tor und die Hauptstraße entlang. Caris und Merthin sahen ihm nach, wie es die Doppelbrücke überquerte und in der Vorstadt verschwand.

»Gott sei Dank, dass er fort ist«, sagte Caris.

Merthin sah hoch. »Bis nach oben ist es nicht mehr weit«, sagte er. »Bald stehst du höher über dem Boden als je eine Frau in England vor dir.« Er begann weiterzuklettern.

Der Wind nahm zu, aber trotz ihrer Angst fühlte sich Caris großartig. Dieser Turm war Merthins Traum, und er hatte ihn wahr gemacht. Für Hunderte von Jahren würden Menschen in meilenweitem Umkreis diese Turmspitze ansehen und denken, wie schön sie doch sei.

Sie erreichten den obersten Rand des Gerüsts und kamen auf die Plattform rings um den Turmknauf, das äußerste Ende der Spitze. Caris versuchte nicht daran zu denken, dass die Plattform von keinem Geländer umgeben war, welches verhindert hätte, dass sie abstürzte. Am Knauf der Turmspitze war ein Kreuz. Vom Boden aus betrachtet wirkte es winzig, doch jetzt wurde Caris klar, dass es größer war als sie.

»Am Knauf eines Turmes ist immer ein Kreuz«, sagte Merthin. »Das gehört sich so. Davon abgesehen hat man Spielraum. In Chartres wird es von einem Abbild der Sonne getragen.«

Caris sah nun, dass Merthin einen lebensgroßen Engel an den Fuß des Kreuzes gesetzt hatte. Die kniende Gestalt blickte nicht zum Kreuz hoch, sondern nach Westen über die Stadt. Als Caris genauer hinschaute, bemerkte sie, dass das Antlitz des Engels vom Üblichen abwich. Es war klein und rund, eindeutig weiblich und kam ihr mit seinen zierlichen Zügen und dem kurzen Haar irgendwie bekannt vor.

Im nächsten Augenblick begriff sie, dass sie in ihr eigenes Gesicht schaute.

Sie war fassungslos. »Das erlauben sie dir?«, fragte sie.

Merthin nickte. »Die halbe Stadt hält dich ohnedies schon für einen Engel.«

»Das bin ich aber nicht«, sagte sie.

»Nein«, erwiderte er mit dem vertrauten Grinsen, das sie so liebte. »Aber von allem, was sie kennen, kommst du einem Engel am nächsten.«

Der Wind frischte plötzlich auf. Caris packte Merthin. Er hielt sie fest, stand selbstsicher auf auseinandergestellten Füßen. Der Windstoß erstarb so plötzlich, wie er gekommen war, doch Caris und Merthin hielten sich weiter in den Armen und standen noch lange auf dem Gipfel der Welt.

D A N K S A G U N G

Meine wichtigsten historischen Berater waren Sam Cohn, Geoffrey Hindley und Marilyn Livingstone. Die Schwäche in den Fundamenten der Kathedrale von Kingsbridge folgt frei der Kathedrale von Santa Maria im nordspanischen Vitoria-Gasteiz, und ich danke dem Personal der Fundacion Catedral Santa Maria für Hilfe und Inspiration, ganz besonders Carlos Rodriguez de Diego, Gonzalo Arroita und dem Dolmetscher Luis Rivero. Wichtige Hilfe erhielt ich auch vom Personal von York Minster, insbesondere von John David. Martin Allen vom Fitzwilliam Museum in Cambridge gestattete mir freundlicherweise, Münzen aus der Herrschaftszeit Edwards III. in die Hand zu nehmen. In Le Mont St. Michel in Frankreich halfen mir Sœur Judith und Frère François. Wie immer half mir Dan Starer von Research for Writers in New York City bei meinen Recherchen. Zu meinen literarischen Beratern gehörten Amy Berkower, Leslie Gelbman, Phyllis Grann, Neil Nyren, Imogen Taylor und Al Zuckerman. Eine große Hilfe waren mir auch Bemerkungen und Kritik aus dem Kreis von Freunden und Familie, namentlich Barbara Follett, Emanuele Follett, Marie-Claire Follett, Erica Jong, Tony McWalter, Chris Manners, Jann Turner und Kim Turner.

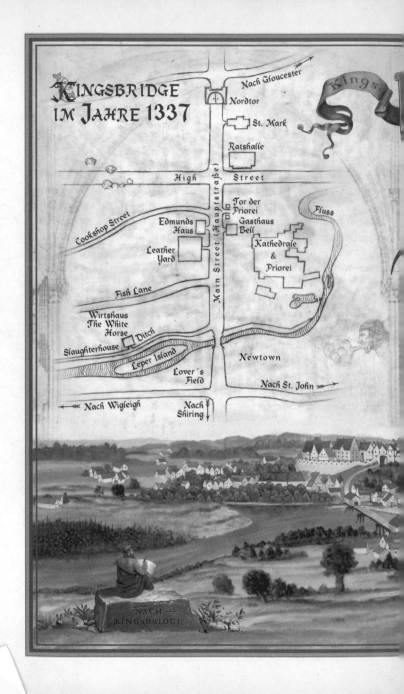

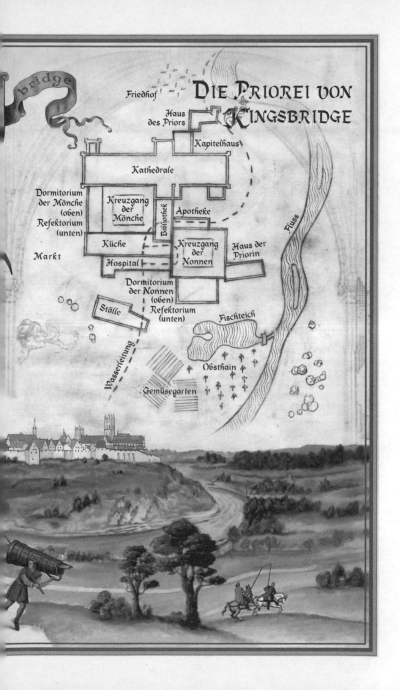

1303 König Philippe IV. von Frankreich entführt Papst Bonifatius VIII., der kurz darauf stirbt.

1305 Papst Clemens V., ein Franzose, wird in Avignon eingesetzt. Damit beginnt für das Papsttum die Zeit des französischen Exils.

1307 Edward II. wird König von England.

1314 Louis X. wird König von Frankreich.

1318 Philippe V. wird König von Frankreich.

1323 Charles IV. wird König von Frankreich.

1327 20. Januar. Edward II. wird abgesetzt, stirbt am 12. September. Edward III. wird zum König gekrönt. Die Regentschaft für den Vierzehnjährigen übernehmen seine Mutter Isabella von Frankreich und deren Geliebter Roger Mortimer.

Am Tag nach Allerheiligen überraschen vier Kinder, Caris Wooler, Gwenda Wigleigh und die Brüder Ralph und Merthin Fitzgerald, den Ritter Sir Thomas Langley im Wald und werden Zeuge eines Kampfes und eines Geheimnisses.

1328 Charles IV. stirbt; Ende der Dynastie der Kapetinger. Philippe VI. aus dem Hause Valois missachtet die Ansprüche Edwards von England und besteigt den französischen Thron.

1330 Edward III. übernimmt die Herrschaft.

1337 *Am Pfingstsonntag stürzt in der Stadt Kingsbridge ein Seitenschiff des Chores ein. Wenige Tage später bricht die Brücke über den Fluss ein; Prior Anthony kommt dabei ums Leben. Caris' Vetter Godwyn wird Prior von Kingsbridge. Merthin erhält den Auftrag zum Wiederaufbau der Brücke und Leper Island als Lohn. Gwenda heiratet Wulfric.*

Edward III. erhebt Anspruch auf die französische Krone. Beginn des Hundertjährigen Krieges.

1338 *Der Wollmarkt in Kingsbridge gerät aufgrund der fehlen den Brücke und des Krieges mit Frankreich in eine Krise. Caris entwickelt das Kingsbridge-Rot zum Färben von Tuchen. Ralph wird wegen Vergewaltigung zum Tode verurteilt und entzieht sich durch Flucht, wird jedoch begnadigt, weil der Graf ihn als Junker im Krieg gegen Frankreich einsetzen will. Merthin wird der Brückenbau entzogen. Caris wird der Hexerei bezichtigt und tritt ins Kloster ein. Merthin geht nach Florenz.*

1346 *Caris und ihre Mitschwester Mair setzen auf der Suche nach Bischof Richard nach Frankreich über und ziehen den englischen Truppen nach.*

26. August. Schlacht von Crécy. Englische Bogenschützen schlagen ein zahlenmäßig weit überlegenes Heer unter Philippe VI. Die französischen Verluste betragen schätzungsweise 11 000 Mann, darunter 1200 Ritter, mehr als die ganze englische Armee an Köpfen zählt.

Bischof Richard von Kingsbridge fällt in der Schlacht. Ralph wird zum Ritter geschlagen und zum Herrn von Wigleigh ernannt.

1347 Ausbruch der Pest in Genua.

1348 Im Januar erreicht die Pest Frankreich.

Im Frühjahr bricht Merthin mit seiner Tochter von Florenz auf und kehrt nach Kingsbridge zurück. Henri de Mons wird neuer Bischof von Kingsbridge.

Im August erreicht die Pest England und dauert dort bis 1350 an.

Am letzten Dezembertag flieht Prior Godwyn mit den Mönchen aus Kingsbridge und sucht Zuflucht in St.-John-in-the-Forest.

1349 *Elfric stirbt an der Pest. Merthin wird zum Ratsältesten gewählt. Ende Februar suchen Caris und Merthin St.-John-in-the-Forest auf. Godwyn stirbt an der Pest; im Frühjahr sterben Graf William von Shiring und seine Söhne in Earlscastle. Philemon wird Prior von Kingsbridge. Sir Ralph wird zum Grafen von Shiring erhoben und heiratet Lady Philippa.*

1350 Jean II., genannt der Gute, wird König von Frankreich.

1351 *Roland, Sohn von Lady Philippa, wird geboren. Caris verlässt das Kloster. Merthin beginnt mit dem Bau eines neuen*

Hospitals auf Leper Island. An Ostern heiraten Merthin und Caris.

1356 19. September. Schlacht von Poitiers. 6000 Engländer unter Edward dem Schwarzen Prinzen besiegen 20500 Franzosen unter König Jean II. 4500 Franzosen fallen, König Jean und seine Söhne werden gefangen genommen. Die Engländer erleiden nur leichte Verluste.

1358 Bauernaufstand in England unter Wat Tyler.

1360 Erneuter Ausbruch der Pest auf dem Kontinent.

1361 *Sam Wigleigh wird des Mordes schuldig gesprochen und von Sir Ralph begnadigt. Der Schwarze Tod kehrt zurück nach England; die Mönche verlassen erneut die Stadt. Durch die Maßnahmen von Merthin und Caris bleibt Kingsbridge von der Seuche verschont. Sir Ralph und sein Knappe Alan werden getötet. Bischof Henri wird Erzbischof von Monmouth, Kanonikus Claude Bischof von Kingsbridge. Philemon geht nach Avignon. Der Turm der Kathedrale wird vollendet.*

1364 Charles V., genannt der Weise, wird König von Frankreich.

1366 Dritter Ausbruch der Pest. Insgesamt fällt schätzungsweise ein Drittel der Bevölkerung, um die 20 Millionen Menschen, der Krankheit zum Opfer. In Paris stirbt etwa die Hälfte (50000), in London ein Drittel (18000) der Einwohner. In Europa werden 200000 Dörfer ausgelöscht.

1377 Papst Gregor XI. verlegt seine Residenz wieder nach Rom. Die Franzosen wählen im folgenden Jahr einen Gegenpapst; Beginn der Kirchenspaltung (Schisma), die bis 1417 andauert.

NACHKOMMEN VON TOM BUILDER

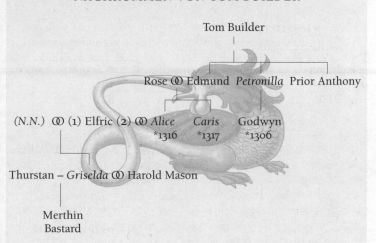

Tom Builder

Rose ⚭ Edmund *Petronilla* Prior Anthony

(N.N.) ⚭ (1) Elfric (2) ⚭ *Alice* *Caris* Godwyn
*1316 *1317 *1306

Thurstan – *Griselda* ⚭ Harold Mason

Merthin
Bastard

NACHKOMMEN VON JACK BUILDER

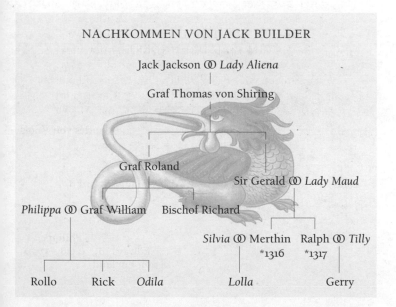

Jack Jackson ⚭ *Lady Aliena*

Graf Thomas von Shiring

Graf Roland

Sir Gerald ⚭ *Lady Maud*

Philippa ⚭ Graf William Bischof Richard

Silvia ⚭ Merthin Ralph ⚭ *Tilly*
*1316 *1317

Rollo Rick *Odila* *Lolla* Gerry

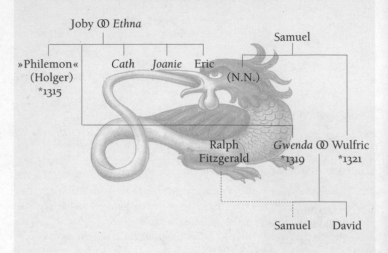

FAMILIEN AUS WIGLEIGH

Joby ⚭ Ethna

»Philemon«
(Holger)
*1315

Cath   Joanie   Eric

Samuel

(N.N.)

Ralph
Fitzgerald

Gwenda ⚭ Wulfric
*1319   *1321

Samuel   David

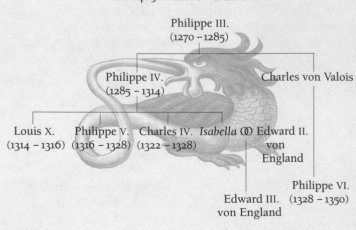

DIE FRANZÖSISCHE THRONFOLGE
IM 14. JAHRHUNDERT

Philippe III.
(1270 – 1285)

Philippe IV.
(1285 – 1314)

Charles von Valois

Louis X.
(1314 – 1316)

Philippe V.
(1316 – 1328)

Charles IV.
(1322 – 1328)

Isabella ⚭ Edward II.
von
England

Edward III.
von England

Philippe VI.
(1328 – 1350)

Liebe Leserinnen und Leser,

im Folgenden finden Sie eine Leseprobe aus Richard Dübells
TEUFELSBIBEL.

Die Teufelsbibel, der Codex Gigas, ist eine authentische Handschrift
aus dem Mittelalter. Ein Buch, das der Legende zufolge Menschen
töten und die Welt zum Einsturz bringen kann. Sieben schwarze
Mönche behüten die große Handschrift und schaffen jeden aus dem
Weg, der zu viel darüber weiß. Und sie tun gut daran, den gigan-
tischen Codex vor den Menschen zu verbergen. Denn er verführt alle,
die in ihren Bann kommen, zu Schandtaten ohne Vorbild: Klöster
werden angegriffen, verstümmelte Leichen in den Wäldern gefunden,
und Menschen berichten, dass sie den Teufel lachen und tanzen
gesehen haben.

Lesen Sie den nachstehenden Auszug aus Richard Dübells
TEUFELSBIBEL, und lassen Sie sich gefangen nehmen von einem
packenden historischen Roman um das gefährlichste Buch des
Mittelalters.

»Der Preis deiner Liebe bist du selbst.«
Augustinus

Als die Archäologen auf die Skelette stießen, waren sie zuerst über-
rascht. Ihre Überraschung wandelte sich in Entsetzen, als sie weiter-
gruben. Was sie für die sterblichen Überreste von Mönchen gehalten
hatten, waren tatsächlich die Gebeine von Frauen und … Kindern.
Irgendwann vor Hunderten von Jahren musste in dem Benediktiner-
kloster in Südböhmen, an dessen ehemaligem Standort sie gruben,
eine Katastrophe geschehen sein. Etwas, das die Mönche veranlasst
hatte, gegen alle benediktinischen Regeln diese Leichen am Rand
ihres Friedhofs in einem unbezeichneten Massengrab zu verscharren
und das Geheimnis zu bewahren, bis das Schicksal das Kloster selbst
von der Erdoberfläche tilgte.

Vielleicht wäre dies nur eine von vielen ungeklarten, unbekann-
ten Tragödien der Historie, wenn sich ihr Rätsel nicht mit einem
anderen noch älteren verbinden würde. Es ist das Rätsel um eine der
geheimnisvollsten Handschriften der Kirchengeschichte: den Codex
Gigas. Die Teufelsbibel. Das größte Manuskript der Welt wurde im
dreizehnten Jahrhundert geschrieben. Schon um seine Entstehung rank-
ten sich Legenden. Männer der Kirche und Alchimisten gleichermaßen
suchten darin die Erleuchtung – oder den Weg in die Finsternis.

Das Kloster, in dem das Massengrab gefunden wurde, ist der Ort,
an dem die Teufelsbibel entstand.

Diese Geschichte erzählt, was möglicherweise passiert ist.

ANDREJ BEOBACHTETE DAS UNWETTER, wie es in der erdrückenden Finsternis heranschwamm, ein indigofarbener Schatten über dem welligen, welken, braunen Land, der den Himmel einhüllte. Es schickte Böen aus Kälte und den Geruch von Schnee voraus, bis es schließlich über der weiten Schale hing, an deren Rand das zerfallende Kloster und das jämmerliche Kaff lagen, als seien Hütten und Kirche den Abhang heruntergerollt und dort liegen geblieben, für niemanden mehr von Interesse als für die Geister von Toten, die vor Jahrhunderten gestorben waren.

Andrej drückte sich hinter der Ruine des Torbaus an die Mauer und versuchte die Gruppe von Frauen und Kindern im Auge zu behalten, die sich frierend zusammendrängte und die von einem Augenblick zum anderen zu vagen Umrissen wurde im Flirren eines Graupelschauers, der im frühen November bereits den Winter vorwegnahm. Mit seinen sieben Jahren wusste Andrej nicht, wo sie sich befanden, und selbst wenn sein Vater oder seine Mutter es ihm mitgeteilt hätten, hätte ihm der Name des Ortes doch nichts gesagt. Von jeher schleppte sein Vater die kleine Familie kreuz und quer durch das Land, und sämtliche Ortsnamen und geografischen Begriffe waren hoffnungslos durcheinandergeraten in Andrejs Hirn. Das einzige Faktum, das sich in seiner Seele eingebrannt hatte, war das Jahr, in dem sie sich befanden, und dies auch nur, weil jeder zweite, den sie trafen und den sein Vater eines Gesprächs für würdig befand, versucht hatte, das Omen dieses Jahres auszurechnen, seit die Neuigkeit von der Bluthochzeit in Frankreich bis hierher in diesen entlegenen Zipfel des Reichs gedrungen war.

»Die Katholiken und die Protestanten schlachten sich gegenseitig ab«, hatte sein Vater halblaut gesagt, so dass nur Andrej und seine Mutter es hören konnten, dabei aber herausfordernd in die Runde gegrinst, die in der Herberge hockte und der Erzählung eines Reisenden über die Massaker an den französischen Protestanten schockiert zugehört hatte. »Zeit ist es geworden. Da lassen sie uns wenigstens in Ruhe unserer Wissenschaft nachgehen, die abergläubischen Bastarde.«

»Ist die Achimilie eine Wissenschaft?«, hatte Andrej gefragt.

»Nicht nur *eine* Wissenschaft, mein Sohn«, hatte sein Vater gesagt. »Alchimie ist die einzig wahre Wissenschaft, die es gibt!«

Die einzig wahre Wissenschaft hatte sie nun hierhergeführt, in diese Klosterruine, die nicht einmal eine vollständige Mauer besaß, in der die meisten Gebäude wenig mehr waren als Steinhaufen, aus denen das faulende Gebälk ragte wie Knochen aus einem Kadaver, und deren Kirche nur noch mühsam aufrecht stand. Zwischen den leeren Dachsparren über dem Kirchenschiff ballte der Himmel die Fäuste und sandte seine Graupelschauer herab, dass das Prasseln bis zu Andrejs Versteck drang. Die vierschrötige Gestalt seiner Mutter war völlig verschmolzen mit denen anderer Frauen, die vor dem einzigen intakten Gebäude standen. War sie vorhin durch ihre gedrungene Figur deutlich von den schlanken, hochgewachsenen Frauen zu unterscheiden gewesen, unter die sie sich auf Geheiß des Vaters gemischt hatte, konnte Andrej sie nun nicht mehr ausmachen. Er hatte gesehen, wie sie sich von einer zur anderen bewegt hatte, mit Händen und Füßen redend, weil die Frauen eine andere Sprache als sie sprachen, dem einen oder anderen Kind über den Kopf streichend, und wie sie schließlich bei der jungen Frau mit dem kugelrund vorgewölbten Bauch stehen geblieben war. Deren Schultern hingen herab, und sie schien so erschöpft, dass sie sich kaum auf den Beinen halten konnte. Dann war der Schauer gekommen, und es drängten sich nur noch Schatten zusammen.

Andrej bewegte sich unruhig, plötzlich ängstlich geworden. Unvermittelt überkam ihn das Gefühl einer sich nähernden Katastrophe, als sei etwas ins Rollen geraten, das niemand würde aufhalten können. Vielleicht ahnte er zu diesem Zeitpunkt, dass, was immer heranrollte, sich auch über die kleine Familie Langenfels wälzen und sie auslöschen würde.

Über dem Prasseln des Graupelschauers hörte Andrej plötzlich ein dumpfes Röhren. Es kam aus dem Inneren des intakten Klosterbaus. Es war das Brüllen eines angreifenden Stiers, das Fauchen eines Luchses, das Heulen eines Wolfs; aber Andrej wusste im gleichen Moment, dass es von einem Menschen stammte – wenngleich nichts Menschliches darin zu sein schien. Die Kehle des kleinen Jungen in seinem Versteck an der Klostermauer war wie zugeschnürt. Er wollte seiner Mutter eine Warnung zuschreien, doch er blieb stumm; er wollte aufspringen und in den Bau stürmen, um nach seinem Vater zu sehen, doch seine Beine waren taub. Die durchnässten Schattengestalten weiter vorn erstarrten und lauschten.

Das unmenschliche Gebrüll hörte nicht auf, selbst als die ersten Schreie aus der Gruppe der Frauen ertönten. Andrej sah nur undeutlich, was sich abspielte. Wäre er älter gewesen, hätten die Erfahrungen, die jeder Mensch in einer Zeit wie dieser zu machen hatte, die richtigen Bilder geliefert. So war es seine Fantasie, die in Bilder übersetzte, was seine Augen sich weigerten zu sehen; die Realität wurde dadurch um nichts weniger grässlich.

Die Schattengestalten flüchteten in alle Richtungen auseinander. Ein größerer Schatten war zwischen ihnen. Dieser schwang etwas, holte aus und traf eine der schlanken, fliehenden Gestalten, die sich krümmte und zu Boden fiel. Das Flirren, das Prasseln und die Düsternis verzerrten alle Wahrnehmung. Vielleicht war es nur ein Trugbild, dass die gestürzte Gestalt mit erhobenen Armen um Gnade flehte.

Pitié, pitié, ne faites rien de mauvais …!

Und womöglich war es nur eine Täuschung, dass der große Schatten noch einmal zuschlug und die flehenden Arme leblos nach unten sanken, und wahrscheinlich war jenes Geräusch, das über die Kakophonie von Gebrüll, Gekreisch und Geprassel zu Andrej drang, das Geräusch von einer scharfen Klinge, die sich in Fleisch und Knochen gräbt und dann auf dem Boden darunter auftrifft, auch nur Einbildung. Der Schatten riss sein Mordwerkzeug heraus und lief weiter. Die Frauen rannten panisch im Klosterhof durcheinander, stießen zusammen, zerrten ihre Kinder mit sich, ein Aufprall, jemand ging zu Boden und bewegte sich nicht mehr, ein Ausholen, und eine kleine Gestalt flog beiseite und verschwand.

Ayez pitié, épargnez mon enfant!

Die Frauen fielen eine nach der anderen, niedergehackt in der Flucht, auf den Knien erschlagen, während sie um Gnade flehten, im Versuch davonzukriechen auf den Boden genagelt. Wo Andrejs Mutter in all der Panik war, ließ sich nicht erkennen. Andrej wusste nicht, dass er die Hände an die Ohren gepresst hatte und wie ein Wahnsinniger ihren Namen kreischte, seit er den ersten Mord mit angesehen hatte. Der große Schatten bewegte sich zwischen seinen Opfern wie ein riesiger, dunkler Wolf, verschwamm vor Andrejs Augen und wurde zu einer Gestalt mit Kutte und Sense, die erbarmungslos durch das menschliche Korn zwischen ihren Füßen schnitt, verlief wieder wie zu Beginn zu dem finsteren Schatten, der eine Beute an den Haaren gepackt hatte und niederrang, die Waffe erhob …

Jemand sprang dem Schatten auf den Rücken und drosch auf ihn ein. Er fasste nach hinten und zerrte den Angreifer herunter, warf ihn auf den Boden, hielt ihn mit dem Fuß fest, schlug mit seiner Waffe immer und immer wieder zu. Das Geräusch der Schläge, das Zerschmettern, das Zerbersten, das Röhren, die Schmerzensschreie. Andrejs Hände auf seinen Ohren nützten gar nichts.

Mit einem weiten Schwung fuhr die Waffe nach oben – Andrej glaubte die Spur wie einen rot schimmernden Bogen durch das Geflimmer zu sehen – und zuckte auf die erste Beute herab, die der Schatten niemals losgelassen hatte und deren Schreien und Winden vergeblich waren ...

Andrej merkte erst, dass er aus seinem Versteck geklettert war und vor der Mauer im Freien stand, als die Graupel ihn wie tausend Nadelstiche im Gesicht trafen. Er schrie mit seiner grellen Jungenstimme und weinte und ballte die Fäuste, dass das Blut aus den Handflächen trat. Der mörderische Schatten vorne wirbelte herum. Außer ihm stand kein anderer mehr aufrecht auf dem Schlachtfeld. Er riss seine Waffe aus dem Körper des letzten Opfers und rannte, ohne zu zögern, auf Andrej los. Wenn er sein tierisches Brüllen weiterhin ausstieß, konnte Andrej es wegen seines eigenen Kreischens nicht hören. Andrej stand da, als hätte der Akt des Herauskrabbelns aus seinem Versteck endgültig all seine Kräfte gekostet. Der Schatten stürmte durch den Schauer, und mit jedem Schritt schmolz er zusammen und verwandelte sich von einem amorphen Monster in einen Menschen mit wehender Kutte und von einem Menschen in einen Mönch ... die vermeintliche Sense wurde zu einer Axt ... die riesige Gestalt zu einer hageren Figur, um deren Körper die von Blut durchnässte und von den Eispartikeln verkrustete Kutte schlotterte. Der Sensenmann wurde zu einem jungen Klosterbruder, der der Sohn einiger der Frauen hätte sein können, die er soeben zerstückelt hatte. Andrejs Blicke fielen auf das Gesicht des heranstürmenden Mönchs, und mit der Weitsicht des Todgeweihten erkannte er, dass es zwar der Körper eines jungen Benediktiners war, den er ansah, aber dass die Seele, die sich darin befunden hatte, nicht mehr vorhanden war. Was in dem Körper steckte und ihn vorantrieb, war ein Dämon, und der Dämon hieß Wahnsinn.

Der Mönch war fast heran, eine blutbesudelte Figur, aus deren Mund Geifer spritzte und aus deren Augen Tränen liefen; die Axt war hoch erhoben. Andrej wusste, dass er im nächsten Moment sterben würde. Seine Blase entleerte sich. Er schloss die Augen und ergab sich.

Auszug aus: Richard Dübell, DIE TEUFELSBIBEL,
Bastei Lübbe Taschenbuch (978-3-404-16326-7)

Drei Länder. Drei Familien. Ein Jahrhundert.

Ken Follett
STURZ DER TITANEN
Die Jahrhundert-Saga
Roman
Aus dem Englischen
von Rainer Schumacher,
Dietmar Schmidt
1.024 Seiten
mit zahlreichen
Abbildungen
ISBN 978-3-7857-2406-4

Europa 1914. Eine deutsch-österreichische Aristokratenfamilie, die unter den politischen Spannungen zerrissen wird. Eine Familie aus England zwischen dem Aufstieg der Arbeiter und dem Niedergang des Adels. Und zwei Brüder aus Russland, von denen der eine zum Revolutionär wird, während der andere in der Fremde sein Glück sucht. Ihre Schicksale verflechten sich vor dem Hintergrund eines heraufziehenden Sturmes, der die alten Mächte hinwegfegen und die Welt in ihren Grundfesten erschüttern wird.

»Bildgewaltig, dramatisch und atemberaubend spannend.«
Dr. Sascha Priester, P.M. HISTORY

Lübbe Hardcover